Sheila K. Rooney
Paris, France
1995

Hatchet 88 Rue de Rennes
Paris, 75006

11 Garden Turn
Manhasset, N.Y.

français-anglais
anglais-français

HARRAP'S PLUS

DICTIONNAIRE PLUS GRAMMAIRE

français-anglais
anglais-français

HARRAP

Dictionary edited by Michael Janes

French Consultant :
Fabrice Antoine

English Consultants :
Hazel Curties
Stuart Fortey

Grammar compiled by Lexus
with Gert Ronberg

Edition publiée en France 1993
par Chambers Harrap Publishers Ltd
43-45 Annandale Street
Edinburgh EH7 4AZ

Réimprimé 1994

Dépôt légal pour cette édition mai 1993

Imprimé en Grande-Bretagne par
Mackays of Chatham PLC

Table des matières

Préface

Ce dictionnaire entièrement nouveau a pour ambition d'être un ouvrage de référence moderne, pratique et compact, offrant les traductions des termes les plus courants du français comme de l'anglais.

Il veut être un ouvrage qui, par sa grande clarté, soit utile autant au francophone qu'à l'anglophone, pour les études, le tourisme, les affaires aussi bien que pour l'usage courant: il tente de fournir le plus d'indications possible pour aider l'utilisateur à cerner et à comprendre les traductions proposées. On a accordé la même importance à la présentation du français qu'à celle de l'anglais. Les différentes traductions d'un même mot ou d'une même expression sont clairement définies à l'aide d'indications de contexte entre parenthèses et/ou de symboles indiquant le niveau de langue et le domaine d'utilisation. Lorsqu'un mot est accompagné d'une seule traduction, celle-ci est également souvent précédée d'une indication destinée à fournir à l'utilisateur une aide supplémentaire (par exemple **hedgehog** *n* (*animal*) hérisson *m*; **ungainly** *a* (*clumsy*) gauche; **béotien, -ienne** *nmf* (*inculte*) philistine). L'accès à cet ouvrage est facilité par l'utilisation d'indications en français dans la partie français-anglais et en anglais dans la partie anglais-français.

Les indications de niveau de langue et de domaine d'utilisation viennent à la suite de celles entre parenthèses (par example **grid** *n* . . . (*system*) *El* réseau *m*; **bidule** *nm* (*chose*) *Fam* thingummy). Lorsque plusieurs traductions dans la même catégorie grammaticale sont définies par la même indication, celle-ci peut alors venir en tête (voir **calé**, **liquidizer**, **trucker**).

L'utilisateur trouvera dans cet ouvrage des abréviations importantes, de précieux éléments de géographie tels que des noms de pays, ainsi qu'une large sélection d'américanismes. Le lexique retenu comprend des mots et des expressions familiers et argotiques, tant en français qu'en anglais, et des termes techniques courants. De plus, les comparatifs et superlatifs des adjectifs anglais sont donnés.

Par souci de concision, les mots dérivés sont généralement donnés dans le corps des articles. Tous ces mots sont repérés par un losange. Les dérivés sont donnés soit sous leur forme complète, soit en abrégé, ce qui est généralement le cas pour les formes dérivées courantes (telles que celles en **-ly** en anglais ou en **-ment** en français).

On utilise une barre oblique pour indiquer le radical d'une entrée à la suite duquel la terminaison d'un dérivé sera ajoutée. Un tiret en gras remplace le mot d'entrée ou la partie de ce mot qui précède la barre oblique (par exemple **awkward** *a* . . . **◆—ly** *adv* . . . **◆—ness** *n* . . . ; **boulevers/er** *vt* . . . **◆—ant** *a* . . . **◆—ement** *nm*).

Toujours par souci de concision, une barre oblique est utilisée dans un article pour éviter la répétition d'un même élément de phrase (par exemple **les basses/hautes classes** the lower/upper classes se lira: **les basses classes** the lower classes et **les hautes classes** the upper classes; **to give s.o./sth a push** pousser qn/qch se lira: **to give s.o. a push** pousser qn et **to give sth a push** pousser qch).

Enfin, un carré plein peut être utilisé pour introduire une série de verbes à particule en anglais (voir **come**, **take**).

Comme il est d'usage dans les autres dictionnaires Harrap, lorsqu'un mot d'entrée est repris sous la même forme dans un exemple, il est remplacé par sa première lettre. Cela est le cas aussi bien lorsque le mot est au début d'un article (par exemple **advance** *n* **in a. of s.o.** avant qn) ou apparaît dans un article, sous sa forme complète (par exemple **◆arterial** *a* **a. road** route *f* principale) ou en abrégé (par exemple (**◆—ed** remplaçant **advanced**) **◆—ed** *a* **a. in years** âgé).

La prononciation de l'anglais comme du français est fournie; elle utilise la notation la plus moderne de l'Alphabet Phonétique International. La phonétique est donnée pour les mots d'entrée au début de l'article et, pour aider l'utilisateur, pour tout mot dans un article dont il pourrait être difficile de déduire la prononciation à partir de l'orthographe (par exemple **◆aristocratie** [-asi]; **◆aoûtien, -ienne** [ausjɛ̃, -jɛn]; **◆rabid** ['ræbɪd]; **◆prayer** [preər]).

En anglais, l'accent tonique est indiqué pour les mots d'entrée et pour les dérivés chaque fois que l'accentuation diffère de celle de l'entrée (par exemple **civilize** et **◆civili'zation**). Les prononciations américaines sont indiquées chaque fois qu'elles diffèrent de façon substantielle de celles de l'anglais britannique (par exemple **aristocrat** ['ærɪstəkræt, *Am* ə'rɪstəkræt], **quinine** ['kwɪniːn, *Am* 'kwaɪnaɪn]). On indique également l'orthographe américaine lorsqu'elle est suffisamment différente de celle de l'anglais britannique (par exemple **tire** et **tyre**, **plow** et **plough**).

Une des caractérisques originales de ce dictionnaire est son approche sémantique du classement et de l'organisation des articles. On a considéré que cette approche, où le sens des mots détermine pour une part l'organisation des articles, serait d'un grand secours à l'utilisateur en ce qui concerne sa compréhension de la langue.

Les catégories sémantiques importantes sont indiquées dans un article par des chiffres arabes en gras (voir **bolt**, **tail**, **général**) ou sont présentées comme des mots distincts (voir **bug**[1] et **bug**[2], **draw**[1] et **draw**[2], **start**[1] et **start**[2]). Les catégories grammaticales autres que la première traitée sont indiquées par un tiret.

Les mots apparaissent sous les mots d'entrée dont ils sont dérivés (par exemple **approfondi**, abrégé en **◆—i** suit **approfond/ir**; **◆astronomer** et **◆astro'nomical** suivent **astronomy**). Les participes présents et passés (utilisés comme adjectifs) sont considérés comme étant étroitement associés par le sens et par la forme à l'infinitif dont ils sont dérivés. Ils sont placés dans l'article, généralement en abrégé, immédiatement après l'infinitif; tous les autres dérivés éventuels apparaissent ensuite par ordre alphabétique (par exemple **exalt/er** *vt*. . . **◆—ant** *a*. . . **◆—é** *a*. . . **◆exaltation** *nf*; **accommodat/e** *vt*. . . **◆—ing** *a*. . . **◆accommo'dation** *n*; **expir/e** *vi*. . . **◆—ed** *a*. . . **◆expi'ration** *n*. . . **◆expiry** *n*).

Les mots dérivés et les mots composés sont considérés comme étant distincts, du point de vue du sens, et sont, chaque fois que possible, regroupés séparément (par exemple **base** *n*. . . **◆—less** *a*. . . **◆—ness** *n*. . . **◆baseball** *n*. . . **◆baseboard** *n*; **bouton** *nm*. . . **◆b.-d'or** *nm*. . . **◆b.-pression** *nm*. . . **◆boutonner** *vt*. . . **◆boutonneux, -euse** *a*. . . **◆boutonnière** *nf*). Les composés se trouvent placés dans les articles là où leur sens a semblé devoir les appeler.

L'auteur tient à exprimer sa gratitude à Monsieur F. Antoine, à Mrs H. Curties et à Mr S. Fortey pour leurs conseils et leur collaboration, à Mrs R. Hillmore qui a bien voulu nous aider à relire les épreuves, et à Monsieur J.-L. Barbanneau pour son soutien et ses encouragements.

M. Janes
Londres, 1988

Abbreviations — Abréviations

adjective	*a*	adjectif
abbreviation	*abbr, abrév*	abréviation
adverb	*adv*	adverbe
agriculture	*Agr*	agriculture
American	*Am*	américain
anatomy	*Anat*	anatomie
architecture	*Archit*	architecture
slang	*Arg*	argot
article	*art*	article
cars, motoring	*Aut*	automobile
auxiliary	*aux*	auxiliaire
aviation, aircraft	*Av*	aviation
biology	*Biol*	biologie
botany	*Bot*	botanique
British	*Br*	britannique
Canadian	*Can*	canadien
carpentry	*Carp*	menuiserie
chemistry	*Ch*	chimie
cinema	*Cin*	cinéma
commerce	*Com*	commerce
conjunction	*conj*	conjonction
cookery	*Culin*	cuisine
definite	*def, déf*	défini
demonstrative	*dem, dém*	démonstratif
economics	*Econ, Écon*	économie
electricity	*El, Él*	électricité
et cetera	*etc*	et cetera
feminine	*f*	féminin
familiar	*Fam*	familier
football	*Fb*	football
figurative	*Fig*	figuré
finance	*Fin*	finance
feminine plural	*fpl*	féminin pluriel
French	*Fr*	français
geography	*Geog, Géog*	géographie
geology	*Geol, Géol*	géologie
geometry	*Geom, Géom*	géométrie
grammar	*Gram*	grammaire
history	*Hist*	histoire
humorous	*Hum*	humoristique
indefinite	*indef, indéf*	indéfini
indicative	*indic*	indicatif
infinitive	*inf*	infinitif
interjection	*int*	interjection
invariable	*inv*	invariable
ironic	*Iron*	ironique
journalism	*Journ*	journalisme
legal, law	*Jur*	juridique
linguistics	*Ling*	linguistique
literary	*Lit, Litt*	littéraire
literature	*Liter, Littér*	littérature

masculine	*m*	masculin
mathematics	*Math*	mathématique
medicine	*Med, Méd*	médecine
carpentry	*Menuis*	menuiserie
meteorology	*Met, Mét*	météorologie
military	*Mil*	militaire
masculine plural	*mpl*	masculin pluriel
music	*Mus*	musique
noun	*n*	nom
nautical	*Nau*	nautique
noun feminine	*nf*	nom féminin
noun masculine	*nm*	nom masculin
noun masculine	*nmf*	nom masculin
and feminine		et féminin
pejorative	*Pej, Péj*	péjoratif
philosophy	*Phil*	philosophie
photography	*Phot*	photographie
physics	*Phys*	physique
plural	*pl*	pluriel
politics	*Pol*	politique
possessive	*poss*	possessif
past participle	*pp*	participe passé
prefix	*pref, préf*	préfixe
preposition	*prep, prép*	préposition
present participle	*pres p*	participe présent
present tense	*pres t*	temps présent
pronoun	*pron*	pronom
psychology	*Psy*	psychologie
past tense	*pt*	prétérit
	qch	quelque chose
	qn	quelqu'un
registered trademark	®	marque déposée
radio	*Rad*	radio
railway, *Am* railroad	*Rail*	chemin de fer
relative	*rel*	relatif
religion	*Rel*	religion
school	*Sch, Scol*	école
singular	*sing*	singulier
slang	*Sl*	argot
someone	*s.o.*	
sport	*Sp*	sport
something	*sth*	
subjunctive	*sub*	subjonctif
technical	*Tech*	technique
telephone	*Tel, Tél*	téléphone
textiles	*Tex*	industrie textile
theatre	*Th*	théâtre
television	*TV*	télévision
typography, printing	*Typ*	typographie
university	*Univ*	université
United States	*US*	États-Unis
auxiliary verb	*v aux*	verbe auxiliaire
intransitive verb	*vi*	verbe intransitif
impersonal verb	*v imp*	verbe impersonnel
pronominal verb	*vpr*	verbe pronominal
transitive verb	*vt*	verbe transitif
transitive and	*vti*	verbe transitif et
intransitive verb		intransitif

Prononciation de l'anglais

TABLEAU DES SIGNES PHONÉTIQUES

Voyelles et diphtongues

[iː]	bee, police
[ɪə]	beer, real
[ɪ]	bit, added
[e]	bet, said
[eɪ]	date, nail
[eə]	bear, air
[æ]	bat, plan
[aɪ]	fly, life
[ɑː]	art, ask
[aʊ]	fowl, house
[ɒ]	lot, what
[ɔː]	all, saw
[ɔɪ]	boil, toy
[əʊ]	iow, soap
[ʊ]	put, wool
[uː]	shoe, too
[ʊə]	poor, sure
[ʌ]	cut, some
[ɜː]	burn, learn
[ə]	china, annoy
[(ə)]	relation

Consonnes

[p]	pat, top
[b]	but, tab
[t]	tap, patter
[d]	dab, sadder
[k]	cat, kite
[g]	go, rogue
[f]	fat, phrase
[v]	veal, rave
[s]	sat, ace
[z]	zero, houses
[ʃ]	dish, pressure
[ʒ]	pleasure
[tʃ]	charm, rich
[dʒ]	judge, rage
[θ]	thatch, breath
[ð]	that, breathe
[h]	hat, rehearse
[l]	lad, all
[r]	red, barring
[*r*]	better, here (*représente un r final qui se prononce en liaison devant une voyelle, par exemple* 'here is' [hɪə*r*ɪz])
[m]	mat, hammer
[n]	no, banner
[ŋ]	singing, link
[j]	yet, onion
[w]	wall, quite
[ˈ]	*marque l'accent tonique; précède la syllable accentuée*

A

A, a [ɑ] *nm* A, a.
a [a] *voir* **avoir.**
à [a] *prép* (**à + le = au** [o], **à + les = aux** [o]) **1** (*direction: lieu*) to; (*temps*) till, to; **aller à Paris** to go to Paris; **de 3 à 4 h** from 3 till *ou* to 4 (o'clock). **2** (*position: lieu*) at, in; (*surface*) on; (*temps*) at; **être au bureau/à la ferme/au jardin/à Paris** to be at *ou* in the office/on *ou* at the farm/in the garden/in Paris; **à la maison** at home; **à l'horizon** on the horizon; **à 8 h** at 8 (o'clock); **à mon arrivée** on (my) arrival; **à lundi!** see you (on) Monday! **3** (*description*) **l'homme à la barbe** the man with the beard; **verre à liqueur** liqueur glass. **4** (*attribution*) **donner qch à qn** to give sth to s.o., give s.o. sth. **5** (*devant inf*) **apprendre à lire** to learn to read; **travail à faire** work to do; **maison à vendre** house for sale; **prêt à partir** ready to leave. **6** (*appartenance*) **c'est (son livre) à lui** it's his (book); **c'est à vous de** (*décider, protester etc*) it's up to you to; (*lire, jouer etc*) it's your turn to. **7** (*prix*) for; **pain à 2F** loaf for 2F. **8** (*poids*) by; **vendre au kilo** to sell by the kilo. **9** (*moyen, manière*) **à bicyclette** by bicycle; **à la main** by hand; **à pied** on foot; **au crayon** with a pencil, in pencil; **au galop** at a gallop; **à la française** in the French style *ou* way; **deux à deux** two by two. **10** (*appel*) **au voleur!** (stop) thief!
abaiss/er [abese] *vt* to lower; **a. qn** to humiliate s.o.; **— s'a.** *vpr* (*barrière*) to lower; (*température*) to drop; **s'a. à faire** to stoop to doing. **◆—ement** [-ɛsmɑ̃] *nm* (*chute*) drop.
abandon [abɑ̃dɔ̃] *nm* abandonment; surrender; desertion; *Sp* withdrawal; (*naturel*) abandon; (*confiance*) lack of restraint; **à l'a.** in a neglected state. **◆abandonner** *vt* (*renoncer à*) to give up, abandon; (*droit*) to surrender; (*quitter*) to desert, abandon; – *vi* to give up; *Sp* to withdraw; **— s'a.** *vpr* (*se détendre*) to let oneself go; (*se confier*) to open up; **s'a. à** to give oneself up to, abandon oneself to.
abasourdir [abazurdir] *vt* to stun, astound.
abat-jour [abaʒur] *nm inv* lampshade.
abats [aba] *nmpl* offal; (*de volaille*) giblets.
abattant [abatɑ̃] *nm* leaf, flap.
abattis [abati] *nmpl* giblets.
abatt/re* [abatr] *vt* (*mur*) to knock down; (*arbre*) to cut down, fell; (*animal etc*) to slaughter; (*avion*) to shoot down; (*déprimer*) to demoralize; (*épuiser*) to exhaust; **— s'a.** *vpr* (*tomber*) to collapse; (*oiseau*) to swoop down; (*pluie*) to pour down. **◆—u** *a* (*triste*) dejected, demoralized; (*faible*) at a low ebb. **◆—age** *nm* felling; slaughter(ing). **◆—ement** *nm* (*faiblesse*) exhaustion; (*désespoir*) dejection. **◆abattoir** *nm* slaughterhouse.
abbaye [abei] *nf* abbey.
abbé [abe] *nm* (*chef d'abbaye*) abbot; (*prêtre*) priest. **◆abbesse** *nf* abbess.
abcès [apsɛ] *nm* abscess.
abdiquer [abdike] *vti* to abdicate. **◆abdication** *nf* abdication.
abdomen [abdɔmɛn] *nm* abdomen. **◆abdominal, -aux** *a* abdominal.
abeille [abɛj] *nf* bee.
aberrant [abɛrɑ̃] *a* (*idée etc*) ludicrous, absurd. **◆aberration** *nf* (*égarement*) aberration; (*idée*) ludicrous idea; **dire des aberrations** to talk sheer nonsense.
abhorrer [abɔre] *vt* to abhor, loathe.
abîme [abim] *nm* abyss, chasm, gulf.
abîmer [abime] *vt* to spoil, damage; **— s'a.** *vpr* to get spoilt; **s'a. dans ses pensées** *Litt* to lose oneself in one's thoughts.
abject [abʒɛkt] *a* abject, despicable.
abjurer [abʒyre] *vti* to abjure.
ablation [ablɑsjɔ̃] *nf* (*d'organe*) removal.
ablutions [ablysjɔ̃] *nfpl* ablutions.
abnégation [abnegɑsjɔ̃] *nf* self-sacrifice, abnegation.
abois (aux) [ozabwa] *adv* at bay.
abolir [abɔlir] *vt* to abolish. **◆abolition** *nf* abolition.
abominable [abɔminabl] *a* abominable, obnoxious. **◆abomination** *nf* abomination.
abondant [abɔ̃dɑ̃] *a* abundant, plentiful. **◆abondamment** *adv* abundantly. **◆abondance** *nf* abundance (**de** of); **en a.** in abundance; **années d'a.** years of plenty. **◆abonder** *vi* to abound (**en** in).
abonné, -ée [abɔne] *nmf* (*à un journal, au téléphone*) subscriber; *Rail Sp Th* season ticket holder; (*du gaz etc*) consumer.

◆**abonnement** *nm* subscription; (**carte d'**)**a.** season ticket. ◆**s'abonner** *vpr* to subscribe (**à** to); to buy a season ticket.

abord [abɔr] **1** *nm* (*accès*) **d'un a. facile** easy to approach. **2** *nm* (*vue*) **au premier a.** at first sight. **3** *nmpl* (*environs*) surroundings; **aux abords de** around, nearby. ◆**abordable** *a* (*personne*) approachable; (*prix, marchandises*) affordable.

abord (d') [dabɔr] *adv* (*avant tout*) first; (*au début*) at first.

aborder [abɔrde] *vi* to land; – *vt* (*personne*) to approach, accost; (*lieu*) to approach, reach; (*problème*) to tackle, approach; (*attaquer*) *Nau* to board; (*heurter*) *Nau* to run foul of. ◆**abordage** *nm* (*assaut*) *Nau* boarding; (*accident*) *Nau* collision.

aborigène [abɔriʒɛn] *a & nm* aboriginal.

about/ir [abutir] *vi* to succeed; **a. à** to end at, lead to, end up in; **n'a. à rien** to come to nothing. ◆**—issants** *nmpl voir* **tenants.** ◆**—issement** *nm* (*résultat*) outcome; (*succès*) success.

aboyer [abwaje] *vi* to bark. ◆**aboiement** *nm* bark; *pl* barking.

abrasif, -ive [abrazif, -iv] *a & nm* abrasive.

abrég/er [abreʒe] *vt* (*récit*) to shorten, abridge; (*mot*) to abbreviate. ◆**—é** *nm* summary; **en a.** (*phrase*) in shortened form; (*mot*) in abbreviated form.

abreuver [abrœve] *vt* (*cheval*) to water; – **s'a.** *vpr* to drink. ◆**abreuvoir** *nm* (*récipient*) drinking trough; (*lieu*) watering place.

abréviation [abrevjɑsjɔ̃] *nf* abbreviation.

abri [abri] *nm* shelter; **à l'a. de** (*vent*) sheltered from; (*besoin*) safe from; **sans a.** homeless. ◆**abriter** *vt* (*protéger*) to shelter; (*loger*) to house; – **s'a.** *vpr* to (take) shelter.

abricot [abriko] *nm* apricot. ◆**abricotier** *nm* apricot tree.

abroger [abrɔʒe] *vt* to abrogate.

abrupt [abrypt] *a* (*versant*) sheer; (*sentier*) steep, abrupt; (*personne*) abrupt.

abrut/ir [abrytir] *vt* (*alcool*) to stupefy (*s.o.*); (*propagande*) to brutalize (*s.o.*); (*travail*) to leave (*s.o.*) dazed, wear (*s.o.*) out. ◆**—i, -ie** *nmf* idiot; – *a* idiotic.

absence [apsɑ̃s] *nf* absence. ◆**absent, -e** *a* (*personne*) absent, away; (*chose*) missing; **air a.** faraway look; – *nmf* absentee. ◆**absentéisme** *nm* absenteeism. ◆**s'absenter** *vpr* to go away.

abside [apsid] *nf* (*d'une église*) apse.

absolu [apsɔly] *a & nm* absolute. ◆**—ment** *adv* absolutely.

absolution [absɔlysjɔ̃] *nf* absolution.

absorb/er [apsɔrbe] *vt* to absorb. ◆**—ant** *a* absorbent; **travail a.** absorbing job. ◆**absorption** *nf* absorption.

absoudre* [apsudr] *vt* to absolve.

abstenir* (s') [sapstənir] *vpr* to abstain; **s'a. de** to refrain *ou* abstain from. ◆**abstention** *nf* abstention.

abstinence [apstinɑ̃s] *nf* abstinence.

abstraire* [apstrɛr] *vt* to abstract. ◆**abstrait** *a & nm* abstract. ◆**abstraction** *nf* abstraction; **faire a. de** to disregard, leave aside.

absurde [apsyrd] *a & nm* absurd. ◆**absurdité** *nf* absurdity; **dire des absurdités** to talk nonsense.

abus [aby] *nm* abuse, misuse; over-indulgence; (*injustice*) abuse. ◆**abuser 1** *vi* to go too far; **a. de** (*situation, personne*) to take unfair advantage of; (*autorité*) to abuse, misuse; (*friandises*) to over-indulge in. **2 s'a.** *vpr* to be mistaken.

abusi/f, -ive [abyzif, -iv] *a* excessive; **emploi a.** *Ling* improper use, misuse. ◆**—vement** *adv Ling* improperly.

acabit [akabi] *nm* **de cet a.** *Péj* of that ilk *ou* sort.

acacia [akasja] *nm* (*arbre*) acacia.

académie [akademi] *nf* academy; *Univ* = (regional) education authority. ◆**académicien, -ienne** *nmf* academician. ◆**académique** *a* academic.

acajou [akaʒu] *nm* mahogany; **cheveux a.** auburn hair.

acariâtre [akarjɑtr] *a* cantankerous.

accabl/er [akɑble] *vt* to overwhelm, overcome; **a. d'injures** to heap insults upon; **accablé de dettes** (over)burdened with debt. ◆**—ement** *nm* dejection.

accalmie [akalmi] *nf* lull.

accaparer [akapare] *vt* to monopolize; (*personne*) *Fam* to take up all the time of.

accéder [aksede] *vi* **a. à** (*lieu*) to have access to, reach; (*pouvoir, trône, demande*) to accede to.

accélérer [akselere] *vi Aut* to accelerate; – *vt* (*travaux etc*) to speed up; (*allure, pas*) to quicken, speed up; – **s'a.** *vpr* to speed up. ◆**accélérateur** *nm Aut* accelerator. ◆**accélération** *nf* acceleration; speeding up.

accent [aksɑ̃] *nm* accent; (*sur une syllabe*) stress; **mettre l'a. sur** to stress. ◆**accentuation** *nf* accentuation. ◆**accentuer** *vt* to emphasize, accentuate, stress; – **s'a.** *vpr* to become more pronounced.

accepter [aksɛpte] *vt* to accept; **a. de faire**

to agree to do. ◆**acceptable** *a* acceptable. ◆**acceptation** *nf* acceptance.

acception [aksεpsjɔ̃] *nf* sense, meaning.

accès [aksε] *nm* access (**à** to); (*de folie, colère, toux*) fit; (*de fièvre*) attack, bout; *pl* (*routes*) approaches. ◆**accessible** *a* accessible; (*personne*) approachable. ◆**accession** *nf* accession (**à** to); (*à un traité*) adherence; **a. à la propriété** home ownership.

accessoire [akseswar] *a* secondary; – *nmpl Th* props; (*de voiture etc*) accessories; **accessoires de toilette** toilet requisites.

accident [aksidɑ̃] *nm* accident; **a. d'avion/de train** plane/train crash; **par a.** by accident, by chance. ◆**accidenté, -ée** *a* (*terrain*) uneven; (*région*) hilly; (*voiture*) damaged (in an accident); – *nmf* accident victim, casualty. ◆**accidentel, -elle** *a* accidental. ◆**accidentellement** *adv* accidentally, unintentionally.

acclamer [aklame] *vt* to cheer, acclaim. ◆**acclamations** *nfpl* cheers, acclamations.

acclimater [aklimate] *vt*, **— s'a.** *vpr* to acclimatize, *Am* acclimate. ◆**acclimatation** *nf* acclimatization, *Am* acclimation.

accointances [akwɛ̃tɑ̃s] *nfpl Péj* contacts.

accolade [akɔlad] *nf* (*embrassade*) embrace; *Typ* brace, bracket.

accoler [akɔle] *vt* to place (side by side) (**à** against).

accommod/er [akɔmɔde] *vt* to adapt; *Culin* to prepare; **s'a. à** to adapt (oneself) to; **s'a. de** to make the best of. ◆**—ant** *a* accommodating, easy to please. ◆**—ement** *nm* arrangement, compromise.

accompagner [akɔ̃paɲe] *vt* (*personne*) to accompany, go *ou* come with, escort; (*chose*) & *Mus* to accompany; **s'a. de** to be accompanied by, go with. ◆**accompagnateur, -trice** *nmf Mus* accompanist; (*d'un groupe*) guide. ◆**accompagnement** *nm Mus* accompaniment.

accompl/ir [akɔ̃plir] *vt* to carry out, fulfil, accomplish. ◆**—i** *a* accomplished. ◆**—issement** *nm* fulfilment.

accord [akɔr] *nm* agreement; (*harmonie*) harmony; *Mus* chord; **être d'a.** to agree, be in agreement (**avec** with); **d'a.!** all right! ◆**accorder** *vt* (*donner*) to grant; *Mus* to tune; *Gram* to make agree; **— s'a.** *vpr* to agree; (*s'entendre*) to get along.

accordéon [akɔrdeɔ̃] *nm* accordion; **en a.** (*chaussette etc*) wrinkled.

accoster [akɔste] *vt* to accost; *Nau* to come alongside; – *vi Nau* to berth.

accotement [akɔtmɑ̃] *nm* roadside, verge.

accouch/er [akuʃe] *vi* to give birth (**de** to); – *vt* (*enfant*) to deliver. ◆**—ement** *nm* delivery. ◆**—eur** *nm* **(médecin) a.** obstetrician.

accouder (s') [sakude] *vpr* **s'a. à** *ou* **sur** to lean on (*with one's elbows*). ◆**accoudoir** *nm* armrest.

accoupl/er [akuple] *vt* to couple; **— s'a.** *vpr* (*animaux*) to mate (**à** with). ◆**—ement** *nm* coupling; mating.

accourir* [akurir] *vi* to come running, run over.

accoutrement [akutrəmɑ̃] *nm Péj* garb, dress.

accoutumer [akutyme] *vt* to accustom; **— s'a.** *vpr* to get accustomed (**à** to); **comme à l'accoutumée** as usual. ◆**accoutumance** *nf* familiarization (**à** with); *Méd* addiction.

accréditer [akredite] *vt* (*ambassadeur*) to accredit; (*rumeur*) to lend credence to.

accroc [akro] *nm* (*déchirure*) tear; (*difficulté*) hitch, snag.

accroch/er [akrɔʃe] *vt* (*déchirer*) to catch; (*fixer*) to hook; (*suspendre*) to hang up (*on a hook*); (*heurter*) to hit, knock; – *vi* (*affiche etc*) to grab one's attention; **— s'a.** *vpr* (*ne pas céder*) to persevere; (*se disputer*) *Fam* to clash; **s'a. à** (*se cramponner etc*) to cling to; (*s'écorcher*) to catch oneself on. ◆**—age** *nm Aut* knock, slight hit; (*friction*) *Fam* clash. ◆**—eur, -euse** *a* (*personne*) tenacious; (*affiche etc*) eyecatching, catchy.

accroître* [akrwatr] *vt* to increase; **— s'a.** *vpr* to increase, grow. ◆**accroissement** *nm* increase; growth.

accroup/ir (s') [sakrupir] *vpr* to squat *ou* crouch (down). ◆**—i** *a* squatting, crouching.

accueil [akœj] *nm* reception, welcome. ◆**accueill/ir*** *vt* to receive, welcome, greet. ◆**—ant** *a* welcoming.

acculer [akyle] *vt* **a. qn à qch** to drive s.o. to *ou* against sth.

accumuler [akymyle] *vt*, **— s'a.** *vpr* to pile up, accumulate. ◆**accumulateur** *nm* accumulator, battery. ◆**accumulation** *nf* accumulation.

accus/er [akyze] *vt* (*dénoncer*) to accuse; (*rendre responsable*) to blame (**de** for); (*révéler*) to show; (*faire ressortir*) to bring out; **a. réception** to acknowledge receipt (**de** of); **a. le coup** to stagger under the blow. ◆**—é, -ée 1** *nmf* accused; (*cour d'assises*) defendant. **2** *a* prominent. ◆**accusateur, -trice** *a* (*regard*) accusing;

(*document*) incriminating; – *nmf* accuser. ◆**accusation** *nf* accusation; *Jur* charge.

acerbe [asɛrb] *a* bitter, caustic.

acéré [asere] *a* sharp.

acétate [acetat] *nm* acetate. ◆**acétique** *a* acetic.

achalandé [aʃalɑ̃de] *a* **bien a.** (*magasin*) well-stocked.

acharn/er (s') [saʃarne] *vpr* **s'a. sur** (*attaquer*) to set upon, lay into; **s'a. contre** (*poursuivre*) to pursue (relentlessly); **s'a. à faire** to struggle to do, try desperately to do. ◆**—é, -ée** *a* relentless; – *nmf* (*du jeu etc*) fanatic. ◆**—ement** *nm* relentlessness.

achat [aʃa] *nm* purchase; *pl* shopping.

acheminer [aʃmine] *vt* to dispatch; **— s'a.** *vpr* to proceed (**vers** towards).

achet/er [aʃte] *vti* to buy, purchase; **a. à qn** (*vendeur*) to buy from s.o.; (*pour qn*) to buy for s.o. ◆**—eur, -euse** *nmf* buyer, purchaser; (*dans un magasin*) shopper.

achever [aʃve] *vt* to finish (off); **a. de faire qch** (*personne*) to finish doing sth; **a. qn** (*tuer*) to finish s.o. off; **— s'a.** *vpr* to end, finish. ◆**achèvement** *nm* completion.

achoppement [aʃɔpmɑ̃] *nm* **pierre d'a.** stumbling block.

acide [asid] *a* acid, sour; – *nm* acid. ◆**acidité** *nf* acidity.

acier [asje] *nm* steel. ◆**aciérie** *nf* steelworks.

acné [akne] *nf* acne.

acolyte [akɔlit] *nm Péj* confederate, associate.

acompte [akɔ̃t] *nm* part payment, deposit.

à-côté [akote] *nm* (*d'une question*) side issue; *pl* (*gains*) little extras.

à-coup [aku] *nm* jerk, jolt; **sans à-coups** smoothly; **par à-coups** in fits and starts.

acoustique [akustik] *a* acoustic; – *nf* acoustics.

acquérir* [akerir] *vt* to acquire, gain; (*par achat*) to purchase; **s'a. une réputation/***etc* to win a reputation/*etc*; **être acquis à** (*idée, parti*) to be a supporter of. ◆**acquéreur** *nm* purchaser. ◆**acquis** *nm* experience. ◆**acquisition** *nf* acquisition; purchase.

acquiesc/er [akjese] *vi* to acquiesce (**à** to). ◆**—ement** *nm* acquiescence.

acquit [aki] *nm* receipt; **'pour a.'** 'paid'; **par a. de conscience** for conscience sake. ◆**acquitt/er** *vt* (*dette*) to clear, pay; (*accusé*) to acquit; **s'a. de** (*devoir, promesse*) to discharge; **s'a. envers qn** to repay s.o. ◆**—ement** *nm* payment; acquittal; discharge.

âcre [ɑkr] *a* bitter, acrid, pungent.

acrobate [akrɔbat] *nmf* acrobat. ◆**acrobatie(s)** *nf(pl)* acrobatics. ◆**acrobatique** *a* acrobatic.

acrylique [akrilik] *a & nm* acrylic.

acte [akt] *nm* act, deed; *Th* act; **un a. de** an act of; **a. de naissance** birth certificate; **prendre a. de** to take note of.

acteur, -trice [aktœr, -tris] *nmf* actor, actress.

actif, -ive [aktif, -iv] *a* active; – *nm Fin* assets; **à son a.** to one's credit; (*vols, meurtres*) *Hum* to one's name.

action [aksjɔ̃] *nf* action; *Fin* share. ◆**actionnaire** *nmf* shareholder. ◆**actionner** *vt* to set in motion, activate, actuate.

activer [aktive] *vt* to speed up; (*feu*) to boost; **— s'a.** *vpr* to bustle about; (*se dépêcher*) *Fam* to get a move on.

activiste [aktivist] *nmf* activist.

activité [aktivite] *nf* activity; **en a.** (*personne*) fully active; (*volcan*) active.

actuaire [aktɥɛr] *nmf* actuary.

actualité [aktɥalite] *nf* (*d'un problème*) topicality; (*événements*) current events; *pl TV Cin* news; **d'a.** topical.

actuel, -elle [aktɥɛl] *a* (*présent*) present; (*contemporain*) topical. ◆**actuellement** *adv* at present, at the present time.

acuité [akɥite] *nf* (*de douleur*) acuteness; (*de vision*) keenness.

acupuncture [akypɔ̃ktyr] *nf* acupuncture. ◆**acupuncteur, -trice** *nmf* acupuncturist.

adage [adaʒ] *nm* (*maxime*) adage.

adapter [adapte] *vt* to adapt; (*ajuster*) to fit (**à** to); **s'a. à** (*s'habituer*) to adapt to; (*tuyau etc*) to fit. ◆**adaptable** *a* adaptable. ◆**adaptateur, -trice** *nmf* adapter. ◆**adaptation** *nf* adaptation.

additif [aditif] *nm* additive.

addition [adisjɔ̃] *nf* addition; (*au restaurant*) bill, *Am* check. ◆**additionnel, -elle** *a* additional. ◆**additionner** *vt* to add (**à** to); (*nombres*) to add up.

adepte [adɛpt] *nmf* follower.

adéquat [adekwa] *a* appropriate.

adhérer [adere] *vi* **a. à** (*coller*) to adhere *ou* stick to; (*s'inscrire*) to join; (*pneu*) to grip. ◆**adhérence** *nf* (*de pneu*) grip. ◆**adhérent, -ente** *nmf* member.

adhésif, -ive [adezif, -iv] *a & nm* adhesive. ◆**adhésion** *nf* membership; (*accord*) support.

adieu, -x [adjø] *int & nm* farewell, goodbye.

adipeux, -euse [adipø, -øz] *a* (*tissu*) fatty; (*visage*) fat.

adjacent [adʒasɑ̃] *a* (*contigu*) & *Géom* adjacent.
adjectif [adʒɛktif] *nm* adjective.
adjoindre* [adʒwɛ̃dr] *vt* (*associer*) to appoint (*s.o.*) as an assistant (**à** to); (*ajouter*) to add; **s'a. qn** to appoint s.o. ◆**adjoint, -ointe** *nmf* & *a* assistant; **a. au maire** deputy mayor.
adjudant [adʒydɑ̃] *nm* warrant officer.
adjuger [adʒyʒe] *vt* (*accorder*) to award; **s'a. qch** *Fam* to grab sth for oneself.
adjurer [adʒyre] *vt* to beseech, entreat.
admettre* [admɛtr] *vt* (*laisser entrer, accueillir, reconnaître*) to admit; (*autoriser, tolérer*) to allow; (*supposer*) to admit, grant; (*candidat*) to pass; **être admis à** (*examen*) to have passed.
administrer [administre] *vt* (*gérer, donner*) to administer. ◆**administrateur, -trice** *nmf* administrator. ◆**administratif, -ive** *a* administrative. ◆**administration** *nf* administration; **l'A.** (*service public*) government service, the Civil Service.
admirer [admire] *vt* to admire. ◆**admirable** *a* admirable. ◆**admirateur, -trice** *nmf* admirer. ◆**admiratif, -ive** *a* admiring. ◆**admiration** *nf* admiration.
admissible [admisibl] *a* acceptable, admissible; (*après un concours*) eligible (**à** for). ◆**admission** *nf* admission.
adolescent, -ente [adɔlesɑ̃, -ɑ̃t] *nmf* adolescent, teenager; – *a* teenage. ◆**adolescence** *nf* adolescence.
adonner (s') [sadɔne] *vpr* **s'a. à** (*boisson*) to take to; (*étude*) to devote oneself to.
adopter [adɔpte] *vt* to adopt. ◆**adoptif, -ive** *a* (*fils, patrie*) adopted. ◆**adoption** *nf* adoption; **suisse d'a.** Swiss by adoption.
adorer [adɔre] *vt* (*personne*) & *Rel* to worship, adore; (*chose*) *Fam* to adore, love; **a. faire** to adore *ou* love doing. ◆**adorable** *a* adorable. ◆**adoration** *nf* adoration, worship.
adosser [adose] *vt* **a. qch à** to lean sth back against; **s'a. à** to lean back against.
adouc/ir [adusir] *vt* (*voix, traits etc*) to soften; (*boisson*) to sweeten; (*chagrin*) to mitigate, ease; **— s'a.** *vpr* (*temps*) to turn milder; (*caractère*) to mellow. ◆**—issement** *nm* **a. de la température** milder weather.
adrénaline [adrenalin] *nf* adrenalin(e).
adresse [adrɛs] *nf* **1** (*domicile*) address. **2** (*habileté*) skill. ◆**adresser** *vt* (*lettre*) to send; (*compliment, remarque etc*) to address; (*coup*) to direct, aim; (*personne*) to direct (**à** to); **a. la parole à** to speak to; **s'a. à** to speak to; (*aller trouver*) to go and see; (*bureau*) to enquire at; (*être destiné à*) to be aimed at.
Adriatique [adriatik] *nf* **l'A.** the Adriatic.
adroit [adrwa] *a* skilful, clever.
adulation [adylɑsjɔ̃] *nf* adulation.
adulte [adylt] *a* & *nmf* adult, grown-up.
adultère [adyltɛr] *a* adulterous; – *nm* adultery.
advenir [advənir] *v imp* to occur; **a. de** (*devenir*) to become of; **advienne que pourra** come what may.
adverbe [advɛrb] *nm* adverb. ◆**adverbial, -aux** *a* adverbial.
adversaire [advɛrsɛr] *nmf* opponent, adversary. ◆**adverse** *a* opposing.
adversité [advɛrsite] *nf* adversity.
aérer [aere] *vt* (*chambre*) to air (out), ventilate; (*lit*) to air (out); **— s'a.** *vpr Fam* to get some air. ◆**aéré** *a* airy. ◆**aération** *nf* ventilation. ◆**aérien, -ienne** *a* (*ligne, attaque etc*) air-; (*photo*) aerial; (*câble*) overhead; (*léger*) airy.
aérobic [aerɔbik] *nf* aerobics.
aéro-club [aerɔklœb] *nm* flying club. ◆**aérodrome** *nm* aerodrome. ◆**aérodynamique** *a* streamlined, aerodynamic. ◆**aérogare** *nf* air terminal. ◆**aéroglisseur** *nm* hovercraft. ◆**aérogramme** *nm* air letter. ◆**aéromodélisme** *nm* model aircraft building and flying. ◆**aéronautique** *nf* aeronautics. ◆**aéronavale** *nf* = *Br* Fleet Air Arm, = *Am* Naval Air Force. ◆**aéroport** *nm* airport. ◆**aéroporté** *a* airborne. ◆**aérosol** *nm* aerosol.
affable [afabl] *a* affable.
affaiblir [afeblir] *vt*, **— s'a.** *vpr* to weaken.
affaire [afɛr] *nf* (*question*) matter, affair; (*marché*) deal; (*firme*) concern, business; (*scandale*) affair; (*procès*) *Jur* case; *pl Com* business; (*d'intérêt public, personnel*) affairs; (*effets*) belongings, things; **avoir a. à** to have to deal with; **c'est mon a.** that's my business *ou* affair *ou* concern; **faire une bonne a.** to get a good deal, get a bargain; **ça fera l'a.** that will do nicely; **toute une a.** (*histoire*) quite a business.
affair/er (s') [safere] *vpr* to busy oneself, run *ou* bustle about. ◆**—é** *a* busy. ◆**affairiste** *nm* (political) racketeer.
affaiss/er (s') [safese] *vpr* (*personne*) to collapse; (*plancher*) to cave in, give wa[illegible] (*sol*) to subside, sink. ◆**—ement** [illegible] *nm* (*du sol*) subsidence.
affaler (s') [safale] *v*[illegible] collapse.

affamé [afame] *a* starving; **a. de** *Fig* hungry for.

affect/er [afɛkte] *vt* (*destiner*) to earmark, assign; (*nommer à un poste*) to post; (*feindre, émouvoir*) to affect. ◆**—é** *a* (*manières, personne*) affected. ◆**affectation** *nf* assignment; posting; (*simulation*) affectation.

affectif, -ive [afɛktif, -iv] *a* emotional.

affection [afɛksjɔ̃] *nf* (*attachement*) affection; (*maladie*) ailment. ◆**affectionn/er** *vt* to be fond of. ◆**—é** *a* loving. ◆**affectueux, -euse** *a* affectionate.

affermir [afɛrmir] *vt* (*autorité*) to strengthen; (*muscles*) to tone up; (*voix*) to steady.

affiche [afiʃ] *nf* poster; *Th* bill. ◆**affich/er** *vt* (*affiche etc*) to post *ou* stick up; *Th* to bill; (*sentiment*) *Péj* to display; **a. qn** *Péj* to parade s.o., flaunt s.o. ◆**—age** *nm* (bill-)posting; **panneau d'a.** hoarding, *Am* billboard.

affilée (d') [dafile] *adv* (*à la suite*) in a row, at a stretch.

affiler [afile] *vt* to sharpen.

affilier (s') [safilje] *vpr* **s'a. à** to join, become affiliated to. ◆**affiliation** *nf* affiliation.

affiner [afine] *vt* to refine.

affinité [afinite] *nf* affinity.

affirmatif, -ive [afirmatif, -iv] *a* (*ton*) assertive, positive; (*proposition*) affirmative; **il a été a.** he was quite positive; – *nf* **répondre par l'affirmative** to reply in the affirmative.

affirmer [afirme] *vt* to assert; (*proclamer solennellement*) to affirm. ◆**affirmation** *nf* assertion.

affleurer [aflœre] *vi* to appear on the surface.

affliger [afliʒe] *vt* to distress; **affligé de** stricken *ou* afflicted with.

affluence [aflyɑ̃s] *nf* crowd; **heures d'a.** rush hours.

affluent [aflyɑ̃] *nm* tributary.

affluer [aflye] *vi* (*sang*) to flow, rush; (*gens*) to flock. ◆**afflux** *nm* flow; (*arrivée*) influx.

affol/er [... *vt* to drive out of one's mind; (*effr*... ...rify; **— s'a.** *vpr* to panic. ◆... ...nic.

a... ...*t* (*timbrer*) to stamp; ... ◆**—issement** *nm* ...

... ...) to charter; ...

... ...us, dread- ... dread-

affront [afrɔ̃] *nm* insult, affront; **faire un a. à** to insult.

affront/er [afrɔ̃te] *vt* to confront, face; (*mauvais temps, difficultés etc*) to brave. ◆**—ement** *nm* confrontation.

affubler [afyble] *vt Péj* to dress, rig out (**de** in).

affût [afy] *nm* **à l'a. de** *Fig* on the look-out for.

affûter [afyte] *vt* (*outil*) to sharpen, grind.

Afghanistan [afganistɑ̃] *nm* Afghanistan.

afin [afɛ̃] *prép* **a. de** (+ *inf*) in order to; – *conj* **a. que** (+ *sub*) so that.

Afrique [afrik] *nf* Africa. ◆**africain, -aine** *a* & *nmf* African.

agac/er [agase] *vt* (*personne*) to irritate, annoy. ◆**—ement** *nm* irritation.

âge [ɑʒ] *nm* age; **quel â. as-tu?** how old are you?; **avant l'â.** before one's time; **d'un certain â.** middle-aged; **l'â. adulte** adulthood; **la force de l'â.** the prime of life; **le moyen â.** the Middle Ages. ◆**âgé** *a* elderly; **â. de six ans** six years old; **un enfant â. de six ans** a six-year-old child.

agence [aʒɑ̃s] *nf* agency; (*succursale*) branch office; **a. immobilière** estate agent's office, *Am* real estate office.

agenc/er [aʒɑ̃se] *vt* to arrange; **bien agencé** (*maison etc*) well laid-out; (*phrase*) well put-together. ◆**—ement** *nm* (*de maison etc*) lay-out.

agenda [aʒɛ̃da] *nm* diary, *Am* datebook.

agenouiller (s') [saʒnuje] *vpr* to kneel (down); **être agenouillé** to be kneeling (down).

agent [aʒɑ̃] *nm* agent; **a. (de police)** policeman; **a. de change** stockbroker; **a. immobilier** estate agent, *Am* real estate agent.

aggloméré [aglɔmere] *nm* & *a* (*bois*) chipboard, fibreboard.

agglomérer (s') [saglɔmere] *vpr* (*s'entasser*) to conglomerate. ◆**agglomération** *nf* conglomeration; (*habitations*) built-up area; (*ville*) town.

aggraver [agrave] *vt* to worsen, aggravate; **— s'a.** *vpr* to worsen. ◆**aggravation** *nf* worsening.

agile [aʒil] *a* agile, nimble. ◆**agilité** *nf* agility, nimbleness.

agir [aʒir] **1** *vi* to act; **a. auprès de** to intercede with. **2 s'agir** *v imp* **il s'agit d'argent**/*etc* it's a question *ou* matter of money/*etc*, it concerns money/*etc*; **de quoi s'agit-il?** what is it?, what's it about?; **il s'agit de se dépêcher**/*etc* we have to hurry/*etc.* ◆**agissant** *a* active, effective. ◆**agissements** *nmpl Péj* dealings.

agit/er [aʒite] *vt* (*remuer*) to stir; (*secouer*) to shake; (*brandir*) to wave; (*troubler*) to agitate; (*discuter*) to debate; **— s'a.** *vpr* (*enfant*) to fidget; (*peuple*) to stir. ◆**—é** *a* (*mer*) rough; (*malade*) restless, agitated; (*enfant*) fidgety, restless. ◆**agitateur, -trice** *nmf* (political) agitator. ◆**agitation** *nf* (*de la mer*) roughness; (*d'un malade etc*) restlessness; (*nervosité*) agitation; (*de la rue*) bustle; *Pol* unrest.

agneau, -x [aɲo] *nm* lamb.

agonie [agɔni] *nf* death throes; **être à l'a.** to be suffering the pangs of death. ◆**agoniser** *vi* to be dying.

agrafe [agraf] *nf* hook; (*pour papiers*) staple. ◆**agrafer** *vt* to fasten, hook, do up; (*papiers*) to staple. ◆**agrafeuse** *nf* stapler.

agrand/ir [agrɑ̃dir] *vt* to enlarge; (*grossir*) to magnify; **— s'a.** *vpr* to expand, grow. ◆**—issement** *nm* (*de ville*) expansion; (*de maison*) extension; (*de photo*) enlargement.

agréable [agreabl] *a* pleasant, agreeable, nice. ◆**—ment** [-əmɑ̃] *adv* pleasantly.

agré/er [agree] *vt* to accept; **veuillez a. mes salutations distinguées** (*dans une lettre*) yours faithfully. ◆**—é** *a* (*fournisseur, centre*) approved.

agrégation [agregɑsjɔ̃] *nf competitive examination for recruitment of lycée teachers.* ◆**agrégé, -ée** *nmf teacher who has passed the agrégation.*

agrément [agremɑ̃] *nm* (*attrait*) charm; (*accord*) assent; **voyage d'a.** pleasure trip. ◆**agrémenter** *vt* to embellish; **a. un récit d'anecdotes** to pepper a story with anecdotes.

agrès [agrɛ] *nmpl Nau* tackle, rigging; (*de gymnastique*) apparatus.

agresser [agrese] *vt* to attack. ◆**agresseur** *nm* attacker; (*dans la rue*) mugger; (*dans un conflit*) aggressor. ◆**agressif, -ive** *a* aggressive. ◆**agression** *nf* (*d'un État*) aggression; (*d'un individu*) attack. ◆**agressivité** *nf* aggressiveness.

agricole [agrikɔl] *a* (*peuple*) agricultural, farming; (*ouvrier, machine*) farm-.

agriculteur [agrikyltœr] *nm* farmer. ◆**agriculture** *nf* agriculture, farming.

agripper [agripe] *vt* to clutch, grip; **s'a. à** to cling to, clutch, grip.

agronomie [agrɔnɔmi] *nf* agronomics.

agrumes [agrym] *nmpl* citrus fruit(s).

aguerri [ageri] *a* seasoned, hardened.

aguets (aux) [ozagɛ] *adv* on the look-out.

aguich/er [agiʃe] *vt* to tease, excite. ◆**—ant** *a* enticing.

ah! [a] *int* ah!, oh!

ahur/ir [ayrir] *vt* to astound, bewilder. ◆**—i, -ie** *nmf* idiot.

ai [e] *voir* **avoir.**

aide [ɛd] *nf* help, assistance, aid; **–** *nmf* (*personne*) assistant; **à l'a. de** with the help *ou* aid of. ◆**a.-électricien** *nm* electrician's mate. ◆**a.-familiale** *nf* home help. ◆**a.-mémoire** *nm inv Scol* handbook (*of facts etc*).

aider [ede] *vt* to help, assist, aid (**à faire** to do); **s'a. de** to make use of.

aïe! [aj] *int* ouch!, ow!

aïeul, -e [ajœl] *nmf* grandfather, grandmother.

aïeux [ajø] *nmpl* forefathers, forebears.

aigle [ɛgl] *nmf* eagle. ◆**aiglon** *nm* eaglet.

aiglefin [egləfɛ̃] *nm* haddock.

aigre [ɛgr] *a* (*acide*) sour; (*voix, vent, parole*) sharp, cutting. ◆**a.-doux, -douce** *a* bitter-sweet. ◆**aigreur** *nf* sourness; (*de ton*) sharpness; *pl* heartburn.

aigrette [ɛgrɛt] *nf* (*de plumes*) tuft.

aigr/ir (s') [segrir] *vpr* (*vin*) to turn sour; (*caractère*) to sour. ◆**—i** [egri] *a* (*personne*) embittered, bitter.

aigu, -uë [egy] *a* (*crise etc*) acute; (*dents*) sharp, pointed; (*voix*) shrill.

aiguille [egɥij] *nf* (*à coudre, de pin*) needle; (*de montre*) hand; (*de balance*) pointer; **a. (rocheuse)** peak.

aiguill/er [egɥije] *vt* (*train*) to shunt, *Am* switch; *Fig* to steer, direct. ◆**—age** *nm* (*appareil*) *Rail* points, *Am* switches. ◆**—eur** *nm Rail* pointsman, *Am* switchman; **a. du ciel** air traffic controller.

aiguillon [egɥijɔ̃] *nm* (*dard*) sting; (*stimulant*) spur. ◆**aiguillonner** *vt* to spur (on), goad.

aiguiser [eg(ɥ)ize] *vt* (*affiler*) to sharpen; (*appétit*) to whet.

ail [aj] *nm* garlic.

aile [ɛl] *nf* wing; (*de moulin à vent*) sail; *Aut* wing, *Am* fender; **battre de l'a.** to be in a bad way; **d'un coup d'a.** (*avion*) in continuous flight. ◆**ailé** [ele] *a* winged. ◆**aileron** *nm* (*de requin*) fin; (*d'avion*) aileron; (*d'oiseau*) pinion. ◆**ailier** [elje] *nm Fb* wing(er).

ailleurs [ajœr] *adv* somewhere else, elsewhere; **partout a.** everywhere else; **d'a.** (*du reste*) besides, anyway; **par a.** (*en outre*) moreover; (*autrement*) otherwise.

ailloli [ajɔli] *nm* garlic mayonnaise.

aimable [ɛmabl] *a* (*complaisant*) kind;

(*sympathique*) likeable, amiable; (*agréable*) pleasant. ◆**—ment** [-əmɑ̃] *adv* kindly.

aimant [ɛmɑ̃] **1** *nm* magnet. **2** *a* loving. ◆**aimanter** *vt* to magnetize.

aimer [eme] *vt* (*chérir*) to love; **a. (bien)** (*apprécier*) to like, be fond of; **a. faire** to like doing *ou* to do; **a. mieux** to prefer; **ils s'aiment** they're in love.

aine [ɛn] *nf* groin.

aîné, -e [ene] *a* (*de deux frères etc*) elder, older; (*de plus de deux*) eldest, oldest; – *nmf* (*enfant*) elder *ou* older (child); eldest *ou* oldest (child); **c'est mon a.** he's my senior.

ainsi [ɛ̃si] *adv* (*comme ça*) (in) this *ou* that way, thus; (*alors*) so; **a. que** as well as; **et a. de suite** and so on; **pour a. dire** so to speak.

air [ɛr] *nm* **1** air; **en plein a.** in the open (air), outdoors; **ficher** *ou* **flanquer en l'a.** *Fam* (*jeter*) to chuck away; (*gâcher*) to mess up, upset; **en l'a.** (*jeter*) (up) in the air; (*paroles, menaces*) empty; (*projets*) uncertain, (up) in the air; **dans l'a.** (*grippe, idées*) about, around. **2** (*expression*) look, appearance; **avoir l'a.** to look, seem; **avoir l'a. de** to look like; **a. de famille** family likeness. **3** (*mélodie*) tune; **a. d'opéra** aria.

aire [ɛr] *nf* (*de stationnement etc*) & *Math* area; (*d'oiseau*) eyrie; **a. de lancement** launching site.

airelle [ɛrɛl] *nf* bilberry, *Am* blueberry.

aisance [ɛzɑ̃s] *nf* (*facilité*) ease; (*prospérité*) easy circumstances, affluence.

aise [ɛz] *nf* **à l'a.** (*dans un vêtement etc*) comfortable; (*dans une situation*) at ease; (*fortuné*) comfortably off; **aimer ses aises** to like one's comforts; **mal à l'a.** uncomfortable, ill at ease. ◆**aisé** [eze] *a* (*fortuné*) comfortably off; (*naturel*) free and easy; (*facile*) easy. ◆**aisément** *adv* easily.

aisselle [ɛsɛl] *nf* armpit.

ait [ɛ] *voir* **avoir.**

ajonc(s) [aʒɔ̃] *nm*(*pl*) gorse, furze.

ajouré [aʒure] *a* (*dentelle etc*) openwork.

ajourn/er [aʒurne] *vt* to postpone, adjourn. ◆**—ement** *nm* postponement, adjournment.

ajout [aʒu] *nm* addition. ◆**ajouter** *vti* to add (**à** to); **s'a. à** to add to.

ajust/er [aʒyste] *vt* (*pièce, salaires*) to adjust; (*coiffure*) to arrange; (*coup*) to aim; **a. à** (*adapter*) to fit to. ◆**—é** *a* (*serré*) close-fitting. ◆**—ement** *nm* adjustment. ◆**—eur** *nm* (*ouvrier*) fitter.

alaise [alɛz] *nf* (waterproof) undersheet.

alambic [alɑ̃bik] *nm* still.

alambiqué [alɑ̃bike] *a* convoluted, over-subtle.

alanguir [alɑ̃gir] *vt* to make languid.

alarme [alarm] *nf* (*signal, inquiétude*) alarm; **jeter l'a.** to cause alarm. ◆**alarmer** *vt* to alarm; **s'a. de** to become alarmed at.

Albanie [albani] *nf* Albania. ◆**albanais, -aise** *a* & *nmf* Albanian.

albâtre [albɑtr] *nm* alabaster.

albatros [albatros] *nm* albatross.

albinos [albinos] *nmf* & *a inv* albino.

album [albɔm] *nm* (*de timbres etc*) album; (*de dessins*) sketchbook.

alcali [alkali] *nm* alkali. ◆**alcalin** *a* alkaline.

alchimie [alʃimi] *nf* alchemy.

alcool [alkɔl] *nm* alcohol; (*spiritueux*) spirits; **a. à brûler** methylated spirit(s); **lampe à a.** spirit lamp. ◆**alcoolique** *a* & *nmf* alcoholic. ◆**alcoolisé** *a* (*boisson*) alcoholic. ◆**alcoolisme** *nm* alcoholism. ◆**alcootest**® *nm* breath test; (*appareil*) breathalyzer.

alcôve [alkov] *nf* alcove.

aléas [alea] *nmpl* hazards, risks. ◆**aléatoire** *a* chancy, uncertain; (*sélection*) random.

alentour [alɑ̃tur] *adv* round about, around; **d'a.** surrounding; – *nmpl* surroundings, vicinity; **aux alentours de** in the vicinity of.

alerte [alɛrt] **1** *a* (*leste*) agile, spry; (*éveillé*) alert. **2** *nf* alarm; **en état d'a.** on the alert; **a. aérienne** air-raid warning. ◆**alerter** *vt* to warn, alert.

alezan, -ane [alzɑ̃ -an] *a* & *nmf* (*cheval*) chestnut.

algarade [algarad] *nf* (*dispute*) altercation.

algèbre [alʒɛbr] *nf* algebra. ◆**algébrique** *a* algebraic.

Alger [alʒe] *nm ou f* Algiers.

Algérie [alʒeri] *nf* Algeria. ◆**algérien, -ienne** *a* & *nmf* Algerian.

algue(s) [alg] *nf*(*pl*) seaweed.

alias [aljɑs] *adv* alias.

alibi [alibi] *nm* alibi.

alién/er [aljene] *vt* to alienate; **s'a. qn** to alienate s.o. ◆**—é, -ée** *nmf* insane person; *Péj* lunatic. ◆**aliénation** *nf* alienation; *Méd* derangement.

align/er [aliɲe] *vt* to align, line up; **les a.** *Arg* to fork out, pay up; **— s'a.** *vpr* (*personnes*) to fall into line, line up; *Pol* to align oneself (**sur** with). ◆**—ement** *nm* alignment.

aliment [alimɑ̃] *nm* food. ◆**alimentaire** *a* (*industrie, produit etc*) food-. ◆**alimentation** *nf* feeding; supply(ing); (*régime*) diet

nutrition; (*nourriture*) food; **magasin d'a.** grocer's, grocery store. ◆**alimenter** *vt* (*nourrir*) to feed; (*fournir*) to supply (**en** with); (*débat, feu*) to fuel.
alinéa [alinea] *nm* paragraph.
alité [alite] *a* bedridden.
allaiter [alete] *vti* to (breast)feed.
allant [alɑ̃] *nm* drive, energy, zest.
allécher [aleʃe] *vt* to tempt, entice.
allée [ale] *nf* path, walk, lane; (*de cinéma*) aisle; **allées et venues** comings and goings, running about.
allégation [alegɑsjɔ̃] *nf* allegation.
alléger [aleʒe] *vt* to alleviate, lighten.
allégorie [alegɔri] *nf* allegory.
allègre [alɛgr] *a* gay, lively, cheerful. ◆**allégresse** *nf* gladness, rejoicing.
alléguer [alege] *vt* (*excuse etc*) to put forward.
alléluia [aleluja] *nm* hallelujah.
Allemagne [almaɲ] *nf* Germany. ◆**allemand, -ande** *a* & *nmf* German; – *nm* (*langue*) German.
aller* [ale] **1** *vi* (*aux* **être**) to go; (*montre etc*) to work, go; **a. à** (*convenir à*) to suit; **a. avec** (*vêtement*) to go with, match; **a. bien/mieux** (*personne*) to be well/better; **il va savoir/venir/***etc* he'll know/come/*etc*, he's going to know/come/*etc*; **il va partir** he's about to leave, he's going to leave; **va voir!** go and see!; **comment vas-tu?, (comment) ça va?** how are you?; **ça va!** all right!, fine!; **ça va (comme ça)!** that's enough!; **allez-y** go on, go ahead; **j'y vais** I'm coming; **allons (donc)!** come on!, come off it!; **allez! au lit!** come on *ou* go on to bed!; **ça va de soi** that's obvious; **— s'en aller** *vpr* to go away; (*tache*) to come out. **2** *nm* outward journey; **a. (simple)** single (ticket), *Am* one-way (ticket); **a. (et) retour** return (ticket), *Am* round-trip (ticket).
allergie [alɛrʒi] *nf* allergy. ◆**allergique** *a* allergic (**à** to).
alliage [aljaʒ] *nm* alloy.
alliance [aljɑ̃s] *nf* (*anneau*) wedding ring; *Pol* alliance; *Rel* covenant; (*mariage*) marriage.
alli/er [alje] *vt* (*associer*) to combine (**à** with); (*pays*) to ally (**à** with); **— s'a.** *vpr* (*couleurs*) to combine; (*pays*) to become allied (**à** with, to); **s'a. à** (*famille*) to ally oneself with. ◆**—é, -ée** *nmf* ally.
alligator [aligatɔr] *nm* alligator.
allô! [alo] *int Tél* hullo!, hallo!, hello!
allocation [alɔkɑsjɔ̃] *nf* (*somme*) allowance; **a. (de) chômage** unemployment benefit. ◆**allocataire** *nmf* claimant.
allocution [alɔkysjɔ̃] *nf* (short) speech, address.
allong/er [alɔ̃ʒe] *vt* (*bras*) to stretch out; (*jupe*) to lengthen; (*sauce*) to thin; – *vi* (*jours*) to get longer; **— s'a.** *vpr* to stretch out. ◆**—é** *a* (*oblong*) elongated.
allouer [alwe] *vt* to allocate.
allum/er [alyme] *vt* (*feu, pipe etc*) to light; (*électricité*) to turn *ou* switch on; (*désir, colère*) *Fig* to kindle; **— s'a.** *vpr* to light up; (*feu, guerre*) to flare up. ◆**—age** *nm* lighting; *Aut* ignition. ◆**allume-gaz** *nm inv* gas lighter. ◆**allumeuse** *nf* (*femme*) teaser.
allumette [alymɛt] *nf* match.
allure [alyr] *nf* (*vitesse*) pace; (*de véhicule*) speed; (*démarche*) gait, walk; (*maintien*) bearing; (*air*) look; *pl* (*conduite*) ways.
allusion [alyzjɔ̃] *nf* allusion; (*voilée*) hint; **faire a. à** to refer *ou* allude to; to hint at.
almanach [almana] *nm* almanac.
aloi [alwa] *nm* **de bon a.** genuine, worthy.
alors [alɔr] *adv* (*en ce temps-là*) then; (*en ce cas-là*) so, then; **a. que** (*lorsque*) when; (*tandis que*) whereas.
alouette [alwɛt] *nf* (sky)lark.
alourd/ir [alurdir] *vt* to weigh down; **— s'a.** *vpr* to become heavy *ou* heavier. ◆**—i** *a* heavy.
aloyau [alwajo] *nm* sirloin.
alpaga [alpaga] *nm* (*tissu*) alpaca.
alpage [alpaʒ] *nm* mountain pasture. ◆**Alpes** *nfpl* **les A.** the Alps. ◆**alpestre** *a*, ◆**alpin** *a* alpine. ◆**alpinisme** *nm* mountaineering. ◆**alpiniste** *nmf* mountaineer.
alphabet [alfabɛ] *nm* alphabet. ◆**alphabétique** *a* alphabetic(al). ◆**alphabétiser** *vt* to teach to read and write.
altercation [altɛrkɑsjɔ̃] *nf* altercation.
altérer [altere] *vt* (*denrée, santé*) to impair, spoil; (*voix, vérité*) to distort; (*monnaie, texte*) to falsify; (*donner soif à*) to make thirsty; **— s'a.** *vpr* (*santé, relations*) to deteriorate. ◆**altération** *nf* deterioration, change (**de** in); (*de visage*) distortion.
alternatif, -ive [altɛrnatif, -iv] *a* alternating. ◆**alternative** *nf* alternative; *pl* alternate periods. ◆**alternativement** *adv* alternately.
altern/er [altɛrne] *vti* to alternate. ◆**—é** *a* alternate. ◆**alternance** *nf* alternation.
altesse [altɛs] *nf* (*titre*) Highness.
altier, -ière [altje, -jɛr] *a* haughty.
altitude [altityd] *nf* altitude, height.
alto [alto] *nm* (*instrument*) viola.
aluminium [alyminjɔm] *nm* aluminium, *Am*

aluminum; **papier a.**, *Fam* **papier alu** tin foil.

alunir [alynir] *vi* to land on the moon.

alvéole [alveɔl] *nf* (*de ruche*) cell; (*dentaire*) socket. ◆**alvéolé** *a* honeycombed.

amabilité [amabilite] *nf* kindness; **faire des amabilités à** to show kindness to.

amadouer [amadwe] *vt* to coax, persuade.

amaigr/ir [amegrir] *vt* to make thin(ner). ◆**–i** *a* thin(ner). ◆**–issant** *a* (*régime*) slimming.

amalgame [amalgam] *nm* amalgam, mixture. ◆**amalgamer** *vt*, **– s'a.** *vpr* to blend, mix, amalgamate.

amande [amɑ̃d] *nf* almond.

amant [amɑ̃] *nm* lover.

amarre [amar] *nf* (mooring) rope, hawser; *pl* moorings. ◆**amarrer** *vt* to moor; *Fig* to tie down, make fast.

amas [amɑ] *nm* heap, pile. ◆**amasser** *vt* to pile up; (*richesse, preuves*) to amass, gather; **– s'a.** *vpr* to pile up; (*gens*) to gather.

amateur [amatœr] *nm* (*d'art etc*) lover; *Sp* amateur; (*acheteur*) *Fam* taker; **d'a.** (*talent*) amateur; (*travail*) *Péj* amateurish; **une équipe a.** an amateur team. ◆**amateurisme** *nm Sp* amateurism; *Péj* amateurishness.

amazone [amazɔn] *nf* horsewoman; **monter en a.** to ride sidesaddle.

ambages (sans) [sɑ̃zɑ̃baʒ] *adv* to the point, in plain language.

ambassade [ɑ̃basad] *nf* embassy. ◆**ambassadeur, -drice** *nmf* ambassador.

ambiance [ɑ̃bjɑ̃s] *nf* atmosphere. ◆**ambiant** *a* surrounding.

ambigu, -guë [ɑ̃bigy] *a* ambiguous. ◆**ambiguïté** [-gɥite] *nf* ambiguity.

ambitieux, -euse [ɑ̃bisjø, -øz] *a* ambitious. ◆**ambition** *nf* ambition. ◆**ambitionner** *vt* to aspire to; **il ambitionne de** his ambition is to.

ambre [ɑ̃br] *nm* (*jaune*) amber; (*gris*) ambergris.

ambulance [ɑ̃bylɑ̃s] *nf* ambulance. ◆**ambulancier, -ière** *nmf* ambulance driver.

ambulant [ɑ̃bylɑ̃] *a* itinerant, travelling.

âme [ɑm] *nf* soul; **â. qui vive** a living soul; **état d'â.** state of mind; **â. sœur** soul mate; **â. damnée** evil genius, henchman; **avoir charge d'âmes** to be responsible for human life.

améliorer [ameljɔre] *vt*, **– s'a.** *vpr* to improve. ◆**amélioration** *nf* improvement.

amen [amɛn] *adv* amen.

aménag/er [amenaʒe] *vt* (*arranger, installer*) to fit up, fit out (**en** as); (*bateau*) to fit out; (*transformer*) to convert (**en** into); (*construire*) to set up; (*ajuster*) to adjust. ◆**–ement** *nm* fitting up; fitting out; conversion; setting up; adjustment.

amende [amɑ̃d] *nf* fine; **frapper d'une a.** to impose a fine on; **faire a. honorable** to make an apology.

amender [amɑ̃de] *vt Pol* to amend; (*terre*) to improve; **– s'a.** *vpr* to mend *ou* improve one's ways.

amener [amne] *vt* to bring; (*causer*) to bring about; **– s'a.** *vpr Fam* to come along, turn up.

amenuiser (s') [samənɥize] *vpr* to grow smaller, dwindle.

amer, -ère [amɛr] *a* bitter. ◆**amèrement** *adv* bitterly.

Amérique [amerik] *nf* America; **A. du Nord/du Sud** North/South America. ◆**américain, -aine** *a* & *nmf* American.

amerrir [amerir] *vi* to make a sea landing; (*cabine spatiale*) to splash down.

amertume [amɛrtym] *nf* bitterness.

améthyste [ametist] *nf* amethyst.

ameublement [amœbləmɑ̃] *nm* furniture.

ameuter [amøte] *vt* (*soulever*) to stir up; (*attrouper*) to gather, muster; (*voisins*) to bring out; **– s'a.** *vpr* to gather, muster.

ami, -e [ami] *nmf* friend; (*des livres, de la nature etc*) lover (**de** of); **petit a.** boyfriend; **petite amie** girlfriend; – *a* friendly.

amiable (à l') [alamjabl] *a* amicable; – *adv* amicably.

amiante [amjɑ̃t] *nm* asbestos.

amical, -aux [amikal, -o] *a* friendly. ◆**–ement** *adv* in a friendly manner.

amicale [amikal] *nf* association.

amidon [amidɔ̃] *nm* starch. ◆**amidonner** *vt* to starch.

amincir [amɛ̃sir] *vt* to make thin(ner); – *vi* (*personne*) to slim; **– s'a.** *vpr* to become thinner.

amiral, -aux [amiral, -o] *nm* admiral. ◆**amirauté** *nf* admiralty.

amitié [amitje] *nf* friendship; (*amabilité*) kindness; *pl* kind regrds; **prendre en a.** to take a liking to.

ammoniac [amɔnjak] *nm* (*gaz*) ammonia. ◆**ammoniaque** *nf* (*liquide*) ammonia.

amnésie [amnezi] *nf* amnesia.

amnistie [amnisti] *nf* amnesty.

amocher [amɔʃe] *vt Arg* to mess up, bash.

amoindrir [amwɛ̃drir] *vt*, **— s'a.** *vpr* to decrease, diminish.
amoll/ir [amɔlir] *vt* to soften; (*affaiblir*) to weaken. ◆**—issant** *a* enervating.
amonceler [amɔ̃sle] *vt*, **— s'a.** *vpr* to pile up. ◆**amoncellement** *nm* heap, pile.
amont (en) [ɑ̃namɔ̃] *adv* upstream.
amoral, -aux [amɔral, -o] *a* amoral.
amorce [amɔrs] *nf* (*début*) start; *Pêche* bait; (*détonateur*) fuse, detonator; (*de pistolet d'enfant*) cap. ◆**amorcer** *vt* to start; (*hameçon*) to bait; (*pompe*) to prime; **— s'a.** *vpr* to start.
amorphe [amɔrf] *a* listless, apathetic.
amort/ir [amɔrtir] *vt* (*coup*) to cushion, absorb; (*bruit*) to deaden; (*dette*) to pay off; **il a vite amorti sa voiture** his car has been made to pay for itself quickly. ◆**—issement** *nm Fin* redemption. ◆**—isseur** *nm* shock absorber.
amour [amur] *nm* love; (*liaison*) romance, love; (*Cupidon*) Cupid; **pour l'a. de** for the sake of; **mon a.** my darling, my love. ◆**a.-propre** *nm* self-respect, self-esteem. ◆**s'amouracher** *vpr Péj* to become infatuated (**de** with). ◆**amoureux, -euse** *nmf* lover; – *a* amorous, loving; **a. de** (*personne*) in love with; (*gloire*) *Fig* enamoured of.
amovible [amɔvibl] *a* removable, detachable.
ampère [ɑ̃pɛr] *nm Él* amp(ere).
amphi [ɑ̃fi] *nm Univ Fam* lecture hall.
amphibie [ɑ̃fibi] *a* amphibious; – *nm* amphibian.
amphithéâtre [ɑ̃fiteɑtr] *nm Hist* amphitheatre; *Univ* lecture hall.
ample [ɑ̃pl] *a* (*vêtement*) ample, roomy; (*provision*) full; (*vues*) broad. ◆**amplement** *adv* amply, fully; **a. suffisant** ample. ◆**ampleur** *nf* (*de robe*) fullness; (*importance, étendue*) scale, extent; **prendre de l'a.** to grow.
amplifier [ɑ̃plifje] *vt* (*accroître*) to develop; (*exagérer*) to magnify; (*son, courant*) to amplify; **— s'a.** *vpr* to increase. ◆**amplificateur** *nm* amplifier. ◆**amplification** *nf* (*extension*) increase.
amplitude [ɑ̃plityd] *nf Fig* magnitude.
ampoule [ɑ̃pul] *nf* (*électrique*) (light) bulb; (*aux pieds etc*) blister; (*de médicament*) phial.
ampoulé [ɑ̃pule] *a* turgid.
amputer [ɑ̃pyte] *vt* **1** (*membre*) to amputate; **a. qn de la jambe** to amputate s.o.'s leg. **2** (*texte*) to curtail, cut (**de** by). ◆**amputation** *nf* amputation; curtailment.
amuse-gueule [amyzgœl] *nm inv* cocktail snack, appetizer.
amus/er [amyze] *vt* (*divertir*) to amuse, entertain; (*occuper*) to divert the attention of; **— s'a.** *vpr* to enjoy oneself, have fun; (*en chemin*) to dawdle, loiter; **s'a. avec** to play with; **s'a. à faire** to amuse oneself doing. ◆**—ant** *a* amusing. ◆**—ement** *nm* amusement; (*jeu*) game. ◆**amusette** *nf* frivolous pursuit.
amygdale [amidal] *nf* tonsil.
an [ɑ̃] *nm* year; **il a dix ans** he's ten (years old); **par a.** per annum, per year; **bon a., mal a.** putting the good years and the bad together; **Nouvel A.** New Year.
anachronisme [anakrɔnism] *nm* anachronism.
anagramme [anagram] *nf* anagram.
analogie [analɔʒi] *nf* analogy. ◆**analogue** *a* similar; – *nm* analogue.
analphabète [analfabɛt] *a & nmf* illiterate. ◆**analphabétisme** *nm* illiteracy.
analyse [analiz] *nf* analysis; **a. grammaticale** parsing. ◆**analyser** *vt* to analyse; (*phrase*) to parse. ◆**analytique** *a* analytic(al).
ananas [anana(s)] *nm* pineapple.
anarchie [anarʃi] *nf* anarchy. ◆**anarchique** *a* anarchic. ◆**anarchiste** *nmf* anarchist; – *a* anarchistic.
anathème [anatɛm] *nm Rel* anathema.
anatomie [anatɔmi] *nf* anatomy. ◆**anatomique** *a* anatomical.
ancestral, -aux [ɑ̃sɛstral, -o] *a* ancestral.
ancêtre [ɑ̃sɛtr] *nm* ancestor.
anche [ɑ̃ʃ] *nf Mus* reed.
anchois [ɑ̃ʃwa] *nm* anchovy.
ancien, -ienne [ɑ̃sjɛ̃, -jɛn] *a* (*vieux*) old; (*meuble*) antique; (*qui n'est plus*) former, ex-, old; (*antique*) ancient; (*dans une fonction*) senior; **a. élève** old boy, *Am* alumnus; **a. combattant** ex-serviceman, *Am* veteran; – *nmf* (*par l'âge*) elder; (*dans une fonction*) senior; **les anciens** (*auteurs, peuples*) the ancients. ◆**anciennement** *adv* formerly. ◆**ancienneté** *nf* age; (*dans une fonction*) seniority.
ancre [ɑ̃kr] *nf* anchor; **jeter l'a.** to (cast) anchor; **lever l'a.** to weigh anchor. ◆**ancrer** *vt Nau* to anchor; (*idée*) *Fig* to root, fix; **ancré dans** rooted in.
andouille [ɑ̃duj] *nf* sausage (*made from chitterlings*); **espèce d'a.!** *Fam* (you) nitwit!
âne [ɑn] *nm* (*animal*) donkey, ass; (*personne*) *Péj* ass; **bonnet d'â.** dunce's

cap; **dos d'â.** (*d'une route*) hump; **pont en dos d'â.** humpback bridge.
anéant/ir [aneɑ̃tir] *vt* to annihilate, wipe out, destroy; **— s'a.** *vpr* to vanish. **◆—i** *a* (*épuisé*) exhausted; (*stupéfait*) dismayed; (*accablé*) overwhelmed. **◆—issement** *nm* annihilation; (*abattement*) dejection.
anecdote [anɛkdɔt] *nf* anecdote. **◆anecdotique** *a* anecdotal.
anémie [anemi] *nf* an(a)emia. **◆anémique** *a* an(a)emic. **◆s'anémier** *vpr* to become an(a)emic.
anémone [anemɔn] *nf* anemone.
ânerie [ɑnri] *nf* stupidity; (*action etc*) stupid thing. **◆ânesse** *nf* she-ass.
anesthésie [anɛstezi] *nf* an(a)esthesia; **a. générale/locale** general/local an(a)esthetic. **◆anesthésier** *vt* to an(a)esthetize. **◆anesthésique** *nm* an(a)esthetic.
anfractuosité [ɑ̃fraktɥɔzite] *nf* crevice, cleft.
ange [ɑ̃ʒ] *nm* angel; **aux anges** in seventh heaven. **◆angélique** *a* angelic.
angélus [ɑ̃ʒelys] *nm Rel* angelus.
angine [ɑ̃ʒin] *nf* sore throat; **a. de poitrine** angina (pectoris).
anglais, -aise [ɑ̃glɛ, -ɛz] *a* English; – *nmf* Englishman, Englishwoman; – *nm* (*langue*) English; **filer à l'anglaise** to take French leave.
angle [ɑ̃gl] *nm* (*point de vue*) & *Géom* angle; (*coin*) corner.
Angleterre [ɑ̃glətɛr] *nf* England.
anglican, -ane [ɑ̃glikɑ̃, -an] *a* & *nmf* Anglican.
anglicisme [ɑ̃glisism] *nm* Anglicism. **◆angliciste** *nmf* English specialist.
anglo- [ɑ̃glɔ] *préf* Anglo-. **◆anglo-normand** *a* Anglo-Norman; **îles a.-normandes** Channel Islands. **◆anglophile** *a* & *nmf* anglophile. **◆anglophone** *a* English-speaking; – *nmf* English speaker. **◆anglo-saxon, -onne** *a* & *nmf* Anglo-Saxon.
angoisse [ɑ̃gwas] *nf* anguish. **◆angoissant** *a* distressing. **◆angoissé** *a* (*personne*) in anguish; (*geste, cri*) anguished.
angora [ɑ̃gɔra] *nm* (*laine*) angora.
anguille [ɑ̃gij] *nf* eel.
angulaire [ɑ̃gylɛr] *a* **pierre a.** cornerstone. **◆anguleux, -euse** *a* (*visage*) angular.
anicroche [anikrɔʃ] *nf* hitch, snag.
animal, -aux [animal, -o] *nm* animal; (*personne*) *Péj* brute, animal; – *a* animal.
animer [anime] *vt* (*inspirer*) to animate; (*encourager*) to spur on; (*débat, groupe*) to lead; (*soirée*) to enliven; (*regard*) to light up, brighten up; (*mécanisme*) to actuate, drive; **a. la course** *Sp* to set the pace; **animé de** (*sentiment*) prompted by; **— s'a.** *vpr* (*rue etc*) to come to life; (*yeux*) to light up, brighten up. **◆animé** *a* (*rue*) lively; (*conversation*) animated, lively; (*doué de vie*) animate. **◆animateur, -trice** *nmf TV* compere, *Am* master of ceremonies, emcee; (*de club*) leader, organizer; (*d'entreprise*) driving force, spirit. **◆animation** *nf* (*des rues*) activity; (*de réunion*) liveliness; (*de visage*) brightness; *Cin* animation.
animosité [animɔzite] *nf* animosity.
anis [ani(s)] *nm* (*boisson, parfum*) aniseed. **◆anisette** *nf* (*liqueur*) anisette.
ankylose [ɑ̃kiloz] *nf* stiffening. **◆s'ankylos/er** *vpr* to stiffen up. **◆—é** *a* stiff.
annales [anal] *nfpl* annals.
anneau, -x [ano] *nm* ring; (*de chaîne*) link.
année [ane] *nf* year; **bonne a.!** Happy New Year!
annexe [anɛks] *nf* (*bâtiment*) annex(e); – *a* (*pièces*) appended; **bâtiment a.** annex(e). **◆annexer** *vt* (*pays*) to annex; (*document*) to append. **◆annexion** *nf* annexation.
annihiler [aniile] *vt* to destroy, annihilate.
anniversaire [anivɛrsɛr] *nm* (*d'événement*) anniversary; (*de naissance*) birthday; – *a* anniversary.
annonce [anɔ̃s] *nf* (*avis*) announcement; (*publicitaire*) advertisement; (*indice*) sign; **petites annonces** classified advertisements, small ads. **◆annoncer** *vt* (*signaler*) to announce, report; (*être l'indice de*) to indicate; (*vente*) to advertise; **a. le printemps** to herald spring; **s'a. pluvieux/difficile/***etc* to look like being rainy/difficult/*etc*. **◆annonceur** *nm* advertiser; *Rad TV* announcer.
annonciation [anɔ̃sjɑsjɔ̃] *nf* Annunciation.
annoter [anɔte] *vt* to annotate. **◆annotation** *nf* annotation.
annuaire [anɥɛr] *nm* yearbook; (*téléphonique*) directory, phone book.
annuel, -elle [anɥɛl] *a* annual, yearly. **◆annuellement** *adv* annually. **◆annuité** *nf* annual instalment.
annulaire [anylɛr] *nm* ring *ou* third finger.
annuler [anyle] *vt* (*visite etc*) to cancel; (*mariage*) to annul; (*jugement*) to quash; **— s'a.** *vpr* to cancel each other out. **◆annulation** *nf* cancellation; annulment; quashing.
anoblir [anɔblir] *vt* to ennoble.

anodin [anɔdɛ̃] *a* harmless; (*remède*) ineffectual.
anomalie [anɔmali] *nf* (*irrégularité*) anomaly; (*difformité*) abnormality.
ânonner [ɑnɔne] *vt* (*en hésitant*) to stumble through; (*d'une voix monotone*) to drone out.
anonymat [anɔnima] *nm* anonymity; **garder l'a.** to remain anonymous. ◆**anonyme** *a* & *nmf* anonymous (person).
anorak [anɔrak] *nm* anorak.
anorexie [anɔrɛksi] *nf* anorexia.
anormal, -aux [anɔrmal, -o] *a* abnormal; (*enfant*) educationally subnormal.
anse [ɑ̃s] *nf* (*de tasse etc*) handle; (*baie*) cove.
antagonisme [ɑ̃tagɔnism] *nm* antagonism. ◆**antagoniste** *a* antagonistic; – *nmf* antagonist.
antan (d') [dɑ̃tɑ̃] *a Litt* of yesteryear.
antarctique [ɑ̃tarktik] *a* antarctic; – *nm* **l'A.** the Antarctic, Antarctica.
antécédent [ɑ̃tesedɑ̃] *nm Gram* antecedent; *pl* past history, antecedents.
antenne [ɑ̃tɛn] *nf TV Rad* aerial, *Am* antenna; (*station*) station; (*d'insecte*) antenna, feeler; **a. chirurgicale** surgical outpost; *Aut* emergency unit; **sur** *ou* **à l'a.** on the air.
antérieur [ɑ̃terjœr] *a* (*précédent*) former, previous, earlier; (*placé devant*) front; **membre a.** forelimb; **a. à** prior to. ◆**antérieurement** *adv* previously. ◆**antériorité** *nf* precedence.
anthologie [ɑ̃tɔlɔʒi] *nf* anthology.
anthropologie [ɑ̃trɔpɔlɔʒi] *nf* anthropology.
anthropophage [ɑ̃trɔpɔfaʒ] *nm* cannibal. ◆**anthropophagie** *nf* cannibalism.
antiaérien, -ienne [ɑ̃tiaerjɛ̃, -jɛn] *a* (*canon*) antiaircraft; (*abri*) air-raid.
antiatomique [ɑ̃tiatɔmik] *a* **abri a.** fallout shelter.
antibiotique [ɑ̃tibjɔtik] *a* & *nm* antibiotic.
antibrouillard [ɑ̃tibrujar] *a* & *nm* **(phare) a.** fog lamp.
anticancéreux, -euse [ɑ̃tikɑ̃serø, -øz] *a* **centre a.** cancer hospital.
antichambre [ɑ̃tiʃɑ̃br] *nf* antechamber, anteroom.
antichoc [ɑ̃tiʃɔk] *a inv* shockproof.
anticip/er [ɑ̃tisipe] *vti* **a. (sur)** to anticipate. ◆**—é** *a* (*retraite etc*) early; (*paiement*) advance; **avec mes remerciements anticipés** thanking you in advance. ◆**anticipation** *nf* anticipation; **par a.** in advance; **d'a.** (*roman etc*) science-fiction.
anticlérical, -aux [ɑ̃tiklerikal, -o] *a* anticlerical.
anticonformiste [ɑ̃tikɔ̃fɔrmist] *a* & *nmf* nonconformist.
anticonstitutionnel, -elle [ɑ̃tikɔ̃stitysjɔnɛl] *a* unconstitutional.
anticorps [ɑ̃tikɔr] *nm* antibody.
anticyclone [ɑ̃tisiklon] *nm* anticyclone.
antidater [ɑ̃tidate] *vt* to backdate, antedate.
antidémocratique [ɑ̃tidemɔkratik] *a* undemocratic.
antidérapant [ɑ̃tiderapɑ̃] *a* non-skid.
antidote [ɑ̃tidɔt] *nm* antidote.
antigel [ɑ̃tiʒɛl] *nm* antifreeze.
Antilles [ɑ̃tij] *nfpl* **les A.** the West Indies. ◆**antillais, -aise** *a* & *nmf* West Indian.
antilope [ɑ̃tilɔp] *nf* antelope.
antimite [ɑ̃timit] *a* mothproof; – *nm* mothproofing agent.
antiparasite [ɑ̃tiparazit] *a* **dispositif a.** *Rad* suppressor.
antipathie [ɑ̃tipati] *nf* antipathy. ◆**antipathique** *a* disagreeable.
antipodes [ɑ̃tipɔd] *nmpl* **aux a.** (*partir*) to the antipodes; **aux a. de** at the opposite end of the world from; *Fig* poles apart from.
antique [ɑ̃tik] *a* ancient. ◆**antiquaire** *nmf* antique dealer. ◆**antiquité** *nf* (*temps, ancienneté*) antiquity; (*objet ancien*) antique; *pl* (*monuments etc*) antiquities.
antirabique [ɑ̃tirabik] *a* (anti-)rabies.
antisémite [ɑ̃tisemit] *a* anti-Semitic. ◆**antisémitisme** *nm* anti-Semitism.
antiseptique [ɑ̃tisɛptik] *a* & *nm* antiseptic.
antisudoral, -aux [ɑ̃tisydɔral, -o] *nm* antiperspirant.
antithèse [ɑ̃titɛz] *nf* antithesis.
antivol [ɑ̃tivɔl] *nm* anti-theft lock *ou* device.
antonyme [ɑ̃tɔnim] *nm* antonym.
antre [ɑ̃tr] *nm* (*de lion etc*) den.
anus [anys] *nm* anus.
Anvers [ɑ̃vɛr(s)] *nm ou f* Antwerp.
anxiété [ɑ̃ksjete] *nf* anxiety. ◆**anxieux, -euse** *a* anxious; – *nmf* worrier.
août [u(t)] *nm* August. ◆**aoûtien, -ienne** [ausjɛ̃, -jɛn] *nmf* August holidaymaker *ou Am* vacationer.
apais/er [apeze] *vt* (*personne*) to appease, calm; (*scrupules, faim*) to appease; (*douleur*) to allay; **— s'a.** *vpr* (*personne*) to calm down. ◆**—ant** *a* soothing. ◆**—ements** *nmpl* reassurances.
apanage [apanaʒ] *nm* privilege, monopoly **(de** of).
aparté [aparte] *nm Th* aside; (*dans une réunion*) private exchange; **en a.** in private.
apartheid [apartɛd] *nm* apartheid.

apathie [apati] *nf* apathy. ◆**apathique** *a* apathetic, listless.
apatride [apatrid] *nmf* stateless person.
apercevoir* [apɛrsəvwar] *vt* to see, perceive; (*brièvement*) to catch a glimpse of; **s'a. de** to notice, realize. ◆**aperçu** *nm* overall view, general outline; (*intuition*) insight.
apéritif [aperitif] *nm* aperitif. ◆**apéro** *nm Fam* aperitif.
apesanteur [apəzɑ̃tœr] *nf* weightlessness.
à-peu-près [apøprɛ] *nm inv* vague approximation.
apeuré [apœre] *a* frightened, scared.
aphone [afɔn] *a* voiceless.
aphorisme [afɔrism] *nm* aphorism.
aphrodisiaque [afrɔdizjak] *a & nm* aphrodisiac.
aphte [aft] *nm* mouth ulcer. ◆**aphteuse** *af* **fièvre a.** foot-and-mouth disease.
apiculture [apikyltyr] *nf* beekeeping.
apit/oyer [apitwaje] *vt* to move (to pity); **s'a. sur** to pity. ◆**—oiement** *nm* pity, commiseration.
aplanir [aplanir] *vt* (*terrain*) to level; (*difficulté*) to iron out, smooth out.
aplat/ir [aplatir] *vt* to flatten (out); **— s'a.** *vpr* (*s'étendre*) to lie flat; (*s'humilier*) to grovel; (*tomber*) *Fam* to fall flat on one's face; **s'a. contre** to flatten oneself against. ◆**—i** *a* flat. ◆**—issement** *nm* (*état*) flatness.
aplomb [aplɔ̃] *nm* self-possession, self-assurance; *Péj* impudence; **d'a.** (*équilibré*) well-balanced; (*sur ses jambes*) steady; (*bien portant*) in good shape; **tomber d'a.** (*soleil*) to beat down.
apocalypse [apɔkalips] *nf* apocalypse; **d'a.** (*vision etc*) apocalyptic. ◆**apocalyptique** *a* apocalyptic.
apogée [apɔʒe] *nm* apogee; *Fig* peak, apogee.
apolitique [apɔlitik] *a* apolitical.
Apollon [apɔlɔ̃] *nm* Apollo.
apologie [apɔlɔʒi] *nf* defence, vindication. ◆**apologiste** *nmf* apologist.
apoplexie [apɔplɛksi] *nf* apoplexy. ◆**apoplectique** *a* apoplectic.
apostolat [apɔstɔla] *nm* (*prosélytisme*) proselytism; (*mission*) *Fig* calling. ◆**apostolique** *a* apostolic.
apostrophe [apɔstrɔf] *nf* **1** (*signe*) apostrophe. **2** (*interpellation*) sharp *ou* rude remark. ◆**apostropher** *vt* to shout at.
apothéose [apɔteoz] *nf* final triumph, apotheosis.
apôtre [apotr] *nm* apostle.
apparaître* [aparɛtr] *vi* (*se montrer, sembler*) to appear.
apparat [apara] *nm* pomp; **d'a.** (*tenue etc*) ceremonial, formal.
appareil [aparɛj] *nm* (*instrument etc*) apparatus; (*électrique*) appliance; *Anat* system; *Tél* telephone; (*avion*) aircraft; (*législatif etc*) *Fig* machinery; **a. (photo)** camera; **a. (auditif)** hearing aid; **a. (dentier)** brace; **qui est à l'a.?** *Tél* who's speaking?
appareiller [apareje] **1** *vi Nau* to get under way. **2** *vt* (*assortir*) to match (up).
apparence [aparɑ̃s] *nf* appearance; (*vestige*) semblance; **en a.** outwardly; **sous l'a. de** under the guise of; **sauver les apparences** to keep up appearances. ◆**apparemment** [-amɑ̃] *adv* apparently. ◆**apparent** *a* apparent; (*ostensible*) conspicuous.
apparent/er (s') [saparɑ̃te] *vpr* (*ressembler*) to be similar *ou* akin (**à** to). ◆**—é** *a* (*allié*) related; (*semblable*) similar.
appariteur [aparitœr] *nm Univ* porter.
apparition [aparisjɔ̃] *nf* appearance; (*spectre*) apparition.
appartement [apartəmɑ̃] *nm* flat, *Am* apartment.
appartenir* [apartənir] **1** *vi* to belong (**à** to); **il vous appartient de** it's your responsibility to. **2 s'a.** *vpr* to be one's own master. ◆**appartenance** *nf* membership (**à** of).
appât [apɑ] *nm* (*amorce*) bait; (*attrait*) lure. ◆**appâter** *vt* (*attirer*) to lure.
appauvrir [apovrir] *vt* to impoverish; **— s'a.** *vpr* to become impoverished *ou* poorer.
appel [apɛl] *nm* (*cri, attrait etc*) call; (*demande pressante*) & *Jur* appeal; *Mil* call-up; **faire l'a.** *Scol* to take the register; *Mil* to have a roll call; **faire a. à** to appeal to, call upon; (*requérir*) to call for.
appel/er [aple] *vt* (*personne, nom etc*) to call; (*en criant*) to call out to; *Mil* to call up; (*nécessiter*) to call for; **a. à l'aide** to call for help; **en a. à** to appeal to; **il est appelé à** (*de hautes fonctions*) he is marked out for; (*témoigner etc*) he is called upon to; **— s'a.** *vpr* to be called; **il s'appelle Paul** his name is Paul. ◆**—é** *nm Mil* conscript. ◆**appellation** *nf* (*nom*) term; **a. contrôlée** *trade name guaranteeing quality of wine.*
appendice [apɛ̃dis] *nm* appendix; (*d'animal*) appendage. ◆**appendicite** *nf* appendicitis.
appentis [apɑ̃ti] *nm* (*bâtiment*) lean-to.
appesantir (s') [sapəzɑ̃tir] *vpr* to become heavier; **s'a. sur** (*sujet*) to dwell upon.
appétit [apeti] *nm* appetite (**de** for); **mettre**

qn en a. to whet s.o.'s appetite; **bon a.!** enjoy your meal! ◆**appétissant** *a* appetizing.

applaud/ir [aplodir] *vti* to applaud, clap; **a. à** (*approuver*) to applaud. ◆**—issements** *nmpl* applause.

applique [aplik] *nf* wall lamp.

appliqu/er [aplike] *vt* to apply (**à** to); (*surnom, baiser, gifle*) to give; (*loi, décision*) to put into effect; **s'a. à** (*un travail*) to apply oneself to; (*concerner*) to apply to; **s'a. à faire** to take pains to do. ◆**—é** *a* (*travailleur*) painstaking; (*sciences*) applied. ◆**applicable** *a* applicable. ◆**application** *nf* application.

appoint [apwɛ̃] *nm* contribution; **faire l'a.** to give the correct money *ou* change.

appointements [apwɛ̃tmɑ̃] *nmpl* salary.

appontement [apɔ̃tmɑ̃] *nm* landing stage.

apport [apɔr] *nm* contribution.

apporter [apɔrte] *vt* to bring.

apposer [apoze] *vt Jur* to affix. ◆**apposition** *nf Gram* apposition.

apprécier [apresje] *vt* (*évaluer*) to appraise; (*aimer, percevoir*) to appreciate. ◆**appréciable** *a* appreciable. ◆**appréciation** *nf* appraisal; appreciation.

appréhender [apreɑ̃de] *vt* (*craindre*) to fear; (*arrêter*) to apprehend. ◆**appréhension** *nf* apprehension.

apprendre* [aprɑ̃dr] *vti* (*étudier*) to learn; (*événement, fait*) to hear of, learn of; (*nouvelle*) to hear; **a. à faire** to learn to do; **a. qch à qn** (*enseigner*) to teach s.o. sth; (*informer*) to tell s.o. sth; **a. à qn à faire** to teach s.o. to do; **a. que** to learn that; (*être informé*) to hear that.

apprenti, -ie [aprɑ̃ti] *nmf* apprentice; (*débutant*) novice. ◆**apprentissage** *nm* apprenticeship; **faire l'a. de** *Fig* to learn the experience of.

apprêt/er [aprete] *vt*, **— s'a.** *vpr* to prepare. ◆**—é** *a Fig* affected.

apprivois/er [aprivwaze] *vt* to tame; **— s'a.** *vpr* to become tame. ◆**—é** *a* tame.

approbation [aprɔbasjɔ̃] *nf* approval. ◆**approbateur, -trice** *a* approving.

approche [aprɔʃ] *nf* approach. ◆**approch/er** *vt* (*chaise etc*) to bring up, draw up (**de** to, close to); (*personne*) to approach, come close to; – *vi* to approach, draw near(er); **a. de, s'a. de** to approach, come close(r) *ou* near(er) to. ◆**—ant** *a* similar. ◆**—é** *a* approximate. ◆**—able** *a* approachable.

approfond/ir [aprɔfɔ̃dir] *vt* (*trou etc*) to deepen; (*question*) to go into thoroughly; (*mystère*) to plumb the depths of. ◆**—i** *a* thorough. ◆**—issement** *nm* deepening; (*examen*) thorough examination.

approprié [aprɔprije] *a* appropriate.

approprier (s') [saprɔprije] *vpr* **s'a. qch** to appropriate sth.

approuver [apruve] *vt* (*autoriser*) to approve; (*apprécier*) to approve of.

approvisionn/er [aprɔvizjɔne] *vt* (*ville etc*) to supply (with provisions); (*magasin*) to stock; **— s'a.** *vpr* to stock up (**de** with), get one's supplies (**de** of). ◆**—ements** *nmpl* stocks, supplies.

approximat/if, -ive [aprɔksimatif, -iv] *a* approximate. ◆**—ivement** *adv* approximately. ◆**approximation** *nf* approximation.

appui [apɥi] *nm* support; (*pour coude etc*) rest; (*de fenêtre*) sill; **à hauteur d'a.** breast-high. ◆**appuie-tête** *nm inv* headrest. ◆**appuyer** *vt* (*soutenir*) to support; (*accentuer*) to stress; **a. qch sur** (*poser*) to lean *ou* rest sth on; (*presser*) to press sth on; – *vi* **a. sur** to rest on; (*bouton etc*) to press (on); (*mot, élément etc*) to stress; **s'a. sur** to lean on, rest on; (*compter*) to rely on; (*se baser*) to base oneself on.

âpre [ɑpr] *a* harsh, rough; **a. au gain** grasping.

après [aprɛ] *prép* (*temps*) after; (*espace*) beyond; **a. un an** after a year; **a. le pont** beyond the bridge; **a. coup** after the event; **a. avoir mangé** after eating; **a. qu'il t'a vu** after he saw you; **d'a.** (*selon*) according to, from; – *adv* after(wards); **l'année d'a.** the following year; **et a.?** and then what?

après-demain [aprɛdmɛ̃] *adv* the day after tomorrow. ◆**a.-guerre** *nm* post-war period; **d'a.-guerre** post-war. ◆**a.-midi** *nm ou f inv* afternoon. ◆**a.-shampooing** *nm* (hair) conditioner. ◆**a.-ski** *nm* ankle boot, snow boot.

a priori [aprijɔri] *adv* at the very outset, without going into the matter; – *nm inv* premiss.

à-propos [apropo] *nm* timeliness, aptness.

apte [apt] *a* suited (**à** to), capable (**à** of). ◆**aptitude** *nf* aptitude, capacity (**à, pour** for).

aquarelle [akwarɛl] *nf* watercolour, aquarelle.

aquarium [akwarjɔm] *nm* aquarium.

aquatique [akwatik] *a* aquatic.

aqueduc [akdyk] *nm* aqueduct.

aquilin [akilɛ̃] *a* aquiline.

arabe [arab] *a* & *nmf* Arab; – *a* & *nm* (*langue*) Arabic; **chiffres arabes** Arabic

numerals; **désert a.** Arabian desert. ◆**Arabie** *nf* Arabia; **A. Séoudite** Saudi Arabia.
arabesque [arabɛsk] *nf* arabesque.
arable [arabl] *a* arable.
arachide [araʃid] *nf* peanut, groundnut.
araignée [areɲe] *nf* spider.
arbalète [arbalɛt] *nf* crossbow.
arbitraire [arbitrɛr] *a* arbitrary.
arbitre [arbitr] *nm Jur* arbitrator; (*maître absolu*) arbiter; *Fb* referee; *Tennis* umpire; **libre a.** free will. ◆**arbitr/er** *vt* to arbitrate; to referee; to umpire. ◆**—age** *nm* arbitration; refereeing; umpiring.
arborer [arbɔre] *vt* (*insigne, vêtement*) to sport, display.
arbre [arbr] *nm* tree; *Aut* shaft, axle. ◆**arbrisseau, -x** *nm* shrub. ◆**arbuste** *nm* (small) shrub, bush.
arc [ark] *nm* (*arme*) bow; (*voûte*) arch; *Math* arc; **tir à l'a.** archery. ◆**arcade** *nf* arch(way); *pl* arcade.
arc-boutant [arkbutɑ̃] *nm* (*pl* **arcs-boutants**) flying buttress. ◆**s'arc-bouter** *vpr* **s'a. à** *ou* **contre** to brace oneself against.
arceau, -x [arso] *nm* (*de voûte*) arch.
arc-en-ciel [arkɑ̃sjɛl] *nm* (*pl* **arcs-en-ciel**) rainbow.
archaïque [arkaik] *a* archaic.
archange [arkɑ̃ʒ] *nm* archangel.
arche [arʃ] *nf* (*voûte*) arch; **l'a. de Noé** Noah's ark.
archéologie [arkeɔlɔʒi] *nf* arch(a)eology. ◆**archéologue** *nmf* arch(a)eologist.
archer [arʃe] *nm* archer, bowman.
archet [arʃɛ] *nm Mus* bow.
archétype [arketip] *nm* archetype.
archevêque [arʃəvɛk] *nm* archbishop.
archicomble [arʃikɔ̃bl] *a* jam-packed.
archipel [arʃipɛl] *nm* archipelago.
archiplein [arʃiplɛ̃] *a* chock-full, chock-a-block.
architecte [arʃitɛkt] *nm* architect. ◆**architecture** *nf* architecture.
archives [arʃiv] *nfpl* archives, records. ◆**archiviste** *nmf* archivist.
arctique [arktik] *a* arctic; – *nm* **l'A.** the Arctic.
ardent [ardɑ̃] *a* (*chaud*) burning, scorching; (*actif, passionné*) ardent, fervent; (*empressé*) eager. ◆**ardemment** [-amɑ̃] *adv* eagerly, fervently. ◆**ardeur** *nf* heat; (*énergie*) ardour, fervour.
ardoise [ardwaz] *nf* slate.
ardu [ardy] *a* arduous, difficult.
are [ar] *nm* (*mesure*) 100 square metres.
arène [arɛn] *nf Hist* arena; (*pour taureaux*) bullring; *pl Hist* amphitheatre; bullring.
arête [arɛt] *nf* (*de poisson*) bone; (*de cube etc*) & *Géog* ridge.
argent [arʒɑ̃] *nm* (*métal*) silver; (*monnaie*) money; **a. comptant** cash. ◆**argenté** *a* (*plaqué*) silver-plated; (*couleur*) silvery. ◆**argenterie** *nf* silverware.
Argentine [arʒɑ̃tin] *nf* Argentina. ◆**argentin, -ine** *a* & *nmf* Argentinian.
argile [arʒil] *nf* clay. ◆**argileux, -euse** *a* clayey.
argot [argo] *nm* slang. ◆**argotique** *a* (*terme*) slang.
arguer [argɥe] *vi* **a. de qch** to put forward sth as an argument; **a. que** (*protester*) to protest that. ◆**argumentation** *nf* argumentation, arguments. ◆**argumenter** *vi* to argue.
argument [argymɑ̃] *nm* argument.
argus [argys] *nm* guide to secondhand cars.
argutie [argysi] *nf* specious argument, quibble.
aride [arid] *a* arid, barren.
aristocrate [aristɔkrat] *nmf* aristocrat. ◆**aristocratie** [-asi] *nf* aristocracy. ◆**aristocratique** *a* aristocratic.
arithmétique [aritmetik] *nf* arithmetic; – *a* arithmetical.
arlequin [arləkɛ̃] *nm* harlequin.
armateur [armatœr] *nm* shipowner.
armature [armatyr] *nf* (*charpente*) framework; (*de lunettes, tente*) frame.
arme [arm] *nf* arm, weapon; **a. à feu** firearm; **carrière des armes** military career. ◆**arm/er** *vt* (*personne etc*) to arm (**de** with); (*fusil*) to cock; (*appareil photo*) to wind on; (*navire*) to equip; (*béton*) to reinforce; **— s'a.** *vpr* to arm oneself (**de** with). ◆**—ement(s)** *nm(pl)* arms.
armée [arme] *nf* army; **a. active/de métier** regular/professional army; **a. de l'air** air force.
armistice [armistis] *nm* armistice.
armoire [armwar] *nf* cupboard, *Am* closet; (*penderie*) wardrobe, *Am* closet; **a. à pharmacie** medicine cabinet.
armoiries [armwari] *nfpl* (coat of) arms.
armure [armyr] *nf* armour.
armurier [armyrje] *nm* gunsmith.
arôme [arom] *nm* aroma. ◆**aromate** *nm* spice. ◆**aromatique** *a* aromatic.
arpent/er [arpɑ̃te] *vt* (*terrain*) to survey; (*trottoir etc*) to pace up and down. ◆**—eur** *nm* (land) surveyor.
arqué [arke] *a* arched, curved; (*jambes*) bandy.

arrache-pied (d') [daraʃpje] *adv* unceasingly, relentlessly.

arrach/er [araʃe] *vt* (*clou, dent etc*) to pull out; (*cheveux, page*) to tear out, pull out; (*plante*) to pull up; (*masque*) to tear off, pull off; **a. qch à qn** to snatch sth from s.o.; (*aveu, argent*) to force sth out of s.o.; **a. un bras à qn** (*obus etc*) to blow s.o.'s arm off; **a. qn de son lit** to drag s.o. out of bed. **◆—age** *nm* (*de plante*) pulling up.

arraisonner [arɛzɔne] *vt* (*navire*) to board and examine.

arrang/er [arɑ̃ʒe] *vt* (*chambre, visite etc*) to arrange, fix up; (*voiture, texte*) to put right; (*différend*) to settle; **a. qn** (*maltraiter*) *Fam* to fix s.o.; **ça m'arrange** that suits me (fine); **— s'a.** *vpr* (*se réparer*) to be put right; (*se mettre d'accord*) to come to an agreement *ou* arrangement; (*finir bien*) to turn out fine; **s'a. pour faire** to arrange to do, manage to do. **◆—eant** *a* accommodating. **◆—ement** *nm* arrangement.

arrestation [arɛstɑsjɔ̃] *nf* arrest.

arrêt [arɛ] *nm* (*halte, endroit*) stop; (*action*) stopping; *Méd* arrest; *Jur* decree; **temps d'a.** pause; **à l'a.** stationary; **a. de travail** (*grève*) stoppage; (*congé*) sick leave; **sans a.** constantly, non-stop.

arrêté [arete] *nm* order, decision.

arrêt/er [arete] *vt* to stop; (*appréhender*) to arrest; (*regard, jour*) to fix; (*plan*) to draw up; – *vi* to stop; **il n'arrête pas de critiquer**/*etc* he doesn't stop criticizing/*etc*, he's always criticizing/*etc*; **— s'a.** *vpr* to stop; **s'a. de faire** to stop doing. **◆—é** *a* (*projet*) fixed; (*volonté*) firm.

arrhes [ar] *nfpl Fin* deposit.

arrière [arjɛr] *adv* **en a.** (*marcher*) backwards; (*rester*) behind; (*regarder*) back; **en a. de qn/qch** behind s.o./sth; – *nm & a inv* rear, back; – *nm Fb* (full) back; **faire marche a.** to reverse, back.

arrière-boutique [arjɛrbutik] *nm* back room (*of a shop*). **◆a.-garde** *nf* rearguard. **◆a.-goût** *nm* aftertaste. **◆a.-grand-mère** *nf* great-grand-mother. **◆a.-grand-père** *nm* (*pl* **arrière-grands-pères**) great-grand-father. **◆a.-pays** *nm* hinterland. **◆a.-pensée** *nf* ulterior motive. **◆a.-plan** *nm* background. **◆a.-saison** *nf* end of season, (late) autumn. **◆a.-train** *nm* hindquarters.

arriéré [arjere] **1** *a* (*enfant*) (mentally) retarded; (*idée*) backward. **2** *nm* (*dette*) arrears.

arrimer [arime] *vt* (*fixer*) to rope down, secure.

arriv/er [arive] *vi* (*aux* **être**) (*venir*) to arrive, come; (*réussir*) to succeed; (*survenir*) to happen; **a. à** (*atteindre*) to reach; **a. à faire** to manage to do, succeed in doing; **a. à qn** to happen to s.o.; **il m'arrive d'oublier**/*etc* I happen (sometimes) to forget/*etc*, I (sometimes) forget/*etc*; **en a. à faire** to get to the point of doing. **◆—ant, -ante** *nmf* new arrival. **◆—ée** *nf* arrival; *Sp* (winning) post. **◆—age** *nm* consignment. **◆arriviste** *nmf Péj* social climber, self-seeker.

arrogant [arɔgɑ̃] *a* arrogant. **◆arrogance** *nf* arrogance.

arroger (s') [sarɔʒe] *vpr* (*droit etc*) to assume (falsely).

arrond/ir [arɔ̃dir] *vt* to make round; (*somme, chiffre*) to round off. **◆—i** *a* rounded.

arrondissement [arɔ̃dismɑ̃] *nm* (*d'une ville*) district.

arros/er [aroze] *vt* (*terre*) to water; (*repas*) to wash down; (*succès*) to drink to. **◆—age** *nm* watering; *Fam* booze-up, celebration. **◆arrosoir** *nm* watering can.

arsenal, -aux [arsənal, -o] *nm Nau* dockyard; *Mil* arsenal.

arsenic [arsənik] *nm* arsenic.

art [ar] *nm* art; **film/critique d'a.** art film/critic; **arts ménagers** domestic science.

artère [artɛr] *nf Anat* artery; *Aut* main road. **◆artériel, -elle** *a* arterial.

artichaut [artiʃo] *nm* artichoke.

article [artikl] *nm* (*de presse, de commerce*) & *Gram* article; (*dans un contrat, catalogue*) item; **a. de fond** feature (article); **articles de toilette/de voyage** toilet/travel requisites; **à l'a. de la mort** at death's door.

articuler [artikyle] *vt* (*mot etc*) to articulate; **— s'a.** *vpr Anat* to articulate; *Fig* to connect. **◆articulation** *nf Ling* articulation; *Anat* joint; **a. du doigt** knuckle.

artifice [artifis] *nm* trick, contrivance; **feu d'a.** (*spectacle*) fireworks, firework display.

artificiel, -elle [artifisjɛl] *a* artificial. **◆artificiellement** *adv* artificially.

artillerie [artijri] *nf* artillery. **◆artilleur** *nm* gunner.

artisan [artizɑ̃] *nm* craftsman, artisan. **◆artisanal, -aux** *a* (*métier*) craftsman's. **◆artisanat** *nm* (*métier*) craftsman's trade; (*classe*) artisan class.

artiste [artist] *nmf* artist; *Th Mus Cin* performer, artist. **◆artistique** *a* artistic.

as [ɑs] *nm* (*carte, champion*) ace; **a. du volant** crack driver.

ascendant [asɑ̃dɑ̃] *a* ascending, upward; – *nm* ascendancy, power; *pl* ancestors. ◆**ascendance** *nf* ancestry.
ascenseur [asɑ̃sœr] *nm* lift, *Am* elevator.
ascension [asɑ̃sjɔ̃] *nf* ascent; **l'A.** Ascension Day.
ascète [asɛt] *nmf* ascetic. ◆**ascétique** *a* ascetic. ◆**ascétisme** *nm* asceticism.
Asie [azi] *nf* Asia. ◆**Asiate** *nmf* Asian. ◆**asiatique** *a & nmf* Asian, Asiatic.
asile [azil] *nm* (*abri*) refuge, shelter; (*pour vieillards*) home; *Pol* asylum; **a. (d'aliénés)** *Péj* (lunatic) asylum; **a. de paix** haven of peace.
aspect [aspɛ] *nm* (*vue*) sight; (*air*) appearance; (*perspective*) & *Gram* aspect.
asperge [aspɛrʒ] *nf* asparagus.
asperger [aspɛrʒe] *vt* to spray, sprinkle (**de** with).
aspérité [asperite] *nf* rugged edge, bump.
asphalte [asfalt] *nm* asphalt.
asphyxie [asfiksi] *nf* suffocation. ◆**asphyxier** *vt* to suffocate, asphyxiate.
aspic [aspik] *nm* (*vipère*) asp.
aspirant [aspirɑ̃] *nm* (*candidat*) candidate.
aspirateur [aspiratœr] *nm* vacuum cleaner, hoover®; **passer (à) l'a.** to vacuum, hoover.
aspir/er [aspire] *vt* (*respirer*) to breathe in, inhale; (*liquide*) to suck up; **a. à** to aspire to. ◆**—é** *a Ling* aspirate(d). ◆**aspiration** *nf* inhaling; suction; (*ambition*) aspiration.
aspirine [aspirin] *nf* aspirin.
assagir (s') [sasaʒir] *vpr* to sober (down), settle down.
assaill/ir [asajir] *vt* to assault, attack; **a. de** (*questions etc*) to assail with. ◆**—ant** *nm* assailant, attacker.
assainir [asenir] *vt* (*purifier*) to clean up; *Fin* to stabilize.
assaisonn/er [asɛzɔne] *vt* to season. ◆**—ement** *nm* seasoning.
assassin [asasɛ̃] *nm* murderer; assassin. ◆**assassinat** *nm* murder; assassination. ◆**assassiner** *vt* to murder; (*homme politique etc*) to assassinate.
assaut [aso] *nm* assault, onslaught; **prendre d'a.** to (take by) storm.
assécher [aseʃe] *vt* to drain.
assemblée [asɑ̃ble] *nf* (*personnes réunies*) gathering; (*réunion*) meeting; *Pol Jur* assembly; (*de fidèles*) *Rel* congregation.
assembl/er [asɑ̃ble] *vt* to assemble, put together; **— s'a.** *vpr* to assemble, gather. ◆**—age** *nm* (*montage*) assembly; (*réunion d'objets*) collection.
asséner [asene] *vt* (*coup*) to deal, strike.
assentiment [asɑ̃timɑ̃] *nm* assent, consent.
asseoir* [aswar] *vt* (*personne*) to sit (down), seat (**sur** on); (*fondations*) to lay; (*autorité, réputation*) to establish; **a. sur** (*théorie etc*) to base on; **— s'a.** *vpr* to sit (down).
assermenté [asɛrmɑ̃te] *a* sworn.
assertion [asɛrsjɔ̃] *nf* assertion.
asserv/ir [asɛrvir] *vt* to enslave. ◆**—issement** *nm* enslavement.
assez [ase] *adv* enough; **a. de pain/de gens** enough bread/people; **j'en ai a.** I've had enough; **a. grand/intelligent/***etc* (*suffisamment*) big/clever/*etc* enough (**pour** to); **a. fatigué/***etc* (*plutôt*) fairly *ou* rather *ou* quite tired/*etc*.
assidu [asidy] *a* (*appliqué*) assiduous, diligent; **a. auprès de** attentive to. ◆**assiduité** *nf* assiduousness, diligence; *pl* (*empressement*) attentiveness. ◆**assidûment** *adv* assiduously.
assiég/er [asjeʒe] *vt* (*ville*) to besiege; (*guichet*) to mob, crowd round; (*importuner*) to pester, harry; **assiégé de** (*demandes*) besieged with; (*maux*) beset by. ◆**—eant, -eante** *nmf* besieger.
assiette [asjɛt] *nf* **1** (*récipient*) plate; **a. anglaise** *Culin* (assorted) cold meats, *Am* cold cuts. **2** (*à cheval*) seat; **il n'est pas dans son a.** he's feeling out of sorts.
assigner [asiɲe] *vt* (*attribuer*) to assign; *Jur* to summon, subpoena. ◆**assignation** *nf Jur* subpoena, summons.
assimiler [asimile] *vt* to assimilate; **— s'a.** *vpr* (*immigrants*) to assimilate, become assimilated (**à** with). ◆**assimilation** *nf* assimilation.
assis [asi] *a* sitting (down), seated; (*caractère*) settled; (*situation*) stable, secure.
assise [asiz] *nf* (*base*) *Fig* foundation; *pl Jur* assizes; *Pol* congress; **cour d'assises** court of assizes.
assistance [asistɑ̃s] *nf* **1** (*assemblée*) audience; (*nombre de personnes présentes*) attendance, turn-out. **2** (*aide*) assistance; **l'A. (publique)** the child care service; **enfant de l'A.** child in care. ◆**assist/er 1** *vt* (*aider*) to assist, help. **2** *vi* **a. à** (*réunion, cours etc*) to attend, be present at; (*accident*) to witness. ◆**—ant, -ante** *nmf* assistant; – *nmpl* (*spectateurs*) members of the audience; (*témoins*) those present; **assistante sociale** social worker; **assistante maternelle** mother's help.
associ/er [asɔsje] *vt* to associate (**à** with); **a. qn à** (*ses travaux, profits*) to involve s.o. in; **s'a. à** (*collaborer*) to associate with, become associated with; (*aux vues ou au chagrin de qn*) to share; (*s'harmoniser*) to combine

with. ◆**—é, -ée** *nmf* partner, associate; – *a* associate. ◆**association** *nf* association; (*amitié, alliance*) partnership, association.

assoiffé [aswafe] *a* thirsty (**de** for).

assombrir [asɔ̃brir] *vt* (*obscurcir*) to darken; (*attrister*) to cast a cloud over, fill with gloom; **— s'a.** *vpr* to darken; to cloud over.

assomm/er [asɔme] *vt* (*animal*) to stun, brain; (*personne*) to knock unconscious; (*ennuyer*) to bore stiff. ◆**—ant** *a* tiresome, boring.

assomption [asɔ̃psjɔ̃] *nf Rel* Assumption.

assort/ir [asɔrtir] *vt*, **— s'a.** *vpr* to match. ◆**—i** *a* **bien a.** (*magasin*) well-stocked; – *apl* (*objets semblables*) matching; (*fromages etc variés*) assorted; **époux bien assortis** well-matched couple. ◆**—iment** *nm* assortment.

assoup/ir [asupir] *vt* (*personne*) to make drowsy; (*douleur, sentiment etc*) *Fig* to dull; **— s'a.** *vpr* to doze off; *Fig* to subside. ◆**—i** *a* (*personne*) drowsy. ◆**—issement** *nm* drowsiness.

assoupl/ir [asuplir] *vt* (*étoffe, muscles*) to make supple; (*corps*) to limber up; (*caractère*) to soften; (*règles*) to ease, relax. ◆**—issement** *nm* **exercices d'a.** limbering up exercises.

assourd/ir [asurdir] *vt* (*personne*) to deafen; (*son*) to muffle. ◆**—issant** *a* deafening.

assouvir [asuvir] *vt* to appease, satisfy.

assujett/ir [asyʒetir] *vt* (*soumettre*) to subject (**à** to); (*peuple*) to subjugate; (*fixer*) to secure; **s'a. à** to subject oneself to, submit to. ◆**—issant** *a* (*travail*) constraining. ◆**—issement** *nm* subjection; (*contrainte*) constraint.

assumer [asyme] *vt* (*tâche, rôle*) to assume, take on; (*emploi*) to take up, assume; (*remplir*) to fill, hold.

assurance [asyrɑ̃s] *nf* (*aplomb*) (self-)assurance; (*promesse*) assurance; (*contrat*) insurance; **a. au tiers/tous risques** third-party/comprehensive insurance; **assurances sociales** = national insurance, *Am* = social security.

assur/er [asyre] *vt* (*rendre sûr*) to ensure, *Am* insure; (*par un contrat*) to insure; (*travail etc*) to carry out; (*fixer*) to secure; **a. à qn que** to assure s.o. that; **a. qn de qch, a. qch à qn** to assure s.o. of sth; **— s'a.** *vpr* (*se procurer*) to ensure, secure; (*par un contrat*) to insure oneself, get insured (**contre** against); **s'a. que/de** to make sure that/of. ◆**—é, -ée** *a* (*succès*) assured, certain; (*pas*) firm, secure; (*air*) (self-)assured, (self-)confident; – *nmf* policyholder, insured person. ◆**—ément** *adv* certainly, assuredly. ◆**assureur** *nm* insurer.

astérisque [asterisk] *nm* asterisk.

asthme [asm] *nm* asthma. ◆**asthmatique** *a* & *nmf* asthmatic.

asticot [astiko] *nm* maggot, worm.

astiquer [astike] *vt* to polish.

astre [astr] *nm* star.

astreindre* [astrɛ̃dr] *vt* **a. à** (*discipline*) to compel to accept; **a. à faire** to compel to do. ◆**astreignant** *a* exacting ◆**astreinte** *nf* constraint.

astrologie [astrɔlɔʒi] *nf* astrology. ◆**astrologue** *nm* astrologer.

astronaute [astrɔnot] *nmf* astronaut. ◆**astronautique** *nf* space travel.

astronomie [astrɔnɔmi] *nf* astronomy. ◆**astronome** *nm* astronomer. ◆**astronomique** *a* astronomical.

astuce [astys] *nf* (*pour faire qch*) knack, trick; (*invention*) gadget; (*plaisanterie*) clever joke, wisecrack; (*finesse*) astuteness; **les astuces du métier** the tricks of the trade. ◆**astucieux, -euse** *a* clever, astute.

atelier [atəlje] *nm* (*d'ouvrier*) workshop; (*de peintre*) studio.

atermoyer [atɛrmwaje] *vi* to procrastinate.

athée [ate] *a* atheistic; – *nmf* atheist. ◆**athéisme** *nm* atheism.

Athènes [atɛn] *nm ou f* Athens.

athlète [atlɛt] *nmf* athlete. ◆**athlétique** *a* athletic. ◆**athlétisme** *nm* athletics.

atlantique [atlɑ̃tik] *a* Atlantic; – *nm* **l'A.** the Atlantic.

atlas [atlɑs] *nm* atlas.

atmosphère [atmɔsfɛr] *nf* atmosphere. ◆**atmosphérique** *a* atmospheric.

atome [atom] *nm* atom. ◆**atomique** [atɔmik] *a* atomic; **bombe a.** atom *ou* atomic bomb.

atomis/er [atɔmize] *vt* (*liquide*) to spray; (*région*) to destroy (*by atomic weapons*). ◆**—eur** *nm* spray.

atone [atɔn] *a* (*personne*) lifeless; (*regard*) vacant.

atours [atur] *nmpl Hum* finery.

atout [atu] *nm* trump (card); (*avantage*) *Fig* trump card, asset; **l'a. est cœur** hearts are trumps.

âtre [ɑtr] *nm* (*foyer*) hearth.

atroce [atrɔs] *a* atrocious; (*crime*) heinous, atrocious. ◆**atrocité** *nf* atrociousness; *pl* (*actes*) atrocities.

atrophie [atrɔfi] *nf* atrophy. ◆**atrophié** *a* atrophied.

attabl/er (s') [satable] *vpr* to sit down at the table. ◆**—é** *a* (seated) at the table.

attache [ataʃ] *nf* (*objet*) attachment, fastening; *pl* (*liens*) links.

attach/er [ataʃe] *vt* (*lier*) to tie (up), attach (**à** to); (*boucler, fixer*) to fasten; **a. du prix/un sens à qch** to attach great value/a meaning to sth; **cette obligation m'attache à lui** this obligation binds me to him; **s'a. à** (*adhérer*) to stick to; (*se lier*) to become attached to; (*se consacrer*) to apply oneself to. ◆**—ant** *a* (*enfant etc*) engaging, appealing. ◆**—é, -ée** *nmf* (*personne*) *Pol Mil* attaché. ◆**—ement** *nm* attachment, affection.

attaque [atak] *nf* attack; **a. aérienne** air raid; **d'a.** in tip-top shape, on top form. ◆**attaqu/er** *vt*, **s'a. à** to attack; (*difficulté, sujet*) to tackle; – *vi* to attack. ◆**—ant, -ante** *nmf* attacker.

attard/er (s') [satarde] *vpr* (*chez qn*) to linger (on), stay on; (*en chemin*) to loiter, dawdle; **s'a. sur** *ou* **à** (*détails etc*) to linger over; **s'a. derrière qn** to lag behind s.o. ◆**—é** *a* (*enfant etc*) backward; (*passant*) late.

atteindre* [atɛ̃dr] *vt* (*parvenir à*) to reach; (*idéal*) to attain; (*blesser*) to hit, wound; (*toucher*) to affect; (*offenser*) to hurt, wound; **être atteint de** (*maladie*) to be suffering from.

atteinte [atɛ̃t] *nf* attack; **porter a. à** to attack, undermine; **a. à** (*honneur*) slur on; **hors d'a.** (*objet, personne*) out of reach; (*réputation*) unassailable.

attel/er [atle] *vt* (*bêtes*) to harness, hitch up; (*remorque*) to couple; **s'a. à** (*travail etc*) to apply oneself to. ◆**—age** *nm* harnessing; coupling; (*bêtes*) team.

attenant [atnɑ̃] *a* **a. (à)** adjoining.

attend/re [atɑ̃dr] *vt* to wait for, await; (*escompter*) to expect (**de** of, from); **elle attend un bébé** she's expecting a baby; – *vi* to wait; **s'a. à** to expect; **a. d'être informé** to wait to be informed; **a. que qn vienne** to wait for s.o. to come, wait until s.o. comes; **faire a. qn** to keep s.o. waiting; **se faire a.** (*réponse, personne etc*) to be a long time coming; **attends voir** *Fam* let me see; **en attendant** meanwhile; **en attendant que** (+ *sub*) until. ◆**—u** *a* (*avec joie*) eagerly-awaited; (*prévu*) expected; – *prép* considering; **a. que** considering that.

attendr/ir [atɑ̃drir] *vt* (*émouvoir*) to move (to compassion); (*viande*) to tenderize; — **s'a.** *vpr* to be moved (**sur** by). ◆**—i** *a* compassionate. ◆**—issant** *a* moving. ◆**—issement** *nm* compassion.

attentat [atɑ̃ta] *nm* attempt (*on s.o.'s life*), murder attempt; *Fig* crime, outrage (**à** against); **a. (à la bombe)** (bomb) attack. ◆**attenter** *vi* **a. à** (*la vie de qn*) to make an attempt on; *Fig* to attack.

attente [atɑ̃t] *nf* (*temps*) wait(ing); (*espérance*) expectation(s); **une a. prolongée** a long wait; **être dans l'a. de** to be waiting for; **salle d'a.** waiting room.

attentif, -ive [atɑ̃tif, -iv] *a* (*personne*) attentive; (*travail, examen*) careful; **a. à** (*plaire etc*) anxious to; (*ses devoirs etc*) mindful of. ◆**attentivement** *adv* attentively.

attention [atɑ̃sjɔ̃] *nf* attention; *pl* (*égards*) consideration; **faire** *ou* **prêter a. à** (*écouter, remarquer*) to pay attention to; **faire a. à/que** (*prendre garde*) to be careful of/that; **a.!** look out!, be careful!; **a. à la voiture!** mind *ou* watch the car! ◆**attentionné** *a* considerate.

atténu/er [atenɥe] *vt* to attenuate, mitigate; — **s'a.** *vpr* to subside. ◆**—antes** *afpl* **circonstances a.** extenuating circumstances.

atterrer [atere] *vt* to dismay.

atterr/ir [aterir] *vi Av* to land. ◆**—issage** *nm Av* landing; **a. forcé** crash *ou* emergency landing.

attester [ateste] *vt* to testify to; **a. que** to testify that. ◆**attestation** *nf* (*document*) declaration, certificate.

attifer [atife] *vt Fam Péj* to dress up, rig out.

attirail [atiraj] *nm* (*équipement*) *Fam* gear.

attir/er [atire] *vt* (*faire venir*) to attract, draw; (*plaire à*) to attract; (*attention*) to draw (**sur** on); **a. qch à qn** (*causer*) to bring s.o. sth; (*gloire etc*) to win *ou* earn s.o. sth; **a. dans** (*coin, guet-apens*) to draw into; — **s'a.** *vpr* (*ennuis etc*) to bring upon oneself; (*sympathie de qn*) to win; **a. sur soi** (*colère de qn*) to bring down upon oneself. ◆**—ant** *a* attractive. ◆**attirance** *nf* attraction.

attiser [atize] *vt* (*feu*) to poke; (*sentiment*) *Fig* to rouse.

attitré [atitre] *a* (*représentant*) appointed; (*marchand*) regular.

attitude [atityd] *nf* attitude; (*maintien*) bearing.

attraction [atraksjɔ̃] *nf* attraction.

attrait [atrɛ] *nm* attraction.

attrape [atrap] *nf* trick. ◆**a.-nigaud** *nm* con, trick.

attraper [atrape] *vt* (*ballon, maladie, voleur, train etc*) to catch; (*accent, contravention etc*) to pick up; **se laisser a.** (*duper*) to get taken in *ou* tricked; **se faire a.** (*gronder*) *Fam* to get a telling off. ◆**attrapade** *nf* (*gronderie*) *Fam* telling off.

attrayant [atrɛjɑ̃] *a* attractive.

attribuer [atribɥe] *vt* (*donner*) to assign, allot (**à** to); (*imputer, reconnaître*) to attribute, ascribe (**à** to); (*décerner*) to grant, award (**à** to). ◆**attribuable** *a* attributable. ◆**attribution** *nf* assignment; attribution; (*de prix*) awarding; *pl* (*compétence*) powers.

attribut [atriby] *nm* attribute.

attrister [atriste] *vt* to sadden.

attroup/er [atrupe] *vt*, **— s'a.** *vpr* to gather. ◆**—ement** *nm* gathering, (disorderly) crowd.

au [o] *voir* **à.**

aubaine [obɛn] *nf* **(bonne) a.** stroke of good luck, godsend.

aube [ob] *nf* dawn; **dès l'a.** at the crack of dawn.

aubépine [obepin] *nf* hawthorn.

auberge [obɛrʒ] *nf* inn; **a. de jeunesse** youth hostel. ◆**aubergiste** *nmf* innkeeper.

aubergine [obɛrʒin] *nf* aubergine, eggplant.

aucun, -une [okœ̃, -yn] *a* no, not any; **il n'a a. talent** he has no talent, he doesn't have any talent; **a. professeur n'est venu** no teacher has come; – *pron* none, not any; **il n'en a a.** he has none (at all), he doesn't have any (at all); **plus qu'a.** more than any(one); **d'aucuns** some (people). ◆**aucunement** *adv* not at all.

audace [odas] *nf* (*courage*) daring, boldness; (*impudence*) audacity; *pl* daring innovations. ◆**audacieux, -euse** *a* daring, bold.

au-dedans, au-dehors, au-delà *voir* **dedans** *etc.*

au-dessous [odsu] *adv* (*en bas*) (down) below, underneath; (*moins*) below, under; (*à l'étage inférieur*) downstairs; – *prép* **au-d. de** (*arbre etc*) below, under, beneath; (*âge, prix*) under; (*température*) below; **au-d. de sa tâche** not up to *ou* unequal to one's task.

au-dessus [odsy] *adv* above; over; on top; (*à l'étage supérieur*) upstairs; – *prép* **au-d. de** above; (*âge, température, prix*) over; (*posé sur*) on top of.

au-devant de [odvɑ̃də] *prép* **aller au-d. de** (*personne*) to go to meet; (*danger*) to court; (*désirs de qn*) to anticipate.

audible [odibl] *a* audible.

audience [odjɑ̃s] *nf Jur* hearing; (*entretien*) audience.

audio [odjo] *a inv* (*cassette etc*) audio. ◆**audiophone** *nm* hearing aid. ◆**audio-visuel, -elle** *a* audio-visual.

auditeur, -trice [oditœr, -tris] *nmf Rad* listener; **les auditeurs** the audience; **a. libre** *Univ* auditor, *student allowed to attend classes but not to sit examinations.* ◆**auditif, -ive** *a* (*nerf*) auditory. ◆**audition** *nf* (*ouïe*) hearing; (*séance d'essai*) *Th* audition; (*séance musicale*) recital. ◆**auditionner** *vti* to audition. ◆**auditoire** *nm* audience. ◆**auditorium** *nm Rad* recording studio (*for recitals*).

auge [oʒ] *nf* (feeding) trough.

augmenter [ɔgmɑ̃te] *vt* to increase (**de** by); (*salaire, prix, impôt*) to raise, increase; **a. qn** to give s.o. a rise *ou Am* raise; – *vi* to increase (**de** by); (*prix, population*) to rise, go up. ◆**augmentation** *nf* increase (**de** in, of); **a. de salaire** (pay) rise, *Am* raise; **a. de prix** price rise *ou* increase.

augure [ɔgyr] *nm* (*présage*) omen; (*devin*) oracle; **être de bon/mauvais a.** to be a good/bad omen. ◆**augurer** *vt* to augur, predict.

auguste [ogyst] *a* august.

aujourd'hui [oʒurdɥi] *adv* today; (*actuellement*) nowadays, today; **a. en quinze** two weeks today.

aumône [omon] *nf* alms.

aumônier [omonje] *nm* chaplain.

auparavant [oparavɑ̃] *adv* (*avant*) before(hand); (*d'abord*) first.

auprès de [oprɛdə] *prép* (*assis, situé etc*) by, close to, next to; (*en comparaison de*) compared to; **agir a. de** (*ministre etc*) to use one's influence with; **accès a. de qn** access to s.o.

auquel [okɛl] *voir* **lequel.**

aura, aurait [ora, orɛ] *voir* **avoir.**

auréole [ɔreɔl] *nf* (*de saint etc*) halo; (*trace*) ring.

auriculaire [ɔrikylɛr] *nm* **l'a.** the little finger.

aurore [ɔrɔr] *nf* dawn, daybreak.

ausculter [ɔskylte] *vt* (*malade*) to examine (*with a stethoscope*); (*cœur*) to listen to. ◆**auscultation** *nf Méd* auscultation.

auspices [ɔspis] *nmpl* **sous les a. de** under the auspices of.

aussi [osi] *adv* **1** (*comparaison*) as; **a. sage que** as wise as. **2** (*également*) too, also, as well; **moi a.** so do, can, am *etc* I; **a. bien que** as well as. **3** (*tellement*) so; **un repas a. délicieux** so delicious a meal, such a delicious meal. **4** *conj* (*donc*) therefore.

aussitôt [osito] *adv* immediately, at once; **a. que** as soon as; **a. levé, il partit** as soon as he was up, he left; **a. dit, a. fait** no sooner said than done.

austère [ɔstɛr] *a* austere. ◆**austérité** *nf* austerity.

austral, *mpl* **-als** [ostral] *a* southern.

Australie [ostrali] *nf* Australia. ◆**australien, -ienne** *a* & *nmf* Australian.

autant [otɑ̃] *adv* **1 a. de . . . que** (*quantité*) as much . . . as; (*nombre*) as many . . . as; **il a a. d'argent/de pommes que vous** he has as much money/as many apples as you. **2 a. de** (*tant de*) so much; (*nombre*) so many; **je n'ai jamais vu a. d'argent/de pommes** I've never seen so much money/so many apples; **pourquoi manges-tu a.?** why are you eating so much? **3 a. que** (*souffrir, lire etc*) as much as; **il lit a. que vous/que possible** he reads as much as you/as possible; **il n'a jamais souffert a.** he's never suffered as *ou* so much; **a. que je sache** as far as I know; **d'a. (plus) que** all the more (so) since; **d'a. moins que** even less since; **a. avouer/***etc* we, you *etc* might as well confess/*etc*; **en faire/dire a.** to do/say the same; **j'aimerais a. aller au cinéma** I'd just as soon go to the cinema.

autel [otɛl] *nm* altar.

auteur [otœr] *nm* (*de livre*) author, writer; (*de chanson*) composer; (*de procédé*) originator; (*de crime*) perpetrator; (*d'accident*) cause; **droit d'a.** copyright; **droits d'a.** royalties.

authenticité [otɑ̃tisite] *nf* authenticity. ◆**authentifier** *vt* to authenticate. ◆**authentique** *a* genuine, authentic.

autiste [otist] *a*, **autistique** *a* autistic.

auto [oto] *nf* car; **autos tamponneuses** bumper cars, dodgems.

auto- [oto] *préf* self-.

autobiographie [otobjɔgrafi] *nf* autobiography.

autobus [otobys] *nm* bus.

autocar [otokar] *nm* coach, bus.

autochtone [ɔtɔktɔn] *a* & *nmf* native.

autocollant [otokɔlɑ̃] *nm* sticker.

autocrate [otokrat] *nm* autocrat. ◆**autocratique** *a* autocratic.

autocuiseur [otokɥizœr] *nm* pressure cooker.

autodéfense [otodefɑ̃s] *nf* self-defence.

autodestruction [otodɛstryksjɔ̃] *nf* self-destruction.

autodidacte [otodidakt] *a* & *nmf* self-taught (person).

autodrome [otodrom] *nm* motor-racing track.

auto-école [otoekɔl] *nf* driving school, school of motoring.

autographe [otograf] *nm* autograph.

automate [ɔtɔmat] *nm* automaton. ◆**automation** *nf* automation. ◆**automatisation** *nf* automation. ◆**automatiser** *vt* to automate.

automatique [ɔtɔmatik] *a* automatic; – *nm* **l'a.** *Tél* direct dialling. ◆**—ment** *adv* automatically.

automne [otɔn] *nm* autumn, *Am* fall. ◆**automnal, -aux** *a* autumnal.

automobile [otɔmɔbil] *nf* & *a* (motor)car, *Am* automobile; **l'a.** *Sp* motoring; **Salon de l'a.** Motor Show; **canot a.** motor boat. ◆**automobiliste** *nmf* motorist.

autonome [otonɔm] *a* (*région etc*) autonomous, self-governing; (*personne*) *Fig* independent. ◆**autonomie** *nf* autonomy.

autopsie [ɔtɔpsi] *nf* autopsy, post-mortem.

autoradio [otoradjo] *nm* car radio.

autorail [ɔtɔrɑj] *nm* railcar.

autoris/er [ɔtɔrize] *vt* (*habiliter*) to authorize (**à faire** to do); (*permettre*) to permit (**à faire** to do). ◆**—é** *a* (*qualifié*) authoritative. ◆**autorisation** *nf* authorization; permission.

autorité [ɔtɔrite] *nf* authority. ◆**autoritaire** *a* authoritarian; (*homme, ton*) authoritative.

autoroute [otorut] *nf* motorway, *Am* highway, freeway.

auto-stop [otostɔp] *nm* hitchhiking; **faire de l'a.** to hitchhike. ◆**autostoppeur, -euse** *nmf* hitchhiker.

autour [otur] *adv* around; – *prép* **a. de** around.

autre [otr] *a* & *pron* other; **un a. livre** another book; **un a.** another (one); **d'autres** others; **as-tu d'autres questions?** have you any other *ou* further questions?; **qn/personne/rien d'a.** s.o./no one/nothing else; **a. chose/part** sth/somewhere else; **qui/quoi d'a.?** who/what else?; **l'un l'a., les uns les autres** each other; **l'un et l'a.** both (of them); **l'un ou l'a.** either (of them); **ni l'un ni l'a.** neither (of them); **les uns . . . les autres** some . . . others; **nous/vous autres Anglais** we/you English; **d'un moment à l'a.** any moment (now); **. . . et autres . . .** and so on. ◆**autrement** *adv* (*différemment*) differently; (*sinon*) otherwise; (*plus*) far more (**que** than); **pas a. satisfait/***etc* not particularly satisfied/*etc*.

autrefois [otrəfwa] *adv* in the past, in days gone by.

Autriche [otriʃ] *nf* Austria. ◆**autrichien, -ienne** *a* & *nmf* Austrian.

autruche [otryʃ] *nf* ostrich.

autrui [otrɥi] *pron* others, other people.

auvent [ovɑ̃] *nm* awning, canopy.

aux [o] *voir* **à.**

auxiliaire [ɔksiljɛr] *a* auxiliary; – *nm Gram* auxiliary; – *nmf* (*aide*) helper, auxiliary.

auxquels, -elles [okɛl] *voir* **lequel.**

avachir (s') [savaʃir] *vpr* (*soulier, personne*) to become flabby *ou* limp.

avait [avɛ] *voir* **avoir.**

aval (en) [ɑ̃naval] *adv* downstream (**de** from).

avalanche [avalɑ̃ʃ] *nf* avalanche; *Fig* flood, avalanche.

avaler [avale] *vt* to swallow; (*livre*) to devour; (*mots*) to mumble; – *vi* to swallow.

avance [avɑ̃s] *nf* (*marche, acompte*) advance; (*de coureur, chercheur etc*) lead; *pl* (*galantes*) advances; **à l'a., d'a., par a.** in advance; **en a.** (*arriver, partir*) early; (*avant l'horaire prévu*) ahead (of time); (*dans son développement*) ahead, in advance; (*montre etc*) fast; **en a. sur** (*qn, son époque etc*) ahead of, in advance of; **avoir une heure d'a.** (*train etc*) to be an hour early.

avanc/er [avɑ̃se] *vt* (*thèse, argent*) to advance; (*date*) to bring forward; (*main, chaise*) to move forward; (*travail*) to speed up; – *vi* to advance, move forward; (*montre*) to be fast; (*faire saillie*) to jut out (**sur** over); **a. en âge** to be getting on (in years); — **s'a.** *vpr* to advance, move forward; (*faire saillie*) to jut out. ◆**—é** *a* advanced; (*saison*) well advanced. ◆**—ée** *nf* projection, overhang. ◆**—ement** *nm* advancement.

avanie [avani] *nf* affront, insult.

avant [avɑ̃] *prép* before; **a. de voir** before seeing; **a. qu'il (ne) parte** before he leaves; **a. huit jours** within a week; **a. tout** above all; **a. toute chose** first and foremost; **a. peu** before long; – *adv* before; **en a.** (*mouvement*) forward; (*en tête*) ahead; **en a. de** in front of; **bien a. dans** (*creuser etc*) very deep(ly) into; **la nuit d'a.** the night before; – *nm* & *a inv* front; – *nm* (*joueur*) *Sp* forward.

avantage [avɑ̃taʒ] *nm* advantage; (*bénéfice*) *Fin* benefit; **tu as a. à le faire** it's worth your while to do it; **tirer a. de** to benefit from. ◆**avantager** *vt* (*favoriser*) to favour; (*faire valoir*) to show off to advantage. ◆**avantageux, -euse** *a* worthwhile, attractive; (*flatteur*) flattering; *Péj* conceited; **a. pour qn** advantageous to s.o.

avant-bras [avɑ̃bra] *nm inv* forearm. ◆**a.-centre** *nm Sp* centre-forward. ◆**a.-coureur** *am* **a.-coureur de** (*signe*) heralding. ◆**a.-dernier, -ière** *a* & *nmf* last but one. ◆**a.-garde** *nf Mil* advance guard; **d'a.-garde** (*idée, film etc*) avant-garde. ◆**a.-goût** *nm* foretaste. ◆**a.-guerre** *nm ou f* pre-war period; **d'a.-guerre** pre-war. ◆**a.-hier** [avɑ̃tjɛr] *adv* the day before yesterday. ◆**a.-poste** *nm* outpost. ◆**a.-première** *nf* preview. ◆**a.-propos** *nm inv* foreword. ◆**a.-veille** *nf* **l'a.-veille (de)** two days before.

avare [avar] *a* miserly; **a. de** (*compliments etc*) sparing of; – *nmf* miser. ◆**avarice** *nf* avarice.

avarie(s) [avari] *nf(pl)* damage. ◆**avarié** *a* (*aliment*) spoiled, rotting.

avatar [avatar] *nm Péj Fam* misadventure.

avec [avɛk] *prép* with; (*envers*) to(wards); **et a. ça?** (*dans un magasin*) *Fam* anything else?; – *adv* **il est venu a.** (*son chapeau etc*) *Fam* he came with it.

avenant [avnɑ̃] *a* pleasing, attractive; **à l'a.** in keeping (**de** with).

avènement [avɛnmɑ̃] *nm* **l'a. de** the coming *ou* advent of; (*roi*) the accession of.

avenir [avnir] *nm* future; **d'a.** (*personne, métier*) with future prospects; **à l'a.** (*désormais*) in future.

aventure [avɑ̃tyr] *nf* adventure; (*en amour*) affair; **à l'a.** (*marcher etc*) aimlessly; **dire la bonne a. à qn** to tell s.o.'s fortune. ◆**aventur/er** *vt* to risk; (*remarque*) to venture; (*réputation*) to risk; — **s'a.** *vpr* to venture (**sur** on to, **à faire** to do). ◆**—é** *a* risky. ◆**aventureux, -euse** *a* (*personne, vie*) adventurous; (*risqué*) risky. ◆**aventurier, -ière** *nmf Péj* adventurer.

avenue [avny] *nf* avenue.

avér/er (s') [savere] *vpr* (*juste etc*) to prove (to be); **il s'avère que** it turns out that. ◆**—é** *a* established.

averse [avɛrs] *nf* shower, downpour.

aversion [avɛrsjɔ̃] *nf* aversion (**pour** to).

avert/ir [avɛrtir] *vt* (*mettre en garde, menacer*) to warn; (*informer*) to notify, inform. ◆**—i** *a* informed. ◆**—issement** *nm* warning; notification; (*dans un livre*) foreword. ◆**—isseur** *nm Aut* horn; **a. d'incendie** fire alarm.

aveu, -x [avø] *nm* confession; **de l'a. de** by the admission of.

aveugle [avœgl] *a* blind; – *nmf* blind man, blind woman; **les aveugles** the blind. ◆**aveuglément** [-emɑ̃] *adv* blindly.

◆**aveugl/er** *vt* to blind. ◆**—ement** [-əmɑ̃] *nm* (*égarement*) blindness.
aveuglette (à l') [alavœglɛt] *adv* blindly; **chercher qch à l'a.** to grope for sth.
aviateur, -trice [avjatœr, -tris] *nmf* airman, airwoman. ◆**aviation** *nf* (*industrie, science*) aviation; (*armée de l'air*) air force; (*avions*) aircraft; **l'a.** *Sp* flying; **d'a.** (*terrain, base*) air-.
avide [avid] *a* (*rapace*) greedy (**de** for); **a. d'apprendre**/*etc* (*désireux*) eager to learn/*etc.* ◆**—ment** *adv* greedily. ◆**avidité** *nf* greed.
avilir [avilir] *vt* to degrade, debase.
avion [avjɔ̃] *nm* aircraft, (aero)plane, *Am* airplane; **a. à réaction** jet; **a. de ligne** airliner; **par a.** (*lettre*) airmail; **en a., par a.** (*voyager*) by plane, by air; **aller en a.** to fly.
aviron [avirɔ̃] *nm* oar; **faire de l'a.** to row, practise rowing.
avis [avi] *nm* opinion; *Pol Jur* judgement; (*communiqué*) notice; (*conseil*) & *Fin* advice; **à mon a.** in my opinion, to my mind; **changer d'a.** to change one's mind.
avis/er [avize] *vt* to advise, inform; (*voir*) to notice; **s'a. de qch** to realize sth suddenly; **s'a. de faire** to venture to do. ◆**—é** *a* prudent, wise; **bien/mal a.** well-/ill-advised.
aviver [avive] *vt* (*couleur*) to bring out; (*douleur*) to sharpen.
avocat, -ate [avɔka, -at] **1** *nmf* barrister, counsel, *Am* attorney, counselor; (*d'une cause*) *Fig* advocate. **2** *nm* (*fruit*) avocado (pear).
avoine [avwan] *nf* oats; **farine d'a.** oatmeal.
avoir* [avwar] **1** *v aux* to have; **je l'ai vu** I've seen him. **2** *vt* (*posséder*) to have; (*obtenir*) to get; (*tromper*) *Fam* to take for a ride; **il a** he has, he's got; **qu'est-ce que tu as?** what's the matter with you?, what's wrong with you?; **j'ai à lui parler** I have to speak to her; **il n'a qu'à essayer** he only has to try; **a. faim/chaud**/*etc* to be *ou* feel hungry/hot/*etc*; **a. cinq ans**/*etc* to be five (years old)/*etc*; **en a. pour longtemps** to be busy for quite a while; **j'en ai pour dix minutes** this will take me ten minutes; (*ne bougez pas*) I'll be with you in ten minutes; **en a. pour son argent** to get *ou* have one's money's worth; **en a. après** *ou* **contre** to have a grudge against. **3** *v imp* **il y a** there is, *pl* there are; **il y a six ans** six years ago; **il n'y a pas de quoi!** don't mention it!; **qu'est-ce qu'il y a?** what's the matter?, what's wrong? **4** *nm* assets, property; (*d'un compte*) *Fin* credit.
avoisin/er [avwazine] *vt* to border on. ◆**—ant** *a* neighbouring, nearby.
avort/er [avɔrte] *vi* (*projet etc*) *Fig* to miscarry, fail; **(se faire) a.** (*femme*) to have *ou* get an abortion. ◆**—ement** *nm* abortion; *Fig* failure. ◆**avorton** *nm Péj* runt, puny shrimp.
avou/er [avwe] *vt* to confess, admit (**que** that); **s'a. vaincu** to admit defeat; – *vi* (*coupable*) to confess. ◆**—é** *a* (*ennemi, but*) avowed; – *nm* solicitor, *Am* attorney.
avril [avril] *nm* April; **un poisson d'a.** (*farce*) an April fool joke.
axe [aks] *nm Math* axis; (*essieu*) axle; (*d'une politique*) broad direction; **grands axes** (*routes*) main roads. ◆**axer** *vt* to centre; **il est axé sur** his mind is drawn towards.
axiome [aksjom] *nm* axiom.
ayant [ɛjɑ̃] *voir* **avoir.**
azalée [azale] *nf* (*plante*) azalea.
azimuts [azimyt] *nmpl* **dans tous les a.** *Fam* all over the place, here there and everywhere; **tous a.** (*guerre, publicité etc*) all-out.
azote [azot] *nm* nitrogen.
azur [azyr] *nm* azure, (sky) blue; **la Côte d'A.** the (French) Riviera.
azyme [azim] *a* (*pain*) unleavened.

B

B, b [be] *nm* B, b.
babeurre [babœr] *nm* buttermilk.
babill/er [babije] *vi* to prattle, babble. ◆**—age** *nm* prattle, babble.
babines [babin] *nfpl* (*lèvres*) chops, chaps.
babiole [babjɔl] *nf* (*objet*) knick-knack; (*futilité*) trifle.
bâbord [bɑbɔr] *nm Nau Av* port (side).
babouin [babwɛ̃] *nm* baboon.
baby-foot [babifut] *nm inv* table *ou* miniature football.
bac [bak] *nm* **1** (*bateau*) ferry(boat). **2** (*cuve*) tank; **b. à glace** ice tray; **b. à laver** washtub. **3** *abrév* = **baccalauréat.**
baccalauréat [bakalɔrea] *nm* school leaving certificate.

bâche [baʃ] *nf* (*toile*) tarpaulin. ◆**bâcher** *vt* to cover over (*with a tarpaulin*).

bachelier, -ière [baʃəlje, -jɛr] *nmf* holder of the *baccalauréat*.

bachot [baʃo] *nm abrév* = **baccalauréat.** ◆**bachoter** *vi* to cram (*for an exam*).

bacille [basil] *nm* bacillus, germ.

bâcler [bɑkle] *vt* (*travail*) to dash off carelessly, botch (up).

bactéries [bakteri] *nfpl* bacteria. ◆**bactériologique** *a* bacteriological; **la guerre b.** germ warfare.

badaud, -aude [bado, -od] *nmf* (inquisitive) onlooker, bystander.

baderne [badɛrn] *nf* **vieille b.** *Péj* old fogey, old fuddy-duddy.

badigeon [badiʒɔ̃] *nm* whitewash. ◆**badigeonner** *vt* (*mur*) to whitewash, distemper; (*écorchure*) *Méd* to paint, coat.

badin [badɛ̃] *a* (*peu sérieux*) light-hearted, playful. ◆**badin/er** *vi* to jest, joke; **b. avec** (*prendre à la légère*) to trifle with. ◆**—age** *nm* banter, jesting.

badine [badin] *nf* cane, switch.

bafouer [bafwe] *vt* to mock *ou* scoff at.

bafouiller [bafuje] *vti* to stammer, splutter.

bâfrer [bɑfre] *vi Fam* to stuff oneself (with food).

bagage [bagaʒ] *nm* (*valise etc*) piece of luggage *ou* baggage; (*connaissances*) *Fig* (fund of) knowledge; *pl* (*ensemble des valises*) luggage, baggage. ◆**bagagiste** *nm* baggage handler.

bagarre [bagar] *nf* brawl. ◆**bagarrer** *vi Fam* to fight, struggle; **— se b.** *vpr* to fight, brawl; (*se disputer*) to fight, quarrel.

bagatelle [bagatɛl] *nf* trifle, mere bagatelle; **la b. de** *Iron* the trifling sum of.

bagne [baɲ] *nm* convict prison; **c'est le b. ici** *Fig* this place is a real hell hole *ou* workhouse. ◆**bagnard** *nm* convict.

bagnole [baɲɔl] *nf Fam* car; **vieille b.** *Fam* old banger.

bagou(t) [bagu] *nm Fam* glibness; **avoir du b.** to have the gift of the gab.

bague [bag] *nf* (*anneau*) ring; (*de cigare*) band. ◆**bagué** *a* (*doigt*) ringed.

baguenauder [bagnode] *vi*, **— se b.** *vpr* to loaf around, saunter.

baguette [bagɛt] *nf* (*canne*) stick; (*de chef d'orchestre*) baton; (*pain*) (long thin) loaf, stick of bread; *pl* (*de tambour*) drumsticks; (*pour manger*) chopsticks; **b. (magique)** (magic) wand; **mener à la b.** to rule with an iron hand.

bah! [bɑ] *int* really!, bah!

bahut [bay] *nm* (*meuble*) chest, cabinet; (*lycée*) *Fam* school.

baie [bɛ] *nf* **1** *Géog* bay. **2** *Bot* berry. **3** (*fenêtre*) picture window.

baignade [bɛɲad] *nf* (*bain*) bathe, bathing; (*endroit*) bathing place. ◆**baign/er** *vt* (*immerger*) to bathe; (*enfant*) to bath, *Am* bathe; **b. les rivages** (*mer*) to wash the shores; **baigné de** (*sueur, lumière*) bathed in; (*sang*) soaked in; **—** *vi* **b. dans** (*tremper*) to soak in; (*être imprégné de*) to be steeped in; **— se b.** *vpr* to go swimming *ou* bathing; (*dans une baignoire*) to have *ou* take a bath. ◆**—eur, -euse 1** *nmf* bather. **2** *nm* (*poupée*) baby doll. ◆**baignoire** *nf* bath (tub).

bail, *pl* **baux** [baj, bo] *nm* lease. ◆**bailleur** *nm Jur* lessor; **b. de fonds** financial backer.

bâill/er [bɑje] *vi* to yawn; (*chemise etc*) to gape; (*porte*) to stand ajar. ◆**—ement** *nm* yawn; gaping.

bâillon [bɑjɔ̃] *nm* gag. ◆**bâillonner** *vt* (*victime, presse etc*) to gag.

bain [bɛ̃] *nm* bath; (*de mer*) swim, bathe; **salle de bain(s)** bathroom; **être dans le b.** (*au courant*) *Fam* to have got into the swing of things; **petit/grand b.** (*piscine*) shallow/deep end; **b. de bouche** mouthwash. ◆**b.-marie** *nm* (*pl* **bains-marie**) *Culin* double boiler.

baïonnette [bajɔnɛt] *nf* bayonet.

baiser [beze] **1** *vt* **b. au front/sur la joue** to kiss on the forehead/cheek; **—** *nm* kiss; **bons baisers** (*dans une lettre*) (with) love. **2** *vt* (*duper*) *Fam* to con.

baisse [bɛs] *nf* fall, drop (**de** in); **en b.** (*température*) falling.

baisser [bese] *vt* (*voix, prix etc*) to lower, drop; (*tête*) to bend; (*radio, chauffage*) to turn down; **—** *vi* (*prix, niveau etc*) to drop, go down; (*soleil*) to go down, sink; (*marée*) to go out, ebb; (*santé, popularité*) to decline; **— se b.** *vpr* to bend down, stoop.

bajoues [baʒu] *nfpl* (*d'animal, de personne*) chops.

bal, *pl* **bals** [bal] *nm* (*réunion de grand apparat*) ball; (*populaire*) dance; (*lieu*) dance hall.

balade [balad] *nf Fam* walk; (*en auto*) drive; (*excursion*) tour. ◆**balader** *vt* (*enfant etc*) to take for a walk *ou* drive; (*objet*) to trail around; **— se b.** *vpr* (*à pied*) to (go for a) walk; (*excursionner*) to tour (around); **se b. (en voiture)** to go for a drive. ◆**baladeur** *nm* Walkman®. ◆**baladeuse** *nf* inspection lamp.

balafre [balafr] *nf* (*blessure*) gash, slash;

(*cicatrice*) scar. ◆**balafrer** *vt* to gash, slash; to scar.

balai [balɛ] *nm* broom; **b. mécanique** carpet sweeper; **manche à b.** broomstick; *Av* joystick. ◆**b.-brosse** *nm* (*pl* **balais-brosses**) garden brush *ou* broom (*for scrubbing paving stones*).

balance [balɑ̃s] *nf* (*instrument*) (pair of) scales; (*équilibre*) *Pol Fin* balance; **la B.** (*signe*) Libra; **mettre en b.** to balance, weigh up.

balanc/er [balɑ̃se] *vt* (*bras*) to swing; (*hanches, tête, branches*) to sway; (*lancer*) *Fam* to chuck; (*se débarrasser de*) *Fam* to chuck out; **b. un compte** *Fin* to balance an account; — **se b.** *vpr* (*personne*) to swing (from side to side); (*arbre, bateau etc*) to sway; **je m'en balance!** I couldn't care less! ◆**—é** *a* **bien b.** (*phrase*) well-balanced; (*personne*) *Fam* well-built. ◆**—ement** *nm* swinging; swaying. ◆**balancier** *nm* (*d'horloge*) pendulum; (*de montre*) balance wheel. ◆**balançoire** *nf* (*escarpolette*) swing; (*bascule*) seesaw.

balayer [baleje] *vt* (*chambre, rue*) to sweep (out *ou* up); (*enlever, chasser*) to sweep away; **le vent balayait la plaine** the wind swept the plain. ◆**balayette** [balɛjɛt] *nf* (hand) brush; (*balai*) short-handled broom. ◆**balayeur, -euse** [balɛjœr, -øz] *nmf* roadsweeper.

balbutier [balbysje] *vti* to stammer.

balcon [balkɔ̃] *nm* balcony; *Th Cin* dress circle.

baldaquin [baldakɛ̃] *nm* (*de lit etc*) canopy.

baleine [balɛn] *nf* (*animal*) whale; (*fanon*) whalebone; (*de parapluie*) rib. ◆**baleinier** *nm* (*navire*) whaler. ◆**baleinière** *nf* whaleboat.

balise [baliz] *nf Nau* beacon; *Av* (ground) light; *Aut* road sign. ◆**balis/er** *vt* to mark with beacons *ou* lights; (*route*) to signpost. ◆**—age** *nm Nau* beacons; *Av* lighting; *Aut* signposting.

balistique [balistik] *a* ballistic.

balivernes [balivɛrn] *nfpl* balderdash, nonsense.

ballade [balad] *nf* (*légende*) ballad; (*poème court*) & *Mus* ballade.

ballant [balɑ̃] *a* (*bras, jambes*) dangling.

ballast [balast] *nm* ballast.

balle [bal] *nf* (*de tennis, golf etc*) ball; (*projectile*) bullet; (*paquet*) bale; *pl* (*francs*) *Fam* francs; **se renvoyer la b.** to pass the buck (to each other).

ballet [balɛ] *nm* ballet. ◆**ballerine** *nf* ballerina.

ballon [balɔ̃] *nm* (*jouet d'enfant*) & *Av* balloon; (*sport*) ball; **b. de football** football; **lancer un b. d'essai** *Fig* to put out a feeler. ◆**ballonné** *a* (*ventre*) bloated, swollen. ◆**ballot** *nm* (*paquet*) bundle; (*imbécile*) *Fam* idiot.

ballottage [balɔtaʒ] *nm* (*scrutin*) second ballot (*no candidate having achieved the required number of votes*).

ballotter [balɔte] *vti* to shake (about); **ballotté entre** (*sentiments contraires*) torn between.

balnéaire [balneɛr] *a* **station b.** seaside resort.

balourd, -ourde [balur, -urd] *nmf* (clumsy) oaf. ◆**balourdise** *nf* clumsiness, oafishness; (*gaffe*) blunder.

Baltique [baltik] *nf* **la B.** the Baltic.

balustrade [balystrad] *nf* (hand)rail, railing(s).

bambin [bɑ̃bɛ̃] *nm* tiny tot, toddler.

bambou [bɑ̃bu] *nm* bamboo.

ban [bɑ̃] *nm* (*de tambour*) roll; (*applaudissements*) round of applause; *pl* (*de mariage*) banns; **mettre qn au b. de** to cast s.o. out from, outlaw s.o. from; **un b. pour . . .** three cheers for . . . .

banal, *mpl* -als [banal] *a* (*fait, accident etc*) commonplace, banal; (*idée, propos*) banal, trite. ◆**banalisé** *a* (*voiture de police*) unmarked. ◆**banalité** *nf* banality; *pl* (*propos*) banalities.

banane [banan] *nf* banana.

banc [bɑ̃] *nm* (*siège, établi*) bench; (*de poissons*) shoal; **b. d'église** pew; **b. d'essai** *Fig* testing ground; **b. de sable** sandbank; **b. des accusés** *Jur* dock.

bancaire [bɑ̃kɛr] *a* (*opération*) banking-; (*chèque*) bank-.

bancal, *mpl* -als [bɑ̃kal] *a* (*personne*) bandy, bow-legged; (*meuble*) wobbly; (*idée*) shaky.

bande [bɑ̃d] *nf* **1** (*de terrain, papier etc*) strip; (*de film*) reel; (*de journal*) wrapper; (*rayure*) stripe; (*de fréquences*) *Rad* band; (*pansement*) bandage; (*sur la chaussée*) line; **b. (magnétique)** tape; **b. vidéo** videotape; **b. sonore** sound track; **b. dessinée** comic strip, strip cartoon; **par la b.** indirectly. **2** (*groupe*) gang, troop, band; (*de chiens*) pack; (*d'oiseaux*) flock; **on a fait b. à part** we split into our own group; **b. d'idiots!** you load of idiots! ◆**bandeau, -x** *nm* (*sur les yeux*) blindfold; (*pour la tête*) headband; (*pansement*) head bandage. ◆**band/er** *vt* (*blessure etc*) to bandage; (*yeux*) to blindfold; (*arc*) to bend; (*muscle*)

to tense. ◆**—age** *nm* (*pansement*) bandage.
banderole [bɑ̃drɔl] *nf* (*sur mât*) pennant, streamer; (*sur montants*) banner.
bandit [bɑ̃di] *nm* robber, bandit; (*enfant*) *Fam* rascal. ◆**banditisme** *nm* crime.
bandoulière [bɑ̃duljɛr] *nf* shoulder strap; **en b.** slung across the shoulder.
banjo [bɑ̃(d)ʒo] *nm Mus* banjo.
banlieue [bɑ̃ljø] *nf* suburbs, outskirts; **la grande b.** the outer suburbs; **de b.** (*magasin etc*) suburban; (*train*) commuter-. ◆**banlieusard, -arde** *nmf* (*habitant*) suburbanite; (*voyageur*) commuter.
banne [ban] *nf* (*de magasin*) awning.
bannière [banjɛr] *nf* banner.
bann/ir [banir] *vt* (*exiler*) to banish; (*supprimer*) to ban, outlaw. ◆**—issement** *nm* banishment.
banque [bɑ̃k] *nf* bank; (*activité*) banking.
banqueroute [bɑ̃krut] *nf* (fraudulent) bankruptcy.
banquet [bɑ̃kɛ] *nm* banquet.
banquette [bɑ̃kɛt] *nf* (bench) seat.
banquier [bɑ̃kje] *nm* banker.
banquise [bɑ̃kiz] *nf* ice floe *ou* field.
baptême [batɛm] *nm* christening, baptism; **b. du feu** baptism of fire; **b. de l'air** first flight. ◆**baptiser** *vt* (*enfant*) to christen, baptize; (*appeler*) *Fig* to christen.
baquet [bakɛ] *nm* tub, basin.
bar [bar] *nm* **1** (*lieu, comptoir, meuble*) bar. **2** (*poisson marin*) bass.
baragouin [baragwɛ̃] *nm* gibberish, gabble. ◆**baragouiner** *vt* (*langue*) to gabble (a few words of); – *vi* to gabble away.
baraque [barak] *nf* hut, shack; (*maison*) *Fam* house, place; *Péj* hovel; (*de forain*) stall. ◆**—ment** *nm* (makeshift) huts.
baratin [baratɛ̃] *nm Fam* sweet talk; *Com* patter. ◆**baratiner** *vt* to chat up; *Am* sweet-talk.
barbare [barbar] *a* (*manières, crime*) barbaric; (*peuple, invasions*) barbarian; – *nmf* barbarian. ◆**barbarie** *nf* (*cruauté*) barbarity. ◆**barbarisme** *nm Gram* barbarism.
barbe [barb] *nf* beard; **une b. de trois jours** three days' growth of beard; **se faire la b.** to shave; **à la b. de** under the nose(s) of; **rire dans sa b.** to laugh up one's sleeve; **la b.!** enough!; **quelle b.!** what a drag!; **b. à papa** candyfloss, *Am* cotton candy.
barbecue [barbəkju] *nm* barbecue.
barbelé [barbəle] *a* barbed; – *nmpl* barbed wire.
barb/er [barbe] *vt Fam* to bore (stiff); **— se b.** *vpr* to be *ou* get bored (stiff). ◆**—ant** *a Fam* boring.
barbiche [barbiʃ] *nf* goatee (beard).
barbiturique [barbityrik] *nm* barbiturate.
barbot/er [barbɔte] **1** *vi* (*s'agiter*) to splash about, paddle. **2** *vt* (*voler*) *Fam* to filch. ◆**—euse** *nf* (*de bébé*) rompers.
barbouill/er [barbuje] *vt* (*salir*) to smear; (*peindre*) to daub; (*gribouiller*) to scribble; **avoir l'estomac barbouillé** *Fam* to feel queasy. ◆**—age** *nm* smear; daub; scribble.
barbu [barby] *a* bearded.
barda [barda] *nm Fam* gear; (*de soldat*) kit.
bardé [barde] *a* **b. de** (*décorations etc*) covered with.
barder [barde] *v imp* **ça va b.!** *Fam* there'll be fireworks!
barème [barɛm] *nm* (*des tarifs*) table; (*des salaires*) scale; (*livre de comptes*) ready reckoner.
baril [bari(l)] *nm* barrel; **b. de poudre** powder keg.
bariolé [barjɔle] *a* brightly-coloured.
barman, *pl* **-men** *ou* **-mans** [barman, -mɛn] *nm* barman, *Am* bartender.
baromètre [barɔmɛtr] *nm* barometer.
baron, -onne [barɔ̃, -ɔn] *nm* baron; – *nf* baroness.
baroque [barɔk] **1** *a* (*idée etc*) bizarre, weird. **2** *a & nm Archit Mus etc* baroque.
baroud [barud] *nm* **b. d'honneur** *Arg* gallant last fight.
barque [bark] *nf* (small) boat.
barre [bar] *nf* bar; (*trait*) line, stroke; *Nau* helm; **b. de soustraction** minus sign; **b. fixe** *Sp* horizontal bar. ◆**barreau, -x** *nm* (*de fenêtre etc*) & *Jur* bar; (*d'échelle*) rung.
barr/er [bare] **1** *vt* (*route etc*) to block (off), close (off); (*porte*) to bar; (*chèque*) to cross; (*phrase*) to cross out; *Nau* to steer; **b. la route à qn, b. qn** to bar s.o.'s way; **'rue barrée'** 'road closed'. **2 se b.** *vpr Arg* to hop it, make off. ◆**—age** *nm* (*sur une route*) roadblock; (*barrière*) barrier; (*ouvrage hydraulique*) dam; (*de petite rivière*) weir; **le b. d'une rue** the closure of a street; **tir de b.** barrage fire; **b. d'agents** cordon of police. ◆**—eur** *nm Sp Nau* cox.
barrette [barɛt] *nf* (*pince*) (hair)slide, *Am* barrette.
barricade [barikad] *nf* barricade. ◆**barricader** *vt* to barricade; **— se b.** *vpr* to barricade oneself.
barrière [barjɛr] *nf* (*porte*) gate; (*clôture*) fence; (*obstacle, mur*) barrier.
barrique [barik] *nf* (large) barrel.

baryton [baritɔ̃] *nm* baritone.
bas [1]**, basse** [bɑ, bɑs] *a* (*table, prix etc*) low; (*âme, action*) base, mean; (*partie de ville etc*) lower; (*origine*) lowly; **au b. mot** at the very least; **enfant en b. âge** young child; **avoir la vue basse** to be short-sighted; **le b. peuple** *Péj* the lower orders; **coup b.** *Boxe* blow below the belt; – *adv* low; (*parler*) in a whisper, softly; **mettre b.** (*animal*) to give birth; **mettre b. les armes** to lay down one's arms; **jeter b.** to overthrow; **plus b.** further *ou* lower down; **en b.** down (below); (*par l'escalier*) downstairs, down below; **en** *ou* **au b. de** at the foot *ou* bottom of; **de haut en b.** from top to bottom; **sauter à b. du lit** to jump out of bed; **à b. les dictateurs/***etc*! down with dictators/*etc*!; – *nm* (*de côte, page etc*) bottom, foot; **du b.** (*tiroir, étagère*) bottom.
bas [2] [bɑ] *nm* (*chaussette*) stocking; **b. de laine** *Fig* nest egg.
basané [bazane] *a* (*visage etc*) tanned.
bas-bleu [bɑblø] *nm Péj* bluestocking.
bas-côté [bɑkote] *nm* (*de route*) roadside, shoulder.
bascule [baskyl] *nf* **(jeu de) b.** (game of) seesaw; **(balance à) b.** weighing machine; **cheval/fauteuil à b.** rocking horse/chair. ◆**basculer** *vti* (*personne*) to topple over; (*benne*) to tip up.
base [bɑz] *nf* base; (*principe fondamental*) basis, foundation; **de b.** (*salaire etc*) basic; **produit à b. de lait** milk-based product; **militant de b.** rank-and-file militant. ◆**baser** *vt* to base; **se b. sur** to base oneself on.
bas-fond [bɑfɔ̃] *nm* (*eau*) shallows; (*terrain*) low ground; *pl* (*population*) *Péj* dregs.
basilic [bazilik] *nm Bot Culin* basil.
basilique [bazilik] *nf* basilica.
basket(-ball) [basket(bol)] *nm* basketball.
basque [bask] **1** *a & nmf* Basque. **2** *nfpl* (*pans de veste*) skirts.
basse [bɑs] **1** *voir* **bas** [1]. **2** *nf Mus* bass.
basse-cour [bɑskur] *nf* (*pl* **basses-cours**) farmyard.
bassement [bɑsmɑ̃] *adv* basely, meanly. ◆**bassesse** *nf* baseness, meanness; (*action*) base *ou* mean act.
bassin [basɛ̃] *nm* (*pièce d'eau*) pond; (*piscine*) pool; (*cuvette*) bowl, basin; (*rade*) dock; *Anat* pelvis; *Géog* basin; **b. houiller** coalfield. ◆**bassine** *nf* bowl.
basson [basɔ̃] *nm* (*instrument*) bassoon; (*musicien*) bassoonist.
bastingage [bastɛ̃gaʒ] *nm Nau* bulwarks, rail.
bastion [bastjɔ̃] *nm* bastion.
bastringue [bastrɛ̃g] *nm* (*bal*) *Fam* popular dance hall; (*tapage*) *Arg* shindig, din; (*attirail*) *Arg* paraphernalia.
bas-ventre [bɑvɑ̃tr] *nm* lower abdomen.
bat [ba] *voir* **battre.**
bât [bɑ] *nm* packsaddle.
bataclan [bataklɑ̃] *nm Fam* paraphernalia; **et tout le b.** *Fam* and the whole caboodle.
bataille [bataj] *nf* battle; *Cartes* beggar-my-neighbour. ◆**bataill/er** *vi* to fight, battle. ◆**—eur, -euse** *nmf* fighter; – *a* belligerent. ◆**bataillon** *nm* batallion.
bâtard, -arde [bɑtar, -ard] *a & nmf* bastard; **chien b.** mongrel; **œuvre bâtarde** hybrid work.
bateau, -x [bato] *nm* boat; (*grand*) ship. ◆**b.-citerne** *nm* (*pl* **bateaux-citernes**) tanker. ◆**b.-mouche** *nm* (*pl* **bateaux-mouches**) (*sur la Seine*) pleasure boat.
batifoler [batifɔle] *vi Hum* to fool *ou* lark about.
bâtiment [bɑtimɑ̃] *nm* (*édifice*) building; (*navire*) vessel; **le b., l'industrie du b.** the building trade; **ouvrier du b.** building worker. ◆**bât/ir** *vt* (*construire*) to build; (*coudre*) to baste, tack; **terrain à b.** building site. ◆**—i** *a* **bien b.** well-built; – *nm Menuis* frame, support. ◆**bâtisse** *nf Péj* building. ◆**bâtisseur, -euse** *nmf* builder (**de** of).
bâton [bɑtɔ̃] *nm* (*canne*) stick; (*de maréchal, d'agent*) baton; **b. de rouge** lipstick; **donner des coups de b. à qn** to beat s.o. (with a stick); **parler à bâtons rompus** to ramble from one subject to another; **mettre des bâtons dans les roues à qn** to put obstacles in s.o.'s way.
batterie [batri] *nf Mil Aut* battery; **la b.** *Mus* the drums; **b. de cuisine** set of kitchen utensils.
batt/re* [batr] **1** *vt* (*frapper, vaincre*) to beat; (*blé*) to thresh; (*cartes*) to shuffle; (*pays, chemins*) to scour; (*à coups redoublés*) to batter, pound; **b. la mesure** to beat time; **b. à mort** to batter *ou* beat to death; **b. pavillon** to fly a flag; – *vi* to beat; (*porte*) to bang; **b. des mains** to clap (one's hands); **b. des paupières** to blink; **b. des ailes** (*oiseau*) to flap its wings; **le vent fait b. la porte** the wind bangs the door. **2 se b.** *vpr* to fight. ◆**—ant 1** *a* (*pluie*) driving; (*porte*) swing-. **2** *nm* (*de cloche*) tongue; (*vantail de porte etc*) flap; **porte à deux battants** double door. **3** *nm* (*personne*) fighter. ◆**—u** *a* **chemin** *ou* **sentier b.** beaten track. ◆**—age** *nm* (*du blé*) threshing; (*publicité*) *Fam*

publicity, hype, ballyhoo. ◆**—ement** *nm* (*de cœur, de tambour*) beat; (*délai*) interval; **battements de cœur** palpitations. ◆**—eur** *nm* (*musicien*) percussionist; **b. à œufs** egg beater.

baudet [bodɛ] *nm* donkey.

baume [bom] *nm* (*résine*) & *Fig* balm.

baux [bo] *voir* **bail.**

bavard, -arde [bavar, -ard] *a* (*loquace*) talkative; (*cancanier*) gossipy; – *nmf* chatterbox; gossip. ◆**bavard/er** *vi* to chat, chatter; (*papoter*) to gossip; (*divulguer*) to blab. ◆**—age** *nm* chatting, chatter(ing); gossip(ing).

bave [bav] *nf* dribble, slobber; foam; (*de limace*) slime. ◆**baver** *vi* to dribble, slobber; (*chien enragé*) to foam; (*encre*) to smudge; **en b.** *Fam* to have a rough time of it. ◆**bavette** *nf* bib. ◆**baveux, -euse** *a* (*bouche*) slobbery; (*omelette*) runny. ◆**bavoir** *nm* bib. ◆**bavure** *nf* smudge; (*erreur*) blunder; **sans b.** perfect(ly), flawless(ly).

bazar [bazar] *nm* (*magasin, marché*) bazaar; (*désordre*) mess, clutter; (*attirail*) *Fam* stuff, gear. ◆**bazarder** *vt Fam* to sell off, get rid of.

bazooka [bazuka] *nm* bazooka.

béant [beɑ̃] *a* (*plaie*) gaping; (*gouffre*) yawning.

béat [bea] *a Péj* smug; (*heureux*) *Hum* blissful. ◆**béatitude** *nf Hum* bliss.

beau (*or* **bel** *before vowel or mute h*), **belle,** *pl* **beaux, belles** [bo, bɛl] *a* (*femme, fleur etc*) beautiful, attractive; (*homme*) handsome, good-looking; (*voyage, temps etc*) fine, lovely; **au b. milieu** right in the middle; **j'ai b. crier/essayer/***etc* it's no use (my) shouting/trying/*etc*; **un b. morceau** a good *or* sizeable bit; **de plus belle** (*recommencer etc*) worse than ever; **bel et bien** really; – *nm* **le b.** the beautiful; **faire le b.** (*chien*) to sit up and beg; **le plus b. de l'histoire** the best part of the story; – *nf* (*femme*) beauty; *Sp* deciding game.

beaucoup [boku] *adv* (*lire etc*) a lot, a great deal; **aimer b.** to like very much; **s'intéresser b. à** to be very interested in; **b. de** (*livres etc*) many, a lot *ou* a great deal of; (*courage etc*) a lot *ou* a great deal of, much; **pas b. d'argent/***etc* not much money/*etc*; **j'en ai b.** (*quantité*) I have a lot; (*nombre*) I have many; **b. plus/moins** much more/less; many more/fewer; **b. trop** much too much; much too many; **de b.** by far; **b. sont . . .** many are . . . .

beau-fils [bofis] *nm* (*pl* **beaux-fils**) (*d'un précédent mariage*) stepson; (*gendre*) son-in-law. ◆**b.-frère** *nm* (*pl* **beaux-frères**) brother-in-law. ◆**b.-père** *nm* (*pl* **beaux-pères**) father-in-law; (*parâtre*) stepfather.

beauté [bote] *nf* beauty; **institut** *ou* **salon de b.** beauty parlour; **en b.** (*gagner etc*) magnificently; **être en b.** to look one's very best; **de toute b.** beautiful.

beaux-arts [bozar] *nmpl* fine arts. ◆**b.-parents** *nmpl* parents-in-law.

bébé [bebe] *nm* baby; **b.-lion/***etc* (*pl* **bébés-lions/***etc*) baby lion/*etc.*

bébête [bebɛt] *a Fam* silly.

bec [bɛk] *nm* (*d'oiseau*) beak, bill; (*de cruche*) lip, spout; (*de plume*) nib; (*bouche*) *Fam* mouth; *Mus* mouthpiece; **coup de b.** peck; **b. de gaz** gas lamp; **clouer le b. à qn** *Fam* to shut s.o. up; **tomber sur un b.** *Fam* to come up against a serious snag. ◆**b.-de-cane** *nm* (*pl* **becs-de-cane**) door handle.

bécane [bekan] *nf Fam* bike.

bécarre [bekar] *nm Mus* natural.

bécasse [bekas] *nf* (*oiseau*) woodcock; (*personne*) *Fam* simpleton.

bêche [bɛʃ] *nf* spade. ◆**bêcher** *vt* **1** (*cultiver*) to dig. **2** *Fig* to criticize; (*snober*) to snub. ◆**bêcheur, -euse** *nmf* snob.

bécot [beko] *nm Fam* kiss. ◆**bécoter** *vt,* – **se b.** *vpr Fam* to kiss.

becquée [beke] *nf* beakful; **donner la b. à** (*oiseau, enfant*) to feed. ◆**becqueter** *vt* (*picorer*) to peck (at); (*manger*) *Fam* to eat.

bedaine [bədɛn] *nf Fam* paunch, potbelly.

bedeau, -x [bədo] *nm* beadle, verger.

bedon [bədɔ̃] *nm Fam* paunch. ◆**bedonnant** *a* paunchy, potbellied.

bée [be] *a* **bouche b.** open-mouthed.

beffroi [befrwa] *nm* belfry.

bégayer [begeje] *vi* to stutter, stammer. ◆**bègue** [bɛg] *nmf* stutterer, stammerer; – *a* **être b.** to stutter, stammer.

bégueule [begœl] *a* prudish; – *nf* prude.

béguin [begɛ̃] *nm* **avoir le b. pour qn** *Fam* to have taken a fancy to s.o.

beige [bɛʒ] *a* & *nm* beige.

beignet [bɛɲɛ] *nm Culin* fritter.

bel [bɛl] *voir* **beau.**

bêler [bele] *vi* to bleat.

belette [bəlɛt] *nf* weasel.

Belgique [bɛlʒik] *nf* Belgium. ◆**belge** *a* & *nmf* Belgian.

bélier [belje] *nm* (*animal, machine*) ram; **le B.** (*signe*) Aries.

belle [bɛl] *voir* **beau.**

belle-fille [bɛlfij] *nf* (*pl* **belles-filles**) (*d'un *précédent mariage*) stepdaughter; (*bru*) daughter-in-law. ◆**b.-mère** *nf* (*pl* **belles-mères**) mother-in-law; (*marâtre*) stepmother. ◆**b.-sœur** *nf* (*pl* **belles-sœurs**) sister-in-law.

belligérant [beliʒerɑ̃] *a & nm* belligerent.

belliqueux, -euse [belikø, -øz] *a* warlike; *Fig* aggressive.

belvédère [bɛlvedɛr] *nm* (*sur une route*) viewpoint.

bémol [bemɔl] *nm Mus* flat.

bénédiction [benediksjɔ̃] *nf* blessing, benediction.

bénéfice [benefis] *nm* (*gain*) profit; (*avantage*) benefit; **b. (ecclésiastique)** living, benefice. ◆**bénéficiaire** *nmf* beneficiary; – *a* (*marge, solde*) profit-. ◆**bénéficier** *vi* **b. de** to benefit from, have the benefit of. ◆**bénéfique** *a* beneficial.

Bénélux [benelyks] *nm* Benelux.

benêt [bənɛ] *nm* simpleton; – *am* simple-minded.

bénévole [benevɔl] *a* voluntary, unpaid.

bénin, -igne [benɛ̃, -iɲ] *a* (*tumeur, critique*) benign; (*accident*) minor.

bénir [benir] *vt* to bless; (*exalter, remercier*) to give thanks to. ◆**bénit** *a* (*pain*) consecrated; **eau bénite** holy water. ◆**bénitier** [-itje] *nm* (holy-water) stoup.

benjamin, -ine [bɛ̃ʒamɛ̃, -in] *nmf* youngest child; *Sp* young junior.

benne [bɛn] *nf* (*de grue*) scoop; (*à charbon*) tub, skip; (*de téléphérique*) cable car; **camion à b. basculante** dump truck; **b. à ordures** skip.

béotien, -ienne [beɔsjɛ̃, -jɛn] *nmf* (*inculte*) philistine.

béquille [bekij] *nf* (*canne*) crutch; (*de moto*) stand.

bercail [bɛrkaj] *nm* (*famille etc*) *Hum* fold.

berceau, -x [bɛrso] *nm* cradle.

berc/er [bɛrse] *vt* (*balancer*) to rock; (*apaiser*) to lull; (*leurrer*) to delude (**de** with); **se b. d'illusions** to delude oneself. ◆**—euse** *nf* lullaby.

béret [berɛ] *nm* beret.

berge [bɛrʒ] *nm* (*rivage*) (raised) bank.

berger, -ère [bɛrʒe, -ɛr] **1** *nm* shepherd; **chien (de) b.** sheepdog; – *nf* shepherdess. **2** *nm* **b. allemand** Alsatian (dog), *Am* German shepherd. ◆**bergerie** *nf* sheepfold.

berline [bɛrlin] *nf Aut* (four-door) saloon, *Am* sedan.

berlingot [bɛrlɛ̃go] *nm* (*bonbon aux fruits*) boiled sweet; (*à la menthe*) mint; (*emballage*) (milk) carton.

berlue [bɛrly] *nf* **avoir la b.** to be seeing things.

berne (en) [ɑ̃bɛrn] *adv* at half-mast.

berner [bɛrne] *vt* to fool, hoodwink.

besogne [bəzɔɲ] *nf* work, job, task. ◆**besogneux, -euse** *a* needy.

besoin [bəzwɛ̃] *nm* need; **avoir b. de** to need; **au b.** if necessary, if need(s) be; **dans le b.** in need, needy.

bestial, -aux [bɛstjal, -o] *a* bestial, brutish. ◆**bestiaux** *nmpl* livestock; (*bovins*) cattle. ◆**bestiole** *nf* (*insecte*) creepy-crawly, bug.

bétail [betaj] *nm* livestock; (*bovins*) cattle.

bête[1] [bɛt] *nf* animal; (*bestiole*) bug, creature; **b. de somme** beast of burden; **b. à bon dieu** ladybird, *Am* ladybug; **b. noire** pet hate, pet peeve; **chercher la petite b.** (*critiquer*) to pick holes.

bête[2] [bɛt] *a* silly, stupid. ◆**bêtement** *adv* stupidly; **tout b.** quite simply. ◆**bêtise** [betiz] *nf* silliness, stupidity; (*action, parole*) silly *ou* stupid thing; (*bagatelle*) mere trifle.

béton [betɔ̃] *nm* concrete; **en b.** concrete-; **b. armé** reinforced concrete. ◆**bétonnière** *nf*, ◆**bétonneuse** *nf* cement *ou* concrete mixer.

betterave [bɛtrav] *nf Culin* beetroot, *Am* beet; **b. sucrière** *ou* **à sucre** sugar beet.

beugler [bøgle] *vi* (*taureau*) to bellow; (*vache*) to moo; (*radio*) to blare (out).

beurre [bœr] *nm* butter; **b. d'anchois** anchovy paste. ◆**beurrer** *vt* to butter. ◆**beurrier** *nm* butter dish.

beuverie [bøvri] *nf* drinking session, booze-up.

bévue [bevy] *nf* blunder, mistake.

biais [bjɛ] *nm* (*moyen détourné*) device, expedient; (*aspect*) angle; **regarder de b.** to look at sidelong; **traverser en b.** to cross at an angle. ◆**biaiser** [bjeze] *vi* to prevaricate, hedge.

bibelot [biblo] *nm* curio, trinket.

biberon [bibrɔ̃] *nm* (feeding) bottle.

bible [bibl] *nf* bible; **la B.** the Bible. ◆**biblique** *a* biblical.

bibliobus [biblijɔbys] *nm* mobile library.

bibliographie [biblijɔgrafi] *nf* bibliography.

bibliothèque [biblijɔtɛk] *nf* library; (*meuble*) bookcase; (*à la gare*) bookstall. ◆**bibliothécaire** *nmf* librarian.

bic® [bik] *nm* ballpoint, biro®.

bicarbonate [bikarbɔnat] *nm* bicarbonate.

bicentenaire [bisɑ̃tnɛr] *nm* bicentenary, bicentennial.

biceps [bisɛps] *nm Anat* biceps.

biche [biʃ] *nf* doe, hind; **ma b.** *Fig* my pet.

bichonner [biʃɔne] *vt* to doll up.
bicoque [bikɔk] *nf Péj* shack, hovel.
bicyclette [bisiklɛt] *nf* bicycle, cycle; **la b.** *Sp* cycling; **aller à b.** to cycle.
bide [bid] *nm* (*ventre*) *Fam* belly; **faire un b.** *Arg* to flop.
bidet [bidɛ] *nm* (*cuvette*) bidet.
bidon [bidɔ̃] **1** *nm* (*d'essence*) can; (*pour boissons*) canteen; (*ventre*) *Fam* belly. **2** *nm* **du b.** *Fam* rubbish, bluff; – *a inv* (*simulé*) *Fam* fake, phoney. ◆**se bidonner** *vpr Fam* to have a good laugh.
bidonville [bidɔ̃vil] *nf* shantytown.
bidule [bidyl] *nm* (*chose*) *Fam* thingummy, whatsit.
bielle [bjɛl] *nf Aut* connecting rod.
bien [bjɛ̃] *adv* well; **il joue b.** he plays well; **je vais b.** I'm fine *ou* well; **b. fatigué/souvent**/*etc* (*très*) very tired/often/*etc*; **merci b.!** thanks very much!; **b.!** fine!, right!; **b. du courage**/*etc* a lot of courage/*etc*; **b. des fois/des gens**/*etc* lots of *ou* many times/people/*etc*; **je l'ai b. dit** (*intensif*) I *did* say so; **c'est b. compris?** is that quite understood?; **c'est b. toi?** is it really you?; **tu as b. fait** you did right; **c'est b. fait (pour lui)** it serves him right; – *a inv* (*convenable*) all right, fine; (*agréable*) nice, fine; (*compétent, bon*) good, fine; (*à l'aise*) comfortable, fine; (*beau*) attractive; (*en forme*) well; (*moralement*) nice; **une fille b.** a nice *ou* respectable girl; – *nm* (*avantage*) good; (*capital*) possession; **ça te fera du b.** it will do you good; **le b. et le mal** good and evil; **biens de consommation** consumer goods. ◆**b.-aimé, -ée** *a* & *nmf* beloved. ◆**b.-être** *nm* wellbeing. ◆**b.-fondé** *nm* validity, soundness.
bienfaisance [bjɛ̃fəzɑ̃s] *nf* benevolence, charity; **de b.** (*société etc*) benevolent, charitable. ◆**bienfaisant** *a* beneficial.
bienfait [bjɛ̃fɛ] *nm* (*générosité*) favour; *pl* benefits, blessings. ◆**bienfaiteur, -trice** *nmf* benefactor, benefactress.
bienheureux, -euse [bjɛ̃nœrø, -øz] *a* blessed, blissful.
biennal, -aux [bjenal, -o] *a* biennial.
bien que [bjɛ̃k(ə)] *conj* although.
bienséant [bjɛ̃seɑ̃] *a* proper. ◆**bienséance** *nf* propriety.
bientôt [bjɛ̃to] *adv* soon; **à b.!** see you soon!; **il est b. dix heures**/*etc* it's nearly ten o'clock/*etc*.
bienveillant [bjɛ̃vɛjɑ̃] *a* kindly. ◆**bienveillance** *nf* kindliness.
bienvenu, -ue [bjɛ̃vny] *a* welcome; – *nmf* **soyez le b.!** welcome!; – *nf* welcome; **souhaiter la bienvenue à** to welcome.
bière [bjɛr] *nf* **1** (*boisson*) beer; **b. pression** draught beer. **2** (*cercueil*) coffin.
biffer [bife] *vt* to cross *ou* strike out.
bifteck [biftɛk] *nm* steak; **gagner son b.** *Fam* to earn one's (daily) bread.
bifurquer [bifyrke] *vi* to branch off, fork. ◆**bifurcation** *nf* fork, junction.
bigame [bigam] *a* bigamous; – *nmf* bigamist. ◆**bigamie** *nf* bigamy.
bigarré [bigare] *a* (*bariolé*) mottled; (*hétéroclite*) motley, mixed.
bigler [bigle] *vi* (*loucher*) *Fam* to squint; – *vti* **b. (sur)** (*lorgner*) *Fam* to leer at. ◆**bigleux, -euse** *a Fam* cock-eyed.
bigorneau, -x [bigɔrno] *nm* (*coquillage*) winkle.
bigot, -ote [bigo, -ɔt] *nmf Péj* religious bigot; – *a* over-devout, fanatical.
bigoudi [bigudi] *nm* (hair)curler *ou* roller.
bigrement [bigrəmɑ̃] *adv Fam* awfully.
bijou, -x [biʒu] *nm* jewel; (*ouvrage élégant*) *Fig* gem. ◆**bijouterie** *nf* (*commerce*) jeweller's shop; (*bijoux*) jewellery. ◆**bijoutier, -ière** *nmf* jeweller.
bikini [bikini] *nm* bikini.
bilan [bilɑ̃] *nm Fin* balance sheet; (*résultat*) outcome; (*d'un accident*) (casualty) toll; **b. de santé** checkup; **faire le b.** to make an assessment (**de** of).
bilboquet [bilbɔkɛ] *nm* cup-and-ball (game).
bile [bil] *nf* bile; **se faire de la b.** *Fam* to worry, fret. ◆**bilieux, -euse** *a* bilious.
bilingue [bilɛ̃g] *a* bilingual.
billard [bijar] *nm* (*jeu*) billiards; (*table*) billiard table; *Méd Fam* operating table; **c'est du b.** *Fam* it's a cinch.
bille [bij] *nf* (*d'un enfant*) marble; (*de billard*) billiard ball; **stylo à b.** ballpoint pen, biro®.
billet [bijɛ] *nm* ticket; **b. (de banque)** (bank)note, *Am* bill; **b. aller, b. simple** single ticket, *Am* one-way ticket; **b. (d')aller et retour** return ticket, *Am* round trip ticket; **b. doux** love letter.
billion [biljɔ̃] *nm* billion, *Am* trillion.
billot [bijo] *nm* (*de bois*) block.
bimensuel, -elle [bimɑ̃sɥɛl] *a* bimonthly, fortnightly.
bimoteur [bimɔtœr] *a* twin-engined.
binaire [binɛr] *a* binary.
biner [bine] *vt* to hoe. ◆**binette** *nf* hoe; (*visage*) *Arg* mug, face.
biochimie [bjɔʃimi] *nf* biochemistry.

biodégradable [bjɔdegradabl] *a* biodegradable.
biographie [bjɔgrafi] *nf* biography. ◆**biographe** *nmf* biographer.
biologie [bjɔlɔʒi] *nf* biology. ◆**biologique** *a* biological.
bip-bip [bipbip] *nm* bleeper.
bipède [bipɛd] *nm* biped.
bique [bik] *nf Fam* nanny-goat.
Birmanie [birmani] *nf* Burma. ◆**birman, -ane** *a* & *nmf* Burmese.
bis[1] [bis] *adv* (*cri*) *Th* encore; *Mus* repeat; **4 bis** (*numéro*) 4A; – *nm Th* encore.
bis[2], **bise** [bi, biz] *a* greyish-brown.
bisbille [bisbij] *nf* squabble; **en b. avec** *Fam* at loggerheads with.
biscornu [biskɔrny] *a* (*objet*) distorted, misshapen; (*idée*) cranky.
biscotte [biskɔt] *nf* (*pain*) Melba toast; (*biscuit*) rusk, *Am* zwieback.
biscuit [biskɥi] *nm* (*salé*) biscuit, *Am* cracker; (*sucré*) biscuit, *Am* cookie; **b. de Savoie** sponge (cake). ◆**biscuiterie** *nf* biscuit factory.
bise [biz] *nf* **1** (*vent*) north wind. **2** (*baiser*) *Fam* kiss.
biseau, -x [bizo] *nm* bevel.
bison [bizɔ̃] *nm* bison, (American) buffalo.
bisou [bizu] *nm Fam* kiss.
bisser [bise] *vt* (*musicien, acteur*) to encore.
bissextile [bisɛkstil] *af* **année b.** leap year.
bistouri [bisturi] *nm* scalpel, lancet.
bistre [bistr] *a inv* bistre, dark-brown.
bistro(t) [bistro] *nm* bar, café.
bitume [bitym] *nm* (*revêtement*) asphalt.
bivouac [bivwak] *nm Mil* bivouac.
bizarre [bizar] *a* peculiar, odd, bizarre. ◆**—ment** *adv* oddly. ◆**bizarrerie** *nf* peculiarity.
blabla(bla) [blabla(bla)] *nm* claptrap, bunkum.
blafard [blafar] *a* pale, pallid.
blague [blag] *nf* **1** (*à tabac*) pouch. **2** (*plaisanterie, farce*) *Fam* joke; *pl* (*absurdités*) *Fam* nonsense; **sans b.!** you're joking! ◆**blagu/er** *vi* to be joking; – *vt* to tease. ◆**—eur, -euse** *nmf* joker.
blair [blɛr] *nm* (*nez*) *Arg* snout, conk. ◆**blairer** *vt Arg* to stomach.
blaireau, -x [blɛro] *nm* **1** (*animal*) badger. **2** (*brosse*) (shaving) brush.
blâme [blɑm] *nm* (*réprimande*) rebuke; (*reproche*) blame. ◆**blâmable** *a* blameworthy. ◆**blâmer** *vt* to rebuke; to blame.
blanc, blanche [blɑ̃, blɑ̃ʃ] **1** *a* white; (*page etc*) blank; **nuit blanche** sleepless night; **voix blanche** expressionless voice; – *nmf* (*personne*) white (man *ou* woman); – *nm* (*couleur*) white; (*de poulet*) white meat, breast; (*espace, interligne*) blank; **b. (d'œuf)** (egg) white; **le b.** (*linge*) whites; **magasin de b.** linen shop; **laisser en b.** to leave blank; **chèque en b.** blank cheque; **cartouche à b.** blank (cartridge); **saigner à b.** to bleed white. **2** *nf Mus* minim, *Am* half-note. ◆**blanchâtre** *a* whitish. ◆**blancheur** *nf* whiteness.
blanchir [blɑ̃ʃir] *vt* to whiten; (*draps*) to launder; (*mur*) to whitewash; *Culin* to blanch; (*argent*) *Fig* to launder; **b. qn** (*disculper*) to clear s.o.; – *vi* to turn white, whiten. ◆**blanchissage** *nm* laundering. ◆**blanchisserie** *nf* (*lieu*) laundry. ◆**blanchisseur, -euse** *nmf* laundryman, laundrywoman.
blanquette [blɑ̃kɛt] *nf* **b. de veau** veal stew in white sauce.
blasé [blɑze] *a* blasé.
blason [blazɔ̃] *nm* (*écu*) coat of arms; (*science*) heraldry.
blasphème [blasfɛm] *nf* blasphemy. ◆**blasphématoire** *a* (*propos*) blasphemous. ◆**blasphémer** *vti* to blaspheme.
blatte [blat] *nf* cockroach.
blazer [blazœr] *nm* blazer.
blé [ble] *nm* wheat; (*argent*) *Arg* bread.
bled [blɛd] *nm Péj Fam* (dump of a) village.
blême [blɛm] *a* sickly pale, wan; **b. de colère** livid with anger.
bless/er [blese] *vt* to injure, hurt; (*avec un couteau, une balle etc*) to wound; (*offenser*) to hurt, offend, wound; **se b. le** *ou* **au bras/***etc* to hurt one's arm/*etc*. ◆**—ant** [blɛsɑ̃] *a* (*parole, personne*) hurtful. ◆**—é, -ée** *nmf* casualty, injured *ou* wounded person. ◆**blessure** *nf* injury; wound.
blet, blette [blɛ, blɛt] *a* (*fruit*) overripe.
bleu [blø] *a* blue; **b. de colère** blue in the face; **steak b.** *Culin* very rare steak; – *nm* (*couleur*) blue; (*contusion*) bruise; (*vêtement*) overalls; (*conscrit*) raw recruit; **bleus de travail** overalls. ◆**bleuir** *vti* to turn blue.
bleuet [bløɛ] *nm* cornflower.
blind/er [blɛ̃de] *vt Mil* to armour(-plate). ◆**—é** *a* (*train etc*) *Mil* armoured; **porte blindée** reinforced steel door; – *nm Mil* armoured vehicle.
bloc [blɔk] *nm* block; (*de pierre*) lump, block; (*de papier*) pad; (*masse compacte*) unit; *Pol* bloc; **en b.** all together; **à b.** (*serrer etc*) tight, hard; **travailler à b.** *Fam* to work flat out. ◆**b.-notes** *nm* (*pl* **blocs-notes**) writing pad.

blocage [blɔkaʒ] *nm* (*des roues*) locking; *Psy* mental block; **b. des prix** price freeze.
blocus [blɔkys] *nm* blockade.
blond, -onde [blɔ̃, -ɔ̃d] *a* fair(-haired), blond; – *nm* fair-haired man; (*couleur*) blond; – *nf* fair-haired woman, blonde; **(bière) blonde** lager, pale *ou* light ale. ◆**blondeur** *nf* fairness, blondness.
bloquer [blɔke] *vt* (*obstruer*) to block; (*coincer*) to jam; (*grouper*) to group together; (*ville*) to blockade; (*freins*) to slam *ou* jam on; (*roue*) to lock; (*salaires, prix*) to freeze; **bloqué par la neige/la glace** snowbound/icebound; – **se b.** *vpr* to stick, jam; (*roue*) to lock.
blottir (se) [səblɔtir] *vpr* (*dans un coin etc*) to crouch; (*dans son lit*) to snuggle down; **se b. contre** to huddle *ou* snuggle up to.
blouse [bluz] *nf* (*tablier*) overall, smock; (*corsage*) blouse. ◆**blouson** *nm* (waist-length) jacket.
blue-jean [bludʒin] *nm* jeans, denims.
bluff [blœf] *nm* bluff. ◆**bluffer** *vti* to bluff.
boa [bɔa] *nm* (*serpent, tour de cou*) boa.
bobard [bɔbar] *nm Fam* fib, yarn, tall story.
bobine [bɔbin] *nf* (*de fil, film etc*) reel, spool; (*pour machine à coudre*) bobbin, spool.
bobo [bobo] *nm* (*langage enfantin*) pain; **j'ai b., ça fait b.** it hurts.
bocage [bɔkaʒ] *nm* copse.
bocal, -aux [bɔkal, -o] *nm* glass jar; (*à poissons*) bowl.
bock [bɔk] *nm* (*récipient*) beer glass; (*contenu*) glass of beer.
bœuf, *pl* **-fs** [bœf, bø] *nm* (*animal*) ox (*pl* oxen), bullock; (*viande*) beef.
bohème [bɔɛm] *a* & *nmf* bohemian. ◆**bohémien, -ienne** *a* & *nmf* gipsy.
boire* [bwar] *vt* to drink; (*absorber*) to soak up; (*paroles*) *Fig* to take *ou* drink in; **b. un coup** to have a drink; **offrir à b. à qn** to offer s.o. a drink; **b. à petits coups** to sip; – *vi* to drink.
bois[1] [bwa] *voir* **boire.**
bois[2] [bwa] *nm* (*matière, forêt*) wood; (*de construction*) timber; (*gravure*) woodcut; *pl* (*de cerf*) antlers; *Mus* woodwind instruments; **en** *ou* **de b.** wooden; **b. de chauffage** firewood; **b. de lit** bedstead. ◆**boisé** *a* wooded. ◆**boiserie(s)** *nf*(*pl*) panelling.
boisson [bwasɔ̃] *nf* drink, beverage.
boit [bwa] *voir* **boire.**
boîte [bwat] *nf* box; (*de conserve*) tin, *Am* can; (*lieu de travail*) *Fam* firm; **b. aux** *ou* **à lettres** letterbox; **b. de nuit** nightclub; **mettre qn en b.** *Fam* to pull s.o.'s leg. ◆**boîtier** *nm* (*de montre etc*) case.
boiter [bwate] *vi* (*personne*) to limp. ◆**boiteux, -euse** *a* lame; (*meuble*) wobbly; (*projet etc*) *Fig* shaky.
bol [bɔl] *nm* (*récipient*) bowl; **prendre un b. d'air** to get a breath of fresh air; **avoir du b.** *Fam* to be lucky.
bolide [bɔlid] *nm* (*véhicule*) racing car.
Bolivie [bɔlivi] *nf* Bolivia. ◆**bolivien, -ienne** *a* & *nmf* Bolivian.
bombard/er [bɔ̃barde] *vt* (*ville etc*) to bomb; (*avec des obus*) to shell; **b. qn** *Fam* (*nommer*) to pitchfork s.o. (**à un poste** into a job); **b. de** (*questions*) to bombard with; (*objets*) to pelt with. ◆**—ement** *nm* bombing; shelling. ◆**bombardier** *nm* (*avion*) bomber.
bombe [bɔ̃b] *nf* (*projectile*) bomb; (*atomiseur*) spray; **tomber comme une b.** *Fig* to be a bombshell, be quite unexpected; **faire la b.** *Fam* to have a binge.
bomb/er [bɔ̃be] **1** *vi* (*gonfler*) to bulge; – *vt* **b. la poitrine** to throw out one's chest. **2** *vi* (*véhicule etc*) *Fam* to bomb *ou* belt along. ◆**—é** *a* (*verre etc*) rounded; (*route*) cambered.
bon[1], **bonne**[1] [bɔ̃, bɔn] *a* **1** (*satisfaisant etc*) good. **2** (*charitable*) kind, good. **3** (*agréable*) nice, good; **il fait b. se reposer** it's nice *ou* good to rest; **b. anniversaire!** happy birthday! **4** (*qui convient*) right; **c'est le b. clou** it's the right nail. **5** (*approprié, apte*) fit; **b. à manger** fit to eat; **b. pour le service** fit for service; **ce n'est b. à rien** it's useless; **comme b. te semble** as you think fit *ou* best; **c'est b. à savoir** it's worth knowing. **6** (*prudent*) wise, good; **croire b. de** to think it wise *ou* good to. **7** (*compétent*) good; **b. en français** good at French. **8** (*valable*) good; **ce billet est encore b.** this ticket's still good. **9** (*intensif*) **un b. moment** a good while. **10 à quoi b.?** what's the use *ou* point *ou* good?; **pour de b.** in earnest; **tenir b.** to stand firm; **ah b.?** is that so? **11** *nm* **du b.** some good; **les bons** the good.
bon[2] [bɔ̃] *nm* (*billet*) coupon, voucher; (*titre*) *Fin* bond; (*formulaire*) slip.
bonasse [bɔnas] *a* feeble, soft.
bonbon [bɔ̃bɔ̃] *nm* sweet, *Am* candy. ◆**bonbonnière** *nf* sweet box, *Am* candy box.
bonbonne [bɔ̃bɔn] *nf* (*récipient*) demijohn.
bond [bɔ̃] *nm* leap, bound; (*de balle*) bounce; **faire faux b. à qn** to stand s.o. up, let s.o. down (*by not turning up*). ◆**bondir** *vi* to leap, bound.
bonde [bɔ̃d] *nf* (*bouchon*) plug; (*trou*) plughole.

bondé [bɔ̃de] *a* packed, crammed.
bonheur [bɔnœr] *nm* (*chance*) good luck, good fortune; (*félicité*) happiness; **par b.** luckily; **au petit b.** haphazardly.
bonhomie [bɔnɔmi] *nf* good-heartedness.
bonhomme, *pl* **bonshommes** [bɔnɔm, bɔ̃zɔm] **1** *nm* fellow, guy; **b. de neige** snowman; **aller son petit b. de chemin** to go on in one's own sweet way. **2** *a inv* good-hearted.
boniment(s) [bɔnimɑ̃] *nm(pl)* (*bobard*) claptrap; (*baratin*) patter.
bonjour [bɔ̃ʒur] *nm & int* good morning; (*après-midi*) good afternoon; **donner le b. à, dire b. à** to say hello to.
bonne[2] [bɔn] *nf* (*domestique*) maid; **b. d'enfants** nanny.
bonnement [bɔnmɑ̃] *adv* **tout b.** simply.
bonnet [bɔnɛ] *nm* cap; (*de femme, d'enfant*) bonnet; (*de soutien-gorge*) cup; **gros b.** *Fam* bigshot, bigwig. ◆**bonneterie** *nf* hosiery.
bonsoir [bɔ̃swar] *nm & int* (*en rencontrant qn*) good evening; (*en quittant qn*) goodbye; (*au coucher*) good night.
bonté [bɔ̃te] *nf* kindness, goodness.
bonus [bɔnys] *nm* no claims bonus.
bonze [bɔ̃z] *nm Péj Fam* bigwig.
boom [bum] *nm Écon* boom.
bord [bɔr] *nm* (*rebord*) edge; (*rive*) bank; (*de vêtement*) border; (*de chapeau*) brim; (*de verre*) rim, brim, edge; **au b. de la mer/route** at *ou* by the seaside/roadside; **b. du trottoir** kerb, *Am* curb; **au b. de** (*précipice*) on the brink of; **au b. des larmes** on the verge of tears; **à bord (de)** *Nau Av* on board; **jeter par-dessus b.** to throw overboard. ◆**border** *vt* (*vêtement*) to border, edge; (*lit, personne*) to tuck in; **b. la rue/***etc* (*maisons, arbres etc*) to line the street/*etc.* ◆**bordure** *nf* border; **en b. de** bordering on.
bordeaux [bɔrdo] *a inv* maroon.
bordée [bɔrde] *nf* (*salve*) *Nau* broadside; (*d'injures*) *Fig* torrent, volley.
bordel [bɔrdɛl] *nm* **1** *Fam* brothel. **2** (*désordre*) *Fam* mess.
bordereau, -x [bɔrdəro] *nm* (*relevé*) docket, statement; (*formulaire*) note.
borgne [bɔrɲ] *a* (*personne*) one-eyed, blind in one eye; (*hôtel etc*) *Fig* shady.
borne [bɔrn] *nf* (*pierre*) boundary mark; *Él* terminal; *pl* (*limites*) *Fig* bounds; **b. kilométrique** = milestone; **dépasser** *ou* **franchir les bornes** to go too far. ◆**born/er** *vt* (*limiter*) to confine; **se b. à** to confine oneself to. ◆**—é** *a* (*personne*) narrow-minded; (*intelligence*) narrow, limited.

bosquet [bɔskɛ] *nm* grove, thicket, copse.
bosse [bɔs] *nf* (*grosseur dorsale*) hump; (*enflure*) bump, lump; (*de terrain*) bump; **avoir la b. de** *Fam* to have a flair for; **rouler sa b.** *Fam* to knock about the world. ◆**bossu, -ue** *a* hunchbacked; **dos b.** hunchback; – *nmf* (*personne*) hunchback.
bosseler [bɔsle] *vt* (*orfèvrerie*) to emboss; (*déformer*) to dent.
bosser [bɔse] *vi Fam* to work (hard).
bot [bo] *am* **pied b.** club foot.
botanique [bɔtanik] *a* botanical; – *nf* botany.
botte [bɔt] *nf* (*chaussure*) boot; (*faisceau*) bunch, bundle. ◆**botter** *vt* (*ballon etc*) *Fam* to boot. ◆**bottier** *nm* bootmaker. ◆**bottillon** *nm,* ◆**bottine** *nf* (ankle) boot.
Bottin® [bɔtɛ̃] *nm* telephone book.
bouc [buk] *nm* billy goat; (*barbe*) goatee; **b. émissaire** scapegoat.
boucan [bukɑ̃] *nm Fam* din, row, racket.
bouche [buʃ] *nf* mouth; **faire la petite** *ou* **fine b.** *Péj* to turn up one's nose; **une fine b.** a gourmet; **b. de métro** métro entrance; **b. d'égout** drain opening, manhole; **b. d'incendie** fire hydrant; **le b.-à-b.** the kiss of life. ◆**bouchée** *nf* mouthful.
bouch/er[1] [buʃe] **1** *vt* (*évier, nez etc*) to block (up), stop up; (*bouteille*) to close, cork; (*vue, rue etc*) to block; **se b. le nez** to hold one's nose. ◆**—é** *a* (*vin*) bottled; (*temps*) overcast; (*personne*) *Fig* stupid, dense. ◆**bouche-trou** *nm* stopgap. ◆**bouchon** *nm* stopper, top; (*de liège*) cork; (*de tube, bidon*) cap, top; *Pêche* float; (*embouteillage*) *Fig* traffic jam.
boucher[2] [buʃe] *nm* butcher. ◆**boucherie** *nf* butcher's (shop); (*carnage*) butchery.
boucle [bukl] *nf* **1** (*de ceinture*) buckle; (*de fleuve etc*) & *Av* loop; (*de ruban*) bow; **b. d'oreille** earring. **2 b. (de cheveux)** curl. ◆**boucl/er 1** *vt* to fasten, buckle; (*travail etc*) to finish off; (*enfermer, fermer*) *Fam* to lock up; (*budget*) to balance; (*circuit*) to lap; (*encercler*) to surround, cordon off; **b. la boucle** *Av* to loop the loop; **la b.** *Fam* to shut up. **2** *vt* (*cheveux*) to curl; – *vi* to be curly. ◆**—é** *a* (*cheveux*) curly.
bouclier [buklije] *nm* shield.
bouddhiste [budist] *a & nmf* Buddhist.
bouder [bude] *vi* to sulk; – *vt* (*personne, plaisirs etc*) to steer clear of. ◆**bouderie** *nf* sulkiness. ◆**boudeur, -euse** *a* sulky, moody.
boudin [budɛ̃] *nm* black pudding, *Am* blood pudding.
boue [bu] *nf* mud. ◆**boueux, -euse 1** *a*

muddy. **2** *nm* dustman, *Am* garbage collector.
bouée [bwe] *nf* buoy; **b. de sauvetage** lifebuoy.
bouffe [buf] *nf Fam* food, grub, nosh.
bouffée [bufe] *nf* (*de fumée*) puff; (*de parfum*) whiff; (*d'orgueil*) fit; **b. de chaleur** *Méd* hot flush. ◆**bouff/er 1** *vi* to puff out. **2** *vti* (*manger*) *Fam* to eat. ◆**—ant** *a* (*manche*) puff(ed). ◆**bouffi** *a* puffy, bloated.
bouffon, -onne [bufɔ̃, -ɔn] *a* farcical; – *nm* buffoon. ◆**bouffonneries** *nfpl* antics, buffoonery.
bouge [buʒ] *nm* (*bar*) dive; (*taudis*) hovel.
bougeotte [buʒɔt] *nf* **avoir la b.** *Fam* to have the fidgets.
bouger [buʒe] *vi* to move; (*agir*) to stir; (*rétrécir*) to shrink; – *vt* to move; **— se b.** *vpr Fam* to move.
bougie [buʒi] *nf* candle; *Aut* spark(ing) plug. ◆**bougeoir** *nm* candlestick.
bougon, -onne [bugɔ̃, -ɔn] *a Fam* grumpy; – *nmf* grumbler, grouch. ◆**bougonner** *vi Fam* to grumble, grouch.
bougre [bugr] *nm* fellow, bloke; (*enfant*) *Péj* (little) devil. ◆**bougrement** *adv Arg* damned.
bouillabaisse [bujabɛs] *nf* fish soup.
bouillie [buji] *nf* porridge; **en b.** in a mush, mushy.
bouill/ir* [bujir] *vi* to boil; **b. à gros bouillons** to bubble, boil hard; **faire b. qch** to boil sth. ◆**—ant** *a* boiling; **b. de colère/***etc* seething with anger/*etc*. ◆**bouilloire** *nf* kettle. ◆**bouillon** *nm* (*eau*) broth, stock; (*bulle*) bubble. ◆**bouillonner** *vi* to bubble. ◆**bouillotte** *nf* hot water bottle.
boulanger, -ère [bulɑ̃ʒe, -ɛr] *nmf* baker. ◆**boulangerie** *nf* baker's (shop).
boule [bul] *nf* (*sphère*) ball; *pl* (*jeu*) bowls; **b. de neige** snowball; **faire b. de neige** to snowball; **perdre la b.** *Fam* to go out of one's mind; **se mettre en b.** (*chat etc*) to curl up into a ball; **boules Quiès®** earplugs. ◆**boulet** *nm* (*de forçat*) ball and chain; **b. de canon** cannonball. ◆**boulette** *nf* (*de papier*) pellet; (*de viande*) meatball; (*gaffe*) *Fam* blunder.
bouleau, -x [bulo] *nm* (silver) birch.
bouledogue [buldɔg] *nm* bulldog.
boulevard [bulvar] *nm* boulevard.
boulevers/er [bulvɛrse] *vt* (*déranger*) to turn upside down; (*émouvoir*) to upset deeply, distress; (*vie de qn, pays*) to disrupt. ◆**—ant** *a* upsetting, distressing. ◆**—ement** *nm* upheaval.
boulon [bulɔ̃] *nm* bolt.
boulot, -otte [bulo, -ɔt] **1** *a* dumpy. **2** *nm* (*travail*) *Fam* work.
boum [bum] **1** *int* & *nm* bang. **2** *nf* (*surprise-partie*) *Fam* party.
bouquet [bukɛ] *nm* (*de fleurs*) bunch, bouquet; (*d'arbres*) clump; (*de vin*) bouquet; (*crevette*) prawn; **c'est le b.!** that's the last straw!
bouquin [bukɛ̃] *nm Fam* book. ◆**bouquiner** *vti Fam* to read. ◆**bouquiniste** *nmf* second-hand bookseller.
bourbeux, -euse [burbø, -øz] *a* muddy. ◆**bourbier** *nm* (*lieu, situation*) quagmire, morass.
bourde [burd] *nf* blunder, bloomer.
bourdon [burdɔ̃] *nm* (*insecte*) bumblebee. ◆**bourdonn/er** *vi* to buzz, hum. ◆**—ement** *nm* buzzing, humming.
bourg [bur] *nm* (small) market town. ◆**bourgade** *nf* (large) village.
bourgeois, -oise [burʒwa, -waz] *a* & *nmf* middle-class (person); *Péj* bourgeois. ◆**bourgeoisie** *nf* middle class, bourgeoisie.
bourgeon [burʒɔ̃] *nm* bud. ◆**bourgeonner** *vi* to bud; (*nez*) *Fam* to be pimply.
bourgmestre [burgmɛstr] *nm* (*en Belgique, Suisse*) burgomaster.
bourgogne [burgɔɲ] *nm* (*vin*) Burgundy.
bourlinguer [burlɛ̃ge] *vi* (*voyager*) *Fam* to knock about.
bourrade [burad] *nf* (*du coude*) poke.
bourrasque [burask] *nf* squall.
bourratif, -ive [buratif, -iv] *a* (*aliment*) *Fam* filling, stodgy.
bourreau, -x [buro] *nm* executioner; **b. d'enfants** child batterer; **b. de travail** workaholic.
bourrelet [burlɛ] *nm* weather strip; **b. de graisse** roll of fat, spare tyre.
bourr/er [bure] **1** *vt* to stuff, cram (full) (**de** with); (*pipe, coussin*) to fill; **b. de coups** to thrash; **b. le crâne à qn** to brainwash s.o. **2 se b.** *vpr* (*s'enivrer*) *Fam* to get plastered. ◆**—age** *nm* **b. de crâne** brainwashing.
bourrique [burik] *nf* ass.
bourru [bury] *a* surly, rough.
bourse [burs] *nf* (*sac*) purse; *Scol Univ* grant, scholarship; **la B.** the Stock Exchange; **sans b. délier** without spending a penny. ◆**boursier, -ière 1** *a* Stock Exchange-. **2** *nmf Scol Univ* grant holder, scholar.
boursouflé [bursufle] *a* (*visage etc*) puffy; (*style*) *Fig* inflated.
bousculer [buskyle] *vt* (*heurter, pousser*) to

jostle; (*presser*) to rush, push; **b. qch** (*renverser*) to knock sth over; **b. les habitudes/***etc* to turn one's habits/*etc* upside down. ◆**bousculade** *nf* rush, jostling.

bouse [buz] *nf* **b. de vache** cow dung.

bousiller [buzije] *vt Fam* to mess up, wreck.

boussole [busɔl] *nf* compass.

bout [bu] *nm* end; (*de langue, canne, doigt*) tip; (*de papier, pain, ficelle*) bit; **un b. de temps/chemin** a little while/way; **au b. d'un moment** after a moment; **à b.** exhausted; **à b. de souffle** out of breath; **à b. de bras** at arm's length; **venir à b. de** (*travail*) to get through; (*adversaire*) to get the better of; **à tout b. de champ** at every turn, every minute; **à b. portant** point-blank.

boutade [butad] *nf* (*plaisanterie*) quip, witticism.

boute-en-train [butɑ̃trɛ̃] *nm inv* (*personne*) live wire.

bouteille [butɛj] *nf* bottle; (*de gaz*) cylinder.

bouteur [butœr] *nm* bulldozer.

boutique [butik] *nf* shop; (*d'un grand couturier*) boutique. ◆**boutiquier, -ière** *nmf Péj* shopkeeper.

boutoir [butwar] *nm* **coup de b.** staggering blow.

bouton [butɔ̃] *nm* (*bourgeon*) bud; (*pustule*) pimple, spot; (*de vêtement*) button; (*poussoir*) (push-)button; (*de porte, de télévision*) knob; **b. de manchette** cuff link. ◆**b.-d'or** *nm* (*pl* **boutons-d'or**) buttercup. ◆**b.-pression** *nm* (*pl* **boutons-pression**) press-stud, *Am* snap. ◆**boutonner** *vt*, – **se b.** *vpr* to button (up). ◆**boutonneux, -euse** *a* pimply, spotty. ◆**boutonnière** *nf* buttonhole.

bouture [butyr] *nf* (*plante*) cutting.

bouvreuil [buvrœj] *nm* (*oiseau*) bullfinch.

bovin [bɔvɛ̃] *a* bovine; – *nmpl* cattle.

bowling [boliŋ] *nm* (tenpin) bowling; (*lieu*) bowling alley.

box, *pl* **boxes** [bɔks] *nm* (*d'écurie*) (loose) box; (*de dortoir*) cubicle; *Jur* dock; *Aut* lockup *ou* individual garage.

boxe [bɔks] *nf* boxing. ◆**boxer** *vi Sp* to box; – *vt Fam* to whack, punch. ◆**boxeur** *nm* boxer.

boyau, -x [bwajo] *nm Anat* gut; (*corde*) catgut; (*de bicyclette*) (racing) tyre *ou Am* tire.

boycott/er [bɔjkɔte] *vt* to boycott. ◆**—age** *nm* boycott.

BP [bepe] *abrév* (*boîte postale*) PO Box.

bracelet [braslɛ] *nm* bracelet, bangle; (*de montre*) strap.

braconner [brakɔne] *vi* to poach. ◆**braconnier** *nm* poacher.

brader [brade] *vt* to sell off cheaply. ◆**braderie** *nf* open-air (clearance) sale.

braguette [bragɛt] *nf* (*de pantalon*) fly, flies.

braille [brɑj] *nm* Braille.

brailler [brɑje] *vti* to bawl. ◆**braillard** *a* bawling.

braire* [brɛr] *vi* (*âne*) to bray.

braise(s) [brɛz] *nf(pl)* embers, live coals. ◆**braiser** [breze] *vt Culin* to braise.

brancard [brɑ̃kar] *nm* (*civière*) stretcher; (*de charrette*) shaft. ◆**brancardier** *nm* stretcher-bearer.

branche [brɑ̃ʃ] *nf* (*d'un arbre, d'une science etc*) branch; (*de compas*) leg; (*de lunettes*) side piece. ◆**branchages** *nmpl* (cut *ou* fallen) branches.

branch/er [brɑ̃ʃe] *vt Él* to plug in; (*installer*) to connect. ◆**—é** *a* (*informé*) *Fam* with it. ◆**—ement** *nm Él* connection.

brandir [brɑ̃dir] *vt* to brandish, flourish.

brandon [brɑ̃dɔ̃] *nm* (*paille, bois*) firebrand.

branle [brɑ̃l] *nm* impetus; **mettre en b.** to set in motion. ◆**b.-bas** *nm inv* turmoil. ◆**branl/er** *vi* to be shaky, shake. ◆**—ant** *a* shaky.

braqu/er [brake] **1** *vt* (*arme etc*) to point, aim; (*yeux*) to fix; **b. qn contre qn** to set *ou* turn s.o. against s.o. **2** *vti Aut* to steer, turn. ◆**—age** *nm Aut* steering; **rayon de b.** turning circle.

bras [bra] *nm* arm; **en b. de chemise** in one's shirtsleeves; **b. dessus b. dessous** arm in arm; **sur les b.** *Fig* on one's hands; **son b. droit** *Fig* his right-hand man; **à b. ouverts** with open arms; **à tour de b.** with all one's might; **faire le b. d'honneur** *Fam* to make an obscene gesture; **à b.-le-corps** round the waist. ◆**brassard** *nm* armband. ◆**brassée** *nf* armful. ◆**brassière** *nf* (*de bébé*) vest, *Am* undershirt.

brasier [brɑzje] *nm* inferno, blaze.

brasse [bras] *nf* (*nage*) breaststroke; (*mesure*) fathom; **b. papillon** butterfly stroke.

brasser [brase] *vt* to mix; (*bière*) to brew. ◆**brassage** *nm* mixture; brewing. ◆**brasserie** *nf* (*usine*) brewery; (*café*) brasserie. ◆**brasseur** *nm* **b. d'affaires** *Péj* big businessman.

bravache [bravaʃ] *nm* braggart.

bravade [bravad] *nf* **par b.** out of bravado.

brave [brav] *a & nm* (*hardi*) brave (man); (*honnête*) good (man). ◆**bravement** *adv* bravely. ◆**braver** *vt* to defy; (*danger*) to brave. ◆**bravoure** *nf* bravery.

bravo [bravo] *int* well done, bravo, good show; – *nm* cheer.
break [brɛk] *nm* estate car, *Am* station wagon.
brebis [brəbi] *nf* ewe; **b. galeuse** black sheep.
brèche [brɛʃ] *nf* breach, gap; **battre en b.** (*attaquer*) to attack (mercilessly).
bredouille [brəduj] *a* **rentrer b.** to come back empty-handed.
bredouiller [brəduje] *vti* to mumble.
bref, brève [brɛf, brɛv] *a* brief, short; – *adv* **(enfin) b.** in a word.
breloque [brəlɔk] *nf* charm, trinket.
Brésil [brezil] *nm* Brazil. ◆**brésilien, -ienne** *a* & *nmf* Brazilian.
Bretagne [brətaɲ] *nf* Brittany. ◆**breton, -onne** *a* & *nmf* Breton.
bretelle [brətɛl] *nf* strap; (*voie de raccordement*) *Aut* access road; *pl* (*pour pantalon*) braces, *Am* suspenders.
breuvage [brœvaʒ] *nm* drink, brew.
brève [brɛv] *voir* **bref.**
brevet [brəvɛ] *nm* diploma; **b. (d'invention)** patent. ◆**brevet/er** *vt* to patent. ◆**–é** *a* (*technicien*) qualified.
bréviaire [brevjɛr] *nm* breviary.
bribes [brib] *nfpl* scraps, bits.
bric-à-brac [brikabrak] *nm inv* bric-à-brac, jumble, junk.
brick [brik] *nm* (*de lait, jus d'orange etc*) carton.
bricole [brikɔl] *nf* (*objet, futilité*) trifle. ◆**bricol/er** *vi* to do odd jobs; – *vt* (*réparer*) to patch up; (*fabriquer*) to put together. ◆**–age** *nm* (*petits travaux*) odd jobs; (*passe-temps*) do-it-yourself; **salon/rayon du b.** do-it-yourself exhibition/department. ◆**–eur, -euse** *nmf* handyman, handywoman.
bride [brid] *nf* (*de cheval*) bridle; **à b. abattue** at full gallop. ◆**brider** *vt* (*cheval*) to bridle; (*personne, désir*) to curb; *Culin* to truss; **avoir les yeux bridés** to have slit eyes.
bridge [bridʒ] *nm* (*jeu*) bridge.
brièvement [briɛvmɑ̃] *adv* briefly. ◆**brièveté** *nf* brevity.
brigade [brigad] *nf* (*de gendarmerie*) squad; *Mil* brigade; **b. des mœurs** vice squad. ◆**brigadier** *nm* police sergeant; *Mil* corporal.
brigand [brigɑ̃] *nm* robber; (*enfant*) rascal.
briguer [brige] *vt* to covet; (*faveurs, suffrages*) to court.
brillant [brijɑ̃] *a* (*luisant*) shining; (*astiqué*) shiny; (*couleur*) bright; (*magnifique*) *Fig* brilliant; – *nm* shine; brightness; *Fig* brilliance; (*diamant*) diamond. ◆**brillamment** *adv* brilliantly.
briller [brije] *vi* to shine; **faire b.** (*meuble*) to polish (up).
brimer [brime] *vt* to bully. ◆**brimade** *nm* *Scol* bullying, ragging, *Am* hazing; *Fig* vexation.
brin [brɛ̃] *nm* (*d'herbe*) blade; (*de corde, fil*) strand; (*de muguet*) spray; **un b. de** *Fig* a bit of.
brindille [brɛ̃dij] *nf* twig.
bringue [brɛ̃g] *nf* **faire la b.** *Fam* to have a binge.
bringuebaler [brɛ̃gbale] *vi* to wobble about.
brio [brijo] *nm* (*virtuosité*) brilliance.
brioche [brijɔʃ] *nf* **1** brioche (*light sweet bun*). **2** (*ventre*) *Fam* paunch.
brique [brik] *nf* brick. ◆**briquette** *nf* (*aggloméré*) breezeblock.
briquer [brike] *vt* to polish (up).
briquet [brikɛ] *nm* (cigarette) lighter.
brise [briz] *nf* breeze.
bris/er [brize] *vt* to break; (*en morceaux*) to smash, break; (*espoir, carrière*) to shatter; (*fatiguer*) to exhaust; **— se b.** *vpr* to break. ◆**—ants** *nmpl* reefs. ◆**brise-lames** *nm inv* breakwater.
britannique [britanik] *a* British; – *nmf* Briton; **les Britanniques** the British.
broc [bro] *nm* pitcher, jug.
brocanteur, -euse [brɔkɑ̃tœr, -øz] *nmf* secondhand dealer (*in furniture etc*).
broche [brɔʃ] *nf* *Culin* spit; (*bijou*) brooch; *Méd* pin. ◆**brochette** *nf* (*tige*) skewer; (*plat*) kebab.
broché [brɔʃe] *a* **livre b.** paperback.
brochet [brɔʃɛ] *nm* (*poisson*) pike.
brochure [brɔʃyr] *nf* brochure, booklet, pamphlet.
broder [brɔde] *vt* to embroider (**de** with). ◆**broderie** *nf* embroidery.
broncher [brɔ̃ʃe] *vi* (*bouger*) to budge; (*reculer*) to flinch; (*regimber*) to balk.
bronches [brɔ̃ʃ] *nfpl* bronchial tubes. ◆**bronchite** *nf* bronchitis.
bronze [brɔ̃z] *nm* bronze.
bronz/er [brɔ̃ze] *vt* to tan; – *vi*, **— se b.** *vpr* to get (sun)tanned; **se (faire) b.** to sunbathe. ◆**—age** *nm* (sun)tan, sunburn.
brosse [brɔs] *nf* brush; **b. à dents** toothbrush; **cheveux en b.** crew cut. ◆**brosser** *vt* to brush; **b. un tableau de** to give an outline of; **se b. les dents/les cheveux** to brush one's teeth/one's hair.
brouette [bruɛt] *nf* wheelbarrow.
brouhaha [bruaa] *nm* hubbub.

brouillard [brujar] *nm* fog; **il fait du b.** it's foggy.
brouille [bruj] *nf* disagreement, quarrel. ◆**brouiller 1** *vt* (*papiers, idées etc*) to mix up; (*vue*) to blur; (*œufs*) to scramble; *Rad* to jam; **— se b.** *vpr* (*idées*) to be *ou* get confused; (*temps*) to cloud over; (*vue*) to blur. **2** *vt* (*amis*) to cause a split between; **— se b.** *vpr* to fall out (**avec** with). ◆**brouillon, -onne 1** *a* confused. **2** *nm* rough draft.
broussailles [brusaj] *nfpl* brushwood.
brousse [brus] *nf* **la b.** the bush.
brouter [brute] *vti* to graze.
broyer [brwaje] *vt* to grind; (*doigt, bras*) to crush; **b. du noir** to be (down) in the dumps.
bru [bry] *nf* daughter-in-law.
brugnon [bryɲɔ̃] *nm* (*fruit*) nectarine.
bruine [brɥin] *nf* drizzle. ◆**bruiner** *v imp* to drizzle.
bruissement [brɥismɑ̃] *nm* (*de feuilles*) rustle, rustling.
bruit [brɥi] *nm* noise, sound; (*nouvelle*) rumour; **faire du b.** to be noisy, make a noise. ◆**bruitage** *nm Cin* sound effects.
brûle-pourpoint (à) [abrylpurpwɛ̃] *adv* point-blank.
brûl/er [bryle] *vt* to burn; (*consommer*) to use up, burn; (*signal, station*) to go through (without stopping); **b. un feu (rouge)** to jump *ou* go through the lights; **ce désir le brûlait** this desire consumed him; – *vi* to burn; **b. (d'envie) de faire** to be burning to do; **ça brûle** (*temps*) it's baking *ou* scorching; **— se b.** *vpr* to burn oneself. ◆**—ant** *a* (*objet, soleil*) burning (hot); (*sujet*) *Fig* red-hot. ◆**—é 1** *nm* **odeur de b.** smell of burning. **2** *a* **cerveau b., tête brûlée** hothead. ◆**brûlure** *nf* burn; **brûlures d'estomac** heartburn.
brume [brym] *nf* mist, haze. ◆**brumeux, -euse** *a* misty, hazy; (*obscur*) *Fig* hazy.
brun, brune [brœ̃, bryn] *a* brown; (*cheveux*) dark, brown; (*personne*) dark-haired; – *nm* (*couleur*) brown; – *nmf* dark-haired person. ◆**brunette** *nf* brunette. ◆**brunir** *vt* (*peau*) to tan; – *vi* to turn brown; (*cheveux*) to go darker.
brushing [brœʃiŋ] *nm* blow-dry.
brusque [brysk] *a* (*manière etc*) abrupt, blunt; (*subit*) sudden, abrupt. ◆**brusquement** *adv* suddenly, abruptly. ◆**brusquer** *vt* to rush. ◆**brusquerie** *nf* abruptness, bluntness.
brut [bryt] *a* (*pétrole*) crude; (*diamant*) rough; (*sucre*) unrefined; (*soie*) raw; (*poids*) & *Fin* gross.
brutal, -aux [brytal, -o] *a* (*violent*) savage, brutal; (*franchise, réponse*) crude, blunt; (*fait*) stark. ◆**brutaliser** *vt* to ill-treat. ◆**brutalité** *nf* (*violence, acte*) brutality. ◆**brute** *nf* brute.
Bruxelles [brysɛl] *nm ou f* Brussels.
bruyant [brɥijɑ̃] *a* noisy. ◆**bruyamment** *adv* noisily.
bruyère [bryjɛr] *nf* (*plante*) heather; (*terrain*) heath.
bu [by] *voir* **boire.**
buanderie [bɥɑ̃dri] *nf* (*lieu*) laundry.
bûche [byʃ] *nf* log; **ramasser une b.** *Fam* to come a cropper, *Am* take a spill. ◆**bûcher 1** *nm* (*local*) woodshed; (*supplice*) stake. **2** *vt* (*étudier*) *Fam* to slog away at. ◆**bûcheron** *nm* woodcutter, lumberjack.
budget [bydʒɛ] *nm* budget. ◆**budgétaire** *a* budgetary; (*année*) financial.
buée [bɥe] *nf* condensation, mist.
buffet [byfɛ] *nm* (*armoire*) sideboard; (*table, restaurant, repas*) buffet.
buffle [byfl] *nm* buffalo.
buis [bɥi] *nm* (*arbre*) box; (*bois*) boxwood.
buisson [bɥisɔ̃] *nm* bush.
buissonnière [bɥisɔnjɛr] *af* **faire l'école b.** to play truant *ou Am* hookey.
bulbe [bylb] *nm* bulb. ◆**bulbeux, -euse** *a* bulbous.
Bulgarie [bylgari] *nf* Bulgaria. ◆**bulgare** *a* & *nmf* Bulgarian.
bulldozer [byldozœr] *nm* bulldozer.
bulle [byl] *nf* **1** bubble; (*de bande dessinée*) balloon. **2** (*décret du pape*) bull.
bulletin [byltɛ̃] *nm* (*communiqué, revue*) bulletin; (*de la météo*) & *Scol* report; (*de bagages*) ticket, *Am* check; **b. de paie** pay slip; **b. de vote** ballot paper.
buraliste [byralist] *nmf* (*à la poste*) clerk; (*au tabac*) tobacconist.
bureau, -x [byro] *nm* **1** (*table*) desk. **2** (*lieu*) office; (*comité*) board; **b. de change** bureau de change; **b. de location** *Th Cin* box office; **b. de tabac** tobacconist's (shop). ◆**bureaucrate** *nmf* bureaucrat. ◆**bureaucratie** [-asi] *nf* bureaucracy. ◆**bureautique** *nf* office automation.
burette [byrɛt] *nf* oilcan; *Culin* cruet.
burlesque [byrlɛsk] *a* (*idée etc*) ludicrous; (*genre*) burlesque.
bus[1] [bys] *nm Fam* bus.
bus[2] [by] *voir* **boire.**
busqué [byske] *a* (*nez*) hooked.
buste [byst] *nm* (*torse, sculpture*) bust. ◆**bustier** *nm* long-line bra(ssiere).
but[1] [by(t)] *nm* (*dessein, objectif*) aim, goal;

(*cible*) target; *Fb* goal; **de b. en blanc** point-blank; **aller droit au b.** to go straight to the point; **j'ai pour b. de...** my aim is to....
but² [by] *voir* **boire.**
butane [bytan] *nm* (*gaz*) butane.
but/er [byte] **1** *vi* **b. contre** to stumble over; (*difficulté*) *Fig* to come up against. **2 se b.** *vpr* (*s'entêter*) to get obstinate. ◆**—é** *a* obstinate.
butin [bytɛ̃] *nm* loot, booty.
butiner [bytine] *vi* (*abeille*) to gather nectar.
butoir [bytwar] *nm Rail* buffer; (*de porte*) stop(per).
butor [bytɔr] *nm Péj* lout, oaf, boor.
butte [byt] *nf* hillock, mound; **en b. à** (*calomnie etc*) exposed to.
buvable [byvabl] *a* drinkable. ◆**buveur, -euse** *nmf* drinker.
buvard [byvar] *a & nm* **(papier) b.** blotting paper.
buvette [byvɛt] *nf* refreshment bar.

C

C, c [se] *nm* C, c
c *abrév* centime.
c' [s] *voir* **ce¹.**
ça [sa] *pron dém* (*abrév de* **cela**) (*pour désigner*) that; (*plus près*) this; (*sujet indéfini*) it, that; **ça m'amuse que...** it amuses me that...; **où/quand/comment/***etc* **ça?** where?/when?/how?/*etc*; **ça va (bien)?** how's it going?; **ça va!** fine!, OK!; **ça alors!** (*surprise, indignation*) well I never!, how about that!; **c'est ça** that's right; **et avec ça?** (*dans un magasin*) anything else?
çà [sa] *adv* **çà et là** here and there.
caban [kabɑ̃] *nm* (*veste*) reefer.
cabane [kaban] *nf* hut, cabin; (*à outils*) shed; (*à lapins*) hutch.
cabaret [kabarɛ] *nm* night club, cabaret.
cabas [kabɑ] *nm* shopping bag.
cabillaud [kabijo] *nm* (fresh) cod.
cabine [kabin] *nf Nau Av* cabin; *Tél* phone booth, phone box; (*de camion*) cab; (*d'ascenseur*) car, cage; **c. (de bain)** beach hut; (*à la piscine*) cubicle; **c. (de pilotage)** cockpit; (*d'un grand avion*) flight deck; **c. d'essayage** fitting room; **c. d'aiguillage** signal box.
cabinet [kabinɛ] *nm* (*local*) *Méd* surgery, *Am* office; (*d'avocat*) office, chambers; (*clientèle de médecin ou d'avocat*) practice; *Pol* cabinet; *pl* (*toilettes*) toilet; **c. de toilette** bathroom, toilet; **c. de travail** study.
câble [kɑbl] *nm* cable; (*cordage*) rope; **la télévision par c.** cable television; **le c.** *TV* cable. ◆**câbler** *vt* (*message*) to cable; **être câblé** *TV* to have cable.
caboche [kabɔʃ] *nf* (*tête*) *Fam* nut, noddle.
cabosser [kabɔse] *vt* to dent.
caboteur [kabɔtœr] *nm* (*bateau*) coaster.
cabotin, -ine [kabɔtɛ̃, -in] *nmf Th* ham actor, ham actress; *Fig* play-actor. ◆**cabotinage** *nm* histrionics, play-acting.
cabrer (se) [səkabre] *vpr* (*cheval*) to rear (up); (*personne*) to rebel.
cabri [kabri] *nm* (*chevreau*) kid.
cabrioles [kabriɔl] *nfpl* **faire des c.** (*sauts*) to cavort, caper.
cabriolet [kabriɔlɛ] *nm Aut* convertible.
cacah(o)uète [kakawɛt] *nf* peanut.
cacao [kakao] *nm* (*boisson*) cocoa.
cacatoès [kakatoɛs] *nm* cockatoo.
cachalot [kaʃalo] *nm* sperm whale.
cache-cache [kaʃkaʃ] *nm inv* hide-and-seek. ◆**c.-col** *nm inv,* ◆**c.-nez** *nm inv* scarf, muffler. ◆**c.-sexe** *nm inv* G-string.
cachemire [kaʃmir] *nm* (*tissu*) cashmere.
cacher [kaʃe] *vt* to hide, conceal (**à** from); **je ne cache pas que...** I don't hide the fact that...; **c. la lumière à qn** to stand in s.o.'s light; **— se c.** *vpr* to hide. ◆**cachette** *nf* hiding place; **en c.** in secret; **en c. de qn** without s.o. knowing.
cachet [kaʃɛ] *nm* (*sceau*) seal; (*de la poste*) postmark; (*comprimé*) tablet; (*d'acteur etc*) fee; *Fig* distinctive character. ◆**cacheter** *vt* to seal.
cachot [kaʃo] *nm* dungeon.
cachotteries [kaʃɔtri] *nfpl* secretiveness; (*petits secrets*) little mysteries. ◆**cachottier, -ière** *a & nmf* secretive (person).
cacophonie [kakɔfɔni] *nf* cacophony.
cactus [kaktys] *nm* cactus.
cadastre [kadastr] *nm* (*registre*) land register.
cadavre [kadɑvr] *nm* corpse. ◆**cadavéri-**

que *a* (*teint etc*) cadaverous; **rigidité c.** rigor mortis.
caddie® [kadi] *nm* supermarket trolly *ou Am* cart.
cadeau, -x [kado] *nm* present, gift.
cadenas [kadnɑ] *nm* padlock. ◆**cadenasser** *vt* to padlock.
cadence [kadɑ̃s] *nf* rhythm; *Mus* cadence; (*taux, vitesse*) rate; **en c.** in time. ◆**cadencé** *a* rhythmical.
cadet, -ette [kadɛ, -ɛt] *a* (*de deux frères etc*) younger; (*de plus de deux*) youngest; – *nmf* (*enfant*) younger (child); youngest (child); *Sp* junior; **c'est mon c.** he's my junior.
cadran [kadrɑ̃] *nm* (*de téléphone etc*) dial; (*de montre*) face; **c. solaire** sundial; **faire le tour du c.** to sleep round the clock.
cadre [kɑdr] *nm* **1** (*de photo, vélo etc*) frame; (*décor*) setting; (*sur un imprimé*) box; **dans le c. de** (*limites, contexte*) within the framework *ou* scope of, as part of. **2** (*chef*) *Com* executive, manager; *pl* (*personnel*) *Mil* officers; *Com* management, managers.
cadr/er [kɑdre] *vi* to tally (**avec** with); – *vt* (*image*) *Cin Phot* to centre. ◆**—eur** *nm* cameraman.
caduc, -uque [kadyk] *a* (*usage*) obsolete; *Bot* deciduous; *Jur* null and void.
cafard, -arde [kafar, -ard] **1** *nmf* (*espion*) sneak. **2** *nm* (*insecte*) cockroach; **avoir le c.** to be in the dumps; **ça me donne le c.** it depresses me. ◆**cafardeux, -euse** *a* (*personne*) in the dumps; (*qui donne le cafard*) depressing.
café [kafe] *nm* coffee; (*bar*) café; **c. au lait, c. crème** white coffee, coffee with milk; **c. noir, c. nature** black coffee; **tasse de c.** cup of black coffee. ◆**caféine** *nf* caffeine. ◆**cafétéria** *nf* cafeteria. ◆**cafetier** *nm* café owner. ◆**cafetière** *nf* percolator, coffeepot.
cafouiller [kafuje] *vi Fam* to make a mess (of things). ◆**cafouillage** *nm Fam* mess, muddle, snafu.
cage [kaʒ] *nf* cage; (*d'escalier*) well; (*d'ascenseur*) shaft; **c. des buts** *Fb* goal (area).
cageot [kaʒo] *nm* crate.
cagibi [kaʒibi] *nm* (storage) room, cubbyhole.
cagneux, -euse [kaɲø, -øz] *a* knock-kneed.
cagnotte [kaɲɔt] *nf* (*tirelire*) kitty.
cagoule [kagul] *nf* (*de bandit, pénitent*) hood.
cahier [kaje] *nm* (*carnet*) (note)book; *Scol* exercise book.
cahin-caha [kaɛ̃kaa] *adv* **aller c.-caha** to jog along (with ups and downs).
cahot [kao] *nm* jolt, bump. ◆**cahot/er** *vt* to jolt, bump; – *vi* (*véhicule*) to jolt along. ◆**—ant** *a*, ◆**cahoteux, -euse** *a* bumpy.
caïd [kaid] *nm Fam* big shot, leader.
caille [kɑj] *nf* (*oiseau*) quail.
cailler [kɑje] *vti*, **— se c.** *vpr* (*sang*) to clot, congeal; (*lait*) to curdle; **faire c.** (*lait*) to curdle; **ça caille** *Fam* it's freezing cold. ◆**caillot** *nm* (blood) clot.
caillou, -x [kaju] *nm* stone; (*galet*) pebble. ◆**caillouté** *a* gravelled. ◆**caillouteux, -euse** *a* stony.
caisse [kɛs] *nf* (*boîte*) case, box; (*cageot*) crate; (*guichet*) cash desk, pay desk; (*de supermarché*) checkout; (*fonds*) fund; (*bureau*) (paying-in) office; *Mus* drum; *Aut* body; **c. (enregistreuse)** cash register, till; **c. d'épargne** savings bank; **de c.** (*livre, recettes*) cash-. ◆**caissier, -ière** *nmf* cashier; (*de supermarché*) checkout assistant.
caisson [kɛsɔ̃] *nm* (*de plongeur*) & *Mil* caisson.
cajoler [kaʒɔle] *vt* (*câliner*) to pamper, pet, cosset. ◆**cajolerie(s)** *nf(pl)* pampering.
cajou [kaʒu] *nm* (*noix*) cashew.
cake [kɛk] *nm* fruit cake.
calamité [kalamite] *nf* calamity.
calandre [kalɑ̃dr] *nf Aut* radiator grille.
calcaire [kalkɛr] *a* (*terrain*) chalky; (*eau*) hard; – *nm Géol* limestone.
calciné [kalsine] *a* charred, burnt to a cinder.
calcium [kalsjɔm] *nm* calcium.
calcul [kalkyl] *nm* **1** calculation; (*estimation*) calculation, reckoning; (*discipline*) arithmetic; (*différentiel*) calculus. **2** *Méd* stone. ◆**calcul/er** *vt* (*compter*) to calculate, reckon; (*évaluer, combiner*) to calculate. ◆**—é** *a* (*risque etc*) calculated. ◆**calculateur** *nm* calculator, computer. ◆**calculatrice** *nf* (*ordinateur*) calculator.
cale [kal] *nf* **1** (*pour maintenir*) wedge. **2** *Nau* hold; **c. sèche** dry dock.
calé [kale] *a Fam* (*instruit*) clever (**en qch** at sth); (*difficile*) tough.
caleçon [kalsɔ̃] *nm* underpants; **c. de bain** bathing trunks.
calembour [kalɑ̃bur] *nm* pun.
calendrier [kalɑ̃drije] *nm* (*mois et jours*) calendar; (*programme*) timetable.
cale-pied [kalpje] *nm* (*de bicyclette*) toeclip.
calepin [kalpɛ̃] *nm* (pocket) notebook.
caler [kale] **1** *vt* (*meuble etc*) to wedge (up); (*appuyer*) to prop (up). **2** *vt* (*moteur*) to

stall; – *vi* to stall; (*abandonner*) *Fam* give up.
calfeutrer [kalføtre] *vt* (*avec du bourrelet*) to draughtproof; **se c. (chez soi)** to shut oneself away, hole up.
calibre [kalibr] *nm* (*diamètre*) calibre; (*d'œuf*) grade; **de ce c.** (*bêtise etc*) of this degree. ◆**calibrer** *vt* (*œufs*) to grade.
calice [kalis] *nm* (*vase*) *Rel* chalice.
calicot [kaliko] *nm* (*tissu*) calico.
califourchon (à) [akalifurʃɔ̃] *adv* astride; **se mettre à c. sur** to straddle.
câlin [kɑlɛ̃] *a* endearing, cuddly. ◆**câliner** *vt* (*cajoler*) to make a fuss of; (*caresser*) to cuddle. ◆**câlineries** *nfpl* endearing ways.
calleux, -euse [kalø, -øz] *a* callous, horny.
calligraphie [kaligrafi] *nf* calligraphy.
calme [kalm] *a* calm; (*flegmatique*) calm, cool; (*journée etc*) quiet, calm; – *nm* calm(ness); **du c.!** keep quiet!; (*pas de panique*) keep calm!; **dans le c.** (*travailler, étudier*) in peace and quiet. ◆**calm/er** *vt* (*douleur*) to soothe; (*inquiétude*) to calm; (*ardeur*) to damp(en); **c. qn** to calm s.o. (down); **— se c.** *vpr* to calm down. ◆**—ant** *nm* sedative; **sous calmants** under sedation.
calomnie [kalɔmni] *nf* slander; (*par écrit*) libel. ◆**calomnier** *vt* to slander; to libel. ◆**calomnieux, -euse** *a* slanderous; libellous.
calorie [kalɔri] *nf* calorie.
calorifère [kalɔrifɛr] *nm* stove.
calorifuge [kalɔrifyʒ] *a* (heat-)insulating. ◆**calorifuger** *vt* to lag.
calot [kalo] *nm Mil* forage cap.
calotte [kalɔt] *nf Rel* skull cap; (*gifle*) *Fam* slap; **c. glaciaire** icecap.
calque [kalk] *nm* (*dessin*) tracing; (*imitation*) (exact *ou* carbon) copy; **(papier-)c.** tracing paper. ◆**calquer** *vt* to trace; to copy; **c. sur** to model on.
calumet [kalymɛ] *nm* **c. de la paix** peace pipe.
calvaire [kalvɛr] *nm Rel* calvary; *Fig* agony.
calvitie [kalvisi] *nf* baldness.
camarade [kamarad] *nmf* friend, chum; *Pol* comrade; **c. de jeu** playmate; **c. d'atelier** workmate. ◆**camaraderie** *nf* friendship, companionship.
cambouis [kɑ̃bwi] *nm* grease, (engine) oil.
cambrer [kɑ̃bre] *vt* to arch; **c. les reins** *ou* **le buste** to throw out one's chest; **— se c.** *vpr* to throw back one's shoulders. ◆**cambrure** *nf* curve; (*de pied*) arch, instep.
cambriol/er [kɑ̃brijɔle] *vt* to burgle, *Am* burglarize. ◆**—age** *nm* burglary. ◆**—eur, -euse** *nmf* burglar.
came [kam] *nf Tech* cam; **arbre à cames** camshaft.
camée [kame] *nm* (*pierre*) cameo.
caméléon [kameleɔ̃] *nm* (*reptile*) chameleon.
camélia [kamelja] *nm Bot* camellia.
camelot [kamlo] *nm* street hawker. ◆**camelote** *nf* cheap goods, junk.
camembert [kamɑ̃bɛr] *nm* Camembert (cheese).
camer (se) [səkame] *vpr Fam* to get high (on drugs).
caméra [kamera] *nf* (TV *ou* film) camera. ◆**caméraman** *nm* (*pl* **-mans** *ou* **-men**) cameraman.
camion [kamjɔ̃] *nm* lorry, *Am* truck. ◆**c.-benne** *nm* (*pl* **camions-bennes**) dustcart, *Am* garbage truck. ◆**c.-citerne** *nm* (*pl* **camions-citernes**) tanker, *Am* tank truck. ◆**camionnage** *nm* (road) haulage, *Am* trucking. ◆**camionnette** *nf* van. ◆**camionneur** *nm* (*entrepreneur*) haulage contractor, *Am* trucker; (*conducteur*) lorry *ou Am* truck driver.
camisole [kamizɔl] *nf* **c. de force** straitjacket.
camomille [kamɔmij] *nf Bot* camomile; (*tisane*) camomile tea.
camoufl/er [kamufle] *vt* to camouflage. ◆**—age** *nm* camouflage.
camp [kɑ̃] *nm* camp; **feu de c.** campfire; **lit de c.** camp bed; **c. de concentration** concentration camp; **dans mon c.** (*jeu*) on my side; **ficher** *ou* **foutre le c.** *Arg* to clear off. ◆**camp/er** *vi* to camp; – *vt* (*personnage*) to portray (boldly); (*chapeau etc*) to plant boldly; **— se c.** *vpr* to plant oneself (boldly) (**devant** in front of). ◆**—ement** *nm* encampment, camp. ◆**—eur, -euse** *nmf* camper. ◆**camping** *nm* camping; (*terrain*) camp(ing) site. ◆**camping-car** *nm* camper.
campagne [kɑ̃paɲ] *nf* **1** country(side); **à la c.** in the country. **2** (*électorale, militaire etc*) campaign. ◆**campagnard, -arde** *a* country-; – *nm* countryman; – *nf* countrywoman.
campanile [kɑ̃panil] *nm* belltower.
camphre [kɑ̃fr] *nm* camphor.
campus [kɑ̃pys] *nm Univ* campus.
camus [kamy] *a* (*personne*) snub-nosed; **nez c.** snub nose.
Canada [kanada] *nm* Canada. ◆**canadien, -ienne** *a & nmf* Canadian; – *nf* fur-lined jacket.
canaille [kanɑj] *nf* rogue, scoundrel; – *a* vulgar, cheap.

canal, -aux [kanal, -o] *nm* (*artificiel*) canal; (*bras de mer*) & *TV* channel; (*conduite*) & *Anat* duct; **par le c. de** via, through. ◆**canalisation** *nf* (*de gaz etc*) mains. ◆**canaliser** *vt* (*rivière etc*) to canalize; (*diriger*) *Fig* to channel.
canapé [kanape] *nm* **1** (*siège*) sofa, couch, settee. **2** (*tranche de pain*) canapé.
canard [kanar] *nm* **1** duck; (*mâle*) drake. **2** *Mus* false note. **3** (*journal*) *Péj* rag. ◆**canarder** *vt* (*faire feu sur*) to fire at *ou* on.
canari [kanari] *nm* canary.
cancans [kɑ̃kɑ̃] *nmpl* (malicious) gossip. ◆**cancaner** *vi* to gossip. ◆**cancanier, -ière** *a* gossipy.
cancer [kɑ̃sɛr] *nm* cancer; **le C.** (*signe*) Cancer. ◆**cancéreux, -euse** *a* cancerous; – *nmf* cancer patient. ◆**cancérigène** *a* carcinogenic. ◆**cancérologue** *nmf* cancer specialist.
cancre [kɑ̃kr] *nm Scol Péj* dunce.
cancrelat [kɑ̃krəla] *nm* cockroach.
candélabre [kɑ̃delɑbr] *nm* candelabra.
candeur [kɑ̃dœr] *nf* innocence, artlessness. ◆**candide** *a* artless, innocent.
candidat, -ate [kɑ̃dida, -at] *nmf* candidate; (*à un poste*) applicant, candidate; **être** *ou* **se porter c. à** to apply for. ◆**candidature** *nf* application; *Pol* candidacy; **poser sa c.** to apply (**à** for).
cane [kan] *nf* (female) duck. ◆**caneton** *nm* duckling.
canette [kanɛt] *nf* **1** (*de bière*) (small) bottle. **2** (*bobine*) spool.
canevas [kanva] *nm* (*toile*) canvas; (*ébauche*) framework, outline.
caniche [kaniʃ] *nm* poodle.
canicule [kanikyl] *nf* scorching heat; (*période*) dog days.
canif [kanif] *nm* penknife.
canine [kanin] **1** *af* (*espèce, race*) canine; **exposition c.** dog show. **2** *nf* (*dent*) canine.
caniveau, -x [kanivo] *nm* gutter (*in street*).
canne [kan] *nf* (walking) stick; (*à sucre, de bambou*) cane; (*de roseau*) reed; **c. à pêche** fishing rod.
cannelle [kanɛl] *nf Bot Culin* cinnamon.
cannelure [kanlyr] *nf* groove; *Archit* flute.
cannette [kanɛt] *nf* = **canette.**
cannibale [kanibal] *nmf* & *a* cannibal. ◆**cannibalisme** *nm* cannibalism.
canoë [kanɔe] *nm* canoe; *Sp* canoeing. ◆**canoéiste** *nmf* canoeist.
canon [kanɔ̃] *nm* **1** (big) gun; *Hist* cannon; (*de fusil etc*) barrel; **c. lisse** smooth bore; **chair à c.** cannon fodder. **2** (*règle*) canon. ◆**canoniser** *vt* to canonize. ◆**canonnade** *nf* gunfire. ◆**canonnier** *nm* gunner.
cañon [kaɲɔ̃] *nm* canyon.
canot [kano] *nm* boat; **c. de sauvetage** lifeboat; **c. pneumatique** rubber dinghy. ◆**canot/er** *vi* to boat, go boating. ◆**—age** *nm* boating.
cantaloup [kɑ̃talu] *nm* (*melon*) cantaloup(e).
cantate [kɑ̃tat] *nf Mus* cantata.
cantatrice [kɑ̃tatris] *nf* opera singer.
cantine [kɑ̃tin] *nf* **1** (*réfectoire*) canteen; **manger à la c.** *Scol* to have school dinners. **2** (*coffre*) tin trunk.
cantique [kɑ̃tik] *nm* hymn.
canton [kɑ̃tɔ̃] *nm* (*en France*) district (*division of arrondissement*); (*en Suisse*) canton. ◆**cantonal, -aux** *a* divisional; cantonal.
cantonade (à la) [alakɑ̃tɔnad] *adv* (*parler etc*) to all and sundry, to everyone in general.
cantonn/er [kɑ̃tɔne] *vt Mil* to billet; (*confiner*) to confine; – *vi Mil* to be billeted; **— se c.** *vpr* to confine oneself (**dans** to). ◆**—ement** *nm* (*lieu*) billet, quarters.
cantonnier [kɑ̃tɔnje] *nm* road mender.
canular [kanylar] *nm* practical joke, hoax.
canyon [kaɲɔ̃] *nm* canyon.
caoutchouc [kautʃu] *nm* rubber; (*élastique*) rubber band; *pl* (*chaussures*) galoshes; **en c.** (*balle etc*) rubber-; **c. mousse** foam. ◆**caoutchouter** *vt* to rubberize. ◆**caoutchouteux, -euse** *a* rubbery.
CAP [seape] *nm abrév* (*certificat d'aptitude professionnelle*) technical and vocational diploma.
cap [kap] *nm Géog* cape, headland; *Nau* course; **mettre le c. sur** to steer a course for; **franchir** *ou* **doubler le c. de** (*difficulté*) to get over the worst of; **franchir** *ou* **doubler le c. de la trentaine**/*etc* to turn thirty/*etc.*
capable [kapabl] *a* capable, able; **c. de faire** able to do, capable of doing. ◆**capacité** *nf* ability, capacity; (*contenance*) capacity.
cape [kap] *nf* cape; (*grande*) cloak.
CAPES [kapɛs] *nm abrév* (*certificat d'aptitude professionnelle à l'enseignement secondaire*) teaching diploma.
capillaire [kapilɛr] *a* (*huile, lotion*) hair-.
capitaine [kapitɛn] *nm* captain.
capital, -ale, -aux [kapital, -o] **1** *a* major, fundamental, capital; (*peine*) capital; (*péché*) deadly. **2** *a* (*lettre*) capital; – *nf* (*lettre, ville*) capital. **3** *nm* & *nmpl Fin* capital. ◆**capitaliser** *vt* (*accumuler*) to build up; – *vi* to save up. ◆**capitalisme** *nm*

capitalism. ◆**capitaliste** *a & nmf* capitalist.

capiteux, -euse [kapitø, -øz] *a* (*vin, parfum*) heady.

capitonn/er [kapitɔne] *vt* to pad, upholster. ◆**—age** *nm* (*garniture*) padding, upholstery.

capituler [kapityle] *vi* to surrender, capitulate. ◆**capitulation** *nf* surrender, capitulation.

caporal, -aux [kapɔral, -o] *nm* corporal.

capot [kapo] *nm Aut* bonnet, *Am* hood.

capote [kapɔt] *nf Aut* hood, *Am* (convertible) top; *Mil* greatcoat; **c. (anglaise)** (*préservatif*) *Fam* condom. ◆**capoter** *vi Aut Av* to overturn.

câpre [kɑpr] *nf Bot Culin* caper.

caprice [kapris] *nm* (passing) whim, caprice. ◆**capricieux, -euse** *a* capricious.

Capricorne [kaprikɔrn] *nm* **le C.** (*signe*) Capricorn.

capsule [kapsyl] *nf* (*spatiale*) & *Méd etc* capsule; (*de bouteille, pistolet d'enfant*) cap.

capter [kapte] *vt* (*faveur etc*) to win; (*attention*) to capture, win; (*eau*) to draw off; *Rad* to pick up.

captif, -ive [kaptif, -iv] *a & nmf* captive. ◆**captiver** *vt* to captivate, fascinate. ◆**captivité** *nf* captivity.

capture [kaptyr] *nf* capture; catch. ◆**capturer** *vt* (*criminel, navire*) to capture; (*animal*) to catch, capture.

capuche [kapyʃ] *nf* hood. ◆**capuchon** *nm* hood; (*de moine*) cowl; (*pèlerine*) hooded (rain)coat; (*de stylo*) cap, top.

capucine [kapysin] *nf* (*plante*) nasturtium.

caquet [kakɛ] *nm* (*bavardage*) cackle. ◆**caquet/er** *vi* (*poule, personne*) to cackle. ◆**—age** *nm* cackle.

car [kar] **1** *conj* because, for. **2** *nm* coach, bus, *Am* bus; **c. de police** police van.

carabine [karabin] *nf* rifle, carbine; **c. à air comprimé** airgun.

carabiné [karabine] *a Fam* violent; (*punition, amende*) very stiff.

caracoler [karakɔle] *vi* to prance, caper.

caractère [karaktɛr] *nm* **1** (*lettre*) *Typ* character; **en petits caractères** in small print; **caractères d'imprimerie** block capitals *ou* letters; **caractères gras** bold type *ou* characters. **2** (*tempérament, nature*) character, nature; (*attribut*) characteristic; **aucun c. de gravité** no serious element; **son c. inégal** his *ou* her uneven temper; **avoir bon c.** to be good-natured. ◆**caractériel, -ielle** *a* (*trait, troubles*) character-; – *a & nmf* disturbed (child). ◆**caractériser** *vt* to characterize; **se c. par** to be characterized by. ◆**caractéristique** *a & nf* characteristic.

carafe [karaf] *nf* decanter, carafe.

carambol/er [karɑ̃bɔle] *vt Aut* to smash into. ◆**—age** *nm* pileup, multiple smash-up.

caramel [karamɛl] *nm* caramel; (*bonbon dur*) toffee.

carapace [karapas] *nf* (*de tortue etc*) & *Fig* shell.

carat [kara] *nm* carat.

caravane [karavan] *nf* (*dans le désert*) caravan; *Aut* caravan, *Am* trailer; **c. publicitaire** publicity convoy. ◆**caravaning** *n*, ◆**caravanage** *n* caravanning.

carbone [karbɔn] *nm* carbon; **(papier) c.** carbon (paper). ◆**carboniser** *vt* to burn (to ashes), char; (*substance*) *Ch* to carbonize; **être mort carbonisé** to be burned to death.

carburant [karbyrɑ̃] *nm Aut* fuel. ◆**carburateur** *nm* carburettor, *Am* carburetor.

carcan [karkɑ̃] *nm Hist* iron collar; (*contrainte*) *Fig* yoke.

carcasse [karkas] *nf Anat* carcass; (*d'immeuble etc*) frame, shell.

cardiaque [kardjak] *a* (*trouble etc*) heart-; **crise c.** heart attack; **arrêt c.** cardiac arrest; – *nmf* heart patient.

cardinal, -aux [kardinal, -o] **1** *a* (*nombre, point*) cardinal. **2** *nm Rel* cardinal.

Carême [karɛm] *nm* Lent.

carence [karɑ̃s] *nf* inadequacy, incompetence; *Méd* deficiency.

carène [karɛn] *nf Nau* hull. ◆**caréné** *a Aut Av* streamlined.

caresse [karɛs] *nf* caress. ◆**caress/er** [karese] *vt* (*animal, enfant etc*) to stroke, pat, fondle; (*femme, homme*) to caress; (*espoir*) to cherish. ◆**—ant** *a* endearing, loving.

cargaison [kargɛzɔ̃] *nf* cargo, freight. ◆**cargo** *nm* freighter, cargo boat.

caricature [karikatyr] *nf* caricature. ◆**caricatural, -aux** *a* ludicrous; **portrait c.** portrait in caricature. ◆**caricaturer** *vt* to caricature.

carie [kari] *nf* **la c. (dentaire)** tooth decay; **une c.** a cavity. ◆**carié** *a* (*dent*) decayed, bad.

carillon [karijɔ̃] *nm* (*cloches*) chimes, peal; (*horloge*) chiming clock. ◆**carillonner** *vi* to chime, peal.

carlingue [karlɛ̃g] *nf* (*fuselage*) *Av* cabin.

carnage [karnaʒ] *nm* carnage.
carnassier, -ière [karnasje, -jɛr] *a* carnivorous; – *nm* carnivore.
carnaval, *pl* **-als** [karnaval] *nm* carnival.
carné [karne] *a* (*régime*) meat-.
carnet [karnɛ] *nm* notebook; (*de timbres, chèques, adresses etc*) book; **c. de notes** school report; **c. de route** logbook; **c. de vol** *Av* logbook.
carnivore [karnivɔr] *a* carnivorous; – *nm* carnivore.
carotte [karɔt] *nf* carrot.
carotter [karɔte] *vt Arg* to wangle, cadge (**à qn** from s.o.).
carpe [karp] *nf* carp.
carpette [karpɛt] *nf* rug.
carquois [karkwa] *nm* (*étui*) quiver.
carré [kare] *a* square; (*en affaires*) *Fig* plain-dealing; – *nm* square; (*de jardin*) patch; *Nau* messroom; **c. de soie** (square) silk scarf.
carreau, -x [karo] *nm* (*vitre*) (window) pane; (*pavé*) tile; (*sol*) tiled floor; *Cartes* diamonds; **à carreaux** (*nappe etc*) check(ed); **se tenir à c.** to watch one's step; **rester sur le c.** to be left for dead; (*candidat*) *Fig* to be left out in the cold. ◆**carrel/er** *vt* to tile. ◆**—age** *nm* (*sol*) tiled floor; (*action*) tiling.
carrefour [karfur] *nm* crossroads.
carrelet [karlɛ] *nm* (*poisson*) plaice, *Am* flounder.
carrément [karemɑ̃] *adv* (*dire etc*) straight out, bluntly; (*complètement*) downright, well and truly.
carrer (se) [səkare] *vpr* to settle down firmly.
carrière [karjɛr] *nf* **1** (*terrain*) quarry. **2** (*métier*) career.
carrosse [karɔs] *nm Hist* (horse-drawn) carriage. ◆**carrossable** *a* suitable for vehicles. ◆**carrosserie** *nf Aut* body(work).
carrousel [karuzɛl] *nm* (*tourbillon*) *Fig* whirl, merry-go-round.
carrure [karyr] *nf* breadth of shoulders, build; *Fig* calibre.
cartable [kartabl] *nm Scol* satchel.
carte [kart] *nf* card; (*de lecteur*) ticket; *Géog* map; *Nau Mét* chart; *Culin* menu; *pl* (*jeu*) cards; **c. (postale)** (post)card; **c. à jouer** playing card; **c. de crédit** credit card; **c. des vins** wine list; **c. grise** *Aut* vehicle registration; **c. blanche** *Fig* free hand.
cartel [kartɛl] *nm Écon Pol* cartel.
carter [kartɛr] *nm* (*de moteur*) *Aut* crankcase; (*de bicyclette*) chain guard.
cartilage [kartilaʒ] *nm* cartilage.
carton [kartɔ̃] *nm* cardboard; (*boîte*) cardboard box, carton; **c. à dessin** portfolio; **en c.-pâte** (*faux*) *Péj* pasteboard; **faire un c. sur** *Fam* to take a potshot at. ◆**cartonn/er** *vt* (*livre*) to case; **livre cartonné** hardback. ◆**—age** *nm* (*emballage*) cardboard package.
cartouche [kartuʃ] *nf* cartridge; (*de cigarettes*) carton; *Phot* cassette. ◆**cartouchière** *nf* (*ceinture*) cartridge belt.
cas [kɑ] *nm* case; **en tout c.** in any case *ou* event; **en aucun c.** on no account; **en c. de besoin** if need(s) be; **en c. d'accident** in the event of an accident; **en c. d'urgence** in (case of) an emergency; **faire c. de/peu de c. de** to set great/little store by; **au c. où elle tomberait** if she should fall; **pour le c. où il pleuvrait** in case it rains.
casanier, -ière [kazanje, -jɛr] *a & nmf* home-loving (person); (*pantouflard*) *Péj* stay-at-home (person).
casaque [kazak] *nf* (*de jockey*) shirt, blouse.
cascade [kaskad] *nf* **1** waterfall; (*série*) *Fig* spate; **en c.** in succession. **2** *Cin* stunt. ◆**cascadeur, -euse** *nmf Cin* stunt man, stunt woman.
case [kɑz] *nf* **1** pigeonhole; (*de tiroir*) compartment; (*d'échiquier etc*) square; (*de formulaire*) box. **2** (*hutte*) hut, cabin.
caser [kaze] *vt Fam* (*ranger*) to park, place; **c. qn** (*dans un logement ou un travail*) to find a place for s.o.; (*marier*) to marry s.o. off; **— se c.** *vpr* to settle down.
caserne [kazɛrn] *nf Mil* barracks; **c. de pompiers** fire station.
casier [kɑzje] *nm* pigeonhole, compartment; (*meuble à tiroirs*) filing cabinet; (*fermant à clef, à consigne automatique*) locker; **c. à bouteilles/à disques** bottle/record rack; **c. judiciaire** criminal record.
casino [kazino] *nm* casino.
casque [kask] *nm* helmet; (*pour cheveux*) (hair) dryer; **c. (à écouteurs)** headphones; **les Casques bleus** the UN peace-keeping force. ◆**casqué** *a* helmeted, wearing a helmet.
casquer [kaske] *vi Fam* to pay up, cough up.
casquette [kaskɛt] *nf* (*coiffure*) cap.
cassation [kɑsɑsjɔ̃] *nf* **Cour de c.** supreme court of appeal.
casse[1] [kɑs] *nf* **1** (*action*) breakage; (*objets*) breakages; (*grabuge*) *Fam* trouble; **mettre à la c.** to scrap; **vendre à la c.** to sell for

scrap. **2** *Typ* case; **bas/haut de c.** lower/upper case.

casse[2] [kɑs] *nm* (*cambriolage*) *Arg* break-in.

casse-cou [kɑsku] *nmf inv* (*personne*) *Fam* daredevil. ◆**c.-croûte** *nm inv* snack. ◆**c.-gueule** *nm inv Fam* death trap; – *a inv* perilous. ◆**c.-noisettes** *nm inv*, ◆**c.-noix** *nm inv* nut-cracker(s). ◆**c.-pieds** *nmf inv* (*personne*) *Fam* pain in the neck. ◆**c.-tête** *nm inv* **1** (*massue*) club. **2** (*problème*) headache; (*jeu*) puzzle, brain teaser.

cass/er [kɑse] *vt* to break; (*noix*) to crack; (*annuler*) *Jur* to annul; (*dégrader*) *Mil* to cashier; – *vi*, – **se c.** *vpr* to break; **il me casse la tête** *Fam* he's giving me a headache; **elle me casse les pieds** *Fam* she's getting on my nerves; **se c. la tête** *Fam* to rack one's brains; **c. la figure à qn** *Fam* to smash s.o.'s face in; **se c. la figure** (*tomber*) *Fam* to come a cropper, *Am* take a spill; **ça ne casse rien** *Fam* it's nothing special; **ça vaut 50F à tout c.** *Fam* it's worth 50F at the very most; **il ne s'est pas cassé** *Iron Fam* he didn't bother himself *ou* exhaust himself. ◆**—ant** *a* (*fragile*) brittle; (*brusque*) curt, imperious; (*fatigant*) *Fam* exhausting. ◆**—eur** *nm Aut* breaker, scrap merchant; (*manifestant*) demonstrator who damages property.

casserole [kasrɔl] *nf* (sauce)pan.

cassette [kasɛt] *nf* (*pour magnétophone ou magnétoscope*) cassette; **sur c.** (*film*) on video; **faire une c. de** (*film*) to make a video of.

cassis 1 [kasis] *nm Bot* blackcurrant; (*boisson*) blackcurrant liqueur. **2** [kasi] *nm Aut* dip (*across road*).

cassoulet [kasulɛ] *nm* stew (*of meat and beans*).

cassure [kɑsyr] *nf* (*fissure, rupture*) break; *Géol* fault.

castagnettes [kastaɲɛt] *nfpl* castanets.

caste [kast] *nf* caste; **ésprit de c.** class consciousness.

castor [kastɔr] *nm* beaver.

castrer [kastre] *vt* to castrate. ◆**castration** *nf* castration.

cataclysme [kataklism] *nm* cataclysm.

catacombes [katakɔ̃b] *nfpl* catacombs.

catalogue [katalɔg] *nm* catalogue. ◆**cataloguer** *vt* (*livres etc*) to catalogue; **c. qn** *Péj* to categorize s.o.

catalyseur [katalizœr] *nm Ch & Fig* catalyst.

cataphote® [katafɔt] *nm Aut* reflector.

cataplasme [kataplasm] *nm Méd* poultice.

catapulte [katapylt] *nf Hist Av* catapult. ◆**catapulter** *vt* to catapult.

cataracte [katarakt] *nf* **1** *Méd* cataract. **2** (*cascade*) falls, cataract.

catastrophe [katastrɔf] *nf* disaster, catastrophe; **atterrir en c.** to make an emergency landing. ◆**catastrophique** *a* disastrous, catastrophic.

catch [katʃ] *nm* (all-in) wrestling. ◆**catcheur, -euse** *nmf* wrestler.

catéchisme [kateʃism] *nm Rel* catechism.

catégorie [kategɔri] *nf* category. ◆**catégorique** *a* categorical.

cathédrale [katedral] *nf* cathedral.

catholicisme [katɔlisism] *nm* Catholicism. ◆**catholique** *a & nmf* Catholic; **pas (très) c.** (*affaire, personne*) *Fig* shady, doubtful.

catimini (en) [ɑ̃katimini] *adv* on the sly.

cauchemar [koʃmar] *nm* nightmare.

cause [koz] *nf* cause; *Jur* case; **à c. de** because of, on account of; **et pour c.!** for a very good reason!; **pour c. de** on account of; **en connaissance de c.** in full knowledge of the facts; **mettre en c.** (*la bonne foi de qn etc*) to (call into) question; (*personne*) to implicate; **en c.** involved, in question.

caus/er [koze] **1** *vt* (*provoquer*) to cause. **2** *vi* (*bavarder*) to chat (**de** about); (*discourir*) to talk; (*jaser*) to blab. ◆**—ant** *a Fam* chatty, talkative. ◆**causerie** *nf* talk. ◆**causette** *nf* **faire la c.** *Fam* to have a little chat.

caustique [kostik] *a* (*substance, esprit*) caustic.

cauteleux, -euse [kotlø, -øz] *a* wily, sly.

cautériser [koterize] *vt Méd* to cauterize.

caution [kosjɔ̃] *nf* surety; (*pour libérer qn*) *Jur* bail; **sous c.** on bail; **sujet à c.** (*nouvelle etc*) very doubtful. ◆**cautionn/er** *vt* (*approuver*) to sanction. ◆**—ement** *nm* (*garantie*) surety.

cavalcade [kavalkad] *nf Fam* stampede; (*défilé*) cavalcade. ◆**cavale** *nf* **en c.** *Arg* on the run. ◆**cavaler** *vi Fam* to run, rush.

cavalerie [kavalri] *nf Mil* cavalry; (*de cirque*) horses. ◆**cavalier, -ière 1** *nmf* rider; – *nm Mil* trooper, cavalryman; *Échecs* knight; – *af* **allée cavalière** bridle path. **2** *nmf* (*pour danser*) partner, escort. **3** *a* (*insolent*) offhand.

cave [kav] **1** *nf* cellar, vault. **2** *a* sunken, hollow. ◆**caveau, -x** *nm* (*sépulture*) (burial) vault.

caverne [kavɛrn] *nf* cave, cavern; **homme**

des cavernes caveman. ◆**caverneux, -euse** *a* (*voix, rire*) hollow, deep-sounding.
caviar [kavjar] *nm* caviar(e).
cavité [kavite] *nf* cavity.
CCP [sesepe] *nm abrév* (*Compte chèque postal*) PO Giro account, *Am* Post Office checking account.
ce[1] [s(ə)] (**c'** *before e and é*) *pron dém* **1** it, that; **c'est toi/bon/demain/***etc* it's *ou* that's you/good/tomorrow/*etc*; **c'est mon médecin** he's my doctor; **ce sont eux qui . . .** they are the ones who . . . ; **c'est à elle de jouer** it's her turn to play; **est-ce que tu viens?** are you coming?; **sur ce** at this point, thereupon. **2 ce que, ce qui** what; **je sais ce qui est bon/ce que tu veux** I know what is good/what you want; **ce que c'est beau!** how beautiful it is!
ce[2]**, cette,** *pl* **ces** [s(ə), sɛt, se] (**ce** *becomes* **cet** *before a vowel or mute h*) *a dém* this, that, *pl* these, those; (+ *-ci*) this, *pl* these; (+ *-là*) that, *pl* those; **cet homme** this *ou* that man; **cet homme-ci** this man; **cet homme-là** that man.
ceci [səsi] *pron dém* this; **écoutez bien c.** listen to this.
cécité [sesite] *nf* blindness.
céder [sede] *vt* to give up (**à** to); *Jur* to transfer; **c. le pas à** to give way *ou* precedence to; – *vi* (*personne*) to give way, give in, yield (**à** to); (*branche, chaise etc*) to give way.
cédille [sedij] *nf Gram* cedilla.
cèdre [sɛdr] *nm* (*arbre, bois*) cedar.
CEE [seøø] *nf abrév* (*Communauté économique européenne*) EEC.
ceindre [sɛ̃dr] *vt* (*épée*) *Lit* to gird on.
ceinture [sɛ̃tyr] *nf* belt; (*de robe de chambre*) cord; (*taille*) *Anat* waist; (*de remparts*) *Hist* girdle; **petite/grande c.** *Rail* inner/outer circle; **c. de sécurité** *Aut Av* seatbelt; **c. de sauvetage** lifebelt. ◆**ceinturer** *vt* to seize round the waist; *Rugby* to tackle; (*ville*) to girdle, surround.
cela [s(ə)la] *pron dém* (*pour désigner*) that; (*sujet indéfini*) it, that; **c. m'attriste que . . .** it saddens me that . . . ; **quand/comment/***etc* **c.?** when?/how?/*etc*; **c'est c.** that is so.
célèbre [selɛbr] *a* famous. ◆**célébrité** *nf* fame; (*personne*) celebrity.
célébrer [selebre] *vt* to celebrate. ◆**célébration** *nf* celebration (**de** of).
céleri [sɛlri] *nm* (*en branches*) celery.
céleste [selɛst] *a* celestial, heavenly.
célibat [seliba] *nm* celibacy. ◆**célibataire** *a* (*non marié*) single, unmarried; (*chaste*) celibate; – *nm* bachelor; – *nf* unmarried woman, spinster.
celle *voir* **celui.**
cellier [selje] *nm* storeroom (*for wine etc*).
cellophane® [selɔfan] *nf* cellophane®.
cellule [selyl] *nf* cell. ◆**cellulaire** *a* (*tissu etc*) *Biol* cell-; **voiture c.** prison van.
celluloïd [selylɔid] *nm* celluloid.
cellulose [selyloz] *nf* cellulose.
celtique *ou* **celte** [sɛltik, sɛlt] *a* Celtic.
celui, celle, *pl* **ceux, celles** [səlɥi, sɛl, sø, sɛl] *pron dém* **1** the one, *pl* those, the ones; **c. de Jean** John's (one); **ceux de Jean** John's (ones), those of John. **2** (+ *-ci*) this one, *pl* these (ones); (*dont on vient de parler*) the latter; (+ *-là*) that one, *pl* those (ones); the former; **ceux-ci sont gros** these (ones) are big.
cendre [sɑ̃dr] *nf* ash. ◆**cendré** *a* ash(-coloured), ashen. ◆**cendrée** *nf Sp* cinder track.
Cendrillon [sɑ̃drijɔ̃] *nm* Cinderella.
censé [sɑ̃se] *a* supposed; **il n'est pas c. le savoir** he's not supposed to know.
censeur [sɑ̃sœr] *nm* censor; *Scol* assistant headmaster, vice-principal. ◆**censure** *nf* **la c.** (*examen*) censorship; (*comité, service*) the censor; **motion de c.** *Pol* censure motion. ◆**censurer** *vt* (*film etc*) to censor; (*critiquer*) & *Pol* to censure.
cent [sɑ̃] ([sɑ̃t] *pl* [sɑ̃z] *before vowel and mute h except* **un** *and* **onze**) *a* & *nm* hundred; **c. pages** a *ou* one hundred pages; **deux cents pages** two hundred pages; **deux c. trois pages** two hundred and three pages; **cinq pour c.** five per cent. ◆**centaine** *nf* **une c.** a hundred (or so); **des centaines de** hundreds of. ◆**centenaire** *a* & *nmf* centenarian; – *nm* (*anniversaire*) centenary. ◆**centième** *a* & *nmf* hundredth; **un c.** a hundredth. ◆**centigrade** *a* centigrade. ◆**centime** *nm* centime. ◆**centimètre** *nm* centimetre; (*ruban*) tape measure.
central, -aux [sɑ̃tral, -o] **1** *a* central; **pouvoir c.** (power of) central government. **2** *nm* **c. (téléphonique)** (telephone) exchange. ◆**centrale** *nf* (*usine*) power station. ◆**centraliser** *vt* to centralize. ◆**centre** *nm* centre; **c. commercial** shopping centre. ◆**c.-ville** *nm inv* city *ou* town centre. ◆**centrer** *vt* to centre. ◆**centrifuge** *a* centrifugal. ◆**centrifugeuse** *nf* liquidizer, juice extractor.
centuple [sɑ̃typl] *nm* hundredfold; **au c.** a hundredfold. ◆**centupler** *vti* to increase a hundredfold.

cep [sɛp] *nm* vine stock. ◆**cépage** *nm* vine (plant).
cependant [səpɑ̃dɑ̃] *conj* however, yet.
céramique [seramik] *nf* (*art*) ceramics; (*matière*) ceramic; **de** *ou* **en c.** ceramic.
cerceau, -x [sɛrso] *nm* hoop.
cercle [sɛrkl] *nm* (*forme, groupe, étendue*) circle; **c. vicieux** vicious circle.
cercueil [sɛrkœj] *nm* coffin.
céréale [sereal] *nf* cereal.
cérébral, -aux [serebral, -o] *a* cerebral.
cérémonie [seremɔni] *nf* ceremony; **de c.** (*tenue etc*) ceremonial; **sans c.** (*inviter, manger*) informally; **faire des cérémonies** *Fam* to make a lot of fuss. ◆**cérémonial,** *pl* **-als** *nm* ceremonial. ◆**cérémonieux, -euse** *a* ceremonious.
cerf [sɛr] *nm* deer; (*mâle*) stag. ◆**cerf-volant** *nm* (*pl* **cerfs-volants**) (*jouet*) kite.
cerise [s(ə)riz] *nf* cherry. ◆**cerisier** *nm* cherry tree.
cerne [sɛrn] *nm* (*cercle, marque*) ring. ◆**cerner** *vt* to surround; (*problème*) to define; **les yeux cernés** with rings under one's eyes.
certain [sɛrtɛ̃] **1** *a* (*sûr*) certain, sure; **il est** *ou* **c'est c. que tu réussiras** you're certain *ou* sure to succeed; **je suis c. de réussir** I'm certain *ou* sure I'll succeed; **être c. de qch** to be certain *ou* sure of sth. **2** *a* (*imprécis, difficile à fixer*) certain; *pl* certain, some; **un c. temps** a certain (amount of) time; – *pron pl* some (people), certain people; (*choses*) some. ◆**certainement** *adv* certainly. ◆**certes** *adv* indeed.
certificat [sɛrtifika] *nm* certificate. ◆**certifi/er** *vt* to certify; **je vous certifie que** I assure you that. ◆**—é** *a* (*professeur*) qualified.
certitude [sɛrtityd] *nf* certainty; **avoir la c. que** to be certain that.
cerveau, -x [sɛrvo] *nm* (*organe*) brain; (*intelligence*) mind, brain(s); **rhume de c.** head cold; **fuite des cerveaux** brain drain.
cervelas [sɛrvəla] *nm* saveloy.
cervelle [sɛrvɛl] *nf* (*substance*) brain; *Culin* brains; **tête sans c.** scatterbrain.
ces *voir* **ce²**.
CES [seəɛs] *nm abrév* (*collège d'enseignement secondaire*) comprehensive school, *Am* high school.
césarienne [sezarjɛn] *nf Méd* Caesarean (section).
cessation [sɛsɑsjɔ̃] *nf* (*arrêt, fin*) suspension.
cesse [sɛs] *nf* **sans c.** incessantly; **elle n'a (pas) eu de c. que je fasse...** she had no rest until I did....
cesser [sese] *vti* to stop; **faire c.** to put a stop *ou* halt to; **il ne cesse (pas) de parler** he doesn't stop talking. ◆**cessez-le-feu** *nm inv* ceasefire.
cession [sɛsjɔ̃] *nf Jur* transfer.
c'est-à-dire [setadir] *conj* that is (to say), in other words.
cet, cette *voir* **ce²**.
ceux *voir* **celui.**
chacal, *pl* **-als** [ʃakal] *nm* jackal.
chacun, -une [ʃakœ̃, -yn] *pron* each (one), every one; (*tout le monde*) everyone.
chagrin [ʃagrɛ̃] **1** *nm* sorrow, grief; **avoir du c.** to be very upset. **2** *a Lit* doleful. ◆**chagriner** *vt* to upset, distress.
chahut [ʃay] *nm* racket, noisy disturbance. ◆**chahut/er** *vi* to create a racket *ou* a noisy disturbance; – *vt* (*professeur*) to be rowdy with, play up. ◆**—eur, -euse** *nmf* rowdy.
chai [ʃɛ] *nm* wine and spirits storehouse.
chaîne [ʃɛn] *nf* chain; *TV* channel, network; *Géog* chain, range; *Nau* cable; *Tex* warp; *pl* (*liens*) *Fig* shackles, chains; **c. de montage** assembly line; **travail à la c.** production-line work; **c. haute fidélité, c. hi-fi** hi-fi system; **c. de magasins** chain of shops *ou Am* stores; **collision en c.** *Aut* multiple collision; **réaction en c.** chain reaction. ◆**chaînette** *nf* (small) chain. ◆**chaînon** *nm* (*anneau, lien*) link.
chair [ʃɛr] *nf* flesh; **(couleur) c.** flesh-coloured; **en c. et en os** in the flesh; **la c. de poule** goose pimples, gooseflesh; **bien en c.** plump; **c. à saucisses** sausage meat.
chaire [ʃɛr] *nf Univ* chair; *Rel* pulpit.
chaise [ʃɛz] *nf* chair, seat; **c. longue** (*siège pliant*) deckchair; **c. d'enfant, c. haute** high-chair.
chaland [ʃalɑ̃] *nm* barge, lighter.
châle [ʃal] *nm* shawl.
chalet [ʃalɛ] *nm* chalet.
chaleur [ʃalœr] *nf* heat; (*douce*) warmth; (*d'un accueil, d'une voix etc*) warmth; (*des convictions*) ardour; (*d'une discussion*) heat. ◆**chaleureux, -euse** *a* warm.
challenge [ʃalɑ̃ʒ] *nm Sp* contest.
chaloupe [ʃalup] *nf* launch, long boat.
chalumeau, -x [ʃalymo] *nm* blowlamp, *Am* blowtorch; *Mus* pipe.
chalut [ʃaly] *nm* trawl net, drag net. ◆**chalutier** *nm* (*bateau*) trawler.
chamailler (se) [səʃamɑje] *vpr* to squabble, bicker. ◆**chamailleries** *nfpl* squabbling, bickering.

chamarré [ʃamare] *a* (*robe etc*) richly coloured; **c. de** (*décorations etc*) *Péj* bedecked with.

chambard [ʃɑ̃bar] *nm Fam* (*tapage*) rumpus, row. ◆**chambarder** *vt Fam* to turn upside down; **il a tout chambardé dans** he's turned everything upside down in.

chambouler [ʃɑ̃bule] *vt Fam* to make topsy-turvy, turn upside down.

chambre [ʃɑ̃br] *nf* (bed)room; *Pol Jur Tech Anat* chamber; **c. à coucher** bedroom; (*mobilier*) bedroom suite; **c. à air** (*de pneu*) inner tube; **C. des Communes** *Pol* House of Commons; **c. d'ami** guest *ou* spare room; **c. forte** strongroom; **c. noire** *Phot* darkroom; **garder la c.** to stay indoors. ◆**chambrée** *nf Mil* barrack room. ◆**chambrer** *vt* (*vin*) to bring to room temperature.

chameau, -x [ʃamo] *nm* camel.

chamois [ʃamwa] **1** *nm* (*animal*) chamois; **peau de c.** chamois (leather), shammy. **2** *a inv* buff(-coloured).

champ [ʃɑ̃] *nm* field; (*domaine*) *Fig* scope, range; **c. de bataille** battlefield; **c. de courses** racecourse, racetrack; **c. de foire** fairground; **c. de tir** (*terrain*) rifle range; **laisser le c. libre à qn** to leave the field open for s.o. ◆**champêtre** *a* rustic, rural.

champagne [ʃɑ̃paɲ] *nm* champagne; **c. brut** extra-dry champagne.

champignon [ʃɑ̃piɲɔ̃] *nm* **1** *Bot* mushroom; **c. vénéneux** toadstool, poisonous mushroom; **c. atomique** mushroom cloud. **2** *Aut Fam* accelerator pedal.

champion [ʃɑ̃pjɔ̃] *nm* champion. ◆**championnat** *nm* championship.

chance [ʃɑ̃s] *nf* luck; (*probabilité de réussir, occasion*) chance; **avoir de la c.** to be lucky; **tenter** *ou* **courir sa c.** to try one's luck; **c'est une c. que...** it's a stroke of luck that ...; **mes chances de succès** my chances of success. ◆**chanceux, -euse** *a* lucky.

chancel/er [ʃɑ̃sle] *vi* to stagger, totter; (*courage*) *Fig* to falter. ◆**—ant** *a* (*pas, santé*) faltering, shaky.

chancelier [ʃɑ̃səlje] *nm* chancellor. ◆**chancellerie** *nf* chancellery.

chancre [ʃɑ̃kr] *nm Méd & Fig* canker.

chandail [ʃɑ̃daj] *nm* (thick) sweater, jersey.

chandelier [ʃɑ̃dəlje] *nm* candlestick.

chandelle [ʃɑ̃dɛl] *nf* candle; **voir trente-six chandelles** *Fig* to see stars; **en c.** *Av Sp* straight into the air.

change [ʃɑ̃ʒ] *nm Fin* exchange; **le contrôle des changes** exchange control; **donner le c. à qn** to deceive s.o. ◆**chang/er** *vt* (*modifier, remplacer, échanger*) to change; **c. qn en** to change s.o. into; **ça la changera de ne pas travailler** it'll be a change for her not to be working; – *vi* to change; **c. de voiture/d'adresse/***etc* to change one's car/address/*etc*; **c. de train/de place** to change trains/places; **c. de vitesse/de cap** to change gear/course; **c. de sujet** to change the subject; **— se c.** *vpr* to change (one's clothes). ◆**—eant** *a* (*temps*) changeable; (*humeur*) fickle; (*couleurs*) changing. ◆**—ement** *nm* change; **aimer le c.** to like change. ◆**—eur** *nm* moneychanger; **c. de monnaie** change machine.

chanoine [ʃanwan] *nm* (*personne*) *Rel* canon.

chanson [ʃɑ̃sɔ̃] *nf* song. ◆**chant** *nm* singing; (*chanson*) song; (*hymne*) chant; **c. de Noël** Christmas carol. ◆**chant/er** *vi* to sing; (*psalmodier*) to chant; (*coq*) to crow; **si ça te chante** *Fam* if you feel like it; **faire c. qn** to blackmail s.o.; – *vt* to sing; (*glorifier*) to sing of; (*dire*) *Fam* to say. ◆**—ant** *a* (*air, voix*) melodious. ◆**—age** *nm* blackmail. ◆**—eur, -euse** *nm* singer.

chantier [ʃɑ̃tje] *nm* (building) site; (*entrepôt*) builder's yard; **c. naval** shipyard; **mettre un travail en c.** to get a task under way.

chantonner [ʃɑ̃tɔne] *vti* to hum.

chantre [ʃɑ̃tr] *nm Rel* cantor.

chanvre [ʃɑ̃vr] *nm* hemp; **c. indien** (*plante*) cannabis.

chaos [kao] *nm* chaos. ◆**chaotique** *a* chaotic.

chaparder [ʃaparde] *vt Fam* to filch, pinch (**à** from).

chapeau, -x [ʃapo] *nm* hat; (*de champignon, roue*) cap; **c.!** well done!; **donner un coup de c.** (*pour saluer etc*) to raise one's hat; **c. mou** trilby, *Am* fedora. ◆**chapelier** *nm* hatter.

chapelet [ʃaplɛ] *nm* rosary; **dire son c.** to tell one's beads; **un c. de** (*saucisses, injures etc*) a string of.

chapelle [ʃapɛl] *nf* chapel; **c. ardente** chapel of rest.

chaperon [ʃaprɔ̃] *nm* chaperon(e). ◆**chaperonner** *vt* to chaperon(e).

chapiteau, -x [ʃapito] *nm* (*de cirque*) big top; (*pour expositions etc*) marquee, tent; (*de colonne*) *Archit* capital.

chapitre [ʃapitr] *nm* chapter; **sur le c. de** on the subject of. ◆**chapitrer** *vt* to scold, lecture.

chaque [ʃak] *a* each, every.

char [ʃar] *nm Hist* chariot; (*de carnaval*)

float; *Can Fam* car; **c. à bœufs** oxcart; **c. (d'assaut)** *Mil* tank.
charabia [ʃarabja] *nm Fam* gibberish.
charade [ʃarad] *nf* (*énigme*) riddle; (*mimée*) charade.
charbon [ʃarbɔ̃] *nm* coal; (*fusain*) charcoal; **c. de bois** charcoal; **sur des charbons ardents** like a cat on hot bricks. ◆**charbonnages** *nmpl* coalmines, collieries. ◆**charbonnier, -ière** *a* coal-; – *nm* coal merchant.
charcuter [ʃarkyte] *vt* (*opérer*) *Fam Péj* to cut up (badly).
charcuterie [ʃarkytri] *nf* pork butcher's shop; (*aliment*) cooked (pork) meats. ◆**charcutier, -ière** *nmf* pork butcher.
chardon [ʃardɔ̃] *nm Bot* thistle.
chardonneret [ʃardɔnrɛ] *nm* (*oiseau*) goldfinch.
charge [ʃarʒ] *nf* (*poids*) load; (*fardeau*) burden; *Jur Él Mil* charge; (*fonction*) office; *pl Fin* financial obligations; (*dépenses*) expenses; (*de locataire*) (maintenance) charges; **charges sociales** national insurance contributions, *Am* Social Security contributions; **à c.** (*enfant, parent*) dependent; **être à c. à qn** to be a burden to s.o.; **à la c. de qn** (*personne*) dependent on s.o.; (*frais*) payable by s.o.; **prendre en c.** to take charge of, take responsibility for.
charg/er [ʃarʒe] *vt* to load; *Él Mil* to charge; (*passager*) *Fam* to pick up; **se c. de** (*enfant, tâche etc*) to take charge of; **c. qn de** (*impôts etc*) to burden s.o. with; (*paquets etc*) to load s.o. with; (*tâche etc*) to entrust s.o. with; **c. qn de faire** to instruct s.o. to do. ◆**—é, -ée** *a* (*personne, véhicule, arme etc*) loaded; (*journée etc*) heavy, busy; (*langue*) coated; **c. de** (*arbre, navire etc*) laden with; – *nmf* **c. de cours** *Univ* (temporary) lecturer. ◆**—ement** *nm* (*action*) loading; (*objet*) load. ◆**—eur** *nm* (*de piles*) charger.
chariot [ʃarjo] *nm* (*à bagages etc*) trolley, *Am* cart; (*de ferme*) waggon; (*de machine à écrire*) carriage.
charité [ʃarite] *nf* (*vertu, secours*) charity; (*acte*) act of charity; **faire la c.** to give to charity; **faire la c. à** (*mendiant*) to give to. ◆**charitable** *a* charitable.
charivari [ʃarivari] *nm Fam* hubbub, hullabaloo.
charlatan [ʃarlatɑ̃] *nm* charlatan, quack.
charme [ʃarm] *nm* **1** charm; (*magie*) spell. **2** (*arbre*) hornbeam. ◆**charm/er** *vt* to charm; **je suis charmé de vous voir** I'm delighted to see you. ◆**—ant** *a* charming. ◆**—eur, -euse** *nmf* charmer; – *a* engaging.
charnel, -elle [ʃarnɛl] *a* carnal.
charnier [ʃarnje] *nm* mass grave.
charnière [ʃarnjɛr] *nf* hinge; *Fig* meeting point (**de** between).
charnu [ʃarny] *a* fleshy.
charogne [ʃarɔɲ] *nf* carrion.
charpente [ʃarpɑ̃t] *nf* frame(work); (*de personne*) build. ◆**charpenté** *a* **bien c.** solidly built. ◆**charpenterie** *nf* carpentry. ◆**charpentier** *nm* carpenter.
charpie [ʃárpi] *nf* **mettre en c.** (*déchirer*) & *Fig* to tear to shreds.
charrette [ʃarɛt] *nf* cart. ◆**charretier** *nm* carter. ◆**charrier 1** *vt* (*transporter*) to cart; (*rivière*) to carry along, wash down (*sand etc*). **2** *vti* (*taquiner*) *Fam* to tease.
charrue [ʃary] *nf* plough, *Am* plow.
charte [ʃart] *nf Pol* charter.
charter [ʃartɛr] *nm Av* charter (flight).
chas [ʃa] *nm* eye (*of a needle*).
chasse [ʃas] *nf* **1** hunting, hunt; (*poursuite*) chase; *Av* fighter forces; **de c.** (*pilote, avion*) fighter-; **c. sous-marine** underwater (harpoon) fishing; **c. à courre** hunting; **tableau de c.** (*animaux abattus*) bag; **faire la c. à** to hunt down, hunt for; **donner la c. à** to give chase to; **c. à l'homme** manhunt. **2 c. d'eau** toilet flush; **tirer la c.** to flush the toilet.
châsse [ʃɑs] *nf* shrine.
chassé-croisé [ʃasekrwaze] *nm* (*pl* **chassés-croisés**) *Fig* confused coming(s) and going(s).
chass/er [ʃase] *vt* (*animal*) to hunt; (*papillon*) to chase; (*faire partir*) to drive out *ou* off; (*employé*) to dismiss; (*mouche*) to brush away; (*odeur*) to get rid of; – *vi* to hunt; *Aut* to skid. ◆**—eur, -euse** *nmf* hunter; – *nm* (*domestique*) pageboy, bellboy; *Av* fighter; **c. à pied** infantryman. ◆**chasse-neige** *nm inv* snowplough, *Am* snowplow.
châssis [ʃɑsi] *nm* frame; *Aut* chassis.
chaste [ʃast] *a* chaste, pure. ◆**chasteté** *nf* chastity.
chat, chatte [ʃa, ʃat] *nmf* cat; **un c. dans la gorge** a frog in one's throat; **d'autres chats à fouetter** other fish to fry; **pas un c.** not a soul; **ma (petite) chatte** *Fam* my darling; **c. perché** (*jeu*) tag.
châtaigne [ʃɑtɛɲ] *nf* chestnut. ◆**châtaignier** *nm* chestnut tree. ◆**châtain** *a inv* (chestnut) brown.
château, -x [ʃɑto] *nm* (*forteresse*) castle; (*palais*) palace, stately home; **c. fort** forti-

fied castle; **châteaux en Espagne** *Fig* castles in the air; **c. d'eau** water tower; **c. de cartes** house of cards. ◆**châtelain, -aine** *nmf* lord of the manor, lady of the manor.

châtier [ʃɑtje] *vt Litt* to chastise, castigate; (*style*) to refine.

châtiment [ʃɑtimɑ̃] *nm* punishment.

chaton [ʃatɔ̃] *nm* **1** (*chat*) kitten. **2** (*de bague*) setting, mounting. **3** *Bot* catkin.

chatouill/er [ʃatuje] *vt* (*pour faire rire*) to tickle; (*exciter, plaire à*) *Fig* to titillate. ◆**—ement** *nm* tickle; (*action*) tickling. ◆**chatouilleux, -euse** *a* ticklish; (*irritable*) touchy.

chatoyer [ʃatwaje] *vi* to glitter, sparkle.

châtrer [ʃɑtre] *vt* to castrate.

chatte [ʃat] *voir* **chat.**

chatteries [ʃatri] *nfpl* cuddles; (*friandises*) delicacies.

chatterton [ʃatɛrtɔn] *nm* adhesive insulating tape.

chaud [ʃo] *a* hot; (*doux*) warm; (*fervent*) *Fig* warm; **pleurer à chaudes larmes** to cry bitterly; – *nm* heat; warmth; **avoir c.** to be hot; to be warm; **il fait c.** it's hot; it's warm; **être au c.** to be in the warm(th); **ça ne me fait ni c. ni froid** it leaves me indifferent. ◆**chaudement** *adv* warmly; (*avec passion*) hotly.

chaudière [ʃodjɛr] *nf* boiler.

chaudron [ʃodrɔ̃] *nm* cauldron.

chauffard [ʃofar] *nm* road hog, reckless driver.

chauff/er [ʃofe] *vt* to heat up, warm up; (*métal etc*) *Tech* to heat; – *vi* to heat up, warm up; *Aut* to overheat; **ça va c.** *Fam* things are going to hot up; **— se c.** *vpr* to warm oneself up. ◆**—ant** *a* (*couverture*) electric; (*plaque*) hot-; (*surface*) heating. ◆**—age** *nm* heating. ◆**—eur** *nm* **1** (*de chaudière*) stoker. **2** *Aut* driver; (*employé, domestique*) chauffeur. ◆**chauffe-bain** *nm*, ◆**chauffe-eau** *nm inv* water heater. ◆**chauffe-plats** *nm inv* hotplate.

chaume [ʃom] *nm* (*tiges coupées*) stubble, straw; (*pour toiture*) thatch; **toit de c.** thatched roof. ◆**chaumière** *nf* thatched cottage.

chaussée [ʃose] *nf* road(way).

chausser [ʃose] *vt* (*chaussures*) to put on; (*fournir*) to supply in footwear; **c. qn** to put shoes on (to) s.o.; **c. du 40** to take a size 40 shoe; **ce soulier te chausse bien** this shoe fits (you) well; **— se c.** *vpr* to put on one's shoes. ◆**chausse-pied** *nm* shoehorn. ◆**chausson** *nm* slipper; (*de danse*) shoe; **c. (aux pommes)** apple turnover. ◆**chaussure** *nf* shoe; *pl* shoes, footwear; **chaussures à semelles compensées** platform shoes.

chaussette [ʃosɛt] *nf* sock.

chauve [ʃov] *a & nmf* bald (person).

chauve-souris [ʃovsuri] *nf* (*pl* **chauves-souris**) (*animal*) bat.

chauvin, -ine [ʃovɛ̃, -in] *a & nmf* chauvinist.

chaux [ʃo] *nf* lime; **blanc de c.** whitewash.

chavirer [ʃavire] *vti Nau* to capsize.

chef [ʃɛf] *nm* **1 de son propre c.** on one's own authority. **2** leader, head; (*de tribu*) chief; *Culin* chef; **en c.** (*commandant, rédacteur*) in chief; **c'est un c.!** (*personne remarquable*) he's an ace!; **c. d'atelier** (shop) foreman; **c. de bande** ringleader, gang leader; **c. d'entreprise** company head; **c. d'équipe** foreman; **c. d'État** head of state; **c. d'état-major** chief of staff; **c. de famille** head of the family; **c. de file** leader; **c. de gare** stationmaster; **c. d'orchestre** conductor. ◆**chef-lieu** *nm* (*pl* **chefs-lieux**) chief town (*of a département*).

chef-d'œuvre [ʃɛdœvr] *nm* (*pl* **chefs-d'œuvre**) masterpiece.

chemin [ʃ(ə)mɛ̃] *nm* **1** road, path; (*trajet, direction*) way; **beaucoup de c. à faire** a long way to go; **dix minutes de c.** ten minutes' walk; **se mettre en c.** to start out, set out; **faire du c.** to come a long way; (*idée*) to make considerable headway; **c. faisant** on the way; **à mi-c.** half-way. **2 c. de fer** railway, *Am* railroad. ◆**chemin/er** *vi* to proceed; (*péniblement*) to trudge (along) on foot; (*évoluer*) *Fig* to progress. ◆**—ement** *nm Fig* progress. ◆**cheminot** *nm* railway *ou Am* railroad employee.

cheminée [ʃ(ə)mine] *nf* (*sur le toit*) chimney; (*de navire*) funnel; (*âtre*) fireplace; (*encadrement*) mantelpiece.

chemise [ʃ(ə)miz] *nf* shirt; (*couverture cartonnée*) folder; **c. de nuit** nightdress. ◆**chemiserie** *nf* men's shirt (and underwear) shop. ◆**chemisette** *nf* short-sleeved shirt. ◆**chemisier** *nm* (*vêtement*) blouse.

chenal, -aux [ʃənal, -o] *nm* channel.

chenapan [ʃ(ə)napɑ̃] *nm Hum* rogue, scoundrel.

chêne [ʃɛn] *nm* (*arbre, bois*) oak.

chenet [ʃ(ə)nɛ] *nm* firedog, andiron.

chenil [ʃ(ə)ni(l)] *nm* kennels.

chenille [ʃ(ə)nij] *nf* caterpillar; (*de char*) *Mil* caterpillar track.

cheptel [ʃɛptɛl] *nm* livestock.

chèque [ʃɛk] *nm* cheque, *Am* check; **c. de voyage** traveller's cheque, *Am* traveler's check. ◆**c.-repas** *nm* (*pl* **chèques-repas**) luncheon voucher. ◆**chéquier** *nm* cheque book, *Am* checkbook.

cher, chère [ʃɛr] **1** *a* (*aimé*) dear (**à** to); – *nmf* **mon c.** my dear fellow; **ma chère** my dear (woman). **2** *a* (*coûteux*) dear, expensive; (*quartier, hôtel etc*) expensive; **la vie chère** the high cost of living; **payer c.** (*objet*) to pay a lot for; (*erreur etc*) *Fig* to pay dearly for. ◆**chèrement** *adv* dearly.

cherch/er [ʃɛrʃe] *vt* to look for, search for; (*du secours, la paix etc*) to seek; (*dans un dictionnaire*) to look up; **c. ses mots** to fumble for one's words; **aller c.** to (go and) fetch *ou* get; **c. à faire** to attempt to do; **tu l'as bien cherché!** it's your own fault!, you asked for it! ◆**—eur, -euse** *nmf* research worker; **c. d'or** gold-digger.

chér/ir [ʃerir] *vt* to cherish. ◆**—i, -ie** *a* dearly loved, beloved; – *nmf* darling.

chérot [ʃero] *am Fam* pricey.

cherté [ʃɛrte] *nf* high cost, expensiveness.

chétif, -ive [ʃetif, -iv] *a* puny; (*dérisoire*) wretched.

cheval, -aux [ʃ(ə)val, -o] *nm* horse; **c. (vapeur)** *Aut* horsepower; **à c.** on horseback; **faire du c.** to go horse riding; **à c. sur** straddling; **à c. sur les principes** a stickler for principle; **monter sur ses grands chevaux** to get excited; **c. à bascule** rocking horse; **c. d'arçons** *Sp* vaulting horse; **c. de bataille** (*dada*) hobbyhorse; **chevaux de bois** (*manège*) merry-go-round. ◆**chevaleresque** *a* chivalrous. ◆**chevalier** *nm* knight. ◆**chevalin** *a* equine; (*boucherie*) horse-.

chevalet [ʃ(ə)valɛ] *nm* easel; *Menuis* trestle.

chevalière [ʃ(ə)valjɛr] *nf* signet ring.

chevauchée [ʃ(ə)voʃe] *nf* (horse) ride.

chevaucher [ʃ(ə)voʃe] *vt* to straddle; – *vi*, **– se c.** *vpr* to overlap.

chevet [ʃ(ə)vɛ] *nm* bedhead; **table/livre de c.** bedside table/book; **au c. de** at the bedside of.

cheveu, -x [ʃ(ə)vø] *nm* **un c.** a hair; **les cheveux** hair; **couper les cheveux en quatre** *Fig* to split hairs; **tiré par les cheveux** (*argument*) far-fetched. ◆**chevelu** *a* hairy. ◆**chevelure** *nf* (head of) hair.

cheville [ʃ(ə)vij] *nf Anat* ankle; *Menuis* peg, pin; (*pour vis*) (wall)plug; **c. ouvrière** *Aut & Fig* linchpin; **en c. avec** *Fam* in cahoots with. ◆**cheviller** *vt Menuis* to pin, peg.

chèvre [ʃɛvr] *nf* goat; (*femelle*) nanny-goat. ◆**chevreau, -x** *nm* kid.

chèvrefeuille [ʃɛvrəfœj] *nm* honeysuckle.

chevreuil [ʃəvrœj] *nm* roe deer; *Culin* venison.

chevron [ʃəvrɔ̃] *nm* (*poutre*) rafter; *Mil* stripe, chevron; **à chevrons** (*tissu, veste etc*) herringbone.

chevronné [ʃəvrɔne] *a* seasoned, experienced.

chevroter [ʃəvrɔte] *vi* to quaver, tremble.

chez [ʃe] *prép* **c. qn** at s.o.'s house, flat *etc*; **il est c. Jean/c. l'épicier** he's at John's (place)/at the grocer's; **il va c. Jean/c. l'épicier** he's going to John's (place)/to the grocer's; **c. moi, c. nous** at home; **je vais c. moi** I'm going home; **c. les Suisses/les jeunes** among the Swiss/the young; **c. Camus** in Camus; **c. l'homme** in man; **une habitude c. elle** a habit with her; **c. Mme Dupont** (*adresse*) care of *ou* c/o Mme Dupont. ◆**c.-soi** *nm inv* **un c.-soi** a home (of one's own).

chialer [ʃjale] *vi* (*pleurer*) *Fam* to cry.

chic [ʃik] **1** *a inv* stylish, smart; (*gentil*) *Fam* decent, nice; – *int* **c. (alors)!** great!; – *nm* style, elegance. **2** *nm* **avoir le c. pour faire** to have the knack of doing.

chicane [ʃikan] **1** *nf* (*querelle*) quibble. **2** *nfpl* (*obstacles*) zigzag barriers. ◆**chicaner** *vt* to quibble with (*s.o.*); – *vi* to quibble.

chiche [ʃiʃ] **1** *a* mean, niggardly; **c. de** sparing of. **2** *int* (*défi*) *Fam* I bet you I do, can *etc*; **c. que je parte sans lui** I bet I leave without him.

chichis [ʃiʃi] *nmpl* **faire des c.** to make a lot of fuss.

chicorée [ʃikɔre] *nf* (*à café*) chicory; (*pour salade*) endive.

chien [ʃjɛ̃] *nm* dog; **c. d'arrêt** pointer, retriever; **un mal de c.** a hell of a job; **temps de c.** filthy weather; **vie de c.** *Fig* dog's life; **entre c. et loup** at dusk, in the gloaming. ◆**c.-loup** *nm* (*pl* **chiens-loups**) wolfhound. ◆**chienne** *nf* dog, bitch.

chiendent [ʃjɛ̃dɑ̃] *nm Bot* couch grass.

chiffon [ʃifɔ̃] *nm* rag; **c. (à poussière)** duster. ◆**chiffonner** *vt* to crumple; (*ennuyer*) *Fig* to bother, distress. ◆**chiffonnier** *nm* ragman.

chiffre [ʃifr] *nm* figure, number; (*romain, arabe*) numeral; (*code*) cipher; **c. d'affaires** *Fin* turnover. ◆**chiffrer** *vt* (*montant*) to assess, work out; (*message*) to cipher, code; – *vi* to mount up; **se c. à** to amount to, work out at.

chignon [ʃiɲɔ̃] *nm* bun, chignon.

Chili [ʃili] *nm* Chile. ◆**chilien, -ienne** *a & nmf* Chilean.

chimère [ʃimɛr] *nf* fantasy, (wild) dream. ◆**chimérique** *a* fanciful.
chimie [ʃimi] *nf* chemistry. ◆**chimique** *a* chemical. ◆**chimiste** *nmf* (research) chemist.
chimpanzé [ʃɛ̃pɑ̃ze] *nm* chimpanzee.
Chine [ʃin] *nf* China. ◆**chinois, -oise** *a & nmf* Chinese; – *nm* (*langue*) Chinese. ◆**chinoiser** *vi* to quibble. ◆**chinoiserie** *nf* (*objet*) Chinese curio; *pl* (*bizarreries*) *Fig* weird complications.
chiner [ʃine] *vi* (*brocanteur etc*) to hunt for bargains.
chiot [ʃjo] *nm* pup(py).
chiper [ʃipe] *vt Fam* to swipe, pinch (**à** from).
chipie [ʃipi] *nf* **vieille c.** (*femme*) *Péj* old crab.
chipoter [ʃipɔte] *vi* **1** (*manger*) to nibble. **2** (*chicaner*) to quibble.
chips [ʃips] *nmpl* (potato) crisps, *Am* chips.
chiquenaude [ʃiknod] *nf* flick (of the finger).
chiromancie [kirɔmɑ̃si] *nf* palmistry.
chirurgie [ʃiryrʒi] *nf* surgery. ◆**chirurgical, -aux** *a* surgical. ◆**chirurgien** *nm* surgeon.
chlore [klɔr] *nm* chlorine. ◆**chloroforme** *nm* chloroform. ◆**chlorure** *nm* chloride.
choc [ʃɔk] *nm* (*heurt*) impact, shock; (*émotion*) & *Méd* shock; (*collision*) crash; (*des opinions, entre manifestants etc*) clash.
chocolat [ʃɔkɔla] *nm* chocolate; **c. à croquer** plain *ou Am* bittersweet chocolate; **c. au lait** milk chocolate; **c. glacé** choc-ice; – *a inv* chocolate(-coloured). ◆**chocolaté** *a* chocolate-flavoured.
chœur [kœr] *nm* (*chanteurs, nef*) *Rel* choir; (*composition musicale*) & *Fig* chorus; **en c.** (all) together, in chorus.
choir [ʃwar] *vi* **laisser c. qn** *Fam* to turn one's back on s.o.
chois/ir [ʃwazir] *vt* to choose, pick, select. ◆**—i** *a* (*œuvres*) selected; (*terme, langage*) well-chosen; (*public*) select. ◆**choix** *nm* choice; (*assortiment*) selection; **morceau de c.** choice piece; **au c. du client** according to choice.
choléra [kɔlera] *nm* cholera.
cholestérol [kɔlɛsterɔl] *nm* cholesterol.
chôm/er [ʃome] *vi* (*ouvrier etc*) to be unemployed; **jour chômé** (public) holiday. ◆**—age** *nm* unemployment; **en** *ou* **au c.** unemployed; **mettre en c. technique** to lay off, dismiss.
chope [ʃɔp] *nf* beer mug, tankard; (*contenu*) pint.
choqu/er [ʃɔke] *vt* to offend, shock; (*verres*) to clink; (*commotionner*) to shake up. ◆**—ant** *a* shocking, offensive.
choral, *mpl* -als [kɔral] *a* choral. ◆**chorale** *nf* choral society. ◆**choriste** *nmf* chorister.
chorégraphe [kɔregraf] *nmf* choreographer. ◆**chorégraphie** *nf* choreography.
chose [ʃoz] *nf* thing; **état de choses** state of affairs; **par la force des choses** through force of circumstance; **dis-lui bien des choses de ma part** remember me to him *ou* her; **ce monsieur C.** that Mr What's-his-name; **se sentir tout c.** *Fam* (*décontenancé*) to feel all funny; (*malade*) to feel out of sorts.
chou, -x [ʃu] *nm* cabbage; **choux de Bruxelles** Brussels sprouts; **mon c.!** my pet!; **c. à la crème** cream puff. ◆**c.-fleur** *nm* (*pl* **choux-fleurs**) cauliflower.
choucas [ʃuka] *nm* jackdaw.
chouchou, -oute [ʃuʃu, -ut] *nmf* (*favori*) *Fam* pet, darling. ◆**chouchouter** *vt* to pamper.
choucroute [ʃukrut] *nf* sauerkraut.
chouette [ʃwɛt] **1** *nf* (*oiseau*) owl. **2** *a* (*chic*) *Fam* super, great.
choyer [ʃwaye] *vt* to pet, pamper.
chrétien, -ienne [kretjɛ̃, -jɛn] *a & nmf* Christian. ◆**chrétienté** *nf* Christendom. ◆**Christ** [krist] *nm* Christ. ◆**christianisme** *nm* Christianity.
chrome [krom] *nm* chromium, chrome. ◆**chromé** *a* chromium-plated.
chromosome [kromozom] *nm* chromosome.
chronique [krɔnik] **1** *a* (*malade, chômage etc*) chronic. **2** *nf* (*annales*) chronicle; *Journ* report, news; (*rubrique*) column. ◆**chroniqueur** *nm* chronicler; *Journ* reporter, columnist.
chronologie [krɔnɔlɔʒi] *nf* chronology. ◆**chronologique** *a* chronological.
chronomètre [krɔnɔmɛtr] *nm* stopwatch. ◆**chronométr/er** *vt Sp* to time. ◆**—eur** *nm Sp* timekeeper.
chrysanthème [krizɑ̃tɛm] *nm* chrysanthemum.
chuchot/er [ʃyʃɔte] *vti* to whisper. ◆**—ement** *nm* whisper(ing). ◆**chuchoteries** *nfpl Fam* whispering.
chuinter [ʃwɛ̃te] *vi* (*vapeur*) to hiss.
chut! [ʃyt] *int* sh!, hush!
chute [ʃyt] *nf* fall; (*défaite*) (down)fall; **c. d'eau** waterfall; **c. de neige** snowfall; **c. de pluie** rainfall; **c. des cheveux** hair loss. ◆**chuter** *vi Fam* to fall.

Chypre [ʃipr] *nf* Cyprus. ◆**chypriote** *a* & *nmf* Cypriot.

ci [si] **1** *adv* **par-ci par-là** here and there. **2** *pron dém* **comme ci comme ça** so so. **3** *voir* **ce**², **celui.**

ci-après [siaprɛ] *adv* below, hereafter. ◆**ci-contre** *adv* opposite. ◆**ci-dessous** *adv* below. ◆**ci-dessus** *adv* above. ◆**ci-gît** *adv* here lies (*on gravestones*). ◆**ci-inclus** *a*, ◆**ci-joint** *a* (*inv before n*) (*dans une lettre*) enclosed (herewith).

cible [sibl] *nf* target.

ciboulette [sibulɛt] *nf Culin* chives.

cicatrice [sikatris] *nf* scar. ◆**cicatriser** *vt*, — **se c.** *vpr* to heal up (*leaving a scar*).

cidre [sidr] *nm* cider.

Cie *abrév* (*compagnie*) Co.

ciel [sjɛl] *nm* **1** (*pl* **ciels**) sky; **à c. ouvert** (*piscine etc*) open-air; **c. de lit** canopy. **2** (*pl* **cieux** [sjø]) *Rel* heaven; **juste c.!** good heavens!; **sous d'autres cieux** *Hum* in other climes.

cierge [sjɛrʒ] *nm Rel* candle.

cigale [sigal] *nf* (*insecte*) cicada.

cigare [sigar] *nm* cigar. ◆**cigarette** *nf* cigarette.

cigogne [sigɔɲ] *nf* stork.

cil [sil] *nm* (eye)lash.

cime [sim] *nf* (*d'un arbre*) top; (*d'une montagne*) & *Fig* peak.

ciment [simɑ̃] *nm* cement. ◆**cimenter** *vt* to cement.

cimetière [simtjɛr] *nm* cemetery, graveyard; **c. de voitures** scrapyard, breaker's yard, *Am* auto graveyard.

ciné [sine] *nm Fam* cinema. ◆**c.-club** *nm* film society. ◆**cinéaste** *nm* film maker. ◆**cinéphile** *nmf* film buff.

cinéma [sinema] *nm* cinema; **faire du c.** to make films. ◆**cinémascope** *nm* cinemascope. ◆**cinémathèque** *nf* film library; (*salle*) film theatre. ◆**cinématographique** *a* cinema-.

cinglé [sɛ̃gle] *a Fam* crazy.

cingl/er [sɛ̃gle] *vt* to lash. ◆**—ant** *a* (*vent, remarque*) cutting, biting.

cinoche [sinɔʃ] *nm Fam* cinema.

cinq [sɛ̃k] *nm* five; — *a* ([sɛ̃] *before consonant*) five. ◆**cinquième** *a* & *nmf* fifth; **un c.** a fifth.

cinquante [sɛ̃kɑ̃t] *a* & *nm* fifty. ◆**cinquantaine** *nf* about fifty. ◆**cinquantenaire** *a* & *nmf* fifty-year-old (person); — *nm* fiftieth anniversary. ◆**cinquantième** *a* & *nmf* fiftieth.

cintre [sɛ̃tr] *nm* coathanger; *Archit* arch. ◆**cintré** *a* arched; (*veste etc*) tailored, slim-fitting.

cirage [siraʒ] *nm* (shoe) polish.

circoncis [sirkɔ̃si] *a* circumcised. ◆**circoncision** *nf* circumcision.

circonférence [sirkɔ̃ferɑ̃s] *nf* circumference.

circonflexe [sirkɔ̃flɛks] *a Gram* circumflex.

circonlocution [sirkɔ̃lɔkysjɔ̃] *nf* circumlocution.

circonscrire [sirkɔ̃skrir] *vt* to circumscribe. ◆**circonscription** *nf* division; **c. (électorale)** constituency.

circonspect, -ecte [sirkɔ̃spɛ(kt), -ɛkt] *a* cautious, circumspect. ◆**circonspection** *nf* caution.

circonstance [sirkɔ̃stɑ̃s] *nf* circumstance; **pour/en la c.** for/on this occasion; **de c.** (*habit, parole etc*) appropriate. ◆**circonstancié** *a* detailed. ◆**circonstanciel, -ielle** *a Gram* adverbial.

circonvenir [sirkɔ̃vnir] *vt* to circumvent.

circuit [sirkɥi] *nm Sp Él Fin* circuit; (*périple*) tour, trip; (*détour*) roundabout way; *pl Él* circuitry, circuits.

circulaire [sirkylɛr] *a* circular; — *nf* (*lettre*) circular. ◆**circulation** *nf* circulation; *Aut* traffic. ◆**circuler** *vi* to circulate; (*véhicule, train*) to move, travel; (*passant*) to walk about; (*rumeur*) to go round, circulate; **faire c.** to circulate; (*piétons etc*) to move on; **circulez!** keep moving!

cire [sir] *nf* wax; (*pour meubles*) polish, wax. ◆**cir/er** *vt* to polish, wax. ◆**—é** *nm* (*vêtement*) oilskin(s). ◆**—eur** *nm* bootblack. ◆**—euse** *nf* (*appareil*) floor polisher. ◆**cireux, -euse** *a* waxy.

cirque [sirk] *nm Th Hist* circus.

cirrhose [siroz] *nf Méd* cirrhosis.

cisaille(s) [sizaj] *nf(pl)* shears. ◆**ciseau, -x** *nm* chisel; *pl* scissors. ◆**ciseler** *vt* to chisel.

citadelle [sitadɛl] *nf* citadel.

cité [site] *nf* city; **c. (ouvrière)** housing estate (*for workers*), *Am* housing project *ou* development; **c. universitaire** (students') halls of residence. ◆**citadin, -ine** *nmf* city dweller; — *a* city-, urban.

citer [site] *vt* to quote; *Jur* to summon; *Mil* to mention, cite. ◆**citation** *nf* quotation; *Jur* summons; *Mil* mention, citation.

citerne [sitɛrn] *nf* (*réservoir*) tank.

cithare [sitar] *nf* zither.

citoyen, -enne [sitwajɛ̃, -ɛn] *nmf* citizen. ◆**citoyenneté** *nf* citizenship.

citron [sitrɔ̃] *nm* lemon; **c. pressé** (fresh)

lemon juice. ◆**citronnade** *nf* lemon drink, (still) lemonade.

citrouille [sitruj] *nf* pumpkin.

civet [sivɛ] *nm* stew; **c. de lièvre** jugged hare.

civière [sivjɛr] *nf* stretcher.

civil [sivil] **1** *a* (*droits, guerre, mariage etc*) civil; (*non militaire*) civilian; (*courtois*) civil; **année civile** calendar year. **2** *nm* civilian; **dans le c.** in civilian life; **en c.** (*policier*) in plain clothes; (*soldat*) in civilian clothes. ◆**civilité** *nf* civility.

civiliser [sivilize] *vt* to civilize; **— se c.** *vpr* to become civilized. ◆**civilisation** *nf* civilization.

civique [sivik] *a* civic; **instruction c.** *Scol* civics. ◆**civisme** *nm* civic sense.

clair [klɛr] *a* (*distinct, limpide, évident*) clear; (*éclairé*) light; (*pâle*) light(-coloured); (*sauce, chevelure*) thin; **bleu/vert c.** light blue/green; **il fait c.** it's light *ou* bright; – *adv* (*voir*) clearly; – *nm* **c. de lune** moonlight; **le plus c. de** the major *ou* greater part of; **tirer au c.** (*question etc*) to clear up. ◆**—ement** *adv* clearly. ◆**claire-voie** *nf* **à c.-voie** (*barrière*) lattice-; (*caisse*) openwork; (*porte*) louvre(d).

clairière [klɛrjɛr] *nf* clearing, glade.

clairon [klɛrɔ̃] *nm* bugle; (*soldat*) bugler. ◆**claironner** *vt* (*annoncer*) to trumpet forth.

clairsemé [klɛrsəme] *a* sparse.

clairvoyant [klɛrvwajɑ̃] *a* (*perspicace*) clear-sighted. ◆**clairvoyance** *nf* clear-sightedness.

clam/er [klame] *vt* to cry out. ◆**—eur** *nf* clamour, outcry.

clan [klɑ̃] *nm* clan, clique, set.

clandestin [klɑ̃dɛstɛ̃] *a* secret, clandestine; (*journal, mouvement*) underground; **passager c.** stowaway.

clapet [klapɛ] *nm* *Tech* valve; (*bouche*) *Arg* trap.

clapier [klapje] *nm* (rabbit) hutch.

clapot/er [klapɔte] *vi* (*vagues*) to lap. ◆**—ement** *nm*, ◆**clapotis** *nm* lap(ping).

claque [klak] *nf* smack, slap. ◆**claquer** *vt* (*porte*) to slam, bang; (*gifler*) to smack, slap; (*fouet*) to crack; (*fatiguer*) *Fam* to tire out; (*dépenser*) *Arg* to blow; **se c. un muscle** to tear a muscle; **faire c.** (*doigts*) to snap; (*langue*) to click; (*fouet*) to crack; – *vi* (*porte*) to slam, bang; (*drapeau*) to flap; (*coup de revolver*) to ring out; (*mourir*) *Fam* to die; (*tomber en panne*) *Fam* to break down; **c. des mains** to clap one's hands; **elle claque des dents** her teeth are chattering.

claquemurer (se) [səklakmyre] *vpr* to shut oneself up, hole up.

claquettes [klakɛt] *nfpl* tap dancing.

clarifier [klarifje] *vt* to clarify. ◆**clarification** *nf* clarification.

clarinette [klarinɛt] *nf* clarinet.

clarté [klarte] *nf* light, brightness; (*précision*) clarity, clearness.

classe [klɑs] *nf* class; **aller en c.** to go to school; **c. ouvrière/moyenne** working/middle class; **avoir de la c.** to have class.

class/er [klɑse] *vt* to classify, class; (*papiers*) to file; (*candidats*) to grade; (*affaire*) to close; **se c. parmi** to rank *ou* be classed among; **se c. premier** to come first. ◆**—ement** *nm* classification; filing; grading; (*rang*) place; *Sp* placing. ◆**—eur** *nm* (*meuble*) filing cabinet; (*portefeuille*) (loose leaf) file. ◆**classification** *nf* classification. ◆**classifier** *vt* to classify.

classique [klasik] *a* classical; (*typique*) classic; – *nm* (*œuvre, auteur*) classic. ◆**classicisme** *nm* classicism.

clause [kloz] *nf* clause.

claustrophobie [klostrɔfɔbi] *nf* claustrophobia. ◆**claustrophobe** *a* claustrophobic.

clavecin [klavsɛ̃] *nm* *Mus* harpsichord.

clavicule [klavikyl] *nf* collarbone.

clavier [klavje] *nm* keyboard.

clé, clef [kle] *nf* key; (*outil*) spanner, wrench; *Mus* clef; **fermer à c.** to lock; **sous c.** under lock and key; **c. de contact** ignition key; **c. de voûte** keystone; **poste/industrie c.** key post/industry; **clés en main** (*acheter une maison etc*) ready to move in; **prix clés en main** (*voiture*) on the road price.

clément [klemɑ̃] *a* (*temps*) mild, clement; (*juge*) lenient, clement. ◆**clémence** *nf* mildness; leniency; clemency.

clémentine [klemɑ̃tin] *nf* clementine.

clerc [klɛr] *nm* *Rel* cleric; (*de notaire*) clerk. ◆**clergé** *nm* clergy. ◆**clérical, -aux** *a* *Rel* clerical.

cliché [kliʃe] *nm* *Phot* negative; *Typ* plate; (*idée*) cliché.

client, -ente [klijɑ̃, -ɑ̃t] *nmf* (*de magasin etc*) customer; (*d'un avocat etc*) client; (*d'un médecin*) patient; (*d'hôtel*) guest. ◆**clientèle** *nf* customers, clientele; (*d'un avocat*) practice, clientele; (*d'un médecin*) practice, patients; **accorder sa c. à** to give one's custom to.

cligner [kliɲe] *vi* **c. des yeux** (*ouvrir et fermer*) to blink; (*fermer à demi*) to screw up one's eyes; **c. de l'œil** to wink.

◆**clignot/er** *vi* to blink; (*lumière*) to flicker; *Aut* to flash; (*étoile*) to twinkle. ◆**—ant** *nm Aut* indicator, *Am* directional signal.
climat [klima] *nm Mét & Fig* climate. ◆**climatique** *a* climatic. ◆**climatisation** *nf* air-conditioning. ◆**climatiser** *vt* to air-condition.
clin d'œil [klɛ̃dœj] *nm* wink; **en un c. d'œil** in the twinkling of an eye.
clinique [klinik] *a* clinical; – *nf* (*hôpital*) (private) clinic.
clinquant [klɛ̃kɑ̃] *a* tawdry.
clique [klik] *nf Péj* clique; *Mus Mil* (drum and bugle) band.
cliqueter [klikte] *vi* to clink. ◆**cliquetis** *nm* clink(ing).
clivage [klivaʒ] *nm* split, division (**de** in).
cloaque [klɔak] *nm* cesspool.
clochard, -arde [klɔʃar, -ard] *nmf* tramp, vagrant.
cloche [klɔʃ] *nf* **1** bell; **c. à fromage** cheese cover. **2** (*personne*) *Fam* idiot, oaf. ◆**clocher 1** *nm* bell tower; (*en pointe*) steeple; **de c.** *Fig* parochial; **esprit de c.** parochialism. **2** *vi* to be wrong *ou* amiss. ◆**clochette** *nf* (small) bell.
cloche-pied (à) [aklɔʃpje] *adv* **sauter à c.-pied** to hop on one foot.
cloison [klwazɔ̃] *nf* partition; *Fig* barrier. ◆**cloisonner** *vt* to partition; (*activités etc*) *Fig* to compartmentalize.
cloître [klwatr] *nm* cloister. ◆**se cloîtrer** *vpr* to shut oneself away, cloister oneself.
clopin-clopant [klɔpɛ̃klɔpɑ̃] *adv* **aller c.-clopant** to hobble.
cloque [klɔk] *nf* blister.
clore [klɔr] *vt* (*débat, lettre*) to close. ◆**clos** *a* (*incident etc*) closed; (*espace*) enclosed; – *nm* (enclosed) field.
clôture [klotyr] *nf* (*barrière*) enclosure, fence; (*fermeture*) closing. ◆**clôturer** *vt* to enclose; (*compte, séance etc*) to close.
clou [klu] *nm* nail; (*furoncle*) boil; **le c. (du spectacle)** *Fam* the star attraction; **les clous** (*passage*) pedestrian crossing; **des clous!** *Fam* nothing at all! ◆**clouer** *vt* to nail; **cloué au lit** confined to (one's) bed; **cloué sur place** nailed to the spot; **c. le bec à qn** *Fam* to shut s.o. up. ◆**clouté** *a* (*chaussures*) hobnailed; (*ceinture, pneus*) studded; **passage c.** pedestrian crossing, *Am* crosswalk.
clown [klun] *nm* clown.
club [klœb] *nm* (*association*) club.
cm *abrév* (*centimètre*) cm.
co- [kɔ] *préf* co-.
coaguler [kɔagyle] *vti*, **— se c.** *vpr* to coagulate.
coaliser (se) [səkɔalize] *vpr* to form a coalition, join forces. ◆**coalition** *nf* coalition.
coasser [kɔase] *vi* (*grenouille*) to croak.
cobaye [kɔbaj] *nm* (*animal*) & *Fig* guinea pig.
cobra [kɔbra] *nm* (*serpent*) cobra.
coca [kɔka] *nm* (*Coca-Cola®*) coke.
cocagne [kɔkaɲ] *nf* **pays de c.** dreamland, land of plenty.
cocaïne [kɔkain] *nf* cocain.
cocarde [kɔkard] *nf* rosette, cockade; *Av* roundel. ◆**cocardier, -ière** *a Péj* flag-waving.
cocasse [kɔkas] *a* droll, comical. ◆**cocasserie** *nf* drollery.
coccinelle [kɔksinɛl] *nf* ladybird, *Am* ladybug.
cocher[1] [kɔʃe] *vt* to tick (off), *Am* to check (off).
cocher[2] [kɔʃe] *nm* coachman. ◆**cochère** *af* **porte c.** main gateway.
cochon, -onne [kɔʃɔ̃, -ɔn] **1** *nm* pig; (*mâle*) hog; **c. d'Inde** guinea pig. **2** *nmf* (*personne sale*) (dirty) pig; (*salaud*) swine; – *a* (*histoire, film*) dirty, filthy. ◆**cochonnerie(s)** *nf(pl)* (*obscénité(s)*) filth; (*pacotille*) *Fam* rubbish.
cocktail [kɔktɛl] *nm* (*boisson*) cocktail; (*réunion*) cocktail party.
coco [kɔko] *nm* **noix de c.** coconut. ◆**cocotier** *nm* coconut palm.
cocon [kɔkɔ̃] *nm* cocoon.
cocorico [kɔkɔriko] *int & nm* cock-a-doodle-doo; **faire c.** (*crier victoire*) *Fam* to give three cheers for France, wave the flag.
cocotte [kɔkɔt] *nf* (*marmite*) casserole; **c. minute®** pressure cooker.
cocu [kɔky] *nm Fam* cuckold.
code [kɔd] *nm* code; **codes, phares c.** *Aut* dipped headlights, *Am* low beams; **C. de la route** Highway Code. ◆**coder** *vt* to code. ◆**codifier** *vt* to codify.
coefficient [kɔefisjɑ̃] *nm Math* coefficient; (*d'erreur, de sécurité*) *Fig* margin.
coéquipier, -ière [kɔekipje, -jɛr] *nmf* team mate.
cœur [kœr] *nm* heart; *Cartes* hearts; **au c. de** (*ville, hiver etc*) in the heart of; **par c.** by heart; **ça me (sou)lève le c.** that turns my stomach; **à c. ouvert** (*opération*) open-heart; (*parler*) freely; **avoir mal au c.** to feel sick; **avoir le c. gros** *ou* **serré** to have a heavy heart; **ça me tient à c.** that's close to my heart; **avoir bon c.** to be

kind-hearted; **de bon c.** (*offrir*) with a good heart, willingly; (*rire*) heartily; **si le c. vous en dit** if you so desire.

coexister [kɔɛgziste] *vi* to coexist. ◆**coexistence** *nf* coexistence.

coffre [kɔfr] *nm* chest; (*de banque*) safe; (*de voiture*) boot, *Am* trunk; (*d'autocar*) luggage *ou Am* baggage compartment. ◆**c.-fort** *nm* (*pl* **coffres-forts**) safe. ◆**coffret** *nm* casket, box.

cogiter [kɔʒite] *vi Iron* to cogitate.

cognac [kɔɲak] *nm* cognac.

cogner [kɔɲe] *vti* to knock; **c. qn** *Arg* (*frapper*) to thump s.o.; (*tabasser*) to beat s.o. up; **se c. la tête**/*etc* to knock one's head/*etc*.

cohabiter [kɔabite] *vi* to live together. ◆**cohabitation** *nf* living together; *Pol Fam* power sharing.

cohérent [kɔerɑ̃] *a* coherent. ◆**cohérence** *nf* coherence. ◆**cohésion** *nf* cohesion, cohesiveness.

cohorte [kɔɔrt] *nf* (*groupe*) troop, band, cohort.

cohue [kɔy] *nf* crowd, mob.

coiffe [kwaf] *nf* headdress.

coiff/er [kwafe] *vt* (*chapeau*) to put on, wear; (*surmonter*) *Fig* to cap; (*être à la tête de*) to head; **c. qn** to do s.o.'s hair; **c. qn d'un chapeau** to put a hat on s.o.; – **se c.** *vpr* to do one's hair; **se c. d'un chapeau** to put on a hat. ◆**—eur, -euse**[1] *nmf* (*pour hommes*) barber, hairdresser; (*pour dames*) hairdresser. ◆**—euse**[2] *nf* dressing table. ◆**coiffure** *nf* headgear, hat; (*arrangement*) hairstyle; (*métier*) hairdressing.

coin [kwɛ̃] *nm* (*angle*) corner; (*endroit*) spot; (*de terre, de ciel*) patch; (*cale*) wedge; **du c.** (*magasin etc*) local; **dans le c.** in the (local) area; **au c. du feu** by the fireside; **petit c.** *Fam* loo, *Am* john.

coinc/er [kwɛ̃se] *vt* (*mécanisme, tiroir*) to jam; (*caler*) to wedge; **c. qn** *Fam* to catch s.o., corner s.o.; – **se c.** *vpr* (*mécanisme etc*) to get jammed *ou* stuck. ◆**—é** *a* (*tiroir etc*) stuck, jammed; (*personne*) *Fam* stuck.

coïncider [kɔɛ̃side] *vi* to coincide. ◆**coïncidence** *nf* coincidence.

coin-coin [kwɛ̃kwɛ̃] *nm inv* (*de canard*) quack.

coing [kwɛ̃] *nm* (*fruit*) quince.

coke [kɔk] *nm* (*combustible*) coke.

col [kɔl] *nm* (*de chemise*) collar; (*de bouteille*) & *Anat* neck; *Géog* pass; **c. roulé** polo neck, *Am* turtleneck.

colère [kɔlɛr] *nf* anger; **une c.** (*accès*) a fit of anger; **en c.** angry (**contre** with); **se mettre en c.** to lose one's temper. ◆**coléreux, -euse** *a*, ◆**colérique** *a* quick-tempered.

colibri [kɔlibri] *nm* hummingbird.

colifichet [kɔlifiʃɛ] *nm* trinket.

colimaçon (en) [ɑ̃kɔlimasɔ̃] *adv* **escalier en c.** spiral staircase.

colin [kɔlɛ̃] *nm* (*poisson*) hake.

colique [kɔlik] *nf* diarrh(o)ea; (*douleur*) stomach pain, colic.

colis [kɔli] *nm* parcel, package.

collaborer [kɔlabɔre] *vi* collaborate (**avec** with, **à** on); **c. à** (*journal*) to contribute to. ◆**collaborateur, -trice** *nmf* collaborator; contributor. ◆**collaboration** *nf* collaboration; contribution.

collage [kɔlaʒ] *nm* (*œuvre*) collage.

collant [kɔlɑ̃] **1** *a* (*papier*) sticky; (*vêtement*) skin-tight; **être c.** (*importun*) *Fam* to be a pest. **2** *nm* (pair of) tights; (*de danse*) leotard.

collation [kɔlɑsjɔ̃] *nf* (*repas*) light meal.

colle [kɔl] *nf* (*transparente*) glue; (*blanche*) paste; (*question*) *Fam* poser, teaser; (*interrogation*) *Scol Arg* oral; (*retenue*) *Scol Arg* detention.

collecte [kɔlɛkt] *nf* (*quête*) collection. ◆**collect/er** *vt* to collect. ◆**—eur** *nm* collector; **(égout) c.** main sewer.

collectif, -ive [kɔlɛktif, -iv] *a* collective; (*hystérie, démission*) mass-; **billet c.** group ticket. ◆**collectivement** *adv* collectively. ◆**collectivisme** *nm* collectivism. ◆**collectivité** *nf* community, collectivity.

collection [kɔlɛksjɔ̃] *nf* collection. ◆**collectionn/er** *vt* (*timbres etc*) to collect. ◆**—eur, -euse** *nmf* collector.

collège [kɔlɛʒ] *nm* (secondary) school, *Am* (high) school; (*électoral, sacré*) college. ◆**collégien** *nm* schoolboy. ◆**collégienne** *nf* schoolgirl.

collègue [kɔlɛg] *nmf* colleague.

coller [kɔle] *vt* (*timbre etc*) to stick; (*à la colle transparente*) to glue; (*à la colle blanche*) to paste; (*affiche*) to stick up; (*papier peint*) to hang; (*mettre*) *Fam* to stick, shove; **c. contre** (*nez, oreille etc*) to press against; **c. qn** (*embarrasser*) *Fam* to stump s.o., catch s.o. out; (*consigner*) *Scol* to keep s.o. in; **être collé à** (*examen*) *Fam* to fail, flunk; **se c. contre** to cling (close) to; **se c. qn/qch** *Fam* to get stuck with s.o./sth; – *vi* to stick, cling; **c. à** (*s'adapter*) to fit, correspond to; **ça colle!** *Fam* everything's just fine! ◆**colleur, -euse** *nmf* **c. d'affiches** billsticker.

collet [kɔlɛ] *nm* (*lacet*) snare; **prendre qn au c.** to grab s.o. by the scruff of the neck; **elle**

est/ils sont c. monté she is/they are prim and proper *ou* straight-laced.

collier [kɔlje] *nm* (*bijou*) necklace; (*de chien, cheval*) & *Tech* collar.

colline [kɔlin] *nf* hill.

collision [kɔlizjɔ̃] *nf* (*de véhicules*) collision; (*bagarre, conflit*) clash; **entrer en c. avec** to collide with.

colloque [kɔlɔk] *nm* symposium.

collusion [kɔlyzjɔ̃] *nf* collusion.

colmater [kɔlmate] *vt* (*fuite, fente*) to seal; (*trou*) to fill in; (*brèche*) *Mil* to close, seal.

colombe [kɔlɔ̃b] *nf* dove.

colon [kɔlɔ̃] *nm* settler, colonist; (*enfant*) *child taking part in a holiday camp.* ◆**colonial, -aux** *a* colonial. ◆**colonie** *nf* colony; **c. de vacances** (children's) holiday camp *ou Am* vacation camp.

coloniser [kɔlɔnize] *vt Pol* to colonize; (*peupler*) to settle. ◆**colonisateur, -trice** *a* colonizing; – *nmf* colonizer. ◆**colonisation** *nf* colonization.

côlon [kolɔ̃] *nm Anat* colon.

colonel [kɔlɔnɛl] *nm* colonel.

colonne [kɔlɔn] *nf* column; **c. vertébrale** spine. ◆**colonnade** *nf* colonnade.

color/er [kɔlɔre] *vt* to colour. ◆**—ant** *a* & *nm* colouring. ◆**—é** *a* (*verre etc*) coloured; (*teint*) ruddy; (*style, foule*) colourful. ◆**coloration** *nf* colouring, colour. ◆**coloriage** *nm* colouring; (*dessin*) coloured drawing. ◆**colorier** *vt* (*dessin etc*) to colour (in). ◆**coloris** *nm* (*effet*) colouring; (*nuance*) shade.

colosse [kɔlɔs] *nm* giant, colossus. ◆**colossal, -aux** *a* colossal, gigantic.

colporter [kɔlpɔrte] *vt* to peddle, hawk.

coltiner [kɔltine] *vt* (*objet lourd*) *Fam* to lug, haul; **— se c.** *vpr* (*tâche pénible*) *Fam* to take on, tackle.

coma [kɔma] *nm* coma; **dans le c.** in a coma.

combat [kɔ̃ba] *nm* fight; *Mil* combat. ◆**combatif, -ive** *a* (*personne*) eager to fight; (*instinct, esprit*) fighting. ◆**combatt/re*** *vt* to fight; (*maladie, inflation etc*) to combat, fight; – *vi* to fight. ◆**—ant** *nm Mil* combattant; (*bagarreur*) *Fam* brawler; – *a* (*unité*) fighting.

combien [kɔ̃bjɛ̃] **1** *adv* (*quantité*) how much; (*nombre*) how many; **c. de** (*temps, argent etc*) how much; (*gens, livres etc*) how many. **2** *adv* (*à quel point*) how; **tu verras c. il est bête** you'll see how silly he is. **3** *adv* (*distance*) **c. y a-t-il d'ici à . . . ?** how far is it to . . . ? **4** *nm inv* **le c. sommes-nous?** (*date*) *Fam* what date is it?; **tous les c.?** (*fréquence*) *Fam* how often?

combine [kɔ̃bin] *nf* (*truc, astuce*) *Fam* trick.

combin/er [kɔ̃bine] *vt* (*disposer*) to combine; (*calculer*) to devise, plan (out). ◆**—é** *nm* (*de téléphone*) receiver. ◆**combinaison** *nf* **1** combination; (*manœuvre*) scheme. **2** (*vêtement de femme*) slip; (*de mécanicien*) boiler suit, *Am* overalls; (*de pilote*) flying suit; **c. de ski** ski suit.

comble [kɔ̃bl] **1** *nm* **le c. de** (*la joie etc*) the height of; **pour c. (de malheur)** to crown *ou* cap it all; **c'est un** *ou* **le c.!** that's the limit! **2** *nmpl* (*mansarde*) attic, loft; **sous les combles** beneath the roof, in the loft *ou* attic. **3** *a* (*bondé*) packed, full.

combler [kɔ̃ble] *vt* (*trou, lacune etc*) to fill; (*retard, perte*) to make good; (*vœu*) to fulfil; **c. qn de** (*cadeaux etc*) to lavish on s.o.; (*joie*) to fill s.o. with; **je suis comblé** I'm completely satisfied; **vous me comblez!** you're too good to me!

combustible [kɔ̃bystibl] *nm* fuel; – *a* combustible. ◆**combustion** *nf* combustion.

comédie [kɔmedi] *nf* comedy; (*complication*) *Fam* fuss, palaver; **c. musicale** musical; **jouer la c.** *Fig* to put on an act, play-act; **c'est de la c.** (*c'est faux*) it's a sham. ◆**comédien** *nm Th* & *Fig* actor. ◆**comédienne** *nf Th* & *Fig* actress.

comestible [kɔmɛstibl] *a* edible; – *nmpl* foods.

comète [kɔmɛt] *nf* comet.

comique [kɔmik] *a* (*style etc*) *Th* comic; (*amusant*) *Fig* comical, funny; **(auteur) c.** comedy writer; – *nm* comedy; (*acteur*) comic (actor); **le c.** (*genre*) comedy; *Fig* the comical side (**de** of).

comité [kɔmite] *nm* committee; **c. de gestion** board (of management); **en petit c.** in a small group.

commande [kɔmɑ̃d] **1** *nf* (*achat*) order; **sur c.** to order. **2** *nfpl* **les commandes** *Av Tech* the controls; **tenir les commandes** (*diriger*) *Fig* to have control.

command/er [kɔmɑ̃de] **1** *vt* (*diriger, exiger, dominer*) to command; (*faire fonctionner*) to control; – *vi* **c. à** (*ses passions etc*) to have control over; **c. à qn de faire** to command s.o. to do. **2** *vt* (*acheter*) to order. ◆**—ant** *nm Nau* captain; (*grade*) *Mil* major; (*grade*) *Av* squadron leader; **c. de bord** *Av* captain. ◆**—ement** *nm* (*autorité*) command; *Rel* commandment. ◆**commando** *nm* commando.

commanditaire [kɔmɑ̃ditɛr] *nm Com* sleeping *ou* limited partner, *Am* silent partner.

comme [kɔm] **1** *adv* & *conj* as, like; **un peu**

c. a bit like; **c. moi** like me; **c. cela** like that; **blanc c. neige** (as) white as snow; **c. si** as if; **c. pour faire** as if to do; **c. par hasard** as if by chance; **joli c. tout** *Fam* ever so pretty; **c. ami** as a friend; **c. quoi** (*disant que*) to the effect that; (*ce qui prouve que*) so, which goes to show that; **qu'as-tu c. diplômes?** what do you have in the way of certificates? **2** *adv* (*exclamatif*) **regarde c. il pleut!** look how it's raining!; **c. c'est petit!** isn't it small! **3** *conj* (*temps*) as; (*cause*) as, since; **c. je pars** as I'm leaving; **c. elle entrait** (just) as she was coming in.

commémorer [kɔmemɔre] *vt* to commemorate. ◆**commémoratif, -ive** *a* commemorative. ◆**commémoration** *nf* commemoration.

commenc/er [kɔmɑ̃se] *vti* to begin, start (**à faire** to do, doing; **par** with; **par faire** by doing); **pour c.** to begin with. ◆**—ement** *nm* beginning, start.

comment [kɔmɑ̃] *adv* how; **c. le sais-tu?** how do you know?; **et c.!** and how!; **c.?** (*répétition, surprise*) what?; **c.!** (*indignation*) what!; **c. est-il?** what is he like?; **c. faire?** what's to be done?; **c. t'appelles-tu?** what's your name?; **c. allez-vous?** how are you?

commentaire [kɔmɑ̃tɛr] *nm* (*explications*) commentary; (*remarque*) comment. ◆**commentateur, -trice** *nmf* commentator. ◆**commenter** *vt* to comment (up)on.

commérage(s) [kɔmeraʒ] *nm(pl)* gossip.

commerce [kɔmɛrs] *nm* trade, commerce; (*magasin*) shop, business; **de c.** (*voyageur, maison, tribunal*) commercial; (*navire*) trading; **chambre de c.** chamber of commerce; **faire du c.** to trade; **dans le c.** (*objet*) (on sale) in the shops. ◆**commercer** *vi* to trade. ◆**commerçant, -ante** *nmf* shopkeeper; **c. en gros** wholesale dealer; – *a* (*nation*) trading, mercantile; (*rue, quartier*) shopping-; (*personne*) business-minded. ◆**commercial, -aux** *a* commercial, business-. ◆**commercialiser** *vt* to market.

commère [kɔmɛr] *nf* (*femme*) gossip.

commettre* [kɔmɛtr] *vt* (*délit etc*) to commit; (*erreur*) to make.

commis [kɔmi] *nm* (*de magasin*) assistant, *Am* clerk; (*de bureau*) clerk, *Am* clerical worker.

commissaire [kɔmisɛr] *nm Sp* steward; **c. (de police)** police superintendent *ou Am* chief; **c. aux comptes** auditor; **c. du bord** *Nau* purser. ◆**c.-priseur** *nm* (*pl* **commissaires-priseurs**) auctioneer. ◆**commissariat** *nm* **c. (de police)** (central) police station.

commission [kɔmisjɔ̃] *nf* (*course*) errand; (*message*) message; (*réunion*) commission, committee; (*pourcentage*) *Com* commission (**sur** on); **faire les commissions** to do the shopping. ◆**commissionnaire** *nm* messenger; (*d'hôtel*) commissionaire; *Com* agent.

commod/e [kɔmɔd] **1** *a* (*pratique*) handy; (*simple*) easy; **il n'est pas c.** (*pas aimable*) he's unpleasant; (*difficile*) he's a tough one. **2** *nf* chest of drawers, *Am* dresser. ◆**—ément** *adv* comfortably. ◆**commodité** *nf* convenience.

commotion [kɔmosjɔ̃] *nf* shock; **c. (cérébrale)** concussion. ◆**commotionner** *vt* to shake up.

commuer [kɔmɥe] *vt* (*peine*) *Jur* to commute (**en** to).

commun [kɔmœ̃] **1** *a* (*collectif, comparable, habituel*) common; (*frais, cuisine etc*) shared; (*action, démarche etc*) joint; **ami c.** mutual friend; **peu c.** uncommon; **en c.** in common; **transports en c.** public transport; **avoir** *ou* **mettre en c.** to share; **vivre en c.** to live together; **il n'a rien de c. avec** he has nothing in common with. **2** *nm* **le c. des mortels** ordinary mortals. ◆**—ément** [kɔmynemɑ̃] *adv* commonly.

communauté [kɔmynote] *nf* community. ◆**communautaire** *a* community-.

commune [kɔmyn] *nf* (*municipalité française*) commune; **les Communes** *Br Pol* the Commons. ◆**communal, -aux** *a* communal, local, municipal.

communi/er [kɔmynje] *vi* to receive Holy Communion, communicate. ◆**—ant, -ante** *nmf Rel* communicant. ◆**communion** *nf* communion; *Rel* (Holy) Communion.

communiqu/er [kɔmynike] *vt* to communicate, pass on; (*mouvement*) to impart, communicate; **se c. à** (*feu, rire*) to spread to; – *vi* (*personne, pièces etc*) to communicate. ◆**—é** *nm* (*avis*) *Pol* communiqué; (*publicitaire*) message; **c. de presse** press release. ◆**communicatif, -ive** *a* communicative; (*contagieux*) infectious. ◆**communication** *nf* communication; **c. (téléphonique)** (telephone) call; **mauvaise c.** *Tél* bad line.

communisme [kɔmynism] *nm* communism. ◆**communiste** *a* & *nmf* communist.

communs [kɔmœ̃] *nmpl* (*bâtiments*) outbuildings.

commutateur [kɔmytatœr] *nm* (*bouton*) *Él* switch.
compact [kɔ̃pakt] *a* dense; (*mécanisme, disque, véhicule*) compact.
compagne [kɔ̃paɲ] *nf* (*camarade*) friend; (*épouse, maîtresse*) companion. ◆**compagnie** *nf* (*présence, société*) & *Com Mil* company; **tenir c. à qn** to keep s.o. company. ◆**compagnon** *nm* companion; (*ouvrier*) workman; **c. de route** travelling companion, fellow traveller; **c. de jeu/de travail** playmate/workmate.
comparaître* [kɔ̃parɛtr] *vi Jur* to appear (in court) (**devant** before).
compar/er [kɔ̃pare] *vt* to compare; **— se c.** *vpr* to be compared (**à** to). ◆**—é** *a* (*science etc*) comparative. ◆**—able** *a* comparable. ◆**comparaison** *nf* comparison; *Littér* simile. ◆**comparatif, -ive** *a* (*méthode etc*) comparative; – *nm Gram* comparative.
comparse [kɔ̃pars] *nmf Jur* minor accomplice, stooge.
compartiment [kɔ̃partimɑ̃] *nm* compartment. ◆**compartimenter** *vt* to compartmentalize, divide up.
comparution [kɔ̃parysjɔ̃] *nf Jur* appearance (in court).
compas [kɔ̃pa] *nm* **1** (*pour mesurer etc*) (pair of) compasses, *Am* compass. **2** (*boussole*) *Nau* compass.
compassé [kɔ̃pɑse] *a* (*affecté*) starchy, stiff.
compassion [kɔ̃pɑsjɔ̃] *nf* compassion.
compatible [kɔ̃patibl] *a* compatible. ◆**compatibilité** *nf* compatibility.
compat/ir [kɔ̃patir] *vi* to sympathize; **c. à** (*la douleur etc de qn*) to share in. ◆**—issant** *a* sympathetic.
compatriote [kɔ̃patrijɔt] *nmf* compatriot.
compenser [kɔ̃pɑ̃se] *vt* to make up for, compensate for; – *vi* to compensate. ◆**compensation** *nf* compensation; **en c. de** in compensation for.
compère [kɔ̃pɛr] *nm* accomplice.
compétent [kɔ̃petɑ̃] *a* competent. ◆**compétence** *nf* competence.
compétition [kɔ̃petisjɔ̃] *nf* competition; (*épreuve*) *Sp* event; **de c.** (*esprit, sport*) competitive. ◆**compétitif, -ive** *a* competitive. ◆**compétitivité** *nf* competitiveness.
compiler [kɔ̃pile] *vt* (*documents*) to compile.
complainte [kɔ̃plɛ̃t] *nf* (*chanson*) lament.
complaire (se) [səkɔ̃plɛr] *vpr* **se c. dans qch/à faire** to delight in sth/in doing.
complaisant [kɔ̃plɛzɑ̃] *a* kind, obliging; (*indulgent*) self-indulgent, complacent. ◆**complaisance** *nf* kindness, obligingness; self-indulgence, complacency.
complément [kɔ̃plemɑ̃] *nm* complement; **le c.** (*le reste*) the rest; **un c. d'information** additional information. ◆**complémentaire** *a* complementary; (*détails*) additional.
complet, -ète [kɔ̃plɛ, -ɛt] **1** *a* complete; (*train, hôtel, examen etc*) full; (*aliment*) whole; **au (grand) c.** in full strength. **2** *nm* (*costume*) suit. ◆**complètement** *adv* completely. ◆**compléter** *vt* to complete; (*ajouter à*) to complement; (*somme*) to make up; **— se c.** *vpr* (*caractères*) to complement each other.
complexe [kɔ̃plɛks] **1** *a* complex. **2** *nm* (*sentiment, construction*) complex. ◆**complexé** *a Fam* hung up, inhibited. ◆**complexité** *nf* complexity.
complication [kɔ̃plikɑsjɔ̃] *nf* complication; (*complexité*) complexity.
complice [kɔ̃plis] *nm* accomplice; – *a* (*regard*) knowing; (*silence, attitude*) conniving; **c. de** *Jur* a party to. ◆**complicité** *nf* complicity.
compliment [kɔ̃plimɑ̃] *nm* compliment; *pl* (*éloges*) compliments; (*félicitations*) congratulations. ◆**complimenter** *vt* to compliment (**sur, pour** on).
compliqu/er [kɔ̃plike] *vt* to complicate; **— se c.** *vpr* (*situation*) to get complicated. ◆**—é** *a* complicated; (*mécanisme etc*) intricate; complicated; (*histoire, problème etc*) involved, complicated.
complot [kɔ̃plo] *nm* plot, conspiracy. ◆**comploter** [kɔ̃plɔte] *vti* to plot (**de faire** to do).
comport/er [kɔ̃pɔrte] **1** *vt* (*impliquer*) to involve, contain; (*comprendre en soi, présenter*) to contain, comprise, have. **2 se c.** *vpr* to behave; (*joueur, voiture*) to perform. ◆**—ement** *nm* behaviour; (*de joueur etc*) performance.
compos/er [kɔ̃poze] *vt* (*former, constituer*) to compose, make up; (*musique, visage*) to compose; (*numéro*) *Tél* to dial; (*texte*) *Typ* to set (up); **se c. de, être composé de** to be composed of; – *vi Scol* to take an examination; **c. avec** to come to terms with. ◆**—ant** *nm* (*chimique, électronique*) component. ◆**—ante** *nf* (*d'une idée etc*) component. ◆**—é** *a* & *nm* compound. ◆**compositeur, -trice** *nmf Mus* composer; *Typ* typesetter. ◆**composition** *nf* (*action*) composing, making up; *Typ* typesetting; *Mus Littér Ch* composition; *Scol* test, class exam; **c. française** *Scol* French essay *ou* composition.

composter [kɔ̃pɔste] *vt* (*billet*) to cancel, punch.
compote [kɔ̃pɔt] *nf* stewed fruit; **c. de pommes** stewed apples, apple sauce. ◆**compotier** *nm* fruit dish.
compréhensible [kɔ̃preɑ̃sibl] *a* understandable, comprehensible. ◆**compréhensif, -ive** *a* (*personne*) understanding. ◆**compréhension** *nf* understanding, comprehension.
comprendre* [kɔ̃prɑ̃dr] *vt* to understand, comprehend; (*comporter*) to include, comprise; **je n'y comprends rien** I don't understand anything about it; **ça se comprend** that's understandable. ◆**compris** *a* (*inclus*) included (**dans** in); **frais c.** including expenses; **tout c.** (all) inclusive; **y c.** including; **c. entre** (situated) between; **(c'est) c.!** it's agreed!
compresse [kɔ̃prɛs] *nf Méd* compress.
compresseur [kɔ̃presœr] *a* **rouleau c.** steam roller.
comprim/er [kɔ̃prime] *vt* to compress; (*colère etc*) to repress; (*dépenses*) to reduce. ◆**—é** *nm Méd* tablet. ◆**compression** *nf* compression; (*du personnel etc*) reduction.
compromettre* [kɔ̃prɔmɛtr] *vt* to compromise. ◆**compromis** *nm* compromise. ◆**compromission** *nf* compromising action, compromise.
comptable [kɔ̃tabl] *a* (*règles etc*) bookkeeping-; – *nmf* bookkeeper; (*expert*) accountant. ◆**comptabilité** *nf* (*comptes*) accounts; (*science*) bookkeeping, accountancy; (*service*) accounts department.
comptant [kɔ̃tɑ̃] *a* **argent c.** (hard) cash; – *adv* **payer c.** to pay (in) cash; **(au) c.** (*acheter, vendre*) for cash.
compte [kɔ̃t] *nm* (*comptabilité*) account; (*calcul*) count; (*nombre*) (right) number; **avoir un c. en banque** to have a bank(ing) account; **c. chèque** cheque account, *Am* checking account; **tenir c. de** to take into account; **c. tenu de** considering; **entrer en ligne de c.** to be taken into account; **se rendre c. de** to realize; **rendre c. de** (*exposer*) to report on; (*justifier*) to account for; **c. rendu** report; (*de livre, film*) review; **demander des comptes à** to call to account; **faire le c. de** to count; **à son c.** (*travailler*) for oneself; (*s'installer*) on one's own; **pour le c. de** on behalf of; **pour mon c.** for my part; **sur le c. de qn** about s.o.; **en fin de c.** all things considered; **à bon c.** (*acheter*) cheap(ly); **s'en tirer à bon c.** to get off lightly; **avoir un c. à régler avec qn** to have a score to settle with s.o.; **c. à rebours** countdown. ◆**c.-gouttes** *nm inv Méd* dropper; **au c.-gouttes** very sparingly. ◆**c.-tours** *nm inv Aut* rev counter.
compt/er [kɔ̃te] *vt* (*calculer*) to count; (*prévoir*) to reckon, allow; (*considérer*) to consider; (*payer*) to pay; **c. faire** to expect to do; (*avoir l'intention de*) to intend to do; **c. qch à qn** (*facturer*) to charge s.o. for sth; **il compte deux ans de service** he has two years' service; **ses jours sont comptés** his *ou* her days are numbered; – *vi* (*calculer, avoir de l'importance*) to count; **c. sur** to rely on; **c. avec** to reckon with; **c. parmi** to be (numbered) among. ◆**—eur** *nm Él* meter; **c. (de vitesse)** *Aut* speedometer; **c. (kilométrique)** milometer, clock; **c. Geiger** Geiger counter.
comptoir [kɔ̃twar] *nm* **1** (*de magasin*) counter; (*de café*) bar; (*de bureau*) (reception) desk. **2** *Com* branch, agency.
compulser [kɔ̃pylse] *vt* to examine.
comte [kɔ̃t] *nm* (*noble*) count; *Br* earl. ◆**comté** *nm* county. ◆**comtesse** *nf* countess.
con, conne [kɔ̃, kɔn] *a* (*idiot*) *Fam* stupid; – *nmf Fam* stupid fool.
concave [kɔ̃kav] *a* concave.
concéder [kɔ̃sede] *vt* to concede, grant (**à** to, **que** that).
concentr/er [kɔ̃sɑ̃tre] *vt* to concentrate; (*attention etc*) to focus, concentrate; **– se c.** *vpr* (*réfléchir*) to concentrate. ◆**—é** *a* (*solution*) concentrated; (*lait*) condensed; (*attentif*) in a state of concentration; – *nm Ch* concentrate; **c. de tomates** tomato purée. ◆**concentration** *nf* concentration.
concentrique [kɔ̃sɑ̃trik] *a* concentric.
concept [kɔ̃sɛpt] *nm* concept. ◆**conception** *nf* (*idée*) & *Méd* conception.
concern/er [kɔ̃sɛrne] *vt* to concern; **en ce qui me concerne** as far as I'm concerned. ◆**—ant** *prép* concerning.
concert [kɔ̃sɛr] *nm Mus* concert; (*de louanges*) chorus; **de c.** (*agir*) together, in concert.
concert/er [kɔ̃sɛrte] *vt* to arrange, devise (*in agreement*); **— se c.** *vpr* to consult together. ◆**—é** *a* (*plan*) concerted. ◆**concertation** *nf* (*dialogue*) dialogue.
concession [kɔ̃sesjɔ̃] *nf* concession (**à** to); (*terrain*) plot (of land). ◆**concessionnaire** *nmf Com* (authorized) dealer, agent.
concev/oir* [kɔ̃səvwar] **1** *vt* (*imaginer, éprouver, engendrer*) to conceive; (*comprendre*) to understand; **ainsi conçu** (*dépêche etc*) worded as follows. **2** *vi* (*femme*) to conceive. ◆**—able** *a* conceivable.

concierge [kɔ̃sjɛrʒ] *nmf* caretaker, *Am* janitor.
concile [kɔ̃sil] *nm Rel* council.
concili/er [kɔ̃silje] *vt* (*choses*) to reconcile; **se c. l'amitié/***etc* **de qn** to win (over) s.o.'s friendship/*etc*. ◆**—ant** *a* conciliatory. ◆**conciliateur, -trice** *nmf* conciliator. ◆**conciliation** *nf* conciliation.
concis [kɔ̃si] *a* concise, terse. ◆**concision** *nf* concision.
concitoyen, -enne [kɔ̃sitwajɛ̃, -ɛn] *nmf* fellow citizen.
conclu/re* [kɔ̃klyr] *vt* (*terminer, régler*) to conclude; **c. que** (*déduire*) to conclude that; – *vi* (*orateur etc*) to conclude; **c. à** to conclude in favour of. ◆**—ant** *a* conclusive. ◆**conclusion** *nf* conclusion.
concombre [kɔ̃kɔ̃br] *nm* cucumber.
concorde [kɔ̃kɔrd] *nf* concord, harmony. ◆**concord/er** *vi* (*faits etc*) to agree; (*caractères*) to match; **c. avec** to match. ◆**—ant** *a* in agreement. ◆**concordance** *nf* agreement; (*de situations, résultats*) similarity; **c. des temps** *Gram* sequence of tenses.
concourir* [kɔ̃kurir] *vi* (*candidat*) to compete (**pour** for); (*directions*) to converge; **c. à** (*un but*) to contribute to. ◆**concours** *nm Scol Univ* competitive examination; (*jeu*) competition; (*aide*) assistance; (*de circonstances*) combination; **c. hippique** horse show.
concret, -ète [kɔ̃krɛ, -ɛt] *a* concrete. ◆**concrétiser** *vt* to give concrete form to; **— se c.** *vpr* to materialize.
conçu [kɔ̃sy] *voir* **concevoir;** – *a* **c. pour faire** designed to do; **bien c.** (*maison etc*) well-designed.
concubine [kɔ̃kybin] *nf* (*maîtresse*) concubine. ◆**concubinage** *nm* cohabitation; **en c.** as husband and wife.
concurrent, -ente [kɔ̃kyrɑ̃, -ɑ̃t] *nmf* competitor; *Scol Univ* candidate. ◆**concurrence** *nf* competition; **faire c. à** to compete with; **jusqu'à c. de** up to the amount of. ◆**concurrencer** *vt* to compete with. ◆**concurrentiel, -ielle** *a* (*prix etc*) competitive.
condamn/er [kɔ̃dane] *vt* to condemn; *Jur* to sentence (**à** to); (*porte*) to block up, bar; (*pièce*) to keep locked; **c. à une amende** to fine. ◆**—é, -ée** *nmf Jur* condemned man, condemned woman; **être c.** (*malade*) to be doomed, be a hopeless case. ◆**condamnation** *nf Jur* sentence; (*censure*) condemnation.
condenser [kɔ̃dɑ̃se] *vt*, **— se c.** *vpr* to condense. ◆**condensateur** *nm Él* condenser. ◆**condensation** *nf* condensation.
condescendre [kɔ̃dɛsɑ̃dr] *vi* to condescend (**à** to). ◆**condescendance** *nf* condescension.
condiment [kɔ̃dimɑ̃] *nm* condiment.
condisciple [kɔ̃disipl] *nm Scol* classmate, schoolfellow; *Univ* fellow student.
condition [kɔ̃disjɔ̃] *nf* (*état, stipulation, rang*) condition; *pl* (*clauses, tarifs*) *Com* terms; **à c. de faire, à c. que l'on fasse** providing *ou* provided (that) one does; **mettre en c.** (*endoctriner*) to condition; **sans c.** (*se rendre*) unconditionally. ◆**conditionnel, -elle** *a* conditional. ◆**conditionn/er** *vt* **1** (*influencer*) to condition. **2** (*article*) *Com* to package. ◆**—é** *a* (*réflexe*) conditioned; **à air c.** (*pièce etc*) air-conditioned. ◆**—ement** *nm* conditioning; packaging.
condoléances [kɔ̃dɔleɑ̃s] *nfpl* condolences.
conducteur, -trice [kɔ̃dyktœr, -tris] **1** *nmf Aut Rail* driver. **2** *a* & *nm* **(corps) c.** *Él* conductor; **(fil) c.** *Él* lead (wire).
conduire* [kɔ̃dɥir] **1** *vt* to lead; *Aut* to drive; (*affaire etc*) & *Él* to conduct; (*eau*) to carry; **c. qn à** (*accompagner*) to take s.o. to. **2 se c.** *vpr* to behave. ◆**conduit** *nm* duct. ◆**conduite** *nf* conduct, behaviour; *Aut* driving (**de** of); (*d'entreprise etc*) conduct; (*d'eau, de gaz*) main; **c. à gauche** (*volant*) left-hand drive; **faire un bout de c. à qn** to go with s.o. part of the way; **sous la c. de** under the guidance of.
cône [kon] *nm* cone.
confection [kɔ̃fɛksjɔ̃] *nf* making (**de** of); **vêtements de c.** ready-made clothes; **magasin de c.** ready-made clothing shop. ◆**confectionner** *vt* (*gâteau, robe*) to make.
confédération [kɔ̃federɑsjɔ̃] *nf* confederation. ◆**confédéré** *a* confederate.
conférence [kɔ̃ferɑ̃s] *nf* conference; (*exposé*) lecture. ◆**conférencier, -ière** *nmf* lecturer. ◆**conférer** *vt* (*attribuer, donner*) to confer (**à** on).
confess/er [kɔ̃fese] *vt* to confess; **— se c.** *vpr Rel* to confess (**à** to). ◆**—eur** *nm* (*prêtre*) confessor. ◆**confession** *nf* confession. ◆**confessionnal, -aux** *nm Rel* confessional. ◆**confessionnel, -elle** *a* (*école*) *Rel* denominational.
confettis [kɔ̃feti] *nmpl* confetti.
confiance [kɔ̃fjɑ̃s] *nf* trust, confidence; **faire c. à qn, avoir c. en qn** to trust s.o.; **c. en soi** (self-)confidence; **poste/abus de c.** posi-

tion/breach of trust; **homme de c.** reliable man; **en toute c.** (*acheter*) quite confidently; **poser la question de c.** *Pol* to ask for a vote of confidence. ◆**confiant** *a* trusting; (*sûr de soi*) confident; **être c. en** *ou* **dans** to have confidence in.

confidence [kɔ̃fidɑ̃s] *nf* (*secret*) confidence; **en c.** in confidence; **il m'a fait une c.** he confided in me. ◆**confident** *nm* confidant. ◆**confidente** *nf* confidante. ◆**confidentiel, -ielle** *a* confidential.

confier [kɔ̃fje] *vt* **c. à qn** (*enfant, objet*) to give s.o. to look after, entrust s.o. with; **c. un secret/*etc* à qn** to confide a secret/*etc* to s.o.; **— se c.** *vpr* to confide (**à qn** in s.o.).

configuration [kɔ̃figyrɑsjɔ̃] *nf* configuration.

confin/er [kɔ̃fine] *vt* to confine; – *vi* **c. à** to border on; **— se c.** *vpr* to confine oneself (**dans** to). ◆**—é** *a* (*atmosphère*) stuffy.

confins [kɔ̃fɛ̃] *nmpl* confines.

confire [kɔ̃fir] *vt* (*cornichon*) to pickle; (*fruit*) to preserve.

confirmer [kɔ̃firme] *vt* to confirm (**que** that); **c. qn dans sa résolution** to confirm s.o.'s resolve. ◆**confirmation** *nf* confirmation.

confiserie [kɔ̃fizri] *nf* (*magasin*) sweet shop, *Am* candy store; *pl* (*produits*) confectionery, sweets, *Am* candy. ◆**confiseur, -euse** *nmf* confectioner.

confisquer [kɔ̃fiske] *vt* to confiscate (**à qn** from s.o.). ◆**confiscation** *nf* confiscation.

confit [kɔ̃fi] *a* **fruits confits** crystallized *ou* candied fruit. ◆**confiture** *nf* jam, preserves.

conflit [kɔ̃fli] *nm* conflict. ◆**conflictuel, -elle** *a Psy* conflict-provoking.

confluent [kɔ̃flyɑ̃] *nm* (*jonction*) confluence.

confondre [kɔ̃fɔ̃dr] *vt* (*choses, personnes*) to confuse, mix up; (*consterner, étonner*) to confound; (*amalgamer*) to fuse; **c. avec** to mistake for; **— se c.** *vpr* (*s'unir*) to merge; **se c. en excuses** to be very apologetic.

conforme [kɔ̃fɔrm] *a* **c. à** in accordance with; **c. (à l'original)** (*copie*) true (to the original). ◆**conform/er** *vt* to model, adapt; **— se c.** *vpr* to conform (**à** to). ◆**—ément** *adv* **c. à** in accordance with. ◆**conformisme** *nm* conformity, conformism. ◆**conformiste** *a* & *nmf* conformist. ◆**conformité** *nf* conformity.

confort [kɔ̃fɔr] *nm* comfort. ◆**confortable** *a* comfortable.

confrère [kɔ̃frɛr] *nm* colleague. ◆**confrérie** *nf Rel* brotherhood.

confronter [kɔ̃frɔ̃te] *vt Jur etc* to confront (**avec** with); (*textes*) to collate; **confronté à** confronted with. ◆**confrontation** *nf* confrontation; collation.

confus [kɔ̃fy] *a* (*esprit, situation, bruit*) confused; (*idée, style*) confused, jumbled, hazy; (*gêné*) embarrassed; **je suis c.!** (*désolé*) I'm terribly sorry!; (*comblé de bienfaits*) I'm overwhelmed! ◆**confusément** *adv* indistinctly, vaguely. ◆**confusion** *nf* confusion; (*gêne, honte*) embarrassment.

congé [kɔ̃ʒe] *nm* leave (of absence); (*avis pour locataire*) notice (to quit); (*pour salarié*) notice (of dismissal); (*vacances*) holiday, *Am* vacation; **c. de maladie** sick leave; **congés payés** holidays with pay, paid holidays; **donner son c. à** (*employé, locataire*) to give notice to; **prendre c. de** to take leave of. ◆**congédier** *vt* (*domestique etc*) to dismiss.

congeler [kɔ̃ʒle] *vt* to freeze. ◆**congélateur** *nm* freezer, deep-freeze. ◆**congélation** *nf* freezing.

congénère [kɔ̃ʒenɛr] *nmf* fellow creature. ◆**congénital, -aux** *a* congenital.

congère [kɔ̃ʒɛr] *nf* snowdrift.

congestion [kɔ̃ʒɛstjɔ̃] *nf* congestion; **c. cérébrale** *Méd* stroke. ◆**congestionn/er** *vt* to congest. ◆**—é** *a* (*visage*) flushed.

Congo [kɔ̃go] *nm* Congo. ◆**congolais, -aise** *a* & *nmf* Congolese.

congratuler [kɔ̃gratyle] *vt Iron* to congratulate.

congrégation [kɔ̃gregɑsjɔ̃] *nf* (*de prêtres etc*) congregation.

congrès [kɔ̃grɛ] *nm* congress. ◆**congressiste** *nmf* delegate (*to a congress*).

conifère [kɔnifɛr] *nm* conifer.

conique [kɔnik] *a* conic(al), cone-shaped.

conjecture [kɔ̃ʒɛktyr] *nf* conjecture. ◆**conjectural, -aux** *a* conjectural. ◆**conjecturer** *vt* to conjecture, surmise.

conjoint [kɔ̃ʒwɛ̃] **1** *a* (*problèmes, action etc*) joint. **2** *nm* spouse; *pl* husband and wife. ◆**conjointement** *adv* jointly.

conjonction [kɔ̃ʒɔ̃ksjɔ̃] *nf Gram* conjunction.

conjoncture [kɔ̃ʒɔ̃ktyr] *nf* circumstances; *Écon* economic situation. ◆**conjoncturel, -elle** *a* (*prévisions etc*) economic.

conjugal, -aux [kɔ̃ʒygal, -o] *a* conjugal.

conjuguer [kɔ̃ʒyge] *vt* (*verbe*) to conjugate; (*efforts*) to combine; **— se c.** *vpr* (*verbe*) to be conjugated. ◆**conjugaison** *nf Gram* conjugation.

conjur/er [kɔ̃ʒyre] *vt* (*danger*) to avert; (*mauvais sort*) to ward off; **c. qn** (*implorer*) to entreat s.o. (**de faire** to do). ◆**—é, -ée** *nmf* conspirator. ◆**conjuration** *nf* (*complot*) conspiracy.

connaissance [kɔnɛsɑ̃s] *nf* knowledge; (*personne*) acquaintance; *pl* (*science*) knowledge (**en** of); **faire la c. de qn, faire c. avec qn** to make s.o.'s acquaintance, meet s.o.; (*ami, époux etc*) to get to know s.o.; **à ma c.** as far as I know; **avoir c. de** to be aware of; **perdre c.** to lose consciousness, faint; **sans c.** unconscious. ◆**connaisseur** *nm* connoisseur.

connaître* [kɔnɛtr] *vt* to know; (*rencontrer*) to meet; (*un succès etc*) to have; (*un malheur etc*) to experience; **faire c.** to make known; **— se c.** *vpr* (*amis etc*) to get to know each other; **nous nous connaissons déjà** we've met before; **s'y c. à** *ou* **en qch** to know (all) about sth; **il ne se connaît plus** he's losing his cool.

connecter [kɔnɛkte] *vt Él* to connect. ◆**connexe** *a* (*matières*) allied. ◆**connexion** *nf Él* connection.

connerie [kɔnri] *nf Fam* (*bêtise*) stupidity; (*action*) stupid thing; *pl* (*paroles*) stupid nonsense.

connivence [kɔnivɑ̃s] *nf* connivance.

connotation [kɔnɔtɑsjɔ̃] *nf* connotation.

connu *voir* **connaître;** – *a* (*célèbre*) well-known.

conquér/ir* [kɔ̃kerir] *vt* (*pays, marché etc*) to conquer. ◆**—ant, -ante** *nmf* conqueror. ◆**conquête** *nf* conquest; **faire la c. de** (*pays, marché etc*) to conquer.

consacrer [kɔ̃sakre] *vt* (*temps, vie etc*) to devote (**à** to); (*église etc*) *Rel* to consecrate; (*coutume etc*) to establish, sanction, consecrate; **se c. à** to devote oneself to.

conscience [kɔ̃sjɑ̃s] *nf* **1** (*psychologique*) consciousness; **la c. de qch** the awareness *ou* consciousness of sth; **c. de soi** self-awareness; **avoir/prendre c. de** to be/become aware *ou* conscious of; **perdre c.** to lose consciousness. **2** (*morale*) conscience; **avoir mauvaise c.** to have a guilty conscience; **c. professionnelle** conscientiousness. ◆**consciemment** [kɔ̃sjamɑ̃] *adv* consciously. ◆**consciencieux, -euse** *a* conscientious. ◆**conscient** *a* conscious; **c. de** aware *ou* conscious of.

conscrit [kɔ̃skri] *nm Mil* conscript. ◆**conscription** *nf* conscription.

consécration [kɔ̃sekrɑsjɔ̃] *nf Rel* consecration; (*confirmation*) sanction, consecration.

consécuti/f, -ive [kɔ̃sekytif, -iv] *a* consecutive; **c. à** following upon. ◆**—vement** *adv* consecutively.

conseil [kɔ̃sɛj] *nm* **1 un c.** a piece of advice, some advice; **des conseils** advice; **(expert-)c.** consultant. **2** (*assemblée*) council, committee; **c. d'administration** board of directors; **C. des ministres** *Pol* Cabinet; (*réunion*) Cabinet meeting. ◆**conseiller**[1] *vt* (*guider, recommander*) to advise; **c. qch à qn** to recommend sth to s.o.; **c. à qn de faire** to advise s.o. to do. ◆**conseiller**[2]**, -ère** *nmf* (*expert*) consultant; (*d'un conseil*) councillor.

consent/ir* [kɔ̃sɑ̃tir] *vi* **c. à** to consent to; – *vt* to grant (**à** to). ◆**—ement** *nm* consent.

conséquence [kɔ̃sekɑ̃s] *nf* consequence; (*conclusion*) conclusion; **en c.** accordingly; **sans c.** (*importance*) of no importance. ◆**conséquent** *a* logical; (*important*) *Fam* important; **par c.** consequently.

conservatoire [kɔ̃sɛrvatwar] *nm* academy, school (*of music, drama*).

conserve [kɔ̃sɛrv] *nf* **conserves** tinned *ou* canned food; **de** *ou* **en c.** tinned, canned; **mettre en c.** to tin, can.

conserv/er [kɔ̃sɛrve] *vt* (*ne pas perdre*) to retain, keep; (*fruits, vie, tradition etc*) to preserve; **— se c.** *vpr* (*aliment*) to keep. ◆**—é** *a* **bien c.** (*vieillard*) well-preserved. ◆**conservateur, -trice 1** *a & nmf Pol* Conservative. **2** *nm* (*de musée*) curator; (*de bibliothèque*) (chief) librarian. **3** *nm* (*produit*) *Culin* preservative. ◆**conservation** *nf* preservation; **instinct de c.** survival instinct. ◆**conservatisme** *nm* conservatism.

considér/er [kɔ̃sidere] *vt* to consider (**que** that); **c. qn** (*faire cas de*) to respect s.o.; **c. comme** to consider to be, regard as; **tout bien considéré** all things considered. ◆**—able** *a* considerable. ◆**considération** *nf* (*motif, examen*) consideration; (*respect*) regard, esteem; *pl* (*remarques*) observations; **prendre en c.** to take into consideration.

consigne [kɔ̃siɲ] *nf* (*instruction*) orders; *Rail* left-luggage office, *Am* baggage checkroom; *Scol* detention; *Mil* confinement to barracks; (*somme*) deposit; **c. automatique** *Rail* luggage lockers, *Am* baggage lockers. ◆**consignation** *nf* (*somme*) deposit. ◆**consigner** *vt* (*écrire*) to record; (*bouteille etc*) to charge a deposit on; (*bagages*) to deposit in the left-luggage office, *Am* to check; (*élève*) *Scol* to keep in;

(*soldat*) *Mil* to confine (to barracks); (*salle*) to seal off, close.

consistant [kɔ̃sistɑ̃] *a* (*sauce, bouillie*) thick; (*argument, repas*) solid. ◆**consistance** *nf* (*de liquide*) consistency; **sans c.** (*rumeur*) unfounded; (*esprit*) irresolute.

consister [kɔ̃siste] *vi* **c. en/dans** to consist of/in; **c. à faire** to consist in doing.

consistoire [kɔ̃sistwar] *nm Rel* council.

console [kɔ̃sɔl] *nf Tech Él* console.

consoler [kɔ̃sɔle] *vt* to console, comfort (**de** for); **se c. de** (*la mort de qn etc*) to get over. ◆**consolation** *nf* consolation, comfort.

consolider [kɔ̃sɔlide] *vt* to strengthen, consolidate. ◆**consolidation** *nf* strengthening, consolidation.

consomm/er [kɔ̃sɔme] *vt* (*aliment, carburant etc*) to consume; (*crime, œuvre*) *Litt* to accomplish; – *vi* (*au café*) to drink; **c. beaucoup/peu** (*véhicule*) to be heavy/light on petrol *ou Am* gas. ◆**—é 1** *a* (*achevé*) consummate. **2** *nm* clear meat soup, consommé. ◆**consommateur, -trice** *nmf Com* consumer; (*au café*) customer. ◆**consommation** *nf* consumption; drink; **biens/société de c.** consumer goods/society.

consonance [kɔ̃sɔnɑ̃s] *nf Mus* consonance; *pl* (*sons*) sounds.

consonne [kɔ̃sɔn] *nf* consonant.

consortium [kɔ̃sɔrsjɔm] *nm Com* consortium.

consorts [kɔ̃sɔr] *nmpl* **et c.** *Péj* and people of that ilk.

conspirer [kɔ̃spire] *vi* **1** to conspire, plot (**contre** against). **2 c. à faire** (*concourir*) to conspire to do. ◆**conspirateur, -trice** *nmf* conspirator. ◆**conspiration** *nf* conspiracy.

conspuer [kɔ̃spɥe] *vt* (*orateur etc*) to boo.

constant, -ante [kɔ̃stɑ̃, -ɑ̃t] *a* constant; – *nf Math* constant. ◆**constamment** *adv* constantly. ◆**constance** *nf* constancy.

constat [kɔ̃sta] *nm* (official) report; **dresser un c. d'échec** to acknowledge one's failure.

constater [kɔ̃state] *vt* to note, observe (**que** that); (*vérifier*) to establish; (*enregistrer*) to record; **je ne fais que c.** I'm merely stating a fact. ◆**constatation** *nf* (*remarque*) observation.

constellation [kɔ̃stelɑsjɔ̃] *nf* constellation. ◆**constellé** *a* **c. de** (*étoiles, joyaux*) studded with.

consterner [kɔ̃stɛrne] *vt* to distress, dismay. ◆**consternation** *nf* distress, (profound) dismay.

constip/er [kɔ̃stipe] *vt* to constipate. ◆**—é** *a* constipated; (*gêné*) *Fam* embarrassed, stiff. ◆**constipation** *nf* constipation.

constitu/er [kɔ̃stitɥe] *vt* (*composer*) to make up, constitute; (*être, représenter*) to constitute; (*organiser*) to form; (*instituer*) *Jur* to appoint; **constitué de** made up of; **se c. prisonnier** to give oneself up. ◆**—ant** *a* (*éléments*) component, constituent; (*assemblée*) *Pol* constituent. ◆**constitutif, -ive** *a* constituent. ◆**constitution** *nf* (*santé*) & *Pol* constitution; (*fondation*) formation (**de** of); (*composition*) composition. ◆**constitutionnel, -elle** *a* constitutional.

constructeur [kɔ̃stryktœr] *nm* builder; (*fabricant*) maker (**de** of). ◆**constructif, -ive** *a* constructive. ◆**construction** *nf* (*de pont etc*) building, construction (**de** of); (*édifice*) building, structure; (*de théorie etc*) & *Gram* construction; **de c.** (*matériaux, jeu*) building-.

construire* [kɔ̃strɥir] *vt* (*maison, route etc*) to build, construct; (*phrase, théorie etc*) to construct.

consul [kɔ̃syl] *nm* consul. ◆**consulaire** *a* consular. ◆**consulat** *nm* consulate.

consulter [kɔ̃sylte] **1** *vt* to consult; **— se c.** *vpr* to consult (each other), confer. **2** *vi* (*médecin*) to hold surgery, *Am* hold office hours. ◆**consultatif, -ive** *a* consultative, advisory. ◆**consultation** *nf* consultation; **cabinet de c.** *Méd* surgery, *Am* office; **heures de c.** *Méd* surgery hours, *Am* office hours.

consumer [kɔ̃syme] *vt* (*détruire, miner*) to consume.

contact [kɔ̃takt] *nm* contact; (*toucher*) touch; *Aut* ignition; **être en c. avec** to be in touch *ou* contact with; **prendre c.** to get in touch (**avec** with); **entrer en c. avec** to come into contact with; **prise de c.** first meeting; **mettre/couper le c.** *Aut* to switch on/off the ignition. ◆**contacter** *vt* to contact.

contagieux, -euse [kɔ̃taʒjø, -øz] *a* (*maladie, rire*) contagious, infectious; **c'est c.** it's catching *ou* contagious. ◆**contagion** *nf Méd* contagion, infection; (*de rire etc*) contagiousness.

contaminer [kɔ̃tamine] *vt* to contaminate. ◆**contamination** *nf* contamination.

conte [kɔ̃t] *nm* tale; **c. de fée** fairy tale.

contempler [kɔ̃tɑ̃ple] *vt* to contemplate, gaze at. ◆**contemplatif, -ive** *a* contemplative. ◆**contemplation** *nf* contemplation.

contemporain, -aine [kɔ̃tɑ̃pɔrɛ̃, -ɛn] *a* & *nmf* contemporary.

contenance [kɔ̃tnɑ̃s] *nf* **1** (*contenu*) capacity. **2** (*allure*) bearing; **perdre c.** to lose one's composure.

conten/ir* [kɔ̃tnir] *vt* (*renfermer*) to contain; (*avoir comme capacité*) to hold; (*contrôler*) to hold back, contain; – **se c.** *vpr* to contain oneself. ◆**—ant** *nm* container. ◆**—eur** *nm* (freight) container.

content [kɔ̃tɑ̃] **1** *a* pleased, happy, glad (**de faire** to do); **c. de qn/qch** pleased *ou* happy with s.o./sth; **c. de soi** self-satisfied; **non c. d'avoir fait** not content with having done. **2** *nm* **avoir son c.** to have had one's fill (**de** of). ◆**content/er** *vt* to satisfy, please; **se c. de** to be content with, content oneself with. ◆**—ement** *nm* contentment, satisfaction.

contentieux [kɔ̃tɑ̃sjø] *nm* (*affaires*) matters in dispute; (*service*) legal *ou* claims department.

contenu [kɔ̃tny] *nm* (*de récipient*) contents; (*de texte, film etc*) content.

cont/er [kɔ̃te] *vt* (*histoire etc*) to tell, relate. ◆**—eur, -euse** *nmf* storyteller.

conteste (sans) [sɑ̃kɔ̃tɛst] *adv* indisputably.

contest/er [kɔ̃tɛste] **1** *vt* (*fait etc*) to dispute, contest. **2** *vi* (*étudiants etc*) to protest; – *vt* to protest against. ◆**—é** *a* (*théorie etc*) controversial. ◆**—able** *a* debatable. ◆**contestataire** *a* **étudiant/ouvrier c.** student/worker protester; – *nmf* protester. ◆**contestation** *nf* (*discussion*) dispute; **faire de la c.** to protest (against the establishment).

contexte [kɔ̃tɛkst] *nm* context.

contigu, -uë [kɔ̃tigy] *a* **c. (à)** (*maisons etc*) adjoining. ◆**contiguïté** *nf* close proximity.

continent [kɔ̃tinɑ̃] *nm* continent; (*opposé à une île*) mainland. ◆**continental, -aux** *a* continental.

contingent [kɔ̃tɛ̃ʒɑ̃] **1** *a* (*accidentel*) contingent. **2** *nm Mil* contingent; (*part, quota*) quota. ◆**contingences** *nfpl* contingencies.

continu [kɔ̃tiny] *a* continuous. ◆**continuel, -elle** *a* continual, unceasing. ◆**continuellement** *adv* continually.

continuer [kɔ̃tinɥe] *vt* to continue, carry on (**à** *ou* **de faire** doing); (*prolonger*) to continue; – *vi* to continue, go on. ◆**continuation** *nf* continuation; **bonne c.!** *Fam* I hope the rest of it goes well, keep up the good work! ◆**continuité** *nf* continuity.

contondant [kɔ̃tɔ̃dɑ̃] *a* **instrument c.** *Jur* blunt instrument.

contorsion [kɔ̃tɔrsjɔ̃] *nf* contortion. ◆**se contorsionner** *vpr* to contort oneself. ◆**contorsionniste** *nmf* contortionist.

contour [kɔ̃tur] *nm* outline, contour; *pl* (*de route, rivière*) twists, bends. ◆**contourn/er** *vt* (*colline etc*) to go round, skirt; (*difficulté, loi*) to get round. ◆**—é** *a* (*style*) convoluted, tortuous.

contraception [kɔ̃trasɛpsjɔ̃] *nf* contraception. ◆**contraceptif, -ive** *a & nm* contraceptive.

contract/er [kɔ̃trakte] *vt* (*muscle, habitude, dette etc*) to contract; – **se c.** *vpr* (*cœur etc*) to contract. ◆**—é** *a* (*inquiet*) tense. ◆**contraction** *nf* contraction.

contractuel, -elle [kɔ̃traktɥɛl] **1** *nmf* traffic warden; – *nf Am* meter maid. **2** *a* contractual.

contradicteur [kɔ̃tradiktœr] *nm* contradictor. ◆**contradiction** *nf* contradiction. ◆**contradictoire** *a* (*propos etc*) contradictory; (*rapports, théories*) conflicting; **débat c.** debate.

contraindre* [kɔ̃trɛ̃dr] *vt* to compel, force (**à faire** to do); – **se c.** *vpr* to compel *ou* force oneself; (*se gêner*) to restrain oneself. ◆**contraignant** *a* constraining, restricting. ◆**contraint** *a* (*air etc*) forced, constrained. ◆**contrainte** *nf* compulsion, constraint; (*gêne*) constraint, restraint.

contraire [kɔ̃trɛr] *a* opposite; (*défavorable*) contrary; **c. à** contrary to; – *nm* opposite; **(bien) au c.** on the contrary. ◆**—ment** *adv* **c. à** contrary to.

contrari/er [kɔ̃trarje] *vt* (*projet, action*) to thwart; (*personne*) to annoy. ◆**—ant** *a* (*action etc*) annoying; (*personne*) difficult, perverse. ◆**contrariété** *nf* annoyance.

contraste [kɔ̃trast] *nm* contrast. ◆**contraster** *vi* to contrast (**avec** with); **faire c.** (*mettre en contraste*) to contrast.

contrat [kɔ̃tra] *nm* contract.

contravention [kɔ̃travɑ̃sjɔ̃] *nf* (*amende*) *Aut* fine; (*pour stationnement interdit*) (parking) ticket; **en c.** contravening the law; **en c. à** in contravention of.

contre [kɔ̃tr] **1** *prép & adv* against; (*en échange de*) (in exchange) for; **échanger c.** to exchange for; **fâché c.** angry with; **s'abriter c.** to shelter from; **il va s'appuyer c.** he's going to lean against it; **six voix c. deux** six votes to two; **Nîmes c. Arras** *Sp* Nîmes versus Arras; **un médicament c.** (*toux, grippe etc*) a medicine for; **par c.** on the other hand; **tout c.** close to *ou* by. **2** *nm* (*riposte*) *Sp* counter.

contre- [kɔ̃tr] *préf* counter-.

contre-attaque [kɔ̃tratak] *nf* counterattack. ◆**contre-attaquer** *vt* to counterattack.
contrebalancer [kɔ̃trəbalɑ̃se] *vt* to counterbalance.
contrebande [kɔ̃trəbɑ̃d] *nf* (*fraude*) smuggling, contraband; (*marchandise*) contraband; **de c.** (*tabac etc*) contraband, smuggled; **faire de la c.** to smuggle; **passer qch en c.** to smuggle sth. ◆**contrebandier, -ière** *nmf* smuggler.
contrebas (en) [ɑ̃kɔ̃trəbɑ] *adv & prép* **en c. (de)** down below.
contrebasse [kɔ̃trəbɑs] *nf Mus* double-bass.
contrecarrer [kɔ̃trəkare] *vt* to thwart, frustrate.
contrecœur (à) [akɔ̃trəkœr] *adv* reluctantly.
contrecoup [kɔ̃trəku] *nm* (indirect) effect *ou* consequence; **par c.** as an indirect consequence.
contre-courant (à) [akɔ̃trəkurɑ̃] *adv* against the current.
contredanse [kɔ̃trədɑ̃s] *nf* (*amende*) *Aut Fam* ticket.
contredire* [kɔ̃trədir] *vt* to contradict; — **se c.** *vpr* to contradict oneself.
contrée [kɔ̃tre] *nf* region, land.
contre-espionnage [kɔ̃trɛspjɔnaʒ] *nm* counterespionage.
contrefaçon [kɔ̃trəfasɔ̃] *nf* counterfeiting, forgery; (*objet imité*) counterfeit, forgery. ◆**contrefaire** *vt* (*parodier*) to mimic; (*déguiser*) to disguise; (*monnaie etc*) to counterfeit, forge.
contreforts [kɔ̃trəfɔr] *nmpl Géog* foothills.
contre-indiqué [kɔ̃trɛ̃dike] *a* (*médicament*) dangerous, not recommended.
contre-jour (à) [akɔ̃trəʒur] *adv* against the (sun)light.
contremaître [kɔ̃trəmɛtr] *nm* foreman.
contre-offensive [kɔ̃trɔfɑ̃siv] *nf* counteroffensive.
contrepartie [kɔ̃trəparti] *nf* compensation; **en c.** in exchange.
contre-performance [kɔ̃trəpɛrfɔrmɑ̃s] *nf Sp* bad performance.
contre-pied [kɔ̃trəpje] *nm* **le c.-pied d'une opinion/attitude** the (exact) opposite view/attitude; **à c.-pied** *Sp* on the wrong foot.
contre-plaqué [kɔ̃trəplake] *nm* plywood.
contrepoids [kɔ̃trəpwa] *nm Tech & Fig* counterbalance; **faire c. (à)** to counterbalance.
contrepoint [kɔ̃trəpwɛ̃] *nm Mus* counterpoint.
contrer [kɔ̃tre] *vt* (*personne, attaque*) to counter.
contre-révolution [kɔ̃trərevɔlysjɔ̃] *nf* counter-revolution.
contresens [kɔ̃trəsɑ̃s] *nm* misinterpretation; (*en traduisant*) mistranslation; (*non-sens*) absurdity; **à c.** the wrong way.
contresigner [kɔ̃trəsiɲe] *vt* to countersign.
contretemps [kɔ̃trətɑ̃] *nm* hitch, mishap; **à c.** (*arriver etc*) at the wrong moment.
contre-torpilleur [kɔ̃trətɔrpijœr] *nm* (*navire*) destroyer, torpedo boat.
contrevenir [kɔ̃trəvnir] *vi* **c. à** (*loi etc*) to contravene.
contre-vérité [kɔ̃trəverite] *nf* untruth.
contribu/er [kɔ̃tribɥe] *vi* to contribute (**à** to). ◆**—able** *nmf* taxpayer. ◆**contribution** *nf* contribution; (*impôt*) tax; *pl* (*administration*) tax office; **mettre qn à c.** to use s.o.'s services.
contrit [kɔ̃tri] *a* (*air etc*) contrite. ◆**contrition** *nf* contrition.
contrôle [kɔ̃trol] *nm* (*vérification*) inspection, check(ing) (**de** of); (*des prix, de la qualité*) control; (*maîtrise*) control; (*sur bijou*) hallmark; **un c.** (*examen*) a check (**sur** on); **le c. de soi(-même)** self-control; **le c. des naissances** birth control; **un c. d'identité** an identity check. ◆**contrôl/er** *vt* (*examiner*) to inspect, check; (*maîtriser, surveiller*) to control; — **se c.** *vpr* (*se maîtriser*) to control oneself. ◆**—eur, -euse** *nmf* (*de train*) (ticket) inspector; (*au quai*) ticket collector; (*de bus*) conductor, conductress.
contrordre [kɔ̃trɔrdr] *nm* change of orders.
controverse [kɔ̃trɔvɛrs] *nf* controversy. ◆**controversé** *a* controversial.
contumace (par) [parkɔ̃tymas] *adv Jur* in one's absence, in absentia.
contusion [kɔ̃tyzjɔ̃] *nf* bruise. ◆**contusionner** *vt* to bruise.
convainc/re* [kɔ̃vɛ̃kr] *vt* to convince (**de** of); (*accusé*) to prove guilty (**de** of); **c. qn de faire** to persuade s.o. to do. ◆**—ant** *a* convincing. ◆**—u** *a* (*certain*) convinced (**de** of).
convalescent, -ente [kɔ̃valesɑ̃, -ɑ̃t] *nmf* convalescent; – *a* **être c.** to convalesce. ◆**convalescence** *nf* convalescence; **être en c.** to convalesce; **maison de c.** convalescent home.
conven/ir [kɔ̃vnir] *vi* **c. à** (*être approprié à*) to be suitable for; (*plaire à, aller à*) to suit; **ça convient** (*date etc*) that's suitable; **c. de** (*lieu etc*) to agree upon; (*erreur*) to admit; **c. que** to admit that; **il convient de** it's

advisable to; (*selon les usages*) it is proper *ou* fitting to. ◆**—u** *a* (*prix etc*) agreed. ◆**—able** *a* (*approprié, acceptable*) suitable; (*correct*) decent, proper. ◆**—ablement** *adv* suitably; decently. ◆**convenance** *nf* **convenances** (*usages*) convention(s), proprieties; **à sa c.** to one's satisfaction *ou* taste.

convention [kɔ̃vɑ̃sjɔ̃] *nf* (*accord*) agreement, convention; (*règle*) & *Am Pol* convention; **c. collective** collective bargaining; **de c.** (*sentiment etc*) conventional. ◆**conventionné** *a* (*prix, tarif*) regulated (by voluntary agreement); **médecin c.** = National Health Service doctor (*bound by agreement with the State*). ◆**conventionnel, -elle** *a* conventional.

convergent [kɔ̃vɛrʒɑ̃] *a* converging, convergent. ◆**convergence** *nf* convergence. ◆**converger** *vi* to converge.

converser [kɔ̃vɛrse] *vi* to converse. ◆**conversation** *nf* conversation.

conversion [kɔ̃vɛrsjɔ̃] *nf* conversion. ◆**convert/ir** *vt* to convert (**à** to, **en** into); **— se c.** *vpr* to be converted, convert. ◆**—i, -ie** *nmf* convert. ◆**convertible** *a* convertible; – *nm* **(canapé) c.** bed settee.

convexe [kɔ̃vɛks] *a* convex.

conviction [kɔ̃viksjɔ̃] *nf* (*certitude, croyance*) conviction; **pièce à c.** *Jur* exhibit.

convier [kɔ̃vje] *vt* to invite (**à une soirée**/*etc* to a party/*etc*, **à faire** to do).

convive [kɔ̃viv] *nmf* guest (*at table*).

convoi [kɔ̃vwa] *nm* (*véhicules, personnes etc*) convoy; *Rail* train; **c. (funèbre)** funeral procession. ◆**convoy/er** *vt* to escort. ◆**—eur** *nm Nau* escort ship; **c. de fonds** security guard.

convoiter [kɔ̃vwate] *vt* to desire, envy, covet. ◆**convoitise** *nf* desire, envy.

convoquer [kɔ̃vɔke] *vt* (*candidats, membres etc*) to summon *ou* invite (to attend); (*assemblée*) to convene, summon; **c. à** to summon *ou* invite to. ◆**convocation** *nf* (*action*) summoning; convening; (*ordre*) summons (to attend); (*lettre*) (written) notice (to attend).

convulser [kɔ̃vylse] *vt* to convulse. ◆**convulsif, -ive** *a* convulsive. ◆**convulsion** *nf* convulsion.

coopérer [kɔɔpere] *vi* to co-operate (**à** in, **avec** with). ◆**coopératif, -ive** *a* co-operative; – *nf* co-operative (society). ◆**coopération** *nf* co-operation.

coopter [kɔɔpte] *vt* to co-opt.

coordonn/er [kɔɔrdɔne] *vt* to co-ordinate. ◆**—ées** *nfpl Math* co-ordinates; (*adresse, téléphone*) *Fam* particulars, details. ◆**coordination** *nf* co-ordination.

copain [kɔpɛ̃] *nm Fam* (*camarade*) pal; (*petit ami*) boyfriend; **être c. avec** to be pals with.

copeau, -x [kɔpo] *nm* (*de bois*) shaving.

copie [kɔpi] *nf* copy; (*devoir, examen*) *Scol* paper. ◆**copier** *vti* to copy; *Scol* to copy, crib (**sur** from). ◆**copieur, -euse** *nmf* (*élève etc*) copycat, copier.

copieux, -euse [kɔpjø, -øz] *a* copious, plentiful.

copilote [kɔpilɔt] *nm* co-pilot.

copine [kɔpin] *nf Fam* (*camarade*) pal; (*petite amie*) girlfriend; **être c. avec** to be pals with.

copropriété [kɔprɔprijete] *nf* joint ownership; **(immeuble en) c.** block of flats in joint ownership, *Am* condominium.

copulation [kɔpylasjɔ̃] *nf* copulation.

coq [kɔk] *nm* cock, rooster; **c. au vin** coq au vin (*chicken cooked in wine*); **passer du c. à l'âne** to jump from one subject to another.

coque [kɔk] *nf* **1** (*de noix*) shell; (*mollusque*) cockle; **œuf à la c.** boiled egg. **2** *Nau* hull.

coquelicot [kɔkliko] *nm* poppy.

coqueluche [kɔklyʃ] *nf Méd* whooping-cough; **la c. de** *Fig* the darling of.

coquet, -ette [kɔkɛ, -ɛt] *a* (*chic*) smart; (*joli*) pretty; (*provocant*) coquettish, flirtatious; (*somme*) *Fam* tidy; – *nf* coquette, flirt. ◆**coquetterie** *nf* (*élégance*) smartness; (*goût de la toilette*) dress sense; (*galanterie*) coquetry.

coquetier [kɔktje] *nm* egg cup.

coquille [kɔkij] *nf* shell; *Typ* misprint; **c. Saint-Jacques** scallop. ◆**coquillage** *nm* (*mollusque*) shellfish; (*coquille*) shell.

coquin, -ine [kɔkɛ̃, -in] *nmf* rascal; – *a* mischievous, rascally; (*histoire etc*) naughty.

cor [kɔr] *nm Mus* horn; **c. (au pied)** corn; **réclamer** *ou* **demander à c. et à cri** to clamour for.

corail, -aux [kɔraj, -o] *nm* coral.

Coran [kɔrɑ̃] *nm* **le C.** the Koran.

corbeau, -x [kɔrbo] *nm* crow; **(grand) c.** raven.

corbeille [kɔrbɛj] *nf* basket; **c. à papier** waste paper basket.

corbillard [kɔrbijar] *nm* hearse.

corde [kɔrd] *nf* rope; (*plus mince*) (fine) cord; (*de raquette, violon etc*) string; **c. (raide)** (*d'acrobate*) tightrope; **instrument à cordes** *Mus* string(ed) instrument; **c. à linge** (washing *ou* clothes) line; **c. à sauter** skipping rope, *Am* jump rope; **usé jusqu'à**

la c. threadbare; **cordes vocales** vocal cords; **prendre un virage à la c.** *Aut* to hug a bend; **pas dans mes cordes** *Fam* not my line. ◆**cordage** *nm Nau* rope. ◆**cordée** *nf* roped (climbing) party. ◆**cordelette** *nf* (fine) cord. ◆**corder** *vt* (*raquette*) to string. ◆**cordon** *nm* (*de tablier, sac etc*) string; (*de soulier*) lace; (*de rideau*) cord, rope; (*d'agents de police*) cordon; (*décoration*) ribbon, sash; (*ombilical*) *Anat* cord. ◆**c.-bleu** *nm* (*pl* **cordons-bleus**) cordon bleu (cook), first-class cook.

cordial, -aux [kɔrdjal, -o] *a* cordial, warm; – *nm Méd* cordial. ◆**cordialité** *nf* cordiality.

cordonnier [kɔrdɔnje] *nm* shoe repairer, cobbler. ◆**cordonnerie** *nf* shoe repairer's shop.

Corée [kɔre] *nf* Korea. ◆**coréen, -enne** *a* & *nmf* Korean.

coriace [kɔrjas] *a* (*aliment, personne*) tough.

corne [kɔrn] *nf* (*de chèvre etc*) horn; (*de cerf*) antler; (*matière, instrument*) horn; (*angle, pli*) corner.

cornée [kɔrne] *nf Anat* cornea.

corneille [kɔrnɛj] *nf* crow.

cornemuse [kɔrnəmyz] *nf* bagpipes.

corner [kɔrne] **1** *vt* (*page*) to turn down the corner of, dog-ear. **2** *vi* (*véhicule*) to sound its horn. **3** [kɔrnɛr] *nm Fb* corner.

cornet [kɔrnɛ] *nm* **1 c. (à pistons)** *Mus* cornet. **2** (*de glace*) cornet, cone; **c. (de papier)** (paper) cone.

corniaud [kɔrnjo] *nm* (*chien*) mongrel; (*imbécile*) *Fam* drip, twit.

corniche [kɔrniʃ] *nf Archit* cornice; (*route*) cliff road.

cornichon [kɔrniʃɔ̃] *nm* (*concombre*) gherkin; (*niais*) *Fam* clot, twit.

cornu [kɔrny] *a* (*diable etc*) horned.

corollaire [kɔrɔlɛr] *nm* corollary.

corporation [kɔrpɔrɑsjɔ̃] *nf* trade association, professional body.

corps [kɔr] *nm Anat Ch Fig etc* body; *Mil Pol* corps; **c. électoral** electorate; **c. enseignant** teaching profession; **c. d'armée** army corps; **garde du c.** bodyguard; **un c. de bâtiment** a main building; **c. et âme** body and soul; **lutter c. à c.** to fight hand-to-hand; **à son c. défendant** under protest; **prendre c.** (*projet*) to take shape; **donner c. à** (*rumeur, idée*) to give substance to; **faire c. avec** to form a part of, belong with; **perdu c. et biens** *Nau* lost with all hands; **esprit de c.** corporate spirit. ◆**corporel, -elle** *a* bodily; (*châtiment*) corporal.

corpulent [kɔrpylɑ̃] *a* stout, corpulent. ◆**corpulence** *nf* stoutness, corpulence.

corpus [kɔrpys] *nm Ling* corpus.

correct [kɔrɛkt] *a* (*exact*) correct; (*bienséant, honnête*) proper, correct; (*passable*) adequate. ◆**—ement** *adv* correctly; properly; adequately. ◆**correcteur, -trice 1** *a* (*verres*) corrective. **2** *nmf Scol* examiner; *Typ* proofreader. ◆**correctif, -ive** *a* & *nm* corrective.

correction [kɔrɛksjɔ̃] *nf* (*rectification etc*) correction; (*punition*) thrashing; (*exactitude, bienséance*) correctness; **la c. de** (*devoirs, examen*) the marking of; **c. d'épreuves** *Typ* proofreading. ◆**correctionnel, -elle** *a* **tribunal c.**, – *nf* magistrates' court, *Am* police court.

corrélation [kɔrelɑsjɔ̃] *nf* correlation.

correspond/re [kɔrɛspɔ̃dr] **1** *vi* (*s'accorder*) to correspond (**à** to, with); (*chambres etc*) to communicate; **c. avec** *Rail* to connect with; **— se c.** *vpr* (*idées etc*) to correspond; (*chambres etc*) to communicate. **2** *vi* (*écrire*) to correspond (**avec** with). ◆**—ant, -ante** *a* corresponding; – *nmf* correspondent; (*d'un élève, d'un adolescent*) pen friend; *Tél* caller. ◆**correspondance** *nf* correspondence; (*de train, d'autocar*) connection, *Am* transfer.

corrida [kɔrida] *nf* bullfight.

corridor [kɔridɔr] *nm* corridor.

corrig/er [kɔriʒe] *vt* (*texte, injustice etc*) to correct; (*épreuve*) *Typ* to read; (*devoir*) *Scol* to mark, correct; (*châtier*) to beat, punish; **c. qn de** (*défaut*) to cure s.o. of; **se c. de** to cure oneself of. ◆**—é** *nm Scol* model (answer), correct version, key.

corroborer [kɔrɔbɔre] *vt* to corroborate.

corroder [kɔrɔde] *vt* to corrode. ◆**corrosif, -ive** *a* corrosive. ◆**corrosion** *nf* corrosion.

corromp/re* [kɔrɔ̃pr] *vt* to corrupt; (*soudoyer*) to bribe; (*aliment, eau*) to taint. ◆**—u** *a* corrupt; (*altéré*) tainted. ◆**corruption** *nf* (*dépravation*) corruption; (*de juge etc*) bribery.

corsage [kɔrsaʒ] *nm* (*chemisier*) blouse; (*de robe*) bodice.

corsaire [kɔrsɛr] *nm* (*marin*) *Hist* privateer.

Corse [kɔrs] *nf* Corsica. ◆**corse** *a* & *nmf* Corsican.

cors/er [kɔrse] *vt* (*récit, action*) to heighten; **l'affaire se corse** things are hotting up. ◆**—é** *a* (*vin*) full-bodied; (*café*) strong; (*sauce, histoire*) spicy; (*problème*) tough; (*addition de restaurant*) steep.

corset [kɔrsɛ] *nm* corset.

cortège [kɔrtɛʒ] *nm* (*défilé*) procession; (*suite*) retinue; **c. officiel** (*automobiles*) motorcade.
corvée [kɔrve] *nf* chore, drudgery; *Mil* fatigue (duty).
cosaque [kɔzak] *nm* Cossack.
cosmopolite [kɔsmɔpɔlit] *a* cosmopolitan.
cosmos [kɔsmɔs] *nm* (*univers*) cosmos; (*espace*) outer space. ◆**cosmique** *a* cosmic. ◆**cosmonaute** *nmf* cosmonaut.
cosse [kɔs] *nf* (*de pois etc*) pod.
cossu [kɔsy] *a* (*personne*) well-to-do; (*maison etc*) opulent.
costaud [kɔsto] *a Fam* brawny, beefy; – *nm Fam* strong man.
costume [kɔstym] *nm* (*pièces d'habillement*) costume, dress; (*complet*) suit. ◆**costum/er** *vt* **c. qn** to dress s.o. up (**en** as). ◆**—é** *a* **bal c.** fancy-dress ball.
cote [kɔt] *nf* (*marque de classement*) mark, letter, number; (*tableau des valeurs*) (official) listing; (*des valeurs boursières*) quotation; (*évaluation, popularité*) rating; (*de cheval*) odds (**de** on); **c. d'alerte** danger level.
côte [kot] *nf* **1** *Anat* rib; (*de mouton*) chop; (*de veau*) cutlet; **à côtes** (*étoffe*) ribbed; **c. à c.** side by side; **se tenir les côtes** to split one's sides (laughing). **2** (*montée*) hill; (*versant*) hillside. **3** (*littoral*) coast.
côté [kote] *nm* side; (*direction*) way; **de l'autre c.** on the other side (**de** of); (*direction*) the other way; **de ce c.** (*passer*) this way; **du c. de** (*vers, près de*) towards; **de c.** (*se jeter, mettre de l'argent etc*) to one side; (*regarder*) sideways, to one side; **à c.** close by, nearby; (*pièce*) in the other room; (*maison*) next door; **la maison (d')à c.** the house next door; **à c. de** next to, beside; (*comparaison*) compared to; **passer à c.** (*balle*) to fall wide (**de** of); **venir de tous côtés** to come from all directions; **d'un c.** on the one hand; **de mon c.** for my part; **à mes côtés** by my side; **laisser de c.** (*travail*) to neglect; **(du) c. argent**/*etc Fam* as regards money/*etc*, moneywise/*etc*; **le bon c.** (*d'une affaire*) the bright side (**de** of).
coteau, -x [kɔto] *nm* (small) hill; (*versant*) hillside.
côtelé [kotle] *a* (*étoffe*) ribbed; **velours c.** cord(uroy).
côtelette [kotlɛt] *nf* (*d'agneau, de porc*) chop; (*de veau*) cutlet.
cot/er [kɔte] *vt* (*valeur boursière*) to quote. ◆**—é** *a* **bien c.** highly rated.
coterie [kɔtri] *nf Péj* set, clique.
côtier, -ière [kotje, -jɛr] *a* coastal; (*pêche*) inshore.
cotiser [kɔtize] *vi* to contribute (**à** to, **pour** towards); **c. (à)** (*club*) to subscribe (to); – **se c.** *vpr* to club together (**pour acheter** to buy). ◆**cotisation** *nf* (*de club*) dues, subscription; (*de pension etc*) contribution(s).
coton [kɔtɔ̃] *nm* cotton; **c. (hydrophile)** cottonwool, *Am* (absorbent) cotton. ◆**cotonnade** *nf* cotton (fabric). ◆**cotonnier, -ière** *a* (*industrie*) cotton-.
côtoyer [kotwaje] *vt* (*route, rivière*) to run along, skirt; (*la misère, la folie etc*) *Fig* to be *ou* come close to; **c. qn** (*fréquenter*) to rub shoulders with s.o.
cotte [kɔt] *nf* (*de travail*) overalls.
cou [ku] *nm* neck; **sauter au c. de qn** to throw one's arms around s.o.; **jusqu'au c.** *Fig* up to one's eyes *ou* ears.
couche [kuʃ] *nf* **1** (*épaisseur*) layer; (*de peinture*) coat; *Géol* stratum; **couches sociales** social strata. **2** (*linge de bébé*) nappy, *Am* diaper. **3 faire une fausse c.** *Méd* to have a miscarriage; **les couches** *Méd* confinement.
couch/er [kuʃe] *vt* to put to bed; (*héberger*) to put up; (*allonger*) to lay (down *ou* out); (*blé*) to flatten; **c. (par écrit)** to put down (in writing); **c. qn en joue** to aim at s.o.; – *vi* to sleep (**avec** with); **– se c.** *vpr* to go to bed; (*s'allonger*) to lie flat *ou* down; (*soleil*) to set, go down; – *nm* (*moment*) bedtime; **c. de soleil** sunset. ◆**—ant** *a* (*soleil*) setting; – *nm* (*aspect*) sunset; **le c.** (*ouest*) west. ◆**—é** *a* **être c.** to be in bed; (*étendu*) to be lying (down). ◆**—age** *nm* sleeping (situation); (*matériel*) bedding; **sac de c.** sleeping bag. ◆**couchette** *nf Rail* sleeping berth, couchette; *Nau* bunk.
couci-couça [kusikusa] *adv Fam* so-so.
coucou [kuku] *nm* (*oiseau*) cuckoo; (*pendule*) cuckoo clock; *Bot* cowslip.
coude [kud] *nm* elbow; (*de chemin, rivière*) bend; **se serrer** *ou* **se tenir les coudes** to help one another, stick together; **c. à c.** side by side; **coup de c.** poke *ou* dig (with one's elbow), nudge; **pousser du c.** to nudge. ◆**coudoyer** *vt* to rub shoulders with.
cou-de-pied [kudpje] *nm* (*pl* **cous-de-pied**) instep.
coudre* [kudr] *vti* to sew.
couenne [kwan] *nf* (pork) crackling.
couette [kwɛt] *nf* (*édredon*) duvet, continental quilt.
couffin [kufɛ̃] *nm* (*de bébé*) Moses basket, *Am* bassinet.

couic! [kwik] *int* eek!, squeak! ◆**couiner** *vi Fam* to squeal; (*pleurer*) to whine.

couillon [kujɔ̃] *nm* (*idiot*) *Arg* drip, cretin.

coul/er[1] [kule] *vi* (*eau etc*) to flow; (*robinet, nez, sueur*) to run; (*fuir*) to leak; **c. de source** *Fig* to follow naturally; **faire c. le sang** to cause bloodshed; – *vt* (*métal, statue*) to cast; (*vie*) *Fig* to pass, lead; (*glisser*) to slip; **se c. dans** (*passer*) to slip into; **se la c. douce** to have things easy. ◆**—ant** *a* (*style*) flowing; (*caractère*) easygoing. ◆**—ée** *nf* (*de métal*) casting; **c. de lave** lava flow. ◆**—age** *nm* (*de métal, statue*) casting; (*gaspillage*) *Fam* wastage.

couler[2] [kule] *vi* (*bateau, nageur*) to sink; **c. à pic** to sink to the bottom; – *vt* to sink; (*discréditer*) *Fig* to discredit.

couleur [kulœr] *nf* colour; (*colorant*) paint; *Cartes* suit; *pl* (*teint, carnation*) colour; **c. chair** flesh-coloured; **de c.** (*homme, habit etc*) coloured; **en couleurs** (*photo, télévision*) colour-; **téléviseur c.** colour TV set; **haut en c.** colourful; **sous c. de faire** while pretending to do.

couleuvre [kulœvr] *nf* (grass) snake.

coulisse [kulis] *nf* **1** (*de porte*) runner; **à c.** (*porte etc*) sliding. **2 dans les coulisses** *Th* in the wings, backstage; **dans la c.** (*caché*) *Fig* behind the scenes. ◆**coulissant** *a* (*porte etc*) sliding.

couloir [kulwar] *nm* corridor; (*de circulation*) & *Sp* lane; (*dans un bus*) gangway.

coup [ku] *nm* blow, knock; (*léger*) tap, touch; (*choc moral*) blow; (*de fusil etc*) shot; (*de crayon, d'horloge*) & *Sp* stroke; (*aux échecs etc*) move; (*fois*) *Fam* time; **donner des coups à** to hit; **c. de brosse** brush(-up); **c. de chiffon** wipe (with a rag); **c. de sonnette** ring (on a bell); **c. de dents** bite; **c. de chance** stroke of luck; **c. d'État** coup; **c. dur** *Fam* nasty blow; **sale c.** dirty trick; **mauvais c.** piece of mischief; **c. franc** *Fb* free kick; **tenter le c.** *Fam* to have a go *ou* try; **réussir son c.** to bring it off; **faire les quatre cents coups** to get into all kinds of mischief; **tenir le c.** to hold out; **avoir/attraper le c.** to have/get the knack; **sous le c. de** (*émotion etc*) under the influence of; **il est dans le c.** *Fam* he's in the know; **après c.** after the event, afterwards; **sur le c. de midi** on the stroke of twelve; **sur le c.** (*alors*) at the time; **tué sur le c.** killed outright; **à c. sûr** for sure; **c. sur c.** (*à la suite*) one after the other, in quick succession; **tout à c., tout d'un c.** suddenly; **à tout c.** at every go; **d'un seul c.** in one go; **du premier c.** *Fam* (at the) first go; **du c.** suddenly; (*de ce fait*) as a result; **pour le c.** this time. ◆**c.-de-poing** *nm* (*pl* **coups-de-poing**) **c.-de-poing (américain)** knuckle-duster.

coupable [kupabl] *a* guilty (**de** of); (*plaisir, désir*) sinful; **déclarer c.** *Jur* to convict; – *nmf* guilty person, culprit.

coupe [kup] *nf* **1** *Sp* cup; (*à fruits*) dish; (*à boire*) goblet, glass. **2** (*de vêtement etc*) cut; *Géom* section; **c. de cheveux** haircut. ◆**coup/er** *vt* to cut; (*arbre*) to cut down; (*vivres etc*) & *Tél* to cut off; (*courant etc*) to switch off; (*voyage*) to break (off); (*faim, souffle etc*) to take away; (*vin*) to water down; (*morceler*) to cut up; (*croiser*) to cut across; **c. la parole à** to cut short; – *vi* to cut; **c. à** (*corvée*) *Fam* to get out of; **ne coupez pas!** *Tél* hold the line!; **— se c.** *vpr* (*routes*) to intersect; (*se trahir*) to give oneself away; **se c. au doigt** to cut one's finger. ◆**—ant** *a* sharp; – *nm* (cutting) edge. ◆**—é** *nm Aut* coupé.

coupe-circuit [kupsirkɥi] *nm inv Él* cutout, circuit breaker. ◆**c.-file** *nm inv* (*carte*) official pass. ◆**c.-gorge** *nm inv* cut-throat alley. ◆**c.-ongles** *nm inv* (finger nail) clippers. ◆**c.-papier** *nm inv* paper knife.

couperet [kuprɛ] *nm* (meat) chopper; (*de guillotine*) blade.

couperosé [kuproze] *a* (*visage*) blotchy.

couple [kupl] *nm* pair, couple. ◆**coupler** *vt* to couple, connect.

couplet [kuplɛ] *nm* verse.

coupole [kupɔl] *nf* dome.

coupon [kupɔ̃] *nm* (*tissu*) remnant, oddment; (*pour la confection d'un vêtement*) length; (*ticket, titre*) coupon; **c. réponse** reply coupon.

coupure [kupyr] *nf* cut; (*de journal*) cutting, *Am* clipping; (*billet*) banknote.

cour [kur] *nf* **1** court(yard); (*de gare*) forecourt; **c. (de récréation)** *Scol* playground. **2** (*de roi*) & *Jur* court. **3** (*de femme, d'homme*) courtship; **faire la c. à qn** to court s.o., woo s.o.

courage [kuraʒ] *nm* courage; (*zèle*) spirit; **perdre c.** to lose heart *ou* courage; **s'armer de c.** to pluck up courage; **bon c.!** keep your chin up! ◆**courageux, -euse** *a* courageous; (*énergique*) spirited.

couramment [kuramɑ̃] *adv* (*parler*) fluently; (*souvent*) frequently.

courant [kurɑ̃] **1** *a* (*fréquent*) common; (*compte, année, langage*) current; (*eau*) running; (*modèle, taille*) standard; (*affaires*) routine; **le dix/***etc* **c.** *Com* the tenth/*etc* inst(ant). **2** *nm* (*de l'eau, élec-*

trique) current; **c. d'air** draught; **coupure de c.** *Él* power cut; **dans le c. de** (*mois etc*) during the course of; **être/mettre au c.** to know/tell (**de** about); **au c.** (*à jour*) up to date.

courbature [kurbatyr] *nf* (muscular) ache. **◆courbaturé** *a* aching (all over).

courbe [kurb] *a* curved; – *nf* curve. **◆courber** *vti* to bend; **– se c.** *vpr* to bend (over).

courge [kurʒ] *nf* marrow, *Am* squash. **◆courgette** *nf* courgette, *Am* zucchini.

cour/ir* [kurir] *vi* to run; (*se hâter*) to rush; (*à bicyclette, en auto*) to race; **en courant** (*vite*) in a rush; **le bruit court que...** there's a rumour going around that...; **faire c.** (*nouvelle*) to spread; **il court encore** (*voleur*) he's still at large; – *vt* (*risque*) to run; (*épreuve sportive*) to run (in); (*danger*) to face, court; (*rues, monde*) to roam; (*magasins, cafés*) to go round; (*filles*) to run after. **◆—eur** *nm Sp etc* runner; (*cycliste*) cyclist; *Aut* racing driver; (*galant*) *Péj* womanizer.

couronne [kurɔn] *nf* (*de roi, dent*) crown; (*funéraire*) wreath. **◆couronn/er** *vt* to crown; (*auteur, ouvrage*) to award a prize to. **◆—é** *a* (*tête*) crowned; (*ouvrage*) prize-. **◆—ement** *nm* (*sacre*) coronation; *Fig* crowning achievement.

courrier [kurje] *nm* post, mail; (*transport*) postal *ou* mail service; (*article*) *Journ* column; **par retour du c.** by return of post, *Am* by return mail.

courroie [kurwa] *nf* (*attache*) strap; (*de transmission*) *Tech* belt.

courroux [kuru] *nm Litt* wrath.

cours [kur] *nm* **1** (*de maladie, rivière, astre, pensées etc*) course; (*cote*) rate, price; **c. d'eau** river, stream; **suivre son c.** (*déroulement*) to follow its course; **avoir c.** (*monnaie*) to be legal tender; (*théorie*) to be current; **en c.** (*travail*) in progress; (*année*) current; (*affaires*) outstanding; **en c. de route** on the way; **au c. de** during; **donner libre c. à** to give free rein to. **2** (*leçon*) class; (*série de leçons*) course; (*conférence*) lecture; (*établissement*) school; (*manuel*) textbook; **c. magistral** lecture. **3** (*allée*) avenue.

course [kurs] *nf* **1** (*action*) run(ning); (*épreuve de vitesse*) & *Fig* race; (*trajet*) journey, run; (*excursion*) hike; (*de projectile etc*) path, flight; *pl* (*de chevaux*) races; **il n'est plus dans la c.** *Fig* he's out of touch; **cheval de c.** racehorse; **voiture de c.** racing car. **2** (*commission*) errand; *pl* (*achats*) shopping; **faire une c.** to run an errand; **faire les courses** to do the shopping.

coursier, -ière [kursje, -jɛr] *nmf* messenger.

court [kur] **1** *a* short; **c'est un peu c.** *Fam* that's not very much; – *adv* short; **couper c. à** (*entretien*) to cut short; **tout c.** quite simply; **à c. de** (*argent etc*) short of; **pris de c.** caught unawares. **2** *nm Tennis* court. **◆c.-bouillon** *nm* (*pl* **courts-bouillons**) court-bouillon (*spiced water for cooking fish*). **◆c.-circuit** *nm* (*pl* **courts-circuits**) *Él* short circuit. **◆c.-circuiter** *vt* to short-circuit.

courtier, -ière [kurtje, -jɛr] *nmf* broker. **◆courtage** *nm* brokerage.

courtisan [kurtizɑ̃] *nm Hist* courtier. **◆courtisane** *nf Hist* courtesan. **◆courtiser** *vt* to court.

courtois [kurtwa] *a* courteous. **◆courtoisie** *nf* courtesy.

couru [kury] *a* (*spectacle, lieu*) popular; **c'est c. (d'avance)** *Fam* it's a sure thing.

couscous [kuskus] *nm Culin* couscous.

cousin, -ine [kuzɛ̃, -in] **1** *nmf* cousin. **2** *nm* (*insecte*) gnat, midge.

coussin [kusɛ̃] *nm* cushion.

cousu [kuzy] *a* sewn; **c. main** handsewn.

coût [ku] *nm* cost. **◆coût/er** *vti* to cost; **ça coûte combien?** how much is it?, how much does it cost?; **ça lui en coûte de faire** it pains him *ou* her to do; **coûte que coûte** at all costs; **c. les yeux de la tête** to cost the earth. **◆—ant** *a* **prix c.** cost price. **◆coûteux, -euse** *a* costly, expensive.

couteau, -x [kuto] *nm* knife; **coup de c.** stab; **à couteaux tirés** at daggers drawn (**avec** with); **visage en lame de c.** hatchet face; **retourner le c. dans la plaie** *Fig* to rub it in.

coutume [kutym] *nf* custom; **avoir c. de faire** to be accustomed to doing; **comme de c.** as usual; **plus que de c.** more than is customary. **◆coutumier, -ière** *a* customary.

couture [kutyr] *nf* sewing, needlework; (*métier*) dressmaking; (*raccord*) seam; **maison de c.** fashion house. **◆couturier** *nm* fashion designer. **◆couturière** *nf* dressmaker.

couvent [kuvɑ̃] *nm* (*pour religieuses*) convent; (*pour moines*) monastery; (*pensionnat*) convent school.

couv/er [kuve] *vt* (*œufs*) to sit on, hatch; (*projet*) *Fig* to hatch; (*rhume etc*) to be getting; **c. qn** to pamper s.o.; **c. des yeux** (*convoiter*) to look at enviously; – *vi* (*poule*) to brood; (*mal*) to be brewing;

(*feu*) to smoulder. ◆**—ée** *nf* (*petits*) brood; (*œufs*) clutch. ◆**couveuse** *nf* (*pour nouveaux-nés, œufs*) incubator.
couvercle [kuvɛrkl] *nm* lid, cover.
couvert [kuvɛr] **1** *nm* (*cuiller, fourchette, couteau*) (set of) cutlery; (*au restaurant*) cover charge; **mettre le c.** to lay the table; **table de cinq couverts** table set for five. **2** *nm* **sous (le) c. de** (*apparence*) under cover of; **se mettre à c.** to take cover. **3** *a* covered (**de** with, in); (*ciel*) overcast. ◆**couverture** *nf* (*de lit*) blanket, cover; (*de livre etc*) & *Fin Mil* cover; (*de toit*) roofing; **c. chauffante** electric blanket; **c. de voyage** travelling rug.
couvre-chef [kuvrəʃɛf] *nm Hum* headgear. ◆**c.-feu** *nm* (*pl* **-x**) curfew. ◆**c.-lit** *nm* bedspread. ◆**c.-pied** *nm* quilt.
couvr/ir* [kuvrir] *vt* to cover (**de** with); (*voix*) to drown; **— se c.** *vpr* (*se vêtir*) to cover up, wrap up; (*se coiffer*) to cover one's head; (*ciel*) to cloud over. ◆**—eur** *nm* roofer.
cow-boy [kɔbɔj] *nm* cowboy.
crabe [krab] *nm* crab.
crac! [krak] *int* (*rupture*) snap!; (*choc*) bang!, smash!
crach/er [kraʃe] *vi* to spit; (*stylo*) to splutter; (*radio*) to crackle; – *vt* to spit (out); **c. sur qch** (*dédaigner*) *Fam* to turn one's nose up at sth. ◆**—é** *a* **c'est son portrait tout c.** *Fam* that's the spitting image of him *ou* her. ◆**crachat** *nm* spit, spittle.
crachin [kraʃɛ̃] *nm* (fine) drizzle.
crack [krak] *nm Fam* ace, wizard, real champ.
craie [krɛ] *nf* chalk.
craindre* [krɛ̃dr] *vt* (*personne, mort, douleur etc*) to be afraid of, fear, dread; (*chaleur etc*) to be sensitive to; **c. de faire** to be afraid of doing, dread doing; **je crains qu'elle ne vienne** I'm afraid *ou* I fear *ou* I dread (that) she might come; **c. pour qch** to fear for sth; **ne craignez rien** have no fear. ◆**crainte** *nf* fear, dread; **de c. de faire** for fear of doing; **de c. que** (+ *sub*) for fear that. ◆**craintif, -ive** *a* timid.
cramoisi [kramwazi] *a* crimson.
crampe [krɑ̃p] *nf Méd* cramp.
crampon [krɑ̃pɔ̃] **1** *nm* (*personne*) *Fam* leech, hanger-on. **2** *nmpl* (*de chaussures*) studs.
cramponner (se) [səkrɑ̃pɔne] *vpr* **se c. à** to hold on to, cling to.
cran [krɑ̃] *nm* **1** (*entaille*) notch; (*de ceinture*) hole; **c. d'arrêt** catch; **couteau à c. d'arrêt** flick-knife, *Am* switchblade; **c. de sûreté** safety catch. **2** (*de cheveux*) wave. **3** (*audace*) *Fam* pluck, guts. **4 à c.** (*excédé*) *Fam* on edge.
crâne [krɑn] *nm* skull; (*tête*) *Fam* head. ◆**crânienne** *af* **boîte c.** cranium, brain pan.
crâner [kɑne] *vi Péj* to show off, swagger.
crapaud [krapo] *nm* toad.
crapule [krapyl] *nf* villain, (filthy) scoundrel. ◆**crapuleux, -euse** *a* vile, sordid.
craqueler [krakle] *vt*, **— se c.** *vpr* to crack.
craqu/er [krake] *vi* (*branche*) to snap; (*chaussure*) to creak; (*bois sec*) to crack; (*sous la dent*) to crunch; (*se déchirer*) to split, rip; (*projet, entreprise etc*) to come apart at the seams, crumble; (*personne*) to break down, reach breaking point; – *vt* **(faire) c.** (*allumette*) to strike. ◆**—ement** *nm* snapping *ou* creaking *ou* cracking (sound).
crasse [kras] **1** *a* (*ignorance*) crass. **2** *nf* filth. ◆**crasseux, -euse** *a* filthy.
cratère [kratɛr] *nm* crater.
cravache [kravaʃ] *nf* horsewhip, riding crop.
cravate [kravat] *nf* (*autour du cou*) tie. ◆**cravaté** *a* wearing a tie.
crawl [krol] *nm* (*nage*) crawl. ◆**crawlé** *a* **dos c.** backstroke.
crayeux, -euse [krɛjø, -øz] *a* chalky.
crayon [krɛjɔ̃] *nm* (*en bois*) pencil; (*de couleur*) crayon; **c. à bille** ballpoint (pen). ◆**crayonner** *vt* to pencil.
créance [kreɑ̃s] *nf* **1** *Fin Jur* claim (*for money*). **2 lettres de c.** *Pol* credentials. ◆**créancier, -ière** *nmf* creditor.
créateur, -trice [kreatœr, -tris] *nmf* creator; – *a* creative; **esprit c.** creativeness. ◆**créatif, -ive** *a* creative. ◆**création** *nf* creation. ◆**créativité** *nf* creativity. ◆**créature** *nf* (*être*) creature.
crécelle [kresɛl] *nf* (*de supporter*) rattle.
crèche [krɛʃ] *nf* (*de Noël*) *Rel* crib, manger; *Scol* day nursery, crèche. ◆**crécher** *vi* (*loger*) *Arg* to bed down, hang out.
crédible [kredibl] *a* credible. ◆**crédibilité** *nf* credibility.
crédit [kredi] *nm* (*influence*) & *Fin* credit; *pl* (*sommes*) funds; **à c.** (*acheter*) on credit, on hire purchase; **faire c.** *Fin* to give credit (à to). ◆**créditer** *vt Fin* to credit (**de** with). ◆**créditeur, -euse** *a* (*solde, compte*) credit-; **son compte est c.** his account is in credit, he is in credit.
credo [kredo] *nm* creed.
crédule [kredyl] *a* credulous. ◆**crédulité** *nf* credulity.

créer [kree] *vt* to create.

crémaillère [kremajɛr] *nf* **pendre la c.** to have a house-warming (party).

crématoire [krematwar] *a* **four c.** crematorium. ◆**crémation** *nf* cremation.

crème [krɛm] *nf* cream; (*dessert*) cream dessert; **café c.** white coffee, coffee with cream *ou* milk; **c. Chantilly** whipped cream; **c. glacée** ice cream; **c. à raser** shaving cream; **c. anglaise** custard; – *a inv* cream(-coloured); – *nm* (*café*) white coffee. ◆**crémerie** *nf* (*magasin*) dairy (shop). ◆**crémeux, -euse** *a* creamy. ◆**crémier, -ière** *nmf* dairyman, dairywoman.

créneau, -x [kreno] *nm Hist* crenellation; (*trou*) *Fig* slot, gap; *Écon* market opportunity, niche; **faire un c.** *Aut* to park between two vehicles.

créole [kreɔl] *nmf* Creole; – *nm Ling* Creole.

crêpe [krɛp] **1** *nf Culin* pancake. **2** *nm* (*tissu*) crepe; (*caoutchouc*) crepe (rubber). ◆**crêperie** *nf* pancake bar.

crépi [krepi] *a & nm* roughcast.

crépit/er [krepite] *vi* to crackle. ◆**—ement** *nm* crackling (sound).

crépu [krepy] *a* (*cheveux, personne*) frizzy.

crépuscule [krepyskyl] *nm* twilight, dusk. ◆**crépusculaire** *a* (*lueur etc*) twilight-, dusk-.

crescendo [kreʃɛndo] *adv & nm inv* crescendo.

cresson [kresɔ̃] *nm* (water) cress.

crête [krɛt] *nf* (*d'oiseau, de vague, de montagne*) crest; **c. de coq** cockscomb.

Crète [krɛt] *nf* Crete.

crétin, -ine [kretɛ̃, -in] *nmf* cretin; – *a* cretinous.

creus/er [krøze] **1** *vt* (*terre, sol*) to dig (a hole *ou* holes in); (*trou, puits*) to dig; (*évider*) to hollow (out); (*idée*) *Fig* to go deeply into; **c. l'estomac** to whet the appetite. **2 se c.** *vpr* (*joues etc*) to become hollow; (*abîme*) *Fig* to form; **se c. la tête** *ou* **la cervelle** to rack one's brains. ◆**—é** *a* **c. de rides** (*visage*) furrowed with wrinkles.

creuset [krøzɛ] *nm* (*récipient*) crucible; (*lieu*) *Fig* melting pot.

creux, -euse [krø, -øz] *a* (*tube, joues, paroles etc*) hollow; (*estomac*) empty; (*sans activité*) slack; **assiette creuse** soup plate; – *nm* hollow; (*de l'estomac*) pit; (*moment*) slack period; **c. des reins** small of the back.

crevaison [krəvɛzɔ̃] *nf* puncture.

crevasse [krəvas] *nf* crevice, crack; (*de glacier*) crevasse; *pl* (*aux mains*) chaps. ◆**crevasser** *vt*, – **se c.** *vpr* to crack; (*peau*) to chap.

crève [krɛv] *nf* (*rhume*) *Fam* bad cold.

crev/er [krəve] *vi* (*bulle etc*) to burst; (*pneu*) to puncture, burst; (*mourir*) *Fam* to die, drop dead; **c. d'orgueil** to be bursting with pride; **c. de rire** *Fam* to split one's sides; **c. d'ennui/de froid** *Fam* to be bored/to freeze to death; **c. de faim** *Fam* to be starving; – *vt* to burst; (*œil*) to put *ou* knock out; **c. qn** *Fam* to wear *ou* knock s.o. out; **ça (vous) crève les yeux** *Fam* it's staring you in the face; **c. le cœur** to be heartbreaking. ◆**—ant** *a* (*fatigant*) *Fam* exhausting; (*drôle*) *Arg* hilarious, killing. ◆**—é** *a* (*fatigué*) *Fam* worn *ou* knocked out; (*mort*) *Fam* dead. ◆**crève-cœur** *nm inv* heartbreak.

crevette [krəvɛt] *nf* (*grise*) shrimp; (*rose*) prawn.

cri [kri] *nm* (*de joie, surprise*) cry, shout; (*de peur*) scream; (*de douleur, d'alarme*) cry; (*appel*) call, cry; **c. de guerre** war cry; **un chapeau**/*etc* **dernier c.** the latest hat/*etc*. ◆**criard** *a* (*enfant*) bawling; (*son*) screeching; (*couleur*) gaudy, showy.

criant [krijɑ̃] *a* (*injustice etc*) glaring.

crible [kribl] *nm* sieve, riddle. ◆**cribler** *vt* to sift; **criblé de** (*balles, dettes etc*) riddled with.

cric [krik] *nm* (*instrument*) *Aut* jack.

cricket [krikɛt] *nm Sp* cricket.

crier [krije] *vi* to shout (out), cry (out); (*de peur*) to scream; (*oiseau*) to chirp; (*grincer*) to creak, squeak; **c. au scandale**/*etc* to proclaim sth to be a scandal/*etc*; **c. après qn** *Fam* to shout at s.o.; – *vt* (*injure, ordre*) to shout (out); (*son innocence etc*) to proclaim; **c. vengeance** to cry out for vengeance. ◆**crieur, -euse** *nmf* **c. de journaux** newspaper seller.

crime [krim] *nm* crime; (*assassinat*) murder. ◆**criminalité** *nf* crime (in general), criminal practice. ◆**criminel, -elle** *a* criminal; – *nmf* criminal; (*assassin*) murderer.

crin [krɛ̃] *nm* horsehair; **c. végétal** vegetable fibre; **à tous crins** (*pacifiste etc*) out-and-out. ◆**crinière** *nf* mane.

crique [krik] *nf* creek, cove.

criquet [krikɛ] *nm* locust.

crise [kriz] *nf* crisis; (*accès*) attack; (*de colère etc*) fit; (*pénurie*) shortage; **c. de conscience** (moral) dilemma.

crisp/er [krispe] *vt* (*muscle*) to tense; (*visage*) to make tense; (*poing*) to clench; **c. qn** *Fam* to aggravate s.o.; **se c. sur** (*main*) to grip tightly. ◆**—ant** *a* aggravating. ◆**—é**

a (*personne*) tense. ◆**crispation** *nf* (*agacement*) aggravation.

crisser [krise] *vi* (*pneu, roue*) to screech; (*neige*) to crunch.

cristal, -aux [kristal, -o] *nm* crystal; *pl* (*objets*) crystal(ware); (*pour nettoyer*) washing soda. ◆**cristallin** *a* (*eau, son*) crystal-clear. ◆**cristalliser** *vti*, **— se c.** *vpr* to crystallize.

critère [kritɛr] *nm* criterion.

critérium [kriterjɔm] *nm* (*épreuve*) *Sp* eliminating heat.

critique [kritik] *a* critical; – *nf* (*reproche*) criticism; (*analyse de film, livre etc*) review; (*de texte*) critique; **faire la c. de** (*film etc*) to review; **affronter la c.** to confront the critics; – *nm* critic. ◆**critiqu/er** *vt* to criticize. ◆**—able** *a* open to criticism.

croasser [krɔase] *vi* (*corbeau*) to caw.

croc [kro] *nm* (*crochet*) hook; (*dent*) fang. ◆**c.-en-jambe** *nm* (*pl* **crocs-en-jambe**) = **croche-pied.**

croche [krɔʃ] *nf Mus* quaver, *Am* eighth (note).

croche-pied [krɔʃpje] *nm* **faire un c.-pied à qn** to trip s.o. up.

crochet [krɔʃɛ] *nm* (*pour accrocher*) & *Boxe* hook; (*aiguille*) crochet hook; (*travail*) crochet; (*clef*) picklock; *Typ* (square) bracket; **faire qch au c.** to crochet sth; **faire un c.** (*route*) to make a sudden turn; (*personne*) to make a detour *ou* side trip; (*pour éviter*) to swerve; **vivre aux crochets de qn** *Fam* to sponge off *ou* on s.o. ◆**crocheter** *vt* (*serrure*) to pick. ◆**crochu** *a* (*nez*) hooked.

crocodile [krɔkɔdil] *nm* crocodile.

crocus [krɔkys] *nm Bot* crocus.

croire* [krwar] *vt* to believe; (*estimer*) to think, believe (**que** that); **j'ai cru la voir** I thought I saw her; **je crois que oui** I think *ou* believe so; **je n'en crois pas mes yeux** I can't believe my eyes; **à l'en c.** according to him; **il se croit malin/quelque chose** he thinks he's smart/quite something; – *vi* to believe (**à, en** in).

croisé[1] [krwaze] *nm Hist* crusader. ◆**croisade** *nf* crusade.

crois/er [krwaze] *vt* to cross; (*bras*) to fold, cross; **c. qn** to pass *ou* meet s.o.; – *vi* (*veston*) to fold over; *Nau* to cruise; **— se c.** *vpr* (*voitures etc*) to pass *ou* meet (each other); (*routes*) to cross, intersect; (*lettres*) to cross in the post. ◆**—é**[2]**, -ée** *a* (*bras*) folded, crossed; (*veston*) double-breasted; **mots croisés** crossword; **tirs croisés** crossfire; **race croisée** crossbreed; – *nf* (*fenêtre*) casement; **croisée des chemins** crossroads. ◆**—ement** *nm* (*action*) crossing; (*de routes*) crossroads, intersection; (*de véhicules*) passing. ◆**—eur** *nm* (*navire de guerre*) cruiser. ◆**croisière** *nf* cruise; **vitesse de c.** *Nau Av* & *Fig* cruising speed.

croître* [krwatr] *vi* (*plante etc*) to grow; (*augmenter*) to grow, increase; (*lune*) to wax. ◆**croissant 1** *a* (*nombre etc*) growing. **2** *nm* crescent; (*pâtisserie*) croissant. ◆**croissance** *nf* growth.

croix [krwa] *nf* cross.

croque-mitaine [krɔkmitɛn] *nm* bogeyman. ◆**c.-monsieur** *nm inv* toasted cheese and ham sandwich. ◆**c.-mort** *nm Fam* undertaker's assistant.

croqu/er [krɔke] **1** *vt* (*manger*) to crunch; – *vi* (*fruit etc*) to be crunchy, crunch. **2** *vt* (*peindre*) to sketch; **joli à c.** pretty as a picture. ◆**—ant** *a* (*biscuit etc*) crunchy. ◆**croquette** *nf Culin* croquette.

croquet [krɔkɛ] *nm Sp* croquet.

croquis [krɔki] *nm* sketch.

crosse [krɔs] *nf* (*d'évêque*) crook; (*de fusil*) butt; (*de hockey*) stick.

crotte [krɔt] *nf* (*de lapin etc*) mess, droppings. ◆**crottin** *nm* (horse) dung.

crotté [krɔte] *a* (*bottes etc*) muddy.

croul/er [krule] *vi* (*édifice, projet etc*) to crumble, collapse; **c. sous une charge** (*porteur etc*) to totter beneath a burden; **faire c.** (*immeuble etc*) to bring down. ◆**—ant** *a* (*mur etc*) tottering; – *nm* (*vieux*) *Fam* old-timer.

croupe [krup] *nf* (*de cheval*) rump; **monter en c.** (*à cheval*) to ride pillion. ◆**croupion** *nm* (*de poulet*) parson's nose.

croupier [krupje] *nm* (*au casino*) croupier.

croupir [krupir] *vi* (*eau*) to stagnate, become foul; **c. dans** (*le vice etc*) to wallow in; **eau croupie** stagnant water.

croustill/er [krustije] *vi* to be crusty; to be crunchy. ◆**—ant** *a* (*pain*) crusty; (*biscuit*) crunchy; (*histoire*) *Fig* spicy, juicy.

croûte [krut] *nf* (*de pain etc*) crust; (*de fromage*) rind; (*de plaie*) scab; **casser la c.** *Fam* to have a snack; **gagner sa c.** *Fam* to earn one's bread and butter. ◆**croûton** *nm* crust (*at end of loaf*); *pl* (*avec soupe*) croûtons.

croyable [krwajabl] *a* credible, believable. ◆**croyance** *nf* belief (**à, en** in). ◆**croyant, -ante** *a* **être c.** to be a believer; – *nmf* believer.

CRS [seɛrɛs] *nmpl abrév* (*Compagnies républicaines de sécurité*) French state security police, riot police.

cru[1] [kry] *voir* **croire.**
cru[2] [kry] **1** *a* (*aliment etc*) raw; (*lumière*) glaring; (*propos*) crude; **monter à c.** to ride bareback. **2** *nm* (*vignoble*) vineyard; **un grand c.** (*vin*) a vintage wine; **vin du c.** local wine.
cruauté [kryote] *nf* cruelty (**envers** to).
cruche [kryʃ] *nf* pitcher, jug.
crucial, -aux [krysjal, -o] *a* crucial.
crucifier [krysifje] *vt* to crucify. ◆**crucifix** [krysifi] *nm* crucifix. ◆**crucifixion** *nf* crucifixion.
crudité [krydite] *nf* (*grossièreté*) crudeness; *pl Culin* assorted raw vegetables.
crue [kry] *nf* (*de cours d'eau*) swelling, flood; **en c.** in spate.
cruel, -elle [kryɛl] *a* cruel (**envers, avec** to).
crûment [krymɑ̃] *adv* crudely.
crustacés [krystase] *nmpl* shellfish, crustaceans.
crypte [kript] *nf* crypt.
Cuba [kyba] *nm* Cuba. ◆**cubain, -aine** *a* & *nmf* Cuban.
cube [kyb] *nm* cube; *pl* (*jeu*) building blocks; – *a* (*mètre etc*) cubic. ◆**cubique** *a* cubic.
cueillir* [kœjir] *vt* to gather, pick; (*baiser*) to snatch; (*voleur*) *Fam* to pick up, run in. ◆**cueillette** *nf* gathering, picking; (*fruits cueillis*) harvest.
cuiller, cuillère [kɥijɛr] *nf* spoon; **petite c., c. à café** teaspoon; **c. à soupe** table spoon. ◆**cuillerée** *nf* spoonful.
cuir [kɥir] *nm* leather; (*peau épaisse d'un animal vivant*) hide; **c. chevelu** scalp.
cuirasse [kɥiras] *nf Hist* breastplate. ◆**se cuirass/er** *vpr* to steel oneself (**contre** against). ◆**–é** *nm* battleship.
cuire* [kɥir] *vt* to cook; (*à l'eau*) to boil; (*porcelaine*) to bake, fire; **c. (au four)** to bake; (*viande*) to roast; – *vi* to cook; to boil; to bake; to roast; (*soleil*) to bake, boil; **faire c.** to cook. ◆**cuisant** *a* (*affront, blessure etc*) stinging. ◆**cuisson** *nm* cooking; (*de porcelaine*) baking, firing.
cuisine [kɥizin] *nf* (*pièce*) kitchen; (*art*) cooking, cuisine, cookery; (*aliments*) cooking; (*intrigues*) *Péj* scheming; **faire la c.** to cook, do the cooking; **livre de c.** cook(ery) book; **haute c.** high-class cooking. ◆**cuisiner** *vti* to cook; **c. qn** (*interroger*) *Fam* to grill s.o. ◆**cuisinier, -ière** *nmf* cook; – *nf* (*appareil*) cooker, stove, *Am* range.
cuisse [kɥis] *nf* thigh; (*de poulet, mouton*) leg.
cuit [kɥi] **1** *voir* **cuire;** – *a* cooked; **bien c.** well done *ou* cooked. **2** *a* (*pris*) *Fam* done for.
cuite [kɥit] *nf* **prendre une c.** *Fam* to get plastered *ou* drunk.
cuivre [kɥivr] *nm* (*rouge*) copper; (*jaune*) brass; *pl* (*ustensiles*) & *Mus* brass. ◆**cuivré** *a* copper-coloured, coppery.
cul [ky] *nm* (*derrière*) *Fam* backside; (*de bouteille etc*) bottom. ◆**c.-de-jatte** *nm* (*pl* **culs-de-jatte**) legless cripple. ◆**c.-de-sac** *nm* (*pl* **culs-de-sac**) dead end, cul-de-sac.
culasse [kylas] *nf Aut* cylinder head; (*d'une arme à feu*) breech.
culbute [kylbyt] *nf* (*cabriole*) sommersault; (*chute*) (backward) tumble; **faire une c.** to sommersault; to tumble. ◆**culbuter** *vi* to tumble over (backwards); – *vt* (*personne, chaise*) to knock over.
culinaire [kylinɛr] *a* (*art*) culinary; (*recette*) cooking.
culmin/er [kylmine] *vi* (*montagne*) to reach its highest point, peak (**à** at); (*colère*) *Fig* to reach a peak. ◆**–ant** *a* **point c.** (*de réussite, montagne etc*) peak.
culot [kylo] *nm* **1** (*aplomb*) *Fam* nerve, cheek. **2** (*d'ampoule, de lampe etc*) base. ◆**culotté** *a* **être c.** *Fam* to have plenty of nerve *ou* cheek.
culotte [kylɔt] *nf Sp* (pair of) shorts; (*de femme*) (pair of) knickers *ou Am* panties; **culottes (courtes)** (*de jeune garçon*) short trousers *ou Am* pants; **c. de cheval** riding breeches.
culpabilité [kylpabilite] *nf* guilt.
culte [kylt] *nm* (*hommage*) *Rel* worship, cult; (*pratique*) *Rel* religion; (*service protestant*) service; (*admiration*) *Fig* cult.
cultiv/er [kyltive] *vt* (*terre*) to farm, cultivate; (*plantes*) to grow, cultivate; (*goût, relations etc*) to cultivate; – **se c.** *vpr* to cultivate one's mind. ◆**–é** *a* (*esprit, personne*) cultured, cultivated. ◆**cultivateur, -trice** *nmf* farmer. ◆**culture** *nf* (*action*) farming, cultivation; (*agriculture*) farming; (*horticulture*) growing, cultivation; (*éducation, civilisation*) culture; *pl* (*terres*) fields (under cultivation); (*plantes*) crops; **c. générale** general knowledge. ◆**culturel, -elle** *a* cultural.
cumin [kymɛ̃] *nm Bot Culin* caraway.
cumul [kymyl] *nm* **c. de fonctions** plurality of offices. ◆**cumulatif, -ive** *a* cumulative. ◆**cumuler** *vt* **c. deux fonctions** to hold two offices (at the same time).
cupide [kypid] *a* avaricious. ◆**cupidité** *nf* avarice, cupidity.
Cupidon [kypidɔ̃] *nm* Cupid.

cure [kyr] *nf* **1** (course of) treatment, cure. **2** (*fonction*) office (of a parish priest); (*résidence*) presbytery. ◆**curable** *a* curable. ◆**curatif, -ive** *a* curative. ◆**curé** *nm* (parish) priest.
curer [kyre] *vt* to clean out; **se c. le nez/ les dents** to pick one's nose/teeth. ◆**cure-dent** *nm* toothpick. ◆**cure-ongles** *nm inv* nail cleaner. ◆**cure-pipe** *nm* pipe cleaner.
curieux, -euse [kyrjø, -øz] *a* (*bizarre*) curious; (*indiscret*) inquisitive, curious (**de** about); **c. de savoir** curious to know; – *nmf* inquisitive *ou* curious person; (*badaud*) onlooker. ◆**curieusement** *adv* curiously. ◆**curiosité** *nf* (*de personne, forme etc*) curiosity; (*chose*) curiosity; (*spectacle*) unusual sight.
curriculum (vitæ) [kyrikylɔm(vite)] *nm inv* curriculum (vitae), *Am* résumé.
curseur [kyrsœr] *nm* (*d'un ordinateur*) cursor.
cutané [kytane] *a* (*affection etc*) skin-. ◆**cuti(-réaction)** *nf* skin test.
cuve [kyv] *nf* vat; (*réservoir*) & *Phot* tank. ◆**cuvée** *nf* (*récolte de vin*) vintage. ◆**cuver** *vt* **c. son vin** *Fam* to sleep it off. ◆**cuvette** *nf* (*récipient*) & *Géog* basin, bowl; (*des cabinets*) pan, bowl.
cyanure [sjanyr] *nm* cyanide.
cybernétique [sibɛrnetik] *nf* cybernetics.
cycle [sikl] *nm* **1** (*série, révolution*) cycle. **2** (*bicyclette*) cycle. ◆**cyclable** *a* (*piste*) cycle-. ◆**cyclique** *a* cyclic(al). ◆**cyclisme** *nm Sp* cycling. ◆**cycliste** *nmf* cyclist; – *a* (*course*) cycle-; (*champion*) cycling; **coureur c.** racing cyclist. ◆**cyclomoteur** *nm* moped.
cyclone [siklon] *nm* cyclone.
cygne [siɲ] *nm* swan; **chant du c.** *Fig* swan song.
cylindre [silɛ̃dr] *nm* cylinder; (*de rouleau compresseur*) roller. ◆**cylindrée** *nf Aut* (engine) capacity. ◆**cylindrique** *a* cylindrical.
cymbale [sɛ̃bal] *nf* cymbal.
cynique [sinik] *a* cynical; – *nmf* cynic. ◆**cynisme** *nm* cynicism.
cyprès [siprɛ] *nm* (*arbre*) cypress.
cypriote [siprijɔt] *a* & *nmf* Cypriot.
cytise [sitiz] *nf Bot* laburnum.

D

D, d [de] *nm* D, d.
d' [d] *voir* **de**[1,2].
d'abord [dabɔr] *adv* (*en premier lieu*) first; (*au début*) at first.
dactylo [daktilo] *nf* (*personne*) typist; (*action*) typing. ◆**dactylographie** *nf* typing. ◆**dactylographier** *vt* to type.
dada [dada] *nm* (*manie*) hobby horse, pet subject.
dadais [dadɛ] *nm* **(grand) d.** big oaf.
dahlia [dalja] *nm* dahlia.
daigner [deɲe] *vt* **d. faire** to condescend *ou* deign to do.
daim [dɛ̃] *nm* fallow deer; (*mâle*) buck; (*cuir*) suede.
dais [dɛ] *nm* (*de lit, feuillage etc*) canopy.
dalle [dal] *nf* paving stone; (*funèbre*) (flat) gravestone. ◆**dallage** *nm* (*action, surface*) paving. ◆**dallé** *a* (*pièce, cour etc*) paved.
daltonien, -ienne [daltɔnjɛ̃, -jɛn] *a* & *n* colour-blind (person). ◆**daltonisme** *nm* colour blindness.
dame [dam] *nf* **1** lady; (*mariée*) married lady. **2** *Échecs Cartes* queen; (*au jeu de dames*) king; **(jeu de) dames** draughts, *Am* checkers. ◆**damer** *vt* (*au jeu de dames*) to crown; **d. le pion à qn** to outsmart s.o. ◆**damier** *nm* draughtboard, *Am* checkerboard.
damner [dane] *vt* to damn; **faire d.** *Fam* to torment, drive mad; **– se d.** *vpr* to be damned. ◆**damnation** *nf* damnation.
dancing [dɑ̃siŋ] *nm* dance hall.
dandiner (se) [sədɑ̃dine] *vpr* to waddle.
dandy [dɑ̃di] *nm* dandy.
Danemark [danmark] *nm* Denmark. ◆**danois, -oise** *a* Danish; – *nmf* Dane; – *nm* (*langue*) Danish.
danger [dɑ̃ʒe] *nm* danger; **en d.** in danger *ou* jeopardy; **mettre en d.** to endanger, jeopardize; **en cas de d.** in an emergency; **en d. de mort** in peril of death; **'d. de mort'** (*panneau*) 'danger'; **sans d.** (*se promener etc*) safely; **être sans d.** to be safe; **pas de d.!** *Fam* no way!, no fear! ◆**dangereux, -euse** *a* dangerous (**pour** to). ◆**dangereusement** *adv* dangerously.
dans [dɑ̃] *prép* in; (*changement de lieu*) into; (*à l'intérieur de*) inside, within; **entrer d.** to go in(to); **d. Paris** in Paris, within Paris;

d. un rayon de within (a radius of); **boire/prendre/***etc* **d.** to drink/take/*etc* from *ou* out of; **marcher d. les rues** (*à travers*) to walk through *ou* about the streets; **d. ces circonstances** under *ou* in these circumstances; **d. deux jours/***etc* (*temps futur*) in two days/*etc*, in two days'/*etc* time; **d. les dix francs/***etc* (*quantité*) about ten francs/*etc*.

danse [dɑ̃s] *nf* dance; (*art*) dancing. ◆**dans/er** *vti* to dance; **faire d. l'anse du panier** (*domestique*) to fiddle on the shopping money. ◆**—eur, -euse** *nmf* dancer; **en danseuse** (*cycliste*) standing on the pedals.

dard [dar] *nm* (*d'abeille etc*) sting; (*de serpent*) tongue. ◆**darder** *vt Litt* (*flèche*) to shoot; (*regard*) to flash, dart; **le soleil dardait ses rayons** the sun cast down its burning rays.

dare-dare [dardar] *adv Fam* at *ou* on the double.

date [dat] *nf* date; **de vieille d.** (*amitié etc*) (of) long-standing; **faire d.** (*événement*) to mark an important date, be epoch-making; **en d. du . . .** dated the . . . ; **d. limite** deadline. ◆**datation** *nf* dating. ◆**dater** *vt* (*lettre etc*) to date; – *vi* (*être dépassé*) to date, be dated; **d. de** to date back to, date from; **à d. de** as from. ◆**dateur** *nm* (*de montre*) date indicator; – *a & nm* **(tampon) d.** date stamp.

datte [dat] *nf* (*fruit*) date. ◆**dattier** *nm* date palm.

daube [dob] *nf* **bœuf en d.** braised beef stew.

dauphin [dofɛ̃] *nm* (*mammifère marin*) dolphin.

davantage [davɑ̃taʒ] *adv* (*quantité*) more; (*temps*) longer; **d. de temps/***etc* more time/*etc*; **d. que** more than; longer than.

de[1] [d(ə)] (**d'** *before a vowel or mute h*; **de + le = du, de + les = des**) *prép* **1** (*complément d'un nom*) of; **les rayons du soleil** the rays of the sun, the sun's rays; **la ville de Paris** the town of Paris; **le livre de Paul** Paul's book; **un pont de fer** an iron bridge; **le train de Londres** the London train; **une augmentation/diminution de** an increase/decrease in. **2** (*complément d'un adjectif*) **digne de** worthy of; **heureux de partir** happy to leave; **content de qch** pleased with sth. **3** (*complément d'un verbe*) **parler de** to speak of *ou* about; **se souvenir de** to remember; **décider de faire** to decide to do; **traiter de lâche** to call a coward. **4** (*provenance: lieu & temps*) from; **venir/dater de** to come/date from; **mes amis du village** my friends from the village, my village friends; **le train de Londres** the train from London. **5** (*agent*) **accompagné de** accompanied by. **6** (*moyen*) **armé de** armed with; **se nourrir de** to live on. **7** (*manière*) **d'une voix douce** in *ou* with a gentle voice. **8** (*cause*) **puni de** punished for; **mourir de faim** to die of hunger. **9** (*temps*) **travailler de nuit** to work by night; **six heures du matin** six o'clock in the morning. **10** (*mesure*) **avoir six mètres de haut, être haut de six mètres** to be six metres high; **retarder de deux heures** to delay by two hours; **homme de trente ans** thirty-year-old man; **gagner cent francs de l'heure** to earn one hundred francs an hour.

de[2] [d(ə)] *art partitif* some; **elle boit du vin** she drinks (some) wine; **il ne boit pas de vin** (*négation*) he doesn't drink (any) wine; **des fleurs** (some) flowers; **de jolies fleurs** (some) pretty flowers; **d'agréables soirées** (some) pleasant evenings; **il y en a six de tués** (*avec un nombre*) there are six killed.

dé [de] *nm* (*à jouer*) dice; (*à coudre*) thimble; **les dés** the dice; (*jeu*) dice; **les dés sont jetés** *Fig* the die is cast; **couper en dés** *Culin* to dice.

déambuler [deɑ̃byle] *vi* to stroll, saunter.

débâcle [debɑkl] *nf Mil* rout; (*ruine*) *Fig* downfall; (*des glaces*) *Géog* breaking up.

déball/er [debale] *vt* to unpack; (*étaler*) to display. ◆**—age** *nm* unpacking; display.

débandade [debɑ̃dad] *nf* (mad) rush, stampede; *Mil* rout; **à la d.** in confusion; **tout va à la d.** everything's going to rack and ruin.

débaptiser [debatize] *vt* (*rue*) to rename.

débarbouiller [debarbuje] *vt* **d. qn** to wash s.o.'s face; **se d.** to wash one's face.

débarcadère [debarkadɛr] *nm* landing stage, quay.

débardeur [debardœr] *nm* **1** (*docker*) stevedore. **2** (*vêtement*) slipover, *Am* (sweater) vest.

débarqu/er [debarke] *vt* (*passagers*) to land; (*marchandises*) to unload; **d. qn** (*congédier*) *Fam* to sack s.o.; – *vi* (*passagers*) to disembark, land; (*être naïf*) *Fam* not to be quite with it; **d. chez qn** *Fam* to turn up suddenly at s.o.'s place. ◆**—ement** *nm* landing; unloading; *Mil* landing.

débarras [debara] *nm* lumber room, *Am* storeroom; **bon d.!** *Fam* good riddance! ◆**débarrasser** *vt* (*voie, table etc*) to clear (**de** of); **d. qn de** (*ennemi, soucis etc*) to rid s.o. of; (*manteau etc*) to relieve s.o. of; **se d. de** to get rid of, rid oneself of.

débat [deba] *nm* discussion, debate; *pl Pol Jur* proceedings. ◆**débattre*** *vt* to discuss, debate; **— se d.** *vpr* to struggle *ou* fight (to get free), put up a fight.

débauche [deboʃ] *nf* debauchery; **une d. de** *Fig* a wealth *ou* profusion of. ◆**débauch/er** *vt* **d. qn** (*détourner*) *Fam* to entice s.o. away from his work; (*licencier*) to dismiss s.o., lay s.o. off. ◆**—é, -ée** *a* (*libertin*) debauched, profligate; – *nmf* debauchee, profligate.

débile [debil] *a* (*esprit, enfant etc*) weak, feeble; *Péj Fam* idiotic; – *nmf Péj Fam* idiot, moron. ◆**débilité** *nf* debility, weakness; *pl* (*niaiseries*) *Fam* sheer nonsense. ◆**débiliter** *vt* to debilitate, weaken.

débiner [debine] **1** *vt* (*décrier*) *Fam* to run down. **2 se d.** *vpr* (*s'enfuir*) *Arg* to hop it, bolt.

débit [debi] *nm* **1** (*vente*) turnover, sales; (*de fleuve*) (rate of) flow; (*d'un orateur*) delivery; **d. de tabac** tobacconist's shop, *Am* tobacco store; **d. de boissons** bar, café. **2** (*compte*) *Fin* debit. ◆**débiter** *vt* **1** (*découper*) to cut up, slice up (**en** into); (*vendre*) to sell; (*fournir*) to yield; (*dire*) *Péj* to utter, spout. **2** *Fin* to debit. ◆**débiteur, -trice** *nmf* debtor; – *a* (*solde, compte*) debit-; **son compte est d.** his account is in debit, he is in debit.

déblais [deblɛ] *nmpl* (*terre*) earth; (*décombres*) rubble. ◆**déblayer** *vt* (*terrain, décombres*) to clear.

débloquer [deblɔke] **1** *vt* (*machine*) to unjam; (*crédits, freins, compte*) to release; (*prix*) to decontrol. **2** *vi* (*divaguer*) *Fam* to talk through one's hat, talk nonsense.

déboires [debwar] *nmpl* disappointments, setbacks.

déboît/er [debwate] **1** *vt* (*tuyau*) to disconnect; (*os*) *Méd* to dislocate. **2** *vi Aut* to pull out, change lanes. ◆**—ement** *nm Méd* dislocation.

débonnaire [debɔnɛr] *a* good-natured, easy-going.

débord/er [debɔrde] *vi* (*fleuve, liquide*) to overflow; (*en bouillant*) to boil over; **d. de** (*vie, joie etc*) *Fig* to be overflowing *ou* bubbling over with; **l'eau déborde du vase** the water is running over the top of the vase *ou* is overflowing the vase; – *vt* (*dépasser*) to go *ou* extend beyond; (*faire saillie*) to stick out from; *Mil Sp* to outflank; **débordé de travail/de visites** snowed under with work/visits. ◆**—ement** *nm* overflowing; (*de joie, activité*) outburst.

débouch/er [debuʃe] **1** *vt* (*bouteille*) to open, uncork; (*lavabo, tuyau*) to clear, unblock. **2** *vi* (*surgir*) to emerge, come out (**de** from); **d. sur** (*rue*) to lead out onto, lead into; *Fig* to lead up to. ◆**—é** *nm* (*carrière*) & *Géog* opening; (*de rue*) exit; (*marché*) *Com* outlet.

débouler [debule] *vi* (*arriver*) *Fam* to burst in, turn up.

déboulonner [debulɔne] *vt* to unbolt; **d. qn** *Fam* (*renvoyer*) to sack *ou* fire s.o.; (*discréditer*) to bring s.o. down.

débours [debur] *nmpl* expenses. ◆**débourser** *vt* to pay out.

debout [d(ə)bu] *adv* standing (up); **mettre d.** (*planche etc*) to stand up, put upright; **se mettre d.** to stand *ou* get up; **se tenir** *ou* **rester d.** (*personne*) to stand (up), remain standing (up); **rester d.** (*édifice etc*) to remain standing; **être d.** (*levé*) to be up (and about); **d.!** get up!; **ça ne tient pas d.** (*théorie etc*) that doesn't hold water *ou* make sense.

déboutonner [debutɔne] *vt* to unbutton, undo; **— se d.** *vpr* (*personne*) to undo one's buttons.

débraillé [debrɑje] *a* (*tenue etc*) slovenly, sloppy; – *nm* slovenliness, sloppiness.

débrancher [debrɑ̃ʃe] *vt Él* to unplug, disconnect.

débrayer [debreje] *vi* **1** *Aut* to declutch, release the clutch. **2** (*se mettre en grève*) to stop work. ◆**débrayage** (*grève*) strike, walk-out.

débridé [debride] *a* (*effréné*) unbridled.

débris [debri] *nmpl* fragments, scraps; (*restes*) remains; (*détritus*) rubbish, debris.

débrouiller [debruje] **1** *vt* (*écheveau etc*) to unravel, disentangle; (*affaire*) to sort out. **2 se d.** *vpr* to manage, get by, make out; **se d. pour faire** to manage (somehow) to do. ◆**débrouillard** *a* smart, resourceful. ◆**débrouillardise** *nf* smartness, resourcefulness.

débroussailler [debrusɑje] *vt* (*chemin*) to clear (of brushwood); (*problème*) *Fig* to clarify.

débusquer [debyske] *vt* (*gibier, personne*) to drive out, dislodge.

début [deby] *nm* start, beginning; **au d.** at the beginning; **faire ses débuts** (*sur la scène etc*) to make one's debut. ◆**début/er** *vi* to start, begin; (*dans une carrière*) to start out in life; (*sur la scène etc*) to make one's

debut. ◆**—ant, -ante** *nmf* beginner; – *a* novice.
déca [deka] *nm Fam* decaffeinated coffee.
deçà (en) [ɑ̃d(ə)sa] *adv* (on) this side; – *prép* **en d. de** (on) this side of; (*succès, prix etc*) *Fig* short of.
décacheter [dekaʃte] *vt* (*lettre etc*) to open, unseal.
décade [dekad] *nf* (*dix jours*) period of ten days; (*décennie*) decade.
décadent [dekadɑ̃] *a* decadent. ◆**décadence** *nf* decay, decadence.
décaféiné [dekafeine] *a* decaffeinated.
décalaminer [dekalamine] *vt* (*moteur*) *Aut* to decoke, decarbonize.
décalcomanie [dekalkɔmani] *nf* (*image*) transfer, *Am* decal.
décal/er [dekale] *vt* **1** (*avancer*) to shift; (*départ, repas*) to shift (the time of). **2** (*ôter les cales de*) to unwedge. ◆**—age** *nm* (*écart*) gap, discrepancy; **d. horaire** time difference.
décalque [dekalk] *nm* tracing. ◆**décalquer** *vt* (*dessin*) to trace.
décamper [dekɑ̃pe] *vi* to make off, clear off.
décanter [dekɑ̃te] *vt* (*liquide*) to settle, clarify; **d. ses idées** to clarify one's ideas; **— se d.** *vpr* (*idées, situation*) to become clearer, settle.
décap/er [dekape] *vt* (*métal*) to clean, scrape down; (*surface peinte*) to strip. ◆**—ant** *nm* cleaning agent; (*pour enlever la peinture*) paint stripper. ◆**—eur** *nm* **d. thermique** hot-air paint stripper.
décapiter [dekapite] *vt* to decapitate, behead.
décapotable [dekapɔtabl] *a* (*voiture*) convertible.
décapsul/er [dekapsyle] *vt* **d. une bouteille** to take the cap *ou* top off a bottle. ◆**—eur** *nm* bottle-opener.
décarcasser (se) [sədekarkase] *vpr Fam* to flog oneself to death (**pour faire** doing).
décathlon [dekatlɔ̃] *nm Sp* decathlon.
décati [dekati] *a* worn out, decrepit.
décavé [dekave] *a Fam* ruined.
décéd/er [desede] *vi* to die. ◆**—é** *a* deceased.
déceler [desle] *vt* (*trouver*) to detect, uncover; (*révéler*) to reveal.
décembre [desɑ̃br] *nm* December.
décennie [deseni] *nf* decade.
décent [desɑ̃] *a* (*bienséant, acceptable*) decent. ◆**décemment** [-amɑ̃] *adv* decently. ◆**décence** *nf* decency.
décentraliser [desɑ̃tralize] *vt* to decentralize. ◆**décentralisation** *nf* decentralization.
déception [desɛpsjɔ̃] *nf* disappointment. ◆**décevoir*** *vt* to disappoint. ◆**décevant** *a* disappointing.
décerner [desɛrne] *vt* (*prix etc*) to award; (*mandat d'arrêt etc*) *Jur* to issue.
décès [desɛ] *nm* death.
déchaîn/er [deʃene] *vt* (*colère, violence*) to unleash, let loose; **d. l'enthousiasme/les rires** to set off wild enthusiasm/a storm of laughter; **— se d.** *vpr* (*tempête, rires*) to break out; (*foule*) to run amok *ou* riot; (*colère, personne*) to explode. ◆**—é** *a* (*foule, flots*) wild, raging. ◆**—ement** [-ɛnmɑ̃] *nm* (*de rires, de haine etc*) outburst; (*de violence*) outbreak, eruption; **le d. de la tempête** the raging of the storm.
déchanter [deʃɑ̃te] *vi Fam* to become disillusioned; (*changer de ton*) to change one's tune.
décharge [deʃarʒ] *nf Jur* discharge; **d. (publique)** (rubbish) dump *ou* tip, *Am* (garbage) dump; **d. (électrique)** (electrical) discharge, shock; **recevoir une d. (électrique)** to get a shock; **à la d. de qn** in s.o.'s defence. ◆**décharg/er** *vt* to unload; (*batterie*) *Él* to discharge; (*accusé*) *Jur* to discharge, exonerate; **d. qn de** (*travail etc*) to relieve s.o. of; **d. sur qn** (*son arme*) to fire at s.o.; (*sa colère*) to vent on s.o.; **— se d.** *vpr* (*batterie*) to go flat; **se d. sur qn du soin de faire qch** to unload onto s.o. the job of doing sth. ◆**—ement** *nm* unloading.
décharné [deʃarne] *a* skinny, bony.
déchausser [deʃose] *vt* **d. qn** to take s.o.'s shoes off; **se d.** to take one's shoes off; (*dent*) to get loose.
dèche [dɛʃ] *nf* **être dans la d.** *Arg* to be flat broke.
déchéance [deʃeɑ̃s] *nf* (*déclin*) decline, decay, degradation.
déchet [deʃɛ] *nm* **déchets** (*résidus*) scraps, waste; **il y a du d.** there's some waste *ou* wastage.
déchiffrer [deʃifre] *vt* (*message*) to decipher; (*mauvaise écriture*) to make out, decipher.
déchiquet/er [deʃikte] *vt* to tear to shreds, cut to bits. ◆**—é** *a* (*drapeau etc*) (all) in shreds; (*côte*) jagged.
déchir/er [deʃire] *vt* to tear (up), rip (up); (*vêtement*) to tear, rip; (*ouvrir*) to tear *ou* rip open; (*pays, groupe*) to tear apart; **d. l'air** (*bruit*) to rend the air; **ce bruit me déchire les oreilles** this noise is ear-splitting; **— se d.** *vpr* (*robe etc*) to tear,

rip. ◆**—ant** *a* (*navrant*) heart-breaking; (*aigu*) ear-splitting. ◆**—ement** *nm* (*souffrance*) heartbreak; *pl* (*divisions*) *Pol* deep rifts. ◆**déchirure** *nf* tear, rip; **d. musculaire** torn muscle.

déchoir [deʃwar] *vi* to lose prestige. ◆**déchu** *a* (*ange*) fallen; **être d. de** (*ses droits etc*) to have forfeited.

décibel [desibɛl] *nm* decibel.

décid/er [deside] *vt* (*envoi, opération*) to decide on; **d. que** to decide that; **d. qn à faire** to persuade s.o. to do; – *vi* **d. de** (*destin de qn*) to decide; (*voyage etc*) to decide on; **d. de faire** to decide to do; **— se d.** *vpr* (*question*) to be decided; **se d. à faire** to make up one's mind to do; **se d. pour qch** to decide on sth *ou* in favour of sth. ◆**—é** *a* (*air, ton*) determined, decided; (*net, pas douteux*) decided; **c'est d.** it's settled; **être d. à faire** to be decided about doing *ou* determined to do. ◆**—ément** *adv* undoubtedly.

décilitre [desilitr] *nm* decilitre.

décimal, -aux [desimal, -o] *a* decimal. ◆**décimale** *nf* decimal.

décimer [desime] *vt* to decimate.

décimètre [desimɛtr] *nm* decimetre; **double d.** ruler.

décisif, -ive [desizif, -iv] *a* decisive; (*moment*) crucial. ◆**décision** *nf* decision; (*fermeté*) determination.

déclamer [deklame] *vt* to declaim; *Péj* to spout. ◆**déclamatoire** *a Péj* bombastic.

déclarer [deklare] *vt* to declare (**que** that); (*décès, vol etc*) to notify; **d. coupable** to convict, find guilty; **d. la guerre** to declare war (**à** on); **— se d.** *vpr* (*s'expliquer*) to declare one's views; (*incendie, maladie*) to break out; **se d. contre** to come out against. ◆**déclaration** *nf* declaration; (*de décès etc*) notification; (*commentaire*) statement, comment; **d. de revenus** tax return.

déclasser [deklɑse] *vt* (*livres etc*) to put out of order; (*hôtel etc*) to downgrade; **d. qn** *Sp* to relegate s.o. (in the placing).

déclench/er [deklɑ̃ʃe] *vt* (*mécanisme*) to set *ou* trigger off, release; (*attaque*) to launch; (*provoquer*) to trigger off, spark off; **d. le travail** *Méd* to induce labour; **— se d.** *vpr* (*sonnerie*) to go off; (*attaque, grève*) to start. ◆**—ement** *nm* (*d'un appareil*) release.

déclic [deklik] *nm* (*mécanisme*) catch, trigger; (*bruit*) click.

déclin [deklɛ̃] *nm* decline; (*du jour*) close; (*de la lune*) wane. ◆**décliner 1** *vt* (*refuser*) to decline. **2** *vt* (*réciter*) to state. **3** *vi* (*forces etc*) to decline, wane; (*jour*) to draw to a close.

déclivité [deklivite] *nf* slope.

décocher [dekɔʃe] *vt* (*flèche*) to shoot, fire; (*coup*) to let fly, aim; (*regard*) to flash.

décoder [dekɔde] *vt* (*message*) to decode.

décoiffer [dekwafe] *vt* **d. qn** to mess up s.o.'s hair.

décoincer [dekwɛ̃se] *vt* (*engrenage*) to unjam.

décoll/er [dekɔle] **1** *vi* (*avion etc*) to take off; **elle ne décolle pas d'ici** *Fam* she won't leave *ou* budge. **2** *vt* (*timbre etc*) to unstick; **— se d.** *vpr* to come unstuck. ◆**—age** *nm* *Av* takeoff.

décolleté [dekɔlte] *a* (*robe*) low-cut; – *nm* (*de robe*) low neckline; (*de femme*) bare neck and shoulders.

décoloniser [dekɔlɔnize] *vt* to decolonize. ◆**décolonisation** *nf* decolonization.

décolor/er [dekɔlɔre] *vt* to discolour, fade; (*cheveux*) to bleach. ◆**—ant** *nm* bleach. ◆**décoloration** *nf* discolo(u)ration; bleaching.

décombres [dekɔ̃br] *nmpl* ruins, rubble, debris.

décommander [dekɔmɑ̃de] *vt* (*marchandises, invitation*) to cancel; (*invités*) to put off; **— se d.** *vpr* to cancel (one's appointment).

décomposer [dekɔ̃poze] *vt* to decompose; (*visage*) to distort; **— se d.** *vpr* (*pourrir*) to decompose; (*visage*) to become distorted. ◆**décomposition** *nf* decomposition.

décompresser [dekɔ̃prese] *vi Psy Fam* to unwind.

décompression [dekɔ̃presjɔ̃] *nf* decompression.

décompte [dekɔ̃t] *nm* deduction; (*détail*) breakdown. ◆**décompter** *vt* to deduct.

déconcerter [dekɔ̃sɛrte] *vt* to disconcert.

déconfit [dekɔ̃fi] *a* downcast. ◆**déconfiture** *nf* (state of) collapse *ou* defeat; (*faillite*) *Fam* financial ruin.

décongeler [dekɔ̃ʒle] *vt* (*aliment*) to thaw, defrost.

décongestionner [dekɔ̃ʒɛstjɔne] *vt* (*rue*) & *Méd* to relieve congestion in.

déconnecter [dekɔnɛkte] *vt Él & Fig* to disconnect.

déconner [dekɔne] *vi* (*divaguer*) *Fam* to talk nonsense.

déconseiller [dekɔ̃seje] *vt* **d. qch à qn** to advise s.o. against sth; **d. à qn de faire** to advise s.o. against doing; **c'est déconseillé** it is inadvisable.

déconsidérer [dekɔ̃sidere] *vt* to discredit.

décontaminer [dekɔ̃tamine] *vt* to decontaminate.
décontenancer [dekɔ̃tnɑ̃se] *vt* to disconcert; **– se d.** *vpr* to lose one's composure, become flustered.
décontracter [dekɔ̃trakte] *vt*, **– se d.** *vpr* to relax. **◆décontraction** *nf* relaxation.
déconvenue [dekɔ̃vny] *nf* disappointment.
décor [dekɔr] *nm Th* scenery, decor; *Cin* set; (*paysage*) scenery; (*d'intérieur*) decoration; (*cadre, ambiance*) setting; **entrer dans le d.** (*véhicule*) *Fam* to run off the road.
décorer [dekɔre] *vt* (*maison, soldat etc*) to decorate (**de** with). **◆décorateur, -trice** *nmf* (interior) decorator; *Th* stage designer; *Cin* set designer. **◆décoratif, -ive** *a* decorative. **◆décoration** *nf* decoration.
décortiquer [dekɔrtike] *vt* (*graine*) to husk; (*homard etc*) to shell; (*texte*) *Fam* to take to pieces, dissect.
découcher [dekuʃe] *vi* to stay out all night.
découdre [dekudr] *vt* to unstitch; – *vi* **en d.** *Fam* to fight it out; **– se d.** *vpr* to come unstitched.
découler [dekule] *vi* **d. de** to follow from.
découp/er [dekupe] *vt* (*poulet etc*) to carve; (*article etc*) *Journ* to cut out; **se d. sur** to stand out against. **◆–é** *a* (*côte*) jagged. **◆–age** *nm* carving; cutting out; (*image*) cut-out. **◆découpure** *nf* (*contour*) jagged outline; (*morceau*) piece cut out, cut-out.
découplé [dekuple] *a* **bien d.** (*personne*) well-built, strapping.
décourag/er [dekuraʒe] *vt* (*dissuader*) to discourage (**de** from); (*démoraliser*) to dishearten, discourage; **– se d.** *vpr* to get discouraged *ou* disheartened. **◆–ement** *nm* discouragement.
décousu [dekuzy] *a* (*propos, idées*) disconnected.
découvrir* [dekuvrir] *vt* (*trésor, terre etc*) to discover; (*secret, vérité etc*) to find out, discover; (*casserole etc*) to take the lid off; (*dévoiler*) to disclose (**à** to); (*dénuder*) to uncover, expose; (*voir*) to perceive; **d. que** to discover *ou* find out that; **– se d.** *vpr* (*se dénuder*) to uncover oneself; (*enlever son chapeau*) to take one's hat off; (*ciel*) to clear (up). **◆découvert 1** *a* (*terrain*) open; (*tête etc*) bare; **à d.** exposed, unprotected; **agir à d.** to act openly. **2** *nm* (*d'un compte*) *Fin* overdraft. **◆découverte** *nf* discovery; **partir** *ou* **aller à la d. de** to go in search of.
décrasser [dekrase] *vt* (*éduquer*) to take the rough edges off.
décrépit [dekrepi] *a* (*vieillard*) decrepit. **◆décrépitude** *nf* (*des institutions etc*) decay.
décret [dekrɛ] *nm* decree. **◆décréter** *vt* to order, decree.
décrier [dekrije] *vt* to run down, disparage.
décrire* [dekrir] *vt* to describe.
décroch/er [dekrɔʃe] **1** *vt* (*détacher*) to unhook; (*tableau*) to take down; (*obtenir*) *Fam* to get, land; **d. (le téléphone)** to pick up the phone. **2** *vi Fam* (*abandonner*) to give up; (*perdre le fil*) to be unable to follow, lose track. **◆–é** *a* (*téléphone*) off the hook.
décroître* [dekrwatr] *vi* (*mortalité etc*) to decrease, decline; (*eaux*) to subside; (*jours*) to draw in. **◆décroissance** *nf* decrease, decline (**de** in, of).
décrotter [dekrɔte] *vt* (*chaussures*) to clean *ou* scrape (the mud off). **◆décrottoir** *nm* shoe scraper.
décrypter [dekripte] *vt* (*message*) to decipher, decode.
déçu [desy] *voir* **décevoir;** – *a* disappointed.
déculotter (se) [sədekylɔte] *vpr* to take off one's trousers *ou Am* pants. **◆déculottée** *nf Fam* thrashing.
décupler [dekyple] *vti* to increase tenfold.
dédaigner [dedeɲe] *vt* (*personne, richesse etc*) to scorn, despise; (*repas*) to turn up one's nose at; (*offre*) to spurn; (*ne pas tenir compte de*) to disregard. **◆dédaigneux, -euse** *a* scornful, disdainful (**de** of). **◆dédain** *nm* scorn, disdain (**pour, de** for).
dédale [dedal] *nm* maze, labyrinth.
dedans [d(ə)dɑ̃] *adv* inside; **de d.** from (the) inside, from within; **en d.** on the inside; **au-d. (de), au d. (de)** inside; **au-d.** *ou* **au d. de lui-même** inwardly; **tomber d.** (*trou*) to fall in (it); **donner d.** (*être dupé*) *Fam* to fall in; **mettre d.** *Fam* (*en prison*) to put inside; (*tromper*) to take in; **je me suis fait rentrer d.** (*accident de voiture*) *Fam* someone went *ou* crashed into me; – *nm* **le d.** the inside.
dédicace [dedikas] *nf* dedication, inscription. **◆dédicacer** *vt* (*livre etc*) to dedicate, inscribe (**à** to).
dédier [dedje] *vt* to dedicate.
dédire (se) [sədedir] *vpr* to go back on one's word; **se d. de** (*promesse etc*) to go back on. **◆dédit** *nm* (*somme*) *Com* forfeit, penalty.
dédommag/er [dedɔmaʒe] *vt* to compensate (**de** for). **◆–ement** *nm* compensation.
dédouaner [dedwane] *vt* (*marchandises*) to clear through customs; **d. qn** to restore s.o.'s prestige.

dédoubl/er [deduble] *vt* (*classe etc*) to split into two; **d. un train** to run an extra train; — **se d.** *vpr* to be in two places at once. ◆**—ement** *nm* **d. de la personnalité** *Psy* split personality.

déduire* [dedɥir] *vt* (*retirer*) to deduct (**de** from); (*conclure*) to deduce (**de** from). ◆**déductible** *a* (*frais*) deductible, allowable. ◆**déduction** *nf* (*raisonnement*) & *Com* deduction.

déesse [deɛs] *nf* goddess.

défaill/ir* [defajir] *vi* (*s'évanouir*) to faint; (*forces*) to fail, flag; **sans d.** without flinching. ◆**—ant** *a* (*personne*) faint; (*témoin*) *Jur* defaulting. ◆**défaillance** *nf* (*évanouissement*) fainting fit; (*faiblesse*) weakness; (*panne*) fault; **une d. de mémoire** a lapse of memory.

défaire* [defɛr] *vt* (*nœud etc*) to undo, untie; (*bagages*) to unpack; (*installation*) to take down; (*coiffure*) to mess up; **d. qn de** to rid s.o. of; — **se d.** *vpr* (*nœud etc*) to come undone *ou* untied; **se d. de** to get rid of. ◆**défait** *a* (*lit*) unmade; (*visage*) drawn; (*armée*) defeated. ◆**défaite** *nf* defeat. ◆**défaitisme** *nm* defeatism.

défalquer [defalke] *vt* (*frais etc*) to deduct (**de** from).

défaut [defo] *nm* (*faiblesse*) fault, shortcoming, failing, defect; (*de diamant etc*) flaw; (*désavantage*) drawback; (*contumace*) *Jur* default; **le d. de la cuirasse** the chink in the armour; **faire d.** to be lacking; **le temps me fait d.** I lack time; **à d. de** for want of; **en d.** at fault; **prendre qn en d.** to catch s.o. out; **ou, à d. . . .** or, failing that . . . .

défaveur [defavœr] *nf* disfavour. ◆**défavorable** *a* unfavourable (**à** to). ◆**défavoriser** *vt* to put at a disadvantage, be unfair to.

défection [defɛksjɔ̃] *nf* defection, desertion; **faire d.** to desert; (*ne pas venir*) to fail to turn up.

défectueux, -euse [defɛktɥø, -øz] *a* faulty, defective. ◆**défectuosité** *nf* defectiveness; (*défaut*) defect (**de** in).

défendre [defɑ̃dr] **1** *vt* (*protéger*) to defend; — **se d.** *vpr* to defend oneself; **se d. de** (*pluie etc*) to protect oneself from; **se d. de faire** (*s'empêcher de*) to refrain from doing; **je me défends (bien)** *Fam* I can hold my own. **2** *vt* **d. à qn de faire** (*interdire*) to forbid s.o. to do, not allow s.o. to do; **d. qch à qn** to forbid s.o. sth. ◆**défendable** *a* defensible.

défense [defɑ̃s] *nf* **1** (*protection*) defence, *Am* defense; **sans d.** defenceless. **2** (*interdiction*) **'d. de fumer'** 'no smoking'; **'d. d'entrer'** 'no entry', 'no admittance'. **3** (*d'éléphant*) tusk. ◆**défenseur** *nm* defender; (*des faibles*) protector, defender. ◆**défensif, -ive** *a* defensive; – *nf* **sur la défensive** on the defensive.

déférent [deferɑ̃] *a* deferential. ◆**déférence** *nf* deference.

déférer [defere] **1** *vt* (*coupable*) *Jur* to refer (**à** to). **2** *vi* **d. à l'avis de qn** to defer to s.o.'s opinion.

déferler [defɛrle] *vi* (*vagues*) to break; (*haine etc*) to erupt; **d. dans** *ou* **sur** (*foule*) to surge *ou* sweep into.

défi [defi] *nm* challenge; **lancer un d. à qn** to challenge s.o.; **mettre qn au d. de faire** to defy *ou* dare *ou* challenge s.o. to do.

déficient [defisjɑ̃] *a* *Méd* deficient. ◆**déficience** *nf* *Méd* deficiency.

déficit [defisit] *nm* deficit. ◆**déficitaire** *a* (*budget etc*) in deficit; (*récolte etc*) *Fig* short, insufficient.

défier[1] [defje] *vt* (*provoquer*) to challenge (**à** to); (*braver*) to defy; **d. qn de faire** to defy *ou* challenge s.o. to do.

défier[2] **(se)** [sədefje] *vpr* **se d. de** *Litt* to distrust. ◆**défiance** *nf* distrust (**de** of). ◆**défiant** *a* distrustful (**à l'égard de** of).

défigur/er [defigyre] *vt* (*visage*) to disfigure; (*vérité etc*) to distort. ◆**—ement** *nm* disfigurement; distortion.

défil/er [defile] *vi* (*manifestants*) to march (**devant** past); *Mil* to march *ou* file past; (*paysage, jours*) to pass by; (*visiteurs*) to keep coming and going, stream in and out; (*images*) *Cin* to flash by (on the screen); — **se d.** *vpr* *Fam* (*s'éloigner*) to sneak off; (*éviter d'agir*) to cop out. ◆**—é** *nm* **1** (*cortège*) procession; (*de manifestants*) march; *Mil* parade, march past; (*de visiteurs*) stream, succession. **2** *Géog* gorge, pass.

défin/ir [definir] *vt* to define. ◆**—i** *a* (*article*) *Gram* definite. ◆**définition** *nf* definition; (*de mots croisés*) clue.

définitif, -ive [definitif, -iv] *a* final, definitive; – *nf* **en définitive** in the final analysis, finally. ◆**définitivement** *adv* (*partir*) permanently, for good; (*exclure*) definitively.

déflagration [deflagrɑsjɔ̃] *nf* explosion.

déflation [deflɑsjɔ̃] *nf* *Écon* deflation.

déflorer [deflɔre] *vt* (*idée, sujet*) to spoil the freshness of.

défonc/er [defɔ̃se] **1** *vt* (*porte, mur etc*) to smash in *ou* down; (*trottoir, route etc*) to dig up, break up. **2** **se d.** *vpr* (*drogué*) *Fam* to get high (à on). ◆—é *a* **1** (*route*) full of potholes, bumpy. **2** (*drogué*) *Fam* high.

déform/er [defɔrme] *vt* (*objet*) to put *ou* knock out of shape; (*doigt, main*) to deform; (*faits, image etc*) to distort; (*goût*) to corrupt; **— se d.** *vpr* to lose its shape. ◆**—é** *a* (*objet*) misshapen; (*corps etc*) deformed, misshapen; **chaussée déformée** uneven road surface. ◆**déformation** *nf* distortion; corruption; (*de membre*) deformity; **c'est de la d. professionnelle** it's an occupational hazard, it's a case of being conditioned by one's job.

défouler (se) [sədefule] *vpr Fam* to let off steam.

défraîchir (se) [sədefreʃir] *vpr* (*étoffe etc*) to lose its freshness, become faded.

défrayer [defreje] *vt* **d. qn** to pay *ou* defray s.o.'s expenses; **d. la chronique** to be the talk of the town.

défricher [defriʃe] *vt* (*terrain*) to clear (for cultivation); (*sujet etc*) *Fig* to open up.

défriser [defrize] *vt* (*cheveux*) to straighten; **d. qn** (*contrarier*) *Fam* to ruffle *ou* annoy s.o.

défroisser [defrwase] *vt* (*papier*) to smooth out.

défroqué [defrɔke] *a* (*prêtre*) defrocked.

défunt, -unte [defœ̃, -œ̃t] *a* (*mort*) departed; **son d. mari** her late husband; – *nmf* **le d., la défunte** the deceased, the departed.

dégag/er [degaʒe] *vt* (*lieu, table*) to clear (**de** of); (*objet en gage*) to redeem; (*odeur*) to give off; (*chaleur*) to give out; (*responsabilité*) to disclaim; (*idée, conclusion*) to bring out; **d. qn de** (*promesse*) to release s.o. from; (*décombres*) to free s.o. from, pull s.o. out of; **cette robe dégage la taille** this dress leaves the waist free and easy; – *vi Fb* to clear the ball (down the pitch); **d.!** clear the way!; **— se d.** *vpr* (*rue, ciel*) to clear; **se d. de** (*personne*) to release oneself from (*promise*); to get free from, free oneself from (*rubble*); **se d. de** (*odeur*) to issue *ou* emanate from; (*vérité, impression*) to emerge from. ◆**—é** *a* (*ciel*) clear; (*ton, allure*) easy-going, casual; (*vue*) open. ◆**—ement** *nm* **1** (*action*) clearing; redemption; (*d'odeur*) emanation; (*de chaleur*) emission; release; freeing; *Fb* clearance, kick; **itinéraire de d.** *Aut* relief road. **2** (*espace libre*) clearing; (*de maison*) passage.

dégainer [degene] *vti* (*arme*) to draw.

dégarn/ir [degarnir] *vt* to clear, empty; (*arbre, compte*) to strip; **— se d.** *vpr* (*crâne*) to go bald; (*salle*) to clear, empty. ◆**—i** *a* (*salle*) empty, bare; (*tête*) balding; **front d.** receding hairline.

dégâts [dega] *nmpl* damage; **limiter les d.** *Fig* to prevent matters getting worse.

dégel [deʒɛl] *nm* thaw. ◆**dégeler** *vt* to thaw (out); (*crédits*) to unfreeze; – *vi* to thaw (out); – *v imp* to thaw; **— se d.** *vpr* (*personne, situation*) to thaw (out).

dégénér/er [deʒenere] *vi* to degenerate (**en** into). ◆**—é, -ée** *a* & *nmf* degenerate. ◆**dégénérescence** *nf* degeneration.

dégingandé [deʒɛ̃gɑ̃de] *a* gangling, lanky.

dégivrer [deʒivre] *vt Aut Av* to de-ice; (*réfrigérateur*) to defrost.

déglingu/er (se) [sədeglɛ̃ge] *vpr Fam* to fall to bits. ◆**—é** *a* falling to bits, in bits.

dégobiller [degɔbije] *vt Fam* to spew up.

dégonfl/er [degɔ̃fle] *vt* (*pneu etc*) to deflate, let down; **— se d.** *vpr* (*flancher*) *Fam* to chicken out, get cold feet. ◆**—é, -ée** *a* (*pneu*) flat; (*lâche*) *Fam* chicken, yellow; – *nmf Fam* yellow belly.

dégorger [degɔrʒe] *vi* (*se déverser*) to discharge (**dans** into); **faire d.** (*escargots*) *Culin* to cover with salt.

dégot(t)er [degɔte] *vt Fam* to find, turn up.

dégouliner [deguline] *vi* to trickle, drip, run.

dégourd/ir [degurdir] *vt* (*doigts etc*) to take the numbness out of; **d. qn** *Fig* to smarten *ou* wise s.o. up, sharpen s.o.'s wits; **— se d.** *vpr* to smarten up, wise up; **se d. les jambes** to stretch one's legs. ◆**—i** *a* (*malin*) smart, sharp.

dégoût [degu] *nm* disgust; **le d. de** (*la vie, les gens etc*) disgust for; **avoir un** *ou* **du d. pour qch** to have a (strong) dislike *ou* distaste for sth. ◆**dégoût/er** *vt* to disgust; **d. qn de qch** to put s.o. off sth; **se d. de** to take a (strong) dislike to, become disgusted with. ◆**—ant** *a* disgusting. ◆**—é** *a* disgusted; **être d. de** to be sick of *ou* disgusted with *ou* by *ou* at; **elle est partie dégoûtée** she left in disgust; **il n'est pas d.** (*difficile*) he's not too fussy; **faire le d.** to be fussy.

dégrad/er [degrade] **1** *vt* (*avilir*) to degrade; (*mur etc*) to deface, damage; **— se d.** *vpr* (*s'avilir*) to degrade oneself; (*édifice, situation*) to deteriorate. **2** *vt* (*couleur*) to shade off. ◆**—ant** *a* degrading. ◆**—é** *nm* (*de couleur*) shading off, gradation. ◆**dégradation** *nf* (*de drogué etc*) & *Ch* degradation; (*de situation etc*) deterioration; *pl* (*dégâts*) damage.

dégrafer [degrafe] *vt* (*vêtement*) to unfasten, unhook.

dégraisser [degrese] *vt* **1** (*bœuf*) to take the

fat off; (*bouillon*) to skim. **2** (*entreprise*) *Fam* to slim down, trim down the size of (*by laying off workers*).

degré [dəgre] *nm* **1** degree; **enseignement du premier/second d.** primary/secondary education; **au plus haut d.** (*avare etc*) extremely. **2** (*gradin*) *Litt* step.

dégrever [degrəve] *vt* (*contribuable*) to reduce the tax burden on.

dégriffé [degrife] *a* **vêtement d.** unlabelled designer garment.

dégringoler [degrɛ̃gɔle] *vi* to tumble (down); **faire d. qch** to topple sth over; – *vt* (*escalier*) to rush down. ◆**dégringolade** *nf* tumble.

dégriser [degrize] *vt* **d. qn** to sober s.o. (up).

dégrossir [degrosir] *vt* (*travail*) to rough out; **d. qn** to refine s.o.

déguerpir [degɛrpir] *vi* to clear off *ou* out.

dégueulasse [degœlas] *a Fam* lousy, disgusting.

dégueuler [degœle] *vi* (*vomir*) *Arg* to puke.

déguis/er [degize] *vt* (*pour tromper*) to disguise; **d. qn en** (*costumer*) to dress s.o. up as, disguise s.o. as; **– se d.** *vpr* to dress oneself up, disguise oneself (**en** as). ◆**–ement** *nm* disguise; (*de bal costumé etc*) fancy dress.

déguster [degyste] **1** *vt* (*goûter*) to taste, sample; (*apprécier*) to relish. **2** *vi* (*subir des coups*) *Fam* to cop it, get a good hiding. ◆**dégustation** *nf* tasting, sampling.

déhancher (se) [sədeɑ̃ʃe] *vpr* (*femme etc*) to sway *ou* wiggle one's hips; (*boiteux*) to walk lop-sided.

dehors [dəɔr] *adv* out(side); (*à l'air*) outdoors, outside; **en d.** on the outside; **en d. de** outside; (*excepté*) apart from; **en d. de la ville/fenêtre** out of town/the window; **au-d. (de), au d. (de)** outside; **déjeuner/jeter/***etc* **d.** to lunch/throw/*etc* out; – *nm* (*extérieur*) outside; *pl* (*aspect*) outward appearance.

déjà [deʒa] *adv* already; **est-il d. parti?** has he left yet *ou* already?; **elle l'a d. vu** she's seen it before, she's already seen it; **c'est d. pas mal** that's not bad at all; **quand partez-vous, d.?** when are you leaving, again?

déjeuner [deʒœne] *vi* (*à midi*) to (have) lunch; (*le matin*) to (have) breakfast; – *nm* lunch; **petit d.** breakfast.

déjouer [deʒwe] *vt* (*intrigue etc*) to thwart, foil.

déjuger (se) [sədeʒyʒe] *vpr* to go back on one's opinion *ou* decision.

delà [d(ə)la] *adv* **au-d. (de), au d. (de), par-d., par d.** beyond; **au-d. du pont/***etc* beyond *ou* past the bridge/*etc*; – *nm* **l'au-d.** the (world) beyond.

délabr/er (se) [sədelabre] *vpr* (*édifice*) to become dilapidated, fall into disrepair; (*santé*) to become impaired. ◆**–ement** *nm* dilapidation, disrepair; impaired state.

délacer [delase] *vt* (*chaussures*) to undo.

délai [delɛ] *nm* time limit; (*répit, sursis*) extra time, extension; **dans un d. de dix jours** within ten days; **sans d.** without delay; **à bref d.** at short notice; **dans les plus brefs délais** as soon as possible; **dernier d.** final date.

délaisser [delese] *vt* to forsake, desert, abandon; (*négliger*) to neglect.

délass/er [delɑse] *vt*, **– se d.** *vpr* to relax. ◆**–ement** *nm* relaxation, diversion.

délateur, -trice [delatœr, -tris] *nmf* informer.

délavé [delave] *a* (*tissu, jean*) faded; (*ciel*) watery; (*terre*) waterlogged.

délayer [deleje] *vt* (*mélanger*) to mix (with liquid); (*discours, texte*) *Fig* to pad out, drag out.

delco [dɛlko] *nm Aut* distributor.

délect/er (se) [sədelɛkte] *vpr* **se d. de qch/à faire** to (take) delight in sth/in doing. ◆**–able** *a* delectable. ◆**délectation** *nf* delight.

délégu/er [delege] *vt* to delegate (**à** to). ◆**–é, -ée** *nmf* delegate. ◆**délégation** *nf* delegation.

délest/er [delɛste] *vt Él* to cut the power from; **d. qn de** (*voler à qn*) *Fam* to relieve s.o. of. ◆**–age** *nm Aut* relief; **itinéraire de d.** alternative route (*to relieve congestion*).

délibér/er [delibere] *vi* (*réfléchir*) to deliberate (**sur** upon); (*se consulter*) to confer, deliberate (**de** about). ◆**–é** *a* (*résolu*) determined; (*intentionnel*) deliberate; **de propos d.** deliberately. ◆**–ément** *adv* (*à dessein*) deliberately. ◆**délibération** *nf* deliberation.

délicat [delika] *a* (*santé, travail etc*) delicate; (*question*) tricky, delicate; (*geste*) tactful; (*conscience*) scrupulous; (*exigeant*) particular. ◆**délicatement** *adv* delicately; tactfully. ◆**délicatesse** *nf* delicacy; tact(fulness); scrupulousness.

délice [delis] *nm* delight; – *nfpl* delights. ◆**délicieux, -euse** *a* (*mets, fruit etc*) delicious; (*endroit, parfum etc*) delightful.

délié [delje] **1** *a* (*esprit*) sharp; (*doigts*) nimble; (*mince*) slender. **2** *nm* (*d'une lettre*) (thin) upstroke.

délier [delje] *vt* to untie, undo; (*langue*) *Fig*

to loosen; **d. qn de** to release s.o. from; — **se d.** *vpr* (*paquet etc*) to come undone *ou* untied.

délimiter [delimite] *vt* to mark off, delimit; (*définir*) to define. ◆**délimitation** *nf* demarcation, delimitation; definition.

délinquant, -ante [delɛ̃kɑ̃, -ɑ̃t] *a* & *nmf* delinquent. ◆**délinquance** *nf* delinquency.

délire [delir] *nm Méd* delirium; (*exaltation*) *Fig* frenzy. ◆**délir/er** *vi Méd* to be delirious; (*dire n'importe quoi*) *Fig* to rave; **d. de** (*joie etc*) to be wild with. ◆**—ant** *a* (*malade*) delirious; (*joie*) frenzied, wild; (*déraisonnable*) utterly absurd.

délit [deli] *nm* offence, misdemeanour.

délivrer [delivre] *vt* **1** (*prisonnier*) to release, deliver; (*ville*) to deliver; **d. qn de** (*souci etc*) to rid s.o. of. **2** (*billet, diplôme etc*) to issue. ◆**délivrance** *nf* release; deliverance; issue; (*soulagement*) relief.

déloger [delɔʒe] *vi* to move out; – *vt* to force *ou* drive out; *Mil* to dislodge.

déloyal, -aux [delwajal, -o] *a* disloyal; (*concurrence*) unfair. ◆**déloyauté** *nf* disloyalty; unfairness; (*action*) disloyal act.

delta [dɛlta] *nm* (*de fleuve*) delta.

deltaplane® [dɛltaplan] *nm* (*engin*) hang-glider; **faire du d.** to practise hang-gliding.

déluge [delyʒ] *nm* flood; (*de pluie*) downpour; (*de compliments, coups*) shower.

déluré [delyre] *a* (*malin*) smart, sharp; (*fille*) *Péj* brazen.

démagogie [demagɔʒi] *nf* demagogy. ◆**démagogue** *nmf* demagogue.

demain [d(ə)mɛ̃] *adv* tomorrow; **à d.!** see you tomorrow!; **ce n'est pas d. la veille** *Fam* that won't happen for a while yet.

demande [d(ə)mɑ̃d] *nf* request; (*d'emploi*) application; (*de renseignements*) inquiry; *Écon* demand; (*question*) question; **d. (en mariage)** proposal (of marriage); **demandes d'emploi** *Journ* situations wanted. ◆**demander** *vt* to ask for; (*emploi*) to apply for; (*autorisation*) to request, ask for; (*charité*) to beg for; (*prix*) to charge; (*nécessiter, exiger*) to require; **d. un nom/le chemin/l'heure** to ask a name/the way/the time; **d. qch à qn** to ask s.o. for sth; **d. à qn de faire** to ask s.o. to do; **d. si/où** to ask *ou* inquire whether/where; **on te demande!** you're wanted!; **ça demande du temps/une heure** it takes time/an hour; **d. en mariage** to propose (marriage) to; — **se d.** *vpr* to wonder, ask oneself (**pourquoi** why, **si** if).

démanger [demɑ̃ʒe] *vti* to itch; **son bras le** *ou* **lui démange** his arm itches; **ça me démange de . . .** *Fig* I'm itching to . . . . ◆**démangeaison** *nf* itch; **avoir des démangeaisons** to be itching; **j'ai une d. au bras** my arm's itching.

démanteler [demɑ̃tle] *vt* (*bâtiment*) to demolish; (*organisation etc*) to break up.

démantibuler [demɑ̃tibyle] *vt* (*meuble etc*) *Fam* to pull to pieces.

démaquill/er (se) [sədemakije] *vpr* to take off one's make-up. ◆**—ant** *nm* make-up remover.

démarcation [demarkɑsjɔ̃] *nf* demarcation.

démarche [demarʃ] *nf* walk, step, gait; (*de pensée*) process; **faire des démarches** to take the necessary steps (**pour faire** to do).

démarcheur, -euse [demarʃœr, -øz] *nmf* *Pol* canvasser; *Com* door-to-door salesman *ou* saleswoman.

démarquer [demarke] *vt* (*prix*) to mark down; **se d. de** *Fig* to dissociate oneself from.

démarr/er [demare] *vi* (*moteur*) *Aut* to start (up); (*partir*) *Aut* to move *ou* drive off; (*entreprise etc*) *Fig* to get off the ground; – *vt* (*commencer*) *Fam* to start. ◆**—age** *nm* *Aut* start; **d. en côte** hill start. ◆**—eur** *nm* *Aut* starter.

démasquer [demaske] *vt* to unmask.

démêl/er [demele] *vt* to disentangle; (*discerner*) to fathom. ◆**—é** *nm* (*dispute*) squabble; *pl* (*ennuis*) trouble (**avec** with).

démembrer [demɑ̃bre] *vt* (*pays etc*) to dismember.

déménag/er [demenaʒe] *vi* to move (out), move house; – *vt* (*meubles*) to (re)move. ◆**—ement** *nm* move, moving (house); (*de meubles*) removal, moving (**de** of); **voiture de d.** removal van, *Am* moving van. ◆**—eur** *nm* removal man, *Am* (furniture) mover.

démener (se) [sədɛmne] *vpr* to fling oneself about; **se d. pour faire** to spare no effort to do.

dément, -ente [demɑ̃, -ɑ̃t] *a* insane; (*génial*) *Iron* fantastic; – *nmf* lunatic. ◆**démence** *nf* insanity. ◆**démentiel, -ielle** *a* insane.

dément/ir [demɑ̃tir] *vt* (*infirmer*) to belie; (*nouvelle, faits etc*) to deny; **d. qn** to give the lie to s.o. ◆**—i** *nm* denial.

démerder (se) [sədemɛrde] *vpr* (*se débrouiller*) *Arg* to manage (by oneself).

démesure [deməzyr] *nf* excess. ◆**démesuré** *a* excessive, inordinate.

démettre [demɛtr] *vt* **1** (*os*) to dislocate; **se d. le pied** to dislocate one's foot. **2 d. qn de**

to dismiss s.o. from; **se d. de ses fonctions** to resign one's office.

demeurant (au) [odəmœrɑ̃] *adv* for all that, after all.

demeure [dəmœr] *nf* **1** dwelling (place), residence. **2 mettre qn en d. de faire** to summon *ou* instruct s.o. to do. **◆demeur/er** *vi* **1** (*aux* **être**) (*rester*) to remain; **en d. là** (*affaire etc*) to rest there. **2** (*aux* **avoir**) (*habiter*) to live, reside. **◆—é** *a Fam* (mentally) retarded.

demi, -ie [d(ə)mi] *a* half; **d.-journée** half-day; **une heure et demie** an hour and a half; (*horloge*) half past one; – *adv* **(à) d. plein** half-full; **à d. nu** half-naked; **ouvrir à d.** to open halfway; **faire les choses à d.** to do things by halves; – *nmf* (*moitié*) half; – *nm* (*verre*) (half-pint) glass of beer; *Fb* half-back; – *nf* (*à l'horloge*) half-hour.

demi-cercle [d(ə)misɛrkl] *nm* semicircle. **◆d.-douzaine** *nf* **une d.-douzaine (de)** a half-dozen, half a dozen. **◆d.-finale** *nf Sp* semifinal. **◆d.-frère** *nm* stepbrother. **◆d.-heure** *nf* **une d.-heure** a half-hour, half an hour. **◆d.-mesure** *nf* half-measure. **◆d.-mot** *nm* **tu comprendras à d.-mot** you'll understand without my having to spell it out. **◆d.-pension** *nf* half-board. **◆d.-pensionnaire** *nmf* day boarder, *Am* day student. **◆d.-saison** *nf* **de d.-saison** (*vêtement*) between seasons. **◆d.-sel** *a inv* (*beurre*) slightly salted; **(fromage) d.-sel** cream cheese. **◆d.-sœur** *nf* stepsister. **◆d.-tarif** *nm & a inv* (*billet*) **(à) d.-tarif** half-price. **◆d.-tour** *nm* about turn, *Am* about face; *Aut* U-turn; **faire d.-tour** to turn back.

démission [demisjɔ̃] *nf* resignation. **◆démissionnaire** *a* (*ministre etc*) outgoing. **◆démissionner** *vi* to resign.

démobiliser [demɔbilize] *vt* to demobilize. **◆démobilisation** *nf* demobilization.

démocrate [demɔkrat] *nmf* democrat; – *a* democratic. **◆démocratie** [-asi] *nf* democracy. **◆démocratique** *a* democratic.

démod/er (se) [sədemɔde] *vpr* to go out of fashion. **◆—é** *a* old-fashioned.

démographie [demɔgrafi] *nf* demography.

demoiselle [d(ə)mwazɛl] *nf* (*célibataire*) spinster, single woman; (*jeune fille*) young lady; **d. d'honneur** (*à un mariage*) bridesmaid; (*de reine*) maid of honour.

démolir [demɔlir] *vt* (*maison, jouet etc*) to demolish; (*projet etc*) to shatter; **d. qn** (*battre, discréditer*) *Fam* to tear s.o. to pieces. **◆démolition** *nf* demolition; **en d.** being demolished.

démon [demɔ̃] *nm* demon; **petit d.** (*enfant*) little devil. **◆démoniaque** *a* devilish, fiendish.

démonstrateur, -trice [demɔ̃stratœr, -tris] *nmf* (*dans un magasin etc*) demonstrator. **◆démonstratif, -ive** *a* demonstrative. **◆démonstration** *nf* demonstration; **d. de force** show of force.

démonter [demɔ̃te] *vt* (*assemblage*) to dismantle, take apart; (*installation*) to take down; **d. qn** (*troubler*) *Fig* to disconcert s.o.; **une mer démontée** a stormy sea; **— se d.** *vpr* to come apart; (*installation*) to come down; (*personne*) to be put out *ou* disconcerted.

démontrer [demɔ̃tre] *vt* to demonstrate, show.

démoraliser [demɔralize] *vt* to demoralize; **— se d.** *vpr* to become demoralized. **◆démoralisation** *nf* demoralization.

démordre [demɔrdr] *vi* **il ne démordra pas de** (*son opinion etc*) he won't budge from.

démouler [demule] *vt* (*gâteau*) to turn out (*from its mould*).

démunir [demynir] *vt* **d. qn de** to deprive s.o. of; **se d. de** to part with.

démystifier [demistifje] *vt* (*public etc*) to disabuse; (*idée etc*) to debunk.

dénationaliser [denasjɔnalize] *vt* to denationalize.

dénatur/er [denatyre] *vt* (*propos, faits etc*) to misrepresent, distort. **◆—é** (*goût, père etc*) unnatural.

dénégation [denegɑsjɔ̃] *nf* denial.

déneiger [deneʒe] *vt* to clear of snow.

dénicher [deniʃe] *vt* (*trouver*) to dig up, turn up; (*ennemi, fugitif*) to hunt out, flush out.

dénier [denje] *vt* to deny; (*responsabilité*) to disclaim, deny; **d. qch à qn** to deny s.o. sth.

dénigr/er [denigre] *vt* to denigrate, disparage. **◆—ement** *nm* denigration, disparagement.

dénivellation [denivɛlɑsjɔ̃] *nf* unevenness; (*pente*) gradient; *pl* (*accidents*) bumps.

dénombrer [denɔ̃bre] *vt* to count, number.

dénomm/er [denɔme] *vt* to name. **◆—é, -ée** *nmf* **un d. Dupont** a man named Dupont. **◆dénomination** *nf* designation, name.

dénonc/er [denɔ̃se] *vt* (*injustice etc*) to denounce (**à** to); **d. qn** to inform on s.o., denounce s.o. (**à** to); *Scol* to tell on s.o. (**à** to); **— se d.** *vpr* to give oneself up (**à** to). **◆dénonciateur, -trice** *nmf* informer. **◆dénonciation** *nf* denunciation.

dénoter [denɔte] *vt* to denote.

dénouer [denwe] *vt* (*nœud, corde*) to undo, untie; (*cheveux*) to undo; (*situation, intrigue*) to unravel; (*problème, crise*) to clear up; **— se d.** *vpr* (*nœud*) to come undone *ou* untied; (*cheveux*) to come undone. **◆dénouement** *nm* outcome, ending; *Th* dénouement.

dénoyauter [denwajote] *vt* (*prune etc*) to stone, *Am* to pit.

denrée [dɑ̃re] *nf* food(stuff); **denrées alimentaires** foodstuffs.

dense [dɑ̃s] *a* dense. **◆densité** *nf* density.

dent [dɑ̃] *nf* tooth; (*de roue*) cog; (*de fourche*) prong; (*de timbre-poste*) perforation; **d. de sagesse** wisdom tooth; **rien à se mettre sous la d.** nothing to eat; **manger à belles dents/du bout des dents** to eat whole-heartedly/half-heartedly; **faire ses dents** (*enfant*) to be teething; **coup de d.** bite; **sur les dents** (*surmené*) exhausted; (*énervé*) on edge; **avoir une d. contre qn** to have it in for s.o. **◆dentaire** *a* dental. **◆dentée** *af* **roue d.** cogwheel. **◆dentier** *nm* denture(s), (set of) false teeth. **◆dentifrice** *nm* toothpaste. **◆dentiste** *nmf* dentist; **chirurgien d.** dental surgeon. **◆dentition** *nf* (*dents*) (set of) teeth.

dentelé [dɑ̃tle] *a* (*côte*) jagged; (*feuille*) serrated. **◆dentelure** *nf* jagged outline *ou* edge.

dentelle [dɑ̃tɛl] *nf* lace.

dénud/er [denyde] *vt* to (lay) bare. **◆—é** *a* bare.

dénué [denɥe] *a* **d. de** devoid of, without.

dénuement [denymɑ̃] *nm* destitution; **dans le d.** poverty-stricken.

déodorant [deɔdɔrɑ̃] *nm* deodorant.

dépann/er [depane] *vt* (*mécanisme*) to get going (again), repair; **d. qn** *Fam* to help s.o. out. **◆—age** *nm* (emergency) repair; **voiture/service de d.** breakdown vehicle/service. **◆—eur** *nm* repairman; *Aut* breakdown mechanic. **◆—euse** *nf* (*voiture*) *Aut* breakdown lorry, *Am* wrecker, tow truck.

dépareillé [depareje] *a* (*chaussure etc*) odd, not matching; (*collection*) incomplete.

déparer [depare] *vt* to mar, spoil.

départ [depar] *nm* departure; (*début*) start, beginning; *Sp* start; **point/ligne de d.** starting point/post; **au d.** at the outset, at the start; **au d. de Paris**/*etc* (*excursion etc*) departing from Paris/*etc*.

départager [departaʒe] *vt* (*concurrents*) to decide between; **d. les votes** to give the casting vote.

département [departəmɑ̃] *nm* department. **◆départemental, -aux** *a* departmental; **route départementale** secondary road.

départir (se) [sədepartir] *vpr* **se d. de** (*attitude*) to depart from, abandon.

dépass/er [depɑse] *vt* (*durée, attente etc*) to go beyond, exceed; (*endroit*) to go past, go beyond; (*véhicule, bicyclette etc*) to overtake, pass; (*pouvoir*) to go beyond, overstep; **d. qn** (*en hauteur*) to be taller than s.o.; (*surclasser*) to be ahead of s.o.; **ça me dépasse** *Fig* that's (quite) beyond me; – *vi* (*jupon, clou etc*) to stick out, show. **◆—é** *a* (*démodé*) outdated; (*incapable*) unable to cope. **◆—ement** *nm Aut* overtaking, passing.

dépays/er [depeize] *vt* to disorientate, *Am* disorient. **◆—ement** *nm* disorientation; (*changement*) change of scenery.

dépecer [depəse] *vt* (*animal*) to cut up, carve up.

dépêche [depɛʃ] *nf* telegram; (*diplomatique*) dispatch. **◆dépêcher** *vt* to dispatch; **— se d.** *vpr* to hurry (up).

dépeign/er [depeɲe] *vt* **d. qn** to make s.o.'s hair untidy. **◆—é** *a* **être d.** to have untidy hair; **sortir d.** to go out with untidy hair.

dépeindre* [depɛ̃dr] *vt* to depict, describe.

dépenaillé [depənɑje] *a* in tatters *ou* rags.

dépend/re [depɑ̃dr] **1** *vi* to depend (**de** on); **d. de** (*appartenir à*) to belong to; (*être soumis à*) to be dependent on; **ça dépend de toi** that depends on you, that's up to you. **2** *vt* (*décrocher*) to take down. **◆—ant** *a* dependent (**de** on). **◆dépendance 1** *nf* dependence; **sous la d. de qn** under s.o.'s domination. **2** *nfpl* (*bâtiments*) outbuildings.

dépens [depɑ̃] *nmpl Jur* costs; **aux d. de** at the expense of; **apprendre à ses d.** to learn to one's cost.

dépense [depɑ̃s] *nf* (*action*) spending; (*frais*) expense, expenditure; (*d'électricité etc*) consumption; (*physique*) exertion. **◆dépenser** *vt* (*argent*) to spend; (*électricité etc*) to use; (*forces*) to exert; (*énergie*) to expend; **— se d.** *vpr* to exert oneself. **◆dépensier, -ière** *a* wasteful, extravagant.

déperdition [deperdisjɔ̃] *nf* (*de chaleur etc*) loss.

dépér/ir [deperir] *vi* (*personne*) to waste away; (*plante*) to wither; (*santé etc*) to decline. **◆—issement** *nm* (*baisse*) decline.

dépêtrer [depetre] *vt* to extricate; **— se d.** *vpr* to extricate oneself (**de** from).

dépeupl/er [depœple] *vt* to depopulate. **◆—ement** *nm* depopulation.

dépilatoire [depilatwar] *nm* hair-remover.

dépist/er [depiste] *vt* (*criminel etc*) to track down; (*maladie, fraude*) to detect. ◆**—age** *nm Méd* detection.

dépit [depi] *nm* resentment, chagrin; **en d. de** in spite of. ◆**dépiter** *vt* to vex, chagrin; **— se d.** *vpr* to feel resentment *ou* chagrin.

déplac/er [deplase] *vt* to shift, move; (*fonctionnaire*) to transfer; **— se d.** *vpr* to move (about); (*voyager*) to get about, travel (about). ◆**—é** *a* (*mal à propos*) out of place; **personne déplacée** (*réfugié*) displaced person. ◆**—ement** *nm* (*voyage*) (business *ou* professional) trip; (*d'ouragan, de troupes*) movement; **les déplacements** (*voyages*) travel(ling); **frais de d.** travelling expenses.

déplaire* [deplɛr] *vi* **d. à qn** to displease s.o.; **cet aliment lui déplaît** he *ou* she dislikes this food; **n'en déplaise à** *Iron* with all due respect to; – *v imp* **il me déplaît de faire** I dislike doing, it displeases me to do; **— se d.** *vpr* to dislike it. ◆**déplaisant** *a* unpleasant, displeasing. ◆**déplaisir** *nm* displeasure.

dépli/er [deplije] *vt* to open out, unfold. ◆**—ant** *nm* (*prospectus*) leaflet.

déplor/er [deplɔre] *vt* (*regretter*) to deplore; (*la mort de qn*) to mourn (over), lament (over); **d. qn** to mourn (for) s.o.; **d. que** (+ *sub*) to deplore the fact that, regret that. ◆**—able** *a* deplorable, lamentable.

déployer [deplwaje] *vt* (*ailes*) to spread; (*journal, carte etc*) to unfold, spread (out); (*objets, courage etc*) to display; (*troupes*) to deploy; **— se d.** *vpr* (*drapeau*) to unfurl. ◆**déploiement** *nm* (*démonstration*) display; *Mil* deployment.

dépoli [depɔli] *a* **verre d.** frosted glass.

déport/er [depɔrte] *vt* **1** (*exiler*) *Hist* to deport (to a penal colony); (*dans un camp de concentration*) *Hist* to send to a concentration camp, deport. **2** (*dévier*) to veer *ou* carry (off course). ◆**—é, -ée** *nmf* deportee; (concentration camp) inmate. ◆**déportation** *nf* deportation; internment (in a concentration camp).

dépos/er [depoze] *vt* (*poser*) to put down; (*laisser*) to leave; (*argent, lie*) to deposit; (*plainte*) to lodge; (*armes*) to lay down; (*gerbe*) to lay; (*ordures*) to dump; (*marque de fabrique*) to register; (*projet de loi*) to introduce; (*souverain*) to depose; **d. qn** *Aut* to drop s.o. (off), put s.o. off; **d. son bilan** *Fin* to go into liquidation, file for bankruptcy; – *vi Jur* to testify; (*liquide*) to leave a deposit; **— se d.** *vpr* (*poussière, lie*) to settle. ◆**dépositaire** *nmf Fin* agent; (*de secret*) custodian. ◆**déposition** *nf Jur* statement; (*de souverain*) deposing.

déposséder [depɔsede] *vt* to deprive, dispossess (**de** of).

dépôt [depo] *nm* (*d'ordures etc*) dumping, (*lieu*) dump; (*de gerbe*) laying; (*d'autobus, de trains*) depot; (*entrepôt*) warehouse; (*argent*) deposit; (*de vin*) deposit, sediment; **d. (calcaire)** (*de chaudière etc*) deposit; **laisser qch à qn en d.** to give s.o. sth for safekeeping *ou* in trust.

dépotoir [depɔtwar] *nm* rubbish dump, *Am* garbage dump.

dépouille [depuj] *nf* hide, skin; (*de serpent*) slough; *pl* (*butin*) spoils; **d. (mortelle)** mortal remains. ◆**dépouill/er** *vt* (*animal*) to skin, flay; (*analyser*) to go through, analyse; **d. de** (*dégarnir*) to strip of; (*déposséder*) to deprive of; **se d. de** to rid *ou* divest oneself of, cast off; **d. un scrutin** to count votes. ◆**—é** *a* (*arbre*) bare; (*style*) austere, spare; **d. de** bereft of. ◆**—ement** *nm* (*de document etc*) analysis; (*privation*) deprivation; (*sobriété*) austerity; **d. du scrutin** counting of the votes.

dépourvu [depurvy] *a* **d. de** devoid of; **prendre qn au d.** to catch s.o. unawares *ou* off his guard.

dépraver [deprave] *vt* to deprave. ◆**dépravation** *nf* depravity.

dépréci/er [depresje] *vt* (*dénigrer*) to disparage; (*monnaie, immeuble etc*) to depreciate; **— se d.** *vpr* (*baisser*) to depreciate, lose (its) value. ◆**dépréciation** *nf* depreciation.

déprédations [depredɑsjɔ̃] *nfpl* damage, ravages.

dépression [deprɛsjɔ̃] *nf* depression; **zone de d.** trough of low pressure; **d. nerveuse** nervous breakdown; **d. économique** slump. ◆**dépressif, -ive** *a* depressive. ◆**déprime** *nf* **la d.** (*dépression*) *Fam* the blues. ◆**déprim/er** *vt* to depress. ◆**—é** *a* depressed.

depuis [dəpɥi] *prép* since; **d. lundi** since Monday; **d. qu'elle est partie** since she left; **j'habite ici d. un mois** I've been living here for a month; **d. quand êtes-vous là?** how long have you been here?; **d. peu/longtemps** for a short/long time; **d. Paris jusqu'à Londres** from Paris to London; – *adv* since (then), ever since.

députation [depytɑsjɔ̃] *nf* (*groupe*) deputation, delegation; **candidat à la d.** parliamentary candidate. ◆**député** *nm* dele-

gate, deputy; (*au parlement*) deputy, = *Br* MP, = *Am* congressman, congresswoman.
déracin/er [derasine] *vt* (*personne, arbre etc*) to uproot; (*préjugés etc*) to eradicate, root out. **◆—ement** *nm* uprooting; eradication.
dérail/er [deraje] *vi* **1** (*train*) to jump the rails, be derailed; **faire d.** to derail. **2** (*divaguer*) *Fam* to drivel, talk through one's hat. **◆—ement** *nm* (*de train*) derailment. **◆—eur** *nm* (*de bicyclette*) derailleur (gear change).
déraisonnable [derɛzɔnabl] *a* unreasonable. **◆déraisonner** *vi* to talk nonsense.
dérang/er [derɑ̃ʒe] *vt* (*affaires*) to disturb, upset; (*estomac*) to upset; (*projets*) to mess up, upset; (*vêtements*) to mess up; (*cerveau, esprit*) to derange; **d. qn** to disturb *ou* bother *ou* trouble s.o.; **je viendrai si ça ne te dérange pas** I'll come if that doesn't put you out *ou* if that's not imposing; **ça vous dérange si je fume?** do you mind if I smoke?; **— se d.** *vpr* to put oneself to a lot of trouble (**pour faire** to do), (*se déplacer*) to move; **ne te dérange pas!** don't trouble yourself!, don't bother! **◆—ement** *nm* (*gêne*) bother, inconvenience; (*désordre*) disorder; **en d.** (*téléphone etc*) out of order.
dérap/er [derape] *vi* to skid. **◆—age** *nm* skid; (*des prix, de l'inflation*) *Fig* loss of control (**de** over).
dératé [derate] *nm* **courir comme un d.** to run like mad.
dérégl/er [deregle] *vt* (*mécanisme*) to put out of order; (*estomac, habitudes*) to upset; (*esprit*) to unsettle; **— se d.** *vpr* (*montre, appareil*) to go wrong. **◆—é** *a* out of order; (*vie, mœurs*) dissolute, wild; (*imagination*) wild. **◆dérèglement** *nm* (*de mécanisme*) breakdown; (*d'esprit*) disorder; (*d'estomac*) upset.
dérider [deride] *vt*, **— se d.** *vpr* to cheer up.
dérision [derizjɔ̃] *nf* derision, mockery; **tourner en d.** to mock, deride; **par d.** derisively; **de d.** derisive. **◆dérisoire** *a* ridiculous, derisory, derisive.
dérive [deriv] *nf Nau* drift; **partir à la d.** (*navire*) to drift out to sea; **aller à la d.** (*navire*) to go adrift; (*entreprise etc*) *Fig* to drift (towards ruin). **◆dériv/er** *vi Nau Av* to drift; **d. de** (*venir*) to derive from, be derived from; – *vt* (*cours d'eau*) to divert; *Ling* to derive (**de** from). **◆—é** *nm Ling Ch* derivative; (*produit*) by-product. **◆dérivatif** *nm* distraction (**à** from). **◆dérivation** *nf* (*de cours d'eau*) diversion; *Ling* derivation; (*déviation routière*) bypass.
dermatologie [dɛrmatɔlɔʒi] *nf* dermatology.
dernier -ière [dɛrnje, -jɛr] *a* last; (*nouvelles, mode*) latest; (*étage*) top; (*degré*) highest; (*qualité*) lowest; **le d. rang** the back *ou* last row; **ces derniers mois** these past few months, these last *ou* final months; **de la dernière importance** of (the) utmost importance; **en d.** last; – *nmf* last (person *ou* one); **ce d.** (*de deux*) the latter; (*de plusieurs*) the last-mentioned; **être le d. de la classe** to be (at the) bottom of the class; **le d. des derniers** the lowest of the low; **le d. de mes soucis** the least of my worries. **◆d.-né, ◆dernière-née** *nmf* youngest (child). **◆dernièrement** *adv* recently.
dérob/er [derɔbe] *vt* (*voler*) to steal (**à** from); (*cacher*) to hide (**à** from); **— se d.** *vpr* to get out of one's obligations; (*s'éloigner*) to slip away; (*éviter de répondre*) to dodge the issue; **se d. à** (*obligations*) to shirk, get out of; (*regards*) to hide from; **ses jambes se sont dérobées sous lui** his legs gave way beneath him. **◆—é** *a* (*porte etc*) hidden, secret; **à la dérobée** *adv* on the sly, stealthily. **◆dérobade** *nf* dodge, evasion.
déroger [derɔʒe] *vi* **d. à une règle**/*etc* to depart from a rule/*etc.* **◆dérogation** *nf* exemption, (special) dispensation.
dérouiller [deruje] *vt* **d. qn** (*battre*) *Arg* to thrash *ou* thump s.o.; **se d. les jambes** *Fam* to stretch one's legs.
déroul/er [derule] *vt* (*carte etc*) to unroll; (*film*) to unwind; **— se d.** *vpr* (*événement*) to take place, pass off; (*paysage, souvenirs*) to unfold; (*récit*) to develop. **◆—ement** *nm* (*d'une action*) unfolding, development; (*cours*) course.
dérouter [derute] *vt* (*avion, navire*) to divert, reroute; (*candidat etc*) to baffle; (*poursuivant*) to throw off the scent.
derrick [dɛrik] *nm* derrick.
derrière [dɛrjɛr] *prép & adv* behind; **d. moi** behind me, *Am* in back of me; **assis d.** (*dans une voiture*) sitting in the back; **de d.** (*roue*) back, rear; (*pattes*) hind; **par d.** (*attaquer*) from behind, from the rear; – *nm* (*de maison etc*) back, rear; (*fesses*) behind, bottom.
des [de] *voir* **de**[1,2], **le.**
dès [dɛ] *prép* from; **d. cette époque** (as) from that time, from that time on; **d. le début** (right) from the start; **d. son enfance** since *ou* from (his *ou* her) childhood; **d. le**

sixième siècle as early as *ou* as far back as the sixth century; **d. l'aube** at (the crack of) dawn; **d. qu'elle viendra** as soon as she comes.

désabusé [dezabyze] *a* disenchanted, disillusioned.

désaccord [dezakɔr] *nm* disagreement. ◆**désaccordé** *a Mus* out of tune.

désaccoutumer (se) [sədezakutyme] *vpr* **se d. de** to lose the habit of.

désaffecté [dezafɛkte] *a* (*école etc*) disused.

désaffection [dezafɛksjɔ̃] *nf* loss of affection, disaffection (**pour** for).

désagréable [dezagreabl] *a* unpleasant, disagreeable. ◆**—ment** [-əmɑ̃] *adv* unpleasantly.

désagréger [dezagreʒe] *vt,* **— se d.** *vpr* to disintegrate, break up. ◆**désagrégation** *nf* disintegration.

désagrément [dezagremɑ̃] *nm* annoyance, trouble.

désaltér/er [dezaltere] *vt* **d. qn** to quench s.o.'s thirst; **se d.** to quench one's thirst. ◆**—ant** *a* thirst-quenching.

désamorcer [dezamɔrse] *vt* (*obus, situation*) to defuse.

désappointer [dezapwɛ̃te] *vt* to disappoint.

désapprouver [dezapruve] *vt* to disapprove of; – *vi* to disapprove. ◆**désapprobateur, -trice** *a* disapproving. ◆**désapprobation** *nf* disapproval.

désarçonner [dezarsɔne] *vt* (*jockey*) to throw, unseat; (*déconcerter*) *Fig* to nonpluss, throw.

désarm/er [dezarme] *vt* (*émouvoir*) & *Mil* to disarm; – *vi Mil* to disarm; (*céder*) to let up. ◆**—ant** *a* (*charme etc*) disarming. ◆**—é** *a* (*sans défense*) unarmed; *Fig* helpless. ◆**—ement** *nm* (*de nation*) disarmament.

désarroi [dezarwa] *nm* (*angoisse*) distress.

désarticuler [dezartikyle] *vt* (*membre*) to dislocate.

désastre [dezastr] *nm* disaster. ◆**désastreux, -euse** *a* disastrous.

désavantage [dezavɑ̃taʒ] *nm* disadvantage, handicap; (*inconvénient*) drawback, disadvantage. ◆**désavantager** *vt* to put at a disadvantage, handicap. ◆**désavantageux, -euse** *a* disadvantageous.

désaveu, -x [dezavø] *nm* repudiation. ◆**désavouer** *vt* (*livre, personne etc*) to disown, repudiate.

désaxé, -ée [dezakse] *a* & *nmf* unbalanced (person).

desceller [desele] *vt* (*pierre etc*) to loosen; **— se d.** *vpr* to come loose.

descend/re [desɑ̃dr] *vi* (*aux* **être**) to come *ou* go down, descend (**de** from); (*d'un train etc*) to get off *ou* out, alight (**de** from); (*d'un arbre*) to climb down (**de** from); (*nuit, thermomètre*) to fall; (*marée*) to go out; **d. à** (*une bassesse*) to stoop to; **d. à l'hôtel** to put up at a hotel; **d. de** (*être issu de*) to be descended from; **d. de cheval** to dismount; **d. en courant/flânant/***etc* to run/stroll/*etc* down; – *vt* (*aux* **avoir**) (*escalier*) to come *ou* go down, descend; (*objets*) to bring *ou* take down; (*avion*) to bring *ou* shoot down; **d. qn** (*tuer*) *Fam* to bump s.o. off. ◆**—ant, -ante 1** *a* descending; (*marée*) outgoing. **2** *nmf* (*personne*) descendant. ◆**descendance** *nf* (*enfants*) descendants; (*origine*) descent.

descente [desɑ̃t] *nf* (*action*) descent; (*irruption*) raid (**dans** upon); (*en parachute*) drop; (*pente*) slope; **la d. des bagages** bringing *ou* taking down the luggage; **il fut accueilli à sa d. d'avion** he was met as he got off the plane; **d. à skis** downhill run; **d. de lit** (*tapis*) bedside rug.

descriptif, -ive [dɛskriptif, -iv] *a* descriptive. ◆**description** *nf* description.

déségrégation [desegregɑsjɔ̃] *nf* desegregation.

désemparé [dezɑ̃pare] *a* distraught, at a loss; (*navire*) crippled.

désemplir [dezɑ̃plir] *vi* **ce magasin/***etc* **ne désemplit pas** this shop/*etc* is always crowded.

désenchant/er [dezɑ̃ʃɑ̃te] *vt* to disenchant. ◆**—ement** *nm* disenchantment.

désencombrer [dezɑ̃kɔ̃bre] *vt* (*passage etc*) to clear.

désenfler [dezɑ̃fle] *vi* to go down, become less swollen.

déséquilibre [dezekilibr] *nm* (*inégalité*) imbalance; (*mental*) unbalance; **en d.** (*meuble etc*) unsteady. ◆**déséquilibrer** *vt* to throw off balance; (*esprit, personne*) *Fig* to unbalance.

désert [dezɛr] *a* deserted; **île déserte** desert island; – *nm* desert, wilderness. ◆**désertique** *a* (*région etc*) desert-.

déserter [dezɛrte] *vti* to desert. ◆**déserteur** *nm Mil* deserter. ◆**désertion** *nf* desertion.

désespér/er [dezɛspere] *vi* to despair (**de** of); – *vt* to drive to despair; **— se d.** *vpr* to (be in) despair. ◆**—ant** *a* (*enfant etc*) that drives one to despair, hopeless. ◆**—é, -ée** *a* (*personne*) in despair, despairing; (*cas, situation*) desperate, hopeless; (*efforts, cris*) desperate; – *nmf* (*suicidé*) person driven to

despair *ou* desperation. ◆**—ément** *adv* desperately. ◆**désespoir** *nm* despair; **au d.** in despair; **en d. de cause** in desperation, as a (desperate) last resort.
déshabiller [dezabije] *vt* to undress, strip; **— se d.** *vpr* to get undressed, undress.
déshabituer [dezabitɥe] *vt* **d. qn de** to break s.o. of the habit of.
désherb/er [dezɛrbe] *vti* to weed. ◆**—ant** *nm* weed killer.
déshérit/er [dezerite] *vt* to disinherit. ◆**—é** *a* (*pauvre*) underprivileged; (*laid*) ill-favoured.
déshonneur [dezɔnœr] *nm* dishonour, disgrace. ◆**déshonor/er** *vt* to disgrace, dishonour. ◆**—ant** *a* dishonourable.
déshydrater [dezidrate] *vt* to dehydrate; **— se d.** *vpr* to become dehydrated.
désigner [deziɲe] *vt* (*montrer*) to point to, point out; (*élire*) to appoint, designate; (*signifier*) to indicate, designate; **ses qualités le désignent pour** his qualities mark him out for. ◆**désignation** *nf* designation.
désillusion [dezilyzjɔ̃] *nf* disillusion(ment). ◆**désillusionner** *vt* to disillusion.
désincarné [dezɛ̃karne] *a* (*esprit*) disembodied.
désinence [dezinɑ̃s] *nf Gram* ending.
désinfect/er [dezɛ̃fɛkte] *vt* to disinfect. ◆**—ant** *nm* & *a* disinfectant. ◆**désinfection** *nf* disinfection.
désinformation [dezɛ̃fɔrmɑsjɔ̃] *nf Pol* misinformation.
désintégrer (se) [sədezɛ̃tegre] *vpr* to disintegrate. ◆**désintégration** *nf* disintegration.
désintéress/er (se) [sədezɛ̃terese] *vpr* **se d. de** to lose interest in, take no further interest in. ◆**—é** *a* (*altruiste*) disinterested. ◆**—ement** [-ɛsmɑ̃] *nm* (*altruisme*) disinterestedness. ◆**désintérêt** *nm* lack of interest.
désintoxiquer [dezɛ̃tɔksike] *vt* (*alcoolique, drogué*) to cure.
désinvolte [dezɛ̃vɔlt] *a* (*dégagé*) easy-going, casual; (*insolent*) offhand, casual. ◆**désinvolture** *nf* casualness; offhandedness.
désir [dezir] *nm* desire, wish. ◆**désirable** *a* desirable. ◆**désirer** *vt* to want, desire; (*convoîter*) to desire; **je désire venir** I would like to come, I wish *ou* want to come; **je désire que tu viennes** I want you to come; **ça laisse à d.** it leaves something *ou* a lot to be desired. ◆**désireux, -euse** *a* **d. de faire** anxious *ou* eager to do, desirous of doing.
désist/er (se) [sədeziste] *vpr* (*candidat etc*) to withdraw. ◆**—ement** *nm* withdrawal.
désobé/ir [dezɔbeir] *vi* to disobey; **d. à qn** to disobey s.o. ◆**—issant** *a* disobedient. ◆**désobéissance** *nf* disobedience (**à** to).
désobligeant [dezɔbliʒɑ̃] *a* disagreeable, unkind.
désodorisant [dezɔdɔrizɑ̃] *nm* air freshener.
désœuvré [dezœvre] *a* idle, unoccupied. ◆**désœuvrement** *nm* idleness.
désol/er [dezɔle] *vt* to distress, upset (very much); **— se d.** *vpr* to be distressed *ou* upset (**de** at). ◆**—ant** *a* distressing, upsetting. ◆**—é** *a* (*région*) desolate; (*affligé*) distressed; **être d.** (*navré*) to be sorry (**que** (+ *sub*) that, **de faire** to do). ◆**désolation** *nf* (*peine*) distress, grief.
désolidariser (se) [sədesɔlidarize] *vpr* to dissociate oneself (**de** from).
désopilant [dezɔpilɑ̃] *a* hilarious, screamingly funny.
désordre [dezɔrdr] *nm* (*de papiers, affaires, idées*) mess, muddle, disorder; (*de cheveux, pièce*) untidiness; *Méd* disorder; *pl* (*émeutes*) disorder, unrest; **en d.** untidy, messy. ◆**désordonné** *a* (*personne, chambre*) untidy, messy.
désorganiser [dezɔrganize] *vt* to disorganize. ◆**désorganisation** *nf* disorganization.
désorienter [dezɔrjɑ̃te] *vt* **d. qn** to disorientate *ou Am* disorient s.o., make s.o. lose his bearings; (*déconcerter*) to bewilder s.o. ◆**désorientation** *nf* disorientation.
désormais [dezɔrmɛ] *adv* from now on, in future, henceforth.
désosser [dezɔse] *vt* (*viande*) to bone.
despote [dɛspɔt] *nm* despot. ◆**despotique** *a* despotic. ◆**despotisme** *nm* despotism.
desquels, desquelles [dekɛl] *voir* **lequel.**
dessaisir (se) [sədesezir] *vpr* **se d. de qch** to part with sth, relinquish sth.
dessaler [desale] *vt* (*poisson etc*) to remove the salt from (*by smoking*).
dessécher [deseʃe] *vt* (*végétation*) to dry up, wither; (*gorge, bouche*) to dry, parch; (*fruits*) to desiccate, dry; (*cœur*) to harden; **— se d.** *vpr* (*plante*) to wither, dry up; (*peau*) to dry (up), get dry; (*maigrir*) to waste away.
dessein [desɛ̃] *nm* aim, design; **dans le d. de faire** with the aim of doing; **à d.** intentionally.
desserrer [desere] *vt* (*ceinture etc*) to loosen, slacken; (*poing*) to open, unclench;

(*frein*) to release; **il n'a pas desserré les dents** he didn't open his mouth; **— se d.** *vpr* to come loose.

dessert [desɛr] *nm* dessert, sweet.

desserte [desɛrt] *nf* **assurer la d. de** (*village etc*) to provide a (bus *ou* train) service to. **◆desservir** *vt* **1** (*table*) to clear (away). **2 d. qn** to harm s.o., do s.o. a disservice. **3 l'autobus/***etc* **dessert ce village** the bus/*etc* provides a service to *ou* stops at this village; **ce quartier est bien desservi** this district is well served by public transport.

dessin [desɛ̃] *nm* drawing; (*rapide*) sketch; (*motif*) design, pattern; (*contour*) outline; **d. animé** *Cin* cartoon; **d. humoristique** *Journ* cartoon; **école de d.** art school; **planche à d.** drawing board. **◆dessinateur, -trice** *nmf* drawer; sketcher; **d. humoristique** cartoonist; **d. de modes** dress designer; **d. industriel** draughtsman, *Am* draftsman. **◆dessiner** *vt* to draw; (*rapidement*) to sketch; (*meuble, robe etc*) to design; (*indiquer*) to outline, trace; **d. (bien) la taille** (*vêtement*) to show off the figure; **— se d.** *vpr* (*colline etc*) to stand out, be outlined; (*projet*) to take shape.

dessoûler [desule] *vti Fam* to sober up.

dessous [d(ə)su] *adv* under(neath), beneath, below; **en d.** (*sous*) under(neath); (*agir*) *Fig* in an underhand way; **vêtement de d.** undergarment; **drap de d.** bottom sheet; – *nm* underneath; *pl* (*vêtements*) underclothes; **d. de table** backhander, bribe; **les gens du d.** the people downstairs *ou* below; **avoir le d.** to be defeated, get the worst of it. **◆d.-de-plat** *nm inv* table mat.

dessus [d(ə)sy] *adv* (*marcher, écrire*) on it; (*monter*) on top (of it), on it; (*lancer, passer*) over it; **de d. la table** off *ou* from the table; **vêtement de d.** outer garment; **drap de d.** top sheet; **par-d.** (*sauter etc*) over (it); **par-d. tout** above all; – *nm* top; (*de chaussure*) upper; **avoir le d.** to have the upper hand, get the best of it; **les gens du d.** the people upstairs *ou* above. **◆d.-de-lit** *nm inv* bedspread.

déstabiliser [destabilize] *vt* to destabilize.

destin [dɛstɛ̃] *nm* fate, destiny. **◆destinée** *nf* fate, destiny (*of an individual*).

destin/er [dɛstine] *vt* **d. qch à qn** to intend *ou* mean sth for s.o.; **d. qn à** (*carrière, fonction*) to intend *ou* destine s.o. for; **se d. à** (*carrière etc*) to intend *ou* mean to take up; **destiné à mourir/***etc* (*condamné*) destined *ou* fated to die/*etc*. **◆destinataire** *nmf* addressee. **◆destination** *nf* (*usage*) purpose; (*lieu*) destination; **à d. de** (*train etc*) (going) to, (bound) for.

destituer [dɛstitɥe] *vt* (*fonctionnaire etc*) to dismiss (from office). **◆destitution** *nf* dismissal.

destructeur, -trice [dɛstryktœr, -tris] *a* destructive; – *nmf* (*personne*) destroyer. **◆destructif, -ive** *a* destructive. **◆destruction** *nf* destruction.

désuet, -ète [desɥɛ, -ɛt] *a* antiquated, obsolete.

désunir [dezynir] *vt* (*famille etc*) to divide, disunite. **◆désunion** *nf* disunity, dissension.

détach/er[1] [detaʃe] *vt* (*ceinture, vêtement*) to undo; (*nœud*) to untie, undo; (*personne, mains*) to untie; (*ôter*) to take off, detach; (*mots*) to pronounce clearly; **d. qn** (*libérer*) to let s.o. loose; (*affecter*) to transfer s.o. (on assignment) (**à** to); **d. les yeux de qn/qch** to take one's eyes off s.o./sth; **— se d.** *vpr* (*chien, prisonnier*) to break loose; (*se dénouer*) to come undone; **se d. (de qch)** (*fragment*) to come off (sth); **se d. de** (*amis*) to break away from, grow apart from; **se d. (sur)** (*ressortir*) to stand out (against). **◆—é** *a* **1** (*nœud*) loose, undone. **2** (*air, ton etc*) detached. **◆—ement** *nm* **1** (*indifférence*) detachment. **2** (*de fonctionnaire*) (temporary) transfer; *Mil* detachment.

détach/er[2] [detaʃe] *vt* (*linge etc*) to remove the spots *ou* stains from. **◆—ant** *nm* stain remover.

détail [detaj] *nm* **1** detail; **en d.** in detail; **le d. de** (*dépenses etc*) a detailing *ou* breakdown of. **2 de d.** (*magasin, prix*) retail; **vendre au d.** to sell retail; (*par petites quantités*) to sell separately; **faire le d.** to retail to the public. **◆détaill/er** *vt* **1** (*vendre*) to sell in small quantities *ou* separately; (*au détail*) to (sell) retail. **2** (*énumérer*) to detail. **◆—ant, -ante** *nmf* retailer. **◆—é** *a* (*récit etc*) detailed.

détaler [detale] *vi Fam* to run off, make tracks.

détartrer [detartre] *vt* (*chaudière, dents etc*) to scale.

détaxer [detakse] *vt* (*denrée etc*) to reduce the tax on; (*supprimer*) to take the tax off; **produit détaxé** duty-free article.

détecter [detɛkte] *vt* to detect. **◆détecteur** *nm* (*appareil*) detector. **◆détection** *nf* detection.

détective [detɛktiv] *nm* **d. (privé)** (private) detective.

déteindre* [detɛ̃dr] *vi* (*couleur ou étoffe au lavage*) to run; (*au soleil*) to fade; **ton**

tablier bleu a déteint sur ma chemise the blue of your apron has come off on(to) my shirt; **d. sur qn** (*influencer*) to leave one's mark on s.o.

dételer [detle] *vt* (*chevaux*) to unhitch, unharness.

détend/re [detɑ̃dr] *vt* (*arc etc*) to slacken, relax; (*situation, atmosphère*) to ease; **d. qn** to relax s.o.; **— se d.** *vpr* to slacken, get slack; to ease; (*se reposer*) to relax; (*rapports*) to become less strained. **◆—u** *a* (*visage, atmosphère*) relaxed; (*ressort, câble*) slack. **◆détente** *nf* **1** (*d'arc*) slackening; (*de relations*) easing of tension, *Pol* détente; (*repos*) relaxation; (*saut*) leap, spring. **2** (*gâchette*) trigger.

déten/ir* [detnir] *vt* to hold; (*secret, objet volé*) to be in possession of; (*prisonnier*) to hold, detain. **◆—u, -ue** *nmf* prisoner. **◆détenteur, -trice** *nmf* (*de record etc*) holder. **◆détention** *nf* (*d'armes*) possession; (*captivité*) detention; **d. préventive** *Jur* custody.

détergent [deterʒɑ̃] *nm* detergent.

détériorer [deterjɔre] *vt* (*abîmer*) to damage; **— se d.** *vpr* (*empirer*) to deteriorate. **◆détérioration** *nf* damage (**de** to); (*d'une situation etc*) deterioration (**de** in).

détermin/er [determine] *vt* (*préciser*) to determine; (*causer*) to bring about; **d. qn à faire** to induce s.o. to do, make s.o. do; **se d. à faire** to resolve *ou* determine to do. **◆—ant** *a* (*motif*) determining, deciding; (*rôle*) decisive. **◆—é** *a* (*précis*) specific; (*résolu*) determined. **◆détermination** *nf* (*fermeté*) determination; (*résolution*) resolve.

déterrer [detere] *vt* to dig up, unearth.

détest/er [deteste] *vt* to hate, detest; **d. faire** to hate doing *ou* to do, detest doing. **◆—able** *a* awful, foul.

détonateur [detɔnatœr] *nm* detonator. **◆détonation** *nf* explosion, blast.

détonner [detɔne] *vi* (*contraster*) to jar, be out of place.

détour [detur] *nm* (*de route etc*) bend, curve; (*crochet*) detour; **sans d.** (*parler*) without beating about the bush; **faire des détours** (*route*) to wind.

détourn/er [deturne] *vt* (*fleuve, convoi etc*) to divert; (*tête*) to turn (away); (*coups*) to ward off; (*conversation, sens*) to change; (*fonds*) to embezzle, misappropriate; (*avion*) to hijack; **d. qn de** (*son devoir, ses amis*) to take *ou* turn s.o. away from; (*sa route*) to lead s.o. away from; (*projet*) to talk s.o. out of; **d. les yeux** to look away, avert one's eyes; **— se d.** *vpr* to turn aside *ou* away; **se d. de** (*chemin*) to wander *ou* stray from. **◆—é** *a* (*chemin, moyen*) roundabout, indirect. **◆—ement** *nm* (*de cours d'eau*) diversion; **d. (d'avion)** hijack(ing); **d. (de fonds)** embezzlement.

détraqu/er [detrake] *vt* (*mécanisme*) to break, put out of order; **— se d.** *vpr* (*machine*) to go wrong; **se d. l'estomac** to upset one's stomach; **se d. la santé** to ruin one's health. **◆—é, -ée** *a* out of order; (*cerveau*) deranged; – *nmf* crazy *ou* deranged person.

détremper [detrɑ̃pe] *vt* to soak, saturate.

détresse [detrɛs] *nf* distress; **en d.** (*navire, âme*) in distress; **dans la d.** (*misère*) in (great) distress.

détriment de (au) [odetrimɑ̃də] *prép* to the detriment of.

détritus [detritys] *nmpl* refuse, rubbish.

détroit [detrwa] *nm Géog* strait(s), sound.

détromper [detrɔ̃pe] *vt* **d. qn** to undeceive s.o., put s.o. right; **détrompez-vous!** don't you believe it!

détrôner [detrone] *vt* (*souverain*) to dethrone; (*supplanter*) to supersede, oust.

détrousser [detruse] *vt* (*voyageur etc*) to rob.

détruire* [detrɥir] *vt* (*ravager, tuer*) to destroy; (*projet, santé*) to ruin, wreck, destroy.

dette [dɛt] *nf* debt; **faire des dettes** to run *ou* get into debt; **avoir des dettes** to be in debt.

deuil [dœj] *nm* (*affliction, vêtements*) mourning; (*mort de qn*) bereavement; **porter le d., être en d.** to be in mourning.

deux [dø] *a* & *nm* two; **d. fois** twice, two times; **tous (les) d.** both; **en moins de d.** *Fam* in no time. **◆d.-pièces** *nm inv* (*vêtement*) two-piece; (*appartement*) two-roomed flat *ou Am* apartment. **◆d.-points** *nm inv Gram* colon. **◆d.-roues** *nm inv* two-wheeled vehicle. **◆d.-temps** *nm inv* two-stroke (engine).

deuxième [døzjɛm] *a* & *nmf* second. **◆—ment** *adv* secondly.

dévaler [devale] *vt* (*escalier etc*) to hurtle *ou* race *ou* rush down; – *vi* (*tomber*) to tumble down, come tumbling down.

dévaliser [devalize] *vt* (*détrousser*) to clean out, strip, rob (of everything).

dévaloriser [devalɔrize] **1** *vt*, **— se d.** *vpr* (*monnaie*) to depreciate. **2** *vt* (*humilier etc*) to devalue, disparage. **◆dévalorisation** *nf* (*de monnaie*) depreciation.

dévaluer [devalɥe] *vt* (*monnaie*) & *Fig* to devalue. **◆dévaluation** *nf* devaluation.

devancer [d(ə)vɑ̃se] *vt* to get *ou* be ahead of; (*question etc*) to anticipate, forestall; (*surpasser*) to outstrip; **tu m'as devancé** (*action*) you did it before me; (*lieu*) you got there before me. ◆**devancier, -ière** *nmf* predecessor.

devant [d(ə)vɑ̃] *prép & adv* in front (of); **d. (l'hôtel/***etc*) in front (of the hotel/*etc*); **marcher d. (qn)** to walk in front (of s.o.) *ou* ahead (of s.o.); **passer d. (l'église/***etc*) to go past (the church/*etc*); **assis d.** (*dans une voiture*) sitting in the front; **l'avenir est d. toi** the future is ahead of you; **loin d.** a long way ahead *ou* in front; **d. le danger** (*confronté à*) in the face of danger; **d. mes yeux/la loi** before my eyes/the law; – *nm* front; **de d.** (*roue, porte*) front; **patte de d.** foreleg; **par d.** from *ou* at the front; **prendre les devants** (*action*) to take the initiative. ◆**devanture** *nf* (*vitrine*) shop window; (*façade*) shop front.

dévaster [devaste] *vt* (*ruiner*) to devastate. ◆**dévastation** *nf* devastation.

déveine [devɛn] *nf Fam* tough *ou* bad luck.

développ/er [devlɔpe] *vt* to develop; *Phot* to develop, process; **– se d.** *vpr* to develop. ◆**—ement** *nm* development; *Phot* developing, processing; **les pays en voie de d.** the developing countries.

devenir* [dəvnir] *vi* (*aux* **être**) to become; (*vieux, difficile etc*) to get, grow, become; (*rouge, bleu etc*) to turn, go, become; **d. un papillon/un homme/***etc* to grow into a butterfly/a man/*etc*; **qu'est-il devenu?** what's become of him *ou* it?, where's he *ou* it got to?; **qu'est-ce que tu deviens?** *Fam* how are you doing?

dévergond/er (se) [sədevɛrgɔ̃de] *vpr* to fall into dissolute ways. ◆**—é** *a* dissolute, licentious.

déverser [devɛrse] *vt* (*liquide, rancune*) to pour out; (*bombes, ordures*) to dump; **– se d.** *vpr* (*liquide*) to empty, pour out (**dans** into).

dévêtir [devetir] *vt*, **– se d.** *vpr Litt* to undress.

dévier [devje] *vt* (*circulation, conversation*) to divert; (*coup, rayons*) to deflect; – *vi* (*de ses principes etc*) to deviate (**de** from); (*de sa route*) to veer (off course). ◆**déviation** *nf* deflection; deviation; (*chemin*) bypass; (*itinéraire provisoire*) diversion.

deviner [d(ə)vine] *vt* to guess (**que** that); (*avenir*) to predict; **d. (le jeu de) qn** to see through s.o. ◆**devinette** *nf* riddle.

devis [d(ə)vi] *nm* estimate (*of cost of work to be done*).

dévisager [devizaʒe] *vt* **d. qn** to stare at s.o.

devise [d(ə)viz] *nf* (*légende*) motto; *pl* (*monnaie*) (foreign) currency.

dévisser [devise] *vt* to unscrew, undo; **– se d.** *vpr* (*bouchon etc*) to come undone.

dévoiler [devwale] *vt* (*révéler*) to disclose; (*statue*) to unveil; **– se d.** *vpr* (*mystère*) to come to light.

devoir* [1] [d(ə)vwar] *v aux* **1** (*nécessité*) **je dois refuser** I must refuse, I have (got) to refuse; **j'ai dû refuser** I had to refuse. **2** (*forte probabilité*) **il doit être tard** it must be late; **elle a dû oublier** she must have forgotten; **il ne doit pas être bête** he can't be stupid. **3** (*obligation*) **tu dois l'aider** you should help her, you ought to help her; **il aurait dû venir** he should have come, he ought to have come; **vous devriez rester** you should stay, you ought to stay. **4** (*supposition*) **elle doit venir** she should be coming, she's supposed to be coming, she's due to come; **le train devait arriver à midi** the train was due (to arrive) at noon; **je devais le voir** I was (due) to see him.

devoir* [2] [d(ə)vwar] **1** *vt* to owe; **d. qch à qn** to owe s.o. sth, owe sth to s.o.; **l'argent qui m'est dû** the money due to *ou* owing to me, the money owed (to) me; **se d. à** to have to devote oneself to; **comme il se doit** as is proper. **2** *nm* duty; *Scol* exercise; **devoir(s)** (*travail à faire à la maison*) *Scol* homework; **présenter ses devoirs à qn** to pay one's respects to s.o.

dévolu [devɔly] **1** *a* **d. à qn** (*pouvoirs, tâche*) vested in s.o., allotted to s.o. **2** *nm* **jeter son d. sur** to set one's heart on.

dévor/er [devɔre] *vt* (*manger*) to gobble up, devour; (*incendie*) to engulf, devour; (*tourmenter, lire*) to devour. ◆**—ant** *a* (*faim*) ravenous; (*passion*) devouring.

dévot, -ote [devo, -ɔt] *a & nmf* devout *ou* pious (person). ◆**dévotion** *nf* devotion.

dévou/er (se) [sədevwe] *vpr* (*à une tâche*) to dedicate oneself, devote oneself (**à** to); **se d. (pour qn)** (*se sacrifier*) to sacrifice oneself (for s.o.). ◆**—é** *a* (*ami, femme etc*) devoted (**à qn** to s.o.); (*domestique, soldat etc*) dedicated. ◆**—ement** [-umɑ̃] *nm* devotion, dedication; (*de héros*) devotion to duty.

dévoyé, -ée [devwaje] *a & nmf* delinquent.

dextérité [dɛksterite] *nf* dexterity, skill.

diabète [djabɛt] *nm Méd* diabetes. ◆**diabétique** *a & nmf* diabetic.

diable [djɑbl] *nm* devil; **d.!** heavens!; **où/pourquoi/que d.?** where/why/what the devil?; **un bruit/vent/***etc* **du d.** the devil of

a noise/wind/*etc*; **à la d.** anyhow; **habiter au d.** to live miles from anywhere. ◆**diablerie** *nf* devilment, mischief. ◆**diablesse** *nf* **c'est une d.** *Fam* she's a devil. ◆**diablotin** *nm* (*enfant*) little devil. ◆**diabolique** *a* diabolical, devilish.
diabolo [djabɔlo] *nm* (*boisson*) lemonade *ou Am* lemon soda flavoured with syrup.
diacre [djakr] *nm Rel* deacon.
diadème [djadɛm] *nm* diadem.
diagnostic [djagnɔstik] *nm* diagnosis. ◆**diagnostiquer** *vt* to diagnose.
diagonal, -aux [djagɔnal, -o] *a* diagonal. ◆**diagonale** *nf* diagonal (line); **en d.** diagonally.
diagramme [djagram] *nm* (*schéma*) diagram; (*courbe*) graph.
dialecte [djalɛkt] *nm* dialect.
dialogue [djalɔg] *nm* conversation; *Pol Cin Th Littér* dialogue. ◆**dialoguer** *vi* to have a conversation *ou* dialogue.
dialyse [djaliz] *nf Méd* dialysis.
diamant [djamɑ̃] *nm* diamond.
diamètre [djamɛtr] *nm* diameter. ◆**diamétralement** *adv* **d. opposés** (*avis etc*) diametrically opposed, poles apart.
diapason [djapazɔ̃] *nm Mus* tuning fork; **être/se mettre au d. de** *Fig* to be/get in tune with.
diaphragme [djafragm] *nm* diaphragm.
diapositive, *Fam* **diapo** [djapozitiv, djapo] *nf* (colour) slide, transparency.
diarrhée [djare] *nf* diarrh(o)ea.
diatribe [djatrib] *nf* diatribe.
dictateur [diktatœr] *nm* dictator. ◆**dictatorial, -aux** *a* dictatorial. ◆**dictature** *nf* dictatorship.
dict/er [dikte] *vt* to dictate (**à** to). ◆**—ée** *nf* dictation. ◆**dictaphone®** *nm* dictaphone®.
diction [diksjɔ̃] *nf* diction, elocution.
dictionnaire [diksjɔnɛr] *nm* dictionary.
dicton [diktɔ̃] *nm* saying, adage, dictum.
didactique [didaktik] *a* didactic.
dièse [djɛz] *a & nm Mus* sharp.
diesel [djezɛl] *a & nm* **(moteur) d.** diesel (engine).
diète [djɛt] *nf* (*jeûne*) starvation diet; **à la d.** on a starvation diet. ◆**diététicien, -ienne** *nmf* dietician. ◆**diététique** *nf* dietetics; – *a* (*magasin etc*) health-; **aliment** *ou* **produit d.** health food.
dieu, -x [djø] *nm* god; **D.** God; **D. merci!** thank God!, thank goodness!
diffamer [difame] *vt* (*en paroles*) to slander; (*par écrit*) to libel. ◆**diffamation** *nf* defamation; (*en paroles*) slander; (*par écrit*) libel; **campagne de d.** smear campaign. ◆**diffamatoire** *a* slanderous; libellous.
différent [diferɑ̃] *a* different; *pl* (*divers*) different, various; **d. de** different from *ou* to, unlike. ◆**différemment** [-amɑ̃] *adv* differently (**de** from, to). ◆**différence** *nf* difference (**de** in); **à la d. de** unlike; **faire la d. entre** to make a distinction between.
différencier [diferɑ̃sje] *vt* to differentiate (**de** from); **— se d.** *vpr* to differ (**de** from).
différend [diferɑ̃] *nm* difference (of opinion).
différentiel, -ielle [diferɑ̃sjɛl] *a* differential.
différ/er [difere] **1** *vi* to differ (**de** from). **2** *vt* (*remettre*) to postpone, defer. ◆**—é** *nm* **en d.** (*émission*) (pre)recorded.
difficile [difisil] *a* difficult; (*exigeant*) fussy, particular, hard *ou* difficult to please; **c'est d. à faire** it's hard *ou* difficult to do; **il (nous) est d. de faire ça** it's hard *ou* difficult (for us) to do that. ◆**—ment** *adv* with difficulty; **d. lisible** not easily read. ◆**difficulté** *nf* difficulty (**à faire** in doing); **en d.** in a difficult situation.
difforme [difɔrm] *a* deformed, misshapen. ◆**difformité** *nf* deformity.
diffus [dify] *a* (*lumière, style*) diffuse.
diffuser [difyze] *vt* (*émission, nouvelle etc*) to broadcast; (*lumière, chaleur*) *Phys* to diffuse; (*livre*) to distribute. ◆**diffusion** *nf* broadcasting; (*de connaissances*) & *Phys* diffusion; (*de livre*) distribution.
digérer [diʒere] *vt* to digest; (*endurer*) *Fam* to stomach; – *vi* to digest. ◆**digeste** *a*, ◆**digestible** *a* digestible. ◆**digestif, -ive** *a* digestive; – *nm* after-dinner liqueur. ◆**digestion** *nf* digestion.
digitale [diʒital] *af* **empreinte d.** fingerprint.
digne [diɲ] *a* (*fier*) dignified; (*honnête*) worthy; **d. de qn** worthy of s.o.; **d. d'admiration**/*etc* worthy of *ou* deserving of admiration/*etc*; **d. de foi** reliable. ◆**dignement** *adv* with dignity. ◆**dignitaire** *nm* dignitary. ◆**dignité** *nf* dignity.
digression [digresjɔ̃] *nf* digression.
digue [dig] *nf* dyke, dike.
dilapider [dilapide] *vt* to squander, waste.
dilater [dilate] *vt*, **— se d.** *vpr* to dilate, expand. ◆**dilatation** *nf* dilation, expansion.
dilatoire [dilatwar] *a* **manœuvre** *ou* **moyen d.** delaying tactic.
dilemme [dilɛm] *nm* dilemma.
dilettante [dilɛtɑ̃t] *nmf Péj* dabbler, amateur.
diligent [diliʒɑ̃] *a* (*prompt*) speedy and effi-

cient; (*soin*) diligent. ◆**diligence** *nf* **1** (*célérité*) speedy efficiency; **faire d.** to make haste. **2** (*véhicule*) *Hist* stagecoach.

diluer [dilɥe] *vt* to dilute. ◆**dilution** *nf* dilution.

diluvienne [dilyvjɛn] *af* **pluie d.** torrential rain.

dimanche [dimɑ̃ʃ] *nm* Sunday.

dimension [dimɑ̃sjɔ̃] *nf* dimension; **à deux dimensions** two-dimensional.

diminuer [diminɥe] *vt* to reduce, decrease; (*frais*) to cut down (on), reduce; (*mérite, forces*) to diminish, lessen, reduce; **d. qn** (*rabaisser*) to diminish s.o., lessen s.o.; – *vi* (*réserves, nombre*) to decrease, diminish; (*jours*) to get shorter, draw in; (*prix*) to drop, decrease. ◆**diminutif, -ive** *a* & *nm Gram* diminutive; – *nm* (*prénom*) nickname. ◆**diminution** *nf* reduction, decrease (**de** in).

dinde [dɛ̃d] *nf* turkey (hen), *Culin* turkey. ◆**dindon** *nm* turkey (cock).

dîner [dine] *vi* to have dinner, dine; (*au Canada, en Belgique etc*) to (have) lunch; – *nm* dinner; lunch; (*soirée*) dinner party. ◆**dînette** *nf* (*jouet*) doll's dinner service; (*jeu*) doll's dinner party. ◆**dîneur, -euse** *nmf* diner.

dingue [dɛ̃g] *a Fam* nuts, screwy, crazy; – *nmf Fam* nutcase.

dinosaure [dinozɔr] *nm* dinosaur.

diocèse [djɔsɛz] *nm Rel* diocese.

diphtérie [difteri] *nf* diphtheria.

diphtongue [diftɔ̃g] *nf Ling* diphthong.

diplomate [diplɔmat] *nm Pol* diplomat; – *nmf* (*négociateur*) diplomatist; – *a* (*habile, plein de tact*) diplomatic. ◆**diplomatie** [-asi] *nf* (*tact*) & *Pol* diplomacy; (*carrière*) diplomatic service. ◆**diplomatique** *a Pol* diplomatic.

diplôme [diplom] *nm* certificate, diploma; *Univ* degree. ◆**diplômé, -ée** *a* & *nmf* qualified (person); **être d. (de)** *Univ* to be a graduate (of).

dire* [dir] *vt* (*mot, avis etc*) to say; (*vérité, secret, heure etc*) to tell; (*penser*) to think (**de** of, about); **d. des bêtises** to talk nonsense; **elle dit que tu mens** she says (that) you're lying; **d. qch à qn** to tell s.o. sth, say sth to s.o.; **d. à qn que** to tell s.o. that, say to s.o. that; **d. à qn de faire** to tell s.o. to do; **dit-il** he said; **dit-on** they say; **d. que oui/non** to say yes/no; **d. du mal/du bien de** to speak ill/well of; **on dirait un château** it looks like a castle; **on dirait du Mozart** it sounds like Mozart; **on dirait du cabillaud** it tastes like cod; **on dirait que** it would seem that; **ça ne me dit rien** (*envie*) I don't feel like *ou* fancy that; (*souvenir*) it doesn't ring a bell; **ça vous dit de rester?** do you feel like staying?; **dites donc!** I say!; **ça va sans d.** that goes without saying; **autrement dit** in other words; **c'est beaucoup d.** that's going too far; **à l'heure dite** at the agreed time; **à vrai d.** to tell the truth; **il se dit malade**/*etc* he says he's ill/*etc*; **ça ne se dit pas** that's not said; – *nm* **au d. de** according to; **les dires de** (*déclarations*) the statements of.

direct [dirɛkt] *a* direct; (*chemin*) straight, direct; (*manière*) straightforward, direct; **train d.** through train, non-stop train; – *nm* **en d.** (*émission*) live; **un d. du gauche** *Boxe* a straight left. ◆**—ement** *adv* directly; (*immédiatement*) straight (away), directly.

directeur, -trice [dirɛktœr, -tris] *nmf* director; (*d'entreprise*) manager(ess), director; (*de journal*) editor; *Scol* headmaster, headmistress; – *a* (*principe*) guiding; **idées** *ou* **lignes directrices** guidelines.

direction [dirɛksjɔ̃] *nf* **1** (*de société*) running, management; (*de club*) leadership, running; (*d'études*) supervision; (*mécanisme*) *Aut* steering; **avoir la d. de** to be in charge of; **sous la d. de** (*orchestre*) conducted by; **la d.** (*équipe dirigeante*) the management; **une d.** (*fonction*) *Com* a directorship; *Scol* a headmastership; *Journ* an editorship. **2** (*sens*) direction; **en d. de** (*train*) (going) to, for.

directive [dirɛktiv] *nf* directive, instruction.

dirig/er [diriʒe] *vt* (*société*) to run, manage, direct; (*débat, cheval*) to lead; (*véhicule*) to steer; (*orchestre*) to conduct; (*études*) to supervise, direct; (*conscience*) to guide; (*orienter*) to turn (**vers** towards); (*arme, lumière*) to point, direct (**vers** towards); **se d. vers** (*lieu, objet*) to make one's way towards, head *ou* make for; (*dans une carrière*) to turn towards. ◆**—eant** *a* (*classe*) ruling; – *nm* (*de pays, club*) leader; (*d'entreprise*) manager. ◆**—é** *a* (*économie*) planned. ◆**—eable** *a* & *nm* **(ballon) d.** airship. ◆**dirigisme** *nm Écon* state control.

dis [di] *voir* **dire.**

discern/er [disɛrne] *vt* (*voir*) to make out, discern; (*différencier*) to distinguish. ◆**—ement** *nm* discernment, discrimination.

disciple [disipl] *nm* disciple, follower.

discipline [disiplin] *nf* (*règle, matière*) discipline. ◆**disciplinaire** *a* disciplinary. ◆**disciplin/er** *vt* (*contrôler, éduquer*) to

discipline; — **se d.** *vpr* to discipline oneself. ◆**—é** *a* well-disciplined.
disco [disko] *nf Fam* disco; **aller en d.** to go to a disco.
discontinu [diskɔ̃tiny] *a* (*ligne*) discontinuous; (*bruit etc*) intermittent. ◆**discontinuer** *vi* **sans d.** without stopping.
disconvenir [diskɔ̃vnir] *vi* **je n'en disconviens pas** I don't deny it.
discorde [diskɔrd] *nf* discord. ◆**discordance** *nf* (*de caractères*) clash, conflict; (*de son*) discord. ◆**discordant** *a* (*son*) discordant; (*témoignages*) conflicting; (*couleurs*) clashing.
discothèque [diskɔtɛk] *nf* record library; (*club*) discotheque.
discours [diskur] *nm* speech; (*écrit littéraire*) discourse. ◆**discourir** *vi Péj* to speechify, ramble on.
discourtois [diskurtwa] *a* discourteous.
discrédit [diskredi] *nm* disrepute, discredit. ◆**discréditer** *vt* to discredit, bring into disrepute; — **se d.** *vpr* (*personne*) to become discredited.
discret, -ète [diskrɛ, -ɛt] *a* (*personne, manière etc*) discreet; (*vêtement*) simple. ◆**discrètement** *adv* discreetly; (*s'habiller*) simply. ◆**discrétion** *nf* discretion; **vin/***etc* **à d.** as much wine/*etc* as one wants. ◆**discrétionnaire** *a* discretionary.
discrimination [diskriminasjɔ̃] *nf* (*ségrégation*) discrimination. ◆**discriminatoire** *a* discriminatory.
disculper [diskylpe] *vt* to exonerate (**de** from).
discussion [diskysjɔ̃] *nf* discussion; (*conversation*) talk; (*querelle*) argument; **pas de d.!** no argument! ◆**discut/er** *vt* to discuss; (*familièrement*) to talk over; (*contester*) to question; **ça peut se d., ça se discute** that's arguable; – *vi* (*parler*) to talk (**de** about, **avec** with); (*répliquer*) to argue; **d. de** *ou* **sur qch** to discuss sth. ◆**—é** *a* (*auteur*) much discussed *ou* debated; (*théorie, question*) disputed, controversial. ◆**—able** *a* arguable, debatable.
disette [dizɛt] *nf* food shortage.
diseuse [dizœz] *nf* **d. de bonne aventure** fortune-teller.
disgrâce [disgrɑs] *nf* disgrace, disfavour. ◆**disgracier** *vt* to disgrace.
disgracieux, -euse [disgrasjø, -øz] *a* ungainly.
disjoindre [disʒwɛ̃dr] *vt* (*questions*) to treat separately. ◆**disjoint** *a* (*questions*) unconnected, separate. ◆**disjoncteur** *nm Él* circuit breaker.
disloquer [dislɔke] *vt* (*membre*) to dislocate; (*meuble, machine*) to break; — **se d.** *vpr* (*cortège*) to break up; (*meuble etc*) to fall apart; **se d. le bras** to dislocate one's arm. ◆**dislocation** *nf* (*de membre*) dislocation.
dispar/aître* [disparɛtr] *vi* to disappear; (*être porté manquant*) to be missing; (*mourir*) to die; **d. en mer** to be lost at sea; **faire d.** to remove, get rid of. ◆**—u, -ue** *a* (*soldat etc*) missing, lost; – *nmf* (*absent*) missing person; (*mort*) departed; **être porté d.** to be reported missing. ◆**disparition** *nf* disappearance; (*mort*) death.
disparate [disparat] *a* ill-assorted.
disparité [disparite] *nf* disparity (**entre, de** between).
dispendieux, -euse [dispɑ̃djø, -øz] *a* expensive, costly.
dispensaire [dispɑ̃sɛr] *nm* community health centre.
dispense [dispɑ̃s] *nf* exemption; **d. d'âge** waiving of the age limit. ◆**dispenser** *vt* (*soins, bienfaits etc*) to dispense; **d. qn de** (*obligation*) to exempt *ou* excuse s.o. from; **je vous dispense de** (*vos réflexions etc*) I can dispense with; **se d. de faire** to spare oneself the bother of doing.
disperser [disperse] *vt* to disperse, scatter; (*efforts*) to dissipate; — **se d.** *vpr* (*foule*) to disperse; **elle se disperse trop** she tries to do too many things at once. ◆**dispersion** *nf* (*d'une armée etc*) dispersal, dispersion.
disponible [dispɔnibl] *a* available; (*place*) spare, available; (*esprit*) alert. ◆**disponibilité** *nf* availability; *pl Fin* available funds.
dispos [dispo] *a* fit, in fine fettle; **frais et d.** refreshed.
dispos/er [dispoze] *vt* to arrange; (*troupes*) *Mil* to dispose; **d. qn à** (*la bonne humeur etc*) to dispose *ou* incline s.o. towards; **se d. à faire** to prepare to do; – *vi* **d. de qch** to have sth at one's disposal; (*utiliser*) to make use of sth; **d. de qn** *Péj* to take advantage of s.o., abuse s.o. ◆**—é** *a* **bien/mal d.** in a good/bad mood; **bien d. envers** well-disposed towards; **d. à faire** prepared *ou* disposed to do. ◆**disposition** *nf* arrangement; (*de troupes*) disposition; (*de maison, page*) layout; (*humeur*) frame of mind; (*tendance*) tendency, (pre)disposition (**à** to); (*clause*) *Jur* provision; *pl* (*aptitudes*) ability, aptitude (**pour** for); **à la d. de qn** at s.o.'s disposal; **prendre ses** *ou* **des dispositions** (*préparatifs*) to make arrangements, prepare; (*pour l'avenir*) to

make provision; **dans de bonnes dispositions à l'égard de** well-disposed towards.

dispositif [dispozitif] *nm* (*mécanisme*) device; **d. de défense** *Mil* defence system; **d. antiparasite** *Él* suppressor.

disproportion [disprɔpɔrsjɔ̃] *nf* disproportion. ◆**disproportionné** *a* disproportionate.

dispute [dispyt] *nf* quarrel. ◆**disputer** *vt* (*match*) to play; (*terrain, droit etc*) to contest, dispute; (*rallye*) to compete in; **d. qch à qn** (*prix, première place etc*) to fight with s.o. for *ou* over sth, contend with s.o. for sth; **d. qn** (*gronder*) *Fam* to tell s.o. off; **— se d.** *vpr* to quarrel (**avec** with); (*match*) to take place; **se d. qch** to fight over sth.

disqualifier [diśkalifje] *vt Sp* to disqualify; **— se d.** *vpr Fig* to become discredited. ◆**disqualification** *nf Sp* disqualification.

disque [disk] *nm Mus* record; *Sp* discus; (*cercle*) disc, *Am* disk; (*pour ordinateur*) disk. ◆**disquaire** *nmf* record dealer. ◆**disquette** *nf* (*pour ordinateur*) floppy disk.

dissection [disɛksjɔ̃] *nf* dissection.

dissemblable [disɑ̃blabl] *a* dissimilar (**à** to).

disséminer [disemine] *vt* (*graines, mines etc*) to scatter; (*idées*) *Fig* to disseminate. ◆**dissémination** *nf* scattering; (*d'idées*) *Fig* dissemination.

dissension [disɑ̃sjɔ̃] *nf* dissension.

disséquer [diseke] *vt* to dissect.

disserter [diserte] *vi* **d. sur** to comment upon, discuss. ◆**dissertation** *nf Scol* essay.

dissident, -ente [disidɑ̃, -ɑ̃t] *a & nmf* dissident. ◆**dissidence** *nf* dissidence.

dissimul/er [disimyle] *vt* (*cacher*) to conceal, hide (**à** from); – *vi* (*feindre*) to pretend; **— se d.** *vpr* to hide, conceal oneself. ◆**—é** *a* (*enfant*) *Péj* secretive. ◆**dissimulation** *nf* concealment; (*duplicité*) deceit.

dissip/er [disipe] *vt* (*brouillard, craintes*) to dispel; (*fortune*) to squander, dissipate; **d. qn** to lead s.o. astray, distract s.o.; **— se d.** *vpr* (*brume*) to clear, lift; (*craintes*) to disappear; (*élève*) to misbehave. ◆**—é** *a* (*élève*) unruly; (*vie*) dissipated. ◆**dissipation** *nf* (*de brouillard*) clearing; (*indiscipline*) misbehaviour; (*débauche*) *Litt* dissipation.

dissocier [disɔsje] *vt* to dissociate (**de** from).

dissolu [disɔly] *a* (*vie etc*) dissolute.

dissoudre* [disudr] *vt*, **— se d.** *vpr* to dissolve. ◆**dissolution** *nf* dissolution. ◆**dissolvant** *a & nm* solvent; (*pour vernis à ongles*) nail polish remover.

dissuader [disɥade] *vt* to dissuade, deter (**de qch** from sth, **de faire** from doing). ◆**dissuasif, -ive** *a* (*effet*) deterrent; **être d.** *Fig* to be a deterrent. ◆**dissuasion** *nf* dissuasion; **force de d.** *Mil* deterrent.

distant [distɑ̃] *a* distant; (*personne*) aloof, distant; **d. de dix kilomètres** (*éloigné*) ten kilometres away; (*à intervalles*) ten kilometres apart. ◆**distance** *nf* distance; **à deux mètres de d.** two metres apart; **à d.** at *ou* from a distance; **garder ses distances** to keep one's distance. ◆**distancer** *vt* to leave behind, outstrip.

distendre [distɑ̃dr] *vt*, **— se d.** *vpr* to distend.

distiller [distile] *vt* to distil. ◆**distillation** *nf* distillation. ◆**distillerie** *nf* (*lieu*) distillery.

distinct, -incte [distɛ̃, -ɛ̃kt] *a* (*différent*) distinct, separate (**de** from); (*net*) clear, distinct. ◆**distinctement** *adv* distinctly, clearly. ◆**distinctif, -ive** *a* distinctive. ◆**distinction** *nf* (*différence, raffinement*) distinction.

distingu/er [distɛ̃ge] *vt* (*différencier*) to distinguish; (*voir*) to make out; (*choisir*) to single out; **d. le blé de l'orge** to tell wheat from barley, distinguish between wheat and barley; **— se d.** *vpr* (*s'illustrer*) to distinguish oneself; **se d. de** (*différer*) to be distinguishable from; **se d. par** (*sa gaieté, beauté etc*) to be conspicuous for. ◆**—é** *a* (*bien élevé, éminent*) distinguished; **sentiments distingués** (*formule épistolaire*) *Com* yours faithfully.

distorsion [distɔrsjɔ̃] *nf* (*du corps, d'une image etc*) distortion.

distraction [distraksjɔ̃] *nf* amusement, distraction; (*étourderie*) (fit of) absent-mindedness. ◆**distraire*** *vt* (*divertir*) to entertain, amuse; **d. qn (de)** (*détourner*) to distract s.o. (from); **— se d.** *vpr* to amuse oneself, enjoy oneself. ◆**distrait** *a* absent-minded. ◆**distraitement** *adv* absent-mindedly. ◆**distrayant** *a* entertaining.

distribuer [distribɥe] *vt* (*répartir*) to distribute; (*donner*) to give *ou* hand out, distribute; (*courrier*) to deliver; (*eau*) to supply; (*cartes*) to deal; **bien distribué** (*appartement*) well-arranged. ◆**distributeur** *nm Aut Cin* distributor; **d. (automatique)** vending machine; **d. de billets** *Rail* ticket machine; (*de billets de banque*) cash

dispenser *ou* machine. ◆**distribution** *nf* distribution; (*du courrier*) delivery; (*de l'eau*) supply; (*acteurs*) *Th Cin* cast; **d. des prix** prize giving.
district [distrikt] *nm* district.
dit [di] *voir* **dire;** – *a* (*convenu*) agreed; (*surnommé*) called.
dites [dit] *voir* **dire.**
divaguer [divage] *vi* (*dérailler*) to rave, talk drivel. ◆**divagations** *nfpl* ravings.
divan [divɑ̃] *nm* divan, couch.
divergent [divɛrʒɑ̃] *a* diverging, divergent. ◆**divergence** *nf* divergence. ◆**diverger** *vi* to diverge (**de** from).
divers, -erses [divɛr, -ɛrs] *apl* (*distincts*) varied, diverse; **d. groupes** (*plusieurs*) various *ou* sundry groups. ◆**diversement** *adv* in various ways. ◆**diversifier** *vt* to diversify; – **se d.** *vpr Écon* to diversify. ◆**diversité** *nf* diversity.
diversion [divɛrsjɔ̃] *nf* diversion.
divert/ir [divɛrtir] *vt* to amuse, entertain; – **se d.** *vpr* to enjoy oneself, amuse oneself. ◆**—issement** *nm* amusement, entertainment.
dividende [dividɑ̃d] *nm Math Fin* dividend.
divin [divɛ̃] *a* divine. ◆**divinité** *nf* divinity.
diviser [divize] *vt*, – **se d.** *vpr* to divide (**en** into). ◆**divisible** *a* divisible. ◆**division** *nf* division.
divorce [divɔrs] *nm* divorce. ◆**divorc/er** *vi* to get *ou* be divorced, divorce; **d. d'avec qn** to divorce s.o. ◆**—é, -ée** *a* divorced (**d'avec** from); – *nmf* divorcee.
divulguer [divylge] *vt* to divulge. ◆**divulgation** *nf* divulgence.
dix [dis] ([di] *before consonant*, [diz] *before vowel*) *a & nm* ten. ◆**dixième** [dizjɛm] *a & nmf* tenth; **un d.** a tenth. ◆**dix-huit** [dizɥit] *a & nm* eighteeen. ◆**dix-huitième** *a & nmf* eighteenth. ◆**dix-neuf** [diznœf] *a & nm* nineteen. ◆**dix-neuvième** *a & nmf* nineteenth. ◆**dix-sept** [dissɛt] *a & nm* seventeen. ◆**dix-septième** *a & nmf* seventeenth.
dizaine [dizɛn] *nf* about ten.
docile [dɔsil] *a* submissive, docile. ◆**docilité** *nf* submissiveness, docility.
dock [dɔk] *nm Nau* dock. ◆**docker** [dɔkɛr] *nm* docker.
docteur [dɔktœr] *nm Méd Univ* doctor (**ès, en** of). ◆**doctorat** *nm* doctorate, = PhD (**ès, en** in).
doctrine [dɔktrin] *nf* doctrine. ◆**doctrinaire** *a & nmf Péj* doctrinaire.
document [dɔkymɑ̃] *nm* document. ◆**documentaire** *a* documentary; – *nm* (*film*) documentary. ◆**documentaliste** *nmf* information officer.
document/er [dɔkymɑ̃te] *vt* (*informer*) to document; – **se d.** *vpr* to collect material *ou* information. ◆**—é** *a* (**bien** *ou* **très**) **d.** (*personne*) well-informed. ◆**documentation** *nf* (*documents*) documentation, *Com* literature; (*renseignements*) information.
dodeliner [dɔdline] *vi* **d. de la tête** to nod (one's head).
dodo [dodo] *nm* (*langage enfantin*) **faire d.** to sleep; **aller au d.** to go to bye-byes.
dodu [dɔdy] *a* chubby, plump.
dogme [dɔgm] *nm* dogma. ◆**dogmatique** *a* dogmatic. ◆**dogmatisme** *nm* dogmatism.
dogue [dɔg] *nm* (*chien*) mastiff.
doigt [dwa] *nm* finger; **d. de pied** toe; **à deux doigts de** within an ace of; **montrer du d.** to point (to); **savoir sur le bout du d.** to have at one's finger tips. ◆**doigté** *nm Mus* fingering, touch; (*savoir-faire*) tact, expertise. ◆**doigtier** *nm* fingerstall.
dois, doit [dwa] *voir* **devoir**[1,2].
doléances [dɔleɑ̃s] *nfpl* (*plaintes*) grievances.
dollar [dɔlar] *nm* dollar.
domaine [dɔmɛn] *nm* (*terres*) estate, domain; (*sphère*) province, domain.
dôme [dom] *nm* dome.
domestique [dɔmɛstik] *a* (*animal*) domestic(ated); (*de la famille*) family-, domestic; (*ménager*) domestic, household; – *nmf* servant. ◆**domestiquer** *vt* to domesticate.
domicile [dɔmisil] *nm* home; *Jur* abode; **travailler à d.** to work at home; **livrer à d.** (*pain etc*) to deliver (to the house). ◆**domicilié** *a* resident (**à, chez** at).
domin/er [dɔmine] *vt* to dominate; (*situation, sentiment*) to master, dominate; (*être supérieur à*) to surpass, outclass; (*tour, rocher*) to tower above, dominate (*valley, building etc*); – *vi* (*être le plus fort*) to be dominant, dominate; (*être le plus important*) to predominate; – **se d.** *vpr* to control oneself. ◆**—ant** *a* dominant. ◆**—ante** *nf* dominant feature; *Mus* dominant. ◆**dominateur, -trice** *a* domineering. ◆**domination** *nf* domination.
dominicain, -aine [dɔminikɛ̃, -ɛn] *a & nmf Rel* Dominican.
dominical, -aux [dɔminikal, -o] *a* (*repos*) Sunday-.
domino [dɔmino] *nm* domino; *pl* (*jeu*) dominoes.
dommage [dɔmaʒ] *nm* **1 (c'est) d.!** it's a

pity *ou* a shame! (**que** that); **quel d.!** what a pity *ou* a shame! **2** (*tort*) prejudice, harm; *pl* (*dégâts*) damage; **dommages-intérêts** *Jur* damages.

dompt/er [dɔ̃te] *vt* (*animal*) to tame; (*passions, rebelles*) to subdue. **◆—eur, -euse** *nmf* (*de lions*) lion tamer.

don [dɔ̃] *nm* (*cadeau, aptitude*) gift; (*aumône*) donation; **le d. du sang/***etc* (the) giving of blood/*etc*; **faire d. de** to give; **avoir le d. de** (*le chic pour*) to have the knack of. **◆donateur, -trice** *nmf Jur* donor. **◆donation** *nf Jur* donation.

donc [dɔ̃(k)] *conj* so, then; (*par conséquent*) so, therefore; **asseyez-vous d.!** (*intensif*) will you sit down!, sit down then!; **qui/quoi d.?** who?/what?; **allons d.!** come on!

donjon [dɔ̃ʒɔ̃] *nm* (*de château*) keep.

donne [dɔn] *nf Cartes* deal.

donner [dɔne] *vt* to give; (*récolte, résultat*) to produce; (*sa place*) to give up; (*pièce, film*) to put on; (*cartes*) to deal; **d. un coup à** to hit, give a blow to; **d. le bonjour à qn** to say hello to s.o.; **d. à réparer** to take (in) to be repaired; **d. raison à qn** to say s.o. is right; **ça donne soif/faim** it makes you thirsty/hungry; **je lui donne trente ans** I'd say *ou* guess he *ou* she was thirty; **ça n'a rien donné** (*efforts*) it hasn't got us anywhere; **c'est donné** *Fam* it's dirt cheap; **étant donné** (*la situation etc*) considering, in view of; **étant donné que** seeing (that), considering (that); **à un moment donné** at some stage; – *vi* **d. sur** (*fenêtre*) to look out onto, overlook; (*porte*) to open onto; **d. dans** (*piège*) to fall into; **d. de la tête contre** to hit one's head against; **— se d.** *vpr* (*se consacrer*) to devote oneself (**à** to); **se d. du mal** to go to a lot of trouble (**pour faire** to do); **s'en d. à cœur joie** to have a whale of a time, enjoy oneself to the full. **◆données** *nfpl* (*information*) data; (*de problème*) (known) facts; (*d'un roman*) basic elements. **◆donneur, -euse** *nmf* giver; (*de sang, d'organe*) donor; *Cartes* dealer.

dont [dɔ̃] *pron rel* (**= de qui, duquel, de quoi** *etc*) (*personne*) of whom; (*chose*) of which; (*appartenance: personne*) whose, of whom; (*appartenance: chose*) of which, whose; **une mère d. le fils est malade** a mother whose son is ill; **la fille d. il est fier** the daughter he is proud of *ou* of whom he is proud; **les outils d. j'ai besoin** the tools I need; **la façon d. elle joue** the way (in which) she plays; **voici ce d. il s'agit** here's what it's about.

doper [dɔpe] *vt* (*cheval, sportif*) to dope; **— se d.** *vpr* to dope oneself. **◆doping** *nm* (*action*) doping; (*substance*) dope.

dorénavant [dɔrenavɑ̃] *adv* henceforth.

dor/er [dɔre] *vt* (*objet*) to gild; **d. la pilule** *Fig* to sugar the pill; **se (faire) d. au soleil** to bask in the sun; – *vi Culin* to brown. **◆—é** *a* (*objet*) gilt; (*couleur*) golden; – *nm* (*couche*) gilt. **◆dorure** *nf* gilding.

dorloter [dɔrlɔte] *vt* to pamper, coddle.

dormir* [dɔrmir] *vi* to sleep; (*être endormi*) to be asleep; (*argent*) to lie idle; **histoire à d. debout** tall story, cock-and-bull story; **eau dormante** stagnant water. **◆dortoir** *nm* dormitory.

dos [do] *nm* back; (*de nez*) bridge; (*de livre*) spine; **voir qn de d.** to have a back view of s.o.; **à d. de chameau** (riding) on a camel; **'voir au d.'** (*verso*) 'see over'; **j'en ai plein le d.** *Fam* I'm sick of it; **mettre qch sur le d. de qn** (*accusation*) to pin sth on s.o. **◆dossard** *nm Sp* number (*fixed on back*). **◆dossier** *nm* **1** (*de siège*) back. **2** (*papiers, compte rendu*) file, dossier; (*classeur*) folder, file.

dose [doz] *nf* dose; (*quantité administrée*) dosage. **◆dos/er** *vt* (*remède*) to measure out the dose of; (*équilibrer*) to strike the correct balance between. **◆—age** *nm* measuring out (*of dose*); (*équilibre*) balance; **faire le d. de = doser. ◆—eur** *nm* **bouchon d.** measuring cap.

dot [dɔt] *nf* dowry.

doter [dɔte] *vt* (*hôpital etc*) to endow; **d. de** (*matériel*) to equip with; (*qualité*) *Fig* to endow with. **◆dotation** *nf* endowment; equipping.

douane [dwan] *nf* customs. **◆douanier, -ière** *nm* customs officer; – *a* (*union etc*) customs-.

double [dubl] *a* double; (*rôle, avantage etc*) twofold, double; – *adv* double; – *nm* (*de personne*) double; (*copie*) copy, duplicate; (*de timbre*) swap, duplicate; **le d. (de)** (*quantité*) twice as much (as). **◆doublage** *nm* (*de film*) dubbing. **◆doublement** *adv* doubly; – *nm* doubling. **◆doubler 1** *vt* (*augmenter*) to double; (*vêtement*) to line; (*film*) to dub; (*acteur*) to stand in for; (*classe*) *Scol* to repeat; (*cap*) *Nau* to round; **se d. de** to be coupled with; – *vi* (*augmenter*) to double. **2** *vti Aut* to overtake, pass. **◆doublure** *nf* (*étoffe*) lining; *Th* understudy; *Cin* stand-in, double.

douce [dus] *voir* **doux. ◆doucement** *adv* (*délicatement*) gently; (*à voix basse*) softly; (*sans bruit*) quietly; (*lentement*) slowly; (*sans à-coups*) smoothly; (*assez bien*) *Fam* so-so. ◆**douceur** *nf* (*de miel etc*) sweetness; (*de personne, pente etc*) gentleness; (*de peau etc*) softness; (*de temps*) mildness; *pl* (*sucreries*) sweets, *Am* candies; **en d.** (*démarrer etc*) smoothly.

douche [duʃ] *nf* shower. ◆**doucher** *vt* **d. qn** to give s.o. a shower; **— se d.** *vpr* to take *ou* have a shower.

doué [dwe] *a* gifted, talented (**en** at); (*intelligent*) clever; **d. de** gifted with; **il est d. pour** he has a gift *ou* talent for.

douille [duj] *nf* (*d'ampoule*) *Él* socket; (*de cartouche*) case.

douillet, -ette [dujɛ, -ɛt] *a* (*lit etc*) soft, cosy, snug; **il est d.** (*délicat*) *Péj* he's soft.

douleur [dulœr] *nf* (*mal*) pain; (*chagrin*) sorrow, grief. ◆**douloureux, -euse** *a* (*maladie, membre, décision, perte etc*) painful.

doute [dut] *nm* doubt; *pl* (*méfiance*) doubts, misgivings; **sans d.** no doubt, probably; **sans aucun d.** without (any *ou* a) doubt; **mettre en d.** to cast doubt on; **dans le d.** uncertain, doubtful; **ça ne fait pas de d.** there is no doubt about it. ◆**douter** *vi* to doubt; **d. de qch/qn** to doubt sth/s.o.; **d. que** (+ *sub*) to doubt whether *ou* that; **se d. de qch** to suspect sth; **je m'en doute** I suspect so, I would think so. ◆**douteux, -euse** *a* doubtful; (*louche, médiocre*) dubious; **il est d. que** (+ *sub*) it's doubtful whether *ou* that.

douve(s) [duv] *nf(pl)* (*de château*) moat.

Douvres [duvr] *nm ou f* Dover.

doux, douce [du, dus] *a* (*miel, son etc*) sweet; (*personne, pente etc*) gentle; (*peau, lumière, drogue etc*) soft; (*émotion, souvenir etc*) pleasant; (*temps, climat*) mild; **en douce** on the quiet.

douze [duz] *a & nm* twelve. ◆**douzaine** *nf* (*douze*) dozen; (*environ*) about twelve; **une d. d'œufs/***etc* a dozen eggs/*etc*. ◆**douzième** *a & nmf* twelfth; **un d.** a twelfth.

doyen, -enne [dwajɛ̃, -ɛn] *nmf Rel Univ* dean; **d. (d'âge)** oldest person.

draconien, -ienne [drakɔnjɛ̃, -jɛn] *a* (*mesures*) drastic.

dragée [draʒe] *nf* sugared almond; **tenir la d. haute à qn** (*tenir tête à qn*) to stand up to s.o.

dragon [dragɔ̃] *nm* (*animal*) dragon; *Mil Hist* dragoon.

drague [drag] *nf* (*appareil*) dredge; (*filet*) drag net. ◆**draguer** *vt* **1** (*rivière etc*) to dredge. **2** *Arg* (*racoler*) to try and pick up; (*faire du baratin à*) to chat up, *Am* smooth-talk.

drainer [drene] *vt* to drain.

drame [dram] *nm* drama; (*catastrophe*) tragedy. ◆**dramatique** *a* dramatic; **critique d.** drama critic; **auteur d.** playwright, dramatist; **film d.** drama. ◆**dramatiser** *vt* (*exagérer*) to dramatize. ◆**dramaturge** *nmf* dramatist.

drap [dra] *nm* (*de lit*) sheet; (*tissu*) cloth; **dans de beaux draps** *Fig* in a fine mess.

drapeau, -x [drapo] *nm* flag; **être sous les drapeaux** *Mil* to be in the services.

draper [drape] *vt* to drape (**de** with). ◆**draperie** *nf* (*étoffe*) drapery.

dresser [drese] **1** *vt* (*échelle, statue*) to put up, erect; (*piège*) to lay, set; (*oreille*) to prick up; (*liste*) to draw up, make out; **— se d.** *vpr* (*personne*) to stand up; (*statue, montagne*) to rise up, stand; **se d. contre** (*abus*) to stand up against. **2** *vt* (*animal*) to train; (*personne*) *Péj* to drill, teach. ◆**dressage** *nm* training. ◆**dresseur, -euse** *nmf* trainer.

dribbler [drible] *vti Fb* to dribble.

drogue [drɔg] *nf* (*médicament*) *Péj* drug; **une d.** (*stupéfiant*) a drug; **la d.** drugs, dope. ◆**drogu/er** *vt* (*victime*) to drug; (*malade*) to dose up; **— se d.** *vpr* to take drugs, be on drugs; (*malade*) to dose oneself up. ◆**—é, -ée** *nmf* drug addict.

droguerie [drɔgri] *nf* hardware shop *ou Am* store. ◆**droguiste** *nmf* owner of a *droguerie*.

droit¹ [drwa] *nm* (*privilège*) right; (*d'inscription etc*) fee(s), dues; *pl* (*de douane*) duty; **le d.** (*science juridique*) law; **avoir d. à** to be entitled to; **avoir le d. de faire** to be entitled to do, have the right to do; **à bon d.** rightly; **d. d'entrée** entrance fee.

droit² [drwa] *a* (*ligne, route etc*) straight; (*personne, mur etc*) upright, straight; (*angle*) right; (*veston*) single-breasted; (*honnête*) *Fig* upright; *– adv* straight; **tout d.** straight *ou* right ahead. ◆**droite**¹ *nf* (*ligne*) straight line.

droit³ [drwa] *a* (*côté, bras etc*) right; *– nm* (*coup*) *Boxe* right. ◆**droite**² *nf* **la d.** (*côté*) the right (side); *Pol* the right (wing); **à d.** (*tourner*) (to the) right; (*rouler, se tenir*) on the right(-hand) side; **de d.** (*fenêtre etc*) right-hand; (*politique, candidat*) right-wing; **à d. de** on *ou* to the right of; **à d. et à gauche** (*voyager etc*) here, there and everywhere. ◆**droitier, -ière** *a & nmf* right-handed (person). ◆**droiture** *nf* uprightness.

drôle [drol] *a* funny; **d. d'air/de type** funny look/fellow. ◆**—ment** *adv* funnily; (*extrêmement*) *Fam* dreadfully.
dromadaire [drɔmadɛr] *nm* dromedary.
dru [dry] *a* (*herbe etc*) thick, dense; – *adv* **tomber d.** (*pluie*) to pour down heavily; **pousser d.** to grow thick(ly).
du [dy] = **de** + **le.**
dû, due [dy] *a* **d. à** (*accident etc*) due to; – *nm* due; (*argent*) dues.
dualité [dɥalite] *nf* duality.
dubitatif, -ive [dybitatif, -iv] *a* (*regard etc*) dubious.
duc [dyk] *nm* duke. ◆**duché** *nm* duchy. ◆**duchesse** *nf* duchess.
duel [dɥɛl] *nm* duel.
dûment [dymɑ̃] *adv* duly.
dune [dyn] *nf* (sand) dune.
duo [dɥo] *nm Mus* duet; (*couple*) *Hum* duo.
dupe [dyp] *nf* dupe, fool; – *a* **d. de** duped by, fooled by. ◆**duper** *vt* to fool, dupe.
duplex [dyplɛks] *nm* split-level flat, *Am* duplex; **(émission en) d.** *Tél* link-up.
duplicata [dyplikata] *nm inv* duplicate.
duplicateur [dyplikatœr] *nm* (*machine*) duplicator.
duplicité [dyplisite] *nf* duplicity, deceit.
dur [dyr] *a* (*substance*) hard; (*difficile*) hard, tough; (*viande*) tough; (*hiver, leçon, ton*) harsh; (*personne*) hard, harsh; (*brosse, carton*) stiff; (*œuf*) hard-boiled; **d. d'oreille** hard of hearing; **d. à cuire** *Fam* hard-bitten, tough; – *adv* (*travailler*) hard; – *nm Fam* tough guy. ◆**durement** *adv* harshly. ◆**dureté** *nf* hardness; harshness; toughness.
durant [dyrɑ̃] *prép* during.
durc/ir [dyrsir] *vti*, **— se d.** *vpr* to harden. ◆**—issement** *nm* hardening.
durée [dyre] *nf* (*de film, événement etc*) length; (*période*) duration; (*de pile*) *Él* life; **de longue d.** (*disque*) long-playing. ◆**dur/er** *vi* to last; **ça dure depuis . . .** it's been going on for . . . . ◆**—able** *a* durable, lasting.
durillon [dyrijɔ̃] *nm* callus.
duvet [dyvɛ] *nm* **1** (*d'oiseau, de visage*) down. **2** (*sac*) sleeping bag. ◆**duveté** *a*, ◆**duveteux, -euse** *a* downy.
dynamique [dinamik] *a* dynamic; – *nf* (*force*) *Fig* dynamic force, thrust. ◆**dynamisme** *nm* dynamism.
dynamite [dinamit] *nf* dynamite. ◆**dynamiter** *vt* to dynamite.
dynamo [dinamo] *nf* dynamo.
dynastie [dinasti] *nf* dynasty.
dysenterie [disɑ̃tri] *nf Méd* dysentery.
dyslexique [dislɛksik] *a* & *nmf* dyslexic.

E

E, e [ə, ø] *nm* E, e.
eau, -x [o] *nf* water; **il est tombé beaucoup d'e.** a lot of rain fell; **e. douce** (*non salée*) fresh water; (*du robinet*) soft water; **e. salée** salt water; **e. de Cologne** eau de Cologne; **e. de toilette** toilet water; **grandes eaux** (*d'un parc*) ornamental fountains; **tomber à l'e.** (*projet*) to fall through; **ça lui fait venir l'e. à la bouche** it makes his *ou* her mouth water; **tout en e.** sweating; **prendre l'e.** (*chaussure*) to take water, leak. ◆**e.-de-vie** *nf* (*pl* **eaux-de-vie**) brandy. ◆**e.-forte** *nf* (*pl* **eaux-fortes**) (*gravure*) etching.
ébah/ir [ebair] *vt* to astound, dumbfound, amaze. ◆**—issement** *nm* amazement.
ébattre (s') [sebatr] *vpr* to frolic, frisk about. ◆**ébats** *nmpl* frolics.
ébauche [eboʃ] *nf* (*esquisse*) (rough) outline, (rough) sketch; (*début*) beginnings. ◆**ébaucher** *vt* (*projet, tableau, œuvre*) to sketch out, outline; **e. un sourire** to give a faint smile; **— s'é.** *vpr* to take shape.
ébène [ebɛn] *nf* (*bois*) ebony.
ébéniste [ebenist] *nm* cabinet-maker. ◆**ébénisterie** *nf* cabinet-making.
éberlué [ebɛrlɥe] *a Fam* dumbfounded.
éblou/ir [ebluir] *vt* to dazzle. ◆**—issement** *nm* (*aveuglement*) dazzling, dazzle; (*émerveillement*) feeling of wonder; (*malaise*) fit of dizziness.
éboueur [ebwœr] *nm* dustman, *Am* garbage collector.
ébouillanter [ebujɑ̃te] *vt* to scald; **— s'é.** *vpr* to scald oneself.
éboul/er (s') [sebule] *vpr* (*falaise etc*) to crumble; (*terre, roches*) to fall. ◆**—ement** *nm* landslide. ◆**éboulis** *nm* (mass of) fallen debris.
ébouriffant [eburifɑ̃] *a Fam* astounding.
ébouriffer [eburife] *vt* (*cheveux*) to dishevel, ruffle, tousle.

ébranl/er [ebrɑ̃le] *vt* (*mur, confiance etc*) to shake; (*santé*) to weaken, affect; (*personne*) to shake, shatter; **— s'é.** *vpr* (*train, cortège etc*) to move off. **◆—ement** *nm* (*secousse*) shaking, shock; (*nerveux*) shock.

ébrécher [ebreʃe] *vt* (*assiette*) to chip; (*lame*) to nick. **◆ébréchure** *nf* chip; nick.

ébriété [ebrijete] *nf* drunkenness.

ébrouer (s') [sebrue] *vpr* (*cheval*) to snort; (*personne*) to shake oneself (about).

ébruiter [ebrɥite] *vt* (*nouvelle etc*) to make known, divulge.

ébullition [ebylisjɔ̃] *nf* boiling; **être en é.** (*eau*) to be boiling; (*ville*) *Fig* to be in turmoil.

écaille [ekɑj] *nf* **1** (*de poisson*) scale; (*de tortue, d'huître*) shell; (*résine synthétique*) tortoise-shell. **2** (*de peinture*) flake. **◆écailler 1** *vt* (*poisson*) to scale; (*huître*) to shell. **2 s'é.** *vpr* (*peinture*) to flake (off), peel.

écarlate [ekarlat] *a* & *nf* scarlet.

écarquiller [ekarkije] *vt* **é. les yeux** to open one's eyes wide.

écart [ekar] *nm* (*intervalle*) gap, distance; (*mouvement, embardée*) swerve; (*différence*) difference (**de** in, **entre** between); **écarts de** (*conduite, langage etc*) lapses in; **le grand é.** (*de gymnaste*) the splits; **à l'é.** out of the way; **tenir qn à l'é.** *Fig* to keep s.o. out of things; **à l'é. de** away from, clear of. **◆écart/er** *vt* (*objets*) to move away from each other, move apart; (*jambes*) to spread, open; (*rideaux*) to draw (aside), open; (*crainte, idée*) to brush aside, dismiss; (*carte*) to discard; **é. qch de qch** to move sth away from sth; **é. qn de** (*éloigner*) to keep *ou* take s.o. away from; (*exclure*) to keep s.o. out of; **— s'é.** *vpr* (*s'éloigner*) to move away (**de** from); (*se séparer*) to move aside (**de** from); **s'é. de** (*sujet, bonne route*) to stray *ou* deviate from. **◆—é** *a* (*endroit*) remote; **les jambes écartées** with legs (wide) apart. **◆—ement** *nm* (*espace*) gap, distance (**de** between).

écartelé [ekartəle] *a* **é. entre** (*tiraillé*) torn between.

ecchymose [ekimoz] *nf* bruise.

ecclésiastique [eklezjastik] *a* ecclesiastical; – *nm* ecclesiastic, clergyman.

écervelé, -ée [esɛrvəle] *a* scatterbrained; – *nmf* scatterbrain.

échafaud [eʃafo] *nm* (*pour exécution*) scaffold.

échafaudage [eʃafodaʒ] *nm* (*construction*) scaffold(ing); (*tas*) heap; (*système*) *Fig* fabric. **◆échafauder** *vi* to put up scaffolding *ou* a scaffold; – *vt* (*projet etc*) to put together, think up.

échalas [eʃala] *nm* **grand é.** tall skinny person.

échalote [eʃalɔt] *nf Bot Culin* shallot, scallion.

échancré [eʃɑ̃kre] *a* (*encolure*) V-shaped, scooped. **◆échancrure** *nf* (*de robe*) opening.

échange [eʃɑ̃ʒ] *nm* exchange; **en é.** in exchange (**de** for). **◆échanger** *vt* to exchange (**contre** for). **◆échangeur** *nm* (*intersection*) *Aut* interchange.

échantillon [eʃɑ̃tijɔ̃] *nm* sample. **◆échantillonnage** *nm* (*collection*) range (of samples).

échappatoire [eʃapatwar] *nf* evasion, way out.

échapp/er [eʃape] *vi* **é. à qn** to escape from s.o.; **é. à la mort/un danger/***etc* to escape death/a danger/*etc*; **ce nom m'échappe** that name escapes me; **ça lui a échappé (des mains)** it slipped out of his *ou* her hands; **laisser é.** (*cri*) to let out; (*objet, occasion*) to let slip; **l'é. belle** to have a close shave; **ça m'a échappé** (*je n'ai pas compris*) I didn't catch it; **— s'é.** *vpr* (*s'enfuir*) to escape (**de** from); (*s'éclipser*) to slip away; *Sp* to break away; (*gaz, eau*) to escape, come out. **◆—é, -ée** *nmf* runaway. **◆—ée** *nf Sp* breakaway; (*vue*) vista. **◆—ement** *nm* **tuyau d'é.** *Aut* exhaust pipe; **pot d'é.** *Aut* silencer, *Am* muffler.

écharde [eʃard] *nf* (*de bois*) splinter.

écharpe [eʃarp] *nf* scarf; (*de maire*) sash; **en é.** (*bras*) in a sling; **prendre en é.** *Aut* to hit sideways.

écharper [eʃarpe] *vt* **é. qn** to cut s.o. to bits.

échasse [eʃas] *nf* (*bâton*) stilt. **◆échassier** *nm* wading bird.

échauder [eʃode] *vt* **être échaudé, se faire é.** (*déçu*) *Fam* to be taught a lesson.

échauffer [eʃofe] *vt* (*moteur*) to overheat; (*esprit*) to excite; **— s'é.** *vpr* (*discussion*) & *Sp* to warm up.

échauffourée [eʃofure] *nf* (*bagarre*) clash, brawl, skirmish.

échéance [eʃeɑ̃s] *nf Com* date (due), expiry *ou Am* expiration date; (*paiement*) payment (due); (*obligation*) commitment; **à brève/longue é.** (*projet, emprunt*) short-/long-term.

échéant (le cas) [ləkɑzeʃeɑ̃] *adv* if the occasion should arise, possibly.

échec [eʃɛk] *nm* **1** (*insuccès*) failure; **faire é. à** (*inflation etc*) to hold in check. **2 les**

échecs (*jeu*) chess; **en é.** in check; **é.!** check!; **é. et mat!** checkmate!

échelle [eʃɛl] *nf* **1** (*marches*) ladder; **faire la courte é. à qn** to give s.o. a leg up. **2** (*mesure, dimension*) scale; **à l'é. nationale** on a national scale. ◆**échelon** *nm* (*d'échelle*) rung; (*de fonctionnaire*) grade; (*dans une organisation*) echelon; **à l'é. régional/national** on a regional/national level. ◆**échelonner** *vt* (*paiements*) to spread out, space out; **— s'é.** *vpr* to be spread out.

écheveau, -x [ɛʃvo] *nm* (*de laine*) skein; *Fig* muddle, tangle.

échevelé [eʃəvle] *a* (*ébouriffé*) dishevelled; (*course, danse etc*) *Fig* wild.

échine [eʃin] *nf Anat* backbone, spine.

échiner (s') [seʃine] *vpr* (*s'évertuer*) *Fam* to knock oneself out (**à faire** doing).

échiquier [eʃikje] *nm* (*tableau*) chessboard.

écho [eko] *nm* (*d'un son*) echo; (*réponse*) response; *pl Journ* gossip (items), local news; **avoir des échos de** to hear some news about; **se faire l'é. de** (*opinions etc*) to echo. ◆**échotier, -ière** *nmf Journ* gossip columnist.

échographie [ekografi] *nf* (ultrasound) scan; **passer une é.** (*femme enceinte*) to have a scan.

échoir* [eʃwar] *vi* (*terme*) to expire; **é. à qn** (*part*) to fall to s.o.

échouer [eʃwe] **1** *vi* to fail; **é. à** (*examen*) to fail. **2** *vi*, **— s'é.** *vpr* (*navire*) to run aground.

éclabousser [eklabuse] *vt* to splash, spatter (**de** with); (*salir*) *Fig* to tarnish the image of. ◆**éclaboussure** *nf* splash, spatter.

éclair [eklɛr] **1** *nm* (*lumière*) flash; **un é.** *Mét* a flash of lightning. **2** *nm* (*gâteau*) éclair. **3** *a inv* (*visite, raid*) lightning.

éclairc/ir [eklɛrsir] *vt* (*couleur etc*) to lighten, make lighter; (*sauce*) to thin out; (*question, mystère*) to clear up, clarify; **— s'é.** *vpr* (*ciel*) to clear (up); (*idées*) to become clear(er); (*devenir moins dense*) to thin out; **s'é. la voix** to clear one's throat. ◆**—ie** *nf* (*dans le ciel*) clear patch; (*durée*) sunny spell. ◆**—issement** *nm* (*explication*) clarification.

éclair/er [eklere] *vt* (*pièce etc*) to light (up); (*situation*) *Fig* to throw light on; **é. qn** (*avec une lampe etc*) to give s.o. some light; (*informer*) *Fig* to enlighten s.o.; – *vi* (*lampe*) to give light; **— s'é.** *vpr* (*visage*) to light up, brighten up; (*question, situation*) *Fig* to become clear(er); **s'é. à la bougie** to use candlelight. ◆**—é** *a* (*averti*) enlightened; **bien/mal é.** (*illuminé*) well/badly lit. ◆**—age** *nm* (*de pièce etc*) light(ing); (*point de vue*) *Fig* light.

éclaireur, -euse [eklɛrœr, -øz] *nm Mil* scout; – *nmf* (boy) scout, (girl) guide.

éclat [ekla] *nm* **1** (*de la lumière*) brightness; (*de phare*) *Aut* glare; (*du feu*) blaze; (*splendeur*) brilliance, radiance; (*de la jeunesse*) bloom; (*de diamant*) glitter, sparkle. **2** (*fragment de verre ou de bois*) splinter; (*de rire, colère*) (out)burst; **é. d'obus** shrapnel; **éclats de voix** noisy outbursts, shouts. ◆**éclat/er** *vi* (*pneu, obus etc*) to burst; (*pétard, bombe*) to go off, explode; (*verre*) to shatter, break into pieces; (*guerre, incendie*) to break out; (*orage, scandale*) to break; (*parti*) to break up; **é. de rire** to burst out laughing; **é. en sanglots** to burst into tears. ◆**—ant** *a* (*lumière, couleur, succès*) brilliant; (*bruit*) thunderous; (*vérité*) blinding; (*beauté*) radiant. ◆**—ement** *nm* (*de pneu etc*) bursting; (*de bombe etc*) explosion; (*de parti*) break-up.

éclectique [eklɛktik] *a* eclectic.

éclipse [eklips] *nf* (*du soleil*) & *Fig* eclipse. ◆**éclipser** *vt* to eclipse; **— s'é.** *vpr* (*soleil*) to be eclipsed; (*partir*) *Fam* to slip away.

éclopé, -ée [eklɔpe] *a* & *nmf* limping ou lame (person).

éclore [eklɔr] *vi* (*œuf*) to hatch; (*fleur*) to open (out), blossom. ◆**éclosion** *nf* hatching; opening, blossoming.

écluse [eklyz] *nf Nau* lock.

écœur/er [ekœre] *vt* (*aliment etc*) to make (*s.o.*) feel sick; (*au moral*) to sicken, nauseate. ◆**—ement** *nm* (*répugnance*) nausea, disgust.

école [ekɔl] *nf* school; (*militaire*) academy; **aller à l'é.** to go to school; **é. de danse/dessin** dancing/art school; **faire é.** to gain a following; **les grandes écoles** *university establishments giving high-level professional training*; **é. normale** teachers' training college. ◆**écolier, -ière** *nmf* schoolboy, schoolgirl.

écologie [ekɔlɔʒi] *nf* ecology. ◆**écologique** *a* ecological. ◆**écologiste** *nmf Pol* environmentalist.

éconduire [ekɔ̃dɥir] *vt* (*repousser*) to reject.

économe [ekɔnɔm] **1** *a* thrifty, economical. **2** *nmf* (*de collège etc*) bursar, steward. ◆**économie** *nf* (*activité économique vertu*) economy; *pl* (*pécule*) savings; **une é. de** (*gain*) a saving of; **faire une é. de temps** to save time; **faire des économies** to save (up); **é. politique** economics. ◆**économique** *a* **1** (*doctrine etc*) economic; **science é.** economics. **2** (*bon marché* *avantageux*) economical. ◆**économiquement** *adv* economically. ◆**économiser** *vt* (*forces, argent, énergie etc*) to save; – *vi* to economize (**sur** on). ◆**économiste** *nmf* economist.

écoper [ekɔpe] **1** *vt* (*bateau*) to bail out, bale out. **2** *vi Fam* to cop it; **é. (de)** (*punition*) to cop, get.

écorce [ekɔrs] *nf* (*d'arbre*) bark; (*de fruit*) peel, skin; **l'é. terrestre** the earth's crust.

écorcher [ekɔrʃe] *vt* (*animal*) to skin, flay; (*érafler*) to graze; (*client*) *Fam* to fleece; (*langue étrangère*) *Fam* to murder; **é. les oreilles** to grate on one's ears; **– s'é.** *vpr* to graze oneself. ◆**écorchure** *nf* graze.

Écosse [ekɔs] *nf* Scotland. ◆**écossais, -aise** *a* Scottish; (*tissu*) tartan; (*whisky*) Scotch; – *nmf* Scot.

écosser [ekɔse] *vt* (*pois*) to shell.

écot [eko] *nm* (*quote-part*) share.

écoul/er [ekule] **1** *vt* (*se débarrasser de*) to dispose of; (*produits*) *Com* to sell (off), clear. **2 s'é.** *vpr* (*eau*) to flow out, run out; (*temps*) to pass, elapse; (*foule*) to disperse. ◆**—é** *a* (*années etc*) past. ◆**—ement** *nm* **1** (*de liquide, véhicules*) flow; (*de temps*) passage. **2** (*débit*) *Com* sale, selling.

écourter [ekurte] *vt* (*séjour, discours etc*) to cut short; (*texte, tige etc*) to shorten.

écoute [ekut] *nf* listening; **à l'é.** *Rad* tuned in, listening in (**de** to); **être aux écoutes** (*attentif*) to keep one's ears open (**de** for). ◆**écout/er** *vt* to listen to; (*radio*) to listen (in) to; – *vi* to listen; (*aux portes etc*) to eavesdrop, listen; **si je m'écoutais** if I did what I wanted. ◆**—eur** *nm* (*de téléphone*) earpiece; *pl* (*casque*) headphones, earphones.

écrabouiller [ekrabuje] *vt Fam* to crush to a pulp.

écran [ekrɑ̃] *nm* screen; **le petit é.** television.

écras/er [ekraze] *vt* (*broyer*) to crush; (*fruit, insecte*) to squash, crush; (*cigarette*) to put out; (*tuer*) *Aut* to run over; (*vaincre*) to beat (hollow), crush; (*dominer*) to outstrip; **écrasé de** (*travail, douleur*) overwhelmed with; **se faire é.** *Aut* to get run over; **– s'é.** *vpr* (*avion, voiture*) to crash (**contre** into); **s'é. dans** (*foule*) to crush *ou* squash into. ◆**—ant** *a* (*victoire, nombre, chaleur*) overwhelming. ◆**—é** *a* (*nez*) snub. ◆**—ement** *nm* crushing.

écrémer [ekreme] *vt* (*lait*) to skim, cream; (*collection etc*) *Fig* to cream off the best from.

écrevisse [ekrəvis] *nf* (*crustacé*) crayfish.

écrier (s') [sekrije] *vpr* to cry out, exclaim (**que** that).

écrin [ekrɛ̃] *nm* (jewel) case.

écrire* [ekrir] *vt* to write; (*noter*) to write (down); (*orthographier*) to spell; **é. à la machine** to type; – *vi* to write; **– s'é.** *vpr* (*mot*) to be spelt. ◆**écrit** *nm* written document, paper; (*examen*) *Scol* written paper; *pl* (*œuvres*) writings; **par é.** in writing. ◆**écriteau, -x** *nm* notice, sign. ◆**écriture** *nf* (*système*) writing; (*personnelle*) (hand)writing; *pl Com* accounts; **l'É.** *Rel* the Scripture(s). ◆**écrivain** *nm* author, writer.

écrou [ekru] *nm Tech* nut.

écrouer [ekrue] *vt* to imprison.

écroul/er (s') [sekrule] *vpr* (*édifice, projet etc*) to collapse; (*blessé etc*) to slump down, collapse. ◆**—ement** *nm* collapse.

écrue [ekry] *af* **toile é.** unbleached linen; **soie é.** raw silk.

écueil [ekœj] *nm* (*rocher*) reef; (*obstacle*) *Fig* pitfall.

écuelle [ekɥɛl] *nf* (*bol*) bowl.

éculé [ekyle] *a* (*chaussure*) worn out at the heel; *Fig* hackneyed.

écume [ekym] *nf* (*de mer, bave d'animal etc*) foam; *Culin* scum. ◆**écumer** *vt Culin* to skim; (*piller*) to plunder; – *vi* to foam (**de rage** with anger). ◆**écumoire** *nf Culin* skimmer.

écureuil [ekyrœj] *nm* squirrel.

écurie [ekyri] *nf* stable.

écusson [ekysɔ̃] *nm* (*emblème d'étoffe*) badge.

écuyer, -ère [ekɥije, -ɛr] *nmf* (*cavalier*) (horse) rider, equestrian.

eczéma [ɛgzema] *nm Méd* eczema.

édenté [edɑ̃te] *a* toothless.

édicter [edikte] *vt* to enact, decree.

édifice [edifis] *nm* building, edifice; (*ensemble organisé*) *Fig* edifice. ◆**édification** *nf* construction; edification; enlightenment. ◆**édifier** *vt* (*bâtiment*) to construct, erect; (*théorie*) to construct; **é. qn** (*moralement*) to edify s.o.; (*détromper*) *Iron* to enlighten s.o.

Édimbourg [edɛ̃bur] *nm ou f* Edinburgh.

édit [edi] *nm Hist* edict.

éditer [edite] *vt* (*publier*) to publish; (*annoter*) to edit. ◆**éditeur, -trice** *nmf* publisher; editor. ◆**édition** *nf* (*livre, journal*) edition; (*diffusion, métier*) publishing. ◆**éditorial, -aux** *nm* (*article*) editorial.

édredon [edrədɔ̃] *nm* eiderdown.

éducation [edykɑsjɔ̃] *nf* (*enseignement*) education; (*façon d'élever*) upbringing, education; **avoir de l'é.** to have good manners, be well-bred. ◆**éducateur, -trice** *nmf* educator. ◆**éducatif, -ive** *a* educational. ◆**éduquer** *vt* (*à l'école*) to educate (*s.o.*); (*à la maison*) to bring (*s.o.*) up, educate (*s.o.*) (**à faire** to do); (*esprit*) to educate, train.

effac/er [efase] *vt* (*gommer*) to rub out, erase; (*en lavant*) to wash out; (*avec un chiffon*) to wipe away; (*souvenir*) *Fig* to blot out, erase; **— s'e.** *vpr* (*souvenir, couleur etc*) to fade; (*se placer en retrait*) to step *ou* draw aside. ◆**—é** *a* (*modeste*) self-effacing. ◆**—ement** *nm* (*modestie*) self-effacement.

effar/er [efare] *vt* to scare, alarm. ◆**—ement** *nm* alarm.

effaroucher [efaruʃe] *vt* to scare away, frighten away.

effectif, -ive [efɛktif, -iv] **1** *a* (*réel*) effective, real. **2** *nm* (*nombre*) (total) strength; (*de classe*) *Scol* size, total number; *pl* (*employés*) & *Mil* manpower. ◆**effectivement** *adv* (*en effet*) actually, effectively, indeed.

effectuer [efɛktɥe] *vt* (*expérience etc*) to carry out; (*paiement, trajet etc*) to make.

efféminé [efemine] *a* effeminate.

effervescent [efɛrvesɑ̃] *a* (*mélange, jeunesse*) effervescent. ◆**effervescence** *nf* (*exaltation*) excitement, effervescence; (*de liquide*) effervescence.

effet [efɛ] *nm* **1** (*résultat*) effect; (*impression*) impression, effect (**sur** on); **faire de l'e.** (*remède etc*) to be effective; **rester sans e.** to have no effect; **à cet e.** to this end, for this purpose; **en e.** indeed, in fact; **il me fait l'e. d'être fatigué** he seems to me to be tired; **sous l'e. de la colère** (*agir*) in anger, out of anger. **2 e. de commerce** bill, draft.

effets [efɛ] *nmpl* (*vêtements*) clothes, things.

efficace [efikas] *a* (*mesure etc*) effective; (*personne*) efficient. ◆**efficacité** *nf* effectiveness; efficiency.

effigie [efiʒi] *nf* effigy.

effilé [efile] *a* tapering, slender.

effilocher (s') [sefilɔʃe] *vpr* to fray.

efflanqué [eflɑ̃ke] *a* emaciated.

effleurer [eflœre] *vt* (*frôler*) to skim, touch lightly; (*égratigner*) to graze; (*question*) *Fig* to touch on; **e. qn** (*pensée etc*) to cross s.o.'s mind.

effondr/er (s') [sefɔ̃dre] *vpr* (*projet, édifice, personne*) to collapse; (*toit*) to cave in, collapse. ◆**—ement** *nm* collapse; *Com* slump; (*abattement*) dejection.

efforcer (s') [sefɔrse] *vpr* **s'e. de faire** to try (hard) *ou* endeavour *ou* strive to do.

effort [efɔr] *nm* effort; **sans e.** (*réussir etc*) effortlessly; (*réussite etc*) effortless.

effraction [efraksjɔ̃] *nf* **pénétrer par e.** (*cambrioleur*) to break in; **vol avec e.** housebreaking.

effranger (s') [sefrɑ̃ʒe] *vpr* to fray.

effray/er [efreje] *vt* to frighten, scare; **— s'e.** *vpr* to be frightened *ou* scared. ◆**—ant** *a* frightening, scary.

effréné [efrene] *a* unrestrained, wild.

effriter [efrite] *vt,* **— s'e.** *vpr* to crumble (away).

effroi [efrwa] *nm* (*frayeur*) dread. ◆**effroyable** *a* dreadful, appalling. ◆**effroyablement** *adv* dreadfully.

effronté [efrɔ̃te] *a* (*enfant etc*) cheeky, brazen; (*mensonge*) shameless. ◆**effronterie** *nf* effrontery.

effusion [efyzjɔ̃] *nf* **1 e. de sang** bloodshed. **2** (*manifestation*) effusion; **avec e.** effusively.

égailler (s') [segaje] *vpr* to disperse.

égal, -ale, -aux [egal, -o] *a* equal (**à** to); (*uniforme, régulier*) even; **ça m'est é.** I don't care, it's all the same to me; – *nmf* (*personne*) equal; **traiter qn d'é. à é.** *ou* **en é.** to treat s.o. as an equal; **sans é.** without match. ◆**—ement** *adv* (*au même degré*) equally; (*aussi*) also, as well. ◆**égaler** *vt* to equal, match (**en** in); (*en quantité*) *Math* to equal. ◆**égalisation** *nf Sp* equalization; levelling. ◆**égaliser** *vt* to equalize; (*terrain*) to level; – *vi Sp* to equalize. ◆**égalitaire** *a* egalitarian. ◆**égalité** *nf* equality; (*regularité*) evenness; **à é. (de score)** *Sp* equal (on points); **signe d'é.** *Math* equals sign.

égard [egar] *nm* **à l'é. de** (*concernant*) with respect *ou* regard to; (*envers*) towards; **avoir des égards pour** to have respect *ou* consideration for; **à cet é.** in this respect; **à certains égards** in some respects.

égarer [egare] *vt* (*objet*) to mislay; **é. qn** (*dérouter*) to mislead s.o.; (*aveugler, troubler*) to lead s.o. astray, misguide s.o.; **— s'é.** *vpr* to lose one's way, get lost; (*objet*) to get mislaid, go astray; (*esprit*) to wander.

égayer [egeje] *vt* (*pièce*) to brighten up; **é. qn** (*réconforter, amuser*) to cheer s.o. up; **— s'é.** *vpr* (*par la moquerie*) to be amused.

égide [eʒid] *nf* **sous l'é. de** under the aegis of.

églantier [eglɑ̃tje] *nm* (*arbre*) wild rose. ◆**églantine** *nf* (*fleur*) wild rose.

église [egliz] *nf* church.
égocentrique [egɔsɑ̃trik] *a* egocentric.
égoïne [egɔin] *nf* **(scie) é.** hand saw.
égoïsme [egɔism] *nm* selfishness, egoism. ◆**égoïste** *a* selfish, egoistic(al); – *nmf* egoist.
égorger [egɔrʒe] *vt* to cut *ou* slit the throat of.
égosiller (s') [segɔzije] *vpr* to scream one's head off, bawl out.
égotisme [egɔtism] *nm* egotism.
égout [egu] *nm* sewer; **eaux d'é.** sewage.
égoutter [egute] *vt* (*vaisselle*) to drain; (*légumes*) to strain, drain; – *vi*, — **s'é.** *vpr* to drain; to strain; (*linge*) to drip. ◆**égouttoir** *nm* (*panier*) (dish) drainer.
égratigner [egratiɲe] *vt* to scratch. ◆**égratignure** *nf* scratch.
égrener [egrəne] *vt* (*raisins*) to pick off; (*épis*) to shell; **é. son chapelet** *Rel* to count one's beads.
Égypte [eʒipt] *nf* Egypt. ◆**égyptien, -ienne** [-sjɛ̃, -sjɛn] *a* & *nmf* Egyptian.
eh! [e] *int* hey!; **eh bien!** well!
éhonté [eɔ̃te] *a* shameless; **mensonge é.** barefaced lie.
éjecter [eʒɛkte] *vt* to eject. ◆**éjectable** *a* **siège é.** *Av* ejector seat. ◆**éjection** *nf* ejection.
élaborer [elabɔre] *vt* (*système etc*) to elaborate. ◆**élaboration** *nf* elaboration.
élaguer [elage] *vt* (*arbre, texte etc*) to prune.
élan [elɑ̃] *nm* **1** (*vitesse*) momentum, impetus; (*impulsion*) impulse; (*fougue*) fervour, spirit; **prendre son é.** *Sp* to take a run (up); **d'un seul é.** in one bound. **2** (*animal*) elk.
élanc/er [elɑ̃se] **1** *vi* (*dent etc*) to give shooting pains. **2 s'é.** *vpr* (*bondir*) to leap *ou* rush (forward); **s'é. vers le ciel** (*tour*) to soar up (high) into the sky. ◆**—é** *a* (*personne, taille etc*) slender. ◆**—ement** *nm* shooting pain.
élargir [elarʒir] **1** *vt* (*chemin*) to widen; (*esprit, débat*) to broaden; — **s'é.** *vpr* (*sentier etc*) to widen out. **2** *vt* (*prisonnier*) to free.
élastique [elastik] *a* (*objet, caractère*) elastic; (*règlement, notion*) flexible, supple; – *nm* (*tissu*) elastic; (*lien*) elastic *ou* rubber band. ◆**élasticité** *nf* elasticity.
élection [elɛksjɔ̃] *nf* election; **é. partielle** by-election. ◆**électeur, -trice** *nmf* voter, elector. ◆**électoral, -aux** *a* (*campagne, réunion*) election-; **collège é.** electoral college. ◆**électorat** *nm* (*électeurs*) electorate, voters.
électricien [elɛktrisjɛ̃] *nm* electrician. ◆**électricité** *nf* electricity; **coupure d'é.** power cut. ◆**électrifier** *vt Rail* to electrify. ◆**électrique** *a* (*pendule, décharge*) electric; (*courant, fil*) electric(al); (*phénomène, effet*) *Fig* electric. ◆**électriser** *vt* (*animer*) *Fig* to electrify. ◆**électrocuter** *vt* to electrocute.
électrode [elɛktrɔd] *nf Él* electrode.
électrogène [elɛktrɔʒɛn] *a* **groupe é.** *Él* generator.
électroménager [elɛktrɔmenaʒe] *am* **appareil é.** household electrical appliance.
électron [elɛktrɔ̃] *nm* electron. ◆**électronicien, -ienne** *nmf* electronics engineer. ◆**électronique** *a* electronic; (*microscope*) electron-; – *nf* electronics.
électrophone [elɛktrɔfɔn] *nm* record player.
élégant [elegɑ̃] *a* (*style, mobilier, solution etc*) elegant; (*bien habillé*) smart, elegant. ◆**élégamment** *adv* elegantly; smartly. ◆**élégance** *nf* elegance.
élégie [eleʒi] *nf* elegy.
élément [elemɑ̃] *nm* (*composante, personne*) & *Ch* element; (*de meuble*) unit; (*d'ensemble*) *Math* member; *pl* (*notions*) rudiments, elements; **dans son é.** (*milieu*) in one's element. ◆**élémentaire** *a* elementary.
éléphant [elefɑ̃] *nm* elephant. ◆**éléphantesque** *a* (*énorme*) *Fam* elephantine.
élévateur [elevatœr] *am* **chariot é.** forklift truck.
élévation [elevɑsjɔ̃] *nf* raising; *Géom* elevation; **é. de** (*hausse*) rise in.
élève [elɛv] *nmf Scol* pupil.
élev/er [ɛlve] *vt* (*prix, objection, voix etc*) to raise; (*enfant*) to bring up, raise; (*animal*) to breed, rear; (*âme*) to uplift, raise; — **s'é.** *vpr* (*prix, montagne, ton, avion etc*) to rise; **s'é. à** (*prix etc*) to amount to; **s'é. contre** to rise up against. ◆**—é** *a* (*haut*) high; (*noble*) noble; **bien/mal é.** well-/bad-mannered. ◆**—age** *nm* (*de bovins*) cattle rearing; **l'é. de** the breeding *ou* rearing of. ◆**—eur, -euse** *nmf* breeder.
élider [elide] *vt Ling* to elide.
éligible [eliʒibl] *a Pol* eligible (**à** for).
élimé [elime] *a* (*tissu*) threadbare, worn thin.
éliminer [elimine] *vt* to eliminate. ◆**élimination** *nf* elimination. ◆**éliminatoire** *a* & *nf* **(épreuve) é.** *Sp* heat, qualifying round.
élire* [elir] *vt Pol* to elect (**à** to).
élision [elizjɔ̃] *nf Ling* elision.
élite [elit] *nf* elite (**de** of); **d'é.** (*chef, sujet etc*) top-notch.
elle [ɛl] *pron* **1** (*sujet*) she; (*chose, animal*) it;

pl they; **e. est** she is; it is; **elles sont** they are. **2** (*complément*) her; (*chose, animal*) it; *pl* them; **pour e.** for her; **pour elles** for them; **plus grande qu'e./qu'elles** taller than her/them. ◆**e.-même** *pron* herself; (*chose, animal*) itself; *pl* themselves.

ellipse [elips] *nf Géom* ellipse. ◆**elliptique** *a* elliptical.

élocution [elɔkysjɔ̃] *nf* diction; **défaut d'é.** speech defect.

éloge [elɔʒ] *nm* praise; (*panégyrique*) eulogy; **faire l'é. de** to praise. ◆**élogieux, -euse** *a* laudatory.

éloign/er [elwaɲe] *vt* (*chose, personne*) to move *ou* take away (**de** from); (*clients*) to keep away; (*crainte, idée*) to get rid of, banish; (*date*) to put off; **é. qn de** (*sujet, but*) to take *ou* get s.o. away from; **— s'é.** *vpr* (*partir*) to move *ou* go away (**de** from); (*dans le passé*) to become (more) remote; **s'é. de** (*sujet, but*) to get away from. ◆**—é** *a* far-off, remote, distant; (*parent*) distant; **é. de** (*village, maison etc*) far (away) from; (*très différent*) far removed from. ◆**—ement** *nm* remoteness, distance; (*absence*) separation (**de** from); **avec l'é.** (*avec le recul*) with time.

élongation [elɔ̃gɑsjɔ̃] *nf Méd* pulled muscle.

éloquent [elɔkɑ̃] *a* eloquent. ◆**éloquence** *nf* eloquence.

élu, -ue [ely] *voir* **élire;** – *nmf Pol* elected member *ou* representative; **les élus** *Rel* the chosen, the elect.

élucider [elyside] *vt* to elucidate. ◆**élucidation** *nf* elucidation.

éluder [elyde] *vt* to elude, evade.

émacié [emasje] *a* emaciated.

émail, -aux [emaj, -o] *nm* enamel; **en é.** enamel-. ◆**émailler** *vt* to enamel.

émaillé [emaje] *a* **é. de fautes/***etc* (*texte*) peppered with errors/*etc*.

émanciper [emɑ̃sipe] *vt* (*femmes*) to emancipate; **— s'é.** *vpr* to become emancipated. ◆**émancipation** *nf* emancipation.

émaner [emane] *vi* to emanate. ◆**émanation** *nf* emanation; **une é. de** *Fig* a product of.

emball/er [ɑ̃bale] **1** *vt* (*dans une caisse etc*) to pack; (*dans du papier*) to wrap (up). **2** *vt* (*moteur*) to race; **e. qn** (*passionner*) *Fam* to enthuse s.o., thrill s.o.; **— s'e.** *vpr* (*personne*) *Fam* to get carried away; (*cheval*) to bolt; (*moteur*) to race. ◆**—é** *a Fam* enthusiastic. ◆**—age** *nm* (*action*) packing; wrapping; (*caisse*) packaging; (*papier*) wrapping (paper). ◆**—ement** *nm Fam* (sudden) enthusiasm.

embarcadère [ɑ̃barkadɛr] *nm* landing place, quay.

embarcation [ɑ̃barkɑsjɔ̃] *nf* (small) boat.

embardée [ɑ̃barde] *nf Aut* (sudden) swerve; **faire une e.** to swerve.

embargo [ɑ̃bargo] *nm* embargo.

embarqu/er [ɑ̃barke] *vt* (*passagers*) to embark, take on board; (*marchandises*) to load (up); (*voler*) *Fam* to walk off with; (*prisonnier*) *Fam* to cart off; **e. qn dans** (*affaire*) *Fam* to involve s.o. in, launch s.o. into; – *vi*, **— s'e.** *vpr* to embark, (go on) board; **s'e. dans** (*aventure etc*) *Fam* to embark on. ◆**—ement** *nm* (*de passagers*) boarding.

embarras [ɑ̃bara] *nm* (*malaise, gêne*) embarrassment; (*difficulté*) difficulty, trouble; (*obstacle*) obstacle; **dans l'e.** in difficulty; **faire des e.** (*chichis*) to make a fuss. ◆**embarrass/er** *vt* (*obstruer*) to clutter, encumber; **e. qn** to be in s.o.'s way; (*déconcerter*) to embarrass s.o., bother s.o.; **s'e. de** to burden oneself with; (*se soucier*) to bother oneself about. ◆**—ant** *a* (*paquet*) cumbersome; (*question*) embarrassing.

embauche [ɑ̃boʃ] *nf* (*action*) hiring; (*travail*) work. ◆**embaucher** *vt* (*ouvrier*) to hire, take on.

embaumer [ɑ̃bome] **1** *vt* (*cadavre*) to embalm. **2** *vt* (*parfumer*) to give a sweet smell to; – *vi* to smell sweet.

embell/ir [ɑ̃belir] *vt* (*texte, vérité*) to embellish; **e. qn** to make s.o. attractive. ◆**—issement** *nm* (*de ville etc*) improvement, embellishment.

embêt/er [ɑ̃bete] *vt Fam* (*contrarier, taquiner*) to annoy, bother; (*raser*) to bore; **— s'e.** *vpr Fam* to get bored. ◆**—ant** *a Fam* annoying; boring. ◆**—ement** [-ɛtmɑ̃] *nm Fam* **un e.** (some) trouble *ou* bother; **des embêtements** trouble(s), bother.

emblée (d') [dɑ̃ble] *adv* right away.

emblème [ɑ̃blɛm] *nm* emblem.

embobiner [ɑ̃bɔbine] *vt* (*tromper*) *Fam* to hoodwink.

emboîter [ɑ̃bwate] *vt*, **— s'e.** *vpr* (*pièces*) to fit into each other, fit together; **e. le pas à qn** to follow on s.o.'s heels; (*imiter*) *Fig* to follow in s.o.'s footsteps.

embonpoint [ɑ̃bɔ̃pwɛ̃] *nm* plumpness.

embouchure [ɑ̃buʃyr] *nf* (*de cours d'eau*) mouth; *Mus* mouthpiece.

embourber (s') [sɑ̃burbe] *vpr* (*véhicule*) & *Fig* to get bogged down.

embourgeoiser (s') [sɑ̃burʒwaze] *vpr* to become middle-class.

embout [ɑ̃bu] *nm* (*de canne*) tip, end piece; (*de seringue*) nozzle.

embouteill/er [ɑ̃buteje] *vt Aut* to jam, congest. ◆**—age** *nm* traffic jam.

emboutir [ɑ̃butir] *vt* (*voiture*) to bash *ou* crash into; (*métal*) to stamp, emboss.

embranch/er (s') [sɑ̃brɑ̃ʃe] *vpr* (*voie*) to branch off. ◆**—ement** *nm* (*de voie*) junction, fork; (*de règne animal*) branch.

embras/er [ɑ̃brɑze] *vt* to set ablaze; **— s'e.** *vpr* (*prendre feu*) to flare up. ◆**—ement** *nm* (*troubles*) flare-up.

embrasser [ɑ̃brase] *vt* (*adopter, contenir*) to embrace; **e. qn** to kiss s.o.; (*serrer*) to embrace *ou* hug s.o.; **— s'e.** *vpr* to kiss (each other). ◆**embrassade** *nf* embrace, hug.

embrasure [ɑ̃brazyr] *nf* (*de fenêtre, porte*) opening.

embray/er [ɑ̃breje] *vi* to let in *ou* engage the clutch. ◆**—age** *nm* (*mécanisme, pédale*) *Aut* clutch.

embrigader [ɑ̃brigade] *vt* to recruit.

embrocher [ɑ̃brɔʃe] *vt Culin* & *Fig* to skewer.

embrouiller [ɑ̃bruje] *vt* (*fils*) to tangle (up); (*papiers etc*) to muddle (up), mix up; **e. qn** to confuse s.o., get s.o. muddled; **— s'e.** *vpr* to get confused *ou* muddled (**dans** in, with). ◆**embrouillamini** *nm Fam* muddle, mix-up. ◆**embrouillement** *nm* confusion, muddle.

embroussaillé [ɑ̃brusaje] *a* (*barbe, chemin*) bushy.

embruns [ɑ̃brœ̃] *nmpl* (sea) spray.

embryon [ɑ̃brijɔ̃] *nm* embryo. ◆**embryonnaire** *a Méd* & *Fig* embryonic.

embûches [ɑ̃byʃ] *nfpl* (*difficultés*) traps, pitfalls.

embuer [ɑ̃bɥe] *vt* (*vitre, yeux*) to mist up.

embusquer (s') [sɑ̃byske] *vpr* to lie in ambush. ◆**embuscade** *nf* ambush.

éméché [emeʃe] *a* (*ivre*) *Fam* tipsy.

émeraude [ɛmrod] *nf* emerald.

émerger [emɛrʒe] *vi* to emerge (**de** from).

émeri [ɛmri] *nm* **toile (d')é.** emery cloth.

émerveill/er [emɛrveje] *vt* to amaze; **— s'é.** *vpr* to marvel, be filled with wonder (**de** at). ◆**—ement** *nm* wonder, amazement.

émett/re* [emɛtr] *vt* (*lumière, son etc*) to give out, emit; *Rad* to transmit, broadcast; (*cri*) to utter; (*opinion, vœu*) to express; (*timbre-poste, monnaie*) to issue; (*chèque*) to draw; (*emprunt*) *Com* to float. ◆**—eur** *nm* (**poste**) **é.** *Rad* transmitter.

émeute [emøt] *nf* riot. ◆**émeutier, -ière** *nmf* rioter.

émietter [emjete] *vt*, **— s'é.** *vpr* (*pain etc*) to crumble.

émigr/er [emigre] *vi* (*personne*) to emigrate. ◆**—ant, -ante** *nmf* emigrant. ◆**—é, -ée** *nmf* exile, émigré. ◆**émigration** *nf* emigration.

éminent [eminɑ̃] *a* eminent. ◆**éminemment** [-amɑ̃] *adv* eminently. ◆**éminence** *nf* **1** (*colline*) hillock. **2 son É.** *Rel* his Eminence.

émissaire [emisɛr] *nm* emissary.

émission [emisjɔ̃] *nf* (*programme*) *TV Rad* broadcast; (*action*) emission (**de** of); (*de programme*) *TV Rad* transmission; (*de timbre-poste, monnaie*) issue.

emmagasiner [ɑ̃magazine] *vt* to store (up).

emmanchure [ɑ̃mɑ̃ʃyr] *nf* (*de vêtement*) arm hole.

emmêler [ɑ̃mele] *vt* to tangle (up).

emménag/er [ɑ̃menaʒe] *vi* (*dans un logement*) to move in; **e. dans** to move into. ◆**—ement** *nm* moving in.

emmener [ɑ̃mne] *vt* to take (**à** to); (*prisonnier*) to take away; **e. qn faire une promenade** to take s.o. for a walk.

emmerd/er [ɑ̃mɛrde] *vt Arg* to annoy, bug; (*raser*) to bore stiff; **— s'e.** *vpr Arg* to get bored stiff. ◆**—ement** *nm Arg* bother, trouble. ◆**—eur, -euse** *nmf* (*personne*) *Arg* pain in the neck.

emmitoufler (s') [sɑ̃mitufle] *vpr* to wrap (oneself) up.

emmurer [ɑ̃myre] *vt* (*personne*) to wall in.

émoi [emwa] *nm* excitement; **en é.** agog, excited.

émoluments [emɔlymɑ̃] *nmpl* remuneration.

émotion [emosjɔ̃] *nf* (*trouble*) excitement; (*sentiment*) emotion; **une é.** (*peur*) a scare. ◆**émotif, -ive** *a* emotional. ◆**émotionné** *a Fam* upset.

émouss/er [emuse] *vt* (*pointe*) to blunt; (*sentiment*) to dull. ◆**—é** *a* (*pointe*) blunt; (*sentiment*) dulled.

émouv/oir* [emuvwar] *vt* (*affecter*) to move, touch; **— s'é.** *vpr* to be moved *ou* touched. ◆**—ant** *a* moving, touching.

empailler [ɑ̃paje] *vt* (*animal*) to stuff.

empaler (s') [sɑ̃pale] *vpr* to impale oneself.

empaqueter [ɑ̃pakte] *vt* to pack(age).

emparer (s') [sɑ̃pare] *vpr* **s'e. de** to seize, take hold of.

empât/er (s') [sɑ̃pɑte] *vpr* to fill out, get fat(ter). ◆**—é** *a* fleshy, fat.

empêch/er [ɑ̃peʃe] *vt* to prevent, stop; **e. qn de faire** to prevent *ou* stop s.o. (from) doing; **n'empêche qu'elle a raison** *Fam* all the same she's right; **n'empêche!** *Fam* all the same!; **elle ne peut pas s'e. de rire** she can't help laughing. ◆**—ement** [-ɛʃmɑ̃] *nm* difficulty, hitch; **avoir un e.** to be unavoidably detained.

empereur [ɑ̃prœr] *nm* emperor.

empeser [ɑ̃pəze] *vt* to starch.

empester [ɑ̃pɛste] *vt* (*pièce*) to make stink, stink out; (*tabac etc*) to stink of; **e. qn** to stink s.o. out; – *vi* to stink.

empêtrer (s') [sɑ̃petre] *vpr* to get entangled (**dans** in).

emphase [ɑ̃faz] *nf* pomposity. ◆**emphatique** *a* pompous.

empiéter [ɑ̃pjete] *vi* **e. sur** to encroach upon. ◆**empiétement** *nm* encroachment.

empiffrer (s') [sɑ̃pifre] *vpr Fam* to gorge *ou* stuff oneself (**de** with).

empil/er [ɑ̃pile] *vt*, **— s'e.** *vpr* to pile up (**sur** on); **s'e. dans** (*personnes*) to pile into (*building, car etc*). ◆**—ement** *nm* (*tas*) pile.

empire [ɑ̃pir] *nm* (*territoires*) empire; (*autorité*) hold, influence; **sous l'e. de** (*peur etc*) in the grip of.

empirer [ɑ̃pire] *vi* to worsen, get worse.

empirique [ɑ̃pirik] *a* empirical. ◆**empirisme** *nm* empiricism.

emplacement [ɑ̃plasmɑ̃] *nm* site, location; (*de stationnement*) place.

emplâtre [ɑ̃plɑtr] *nm* (*onguent*) *Méd* plaster.

emplette [ɑ̃plɛt] *nf* purchase; *pl* shopping.

emplir [ɑ̃plir] *vt*, **— s'e.** *vpr* to fill (**de** with).

emploi [ɑ̃plwa] *nm* **1** (*usage*) use; **e. du temps** timetable; **mode d'e.** directions (for use). **2** (*travail*) job, position, employment; **l'e.** (*travail*) *Écon Pol* employment; **sans e.** unemployed. ◆**employ/er** *vt* (*utiliser*) to use; **e. qn** (*occuper*) to employ s.o.; **— s'e.** *vpr* (*expression etc*) to be used; **s'e. à faire** to devote oneself to doing. ◆**—é, -ée** *nmf* employee; (*de bureau, banque*) clerk, employee; **e. des postes/***etc* postal/*etc* worker; **e. de magasin** shop assistant, *Am* sales clerk. ◆**employeur, -euse** *nmf* employer.

empocher [ɑ̃pɔʃe] *vt* (*argent*) to pocket.

empoigner [ɑ̃pwaɲe] *vt* (*saisir*) to grab, grasp; **— s'e.** *vpr* to come to blows, fight. ◆**empoignade** *nf* (*querelle*) fight.

empoisonn/er [ɑ̃pwazɔne] *vt* (*personne, aliment, atmosphère*) to poison; (*empester*) to stink out; (*gâter, altérer*) to trouble, bedevil; **e. qn** (*embêter*) *Fam* to get on s.o.'s nerves; **— s'e.** *vpr* (*par accident*) to be poisoned; (*volontairement*) to poison oneself. ◆**—ant** *a* (*embêtant*) *Fam* irritating. ◆**—ement** *nm* poisoning; (*ennui*) *Fam* problem, trouble.

emport/er [ɑ̃pɔrte] *vt* (*prendre*) to take (away) (**avec soi** with one); (*enlever*) to take away; (*prix, trophée*) to carry off; (*décision*) to carry; (*entraîner*) to carry along *ou* away; (*par le vent*) to blow off *ou* away; (*par les vagues*) to sweep away; (*par la maladie*) to carry off; **l'e. sur qn** to get the upper hand over s.o.; **se laisser e.** *Fig* to get carried away (**par** by); **— s'e.** *vpr* to lose one's temper (**contre** with). ◆**—é** *a* (*caractère*) hot-tempered. ◆**—ement** *nm* anger; *pl* fits of anger.

empoté [ɑ̃pɔte] *a Fam* clumsy.

empourprer (s') [sɑ̃purpre] *vpr* to turn crimson.

empreint [ɑ̃prɛ̃] *a* **e. de** stamped with, heavy with.

empreinte [ɑ̃prɛ̃t] *nf* (*marque*) & *Fig* mark, stamp; **e. digitale** fingerprint; **e. des pas** footprint.

empress/er (s') [sɑ̃prese] *vpr* **s'e. de faire** to hasten to do; **s'e. auprès de qn** to busy oneself with s.o., be attentive to s.o.; **s'e. autour de qn** to rush around s.o. ◆**—é** *a* eager, attentive; **e. à faire** eager to do. ◆**—ement** [-ɛsmɑ̃] *nm* (*hâte*) eagerness; (*auprès de qn*) attentiveness.

emprise [ɑ̃priz] *nf* ascendancy, hold (**sur** over).

emprisonn/er [ɑ̃prizɔne] *vt Jur* to imprison; (*enfermer*) *Fig* to confine. ◆**—ement** *nm* imprisonment.

emprunt [ɑ̃prœ̃] *nm* (*argent*) *Com* loan; (*mot*) *Ling* borrowed word; **un e. à** *Ling* a borrowing from; **l'e. de qch** the borrowing of sth; **d'e.** borrowed; **nom d'e.** assumed name. ◆**emprunt/er** *vt* (*obtenir*) to borrow (**à qn** from s.o.); (*route etc*) to use; (*nom*) to assume; **e. à** (*tirer de*) to derive *ou* borrow from. ◆**—é** *a* (*gêné*) ill-at-ease.

empuantir [ɑ̃pɥɑ̃tir] *vt* to make stink, stink out.

ému [emy] *voir* **émouvoir;** – *a* (*attendri*) moved; (*apeuré*) nervous; (*attristé*) upset; **une voix émue** a voice charged with emotion.

émulation [emylɑsjɔ̃] *nf* emulation.

émule [emyl] *nmf* imitator, follower.

en[1] [ɑ̃] *prép* **1** (*lieu*) in; (*direction*) to; **être en ville/en France** to be in town/in France; **aller en ville/en France** to go (in)to town/to France. **2** (*temps*) in; **en été** in summer; **en février** in February; **d'heure en heure** from hour to hour. **3** (*moyen, état etc*) by; in; at; on; **en avion** by plane; **en groupe**

in a group; **en mer** at sea; **en guerre** at war; **en fleur** in flower; **en congé** on leave; **en vain** in vain. **4** (*matière*) in; **en bois** wooden, in wood; **chemise en nylon** nylon shirt; **c'est en or** it's (made of) gold. **5** (*comme*) **en cadeau** as a present; **en ami** as a friend. **6** (+ *participe présent*) **en mangeant/chantant/***etc* while eating/singing/*etc*; **en apprenant que** . . . on hearing that . . . ; **en souriant** smiling, with a smile; **en ne disant rien** by saying nothing; **sortir en courant** to run out. **7** (*transformation*) into; **traduire en** to translate into.

en[2] [ɑ̃] *pron & adv* **1** (= *de là*) from there; **j'en viens** I've just come from there. **2** (= *de ça, lui, eux etc*) **il en est content** he's pleased with it *ou* him *ou* them; **en parler** to talk about it; **en mourir** to die of *ou* from it; **elle m'en frappa** she struck me with it. **3** (*partitif*) some; **j'en ai** I have some; **en veux-tu?** do you want some *ou* any?; **je t'en supplie** I beg you (to).

encadr/er [ɑ̃kadre] *vt* (*tableau*) to frame; (*entourer d'un trait*) to box in; (*troupes, étudiants*) to supervise, train; (*prisonnier, accusé*) to flank. **◆—ement** *nm* (*action*) framing; supervision; (*de porte, photo*) frame; (*décor*) setting; (*personnel*) training and supervisory staff.

encaissé [ɑ̃kese] *a* (*vallée*) deep.

encaisser [ɑ̃kese] *vt* (*argent, loyer etc*) to collect; (*effet, chèque*) *Com* to cash; (*coup*) *Fam* to take; **je ne peux pas l'e.** *Fam* I can't stand him *ou* her. **◆encaissement** *nm* (*de loyer etc*) collection; (*de chèque*) cashing.

encapuchonné [ɑ̃kapyʃɔne] *a* hooded.

encart [ɑ̃kar] *nm* (*feuille*) insert. **◆encarter** *vt* to insert.

en-cas [ɑ̃kɑ] *nm inv* (*repas*) snack.

encastrer [ɑ̃kastre] *vt* to build in (**dans** to), embed (**dans** into).

encaustique [ɑ̃kostik] *nf* (wax) polish. **◆encaustiquer** *vt* to wax, polish.

enceinte [ɑ̃sɛ̃t] **1** *af* (*femme*) pregnant; **e. de six mois/***etc* six months/*etc* pregnant. **2** *nf* (*muraille*) (surrounding) wall; (*espace*) enclosure; **e. acoustique** (loud)speakers.

encens [ɑ̃sɑ̃] *nm* incense. **◆encensoir** *nm Rel* censer.

encercler [ɑ̃sɛrkle] *vt* to surround, encircle.

enchaîner [ɑ̃ʃene] *vt* (*animal*) to chain (up); (*prisonnier*) to put in chains, chain (up); (*assembler*) to link (up), connect; – *vi* (*continuer à parler*) to continue; **— s'e.** *vpr* (*idées etc*) to be linked (up). **◆enchaînement** *nm* (*succession*) chain, series; (*liaison*) link(ing) (**de** between, of).

enchant/er [ɑ̃ʃɑ̃te] *vt* (*ravir*) to delight, enchant; (*ensorceler*) to bewitch, enchant. **◆—é** *a* (*ravi*) delighted (**de** with, **que** (+ *sub*) that); **e. de faire votre connaissance!** pleased to meet you! **◆—ement** *nm* delight; enchantment; **comme par e.** as if by magic. **◆—eur** *a* delightful, enchanting; – *nm* (*sorcier*) magician.

enchâsser [ɑ̃ʃɑse] *vt* (*diamant*) to set, embed.

enchère [ɑ̃ʃɛr] *nf* (*offre*) bid; **vente aux enchères** auction; **mettre aux enchères** to (put up for) auction. **◆enchér/ir** *vi* **e. sur qn** to outbid s.o. **◆—isseur** *nm* bidder.

enchevêtrer [ɑ̃ʃvetre] *vt* to (en)tangle; **— s'e.** *vpr* to get entangled (**dans** in). **◆enchevêtrement** *nm* tangle, entanglement.

enclave [ɑ̃klav] *nf* enclave. **◆enclaver** *vt* to enclose (completely).

enclencher [ɑ̃klɑ̃ʃe] *vt Tech* to engage.

enclin [ɑ̃klɛ̃] *am* **e. à** inclined *ou* prone to.

enclore [ɑ̃klɔr] *vt* (*terrain*) to enclose. **◆enclos** *nm* (*terrain, clôture*) enclosure.

enclume [ɑ̃klym] *nf* anvil.

encoche [ɑ̃kɔʃ] *nf* notch, nick (**à** in).

encoignure [ɑ̃kwaɲyr] *nf* corner.

encoller [ɑ̃kɔle] *vt* to paste.

encolure [ɑ̃kɔlyr] *nf* (*de cheval, vêtement*) neck; (*tour du cou*) collar (size).

encombre (sans) [sɑ̃zɑ̃kɔ̃br] *adv* without a hitch.

encombr/er [ɑ̃kɔ̃bre] *vt* (*couloir, pièce etc*) to clutter up (**de** with); (*rue*) to congest, clog (**de** with); **e. qn** to hamper s.o.; **s'e. de** to burden *ou* saddle oneself with. **◆—ant** *a* (*paquet*) bulky, cumbersome; (*présence*) awkward. **◆—é** *a* (*profession, marché*) overcrowded, saturated. **◆—ement** *nm* (*embarras*) clutter; *Aut* traffic jam; (*volume*) bulk(iness).

encontre de (à l') [alɑ̃kɔ̃trədə] *adv* against; (*contrairement à*) contrary to.

encore [ɑ̃kɔr] *adv* **1** (*toujours*) still; **tu es e. là?** are you still here? **2** (*avec négation*) yet; **pas e.** not yet; **ne pars pas e.** don't go yet; **je ne suis pas e. prêt** I'm not ready yet, I'm still not ready. **3** (*de nouveau*) again; **essaie e.** try again. **4** (*de plus*) **e. un café** another coffee, one more coffee; **e. une fois** (once) again, once more; **e. un** another (one), one more; **e. du pain** (some) more bread; **que veut-il e.?** what else *ou* more does he want?; **e. quelque chose** something else; **qui/quoi e.?** who/what else?; **chante e.** sing some more. **5** (*avec comparatif*) even, still; **e. mieux** even better, better still. **6** (*aussi*) also. **7 si e.** (*si seulement*) if only; **et e.!** (*à peine*) if that!, only just! **8 e. que** (+ *sub*) although.

encourag/er [ãkuraʒe] *vt* to encourage (**à faire** to do). **◆—eant** *a* encouraging. **◆—ement** *nm* encouragement.

encourir* [ãkurir] *vt* (*amende etc*) to incur.

encrasser [ãkrase] *vt* to clog up (with dirt).

encre [ãkr] *nf* ink; **e. de Chine** Indian ink; **e. sympathique** invisible ink. **◆encrier** *nm* inkwell, inkpot.

encroûter (s') [sãkrute] *vpr Péj* to get set in one's ways; **s'e. dans** (*habitude*) to get stuck in.

encyclique [ãsiklik] *nf Rel* encyclical.

encyclopédie [ãsiklɔpedi] *nf* encyclop(a)edia. **◆encyclopédique** *a* encyclop(a)edic.

endémique [ãdemik] *a* endemic.

endetter [ãdete] *vt* **e. qn** to get s.o. into debt; **— s'e.** *vpr* to get into debt. **◆endettement** *nm* (*dettes*) debts.

endeuiller [ãdœje] *vt* to plunge into mourning.

endiablé [ãdjable] *a* (*rythme etc*) frantic, wild.

endiguer [ãdige] *vt* (*fleuve*) to dam (up); (*réprimer*) *Fig* to stem.

endimanché [ãdimãʃe] *a* in one's Sunday best.

endive [ãdiv] *nf* chicory, endive.

endoctrin/er [ãdɔktrine] *vt* to indoctrinate. **◆—ement** *nm* indoctrination.

endolori [ãdɔlɔri] *a* painful, aching.

endommager [ãdɔmaʒe] *vt* to damage.

endorm/ir* [ãdɔrmir] *vt* (*enfant, patient*) to put to sleep; (*ennuyer*) to send to sleep; (*soupçons etc*) to lull; (*douleur*) to deaden; **— s'e.** *vpr* to fall asleep, go to sleep. **◆—i** *a* asleep, sleeping; (*indolent*) *Fam* sluggish.

endosser [ãdose] *vt* (*vêtement*) to put on, don; (*responsabilité*) to assume; (*chèque*) to endorse.

endroit [ãdrwa] *nm* **1** place, spot; (*de film, livre*) part, place. **2** (*de tissu*) right side; **à l'e.** (*vêtement*) right side out, the right way round.

enduire* [ãdɥir] *vt* to smear, coat (**de** with). **◆enduit** *nm* coating; (*de mur*) plaster.

endurant [ãdyrã] *a* hardy, tough. **◆endurance** *nf* endurance.

endurc/ir [ãdyrsir] *vt* to harden; **s'e. à** (*personne*) to become hardened to (*pain etc*). **◆—i** *a* hardened; (*célibataire*) confirmed. **◆—issement** *nm* hardening.

endurer [ãdyre] *vt* to endure, bear.

énergie [enɛrʒi] *nf* energy; **avec é.** (*protester etc*) forcefully. **◆énergétique** *a* (*ressources etc*) energy-. **◆énergique** *a* (*dynamique*) energetic; (*remède*) powerful; (*mesure, ton*) forceful. **◆énergiquement** *adv* (*protester etc*) energetically.

énergumène [enɛrgymɛn] *nmf Péj* rowdy character.

énerv/er [enɛrve] *vt* **é. qn** (*irriter*) to get on s.o.'s nerves; (*rendre énervé*) to make s.o. nervous; **— s'é.** *vpr* to get worked up. **◆—é** *a* on edge, irritated. **◆—ement** *nm* irritation, nervousness.

enfant [ãfã] *nmf* child (*pl* children); **e. en bas âge** infant; **un e. de** (*originaire*) a native of; **attendre un e.** to expect a baby *ou* a child; **e. trouvé** foundling; **e. de chœur** *Rel* altar boy; **e. prodige** child prodigy; **e. prodigue** prodigal son; **bon e.** (*caractère*) good natured. **◆enfance** *nf* childhood; **première e.** infancy, early childhood; **dans son e.** (*science etc*) in its infancy. **◆enfanter** *vt* to give birth to; – *vi* to give birth. **◆enfantillage** *nm* childishness. **◆enfantin** *a* (*voix, joie*) childlike; (*langage, jeu*) children's; (*puéril*) childish; (*simple*) easy.

enfer [ãfɛr] *nm* hell; **d'e.** (*vision, bruit*) infernal; **feu d'e.** roaring fire; **à un train d'e.** at breakneck speed.

enfermer [ãfɛrme] *vt* (*personne etc*) to shut up, lock up; (*objet précieux*) to lock up, shut away; (*jardin*) to enclose; **s'e. dans** (*chambre etc*) to shut *ou* lock oneself (up) in; (*attitude etc*) *Fig* to maintain stubbornly.

enferrer (s') [sãfere] *vpr* **s'e. dans** to get caught up in.

enfiévré [ãfjevre] *a* (*surexcité*) feverish.

enfiler [ãfile] *vt* (*aiguille*) to thread; (*perles etc*) to string; (*vêtement*) *Fam* to slip on, pull on; (*rue, couloir*) to take; **s'e. dans** (*rue etc*) to take. **◆enfilade** *nf* (*série*) row, string.

enfin [ãfɛ̃] *adv* (*à la fin*) finally, at last; (*en dernier lieu*) lastly; (*en somme*) in a word; (*conclusion résignée*) well; **e. bref** (*en somme*) *Fam* in a word; **il est grand, e. pas trop petit** he's tall – well, not too short anyhow; **mais e.** but; **(mais) e.!** for heaven's sake!

enflamm/er [ãflame] *vt* to set fire to, ignite; (*allumette*) to light; (*irriter*) *Méd* to inflame; (*imagination, colère*) to excite, inflame; **— s'e.** *vpr* to catch fire, ignite; **s'e. de colère** to flare up. **◆—é** *a* (*discours*) fiery.

enfler [ɑ̃fle] *vt* to swell; (*voix*) to raise; – *vi* *Méd* to swell (up). ◆**enflure** *nf* swelling.

enfonc/er [ɑ̃fɔ̃se] *vt* (*clou etc*) to knock in, drive in; (*chapeau*) to push *ou* force down; (*porte, voiture*) to smash in; **e. dans** (*couteau, mains etc*) to plunge into; – *vi*, – **s'e.** *vpr* (*s'enliser*) to sink (**dans** into); **s'e. dans** (*pénétrer*) to plunge into, disappear (deep) into. ◆**—é** *a* (*yeux*) sunken.

enfouir [ɑ̃fwir] *vt* to bury.

enfourcher [ɑ̃furʃe] *vt* (*cheval etc*) to mount, bestride.

enfourner [ɑ̃furne] *vt* to put in the oven.

enfreindre* [ɑ̃frɛ̃dr] *vt* to infringe.

enfuir* (s') [sɑ̃fɥir] *vpr* to run away *ou* off, flee (**de** from).

enfumer [ɑ̃fyme] *vt* (*pièce*) to fill with smoke; (*personne*) to smoke out.

engag/er [ɑ̃gaʒe] *vt* (*bijou etc*) to pawn; (*parole*) to pledge; (*discussion, combat*) to start; (*clef etc*) to insert (**dans** into); (*capitaux*) to tie up, invest; **e. la bataille avec** to join battle with; **e. qn** (*lier*) to bind s.o., commit s.o.; (*embaucher*) to hire s.o., engage s.o.; **e. qn dans** (*affaire etc*) to involve s.o. in; **e. qn à faire** (*exhorter*) to urge s.o. to do; – **s'e.** *vpr* (*s'inscrire*) *Mil* to enlist; *Sp* to enter; (*au service d'une cause*) to commit oneself; (*action*) to start; **s'e. à faire** to commit oneself to doing, undertake to do; **s'e. dans** (*voie*) to enter; (*affaire etc*) to get involved in. ◆**—eant** *a* engaging, inviting. ◆**—é** *a* (*écrivain etc*) committed. ◆**—ement** *nm* (*promesse*) commitment; (*commencement*) start; (*de recrues*) *Mil* enlistment; (*inscription*) *Sp* entry; (*combat*) *Mil* engagement; **prendre l'e. de** to undertake to.

engelure [ɑ̃ʒlyr] *nf* chilblain.

engendrer [ɑ̃ʒɑ̃dre] *vt* (*procréer*) to beget; (*causer*) to generate, engender.

engin [ɑ̃ʒɛ̃] *nm* machine, device; (*projectile*) missile; **e. explosif** explosive device.

englober [ɑ̃glɔbe] *vt* to include, embrace.

engloutir [ɑ̃glutir] *vt* (*avaler*) to wolf (down), gobble (up); (*faire sombrer ou disparaître*) to engulf.

engorger [ɑ̃gɔrʒe] *vt* to block up, clog.

engouement [ɑ̃gumɑ̃] *nm* craze.

engouffrer [ɑ̃gufre] *vt* (*avaler*) to wolf (down); (*fortune*) to consume; **s'e. dans** to sweep *ou* rush into.

engourd/ir [ɑ̃gurdir] *vt* (*membre*) to numb; (*esprit*) to dull; – **s'e.** *vpr* to go numb; to become dull. ◆**—issement** *nm* numbness; dullness.

engrais [ɑ̃grɛ] *nm* (*naturel*) manure; (*chimique*) fertilizer.

engraisser [ɑ̃grese] *vt* (*animal*) to fatten (up); – *vi*, – **s'e.** *vpr* to get fat, put on weight.

engrenage [ɑ̃grənaʒ] *nm* *Tech* gears; *Fig* mesh, chain, web.

engueuler [ɑ̃gœle] *vt* **e. qn** *Fam* to swear at s.o., give s.o. hell. ◆**engueulade** *nf* *Fam* (*réprimande*) dressing-down, severe talking-to; (*dispute*) slanging match, row.

enhardir [ɑ̃ardir] *vt* to make bolder; **s'e. à faire** to make bold to do.

énième [ɛnjɛm] *a* *Fam* umpteenth, nth.

énigme [enigm] *nf* enigma, riddle. ◆**énigmatique** *a* enigmatic.

enivrer [ɑ̃nivre] *vt* (*soûler, troubler*) to intoxicate; – **s'e.** *vpr* to get drunk (**de** on).

enjamber [ɑ̃ʒɑ̃be] *vt* to step over; (*pont etc*) to span (*river etc*). ◆**enjambée** *nf* stride.

enjeu, -x [ɑ̃ʒø] *nm* (*mise*) stake(s).

enjoindre [ɑ̃ʒwɛ̃dr] *vt* **e. à qn de faire** *Litt* to order s.o. to do.

enjôler [ɑ̃ʒole] *vt* to wheedle, coax.

enjoliv/er [ɑ̃ʒɔlive] *vt* to embellish. ◆**—eur** *nm* *Aut* hubcap.

enjoué [ɑ̃ʒwe] *a* playful. ◆**enjouement** *nm* playfulness.

enlacer [ɑ̃lase] *vt* to entwine; (*serrer dans ses bras*) to clasp.

enlaidir [ɑ̃ledir] *vt* to make ugly; – *vi* to grow ugly.

enlev/er [ɑ̃lve] *vt* to take away *ou* off, remove (**à qn** from s.o.); (*ordures*) to collect; (*vêtement*) to take off, remove; (*tache*) to take out, lift, remove; (*enfant etc*) to kidnap, abduct; – **s'e.** *vpr* (*tache*) to come out; (*vernis*) to come off. ◆**—é** *a* (*scène, danse etc*) well-rendered. ◆**enlèvement** *nm* kidnapping, abduction; (*d'un objet*) removal; (*des ordures*) collection.

enliser (s') [sɑ̃lize] *vpr* (*véhicule*) & *Fig* to get bogged down (**dans** in).

enneigé [ɑ̃neʒe] *a* snow-covered. ◆**enneigement** *nm* snow coverage; **bulletin d'e.** snow report.

ennemi, -ie [ɛnmi] *nmf* enemy; – *a* (*personne*) hostile (**de** to); (*pays etc*) enemy-.

ennui [ɑ̃nɥi] *nm* boredom; (*mélancolie*) weariness; **un e.** (*tracas*) (some) trouble *ou* bother; **des ennuis** trouble(s), bother; **l'e., c'est que . . .** the annoying thing is that . . . .

ennuy/er [ɑ̃nɥije] *vt* (*agacer*) to annoy, bother; (*préoccuper*) to bother; (*fatiguer*) to bore; – **s'e.** *vpr* to get bored. ◆**—é**

a (*air*) bored; **je suis e.** that annoys *ou* bothers me. ◆**ennuyeux, -euse** *a* (*fastidieux*) boring; (*contrariant*) annoying.

énonc/er [enɔ̃se] *vt* to state, express. ◆**—é** *nm* (*de texte*) wording, terms; (*phrase*) *Ling* utterance.

enorgueillir [ɑ̃nɔrgœjir] *vt* to make proud; s'e. **de** to pride oneself on.

énorme [enɔrm] *a* enormous, huge, tremendous. ◆**énormément** *adv* enormously, tremendously; **e. de** an enormous *ou* tremendous amount of. ◆**énormité** *nf* (*dimension*) enormity; (*faute*) (enormous) blunder.

enquérir (s') [sɑ̃kerir] *vpr* **s'e. de** to inquire about.

enquête [ɑ̃kɛt] *nf* (*de police etc*) investigation; (*judiciaire, administrative*) inquiry; (*sondage*) survey. ◆**enquêter** *vi* (*police etc*) to investigate; **e. sur** (*crime*) to investigate. ◆**enquêteur, -euse** *nmf* investigator.

enquiquiner [ɑ̃kikine] *vt Fam* to annoy, bug.

enraciner (s') [sɑ̃rasine] *vpr* to take root; **enraciné dans** (*personne, souvenir*) rooted in; **bien enraciné** (*préjugé etc*) deep-rooted.

enrag/er [ɑ̃raʒe] *vi* **e. de faire** to be furious about doing; **faire e. qn** to get on s.o.'s nerves. ◆**—eant** *a* infuriating. ◆**—é** *a* (*chien*) rabid, mad; (*joueur etc*) *Fam* fanatical (**de** about); **rendre/devenir e.** (*furieux*) to make/become furious.

enrayer [ɑ̃reje] *vt* (*maladie etc*) to check; **— s'e.** *vpr* (*fusil*) to jam.

enregistr/er [ɑ̃rʒistre] *vt* **1** (*inscrire*) to record; (*sur registre*) to register; (*constater*) to note, register; **(faire) e.** (*bagages*) to register, *Am* check. **2** (*musique, émission etc*) to record. ◆**—ement** *nm* (*des bagages*) registration, *Am* checking; (*d'un acte*) registration; (*sur bande etc*) recording. ◆**—eur, -euse** *a* (*appareil*) recording-; **caisse enregistreuse** cash register.

enrhumer [ɑ̃ryme] *vt* **e. qn** to give s.o. a cold; **être enrhumé** to have a cold; **— s'e.** *vpr* to catch a cold.

enrich/ir [ɑ̃riʃir] *vt* to enrich (**de** with); **— s'e.** *vpr* (*personne*) to get rich. ◆**—issement** *nm* enrichment.

enrober [ɑ̃rɔbe] *vt* to coat (**de** in); **enrobé de chocolat** chocolate-coated.

enrôl/er [ɑ̃role] *vt*, **— s'e.** *vpr* to enlist. ◆**—ement** *nm* enlistment.

enrou/er (s') [sɑ̃rwe] *vpr* to get hoarse. ◆**—é** *a* hoarse. ◆**—ement** [ɑ̃rumɑ̃] *nm* hoarseness.

enrouler [ɑ̃rule] *vt* (*fil etc*) to wind; (*tapis, cordage*) to roll up; **s'e. dans** (*couvertures*) to roll *ou* wrap oneself up in; **s'e. sur** *ou* **autour de qch** to wind round sth.

ensabler [ɑ̃sable] *vt*, **— s'e.** *vpr* (*port*) to silt up.

ensanglanté [ɑ̃sɑ̃glɑ̃te] *a* bloodstained.

enseigne [ɑ̃sɛɲ] **1** *nf* (*de magasin etc*) sign; **e. lumineuse** neon sign; **logés à la même e.** *Fig* in the same boat. **2** *nm* **e. de vaisseau** lieutenant, *Am* ensign.

enseign/er [ɑ̃seɲe] *vt* to teach; **e. qch à qn** to teach s.o. sth; – *vi* to teach. ◆ **—ant, -ante** [-ɛɲɑ̃, -ɑ̃t] *a* (*corps*) teaching-; – *nmf* teacher. ◆**—ement** [-ɛɲmɑ̃] *nm* education; (*action, métier*) teaching.

ensemble [ɑ̃sɑ̃bl] **1** *adv* together. **2** *nm* (*d'objets*) group, set; *Math* set; *Mus* ensemble; (*mobilier*) suite; (*vêtement féminin*) outfit; (*harmonie*) unity; **l'e. du personnel** (*totalité*) the whole (of the) staff; **l'e. des enseignants** all (of) the teachers; **dans l'e.** on the whole; **d'e.** (*vue etc*) general; **grand e.** (*quartier*) housing complex *ou Am* development; (*ville*) = new town, = *Am* planned community. ◆**ensemblier** *nm* (interior) decorator.

ensemencer [ɑ̃smɑ̃se] *vt* (*terre*) to sow.

ensevelir [ɑ̃səvlir] *vt* to bury.

ensoleillé [ɑ̃sɔleje] *a* (*endroit, journée*) sunny.

ensommeillé [ɑ̃sɔmeje] *a* sleepy.

ensorceler [ɑ̃sɔrsəle] *vt* (*envoûter, séduire*) to bewitch. ◆**ensorcellement** *nm* (*séduction*) spell.

ensuite [ɑ̃sɥit] *adv* (*puis*) next, then; (*plus tard*) afterwards.

ensuivre* (s') [sɑ̃sɥivr] *vpr* to follow, ensue; – *v imp* **il s'ensuit que** it follows that.

entacher [ɑ̃taʃe] *vt* (*honneur etc*) to sully, taint.

entaille [ɑ̃taj] *nf* (*fente*) notch; (*blessure*) gash, slash. ◆**entailler** *vt* to notch; to gash, slash.

entame [ɑ̃tam] *nf* first slice.

entamer [ɑ̃tame] *vt* (*pain, peau etc*) to cut (into); (*bouteille, boîte etc*) to start (on); (*négociations etc*) to enter into, start; (*sujet*) to broach; (*capital*) to break *ou* eat into; (*métal, plastique*) to damage; (*résolution, réputation*) to shake.

entass/er [ɑ̃tase] *vt*, **— s'e.** *vpr* (*objets*) to pile up, heap up; **(s')e. dans** (*passagers etc*) to crowd *ou* pack *ou* pile into; **ils s'entassaient sur la plage** they were crowded *ou* packed (together) on the beach.

◆—ement *nm* (*tas*) pile, heap; (*de gens*) crowding.
entend/re [ɑ̃tɑ̃dr] *vt* to hear; (*comprendre*) to understand; (*vouloir*) to intend, mean; **e. parler de** to hear of; **e. dire que** to hear (it said) that; **e. raison** to listen to reason; **laisser e. à qn que** to give s.o. to understand that; **— s'e.** *vpr* (*être entendu*) to be heard; (*être compris*) to be understood; **s'e. (sur)** (*être d'accord*) to agree (on); **s'e. (avec qn)** (*s'accorder*) to get on (with s.o.); **on ne s'entend plus!** (*à cause du bruit etc*) we can't hear ourselves speak!; **il s'y entend** (*est expert*) he knows all about that. **◆—u** *a* (*convenu*) agreed; (*compris*) understood; (*sourire, air*) knowing; **e.!** all right!; **bien e.** of course. **◆—ement** *nm* (*faculté*) understanding. **◆entente** *nf* (*accord*) agreement, understanding; **(bonne) e.** (*amitié*) good relationship, harmony.
entériner [ɑ̃terine] *vt* to ratify.
enterrer [ɑ̃tere] *vt* (*mettre en ou sous terre*) to bury; (*projet*) *Fig* to scrap. **◆enterrement** *nm* burial; (*funérailles*) funeral.
entêtant [ɑ̃tɛtɑ̃] *a* (*enivrant*) heady.
en-tête [ɑ̃tɛt] *nm* (*de papier*) heading; **papier à en-tête** headed paper.
entêt/er (s') [sɑ̃tete] *vpr* to persist (**à faire** in doing). **◆—é** *a* (*têtu*) stubborn; (*persévérant*) persistent. **◆—ement** [ɑ̃tɛtmɑ̃] *nm* stubbornness; (*à faire qch*) persistence.
enthousiasme [ɑ̃tuzjasm] *nm* enthusiasm. **◆enthousiasmer** *vt* to fill with enthusiasm, enthuse; **s'e. pour** to be *ou* get enthusiastic over, enthuse over. **◆enthousiaste** *a* enthusiastic.
enticher (s') [sɑ̃tiʃe] *vpr* **s'e. de** to become infatuated with.
entier, -ière [ɑ̃tje, -jɛr] **1** *a* (*total*) whole, entire; (*absolu*) absolute, complete, entire; (*intact*) intact; **payer place entière** to pay full price; **le pays tout e.** the whole *ou* entire country; – *nm* (*unité*) whole; **en e., dans son e.** in its entirety, completely. **2** *a* (*caractère, personne*) unyielding. **◆entièrement** *adv* entirely.
entité [ɑ̃tite] *nf* entity.
entonner [ɑ̃tɔne] *vt* (*air*) to start singing.
entonnoir [ɑ̃tɔnwar] *nm* (*ustensile*) funnel.
entorse [ɑ̃tɔrs] *nf Méd* sprain; **e. à** (*règlement*) infringement of.
entortill/er [ɑ̃tɔrtije] *vt* **e. qch autour de qch** (*papier etc*) to wrap sth around sth; **e. qn** *Fam* to dupe s.o., get round s.o.; **— s'e.** *vpr* (*lierre etc*) to wind, twist. **◆—é** *a* (*phrase etc*) convoluted.
entour/er [ɑ̃ture] *vt* to surround (**de** with); (*envelopper*) to wrap (**de** in); **e. qn de ses bras** to put one's arms round s.o.; **s'e. de** to surround oneself with. **◆—age** *nm* (*proches*) circle of family and friends.
entourloupette [ɑ̃turlupɛt] *nf Fam* nasty trick.
entracte [ɑ̃trakt] *nm Th* interval, *Am* intermission.
entraide [ɑ̃trɛd] *nf* mutual aid. **◆s'entraider** [sɑ̃trede] *vpr* to help each other.
entrailles [ɑ̃trɑj] *nfpl* entrails.
entrain [ɑ̃trɛ̃] *nm* spirit, liveliness; **plein d'e.** lively.
entraîn/er [ɑ̃trene] **1** *vt* (*charrier*) to sweep *ou* carry away; (*roue*) *Tech* to drive; (*causer*) to bring about; (*impliquer*) to entail, involve; **e. qn** (*emmener*) to lead *ou* draw s.o. (away); (*de force*) to drag s.o. (away); (*attirer*) *Péj* to lure s.o.; (*charmer*) to carry s.o. away; **e. qn à faire** (*amener*) to lead s.o. to do. **2** *vt* (*athlète, cheval etc*) to train (**à** for); **— s'e.** *vpr* to train oneself; *Sp* to train. **◆—ant** [-ɛnɑ̃] *a* (*musique*) captivating. **◆—ement** [-ɛnmɑ̃] *nm* **1** *Sp* training. **2** *Tech* drive; (*élan*) impulse. **◆—eur** [-ɛnœr] *nm* (*instructeur*) *Sp* trainer, coach; (*de cheval*) trainer.
entrave [ɑ̃trav] *nf* (*obstacle*) *Fig* hindrance (**à** to). **◆entraver** *vt* to hinder, hamper.
entre [ɑ̃tr(ə)] *prép* between; (*parmi*) among(st); **l'un d'e. vous** one of you; **(soit dit) e. nous** between you and me; **se dévorer e. eux** (*réciprocité*) to devour each other; **e. deux âges** middle-aged; **e. autres** among other things; **e. les mains de** in the hands of.
entrebâill/er [ɑ̃trəbɑje] *vt* (*porte*) to open slightly. **◆—é** *a* ajar, slightly open. **◆—eur** *nm* **e. (de porte)** door chain.
entrechoquer (s') [sɑ̃trəʃɔke] *vpr* (*bouteilles etc*) to knock against each other, chink.
entrecôte [ɑ̃trəkot] *nf* (boned) rib steak.
entrecouper [ɑ̃trəkupe] *vt* (*entremêler*) to punctuate (**de** with), intersperse (**de** with).
entrecroiser [ɑ̃trəkrwaze] *vt*, **— s'e.** *vpr* (*fils*) to interlace; (*routes*) to intersect.
entre-deux-guerres [ɑ̃trədøgɛr] *nm inv* inter-war period.
entrée [ɑ̃tre] *nf* (*action*) entry, entrance; (*porte*) entrance; (*accès*) entry, admission (**de** to); (*vestibule*) entrance hall, entry; (*billet*) ticket (of admission); *Culin* first course, entrée; (*mot dans un dictionnaire etc*) entry; (*processus informatique*) input; **à son e.** as he *ou* she came in; **'e. interdite'** 'no entry', 'no admittance'; **'e. libre'** 'ad-

mission free'; **e. en matière** (*d'un discours*) opening.

entrefaites (sur ces) [syrsezɑ̃trəfɛt] *adv* at that moment.

entrefilet [ɑ̃trəfilɛ] *nm Journ* (news) item.

entrejambes [ɑ̃trəʒɑ̃b] *nm inv* (*de pantalon*) crutch, crotch.

entrelacer [ɑ̃trəlase] *vt,* **— s'e.** *vpr* to intertwine.

entremêler [ɑ̃trəmele] *vt,* **— s'e.** *vpr* to intermingle.

entremets [ɑ̃trəmɛ] *nm* (*plat*) sweet, dessert.

entremetteur, -euse [ɑ̃trəmɛtœr, -øz] *nmf Péj* go-between.

entremise [ɑ̃trəmiz] *nf* intervention; **par l'e. de qn** through s.o.

entreposer [ɑ̃trəpoze] *vt* to store; *Jur* to bond. ◆**entrepôt** *nm* warehouse; (*de la douane*) *Jur* bonded warehouse.

entreprendre* [ɑ̃trəprɑ̃dr] *vt* (*travail, voyage etc*) to start on, undertake; **e. de faire** to undertake to do. ◆**entreprenant** *a* enterprising; (*galant*) brash, forward. ◆**entrepreneur** *nm* (*en bâtiment*) (building) contractor. ◆**entreprise** *nf* **1** (*opération*) undertaking. **2** (*firme*) company, firm.

entrer [ɑ̃tre] *vi* (*aux* **être**) (*aller*) to go in, enter; (*venir*) to come in, enter; **e. dans** to go into; (*carrière*) to enter, go into; (*club*) to join, enter; (*détail, question*) to go *ou* enter into; (*pièce*) to come *ou* go into, enter; (*arbre etc*) *Aut* to crash into; **e. en action** to go *ou* get into action; **e. en ébullition** to start boiling; **entrez!** come in!; **faire/laisser e. qn** to show/let s.o. in.

entresol [ɑ̃trəsɔl] *nm* mezzanine (floor).

entre-temps [ɑ̃trətɑ̃] *adv* meanwhile.

entreten/ir* [ɑ̃trətnir] *vt* **1** (*voiture, maison etc*) to maintain; (*relations, souvenir*) to keep up; (*famille*) to keep, maintain; (*sentiment*) to entertain; **e. sa forme/sa santé** to keep fit/healthy. **2 e. qn de** to talk to s.o. about; **s'e. de** to talk about (**avec** with). ◆**—u** *a* (*femme*) kept. ◆**entretien** *nm* **1** (*de route, maison etc*) maintenance, upkeep; (*subsistance*) keep. **2** (*dialogue*) conversation; (*entrevue*) interview.

entre-tuer (s') [sɑ̃trətɥe] *vpr* to kill each other.

entrevoir* [ɑ̃trəvwar] *vt* (*rapidement*) to catch a glimpse of; (*pressentir*) to (fore)see.

entrevue [ɑ̃trəvy] *nf* interview.

entrouvrir* [ɑ̃truvrir] *vt,* **— s'e.** *vpr* to half-open. ◆**entrouvert** *a* (*porte, fenêtre*) ajar, half-open.

énumérer [enymere] *vt* to enumerate, list. ◆**énumération** *nf* enumeration.

envah/ir [ɑ̃vair] *vt* to invade; (*herbe etc*) to overrun; **e. qn** (*doute, peur etc*) to overcome s.o. ◆**—issant** *a* (*voisin etc*) intrusive. ◆**—issement** *nm* invasion. ◆**—isseur** *nm* invader.

enveloppe [ɑ̃vlɔp] *nf* (*pli*) envelope; (*de colis*) wrapping; (*de pneu*) casing; (*d'oreiller*) cover; (*apparence*) *Fig* exterior; **mettre sous e.** to put into an envelope. ◆**envelopp/er** *vt* to wrap (up); **e. la ville** (*brouillard etc*) to envelop the town; **enveloppé de mystère** shrouded *ou* enveloped in mystery; **— s'e.** *vpr* to wrap oneself (up) (**dans** in). ◆**—ant** *a* (*séduisant*) captivating.

envenimer [ɑ̃vnime] *vt* (*plaie*) to make septic; (*querelle*) *Fig* to envenom; **— s'e.** *vpr* to turn septic; *Fig* to become envenomed.

envergure [ɑ̃vɛrgyr] *nf* **1** (*d'avion, d'oiseau*) wingspan. **2** (*de personne*) calibre; (*ampleur*) scope, importance; **de grande e.** wide-ranging, far-reaching.

envers [ɑ̃vɛr] **1** *prép* towards, *Am* toward(s). **2** *nm* (*de tissu*) wrong side; (*de médaille*) reverse side; **à l'e.** (*chaussette*) inside out; (*pantalon*) back to front; (*à contresens, de travers*) the wrong way; (*en désordre*) upside down.

envie [ɑ̃vi] *nf* **1** (*jalousie*) envy; (*désir*) longing, desire; **avoir e. de qch** to want sth; **j'ai e. de faire** I feel like doing, I would like to do; **elle meurt d'e. de faire** she's dying *ou* longing to do. **2** (*peau autour des ongles*) hangnail. ◆**envier** *vt* to envy (**qch à qn** s.o. sth). ◆**envieux, -euse** *a* & *nmf* envious (person); **faire des envieux** to cause envy.

environ [ɑ̃virɔ̃] *adv* (*à peu près*) about; – *nmpl* outskirts, surroundings; **aux environs de** (*Paris, Noël, dix francs etc*) around, in the vicinity of. ◆**environn/er** *vt* to surround. ◆**—ant** *a* surrounding. ◆**—ement** *nm* environment.

envisag/er [ɑ̃vizaʒe] *vt* to consider; (*imaginer comme possible*) to envisage, *Am* envision, consider; **e. de faire** to consider *ou* contemplate doing. ◆**—eable** *a* thinkable.

envoi [ɑ̃vwa] *nm* (*action*) dispatch, sending; (*paquet*) consignment; **coup d'e.** *Fb* kick-off.

envol [ɑ̃vɔl] *nm* (*d'oiseau*) taking flight; (*d'avion*) take-off; **piste d'e.** *Av* runway. ◆**s'envol/er** *vpr* (*oiseau*) to fly away; (*avion*) to take off; (*emporté par le vent*) to

blow away; (*espoir*) *Fig* to vanish. ◆**—ée** *nf* (*élan*) *Fig* flight.
envoût/er [ɑ̃vute] *vt* to bewitch. ◆**—ement** *nm* bewitchment.
envoy/er* [ɑ̃vwaje] *vt* to send; (*pierre*) to throw; (*gifle*) to give; **e. chercher qn** to send for s.o.; **— s'e.** *vpr Fam* (*travail etc*) to take on, do; (*repas etc*) to put *ou* stash away. ◆**—é, -ée** *nmf* envoy; *Journ* correspondent. ◆**—eur** *nm* sender.
épagneul, -eule [epaɲœl] *nmf* spaniel.
épais, -aisse [epɛ, -ɛs] *a* thick; (*personne*) thick-set; (*esprit*) dull. ◆**épaisseur** *nf* thickness; (*dimension*) depth. ◆**épaissir** *vt* to thicken; – *vi*, **— s'é.** *vpr* to thicken; (*grossir*) to fill out; **le mystère s'épaissit** the mystery is deepening.
épanch/er [epɑ̃ʃe] *vt* (*cœur*) *Fig* to pour out; **— s'é.** *vpr* (*parler*) to pour out one's heart, unbosom oneself. ◆**—ement** *nm* (*aveu*) outpouring; *Méd* effusion.
épanou/ir (s') [sepanwir] *vpr* (*fleur*) to open out; (*personne*) *Fig* to fulfil oneself, blossom (out); (*visage*) to beam. ◆**—i** *a* (*fleur, personne*) in full bloom; (*visage*) beaming. ◆**—issement** *nm* (*éclat*) full bloom; (*de la personnalité*) fulfilment.
épargne [eparɲ] *nf* saving (**de** of); (*qualité, vertu*) thrift; (*sommes d'argent*) savings. ◆**épargn/er** *vt* (*ennemi etc*) to spare; (*denrée rare etc*) to be sparing with; (*argent, temps*) to save; **e. qch à qn** (*ennuis, chagrin etc*) to spare s.o. sth ◆**—ant, -ante** *nmf* saver.
éparpiller [eparpije] *vt*, **— s'é.** *vpr* to scatter; (*efforts*) to dissipate. ◆**épars** *a* scattered.
épaté [epate] *a* (*nez*) flat. ◆**épatement** *nm* flatness.
épat/er [epate] *vt Fam* to stun, astound. ◆**—ant** *a Fam* stunning, marvellous.
épaule [epol] *nf* shoulder. ◆**épauler** *vt* (*fusil*) to raise (to one's shoulder); **é. qn** (*aider*) to back s.o. up.
épave [epav] *nf* (*bateau, personne*) wreck; *pl* (*débris*) *Nau* (pieces of) wreckage.
épée [epe] *nf* sword; **un coup d'é.** a sword thrust.
épeler [ɛple] *vt* (*mot*) to spell.
éperdu [epɛrdy] *a* frantic, wild (**de** with); (*regard*) distraught. ◆**—ment** *adv* (*aimer*) madly; **elle s'en moque e.** she couldn't care less.
éperon [eprɔ̃] *nm* (*de cavalier, coq*) spur. ◆**éperonner** (*cheval, personne*) to spur (on).
épervier [epɛrvje] *nm* sparrowhawk.
éphémère [efemɛr] *a* short-lived, ephemeral, transient.
épi [epi] *nm* (*de blé etc*) ear; (*mèche de cheveux*) tuft of hair.
épice [epis] *nf Culin* spice. ◆**épic/er** *vt* to spice. ◆**—é** *a* (*plat, récit etc*) spicy.
épicier, -ière [episje, -jɛr] *nmf* grocer. ◆**épicerie** *nf* (*magasin*) grocer's (shop); (*produits*) groceries.
épidémie [epidemi] *nf* epidemic. ◆**épidémique** *a* epidemic.
épiderme [epidɛrm] *nm Anat* skin.
épier [epje] *vt* (*observer*) to watch closely; (*occasion*) to watch out for; **é. qn** to spy on s.o.
épilepsie [epilɛpsi] *nf* epilepsy. ◆**épileptique** *a* & *nmf* epileptic.
épiler [epile] *vt* (*jambe*) to remove unwanted hair from; (*sourcil*) to pluck.
épilogue [epilɔg] *nm* epilogue.
épinard [epinar] *nm* (*plante*) spinach; *pl* (*feuilles*) *Culin* spinach.
épine [epin] *nf* **1** (*de buisson*) thorn; (*d'animal*) spine, prickle. **2 é. dorsale** *Anat* spine. ◆**épineux, -euse** *a* (*tige, question*) thorny.
épingle [epɛ̃gl] *nf* pin; **é. de nourrice, é. de sûreté** safety pin; **é. à linge** clothes peg, *Am* clothes pin; **virage en é. à cheveux** hairpin bend; **tiré à quatre épingles** very spruce. ◆**épingler** *vt* to pin; **é. qn** (*arrêter*) *Fam* to nab s.o.
épique [epik] *a* epic.
épiscopal, -aux [episkɔpal, -o] *a* episcopal.
épisode [epizɔd] *nm* episode; **film à épisodes** serial. ◆**épisodique** *a* occasional, episodic; (*accessoire*) minor.
épitaphe [epitaf] *nf* epitaph.
épithète [epitɛt] *nf* epithet; *Gram* attribute.
épître [epitr] *nf* epistle.
éploré [eplɔre] *a* (*personne, air*) tearful.
éplucher [eplyʃe] *vt* (*pommes de terre*) to peel; (*salade*) to clean, pare; (*texte*) *Fig* to dissect. ◆**épluchure** *nf* peeling.
éponge [epɔ̃ʒ] *nf* sponge. ◆**éponger** *vt* (*liquide*) to sponge up, mop up; (*carrelage*) to sponge (down), mop; (*dette etc*) *Fin* to absorb; **s'é. le front** to mop one's brow.
épopée [epɔpe] *nf* epic.
époque [epɔk] *nf* (*date*) time, period; (*historique*) age; **meubles d'é.** period furniture; **à l'é.** at the *ou* that time.
épouse [epuz] *nf* wife, *Jur* spouse.
épouser [epuze] *vt* **1 é. qn** to marry s.o. **2** (*opinion etc*) to espouse; (*forme*) to assume, adopt.
épousseter [epuste] *vt* to dust.

époustoufler [epustufle] *vt Fam* to astound.
épouvantail [epuvɑ̃taj] *nm* (*à oiseaux*) scarecrow.
épouvante [epuvɑ̃t] *nf* (*peur*) terror; (*appréhension*) dread; **d'é.** (*film etc*) horror-. ◆**épouvant/er** *vt* to terrify. ◆**—able** *a* terrifying; (*très mauvais*) appalling.
époux [epu] *nm* husband, *Jur* spouse; *pl* husband and wife.
éprendre* (s') [seprɑ̃dr] *vpr* **s'é. de qn** to fall in love with s.o. ◆**épris** *a* in love (**de** with).
épreuve [eprøv] *nf* (*essai, examen*) test; *Sp* event, heat; *Phot* print; *Typ* proof; (*malheur*) ordeal, trial; **mettre à l'é.** to put to the test. ◆**éprouv/er** [epruve] *vt* to test, try; (*sentiment etc*) to experience, feel; **é. qn** (*mettre à l'épreuve*) to put s.o. to the test; (*faire souffrir*) to distress s.o. ◆**—ant** *a* (*pénible*) trying. ◆**—é** *a* (*sûr*) well-tried.
éprouvette [epruvɛt] *nf* test tube; **bébé é.** test tube baby.
épuis/er [epɥize] *vt* (*personne, provisions, sujet*) to exhaust; **— s'é.** *vpr* (*réserves, patience*) to run out; **s'é. à faire** to exhaust oneself doing. ◆**—ant** *a* exhausting. ◆**—é** *a* exhausted; (*édition*) out of print; (*marchandise*) out of stock. ◆**—ement** *nm* exhaustion.
épuisette [epɥizɛt] *nf* fishing net (*on pole*).
épurer [epyre] *vt* to purify; (*personnel etc*) to purge; (*goût*) to refine. ◆**épuration** *nf* purification; purging; refining.
équateur [ekwatœr] *nm* equator; **sous l'é.** at *ou* on the equator. ◆**équatorial, -aux** *a* equatorial.
équation [ekwasjɔ̃] *nf Math* equation.
équerre [ekɛr] *nf* **é. (à dessiner)** setsquare, *Am* triangle; **d'é.** straight, square.
équestre [ekɛstr] *a* (*figure etc*) equestrian; (*exercices etc*) horseriding-.
équilibre [ekilibr] *nm* balance; **tenir** *ou* **mettre en é.** to balance (**sur** on); **se tenir en é.** to (keep one's) balance; **perdre l'é.** to lose one's balance. ◆**équilibrer** *vt* (*charge, budget etc*) to balance; **— s'é.** *vpr* (*équipes etc*) to (counter)balance each other; (*comptes*) to balance.
équinoxe [ekinɔks] *nm* equinox.
équipage [ekipaʒ] *nm Nau Av* crew.
équipe [ekip] *nf* team; (*d'ouvriers*) gang; **é. de nuit** night shift; **é. de secours** search party; **faire é. avec** to team up with. ◆**équipier, -ière** *nmf* team member.
équipée [ekipe] *nf* escapade.
équip/er [ekipe] *vt* to equip (**de** with); **— s'é.** *vpr* to equip oneself. ◆**—ement** *nm* equipment; (*de camping, ski etc*) gear, equipment.
équitation [ekitasjɔ̃] *nf* (horse) riding.
équité [ekite] *nf* fairness. ◆**équitable** *a* fair, equitable. ◆**équitablement** *adv* fairly.
équivalent [ekivalɑ̃] *a* & *nm* equivalent. ◆**équivalence** *nf* equivalence. ◆**équivaloir** *vi* **é. à** to be equivalent to.
équivoque [ekivɔk] *a* (*ambigu*) equivocal; (*douteux*) dubious; – *nf* ambiguity.
érable [erabl] *nm* (*arbre, bois*) maple.
érafler [erafle] *vt* to graze, scratch. ◆**éraflure** *nf* graze, scratch.
éraillée [eraje] *af* (*voix*) rasping.
ère [ɛr] *nf* era.
érection [erɛksjɔ̃] *nf* (*de monument etc*) erection.
éreinter [erɛ̃te] *vt* (*fatiguer*) to exhaust; (*critiquer*) to tear to pieces, slate, slam.
ergot [ɛrgo] *nm* (*de coq*) spur.
ergoter [ɛrgɔte] *vi* to quibble, cavil.
ériger [eriʒe] *vt* to erect; **s'é. en** to set oneself up as.
ermite [ɛrmit] *nm* hermit.
érosion [erozjɔ̃] *nf* erosion. ◆**éroder** *vt* to erode.
érotique [erɔtik] *a* erotic. ◆**érotisme** *nm* eroticism.
err/er [ɛre] *vi* to wander, roam. ◆**—ant** *a* wandering, roving; (*animal*) stray.
erreur [ɛrœr] *nf* (*faute*) error, mistake; (*action blâmable, opinion fausse*) error; **par e.** by mistake, in error; **dans l'e.** mistaken. ◆**erroné** *a* erroneous.
ersatz [ɛrzats] *nm* substitute.
éructer [erykte] *vi Litt* to belch.
érudit, -ite [erydi, -it] *a* scholarly, erudite; – *nmf* scholar. ◆**érudition** *nf* scholarship, erudition.
éruption [erypsjɔ̃] *nf* (*de volcan, colère*) eruption (**de** of); *Méd* rash.
es *voir* **être.**
ès [ɛs] *prép* of; **licencié/docteur ès lettres** = BA/PhD.
escabeau, -x [ɛskabo] *nm* stepladder, (pair of) steps; (*tabouret*) stool.
escadre [ɛskadr] *nf Nau Av* fleet, squadron. ◆**escadrille** *nf* (*unité*) *Av* flight. ◆**escadron** *nm* squadron.
escalade [ɛskalad] *nf* climbing; (*de prix*) & *Mil* escalation. ◆**escalader** *vt* to climb, scale.
escale [ɛskal] *nf Av* stop(over); *Nau* port of call; **faire e. à** *Av* to stop (over) at; *Nau* to put in at; **vol sans e.** non-stop flight.
escalier [ɛskalje] *nm* staircase, stairs; **e. mé-**

canique *ou* **roulant** escalator; **e. de secours** fire escape.

escalope [ɛskalɔp] *nf Culin* escalope.

escamot/er [ɛskamɔte] *vt* (*faire disparaître*) to make vanish; (*esquiver*) to dodge. ◆**—able** *a Av Tech* retractable.

escapade [ɛskapad] *nf* (*excursion*) jaunt; **faire une e.** to run off.

escargot [ɛskargo] *nm* snail.

escarmouche [ɛskarmuʃ] *nf* skirmish.

escarpé [ɛskarpe] *a* steep. ◆**escarpement** *nm* (*côte*) steep slope.

escarpin [ɛskarpɛ̃] *nm* (*soulier*) pump, court shoe.

escient [ɛsjɑ̃] *nm* **à bon e.** discerningly, wisely.

esclaffer (s') [sɛsklafe] *vpr* to roar with laughter.

esclandre [ɛsklɑ̃dr] *nm* (noisy) scene.

esclave [ɛsklav] *nmf* slave; **être l'e. de** to be a slave to. ◆**esclavage** *nm* slavery.

escompte [ɛskɔ̃t] *nm* discount; **taux d'e.** bank rate. ◆**escompter** *vt* **1** (*espérer*) to anticipate (**faire** doing), expect (**faire** to do). **2** *Com* to discount.

escorte [ɛskɔrt] *nf Mil Nau etc* escort. ◆**escorter** *vt* to escort.

escouade [ɛskwad] *nf* (*petite troupe*) squad.

escrime [ɛskrim] *nf Sp* fencing. ◆**escrimeur, -euse** *nmf* fencer.

escrimer (s') [sɛskrime] *vpr* to slave away (**à faire** at doing).

escroc [ɛskro] *nm* swindler, crook. ◆**escroquer** *vt* **e. qn** to swindle s.o.; **e. qch à qn** to swindle s.o. out of sth. ◆**escroquerie** *nf* swindling; **une e.** a swindle.

espace [ɛspas] *nm* space; **e. vert** garden, park. ◆**espacer** *vt* to space out; **espacés d'un mètre** (spaced out) one metre apart; **— s'e.** (*maisons, visites etc*) to become less frequent.

espadon [ɛspadɔ̃] *nm* swordfish.

espadrille [ɛspadrij] *nf* rope-soled sandal.

Espagne [ɛspaɲ] *nf* Spain. ◆**espagnol, -ole** *a* Spanish; – *nmf* Spaniard; – *nm* (*langue*) Spanish.

espèce [ɛspɛs] **1** *nf* (*race*) species; (*genre*) kind, sort; **c'est une e. d'idiot** he's a silly fool; **e. d'idiot!/de maladroit!**/*etc* (you) silly fool!/oaf!/*etc*. **2** *nfpl* (*argent*) **en espèces** in cash.

espérance [ɛsperɑ̃s] *nf* hope; **avoir des espérances** to have expectations; **e. de vie** life expectancy. ◆**espérer** *vt* to hope for; **e. que** to hope that; **e. faire** to hope to do; – *vi* to hope; **e. en qn/qch** to trust in s.o./sth.

espiègle [ɛspjɛgl] *a* mischievous. ◆**espièglerie** *nf* mischievousness; (*farce*) mischievous trick.

espion, -onne [ɛspjɔ̃, -ɔn] *nmf* spy. ◆**espionnage** *nm* espionage, spying. ◆**espionner** *vt* to spy on; – *vi* to spy.

esplanade [ɛsplanad] *nf* esplanade.

espoir [ɛspwar] *nm* hope; **avoir de l'e.** to have hope(s); **sans e.** (*cas etc*) hopeless.

esprit [ɛspri] *nm* (*attitude, fantôme*) spirit; (*intellect*) mind; (*humour*) wit; (*être humain*) person; **avoir de l'e.** to be witty; **cette idée m'est venue à l'e.** this idea crossed my mind.

esquimau, -aude, -aux [ɛskimo, -od, -o] **1** *a & nmf* Eskimo. **2** *nm* (*glace*) choc-ice (*on a stick*).

esquinter [ɛskɛ̃te] *vt Fam* (*voiture etc*) to damage, bash; (*critiquer*) to slam, pan (*author, film etc*); **s'e. la santé** to damage one's health; **s'e. à faire** (*se fatiguer*) to wear oneself out doing.

esquisse [ɛskis] *nf* (*croquis, plan*) sketch. ◆**esquisser** *vt* to sketch; **e. un geste** to make a (slight) gesture.

esquive [ɛskiv] *nf Boxe* dodge; **e. de** (*question*) dodging of, evasion of. ◆**esquiver** *vt* (*coup, problème*) to dodge; **— s'e.** *vpr* to slip away.

essai [esɛ] *nm* (*épreuve*) test, trial; (*tentative*) try, attempt; *Rugby* try; *Littér* essay; **à l'e.** (*objet*) *Com* on trial, on approval; **pilote d'e.** test pilot; **période d'e.** trial period.

essaim [esɛ̃] *nm* swarm (*of bees etc*).

essayer [eseje] *vt* to try (**de faire** to do); (*vêtement*) to try on; (*méthode*) to try (out); **s'e. à qch/à faire** to try one's hand at sth/at doing. ◆**essayage** *nm* (*de costume*) fitting.

essence [esɑ̃s] *nf* **1** (*extrait*) *Ch Culin* essence; *Aut* petrol, *Am* gas; **poste d'e.** filling station. **2** *Phil* essence. **3** (*d'arbres*) species. ◆**essentiel, -ielle** *a* essential (**à, pour** for); – *nm* **l'e.** the main thing *ou* point; (*quantité*) the main part (**de** of). ◆**essentiellement** *adv* essentially.

essieu, -x [esjø] *nm* axle.

essor [esɔr] *nm* (*de pays, d'entreprise etc*) development, rise, expansion; **en plein e.** (*industrie etc*) booming.

essor/er [esɔre] *vt* (*linge*) to wring; (*dans une essoreuse*) to spin-dry; (*dans une machine à laver*) to spin. ◆**—euse** *nf* (*à main*) wringer; (*électrique*) spin dryer.

essouffler [esufle] *vt* to make (*s.o.*) out of breath; **— s'e.** *vpr* to get out of breath.

essuyer [esɥije] **1** *vt* to wipe; **— s'e.** *vpr* to wipe oneself. **2** *vt* (*subir*) to suffer. ◆**es-**

suie-glace *nm inv* windscreen wiper, *Am* windshield wiper. ◆**essuie-mains** *nm inv* (hand) towel.
est[1] [ɛ] *voir* **être.**
est[2] [ɛst] *nm* east; – *a inv* (*côte*) east(ern); **d'e.** (*vent*) east(erly); **de l'e.** eastern; **Allemagne de l'E.** East Germany. ◆**e.-allemand, -ande** *a* & *nmf* East German.
estafilade [ɛstafilad] *nf* gash, slash.
estampe [ɛstɑ̃p] *nf* (*gravure*) print.
estamper [ɛstɑ̃pe] *vt* (*rouler*) *Fam* to swindle.
estampille [ɛstɑ̃pij] *nf* mark, stamp.
esthète [ɛstɛt] *nmf* aesthete, *Am* esthete. ◆**esthétique** *a* aesthetic, *Am* esthetic.
esthéticienne [ɛstetisjɛn] *nf* beautician.
estime [ɛstim] *nf* esteem, regard. ◆**estim/er** *vt* (*objet*) to value; (*juger*) to consider (**que** that); (*calculer*) to estimate; (*apprécier*) to appreciate; **e. qn** to have high regard for s.o., esteem s.o.; **s'e. heureux**/*etc* to consider oneself happy/*etc*. ◆**—able** *a* respectable. ◆**estimation** *nf* (*de mobilier etc*) valuation; (*calcul*) estimation.
estival, -aux [ɛstival, -o] *a* (*période etc*) summer-. ◆**estivant, -ante** *nmf* holidaymaker, *Am* vacationer.
estomac [ɛstɔma] *nm* stomach.
estomaquer [ɛstɔmake] *vt Fam* to flabbergast.
estomper [ɛstɔ̃pe] *vt* (*rendre flou*) to blur; – **s'e.** *vpr* to become blurred.
estrade [ɛstrad] *nf* (*tribune*) platform.
estropi/er [ɛstrɔpje] *vt* to cripple, maim. ◆**—é, -ée** *nmf* cripple.
estuaire [ɛstɥɛr] *nm* estuary.
esturgeon [ɛstyrʒɔ̃] *nm* (*poisson*) sturgeon.
et [e] *conj* and; **vingt et un**/*etc* twenty-one/*etc*.
étable [etabl] *nf* cowshed.
établi [etabli] *nm Menuis* (work)bench.
établ/ir [etablir] *vt* to establish; (*installer*) to set up; (*plan, chèque, liste*) to draw up; – **s'é.** *vpr* (*habiter*) to settle; (*épicier etc*) to set up shop as, set (oneself) up as. ◆**—issement** *nm* (*action, bâtiment, institution*) establishment; *Com* firm, establishment; **é. scolaire** school.
étage [etaʒ] *nm* (*d'immeuble*) floor, storey, *Am* story; (*de fusée etc*) stage; **à l'é.** upstairs; **au premier é.** on the first *ou Am* second floor. ◆**étager** *vt*, — **s'é.** *vpr* (*rochers, maisons etc*) to range above one another.
étagère [etaʒɛr] *nf* shelf; (*meuble*) shelving unit.
étai [etɛ] *nm Tech* prop, stay.
étain [etɛ̃] *nm* (*métal*) tin; (*de gobelet etc*) pewter.
était [etɛ] *voir* **être.**
étal, *pl* **étals** [etal] *nm* (*au marché*) stall.
étalage [etalaʒ] *nm* display; (*vitrine*) display window; **faire é. de** to make a show *ou* display of. ◆**étalagiste** *nmf* window dresser.
étaler [etale] *vt* (*disposer*) to lay out; (*luxe etc*) & *Com* to display; (*crème, beurre etc*) to spread; (*vacances*) to stagger; — **s'é.** *vpr* (*s'affaler*) to sprawl; (*tomber*) *Fam* to fall flat; **s'é. sur** (*congés, paiements etc*) to be spread over.
étalon [etalɔ̃] *nm* **1** (*cheval*) stallion. **2** (*modèle*) standard.
étanche [etɑ̃ʃ] *a* watertight; (*montre*) waterproof.
étancher [etɑ̃ʃe] *vt* (*sang*) to stop the flow of; (*soif*) to quench, slake.
étang [etɑ̃] *nm* pond.
étant [etɑ̃] *voir* **être.**
étape [etap] *nf* (*de voyage etc*) stage; (*lieu*) stop(over); **faire é. à** to stop off *ou* over at.
état [eta] *nm* **1** (*condition, manière d'être*) state; (*registre, liste*) statement, list; **en bon é.** in good condition; **en é. de faire** in a position to do; **é. d'esprit** state *ou* frame of mind; **é. d'âme** mood; **é. civil** civil status (*birth, marriage, death etc*); **é. de choses** situation, state of affairs; **à l'é. brut** in a raw state; **de son é.** (*métier*) by trade; **faire é. de** (*mention*) to mention, put forward. **2 É.** (*nation*) State; **homme d'É.** statesman. ◆**étatisé** *a* state-controlled, state-owned.
état-major [etamajɔr] *nm* (*pl* **états-majors**) (*d'un parti etc*) senior staff.
États-Unis [etazyni] *nmpl* **É.-Unis (d'Amérique)** United States (of America).
étau, -x [eto] *nm Tech* vice, *Am* vise.
étayer [eteje] *vt* to prop up, support.
été[1] [ete] *nm* summer.
été[2] [ete] *voir* **être.**
éteindre* [etɛ̃dr] *vt* (*feu, cigarette etc*) to put out, extinguish; (*lampe etc*) to turn *ou* switch off; (*dette, espoir*) to extinguish; – *vi* to switch off; — **s'é.** *vpr* (*feu*) to go out; (*personne*) to pass away; (*race*) to die out. ◆**éteint** *a* (*feu*) out; (*volcan, race, amour*) extinct; (*voix*) faint.
étendard [etɑ̃dar] *nm* (*drapeau*) standard.
étend/re [etɑ̃dr] *vt* (*nappe*) to spread (out); (*beurre*) to spread; (*linge*) to hang out; (*agrandir*) to extend; **é. le bras**/*etc* to stretch out one's arm/*etc*; **é. qn** to stretch s.o. out; — **s'é.** *vpr* (*personne*) to stretch

(oneself) out; (*plaine etc*) to stretch; (*feu*) to spread; (*pouvoir*) to extend; **s'é. sur** (*sujet*) to dwell on. ◆**—u** *a* (*forêt, vocabulaire etc*) extensive; (*personne*) stretched out. ◆**—ue** *nf* (*importance*) extent; (*surface*) area; (*d'eau*) expanse, stretch.

éternel, -elle [etɛrnɛl] *a* eternal. ◆**éternellement** *adv* eternally, for ever. ◆**éterniser** *vt* to perpetuate; **— s'é.** *vpr* (*débat etc*) to drag on endlessly; (*visiteur etc*) to stay for ever. ◆**éternité** *nf* eternity.

éternu/er [etɛrnɥe] *vi* to sneeze. ◆**—ement** [-ymɑ̃] *nm* sneeze.

êtes [ɛt] *voir* **être.**

éther [etɛr] *nm* ether.

Éthiopie [etjɔpi] *nf* Ethiopia. ◆**éthiopien, -ienne** *a* & *nmf* Ethiopian.

éthique [etik] *a* ethical; – *nf Phil* ethics; **l'é. puritaine**/*etc* the Puritan/*etc* ethic.

ethnie [ɛtni] *nf* ethnic group. ◆**ethnique** *a* ethnic.

étinceler [etɛ̃sle] *vi* to sparkle. ◆**étincelle** *nf* spark. ◆**étincellement** *nm* sparkle.

étioler (s') [setjɔle] *vpr* to wilt, wither.

étiqueter [etikte] *vt* to label. ◆**étiquette** *nf* **1** (*marque*) label. **2** (*protocole*) (diplomatic *ou* court) etiquette.

étirer [etire] *vt* to stretch; **— s'é.** *vpr* to stretch (oneself).

étoffe [etɔf] *nf* material, cloth, fabric; (*de héros etc*) *Fig* stuff (**de** of).

étoffer [etɔfe] *vt*, **— s'é.** *vpr* to fill out.

étoile [etwal] *nf* **1** star; **à la belle é.** in the open. **2 é. de mer** starfish. ◆**étoilé** *a* (*ciel, nuit*) starry; (*vitre*) cracked (*star-shaped*); **é. de** (*rubis etc*) studded with; **la bannière étoilée** *Am* the Star-Spangled Banner.

étonn/er [etɔne] *vt* to surprise, astonish; **— s'é.** *vpr* to be surprised *ou* astonished (**de qch** at sth, **que** (+ *sub*) that). ◆**—ant** *a* (*ahurissant*) surprising; (*remarquable*) amazing. ◆**—ement** *nm* surprise, astonishment.

étouff/er [etufe] *vt* (*tuer*) to suffocate, smother; (*bruit*) to muffle; (*feu*) to smother; (*révolte, sentiment*) to stifle; (*scandale*) to hush up; **é. qn** (*chaleur*) to stifle s.o.; (*aliment, colère*) to choke s.o.; – *vi* to suffocate; **on étouffe!** it's stifling!; **é. de colère** to choke with anger. **— s'é.** *vpr* (*en mangeant*) to choke, gag (**sur, avec** on); (*mourir*) to suffocate. ◆**—ant** *a* (*air*) stifling. ◆**—ement** *nm Méd* suffocation.

étourdi, -ie [eturdi] *a* thoughtless; – *nmf* scatterbrain. ◆**étourderie** *nf* thoughtlessness; **une é.** (*faute*) a thoughtless blunder.

étourd/ir [eturdir] *vt* to stun, daze; (*vertige, vin*) to make dizzy; (*abrutir*) to deafen. ◆**—issant** *a* (*bruit*) deafening; (*remarquable*) stunning. ◆**—issement** *nm* dizziness; (*syncope*) dizzy spell.

étourneau, -x [eturno] *nm* starling.

étrange [etrɑ̃ʒ] *a* strange, odd. ◆**—ment** *adv* strangely, oddly. ◆**étrangeté** *nf* strangeness, oddness.

étranger, -ère [etrɑ̃ʒe, -ɛr] *a* (*d'un autre pays*) foreign; (*non familier*) strange (**à** to); **il m'est é.** he's unknown to me; – *nmf* foreigner; (*inconnu*) stranger; **à l'é.** abroad; **de l'é.** from abroad.

étrangl/er [etrɑ̃gle] *vt* **é. qn** (*tuer*) to strangle s.o.; (*col, aliment*) to choke s.o.; **— s'é.** *vpr* (*de colère, en mangeant etc*) to choke. ◆**—é** *a* (*voix*) choking; (*passage*) constricted. ◆**—ement** *nm* (*d'une victime*) strangulation. ◆**—eur, -euse** *nmf* strangler.

être* [ɛtr] **1** *vi* to be; **il est tailleur** he's a tailor; **est-ce qu'elle vient?** is she coming?; **il vient, n'est-ce pas?** he's coming, isn't he?; **est-ce qu'il aime le thé?** does he like tea?; **nous sommes dix** there are ten of us; **nous sommes le dix** today is the tenth (of the month); **où en es-tu?** how far have you got?; **il a été à Paris** (*est allé*) he's been to Paris; **elle est de Paris** she's from Paris; **elle est de la famille** she's one of the family; **c'est à faire tout de suite** it must be done straight away; **c'est à lui** it's his; **cela étant** that being so. **2** *v aux* (*avec venir, partir etc*) to have; **elle est déjà arrivée** she has already arrived. **3** *nm* (*personne*) being; **ê. humain** human being; **les êtres chers** the loved ones.

étreindre [etrɛ̃dr] *vt* to grip; (*ami*) to embrace. ◆**étreinte** *nf* grip; (*amoureuse etc*) embrace.

étrenner [etrene] *vt* to use *ou* wear for the first time.

étrennes [etrɛn] *nfpl* New Year gift; (*gratification*) = Christmas box *ou* tip.

étrier [etrije] *nm* stirrup.

étriper (s') [setripe] *vpr Fam* to fight (each other) to the kill.

étriqué [etrike] *a* (*vêtement*) tight, skimpy; (*esprit, vie*) narrow.

étroit [etrwa] *a* narrow; (*vêtement*) tight; (*parenté, collaboration etc*) close; (*discipline*) strict; **être à l'é.** to be cramped. ◆**étroitement** *adv* (*surveiller etc*) closely. ◆**étroitesse** *nf* narrowness; closeness; **é. d'esprit** narrow-mindedness.

étude [etyd] *nf* **1** (*action, ouvrage*) study; (*salle*) *Scol* study room; **à l'é.** (*projet*) under

consideration; **faire des études de** (*médecine etc*) to study. **2** (*de notaire etc*) office. ◆**étudiant, -ante** *nmf & a* student. ◆**étudier** *vti* to study.
étui [etɥi] *nm* (*à lunettes, à cigarettes etc*) case; (*de revolver*) holster.
étymologie [etimɔlɔʒi] *nf* etymology.
eu, eue [y] *voir* **avoir.**
eucalyptus [økaliptys] *nm* (*arbre*) eucalyptus.
Eucharistie [økaristi] *nf Rel* Eucharist.
euh! [ø] *int* hem!, er!, well!
euphémisme [øfemism] *nm* euphemism.
euphorie [øfɔri] *nf* euphoria.
eurent [yr] *voir* **avoir.**
euro- [øro] *préf* Euro-.
Europe [ørɔp] *nf* Europe. ◆**européen, -enne** *a & nmf* European.
eut [y] *voir* **avoir.**
euthanasie [øtanazi] *nf* euthanasia.
eux [ø] *pron* (*sujet*) they; (*complément*) them; (*réfléchi, emphase*) themselves. ◆**eux-mêmes** *pron* themselves.
évacuer [evakɥe] *vt* to evacuate; (*liquide*) to drain off. ◆**évacuation** *nf* evacuation.
évad/er (s') [sevade] *vpr* to escape (**de** from). ◆**—é, -ée** *nmf* escaped prisoner.
évaluer [evalɥe] *vt* (*chiffre, foule etc*) to estimate; (*meuble etc*) to value. ◆**évaluation** *nf* estimation; valuation.
évangile [evɑ̃ʒil] *nm* gospel; **É.** Gospel. ◆**évangélique** *a* evangelical.
évanou/ir (s') [sevanwir] *vpr Méd* to black out, faint; (*espoir, crainte etc*) to vanish. ◆**—i** *a Méd* unconscious. ◆**—issement** *nm* (*syncope*) blackout, fainting fit; (*disparition*) vanishing.
évaporer (s') [sevapɔre] *vpr Ch* to evaporate; (*disparaître*) *Fam* to vanish into thin air. ◆**évaporation** *nf* evaporation.
évasif, -ive [evazif, -iv] *a* evasive.
évasion [evazjɔ̃] *nf* escape (**d'un lieu** from a place, **devant un danger**/*etc* from a danger/*etc*); (*hors de la réalité*) escapism; **é. fiscale** tax evasion.
évêché [eveʃe] *nm* (*territoire*) bishopric, see.
éveil [evɛj] *nm* awakening; **en é.** on the alert; **donner l'é. à** to alert.
éveill/er [eveje] *vt* (*susciter*) to arouse; **é. qn** to awake(n) s.o.; **— s'é.** *vpr* to awake(n) (**à** to); (*sentiment, idée*) to be aroused. ◆**—é** *a* awake; (*vif*) lively, alert.
événement [evɛnmɑ̃] *nm* event.
éventail [evɑ̃taj] *nm* **1** (*instrument portatif*) fan; **en é.** (*orteils*) spread out. **2** (*choix*) range.
évent/er [evɑ̃te] *vt* **1** (*secret*) to discover. **2** **é. qn** to fan s.o. **3 s'é.** *vpr* (*bière, vin etc*) to turn stale. ◆**—é** *a* (*bière, vin etc*) stale.
éventrer [evɑ̃tre] *vt* (*animal etc*) to disembowel; (*sac*) to rip open.
éventuel, -elle [evɑ̃tɥɛl] *a* possible. ◆**éventuellement** *adv* possibly. ◆**éventualité** *nf* possibility; **dans l'é. de** in the event of.
évêque [evɛk] *nm* bishop.
évertuer (s') [sevɛrtɥe] *vpr* **s'é. à faire** to do one's utmost to do, struggle to do.
éviction [eviksjɔ̃] *nf* (*de concurrent etc*) & *Pol* ousting.
évident [evidɑ̃] *a* obvious, evident (**que** that). ◆**évidemment** [-amɑ̃] *adv* certainly, obviously. ◆**évidence** *nf* obviousness; **une é.** an obvious fact; **nier l'é.** to deny the obvious; **être en é.** to be conspicuous *ou* in evidence; **mettre en é.** (*fait*) to underline.
évider [evide] *vt* to hollow out.
évier [evje] *nm* (kitchen) sink.
évincer [evɛ̃se] *vt* (*concurrent etc*) & *Pol* to oust.
éviter [evite] *vt* to avoid (**de faire** doing); **é. qch à qn** to spare *ou* save s.o. sth.
évolu/er [evɔlɥe] *vi* **1** (*changer*) to develop, change; (*société, idée, situation*) to evolve. **2** (*se déplacer*) to move; *Mil* to manœuvre, *Am* maneuver. ◆**—é** *a* (*pays*) advanced; (*personne*) enlightened. ◆**évolution** *nf* **1** (*changement*) development; evolution. **2** (*d'un danseur etc*) & *Mil* movement.
évoquer [evɔke] *vt* to evoke, call to mind. ◆**évocateur, -trice** *a* evocative. ◆**évocation** *nf* evocation, recalling.
ex [ɛks] *nmf* (*mari, femme*) *Fam* ex.
ex- [ɛks] *préf* ex-; **ex-mari** ex-husband.
exacerber [ɛgzasɛrbe] *vt* (*douleur etc*) to exacerbate.
exact [ɛgzakt] *a* (*précis*) exact, accurate; (*juste, vrai*) correct, exact, right; (*ponctuel*) punctual. ◆**exactement** *adv* exactly. ◆**exactitude** *nf* exactness; accuracy; correctness; punctuality.
exaction [ɛgzaksjɔ̃] *nf* exaction.
ex aequo [ɛgzeko] *adv* **être classés ex ae.** *Sp* to tie, be equally placed.
exagér/er [ɛgzaʒere] *vt* to exaggerate; – *vi* (*parler*) to exaggerate; (*agir*) to overdo it, go too far. ◆**—é** *a* excessive. ◆**—ément** *adv* excessively. ◆**exagération** *nf* exaggeration; (*excès*) excessiveness.
exalt/er [ɛgzalte] *vt* (*glorifier*) to exalt; (*animer*) to fire, stir. ◆**—ant** *a* stirring. ◆**—é, -ée** *a* (*sentiment*) impassioned,

wild; – *nmf Péj* fanatic. ◆**exaltation** *nf* (*délire*) elation, excitement.
examen [ɛgzamɛ̃] *nm* examination; *Scol* exam(ination); **e. blanc** *Scol* mock exam(ination). ◆**examinateur, -trice** *nmf Scol* examiner. ◆**examiner** *vt* (*considérer, regarder*) to examine.
exaspérer [ɛgzaspere] *vt* (*énerver*) to aggravate, exasperate. ◆**exaspération** *nf* exasperation, aggravation.
exaucer [ɛgzose] *vt* (*désir*) to grant; **e. qn** to grant s.o.'s wish(es).
excavation [ɛkskavɑsjɔ̃] *nf* (*trou*) hollow.
excéder [ɛksede] *vt* **1** (*dépasser*) to exceed. **2 é. qn** (*fatiguer, énerver*) to exasperate s.o. ◆**excédent** *nm* surplus, excess; **e. de bagages** excess luggage *ou Am* baggage. ◆**excédentaire** *a* (*poids etc*) excess-.
excellent [ɛkselɑ̃] *a* excellent. ◆**excellence** *nf* **1** excellence; **par e.** above all else *ou* all others. **2 E.** (*titre*) Excellency. ◆**exceller** *vi* to excel (**en qch** in sth, **à faire** in doing).
excentrique [ɛksɑ̃trik] **1** *a & nmf* (*original*) eccentric. **2** *a* (*quartier*) remote. ◆**excentricité** *nf* (*bizarrerie*) eccentricity.
excepté [ɛksɛpte] *prép* except. ◆**excepter** *vt* to except. ◆**exception** *nf* exception; **à l'e. de** except (for), with the exception of; **faire e.** to be an exception. ◆**exceptionnel, -elle** *a* exceptional. ◆**exceptionnellement** *adv* exceptionally.
excès [ɛksɛ] *nm* excess; (*de table*) over-eating; **e. de vitesse** *Aut* speeding. ◆**excessif, -ive** *a* excessive. ◆**excessivement** *adv* excessively.
excit/er [ɛksite] *vt* (*faire naître*) to excite, rouse, stir; **e. qn** (*mettre en colère*) to provoke s.o.; (*agacer*) to annoy s.o.; (*enthousiasmer*) to thrill s.o., excite s.o.; **e. qn à faire** to incite s.o. to do; **— s'e.** *vpr* (*nerveux, enthousiaste*) to get excited. ◆**—ant** *a* exciting; – *nm* stimulant. ◆**—é** *a* excited. ◆**—able** *a* excitable. ◆**excitation** *nf* (*agitation*) excitement; **e. à** (*haine etc*) incitement to.
exclamer (s') [sɛksklame] *vpr* to exclaim. ◆**exclamatif, -ive** *a* exclamatory. ◆**exclamation** *nf* exclamation.
excl/ure* [ɛksklyr] *vt* (*écarter*) to exclude (**de** from); (*chasser*) to expel (**de** from); **e. qch** (*rendre impossible*) to preclude sth. ◆**—u** *a* (*solution etc*) out of the question; (*avec une date*) exclusive. ◆**exclusif, -ive** *a* (*droit, modèle, préoccupation*) exclusive. ◆**exclusion** *nf* exclusion. ◆**exclusivement** *adv* exclusively. ◆**exclusivité** *nf Com* exclusive rights; **en e.** (*film*) having an exclusive showing (**à** at).
excommunier [ɛkskɔmynje] *vt* to excommunicate. ◆**excommunication** *nf* excommunication.
excrément(s) [ɛkskremɑ̃] *nm(pl)* excrement.
excroissance [ɛkskrwasɑ̃s] *nf* (out)growth.
excursion [ɛkskyrsjɔ̃] *nf* outing, excursion, tour; (*à pied*) hike.
excuse [ɛkskyz] *nf* (*prétexte*) excuse; *pl* (*regrets*) apology; **des excuses** an apology; **faire des excuses** to apologize (**à** to); **toutes mes excuses** (my) sincere apologies. ◆**excuser** *vt* (*justifier, pardonner*) to excuse (**qn d'avoir fait, qn de faire** s.o. for doing); **— s'e.** *vpr* to apologize (**de** for, **auprès de** to); **excusez-moi!, je m'excuse!** excuse me!
exécrer [ɛgzekre] *vt* to loathe. ◆**exécrable** *a* atrocious.
exécut/er [ɛgzekyte] *vt* **1** (*projet, tâche etc*) to carry out, execute; (*statue, broderie etc*) to produce; (*jouer*) *Mus* to perform. **2 e. qn** (*tuer*) to execute s.o. **3 s'e.** *vpr* to comply. ◆**—ant, -ante** *nmf Mus* performer. ◆**—able** *a* practicable. ◆**exécutif** *am* (*pouvoir*) executive; – *nm* **l'e.** *Pol* the executive. ◆**exécution** *nf* **1** carrying out, execution; production; performance. **2** (*mise à mort*) execution.
exemple [ɛgzɑ̃pl] *nm* example; **par e.** for example, for instance; **(ça) par e.!** *Fam* good heavens!; **donner l'e.** to set an example (**à** to). ◆**exemplaire 1** *a* exemplary. **2** *nm* (*livre etc*) copy.
exempt [ɛgzɑ̃] *a* **e. de** (*dispensé de*) exempt from; (*sans*) free from. ◆**exempter** *vt* to exempt (**de** from). ◆**exemption** *nf* exemption.
exercer [ɛgzɛrse] *vt* (*muscles, droits*) to exercise; (*autorité, influence*) to exert (**sur** over); (*métier*) to carry on, work at; (*profession*) to practise; **e. qn à** (*couture etc*) to train s.o. in; **e. qn à faire** to train s.o. to do; – *vi* (*médecin*) to practise; **— s'e.** *vpr* (*influence etc*) to be exerted; **s'e. (à qch)** (*sportif etc*) to practise (sth); **s'e. à faire** to practise doing. ◆**exercice** *nm* (*physique etc*) & *Scol* exercise; *Mil* drill, exercise; (*de métier*) practice; **l'e. de** (*pouvoir etc*) the exercise of; **en e.** (*fonctionnaire*) in office; (*médecin*) in practice; **faire de l'e., prendre de l'e.** to (take) exercise.
exhaler [ɛgzale] *vt* (*odeur etc*) to give off.
exhaustif, -ive [ɛgzostif, -iv] *a* exhaustive.
exhiber [ɛgzibe] *vt* to exhibit, show.

◆**exhibition** *nf* exhibition. ◆**exhibitionniste** *nmf* exhibitionist.
exhorter [ɛgzɔrte] *vt* to urge, exhort (**à faire** to do).
exhumer [ɛgzyme] *vt* (*cadavre*) to exhume; (*vestiges*) to dig up.
exiger [ɛgziʒe] *vt* to demand, require (**de** from, **que** (+ *sub*) that). ◆**exigeant** *a* demanding, exacting. ◆**exigence** *nf* demand, requirement; **d'une grande e.** very demanding.
exigu, -uë [ɛgzigy] *a* (*appartement etc*) cramped, tiny. ◆**exiguïté** *nf* crampedness.
exil [ɛgzil] *nm* (*expulsion*) exile. ◆**exil/er** *vt* to exile; **— s'e.** *vpr* to go into exile. ◆**—é, -ée** *nmf* (*personne*) exile.
existence [ɛgzistɑ̃s] *nf* existence. ◆**existentialisme** *nm* existentialism. ◆**exist/er** *vi* to exist; – *v imp* **il existe . . .** (*sing*) there is . . . ; (*pl*) there are . . . . ◆**—ant** *a* existing.
exode [ɛgzɔd] *nm* exodus.
exonérer [ɛgzɔnere] *vt* to exempt (**de** from). ◆**exonération** *nf* exemption.
exorbitant [ɛgzɔrbitɑ̃] *a* exorbitant.
exorciser [ɛgzɔrsize] *vt* to exorcize. ◆**exorcisme** *nm* exorcism.
exotique [ɛgzɔtik] *a* exotic. ◆**exotisme** *nm* exoticism.
expansif, -ive [ɛkspɑ̃sif, -iv] *a* expansive, effusive.
expansion [ɛkspɑ̃sjɔ̃] *nf Com Phys Pol* expansion; **en (pleine) e.** (fast *ou* rapidly) expanding.
expatri/er (s') [sɛkspatrije] *vpr* to leave one's country. ◆**—é, -ée** *a* & *nmf* expatriate.
expectative [ɛkspɛktativ] *nf* **être dans l'e.** to be waiting to see what happens.
expédient [ɛkspedjɑ̃] *nm* (*moyen*) expedient.
expédier [ɛkspedje] *vt* **1** (*envoyer*) to send off. **2** (*affaires, client*) to dispose of quickly, dispatch. ◆**expéditeur, -trice** *nmf* sender. ◆**expéditif, -ive** *a* expeditious, quick. ◆**expédition** *nf* **1** (*envoi*) dispatch. **2** (*voyage*) expedition.
expérience [ɛksperjɑ̃s] *nf* (*pratique, connaissance*) experience; (*scientifique*) experiment; **faire l'e. de qch** to experience sth. ◆**expérimental, -aux** *a* experimental. ◆**expérimentation** *nf* experimentation. ◆**expériment/er** *vt Phys Ch* to try out, experiment with; – *vi* to experiment. ◆**—é** *a* experienced.
expert [ɛkspɛr] *a* expert, skilled (**en** in); – *nm* expert; (*d'assurances*) valuer. ◆**e.-comptable** *nm* (*pl* **experts-comptables**) = chartered accountant, = *Am* certified public accountant. ◆**expertise** *nf* (*évaluation*) (expert) appraisal; (*compétence*) expertise.
expier [ɛkspje] *vt* (*péchés, crime*) to expiate, atone for. ◆**expiation** *nf* expiation (**de** of).
expir/er [ɛkspire] **1** *vti* to breathe out. **2** *vi* (*mourir*) to pass away; (*finir, cesser*) to expire. ◆**—ant** *a* dying. ◆**expiration** *nf* (*échéance*) expiry, *Am* expiration.
explicite [ɛksplisit] *a* explicit. ◆**—ment** *adv* explicitly.
expliquer [ɛksplike] *vt* to explain (**à** to); **— s'e.** *vpr* to explain oneself; (*discuter*) to talk things over, have it out (**avec** with); **s'e. qch** (*comprendre*) to understand sth; **ça s'explique** that is understandable. ◆**explicable** *a* understandable. ◆**explicatif, -ive** *a* explanatory. ◆**explication** *nf* explanation; (*mise au point*) discussion.
exploit [ɛksplwa] *nm* exploit, feat.
exploit/er [ɛksplwate] *vt* **1** (*champs*) to farm; (*ferme, entreprise*) to run; (*mine*) to work; (*situation*) *Fig* to exploit. **2** (*abuser de*) *Péj* to exploit (*s.o.*). ◆**—ant, -ante** *nmf* farmer. ◆**exploitation** *nf* **1** *Péj* exploitation. **2** farming; running; working; (*entreprise*) concern; (*agricole*) farm.
explorer [ɛksplɔre] *vt* to explore. ◆**explorateur, -trice** *nmf* explorer. ◆**exploration** *nf* exploration.
exploser [ɛksploze] *vi* (*gaz etc*) to explode; (*bombe*) to blow up, explode; **e. (de colère)** *Fam* to explode, blow up; **faire e.** (*bombe*) to explode. ◆**explosif, -ive** *a* & *nm* explosive. ◆**explosion** *nf* explosion; (*de colère, joie*) outburst.
exporter [ɛkspɔrte] *vt* to export (**vers** to, **de** from). ◆**exportateur, -trice** *nmf* exporter; – *a* exporting. ◆**exportation** *nf* (*produit*) export; (*action*) export(ation), exporting.
expos/er [ɛkspoze] *vt* (*présenter, soumettre*) & *Phot* to expose (**à** to); (*marchandises*) to display; (*tableau etc*) to exhibit; (*idée, théorie*) to set out; (*vie, réputation*) to risk, endanger; **s'e. à** to expose oneself to. ◆**—ant, -ante** *nmf* exhibitor. ◆**—é 1** *a* **bien e.** (*édifice*) having a good exposure; **e. au sud** facing south. **2** *nm* (*compte rendu*) account (**de** of); (*discours*) talk; *Scol* paper. ◆**exposition** *nf* (*de marchandises etc*) display; (*salon*) exhibition; (*au danger etc*) &

Phot exposure (**à** to); (*de maison etc*) aspect.
exprès[1] [ɛksprɛ] *adv* on purpose, intentionally; (*spécialement*) specially.
exprès[2], **-esse** [ɛksprɛs] **1** *a* (*ordre, condition*) express. **2** *a inv* **lettre/colis e.** express letter/parcel. ◆**expressément** *adv* expressly.
express [ɛksprɛs] *a & nm inv* (*train*) express; (*café*) espresso.
expressif, -ive [ɛkspresif, -iv] *a* expressive. ◆**expression** *nf* (*phrase, mine etc*) expression. ◆**exprimer** *vt* to express; **— s'e.** *vpr* to express oneself.
exproprier [ɛksprɔprije] *vt* to seize the property of by compulsory purchase.
expulser [ɛkspylse] *vt* to expel (**de** from); (*joueur*) *Sp* to send off; (*locataire*) to evict. ◆**expulsion** *nf* expulsion; eviction; sending off.
expurger [ɛkspyrʒe] *vt* to expurgate.
exquis [ɛkski] *a* exquisite.
extase [ɛkstɑz] *nf* ecstasy, rapture. ◆**s'extasi/er** *vpr* to be in raptures (**sur** over, about). ◆**—é** *a* ecstatic.
extensible [ɛkstɑ̃sibl] *a* expandable. ◆**extension** *nf* extension; (*essor*) expansion.
exténuer [ɛkstenɥe] *vt* (*fatiguer*) to exhaust. ◆**exténuation** *nf* exhaustion.
extérieur [ɛksterjœr] *a* (*monde etc*) outside; (*surface*) outer; (*signe*) outward, external; (*politique*) foreign; **e. à** external to; – *nm* outside, exterior; **à l'e. (de)** outside; **à l'e.** (*match*) away; **en e.** *Cin* on location. ◆**—ement** *adv* externally; (*en apparence*) outwardly. ◆**extérioriser** *vt* to express.
exterminer [ɛkstɛrmine] *vt* to exterminate, wipe out. ◆**extermination** *nf* extermination.
externe [ɛkstɛrn] **1** *a* external. **2** *nmf Scol* day pupil; *Méd* non-resident hospital doctor, *Am* extern.
extincteur [ɛkstɛ̃ktœr] *nm* fire extinguisher. ◆**extinction** *nf* (*de feu*) extinguishing; (*de voix*) loss; (*de race*) extinction.
extirper [ɛkstirpe] *vt* to eradicate.
extorquer [ɛkstɔrke] *vt* to extort (**à** from). ◆**extorsion** *nf* extortion.
extra [ɛkstra] **1** *a inv* (*très bon*) *Fam* top-quality. **2** *nm inv Culin* (extra-special) treat; (*serviteur*) extra hand *ou* help.
extra- [ɛkstra] *préf* extra-. ◆**e.-fin** *a* extra-fine. ◆**e.-fort** *a* extra-strong.
extradition [ɛkstradisjɔ̃] *nf* extradition. ◆**extrader** *vt* to extradite.
extraire* [ɛkstrɛr] *vt* to extract (**de** from); (*charbon*) to mine. ◆**extraction** *nf* extraction. ◆**extrait** *nm* extract; **un e. de naissance** a (copy of one's) birth certificate.
extraordinaire [ɛkstraɔrdinɛr] *a* extraordinary. ◆**—ment** *adv* exceptionally; (*très, bizarrement*) extraordinarily.
extravagant [ɛkstravagɑ̃] *a* extravagant. ◆**extravagance** *nf* extravagance.
extrême [ɛkstrɛm] *a* extreme; – *nm* extreme; **pousser à l'e.** to take *ou* carry to extremes. ◆**—ment** *adv* extremely. ◆**extrémiste** *a & nmf* extremist. ◆**extrémité** *nf* (*bout*) extremity, end; *pl* (*excès*) extremes.
exubérant [ɛgzyberɑ̃] *a* exuberant. ◆**exubérance** *nf* exuberance.
exulter [ɛgzylte] *vi* to exult, rejoice. ◆**exultation** *nf* exultation.

F

F, f [ɛf] *nm* F, f.
F *abrév* **franc(s).**
fable [fɑbl] *nf* fable.
fabrique [fabrik] *nf* factory; **marque de f.** trade mark.
fabriquer [fabrike] *vt* (*objet*) to make; (*industriellement*) to manufacture; (*récit*) *Péj* to fabricate, make up; **qu'est-ce qu'il fabrique?** *Fam* what's he up to? ◆**fabricant, -ante** *nmf* manufacturer. ◆**fabrication** *nf* manufacture; (*artisanale*) making; **de f. française** of French make.
fabuleux, -euse [fabylø, -øz] *a* (*légendaire, incroyable*) fabulous.
fac [fak] *nf Univ Fam* = **faculté 2.**
façade [fasad] *nf* (*de bâtiment*) front, façade; (*apparence*) *Fig* pretence, façade; **de f.** (*luxe etc*) sham.
face [fas] *nf* face; (*de cube etc*) side; (*de monnaie*) head; **de f.** (*photo*) full-face; (*vue*) front; **faire f. à** (*situation etc*) to face, face up to; **en f.** opposite; **en f. de** opposite, facing; (*en présence de*) in front of; **en f. d'un problème, f. à un problème** in the face of a

problem, faced with a problem; **f. à** (*vis-à-vis de*) facing; **regarder qn en f.** to look s.o. in the face; **f. à f.** face to face; **un f. à f.** *TV* a face to face encounter; **sauver/perdre la f.** to save/lose face.
facétie [fasesi] *nf* joke, jest. ◆**facétieux, -euse** [-esjø, -øz] *a* (*personne*) facetious.
facette [fasɛt] *nf* (*de diamant, problème etc*) facet.
fâch/er [fɑʃe] *vt* to anger; **— se f.** *vpr* to get angry *ou* annoyed (**contre** with); **se f. avec qn** (*se brouiller*) to fall out with s.o. ◆**—é** *a* (*air*) angry; (*amis*) on bad terms; **f. avec** *ou* **contre qn** angry *ou* annoyed with s.o.; **f. de qch** sorry about sth. ◆**fâcherie** *nf* quarrel. ◆**fâcheux, -euse** *a* (*nouvelle etc*) unfortunate.
facho [faʃo] *a* & *nmf Fam* fascist.
facile [fasil] *a* easy; (*caractère, humeur*) easygoing; (*banal*) *Péj* facile; **c'est f. à faire** it's easy to do; **il est f. de faire ça** it's easy to do that; **f. à vivre** easy to get along with, easygoing. ◆**—ment** *adv* easily. ◆**facilité** *nf* (*simplicité*) easiness; (*aisance*) ease; **facilités de paiement** *Com* easy terms; **avoir de la f.** to be gifted; **avoir toutes facilités pour** to have every facility *ou* opportunity to. ◆**faciliter** *vt* to facilitate, make easier.
façon [fasɔ̃] *nf* **1** way; **la f. dont elle parle** the way (in which) she talks; **f. (d'agir)** behaviour; **je n'aime pas ses façons** I don't like his *ou* her manners *ou* ways; **une f. de parler** a manner of speaking; **à la f. de** in the fashion of; **de toute f.** anyway, anyhow; **de f. à** so as to; **de f. générale** generally speaking; **à ma f.** my way, (in) my own way; **faire des façons** to make a fuss; **table f. chêne** imitation oak table. **2** (*coupe de vêtement*) cut, style. ◆**façonner** *vt* (*travailler, former*) to fashion, shape; (*fabriquer*) to manufacture.
facteur [faktœr] *nm* **1** postman, *Am* mailman. **2** (*élément*) factor. ◆**factrice** *nf Fam* postwoman.
factice [faktis] *a* false, artificial; (*diamant*) imitation-.
faction [faksjɔ̃] *nf* **1** (*groupe*) *Pol* faction. **2** **de f.** *Mil* on guard (duty), on sentry duty.
facture [faktyr] *nf Com* invoice, bill. ◆**facturer** *vt* to invoice, bill.
facultatif, -ive [fakyltatif, -iv] *a* optional; **arrêt f.** request stop.
faculté [fakylte] *nf* **1** (*aptitude*) faculty; (*possibilité*) freedom (**de faire** to do); **une f. de travail** a capacity for work. **2** *Univ* faculty; **à la f.** *Fam* at university, *Am* at school.
fadaises [fadɛz] *nfpl* twaddle, nonsense.
fade [fad] *a* insipid. ◆**fadasse** *a Fam* wishy-washy.
fagot [fago] *nm* bundle (of firewood).
fagoter [fagɔte] *vt Péj* to dress, rig out.
faible [fɛbl] *a* weak, feeble; (*bruit, voix*) faint; (*vent, quantité, chances*) slight; (*revenus*) small; **f. en anglais/***etc* poor at English/*etc*; – *nm* (*personne*) weakling; **les faibles** the weak; **avoir un f. pour** to have a weakness *ou* a soft spot for. ◆**faiblement** *adv* weakly; (*légèrement*) slightly; (*éclairer, parler*) faintly. ◆**faiblesse** *nf* weakness, feebleness; faintness; slightness; smallness; (*défaut, syncope*) weakness. ◆**faiblir** *vi* (*forces*) to weaken; (*courage, vue*) to fail; (*vent*) to slacken.
faïence [fajɑ̃s] *nf* (*matière*) earthenware; *pl* (*objets*) crockery, earthenware.
faille [faj] *nf Géol* fault; *Fig* flaw.
faillible [fajibl] *a* fallible.
faillir* [fajir] *vi* **1 il a failli tomber** he almost *ou* nearly fell. **2 f. à** (*devoir*) to fail in.
faillite [fajit] *nf Com* bankruptcy; *Fig* failure; **faire f.** to go bankrupt.
faim [fɛ̃] *nf* hunger; **avoir f.** to be hungry; **donner f. à qn** to make s.o. hungry; **manger à sa f.** to eat one's fill; **mourir de f.** to die of starvation; (*avoir très faim*) *Fig* to be starving.
fainéant, -ante [feneɑ̃, -ɑ̃t] *a* idle; – *nmf* idler. ◆**fainéanter** *vi* to idle. ◆**fainéantise** *nf* idleness.
faire* [fɛr] **1** *vt* (*bruit, pain, faute etc*) to make; (*devoir, dégâts, ménage etc*) to do; (*rêve, chute*) to have; (*sourire, grognement*) to give; (*promenade, sieste*) to have, take; (*guerre*) to wage, make; **ça fait dix mètres de large** (*mesure*) it's ten metres wide; **2 et 2 font 4** 2 and 2 are 4; **ça fait dix francs** that is *ou* comes to ten francs; **qu'a-t-il fait (de)?** what's he done (with)?; **que f.?** what's to be done?; **f. du tennis/du piano/***etc* to play tennis/the piano/*etc*; **f. l'idiot** to act *ou* play the fool; **ça ne fait rien** that doesn't matter; **comment as-tu fait pour . . . ?** how did you manage to . . . ?; **il ne fait que travailler** he does nothing but work, he keeps on working; **je ne fais que d'arriver** I've just arrived; **oui, fit-elle** yes, she said. **2** *vi* (*agir*) to do; (*paraître*) to look; **il fait vieux** he looks old; **il fera un bon médecin** he'll be *ou* make a good doctor; **elle ferait bien de partir** she'd do well to leave. **3** *v imp* **il fait beau/froid/***etc* it's fine/cold/*etc*; **quel temps fait-il?** what's the weather like?; **ça fait deux ans que je ne l'ai pas vu** I haven't

seen him for two years, it's (been) two years since I saw him. **4** *v aux* (+ *inf*); **f. construire une maison** to have *ou* get a house built (**à qn, par qn** by s.o.); **f. crier/souffrir/***etc* **qn** to make s.o. shout/suffer/*etc*; **se f. couper les cheveux** to have one's hair cut; **se f. craindre/obéir/***etc* to make oneself feared/obeyed/*etc*; **se f. tuer/renverser/***etc* to get *ou* be killed/knocked down/*etc*. **5 se f.** *vpr* (*fabrication*) to be made; (*activité*) to be done; **se f. des illusions** to have illusions; **se f. des amis** to make friends; **se f. vieux/***etc* (*devenir*) to get old/*etc*; **il se fait tard** it's getting late; **comment se fait-il que?** how is it that?; **se f. à** to get used to, adjust to; **ne t'en fais pas!** don't worry!

faire-part [fɛrpar] *nm inv* (*de mariage etc*) announcement.

faisable [fəzabl] *a* feasible.

faisan [fəzɑ̃] *nm* (*oiseau*) pheasant.

faisandé [fəzɑ̃de] *a* (*gibier*) high.

faisceau, -x [fɛso] *nm* (*lumineux*) beam; (*de tiges etc*) bundle.

fait [fɛ] **1** *voir* **faire;** – *a* (*fromage*) ripe; (*homme*) grown; (*yeux*) made up; (*ongles*) polished; **tout f.** ready made; **bien f.** (*jambes, corps etc*) shapely; **c'est bien f.!** it serves you right! **2** *nm* event, occurrence; (*donnée, réalité*) fact; **prendre sur le f.** *Jur* to catch in the act; **du f. de** on account of; **f. divers** *Journ* (miscellaneous) news item; **au f.** (*à propos*) by the way; **aller au f.** to get to the point; **faits et gestes** actions; **en f.** in fact; **en f. de** in the matter of.

faîte [fɛt] *nm* (*haut*) top; (*apogée*) *Fig* height.

faites [fɛt] *voir* **faire.**

faitout [fɛtu] *nm* stewing pot, casserole.

falaise [falɛz] *nf* cliff.

falloir* [falwar] **1** *v imp* **il faut qch/qn** I, you, we *etc* need sth/s.o.; **il lui faut un stylo** he *ou* she needs a pen; **il faut partir/***etc* I, you, we *etc* have to go/*etc*; **il faut que je parte** I have to go; **il faudrait qu'elle reste** she ought to stay; **il faut un jour** it takes a day (**pour faire** to do); **comme il faut** proper(ly); **s'il le faut** if need be. **2 s'en f.** *v imp* **peu s'en est fallu qu'il ne pleure** he almost cried; **tant s'en faut** far from it.

falsifier [falsifje] *vt* (*texte etc*) to falsify. ◆**falsification** *nf* falsification.

famé (mal) [malfame] *a* of ill repute.

famélique [famelik] *a* ill-fed, starving.

fameux, -euse [famø, -øz] *a* famous; (*excellent*) *Fam* first-class; **pas f.** *Fam* not much good.

familial, -aux [familjal, -o] *a* family-.

familier, -ière [familje, -jɛr] *a* (*bien connu*) familiar (**à** to); (*amical*) friendly, informal; (*locution*) colloquial, familiar; **f. avec qn** (over)familiar with s.o.; – *nm* (*de club etc*) regular visitor. ◆**familiariser** *vt* to familiarize (**avec** with); **— se f.** *vpr* to familiarize oneself (**avec** with). ◆**familiarité** *nf* familiarity; *pl Péj* liberties. ◆**familièrement** *adv* familiarly; (*parler*) informally.

famille [famij] *nf* family; **en f.** (*dîner etc*) with one's family; **un père de f.** a family man.

famine [famin] *nf* famine.

fan [fɑ̃] *nm* (*admirateur*) *Fam* fan.

fana [fana] *nmf Fam* fan; **être f. de** to be crazy about.

fanal, -aux [fanal, -o] *nm* lantern, light.

fanatique [fanatik] *a* fanatical; – *nmf* fanatic. ◆**fanatisme** *nm* fanaticism.

fan/er (se) [səfane] *vpr* (*fleur, beauté*) to fade. ◆**—é** *a* faded.

fanfare [fɑ̃far] *nf* (*orchestre*) brass band; (*air, musique*) fanfare.

fanfaron, -onne [fɑ̃farɔ̃, -ɔn] *a* boastful; – *nmf* braggart.

fange [fɑ̃ʒ] *nf Litt* mud, mire.

fanion [fanjɔ̃] *nm* (*drapeau*) pennant.

fantaisie [fɑ̃tezi] *nf* (*caprice*) fancy, whim; (*imagination*) imagination, fantasy; **(de) f.** (*bouton etc*) fancy. ◆**fantaisiste** *a* (*pas sérieux*) fanciful; (*irrégulier*) unorthodox.

fantasme [fɑ̃tasm] *nm Psy* fantasy. ◆**fantasmer** *vi* to fantasize (**sur** about).

fantasque [fɑ̃task] *a* whimsical.

fantassin [fɑ̃tasɛ̃] *nm Mil* infantryman.

fantastique [fɑ̃tastik] *a* (*imaginaire, excellent*) fantastic.

fantoche [fɑ̃tɔʃ] *nm & a* puppet.

fantôme [fɑ̃tom] *nm* ghost, phantom; – *a* (*ville, train*) ghost-; (*firme*) bogus.

faon [fɑ̃] *nm* (*animal*) fawn.

faramineux, -euse [faraminø, -øz] *a Fam* fantastic.

farce[1] [fars] *nf* practical joke, prank; *Th* farce; **magasin de farces et attrapes** joke shop. ◆**farceur, -euse** *nmf* (*blagueur*) wag, joker.

farce[2] [fars] *nf Culin* stuffing. ◆**farcir** *vt* **1** *Culin* to stuff. **2 se f. qn/qch** *Fam* to put up with s.o./sth.

fard [far] *nm* make-up. ◆**farder** *vt* (*vérité*) to camouflage; **— se f.** *vpr* (*se maquiller*) to make up.

fardeau, -x [fardo] *nm* burden, load.

farfelu, -ue [farfəly] *a Fam* crazy, bizarre; – *nmf Fam* weirdo.

farine [farin] *nf* (*de blé*) flour; **f. d'avoine**

oatmeal. ◆**farineux, -euse** *a Péj* floury, powdery.
farouche [faruʃ] *a* **1** (*timide*) shy, unsociable; (*animal*) easily scared. **2** (*violent, acharné*) fierce. ◆**—ment** *adv* fiercely.
fart [far(t)] *nm* (ski) wax. ◆**farter** *vt* (*skis*) to wax.
fascicule [fasikyl] *nm* volume.
fasciner [fasine] *vt* to fascinate. ◆**fascination** *nf* fascination.
fascisme [faʃism] *nm* fascism. ◆**fasciste** *a & nmf* fascist.
fasse(nt) [fas] *voir* **faire.**
faste [fast] *nm* ostentation, display.
fastidieux, -euse [fastidjø, -øz] *a* tedious, dull.
fatal, *mpl* **-als** [fatal] *a* (*mortel*) fatal; (*inévitable*) inevitable; (*moment, ton*) fateful; **c'était f.!** it was bound to happen! ◆**—ement** *adv* inevitably. ◆**fataliste** *a* fatalistic; – *nmf* fatalist. ◆**fatalité** *nf* (*destin*) fate. ◆**fatidique** *a* (*jour, date*) fateful.
fatigue [fatig] *nf* tiredness, fatigue, weariness. ◆**fatigant** *a* (*épuisant*) tiring; (*ennuyeux*) tiresome. ◆**fatigu/er** *vt* to tire, fatigue; (*yeux*) to strain; (*importuner*) to annoy; (*raser*) to bore; – *vi* (*moteur*) to strain; **— se f.** *vpr* (*se lasser*) to get tired, tire (**de** of); (*travailler*) to tire oneself out (**à faire** doing). ◆**—é** *a* tired, weary (**de** of).
fatras [fatra] *nm* jumble, muddle.
faubourg [fobur] *nm* suburb. ◆**faubourien, -ienne** *a* (*accent etc*) suburban, common.
fauché [foʃe] *a* (*sans argent*) *Fam* broke.
fauch/er [foʃe] *vt* **1** (*herbe*) to mow; (*blé*) to reap; (*abattre, renverser*) *Fig* to mow down. **2** (*voler*) *Fam* to snatch, pinch. ◆**—euse** *nf* (*machine*) reaper.
faucille [fosij] *nf* (*instrument*) sickle.
faucon [fokɔ̃] *nm* (*oiseau*) falcon, hawk; (*personne*) *Fig* hawk.
faudra, faudrait [fodra, fodrɛ] *voir* **falloir.**
faufiler (se) [səfofile] *vpr* to edge *ou* inch one's way (**dans** through, into; **entre** between).
faune [fon] *nf* wildlife, fauna; (*gens*) *Péj* set.
faussaire [fosɛr] *nm* (*faux-monnayeur*) forger.
fausse [fos] *voir* **faux**[1]. ◆**faussement** *adv* falsely.
fausser [fose] *vt* (*sens, réalité etc*) to distort; (*clé etc*) to buckle; **f. compagnie à qn** to give s.o. the slip.
fausseté [foste] *nf* (*d'un raisonnement etc*) falseness; (*hypocrisie*) duplicity.
faut [fo] *voir* **falloir.**
faute [fot] *nf* (*erreur*) mistake; (*responsabilité*) fault; (*délit*) offence; (*péché*) sin; *Fb* foul; **c'est ta f.** it's your fault, you're to blame; **f. de temps/***etc* for lack of time/*etc*; **f. de mieux** for want of anything better; **en f.** at fault; **sans f.** without fail. ◆**fautif, -ive** *a* (*personne*) at fault; (*erroné*) faulty.
fauteuil [fotœj] *nm* armchair; (*de président*) chair; **f. d'orchestre** *Th* seat in the stalls; **f. roulant** wheelchair; **f. pivotant** swivel chair.
fauteur [fotœr] *nm* **f. de troubles** troublemaker.
fauve [fov] **1** *a & nm* (*couleur*) fawn. **2** *nm* wild beast; **chasse aux fauves** big game hunting.
faux[1], **fausse** [fo, fos] *a* (*inauthentique*) false; (*pas vrai*) untrue, false; (*pas exact*) wrong; (*monnaie*) counterfeit, forged; (*bijou, marbre*) imitation-, fake; (*voix*) out of tune; (*col*) detachable; – *adv* (*chanter*) out of tune; – *nm* (*contrefaçon*) forgery; **le f.** the false, the untrue. ◆**f.-filet** *nm Culin* sirloin. ◆**f.-fuyant** *nm* subterfuge. ◆**f.-monnayeur** *nm* counterfeiter.
faux[2] [fo] *nf* (*instrument*) scythe.
faveur [favœr] *nf* favour; **en f. de** (*au profit de*) in favour of; **de f.** (*billet*) complimentary; (*traitement, régime*) preferential. ◆**favorable** *a* favourable (à to). ◆**favori, -ite** *a & nmf* favourite. ◆**favoriser** *vt* to favour. ◆**favoritisme** *nm* favouritism.
favoris [favɔri] *nmpl* sideburns, side whiskers.
fébrile [febril] *a* feverish. ◆**fébrilité** *nf* feverishness.
fécond [fekɔ̃] *a* (*femme, idée etc*) fertile. ◆**féconder** *vt* to fertilize. ◆**fécondité** *nf* fertility.
fécule [fekyl] *nf* starch. ◆**féculents** *nmpl* (*aliments*) carbohydrates.
fédéral, -aux [federal, -o] *a* federal. ◆**fédération** *nf* federation. ◆**fédérer** *vt* to federate.
fée [fe] *nf* fairy. ◆**féerie** *nf Th* fantasy extravaganza; *Fig* fairy-like spectacle. ◆**féerique** *a* fairy(-like), magical.
feindre* [fɛ̃dr] *vt* to feign, sham; **f. de faire** to pretend to do. ◆**feint** *a* feigned, sham. ◆**feinte** *nf* sham, pretence; *Boxe Mil* feint.
fêler [fele] *vt,* **— se f.** *vpr* (*tasse*) to crack. ◆**fêlure** *nf* crack.
félicité [felisite] *nf* bliss, felicity.
féliciter [felisite] *vt* to congratulate (**qn de** *ou* **sur** s.o. on); **se f. de** to congratulate oneself

on. ◆**félicitations** *nfpl* congratulations (**pour** on).
félin [felɛ̃] *a & nm* feline.
femelle [fəmɛl] *a & nf* (*animal*) female.
féminin [feminɛ̃] *a* (*prénom, hormone etc*) female; (*trait, intuition etc*) & *Gram* feminine; (*mode, revue, équipe etc*) women's. ◆**féministe** *a & nmf* feminist. ◆**féminité** *nf* femininity.
femme [fam] *nf* woman; (*épouse*) wife; **f. médecin** woman doctor; **f. de chambre** (chamber)maid; **f. de ménage** cleaning lady, maid; **bonne f.** *Fam* woman.
fémur [femyr] *nm* thighbone, femur.
fendiller (se) [səfɑ̃dije] *vpr* to crack.
fendre [fɑ̃dr] *vt* (*bois etc*) to split; (*foule*) to force one's way through; (*onde, air*) to cleave; (*cœur*) *Fig* to break, rend; **— se f.** *vpr* (*se fissurer*) to crack.
fenêtre [f(ə)nɛtr] *nf* window.
fenouil [fənuj] *nm Bot Culin* fennel.
fente [fɑ̃t] *nf* (*de tirelire, palissade, jupe etc*) slit; (*de rocher*) split, crack.
féodal, -aux [feɔdal, -o] *a* feudal.
fer [fɛr] *nm* iron; (*partie métallique de qch*) metal (part); **de f., en f.** (*outil etc*) iron-; **fil de f.** wire; **f. à cheval** horseshoe; **f. (à repasser)** iron; **f. à friser** curling tongs; **f. de lance** *Fig* spearhead; **de f.** (*santé*) *Fig* cast-iron; (*main, volonté*) *Fig* iron-. ◆**fer-blanc** *nm* (*pl* **fers-blancs**) tin(-plate).
fera, ferait [fəra, fərɛ] *voir* **faire.**
férié [ferje] *a* **jour f.** (public) holiday.
ferme[1] [fɛrm] *nf* farm; (*maison*) farm(house).
ferme[2] [fɛrm] *a* (*beurre, décision etc*) firm; (*autoritaire*) firm (**avec** with); (*pas, voix*) steady; (*pâte*) stiff; – *adv* (*travailler, boire*) hard; (*discuter*) keenly; **tenir f.** to stand firm *ou* fast. ◆**—ment** [-əmɑ̃] *adv* firmly.
ferment [fɛrmɑ̃] *nm* ferment. ◆**fermentation** *nf* fermentation. ◆**fermenter** *vi* to ferment.
ferm/er [fɛrme] *vt* to close, shut; (*gaz, radio etc*) to turn *ou* switch off; (*passage*) to block; (*vêtement*) to do up; **f. (à clef)** to lock; **f. la marche** to bring up the rear; – *vi*, **— se f.** *vpr* to close, shut. ◆**—é** *a* (*porte, magasin etc*) closed, shut; (*route, circuit etc*) closed; (*gaz etc*) off. ◆**fermeture** *nf* closing, closure; (*heure*) closing time; (*mécanisme*) catch; **f. éclair**® zip (fastener), *Am* zipper. ◆**fermoir** *nm* clasp, (snap) fastener.
fermeté [fɛrməte] *nf* firmness; (*de geste, voix*) steadiness.
fermier, -ière [fɛrmje, -jɛr] *nmf* farmer; – *a* (*poulet, produit*) farm-.
féroce [ferɔs] *a* fierce, ferocious. ◆**férocité** *nf* ferocity, fierceness.
ferraille [fɛrɑj] *nf* scrap-iron; **mettre à la f.** to scrap. ◆**ferrailleur** *nm* scrap-iron merchant.
ferré [fɛre] *a* **1** (*canne*) metal-tipped; **voie ferrée** railway, *Am* railroad; (*rails*) track. **2** (*calé*) *Fam* well up (**en** in, **sur** on).
ferrer [fɛre] *vt* (*cheval*) to shoe.
ferronnerie [fɛrɔnri] *nf* ironwork.
ferroviaire [fɛrɔvjɛr] *a* (*compagnie etc*) railway-, *Am* railroad-.
ferry-boat [fɛribot] *nm* ferry.
fertile [fɛrtil] *a* (*terre, imagination*) fertile; **f. en incidents** eventful. ◆**fertiliser** *vt* to fertilize. ◆**fertilité** *nf* fertility.
fervent, -ente [fɛrvɑ̃, -ɑ̃t] *a* fervent; – *nmf* devotee (**de** of). ◆**ferveur** *nf* fervour.
fesse [fɛs] *nf* buttock; **les fesses** one's behind. ◆**fessée** *nf* spanking.
festin [fɛstɛ̃] *nm* (*banquet*) feast.
festival, *pl* **-als** [fɛstival] *nm Mus Cin* festival.
festivités [fɛstivite] *nfpl* festivities.
festoyer [fɛstwaje] *vi* to feast, carouse.
fête [fɛt] *nf* (*civile*) holiday; *Rel* festival, feast; (*entre amis*) party; **f. du village** village fair *ou* fête; **f. de famille** family celebration; **c'est sa f.** it's his *ou* her saint's day; **f. des Mères** Mother's Day; **jour de f.** (public) holiday; **faire la f.** to make merry, revel; **air de f.** festive air. ◆**fêter** *vt* (*événement*) to celebrate.
fétiche [fetiʃ] *nm* (*objet de culte*) fetish; (*mascotte*) *Fig* mascot.
fétide [fetid] *a* fetid, stinking.
feu[1]**, -x** [fø] *nm* fire; (*lumière*) *Aut Nau Av* light; (*de réchaud*) burner; (*de dispute*) *Fig* heat; *pl* (*de signalisation*) traffic lights; **feux de position** *Aut* parking lights; **feux de croisement** *Aut* dipped headlights, *Am* low beams; **f. rouge** *Aut* (*lumière*) red light; (*objet*) traffic lights; **tous feux éteints** *Aut* without lights; **mettre le f. à** to set fire to; **en f.** on fire, ablaze; **avez-vous du f.?** have you got a light?; **donner le f. vert** to give the go-ahead (**à** to); **ne pas faire long f.** not to last very long; **à f. doux** *Culin* on a low light; **au f.!** (there's a) fire!; **f.!** *Mil* fire!; **coup de f.** (*bruit*) gunshot; **feux croisés** *Mil* crossfire.
feu[2] [fø] *a inv* late; **f. ma tante** my late aunt.
feuille [fœj] *nf* leaf; (*de papier etc*) sheet; (*de température*) chart; *Journ* newssheet; **f. d'impôt** tax form *ou* return; **f. de paye** pay

slip. ◆**feuillage** *nm* foliage. ◆**feuillet** *nm* (*de livre*) leaf. ◆**feuilleter** *vt* (*livre*) to flip *ou* leaf through; **pâte feuilletée** puff *ou* flaky pastry. ◆**feuilleton** *nm* (*roman, film etc*) serial. ◆**feuillu** *a* leafy.

feutre [føtr] *nm* felt; (*chapeau*) felt hat; **crayon f.** felt-tip(ped) pen. ◆**feutré** *a* (*bruit*) muffled; **à pas feutrés** silently.

fève [fɛv] *nf* bean.

février [fevrije] *nm* February.

fiable [fjabl] *a* reliable. ◆**fiabilité** *nf* reliability.

fiacre [fjakr] *nm Hist* hackney carriage.

fianc/er (se) [səfjɑ̃se] *vpr* to become engaged (**avec** to). ◆**—é** *nm* fiancé; *pl* engaged couple. ◆**—ée** *nf* fiancée. ◆**fiançailles** *nfpl* engagement.

fiasco [fjasko] *nm* fiasco; **faire f.** to be a fiasco.

fibre [fibr] *nf* fibre; **f. (alimentaire)** roughage, (dietary) fibre; **f. de verre** fibreglass.

ficelle [fisɛl] *nf* **1** string; **connaître les ficelles** (*d'un métier etc*) to known the ropes. **2** (*pain*) long thin loaf. ◆**ficeler** *vt* to tie up.

fiche [fiʃ] *nf* **1** (*carte*) index *ou* record card; (*papier*) slip, form; **f. technique** data record. **2** *Él* (*broche*) pin; (*prise*) plug. ◆**fichier** *nm* card index, file.

fiche(r) [fiʃ(e)] *vt* (*pp* **fichu**) *Fam* (*faire*) to do; (*donner*) to give; (*jeter*) to throw; (*mettre*) to put; **f. le camp** to shove off; **fiche-moi la paix!** leave me alone!; **se f. de qn** to make fun of s.o.; **je m'en fiche!** I don't give a damn!

ficher [fiʃe] *vt* **1** (*enfoncer*) to drive in. **2** (*renseignement, personne*) to put on file.

fichu [fiʃy] **1** *a Fam* (*mauvais*) lousy, rotten; (*capable*) able (**de faire** to do); **il est f.** he's had it, he's done for; **mal f.** (*malade*) not well. **2** *nm* (head) scarf.

fictif, -ive [fiktif, -iv] *a* fictitious. ◆**fiction** *nf* fiction.

fidèle [fidɛl] *a* faithful (**à** to); – *nmf* faithful supporter; (*client*) regular (customer); **les fidèles** (*croyants*) the faithful; (*à l'église*) the congregation. ◆**—ment** *adv* faithfully. ◆**fidélité** *nf* fidelity, faithfulness.

fief [fjɛf] *nm* (*spécialité, chasse gardée*) domain.

fiel [fjɛl] *nm* gall.

fier (se) [səfje] *vpr* **se f. à** to trust.

fier, fière [fjɛr] *a* proud (**de** of); **un f. culot** *Péj* a rare cheek. ◆**fièrement** *adv* proudly. ◆**fierté** *nf* pride.

fièvre [fjɛvr] *nf* (*maladie*) fever; (*agitation*) frenzy; **avoir de la f.** to have a temperature *ou* a fever. ◆**fiévreux, -euse** *a* feverish.

fig/er [fiʒe] *vt* (*sang, sauce etc*) to congeal; **f. qn** (*paralyser*) *Fig* to freeze s.o.; – *vi* (*liquide*) to congeal; **— se f.** *vpr* (*liquide*) to congeal; (*sourire, personne*) *Fig* to freeze. ◆**—é** *a* (*locution*) set, fixed; (*regard*) frozen; (*société*) petrified.

fignol/er [fiɲɔle] *vt Fam* to round off meticulously, refine. ◆**—é** *a Fam* meticulous.

figue [fig] *nf* fig; **mi-f., mi-raisin** (*accueil etc*) neither good nor bad, mixed. ◆**figuier** *nm* fig tree.

figurant, -ante [figyrɑ̃, -ɑ̃t] *nmf Cin Th* extra.

figure [figyr] *nf* **1** (*visage*) face. **2** (*personnage*) & *Géom* figure; (*de livre*) figure, illustration; **faire f. de riche/d'imbécile**/*etc* to look rich/a fool/*etc*. ◆**figurine** *nf* statuette.

figur/er [figyre] *vt* to represent; – *vi* to appear, figure; **— se f.** *vpr* to imagine; **figurez-vous que . . . ?** would you believe that . . . ? ◆**—é** *a* (*sens*) figurative; – *nm* **au f.** figuratively.

fil [fil] *nm* **1** (*de coton, pensée etc*) thread; (*lin*) linen; **f. dentaire** dental floss; **de f. en aiguille** bit by bit. **2** (*métallique*) wire; **f. de fer** wire; **f. à plomb** plumbline; **au bout du f.** *Tél* on the line; **passer un coup de f. à qn** *Tél* to give s.o. a ring *ou* a call. **3** (*de couteau*) edge. **4 au f. de l'eau/des jours** with the current/the passing of time.

filament [filamɑ̃] *nm Él* filament.

filandreux, -euse [filɑ̃drø, -øz] *a* (*phrase*) long-winded.

filante [filɑ̃t] *af* **étoile f.** shooting star.

file [fil] *nf* line; (*couloir*) *Aut* lane; **f. d'attente** queue, *Am* line; **en f. (indienne)** in single file; **chef de f.** leader; **(se) mettre en f.** to line up.

filer [file] **1** *vt* (*coton etc*) to spin. **2** *vt* **f. qn** (*suivre*) to shadow s.o., tail s.o. **3** *vt Fam* **f. qch à qn** (*objet*) to slip s.o. sth; **f. un coup de pied**/*etc* **à qn** to give s.o. a kick/*etc*. **4** *vi* (*partir*) to shoot off, bolt; (*aller vite*) to speed along; (*temps*) to fly; (*bas, collant*) to ladder, run; (*liquide*) to trickle, run; **filez!** hop it!; **f. entre les doigts de qn** to slip through s.o.'s fingers; **f. doux** to be obedient. ◆**filature** *nf* **1** (*usine*) textile mill. **2** (*de policiers etc*) shadowing; **prendre en f.** to shadow.

filet [filɛ] *nm* **1** (*de pêche*) & *Sp* net; (*à bagages*) *Rail* (luggage) rack; **f. (à provisions)** string *ou* net bag (*for shopping*). **2** (*d'eau*) trickle. **3** (*de poisson, viande*) fillet.

filial, -aux [filjal, -o] *a* filial.

filiale [filjal] *nf* subsidiary (company).

filiation [filjasjɔ̃] *nf* relationship.

filière [filjɛr] *nf* (*de drogue*) network; **suivre la f.** (*pour obtenir qch*) to go through the official channels; (*employé*) to work one's way up.

filigrane [filigran] *nm* (*de papier*) watermark.

filin [filɛ̃] *nm Nau* rope.

fille [fij] *nf* **1** girl; **petite f.** (little *ou* young) girl; **jeune f.** girl, young lady; **vieille f.** *Péj* old maid; **f. (publique)** *Péj* prostitute. **2** (*parenté*) daughter, girl. ◆**f.-mère** *nf* (*pl* **filles-mères**) *Péj* unmarried mother. ◆**fillette** *nf* little girl.

filleul [fijœl] *nm* godson. ◆**filleule** *nf* goddaughter.

film [film] *nm* film, movie; (*pellicule*) film; **f. muet/parlant** silent/talking film *ou* movie; **le f. des événements** the sequence of events. ◆**filmer** *vt* (*personne, scène*) to film.

filon [filɔ̃] *nm Géol* seam; **trouver le (bon) f.** to strike it lucky.

filou [filu] *nm* rogue, crook.

fils [fis] *nm* son; **Dupont f.** Dupont junior.

filtre [filtr] *nm* filter; **(à bout) f.** (*cigarette*) (filter-)tipped; **(bout) f.** filter tip. ◆**filtrer** *vt* to filter; (*personne, nouvelles*) to scrutinize; – *vi* to filter (through).

fin [fɛ̃] **1** *nf* end; (*but*) end, aim; **mettre f. à** to put an end *ou* a stop to; **prendre f.** to come to an end; **tirer à sa f.** to draw to an end *ou* a close; **sans f.** endless; **à la f.** in the end; **arrêtez, à la f.!** stop, for heaven's sake!; **f. de semaine** weekend; **f. mai** at the end of May; **à cette f.** to this end. **2** *a* (*pointe, travail, tissu etc*) fine; (*taille, tranche*) thin; (*plat*) delicate, choice; (*esprit, oreille*) sharp; (*observation*) sharp, fine; (*gourmet*) discerning; (*rusé*) shrewd; (*intelligent*) clever; **au f. fond de** in the depths of; – *adv* (*couper, moudre*) finely; (*écrire*) small.

final, -aux *ou* **-als** [final, -o] *a* final; – *nm Mus* finale. ◆**finale** *nf Sp* final; *Gram* final syllable; – *nm Mus* finale. ◆**finalement** *adv* finally; (*en somme*) after all. ◆**finaliste** *nmf Sp* finalist.

finance [finɑ̃s] *nf* finance. ◆**financ/er** *vt* to finance. ◆**—ement** *nm* financing. ◆**financier, -ière** *a* financial; – *nm* financier. ◆**financièrement** *adv* financially.

fine [fin] *nf* liqueur brandy.

finement [finmɑ̃] *adv* (*broder, couper etc*) finely; (*agir*) cleverly.

finesse [fines] *nf* (*de pointe etc*) fineness; (*de taille etc*) thinness; (*de plat*) delicacy; (*d'esprit, de goût*) finesse; *pl* (*de langue*) niceties.

fin/ir [finir] *vt* to finish; (*discours, vie*) to end, finish; – *vi* to finish, end; **f. de faire** to finish doing; (*cesser*) to stop doing; **f. par faire** to end up *ou* finish up doing; **f. par qch** to finish (up) *ou* end (up) with sth; **en f. avec** to put an end to, finish with; **elle n'en finit pas** there's no end to it, she goes on and on. ◆**—i** *a* (*produit*) finished; (*univers etc*) & *Math* finite; **c'est f.** it's over *ou* finished; **il est f.** (*fichu*) he's done for *ou* finished; – *nm* (*poli*) finish. ◆**—issant** *a* (*siècle*) declining. ◆**finish** *nm Sp* finish. ◆**finition** *nf* (*action*) *Tech* finishing; (*résultat*) finish.

Finlande [fɛ̃lɑ̃d] *nf* Finland. ◆**finlandais, -aise** *a* Finnish; – *nmf* Finn. ◆**finnois, -oise** *a* Finnish; – *nmf* Finn; – *nm* (*langue*) Finnish.

fiole [fjɔl] *nf* phial, flask.

firme [firm] *nf* (*entreprise*) *Com* firm.

fisc [fisk] *nm* tax authorities, = Inland Revenue, = *Am* Internal Revenue. ◆**fiscal, -aux** *a* fiscal, tax-. ◆**fiscalité** *nf* tax system; (*charges*) taxation.

fission [fisjɔ̃] *nf Phys* fission.

fissure [fisyr] *nf* split, crack, fissure. ◆**se fissurer** *vpr* to split, crack.

fiston [fistɔ̃] *nm Fam* son, sonny.

fixe [fiks] *a* fixed; (*prix, heure*) set, fixed; **idée f.** obsession; **regard f.** stare; **être au beau f.** *Mét* to be set fair; – *nm* (*paie*) fixed salary. ◆**—ment** [-əmɑ̃] *adv* **regarder f.** to stare at. ◆**fixer** *vt* (*attacher*) to fix (**à** to); (*choix*) to settle; (*règle, date etc*) to decide, fix; **f. (du regard)** to stare at; **f. qn sur** to inform s.o. clearly about; **être fixé** (*décidé*) to be decided; **comme ça on est fixé!** (*renseigné*) we've got the picture!; – **se f.** *vpr* (*regard*) to become fixed; (*s'établir*) to settle. ◆**fixateur** *nm Phot* fixer; (*pour cheveux*) setting lotion. ◆**fixation** *nf* (*action*) fixing; (*dispositif*) fastening, binding; *Psy* fixation.

flacon [flakɔ̃] *nm* bottle, flask.

flageoler [flaʒɔle] *vi* to shake, tremble.

flageolet [flaʒɔlɛ] *nm Bot Culin* (dwarf) kidney bean.

flagrant [flagrɑ̃] *a* (*injustice etc*) flagrant, glaring; **pris en f. délit** caught in the act *ou* red-handed.

flair [flɛr] *nm* **1** (*d'un chien etc*) (sense of) smell, scent. **2** (*clairvoyance*) intuition, flair. ◆**flairer** *vt* to sniff at, smell; (*discerner*) *Fig* to smell, sense.

flamand, -ande [flamɑ̃, -ɑ̃d] *a* Flemish; – *nmf* Fleming; – *nm* (*langue*) Flemish.

flamant [flamɑ̃] *nm* (*oiseau*) flamingo.

flambant [flɑ̃bɑ̃] *adv* **f. neuf** brand new.
flambeau, -x [flɑ̃bo] *nm* torch.
flamb/er [flɑ̃be] **1** *vi* to burn, blaze; – *vt* (*aiguille*) *Méd* to sterilize; (*poulet*) to singe. **2** *vi* (*jouer*) *Fam* to gamble for big money. ◆**—é** *a* (*ruiné*) *Fam* done for. ◆**—ée** *nf* blaze; (*de colère, des prix etc*) *Fig* surge; (*de violence*) flare-up, eruption. ◆**—eur** *nm* *Fam* big gambler. ◆**flamboyer** *vi* to blaze, flame.
flamme [flam] *nf* flame; (*ardeur*) *Fig* fire; **en flammes** on fire. ◆**flammèche** *nf* spark.
flan [flɑ̃] *nm* **1** *Culin* custard tart *ou* pie. **2 au f.** *Fam* on the off chance, on the spur of the moment.
flanc [flɑ̃] *nm* side; (*d'une armée, d'un animal*) flank; **tirer au f.** *Arg* to shirk, idle.
flancher [flɑ̃ʃe] *vi* *Fam* to give in, weaken.
Flandre(s) [flɑ̃dr] *nf*(*pl*) Flanders.
flanelle [flanɛl] *nf* (*tissu*) flannel.
flâner [flɑne] *vi* to stroll, dawdle. ◆**flânerie** *nf* (*action*) strolling; (*promenade*) stroll.
flanquer [flɑ̃ke] *vt* **1** to flank (**de** with). **2** *Fam* (*jeter*) to chuck; (*donner*) to give; **f. qn à la porte** to throw s.o. out.
flaque [flak] *nf* puddle, pool.
flash, *pl* **flashes** [flaʃ] *nm* **1** *Phot* (*éclair*) flashlight; (*dispositif*) flash(gun). **2** *TV Rad* (news)flash.
flasque [flask] *a* flabby, floppy.
flatt/er [flate] *vt* to flatter; **se f. d'être malin/de réussir** to flatter oneself on being smart/on being able to succeed. ◆**—é** *a* flattered (**de qch** by sth, **de faire** to do, **que** that). ◆**flatterie** *nf* flattery. ◆**flatteur, -euse** *nmf* flatterer; – *a* flattering.
fléau, -x [fleo] *nm* **1** (*calamité*) scourge; (*personne, chose*) bane, plague. **2** *Agr* flail.
flèche [flɛʃ] *nf* arrow; (*d'église*) spire; **monter en f.** (*prix*) to (sky)rocket, shoot ahead. ◆**flécher** [fleʃe] *vt* to signpost (with arrows). ◆**fléchette** *nf* dart; *pl* (*jeu*) darts.
fléchir [fleʃir] *vt* (*membre*) to flex, bend; **f. qn** *Fig* to move s.o., persuade s.o.; – *vi* (*membre*) to bend; (*poutre*) to sag; (*faiblir*) to give way; (*baisser*) to fall off.
flegme [flɛgm] *nm* composure. ◆**flegmatique** *a* phlegmatic, stolid.
flemme [flɛm] *nf* *Fam* laziness; **il a la f.** he can't be bothered, he's just too lazy. ◆**flemmard, -arde** *a* *Fam* lazy; – *nmf* *Fam* lazybones.
flétrir [fletrir] **1** *vt*, **— se f.** *vpr* to wither. **2** *vt* (*blâmer*) to stigmatize, brand.
fleur [flœr] *nf* flower; (*d'arbre, d'arbuste*) blossom; **en f.** in flower, in bloom; in blossom; **à** *ou* **dans la f. de l'âge** in the prime of life; **à f. d'eau** just above the water; **à fleurs** (*tissu*) floral. ◆**fleur/ir** *vi* to flower, bloom; (*arbre etc*) to blossom; (*art, commerce etc*) *Fig* to flourish; – *vt* (*table etc*) to decorate with flowers. ◆**—i** *a* (*fleur, jardin*) in bloom; (*tissu*) flowered, floral; (*teint*) florid; (*style*) flowery, florid. ◆**fleuriste** *nmf* florist.
fleuve [flœv] *nm* river.
flexible [flɛksibl] *a* flexible, pliable. ◆**flexibilité** *nf* flexibility.
flexion [flɛksjɔ̃] *nf* **1** *Anat* flexion, flexing. **2** *Gram* inflexion.
flic [flik] *nm* *Fam* cop, policeman.
flinguer [flɛ̃ge] *vt* **f. qn** *Arg* to shoot s.o.
flipper [flipœr] *nm* (*jeu*) pinball.
flirt [flœrt] *nm* (*rapports*) flirtation; (*personne*) flirt. ◆**flirter** *vi* to flirt (**avec** with). ◆**flirteur, -euse** *a* flirtatious; – *nmf* flirt.
flocon [flɔkɔ̃] *nm* (*de neige*) flake; (*de laine*) flock; **flocons d'avoine** *Culin* porridge oats. ◆**floconneux, -euse** *a* fluffy.
floraison [flɔrɛzɔ̃] *nf* flowering; **en pleine f.** in full bloom. ◆**floral, -aux** *a* floral. ◆**floralies** *nfpl* flower show.
flore [flɔr] *nf* flora.
florissant [flɔrisɑ̃] *a* flourishing.
flot [flo] *nm* (*de souvenirs, larmes*) flood, stream; (*marée*) floodtide; *pl* (*de mer*) waves; (*de lac*) waters; **à flots** in abundance; **à f.** (*bateau, personne*) afloat; **mettre à f.** (*bateau, firme*) to launch; **remettre qn à f.** to restore s.o.'s fortunes.
flotte [flɔt] *nf* **1** *Nau Av* fleet. **2** *Fam* (*pluie*) rain; (*eau*) water. ◆**flottille** *nf* *Nau* flotilla.
flott/er [flɔte] *vi* to float; (*drapeau*) to fly; (*cheveux*) to flow; (*pensées*) to drift; (*pleuvoir*) *Fam* to rain. ◆**—ant** *a* **1** (*bois, dette etc*) floating; (*vêtement*) flowing, loose. **2** (*esprit*) indecisive. ◆**—ement** *nm* (*hésitation*) indecision. ◆**—eur** *nm* *Pêche etc* float.
flou [flu] *a* (*photo*) fuzzy, blurred; (*idée*) hazy, fuzzy; – *nm* fuzziness.
fluctuant [flyktɥɑ̃] *a* (*prix, opinions*) fluctuating. ◆**fluctuations** *nfpl* fluctuation(s) (**de** in).
fluet, -ette [flyɛ, -ɛt] *a* thin, slender.
fluide [flɥid] *a* (*liquide*) & *Fig* fluid; – *nm* (*liquide*) fluid. ◆**fluidité** *nf* fluidity.
fluorescent [flyɔresɑ̃] *a* fluorescent.
flûte [flyt] **1** *nf* *Mus* flute. **2** *nf* (*verre*) champagne glass. **3** *int* heck!, darn!, dash it! ◆**flûté** *a* (*voix*) piping. ◆**flûtiste** *nmf* flautist, *Am* flutist.
fluvial, -aux [flyvjal, -o] *a* river-, fluvial.

flux [fly] *nm* (*abondance*) flow; **f. et reflux** ebb and flow.
focal, -aux [fɔkal, -o] *a* focal. ◆**focaliser** *vt* (*intérêt etc*) to focus.
fœtus [fetys] *nm* foetus, *Am* fetus.
foi [fwa] *nf* faith; **sur la f. de** on the strength of; **agir de bonne/mauvaise f.** to act in good/bad faith; **ma f., oui!** yes, indeed!
foie [fwa] *nm* liver.
foin [fwɛ̃] *nm* hay; **faire du f.** (*scandale*) *Fam* to make a stink.
foire [fwar] *nf* fair; **faire la f.** *Fam* to go on a binge, have a ball.
fois [fwa] *nf* time; **une f.** once; **deux f.** twice, two times; **chaque f. que** each time (that), whenever; **une f. qu'il sera arrivé** (*dès que*) once he has arrived; **à la f.** at the same time, at once; **à la f. riche et heureux** both rich and happy; **une autre f.** (*elle fera attention etc*) next time; **des f.** *Fam* sometimes; **non mais des f.!** *Fam* you must be joking!; **une f. pour toutes, une bonne f.** once and for all.
foison [fwazɔ̃] *nf* **à f.** in plenty. ◆**foisonn/er** *vi* to abound (**de, en** in). ◆**—ement** *nm* abundance.
fol [fɔl] *voir* **fou.**
folâtre [fɔlɑtr] *a* playful. ◆**folâtrer** *vi* to romp, frolic.
folichon, -onne [fɔliʃɔ̃, -ɔn] *a* **pas f.** not very funny, not much fun.
folie [fɔlie] *nf* madness, insanity; **faire une f.** to do a foolish thing; (*dépense*) to be wildly extravagant; **aimer qn à la f.** to be madly in love with s.o..
folklore [fɔlklɔr] *nm* folklore. ◆**folklorique** *a* (*danse etc*) folk-; (*pas sérieux*) *Fam* lightweight, trivial, silly.
folle [fɔl] *voir* **fou.** ◆**follement** *adv* madly.
fomenter [fɔmɑ̃te] *vt* (*révolte etc*) to foment.
foncé [fɔ̃se] *a* (*couleur*) dark.
foncer [fɔ̃se] **1** *vi* (*aller vite*) to tear *ou* charge along; **f. sur qn** to charge into *ou* at s.o. **2** *vti* (*couleur*) to darken.
foncier, -ière [fɔ̃sje, -jɛr] *a* **1** fundamental, basic. **2** (*propriété*) landed. ◆**foncièrement** *adv* fundamentally.
fonction [fɔ̃ksjɔ̃] *nf* (*rôle*) & *Math* function; (*emploi*) office, function, duty; **f. publique** civil service; **faire f. de** (*personne*) to act as; (*objet*) to serve *ou* act as; **en f. de** according to. ◆**fonctionnaire** *nmf* civil servant. ◆**fonctionnel, -elle** *a* functional. ◆**fonctionn/er** *vi* (*machine etc*) to work, operate, function; (*organisation*) to function; **faire f.** to operate, work. ◆**—ement** *nm* working.
fond [fɔ̃] *nm* (*de boîte, jardin, vallée etc*) bottom; (*de salle, armoire etc*) back; (*de culotte*) seat; (*de problème, débat etc*) essence; (*arrière-plan*) background; (*contenu*) content; (*du désespoir*) *Fig* depths; **au f. de** at the bottom of; at the back of; **fonds de verre** dregs; **f. de teint** foundation cream; **f. sonore** background music; **un f. de bon sens** a stock of good sense; **au f.** basically, in essence; **à f.** (*connaître etc*) thoroughly; **de f. en comble** from top to bottom; **de f.** (*course*) long-distance; (*bruit*) background-.
fondamental, -aux [fɔ̃damɑ̃tal, -o] *a* fundamental, basic.
fond/er [fɔ̃de] *vt* (*ville etc*) to found; (*commerce*) to set up; (*famille*) to start; **(se) f. sur** to base (oneself) on; **être fondé à croire**/*etc* to be justified in thinking/*etc*; **bien fondé** well-founded. ◆**—ement** *nm* foundation. ◆**fondateur, -trice** *nmf* founder; – *a* (*membre*) founding, founder-. ◆**fondation** *nf* (*création, œuvre*) foundation (**de** of).
fond/re [fɔ̃dr] *vt* to melt; (*métal*) to smelt; (*cloche*) to cast; (*amalgamer*) *Fig* to fuse (**avec** with); **faire f.** (*dissoudre*) to dissolve; – *vi* to melt; (*se dissoudre*) to dissolve; **f. en larmes** to burst into tears; **f. sur** to swoop on; **– se f.** *vpr* to merge, fuse. ◆**—ant** *a* (*fruit*) which melts in the mouth. ◆**—u** *nm* **f. enchaîné** *Cin* dissolve. ◆**—ue** *nf Culin* fondue. ◆**fonderie** *nf* (*usine*) smelting works, foundry.
fonds [fɔ̃] **1** *nm* **un f. (de commerce)** a business. **2** *nmpl* (*argent*) funds. **3** *nm* (*culturel etc*) *Fig* fund.
font [fɔ̃] *voir* **faire.**
fontaine [fɔ̃tɛn] *nf* (*construction*) fountain; (*source*) spring.
fonte [fɔ̃t] *nf* **1** (*des neiges*) melting; (*d'acier*) smelting. **2** (*fer*) cast iron; **en f.** (*poêle etc*) cast-iron.
fonts [fɔ̃] *nmpl* **f. baptismaux** *Rel* font.
football [futbol] *nm* football, soccer. ◆**footballeur, -euse** *nmf* footballer.
footing [futiŋ] *nm Sp* jogging, jog-trotting.
forage [fɔraʒ] *nm* drilling, boring.
forain [fɔrɛ̃] *a* (*marchand*) itinerant; **fête foraine** (fun)fair.
forçat [fɔrsa] *nm* (*prisonnier*) convict.
force [fɔrs] *nf* force; (*physique, morale*) strength; (*atomique etc*) power; **de toutes ses forces** with all one's strength; **les forces armées** the armed forces; **de f.** by force, forcibly; **en f.** (*attaquer, venir*) in force; **cas de f. majeure** circumstances beyond one's

control; **dans la f. de l'âge** in the prime of life; **à f. de** through sheer force of, by dint of. ◆**forc/er** *vt* (*porte, fruits etc*) to force; (*attention*) to force, compel; (*voix*) to strain; (*sens*) to stretch; **f. qn à faire** to force *ou* compel s.o. to do; – *vi* (*y aller trop fort*) to overdo it; **— se f.** *vpr* to force oneself (**à faire** to do). ◆**—é** *a* forced (**de faire** to do); **un sourire f.** a forced smile; **c'est f.** *Fam* it's inevitable *ou* obvious. ◆**—ément** *adv* inevitably, obviously; **pas f.** not necessarily.

forcené, -ée [fɔrsəne] *a* frantic, frenzied; – *nmf* madman, madwoman.

forceps [fɔrsɛps] *nm* forceps.

forcir [fɔrsir] *vi* (*grossir*) to fill out.

forer [fɔre] *vt* to drill, bore. ◆**foret** *nm* drill.

forêt [fɔrɛ] *nf* forest. ◆**forestier, -ière** *a* forest-; – *nm* **(garde) f.** forester, *Am* (forest) ranger.

forfait [fɔrfɛ] *nm* **1** (*prix*) all-inclusive price; **travailler à f.** to work for a lump sum. **2 déclarer f.** *Sp* to withdraw from the game. **3** (*crime*) *Litt* heinous crime. ◆**forfaitaire** *a* **prix f.** all-inclusive price.

forge [fɔrʒ] *nf* forge. ◆**forg/er** *vt* (*métal, liens etc*) to forge; (*inventer*) to make up. ◆**—é** *a* **fer f.** wrought iron. ◆**forgeron** *nm* (black)smith.

formaliser (se) [səfɔrmalize] *vpr* to take offence (**de** at).

formalité [fɔrmalite] *nf* formality.

format [fɔrma] *nm* format, size.

forme [fɔrm] *nf* (*contour*) shape, form; (*manière, genre*) form; *pl* (*de femme, d'homme*) figure; **en f. de** in the form of; **en f. d'aiguille/de poire/***etc* needle-/pear-/*etc* shaped; **dans les formes** in due form; **en (pleine) f.** in good shape *ou* form, on form; **prendre f.** to take shape. ◆**formateur, -trice** *a* formative. ◆**formation** *nf* formation; (*éducation*) education, training. ◆**formel, -elle** *a* (*structure, logique etc*) formal; (*démenti*) categorical, formal; (*preuve*) positive, formal. ◆**formellement** *adv* (*interdire*) strictly. ◆**form/er** *vt* (*groupe, caractère etc*) to form; (*apprenti etc*) to train; **— se f.** *vpr* (*apparaître*) to form; (*institution*) to be formed. ◆**—é** *a* (*personne*) fully-formed.

formidable [fɔrmidabl] *a* tremendous.

formule [fɔrmyl] *nf* **1** formula; (*phrase*) (set) expression; (*méthode*) method; **f. de politesse** polite expression. **2** (*feuille*) form. ◆**formulaire** *nm* (*feuille*) form. ◆**formulation** *nf* formulation. ◆**formuler** *vt* to formulate.

fort¹ [fɔr] *a* strong; (*pluie, mer*) heavy; (*voix*) loud; (*fièvre*) high; (*femme, homme*) large; (*élève*) bright; (*pente*) steep; (*ville*) fortified; (*chances*) good; **f. en** (*maths etc*) good at; **c'est plus f. qu'elle** she can't help it; **c'est un peu f.** *Fam* that's a bit much; **à plus forte raison** all the more reason; – *adv* **1** (*frapper*) hard; (*pleuvoir*) hard, heavily; (*parler*) loud; (*serrer*) tight; **sentir f.** to have a strong smell. **2** (*très*) *Vieilli* very; (*beaucoup*) *Litt* very much; – *nm* **son f.** one's strong point; **les forts** the strong; **au plus f. de** in the thick of. ◆**fortement** *adv* greatly; (*frapper*) hard.

fort² [fɔr] *nm Hist Mil* fort. ◆**forteresse** *nf* fortress.

fortifi/er [fɔrtifje] *vt* to strengthen, fortify; **— se f.** *vpr* (*malade*) to fortify oneself. ◆**—ant** *nm Méd* tonic. ◆**—é** *a* (*ville, camp*) fortified. ◆**fortification** *nf* fortification.

fortuit [fɔrtɥi] *a* (*rencontre etc*) chance-, fortuitous. ◆**fortuitement** *adv* by chance.

fortune [fɔrtyn] *nf* (*argent, hasard*) fortune; **avoir de la f.** to have (private) means; **faire f.** to make one's fortune; **de f.** (*moyens etc*) makeshift; **dîner à la f. du pot** to take pot luck. ◆**fortuné** *a* (*riche*) well-to-do.

forum [fɔrɔm] *nm* forum.

fosse [fos] *nf* (*trou*) pit; (*tombe*) grave; **f. d'aisances** cesspool.

fossé [fose] *nm* ditch; (*douve*) moat; (*dissentiment*) *Fig* gulf, gap.

fossette [fosɛt] *nf* dimple.

fossile [fɔsil] *nm & a* fossil.

fossoyeur [fɔswajœr] *nm* gravedigger.

fou (*or* **fol** *before vowel or mute h*), **folle** [fu, fɔl] *a* (*personne, projet etc*) mad, insane, crazy; (*envie*) wild, mad; (*espoir*) foolish; (*rire*) uncontrollable; (*cheval, camion*) runaway; (*succès, temps*) tremendous; **f. à lier** raving mad; **f. de** (*musique, personne etc*) mad *ou* wild *ou* crazy about; **f. de joie** wild with joy; – *nmf* madman, madwoman; – *nm* (*bouffon*) jester; *Échecs* bishop; **faire le f.** to play the fool.

foudre [fudr] *nf* **la f.** lightning; **coup de f.** *Fig* love at first sight. ◆**foudroy/er** *vt* to strike by lightning; *Él* to electrocute; (*malheur etc*) *Fig* to strike (*s.o.*) down. ◆**—ant** *a* (*succès, vitesse etc*) staggering. ◆**—é** *a* (*stupéfait*) thunderstruck.

fouet [fwɛ] *nm* whip; *Culin* (egg) whisk. ◆**fouetter** *vt* to whip; (*œufs*) to whisk; (*pluie etc*) to lash (*face, windows etc*); **crème fouettée** whipped cream.

fougère [fuʒɛr] *nf* fern.

fougue [fug] *nf* fire, ardour. ◆**fougueux, -euse** *a* fiery, ardent.
fouille [fuj] *nf* **1** (*archéologique*) excavation, dig. **2** (*de personne, bagages etc*) search. ◆**fouiller 1** *vti* (*creuser*) to dig. **2** *vt* (*personne, maison etc*) to search; – *vi* **f. dans** (*tiroir etc*) to rummage *ou* search through.
fouillis [fuji] *nm* jumble.
fouine [fwin] *nf* (*animal*) stone marten.
fouin/er [fwine] *vi Fam* to nose about. ◆**—eur, -euse** *a Fam* nosy; – *nmf Fam* nosy parker.
foulard [fular] *nm* (head) scarf.
foule [ful] *nf* crowd; **en f.** in mass; **une f. de** (*objets etc*) a mass of; **un bain de f.** a walkabout.
foulée [fule] *nf Sp* stride; **dans la f.** *Fam* at one and the same time.
fouler [fule] *vt* to press; (*sol*) to tread; **f. aux pieds** to trample on; **se f. la cheville/***etc* to sprain one's ankle/*etc*; **il ne se foule pas (la rate)** *Fam* he doesn't exactly exert himself. ◆**foulure** *nf* sprain.
four [fur] *nm* **1** oven; (*de potier etc*) kiln. **2 petit f.** (*gâteau*) (small) fancy cake. **3** *Th Cin* flop; **faire un f.** to flop.
fourbe [furb] *a* deceitful; – *nmf* cheat. ◆**fourberie** *nf* deceit.
fourbi [furbi] *nm* (*choses*) *Fam* stuff, gear, rubbish.
fourbu [furby] *a* (*fatigué*) dead beat.
fourche [furʃ] *nf* fork; **f. à foin** pitchfork. ◆**fourchette** *nf* **1** *Culin* fork. **2** (*de salaires etc*) *Écon* bracket. ◆**fourchu** *a* forked.
fourgon [furgɔ̃] *nm* (*camion*) van; (*mortuaire*) hearse; *Rail* luggage van, *Am* baggage car. ◆**fourgonnette** *nf* (small) van.
fourmi [furmi] *nf* **1** (*insecte*) ant. **2 avoir des fourmis** *Méd* to have pins and needles (**dans** in). ◆**fourmilière** *nf* anthill. ◆**fourmiller** *vi* **1** to teem, swarm (**de** with). **2** *Méd* to tingle.
fournaise [furnɛz] *nf* (*chambre etc*) *Fig* furnace.
fourneau, -x [furno] *nm* (*poêle*) stove; (*four*) furnace; **haut f.** blast furnace.
fournée [furne] *nf* (*de pain, gens*) batch.
fourn/ir [furnir] *vt* to supply, provide; (*effort*) to make; **f. qch à qn** to supply s.o. with sth; – *vi* **f. à** (*besoin etc*) to provide for; **— se f.** *vpr* to get one's supplies (**chez** from), shop (**chez** at). ◆**—i** *a* (*barbe*) bushy; **bien f.** (*boutique*) well-stocked. ◆**fournisseur** *nm* (*commerçant*) supplier. ◆**fourniture** *nf* (*action*) supply(ing) (**de** of); *pl* (*objets*) supplies.
fourrage [furaʒ] *nm* fodder.
fourrager [furaʒe] *vi Fam* to rummage (**dans** in, through).
fourreau, -x [furo] *nm* (*gaine*) sheath.
fourr/er [fure] **1** *vt Culin* to fill, stuff; (*vêtement*) to fur-line. **2** *vt Fam* (*mettre*) to stick; (*flanquer*) to chuck; **f. qch dans la tête de qn** to knock sth into s.o.'s head; **f. son nez dans** to poke one's nose into; **— se f.** *vpr* to put *ou* stick oneself (**dans** in). ◆**—é 1** *a* (*gant etc*) fur-lined; (*gâteau*) jam- *ou* cream-filled; **coup f.** (*traîtrise*) stab in the back. **2** *nm Bot* thicket. ◆**—eur** *nm* furrier. ◆**fourrure** *nf* (*pour vêtement etc, de chat etc*) fur.
fourre-tout [furtu] *nm inv* (*pièce*) junk room; (*sac*) holdall, *Am* carryall.
fourrière [furjɛr] *nf* (*lieu*) pound.
fourvoyer (se) [səfurvwaje] *vpr* to go astray.
foutre* [futr] *vt Arg* = **fiche(r).** ◆**foutu** *a Arg* = **fichu 1.** ◆**foutaise** *nf Arg* rubbish, rot.
foyer [fwaje] *nm* (*domicile*) home; (*d'étudiants etc*) hostel; (*âtre*) hearth; (*lieu de réunion*) club; *Th* foyer; *Géom Phys* focus; **f. de** (*maladie etc*) seat of; (*énergie, lumière*) source of; **fonder un f.** to start a family.
fracas [fraka] *nm* din; (*d'un objet qui tombe*) crash. ◆**fracass/er** *vt,* **— se f.** *vpr* to smash. ◆**—ant** *a* (*nouvelle, film etc*) sensational.
fraction [fraksjɔ̃] *nf* fraction. ◆**fractionner** *vt,* **— se f.** *vpr* to split (up).
fracture [fraktyr] *nf* fracture; **se faire une f. au bras/***etc* to fracture one's arm/*etc*. ◆**fracturer** *vt* (*porte etc*) to break (open); **se f. la jambe/***etc* to fracture one's leg/*etc*.
fragile [fraʒil] *a* (*verre, santé etc*) fragile; (*enfant etc*) frail; (*équilibre*) shaky. ◆**fragilité** *nf* fragility; (*d'un enfant etc*) frailty.
fragment [fragmɑ̃] *nm* fragment. ◆**fragmentaire** *a* fragmentary, fragmented. ◆**fragmentation** *nf* fragmentation. ◆**fragmenter** *vt* to fragment, divide.
frais[1], fraîche [frɛ, frɛʃ] *a* (*poisson, souvenir etc*) fresh; (*temps*) cool, fresh, (*plutôt désagréable*) chilly; (*œufs*) new-laid, fresh; (*boisson*) cold, cool; (*peinture*) wet; (*date*) recent; **boire f.** to drink something cold *ou* cool; **servir f.** (*vin etc*) to serve chilled; – *nm* **prendre le f.** to get some fresh air; **il fait f.** it's cool; (*froid*) it's chilly; **mettre au f.** to put in a cool place. ◆**fraîchement** *adv* **1** (*récemment*) freshly. **2** (*accueillir etc*) coolly. ◆**fraîcheur** *nf* freshness; coolness;

chilliness. ◆**fraîchir** *vi* (*temps*) to get cooler *ou* chillier, freshen.

frais[2] [frɛ] *nmpl* expenses; (*droits*) fees; **à mes f.** at my expense; **faire des f.** to go to some expense; **faire les f.** to bear the cost (**de** of); **j'en ai été pour mes f.** I wasted my time and effort; **faux f.** incidental expenses; **f. généraux** running expenses, overheads.

fraise [frɛz] *nf* **1** (*fruit*) strawberry. **2** (*de dentiste*) drill. ◆**fraisier** *nm* (*plante*) strawberry plant.

framboise [frɑ̃bwaz] *nf* raspberry. ◆**framboisier** *nm* raspberry cane.

franc[1], **franche** [frɑ̃, frɑ̃ʃ] *a* **1** (*personne, réponse etc*) frank; (*visage, gaieté*) open; (*net*) clear; (*cassure, coupe*) clean; (*vrai*) *Péj* downright. **2** (*zone*) free; **coup f.** *Fb* free kick; **f. de port** carriage paid. ◆**franchement** *adv* (*honnêtement*) frankly; (*sans ambiguïté*) clearly; (*vraiment*) really. ◆**franchise** *nf* **1** frankness; openness; **en toute f.** quite frankly. **2** (*exemption*) *Com* exemption; **en f.** (*produit*) duty-free; **'f. postale'** 'official paid'. **3** (*permis de vendre*) *Com* franchise.

franc[2] [frɑ̃] *nm* (*monnaie*) franc.

France [frɑ̃s] *nf* France. ◆**français, -aise** *a* French; – *nmf* Frenchman, Frenchwoman; **les F.** the French; – *nm* (*langue*) French.

franch/ir [frɑ̃ʃir] *vt* (*fossé*) to jump (over), clear; (*frontière, seuil etc*) to cross; (*porte*) to go through; (*distance*) to cover; (*limites*) to exceed; (*mur du son*) to break (through), go through. ◆**—issable** *a* (*rivière, col*) passable.

franc-maçon [frɑ̃masɔ̃] *nm* (*pl* **francs-maçons**) Freemason. ◆**franc-maçonnerie** *nf* Freemasonry.

franco [frɑ̃ko] *adv* carriage paid.

franco- [frɑ̃ko] *préf* Franco-.

francophile [frɑ̃kɔfil] *a* & *nmf* francophile. ◆**francophone** *a* French-speaking; – *nmf* French speaker. ◆**francophonie** *nf* **la f.** the French-speaking community.

frange [frɑ̃ʒ] *nf* (*de vêtement etc*) fringe; (*de cheveux*) fringe, *Am* bangs.

frangin [frɑ̃ʒɛ̃] *nm* *Fam* brother. ◆**frangine** *nf* *Fam* sister.

franquette (à la bonne) [alabɔnfrɑ̃kɛt] *adv* without ceremony.

frappe [frap] *nf* **1** (*dactylographie*) typing; (*de dactylo etc*) touch; **faute de f.** typing error. **2 force de f.** *Mil* strike force. ◆**frapp/er** *vt* (*battre*) to strike, hit; (*monnaie*) to mint; **f. qn** (*surprendre, affecter*) to strike s.o.; (*impôt, mesure etc*) to hit s.o.; **frappé de** (*horreur etc*) stricken with; **frappé de panique** panic-stricken; – *vi* (*à la porte etc*) to knock, bang (**à** at); **f. du pied** to stamp (one's foot); **— se f.** *vpr* (*se tracasser*) to worry. ◆**—ant** *a* striking. ◆**—é** *a* (*vin*) chilled.

frasque [frask] *nf* prank, escapade.

fraternel, -elle [fratɛrnɛl] *a* fraternal, brotherly. ◆**fraterniser** *vi* to fraternize (**avec** with). ◆**fraternité** *nf* fraternity, brotherhood.

fraude [frod] *nf* *Jur* fraud; (*à un examen*) cheating; **passer qch en f.** to smuggle sth; **prendre qn en f.** to catch s.o. cheating. ◆**fraud/er** *vt* to defraud; – *vi* *Jur* to commit fraud; (*à un examen*) to cheat (**à** in); **f. sur** (*poids etc*) to cheat on *ou* over. ◆**—eur, -euse** *nmf* *Jur* defrauder. ◆**frauduleux, -euse** *a* fraudulent.

frayer [freje] *vt* (*voie etc*) to clear; **se f. un passage** to clear a way, force one's way (**à travers, dans** through).

frayeur [frɛjœr] *nf* fear, fright.

fredaine [frədɛn] *nf* prank, escapade.

fredonner [frədɔne] *vt* to hum.

freezer [frizœr] *nm* (*de réfrigérateur*) freezer.

frégate [fregat] *nf* (*navire*) frigate.

frein [frɛ̃] *nm* brake; **donner un coup de f.** to brake; **mettre un f. à** *Fig* to put a curb on. ◆**frein/er** *vi* *Aut* to brake; – *vt* (*gêner*) *Fig* to check, curb. ◆**—age** *nm* *Aut* braking.

frelaté [frəlate] *a* (*vin etc*) & *Fig* adulterated.

frêle [frɛl] *a* frail, fragile.

frelon [frəlɔ̃] *nm* (*guêpe*) hornet.

frémir [fremir] *vi* to shake, shudder (**de** with); (*feuille*) to quiver; (*eau chaude*) to simmer.

frêne [frɛn] *nm* (*arbre, bois*) ash.

frénésie [frenezi] *nf* frenzy. ◆**frénétique** *a* frenzied, frantic.

fréquent [frekɑ̃] *a* frequent. ◆**fréquemment** [-amɑ̃] *adv* frequently. ◆**fréquence** *nf* frequency.

fréquent/er [frekɑ̃te] *vt* (*lieu*) to visit, frequent; (*école, église*) to attend; **f. qn** to see *ou* visit s.o.; **— se f.** *vpr* (*fille et garçon*) to see each other, go out together; (*voisins*) to see each other socially. ◆**—é** *a* **très f.** (*lieu*) very busy. ◆**fréquentable** *a* **peu f.** (*personne, endroit*) not very commendable. ◆**fréquentation** *nf* visiting; *pl* (*personnes*) company.

frère [frɛr] *nm* brother.

fresque [frɛsk] *nf* (*œuvre peinte*) fresco.

fret [frɛ] *nm* freight.

frétiller [fretije] *vi* (*poisson*) to wriggle; **f. de** (*impatience*) to quiver with; **f. de joie** to tingle with excitement.
fretin [frətɛ̃] *nm* **menu f.** small fry.
friable [frijabl] *a* crumbly.
friand [frijɑ̃] *a* **f. de** fond of, partial to. ◆**friandises** *nfpl* sweet stuff, sweets, *Am* candies.
fric [frik] *nm* (*argent*) *Fam* cash, dough.
fric-frac [frikfrak] *nm* (*cambriolage*) *Fam* break-in.
friche (en) [ɑ̃friʃ] *adv* fallow.
friction [friksjɔ̃] *nf* **1** massage, rub(-down); (*de cheveux*) friction. **2** (*désaccord*) friction. ◆**frictionner** *vt* to rub (down).
frigidaire® [friʒidɛr] *nm* fridge. ◆**frigo** *nm* *Fam* fridge. ◆**frigorifié** *a* (*personne*) *Fam* very cold. ◆**frigorifique** *a* (*vitrine*) refrigerated; (*wagon*) refrigerator-.
frigide [friʒid] *a* frigid. ◆**frigidité** *nf* frigidity.
frileux, -euse [frilø, -øz] *a* sensitive to cold, chilly.
frime [frim] *nf Fam* sham, show.
frimousse [frimus] *nf Fam* little face.
fringale [frɛ̃gal] *nf Fam* raging appetite.
fringant [frɛ̃gɑ̃] *a* (*allure etc*) dashing.
fringues [frɛ̃g] *nfpl* (*vêtements*) *Fam* togs, clothes.
frip/er [fripe] *vt* to crumple; **— se f.** *vpr* to get crumpled. ◆**—é** *a* (*visage*) crumpled, wrinkled.
fripier, -ière [fripje, -jɛr] *nmf* secondhand clothes dealer.
fripon, -onne [fripɔ̃, -ɔn] *nmf* rascal; – *a* rascally.
fripouille [fripuj] *nf* rogue, scoundrel.
frire* [frir] *vti* to fry; **faire f.** to fry.
frise [friz] *nf Archit* frieze.
fris/er [frize] **1** *vti* (*cheveux*) to curl, wave; **f. qn** to curl *ou* wave s.o.'s hair. **2** *vt* (*effleurer*) to skim; (*accident etc*) to be within an ace of; **f. la trentaine** to be close on thirty. ◆**—é** *a* curly. ◆**frisette** *nf* ringlet, little curl.
frisquet [friskɛ] *am* chilly, coldish.
frisson [frisɔ̃] *nm* shiver; shudder; **donner le f. à qn** to give s.o. the creeps *ou* shivers. ◆**frissonner** *vi* (*de froid*) to shiver; (*de peur etc*) to shudder (**de** with).
frit [fri] *voir* **frire**; – *a* (*poisson etc*) fried. ◆**frites** *nfpl* chips, *Am* French fries. ◆**friteuse** *nf* (deep) fryer. ◆**friture** *nf* (*matière*) (frying) oil *ou* fat; (*aliment*) fried fish; (*bruit*) *Rad Tél* crackling.
frivole [frivɔl] *a* frivolous. ◆**frivolité** *nf* frivolity.
froid [frwa] *a* cold; **garder la tête froide** to keep a cool head; – *nm* cold; **avoir/prendre f.** to be/catch cold; **il fait f.** it's cold; **coup de f.** *Méd* chill; **jeter un f.** to cast a chill (**dans** over); **démarrer à f.** *Aut* to start (from) cold; **être en f.** to be on bad terms (**avec** with). ◆**froidement** *adv* coldly. ◆**froideur** *nf* (*de sentiment, personne etc*) coldness.
froisser [frwase] **1** *vt*, **— se f.** *vpr* (*tissu etc*) to crumple, rumple; **se f. un muscle** to strain a muscle. **2** *vt* **f. qn** to offend s.o.; **se f.** to take offence (**de** at).
frôler [frole] *vt* (*toucher*) to brush against, touch lightly; (*raser*) to skim; (*la mort etc*) to come within an ace of.
fromage [frɔmaʒ] *nm* cheese; **f. blanc** soft white cheese. ◆**fromager, -ère** *a* (*industrie*) cheese-; – *nm* (*fabricant*) cheesemaker. ◆**fromagerie** *nf* cheese dairy.
froment [frɔmɑ̃] *nm* wheat.
fronce [frɔ̃s] *nf* (*pli dans un tissu*) gather, fold. ◆**fronc/er** *vt* **1** (*étoffe*) to gather. **2 f. les sourcils** to frown. ◆**—ement** *nm* **f. de sourcils** frown.
fronde [frɔ̃d] *nf* **1** (*arme*) sling. **2** (*sédition*) revolt.
front [frɔ̃] *nm* forehead, brow; *Mil Pol* front; **de f.** (*heurter*) head-on; (*côte à côte*) abreast; (*à la fois*) (all) at once; **faire f. à** to face.
frontière [frɔ̃tjɛr] *nf* border, frontier; – *a inv* **ville**/*etc* **f.** border town/*etc*. ◆**frontalier, -ière** *a* border-, frontier-.
fronton [frɔ̃tɔ̃] *nm Archit* pediment.
frott/er [frɔte] *vt* to rub; (*astiquer*) to rub (up), shine; (*plancher*) to scrub; (*allumette*) to strike; **se f. à qn** (*défier*) to meddle with s.o., provoke s.o.; – *vi* to rub; (*nettoyer, laver*) to scrub. ◆**—ement** *nm* rubbing; *Tech* friction.
froufrou(s) [frufru] *nm(pl)* (*bruit*) rustling.
frousse [frus] *nf Fam* funk, fear; **avoir la f.** to be scared. ◆**froussard, -arde** *nmf Fam* coward.
fructifier [fryktifje] *vi* (*arbre, capital*) to bear fruit. ◆**fructueux, -euse** *a* (*profitable*) fruitful.
frugal, -aux [frygal, -o] *a* frugal. ◆**frugalité** *nf* frugality.
fruit [frɥi] *nm* fruit; **des fruits, les fruits** fruit; **porter f.** to bear fruit; **fruits de mer** seafood; **avec f.** fruitfully. ◆**fruité** *a* fruity. ◆**fruitier, -ière** *a* (*arbre*) fruit-; – *nmf* fruiterer.
frusques [frysk] *nfpl* (*vêtements*) *Fam* togs, clothes.

fruste [fryst] *a* (*personne*) rough.

frustr/er [frystre] *vt* **f. qn** to frustrate s.o.; **f. qn de** to deprive s.o. of. ◆**—é** *a* frustrated. ◆**frustration** *nf* frustration.

fuel [fjul] *nm* (fuel) oil.

fugace [fygas] *a* fleeting.

fugitif, -ive [fyʒitif, -iv] **1** *nmf* runaway, fugitive. **2** *a* (*passager*) fleeting.

fugue [fyg] *nf* **1** *Mus* fugue. **2** (*absence*) flight; **faire une f.** to run away.

fuir* [fɥir] *vi* to flee, run away; (*temps*) to fly; (*gaz, robinet, stylo etc*) to leak; – *vt* (*éviter*) to shun, avoid. ◆**fuite** *nf* (*évasion*) flight (**de** from); (*de gaz etc*) leak(age); (*de documents*) leak; **en f.** on the run; **prendre la f.** to take flight; **f. des cerveaux** brain drain; **délit de f.** *Aut* hit-and-run offence.

fulgurant [fylgyrɑ̃] *a* (*regard*) flashing; (*vitesse*) lightning-; (*idée*) spectacular, striking.

fulminer [fylmine] *vi* (*personne*) to thunder forth (**contre** against).

fumée [fyme] *nf* smoke; (*vapeur*) steam, fumes; *pl* (*de vin*) fumes. ◆**fum/er** *vi* to smoke; (*liquide brûlant*) to steam; (*rager*) *Fam* to fume; – *vt* to smoke. ◆**—é** *a* (*poisson, verre etc*) smoked. ◆**—eur, -euse** *nmf* smoker; **compartiment fumeurs** *Rail* smoking compartment. ◆**fume-cigarette** *nm inv* cigarette holder.

fumet [fymɛ] *nm* aroma, smell.

fumeux, -euse [fymø, -øz] *a* (*idée etc*) hazy, woolly.

fumier [fymje] *nm* manure, dung; (*tas*) dunghill.

fumigation [fymigɑsjɔ̃] *nf* fumigation.

fumigène [fymiʒɛn] *a* (*bombe, grenade etc*) smoke-.

fumiste [fymist] *nmf* (*étudiant etc*) time-waster, good-for-nothing. ◆**fumisterie** *nf Fam* farce, con.

funambule [fynɑ̃byl] *nmf* tightrope walker.

funèbre [fynɛbr] *a* (*service, marche etc*) funeral-; (*lugubre*) gloomy. ◆**funérailles** *nfpl* funeral. ◆**funéraire** *a* (*frais, salon etc*) funeral-.

funeste [fynɛst] *a* (*désastreux*) catastrophic.

funiculaire [fynikylɛr] *nm* funicular.

fur et à mesure (au) [ofyreamzyr] *adv* as one goes along, progressively; **au f. et à m. que** as.

furent [fyr] *voir* **être.**

furet [fyrɛ] *nm* (*animal*) ferret. ◆**furet/er** *vi* to pry *ou* ferret about. ◆**—eur, -euse** *a* inquisitive, prying; – *nmf* inquisitive person.

fureur [fyrœr] *nf* (*violence*) fury; (*colère*) rage, fury; (*passion*) passion (**de** for); **en f.** furious; **faire f.** (*mode etc*) to be all the rage. ◆**furibond** *a* furious. ◆**furie** *nf* (*colère, mégère*) fury. ◆**furieux, -euse** *a* (*violent, en colère*) furious (**contre** with, at); (*vent*) raging; (*coup*) *Fig* tremendous.

furoncle [fyrɔ̃kl] *nm Méd* boil.

furtif, -ive [fyrtif, -iv] *a* furtive, stealthy.

fusain [fyzɛ̃] *nm* **1** (*crayon, dessin*) charcoal. **2** *Bot* spindle tree.

fuseau, -x [fyzo] *nm* **1** *Tex* spindle; **en f.** (*jambes*) spindly. **2 f. horaire** time zone. **3** (*pantalon*) ski pants. ◆**fuselé** *a* slender.

fusée [fyze] *nf* rocket; (*d'obus*) fuse; **f. éclairante** flare.

fuselage [fyzlaʒ] *nm Av* fuselage.

fuser [fyze] *vi* (*rires etc*) to burst forth.

fusible [fyzibl] *nm Él* fuse.

fusil [fyzi] *nm* rifle, gun; (*de chasse*) shotgun; **coup de f.** gunshot, report; **un bon f.** (*personne*) a good shot. ◆**fusillade** *nf* (*tirs*) gunfire; (*exécution*) shooting. ◆**fusiller** *vt* (*exécuter*) to shoot; **f. qn du regard** to glare at s.o.

fusion [fyzjɔ̃] *nf* **1** melting; *Phys Biol* fusion; **point de f.** melting point; **en f.** (*métal*) molten. **2** (*union*) fusion; *Com* merger. ◆**fusionner** *vti Com* to merge.

fut [fy] *voir* **être.**

fût [fy] *nm* **1** (*tonneau*) barrel, cask. **2** (*d'arbre*) trunk. ◆**futaie** *nf* timber forest.

futé [fyte] *a* cunning, smart.

futile [fytil] *a* (*propos, prétexte etc*) frivolous, futile; (*personne*) frivolous; (*tentative, action*) futile. ◆**futilité** *nf* futility; *pl* (*bagatelles*) trifles.

futur, -ure [fytyr] *a* future; **future mère** mother-to-be; – *nmf* **f. (mari)** husband-to-be; **future (épouse)** wife-to-be; – *nm* future.

fuyant [fɥijɑ̃] *voir* **fuir;** – *a* (*front, ligne*) receding; (*personne*) evasive. ◆**fuyard** *nm* (*soldat*) runaway, deserter.

G

G, g [ʒe] *nm* G, g.
gabardine [gabardin] *nf* (*tissu, imperméable*) gabardine.
gabarit [gabari] *nm* (*de véhicule etc*) size, dimension.
gâcher [gɑʃe] *vt* **1** (*gâter*) to spoil; (*occasion, argent*) to waste; (*vie, travail*) to mess up. **2** (*plâtre*) to mix. ◆**gâchis** *nm* (*désordre*) mess; (*gaspillage*) waste.
gâchette [gɑʃɛt] *nf* (*d'arme à feu*) trigger; **une fine g.** (*personne*) *Fig* a marksman.
gadget [gadʒɛt] *nm* gadget.
gadoue [gadu] *nf* (*boue*) dirt, sludge; (*neige*) slush.
gaffe [gaf] *nf* (*bévue*) *Fam* blunder, gaffe. ◆**gaff/er** *vi* to blunder. ◆**–eur, -euse** *nmf* blunderer.
gag [gag] *nm* (*effet comique*) *Cin Th* (sight) gag.
gaga [gaga] *a Fam* senile, gaga.
gage [gaʒ] **1** *nm* (*promesse*) pledge; (*témoignage*) proof; (*caution*) security; **mettre en g.** to pawn. **2** *nmpl* (*salaire*) pay; **tueur à gages** hired killer, hitman.
gager [gaʒe] *vt* **g. que** *Litt* to wager that. ◆**gageure** [gaʒyr] *nf Litt* (impossible) wager.
gagn/er [gaɲe] **1** *vt* (*par le travail*) to earn; (*mériter*) *Fig* to earn. **2** *vt* (*par le jeu*) to win; (*réputation, estime etc*) *Fig* to win, gain; **g. qn** to win s.o. over (**à** to); **g. une heure**/*etc* (*économiser*) to save an hour/*etc*; **g. du temps** (*temporiser*) to gain time; **g. du terrain/du poids** to gain ground/weight; – *vi* (*être vainqueur*) to win; **g. à être connu** to be well worth getting to know. **3** *vt* (*atteindre*) to reach; **g. qn** (*sommeil, faim etc*) to overcome s.o.; – *vi* (*incendie etc*) to spread, gain. ◆**–ant, -ante** *a* (*billet, cheval*) winning; – *nmf* winner. ◆**gagne-pain** *nm inv* (*emploi*) job, livelihood.
gai [ge] *a* (*personne, air etc*) cheerful, gay, jolly; (*ivre*) merry, tipsy; (*couleur, pièce*) bright, cheerful. ◆**gaiement** *adv* cheerfully, gaily. ◆**gaieté** *nf* (*de personne etc*) gaiety, cheerfulness, jollity.
gaillard [gajar] *a* vigorous; (*grivois*) coarse; – *nm* (*robuste*) strapping fellow; (*type*) *Fam* fellow. ◆**gaillarde** *nf Péj* brazen wench.
gain [gɛ̃] *nm* (*profit*) gain, profit; (*avantage*) *Fig* advantage; *pl* (*salaire*) earnings; (*au jeu*) winnings; **un g. de temps** a saving of time.
gaine [gɛn] *nf* **1** (*sous-vêtement*) girdle. **2** (*étui*) sheath.
gala [gala] *nm* official reception, gala.
galant [galɑ̃] *a* (*homme*) gallant; (*ton, propos*) *Hum* amorous; – *nm* suitor. ◆**galanterie** *nf* (*courtoisie*) gallantry.
galaxie [galaksi] *nf* galaxy.
galbe [galb] *nm* curve, contour. ◆**galbé** *a* (*jambes*) shapely.
gale [gal] *nf* **la g.** *Méd* the itch, scabies; (*d'un chien*) mange; **une (mauvaise) g.** (*personne*) *Fam* a pest.
galère [galɛr] *nf* (*navire*) *Hist* galley. ◆**galérien** *nm Hist* & *Fig* galley slave.
galerie [galri] *nf* **1** (*passage, magasin etc*) gallery; *Th* balcony. **2** *Aut* roof rack.
galet [galɛ] *nm* pebble, stone; *pl* shingle, pebbles.
galette [galɛt] *nf* **1** round, flat, flaky cake; (*crêpe*) pancake. **2** (*argent*) *Fam* dough, money.
galeux, -euse [galø, -øz] *a* (*chien*) mangy.
galimatias [galimatja] *nm* gibberish.
Galles [gal] *nfpl* **pays de G.** Wales. ◆**gallois, -oise** *a* Welsh; – *nm* (*langue*) Welsh; – *nmf* Welshman, Welshwoman.
gallicisme [galisism] *nm* (*mot etc*) gallicism.
galon [galɔ̃] *nm* (*ruban*) braid; (*signe*) *Mil* stripe; **prendre du g.** *Mil* & *Fig* to get promoted.
galop [galo] *nm* gallop; **aller au g.** to gallop; **g. d'essai** *Fig* trial run. ◆**galopade** *nf* (*ruée*) stampede. ◆**galop/er** *vi* (*cheval*) to gallop; (*personne*) to rush. ◆**–ant** *a* (*inflation etc*) *Fig* galloping.
galopin [galɔpɛ̃] *nm* urchin, rascal.
galvaniser [galvanize] *vt* (*métal*) & *Fig* to galvanize.
galvauder [galvode] *vt* (*talent, avantage etc*) to debase, misuse.
gambade [gɑ̃bad] *nf* leap, caper. ◆**gambader** *vi* to leap *ou* frisk about.
gambas [gɑ̃bas] *nfpl* scampi.
gamelle [gamɛl] *nf* (*de soldat*) mess tin; (*de campeur*) billy(can).
gamin, -ine [gamɛ̃, -in] *nmf* (*enfant*) *Fam*

kid; – *a* playful, naughty. **♦gaminerie** *nf* playfulness; (*acte*) naughty prank.

gamme [gam] *nf Mus* scale; (*série*) range.

gammée [game] *af* **croix g.** swastika.

gang [gɑ̃g] *nm* (*de malfaiteurs*) gang. **♦gangster** *nm* gangster.

gangrène [gɑ̃grɛn] *nf* gangrene. **♦se gangrener** [səgɑ̃grəne] *vpr Méd* to become gangrenous.

gangue [gɑ̃g] *nf* (*enveloppe*) *Fig Péj* outer crust.

gant [gɑ̃] *nm* glove; **g. de toilette** face cloth, cloth glove (*for washing*); **jeter/relever le g.** *Fig* to throw down/take up the gauntlet; **boîte à gants** glove compartment. **♦ganté** *a* (*main*) gloved; (*personne*) wearing gloves.

garage [garaʒ] *nm Aut* garage; **voie de g.** *Rail* siding; *Fig* dead end. **♦garagiste** *nmf* garage owner.

garant, -ante [garɑ̃, -ɑ̃t] *nmf* (*personne*) *Jur* guarantor; **se porter g. de** to guarantee, vouch for; – *nm* (*garantie*) guarantee. **♦garantie** *nf* guarantee; (*caution*) security; (*protection*) *Fig* safeguard; **garantie(s)** (*de police d'assurance*) cover. **♦garantir** *vt* to guarantee (**contre** against); **g. (à qn) que** to guarantee (s.o.) that; **g. de** (*protéger*) to protect from.

garce [gars] *nf Péj Fam* bitch.

garçon [garsɔ̃] *nm* boy, lad; (*jeune homme*) young man; (*célibataire*) bachelor; **g. (de café)** waiter; **g. d'honneur** (*d'un mariage*) best man; **g. manqué** tomboy; **de g.** (*comportement*) boyish. **♦garçonnet** *nm* little boy. **♦garçonnière** *nf* bachelor flat *ou Am* apartment.

garde [gard] **1** *nm* (*gardien*) guard; *Mil* guardsman; **g. champêtre** rural policeman; **g. du corps** bodyguard; **G. des Sceaux** Justice Minister. **2** *nf* (*d'enfants, de bagages etc*) care, custody (**de** of); **avoir la g. de** to be in charge of; **faire bonne g.** to keep a close watch; **prendre g.** to pay attention (**à qch** to sth), be careful (**à qch** of sth); **prendre g. de ne pas faire** to be careful not to do; **mettre en g.** to warn (**contre** against); **mise en g.** warning; **de g.** on duty; (*soldat*) on guard duty; **monter la g.** to stand *ou* mount guard; **sur ses gardes** on one's guard; **g. à vue** (police) custody; **chien de g.** watchdog. **3** *nf* (*escorte, soldats*) guard.

garde-à-vous [gardavu] *nm inv Mil* (position of) attention. **♦g.-boue** *nm inv* mudguard, *Am* fender. **♦g.-chasse** *nm* (*pl* **gardes-chasses**) gamekeeper. **♦g.-côte** *nm* (*personne*) coastguard. **♦g.-fou** *nm* railing(s), parapet. **♦g.-malade** *nmf* (*pl* **gardes-malades**) nurse. **♦g.-manger** *nm inv* (*armoire*) food safe; (*pièce*) larder. **♦g.-robe** *nf* (*habits, armoire*) wardrobe.

garder [garde] *vt* (*maintenir, conserver, mettre de côté*) to keep; (*vêtement*) to keep on; (*surveiller*) to watch (over); (*défendre*) to guard; (*enfant*) to look after, watch; (*habitude*) to keep up; **g. qn** (*retenir*) to keep s.o.; **g. la chambre** to keep to one's room; **g. le lit** to stay in bed; **— se g.** *vpr* (*aliment*) to keep; **se g. de qch** (*éviter*) to beware of sth; **se g. de faire** to take care not to do. **♦garderie** *nf* day nursery. **♦gardeuse** *nf* **g. d'enfants** babysitter.

gardien, -ienne [gardjɛ̃, -jɛn] *nmf* (*d'immeuble, d'hôtel*) caretaker; (*de prison*) (prison) guard, warder; (*de zoo, parc*) keeper; (*de musée*) attendant; **g. de but** *Fb* goalkeeper; **gardienne d'enfants** child minder; **g. de nuit** night watchman; **g. de la paix** policeman; **g. de** (*libertés etc*) *Fig* guardian of; – *am* **ange g.** guardian angel.

gare [gar] **1** *nf Rail* station; **g. routière** bus *ou* coach station. **2** *int* **g. à** watch *ou* look out for; **g. à toi!** watch *ou* look out!; **sans crier g.** without warning.

garer [gare] *vt* (*voiture etc*) to park; (*au garage*) to garage; **— se g.** *vpr* (*se protéger*) to get out of the way (**de** of); *Aut* to park.

gargariser (se) [səgargarize] *vpr* to gargle. **♦gargarisme** *nm* gargle.

gargote [gargɔt] *nf* cheap eating house.

gargouille [garguj] *nf Archit* gargoyle.

gargouiller [garguje] *vi* (*fontaine, eau*) to gurgle; (*ventre*) to rumble. **♦gargouillis** *nm* gurgling; rumbling.

garnement [garnəmɑ̃] *nm* rascal, urchin.

garn/ir [garnir] *vt* (*équiper*) to furnish, fit out (**de** with); (*magasin*) to stock; (*tissu*) to line; (*orner*) to adorn (**de** with); (*enjoliver*) to trim (**de** with); (*couvrir*) to cover; *Culin* to garnish; **— se g.** *vpr* (*lieu*) to fill (up) (**de** with). **♦—i** *a* (*plat*) served with vegetables; **bien g.** (*portefeuille*) *Fig* well-lined. **♦garniture** *nf Culin* garnish, trimmings; *pl Aut* fittings, upholstery; **g. de lit** bed linen.

garnison [garnizɔ̃] *nf Mil* garrison.

gars [gɑ] *nm Fam* fellow, guy.

gas-oil [gɑzwal] *nm* diesel (oil).

gaspill/er [gaspije] *vt* to waste. **♦—age** *nm* waste.

gastrique [gastrik] *a* gastric. **♦gastronome** *nmf* gourmet. **♦gastronomie** *nf* gastronomy.

gâteau, -x [gɑto] *nm* cake; **g. de riz** rice pudding; **g. sec** (sweet) biscuit, *Am* cookie;

c'était du g. (*facile*) *Fam* it was a piece of cake.
gât/er [gɑte] *vt* to spoil; (*plaisir, vue*) to mar, spoil; **— se g.** *vpr* (*aliment, dent*) to go bad; (*temps, situation*) to get worse; (*relations*) to turn sour. ◆**—é** *a* (*dent, fruit etc*) bad. ◆**gâteries** *nfpl* (*cadeaux*) treats.
gâteux, -euse [gɑtø, -øz] *a* senile, soft in the head.
gauche[1] [goʃ] *a* (*côté, main etc*) left; – *nf* **la g.** (*côté*) the left (side); *Pol* the left (wing); **à g.** (*tourner etc*) (to the) left; (*marcher, se tenir*) on the left(-hand) side; **de g.** (*fenêtre etc*) left-hand; (*parti, politique etc*) left-wing; **à g. de** on *ou* to the left of. ◆**gaucher, -ère** *a* & *nmf* left-handed (person). ◆**gauchisant** *a Pol* leftish. ◆**gauchiste** *a* & *nmf Pol* (extreme) leftist.
gauche[2] [goʃ] *a* (*maladroit*) awkward. ◆**—ment** *adv* awkwardly. ◆**gaucherie** *nf* awkwardness; (*acte*) blunder.
gauchir [goʃir] *vti* to warp.
gaufre [gofr] *nf Culin* waffle. ◆**gaufrette** *nf* wafer (biscuit).
gaule [gol] *nf* long pole; *Pêche* fishing rod.
Gaule [gol] *nf* (*pays*) *Hist* Gaul. ◆**gaulois** *a* Gallic; (*propos etc*) *Fig* broad, earthy; – *nmpl* **les G.** *Hist* the Gauls. ◆**gauloiserie** *nf* broad joke.
gausser (se) [sәgose] *vpr Litt* to poke fun (**de** at).
gaver [gave] *vt* (*animal*) to force-feed; (*personne*) *Fig* to cram (**de** with); **— se g.** *vpr* to gorge *ou* stuff oneself (**de** with).
gaz [gɑz] *nm inv* gas; **usine à g.** gasworks; **chambre/réchaud à g.** gas chamber/stove; **avoir des g.** to have wind *ou* flatulence.
gaze [gɑz] *nf* (*tissu*) gauze.
gazelle [gazɛl] *nf* (*animal*) gazelle.
gazer [gɑze] **1** *vi Aut Fam* to whizz along; **ça gaze!** everything's just fine! **2** *vt Mil* to gas.
gazette [gazɛt] *nf Journ* newspaper.
gazeux, -euse [gɑzø, -øz] *a* (*état*) gaseous; (*boisson, eau*) fizzy. ◆**gazomètre** *nm* gasometer.
gazinière [gazinjɛr] *nf* gas cooker *ou Am* stove.
gazole [gɑzɔl] *nm* diesel (oil).
gazon [gɑzɔ̃] *nm* grass, lawn.
gazouiller [gazuje] *vi* (*oiseau*) to chirp; (*bébé, ruisseau*) to babble. ◆**gazouillis** *nm* chirping; babbling.
geai [ʒɛ] *nm* (*oiseau*) jay.
géant, -ante [ʒeɑ̃, -ɑ̃t] *a* & *nmf* giant.
Geiger [ʒeʒɛr] *nm* **compteur G.** Geiger counter.
geindre [ʒɛ̃dr] *vi* to whine, whimper.
gel [ʒɛl] *nm* **1** (*temps, glace*) frost; (*de crédits*) *Écon* freezing. **2** (*substance*) gel. ◆**gel/er** *vti* to freeze; **on gèle ici** it's freezing here; – *v imp* **il gèle** it's freezing. ◆**—é** *a* frozen; (*doigts*) *Méd* frostbitten. ◆**—ée** *nf* frost; *Culin* jelly, *Am* jello; **g. blanche** ground frost.
gélatine [ʒelatin] *nf* gelatin(e).
gélule [ʒelyl] *nf* (*médicament*) capsule.
Gémeaux [ʒemo] *nmpl* **les G.** (*signe*) Gemini.
gém/ir [ʒemir] *vi* to groan, moan. ◆**—issement** *nm* groan, moan.
gencive [ʒɑ̃siv] *nf Anat* gum.
gendarme [ʒɑ̃darm] *nm* gendarme, policeman (*soldier performing police duties*). ◆**gendarmerie** *nf* police force; (*local*) police headquarters.
gendre [ʒɑ̃dr] *nm* son-in-law.
gène [ʒɛn] *nm Biol* gene.
gêne [ʒɛn] *nf* (*trouble physique*) discomfort; (*confusion*) embarrassment; (*dérangement*) bother, trouble; **dans la g.** *Fin* in financial difficulties. ◆**gên/er** *vt* (*déranger, irriter*) to bother, annoy; (*troubler*) to embarrass; (*mouvement, action*) to hamper, hinder; (*circulation*) *Aut* to hold up, block; **g. qn** (*vêtement*) to be uncomfortable on s.o.; (*par sa présence*) to be in s.o.'s way; **ça ne me gêne pas** I don't mind (**si** if); **— se g.** *vpr* (*se déranger*) to put oneself out; **ne te gêne pas pour moi!** don't mind me! ◆**—ant** *a* (*objet*) cumbersome; (*présence, situation*) awkward; (*personne*) annoying. ◆**—é** *a* (*intimidé*) embarrassed; (*mal à l'aise*) uneasy, awkward; (*silence, sourire*) awkward; (*sans argent*) short of money.
généalogie [ʒenealɔʒi] *nf* genealogy. ◆**généalogique** *a* genealogical; **arbre g.** family tree.
général, -aux [ʒeneral, -o] **1** *a* (*global, commun*) general; **en g.** in general. **2** *nm* (*officier*) *Mil* general. ◆**générale** *nf Th* dress rehearsal. ◆**généralement** *adv* generally; **g. parlant** broadly *ou* generally speaking. ◆**généralisation** *nf* generalization. ◆**généraliser** *vti* to generalize; **— se g.** *vpr* to become general *ou* widespread. ◆**généraliste** *nmf Méd* general practitioner, GP. ◆**généralité** *nf* generality; **la g. de** the majority of.
générateur [ʒeneratœr] *nm*, ◆**génératrice** *nf Él* generator.
génération [ʒenerɑsjɔ̃] *nf* generation.
généreux, -euse [ʒenerø, -øz] *a* generous (**de** with). ◆**généreusement** *adv* generously. ◆**générosité** *nf* generosity.

générique [ʒenerik] *nm Cin* credits.
genèse [ʒənɛz] *nf* genesis.
genêt [ʒənɛ] *nm* (*arbrisseau*) broom.
génétique [ʒenetik] *nf* genetics; – *a* genetic.
Genève [ʒənɛv] *nm ou f* Geneva.
génie [ʒeni] *nm* **1** (*aptitude, personne*) genius; **avoir le g. pour faire/de qch** to have a genius for doing/for sth. **2** (*lutin*) genie, spirit. **3 g. civil** civil engineering; **g. militaire** engineering corps. ◆**génial, -aux** *a* (*personne, invention*) brilliant; (*formidable*) *Fam* fantastic.
génisse [ʒenis] *nf* (*vache*) heifer.
génital, -aux [ʒenital, -o] *a* genital; **organes génitaux** genitals.
génocide [ʒenɔsid] *nm* genocide.
genou, -x [ʒ(ə)nu] *nm* knee; **être à genoux** to be kneeling (down); **se mettre à genoux** to kneel (down); **prendre qn sur ses genoux** to take s.o. on one's lap *ou* knee. ◆**genouillère** *nf Fb etc* knee pad.
genre [ʒɑ̃r] *nm* **1** (*espèce*) kind, sort; (*attitude*) manner, way; **g. humain** mankind; **g. de vie** way of life. **2** *Littér Cin* genre; *Gram* gender; *Biol* genus.
gens [ʒɑ̃] *nmpl ou nfpl* people; **jeunes g.** young people; (*hommes*) young men.
gentil, -ille [ʒɑ̃ti, -ij] *a* (*agréable*) nice, pleasant; (*aimable*) kind, nice; (*mignon*) pretty; **g. avec qn** nice *ou* kind to s.o.; **sois g.** (*sage*) be good. ◆**gentillesse** *nf* kindness; **avoir la g. de faire** to be kind enough to do. ◆**gentiment** *adv* (*aimablement*) kindly; (*sagement*) nicely.
gentilhomme, *pl* **gentilshommes** [ʒɑ̃tijɔm, ʒɑ̃tizɔm] *nm* (*noble*) *Hist* gentleman.
géographie [ʒeɔgrafi] *nf* geography. ◆**géographique** *a* geographical.
geôlier, -ière [ʒolje, -jɛr] *nmf* jailer, gaoler.
géologie [ʒeɔlɔʒi] *nf* geology. ◆**géologique** *a* geological. ◆**géologue** *nmf* geologist.
géomètre [ʒeɔmɛtr] *nm* (*arpenteur*) surveyor.
géométrie [ʒeɔmetri] *nf* geometry. ◆**géométrique** *a* geometric(al).
géranium [ʒeranjɔm] *nm Bot* geranium.
gérant, -ante [ʒerɑ̃, -ɑ̃t] *nmf* manager, manageress; **g. d'immeubles** landlord's agent. ◆**gérance** *nf* (*gestion*) management.
gerbe [ʒɛrb] *nf* (*de blé*) sheaf; (*de fleurs*) bunch; (*d'eau*) spray; (*d'étincelles*) shower.
gercer [ʒɛrse] *vti*, **— se g.** *vpr* (*peau, lèvres*) to chap, crack. ◆**gerçure** *nf* chap, crack.
gérer [ʒere] *vt* (*fonds, commerce etc*) to manage.
germain [ʒɛrmɛ̃] *a* **cousin g.** first cousin.
germanique [ʒɛrmanik] *a* Germanic.
germe [ʒɛrm] *nm Méd Biol* germ; *Bot* shoot; (*d'une idée*) *Fig* seed, germ. ◆**germer** *vi Bot & Fig* to germinate.
gésir [ʒezir] *vi* (*être étendu*) *Litt* to be lying; **il gît/gisait** he is/was lying; **ci-gît** here lies.
gestation [ʒɛstɑsjɔ̃] *nf* gestation.
geste [ʒɛst] *nm* gesture; **ne pas faire un g.** (*ne pas bouger*) not to make a move. ◆**gesticuler** *vi* to gesticulate.
gestion [ʒɛstjɔ̃] *nf* (*action*) management, administration. ◆**gestionnaire** *nmf* administrator.
geyser [ʒɛzɛr] *nm Géol* geyser.
ghetto [gɛto] *nm* ghetto.
gibecière [ʒibsjɛr] *nf* shoulder bag.
gibier [ʒibje] *nm* (*animaux, oiseaux*) game.
giboulée [ʒibule] *nf* shower, downpour.
gicl/er [ʒikle] *vi* (*liquide*) to spurt, squirt; (*boue*) to splash; **faire g.** to spurt, squirt. ◆**—ée** *nf* jet, spurt. ◆**—eur** *nm* (*de carburateur*) *Aut* jet.
gifle [ʒifl] *nf* slap (in the face). ◆**gifler** *vt* **g. qn** to slap s.o., slap s.o.'s face.
gigantesque [ʒigɑ̃tɛsk] *a* gigantic.
gigogne [ʒigɔɲ] *a* **table g.** nest of tables.
gigot [ʒigo] *nm* leg of mutton *ou* lamb.
gigoter [ʒigɔte] *vi Fam* to kick, wriggle.
gilet [ʒilɛ] *nm* waistcoat, *Am* vest; (*cardigan*) cardigan; **g. (de corps)** vest, *Am* undershirt; **g. pare-balles** bulletproof jacket *ou Am* vest; **g. de sauvetage** life jacket.
gin [dʒin] *nm* (*eau-de-vie*) gin.
gingembre [ʒɛ̃ʒɑ̃br] *nm Bot Culin* ginger.
girafe [ʒiraf] *nf* giraffe.
giratoire [ʒiratwar] *a* **sens g.** *Aut* roundabout, *Am* traffic circle.
girl [gœrl] *nf* (*danseuse*) chorus girl.
girofle [ʒirɔfl] *nm* **clou de g.** *Bot* clove.
giroflée [ʒirɔfle] *nf Bot* wall flower.
girouette [ʒirwɛt] *nf* weathercock, weather vane.
gisement [ʒizmɑ̃] *nm* (*de minerai, pétrole*) *Géol* deposit.
gitan, -ane [ʒitɑ̃, -an] *nmf* (Spanish) gipsy.
gîte [ʒit] *nm* (*abri*) resting place.
gîter [ʒite] *vi* (*navire*) to list.
givre [ʒivr] *nm* (hoar)frost. ◆**se givrer** *vpr* (*pare-brise etc*) to ice up, frost up. ◆**givré** *a* frost-covered.
glabre [glabr] *a* (*visage*) smooth.
glace [glas] *nf* **1** (*eau gelée*) ice; (*crème glacée*) ice cream. **2** (*vitre*) window; (*miroir*) mirror; (*verre*) plate glass.

glacer [glase] **1** *vt* (*sang*) *Fig* to chill; **g. qn** (*transir, paralyser*) to chill s.o.; **— se g.** *vpr* (*eau*) to freeze. **2** *vt* (*gâteau*) to ice, (*au jus*) to glaze; (*papier*) to glaze. ◆**glaçant** *a* (*attitude etc*) chilling, icy. ◆**glacé** *a* **1** (*eau, main, pièce*) ice-cold, icy; (*vent*) freezing, icy; (*accueil*) *Fig* icy, chilly. **2** (*thé*) iced; (*fruit, marron*) candied; (*papier*) glazed. ◆**glaçage** *nm* (*de gâteau etc*) icing. ◆**glacial, -aux** *a* icy. ◆**glacier** *nm* **1** *Géol* glacier. **2** (*vendeur*) ice-cream man. ◆**glacière** *nf* (*boîte, endroit*) icebox. ◆**glaçon** *nm Culin* ice cube; *Géol* block of ice; (*sur le toit*) icicle.

glaïeul [glajœl] *nm Bot* gladiolus.

glaires [glɛr] *nfpl Méd* phlegm.

glaise [glɛz] *nf* clay.

gland [glɑ̃] *nm* **1** *Bot* acorn. **2** (*pompon*) *Tex* tassel.

glande [glɑ̃d] *nf* gland.

glander [glɑ̃de] *vi Arg* to fritter away one's time.

glaner [glane] *vt* (*blé, renseignement etc*) to glean.

glapir [glapir] *vi* to yelp, yap.

glas [glɑ] *nm* (*de cloche*) knell.

glauque [glok] *a* sea-green.

gliss/er [glise] *vi* (*involontairement*) to slip; (*patiner, coulisser*) to slide; (*sur l'eau*) to glide; **g. sur** (*sujet*) to slide *ou* gloss over; **ça glisse** it's slippery; – *vt* (*introduire*) to slip (**dans** into); (*murmurer*) to whisper; **se g. dans/sous** to slip into/under. ◆**—ant** *a* slippery. ◆**glissade** *nf* (*involontaire*) slip; (*volontaire*) slide. ◆**glissement** *nm* (*de sens*) *Ling* shift; **g. à gauche** *Pol* swing *ou* shift to the left; **g. de terrain** *Géol* landslide. ◆**glissière** *nf* groove; **porte à g.** sliding door; **fermeture à g.** zip (fastener), *Am* zipper.

global, -aux [glɔbal, -o] *a* total, global; **somme globale** lump sum. ◆**—ement** *adv* collectively, as a whole.

globe [glɔb] *nm* globe; **g. de l'œil** eyeball.

globule [glɔbyl] *nm* (*du sang*) corpuscle.

gloire [glwar] *nf* (*renommée, louange, mérite*) glory; (*personne célèbre*) celebrity; **se faire g. de** to glory in; **à la g. de** in praise of. ◆**glorieux, -euse** *a* (*plein de gloire*) glorious. ◆**glorifier** *vt* to glorify; **se g. de** to glory in.

glossaire [glɔsɛr] *nm* glossary.

glouglou [gluglu] *nm* (*de liquide*) gurgle. ◆**glouglouter** *vi* to gurgle.

glouss/er [gluse] *vi* (*poule*) to cluck; (*personne*) to chuckle. ◆**—ement** *nm* cluck; chuckle.

glouton, -onne [glutɔ̃, -ɔn] *a* greedy, gluttonous; – *nmf* glutton. ◆**gloutonnerie** *nf* gluttony.

gluant [glyɑ̃] *a* sticky.

glucose [glykoz] *nm* glucose.

glycérine [gliserin] *nf* glycerin(e).

glycine [glisin] *nf Bot* wisteria.

gnome [gnom] *nm* (*nain*) gnome.

gnon [ɲɔ̃] *nm Arg* blow, punch.

goal [gol] *nm Fb* goalkeeper.

gobelet [gɔblɛ] *nm* tumbler; (*de plastique, papier*) cup.

gober [gɔbe] *vt* (*œuf, mouche etc*) to swallow (whole); (*propos*) *Fig* to swallow.

godasse [gɔdas] *nf Fam* shoe.

godet [gɔdɛ] *nm* (*récipient*) pot; (*verre*) *Arg* drink.

goéland [gɔelɑ̃] *nm* (sea)gull.

gogo [gogo] *nm* (*homme naïf*) *Fam* sucker.

gogo (à) [agogo] *adv Fam* galore.

goguenard [gɔgnar] *a* mocking.

goguette (en) [ɑ̃gɔgɛt] *adv Fam* on the spree.

goinfre [gwɛ̃fr] *nm* (*glouton*) *Fam* pig, guzzler. ◆**se goinfrer** *vpr Fam* to stuff oneself (**de** with).

golf [gɔlf] *nm* golf; (*terrain*) golf course. ◆**golfeur, -euse** *nmf* golfer.

golfe [gɔlf] *nm* gulf, bay.

gomme [gɔm] *nf* **1** (*substance*) gum. **2** (*à effacer*) rubber, *Am* eraser. ◆**gommé** *a* (*papier*) gummed. ◆**gommer** *vt* (*effacer*) to rub out, erase.

gomme (à la) [alagɔm] *adv Fam* useless.

gond [gɔ̃] *nm* (*de porte etc*) hinge.

gondole [gɔ̃dɔl] *nf* (*bateau*) gondola. ◆**gondolier** *nm* gondolier.

gondoler [gɔ̃dɔle] **1** *vi*, **— se g.** *vpr* (*planche*) to warp. **2 se g.** *vpr* (*rire*) *Fam* to split one's sides.

gonfl/er [gɔ̃fle] *vt* to swell; (*pneu*) to inflate, pump up; (*en soufflant*) to blow up; (*poitrine*) to swell out; (*grossir*) *Fig* to inflate; – *vi*, **— se g.** *vpr* to swell; **se g. de** (*orgueil, émotion*) to swell with. ◆**—é** *a* swollen; **être g.** *Fam* (*courageux*) to have plenty of pluck; (*insolent*) to have plenty of nerve. ◆**—able** *a* inflatable. ◆**—ement** *nm* swelling. ◆**—eur** *nm* (air) pump.

gong [gɔ̃g] *nm* gong.

gorge [gɔrʒ] *nf* **1** throat; (*seins*) *Litt* bust. **2** *Géog* gorge. ◆**gorg/er** *vt* (*remplir*) to stuff (**de** with); **se g. de** to stuff *ou* gorge oneself with. ◆**—é** *a* **g. de** (*saturé*) gorged with. ◆**—ée** *nf* mouthful; **petite g.** sip; **d'une seule g.** in *ou* at one gulp.

gorille [gɔrij] *nm* **1** (*animal*) gorilla. **2** (*garde du corps*) *Fam* bodyguard.
gosier [gozje] *nm* throat, windpipe.
gosse [gɔs] *nmf* (*enfant*) *Fam* kid, youngster.
gothique [gɔtik] *a & nm* Gothic.
gouache [gwaʃ] *nf* (*peinture*) gouache.
goudron [gudrɔ̃] *nm* tar. ◆**goudronner** *vt* to tar.
gouffre [gufr] *nm* gulf, chasm.
goujat [guʒa] *nm* churl, lout.
goulasch [gulaʃ] *nf Culin* goulash.
goulot [gulo] *nm* (*de bouteille*) neck; **boire au g.** to drink from the bottle.
goulu, -ue [guly] *a* greedy; – *nmf* glutton. ◆**goulûment** *adv* greedily.
goupille [gupij] *nf* (*cheville*) pin.
goupiller [gupije] *vt* (*arranger*) *Fam* to work out, arrange.
gourde [gurd] *nf* **1** (*à eau*) water bottle, flask. **2** (*personne*) *Péj Fam* chump, oaf.
gourdin [gurdɛ̃] *nm* club, cudgel.
gourer (se) [səgure] *vpr Fam* to make a mistake.
gourmand, -ande [gurmɑ̃, -ɑ̃d] *a* fond of eating, *Péj* greedy; **g. de** fond of; **être g. (de sucreries)** to have a sweet tooth; – *nmf* hearty eater, *Péj* glutton. ◆**gourmandise** *nf* good eating, *Péj* gluttony; *pl* (*mets*) delicacies.
gourmet [gurmɛ] *nm* gourmet, epicure.
gourmette [gurmɛt] *nf* chain *ou* identity bracelet.
gousse [gus] *nf* **g. d'ail** clove of garlic.
goût [gu] *nm* taste; **de bon g.** in good taste; **prendre g. à qch** to take a liking to sth; **par g.** from *ou* by choice; **sans g.** tasteless. ◆**goûter** *vt* (*aliment*) to taste; (*apprécier*) to relish, enjoy; **g. à qch** to taste (a little of) sth; **g. de** (*pour la première fois*) to try out, taste; – *vi* to have a snack, have tea; – *nm* snack, tea.
goutte [gut] *nf* **1** drop. **couler g. à g.** to drip. **2** (*maladie*) gout. ◆**g.-à-goutte** *nm inv Méd* drip. ◆**gouttelette** *nf* droplet. ◆**goutter** *vi* (*eau, robinet, nez*) to drip (**de** from).
gouttière [gutjɛr] *nf* (*d'un toit*) gutter.
gouvernail [guvɛrnaj] *nm* (*pale*) rudder; (*barre*) helm.
gouvernante [guvɛrnɑ̃t] *nf* governess.
gouvernement [guvɛrnəmɑ̃] *nm* government. ◆**gouvernemental, -aux** *a* (*parti, politique etc*) government-.
gouvern/er [guvɛrne] *vti Pol & Fig* to govern, rule. ◆**—ants** *nmpl* rulers. ◆**—eur** *nm* governor.

grabuge [grabyʒ] *nm* **du g.** (*querelle*) *Fam* a rumpus.
grâce [grɑs] **1** *nf* (*charme*) & *Rel* grace; (*avantage*) favour; (*miséricorde*) mercy; **crier g.** to cry for mercy; **de bonne/mauvaise g.** with good/bad grace; **donner le coup de g. à** to finish off; **faire g. de qch à qn** to spare s.o. sth. **2** *prép* **g. à** thanks to. ◆**gracier** *vt* (*condamné*) to pardon.
gracieux, -euse [grasjø, -øz] *a* **1** (*élégant*) graceful; (*aimable*) gracious. **2** (*gratuit*) gratuitous; **à titre g.** free (of charge). ◆**gracieusement** *adv* gracefully; graciously; free (of charge).
gracile [grasil] *a Litt* slender.
gradation [gradɑsjɔ̃] *nf* gradation.
grade [grad] *nm Mil* rank; **monter en g.** to be promoted. ◆**gradé** *nm Mil* non-commissioned officer.
gradin [gradɛ̃] *nm Th etc* row of seats, tier.
graduel, -elle [gradɥɛl] *a* gradual.
graduer [gradɥe] *vt* (*règle*) to graduate; (*exercices*) to grade, make gradually more difficult.
graffiti [grafiti] *nmpl* graffiti.
grain [grɛ̃] *nm* **1** (*de blé etc*) & *Fig* grain; (*de café*) bean; (*de chapelet*) bead; (*de poussière*) speck; *pl* (*céréales*) grain; **le g.** (*de cuir, papier*) the grain; **g. de beauté** mole; (*sur le visage*) beauty spot; **g. de raisin** grape. **2** *Mét* shower
graine [grɛn] *nf* seed; **mauvaise g.** (*enfant*) *Péj* bad lot, rotten egg.
graisse [grɛs] *nf* fat; (*lubrifiant*) grease. ◆**graissage** *nm Aut* lubrication. ◆**graisser** *vt* to grease. ◆**graisseux, -euse** *a* (*vêtement etc*) greasy, oily; (*bourrelets, tissu*) fatty.
grammaire [gramɛr] *nf* grammar. ◆**grammatical, -aux** *a* grammatical.
gramme [gram] *nm* gram(me).
grand, grande [grɑ̃, grɑ̃d] *a* big, large; (*en hauteur*) tall; (*mérite, âge, chaleur, ami etc*) great; (*bruit*) loud, great; (*différence*) wide, great, big; (*adulte, mûr, plus âgé*) grown up, big; (*officier, maître*) grand; (*âme*) noble; **g. frère**/*etc* (*plus âgé*) big brother/*etc*; **le g. air** the open air; **il est g. temps** it's high time **(que** that); – *adv* **g. ouvert** (*yeux, fenêtre*) wide-open; **ouvrir g.** to open wide; **en g.** on a grand *ou* large scale; – *nmf Scol* senior; (*adulte*) grown-up; **les quatre Grands** *Pol* the Big Four. ◆**grandement** *adv* (*beaucoup*) greatly; (*généreusement*) grandly; **avoir g. de quoi vivre** to have plenty to live on. ◆**grandeur** *nf* (*importance, gloire*) greatness; (*dimension*) size, magni-

tude; (*majesté, splendeur*) grandeur; **g. nature** life-size; **g. d'âme** generosity.
grand-chose [grɑ̃ʃoz] *pron* **pas g.-chose** not much. ◆**g.-mère** *nf* (*pl* **grands-mères**) grandmother. ◆**grands-parents** *nmpl* grandparents. ◆**g.-père** *nm* (*pl* **grands-pères**) grandfather.
Grande-Bretagne [grɑ̃dbrətaɲ] *nf* Great Britain.
grandiose [grɑ̃djoz] *a* grandiose, grand.
grandir [grɑ̃dir] *vi* to grow; (*bruit*) to grow louder; – *vt* (*grossir*) to magnify; **g. qn** (*faire paraître plus grand*) to make s.o. seem taller.
grange [grɑ̃ʒ] *nf* barn.
granit(e) [granit] *nm* granite.
graphique [grafik] *a* (*signe, art*) graphic; – *nm* graph.
grappe [grap] *nf* (*de fruits etc*) cluster; **g. de raisin** bunch of grapes.
grappin [grapɛ̃] *nm* **mettre le g. sur** *Fam* to grab hold of.
gras, grasse [grɑ, grɑs] *a* (*personne, ventre etc*) fat; (*aliment*) fatty; (*graisseux*) greasy, oily; (*caractère*) *Typ* bold, heavy; (*plante, contour*) thick; (*rire*) throaty, deep; (*toux*) loose, phlegmy; (*récompense*) rich; **matières grasses** fat; **foie g.** *Culin* foie gras, fatted goose liver; – *nm* (*de viande*) fat. ◆**grassement** *adv* (*abondamment*) handsomely. ◆**grassouillet, -ette** *a* plump.
gratifier [gratifje] *vt* **g. qn de** to present *ou* favour s.o. with. ◆**gratification** *nf* (*prime*) bonus.
gratin [gratɛ̃] *nm* **1 au g.** *Culin* baked with breadcrumbs and grated cheese. **2** (*élite*) *Fam* upper crust.
gratis [gratis] *adv Fam* free (of charge), gratis.
gratitude [gratityd] *nf* gratitude.
gratte-ciel [gratsjɛl] *nm inv* skyscraper.
gratte-papier [gratpapje] *nm* (*employé*) *Péj* pen-pusher.
gratter [grate] *vt* (*avec un outil etc*) to scrape; (*avec les ongles, les griffes etc*) to scratch; (*boue*) to scrape off; (*effacer*) to scratch out; **ça me gratte** *Fam* it itches, I have an itch; – *vi* (*à la porte etc*) to scratch; (*tissu*) to be scratchy; **— se g.** *vpr* to scratch oneself. ◆**grattoir** *nm* scraper.
gratuit [gratɥi] *a* (*billet etc*) free; (*hypothèse, acte*) gratuitous. ◆**gratuité** *nf* **la g. de l'enseignement/***etc* free education/*etc*. ◆**gratuitement** *adv* free (of charge); gratuitously.
gravats [gravɑ] *nmpl* rubble, debris.
grave [grav] *a* serious; (*juge, visage*) grave, solemn; (*voix*) deep, low; (*accent*) *Gram* grave; **ce n'est pas g.!** it's not important! ◆**—ment** *adv* (*malade, menacé*) seriously; (*dignement*) gravely.
grav/er [grave] *vt* (*sur métal etc*) to engrave; (*sur bois*) to carve; (*disque*) to cut; (*dans sa mémoire*) to imprint, engrave. ◆**—eur** *nm* engraver.
gravier [gravje] *nm* gravel. ◆**gravillon** *nm* gravel; *pl* gravel, (loose) chippings.
gravir [gravir] *vt* to climb (*with effort*).
gravité [gravite] *nf* **1** (*de situation etc*) seriousness; (*solennité*) gravity. **2** *Phys* gravity.
graviter [gravite] *vi* to revolve (**autour de** around). ◆**gravitation** *nf* gravitation.
gravure [gravyr] *nf* (*action, art*) engraving; (*à l'eau forte*) etching; (*estampe*) print; (*de disque*) recording; **g. sur bois** (*objet*) woodcut.
gré [gre] *nm* **à son g.** (*goût*) to his *ou* her taste; (*désir*) as he *ou* she pleases; **de bon g.** willingly; **contre le g. de** against the will of; **bon g. mal g.** willy-nilly; **au g. de** (*vent etc*) at the mercy of.
Grèce [grɛs] *nf* Greece. ◆**grec, grecque** *a* & *nmf* Greek; – *nm* (*langue*) Greek.
greffe [grɛf] **1** *nf* (*de peau*) & *Bot* graft; (*d'organe*) transplant. **2** *nm Jur* record office. ◆**greffer** *vt* (*peau etc*) & *Bot* to graft (**à** on to); (*organe*) to transplant. ◆**greffier** *nm* clerk (of the court). ◆**greffon** *nm* (*de peau*) & *Bot* graft.
grégaire [gregɛr] *a* (*instinct*) gregarious.
grêle [grɛl] **1** *nf Mét* & *Fig* hail. **2** *a* (*fin*) spindly, (very) slender *ou* thin. ◆**grêler** *v imp* to hail. ◆**grêlon** *nm* hailstone.
grêlé [grele] *a* (*visage*) pockmarked.
grelot [grəlo] *nm* (small round) bell.
grelotter [grəlɔte] *vi* to shiver (**de** with).
grenade [grənad] *nf* **1** *Bot* pomegranate. **2** (*projectile*) *Mil* grenade. ◆**grenadine** *nf* pomegranate syrup, grenadine.
grenat [grəna] *a inv* (*couleur*) dark red.
grenier [grənje] *nm* attic; *Agr* granary.
grenouille [grənuj] *nf* frog.
grès [grɛ] *nm* (*roche*) sandstone; (*poterie*) stoneware.
grésiller [grezije] *vi Culin* to sizzle; *Rad* to crackle.
grève [grɛv] *nf* **1** strike; **g. de la faim** hunger strike; **g. du zèle** work-to-rule, *Am* rule-book slow-down; **g. perlée** go-slow, *Am* slow-down (strike); **g. sauvage/sur le tas** wildcat/sit-down strike; **g. tournante** strike by rota. **2** (*de mer*) shore; (*de rivière*) bank. ◆**gréviste** *nmf* striker.

gribouiller [gribuje] *vti* to scribble. **◆gribouillis** *nm* scribble.
grief [grijɛf] *nm* (*plainte*) grievance.
grièvement [grijɛvmɑ̃] *adv* **g. blessé** seriously *ou* badly injured.
griffe [grif] *nf* **1** (*ongle*) claw; **sous la g. de qn** (*pouvoir*) in s.o.'s clutches. **2** (*de couturier*) (designer) label; (*tampon*) printed signature; (*d'auteur*) *Fig* mark, stamp. **◆griffé** *a* (*vêtement*) designer-. **◆griffer** *vt* to scratch, claw.
griffonn/er [grifɔne] *vt* to scrawl, scribble. **◆—age** *nm* scrawl, scribble.
grignoter [griɲɔte] *vti* to nibble.
gril [gril] *nm Culin* grill, grid(iron). **◆grillade** [grijad] *nf* (*viande*) grill. **◆grille-pain** *nm inv* toaster. **◆griller** *vt* (*viande*) to grill, broil; (*pain*) to toast; (*café*) to roast; (*ampoule*) *El* to blow; (*brûler*) to scorch; (*cigarette*) *Fam* to smoke; **g. un feu rouge** *Aut Fam* to drive through *ou* jump a red light; – *vi* **mettre à g.** to put on the grill; **on grille ici** *Fam* it's scorching; **g. de faire** to be itching to do.
grille [grij] *nf* (*clôture*) railings; (*porte*) (iron) gate; (*de fourneau, foyer*) grate; (*de radiateur*) *Aut* grid, grille; (*des salaires*) *Fig* scale; *pl* (*de fenêtre*) bars, grating; **g. (des horaires)** schedule. **◆grillage** *nm* wire netting.
grillon [grijɔ̃] *nm* (*insecte*) cricket.
grimace [grimas] *nf* (*pour faire rire*) (funny) face, grimace; (*de dégoût, douleur*) grimace. **◆grimacer** *vi* to grimace (**de** with).
grimer [grime] *vt*, **— se g.** *vpr* (*acteur*) to make up.
grimp/er [grɛ̃pe] *vi* to climb (**à qch** up sth); (*prix*) *Fam* to rocket; – *vt* to climb. **◆—ant** *a* (*plante*) climbing.
grinc/er [grɛ̃se] *vi* to grate, creak; **g. des dents** to grind *ou* gnash one's teeth. **◆—ement** *nm* grating; grinding.
grincheux, -euse [grɛ̃ʃø, -øz] *a* grumpy, peevish.
gringalet [grɛ̃galɛ] *nm* (*homme*) *Péj* puny runt, weakling.
grippe [grip] *nf* **1** (*maladie*) flu, influenza. **2** **prendre qch/qn en g.** to take a strong dislike to sth/s.o. **◆grippé** *a* **être g.** to have (the) flu.
gripper [gripe] *vi*, **— se g.** *vpr* (*moteur*) to seize up.
grippe-sou [gripsu] *nm* skinflint, miser.
gris [gri] *a* grey, *Am* gray; (*temps*) dull, grey; (*ivre*) tipsy; – *nm* grey. **◆grisaille** *nf* (*de vie*) dullness, greyness, *Am* grayness. **◆grisâtre** *a* greyish, *Am* grayish. **◆griser** *vt* (*vin etc*) to make (*s.o.*) tipsy, intoxicate (*s.o.*); (*air vif, succès*) to exhilarate (*s.o.*). **◆griserie** *nf* intoxication; exhilaration. **◆grisonn/er** *vi* (*cheveux, personne*) to go grey. **◆—ant** *a* greying.
grisou [grizu] *nm* (*gaz*) firedamp.
grive [griv] *nf* (*oiseau*) thrush.
grivois [grivwa] *a* bawdy. **◆grivoiserie** *nf* (*propos*) bawdy talk.
Groenland [grɔɛnlɑ̃d] *nm* Greenland.
grog [grɔg] *nm* (*boisson*) grog, toddy.
grogn/er [grɔɲe] *vi* to growl, grumble (**contre** at); (*cochon*) to grunt. **◆—ement** *nm* growl, grumble; grunt. **◆grognon, -onne** *a* grumpy, peevish.
grommeler [grɔmle] *vti* to grumble, mutter.
gronder [grɔ̃de] *vi* (*chien*) to growl; (*tonnerre*) to rumble; – *vt* (*réprimander*) to scold. **◆grondement** *nm* growl; rumble. **◆gronderie** *nf* scolding.
gros, grosse [gro, gros] *a* big; (*gras*) fat; (*épais*) thick; (*effort, progrès*) great; (*fortune, somme*) large; (*bruit*) loud; (*averse, mer, rhume*) heavy; (*faute*) serious, gross; (*traits, laine, fil*) coarse; **g. mot** swear word; – *adv* **gagner g.** to earn big money; **risquer g.** to take a big risk; **en g.** (*globalement*) roughly; (*écrire*) in big letters; (*vendre*) in bulk, wholesale; – *nmf* (*personne*) fat man, fat woman; – *nm* **le g. de** the bulk of; **de g.** (*maison, prix*) wholesale.
groseille [grozɛj] *nf* (white *ou* red) currant; **g. à maquereau** gooseberry.
grossesse [grosɛs] *nf* pregnancy.
grosseur [grosœr] *nf* **1** (*volume*) size; (*obésité*) weight. **2** (*tumeur*) *Méd* lump.
grossier, -ière [grosje, -jɛr] *a* (*matière, tissu, traits*) coarse, rough; (*idée, solution*) rough, crude; (*instrument*) crude; (*erreur*) gross; (*personne, manières*) coarse, uncouth, rude; **être g. envers** (*insolent*) to be rude to. **◆grossièrement** *adv* (*calculer*) roughly; (*se tromper*) grossly; (*répondre*) coarsely, rudely. **◆grossièreté** *nf* coarseness; roughness; (*insolence*) rudeness; (*mot*) rude word.
gross/ir [grosir] *vi* (*personne*) to put on weight; (*fleuve*) to swell; (*nombre, bosse, foule*) to swell, get bigger; (*bruit*) to get louder; – *vt* to swell; (*exagérer*) *Fig* to magnify; – *vti* (*verre, loupe etc*) to magnify; **verre grossissant** magnifying glass. **◆—issement** *nm* increase in weight; swelling, increase in size; (*de microscope etc*) magnification.
grossiste [grosist] *nmf Com* wholesaler.

grosso modo [grosomɔdo] *adv* (*en gros*) roughly.
grotesque [grɔtɛsk] *a* (*risible*) ludicrous, grotesque.
grotte [grɔt] *nf* grotto.
grouill/er [gruje] **1** *vi* (*rue, fourmis, foule etc*) to be swarming (**de** with). **2 se g.** *vpr* (*se hâter*) *Arg* to step on it. ◆**—ant** *a* swarming (**de** with).
groupe [grup] *nm* group; **g. scolaire** (*bâtiments*) school block. ◆**groupement** *nm* (*action*) grouping; (*groupe*) group. ◆**grouper** *vt* to group (together); **— se g.** *vpr* to band together, group (together).
grue [gry] *nf* (*machine, oiseau*) crane.
grumeau, -x [grymo] *nm* (*dans une sauce etc*) lump. ◆**grumeleux, -euse** *a* lumpy.
gruyère [gryjɛr] *nm* gruyère (cheese).
gué [ge] *nm* ford; **passer à g.** to ford.
guenilles [gənij] *nfpl* rags (and tatters).
guenon [gənɔ̃] *nf* female monkey.
guépard [gepar] *nm* cheetah.
guêpe [gɛp] *nf* wasp. ◆**guêpier** *nm* (*nid*) wasp's nest; (*piège*) *Fig* trap.
guère [gɛr] *adv* **(ne)... g.** hardly, scarcely; **il ne sort g.** he hardly *ou* scarcely goes out.
guéridon [geridɔ̃] *nm* pedestal table.
guérilla [gerija] *nf* guerrilla warfare. ◆**guérillero** *nm* guerrilla.
guér/ir [gerir] *vt* (*personne, maladie*) to cure (**de** of); (*blessure*) to heal; – *vi* to recover; (*blessure*) to heal; (*rhume*) to get better; **g. de** (*fièvre etc*) to get over, recover from. ◆**—i** *a* cured, better, well. ◆**guérison** *nf* (*de personne*) recovery; (*de maladie*) cure; (*de blessure*) healing. ◆**guérisseur, -euse** *nmf* faith healer.
guérite [gerit] *nf Mil* sentry box.
guerre [gɛr] *nf* war; (*chimique etc*) warfare; **en g.** at war (**avec** with); **faire la g.** to wage *ou* make war (**à** on, against); **g. d'usure** war of attrition; **conseil de g.** court-martial. ◆**guerrier, -ière** *a* (*chant, danse*) war-; (*nation*) war-like; – *nmf* warrior. ◆**guerroyer** *vi Litt* to war.
guet [gɛ] *nm* **faire le g.** to be on the look-out. ◆**guett/er** *vt* to be on the look-out for, watch (out) for; (*gibier*) to lie in wait for. ◆**—eur** *nm* (*soldat*) look-out.
guet-apens [gɛtapɑ̃] *nm inv* ambush.
guêtre [gɛtr] *nf* gaiter.
gueule [gœl] *nf* (*d'animal, de canon*) mouth; (*de personne*) *Fam* mouth; (*figure*) *Fam* face; **avoir la g. de bois** *Fam* to have a hangover; **faire la g.** *Fam* to sulk. ◆**gueuler** *vti* to bawl (out). ◆**gueuleton** *nm* (*repas*) *Fam* blow-out, feast.
gui [gi] *nm Bot* mistletoe.
guichet [giʃɛ] *nm* (*de gare, cinéma etc*) ticket office; (*de banque etc*) window; *Th* box office, ticket office; **à guichets fermés** *Th Sp* with all tickets sold in advance. ◆**guichetier, -ière** *nmf* (*à la poste etc*) counter clerk; (*à la gare*) ticket office clerk.
guide [gid] **1** *nm* (*personne, livre etc*) guide. **2** *nf* (*éclaireuse*) (girl) guide. **3** *nfpl* (*rênes*) reins. ◆**guider** *vt* to guide; **se g. sur** to guide oneself by.
guidon [gidɔ̃] *nm* (*de bicyclette etc*) handlebar(s).
guigne [giɲ] *nf* (*malchance*) *Fam* bad luck.
guignol [giɲɔl] *nm* (*spectacle*) = Punch and Judy show.
guillemets [gijmɛ] *nmpl Typ* inverted commas, quotation marks.
guilleret, -ette [gijrɛ, -ɛt] *a* lively, perky.
guillotine [gijɔtin] *nf* guillotine.
guimauve [gimov] *nf Bot Culin* marshmallow.
guimbarde [gɛ̃bard] *nf* (*voiture*) *Fam* old banger, *Am* (old) wreck.
guindé [gɛ̃de] *a* (*affecté*) stiff, stilted, stuck-up.
guingois (de) [dəgɛ̃gwa] *adv* askew.
guirlande [girlɑ̃d] *nf* garland, wreath.
guise [giz] *nf* **n'en faire qu'à sa g.** to do as one pleases; **en g. de** by way of.
guitare [gitar] *nf* guitar. ◆**guitariste** *nmf* guitarist.
guttural, -aux [gytyral, -o] *a* guttural.
gymnase [ʒimnɑz] *nm* gymnasium. ◆**gymnaste** *nmf* gymnast. ◆**gymnastique** *nf* gymnastics.
gynécologie [ʒinekɔlɔʒi] *nf* gynaecology, *Am* gynecology. ◆**gynécologue** *nmf* gynaecologist, *Am* gynecologist.

H

H, h [aʃ] *nm* H, h; **l'heure H** zero hour; **bombe H** H-bomb.

ha! ['ɑ] *int* ah!, oh!; **ha, ha!** (*rire*) ha-ha!

habile [abil] *a* clever, skilful (**à qch** at sth, **à faire** at doing). ◆**habilement** *adv* cleverly, skilfully. ◆**habileté** *nf* skill, ability.

habill/er [abije] *vt* to dress (**de** in); (*fournir en vêtements*) to clothe; (*couvrir*) to cover (**de** with); **h. qn en soldat/***etc* (*déguiser*) to dress s.o. up as a soldier/*etc*; **— s'h.** *vpr* to dress (oneself), get dressed; (*avec élégance, se déguiser*) to dress up. ◆**—é** *a* dressed (**de** in); (*costume, robe*) smart, dressy. ◆**—ement** *nm* (*vêtements*) clothing, clothes.

habit [abi] *nm* costume, outfit; (*tenue de soirée*) evening dress, tails; *pl* (*vêtements*) clothes.

habit/er [abite] *vi* to live (**à, en, dans** in); – *vt* (*maison, région*) to live in; (*planète*) to inhabit. ◆**—ant, -ante** *nmf* (*de pays etc*) inhabitant; (*de maison*) resident, occupant. ◆**—é** *a* (*région*) inhabited; (*maison*) occupied. ◆**—able** *a* (in)habitable. ◆**habitat** *nm* (*d'animal, de plante*) habitat; (*conditions*) housing, living conditions. ◆**habitation** *nf* house, dwelling; (*action de résider*) living.

habitude [abityd] *nf* habit; **avoir l'h. de qch** to be used to sth; **avoir l'h. de faire** to be used to doing, be in the habit of doing; **prendre l'h. de faire** to get into the habit of doing; **d'h.** usually; **comme d'h.** as usual. ◆**habituel, -elle** *a* usual, customary. ◆**habituellement** *adv* usually. ◆**habitu/er** *vt* **h. qn à** to accustom s.o. to; **être habitué à** to be used *ou* accustomed to; **— s'h.** *vpr* to get accustomed (**à** to). ◆**—é, -ée** *nmf* regular (customer *ou* visitor).

hache ['aʃ] *nf* axe, *Am* ax. ◆**hachette** *nf* hatchet.

hach/er ['aʃe] *vt* (*au couteau*) to chop (up); (*avec un appareil*) to mince, *Am* grind; (*déchiqueter*) to cut to pieces. ◆**—é** *a* **1** (*viande*) minced, *Am* ground; chopped. **2** (*style*) staccato, broken. ◆**hachis** *nm* (*viande*) mince, minced *ou Am* ground meat. ◆**hachoir** *nm* (*couteau*) chopper; (*appareil*) mincer, *Am* grinder.

hagard ['agar] *a* wild-looking, frantic.

haie ['ɛ] *nf* (*clôture*) *Bot* hedge; (*rangée*) row; (*de coureur*) *Sp* hurdle; (*de chevaux*) *Sp* fence, hurdle; **course de haies** (*coureurs*) hurdle race; (*chevaux*) steeplechase.

haillons ['ɑjɔ̃] *nmpl* rags (and tatters).

haine ['ɛn] *nf* hatred, hate. ◆**haineux, -euse** *a* full of hatred.

haïr* ['air] *vt* to hate. ◆**haïssable** *a* hateful, detestable.

hâle ['ɑl] *nm* suntan. ◆**hâlé** *a* (*par le soleil*) suntanned; (*par l'air*) weather-beaten.

haleine [alɛn] *nf* breath; **hors d'h.** out of breath; **perdre h.** to get out of breath; **reprendre h.** to get one's breath back, catch one's breath; **de longue h.** (*travail*) long-term; **tenir en h.** to hold in suspense.

hal/er ['ale] *vt* *Nau* to tow. ◆**—age** *nm* towing; **chemin de h.** towpath.

halet/er ['alte] *vi* to pant, gasp. ◆**—ant** *a* panting, gasping.

hall ['ol] *nm* (*de gare*) main hall, concourse; (*d'hôtel*) lobby, hall; (*de maison*) hall(way).

halle ['al] *nf* (covered) market; **les halles** the central food market.

hallucination [alysinɑsjɔ̃] *nf* hallucination. ◆**hallucinant** *a* extraordinary.

halo ['alo] *nm* (*auréole*) halo.

halte ['alt] *nf* (*arrêt*) stop, *Mil* halt; (*lieu*) stopping place, *Mil* halting place; **faire h.** to stop; – *int* stop!, *Mil* halt!

haltère [altɛr] *nm* (*poids*) *Sp* dumbbell. ◆**haltérophilie** *nf* weight lifting.

hamac ['amak] *nm* hammock.

hameau, -x ['amo] *nm* hamlet.

hameçon [amsɔ̃] *nm* (fish) hook; **mordre à l'h.** *Pêche & Fig* to rise to *ou* swallow the bait.

hamster ['amstɛr] *nm* hamster.

hanche ['ɑ̃ʃ] *nf* *Anat* hip.

hand(-)ball ['ɑdbal] *nm* *Sp* handball.

handicap ['ɑdikap] *nm* (*désavantage*) & *Sp* handicap. ◆**handicap/er** *vt* to handicap. ◆**—é, -ée** *a* & *nmf* handicapped (person); **h. moteur** spastic.

hangar ['ɑ̃gar] *nm* (*entrepôt*) shed; (*pour avions*) hangar.

hanneton ['antɔ̃] *nm* (*insecte*) cockchafer.

hanter ['ɑ̃te] *vt* to haunt.

hantise ['ɑ̃tiz] *nf* **la h. de** an obsession with.

happer ['ape] *vt* (*saisir*) to catch, snatch; (*par la gueule*) to snap up.
haras ['arɑ] *nm* stud farm.
harasser ['arase] *vt* to exhaust.
harceler ['arsəle] *vt* to harass, torment (**de** with). ◆**harcèlement** *nm* harassment.
hardi ['ardi] *a* bold, daring. ◆**—ment** *adv* boldly. ◆**hardiesse** *nf* boldness, daring; **une h.** (*action*) *Litt* an audacity.
harem ['arɛm] *nm* harem.
hareng ['arɑ̃] *nm* herring.
hargne ['arɲ] *nf* aggressive bad temper. ◆**hargneux, -euse** *a* bad-tempered, aggressive.
haricot ['ariko] *nm* (*blanc*) (haricot) bean; (*vert*) French bean, green bean.
harmonica [armɔnika] *nm* harmonica, mouthorgan.
harmonie [armɔni] *nf* harmony. ◆**harmonieux, -euse** *a* harmonious. ◆**harmonique** *a* & *nm Mus* harmonic. ◆**harmoniser** *vt*, **— s'h.** *vpr* to harmonize. ◆**harmonium** *nm Mus* harmonium.
harnacher ['arnaʃe] *vt* (*cheval etc*) to harness. ◆**harnais** *nm* (*de cheval, bébé*) harness.
harpe ['arp] *nf* harp. ◆**harpiste** *nmf* harpist.
harpon ['arpɔ̃] *nm* harpoon. ◆**harponner** *vt* (*baleine*) to harpoon; **h. qn** (*arrêter*) *Fam* to waylay s.o.
hasard ['azar] *nm* **le h.** chance; **un h.** (*coïncidence*) a coincidence; **un heureux h.** a stroke of luck; **un malheureux h.** a rotten piece of luck; **par h.** by chance; **si par h.** if by any chance; **au h.** at random, haphazardly; **à tout h.** just in case; **les hasards de** (*risques*) the hazards of. ◆**hasard/er** *vt* (*remarque, démarche*) to venture, hazard; (*vie, réputation*) to risk; **se h. dans** to venture into; **se h. à faire** to risk doing, venture to do. ◆**—é** *a*, ◆**hasardeux, -euse** *a* risky, hazardous.
haschisch ['aʃiʃ] *nm* hashish.
hâte ['ɑt] *nf* haste, speed; (*impatience*) eagerness; **en h., à la h.** hurriedly, in a hurry, in haste; **avoir h. de faire** (*désireux*) to be eager to do, be in a hurry to do. ◆**hâter** *vt* (*pas, départ etc*) to hasten; **— se h.** *vpr* to hurry, make haste (**de faire** to do). ◆**hâtif, -ive** *a* hasty, hurried; (*développement*) precocious; (*fruit*) early.
hausse ['os] *nf* rise (**de** in); **en h.** rising. ◆**hausser** *vt* (*prix, voix etc*) to raise; (*épaules*) to shrug; **se h. sur la pointe des pieds** to stand on tip-toe.
haut ['o] *a* high; (*de taille*) tall; (*classes*) upper, higher; (*fonctionnaire etc*) high-ranking; **le h. Rhin** the upper Rhine; **la haute couture** high fashion; **à haute voix** aloud, in a loud voice; **h. de 5 mètres** 5 metres high *ou* tall; *– adv* (*voler, viser etc*) high (up); (*estimer*) highly; (*parler*) loud, loudly; **tout h.** (*lire, penser*) aloud, out loud; **h. placé** (*personne*) in a high position; **plus h.** (*dans un texte*) above, further back; *– nm* (*partie haute*) top; **en h. de** at the top of; **en h.** (*loger*) upstairs; (*regarder*) up; (*mettre*) on (the) top; **d'en h.** (*de la partie haute, du ciel etc*) from high up, from up above; **avoir 5 mètres de h.** to be 5 metres high *ou* tall; **des hauts et des bas** *Fig* ups and downs.
hautain ['otɛ̃] *a* haughty.
hautbois ['obwa] *nm Mus* oboe.
haut-de-forme ['odfɔrm] *nm* (*pl* **hauts-de-forme**) top hat.
hautement ['otmɑ̃] *adv* (*tout à fait, très*) highly. ◆**hauteur** *nf* height; *Géog* hill; (*orgueil*) *Péj* haughtiness; *Mus* pitch; **à la h. de** (*objet*) level with; (*rue*) opposite; (*situation*) *Fig* equal to; **il n'est pas à la h.** he isn't up to it; **saut en h.** *Sp* high jump.
haut-le-cœur ['olkœr] *nm inv* **avoir des h.-le-cœur** to retch, gag.
haut-le-corps ['olkɔr] *nm inv* (*sursaut*) sudden start, jump.
haut-parleur ['oparlœr] *nm* loudspeaker.
hâve ['ɑv] *a* gaunt, emaciated.
havre ['ɑvr] *nm* (*refuge*) *Litt* haven.
Haye (La) [la'ɛ] *nf* The Hague.
hayon ['ɛjɔ̃] *nm* (*porte*) *Aut* tailgate, hatchback.
hé! [e] *int* **hé (là)** (*appel*) hey!; **hé! hé!** well, well!
hebdomadaire [ɛbdɔmadɛr] *a* weekly; *– nm* (*publication*) weekly.
héberg/er [ebɛrʒe] *vt* to put up, accommodate. ◆**—ement** *nm* accommodation; **centre d'h.** shelter.
hébété [ebete] *a* dazed, stupefied.
hébreu, -x [ebrø] *am* Hebrew; *– nm* (*langue*) Hebrew. ◆**hébraïque** *a* Hebrew.
hécatombe [ekatɔ̃b] *nf* (great) slaughter.
hectare [ɛktar] *nm* hectare (= *2.47 acres*).
hégémonie [eʒemɔni] *nf* hegemony, supremacy.
hein! [ɛ̃] *int* (*surprise, interrogation etc*) eh!
hélas! ['elɑs] *int* alas!, unfortunately.
héler ['ele] *vt* (*taxi etc*) to hail.
hélice [elis] *nf Av Nau* propeller.
hélicoptère [elikɔptɛr] *nm* helicopter. ◆**héliport** *nm* heliport.
hellénique [elenik] *a* Hellenic, Greek.

helvétique [ɛlvetik] *a* Swiss.
hem! ['ɛm] *int* (a)hem!, hm!
hémicycle [emisikl] *nm* semicircle; *Pol Fig* French National Assembly.
hémisphère [emisfɛr] *nm* hemisphere.
hémorragie [emɔraʒi] *nf Méd* h(a)emorrhage; (*de capitaux*) *Com* outflow, drain.
hémorroïdes [emɔrɔid] *nfpl* piles, h(a)emorrhoids.
henn/ir ['enir] *vi* (*cheval*) to neigh. ◆**—issement** *nm* neigh.
hep! ['ɛp] *int* hey!, hey there!
hépatite [epatit] *nf* hepatitis.
herbe [ɛrb] *nf* grass; (*médicinale etc*) herb; **mauvaise h.** weed; **fines herbes** *Culin* herbs; **en h.** (*blés*) green; (*poète etc*) *Fig* budding. ◆**herbage** *nm* grassland. ◆**herbeux, -euse** *a* grassy. ◆**herbicide** *nm* weed killer. ◆**herbivore** *a* grass-eating, herbivorous. ◆**herbu** *a* grassy.
hercule [ɛrkyl] *nm* Hercules, strong man. ◆**herculéen, -enne** *a* herculean.
hérédité [eredite] *nf* heredity. ◆**héréditaire** *a* hereditary.
hérésie [erezi] *nf* heresy. ◆**hérétique** *a* heretical; – *nmf* heretic.
hériss/er ['erise] *vt* (*poils*) to bristle (up); **h. qn** (*irriter*) to ruffle s.o., ruffle s.o.'s feathers; **— se h.** *vpr* to bristle (up); to get ruffled. ◆**—é** *a* (*cheveux*) bristly; (*cactus*) prickly; **h. de** bristling with.
hérisson ['erisɔ̃] *nm* (*animal*) hedgehog.
hérit/er [erite] *vti* to inherit (**qch de qn** sth from s.o.); **h. de qch** to inherit sth. ◆**—age** *nm* (*biens*) inheritance; (*culturel, politique etc*) *Fig* heritage. ◆**héritier** *nm* heir. ◆**héritière** *nf* heiress.
hermétique [ɛrmetik] *a* hermetically sealed, airtight; (*obscur*) *Fig* impenetrable. ◆**—ment** *adv* hermetically.
hermine [ɛrmin] *nf* (*animal, fourrure*) ermine.
hernie ['ɛrni] *nf Méd* hernia, rupture; (*de pneu*) swelling.
héron ['erɔ̃] *nm* (*oiseau*) heron.
héros ['ero] *nm* hero. ◆**héroïne** [erɔin] *nf* **1** (*femme*) heroine. **2** (*stupéfiant*) heroin. ◆**héroïque** [erɔik] *a* heroic. ◆**héroïsme** [erɔism] *nm* heroism.
hésit/er [ezite] *vi* to hesitate (**sur** over, about; **à faire** to do); (*en parlant*) to falter, hesitate. ◆**—ant** *a* (*personne*) hesitant; (*pas, voix*) faltering, unsteady, wavering. ◆**hésitation** *nf* hesitation; **avec h.** hesitantly.
hétéroclite [eterɔklit] *a* (*disparate*) motley.
hétérogène [eterɔʒɛn] *a* heterogeneous.
hêtre ['ɛtr] *nm* (*arbre, bois*) beech.
heu! ['ø] *int* (*hésitation*) er!
heure [œr] *nf* (*mesure*) hour; (*moment*) time; **quelle h. est-il?** what time is it?; **il est six heures** it's six (o'clock); **six heures moins cinq** five to six; **six heures cinq** five past *ou Am* after six; **à l'h.** (*arriver*) on time; (*être payé*) by the hour; **dix kilomètres à l'h.** ten kilometres an hour; **à l'h. qu'il est** (by) now; **de dernière h.** (*nouvelle*) last minute; **de bonne h.** early; **à une h. avancée** at a late hour, late at night; **tout à l'h.** (*futur*) in a few moments, later; (*passé*) a moment ago; **à toute h.** (*continuellement*) at all hours; **faire des heures supplémentaires** to work *ou* do overtime; **heures creuses** off-peak *ou* slack periods; **l'h. d'affluence, l'h. de pointe** (*circulation etc*) rush hour; (*dans les magasins*) peak period; **l'h. de pointe** (*électricité etc*) peak period.
heureux, -euse [œrø, -øz] *a* happy; (*chanceux*) lucky, fortunate; (*issue, changement*) successful; (*expression, choix*) apt; **h. de qch/de voir qn** (*satisfait*) happy *ou* pleased *ou* glad about sth/to see s.o.; – *adv* (*vivre, mourir*) happily. ◆**heureusement** *adv* (*par chance*) fortunately, luckily, happily (**pour** for); (*avec succès*) successfully; (*exprimer*) aptly.
heurt ['œr] *nm* bump, knock; (*d'opinions etc*) *Fig* clash; **sans heurts** smoothly. ◆**heurt/er** *vt* (*cogner*) to knock, bump, hit (**contre** against); (*mur, piéton*) to bump into, hit; **h. qn** (*choquer*) to offend s.o., upset s.o.; **se h. à** to bump into, hit; (*difficultés*) *Fig* to come up against. ◆**—é** *a* (*couleurs, tons*) clashing; (*style, rythme*) jerky. ◆**heurtoir** *nm* (door) knocker.
hexagone [ɛgzagɔn] *nm* hexagon; **l'H.** *Fig* France. ◆**hexagonal, -aux** *a* hexagonal; *Fig Fam* French.
hiatus [jatys] *nm Fig* hiatus, gap.
hiberner [ibɛrne] *vi* to hibernate. ◆**hibernation** *nf* hibernation.
hibou, -x ['ibu] *nm* owl.
hic ['ik] *nm* **voilà le h.** *Fam* that's the snag.
hideux, -euse ['idø, -øz] *a* hideous.
hier [(i)jɛr] *adv* & *nm* yesterday; **h. soir** last *ou* yesterday night, yesterday evening; **elle n'est pas née d'h.** *Fig* she wasn't born yesterday.
hiérarchie ['jerarʃi] *nf* hierarchy. ◆**hiérarchique** *a* (*ordre*) hierarchical; **par la voie h.** through (the) official channels. ◆**hiérarchiser** *vt* (*emploi, valeurs*) to grade.
hi-fi ['ifi] *a inv* & *nf inv Fam* hi-fi.

hilare [ilar] *a* merry. ◆**hilarant** *a* (*drôle*) hilarious. ◆**hilarité** *nf* (sudden) laughter.
hindou, -oue [ɛ̃du] *a* & *nmf* Hindu.
hippie [ˈipi] *nmf* hippie.
hippique [ipik] *a* **un concours h.** a horse show, a show-jumping event. ◆**hippodrome** *nm* racecourse, racetrack (*for horses*).
hippopotame [ipɔpɔtam] *nm* hippopotamus.
hirondelle [irɔ̃dɛl] *nf* (*oiseau*) swallow.
hirsute [irsyt] *a* (*personne, barbe*) unkempt, shaggy.
hispanique [ispanik] *a* Spanish, Hispanic.
hisser [ˈise] *vt* (*voile, fardeau etc*) to hoist, raise; **— se h.** *vpr* to raise oneself (up).
histoire [istwar] *nf* (*science, événements*) history; (*récit, mensonge*) story; (*affaire*) *Fam* business, matter; *pl* (*ennuis*) trouble; (*façons, chichis*) fuss; **toute une h.** (*problème*) quite a lot of trouble; (*chichis*) quite a lot of fuss; **h. de voir/***etc* (so as) to see/*etc*; **h. de rire** for (the sake of) a laugh; **sans histoires** (*voyage etc*) uneventful. ◆**historien, -ienne** *nmf* historian. ◆**historique** *a* historical; (*lieu, événement*) historic; – *nm* **faire l'h. de** to give an historical account of.
hiver [ivɛr] *nm* winter. ◆**hivernal, -aux** *a* (*froid etc*) winter-.
HLM [ˈaʃɛlɛm] *nm ou f abrév* (*habitation à loyer modéré*) = council flats, *Am* = low-rent apartment building (*sponsored by government*).
hoch/er [ˈɔʃe] *vt* **h. la tête** (*pour dire oui*) to nod one's head; (*pour dire non*) to shake one's head. ◆**—ement** *nm* **h. de tête** nod; shake of the head.
hochet [ˈɔʃɛ] *nm* (*jouet*) rattle.
hockey [ˈɔkɛ] *nm* hockey; **h. sur glace** ice hockey.
holà! [ˈɔla] *int* (*arrêtez*) hold on!, stop!; (*pour appeler*) hallo!; – *nm inv* **mettre le h. à** to put a stop to.
hold-up [ˈɔldœp] *nm inv* (*attaque*) holdup, stick-up.
Hollande [ˈɔlɑ̃d] *nf* Holland. ◆**hollandais, -aise** *a* Dutch; – *nmf* Dutchman, Dutchwoman; – *nm* (*langue*) Dutch.
holocauste [ɔlɔkost] *nm* (*massacre*) holocaust.
homard [ˈɔmar] *nm* lobster.
homélie [ɔmeli] *nf* homily.
homéopathie [ɔmeɔpati] *nf* hom(o)eopathy.
homicide [ɔmisid] *nm* murder, homicide; **h. involontaire** manslaughter.
hommage [ɔmaʒ] *nm* tribute, homage (**à** to); *pl* (*civilités*) respects; **rendre h. à** to pay (a) tribute to, pay homage to.
homme [ɔm] *nm* man; **l'h.** (*espèce*) man(kind); **des vêtements d'h.** men's clothes; **d'h. à h.** man to man; **l'h. de la rue** *Fig* the man in the street; **h. d'affaires** businessman. ◆**h.-grenouille** *nm* (*pl* **hommes-grenouilles**) frogman.
homogène [ɔmɔʒɛn] *a* homogeneous. ◆**homogénéité** *nf* homogeneity.
homologue [ɔmɔlɔg] *a* equivalent (**de** to); – *nmf* counterpart, opposite number.
homologuer [ɔmɔlɔge] *vt* to approve *ou* recognize officially, validate.
homonyme [ɔmɔnim] *nm* (*personne, lieu*) namesake.
homosexuel, -elle [ɔmɔsɛksɥɛl] *a* & *nmf* homosexual. ◆**homosexualité** *nf* homosexuality.
Hongrie [ˈɔ̃gri] *nf* Hungary. ◆**hongrois, -oise** *a* & *nmf* Hungarian; – *nm* (*langue*) Hungarian.
honnête [ɔnɛt] *a* (*intègre*) honest; (*satisfaisant, passable*) decent, fair. ◆**honnêtement** *adv* honestly; decently. ◆**honnêteté** *nf* honesty.
honneur [ɔnœr] *nm* (*dignité, faveur*) honour; (*mérite*) credit; **en l'h. de** in honour of; **faire h. à** (*sa famille etc*) to be a credit to; (*par sa présence*) to do honour to; (*promesse etc*) to honour; (*repas*) to do justice to; **en h.** (*roman etc*) in vogue; **invité d'h.** guest of honour; **membre d'h.** honorary member; **avoir la place d'h.** to have pride of place *ou* the place of honour. ◆**honorabilité** *nf* respectability. ◆**honorable** *a* honourable; (*résultat, salaire etc*) *Fig* respectable. ◆**honoraire 1** *a* (*membre*) honorary. **2** *nmpl* (*d'avocat etc*) fees. ◆**honorer** *vt* to honour (**de** with); **h. qn** (*conduite etc*) to do credit to s.o.; **s'h. d'être** to pride oneself *ou* itself on being. ◆**honorifique** *a* (*titre*) honorary.
honte [ˈɔ̃t] *nf* shame; **avoir h.** to be *ou* feel ashamed (**de qch/de faire** of sth/to do, of doing); **faire h. à** to put to shame; **fausse h.** self-consciousness. ◆**honteux, -euse** *a* (*déshonorant*) shameful; (*penaud*) ashamed, shamefaced; **être h. de** to be ashamed of. ◆**honteusement** *adv* shamefully.
hop! [ˈɔp] *int* **allez, h.!** jump!, move!
hôpital, -aux [ɔpital, -o] *nm* hospital; **à l'h.** in hospital, *Am* in the hospital.
hoquet [ˈɔkɛ] *nm* hiccup; **le h.** (the) hiccups. ◆**hoqueter** *vi* to hiccup.

horaire [ɔrɛr] *a* (*salaire etc*) hourly; (*vitesse*) per hour; – *nm* timetable, schedule.
horde ['ɔrd] *nf* (*troupe*) *Péj* horde.
horizon [ɔrizɔ̃] *nm* horizon; (*vue, paysage*) view; **à l'h.** on the horizon.
horizontal, -aux [ɔrizɔ̃tal, -o] *a* horizontal. ◆**—ement** *adv* horizontally.
horloge [ɔrlɔʒ] *nf* clock. ◆**horloger, -ère** *nmf* watchmaker. ◆**horlogerie** *nf* (*magasin*) watchmaker's (shop); (*industrie*) watchmaking.
hormis ['ɔrmi] *prép Litt* save, except (for).
hormone [ɔrmɔn] *nf* hormone. ◆**hormonal, -aux** *a* (*traitement etc*) hormone-.
horoscope [ɔrɔskɔp] *nm* horoscope.
horreur [ɔrœr] *nf* horror; *pl* (*propos*) horrible things; **faire h. à** to disgust; **avoir h. de** to hate, loathe. ◆**horrible** *a* horrible, awful. ◆**horriblement** *adv* horribly. ◆**horrifiant** *a* horrifying, horrific. ◆**horrifié** *a* horrified.
horripiler [ɔripile] *vt* to exasperate.
hors ['ɔr] *prép* **h. de** (*maison, boîte etc*) outside, out of; (*danger, haleine etc*) *Fig* out of; **h. de doute** beyond doubt; **h. de soi** (*furieux*) beside oneself; **être h. jeu** *Fb* to be offside. ◆**h.-bord** *nm inv* speedboat; **moteur h.-bord** outboard motor. ◆**h.-concours** *a inv* non-competing. ◆**h.-d'œuvre** *nm inv Culin* starter, hors-d'œuvre. ◆**h.-jeu** *nm inv Fb* offside. ◆**h.-la-loi** *nm inv* outlaw. ◆**h.-taxe** *a inv* (*magasin, objet*) duty-free.
hortensia [ɔrtɑ̃sja] *nm* (*arbrisseau*) hydrangea.
horticole [ɔrtikɔl] *a* horticultural. ◆**horticulteur, -trice** *nmf* horticulturalist. ◆**horticulture** *nf* horticulture.
hospice [ɔspis] *nm* (*pour vieillards*) geriatric hospital.
hospitalier, -ière [ɔspitalje, -jɛr] *a* **1** (*accueillant*) hospitable. **2** (*personnel etc*) *Méd* hospital-. ◆**hospitaliser** *vt* to hospitalize. ◆**hospitalité** *nf* hospitality.
hostie [ɔsti] *nf* (*pain*) *Rel* host.
hostile [ɔstil] *a* hostile (**à** to, towards). ◆**hostilité** *nf* hostility (**envers** to, towards); *pl Mil* hostilities.
hôte [ot] **1** *nm* (*maître*) host. **2** *nmf* (*invité*) guest. ◆**hôtesse** *nf* hostess; **h. (de l'air)** (air) hostess.
hôtel [otɛl] *nm* hotel; **h. particulier** mansion, town house; **h. de ville** town hall; **h. des ventes** auction rooms. ◆**hôtelier, -ière** *nmf* hotel-keeper, hotelier; – *a* (*industrie etc*) hotel-. ◆**hôtellerie** *nf* **1** (*auberge*) inn, hostelry. **2** (*métier*) hotel trade.
hotte ['ɔt] *nf* **1** (*panier*) basket (*carried on back*). **2** (*de cheminée etc*) hood.
houblon ['ublɔ̃] *nm* **le h.** *Bot* hops.
houille ['uj] *nf* coal; **h. blanche** hydroelectric power. ◆**houiller, -ère** *a* (*bassin, industrie*) coal-; – *nf* coalmine, colliery.
houle ['ul] *nf* (*de mer*) swell, surge. ◆**houleux, -euse** *a* (*mer*) rough; (*réunion etc*) *Fig* stormy.
houppette ['upɛt] *nf* powder puff.
hourra ['ura] *nm* & *int* hurray, hurrah.
houspiller ['uspije] *vt* to scold, upbraid.
housse ['us] *nf* (protective) cover.
houx ['u] *nm* holly.
hublot ['yblo] *nm Nau Av* porthole.
huche ['yʃ] *nf* **h. à pain** bread box *ou* chest.
hue! ['y] *int* gee up! (*to horse*).
huer ['ɥe] *vt* to boo. ◆**huées** *nfpl* boos.
huile [ɥil] *nf* **1** oil; **peinture à l'h.** oil painting. **2** (*personnage*) *Fam* big shot. ◆**huiler** *vt* to oil. ◆**huileux, -euse** *a* oily.
huis [ɥi] *nm* **à h. clos** *Jur* in camera.
huissier [ɥisje] *nm* (*introducteur*) usher; (*officier*) *Jur* bailiff.
huit ['ɥit] *a* (['ɥi] *before consonant*) eight; **h. jours** a week; – *nm* eight. ◆**huitaine** *nf* (about) eight; (*semaine*) week. ◆**huitième** *a* & *nmf* eighth; **un h.** an eighth.
huître [ɥitr] *nf* oyster.
hululer ['ylyle] *vi* (*hibou*) to hoot.
humain [ymɛ̃] *a* human; (*compatissant*) humane; – *nmpl* humans. ◆**humainement** *adv* (*possible etc*) humanly; (*avec humanité*) humanely. ◆**humaniser** *vt* (*prison, ville etc*) to humanize, make more humane. ◆**humanitaire** *a* humanitarian. ◆**humanité** *nf* (*genre humain, sentiment*) humanity.
humble [œ̃bl] *a* humble. ◆**humblement** *adv* humbly.
humecter [ymɛkte] *vt* to moisten, damp(en).
humer ['yme] *vt* (*respirer*) to breathe in; (*sentir*) to smell.
humeur [ymœr] *nf* (*caprice*) mood, humour; (*caractère*) temperament; (*irritation*) bad temper; **bonne h.** (*gaieté*) good humour; **de bonne/mauvaise h.** in a good/bad mood *ou* humour; **égalité d'h.** evenness of temper.
humide [ymid] *a* damp, wet; (*saison, route*) wet; (*main, yeux*) moist; **climat/temps h.** (*chaud*) humid climate/weather; (*froid, pluvieux*) damp *ou* wet climate/weather. ◆**humidifier** *vt* to humidify. ◆**humidité** *nf* humidity; (*plutôt froide*) damp(ness); (*vapeur*) moisture.
humili/er [ymilje] *vt* to humiliate, humble.

◆**—ant** *a* humiliating. ◆**humiliation** *nf* humiliation. ◆**humilité** *nf* humility.
humour [ymur] *nm* humour; **avoir de l'h.** *ou* **beaucoup d'h.** *ou* **le sens de l'h.** to have a sense of humour. ◆**humoriste** *nmf* humorist. ◆**humoristique** *a* (*livre, ton etc*) humorous.
huppé ['ype] *a* (*riche*) *Fam* high-class, posh.
hurl/er ['yrle] *vi* (*loup, vent*) to howl; (*personne*) to scream, yell; – *vt* (*slogans, injures etc*) to scream. ◆**—ement** *nm* howl; scream, yell.
hurluberlu [yrlybɛrly] *nm* (*personne*) scatterbrain.
hutte ['yt] *nf* hut.
hybride [ibrid] *a* & *nm* hybrid.
hydrater [idrate] *vt* (*peau*) to moisturize; **crème hydratante** moisturizing cream.
hydraulique [idrolik] *a* hydraulic.
hydravion [idravjɔ̃] *nm* seaplane.
hydro-électrique [idrɔelɛktrik] *a* hydroelectric.
hydrogène [idrɔʒɛn] *nm Ch* hydrogen.
hydrophile [idrɔfil] *a* **coton h.** cotton wool, *Am* (absorbent) cotton.
hyène [jɛn] *nf* (*animal*) hyena.
hygiaphone [iʒjafɔn] *nm* (hygienic) grill.
hygiène [iʒjɛn] *nf* hygiene. ◆**hygiénique** *a* hygienic; (*promenade*) healthy; (*serviette, conditions*) sanitary; **papier h.** toilet paper.
hymne [imn] *nm Rel Littér* hymn; **h. national** national anthem.
hyper- [ipɛr] *préf* hyper-.
hypermarché [ipɛrmarʃe] *nm* hypermarket.
hypertension [ipɛrtɑ̃sjɔ̃] *nf* high blood pressure.
hypnose [ipnoz] *nf* hypnosis. ◆**hypnotique** *a* hypnotic. ◆**hypnotiser** *vt* to hypnotize. ◆**hypnotiseur** *nm* hypnotist. ◆**hypnotisme** *nm* hypnotism.
hypocrisie [ipɔkrizi] *nf* hypocrisy. ◆**hypocrite** *a* hypocritical; – *nmf* hypocrite.
hypodermique [ipɔdɛrmik] *a* hypodermic.
hypothèque [ipɔtɛk] *nf* mortgage. ◆**hypothéquer** (*maison, avenir*) to mortgage.
hypothèse [ipɔtɛz] *nf* assumption; (*en sciences*) hypothesis; **dans l'h. où . . .** supposing (that) . . . . ◆**hypothétique** *a* hypothetical.
hystérie [isteri] *nf* hysteria. ◆**hystérique** *a* hysterical.

I

I, i [i] *nm* I, i.
iceberg [isbɛrg] *nm* iceberg.
ici [isi] *adv* here; **par i.** (*passer*) this way; (*habiter*) around here, hereabouts; **jusqu'i.** (*temps*) up to now; (*lieu*) as far as this *ou* here; **d'i. à mardi** by Tuesday, between now and Tuesday; **d'i. à une semaine** within a week; **d'i. peu** before long; **i. Dupont** *Tél* this is Dupont, Dupont here; **je ne suis pas d'i.** I'm a stranger around here; **les gens d'i.** the people (from) around here, the locals. ◆**i.-bas** *adv* on earth.
icône [ikon] *nf Rel* icon.
idéal, -aux [ideal, -o] *a* & *nm* ideal; **l'i.** (*valeurs spirituelles*) ideals; **c'est l'i.** *Fam* that's the ideal thing. ◆**idéalement** *adv* ideally. ◆**idéaliser** *vt* to idealize. ◆**idéalisme** *nm* idealism. ◆**idéaliste** *a* idealistic; – *nmf* idealist.
idée [ide] *nf* idea (**de** of, **que** that); **changer d'i.** to change one's mind; **il m'est venu à l'i. que** it occurred to me that; **se faire une i. de** (*rêve*) to imagine; (*concept*) to get *ou* have an idea of; **avoir dans l'i. de faire** to have it in mind to do; **i. fixe** obsession.
idem [idɛm] *adv* ditto.
identifier [idɑ̃tifje] *vt* to identify (**à, avec** with). ◆**identification** *nf* identification. ◆**identique** *a* identical (**à** to, with). ◆**identité** *nf* identity; **carte d'i** identity card.
idéologie [ideɔlɔʒi] *nf* ideology. ◆**idéologique** *a* ideological.
idiome [idjom] *nm* (*langue*) idiom. ◆**idiomatique** *a* idiomatic.
idiot, -ote [idjo, -ɔt] *a* idiotic, silly; – *nmf* idiot. ◆**idiotement** *adv* idiotically. ◆**idiotie** [-ɔsi] *nf* (*état*) idiocy; **une i.** an idiotic *ou* silly thing.
idole [idɔl] *nm* idol. ◆**idolâtrer** *vt* to idolize.
idylle [idil] *nf* (*amourette*) romance.
idyllique [idilik] *a* (*merveilleux*) idyllic.
if [if] *nm* yew (tree).
igloo [iglu] *nm* igloo.
ignare [iɲar] *a Péj* ignorant; – *nmf* ignoramus.

ignifugé [iɲifyʒe] *a* fireproof(ed).
ignoble [iɲɔbl] *a* vile, revolting.
ignorant [iɲɔrɑ̃] *a* ignorant (**de** of). ◆**ignorance** *nf* ignorance. ◆**ignor/er** *vt* not to know, be ignorant of; **j'ignore si** I don't know if; **i. qn** (*être indifférent à*) to ignore s.o., cold-shoulder s.o. ◆**—é** *a* (*inconnu*) unknown.
il [il] *pron* (*personne*) he; (*chose, animal*) it; **il est** he is; it is; **il pleut** it's raining; **il est vrai que** it's true that; **il y a** there is; *pl* there are; **il y a six ans** (*temps écoulé*) six years ago; **il y a une heure qu'il travaille** (*durée*) he's been working for an hour; **qu'est-ce qu'il y a?** what's the matter?, what's wrong?; **il n'y a pas de quoi!** don't mention it!; **il doit/peut y avoir** there must/may be.
île [il] *nf* island; **les îles Britanniques** the British Isles.
illégal, -aux [ilegal, -o] *a* illegal. ◆**illégalité** *nf* illegality.
illégitime [ileʒitim] *a* (*enfant, revendication*) illegitimate; (*non fondé*) unfounded.
illettré, -ée [iletre] *a* & *nmf* illiterate.
illicite [ilisit] *a* unlawful, illicit.
illico [iliko] *adv* **i. (presto)** *Fam* straightaway.
illimité [ilimite] *a* unlimited.
illisible [ilizibl] *a* (*écriture*) illegible; (*livre*) unreadable.
illogique [ilɔʒik] *a* illogical.
illumin/er [ilymine] *vt* to light up, illuminate; **— s'i.** *vpr* (*visage, personne, ciel*) to light up. ◆**—é** *a* (*monument*) floodlit, lit up. ◆**illumination** *nf* (*action, lumière*) illumination.
illusion [ilyzjɔ̃] *nf* illusion (**sur** about); **se faire des illusions** to delude oneself. ◆**s'illusionner** *vpr* to delude oneself (**sur** about). ◆**illusionniste** *nmf* conjurer. ◆**illusoire** *a* illusory, illusive.
illustre [ilystr] *a* famous, illustrious.
illustr/er [ilystre] *vt* (*d'images, par des exemples*) to illustrate (**de** with); **— s'i.** *vpr* to become famous. ◆**—é** *a* (*livre, magazine*) illustrated; – *nm* (*périodique*) comic. ◆**illustration** *nf* illustration.
îlot [ilo] *nm* **1** (*île*) small island. **2** (*maisons*) block.
ils [il] *pron* they; **ils sont** they are.
image [imaʒ] *nf* picture; (*ressemblance, symbole*) image; (*dans une glace*) reflection; **i. de marque** (*de firme etc*) (public) image. ◆**imagé** *a* (*style*) colourful, full of imagery.
imagination [imaʒinɑsjɔ̃] *nf* imagination; *pl* (*chimères*) imaginings.
imaginer [imaʒine] *vt* (*envisager, supposer*) to imagine; (*inventer*) to devise; **— s'i.** *vpr* (*se figurer*) to imagine (**que** that); (*se voir*) to imagine oneself. ◆**imaginable** *a* imaginable. ◆**imaginaire** *a* imaginary. ◆**imaginatif, -ive** *a* imaginative.
imbattable [ɛ̃batabl] *a* unbeatable.
imbécile [ɛ̃besil] *a* idiotic; – *nmf* imbecile, idiot. ◆**imbécillité** *nf* (*état*) imbecility; **une i.** (*action, parole*) an idiotic thing.
imbiber [ɛ̃bibe] *vt* to soak (**de** with, in); **— s'i.** *vpr* to become soaked.
imbriquer (s') [sɛ̃brike] *vpr* (*questions etc*) to overlap, be bound up with each other.
imbroglio [ɛ̃brɔljo] *nm* muddle, foul-up.
imbu [ɛ̃by] *a* **i. de** imbued with.
imbuvable [ɛ̃byvabl] *a* undrinkable; (*personne*) *Fig* insufferable.
imiter [imite] *vt* to imitate; (*contrefaire*) to forge; **i. qn** (*pour rire*) to mimic s.o., take s.o. off; (*faire comme*) to do the same as s.o., follow suit. ◆**imitateur, -trice** *nmf* imitator; (*artiste*) *Th* impersonator, mimic. ◆**imitatif, -ive** *a* imitative. ◆**imitation** *nf* imitation.
immaculé [imakyle] *a* (*sans tache, sans péché*) immaculate.
immangeable [ɛ̃mɑ̃ʒabl] *a* inedible.
immanquable [ɛ̃mɑ̃kabl] *a* inevitable.
immatriculer [imatrikyle] *vt* to register; **se faire i.** to register. ◆**immatriculation** *nf* registration.
immédiat [imedja] *a* immediate; – *nm* **dans l'i.** for the time being. ◆**immédiatement** *adv* immediately.
immense [imɑ̃s] *a* immense, vast. ◆**immensément** *adv* immensely. ◆**immensité** *nf* immensity, vastness.
immerger [imɛrʒe] *vt* to immerse, put under water; **— s'i.** *vpr* (*sous-marin*) to submerge. ◆**immersion** *nf* immersion; submersion.
immettable [ɛ̃mɛtabl] *a* (*vêtement*) unfit to be worn.
immeuble [imœbl] *nm* building; (*d'habitation*) block of flats, *Am* apartment building; (*de bureaux*) office block.
immigr/er [imigre] *vi* to immigrate. ◆**—ant, -ante** *nmf* immigrant. ◆**—é, -ée** *a* & *nmf* immigrant. ◆**immigration** *nf* immigration.
imminent [iminɑ̃] *a* imminent. ◆**imminence** *nf* imminence.
immiscer (s') [simise] *vpr* to interfere (**dans** in).
immobile [imɔbil] *a* still, motionless. ◆**immobiliser** *vt* to immobilize; (*arrêter*) to

stop; **— s'i.** *vpr* to stop, come to a standstill. **◆immobilité** *nf* stillness; (*inactivité*) immobility.
immobilier, -ière [imɔbilje, -jɛr] *a* (*vente*) property-; (*société*) construction-; **agent i.** estate agent, *Am* real estate agent.
immodéré [imɔdere] *a* immoderate.
immonde [imɔ̃d] *a* filthy. **◆immondices** *nfpl* refuse, rubbish.
immoral, -aux [imɔral, -o] *a* immoral. **◆immoralité** *nf* immorality.
immortel, -elle [imɔrtɛl] *a* immortal. **◆immortaliser** *vt* to immortalize. **◆immortalité** *nf* immortality.
immuable [imɥabl] *a* immutable, unchanging.
immuniser [imynize] *vt* to immunize (**contre** against); **immunisé contre** (*à l'abri de*) *Méd & Fig* immune to *ou* from. **◆immunitaire** *a* (*déficience etc*) *Méd* immune. **◆immunité** *nf* immunity.
impact [ɛ̃pakt] *nm* impact (**sur** on).
impair [ɛ̃pɛr] **1** *a* (*nombre*) odd, uneven. **2** *nm* (*gaffe*) blunder.
imparable [ɛ̃parabl] *a* (*coup etc*) unavoidable.
impardonnable [ɛ̃pardɔnabl] *a* unforgivable.
imparfait [ɛ̃parfɛ] **1** *a* (*connaissance etc*) imperfect. **2** *nm* (*temps*) *Gram* imperfect.
impartial, -aux [ɛ̃parsjal, -o] *a* impartial, unbiased. **◆impartialité** *nf* impartiality.
impartir [ɛ̃partir] *vt* to grant (**à** to).
impasse [ɛ̃pɑs] *nf* (*rue*) dead end, blind alley; (*situation*) *Fig* impasse; **dans l'i.** (*négociations*) in deadlock.
impassible [ɛ̃pasibl] *a* impassive, unmoved. **◆impassibilité** *nf* impassiveness.
impatient [ɛ̃pasjɑ̃] *a* impatient; **i. de faire** eager *ou* impatient to do. **◆impatiemment** [-amɑ̃] *adv* impatiently. **◆impatience** *nf* impatience. **◆impatienter** *vt* to annoy, make impatient; **— s'i.** *vpr* to get impatient.
impayable [ɛ̃pɛjabl] *a* (*comique*) *Fam* hilarious, priceless.
impayé [ɛ̃peje] *a* unpaid.
impeccable [ɛ̃pekabl] *a* impeccable, immaculate. **◆—ment** [-əmɑ̃] *adv* impeccably, immaculately.
impénétrable [ɛ̃penetrabl] *a* (*forêt, mystère etc*) impenetrable.
impénitent [ɛ̃penitɑ̃] *a* unrepentant.
impensable [ɛ̃pɑ̃sabl] *a* unthinkable.
imper [ɛ̃pɛr] *nm Fam* raincoat, mac.
impératif, -ive [ɛ̃peratif, -iv] *a* (*consigne, ton*) imperative; – *nm* (*mode*) *Gram* imperative.
impératrice [ɛ̃peratris] *nf* empress.
imperceptible [ɛ̃pɛrsɛptibl] *a* imperceptible (**à** to).
imperfection [ɛ̃pɛrfɛksjɔ̃] *nf* imperfection.
impérial, -aux [ɛ̃perjal, -o] *a* imperial. **◆impérialisme** *nm* imperialism.
impériale [ɛ̃perjal] *nf* (*d'autobus*) top deck.
impérieux, -euse [ɛ̃perjø, -øz] *a* (*autoritaire*) imperious; (*besoin*) pressing, imperative.
imperméable [ɛ̃pɛrmeabl] **1** *a* impervious (**à** to); (*manteau, tissu*) waterproof. **2** *nm* raincoat, mackintosh. **◆imperméabilisé** *a* waterproof.
impersonnel, -elle [ɛ̃pɛrsɔnɛl] *a* impersonal.
impertinent [ɛ̃pɛrtinɑ̃] *a* impertinent (**envers** to). **◆impertinence** *nf* impertinence.
imperturbable [ɛ̃pɛrtyrbabl] *a* unruffled, imperturbable.
impétueux, -euse [ɛ̃petɥø, -øz] *a* impetuous. **◆impétuosité** *nf* impetuosity.
impitoyable [ɛ̃pitwajabl] *a* ruthless, pitiless, merciless.
implacable [ɛ̃plakabl] *a* implacable, relentless.
implanter [ɛ̃plɑ̃te] *vt* (*industrie, mode etc*) to establish; **— s'i.** *vpr* to become established. **◆implantation** *nf* establishment.
implicite [ɛ̃plisit] *a* implicit. **◆—ment** *adv* implicitly.
impliquer [ɛ̃plike] *vt* (*entraîner*) to imply; **i. que** (*supposer*) to imply that; **i. qn** (*engager*) to implicate s.o. (**dans** in). **◆implication** *nf* (*conséquence, participation*) implication.
implorer [ɛ̃plɔre] *vt* to implore (**qn de faire** s.o. to do).
impoli [ɛ̃pɔli] *a* impolite, rude. **◆impolitesse** *nf* impoliteness, rudeness; **une i.** an act of rudeness.
impopulaire [ɛ̃pɔpylɛr] *a* unpopular.
important [ɛ̃pɔrtɑ̃] *a* (*personnage, événement etc*) important; (*quantité, somme etc*) considerable, big, great; – *nm* **l'i., c'est de** . . . the important thing is to . . . . **◆importance** *nf* importance, significance; (*taille*) size; (*de dégâts*) extent; **ça n'a pas d'i.** it doesn't matter.
importer [ɛ̃pɔrte] **1** *v imp* to matter, be important (**à** to); **il importe de faire** it's important to do; **peu importe, n'importe** it doesn't matter; **n'importe qui/quoi/où/quand/comment** anyone/anything/anywhere/any time/anyhow. **2** *vt* (*marchandises etc*) to import (**de** from). **◆im-**

portateur, -trice *nmf* importer; – *a* importing. ◆**importation** *nf* (*objet*) import; (*action*) import(ing), importation; **d'i.** (*article*) imported.

importun, -une [ɛ̃pɔrtœ̃, -yn] *a* troublesome, intrusive; – *nmf* nuisance, intruder. ◆**importuner** *vt* to inconvenience, trouble.

impos/er [ɛ̃poze] **1** *vt* to impose, enforce (**à** on); (*exiger*) to demand; (*respect*) to command; – *vi* **en i. à qn** to impress s.o., command respect from s.o.; **– s'i.** *vpr* (*chez qn*) *Péj* to impose; (*s'affirmer*) to assert oneself, compel recognition; (*aller de soi*) to stand out; (*être nécessaire*) to be essential. **2** *vt* *Fin* to tax. ◆**—ant** *a* imposing. ◆**—able** *a* *Fin* taxable. ◆**imposition** *nf Fin* taxation.

impossible [ɛ̃pɔsibl] *a* impossible (**à faire** to do); **il (nous) est i. de faire** it is impossible (for us) to do; **il est i. que** (+ *sub*) it is impossible that; **ça m'est i.** I cannot possibly; – *nm* **faire l'i.** to do the impossible. ◆**impossibilité** *nf* impossibility.

imposteur [ɛ̃pɔstœr] *nm* impostor. ◆**imposture** *nf* deception.

impôt [ɛ̃po] *nm* tax; *pl* (*contributions*) (income) tax, taxes; **i. sur le revenu** income tax.

impotent, -ente [ɛ̃pɔtɑ̃, -ɑ̃t] *a* crippled, disabled; – *nmf* cripple, invalid.

impraticable [ɛ̃pratikabl] *a* (*projet etc*) impracticable; (*chemin etc*) impassable.

imprécis [ɛ̃presi] *a* imprecise. ◆**imprécision** *nf* lack of precision.

imprégner [ɛ̃preɲe] *vt* to saturate, impregnate (**de** with); **– s'i.** *vpr* to become saturated *ou* impregnated (**de** with); **imprégné de** (*idées*) imbued *ou* infused with. ◆**imprégnation** *nf* saturation.

imprenable [ɛ̃prənabl] *a Mil* impregnable.

impresario [ɛ̃presarjo] *nm* (business) manager, impresario.

impression [ɛ̃presjɔ̃] *nf* **1** impression; **avoir l'i. que** to have the feeling *ou* impression that, be under the impression that; **faire une bonne i. à qn** to make a good impression on s.o. **2** *Typ* printing.

impressionn/er [ɛ̃presjɔne] *vt* (*influencer*) to impress; (*émouvoir, troubler*) to make a strong impression on. ◆**—ant** *a* impressive. ◆**—able** *a* impressionable.

imprévisible [ɛ̃previzibl] *a* unforeseeable. ◆**imprévoyance** *nf* lack of foresight. ◆**imprévoyant** *a* shortsighted. ◆**imprévu** *a* unexpected, unforeseen; – *nm* **en cas d'i.** in case of anything unexpected.

imprim/er [ɛ̃prime] *vt* **1** (*livre etc*) to print; (*trace*) to impress (**dans** in); (*cachet*) to stamp. **2** (*communiquer*) *Tech* to impart (**à** to). ◆**—ante** *nf* (*d'ordinateur*) printer. ◆**—é** *nm* (*formulaire*) printed form; – *nm(pl)* (*par la poste*) printed matter. ◆**imprimerie** *nf* (*technique*) printing; (*lieu*) printing works. ◆**imprimeur** *nm* printer.

improbable [ɛ̃prɔbabl] *a* improbable, unlikely. ◆**improbabilité** *nf* improbability, unlikelihood.

impromptu [ɛ̃prɔ̃pty] *a* & *adv* impromptu.

impropre [ɛ̃prɔpr] *a* inappropriate; **i. à qch** unfit for sth. ◆**impropriété** *nf* (*incorrection*) *Ling* impropriety.

improviser [ɛ̃prɔvize] *vti* to improvise. ◆**improvisation** *nf* improvisation.

improviste (à l') [alɛ̃prɔvist] *adv* unexpectedly; **une visite à l'i.** an unexpected visit; **prendre qn à l'i.** to catch s.o. unawares.

imprudent [ɛ̃prydɑ̃] *a* (*personne, action*) careless, rash; **il est i. de** it is unwise to. ◆**imprudemment** [-amɑ̃] *adv* carelessly. ◆**imprudence** *nf* carelessness; **une i.** an act of carelessness.

impudent [ɛ̃pydɑ̃] *a* impudent ◆**impudence** *nf* impudence.

impudique [ɛ̃pydik] *a* lewd.

impuissant [ɛ̃pɥisɑ̃] *a* helpless; *Méd* impotent; **i. à faire** powerless to do. ◆**impuissance** *nf* helplessness; *Méd* impotence.

impulsif, -ive [ɛ̃pylsif, -iv] *a* impulsive. ◆**impulsion** *nf* impulse; **donner une i. à** (*élan*) *Fig* to give an impetus *ou* impulse to.

impunément [ɛ̃pynemɑ̃] *adv* with impunity. ◆**impuni** *a* unpunished.

impur [ɛ̃pyr] *a* impure. ◆**impureté** *nf* impurity.

imputer [ɛ̃pyte] *vt* to attribute, impute (**à** to); (*affecter*) *Fin* to charge (**à** to). ◆**imputable** *a* attributable (**à** to). ◆**imputation** *nf Jur* accusation.

inabordable [inabɔrdabl] *a* (*lieu*) inaccessible; (*personne*) unapproachable; (*prix*) prohibitive.

inacceptable [inaksɛptabl] *a* unacceptable.

inaccessible [inaksesibl] *a* inaccessible.

inaccoutumé [inakutyme] *a* unusual, unaccustomed.

inachevé [inaʃve] *a* unfinished.

inactif, -ive [inaktif, -iv] *a* inactive. ◆**inaction** *nf* inactivity, inaction. ◆**inactivité** *nf* inactivity.

inadapté, -ée [inadapte] *a* & *nmf* maladjusted (person). ◆**inadaptation** *nf* maladjustment.

inadmissible [inadmisibl] *a* unacceptable, inadmissible.
inadvertance (par) [parinadvertɑ̃s] *adv* inadvertently.
inaltérable [inalterabl] *a* (*couleur*) fast; (*sentiment*) unchanging.
inamical, -aux [inamikal, -o] *a* unfriendly.
inanimé [inanime] *a* (*mort*) lifeless; (*évanoui*) unconscious; (*matière*) inanimate.
inanité [inanite] *nf* (*vanité*) futility.
inanition [inanisjɔ̃] *nf* **mourir d'i.** to die of starvation.
inaperçu [inapɛrsy] *a* **passer i.** to go unnoticed.
inapplicable [inaplikabl] *a* inapplicable (**à** to).
inappliqué [inaplike] *a* (*élève etc*) inattentive.
inappréciable [inapresjabl] *a* invaluable.
inapte [inapt] *a* unsuited (**à qch** to sth), inept (**à qch** at sth); *Mil* unfit ◆**inaptitude** *nf* ineptitude, incapacity.
inarticulé [inartikyle] *a* (*son*) inarticulate.
inattaquable [inatakabl] *a* unassailable.
inattendu [inatɑ̃dy] *a* unexpected.
inattentif, -ive [inatɑ̃tif, -iv] *a* inattentive, careless; **i. à** (*soucis, danger etc*) heedless of. ◆**inattention** *nf* lack of attention; **dans un moment d'i.** in a moment of distraction.
inaudible [inodibl] *a* inaudible.
inaugurer [inogyre] *vt* (*politique, édifice*) to inaugurate; (*école, congrès*) to open, inaugurate; (*statue*) to unveil. ◆**inaugural, -aux** *a* inaugural. ◆**inauguration** *nf* inauguration; opening; unveiling.
inauthentique [inotɑ̃tik] *a* not authentic.
inavouable [inavwabl] *a* shameful.
incalculable [ɛ̃kalkylabl] *a* incalculable.
incandescent [ɛ̃kɑ̃desɑ̃] *a* incandescent.
incapable [ɛ̃kapabl] *a* incapable; **i. de faire** unable to do, incapable of doing; – *nmf* (*personne*) incompetent. ◆**incapacité** *nf* incapacity, inability (**de faire** to do); *Méd* disability, incapacity.
incarcérer [ɛ̃karsere] *vt* to incarcerate. ◆**incarcération** *nf* incarceration.
incarné [ɛ̃karne] *a* (*ongle*) ingrown.
incarner [ɛ̃karne] *vt* to embody, incarnate. ◆**incarnation** *nf* embodiment, incarnation.
incartade [ɛ̃kartad] *nf* indiscretion, prank.
incassable [ɛ̃kɑsabl] *a* unbreakable.
incendie [ɛ̃sɑ̃di] *nm* fire; (*guerre*) *Fig* conflagration. ◆**incendiaire** *nmf* arsonist; – *a* (*bombe*) incendiary; (*discours*) inflammatory. ◆**incendier** *vt* to set fire to, set on fire.
incertain [ɛ̃sɛrtɛ̃] *a* uncertain; (*temps*) unsettled; (*entreprise*) chancy; (*contour*) indistinct. ◆**incertitude** *nf* uncertainty.
incessamment [ɛ̃sesamɑ̃] *adv* without delay, shortly.
incessant [ɛ̃sesɑ̃] *a* incessant.
inceste [ɛ̃sɛst] *nm* incest. ◆**incestueux, -euse** *a* incestuous.
inchangé [ɛ̃ʃɑ̃ʒe] *a* unchanged.
incidence [ɛ̃sidɑ̃s] *nf* (*influence*) effect.
incident [ɛ̃sidɑ̃] *nm* incident; (*accroc*) hitch.
incinérer [ɛ̃sinere] *vt* (*ordures*) to incinerate; (*cadavre*) to cremate. ◆**incinération** *nf* incineration; cremation.
inciser [ɛ̃size] *vt* to make an incision in. ◆**incision** *nf* (*entaille*) incision.
incisif, -ive[1] [ɛ̃sizif, -iv] *a* incisive, sharp.
incisive[2] [ɛ̃siziv] *nf* (*dent*) incisor.
inciter [ɛ̃site] *vt* to urge, incite (**à faire** to do). ◆**incitation** *nf* incitement (**à** to).
incliner [ɛ̃kline] *vt* (*courber*) to bend; (*pencher*) to tilt, incline; **i. la tête** (*approuver*) to nod one's head; (*révérence*) to bow (one's head); **i. qn à faire** to make s.o. inclined to do, incline s.o. to do; – *vi* **i. à** to be inclined towards; **— s'i.** *vpr* (*se courber*) to bow (down); (*s'avouer vaincu*) to admit defeat; (*chemin*) to slope down. ◆**inclinaison** *nf* incline, slope. ◆**inclination** *nf* (*goût*) inclination; (*de tête*) nod, (*révérence*) bow.
incl/ure* [ɛ̃klyr] *vt* to include; (*enfermer*) to enclose. ◆**—us** *a* inclusive; **du quatre jusqu'au dix mai i.** from the fourth to the tenth of May inclusive; **jusqu'à lundi i.** up to and including (next) Monday. ◆**inclusion** *nf* inclusion. ◆**inclusivement** *adv* inclusively.
incognito [ɛ̃kɔɲito] *adv* incognito.
incohérent [ɛ̃kɔerɑ̃] *a* incoherent. ◆**incohérence** *nf* incoherence.
incollable [ɛ̃kɔlabl] *a Fam* infallible, unable to be caught out.
incolore [ɛ̃kɔlɔr] *a* colourless; (*verre, vernis*) clear.
incomber [ɛ̃kɔ̃be] *vi* **i. à qn** (*devoir*) to fall to s.o.; **il lui incombe de faire** it's his *ou* her duty *ou* responsiblity to do.
incommode [ɛ̃kɔmɔd] *a* awkward. ◆**incommodité** *nf* awkwardness.
incommod/er [ɛ̃kɔmɔde] *vt* to bother, annoy. ◆**—ant** *a* annoying.
incomparable [ɛ̃kɔ̃parabl] *a* incomparable.
incompatible [ɛ̃kɔ̃patibl] *a* incompatible, inconsistent (**avec** with). ◆**incompatibilité** *nf* incompatibility, inconsistency.

incompétent [ɛ̃kɔ̃petɑ̃] *a* incompetent. ◆**incompétence** *nf* incompetence.
incomplet, -ète [ɛ̃kɔ̃plɛ, -ɛt] *a* incomplete; (*fragmentaire*) scrappy, sketchy.
incompréhensible [ɛ̃kɔ̃preɑ̃sibl] *a* incomprehensible. ◆**incompréhensif, -ive** *a* uncomprehending, lacking understanding. ◆**incompréhension** *nf* lack of understanding. ◆**incompris** *a* misunderstood.
inconcevable [ɛ̃kɔ̃svabl] *a* inconceivable.
inconciliable [ɛ̃kɔ̃siljabl] *a* irreconcilable.
inconditionnel, -elle [ɛ̃kɔ̃disjɔnɛl] *a* unconditional.
inconfort [ɛ̃kɔ̃fɔr] *nm* lack of comfort. ◆**inconfortable** *a* uncomfortable.
incongru [ɛ̃kɔ̃gry] *a* unseemly, incongruous.
inconnu, -ue [ɛ̃kɔny] *a* unknown (**à** to); – *nmf* (*étranger*) stranger; (*auteur*) unknown; – *nm* **l'i.** the unknown; – *nf Math* unknown (quantity).
inconscient [ɛ̃kɔ̃sjɑ̃] *a* unconscious (**de** of); (*irréfléchi*) thoughtless, senseless; – *nm* **l'i.** *Psy* the unconscious. ◆**inconsciemment** [-amɑ̃] *adv* unconsciously. ◆**inconscience** *nf* (*physique*) unconsciousness; (*irréflexion*) utter thoughtlessness.
inconséquence [ɛ̃kɔ̃sekɑ̃s] *nf* inconsistency.
inconsidéré [ɛ̃kɔ̃sidere] *a* thoughtless.
inconsolable [ɛ̃kɔ̃sɔlabl] *a* inconsolable.
inconstant [ɛ̃kɔ̃stɑ̃] *a* fickle. ◆**inconstance** *nf* fickleness.
incontestable [ɛ̃kɔ̃tɛstabl] *a* undeniable, indisputable. ◆**incontesté** *a* undisputed.
incontinent [ɛ̃kɔ̃tinɑ̃] *a* incontinent.
incontrôlé [ɛ̃kɔ̃trole] *a* unchecked. ◆**incontrôlable** *a* unverifiable.
inconvenant [ɛ̃kɔ̃vnɑ̃] *a* improper. ◆**inconvenance** *nf* impropriety.
inconvénient [ɛ̃kɔ̃venjɑ̃] *nm* (*désavantage*) drawback; (*risque*) risk; (*objection*) objection.
incorporer [ɛ̃kɔrpɔre] *vt* (*introduire, admettre*) to incorporate (**dans** into); (*ingrédient*) to blend (**à** with); *Mil* to enrol. ◆**incorporation** *nf* incorporation (**de** of); *Mil* enrolment.
incorrect [ɛ̃kɔrɛkt] *a* (*inexact*) incorrect; (*inconvenant*) improper; (*grossier*) impolite. ◆**incorrection** *nf* (*faute*) impropriety, error; (*inconvenance*) impropriety; **une i.** (*grossièreté*) an impolite word *ou* act.
incorrigible [ɛ̃kɔriʒibl] *a* incorrigible.
incorruptible [ɛ̃kɔryptibl] *a* incorruptible.
incrédule [ɛ̃kredyl] *a* incredulous. ◆**incrédulité** *nf* disbelief, incredulity.
increvable [ɛ̃krəvabl] *a* (*robuste*) *Fam* tireless.
incriminer [ɛ̃krimine] *vt* to incriminate.
incroyable [ɛ̃krwajabl] *a* incredible, unbelievable. ◆**incroyablement** *adv* incredibly. ◆**incroyant, -ante** *a* unbelieving; – *nmf* unbeliever.
incrusté [ɛ̃kryste] *a* (*de tartre*) encrusted; **i. de** (*orné*) inlaid with. ◆**incrustation** *nf* (*ornement*) inlay; (*action*) inlaying.
incruster (s') [sɛ̃kryste] *vpr* (*chez qn*) *Fig* to dig oneself in, be difficult to get rid of.
incubation [ɛ̃kybasjɔ̃] *nf* incubation.
inculp/er [ɛ̃kylpe] *vt Jur* to charge (**de** with), indict (**de** for). ◆**—é, -ée** *nmf* **l'i.** the accused. ◆**inculpation** *nf* charge, indictment.
inculquer [ɛ̃kylke] *vt* to instil (**à** into).
inculte [ɛ̃kylt] *a* (*terre*) uncultivated; (*personne*) uneducated.
incurable [ɛ̃kyrabl] *a* incurable.
incursion [ɛ̃kyrsjɔ̃] *nf* incursion, inroad (**dans** into).
incurver [ɛ̃kyrve] *vt* to curve.
Inde [ɛ̃d] *nf* India.
indécent [ɛ̃desɑ̃] *a* indecent. ◆**indécemment** [-amɑ̃] *adv* indecently. ◆**indécence** *nf* indecency.
indéchiffrable [ɛ̃deʃifrabl] *a* undecipherable.
indécis [ɛ̃desi] *a* (*victoire, résultat*) undecided; (*indistinct*) vague; **être i.** (*hésiter*) to be undecided; (*de tempérament*) to be indecisive *ou* irresolute. ◆**indécision** *nf* indecisiveness, indecision.
indéfectible [ɛ̃defɛktibl] *a* unfailing.
indéfendable [ɛ̃defɑ̃dabl] *a* indefensible.
indéfini [ɛ̃defini] *a* (*indéterminé*) indefinite; (*imprécis*) undefined. ◆**indéfiniment** *adv* indefinitely. ◆**indéfinissable** *a* indefinable.
indéformable [ɛ̃defɔrmabl] *a* (*vêtement*) which keeps its shape.
indélébile [ɛ̃delebil] *a* (*encre, souvenir*) indelible.
indélicat [ɛ̃delika] *a* (*grossier*) indelicate; (*malhonnête*) unscrupulous.
indemne [ɛ̃dɛmn] *a* unhurt, unscathed.
indemniser [ɛ̃dɛmnize] *vt* to indemnify, compensate (**de** for). ◆**indemnisation** *nf* compensation. ◆**indemnité** *nf* (*dédommagement*) indemnity; (*allocation*) allowance.
indémontable [ɛ̃demɔ̃tabl] *a* that cannot be taken apart.
indéniable [ɛ̃denjabl] *a* undeniable.
indépendant [ɛ̃depɑ̃dɑ̃] *a* independent (**de**

of); (*chambre*) self-contained; (*journaliste*) freelance. ◆**indépendamment** *adv* independently (**de** of); **i. de** (*sans aucun égard à*) apart from. ◆**indépendance** *nf* independence.
indescriptible [ɛ̃dɛskriptibl] *a* indescribable.
indésirable [ɛ̃dezirabl] *a & nmf* undesirable.
indestructible [ɛ̃dɛstryktibl] *a* indestructible.
indéterminé [ɛ̃detɛrmine] *a* indeterminate. ◆**indétermination** *nf* (*doute*) indecision.
index [ɛ̃dɛks] *nm* (*liste*) index; *Anat* forefinger, index finger.
indexer [ɛ̃dɛkse] *vt Écon* to index-link, tie (**sur** to).
indicateur, -trice [ɛ̃dikatœr, -tris] **1** *nmf* (*espion*) (police) informer. **2** *nm Rail* guide, timetable; *Tech* indicator, gauge. **3** *a* **poteau i.** signpost. ◆**indicatif, -ive 1** *a* indicative (**de** of); – *nm Mus* signature tune; *Tél* dialling code, *Am* area code. **2** *nm* (*mode*) *Gram* indicative. ◆**indication** *nf* indication (**de** of); (*renseignement*) (piece of) information; (*directive*) instruction.
indice [ɛ̃dis] *nm* (*indication*) sign; (*dans une enquête*) *Jur* clue; (*des prix*) index; (*de salaire*) grade; **i. d'écoute** *TV Rad* rating.
indien, -ienne [ɛ̃djɛ̃, -jɛn] *a & nmf* Indian.
indifférent [ɛ̃diferɑ̃] *a* indifferent (**à** to); **ça m'est i.** that's all the same to me. ◆**indifféremment** [-amɑ̃] *adv* indifferently. ◆**indifférence** *nf* indifference (**à** to).
indigène [ɛ̃diʒɛn] *a & nmf* native.
indigent [ɛ̃diʒɑ̃] *a* (very) poor. ◆**indigence** *nf* poverty.
indigeste [ɛ̃diʒɛst] *a* indigestible. ◆**indigestion** *nf* (attack of) indigestion.
indigne [ɛ̃diɲ] *a* (*personne*) unworthy; (*chose*) shameful; **i. de qn/qch** unworthy of s.o./sth. ◆**indignité** *nf* unworthiness; **une i.** (*honte*) an indignity.
indigner [ɛ̃diɲe] *vt* **i. qn** to make s.o. indignant; — **s'i.** *vpr* to be *ou* become indignant (**de** at). ◆**indignation** *nf* indignation.
indigo [ɛ̃digo] *nm & a inv* (*couleur*) indigo.
indiqu/er [ɛ̃dike] *vt* (*montrer*) to show, indicate; (*dire*) to point out, tell; (*recommander*) to recommend; **i. du doigt** to point to *ou* at. ◆**—é** *a* (*heure*) appointed; (*conseillé*) recommended; (*adéquat*) appropriate.
indirect [ɛ̃dirɛkt] *a* indirect. ◆**—ement** *adv* indirectly.
indiscipline [ɛ̃disiplin] *nf* lack of discipline. ◆**indiscipliné** *a* unruly.
indiscret, -ète [ɛ̃diskrɛ, -ɛt] *a* (*indélicat*) indiscreet, tactless; (*curieux*) *Péj* inquisitive, prying. ◆**indiscrétion** *nf* indiscretion.
indiscutable [ɛ̃diskytabl] *a* indisputable.
indispensable [ɛ̃dispɑ̃sabl] *a* indispensable, essential.
indispos/er [ɛ̃dispoze] *vt* (*incommoder*) to make unwell, upset; **i. qn (contre soi)** (*mécontenter*) to antagonize s.o. ◆**—é** *a* (*malade*) indisposed, unwell. ◆**indisposition** *nf* indisposition.
indissoluble [ɛ̃disɔlybl] *a* (*liens etc*) solid, indissoluble.
indistinct, -incte [ɛ̃distɛ̃(kt), -ɛ̃kt] *a* indistinct. ◆**—ement** [-ɛ̃ktəmɑ̃] *adv* indistinctly; (*également*) without distinction.
individu [ɛ̃dividy] *nm* individual. ◆**individualiser** *vt* to individualize. ◆**individualiste** *a* individualistic; – *nmf* individualist. ◆**individualité** *nf* (*originalité*) individuality. ◆**individuel, -elle** *a* individual. ◆**individuellement** *adv* individually.
indivisible [ɛ̃divizibl] *a* indivisible.
Indochine [ɛ̃dɔʃin] *nf* Indo-China.
indolent [ɛ̃dɔlɑ̃] *a* indolent. ◆**indolence** *nf* indolence.
indolore [ɛ̃dɔlɔr] *a* painless.
indomptable [ɛ̃dɔ̃tabl] *a* (*énergie, volonté*) indomitable. ◆**indompté** *a* (*animal*) untamed.
Indonésie [ɛ̃dɔnezi] *nf* Indonesia.
indubitable [ɛ̃dybitabl] *a* beyond doubt.
indue [ɛ̃dy] *af* **à une heure i.** at an ungodly hour.
induire* [ɛ̃dɥir] *vt* **i. qn en erreur** to lead s.o. astray.
indulgent [ɛ̃dylʒɑ̃] *a* indulgent (**envers** to, **avec** with). ◆**indulgence** *nf* indulgence.
industrie [ɛ̃dystri] *nf* industry. ◆**industrialisé** *a* industrialized. ◆**industriel, -elle** *a* industrial; – *nmf* industrialist.
inébranlable [inebrɑ̃labl] *a* (*certitude, personne*) unshakeable, unwavering.
inédit [inedi] *a* (*texte*) unpublished; (*nouveau*) *Fig* original.
ineffable [inefabl] *a Litt* inexpressible, ineffable.
inefficace [inefikas] *a* (*mesure, effort etc*) ineffective, ineffectual; (*personne*) inefficient. ◆**inefficacité** *nf* ineffectiveness; inefficiency.
inégal, -aux [inegal, -o] *a* unequal; (*sol, humeur*) uneven. ◆**inégalable** *a* incomparable. ◆**inégalé** *a* unequalled. ◆**inégalité** *nf* (*morale*) inequality; (*physique*)

difference; (*irrégularité*) unevenness; *pl* (*bosses*) bumps.
inélégant [inelegɑ̃] *a* coarse, inelegant.
inéligible [inelizibl] *a* (*candidat*) ineligible.
inéluctable [inelyktabl] *a* inescapable.
inepte [inɛpt] *a* absurd, inept. ◆**ineptie** [-si] *nf* absurdity, ineptitude.
inépuisable [inepɥizabl] *a* inexhaustible.
inerte [inɛrt] *a* inert; (*corps*) lifeless. ◆**inertie** [-si] *nf* inertia.
inespéré [inɛspere] *a* unhoped-for.
inestimable [inɛstimabl] *a* priceless.
inévitable [inevitabl] *a* inevitable, unavoidable.
inexact [inɛgzakt] *a* (*erroné*) inaccurate, inexact; **c'est i.!** it's incorrect! ◆**inexactitude** *nf* inaccuracy, inexactitude; (*manque de ponctualité*) lack of punctuality.
inexcusable [inɛkskyzabl] *a* inexcusable.
inexistant [inɛgzistɑ̃] *a* non-existent.
inexorable [inɛgzɔrabl] *a* inexorable.
inexpérience [inɛksperjɑ̃s] *nf* inexperience. ◆**inexpérimenté** *a* (*personne*) inexperienced; (*machine, arme*) untested.
inexplicable [inɛksplikabl] *a* inexplicable. ◆**inexpliqué** *a* unexplained.
inexploré [inɛksplɔre] *a* unexplored.
inexpressif, -ive [inɛkspresif, -iv] *a* expressionless.
inexprimable [inɛksprimabl] *a* inexpressible.
inextricable [inɛkstrikabl] *a* inextricable.
infaillible [ɛ̃fajibl] *a* infallible. ◆**infaillibilité** *nf* infallibility.
infaisable [ɛ̃fəzabl] *a* (*travail etc*) that cannot be done.
infamant [ɛ̃famɑ̃] *a* ignominious.
infâme [ɛ̃fɑm] *a* (*odieux*) vile, infamous; (*taudis*) squalid. ◆**infamie** *nf* infamy.
infanterie [ɛ̃fɑ̃tri] *nf* infantry.
infantile [ɛ̃fɑ̃til] *a* (*maladie, réaction*) infantile.
infarctus [ɛ̃farktys] *nm* **un i.** *Méd* a coronary.
infatigable [ɛ̃fatigabl] *a* tireless, indefatigable.
infect [ɛ̃fɛkt] *a* (*puant*) foul; (*mauvais*) lousy, vile.
infecter [ɛ̃fɛkte] **1** *vt* (*air*) to contaminate, foul. **2** *vt Méd* to infect; **— s'i.** *vpr* to get infected. ◆**infectieux, -euse** *a* infectious. ◆**infection** *nf* **1** *Méd* infection. **2** (*odeur*) stench.
inférer [ɛ̃fere] *vt* (*conclure*) to infer (**de** from, **que** that).
inférieur, -eure [ɛ̃ferjœr] *a* (*partie*) lower; (*qualité, personne*) inferior; **à l'étage i.** on the floor below; **i. à** inferior to; (*plus petit que*) smaller than; – *nmf* (*personne*) *Péj* inferior. ◆**infériorité** *nf* inferiority.
infernal, -aux [ɛ̃fɛrnal, -o] *a* infernal.
infest/er [ɛ̃fɛste] *vt* to infest, overrun (**de** with). ◆**—é** *a* **i. de requins/de fourmis/***etc* shark-/ant-/*etc* infested.
infidèle [ɛ̃fidɛl] *a* unfaithful (**à** to). ◆**infidélité** *nf* unfaithfulness; **une i.** (*acte*) an infidelity.
infiltrer (s') [sɛ̃filtre] *vpr* (*liquide*) to seep *ou* percolate (through) (**dans** into); (*lumière*) to filter (through) (**dans** into); **s'i. dans** (*groupe, esprit*) *Fig* to infiltrate. ◆**infiltration** *nf* (*de personne, idée, liquide*) infiltration.
infime [ɛ̃fim] *a* (*très petit*) tiny; (*personne*) *Péj* lowly.
infini [ɛ̃fini] *a* infinite; – *nm Math Phot* infinity; *Phil* infinite; **à l'i.** (*beaucoup*) ad infinitum, endlessly; *Math* to infinity. ◆**infiniment** *adv* infinitely; (*regretter, remercier*) very much. ◆**infinité** *nf* **une i. de** an infinite amount of.
infinitif [ɛ̃finitif] *nm Gram* infinitive.
infirme [ɛ̃firm] *a* disabled, crippled; – *nmf* disabled person. ◆**infirmité** *nf* disability.
infirmer [ɛ̃firme] *vt* to invalidate.
infirmerie [ɛ̃firməri] *nf* infirmary, sickbay. ◆**infirmier** *nm* male nurse. ◆**infirmière** *nf* nurse.
inflammable [ɛ̃flamabl] *a* (in)flammable.
inflammation [ɛ̃flamɑsjɔ̃] *nf Méd* inflammation.
inflation [ɛ̃flɑsjɔ̃] *nf Écon* inflation. ◆**inflationniste** *a Écon* inflationary.
infléchir [ɛ̃fleʃir] *vt* (*courber*) to inflect, bend; (*modifier*) to shift. ◆**inflexion** *nf* bend; (*de voix*) tone, inflexion; **une i. de la tête** a nod.
inflexible [ɛ̃flɛksibl] *a* inflexible.
infliger [ɛ̃flize] *vt* to inflict (**à** on); (*amende*) to impose (**à** on).
influence [ɛ̃flyɑ̃s] *nf* influence. ◆**influencer** *vt* to influence. ◆**influençable** *a* easily influenced. ◆**influent** *a* influential. ◆**influer** *vi* **i. sur** to influence.
information [ɛ̃fɔrmɑsjɔ̃] *nf* information; (*nouvelle*) piece of news; (*enquête*) *Jur* inquiry; *pl* information; *Journ Rad TV* news.
informatique [ɛ̃fɔrmatik] *nf* (*science*) computer science; (*technique*) data processing. ◆**informaticien, -ienne** *nmf* computer scientist. ◆**informatiser** *vt* to computerize.
informe [ɛ̃fɔrm] *a* shapeless.
informer [ɛ̃fɔrme] *vt* to inform (**de** of, about;

que that); — **s'i.** *vpr* to inquire (**de** about; **si** if, whether). ◆**informateur, -trice** *nmf* informant.
infortune [ɛ̃fɔrtyn] *nf* misfortune. ◆**infortuné** *a* ill-fated, hapless.
infraction [ɛ̃fraksjɔ̃] *nf* (*délit*) offence; **i. à** breach of, infringement of.
infranchissable [ɛ̃frɑ̃ʃisabl] *a* (*mur, fleuve*) impassable; (*difficulté*) *Fig* insuperable.
infrarouge [ɛ̃fraruʒ] *a* infrared.
infroissable [ɛ̃frwasabl] *a* crease-resistant.
infructueux, -euse [ɛ̃fryktɥø, -øz] *a* fruitless.
infuser [ɛ̃fyze] *vt* **(faire) i.** (*thé*) to infuse. ◆**infusion** *nf* (*tisane*) (herb *ou* herbal) tea, infusion.
ingénier (s') [sɛ̃ʒenje] *vpr* to exercise one's wits (**à faire** in order to do).
ingénieur [ɛ̃ʒenjœr] *nm* engineer. ◆**ingénierie** [-iri] *nf* engineering.
ingénieux, -euse [ɛ̃ʒenjø, -øz] *a* ingenious. ◆**ingéniosité** *nf* ingenuity.
ingénu [ɛ̃ʒeny] *a* artless, naïve.
ingérer (s') [sɛ̃ʒere] *vpr* to interfere (**dans** in). ◆**ingérence** *nf* interference.
ingrat [ɛ̃gra] *a* (*personne*) ungrateful (**envers** to); (*sol*) barren; (*tâche*) thankless; (*visage, physique*) unattractive; (*âge*) awkward. ◆**ingratitude** *nf* ingratitude.
ingrédient [ɛ̃gredjɑ̃] *nm* ingredient.
inguérissable [ɛ̃gerisabl] *a* incurable.
ingurgiter [ɛ̃gyrʒite] *vt* to gulp down.
inhabitable [inabitabl] *a* uninhabitable. ◆**inhabité** *a* uninhabited.
inhabituel, -elle [inabitɥɛl] *a* unusual.
inhalateur [inalatœr] *nm Méd* inhaler. ◆**inhalation** *nf* inhalation; **faire des inhalations** to inhale.
inhérent [inerɑ̃] *a* inherent (**à** in).
inhibé [inibe] *a* inhibited. ◆**inhibition** *nf* inhibition.
inhospitalier, -ière [inɔspitalje, -jɛr] *a* inhospitable.
inhumain [inymɛ̃] *a* (*cruel, terrible*) inhuman.
inhumer [inyme] *vt* to bury, inter. ◆**inhumation** *nf* burial.
inimaginable [inimaʒinabl] *a* unimaginable.
inimitable [inimitabl] *a* inimitable.
inimitié [inimitje] *nf* enmity.
ininflammable [inɛ̃flamabl] *a* (*tissu etc*) non-flammable.
inintelligent [inɛ̃teliʒɑ̃] *a* unintelligent.
inintelligible [inɛ̃teliʒibl] *a* unintelligible.
inintéressant [inɛ̃teresɑ̃] *a* uninteresting.
ininterrompu [inɛ̃terɔ̃py] *a* uninterrupted, continuous.
inique [inik] *a* iniquitous. ◆**iniquité** *nf* iniquity.
initial, -aux [inisjal, -o] *a* initial. ◆**initiale** *nf* (*lettre*) initial. ◆**initialement** *adv* initially.
initiative [inisjativ] *nf* **1** initiative. **2 syndicat d'i.** tourist office.
initi/er [inisje] *vt* to initiate (**à** into); **s'i. à** (*art, science*) to become acquainted with *ou* initiated into. ◆**—é, -ée** *nmf* initiate; **les initiés** the initiated. ◆**initiateur, -trice** *nmf* initiator. ◆**initiation** *nf* initiation.
injecter [ɛ̃ʒɛkte] *vt* to inject; **injecté de sang** bloodshot. ◆**injection** *nf* injection.
injonction [ɛ̃ʒɔ̃ksjɔ̃] *nf* order, injunction.
injure [ɛ̃ʒyr] *nf* insult; *pl* abuse, insults. ◆**injurier** *vt* to abuse, insult, swear at. ◆**injurieux, -euse** *a* abusive, insulting (**pour** to).
injuste [ɛ̃ʒyst] *a* (*contraire à la justice*) unjust; (*partial*) unfair. ◆**injustice** *nf* injustice.
injustifiable [ɛ̃ʒystifjabl] *a* unjustifiable. ◆**injustifié** *a* unjustified.
inlassable [ɛ̃lɑsabl] *a* untiring.
inné [ine] *a* innate, inborn.
innocent, -ente [inɔsɑ̃, -ɑ̃t] *a* innocent (**de** of); – *nmf Jur* innocent person; (*idiot*) simpleton. ◆**innocemment** [-amɑ̃] *adv* innocently. ◆**innocence** *nf* innocence. ◆**innocenter** *vt* **i. qn** to clear s.o. (**de** of).
innombrable [inɔ̃brabl] *a* innumerable.
innommable [inɔmabl] *a* (*dégoûtant*) unspeakable, foul.
innover [inɔve] *vi* to innovate. ◆**innovateur, -trice** *nmf* innovator. ◆**innovation** *nf* innovation.
inoccupé [inɔkype] *a* unoccupied.
inoculer [inɔkyle] *vt* **i. qch à qn** to infect *ou* inoculate s.o. with sth. ◆**inoculation** *nf* (*vaccination*) inoculation.
inodore [inɔdɔr] *a* odourless.
inoffensif, -ive [inɔfɑ̃sif, -iv] *a* harmless, inoffensive.
inonder [inɔ̃de] *vt* to flood, inundate; (*mouiller*) to soak; **inondé de** (*envahi*) inundated with; **inondé de soleil** bathed in sunlight. ◆**inondable** *a* (*chaussée etc*) liable to flooding. ◆**inondation** *nf* flood; (*action*) flooding (**de** of).
inopérant [inɔperɑ̃] *a* inoperative.
inopiné [inɔpine] *a* unexpected.
inopportun [inɔpɔrtœ̃] *a* inopportune.
inoubliable [inublijabl] *a* unforgettable.
inouï [inwi] *a* incredible, extraordinary.

inox [inɔks] *nm* stainless steel; **en i.** (*couteau etc*) stainless-steel. ◆**inoxydable** *a* (*couteau etc*) stainless-steel; **acier i.** stainless steel.
inqualifiable [ɛ̃kalifjabl] *a* (*indigne*) unspeakable.
inquiet, -iète [ɛ̃kjɛ, -jɛt] *a* anxious, worried (**de** about). ◆**inquiét/er** *vt* (*préoccuper*) to worry; (*police*) to bother, harass (*suspect etc*); — **s'i.** *vpr* to worry (**de** about). ◆**—ant** *a* worrying. ◆**inquiétude** *nf* anxiety, concern, worry.
inquisiteur, -trice [ɛ̃kizitœr, -tris] *a* (*regard*) *Péj* inquisitive. ◆**inquisition** *nf* inquisition.
insaisissable [ɛ̃sezisabl] *a* elusive.
insalubre [ɛ̃salybr] *a* unhealthy, insalubrious.
insanités [ɛ̃sanite] *nfpl* (*idioties*) absurdities.
insatiable [ɛ̃sasjabl] *a* insatiable.
insatisfait [ɛ̃satisfɛ] *a* unsatisfied, dissatisfied.
inscrire* [ɛ̃skrir] *vt* to write *ou* put down; (*sur un registre*) to register; (*graver*) to inscribe; **i. qn** to enrol s.o.; — **s'i.** *vpr* to enrol (**à** at); **s'i. à** (*parti, club*) to join, enrol in; (*examen*) to enter *ou* enrol *ou* register for; **s'i. dans (le cadre de)** to be part of; **s'i. en faux contre** to deny absolutely. ◆**inscription** *nf* writing down; enrolment; registration; (*de médaille, sur écriteau etc*) inscription; **frais d'i.** *Univ* tuition fees.
insecte [ɛ̃sɛkt] *nm* insect. ◆**insecticide** *nm* insecticide.
insécurité [ɛ̃sekyrite] *nf* insecurity.
insémination [ɛ̃seminɑsjɔ̃] *nf Méd* insemination.
insensé [ɛ̃sɑ̃se] *a* senseless, absurd.
insensible [ɛ̃sɑ̃sibl] *a* (*indifférent*) insensitive (**à** to); (*graduel*) imperceptible, very slight. ◆**insensiblement** *adv* imperceptibly. ◆**insensibilité** *nf* insensitivity.
inséparable [ɛ̃separabl] *a* inseparable (**de** from).
insérer [ɛ̃sere] *vt* to insert (**dans** into, in); **s'i. dans** (*programme etc*) to be part of. ◆**insertion** *nf* insertion.
insidieux, -euse [ɛ̃sidjø, -øz] *a* insidious.
insigne [ɛ̃siɲ] *nm* badge, emblem; *pl* (*de maire etc*) insignia.
insignifiant [ɛ̃siɲifjɑ̃] *a* insignificant, unimportant. ◆**insignifiance** *nf* insignificance.
insinuer [ɛ̃sinɥe] *vt Péj* to insinuate (**que** that); — **s'i.** *vpr* to insinuate oneself (**dans** into). ◆**insinuation** *nf* insinuation.
insipide [ɛ̃sipid] *a* insipid.
insist/er [ɛ̃siste] *vi* to insist (**pour faire** on doing); (*continuer*) *Fam* to persevere; **i. sur** (*détail, syllabe etc*) to stress; **i. pour que** (+ *sub*) to insist that. ◆**—ant** *a* insistent, persistent. ◆**insistance** *nf* insistence, persistence.
insolation [ɛ̃sɔlɑsjɔ̃] *nf Méd* sunstroke.
insolent [ɛ̃sɔlɑ̃] *a* (*impoli*) insolent; (*luxe*) indecent. ◆**insolence** *nf* insolence.
insolite [ɛ̃sɔlit] *a* unusual, strange.
insoluble [ɛ̃sɔlybl] *a* insoluble.
insolvable [ɛ̃sɔlvabl] *a Fin* insolvent.
insomnie [ɛ̃sɔmni] *nf* insomnia; *pl* (periods of) insomnia; **nuit d'i.** sleepless night. ◆**insomniaque** *nmf* insomniac.
insondable [ɛ̃sɔ̃dabl] *a* unfathomable.
insonoriser [ɛ̃sɔnɔrize] *vt* to soundproof, insulate. ◆**insonorisation** *nf* soundproofing, insulation.
insouciant [ɛ̃susjɑ̃] *a* carefree; **i. de** unconcerned about. ◆**insouciance** *nf* carefree attitude, lack of concern.
insoumis [ɛ̃sumi] *a* rebellious. ◆**insoumission** *nf* rebelliousness.
insoupçonnable [ɛ̃supsɔnabl] *a* beyond suspicion. ◆**insoupçonné** *a* unsuspected.
insoutenable [ɛ̃sutnabl] *a* unbearable; (*théorie*) untenable.
inspecter [ɛ̃spɛkte] *vt* to inspect. ◆**inspecteur, -trice** *nmf* inspector. ◆**inspection** *nf* inspection.
inspir/er [ɛ̃spire] **1** *vt* to inspire; **i. qch à qn** to inspire s.o. with sth; **s'i. de** to take one's inspiration from. **2** *vi Méd* to breathe in. ◆**—é** *a* inspired; **être bien i. de faire** to have the good idea to do. ◆**inspiration** *nf* **1** inspiration. **2** *Méd* breathing in.
instable [ɛ̃stabl] *a* (*meuble*) unsteady, shaky; (*temps*) unsettled; (*caractère, situation*) unstable. ◆**instabilité** *nf* unsteadiness; instability.
installer [ɛ̃stale] *vt* (*équiper*) to fit out, fix up; (*appareil, meuble etc*) to install, put in; (*étagère*) to put up; **i. qn** (*dans une fonction, un logement*) to install s.o. (**dans** in); — **s'i.** *vpr* (*s'asseoir, s'établir*) to settle (down); (*médecin etc*) to set oneself up; **s'i. dans** (*maison, hôtel*) to move into. ◆**installateur** *nm* fitter. ◆**installation** *nf* fitting out; installation; putting in; moving in; *pl* (*appareils*) fittings; (*bâtiments*) facilities.
instance [ɛ̃stɑ̃s] **1** *nf* (*juridiction, autorité*) authority; **tribunal de première i.** = magistrates' court; **en i. de** (*divorce, départ*) in the

process of. **2** *nfpl* (*prières*) insistence, entreaties.

instant [ɛ̃stɑ̃] *nm* moment, instant; **à l'i.** a moment ago; **pour l'i.** for the moment. ◆**instantané** *a* instantaneous; **café i.** instant coffee; – *nm Phot* snapshot.

instaurer [ɛ̃stɔre] *vt* to found, set up.

instigateur, -trice [ɛ̃stigatœr, -tris] *nmf* instigator. ◆**instigation** *nf* instigation.

instinct [ɛ̃stɛ̃] *nm* instinct; **d'i.** instinctively, by instinct. ◆**instinctif, -ive** *a* instinctive.

instituer [ɛ̃stitɥe] *vt* (*règle, régime*) to establish, institute.

institut [ɛ̃stity] *nm* institute; **i. de beauté** beauty salon *ou* parlour; **i. universitaire de technologie** polytechnic, technical college.

instituteur, -trice [ɛ̃stitytœr, -tris] *nmf* primary school teacher.

institution [ɛ̃stitysjɔ̃] *nf* (*règle, organisation, structure etc*) institution; *Scol* private school. ◆**institutionnel, -elle** *a* institutional.

instructif, -ive [ɛ̃stryktif, -iv] *a* instructive.

instruction [ɛ̃stryksjɔ̃] *nf* education, schooling; *Mil* training; *Jur* investigation; (*document*) directive; *pl* (*ordres*) instructions. ◆**instructeur** *nm* (*moniteur*) & *Mil* instructor.

instruire* [ɛ̃strɥir] *vt* to teach, educate; *Mil* to train; *Jur* to investigate; **i. qn de** to inform *ou* instruct s.o. of; **— s'i.** *vpr* to educate oneself; **s'i. de** to inquire about. ◆**instruit** *a* educated.

instrument [ɛ̃strymɑ̃] *nm* instrument; (*outil*) implement, tool. ◆**instrumental, -aux** *a Mus* instrumental. ◆**instrumentiste** *nmf Mus* instrumentalist.

insu de (à l') [alɛ̃syd(ə)] *prép* without the knowledge of.

insuccès [ɛ̃syksɛ] *nm* failure.

insuffisant [ɛ̃syfizɑ̃] *a* (*en qualité*) inadequate; (*en quantité*) insufficient, inadequate. ◆**insuffisance** *nf* inadequacy.

insulaire [ɛ̃sylɛr] *a* insular; – *nmf* islander.

insuline [ɛ̃sylin] *nf Méd* insulin.

insulte [ɛ̃sylt] *nf* insult (**à** to). ◆**insulter** *vt* to insult.

insupportable [ɛ̃sypɔrtabl] *a* unbearable.

insurg/er (s') [sɛ̃syrʒe] *vpr* to rise (up), rebel (**contre** against). ◆**—é, -ée** *nmf a* insurgent, rebel. ◆**insurrection** *nf* insurrection, uprising.

insurmontable [ɛ̃syrmɔ̃tabl] *a* insurmountable, insuperable.

intact [ɛ̃takt] *a* intact.

intangible [ɛ̃tɑ̃ʒibl] *a* intangible.

intarissable [ɛ̃tarisabl] *a* inexhaustible.

intégral, -aux [ɛ̃tegral, -o] *a* full, complete; (*édition*) unabridged. ◆**intégralement** *adv* in full, fully. ◆**intégralité** *nf* whole (**de** of); **dans son i.** in full.

intègre [ɛ̃tɛgr] *a* upright, honest. ◆**intégrité** *nf* integrity.

intégr/er [ɛ̃tegre] *vt* to integrate (**dans** in); **— s'i.** *vpr* to become integrated, adapt. ◆**—ante** *af* **faire partie i. de** to be part and parcel of. ◆**intégration** *nf* integration.

intellectuel, -elle [ɛ̃telɛktɥɛl] *a* & *nmf* intellectual.

intelligent [ɛ̃teliʒɑ̃] *a* intelligent, clever. ◆**intelligemment** [-amɑ̃] *adv* intelligently. ◆**intelligence** *nf* (*faculté*) intelligence; *pl Mil Pol* secret relations; **avoir l'i. de qch** (*compréhension*) to have an understanding of sth; **d'i. avec qn** in complicity with s.o. ◆**intelligentsia** [-dʒɛntsja] *nf* intelligentsia.

intelligible [ɛ̃teliʒibl] *a* intelligible. ◆**intelligibilité** *nf* intelligibility.

intempérance [ɛ̃tɑ̃perɑ̃s] *nf* intemperance.

intempéries [ɛ̃tɑ̃peri] *nfpl* **les i.** the elements, bad weather.

intempestif, -ive [ɛ̃tɑ̃pɛstif, -iv] *a* untimely.

intenable [ɛ̃tnabl] *a* (*position*) untenable; (*enfant*) unruly, uncontrollable.

intendant, -ante [ɛ̃tɑ̃dɑ̃, -ɑ̃t] *nmf Scol* bursar. ◆**intendance** *nf Scol* bursar's office.

intense [ɛ̃tɑ̃s] *a* intense; (*circulation, trafic*) heavy. ◆**intensément** *adv* intensely. ◆**intensif, -ive** *a* intensive. ◆**intensifier** *vt*, **— s'i.** *vpr* to intensify. ◆**intensité** *nf* intensity.

intenter [ɛ̃tɑ̃te] *vt* **i. un procès à** *Jur* to institute proceedings against.

intention [ɛ̃tɑ̃sjɔ̃] *nf* intention; *Jur* intent; **avoir l'i. de faire** to intend to do; **à l'i. de qn** for s.o.; **à votre i.** for you. ◆**intentionné** *a* **bien i.** well-intentioned. ◆**intentionnel, -elle** *a* intentional, wilful. ◆**intentionnellement** *adv* intentionally.

inter- [ɛ̃tɛr] *préf* inter-.

interaction [ɛ̃tɛraksjɔ̃] *nf* interaction.

intercaler [ɛ̃tɛrkale] *vt* to insert.

intercéder [ɛ̃tɛrsede] *vt* to intercede (**auprès de** with).

intercepter [ɛ̃tɛrsɛpte] *vt* to intercept. ◆**interception** *nf* interception.

interchangeable [ɛ̃tɛrʃɑ̃ʒabl] *a* interchangeable.

interclasse [ɛ̃tɛrklɑs] *nm Scol* break (between classes).

intercontinental, -aux [ɛ̃tɛrkɔ̃tinɑ̃tal, -o] *a* intercontinental.

interdépendant [ɛ̃tɛrdepɑ̃dɑ̃] *a* interdependent.

interd/ire* [ɛ̃tɛrdir] *vt* to forbid, not to allow (**qch à qn** s.o. sth); (*meeting, film etc*) to ban; **i. à qn de faire** (*médecin, père etc*) not to allow s.o. to do, forbid s.o. to do; (*attitude, santé etc*) to prevent s.o. from doing, not allow s.o. to do. ◆**—it** *a* **1** forbidden, not allowed; **il est i. de** it is forbidden to; **'stationnement i.'** 'no parking'. **2** (*étonné*) nonplussed. ◆**interdiction** *nf* ban (**de** on); **'i. de fumer'** 'no smoking'.

intéress/er [ɛ̃terese] *vt* to interest; (*concerner*) to concern; **s'i. à** to take an interest in, be interested in. ◆**—ant** *a* (*captivant*) interesting; (*affaire, prix etc*) attractive, worthwhile. ◆**—é, -ée** *a* (*avide*) self-interested; (*motif*) selfish; (*concerné*) concerned; – *nmf* **l'i.** the interested party.

intérêt [ɛ̃terɛ] *nm* interest; *Péj* self-interest; *pl Fin* interest; **tu as i. à faire** it would pay you to do, you'd do well to do; **des intérêts dans** *Com* an interest *ou* stake in.

interface [ɛ̃tɛrfas] *nf Tech* interface.

intérieur [ɛ̃terjœr] *a* (*cour, paroi*) inner, interior; (*poche*) inside; (*vie, sentiment*) inner, inward; (*mer*) inland; (*politique, vol*) internal, domestic; – *nm* (*de boîte etc*) inside (**de** of); (*de maison*) interior, inside; (*de pays*) interior; **à l'i. (de)** inside; **d'i.** (*vêtement, jeux*) indoor; **femme d'i.** home-loving woman; **ministère de l'I.** Home Office, *Am* Department of the Interior. ◆**—ement** *adv* (*dans le cœur*) inwardly.

intérim [ɛ̃terim] *nm* **pendant l'i.** in the interim; **assurer l'i.** to deputize (**de** for); **ministre/***etc* **par i.** acting minister/*etc.* ◆**intérimaire** *a* temporary, interim; – *nmf* (*fonctionnaire*) deputy; (*secrétaire*) temporary.

interligne [ɛ̃tɛrliɲ] *nm Typ* space (between the lines).

interlocuteur, -trice [ɛ̃tɛrlɔkytœr, -tris] *nmf Pol* negotiator; **mon i.** the person I am, was *etc* speaking to.

interloqué [ɛ̃tɛrlɔke] *a* dumbfounded.

interlude [ɛ̃tɛrlyd] *nm Mus TV* interlude.

intermède [ɛ̃tɛrmɛd] *nm* (*interruption*) & *Th* interlude.

intermédiaire [ɛ̃tɛrmedjɛr] *a* intermediate; – *nmf* intermediary; **par l'i. de** through (the medium of).

interminable [ɛ̃tɛrminabl] *a* endless, interminable.

intermittent [ɛ̃tɛrmitɑ̃] *a* intermittent. ◆**intermittence** *nf* **par i.** intermittently.

international, -aux [ɛ̃tɛrnasjɔnal, -o] *a* international; – *nm* (*joueur*) *Sp* international.

interne [ɛ̃tɛrn] **1** *a* (*douleur etc*) internal; (*oreille*) inner. **2** *nmf Scol* boarder; **i. (des hôpitaux)** houseman, *Am* intern. ◆**internat** *nm* (*école*) boarding school.

intern/er [ɛ̃tɛrne] *vt* (*réfugié*) to intern; (*aliéné*) to confine. ◆**—ement** *nm* internment; confinement.

interpeller [ɛ̃tɛrpele] *vt* to shout at, address sharply; (*dans une réunion*) to question, (*interrompre*) to heckle; (*arrêter*) *Jur* to take in for questioning. ◆**interpellation** *nf* sharp address; questioning; heckling; (*de police*) arrest.

interphone [ɛ̃tɛrfɔn] *nm* intercom.

interplanétaire [ɛ̃tɛrplanetɛr] *a* interplanetary.

interpoler [ɛ̃tɛrpɔle] *vt* to interpolate.

interposer (s') [sɛ̃tɛrpose] *vpr* (*dans une dispute etc*) to intervene (**dans** in); **s'i. entre** to come between.

interprète [ɛ̃tɛrprɛt] *nmf Ling* interpreter; (*chanteur*) singer; *Th Mus* performer; (*porte-parole*) spokesman, spokeswoman; **faire l'i.** *Ling* to interpret. ◆**interprétariat** *nm* (*métier*) *Ling* interpreting. ◆**interprétation** *nf* interpretation; *Th Mus* performance. ◆**interpréter** *vt* (*expliquer*) to interpret; (*chanter*) to sing; (*jouer*) *Th* to play, perform; (*exécuter*) *Mus* to perform.

interroger [ɛ̃terɔʒe] *vt* to question; *Jur* to interrogate; (*faits*) to examine. ◆**interrogateur, -trice** *a* (*air*) questioning; – *nmf Scol* examiner. ◆**interrogatif, -ive** *a & nm Gram* interrogative. ◆**interrogation** *nf* question; (*action*) questioning; (*épreuve*) *Scol* test. ◆**interrogatoire** *nm Jur* interrogation.

interrompre* [ɛ̃terɔ̃pr] *vt* to interrupt, break off; **i. qn** to interrupt s.o.; **— s'i.** *vpr* (*personne*) to break off, stop. ◆**interrupteur** *nm* (*bouton*) *Él* switch. ◆**interruption** *nf* interruption; (*des hostilités, du courant*) break (**de** in).

intersection [ɛ̃tɛrsɛksjɔ̃] *nf* intersection.

interstice [ɛ̃tɛrstis] *nm* crack, chink.

interurbain [ɛ̃tɛryrbɛ̃] *a & nm* **(téléphone) i.** long-distance telephone service.

intervalle [ɛ̃tɛrval] *nm* (*écart*) space, gap; (*temps*) interval; **dans l'i.** (*entretemps*) in the meantime.

intervenir* [ɛ̃tɛrvənir] *vi* (*s'interposer, agir*) to intervene; (*survenir*) to occur; (*opérer*) *Méd* to operate; **être intervenu** (*accord*) to be reached. ◆**intervention** *nf* intervention; **i. (chirurgicale)** operation.

intervertir [ɛ̃tɛrvɛrtir] *vt* to invert. ◆**interversion** *nf* inversion.
interview [ɛ̃tɛrvju] *nf Journ TV* interview. ◆**interviewer** [-vjuve] *vt* to interview.
intestin [ɛ̃tɛstɛ̃] *nm* intestine, bowel. ◆**intestinal, -aux** *a* intestinal, bowel-.
intime [ɛ̃tim] *a* intimate; (*ami*) close, intimate; (*vie, fête, journal*) private; (*pièce, coin*) cosy; (*cérémonie*) quiet; – *nmf* close *ou* intimate friend. ◆**—ment** *adv* intimately. ◆**intimité** *nf* intimacy; privacy; cosiness; **dans l'i.** (*mariage etc*) in private.
intimider [ɛ̃timide] *vt* to intimidate, frighten. ◆**intimidation** *nf* intimidation.
intituler [ɛ̃tityle] *vt* to entitle; **— s'i.** *vpr* to be entitled.
intolérable [ɛ̃tɔlerabl] *a* intolerable (**que** that). ◆**intolérance** *nf* intolerance. ◆**intolérant** *a* intolerant (**de** of).
intonation [ɛ̃tɔnɑsjɔ̃] *nf Ling* intonation; (*ton*) tone.
intoxiqu/er [ɛ̃tɔksike] *vt* (*empoisonner*) to poison; *Psy Pol* to brainwash; **— s'i.** *vpr* to be *ou* become poisoned. ◆**—é, -ée** *nmf* addict. ◆**intoxication** *nf* poisoning; *Psy Pol* brainwashing.
intra- [ɛ̃tra] *préf* intra-.
intraduisible [ɛ̃tradɥizibl] *a* untranslatable.
intraitable [ɛ̃trɛtabl] *a* uncompromising.
intransigeant [ɛ̃trɑ̃ziʒɑ̃] *a* intransigent. ◆**intransigeance** *nf* intransigence.
intransitif, -ive [ɛ̃trɑ̃zitif, -iv] *a & nm Gram* intransitive.
intraveineux, -euse [ɛ̃travɛnø, -øz] *a Méd* intravenous.
intrépide [ɛ̃trepid] *a* (*courageux*) fearless, intrepid; (*obstiné*) headstrong. ◆**intrépidité** *nf* fearlessness.
intrigue [ɛ̃trig] *nf* intrigue; *Th Cin Littér* plot. ◆**intrigant, -ante** *nmf* schemer. ◆**intriguer 1** *vi* to scheme, intrigue. **2** *vt* **i. qn** (*intéresser*) to intrigue s.o., puzzle s.o.
intrinsèque [ɛ̃trɛ̃sɛk] *a* intrinsic. ◆**—ment** *adv* intrinsically.
introduire* [ɛ̃trɔdɥir] *vt* (*présenter*) to introduce, bring in; (*insérer*) to insert (**dans** into), put in (**dans** to); (*faire entrer*) to show (*s.o.*) in; **s'i. dans** to get into. ◆**introduction** *nf* (*texte, action*) introduction.
introspectif, -ive [ɛ̃trɔspɛktif, -iv] *a* introspective. ◆**introspection** *nf* introspection.
introuvable [ɛ̃truvabl] *a* that cannot be found anywhere.
introverti, -ie [ɛ̃trɔvɛrti] *nmf* introvert.
intrus, -use [ɛ̃try, -yz] *nmf* intruder. ◆**intrusion** *nf* intrusion (**dans** into).
intuition [ɛ̃tɥisjɔ̃] *nf* intuition. ◆**intuitif, -ive** *a* intuitive.
inusable [inyzabl] *a Fam* hard-wearing.
inusité [inyzite] *a Gram* unused.
inutile [inytil] *a* unnecessary, useless; **c'est i. de crier** it's pointless *ou* useless to shout. ◆**inutilement** *adv* (*vainement*) needlessly. ◆**inutilité** *nf* uselessness.
inutilisable [inytilizabl] *a* unusable. ◆**inutilisé** *a* unused.
invalider [ɛ̃valide] *vt* to invalidate.
invariable [ɛ̃varjabl] *a* invariable. ◆**—ment** [-əmɑ̃] *adv* invariably.
invasion [ɛ̃vɑsjɔ̃] *nf* invasion.
invective [ɛ̃vɛktiv] *nf* invective. ◆**invectiver** *vt* to abuse; – *vi* **i. contre** to inveigh against.
invendable [ɛ̃vɑ̃dabl] *a* unsaleable. ◆**invendu** *a* unsold.
inventaire [ɛ̃vɑ̃tɛr] *nm* (*liste*) *Com* inventory; (*étude*) *Fig* survey; **faire l'i.** *Com* to do the stocktaking (**de** of).
inventer [ɛ̃vɑ̃te] *vt* (*découvrir*) to invent; (*imaginer*) to make up. ◆**inventeur, -trice** *nmf* inventor. ◆**inventif, -ive** *a* inventive. ◆**invention** *nf* invention.
inverse [ɛ̃vɛrs] *a* (*sens*) opposite; (*ordre*) reverse; *Math* inverse; – *nm* **l'i.** the reverse, the opposite. ◆**inversement** *adv* conversely. ◆**inverser** *vt* (*ordre*) to reverse. ◆**inversion** *nf Gram Anat etc* inversion.
investigation [ɛ̃vɛstigɑsjɔ̃] *nf* investigation.
invest/ir [ɛ̃vɛstir] **1** *vti Com* to invest (**dans** in). **2** *vt* **i. qn de** (*fonction etc*) to invest s.o. with. ◆**—issement** *nm Com* investment. ◆**investiture** *nf Pol* nomination.
invétéré [ɛ̃vetere] *a* inveterate.
invincible [ɛ̃vɛ̃sibl] *a* invincible.
invisible [ɛ̃vizibl] *a* invisible.
invit/er [ɛ̃vite] *vt* to invite; **i. qn à faire** to invite *ou* ask s.o. to do; (*inciter*) to tempt s.o. to do. ◆**—é, -ée** *nmf* guest. ◆**invitation** *nf* invitation.
invivable [ɛ̃vivabl] *a* unbearable.
involontaire [ɛ̃vɔlɔ̃tɛr] *a* involuntary. ◆**—ment** *adv* accidentally, involuntarily.
invoquer [ɛ̃vɔke] *vt* (*argument etc*) to put forward; (*appeler*) to invoke, call upon. ◆**invocation** *nf* invocation (**à** to).
invraisemblable [ɛ̃vrɛsɑ̃blabl] *a* incredible; (*improbable*) improbable. ◆**invraisemblance** *nf* improbability.
invulnérable [ɛ̃vylnerabl] *a* invulnerable.
iode [jɔd] *nm* **teinture d'i.** *Méd* iodine.
ira, irait [ira, irɛ] *voir* **aller 1.**
Irak [irak] *nm* Iraq. ◆**irakien, -ienne** *a & nmf* Iraqi.

Iran [irɑ̃] *nm* Iran. ◆**iranien, -ienne** *a* & *nmf* Iranian.
irascible [irasibl] *a* irascible.
iris [iris] *nm Anat Bot* iris.
Irlande [irlɑ̃d] *nf* Ireland. ◆**irlandais, -aise** *a* Irish; – *nmf* Irishman, Irishwoman; – *nm* (*langue*) Irish.
ironie [irɔni] *nf* irony. ◆**ironique** *a* ironic(al).
irradier [iradje] *vt* to irradiate.
irraisonné [irɛzɔne] *a* irrational.
irréconciliable [irekɔ̃siljabl] *a* irreconcilable.
irrécusable [irekyzabl] *a* irrefutable.
irréel, -elle [ireɛl] *a* unreal.
irréfléchi [irefleʃi] *a* thoughtless, unthinking.
irréfutable [irefytabl] *a* irrefutable.
irrégulier, -ière [iregylje, -jɛr] *a* irregular. ◆**irrégularité** *nf* irregularity.
irrémédiable [iremedjabl] *a* irreparable.
irremplaçable [irɑ̃plasabl] *a* irreplaceable.
irréparable [ireparabl] *a* (*véhicule etc*) beyond repair; (*tort, perte*) irreparable.
irrépressible [irepresibl] *a* (*rires etc*) irrepressible.
irréprochable [ireprɔʃabl] *a* beyond reproach, irreproachable.
irrésistible [irezistibl] *a* (*personne, charme etc*) irresistible.
irrésolu [irezɔly] *a* irresolute.
irrespirable [irɛspirabl] *a* unbreathable; *Fig* stifling.
irresponsable [irɛspɔ̃sabl] *a* (*personne*) irresponsible.
irrévérencieux, -euse [ireverɑ̃sjø, -øz] *a* irreverent.
irréversible [irevɛrsibl] *a* irreversible.
irrévocable [irevɔkabl] *a* irrevocable.
irriguer [irige] *vt* to irrigate. ◆**irrigation** *nf* irrigation.
irrit/er [irite] *vt* to irritate; **– s'i.** *vpr* to get angry (**de, contre** at). ◆**—ant** *a* irritating; – *nm* irritant. ◆**irritable** *a* irritable. ◆**irritation** *nf* (*colère*) & *Méd* irritation.
irruption [irypsjɔ̃] *nf* **faire i. dans** to burst into.
islam [islam] *nm* Islam. ◆**islamique** *a* Islamic.
Islande [islɑ̃d] *nf* Iceland. ◆**islandais, -aise** *a* Icelandic.
isol/er [izɔle] *vt* to isolate (**de** from); (*contre le froid etc*) & *Él* to insulate; **– s'i.** *vpr* to cut oneself off, isolate oneself. ◆**—ant** *a* insulating; – *nm* insulating material. ◆**—é** *a* isolated; (*écarté*) remote, isolated; **i. de** cut off *ou* isolated from. ◆**isolation** *nf* insulation. ◆**isolement** *nm* isolation. ◆**isolément** *adv* in isolation, singly. ◆**isoloir** *nm* polling booth.
isorel® [izɔrɛl] *nm* hardboard.
Israël [israɛl] *nm* Israel. ◆**israélien, -ienne** *a* & *nmf* Israeli. ◆**israélite** *a* Jewish; – *nm* Jew; – *nf* Jewess.
issu [isy] *a* **être i. de** to come from.
issue [isy] *nf* (*sortie*) exit, way out; (*solution*) *Fig* way out; (*résultat*) outcome; **à l'i. de** at the close of; **rue** *etc* **sans i.** dead end; **situation** *etc* **sans i.** *Fig* dead end.
isthme [ism] *nm Géog* isthmus.
Italie [itali] *nf* Italy. ◆**italien, -ienne** *a* & *nmf* Italian; – *nm* (*langue*) Italian.
italique [italik] *a Typ* italic; – *nm* italics.
itinéraire [itinerɛr] *nm* itinerary, route.
itinérant [itinerɑ̃] *a* itinerant.
IVG [iveʒe] *nf abrév* (*interruption volontaire de grossesse*) (voluntary) abortion.
ivoire [ivwar] *nm* ivory.
ivre [ivr] *a* drunk (**de** with). ◆**ivresse** *nf* drunkenness; **en état d'i.** under the influence of drink. ◆**ivrogne** *nmf* drunk(ard).

J

J, j [ʒi] *nm* J, j; **le jour J.** D-day.
j' [ʒ] *voir* **je.**
jacasser [ʒakase] *vi* (*personne, pie*) to chatter.
jachère (en) [ɑ̃ʒaʃɛr] *adv* (*champ etc*) fallow.
jacinthe [ʒasɛ̃t] *nf* hyacinth.
jacousi [ʒakuzi] *nm* (*baignoire, piscine*) jacuzzi.
jade [ʒad] *nm* (*pierre*) jade.
jadis [ʒadis] *adv* at one time, once.
jaguar [ʒagwar] *nm* (*animal*) jaguar.
jaill/ir [ʒajir] *vi* (*liquide*) to spurt (out), gush (out); (*lumière*) to flash, stream; (*cri*) to burst out; (*vérité*) to burst forth; (*étincelle*) to fly out. ◆**—issement** *nm* (*de liquide*) gush.
jais [ʒɛ] *nm* (**noir**) **de j.** jet-black.

jalon [ʒalɔ̃] *nm* (*piquet*) marker; **poser les jalons** *Fig* to prepare the way (**de** for). ◆**jalonner** *vt* to mark (out); (*border*) to line.

jaloux, -ouse [ʒalu, -uz] *a* jealous (**de** of). ◆**jalouser** *vt* to envy. ◆**jalousie** *nf* **1** jealousy. **2** (*persienne*) venetian blind.

Jamaïque [ʒamaik] *nf* Jamaica.

jamais [ʒamɛ] *adv* **1** (*négatif*) never; **sans j. sortir** without ever going out; **elle ne sort j.** she never goes out. **2** (*positif*) ever; **à (tout) j.** for ever; **si j.** if ever.

jambe [ʒɑ̃b] *nf* leg; **à toutes jambes** as fast as one can; **prendre ses jambes à son cou** to take to one's heels.

jambon [ʒɑ̃bɔ̃] *nm Culin* ham. ◆**jambonneau, -x** *nm* knuckle of ham.

jante [ʒɑ̃t] *nf* (*de roue*) rim.

janvier [ʒɑ̃vje] *nm* January.

Japon [ʒapɔ̃] *nm* Japan. ◆**japonais, -aise** *a nmf* Japanese; – & *nm* (*langue*) Japanese.

japp/er [ʒape] *vi* (*chien etc*) to yap, yelp. ◆**—ement** *nm* yap, yelp.

jaquette [ʒakɛt] *nf* (*d'homme*) tailcoat, morning coat; (*de femme, livre*) jacket.

jardin [ʒardɛ̃] *nm* garden; **j. d'enfants** kindergarten, playschool; **j. public** park; (*plus petit*) gardens. ◆**jardinage** *nm* gardening. ◆**jardiner** *vi* to do the garden, be gardening. ◆**jardinerie** *nf* garden centre. ◆**jardinier** *nm* gardener. ◆**jardinière** *nf* (*personne*) gardener; (*caisse à fleurs*) window box; **j. (de légumes)** *Culin* mixed vegetable dish; **j. d'enfants** kindergarten teacher.

jargon [ʒargɔ̃] *nm* jargon.

jarret [ʒarɛ] *nm Anat* back of the knee.

jarretelle [ʒartɛl] *nf* (*de gaine*) suspender, *Am* garter. ◆**jarretière** *nf* (*autour de la jambe*) garter.

jaser [ʒaze] *vi* (*bavarder*) to jabber.

jasmin [ʒasmɛ̃] *nm Bot* jasmine.

jatte [ʒat] *nf* (*bol*) bowl.

jauge [ʒoʒ] *nf* **1** (*instrument*) gauge. **2** (*capacité*) capacity; *Nau* tonnage. ◆**jauger** *vt* (*personne*) *Litt* to size up.

jaune [ʒon] **1** *a* yellow; – *nm* (*couleur*) yellow; **j. d'œuf** (egg) yolk. **2** *nm* (*ouvrier*) *Péj* blackleg, scab. ◆**jaunâtre** *a* yellowish. ◆**jaunir** *vti* to (turn) yellow. ◆**jaunisse** *nf Méd* jaundice.

Javel (eau de) [odʒavɛl] *nf* bleach. ◆**javelliser** *vt* to chlorinate.

javelot [ʒavlo] *nm* javelin.

jazz [dʒaz] *nm* jazz.

je [ʒ(ə)] *pron* (**j'** *before vowel or mute h*) I; **je suis** I am.

jean [dʒin] *nm* (pair of) jeans.

jeep [dʒip] *nf* jeep.

je-m'en-fichisme [ʒmɑ̃fiʃism] *nm inv Fam* couldn't-care-less attitude.

jérémiades [ʒeremjad] *nfpl Fam* lamentations.

jerrycan [(d)ʒerikan] *nm* jerry can.

jersey [ʒɛrzɛ] *nm* (*tissu*) jersey.

Jersey [ʒɛrzɛ] *nf* Jersey.

jésuite [ʒezɥit] *nm* Jesuit.

Jésus [ʒezy] *nm* Jesus; **J.-Christ** Jesus Christ.

jet [ʒɛ] *nm* throw; (*de vapeur*) burst, gush; (*de lumière*) flash; **j. d'eau** fountain; **premier j.** (*ébauche*) first draft; **d'un seul j.** in one go.

jetée [ʒ(ə)te] *nf* pier, jetty.

jeter [ʒ(ə)te] *vt* to throw (**à** to, **dans** into); (*mettre à la poubelle*) to throw away; (*ancre, regard, sort*) to cast; (*bases*) to lay; (*cri, son*) to let out, utter; (*éclat, lueur*) to throw out, give out; (*noter*) to jot down; **j. un coup d'œil sur** *ou* **à** to have *ou* take a look at; (*rapidement*) to glance at; **— se j.** *vpr* to throw oneself; **se j. sur** to fall on, pounce on; **se j. contre** (*véhicule*) to crash into; **se j. dans** (*fleuve*) to flow into. ◆**jetable** *a* (*rasoir etc*) disposable.

jeton [ʒ(ə)tɔ̃] *nm* (*pièce*) token; (*pour compter*) counter; (*à la roulette*) chip.

jeu, -x [ʒø] *nm* **1** game; (*amusement*) play; (*d'argent*) gambling; *Th* acting; *Mus* playing; **j. de mots** play on words, pun; **jeux de société** parlour *ou* party games; **j. télévisé** television quiz; **maison de jeux** gambling club; **en j.** (*en cause*) at stake; (*forces etc*) at work; **entrer en j.** to come into play. **2** (*série complète*) set; (*de cartes*) pack, deck, *Am* deck; (*cartes en main*) hand; **j. d'échecs** (*boîte, pièces*) chess set. **3** (*de ressort, verrou*) *Tech* play.

jeudi [ʒødi] *nm* Thursday.

jeun (à) [aʒœ̃] *adv* on an empty stomach; **être à j.** to have eaten no food.

jeune [ʒœn] *a* young; (*inexpérimenté*) inexperienced; **Dupont j.** Dupont junior; **d'allure j.** young-looking; **jeunes gens** young people; – *nmf* young person; **les jeunes** young people. ◆**jeunesse** *nf* youth; (*apparence*) youthfulness; **la j.** (*jeunes*) the young, youth.

jeûne [ʒøn] *nm* fast; (*action*) fasting. ◆**jeûner** *vi* to fast.

joaillier, -ière [ʒɔaje, -jɛr] *nmf* jeweller.

◆**joaillerie** *nf* jewellery; (*magasin*) jewellery shop.
jockey [ʒɔkɛ] *nm* jockey.
jogging [dʒɔgiŋ] *nm Sp* jogging; (*chaussure*) running *ou* jogging shoe; **faire du j.** to jog.
joie [ʒwa] *nf* joy, delight; **feu de j.** bonfire.
joindre* [ʒwɛ̃dr] *vt* (*mettre ensemble, relier*) to join; (*efforts*) to combine; (*insérer dans une enveloppe*) to enclose (**à** with); (*ajouter*) to add (**à** to); **j. qn** (*contacter*) to get in touch with s.o.; **j. les deux bouts** *Fig* to make ends meet; **se j. à** (*se mettre avec, participer à*) to join. ◆**joint** *a* (*efforts*) joint, combined; **à pieds joints** with feet together; – *nm Tech* joint; (*de robinet*) washer. ◆**jointure** *nf Anat* joint.
joker [ʒɔkɛr] *nm Cartes* joker.
joli [ʒɔli] *a* nice, lovely; (*femme, enfant*) pretty. ◆**—ment** *adv* nicely; (*très, beaucoup*) awfully.
jonc [ʒɔ̃] *nm Bot* (bul)rush.
joncher [ʒɔ̃ʃe] *vt* to litter (**de** with); **jonché de** strewn *ou* littered with.
jonction [ʒɔ̃ksjɔ̃] *nf* (*de tubes, routes etc*) junction.
jongl/er [ʒɔ̃gle] *vi* to juggle. ◆**—eur, -euse** *nmf* juggler.
jonquille [ʒɔ̃kij] *nf* daffodil.
Jordanie [ʒɔrdani] *nf* Jordan.
joue [ʒu] *nf Anat* cheek; **coucher qn en j.** to aim (a gun) at s.o.
jouer [ʒwe] *vi* to play; *Th* to act; (*au tiercé etc*) to gamble, bet; (*à la Bourse*) to gamble; (*entrer en jeu*) to come into play; (*être important*) to count; (*fonctionner*) to work; **j. au tennis/aux cartes/***etc* to play tennis/cards/*etc*; **j. du piano/du violon/***etc* to play the piano/violin/*etc*; **j. des coudes** to use one's elbows; – *vt* (*musique, tour, jeu*) to play; (*risquer*) to gamble, bet (**sur** on); (*cheval*) to bet on; (*personnage, rôle*) *Th* to play; (*pièce*) *Th* to perform, put on; (*film*) to show, put on; **j. gros jeu** to play for high stakes; **se j. de** to scoff at; (*difficultés*) to make light of. ◆**jouet** *nm* toy; **le j. de qn** *Fig* s.o.'s plaything. ◆**joueur, -euse** *nmf* player; (*au tiercé etc*) gambler; **beau j., bon j.,** good loser.
joufflu [ʒufly] *a* (*visage*) chubby; (*enfant*) chubby-cheeked.
joug [ʒu] *nm Agr & Fig* yoke.
jouir [ʒwir] *vi* **1 j. de** (*savourer, avoir*) to enjoy. **2** (*éprouver le plaisir sexuel*) to come. ◆**jouissance** *nf* enjoyment; (*usage*) *Jur* use.
joujou, -x [ʒuʒu] *nm Fam* toy.
jour [ʒur] *nm* day; (*lumière*) (day)light; (*ouverture*) gap, opening; (*aspect*) *Fig* light; **il fait j.** it's (day)light; **grand j., plein j.** broad daylight; **de nos jours** nowadays, these days; **au j. le j.** from day to day; **du j. au lendemain** overnight; **mettre à j.** to bring up to date; **mettre au j.** to bring into the open; **se faire j.** to come to light; **donner le j. à** to give birth to; **le j. de l'An** New Year's day. ◆**journalier, -ière** *a* daily. ◆**journée** *nf* day; **pendant la j.** during the day(time); **toute la j.** all day (long). ◆**journellement** *adv* daily.
journal, -aux [ʒurnal, -o] *nm* (news)paper; (*spécialisé*) journal; (*intime*) diary; **j. (parlé)** *Rad* news bulletin; **j. de bord** *Nau* logbook. ◆**journalisme** *nm* journalism. ◆**journaliste** *nmf* journalist. ◆**journalistique** *a* (*style etc*) journalistic.
jovial, -aux [ʒɔvjal, -o] *a* jovial, jolly. ◆**jovialité** *nf* jollity.
joyau, -aux [ʒwajo] *nm* jewel.
joyeux, -euse [ʒwajø, -øz] *a* merry, happy, joyful; **j. anniversaire!** happy birthday!; **j. Noël!** merry *ou* happy Christmas!
jubilé [ʒybile] *nm* (golden) jubilee.
jubiler [ʒybile] *vi* to be jubilant. ◆**jubilation** *nf* jubilation.
jucher [ʒyʃe] *vt*, – **se j.** *vpr* to perch (**sur** on).
judaïque [ʒydaik] *a* Jewish. ◆**judaïsme** *nm* Judaism.
judas [ʒyda] *nm* (*de porte*) peephole, spy hole.
judiciaire [ʒydisjɛr] *a* judicial, legal.
judicieux, -euse [ʒydisjø, -øz] *a* sensible, judicious.
judo [ʒydo] *nm* judo. ◆**judoka** *nmf* judo expert.
juge [ʒyʒ] *nm* judge; *Sp* referee, umpire; **j. d'instruction** examining magistrate; **j. de paix** Justice of the Peace; **j. de touche** *Fb* linesman. ◆**juger** *vt* (*personne, question etc*) to judge; (*affaire*) *Jur* to try; (*estimer*) to consider (**que** that); **j. qn** *Jur* to try s.o.; – *vi* **j. de** to judge; **jugez de ma surprise/***etc* imagine my surprise/*etc*. ◆**jugement** *nm* judg(e)ment; (*verdict*) *Jur* sentence; **passer en j.** *Jur* to stand trial. ◆**jugeote** *nf Fam* commonsense.
jugé (au) [oʒyʒe] *adv* by guesswork.
juguler [ʒygyle] *vt* to check, suppress.
juif, juive [ʒɥif, ʒɥiv] *a* Jewish; – *nm* Jew; – *nf* Jew(ess).
juillet [ʒɥijɛ] *nm* July.
juin [ʒɥɛ̃] *nm* June.
jumeau, -elle, *pl* **-eaux, -elles** [ʒymo, -ɛl] **1** *a* (*frères, lits etc*) twin; – *nmf* twin. **2** *nfpl*

(*longue-vue*) binoculars; **jumelles de théâtre** opera glasses. ◆**jumel/er** *vt* (*villes*) to twin. ◆**—age** *nm* twinning.
jument [ʒymɑ̃] *nf* (*cheval*) mare.
jungle [ʒœ̃gl] *nf* jungle.
junior [ʒynjɔr] *nm* & *a* (*inv au sing*) *Sp* junior.
junte [ʒœ̃t] *nf Pol* junta.
jupe [ʒyp] *nf* skirt. ◆**jupon** *nm* petticoat.
jurer [ʒyre] **1** *vi* (*blasphémer*) to swear. **2** *vt* (*promettre*) to swear (**que** that, **de faire** to do); – *vi* **j. de qch** to swear to sth. **3** *vi* (*contraster*) to clash (**avec** with). ◆**juré** *a* (*ennemi*) sworn; – *nm Jur* juror. ◆**juron** *nm* swearword, oath.
juridiction [ʒyridiksjɔ̃] *nf* jurisdiction.
juridique [ʒyridik] *a* legal. ◆**juriste** *nmf* legal expert, jurist.
jury [ʒyri] *nm Jur* jury; (*de concours*) panel (of judges), jury.
jus [ʒy] *nm* (*des fruits etc*) juice; (*de viande*) gravy; (*café*) *Fam* coffee; (*électricité*) *Fam* power.
jusque [ʒysk] *prép* **jusqu'à** (*espace*) as far as, (right) up to; (*temps*) until, (up) till, to; (*même*) even; **jusqu'à dix francs**/*etc* (*limite*) up to ten francs/*etc*; **jusqu'en mai**/*etc* until May/*etc*; **jusqu'où?** how far?; **j. dans/sous**/*etc* right into/under/*etc*; **j. chez moi** as far as my place; **jusqu'ici** as far as this; (*temps*) up till now; **en avoir j.-là** *Fam* to be fed up; – *conj* **jusqu'à ce qu'il vienne** until he comes.
juste [ʒyst] *a* (*équitable*) fair, just; (*légitime*) just; (*calcul, heure, réponse*) correct, right, accurate; (*remarque*) sound; (*oreille*) good; (*voix*) *Mus* true; (*vêtement*) tight; **un peu j.** (*quantité, repas etc*) barely enough; **très j.!** quite so *ou* right!; **à 3 heures j.** on the stroke of 3; – *adv* (*deviner, compter*) correctly, right, accurately; (*chanter*) in tune; (*exactement, seulement*) just; **au j.** exactly; **tout j.** (*à peine, seulement*) only just; **c'était j.!** (*il était temps*) it was a near thing!; **un peu j.** (*mesurer, compter*) a bit on the short side; – *nm* (*homme*) just man. ◆**justement** *adv* precisely, exactly, just; (*avec justesse ou justice*) justly. ◆**justesse** *nf* (*exactitude*) accuracy; **de j.** (*éviter, gagner etc*) just.
justice [ʒystis] *nf* justice; (*organisation, autorités*) law; **en toute j.** in all fairness; **rendre j. à** to do justice to. ◆**justicier, -ière** *nmf* dispenser of justice.
justifier [ʒystifje] *vt* to justify; – *vi* **j. de** to prove; **— se j.** *vpr Jur* to clear oneself (**de** of); (*attitude etc*) to be justified. ◆**justifiable** *a* justifiable. ◆**justificatif, -ive** *a* **document j.** supporting document, proof. ◆**justification** *nf* justification; (*preuve*) proof.
jute [ʒyt] *nm* (*fibre*) jute.
juteux, -euse [ʒytø, -øz] *a* juicy.
juvénile [ʒyvenil] *a* youthful.
juxtaposer [ʒykstapoze] *vt* to juxtapose. ◆**juxtaposition** *nf* juxtaposition.

K

K, k [kɑ] *nm* K, k.
kaki [kaki] *a inv* & *nm* khaki.
kaléidoscope [kaleidɔskɔp] *nm* kaleidoscope.
kangourou [kɑ̃guru] *nm* **1** (*animal*) kangaroo. **2**® (*porte-bébé*) baby sling.
karaté [karate] *nm Sp* karate.
kart [kart] *nm Sp* (go-)kart, go-cart. ◆**karting** [-iŋ] *nm Sp* (go-)karting.
kascher [kaʃɛr] *a inv Rel* kosher.
kayac [kajak] *nm* (*bateau*) *Sp* canoe.
képi [kepi] *nm* (*coiffure*) *Mil* kepi.
kermesse [kɛrmɛs] *nf* charity fête; (*en Belgique etc*) village fair.
kérosène [kerozɛn] *nm* kerosene, aviation fuel.
kibboutz [kibuts] *nm* kibbutz.
kidnapp/er [kidnape] *vt* to kidnap. ◆**—eur, -euse** *nmf* kidnapper.
kilo(gramme) [kilo, kilɔgram] *nm* kilo(gramme).
kilomètre [kilɔmɛtr] *nm* kilometre. ◆**kilométrage** *nm Aut* = mileage. ◆**kilométrique** *a* **borne k.** = milestone.
kilowatt [kilɔwat] *nm* kilowatt.
kimono [kimɔno] *nm* (*tunique*) kimono.
kinésithérapie [kineziterapi] *nf* physiotherapy. ◆**kinésithérapeute** *nmf* physiotherapist.
kiosque [kjɔsk] *nm* (*à journaux*) kiosk, stall; **k. à musique** bandstand.
kit [kit] *nm* (*meuble etc prêt à monter*) kit; **en k.** in kit form, ready to assemble.

klaxon® [klaksɔn] *nm Aut* horn. ◆**klaxonner** *vi* to hoot, *Am* honk.
km *abrév* (*kilomètre*) km.
k.-o. [kao] *a inv* **mettre k.-o.** *Boxe* to knock out.
kyrielle [kirjɛl] *nf* **une k. de** a long string of.
kyste [kist] *nm Méd* cyst.

L

L, l [ɛl] *nm* L, l.
l', la [l, la] *voir* **le.**
là [la] **1** *adv* there; (*chez soi*) in, home; **je reste là** I'll stay here; **c'est là que** *ou* **où** that's where; **c'est là ton erreur** that's *ou* there's your mistake; **là où il est** where he is; **à cinq mètres de là** five metres away; **de là son échec** (*cause*) hence his *ou* her failure; **jusque-là** (*lieu*) as far as that; **passe par là** go that way. **2** *adv* (*temps*) then; **jusque-là** up till then. **3** *int* **là, là!** (*pour rassurer*) there, there!; **alors là!** well!; **oh là là!** oh dear! **4** *voir* **ce**[2], **celui.**
là-bas [labɑ] *adv* over there.
label [labɛl] *nm Com* label, mark (*of quality, origin etc*).
labeur [labœr] *nm Litt* toil.
labo [labo] *nm Fam* lab. ◆**laboratoire** *nm* laboratory; **l. de langues** language laboratory.
laborieux, -euse [labɔrjø, -øz] *a* (*pénible*) laborious; (*personne*) industrious; **les classes laborieuses** the working classes.
labour [labur] *nm* ploughing, *Am* plowing; digging over. ◆**labour/er** *vt* (*avec charrue*) to plough, *Am* plow; (*avec bêche*) to dig over; (*visage etc*) *Fig* to furrow. ◆**—eur** *nm* ploughman, *Am* plowman.
labyrinthe [labirɛ̃t] *nm* maze, labyrinth.
lac [lak] *nm* lake.
lacer [lase] *vt* to lace (up). ◆**lacet** *nm* **1** (shoe- *ou* boot-)lace. **2** (*de route*) twist, zigzag; **route en l.** winding *ou* zigzag road.
lacérer [lasere] *vt* (*papier etc*) to tear; (*visage etc*) to lacerate.
lâche [lɑʃ] **1** *a* cowardly; – *nmf* coward. **2** *a* (*détendu*) loose, slack. ◆**lâchement** *adv* in a cowardly manner. ◆**lâcheté** *nf* cowardice; **une l.** (*action*) a cowardly act.
lâch/er [lɑʃe] *vt* (*main, objet etc*) to let go of; (*bombe, pigeon*) to release; (*place, études*) to give up; (*juron*) to utter, let slip; (*secret*) to let out; **l. qn** (*laisser tranquille*) to leave s.o. (alone); (*abandonner*) *Fam* to drop s.o.; **l. prise** to let go; – *vi* (*corde*) to give way; – *nm* release. ◆**—eur, -euse** *nmf Fam* deserter.
laconique [lakɔnik] *a* laconic.
lacrymogène [lakrimɔʒɛn] *a* **gaz l.** tear gas.
lacté [lakte] *a* (*régime*) milk-; **la Voie lactée** the Milky Way.
lacune [lakyn] *nf* gap, deficiency.
lad [lad] *nm* stable boy, groom.
là-dedans [lad(ə)dɑ̃] *adv* (*lieu*) in there, inside. ◆**là-dessous** *adv* underneath. ◆**là-dessus** *adv* on it, on that; (*monter*) on top; (*alors*) thereupon. ◆**là-haut** *adv* up there; (*à l'étage*) upstairs.
lagon [lagɔ̃] *nm* (small) lagoon. ◆**lagune** *nf* lagoon.
laid [lɛ] *a* ugly; (*ignoble*) wretched. ◆**laideur** *nf* ugliness.
laine [lɛn] *nf* wool; **de l., en l.** woollen. ◆**lainage** *nm* (*vêtement*) woollen garment, woolly; (*étoffe*) woollen material; *pl* (*vêtements, objets fabriqués*) woollens. ◆**laineux, -euse** *a* woolly.
laïque [laik] *a* (*vie*) secular; (*habit, tribunal*) lay; – *nmf* (*non-prêtre*) layman, laywoman.
laisse [lɛs] *nf* lead, leash; **en l.** on a lead *ou* leash.
laisser [lese] *vt* to leave; **l. qn partir/entrer/***etc* (*permettre*) to let s.o. go/come in/*etc*; **l. qch à qn** (*confier, donner*) to let s.o. have sth, leave sth with s.o.; (*vendre*) to let s.o. have sth; **laissez-moi le temps de le faire** give me *ou* leave me time to do it; **se l. aller/faire** to let oneself go/be pushed around. ◆**laissé(e)-pour-compte** *nmf* (*personne*) misfit, reject. ◆**laisser-aller** *nm inv* carelessness, slovenliness; ◆**laissez-passer** *nm inv* (*sauf-conduit*) pass.
lait [lɛ] *nm* milk; **frère/sœur de l.** foster-brother/-sister; **dent de l.** milk tooth. ◆**laitage** *nm* milk product *ou* food. ◆**laiterie** *nf* dairy. ◆**laiteux, -euse** *a* milky. ◆**laitier, -ière** *a* (*produits*) dairy-; – *nm* (*livreur*) milkman; (*vendeur*) dairyman; – *nf* dairywoman.
laiton [lɛtɔ̃] *nm* brass.

laitue [lety] *nf* lettuce.
laïus [lajys] *nm Fam* speech.
lama [lama] *nm* (*animal*) llama.
lambeau, -x [lɑ̃bo] *nm* shred, bit; **mettre en lambeaux** to tear to shreds; **tomber en lambeaux** to fall to bits.
lambin, -ine [lɑ̃bɛ̃, -in] *nmf* dawdler. ◆**lambiner** *vi* to dawdle.
lambris [lɑ̃bri] *nm* panelling. ◆**lambrisser** *vt* to panel.
lame [lam] *nf* **1** (*de couteau, rasoir etc*) blade; (*de métal*) strip, plate; **l. de parquet** floorboard. **2** (*vague*) wave; **l. de fond** ground swell.
lamelle [lamɛl] *nf* thin strip; **l. de verre** (*pour microscope*) slide.
lamenter (se) [səlamɑ̃te] *vpr* to moan, lament; **se l. sur** to lament (over). ◆**lamentable** *a* (*mauvais*) deplorable; (*voix, cri*) mournful. ◆**lamentation** *nf* lament(ation).
laminé [lamine] *a* (*métal*) laminated.
lampadaire [lɑ̃padɛr] *nm* standard lamp; (*de rue*) street lamp.
lampe [lɑ̃p] *nf* lamp; (*au néon*) light; (*de vieille radio*) valve, *Am* (vacuum) tube; **l. de poche** torch, *Am* flashlight.
lampée [lɑ̃pe] *nf Fam* gulp.
lampion [lɑ̃pjɔ̃] *nm* Chinese lantern.
lance [lɑ̃s] *nf* spear; (*de tournoi*) *Hist* lance; (*extrémité de tuyau*) nozzle; **l. d'incendie** fire hose.
lance-flammes [lɑ̃sflam] *nm inv* flame thrower. ◆**l.-pierres** *nm inv* catapult. ◆**l.-roquettes** *nm inv* rocket launcher.
lanc/er [lɑ̃se] *vt* (*jeter*) to throw (**à** to); (*avec force*) to hurl; (*navire, mode, acteur, idée*) to launch; (*regard*) to cast (**à** at); (*moteur*) to start; (*ultimatum*) to issue; (*bombe*) to drop; (*gifle*) to give; (*cri*) to utter; **— se l.** *vpr* (*se précipiter*) to rush; **se l. dans** (*aventure, discussion*) to launch into; – *nm* **un l.** a throw; **le l. de** the throwing of. ◆**—ée** *nf* momentum. ◆**—ement** *nm Sp* throwing; (*de fusée, navire etc*) launch(ing).
lancinant [lɑ̃sinɑ̃] *a* (*douleur*) shooting; (*obsédant*) haunting.
landau [lɑ̃do] *nm* (*pl* **-s**) pram, *Am* baby carriage.
lande [lɑ̃d] *nf* moor, heath.
langage [lɑ̃gaʒ] *nm* (*système, faculté d'expression*) language; **l. machine** computer language.
lange [lɑ̃ʒ] *nm* (baby) blanket. ◆**langer** *vt* (*bébé*) to change.
langouste [lɑ̃gust] *nf* (spiny) lobster. ◆**langoustine** *nf* (Dublin) prawn, Norway lobster.
langue [lɑ̃g] *nf Anat* tongue; *Ling* language; **de l. anglaise/française** English-/French-speaking; **l. maternelle** mother tongue; **mauvaise l.** (*personne*) gossip. ◆**languette** *nf* (*patte*) tongue.
langueur [lɑ̃gœr] *nf* languor. ◆**langu/ir** *vi* to languish (**après** for, after); (*conversation*) to flag. ◆**—issant** *a* languid; (*conversation*) flagging.
lanière [lanjɛr] *nf* strap; (*d'étoffe*) strip.
lanterne [lɑ̃tɛrn] *nf* lantern; (*électrique*) lamp; *pl Aut* sidelights.
lanterner [lɑ̃tɛrne] *vi* to loiter.
lapalissade [lapalisad] *nf* statement of the obvious, truism.
laper [lape] *vt* (*boire*) to lap up; – *vi* to lap.
lapider [lapide] *vt* to stone.
lapin [lapɛ̃] *nm* rabbit; **mon (petit) l.!** my dear!; **poser un l. à qn** *Fam* to stand s.o. up.
laps [laps] *nm* **un l. de temps** a lapse of time.
lapsus [lapsys] *nm* slip (of the tongue).
laquais [lakɛ] *nm Hist* & *Fig* lackey.
laque [lak] *nf* lacquer; **l. à cheveux** hair spray, (hair) lacquer. ◆**laquer** *vt* to lacquer.
laquelle [lakɛl] *voir* **lequel.**
larbin [larbɛ̃] *nm Fam* flunkey.
lard [lar] *nm* (*fumé*) bacon; (*gras*) (pig's) fat. ◆**lardon** *nm Culin* strip of bacon *ou* fat.
large [larʒ] *a* wide, broad; (*vêtement*) loose; (*idées, esprit*) broad; (*grand*) large; (*généreux*) liberal; **l. d'esprit** broad-minded; **l. de six mètres** six metres wide; – *adv* (*calculer*) liberally, broadly; – *nm* breadth, width; **avoir six mètres de l.** to be six metres wide; **le l.** (*mer*) the open sea; **au l. de Cherbourg** *Nau* off Cherbourg; **être au l.** to have lots of room. ◆**—ment** *adv* widely; (*ouvrir*) wide; (*servir, payer*) liberally; (*au moins*) easily; **avoir l. le temps** to have plenty of time, have ample time. ◆**largesse** *nf* liberality. ◆**largeur** *nf* width, breadth; (*d'esprit*) breadth.
larguer [large] *vt* (*bombe, parachutiste*) to drop; **l. qn** (*se débarrasser de*) to drop s.o.; **l. les amarres** *Nau* to cast off.
larme [larm] *nf* tear; (*goutte*) *Fam* drop; **en larmes** in tears; **rire aux larmes** to laugh till one cries. ◆**larmoyer** *vi* (*yeux*) to water.
larve [larv] *nf* (*d'insecte*) larva, grub.
larvé [larve] *a* latent, underlying.
larynx [larɛ̃ks] *nm Anat* larynx ◆**laryngite** *nf Méd* laryngitis.
las, lasse [lɑ, lɑs] *a* tired, weary (**de** of).

◆**lasser** *vt* to tire, weary; **se l. de** to tire of. ◆**lassitude** *nf* tiredness, weariness.
lascar [laskar] *nm Fam* (clever) fellow.
lascif, -ive [lasif, -iv] *a* lascivious.
laser [lazɛr] *nm* laser.
lasso [laso] *nm* lasso.
latent [latɑ̃] *a* latent.
latéral, -aux [lateral, -o] *a* lateral, side-.
latin, -ine [latɛ̃, -in] *a & nmf* Latin; – *nm* (*langue*) Latin.
latitude [latityd] *nf Géog & Fig* latitude.
latrines [latrin] *nfpl* latrines.
latte [lat] *nf* slat, lath; (*de plancher*) board.
lauréat, -ate [lɔrea, -at] *nmf* (prize)winner; – *a* prize-winning.
laurier [lɔrje] *nm Bot* laurel, bay; **du l.** *Culin* bay leaves.
lavabo [lavabo] *nm* washbasin, sink; *pl* (*cabinet*) toilet(s), *Am* washroom.
lavande [lavɑ̃d] *nf* lavender.
lave [lav] *nf Géol* lava.
lave-auto [lavoto] *nm* car wash. ◆**l.-glace** *nm* windscreen *ou Am* windshield washer. ◆**l.-linge** *nm* washing machine. ◆**l.-vaisselle** *nm* dishwasher.
laver [lave] *vt* to wash; **l. qn de** (*soupçon etc*) to clear s.o. of; — **se l.** *vpr* to wash (oneself), *Am* wash up; **se l. les mains** to wash one's hands (*Fig* **de** of). ◆**lavable** *a* washable. ◆**lavage** *nm* washing; **l. de cerveau** *Psy* brainwashing. ◆**laverie** *nf* (*automatique*) launderette, *Am* laundromat. ◆**lavette** *nf* dish cloth; (*homme*) *Péj* drip. ◆**laveur** *nm* **l. de carreaux** window cleaner *ou Am* washer. ◆**lavoir** *nm* (*bâtiment*) washhouse.
laxatif, -ive [laksatif, -iv] *nm & a Méd* laxative.
laxisme [laksism] *nm* permissiveness, laxity. ◆**laxiste** *a* permissive, lax.
layette [lɛjɛt] *nf* baby clothes, layette.
le, la, *pl* **les** [l(ə), la, le] (**le** & **la** *become* **l'** *before a vowel or mute h*) **1** *art déf* (**à + le = au, à + les = aux; de + le = du, de + les = des**) the; **le garçon** the boy; **la fille** the girl; **venez, les enfants!** come children!; **les petits/rouges/***etc* the little ones/red ones/*etc*; **mon ami le plus intime** my closest friend. **2** (*généralisation, abstraction*) **la beauté** beauty; **la France** France; **les Français** the French; **les hommes** men; **aimer le café** to like coffee. **3** (*possession*) **il ouvrit la bouche** he opened his mouth; **se blesser au pied** to hurt one's foot; **avoir les cheveux blonds** to have blond hair. **4** (*mesure*) **dix francs le kilo** ten francs a kilo. **5** (*temps*) **elle vient le lundi** she comes on Monday(s); **elle passe le soir** she comes over in the evening(s); **l'an prochain** next year; **une fois l'an** once a year. **6** *pron* (*homme*) him; (*femme*) her; (*chose, animal*) it; *pl* them; **je la vois** I see her; I see it; **je le vois** I see him; I see it; **je les vois** I see them; **es-tu fatigué? – je le suis** are you tired? – I am; **je le crois** I think so.
leader [lidœr] *nm Pol* leader.
lécher [leʃe] *vt* to lick; **se l. les doigts** to lick one's fingers. ◆**lèche-vitrines** *nm* **faire du l.-vitrines** to go window-shopping.
leçon [ləsɔ̃] *nf* lesson; **faire la l. à qn** to lecture s.o.
lecteur, -trice [lɛktœr, -tris] *nmf* reader; *Univ* (foreign language) assistant; **l. de cassettes** cassette player. ◆**lecture** *nf* reading; *pl* (*livres*) books; **faire de la l. à qn** to read to s.o.; **de la l.** some reading matter.
légal, -aux [legal, -o] *a* legal; (*médecine*) forensic. ◆**légalement** *adv* legally. ◆**légaliser** *vt* to legalize. ◆**légalité** *nf* legality (**de** of); **respecter la l.** to respect the law.
légation [legɑsjɔ̃] *nf Pol* legation.
légende [leʒɑ̃d] *nf* **1** (*histoire, fable*) legend. **2** (*de plan, carte*) key, legend; (*de photo*) caption. ◆**légendaire** *a* legendary.
léger, -ère [leʒe, -ɛr] *a* light; (*bruit, faute, fièvre etc*) slight; (*café, thé, argument*) weak; (*bière, tabac*) mild; (*frivole*) frivolous; (*irréfléchi*) careless; **à la légère** (*agir*) rashly. ◆**légèrement** *adv* lightly; (*un peu*) slightly; (*à la légère*) rashly. ◆**légèreté** *nf* lightness; frivolity.
légiférer [leʒifere] *vi* to legislate.
légion [leʒjɔ̃] *nf Mil & Fig* legion. ◆**légionnaire** *nm* (*de la Légion étrangère*) legionnaire.
législatif, -ive [leʒislatif, -iv] *a* legislative; (*élections*) parliamentary. ◆**législation** *nf* legislation. ◆**législature** *nf* (*période*) *Pol* term of office.
légitime [leʒitim] *a* (*action, enfant etc*) legitimate; **en état de l. défense** acting in self-defence. ◆**légitimité** *nf* legitimacy.
legs [lɛg] *nm Jur* legacy, bequest; (*héritage*) *Fig* legacy. ◆**léguer** *vt* to bequeath (**à** to).
légume [legym] **1** *nm* vegetable. **2** *nf* **grosse l.** (*personne*) *Fam* bigwig.
lendemain [lɑ̃dmɛ̃] *nm* **le l.** the next day; (*avenir*) *Fig* the future; **le l. de** the day after; **le l. matin** the next morning.
lent [lɑ̃] *a* slow. ◆**lentement** *adv* slowly. ◆**lenteur** *nf* slowness.
lentille [lɑ̃tij] *nf* **1** *Bot Culin* lentil. **2** (*verre*) lens.
léopard [leɔpar] *nm* leopard.

lèpre [lɛpr] *nf* leprosy. ◆**lépreux, -euse** *a* leprous; – *nmf* leper.
lequel, laquelle, *pl* **lesquels, lesquelles** [ləkɛl, lakɛl, lekɛl] (+ **à** = **auquel, à laquelle, auxquel(le)s;** + **de** = **duquel, de laquelle, desquel(le)s**) *pron* (*chose, animal*) which; (*personne*) who, (*indirect*) whom; (*interrogatif*) which (one); **dans l.** in which; **parmi lesquels** (*choses, animaux*) among which; (*personnes*) among whom; **l. préférez-vous?** which (one) do you prefer?
les [le] *voir* **le.**
lesbienne [lɛsbjɛn] *nf* & *af* lesbian.
léser [leze] *vt* (*personne*) *Jur* to wrong.
lésiner [lezine] *vi* to be stingy (**sur** with).
lésion [lezjɔ̃] *nf Méd* lesion.
lessive [lesiv] *nf* (*produit*) washing powder; (*linge*) washing; **faire la l.** to do the wash(ing). ◆**lessiv/er** *vt* to scrub, wash. ◆**—é** *a Fam* (*fatigué*) washed-out; (*ruiné*) washed-up. ◆**—euse** *nf* (laundry) boiler.
lest [lɛst] *nm* ballast. ◆**lester** *vt* to ballast, weight down; (*remplir*) *Fam* to overload.
leste [lɛst] *a* (*agile*) nimble; (*grivois*) coarse.
léthargie [letarʒi] *nf* lethargy. ◆**léthargique** *a* lethargic.
lettre [lɛtr] *nf* (*missive, caractère*) letter; **en toutes lettres** (*mot*) in full; (*nombre*) in words; **les lettres** (*discipline*) *Univ* arts; **homme de lettres** man of letters. ◆**lettré, -ée** *a* well-read; – *nmf* scholar.
leucémie [løsemi] *nf* leuk(a)emia.
leur [lœr] **1** *a poss* their; **l. chat** their cat; **leurs voitures** their cars; – *pron poss* **le l., la l., les leurs** theirs. **2** *pron inv* (*indirect*) (to) them; **il l. est facile de . . .** it's easy for them to . . . .
leurre [lœr] *nm* illusion; (*tromperie*) trickery. ◆**leurrer** *vt* to delude.
lev/er [l(ə)ve] *vt* to lift (up), raise; (*blocus, interdiction*) to lift; (*séance*) to close; (*camp*) to strike; (*plan*) to draw up; (*impôts, armée*) to levy; **l. les yeux** to look up; – *vi* (*pâte*) to rise; (*blé*) to come up; **— se l.** *vpr* to get up; (*soleil, rideau*) to rise; (*jour*) to break; (*brume*) to clear, lift; – *nm* **le l. du soleil** sunrise; **le l. du rideau** *Th* the curtain. ◆**—ant** *a* (*soleil*) rising; – *nm* **le l.** the east. ◆**—é** *a* **être l.** (*debout*) to be up. ◆**—ée** *nf* (*d'interdiction*) lifting; (*d'impôts*) levying; (*du courrier*) collection; **l. de boucliers** public outcry.
levier [ləvje] *nm* lever; (*pour soulever*) crowbar.
lèvre [lɛvr] *nf* lip; **du bout des lèvres** half-heartedly, grudgingly.
lévrier [levrije] *nm* greyhound.
levure [ləvyr] *nf* yeast.
lexique [lɛksik] *nm* vocabulary, glossary.
lézard [lezar] *nm* lizard.
lézarde [lezard] *nf* crack, split. ◆**lézarder 1** *vi Fam* to bask in the sun. **2 se l.** *vpr* to crack, split.
liaison [ljɛzɔ̃] *nf* (*rapport*) connection; (*routière etc*) link; *Gram Mil* liaison; **l. (amoureuse)** love affair; **en l. avec qn** in contact with s.o.
liane [ljan] *nf Bot* jungle vine.
liant [ljɑ̃] *a* sociable.
liasse [ljas] *nf* bundle.
Liban [libɑ̃] *nm* Lebanon. ◆**libanais, -aise** *a* & *nmf* Lebanese.
libell/er [libele] *vt* (*contrat etc*) to word, draw up; (*chèque*) to make out. ◆**—é** *nm* wording.
libellule [libelyl] *nf* dragonfly.
libéral, -ale, -aux [liberal, -o] *a* & *nmf* liberal. ◆**libéraliser** *vt* to liberalize. ◆**libéralisme** *nm* liberalism. ◆**libéralité** *nf* liberality; (*don*) liberal gift.
libérer [libere] *vt* (*prisonnier etc*) to (set) free, release; (*pays, esprit*) to liberate (**de** from); **l. qn de** to free s.o. of *ou* from; **— se l.** *vpr* to get free, free oneself (**de** of, from). ◆**libérateur, -trice** *a* (*sentiment etc*) liberating; – *nmf* liberator. ◆**libération** *nf* freeing, release; liberation; **l. conditionnelle** *Jur* parole. ◆**liberté** *nf* freedom, liberty; **en l. provisoire** *Jur* on bail; **mettre en l.** to free, release; **mise en l.** release.
libraire [librɛr] *nmf* bookseller. ◆**librairie** *nf* (*magasin*) bookshop.
libre [libr] *a* free (**de qch** from sth, **de faire** to do); (*voie, route*) clear; (*place*) vacant, free; (*école*) private (and religious); **l. penseur** freethinker. ◆**l.-échange** *nm Écon* free trade. ◆**l.-service** *nm* (*pl* **libres-services**) (*système, magasin etc*) self-service. ◆**librement** *adv* freely.
Libye [libi] *nf* Libya. ◆**libyen, -enne** *a* & *nmf* Libyan.
licence [lisɑ̃s] *nf Sp Com Littér* licence; *Univ* (bachelor's) degree; **l. ès lettres/sciences** arts/science degree, = BA/BSc, = *Am* BA/BS. ◆**licencié, -ée** *a* & *nmf* graduate; **l. ès lettres/sciences** bachelor of arts/science, = BA/BSc, = *Am* BA/BS.
licencier [lisɑ̃sje] *vt* (*ouvrier*) to lay off, dismiss. ◆**licenciement** *nm* dismissal.
licite [lisit] *a* licit, lawful.
licorne [likɔrn] *nf* unicorn.
lie [li] *nf* dregs.
liège [ljɛʒ] *nm* (*matériau*) cork.
lien [ljɛ̃] *nm* (*rapport*) link, connection; (*de*

parenté) tie, bond; (*attache, ficelle*) tie. ◆**lier** *vt* (*attacher*) to tie (up), bind; (*relier*) to link (up), connect; (*conversation, amitié*) to strike up; **l. qn** (*unir, engager*) to bind s.o.; **— se l.** *vpr* (*idées etc*) to connect, link together; **se l. avec qn** to make friends with s.o.; **amis très liés** very close friends.

lierre [ljɛr] *nm* ivy.

lieu, -x [ljø] *nm* place; (*d'un accident*) scene; **les lieux** (*locaux*) the premises; **sur les lieux** on the spot; **avoir l.** to take place, be held; **au l. de** instead of; **avoir l. de faire** (*des raisons*) to have good reason to do; **en premier l.** in the first place, firstly; **en dernier l.** lastly; **l. commun** commonplace. ◆**l.-dit** *nm* (*pl* **lieux-dits**) *Géog* locality.

lieue [ljø] *nf* (*mesure*) *Hist* league.

lieutenant [ljøtnɑ̃] *nm* lieutenant.

lièvre [ljɛvr] *nm* hare.

ligament [ligamɑ̃] *nm* ligament.

ligne [liɲ] *nf* (*trait, règle, contour, transport*) line; (*belle silhouette de femme etc*) figure; (*rangée*) row, line; **(se) mettre en l.** to line up; **en l.** *Tél* connected, through; **entrer en l. de compte** to be of consequence, count; **faire entrer en l. de compte** to take into account; **grande l.** *Rail* main line; **les grandes lignes** *Fig* the broad outline; **pilote de l.** airline pilot; **à la l.** *Gram* new paragraph.

lignée [liɲe] *nf* line, ancestry.

ligoter [ligɔte] *vt* to tie up.

ligue [lig] *nf* (*alliance*) league. ◆**se liguer** *vpr* to join together, gang up (**contre** against).

lilas [lilɑ] *nm* lilac; – *a inv* (*couleur*) lilac.

limace [limas] *nf* (*mollusque*) slug.

limaille [limɑj] *nf* filings.

limande [limɑ̃d] *nf* (*poisson*) dab.

lime [lim] *nf* (*outil*) file. ◆**limer** *vt* to file.

limier [limje] *nm* (*chien*) bloodhound.

limite [limit] *nf* limit; (*de propriété, jardin etc*) boundary; *pl Fb* boundary lines; **dépasser la l.** to go beyond the bounds; – *a* (*cas*) extreme; (*vitesse, prix, âge etc*) maximum; **date l.** latest date, deadline; **date l. de vente** *Com* sell-by date. ◆**limitatif, -ive** *a* restrictive. ◆**limitation** *nf* limitation; (*de vitesse*) limit. ◆**limiter** *vt* to limit, restrict; (*délimiter*) to border; **se l. à faire** to limit *ou* restrict oneself to doing.

limoger [limɔʒe] *vt* (*destituer*) to dismiss.

limonade [limɔnad] *nf* (fizzy) lemonade.

limpide [lɛ̃pid] *a* (*eau, explication*) (crystal) clear. ◆**limpidité** *nf* clearness.

lin [lɛ̃] *nm Bot* flax; (*tissu*) linen; **huile de l.** linseed oil.

linceul [lɛ̃sœl] *nm* shroud.

linéaire [lineɛr] *a* linear.

linge [lɛ̃ʒ] *nm* (*pièces de tissu*) linen; (*à laver*) washing, linen; (*torchon*) cloth; **l. (de corps)** underwear. ◆**lingerie** *nf* (*de femmes*) underwear; (*local*) linen room.

lingot [lɛ̃go] *nm* ingot.

linguiste [lɛ̃gɥist] *nmf* linguist. ◆**linguistique** *a* linguistic; – *nf* linguistics.

lino [lino] *nm* lino. ◆**linoléum** *nm* linoleum.

linotte [linɔt] *nf* (*oiseau*) linnet; **tête de l.** *Fig* scatterbrain.

lion [ljɔ̃] *nm* lion. ◆**lionceau, -x** *nm* lion cub. ◆**lionne** *nf* lioness.

liquéfier [likefje] *vt*, **— se l.** *vpr* to liquefy.

liqueur [likœr] *nf* liqueur.

liquide [likid] *a* liquid; **argent l.** ready cash; – *nm* liquid; **du l.** (*argent*) ready cash.

liquider [likide] *vt* (*dette, stock etc*) to liquidate; (*affaire, travail*) to wind up, finish off; **l. qn** (*tuer*) *Fam* to liquidate s.o. ◆**liquidation** *nf* liquidation; winding up; (*vente*) (clearance) sale.

lire[1]* [lir] *vti* to read.

lire[2] [lir] *nf* (*monnaie*) lira.

lis[1] [lis] *nm* (*plante, fleur*) lily.

lis[2], **lisent** [li, liz] *voir* **lire**[1].

liseron [lizrɔ̃] *nm Bot* convolvulus.

lisible [lizibl] *a* (*écriture*) legible; (*livre*) readable. ◆**lisiblement** *adv* legibly.

lisière [lizjɛr] *nf* edge, border.

lisse [lis] *a* smooth. ◆**lisser** *vt* to smooth; (*plumes*) to preen.

liste [list] *nf* list; **l. électorale** register of electors, electoral roll; **sur la l. rouge** *Tél* ex-directory, *Am* unlisted.

lit[1] [li] *nm* bed; **l. d'enfant** cot, *Am* crib; **lits superposés** bunk beds; **garder le l.** to stay in bed. ◆**literie** *nf* bedding, bed clothes.

lit[2] [li] *voir* **lire**[1].

litanie [litani] **1** *nf* (*énumération*) long list (**de** of). **2** *nfpl* (*prière*) *Rel* litany.

litière [litjɛr] *nf* (*couche de paille*) litter.

litige [litiʒ] *nm* dispute; *Jur* litigation. ◆**litigieux, -euse** *a* contentious.

litre [litr] *nm* litre.

littéraire [literɛr] *a* literary. ◆**littérature** *nf* literature.

littéral, -aux [literal, -o] *a* literal. ◆**—ement** *adv* literally.

littoral, -aux [litɔral, -o] *a* coastal; – *nm* coast(line).

liturgie [lityrʒi] *nf* liturgy. ◆**liturgique** *a* liturgical.

livide [livid] *a* (*bleuâtre*) livid; (*pâle*) (ghastly) pale, pallid.

livre [livr] **1** *nm* book; **l. de bord** *Nau* logbook; **l. de poche** paperback (book); **le l., l'industrie du l.** the book industry. **2** *nf* (*monnaie, poids*) pound. **◆livresque** *a* (*savoir*) *Péj* bookish. **◆livret** *nm* (*registre*) book; *Mus* libretto; **l. scolaire** school report book; **l. de famille** family registration book; **l. de caisse d'épargne** bankbook, passbook.

livrée [livre] *nf* (*uniforme*) livery.

livrer [livre] *vt* (*marchandises*) to deliver (**à** to); (*secret*) to give away; **l. qn à** (*la police etc*) to give s.o. up *ou* over to; **l. bataille** to do *ou* join battle; **— se l.** *vpr* (*se rendre*) to give oneself up (**à** to); (*se confier*) to confide (**à** in); **se l. à** (*habitude, excès etc*) to indulge in; (*tâche*) to devote oneself to; (*désespoir, destin*) to abandon oneself to. **◆livraison** *nf* delivery. **◆livreur, -euse** *nmf* delivery man, delivery woman.

lobe [lɔb] *nm Anat* lobe.

local, -aux [lɔkal, -o] **1** *a* local. **2** *nm* & *nmpl* (*pièce, bâtiment*) premises. **◆localement** *adv* locally. **◆localiser** *vt* (*déterminer*) to locate; (*limiter*) to localize. **◆localité** *nf* locality.

locataire [lɔkatɛr] *nmf* tenant; (*hôte payant*) lodger.

location [lɔkɑsjɔ̃] *nf* (*de maison etc*) renting; (*à bail*) leasing; (*de voiture*) hiring; (*réservation*) booking; (*par propriétaire*) renting (out), letting; leasing (out); hiring (out); (*loyer*) rental; (*bail*) lease; **bureau de l.** booking office; **en l.** on hire.

lock-out [lɔkawt] *nm inv* (*industriel*) lock-out.

locomotion [lɔkɔmosjɔ̃] *nf* locomotion. **◆locomotive** *nf* locomotive, engine.

locuteur [lɔkytœr] *nm Ling* speaker. **◆locution** *nf* phrase, idiom; *Gram* phrase.

logarithme [lɔgaritm] *nm* logarithm.

loge [lɔʒ] *nf* (*de concierge*) lodge; (*d'acteur*) dressing-room; (*de spectateur*) *Th* box.

log/er [lɔʒe] *vt* (*recevoir, mettre*) to accommodate, house; (*héberger*) to put up; **être logé et nourri** to have board and lodging; – *vi* (*à l'hôtel etc*) to put up, lodge; (*habiter*) to live; **(trouver à) se l.** to find somewhere to live; (*temporairement*) to find somewhere to stay; **se l. dans** (*balle*) to lodge (itself) in. **◆—eable** *a* habitable. **◆—ement** *nm* accommodation, lodging; (*habitat*) housing; (*appartement*) lodgings, flat, *Am* apartment; (*maison*) dwelling. **◆—eur, -euse** *nmf* landlord, landlady.

logiciel [lɔʒisjɛl] *nm* (*d'un ordinateur*) software *inv*.

logique [lɔʒik] *a* logical; – *nf* logic. **◆—ment** *adv* logically.

logistique [lɔʒistik] *nf* logistics.

logo [lɔgo] *nm* logo.

loi [lwa] *nf* law; *Pol* act; **projet de l.** *Pol* bill; **faire la l.** to lay down the law (**à** to).

loin [lwɛ̃] *adv* far (away *ou* off); **Boston est l. (de Paris)** Boston is a long way away (from Paris); **plus l.** further, farther; (*ci-après*) further on; **l. de là** *Fig* far from it; **au l.** in the distance, far away; **de l.** from a distance; (*de beaucoup*) by far; **de l. en l.** every so often. **◆lointain** *a* distant, far-off; – *nm* **dans le l.** in the distance.

loir [lwar] *nm* (*animal*) dormouse.

loisir [lwazir] *nm* **le l. de faire** the time to do; **moment de l.** moment of leisure; **loisirs** (*temps libre*) spare time, leisure (time); (*distractions*) spare-time *ou* leisure activities.

Londres [lɔ̃dr] *nm ou f* London. **◆londonien, -ienne** *a* London-; – *nmf* Londoner.

long, longue [lɔ̃, lɔ̃g] *a* long; **être l. (à faire)** to be a long time *ou* slow (in doing); **l. de deux mètres** two metres long; – *nm* **avoir deux mètres de l.** to be two metres long; **tomber de tout son l.** to fall flat; **(tout) le l. de** (*espace*) (all) along; **tout le l. de** (*temps*) throughout; **de l. en large** (*marcher etc*) up and down; **en l. et en large** thoroughly; **en l.** lengthwise; **à la longue** in the long run. **◆l.-courrier** *nm Av* long-distance airliner. **◆longue-vue** *nf* (*pl* **longues-vues**) telescope.

longer [lɔ̃ʒe] *vt* to pass *ou* go along; (*forêt, mer*) to skirt; (*mur*) to hug.

longévité [lɔ̃ʒevite] *nf* longevity.

longitude [lɔ̃ʒityd] *nf* longitude.

longtemps [lɔ̃tɑ̃] *adv* (for) a long time; **trop/avant l.** too/before long; **aussi l. que** as long as.

longue [lɔ̃g] *voir* **long. ◆longuement** *adv* at length. **◆longuet, -ette** *a Fam* (fairly) lengthy. **◆longueur** *nf* length; *pl* (*de texte, film*) over-long passages; **saut en l.** *Sp* long jump; **à l. de journée** all day long; **l. d'onde** *Rad* & *Fig* wavelength.

lopin [lɔpɛ̃] *nm* **l. de terre** plot *ou* patch of land.

loquace [lɔkas] *a* loquacious.

loque [lɔk] **1** *nfpl* rags. **2** *nf* **l. (humaine)** (*personne*) human wreck.

loquet [lɔkɛ] *nm* latch.

lorgner [lɔrɲe] *vt* (*regarder, convoiter*) to eye.

lors [lɔr] *adv* **l. de** at the time of; **depuis l.,**

dès l. from then on; **dès l. que** (*puisque*) since.

losange [lɔzɑ̃ʒ] *nm Géom* diamond, lozenge.

lot [lo] *nm* **1** (*de loterie*) prize; **gros l.** top prize, jackpot. **2** (*portion, destin*) lot. ◆**loterie** *nf* lottery, raffle. ◆**lotir** *vt* (*terrain*) to divide into lots; **bien loti** *Fig* favoured by fortune. ◆**lotissement** *nm* (*terrain*) building plot; (*habitations*) housing estate *ou* development.

lotion [losjɔ̃] *nf* lotion.

loto [lɔto] *nm* (*jeu*) lotto.

louche [luʃ] **1** *a* (*suspect*) shady, fishy. **2** *nf Culin* ladle.

loucher [luʃe] *vi* to squint; **l. sur** *Fam* to eye.

louer [lwe] *vt* **1** (*prendre en location*) to rent (*house, flat etc*); (*à bail*) to lease; (*voiture*) to hire, rent; (*réserver*) to book; (*donner en location*) to rent (out), let; to lease (out); to hire (out); **maison/chambre à l.** house/room to let. **2** (*exalter*) to praise (**de** for); **se l. de** to be highly satisfied with. ◆**louable** *a* praiseworthy, laudable. ◆**louange** *nf* praise; **à la l. de** in praise of.

loufoque [lufɔk] *a* (*fou*) *Fam* nutty, crazy.

loukoum [lukum] *nm* Turkish delight.

loup [lu] *nm* wolf; **avoir une faim de l.** to be ravenous. ◆**l.-garou** *nm* (*pl* **loups-garous**) werewolf.

loupe [lup] *nf* magnifying glass.

louper [lupe] *vt Fam* (*train etc*) to miss; (*examen*) to fail; (*travail*) to mess up.

lourd [lur] *a* heavy (*Fig* **de** with); (*temps, chaleur*) close, sultry; (*faute*) gross; (*tâche*) arduous; (*esprit*) dull; – *adv* **peser l.** (*malle etc*) to be heavy. ◆**lourdaud, -aude** *a* loutish, oafish; – *nmf* lout, oaf. ◆**lourdement** *adv* heavily. ◆**lourdeur** *nf* heaviness; (*de temps*) closeness; (*d'esprit*) dullness.

loutre [lutr] *nf* otter.

louve [luv] *nf* she-wolf. ◆**louveteau, -x** *nm* (*scout*) cub (scout).

louvoyer [luvwaje] *vi* (*tergiverser*) to hedge, be evasive.

loyal, -aux [lwajal, -o] *a* (*fidèle*) loyal (**envers** to); (*honnête*) honest, fair (**envers** to). ◆**loyalement** *adv* loyally; fairly. ◆**loyauté** *nf* loyalty; honesty, fairness.

loyer [lwaje] *nm* rent.

lu [ly] *voir* **lire**[1].

lubie [lybi] *nf* whim.

lubrifi/er [lybrifje] *vt* to lubricate. ◆**—ant** *nm* lubricant.

lubrique [lybrik] *a* lewd, lustful.

lucarne [lykarn] *nf* (*ouverture*) skylight; (*fenêtre*) dormer window.

lucide [lysid] *a* lucid. ◆**lucidité** *nf* lucidity.

lucratif, -ive [lykratif, -iv] *a* lucrative.

lueur [lɥœr] *nf* (*lumière*) & *Fig* glimmer.

luge [lyʒ] *nf* toboggan, sledge.

lugubre [lygybr] *a* gloomy, lugubrious.

lui [lɥi] **1** *pron mf* (*complément indirect*) (to) him; (*femme*) (to) her; (*chose, animal*) (to) it; **je le lui ai montré** I showed it to him *ou* to her, I showed him it *ou* her it; **il lui est facile de . . .** it's easy for him *ou* her to . . . . **2** *pron m* (*complément direct*) him; (*chose, animal*) it; (*sujet emphatique*) he; **pour lui** for him; **plus grand que lui** taller than him; **il ne pense qu'à lui** he only thinks of himself. ◆**lui-même** *pron* himself; (*chose, animal*) itself.

luire* [lɥir] *vi* to shine, gleam. ◆**luisant** *a* (*métal etc*) shiny.

lumbago [lɔ̃bago] *nm* lumbago.

lumière [lymjɛr] *nf* light; **à la l. de** by the light of; (*grâce à*) *Fig* in the light of; **faire toute la l. sur** *Fig* to clear up; **mettre en l.** to bring to light. ◆**luminaire** *nm* (*appareil*) lighting appliance. ◆**lumineux, -euse** *a* (*idée, ciel etc*) bright, brilliant; (*ondes, source etc*) light-; (*cadran, corps etc*) *Tech* luminous.

lunaire [lynɛr] *a* lunar; **clarté l.** light *ou* brightness of of the moon.

lunatique [lynatik] *a* temperamental.

lunch [lœʃ, lœntʃ] *nm* buffet lunch, snack.

lundi [lœ̃di] *nm* Monday.

lune [lyn] *nf* moon; **l. de miel** honeymoon.

lunette [lynɛt] *nf* **1 lunettes** glasses, spectacles; (*de protection, de plongée*) goggles; **lunettes de soleil** sunglasses. **2** (*astronomique*) telescope; **l. arrière** *Aut* rear window.

lurette [lyrɛt] *nf* **il y a belle l.** a long time ago.

luron [lyrɔ̃] *nm* **gai l.** gay fellow.

lustre [lystr] *nm* (*éclairage*) chandelier; (*éclat*) lustre. ◆**lustré** *a* (*par l'usure*) shiny.

luth [lyt] *nm Mus* lute.

lutin [lytɛ̃] *nm* elf, imp, goblin.

lutte [lyt] *nf* fight, struggle; *Sp* wrestling; **l. des classes** class warfare *ou* struggle. ◆**lutter** *vi* to fight, struggle; *Sp* to wrestle. ◆**lutteur, -euse** *nmf* fighter; *Sp* wrestler.

luxe [lyks] *nm* luxury; **un l. de** a wealth of; **de l.** (*article*) luxury-; (*modèle*) de luxe. ◆**luxueux, -euse** *a* luxurious.

Luxembourg [lyksɑ̃bur] *nm* Luxembourg.

luxure [lyksyr] *nf* lewdness, lust.

luxuriant [lyksyrjɑ̃] *a* luxuriant.

luzerne [lyzɛrn] *nf Bot* lucerne, *Am* alfalfa.
lycée [lise] *nm* (secondary) school, *Am* high school. ◆**lycéen, -enne** *nmf* pupil (*at lycée*).
lymphathique [lɛ̃fatik] *a* (*apathique*) sluggish.
lynch/er [lɛ̃ʃe] *vt* to lynch. ◆**—age** *nm* lynching.
lynx [lɛ̃ks] *nm* (*animal*) lynx.
lyre [lir] *nf Mus Hist* lyre.
lyrique [lirik] *a* (*poème etc*) lyric; (*passionné*) *Fig* lyrical. ◆**lyrisme** *nm* lyricism.
lys [lis] *nm* (*plante, fleur*) lily.

M

M, m [ɛm] *nm* M, m.
m *abrév* (*mètre*) metre.
M [məsjø] *abrév* = **Monsieur.**
m' [m] *voir* **me.**
ma [ma] *voir* **mon.**
macabre [makɑbr] *a* macabre, gruesome.
macadam [makadam] *nm* (*goudron*) tarmac.
macaron [makarɔ̃] *nm* (*gâteau*) macaroon; (*insigne*) (round) badge.
macaroni(s) [makarɔni] *nm(pl)* macaroni.
macédoine [masedwan] *nf* **m. (de légumes)** mixed vegetables; **m. (de fruits)** fruit salad.
macérer [masere] *vti Culin* to soak. ◆**macération** *nf* soaking.
mâcher [mɑʃe] *vt* to chew; **il ne mâche pas ses mots** he doesn't mince matters *ou* his words.
machiavélique [makjavelik] *a* Machiavellian.
machin [maʃɛ̃] *nm Fam* (*chose*) thing, what's-it; (*personne*) what's-his-name.
machinal, -aux [maʃinal, -o] *a* (*involontaire*) unconscious, mechanical. ◆**—ement** *adv* unconsciously, mechanically.
machination [maʃinɑsjɔ̃] *nf* machination.
machine [maʃin] *nf* (*appareil, avion, système etc*) machine; (*locomotive, moteur*) engine; *pl Tech* machines, (heavy) machinery; **m. à coudre** sewing machine; **m. à écrire** typewriter; **m. à laver** washing machine. ◆**machinerie** *nf Nau* engine room. ◆**machiniste** *nm Th* stage-hand.
macho [matʃo] *nm* macho *m*; – *a* (*f inv*) (*attitude etc*) macho.
mâchoire [mɑʃwar] *nf* jaw.
mâchonner [mɑʃɔne] *vt* to chew, munch.
maçon [masɔ̃] *nm* builder; bricklayer; mason. ◆**maçonnerie** *nf* (*travaux*) building work; (*ouvrage de briques*) brickwork; (*de pierres*) masonry, stonework.
maculer [makyle] *vt* to stain (**de** with).
Madagascar [madagaskar] *nf* Madagascar.
madame, *pl* **mesdames** [madam, medam] *nf* madam; **oui m.** yes (madam); **bonjour mesdames** good morning (ladies); **Madame** *ou* **Mme Legras** Mrs Legras; **Madame** (*sur une lettre*) *Com* Dear Madam.
madeleine [madlɛn] *nf* (small) sponge cake.
mademoiselle, *pl* **mesdemoiselles** [madmwazɛl, medmwazɛl] *nf* miss; **oui m.** yes (miss); **bonjour mesdemoiselles** good morning (ladies); **Mademoiselle** *ou* **Mlle Legras** Miss Legras; **Mademoiselle** (*sur une lettre*) *Com* Dear Madam.
madère [madɛr] *nm* (*vin*) Madeira.
madone [madɔn] *nf Rel* madonna.
madrier [madrije] *nm* (*poutre*) beam.
maestro [maɛstro] *nm Mus* maestro.
maf(f)ia [mafja] *nf* Mafia.
magasin [magazɛ̃] *nm* shop, *Am* store; (*entrepôt*) warehouse; (*d'arme*) & *Phot* magazine; **grand m.** department store. ◆**magasinier** *nm* warehouseman.
magazine [magazin] *nm* (*revue*) magazine.
magie [maʒi] *nf* magic. ◆**magicien, -ienne** *nmf* magician. ◆**magique** *a* (*baguette, mot*) magic; (*mystérieux, enchanteur*) magical.
magistral, -aux [maʒistral, -o] *a* masterly, magnificent. ◆**—ement** *adv* magnificently.
magistrat [maʒistra] *nm* magistrate. ◆**magistrature** *nf* judiciary, magistracy.
magnanime [maɲanim] *a* magnanimous.
magnat [magna] *nm* tycoon, magnate.
magner (se) [səmaɲe] *vpr Fam* to hurry up.
magnésium [maɲezjɔm] *nm* magnesium.
magnétique [maɲetik] *a* magnetic. ◆**magnétiser** *vt* to magnetize. ◆**magnétisme** *nm* magnetism.
magnétophone [maɲetɔfɔn] *nm* (*Fam* **magnéto**) tape recorder; **m. à cassettes** cassette recorder. ◆**magnétoscope** *nm* video (cassette) recorder.

magnifique [maɲifik] *a* magnificent. ◆**magnificence** *nf* magnificence. ◆**magnifiquement** *adv* magnificently.
magnolia [maɲɔlja] *nm* (*arbre*) magnolia.
magot [mago] *nm* (*économies*) nest egg, hoard.
magouille(s) [maguj] *nf(pl) Pol Fam* fiddling, graft.
mai [mɛ] *nm* May.
maigre [mɛgr] *a* thin, lean; (*viande*) lean; (*fromage, yaourt*) low-fat; (*repas, salaire, espoir*) meagre; **faire m.** to abstain from meat ◆**maigrement** *adv* (*chichement*) meagrely. ◆**maigreur** *nf* thinness; (*de viande*) leanness; (*médiocrité*) *Fig* meagreness. ◆**maigrichon, -onne** *a* & *nmf* skinny (person). ◆**maigrir** *vi* to get thin(ner); – *vt* to make thin(ner).
maille [maj] *nf* (*de tricot*) stitch; (*de filet*) mesh; **m. filée** (*de bas*) run, ladder. ◆**maillon** *nm* (*de chaîne*) link.
maillet [majɛ] *nm* (*outil*) mallet.
maillot [majo] *nm* (*de sportif*) jersey; (*de danseur*) leotard, tights; **m. (de corps)** vest, *Am* undershirt; **m. (de bain)** (*de femme*) swimsuit; (*d'homme*) (swimming) trunks.
main [mɛ̃] *nf* hand; **tenir à la m.** to hold in one's hand; **à la m.** (*livrer, faire etc*) by hand; **la m. dans la m.** hand in hand; **haut les mains!** hands up!; **donner un coup de m. à qn** to lend s.o. a (helping) hand; **coup de m.** (*habileté*) knack; **sous la m.** at hand, handy; **en venir aux mains** to come to blows; **avoir la m. heureuse** to be lucky, have a lucky streak; **mettre la dernière m. à** to put the finishing touches to; **en m. propre** (*remettre qch*) in person; **attaque/vol à m. armée** armed attack/robbery; **homme de m.** henchman, hired man; **m. courante** handrail; **prêter m.-forte à** to lend assistance to. ◆**m.-d'œuvre** *nf* (*pl* **mains-d'œuvre**) (*travail*) manpower, labour; (*salariés*) labour *ou* work force.
maint [mɛ̃] *a Litt* many a; **maintes fois, à maintes reprises** many a time.
maintenant [mɛ̃tnɑ̃] *adv* now; (*de nos jours*) nowadays; **m. que** now that; **dès m.** from now on.
maintenir* [mɛ̃tnir] *vt* (*conserver*) to keep, maintain; (*retenir*) to hold, keep; (*affirmer*) to maintain (**que** that); **– se m.** *vpr* (*durer*) to be maintained; (*rester*) to keep; (*malade, vieillard*) to hold one's own. ◆**maintien** *nm* (*action*) maintenance (**de** of); (*allure*) bearing.
maire [mɛr] *nm* mayor. ◆**mairie** *nf* town hall; (*administration*) town council.
mais [mɛ] *conj* but; **m. oui, m. si** yes of course; **m. non** definitely not.
maïs [mais] *nm* (*céréale*) maize, *Am* corn; **farine de m.** cornflour, *Am* cornstarch.
maison [mɛzɔ̃] *nf* (*bâtiment*) house; (*immeuble*) building; (*chez-soi, asile*) home; *Com* firm; (*famille*) household; **à la m.** (*être*) at home; (*rentrer, aller*) home; – *a inv* (*pâté, tartes etc*) homemade; **m. de la culture** arts *ou* cultural centre; **m. d'étudiants** student hostel; **m. des jeunes** youth club; **m. de repos** rest home; **m. de retraite** old people's home. ◆**maisonnée** *nf* household. ◆**maisonnette** *nf* small house.
maître [mɛtr] *nm* master; **se rendre m. de** (*incendie*) to master, control; (*pays*) to conquer; **être m. de** (*situation etc*) to be in control of, be master of; **m. de soi** in control of oneself; **m. d'école** teacher; **m. d'hôtel** (*restaurant*) head waiter; **m. de maison** host; **m. chanteur** blackmailer; **m. nageur (sauveteur)** swimming instructor (and lifeguard). ◆**maîtresse** *nf* mistress; **m. d'école** teacher; **m. de maison** hostess; (*ménagère*) housewife; **être m. de** (*situation etc*) to be in control of; – *af* (*idée, poutre*) main; (*carte*) master.
maîtrise [metriz] *nf* (*habileté, contrôle*) mastery (**de** of); (*grade*) *Univ* master's degree (**de** in); **m. (de soi)** self-control. ◆**maîtriser** *vt* (*émotion*) to master, control; (*sujet*) to master; (*incendie*) to (bring under) control; **m. qn** to subdue s.o.; **– se m.** *vpr* to control oneself.
majesté [maʒɛste] *nf* majesty; **Votre M.** (*titre*) Your Majesty. ◆**majestueux, -euse** *a* majestic, stately.
majeur [maʒœr] **1** *a* (*primordial*) & *Mus* major; **être m.** *Jur* to be of age; **la majeure partie de** most of; **en majeure partie** for the most part. **2** *nm* (*doigt*) middle finger.
majorer [maʒɔre] *vt* to raise, increase. ◆**majoration** *nf* (*hausse*) increase (**de** in).
majorette [maʒɔrɛt] *nf* (drum) majorette.
majorité [maʒɔrite] *nf* majority (**de** of); (*âge*) *Jur* coming of age, majority; (*gouvernement*) party in office, government; **en m.** in the *ou* a majority; (*pour la plupart*) in the main. ◆**majoritaire** *a* (*vote etc*) majority-; **être m.** to be in the *ou* a majority; **être m. aux élections** to win the elections.
Majorque [maʒɔrk] *nf* Majorca.
majuscule [maʒyskyl] *a* capital; – *nf* capital letter.
mal, maux [mal, mo] **1** *nm Phil Rel* evil;

j'ai du mal à (faire); mal comprendre

(*dommage*) harm; (*douleur*) pain; (*maladie*) illness; (*malheur*) misfortune; **dire du m. de** to speak ill of; **m. de dents** toothache; **m. de gorge** sore throat; **m. de tête** headache; **m. de ventre** stomachache; **m. de mer** seasickness; **m. du pays** homesickness; **avoir le m. du pays**/*etc* to be homesick/*etc*; **avoir m. à la tête/à la gorge**/*etc* to have a headache/sore throat/*etc*; **ça (me) fait m., j'ai m.** it hurts (me); **faire du m. à** to harm, hurt; **avoir du m. à faire** to have trouble (in) doing; **se donner du m. pour faire** to go to a lot of trouble to do. **2** *adv* (*travailler etc*) badly; (*entendre, comprendre*) not too well; **aller m.** (*projet etc*) to be going badly; (*personne*) *Méd* to be bad *or* ill; **m. (à l'aise)** uncomfortable; **se trouver m.** to (feel) faint; **(ce n'est) pas m.** (*mauvais*) (that's) not bad; **pas m.** (*beaucoup*) *Fam* quite a lot (**de** of); **c'est m. de jurer**/*etc* (*moralement*) it's wrong to swear/*etc*; **de m. en pis** from bad to worse; **m. renseigner/interpréter/***etc* to misinform/misinterpret/*etc*.

malade [malad] *a* ill, sick; (*arbre, dent*) diseased; (*estomac, jambe*) bad; **être m. du foie/cœur** to have a bad liver/heart; – *nmf* sick person; (*à l'hôpital, d'un médecin*) patient; **les malades** the sick. **◆maladie** *nf* illness, sickness, disease. **◆maladif, -ive** *a* (*personne*) sickly; (*morbide*) morbid.

maladroit [maladrwa] *a* (*malhabile*) clumsy, awkward; (*indélicat*) tactless. **◆maladresse** *nf* clumsiness, awkwardness; tactlessness; (*bévue*) blunder.

malaise [malɛz] *nm* (*angoisse*) uneasiness, malaise; (*indisposition*) faintness, dizziness; **avoir un m.** to feel faint *ou* dizzy.

malaisé [maleze] *a* difficult.

Malaisie [malɛzi] *nf* Malaysia.

malaria [malarja] *nf* malaria.

malavisé [malavize] *a* ill-advised (**de faire** to do).

malax/er [malakse] *vt* (*pétrir*) to knead; (*mélanger*) to mix. **◆—eur** *nm Tech* mixer.

malchance [malʃɑ̃s] *nf* bad luck; **une m.** (*mésaventure*) a mishap. **◆malchanceux, -euse** *a* unlucky.

malcommode [malkɔmɔd] *a* awkward.

mâle [mal] *a* male; (*viril*) manly; – *nm* male.

malédiction [malediksjɔ̃] *nf* curse.

maléfice [malefis] *nm* evil spell. **◆maléfique** *a* baleful, evil.

malencontreux, -euse [malɑ̃kɔ̃trø, -øz] *a* unfortunate.

malentendant, -ante [malɑ̃tɑ̃dɑ̃, -ɑ̃t] *nmf* person who is hard of hearing.

malentendu [malɑ̃tɑ̃dy] *nm* misunderstanding.

malfaçon [malfasɔ̃] *nf* defect.

malfaisant [malfəzɑ̃] *a* evil, harmful.

malfaiteur [malfɛtœr] *nm* criminal.

malformation [malfɔrmɑsjɔ̃] *nf* malformation.

malgré [malgre] *prép* in spite of; **m. tout** for all that, after all; **m. soi** (*à contrecœur*) reluctantly.

malhabile [malabil] *a* clumsy.

malheur [malœr] *nm* (*événement*) misfortune; (*accident*) mishap; (*malchance*) bad luck, misfortune; **par m.** unfortunately. **◆malheureusement** *adv* unfortunately. **◆malheureux, -euse** *a* (*misérable, insignifiant*) wretched, miserable; (*fâcheux*) unfortunate; (*malchanceux*) unlucky, unfortunate; – *nmf* (*infortuné*) (poor) wretch; (*indigent*) needy person.

malhonnête [malɔnɛt] *a* dishonest. **◆malhonnêteté** *nf* dishonesty; **une m.** (*action*) a dishonest act.

malice [malis] *nf* mischievousness. **◆malicieux, -euse** *a* mischievous.

malin, -igne [malɛ̃, -iɲ] *a* (*astucieux*) smart, clever; (*plaisir*) malicious; (*tumeur*) *Méd* malignant. **◆malignité** *nf* (*méchanceté*) malignity; *Méd* malignancy.

malingre [malɛ̃gr] *a* puny, sickly.

malintentionné [malɛ̃tɑ̃sjɔne] *a* ill-intentioned (**à l'égard de** towards).

malle [mal] *nf* (*coffre*) trunk; (*de véhicule*) boot, *Am* trunk. **◆mallette** *nf* small suitcase; (*pour documents*) attaché case.

malléable [maleabl] *a* malleable.

malmener [malməne] *vt* to manhandle, treat badly.

malodorant [malɔdɔrɑ̃] *a* smelly.

malotru, -ue [malɔtry] *nmf* boor, lout.

malpoli [malpɔli] *a* impolite.

malpropre [malprɔpr] *a* (*sale*) dirty. **◆malpropreté** *nf* dirtiness.

malsain [malsɛ̃] *a* unhealthy, unwholesome.

malséant [malseɑ̃] *a* unseemly.

malt [malt] *nm* malt.

Malte [malt] *nf* Malta. **◆maltais, -aise** *a* *nmf* Maltese.

maltraiter [maltrete] *vt* to ill-treat.

malveillant [malvɛjɑ̃] *a* malevolent. **◆malveillance** *nf* malevolence, ill will.

malvenu [malvəny] *a* (*déplacé*) uncalled-for.

maman [mamɑ̃] *nf* mum(my), *Am* mom(my).

mamelle [mamɛl] *nf* (*d'animal*) teat; (*de

vache) udder. ◆**mamelon** *nm* **1** (*de femme*) nipple. **2** (*colline*) hillock.

mamie [mami] *nf Fam* granny, grandma.

mammifère [mamifɛr] *nm* mammal.

manche [mɑ̃ʃ] **1** *nf* (*de vêtement*) sleeve; *Sp Cartes* round; **la M.** *Géog* the Channel. **2** *nm* (*d'outil etc*) handle; **m. à balai** broomstick; (*d'avion, d'ordinateur*) joystick. ◆**manchette** *nf* **1** (*de chemise etc*) cuff. **2** *Journ* headline. ◆**manchon** *nm* (*fourrure*) muff.

manchot, -ote [mɑ̃ʃo, -ɔt] **1** *a* & *nmf* one-armed *ou* one-handed (person). **2** *nm* (*oiseau*) penguin.

mandarin [mɑ̃darɛ̃] *nm* (*lettré influent*) *Univ Péj* mandarin.

mandarine [mɑ̃darin] *nf* (*fruit*) tangerine, mandarin (orange).

mandat [mɑ̃da] *nm* **1** (*postal*) money order. **2** *Pol* mandate; *Jur* power of attorney; **m. d'arrêt** warrant (**contre qn** for s.o.'s arrest). ◆**mandataire** *nmf* (*délégué*) representative, proxy. ◆**mandater** *vt* to delegate; *Pol* to give a mandate to.

manège [manɛʒ] *nm* **1** (*à la foire*) merry-go-round, roundabout; (*lieu*) riding-school; (*piste*) ring, manège; (*exercice*) horsemanship. **2** (*intrigue*) wiles, trickery.

manette [manɛt] *nf* lever, handle.

manger [mɑ̃ʒe] *vt* to eat; (*essence, électricité*) *Fig* to guzzle; (*fortune*) to eat up; (*corroder*) to eat into; **donner à m. à** to feed; – *vi* to eat; **on mange bien ici** the food is good here; **m. à sa faim** to have enough to eat; – *nm* food. ◆**mangeable** *a* eatable. ◆**mangeaille** *nf Péj* (bad) food. ◆**mangeoire** *nf* (feeding) trough. ◆**mangeur, -euse** *nmf* eater.

mangue [mɑ̃g] *nf* (*fruit*) mango.

manie [mani] *nf* mania, craze (**de** for). ◆**maniaque** *a* finicky, fussy; – *nmf* fusspot, *Am* fussbudget; **un m. de la propreté/***etc* a maniac for cleanliness/*etc.*

manier [manje] *vt* to handle; **se m. bien** (*véhicule etc*) to handle well. ◆**maniabilité** *nf* (*de véhicule etc*) manoeuvrability. ◆**maniable** *a* easy to handle. ◆**maniement** *nm* handling; **m. d'armes** *Mil* drill.

manière [manjɛr] *nf* way, manner; *pl* (*politesse*) manners; **de toute m.** anyway, anyhow; **de m. à faire** so as to do; **à ma m.** my way, (in) my own way; **de cette m.** (in) this way; **la m. dont elle parle** the way (in which) she talks; **d'une m. générale** generally speaking; **faire des manières** (*chichis*) to make a fuss; (*être affecté*) to put on airs. ◆**maniéré** *a* affected; (*style*) mannered.

manif [manif] *nf Fam* demo.

manifeste [manifɛst] **1** *a* (*évident*) manifest, obvious. **2** *nm Pol* manifesto.

manifester [manifɛste] **1** *vt* to show, manifest; **– se m.** *vpr* (*apparaître*) to appear; (*sentiment, maladie etc*) to show *ou* manifest itself. **2** *vi Pol* to demonstrate. ◆**manifestant, -ante** *nmf* demonstrator. ◆**manifestation** *nf* **1** (*expression*) expression, manifestation; (*apparition*) appearance. **2** *Pol* demonstration; (*réunion, fête*) event.

manigance [manigɑ̃s] *nf* little scheme. ◆**manigancer** *vt* to plot.

manipuler [manipyle] *vt* (*manier*) to handle; (*faits, électeurs*) *Péj* to manipulate. ◆**manipulation** *nf* handling; *Péj* manipulation (**de** of); *pl Pol Péj* manipulation.

manivelle [manivɛl] *nf Aut* crank.

mannequin [mankɛ̃] *nm* (*femme, homme*) (fashion) model; (*statue*) dummy.

manœuvre [manœvr] **1** *nm* (*ouvrier*) labourer. **2** *nf* (*opération*) & *Mil* manoeuvre, *Am* maneuver; (*action*) manoeuvring; (*intrigue*) scheme. ◆**manœuvrer** *vt* (*véhicule, personne etc*) to manoeuvre, *Am* maneuver; (*machine*) to operate; – *vi* to manoeuvre, *Am* maneuver.

manoir [manwar] *nm* manor house.

manque [mɑ̃k] *nm* lack (**de** of); (*lacune*) gap; *pl* (*défauts*) shortcomings; **m. à gagner** loss of profit. ◆**manqu/er** *vt* (*chance, cible etc*) to miss; (*ne pas réussir*) to make a mess of, ruin; (*examen*) to fail; – *vi* (*faire défaut*) to be short *ou* lacking; (*être absent*) to be absent (**à** from); (*être en moins*) to be missing *ou* short; (*défaillir, échouer*) to fail; **m. de** (*pain, argent etc*) to be short of; (*attention, cohérence*) to lack; **ça manque de sel/***etc* it lacks salt/*etc*, there isn't any salt/*etc*; **m. à** (*son devoir*) to fail in; (*sa parole*) to break; **le temps lui manque** he's short of time, he has no time; **elle/cela lui manque** he misses her/that; **je ne manquerai pas de venir** I won't fail to come; **ne manquez pas de venir** don't forget to come; **elle a manqué (de) tomber** (*faillir*) she nearly fell; – *v imp* **il manque/il nous manque dix tasses** there are/we are ten cups short. ◆**—ant** *a* missing. ◆**—é** *a* (*médecin, pilote etc*) failed; (*livre*) unsuccessful. ◆**—ement** *nm* breach (**à** of).

mansarde [mɑ̃sard] *nf* attic.

manteau, -x [mɑ̃to] *nm* coat.

manucure [manykyr] *nmf* manicurist. ◆**manucurer** *vt Fam* to manicure.

manuel, -elle [manɥɛl] **1** *a* (*travail etc*) manual. **2** *nm* (*livre*) handbook, manual.
manufacture [manyfaktyr] *nf* factory. ◆**manufacturé** *a* (*produit*) manufactured.
manuscrit [manyskri] *nm* manuscript; (*tapé à la machine*) typescript.
manutention [manytɑ̃sjɔ̃] *nf Com* handling (*of stores*). ◆**manutentionnaire** *nmf* packer.
mappemonde [mapmɔ̃d] *nf* map of the world; (*sphère*) *Fam* globe.
maquereau, -x [makro] *nm* (*poisson*) mackerel.
maquette [makɛt] *nf* (scale) model.
maquill/er [makije] *vt* (*visage*) to make up; (*voiture etc*) *Péj* to tamper with; (*vérité etc*) *Péj* to fake; **— se m.** to make (oneself) up. ◆**—age** *nm* (*fard*) make-up.
maquis [maki] *nm Bot* scrub, bush; *Mil Hist* maquis.
maraîcher, -ère [mareʃe, -ɛʃɛr] *nmf* market gardener, *Am* truck farmer.
marais [marɛ] *nm* marsh, bog; **m. salant** saltworks, saltern.
marasme [marasm] *nm Écon* stagnation.
marathon [maratɔ̃] *nm* marathon.
maraudeur, -euse [marodœr, -øz] *nmf* petty thief.
marbre [marbr] *nm* marble. ◆**marbrier** *nm* (*funéraire*) monumental mason.
marc [mar] *nm* (*eau-de-vie*) marc, brandy; **m. (de café)** coffee grounds.
marchand, -ande [marʃɑ̃, -ɑ̃d] *nmf* trader, shopkeeper; (*de vins, charbon*) merchant; (*de cycles, meubles*) dealer; **m. de bonbons** confectioner; **m. de couleurs** hardware merchant *ou* dealer; **m. de journaux** (*dans la rue*) newsvendor; (*dans un magasin*) newsagent, *Am* news dealer; **m. de légumes** greengrocer; **m. de poissons** fishmonger; – *a* (*valeur*) market; (*prix*) trade-. ◆**marchandise(s)** *nf(pl)* goods, merchandise.
marchand/er [marʃɑ̃de] *vi* to haggle, bargain; – *vt* (*objet*) to haggle over. ◆**—age** *nm* haggling, bargaining.
marche [marʃ] *nf* **1** (*d'escalier*) step, stair. **2** (*démarche, trajet*) walk; *Mil Mus* march; (*pas*) pace; (*de train, véhicule*) movement; (*de maladie, d'événement*) progress, course; **la m.** (*action*) *Sp* walking; **faire m. arrière** *Aut* to reverse; **la bonne m. de** (*opération, machine*) the smooth running of; **un train/véhicule en m.** a moving train/vehicle; **mettre qch en m.** to start sth (up). ◆**marcher** *vi* (*à pied*) to walk; *Mil* to march; (*poser le pied*) to tread, step; (*train, véhicule etc*) to run, go, move; (*fonctionner*) to go, work, run; (*prospérer*) to go well; **faire m.** (*machine*) to work; (*entreprise*) to run; (*personne*) *Fam* to kid; **ça marche?** *Fam* how's it going?; **elle va m.** (*accepter*) *Fam* she'll go along (with it). ◆**marcheur, -euse** *nmf* walker.
marché [marʃe] *nm* (*lieu*) market; (*contrat*) deal; **faire son** *ou* **le m.** to do one's shopping (*in the market*); **être bon m.** to be cheap; **voiture(s)/***etc* **bon m.** cheap car(s)/*etc*; **vendre (à) bon m.** to sell cheap(ly); **c'est meilleur m.** it's cheaper; **par-dessus le m.** *Fig* into the bargain; **au m. noir** on the black market; **le M. commun** the Common Market.
marchepied [marʃəpje] *nm* (*de train, bus*) step(s); (*de voiture*) running board.
mardi [mardi] *nm* Tuesday; **M. gras** Shrove Tuesday.
mare [mar] *nf* (*flaque*) pool; (*étang*) pond.
marécage [marekaʒ] *nm* swamp, marsh. ◆**marécageux, -euse** *a* marshy, swampy.
maréchal, -aux [mareʃal, -o] *nm Fr Mil* marshal. ◆**m.-ferrant** *nm* (*pl* **maréchaux-ferrants**) blacksmith.
marée [mare] *nf* tide; (*poissons*) fresh (sea) fish; **m. noire** oil slick.
marelle [marɛl] *nf* (*jeu*) hopscotch.
margarine [margarin] *nf* margarine.
marge [marʒ] *nf* margin; **en m. de** (*en dehors de*) on the periphery of, on the fringe(s) of; **m. de sécurité** safety margin. ◆**marginal, -ale, -aux** *a* (*secondaire, asocial*) marginal; – *nmf* misfit, dropout; (*bizarre*) weirdo.
marguerite [margərit] *nf* (*fleur*) marguerite, daisy.
mari [mari] *nm* husband.
mariage [marjaʒ] *nm* marriage; (*cérémonie*) wedding; (*mélange*) *Fig* blend, marriage; **demande en m.** proposal (of marriage). ◆**mari/er** *vt* (*couleurs*) to blend; **m. qn** (*maire, prêtre etc*) to marry s.o.; **m. qn avec** to marry s.o. (off) to; **— se m.** *vpr* to get married, marry; **se m. avec qn** to marry s.o., get married to s.o. ◆**—é** *a* married; – *nm* (bride)groom; **les mariés** the bride and (bride)groom; **les jeunes mariés** the newly-weds. ◆**—ée** *nf* bride.
marijuana [mariʒɥana] *nf* marijuana.
marin [marɛ̃] *a* (*air, sel etc*) sea-; (*flore*) marine; (*mille*) nautical; (*costume*) sailor-; – *nm* seaman, sailor. ◆**marine** *nf* **m. (de guerre)** navy; **m. marchande** merchant navy; **(bleu) m.** (*couleur*) navy (blue).

marina [marina] *nf* marina.
mariner [marine] *vti Culin* to marinate.
marionnette [marjɔnɛt] *nf* puppet; (*à fils*) marionette.
maritalement [maritalmɑ̃] *adv* **vivre m.** to live together (as husband and wife).
maritime [maritim] *a* (*droit, province, climat etc*) maritime; (*port*) sea-; (*gare*) harbour-; (*chantier*) naval; (*agent*) shipping-.
marjolaine [marʒɔlɛn] *nf* (*aromate*) marjoram.
mark [mark] *nm* (*monnaie*) mark.
marmaille [marmɑj] *nf* (*enfants*) *Fam* kids.
marmelade [marməlad] *nf* **m. (de fruits)** stewed fruit; **en m.** *Culin Fig* in a mush.
marmite [marmit] *nf* (cooking) pot.
marmonner [marmɔne] *vti* to mutter.
marmot [marmo] *nm* (*enfant*) *Fam* kid.
marmotter [marmɔte] *vti* to mumble.
Maroc [marɔk] *nm* Morocco. ◆**marocain, -aine** *a* & *nmf* Moroccan.
maroquinerie [marɔkinri] *nf* (*magasin*) leather goods shop. ◆**maroquinier** *nm* leather dealer.
marotte [marɔt] *nf* (*dada*) *Fam* fad, craze.
marque [mark] *nf* (*trace, signe*) mark; (*de fabricant*) make, brand; (*points*) *Sp* score; **m. de fabrique** trademark; **m. déposeé** registered trademark; **la m. de** (*preuve*) the stamp of; **de m.** (*hôte, visiteur*) distinguished; (*produit*) of quality. ◆**marqu/er** *vt* (*par une marque etc*) to mark; (*écrire*) to note down; (*indiquer*) to show, mark; (*point, but*) *Sp* to score; **m. qn** *Sp* to mark s.o.; **m. les points** *Sp* to keep (the) score; **m. le coup** to mark the event; – *vi* (*trace*) to leave a mark; (*date, événement*) to stand out; *Sp* to score. ◆**—ant** *a* (*remarquable*) outstanding. ◆**—é** *a* (*différence, accent etc*) marked, pronounced. ◆**—eur** *nm* (*crayon*) marker.
marquis [marki] *nm* marquis. ◆**marquise** *nf* **1** marchioness. **2** (*auvent*) glass canopy.
marraine [marɛn] *nf* godmother.
marre [mar] *nf* **en avoir m.** *Fam* to be fed up (**de** with).
marr/er (se) [səmare] *vpr Fam* to have a good laugh. ◆**—ant** *a Fam* hilarious, funny.
marron[1] [marɔ̃] **1** *nm* chestnut; (*couleur*) (chestnut) brown; **m. (d'Inde)** horse chestnut; – *a inv* (*couleur*) (chestnut) brown. **2** *nm* (*coup*) *Fam* punch, clout. ◆**marronnier** *nm* (horse) chestnut tree.
marron[2]**, -onne** [marɔ̃, -ɔn] *a* (*médecin etc*) bogus.
mars [mars] *nm* March.
marsouin [marswɛ̃] *nm* porpoise.
marteau, -x [marto] *nm* hammer; (*de porte*) (door)knocker; **m. piqueur, m. pneumatique** pneumatic drill. ◆**marteler** *vt* to hammer. ◆**martèlement** *nm* hammering.
martial, -aux [marsjal, -o] *a* martial; **cour martiale** court-martial; **loi martiale** martial law.
martien, -ienne [marsjɛ̃, -jɛn] *nmf* & *a* Martian.
martinet [martinɛ] *nm* (*fouet*) (small) whip.
martin-pêcheur [martɛ̃pɛʃœr] *nm* (*pl* **martins-pêcheurs**) (*oiseau*) kingfisher.
martyr, -yre[1] [martir] *nmf* (*personne*) martyr; **enfant m.** battered child. ◆**martyre**[2] *nm* (*souffrance*) martyrdom. ◆**martyriser** *vt* to torture; (*enfant*) to batter.
marxisme [marksism] *nm* Marxism. ◆**marxiste** *a* & *nmf* Marxist.
mascara [maskara] *nm* mascara.
mascarade [maskarad] *nf* masquerade.
mascotte [maskɔt] *nf* mascot.
masculin [maskylɛ̃] *a* male; (*viril*) masculine, manly; *Gram* masculine; (*vêtement, équipe*) men's; – *nm Gram* masculine. ◆**masculinité** *nf* masculinity.
masochisme [mazɔʃism] *nm* masochism. ◆**masochiste** *nmf* masochist; – *a* masochistic.
masque [mask] *nm* mask. ◆**masquer** *vt* (*dissimuler*) to mask (**à** from); (*cacher à la vue*) to block off.
massacre [masakr] *nm* massacre, slaughter. ◆**massacr/er** *vt* to massacre, slaughter; (*abîmer*) *Fam* to ruin. ◆**—ant** *a* (*humeur*) excruciating.
massage [masaʒ] *nm* massage.
masse [mas] *nf* **1** (*volume*) mass; (*gros morceau, majorité*) bulk (**de** of); **en m.** (*venir, vendre*) in large numbers; **départ en m.** mass *ou* wholesale departure; **manifestation de m.** mass demonstration; **la m.** (*foule*) the masses; **les masses** (*peuple*) the masses; **une m. de** (*tas*) a mass of; **des masses de** *Fam* masses of. **2** (*outil*) sledgehammer. **3** *Él* earth, *Am* ground. ◆**mass/er 1** *vt*, **– se m.** *vpr* (*gens*) to mass. **2** *vt* (*frotter*) to massage. ◆**—eur** *nm* masseur. ◆**—euse** *nf* masseuse.
massif, -ive [masif, -iv] **1** *a* massive; (*départs etc*) mass-; (*or, chêne etc*) solid. **2** *nm* (*d'arbres, de fleurs*) clump; *Géog* massif. ◆**massivement** *adv* (*en masse*) in large numbers.
massue [masy] *nf* (*bâton*) club.
mastic [mastik] *nm* (*pour vitres*) putty; (*pour bois*) filler; **m. (silicone)** mastic.

◆**mastiquer** *vt* **1** (*vitre*) to putty; (*porte*) to mastic; (*bois*) to fill. **2** (*mâcher*) to chew, masticate.
mastoc [mastɔk] *a inv Péj Fam* massive.
mastodonte [mastɔdɔ̃t] *nm* (*personne*) *Péj* monster; (*véhicule*) juggernaut.
masturber (se) [səmastyrbe] *vpr* to masturbate. ◆**masturbation** *nf* masturbation.
masure [mazyr] *nf* tumbledown house.
mat [mat] **1** *a* (*papier, couleur*) mat(t); (*bruit*) dull. **2** *a inv* & *nm Échecs* (check)mate; **faire** *ou* **mettre m.** to (check)mate.
mât [mɑ] *nm* (*de navire*) mast; (*poteau*) pole.
match [matʃ] *nm Sp* match, *Am* game; **m. nul** tie, draw.
matelas [matla] *nm* mattress; **m. pneumatique** air bed. ◆**matelassé** *a* (*meuble*) padded; (*tissu*) quilted.
matelot [matlo] *nm* sailor, seaman.
mater [mate] *vt* (*enfant, passion etc*) to subdue.
matérialiser [materjalize] *vt*, **— se m.** *vpr* to materialize. ◆**matérialisation** *nf* materialization.
matérialisme [materjalism] *nm* materialism. ◆**matérialiste** *a* materialistic; – *nmf* materialist.
matériaux [materjo] *nmpl* (building) materials; (*de roman, enquête etc*) material.
matériel, -ielle [materjɛl] **1** *a* material; (*personne*) *Péj* materialistic; (*financier*) financial; (*pratique*) practical. **2** *nm* equipment, material(s); (*d'un ordinateur*) hardware *inv*. ◆**matériellement** *adv* materially; **m. impossible** physically impossible.
maternel, -elle [maternɛl] *a* motherly, maternal; (*parenté, réprimande*) maternal; – *nf* **(école) maternelle** nursery school. ◆**materner** *vt* to mother. ◆**maternité** *nf* (*état*) motherhood, maternity; (*hôpital*) maternity hospital *ou* unit; (*grossesse*) pregnancy; **de m.** (*congé, allocation*) maternity-.
mathématique [matematik] *a* mathematical; – *nfpl* mathematics. ◆**mathématicien, -ienne** *nmf* mathematician. ◆**maths** [mat] *nfpl Fam* maths, *Am* math.
matière [matjɛr] *nf* (*sujet*) & *Scol* subject; (*de livre*) subject matter; **une m., la m., des matières** (*substance(s)*) matter; **m. première** raw material; **en m. d'art/***etc* as regards art/*etc*, in art/*etc*; **s'y connaître en m. de** to be experienced in.
matin [matɛ̃] *nm* morning; **de grand m., de bon m., au petit m.** very early (in the morning); **le m.** (*chaque matin*) in the morning; **à sept heures du m.** at seven in the morning; **tous les mardis m.** every Tuesday morning. ◆**matinal, -aux** *a* (*personne*) early; (*fleur, soleil etc*) morning-. ◆**matinée** *nf* morning; *Th* matinée; **faire la grasse m.** to sleep late, lie in.
matou [matu] *nm* tomcat.
matraque [matrak] *nf* (*de policier*) truncheon, *Am* billy (club); (*de malfaiteur*) cosh, club. ◆**matraqu/er** *vt* (*frapper*) to club; (*publicité etc*) to plug (away) at. ◆**—age** *nm* **m. (publicitaire)** plugging, publicity build-up.
matrice [matris] *nf* **1** *Anat* womb. **2** *Tech* matrix.
matricule [matrikyl] *nm* (registration) number; – *a* (*livret, numéro*) registration-.
matrimonial, -aux [matrimɔnjal, -o] *a* matrimonial.
mâture [mɑtyr] *nf Nau* masts.
maturité [matyrite] *nf* maturity. ◆**maturation** *nf* maturing.
maudire* [modir] *vt* to curse. ◆**maudit** *a* (*sacré*) (ac)cursed, damned.
maugréer [mogree] *vi* to growl, grumble (**contre** at).
mausolée [mozɔle] *nm* mausoleum.
maussade [mosad] *a* (*personne etc*) glum, sullen; (*temps*) gloomy.
mauvais [movɛ] *a* bad; (*méchant, malveillant*) evil, wicked; (*mal choisi*) wrong; (*mer*) rough; **plus m.** worse; **le plus m.** the worst; **il fait m.** the weather's bad; **ça sent m.** it smells bad; **être m. en** (*anglais etc*) to be bad at; **mauvaise santé** ill *ou* bad *ou* poor health; – *nm* **le bon et le m.** the good and the bad.
mauve [mov] *a* & *nm* (*couleur*) mauve.
mauviette [movjɛt] *nf personne*) *Péj* weakling.
maux [mo] *voir* **mal.**
maxime [maksim] *nf* maxim.
maximum [maksimɔm] *nm* maximum; **le m. de** (*force etc*) the maximum (amount of); **au m.** as much as possible; (*tout au plus*) at most; – *a* maximum; **la température m.** maximum temperature. ◆**maximal, -aux** *a* maximum.
mayonnaise [majɔnɛz] *nf* mayonnaise.
mazout [mazut] *nm* (fuel) oil.
me [m(ə)] (**m'** *before vowel or mute h*) *pron* **1** (*complément direct*) me; **il me voit** he sees me. **2** (*indirect*) (to) me; **elle me parle** she speaks to me; **tu me l'as dit** you told me. **3** (*réfléchi*) myself; **je me lave** I wash myself.
méandres [meɑ̃dr] *nmpl* meander(ing)s.

mec [mɛk] *nm* (*individu*) *Arg* guy, bloke.

mécanique [mekanik] *a* mechanical; (*jouet*) clockwork-; – *nf* (*science*) mechanics; (*mécanisme*) mechanism. **◆mécanicien** *nm* mechanic; *Rail* train driver. **◆mécanisme** *nm* mechanism.

mécaniser [mekanize] *vt* to mechanize. **◆mécanisation** *nf* mechanization.

mécène [mesɛn] *nm* patron (of the arts).

méchant [meʃɑ̃] *a* (*cruel*) malicious, wicked, evil; (*désagréable*) nasty; (*enfant*) naughty; (*chien*) vicious; **ce n'est pas m.** (*grave*) *Fam* it's nothing much. **◆méchamment** *adv* (*cruellement*) maliciously; (*très*) *Fam* terribly. **◆méchanceté** *nf* malice, wickedness; **une m.** (*acte*) a malicious act; (*parole*) a malicious word.

mèche [mɛʃ] *nf* **1** (*de cheveux*) lock; *pl* (*reflets*) highlights. **2** (*de bougie*) wick; (*de pétard*) fuse; (*de perceuse*) drill, bit. **3 de m. avec qn** (*complicité*) *Fam* in collusion *ou* cahoots with s.o.

méconn/aître* [mekɔnɛtr] *vt* to ignore; (*méjuger*) to fail to appreciate. **◆–u** *a* unrecognized. **◆–aissable** *a* unrecognizable.

mécontent [mekɔ̃tɑ̃] *a* dissatisfied, discontented (**de** with). **◆mécontent/er** *vt* to displease, dissatisfy. **◆–ement** *nm* dissatisfaction, discontent.

médaille [medaj] *nf* (*décoration*) *Sp* medal; (*pieuse*) medallion; (*pour chien*) name tag; **être m. d'or/d'argent** *Sp* to be a gold/silver medallist. **◆médaillé, -ée** *nmf* medal holder. **◆médaillon** *nm* (*bijou*) locket, medallion; (*ornement*) *Archit* medallion.

médecin [mɛdsɛ̃] *nm* doctor, physician. **◆médecine** *nf* medicine; **étudiant en m.** medical student. **◆médical, -aux** *a* medical. **◆médicament** *nm* medicine. **◆médicinal, -aux** *a* medicinal. **◆médico-légal, -aux** *a* (*laboratoire*) forensic.

médias [medja] *nmpl* (mass) media. **◆médiatique** *a* media-.

médiateur, -trice [medjatœr, -tris] *nmf* mediator; – *a* mediating. **◆médiation** *nf* mediation.

médiéval, -aux [medjeval, -o] *a* medi(a)eval.

médiocre [medjɔkr] *a* mediocre, second-rate. **◆médiocrement** *adv* (*pas très*) not very; (*pas très bien*) not very well. **◆médiocrité** *nf* mediocrity.

médire* [medir] *vi* **m. de** to speak ill of, slander. **◆médisance(s)** *nf(pl)* malicious gossip, slander; **une m.** a piece of malicious gossip.

méditer [medite] *vt* (*conseil etc*) to meditate on; **m. de faire** to consider doing; – *vi* to meditate (**sur** on). **◆méditatif, -ive** *a* meditative. **◆méditation** *nf* meditation.

Méditerranée [mediterane] *nf* **la M.** the Mediterranean. **◆méditerranéen, -enne** *a* Mediterranean.

médium [medjɔm] *nm* (*spirite*) medium.

méduse [medyz] *nf* jellyfish.

méduser [medyze] *vt* to stun, dumbfound.

meeting [mitiŋ] *nm* *Pol Sp* meeting, rally.

méfait [mefɛ] *nm* *Jur* misdeed; *pl* (*dégâts*) ravages.

méfi/er (se) [səmefje] *vpr* **se m. de** to distrust, mistrust; (*faire attention à*) to watch out for, beware of; **méfie-toi!** watch out!, beware!; **je me méfie** I'm distrustful *ou* suspicious. **◆–ant** *a* distrustful, suspicious. **◆méfiance** *nf* distrust, mistrust.

mégalomane [megalɔman] *nmf* megalomaniac. **◆mégalomanie** *nf* megalomania.

mégaphone [megafɔn] *nm* loudhailer.

mégarde (par) [parmegard] *adv* inadvertently, by mistake.

mégère [meʒɛr] *nf* (*femme*) *Péj* shrew.

mégot [mego] *nm* *Fam* cigarette end *ou* butt.

meilleur, -eure [mɛjœr] *a* better (**que** than); **le m. moment/résultat/***etc* the best moment/result/*etc*; – *nmf* **le m., la meilleure** the best (one).

mélancolie [melɑ̃kɔli] *nf* melancholy, gloom. **◆mélancolique** *a* melancholy, gloomy.

mélange [melɑ̃ʒ] *nm* mixture, blend; (*opération*) mixing. **◆mélanger** *vt* (*mêler*) to mix; (*brouiller*) to mix (up), muddle; **– se m.** *vpr* to mix; (*idées etc*) to get mixed (up) *ou* muddled.

mélasse [melas] *nf* treacle, *Am* molasses.

mêl/er [mele] *vt* to mix, mingle (**à** with); (*qualités, thèmes*) to combine; (*brouiller*) to mix (up), muddle; **m. qn à** (*impliquer*) to involve s.o. in; **– se m.** *vpr* to mix, mingle (**à** with); **se m. à** (*la foule etc*) to join; **se m. de** (*s'ingérer dans*) to meddle in; **mêle-toi de ce qui te regarde!** mind your own business! **◆–é** *a* mixed (**de** with). **◆–ée** *nf* (*bataille*) rough-and-tumble; *Rugby* scrum(mage).

méli-mélo [melimelo] *nm* (*pl* **mélis-mélos**) *Fam* muddle.

mélodie [melɔdi] *nf* melody. **◆mélodieux, -euse** *a* melodious. **◆mélodique** *a* *Mus* melodic. **◆mélomane** *nmf* music lover.

mélodrame [melɔdram] *nm* melodrama. ◆**mélodramatique** *a* melodramatic.

melon [m(ə)lɔ̃] *nm* **1** (*fruit*) melon. **2 (chapeau) m.** bowler (hat).

membrane [mɑ̃bran] *nf* membrane.

membre [mɑ̃br] *nm* **1** *Anat* limb. **2** (*d'un groupe*) member.

même [mɛm] **1** *a* (*identique*) same; **en m. temps** at the same time (**que** as); **ce livre/***etc* **m.** (*exact*) this very book/*etc*; **il est la bonté m.** he is kindness itself; **lui-m./vous-m./***etc* himself/yourself/*etc*; – *pron* **le m., la m.** the same (one); **j'ai les mêmes** I have the same (ones). **2** *adv* (*y compris, aussi*) even; **m. si** even if; **tout de m., quand m.** all the same; **de m.** likewise; **de m. que** just as; **ici m.** in this very place; **à m. de** in a position to; **à m. le sol** on the ground; **à m. la bouteille** from the bottle.

mémento [memɛ̃to] *nm* (*aide-mémoire*) handbook; (*agenda*) notebook.

mémoire [memwar] **1** *nf* memory; **de m. d'homme** in living memory; **à la m. de** in memory of. **2** *nm* (*requête*) petition; *Univ* memoir; *pl Littér* memoirs. ◆**mémorable** *a* memorable. ◆**mémorandum** [memɔrɑ̃dɔm] *nm Pol Com* memorandum. ◆**mémorial, -aux** *nm* (*monument*) memorial.

menace [mənas] *nf* threat, menace. ◆**mena/cer** *vt* to threaten (**de faire** to do). ◆**—çant** *a* threatening.

ménage [menaʒ] *nm* (*entretien*) housekeeping; (*couple*) couple, household; **faire le m.** to do the housework; **faire bon m. avec** to get on happily with. ◆**ménager**[1]**, -ère** *a* (*appareil*) domestic, household-; **travaux ménagers** housework; – *nf* (*femme*) housewife.

ménag/er[2] [menaʒe] *vt* (*arranger*) to prepare *ou* arrange (carefully); (*épargner*) to use sparingly, be careful with; (*fenêtre, escalier etc*) to build; **m. qn** to treat *ou* handle s.o. gently *ou* carefully. ◆**—ement** *nm* (*soin*) care.

ménagerie [menaʒri] *nf* menagerie.

mendier [mɑ̃dje] *vi* to beg; – *vt* to beg for. ◆**mendiant, -ante** *nmf* beggar. ◆**mendicité** *nf* begging.

menées [məne] *nfpl* schemings, intrigues.

men/er [məne] *vt* (*personne, vie etc*) to lead; (*lutte, enquête, tâche etc*) to carry out; (*affaires*) to run; (*bateau*) to command; **m. qn à** (*accompagner, transporter*) to take s.o. to; **m. à bien** *Fig* to carry through; – *vi Sp* to lead. ◆**—eur, -euse** *nmf* (*de révolte*) (ring)leader.

méningite [menɛ̃ʒit] *nf Méd* meningitis.

ménopause [menɔpoz] *nf* menopause.

menottes [mənɔt] *nfpl* handcuffs.

mensonge [mɑ̃sɔ̃ʒ] *nm* lie; (*action*) lying. ◆**mensonger, -ère** *a* untrue, false.

menstruation [mɑ̃stryasjɔ̃] *nf* menstruation.

mensuel, -elle [mɑ̃sɥɛl] *a* monthly; – *nm* (*revue*) monthly. ◆**mensualité** *nf* monthly payment. ◆**mensuellement** *adv* monthly.

mensurations [mɑ̃syrasjɔ̃] *nfpl* measurements.

mental, -aux [mɑ̃tal, -o] *a* mental. ◆**mentalité** *nf* mentality.

menthe [mɑ̃t] *nf* mint.

mention [mɑ̃sjɔ̃] *nf* mention, reference; (*annotation*) comment; **m. bien** *Scol Univ* distinction; **faire m. de** to mention. ◆**mentionner** *vt* to mention.

ment/ir* [mɑ̃tir] *vi* to lie, tell lies *ou* a lie (**à** to). ◆**—eur, -euse** *nmf* liar; – *a* lying.

menton [mɑ̃tɔ̃] *nm* chin.

menu [məny] **1** *a* (*petit*) tiny; (*mince*) slender, fine; (*peu important*) minor, petty; – *adv* (*hacher*) small, finely; – *nm* **par le m.** in detail. **2** *nm* (*carte*) *Culin* menu.

menuisier [mənɥizje] *nm* carpenter, joiner. ◆**menuiserie** *nf* carpentry, joinery; (*ouvrage*) woodwork.

méprendre (se) [səmeprɑ̃dr] *vpr* **se m. sur** to be mistaken about. ◆**méprise** *nf* mistake.

mépris [mepri] *nm* contempt (**de** of, for), scorn (**de** for); **au m. de** without regard to. ◆**mépris/er** *vt* to despise, scorn. ◆**—ant** *a* scornful, contemptuous. ◆**—able** *a* despicable.

mer [mɛr] *nf* sea; (*marée*) tide; **en m.** at sea; **par m.** by sea; **aller à la m.** to go to the seaside; **un homme à la m.!** man overboard!

mercantile [mɛrkɑ̃til] *a Péj* money-grabbing.

mercenaire [mɛrsənɛr] *a & nm* mercenary.

mercerie [mɛrsəri] *nf* (*magasin*) haberdasher's, *Am* notions store. ◆**mercier, -ière** *nmf* haberdasher, *Am* notions merchant.

merci [mɛrsi] **1** *int & nm* thank you, thanks (**de, pour** for); **(non) m.!** no, thank you! **2** *nf* **à la m. de** at the mercy of.

mercredi [mɛrkrədi] *nm* Wednesday.

mercure [mɛrkyr] *nm* mercury.

merde! [mɛrd] *int Fam* (bloody) hell!

mère [mɛr] *nf* mother; **m. de famille** mother (of a family); **la m. Dubois** *Fam* old Mrs Dubois; **maison m.** *Com* parent firm.

méridien [meridjɛ̃] *nm* meridian.

méridional, -ale, -aux [meridjɔnal, -o] *a* southern; – *nmf* southerner.
meringue [mərɛ̃g] *nf* (*gâteau*) meringue.
merisier [mərizje] *nm* (*bois*) cherry.
mérite [merit] *nm* merit; **homme de m.** (*valeur*) man of worth. ◆**mérit/er** *vt* (*être digne de*) to deserve; (*valoir*) to be worth; **m. de réussir**/*etc* to deserve to succeed/*etc*. ◆**–ant** *a* deserving. ◆**méritoire** *a* commendable.
merlan [mɛrlɑ̃] *nm* (*poisson*) whiting.
merle [mɛrl] *nm* blackbird.
merveille [mɛrvɛj] *nf* wonder, marvel; **à m.** wonderfully (well). ◆**merveilleusement** *adv* wonderfully. ◆**merveilleux, -euse** *a* wonderful, marvellous; – *nm* **le m.** (*surnaturel*) the supernatural.
mes [me] *voir* **mon.**
mésange [mezɑ̃ʒ] *nf* (*oiseau*) tit.
mésaventure [mezavɑ̃tyr] *nf* misfortune, misadventure.
mesdames [medam] *voir* **madame.**
mesdemoiselles [medmwazɛl] *voir* **mademoiselle.**
mésentente [mezɑ̃tɑ̃t] *nf* misunderstanding.
mesquin [mɛskɛ̃] *a* mean, petty. ◆**mesquinerie** *nf* meanness, pettiness; **une m.** an act of meanness.
mess [mɛs] *nm inv Mil* mess.
message [mesaʒ] *nm* message. ◆**messager, -ère** *nmf* messenger.
messageries [mesaʒri] *nfpl Com* courier service.
messe [mɛs] *nf Rel* mass.
Messie [mesi] *nm* Messiah.
messieurs [mesjø] *voir* **monsieur.**
mesure [məzyr] *nf* (*évaluation, dimension*) measurement; (*quantité, disposition*) measure; (*retenue*) moderation; (*cadence*) *Mus* time, beat; **fait sur m.** made to measure; **à m. que** as, as soon *ou* as fast as; **dans la m. où** in so far as; **dans une certaine m.** to a certain extent; **en m. de** able to, in a position to; **dépasser la m.** to exceed the bounds. ◆**mesur/er** *vt* to measure; (*juger, estimer*) to calculate, assess, measure; (*argent, temps*) to ration (out); **m. 1 mètre 83** (*personne*) to be six feet tall; (*objet*) to measure six feet; **se m. à** *ou* **avec qn** *Fig* to pit oneself against s.o. ◆**–é** *a* (*pas, ton*) measured; (*personne*) moderate.
met [mɛ] *voir* **mettre.**
métal, -aux [metal, -o] *nm* metal. ◆**métallique** *a* (*objet*) metal-; (*éclat, reflet, couleur*) metallic. ◆**métallisé** *a* (*peinture*) metallic.
métallo [metalo] *nm Fam* steelworker. ◆**métallurgie** *nf* (*industrie*) steel industry; (*science*) metallurgy. ◆**métallurgique** *a* **usine m.** steelworks. ◆**métallurgiste** *a* & *nm* **(ouvrier) m.** steelworker.
métamorphose [metamɔrfoz] *nf* metamorphosis. ◆**métamorphoser** *vt*, **– se m.** *vpr* to transform (**en** into).
métaphore [metafɔr] *nf* metaphor. ◆**métaphorique** *a* metaphorical.
métaphysique [metafizik] *a* metaphysical.
météo [meteo] *nf* (*bulletin*) weather forecast.
météore [meteɔr] *nm* meteor. ◆**météorite** *nm* meteorite.
météorologie [meteɔrɔlɔʒi] *nf* (*science*) meteorology; (*service*) weather bureau. ◆**météorologique** *a* meteorological; (*bulletin, station, carte*) weather-.
méthode [metɔd] *nf* method; (*livre*) course. ◆**méthodique** *a* methodical.
méticuleux, -euse [metikylø, -øz] *a* meticulous.
métier [metje] *nm* **1** (*travail*) job; (*manuel*) trade; (*intellectuel*) profession; (*habileté*) professional skill; **homme de m.** specialist. **2 m. (à tisser)** loom.
métis, -isse [metis] *a* & *nmf* half-caste.
mètre [mɛtr] *nm* (*mesure*) metre; (*règle*) (metre) rule; **m. (à ruban)** tape measure. ◆**métr/er** *vt* (*terrain*) to survey. ◆**–age** *nm* **1** surveying. **2** (*tissu*) length; (*de film*) footage; **long m.** (*film*) full length film; **court m.** (*film*) short (film). ◆**–eur** *nm* quantity surveyor. ◆**métrique** *a* metric.
métro [metro] *nm* underground, *Am* subway.
métropole [metrɔpɔl] *nf* (*ville*) metropolis; (*pays*) mother country. ◆**métropolitain** *a* metropolitan.
mets [mɛ] *nm* (*aliment*) dish.
mett/re* [mɛtr] **1** *vt* to put; (*table*) to lay; (*vêtement, lunettes*) to put on, wear; (*chauffage, radio etc*) to put on, switch on; (*réveil*) to set (**à** for); (*dépenser*) to spend (**pour une robe**/*etc* on a dress/*etc*); **m. dix heures**/*etc* **à venir** (*consacrer*) to take ten hours/*etc* coming *ou* to come; **m. à l'aise** (*rassurer*) to put *ou* set at ease; (*dans un fauteuil etc*) to make comfortable; **m. en colère** to make angry; **m. en liberté** to free; **m. en bouteille(s)** to bottle; **m. du soin à faire** to take care to do; **mettons que** (+ *sub*) let's suppose that; **– se m.** *vpr* (*se placer*) to put oneself; (*debout*) to stand; (*assis*) to sit; (*objet*) to be put, go; **se m. en short/pyjama**/*etc* to get into one's

shorts/pyjamas/*etc*; **se m. en rapport avec** to get in touch with; **se m. à** (*endroit*) to go to; (*travail*) to set oneself to, start; **se m. à faire** to start doing; **se m. à table** to sit (down) at the table; **se m. à l'aise** to make oneself comfortable; **se m. au beau/froid** (*temps*) to turn fine/cold. ◆**—able** *a* wearable. ◆**—eur** *nm* **m. en scène** *Th* producer; *Cin* director.

meuble [mœbl] *nm* piece of furniture; *pl* furniture. ◆**meubl/er** *vt* to furnish; (*remplir*) *Fig* to fill. ◆**—é** *nm* furnished flat *ou Am* apartment.

meugl/er [møgle] *vi* to moo, low. ◆**—ement(s)** *nm(pl)* mooing.

meule [møl] *nf* **1** (*de foin*) haystack. **2** (*pour moudre*) millstone.

meunier, -ière [mønje, -jɛr] *nmf* miller.

meurt [mœr] *voir* **mourir.**

meurtre [mœrtr] *nm* murder. ◆**meurtrier, -ière** *nmf* murderer; – *a* deadly, murderous.

meurtrir [mœrtrir] *vt* to bruise. ◆**meurtrissure** *nf* bruise.

meute [møt] *nf* (*de chiens, de creánciers etc*) pack.

Mexique [mɛksik] *nm* Mexico. ◆**mexicain, -aine** *a & nmf* Mexican.

mi- [mi] *préf* **la mi-mars**/*etc* mid March/*etc*; **à mi-distance** mid-distance, midway.

miaou [mjau] *int* (*cri du chat*) miaow. ◆**miaul/er** [mjole] *vi* to miaow, mew. ◆**—ement(s)** *nm(pl)* miaowing, mewing.

mi-bas [miba] *nm inv* knee sock.

miche [miʃ] *nf* round loaf.

mi-chemin (à) [amiʃmɛ̃] *adv* halfway.

mi-clos [miklo] *a* half-closed.

micmac [mikmak] *nm* (*manigance*) *Fam* intrigue.

mi-corps (à) [amikɔr] *adv* (up) to the waist.

mi-côte (à) [amikot] *adv* halfway up *ou* down (the hill).

micro [mikro] *nm* microphone, mike. ◆**microphone** *nm* microphone.

micro- [mikro] *préf* micro-.

microbe [mikrɔb] *nm* germ, microbe.

microcosme [mikrɔkɔsm] *nm* microcosm.

microfilm [mikrɔfilm] *nm* microfilm.

micro-onde [mikrɔɔ̃d] *nf* microwave; **four à micro-ondes** microwave oven.

microscope [mikrɔskɔp] *nm* microscope. ◆**microscopique** *a* miscroscopic.

midi [midi] *nm* **1** (*heure*) midday, noon, twelve o'clock; (*heure du déjeuner*) lunchtime. **2** (*sud*) south; **le M.** the south of France.

mie [mi] *nf* soft bread, crumb.

miel [mjɛl] *nm* honey. ◆**mielleux, -euse** *a* (*parole, personne*) unctuous.

mien, mienne [mjɛ̃, mjɛn] *pron poss* **le m., la mienne** mine, my one; **les miens, les miennes** mine, my ones; **les deux miens** my two; – *nmpl* **les miens** (*amis etc*) my (own) people.

miette [mjɛt] *nf* (*de pain, de bon sens etc*) crumb; **réduire en miettes** to smash to pieces.

mieux [mjø] *adv & a inv* better (**que** than); (*plus à l'aise*) more comfortable; (*plus beau*) better-looking; **le m., la m., les m.** (*convenir, être etc*) the best; (*de deux*) the better; **le m. serait de . . .** the best thing would be to . . . ; **de m. en m.** better and better; **tu ferais m. de partir** you had better leave; **je ne demande pas m.** there's nothing I'd like better (**que de faire** than to do); – *nm* (*amélioration*) improvement; **faire de son m.** to do one's best.

mièvre [mjɛvr] *a* (*doucereux*) *Péj* mannered, wishy-washy.

mignon, -onne [miɲɔ̃, -ɔn] *a* (*charmant*) cute; (*agréable*) nice.

migraine [migrɛn] *nf* headache; *Méd* migraine.

migration [migrɑsjɔ̃] *nf* migration. ◆**migrant, -ante** *a & nmf* **(travailleur) m.** migrant worker, migrant.

mijoter [miʒɔte] *vt Culin* to cook (lovingly); (*lentement*) to simmer; (*complot*) *Fig Fam* to brew; – *vi* to simmer.

mil [mil] *nm inv* (*dans les dates*) a *ou* one thousand; **l'an deux m.** the year two thousand.

milice [milis] *nf* militia. ◆**milicien** *nm* militiaman.

milieu, -x [miljø] *nm* (*centre*) middle; (*cadre, groupe social*) environment; (*entre extrêmes*) middle course; (*espace*) *Phys* medium; *pl* (*groupes, littéraires etc*) circles; **au m. de** in the middle of; **au m. du danger** in the midst of danger; **le juste m.** the happy medium; **le m.** (*de malfaiteurs*) the underworld.

militaire [militɛr] *a* military; – *nm* serviceman; (*dans l'armeé de terre*) soldier.

milit/er [milite] *vi* (*personne*) to be a militant; (*arguments etc*) to militate (**pour** in favour of). ◆**—ant, -ante** *a & nmf* militant.

mille [mil] **1** *a & nm inv* thousand; **m. hommes**/*etc* a *ou* one thousand men/*etc*; **deux m.** two thousand; **mettre dans le m.** to hit the bull's-eye. **2** *nm* (*mesure*) mile. ◆**m.-pattes** *nm inv* (*insecte*) centipede.

◆**millième** *a* & *nmf* thousandth; **un m.** a thousandth. ◆**millier** *nm* thousand; **un m. (de)** a thousand or so.

millefeuille [milfœj] *nm* (*gâteau*) cream slice.

millénaire [milenɛr] *nm* millennium.

millésime [milezim] *nm* date (*on coins, wine etc*).

millet [mijɛ] *nm Bot* millet.

milli- [mili] *préf* milli-.

milliard [miljar] *nm* thousand million, *Am* billion. ◆**milliardaire** *a* & *nmf* multimillionaire.

millimètre [milimɛtr] *nm* millimetre.

million [miljɔ̃] *nm* million; **un m. de livres**/*etc* a million pounds/*etc*; **deux millions** two million. ◆**millionième** *a* & *nmf* millionth. ◆**millionnaire** *nmf* millionaire.

mime [mim] *nmf* (*acteur*) mime; **le m.** (*art*) mime. ◆**mimer** *vti* to mime. ◆**mimique** *nf* (*mine*) (funny) face; (*gestes*) signs, sign language.

mimosa [mimoza] *nm* (*arbre, fleur*) mimosa.

minable [minabl] *a* (*médiocre*) pathetic; (*lieu, personne*) shabby.

minaret [minarɛ] *nm* (*de mosquée*) minaret.

minauder [minode] *vi* to simper, make a show of affectation.

mince [mɛ̃s] **1** *a* thin; (*élancé*) slim; (*insignifiant*) slim, paltry. **2** *int* **m. (alors)!** oh heck!, blast (it)! ◆**minceur** *nf* thinness; slimness. ◆**mincir** *vi* to grow slim.

mine [min] *nf* **1** appearance; (*physionomie*) look; **avoir bonne/mauvaise m.** (*santé*) to look well/ill; **faire m. de faire** to appear to do, make as if to do. **2** (*d'or, de charbon etc*) & *Fig* mine; **m. de charbon** coalmine. **3** (*de crayon*) lead. **4** (*engin explosif*) mine. ◆**miner** *vt* **1** (*saper*) to undermine. **2** (*garnir d'explosifs*) to mine.

minerai [minrɛ] *nm* ore.

minéral, -aux [mineral, -o] *a* & *nm* mineral.

minéralogique [mineralɔʒik] *a* **numéro m.** *Aut* registration *ou Am* license number.

minet, -ette [minɛ, -ɛt] *nmf* **1** (*chat*) puss. **2** (*personne*) *Fam* fashion-conscious young man *ou* woman.

mineur, -eure [minœr] **1** *nm* (*ouvrier*) miner. **2** *a* (*jeune, secondaire*) & *Mus* minor; – *nmf Jur* minor. ◆**minier, -ière** *a* (*industrie*) mining-.

mini- [mini] *préf* mini-.

miniature [minjatyr] *nf* miniature; – *a inv* (*train etc*) miniature-.

minibus [minibys] *nm* minibus.

minime [minim] *a* trifling, minor, minimal. ◆**minimiser** *vt* to minimize.

minimum [minimɔm] *nm* minimum; **le m. de** (*force etc*) the minimum (amount of); **au (grand) m.** at the very least; **la température m.** the minimum temperature. ◆**minimal, -aux** *a* minimum, minimal.

ministre [ministr] *nm Pol Rel* minister; **m. de l'Intérieur** = Home Secretary, *Am* Secretary of the Interior. ◆**ministère** *nm* ministry; (*gouvernement*) cabinet; **m. de Intérieur** = Home Office, *Am* Department of the Interior. ◆**ministériel, -ielle** *a* ministerial; (*crise, remaniement*) cabinet-.

minorer [minɔre] *vt* to reduce.

minorité [minɔrite] *nf* minority; **en m.** in the *ou* a minority. ◆**minoritaire** *a* (*parti etc*) minority-; **être m.** to be in the *ou* a minority.

Minorque [minɔrk] *nf* Minorca.

minuit [minɥi] *nm* midnight, twelve o'clock.

minus [minys] *nm* (*individu*) *Péj Fam* moron.

minuscule [minyskyl] **1** *a* (*petit*) tiny, minute. **2** *a* & *nf* **(lettre) m.** small letter.

minute [minyt] *nf* minute; **à la m.** (*tout de suite*) this (very) minute; **d'une m. à l'autre** any minute (now); – *a inv* **aliments** *ou* **plats m.** convenience food(s). ◆**minuter** *vt* to time. ◆**minuterie** *nf* time switch.

minutie [minysi] *nf* meticulousness. ◆**minutieux, -euse** *a* meticulous.

mioche [mjɔʃ] *nmf* (*enfant*) *Fam* kid, youngster.

miracle [mirɑkl] *nm* miracle; **par m.** miraculously. ◆**miraculeux, -euse** *a* miraculous.

mirador [miradɔr] *nm Mil* watchtower.

mirage [miraʒ] *nm* mirage.

mirifique [mirifik] *a Hum* fabulous.

mirobolant [mirɔbɔlɑ̃] *a Fam* fantastic.

miroir [mirwar] *nm* mirror. ◆**miroiter** *vi* to gleam, shimmer.

mis [mi] *voir* **mettre;** – *a* **bien m.** (*vêtu*) well dressed.

misanthrope [mizɑ̃trɔp] *nmf* misanthropist; – *a* misanthropic.

mise [miz] *nf* **1** (*action de mettre*) putting; **m. en service** putting into service; **m. en marche** starting up; **m. à la retraite** pensioning off; **m. à feu** (*de fusée*) blast-off; **m. en scène** *Th* production; *Cin* direction. **2** (*argent*) stake. **3** (*tenue*) attire. ◆**miser** *vt* (*argent*) to stake (**sur** on); – *vi* **m. sur** (*cheval*) to back; (*compter sur*) to bank on.

misère [mizɛr] *nf* (grinding) poverty; (*malheur*) misery; (*bagatelle*) trifle. ◆**mi-**

sérable *a* miserable, wretched; (*indigent*) poor, destitute; (*logement, quartier*) seedy, slummy; – *nmf* (poor) wretch; (*indigent*) pauper. ◆**miséreux, -euse** *a* destitute; – *nmf* pauper.
miséricorde [mizerikɔrd] *nf* mercy. ◆**miséricordieux, -euse** *a* merciful.
misogyne [mizɔʒin] *nmf* misogynist.
missile [misil] *nm* (*fusée*) missile.
mission [misjɔ̃] *nf* mission; (*tâche*) task. ◆**missionnaire** *nm & a* missionary.
missive [misiv] *nf* (*lettre*) missive.
mistral [mistral] *nm inv* (*vent*) mistral.
mite [mit] *nf* (clothes) moth; (*du fromage etc*) mite. ◆**mité** *a* moth-eaten.
mi-temps [mitɑ̃] *nf* (*pause*) *Sp* half-time; (*période*) *Sp* half; **à mi-t.** (*travailler etc*) part-time.
miteux, -euse [mitø, -øz] *a* shabby.
mitigé [mitiʒe] *a* (*zèle etc*) moderate, lukewarm; (*mêlé*) *Fam* mixed.
mitraille [mitrɑj] *nf* gunfire. ◆**mitrailler** *vt* to machinegun; (*photographier*) *Fam* to click *ou* snap away at. ◆**mitraillette** *nf* submachine gun. ◆**mitrailleur** *a* **fusil m.** machinegun. ◆**mitrailleuse** *nf* machinegun.
mi-voix (à) [amivwa] *adv* in an undertone.
mixe(u)r [miksœr] *nm* (*pour mélanger*) (food) mixer.
mixte [mikst] *a* mixed; (*école*) co-educational, mixed; (*tribunal*) joint.
mixture [mikstyr] *nf* (*boisson*) *Péj* mixture.
Mlle [madmwazɛl] *abrév* = **Mademoiselle.**
MM [mesjø] *abrév* = **Messieurs.**
mm *abrév* (*millimètre*) mm.
Mme [madam] *abrév* = **Madame.**
mobile [mɔbil] **1** *a* (*pièce etc*) moving; (*personne*) mobile; (*feuillets*) detachable, loose; (*reflets*) changing; **échelle m.** sliding scale; **fête m.** mov(e)able feast; – *nm* (*œuvre d'art*) mobile. **2** *nm* (*motif*) motive (**de** for). ◆**mobilité** *nf* mobility.
mobilier [mɔbilje] *nm* furniture.
mobiliser [mɔbilize] *vti* to mobilize. ◆**mobilisation** *nf* mobilization.
mobylette [mɔbilɛt] *nf* moped.
mocassin [mɔkasɛ̃] *nm* (*chaussure*) moccasin.
moche [mɔʃ] *a Fam* (*laid*) ugly; (*mauvais, peu gentil*) lousy, rotten.
modalité [mɔdalite] *nf* method (**de** of).
mode [mɔd] **1** *nf* fashion; (*industrie*) fashion trade; **à la m.** in fashion, fashionable; **passé de m.** out of fashion; **à la m. de** in the manner of. **2** *nm* mode, method; **m. d'emploi** directions (for use); **m. de vie** way of life. **3** *nm Gram* mood.
modèle [mɔdɛl] *nm* (*schéma, exemple, personne*) model; **m. (réduit)** (scale) model; – *a* (*élève etc*) model-. ◆**model/er** *vt* to model (**sur** on); **se m. sur** to model oneself on. ◆**—age** *nm* (*de statue etc*) modelling. ◆**modéliste** *nmf Tex* stylist, designer.
modéré [mɔdere] *a* moderate. ◆**—ment** *adv* moderately.
modérer [mɔdere] *vt* to moderate, restrain; (*vitesse, allure*) to reduce; — **se m.** *vpr* to restrain oneself. ◆**modérateur, -trice** *a* moderating; – *nmf* moderator. ◆**modération** *nf* moderation, restraint; reduction; **avec m.** in moderation.
moderne [mɔdɛrn] *a* modern; – *nm* **le m.** (*mobilier*) modern furniture. ◆**modernisation** *nf* modernization. ◆**moderniser** *vt*, — **se m.** *vpr* to modernize. ◆**modernisme** *nm* modernism.
modeste [mɔdɛst] *a* modest. ◆**modestement** *adv* modestly. ◆**modestie** *nf* modesty.
modifier [mɔdifje] *vt* to modify, alter; — **se m.** *vpr* to alter. ◆**modification** *nf* modification, alteration.
modique [mɔdik] *a* (*salaire, prix*) modest. ◆**modicité** *nf* modesty.
module [mɔdyl] *nm* module.
moduler [mɔdyle] *vt* to modulate. ◆**modulation** *nf* modulation.
moelle [mwal] *nf Anat* marrow; **m. épinière** spinal cord.
moelleux, -euse [mwalø, -øz] *a* soft; (*voix, vin*) mellow.
mœurs [mœr(s)] *nfpl* (*morale*) morals; (*habitudes*) habits, customs.
mohair [mɔɛr] *nm* mohair.
moi [mwa] *pron* **1** (*complément direct*) me; **laissez-moi** leave me; **pour moi** for me. **2** (*indirect*) (to) me; **montrez-le-moi** show it to me, show me it. **3** (*sujet*) I; **moi, je veux** *I* want. **4** *nm inv Psy* self, ego. ◆**moi-même** *pron* myself.
moignon [mwaɲɔ̃] *nm* stump.
moindre [mwɛ̃dr] *a* **être m.** (*moins grand*) to be less; **le m. doute**/*etc* the slightest *ou* least doubt/*etc*; **le m.** (*de mes problèmes etc*) the least (**de** of); (*de deux problèmes etc*) the lesser (**de** of).
moine [mwan] *nm* monk, friar.
moineau, -x [mwano] *nm* sparrow.
moins [mwɛ̃] **1** *adv* ([mwɛ̃z] *before vowel*) less (**que** than); **m. de** (*temps, zèle etc*) less (**que** than), not so much (**que** as); (*gens, livres etc*) fewer (**que** than), not so many

(**que** as); (*cent francs etc*) less than; **m. froid/grand/***etc* not as cold/big/*etc* (**que** as); **de m. en m.** less and less; **le m., la m., les m.** (*travailler etc*) the least; **le m. grand** the smallest; **au m., du m.** at least; **de m., en m.** (*qui manque*) missing; **dix ans/***etc* **de m.** ten years/*etc* less; **en m.** (*personne, objet*) less; (*personnes, objets*) fewer; **les m. de vingt ans** those under twenty, the under-twenties; **à m. que** (+ *sub*) unless. **2** *prép Math* minus; **deux heures m. cinq** five to two; **il fait m. dix (degrés)** it's minus ten (degrees).

mois [mwa] *nm* month; **au m. de juin/***etc* in (the month of) June/*etc.*

mois/ir [mwazir] *vi* to go mouldy; (*attendre*) *Fig* to hang about. ◆**—i** *a* mouldy; – *nm* mould, mildew; **sentir le m.** to smell musty. ◆**moisissure** *nf* mould, mildew.

moisson [mwasɔ̃] *nf* harvest. ◆**moissonner** *vt* to harvest. ◆**moissonneuse-batteuse** *nf* (*pl* **moissonneuses-batteuses**) combine-harvester.

moite [mwat] *a* sticky, moist. ◆**moiteur** *nf* stickiness, moistness.

moitié [mwatje] *nf* half; **la m. de la pomme/***etc* half (of) the apple/*etc*; **à m.** (*remplir etc*) halfway; **à m. fermé/cru/***etc* half closed/raw/*etc*; **à m. prix** (for *ou* at) half-price; **de m.** by half; **m.-moitié** *Fam* so-so; **partager m.-moitié** *Fam* to split fifty-fifty.

moka [mɔka] *nm* (*café*) mocha.

moi [mɔl] *voir* **mou.**

molaire [mɔlɛr] *nf* (*dent*) molar.

molécule [mɔlekyl] *nf* molecule.

moleskine [mɔlɛskin] *nf* imitation leather.

molester [mɔlɛste] *vt* to manhandle.

molette [mɔlɛt] *nf* **clé à m.** adjustable wrench *ou* spanner.

mollasse [mɔlas] *a Péj* flabby.

molle [mɔl] *voir* **mou.** ◆**mollement** *adv* feebly; (*paresseusement*) lazily. ◆**mollesse** *nf* softness; (*faiblesse*) feebleness. ◆**mollir** *vi* to go soft; (*courage*) to flag.

mollet [mɔlɛ] **1** *a* **œuf m.** soft-boiled egg. **2** *nm* (*de jambe*) calf.

mollusque [mɔlysk] *nm* mollusc.

môme [mom] *nmf* (*enfant*) *Fam* kid.

moment [mɔmɑ̃] *nm* (*instant*) moment; (*période*) time; **en ce m.** at the moment; **par moments** at times; **au m. de partir** when just about to leave; **au m. où** when, just as; **du m. que** (*puisque*) seeing that. ◆**momentané** *a* momentary. ◆**momentanément** *adv* temporarily, for the moment.

momie [mɔmi] *nf* (*cadavre*) mummy.

mon, ma, *pl* **mes** [mɔ̃, ma, me] (**ma** *becomes* **mon** [mɔ̃n] *before a vowel or mute h*) *a poss* my; **mon père** my father; **ma mère** my mother; **mon ami(e)** my friend.

Monaco [mɔnako] *nf* Monaco.

monarque [mɔnark] *nm* monarch. ◆**monarchie** *nf* monarchy. ◆**monarchique** *a* monarchic.

monastère [mɔnastɛr] *nm* monastery.

monceau, -x [mɔ̃so] *nm* heap, pile.

monde [mɔ̃d] *nm* world; (*milieu social*) set; **du m.** (*gens*) people; (*beaucoup*) a lot of people; **un m. fou** a tremendous crowd; **le (grand) m.** (high) society; **le m. entier** the whole world; **tout le m.** everybody; **mettre au m.** to give birth to; **pas le moins du m.!** not in the least *ou* slightest! ◆**mondain, -aine** *a* (*vie, réunion etc*) society-. ◆**mondanités** *nfpl* (*événements*) social events. ◆**mondial, -aux** *a* (*renommée etc*) world-; (*crise*) worldwide. ◆**mondialement** *adv* the (whole) world over.

monégasque [mɔnegask] *a & nmf* Monegasque.

monétaire [mɔnetɛr] *a* monetary.

mongolien, -ienne [mɔ̃gɔljɛ̃, -jɛn] *a & nmf Méd* mongol.

moniteur, -trice [mɔnitœr, -tris] *nmf* **1** instructor; (*de colonie de vacances*) assistant, *Am* camp counselor. **2** (*écran*) *Tech* monitor.

monnaie [mɔnɛ] *nf* (*devise*) currency, money; (*appoint, pièces*) change; **pièce de m.** coin; **(petite) m.** (small) change; **faire de la m.** to get change; **faire de la m. à qn** to give s.o. change (**sur un billet** for a note); **c'est m. courante** it's very frequent; **Hôtel de la M.** mint. ◆**monnayer** *vt* (*talent etc*) to cash in on; (*bien, titre*) *Com* to convert into cash.

mono [mɔno] *a inv* (*disque etc*) mono.

mono- [mɔno] *préf* mono-.

monocle [mɔnɔkl] *nm* monocle.

monologue [mɔnɔlɔg] *nm* monologue.

monoplace [mɔnɔplas] *a & nmf* (*avion, voiture*) single-seater.

monopole [mɔnɔpɔl] *nm* monopoly. ◆**monopoliser** *vt* to monopolize.

monosyllabe [mɔnɔsilab] *nm* monosyllable. ◆**monosyllabique** *a* monosyllabic.

monotone [mɔnɔtɔn] *a* monotonous. ◆**monotonie** *nf* monotony.

monseigneur [mɔ̃sɛɲœr] *nm* (*évêque*) His *ou* Your Grace; (*prince*) His *ou* Your Highness.

monsieur, *pl* **messieurs** [məsjø, mesjø] *nm* gentleman; **oui m.** yes; (*avec déférence*) yes

sir; **oui messieurs** yes (gentlemen); **M. Legras** Mr Legras; **Messieurs** *ou* **MM Legras** Messrs Legras; **tu vois ce m.?** do you see that man *ou* gentleman?; **Monsieur** (*sur une lettre*) *Com* Dear Sir.
monstre [mɔ̃str] *nm* monster; – *a* (*énorme*) *Fam* colossal. ◆**monstrueux, -euse** *a* (*abominable, énorme*) monstrous. ◆**monstruosité** *nf* (*horreur*) monstrosity.
mont [mɔ̃] *nm* (*montagne*) mount.
montagne [mɔ̃taɲ] *nf* mountain; **la m.** (*zone*) the mountains; **montagnes russes** *Fig* roller coaster. ◆**montagnard, -arde** *nmf* mountain dweller; – *a* (*peuple*) mountain-. ◆**montagneux, -euse** *a* mountainous.
mont-de-piété [mɔ̃dpjete] *nm* (*pl* **monts-de-piété**) pawnshop.
monte-charge [mɔ̃tʃarʒ] *nm inv* service lift *ou Am* elevator.
mont/er [mɔ̃te] *vi* (*aux* **être**) (*personne*) to go *ou* come up; (*s'élever*) to go up; (*grimper*) to climb (up) (**sur** onto); (*prix*) to go up, rise; (*marée*) to come in; (*avion*) to climb; **m. dans un véhicule** to get in(to) a vehicle; **m. dans un train** to get on(to) a train; **m. sur** (*échelle etc*) to climb up; (*trône*) to ascend; **m. en courant**/*etc* to run/*etc* up; **m. (à cheval)** *Sp* to ride (a horse); **m. en graine** (*salade etc*) to go to seed; – *vt* (*aux* **avoir**) (*côte etc*) to climb (up); (*objets*) to bring *ou* take up; (*cheval*) to ride; (*tente, affaire*) to set up; (*machine*) to assemble; (*bijou*) to set, mount; (*complot, démonstration*) to mount; (*pièce*) *Th* to stage, mount; **m. l'escalier** to go *ou* come upstairs *ou* up the stairs; **faire m.** (*visiteur etc*) to show up; **m. qn contre qn** to set s.o. against s.o.; **– se m.** *vpr* (*s'irriter*) *Fam* to get angry; **se m. à** (*frais*) to amount to. ◆**—ant 1** *a* (*chemin*) uphill; (*mouvement*) upward; (*marée*) rising; (*col*) stand-up; (*robe*) high-necked; **chaussure montante** boot. **2** *nm* (*somme*) amount. **3** *nm* (*de barrière*) post; (*d'échelle*) upright. ◆**—é** *a* (*police*) mounted. ◆**—ée** *nf* ascent, climb; (*de prix, des eaux*) rise; (*chemin*) slope. ◆**—age** *nm Tech* assembling, assembly; *Cin* editing. ◆**—eur, -euse** *nmf Tech* fitter; *Cin* editor.
montre [mɔ̃tr] *nf* **1** watch; **course contre la m.** race against time. **2 faire m. de** to show. ◆**m.-bracelet** *nf* (*pl* **montres-bracelets**) wristwatch.
Montréal [mɔ̃real] *nm ou f* Montreal.
montrer [mɔ̃tre] *vt* to show (**à** to); **m. du doigt** to point to; **m. à qn à faire qch** to show s.o. how to do sth; **— se m.** *vpr* to show oneself, appear; (*s'avérer*) to turn out to be; **se m. courageux**/*etc* (*être*) to be courageous/*etc*.
monture [mɔ̃tyr] *nf* **1** (*cheval*) mount. **2** (*de lunettes*) frame; (*de bijou*) setting.
monument [mɔnymɑ̃] *nm* monument; **m. aux morts** war memorial. ◆**monumental, -aux** *a* (*imposant, énorme etc*) monumental.
moquer (se) [səmɔke] *vpr* **se m. de** (*allure etc*) to make fun of; (*personne*) to make a fool of, make fun of; **je m'en moque!** *Fam* I couldn't care less! ◆**moquerie** *nf* mockery. ◆**moqueur, -euse** *a* mocking.
moquette [mɔkɛt] *nf* fitted carpet(s), wall-to-wall carpeting.
moral, -aux [mɔral, -o] *a* moral; – *nm* **le m.** spirits, morale. ◆**morale** *nf* (*principes*) morals; (*code*) moral code; (*d'histoire etc*) moral; **faire la m. à qn** to lecture s.o. ◆**moralement** *adv* morally. ◆**moraliser** *vi* to moralize. ◆**moraliste** *nmf* moralist. ◆**moralité** *nf* (*mœurs*) morality; (*de fable, récit etc*) moral.
moratoire [mɔratwar] *nm* moratorium.
morbide [mɔrbid] *a* morbid.
morceau, -x [mɔrso] *nm* piece, bit; (*de sucre*) lump; (*de viande*) *Culin* cut; (*extrait*) *Littér* extract. ◆**morceler** *vt* (*terrain*) to divide up.
mordiller [mɔrdije] *vt* to nibble.
mord/re [mɔrdr] *vti* to bite; **ça mord** *Pêche* I have a bite. ◆**—ant 1** *a* (*voix, manière*) scathing; (*froid*) biting; (*personne, ironie*) caustic. **2** *nm* (*énergie*) punch. ◆**—u, -ue** *nmf* **un m. du jazz**/*etc Fam* a jazz/*etc* fan.
morfondre (se) [səmɔrfɔ̃dr] *vpr* to get bored (waiting), mope (about).
morgue [mɔrg] *nf* (*lieu*) mortuary, morgue.
moribond, -onde [mɔribɔ̃, -ɔ̃d] *a & nmf* dying *ou* moribund (person).
morne [mɔrn] *a* dismal, gloomy, dull.
morose [mɔroz] *a* morose, sullen.
morphine [mɔrfin] *nf* morphine.
mors [mɔr] *nm* (*de harnais*) bit.
morse [mɔrs] *nm* **1** Morse (code). **2** (*animal*) walrus.
morsure [mɔrsyr] *nf* bite.
mort[1] [mɔr] *nf* death; **mettre à m.** to put to death; **silence de m.** dead silence. ◆**mortalité** *nf* death rate, mortality. ◆**mortel, -elle** *a* (*hommes, ennemi, danger etc*) mortal; (*accident*) fatal; (*chaleur*) deadly; (*pâleur*) deathly; – *nmf* mortal. ◆**mortellement** *adv* (*blessé*) fatally.
mort[2]**, morte** [mɔr, mɔrt] *a* (*personne, plante, ville etc*) dead; **m. de fatigue** dead

tired; **m. de froid** numb with cold; **m. de peur** frightened to death; – *nmf* dead man, dead woman; **les morts** the dead; **de nombreux morts** (*victimes*) many deaths *ou* casualties; **le jour** *ou* **la fête des Morts** All Souls' Day. ◆**morte-saison** *nf* off season. ◆**mort-né** *a* (*enfant*) & *Fig* stillborn.

mortier [mɔrtje] *nm* mortar.

mortifier [mɔrtifje] *vt* to mortify.

mortuaire [mɔrtɥɛr] *a* (*avis, rites etc*) death-, funeral.

morue [mɔry] *nf* cod.

morve [mɔrv] *nf* (nasal) mucus. ◆**morveux, -euse** *a* (*enfant*) snotty (-nosed).

mosaïque [mɔzaik] *nf* mosaic.

Moscou [mɔsku] *nm ou f* Moscow.

mosquée [mɔske] *nf* mosque.

mot [mo] *nm* word; **envoyer un m. à** to drop a line to; **m. à** *ou* **pour m.** word for word; **bon m.** witticism; **mots croisés** crossword (puzzle); **m. d'ordre** *Pol* resolution, order; (*slogan*) watchword; **m. de passe** password.

motard [mɔtar] *nm Fam* motorcyclist.

motel [mɔtɛl] *nm* motel.

moteur[1] [mɔtœr] *nm* (*de véhicule etc*) engine, motor; *Él* motor.

moteur[2], **-trice** [mɔtœr, -tris] *a* (*force*) driving-; (*nerf, muscle*) motor.

motif [mɔtif] *nm* **1** reason, motive. **2** (*dessin*) pattern.

motion [mosjɔ̃] *nf Pol* motion; **on a voté une m. de censure** a vote of no confidence was given.

motiver [mɔtive] *vt* (*inciter, causer*) to motivate; (*justifier*) to justify. ◆**motivation** *nf* motivation.

moto [mɔto] *nf* motorcycle, motorbike. ◆**motocycliste** *nmf* motorcyclist.

motorisé [mɔtɔrize] *a* motorized.

motte [mɔt] *nf* (*de terre*) clod, lump; (*de beurre*) block.

mou (*or* **mol** *before vowel or mute h*), **molle** [mu, mɔl] *a* soft; (*faible, sans énergie*) feeble; – *nm* **avoir du m.** (*cordage*) to be slack.

mouchard, -arde [muʃar, -ard] *nmf Péj* informer. ◆**moucharder** *vt* **m. qn** *Fam* to inform on s.o.

mouche [muʃ] *nf* (*insecte*) fly; **prendre la m.** (*se fâcher*) to go into a huff; **faire m.** to hit the bull's-eye. ◆**moucheron** *nm* (*insecte*) midge.

moucher [muʃe] *vt* **m. qn** to wipe s.o.'s nose; **se m.** to blow one's nose.

moucheté [muʃte] *a* speckled, spotted.

mouchoir [muʃwar] *nm* handkerchief; (*en papier*) tissue.

moudre* [mudr] *vt* (*café, blé*) to grind.

moue [mu] *nf* long face, pout; **faire la m.** to pout, pull a (long) face.

mouette [mwɛt] *nf* (sea)gull.

moufle [mufl] *nf* (*gant*) mitt(en).

mouill/er [muje] **1** *vt* to wet, make wet; **se faire m.** to get wet; **– se m.** *vpr* to get (oneself) wet; (*se compromettre*) *Fam* to get involved (*by taking risks*). **2** *vt* **m. l'ancre** *Nau* to (drop) anchor; – *vi* to anchor. ◆**—é** *a* wet (**de** with). ◆**—age** *nm* (*action*) *Nau* anchoring; (*lieu*) anchorage.

moule[1] [mul] *nm* mould, *Am* mold; **m. à gâteaux** cake tin. ◆**moul/er** *vt* to mould, *Am* mold; (*statue*) to cast; **m. qn** (*vêtement*) to fit s.o. tightly. ◆**—ant** *a* (*vêtement*) tight-fitting. ◆**—age** *nm* moulding; casting; (*objet*) cast. ◆**moulure** *nf Archit* moulding.

moule[2] [mul] *nf* (*mollusque*) mussel.

moulin [mulɛ̃] *nm* mill; (*moteur*) *Fam* engine; **m. à vent** windmill; **m. à café** coffee-grinder.

moulinet [mulinɛ] *nm* **1** (*de canne à pêche*) reel. **2** (*de bâton*) twirl.

moulu [muly] *voir* **moudre**; – *a* (*café*) ground; (*éreinté*) *Fam* dead tired.

mour/ir* [murir] *vi* (*aux* **être**) to die (**de** of, from); **m. de froid** to die of exposure; **m. d'ennui/de fatigue** *Fig* to be dead bored/tired; **m. de peur** *Fig* to be frightened to death; **s'ennuyer à m.** to be bored to death; **— se m.** *vpr* to be dying. ◆**—ant, -ante** *a* dying; (*voix*) faint; – *nmf* dying person.

mousquetaire [muskətɛr] *nm Mil Hist* musketeeer.

mousse [mus] **1** *nf Bot* moss. **2** *nf* (*écume*) froth, foam; (*de bière*) froth; (*de savon*) lather; **m. à raser** shaving foam. **3** *nf Culin* mousse. **4** *nm Nau* ship's boy. ◆**mousser** *vi* (*bière etc*) to froth; (*savon*) to lather; (*eau savonneuse*) to foam. ◆**mousseux, -euse** *a* frothy; (*vin*) sparkling; – *nm* sparkling wine. ◆**moussu** *a* mossy.

mousseline [muslin] *nf* (*coton*) muslin.

mousson [musɔ̃] *nf* (*vent*) monsoon.

moustache [mustaʃ] *nf* moustache, *Am* mustache; *pl* (*de chat etc*) whiskers. ◆**moustachu** *a* wearing a moustache.

moustique [mustik] *nm* mosquito. ◆**moustiquaire** *nf* mosquito net; (*en métal*) screen.

moutard [mutar] *nm* (*enfant*) *Arg* kid.

moutarde [mutard] *nf* mustard.

mouton [mutɔ̃] *nm* sheep; (*viande*) mutton;

pl (*sur la mer*) white horses; (*poussière*) bits of dust; **peau de m.** sheepskin.

mouvement [muvmɑ̃] *nm* (*geste, déplacement, groupe etc*) & *Mus* movement; (*de colère*) outburst; (*impulsion*) impulse; **en m.** in motion. ◆**mouvementé** *a* (*animé*) lively, exciting; (*séance, vie etc*) eventful.

mouv/oir* [muvwar] *vi*, — **se m.** *vpr* to move; **mû par** (*mécanisme*) driven by. ◆**—ant** *a* (*changeant*) changing; **sables mouvants** quicksands.

moyen [1], **-enne** [mwajɛ̃, -ɛn] *a* average; (*format, entreprise etc*) medium(-sized); (*solution*) intermediate, middle; – *nf* average; (*dans un examen*) pass mark; (*dans un devoir*) half marks; **la moyenne d'âge** the average age; **en moyenne** on average. ◆**moyennement** *adv* averagely, moderately.

moyen [2] [mwajɛ̃] *nm* (*procédé, façon*) means, way (**de faire** of doing, to do); *pl* (*capacités*) ability, powers; (*argent, ressources*) means; **au m. de** by means of; **il n'y a pas m. de faire** it's not possible to do; **je n'ai pas les moyens** (*argent*) I can't afford it; **par mes propres moyens** under my own steam.

moyennant [mwajɛnɑ̃] *prép* (*pour*) (in return) for; (*avec*) with.

moyeu, -x [mwajø] *nm* (*de roue*) hub.

mucosités [mykozite] *nfpl* mucus.

mue [my] *nf* moulting; breaking of the voice. ◆**muer** [mɥe] *vi* (*animal*) to moult; (*voix*) to break; **se m. en** to become transformed into.

muet, -ette [mɥɛ, -ɛt] *a* (*infirme*) dumb; (*de surprise etc*) speechless; (*film, reproche etc*) silent; *Gram* mute; – *nmf* dumb person.

mufle [myfl] *nm* **1** (*d'animal*) nose, muzzle. **2** (*individu*) *Péj* lout.

mug/ir [myʒir] *vi* (*vache*) to moo; (*bœuf*) to bellow; (*vent*) *Fig* to roar. ◆**—issement(s)** *nm*(*pl*) moo(ing); bellow(ing); roar(ing).

muguet [mygɛ] *nm* lily of the valley.

mule [myl] *nf* **1** (*pantoufle*) mule. **2** (*animal*) (she-)mule. ◆**mulet** [1] *nm* (he-)mule.

mulet [2] [mylɛ] *nm* (*poisson*) mullet.

multi- [mylti] *préf* multi-.

multicolore [myltikɔlɔr] *a* multicoloured.

multinationale [myltinasjɔnal] *nf* multinational.

multiple [myltipl] *a* (*nombreux*) numerous; (*ayant des formes variées*) multiple; – *nm Math* multiple. ◆**multiplication** *nf* multiplication; (*augmentation*) increase. ◆**multiplicité** *nf* multiplicity. ◆**multiplier** *vt* to multiply; — **se m.** *vpr* to increase; (*se reproduire*) to multiply.

multitude [myltityd] *nf* multitude.

municipal, -aux [mynisipal, -o] *a* municipal; **conseil m.** town council. ◆**municipalité** *nf* (*corps*) town council; (*commune*) municipality.

munir [mynir] *vt* **m. de** to provide *ou* equip with; **se m. de** to provide oneself with; **muni de** (*papiers, arme etc*) in possession of.

munitions [mynisjɔ̃] *nfpl* ammunition.

muqueuse [mykøz] *nf* mucous membrane.

mur [myr] *nm* wall; **m. du son** sound barrier; **au pied du m.** *Fig* with one's back to the wall. ◆**muraille** *nf* (high) wall. ◆**mural, -aux** *a* (*carte etc*) wall-; **peinture murale** mural (painting). ◆**murer** *vt* (*porte*) to wall up; **m. qn** to wall s.o. in.

mûr [myr] *a* (*fruit, projet etc*) ripe; (*âge, homme*) mature. ◆**mûrement** *adv* (*réfléchir*) carefully. ◆**mûrir** *vti* (*fruit*) to ripen; (*personne, projet*) to mature.

muret [myrɛ] *nm* low wall.

murmure [myrmyr] *nm* murmur. ◆**murmurer** *vti* to murmur.

musc [mysk] *nm* (*parfum*) musk.

muscade [myskad] *nf* nutmeg.

muscle [myskl] *nm* muscle. ◆**musclé** *a* (*bras*) brawny, muscular. ◆**musculaire** *a* (*tissu, système etc*) muscular. ◆**musculature** *nf* muscles.

museau, -x [myzo] *nm* (*de chien etc*) muzzle; (*de porc*) snout. ◆**museler** *vt* (*animal, presse etc*) to muzzle. ◆**muselière** *nf* (*appareil*) muzzle.

musée [myze] *nm* museum; **m. de peinture** (public) art gallery. ◆**muséum** *nm* (natural history) museum.

musette [myzɛt] *nf* (*d'ouvrier*) duffel bag, kit bag.

music-hall [myzikol] *nm* variety theatre.

musique [myzik] *nf* music; (*fanfare*) *Mil* band. ◆**musical, -aux** *a* musical. ◆**musicien, -ienne** *nmf* musician; – *a* **être très/assez m.** to be very/quite musical.

musulman, -ane [myzylmɑ̃, -an] *a* & *nmf* Moslem, Muslim.

muter [myte] *vt* (*employé*) to transfer. ◆**mutation** *nf* **1** transfer. **2** *Biol* mutation.

mutil/er [mytile] *vt* to mutilate, maim; **être mutilé** to be disabled. ◆**—é, -ée** *nmf* **m. de guerre/du travail** disabled ex-serviceman/worker. ◆**mutilation** *nf* mutilation.

mutin [mytɛ̃] **1** *a* (*espiègle*) saucy. **2** *nm* (*rebelle*) mutineer. ◆**se mutin/er** *vpr* to mutiny. ◆**—é** *a* mutinous. ◆**mutinerie** *nf* mutiny.

mutisme [mytism] *nm* (stubborn) silence.

mutualité [mytɥalite] *nf* mutual insurance. ◆**mutualiste** *nmf* member of a friendly *ou Am* benefit society. ◆**mutuelle**[1] *nf* friendly society, *Am* benefit society.

mutuel, -elle[2] [mytɥɛl] *a* (*réciproque*) mutual. ◆**mutuellement** *adv* (*l'un l'autre*) each other (mutually).

myope [mjɔp] *a & nmf* shortsighted (person). ◆**myopie** *nf* shortsightedness.

myosotis [mjozɔtis] *nm Bot* forget-me-not.

myrtille [mirtij] *nf Bot* bilberry.

mystère [mistɛr] *nm* mystery. ◆**mystérieux, -euse** *a* mysterious.

mystifier [mistifje] *vt* to fool, deceive, hoax. ◆**mystification** *nf* hoax.

mystique [mistik] *a* mystic(al); – *nmf* (*personne*) mystic; – *nf* mystique (**de** of). ◆**mysticisme** *nm* mysticism.

mythe [mit] *nm* myth. ◆**mythique** *a* mythical. ◆**mythologie** *nf* mythology. ◆**mythologique** *a* mythological.

mythomane [mitɔman] *nmf* compulsive liar.

N

N, n [ɛn] *nm* N, n.

n' [n] *voir* **ne.**

nabot [nabo] *nm Péj* midget.

nacelle [nasɛl] *nf* (*de ballon*) car, gondola; (*de landau*) carriage, carrycot.

nacre [nakr] *nf* mother-of-pearl. ◆**nacré** *a* pearly.

nage [naʒ] *nf* (swimming) stroke; **n. libre** freestyle; **traverser à la n.** to swim across; **en n.** *Fig* sweating. ◆**nager** *vi* to swim; (*flotter*) to float; **je nage dans le bonheur** my happiness knows no bounds; **je nage complètement** (*je suis perdu*) *Fam* I'm all at sea; – *vt* (*crawl etc*) to swim. ◆**nageur, -euse** *nmf* swimmer.

nageoire [naʒwar] *nf* (*de poisson*) fin; (*de phoque*) flipper.

naguère [nagɛr] *adv Litt* not long ago.

naïf, -ïve [naif, -iv] *a* simple, naïve; – *nmf* (*jobard*) simpleton.

nain, naine [nɛ̃, nɛn] *nmf* dwarf; – *a* (*arbre, haricot*) dwarf-.

naissance [nɛsɑ̃s] *nf* birth; (*de bras, cou*) base; **donner n. à** *Fig* to give rise to; **de n.** from birth.

naître* [nɛtr] *vi* to be born; (*jour*) to dawn; (*sentiment, difficulté*) to arise (**de** from); **faire n.** (*soupçon, industrie etc*) to give rise to, create. ◆**naissant** *a* (*amitié etc*) incipient.

naïveté [naivte] *nf* simplicity, naïveté.

nant/ir [nɑ̃tir] *vt* **n. de** to provide with. ◆**—i** *a & nmpl* (*riche*) affluent.

naphtaline [naftalin] *nf* mothballs.

nappe [nap] *nf* **1** table cloth. **2** (*d'eau*) sheet; (*de gaz, pétrole*) layer; (*de brouillard*) blanket. ◆**napperon** *nm* (soft) table mat; (*pour vase etc*) (soft) mat, cloth.

narcotique [narkɔtik] *a & nm* narcotic.

narguer [narge] *vt* to flout, mock.

narine [narin] *nf* nostril.

narquois [narkwa] *a* sneering.

narration [narɑsjɔ̃] *nf* (*récit, acte, art*) narration. ◆**narrateur, -trice** *nmf* narrator.

nasal, -aux [nazal, -o] *a* nasal.

naseau, -x [nazo] *nm* (*de cheval*) nostril.

nasiller [nazije] *vi* (*personne*) to speak with a twang; (*micro, radio*) to crackle. ◆**nasillard** *a* (*voix*) nasal; (*micro etc*) crackling.

natal, *mpl* **-als** [natal] *a* (*pays etc*) native; **sa maison natale** the house where he *ou* she was born. ◆**natalité** *nf* birthrate.

natation [natɑsjɔ̃] *nf* swimming.

natif, -ive [natif, -iv] *a & nmf* native; **être n. de** to be a native of.

nation [nasjɔ̃] *nf* nation; **les Nations Unies** the United Nations. ◆**national, -aux** *a* national; ◆**nationale** *nf* (*route*) trunk road, *Am* highway. ◆**nationaliser** *vt* to nationalize. ◆**nationaliste** *a Péj* nationalistic; – *nmf* nationalist. ◆**nationalité** *nf* nationality.

nativité [nativite] *nf Rel* nativity.

natte [nat] *nf* **1** (*de cheveux*) plait, *Am* braid. **2** (*tapis*) mat, (piece of) matting. ◆**natt/er** *vt* to plait, *Am* braid. ◆**—age** *n* (*matière*) matting.

naturaliser [natyralize] *vt* (*personne*) *Pol* to naturalize. ◆**naturalisation** *nf* naturalization.

nature [natyr] *nf* (*monde naturel, caractère*) nature; **de toute n.** of every kind; **être de n. à** to be likely to; **payer en n.** *Fin* to pay in kind; **n. morte** (*tableau*) still life; **plus grand que n.** larger than life; – *a inv* (*omelette, yaourt etc*) plain; (*café*) black. ◆**natura-**

liste *nmf* naturalist. ◆**naturiste** *nmf* nudist, naturist.
naturel, -elle [natyrɛl] *a* natural; **mort naturelle** death from natural causes; – *nm* (*caractère*) nature; (*simplicité*) naturalness. ◆**naturellement** *adv* naturally.
naufrage [nofraʒ] *nm* (ship)wreck; (*ruine*) *Litt Fig* ruin; **faire n.** to be (ship)wrecked. ◆**naufragé, -ée** *a* & *nmf* shipwrecked (person).
nausée [noze] *nf* nausea, sickness. ◆**nauséabond** *a* nauseating, sickening.
nautique [notik] *a* nautical; (*sports, ski*) water-.
naval, *mpl* **-als** [naval] *a* naval; **constructions navales** shipbuilding.
navet [navɛ] *nm* **1** *Bot Culin* turnip. **2** (*film etc*) *Péj* flop, dud.
navette [navɛt] *nf* (*transport*) shuttle (service); **faire la n.** (*véhicule, personne etc*) to shuttle back and forth (**entre** between); **n. spatiale** space shuttle.
naviguer [navige] *vi* (*bateau*) to sail; (*piloter, voler*) to navigate. ◆**navigabilité** *nf* (*de bateau*) seaworthiness; (*d'avion*) airworthiness. ◆**navigable** *a* (*fleuve*) navigable. ◆**navigant** *a* **personnel n.** *Av Nau* crew. ◆**navigateur** *nm Av* navigator. ◆**navigation** *nf* (*pilotage*) navigation; (*trafic*) *Nau* shipping.
navire [navir] *nm* ship.
navr/er [navre] *vt* to upset (greatly), grieve. ◆**—ant** *a* upsetting. ◆**—é** *a* (*air*) grieved; **je suis n.** I'm (terribly) sorry (**de faire** to do).
nazi, -ie [nazi] *a* & *nmf Pol Hist* Nazi.
ne [n(ə)] (**n'** *before vowel or mute h; used to form negative verb with* **pas, jamais, que** *etc*) *adv* **1** (+ *pas*) not; **elle ne boit pas** she does not *ou* doesn't drink; **il n'ose (pas)** he doesn't dare; **n'importe** it doesn't matter. **2** (*with* **craindre, avoir peur** *etc*) **je crains qu'il ne parte** I'm afraid he'll leave.
né [ne] *a* born; **il est né** he was born; **née Dupont** née Dupont.
néanmoins [neɑ̃mwɛ̃] *adv* nevertheless, nonetheless.
néant [neɑ̃] *nm* nothingness, void; (*sur un formulaire*) = none.
nébuleux, -euse [nebylø, -øz] *a* hazy, nebulous.
nécessaire [nesesɛr] *a* necessary; (*inéluctable*) inevitable; – *nm* **le n.** (*biens*) the necessities; **le strict n.** the bare necessities; **n. de couture** sewing box, workbox; **n. de toilette** sponge bag, dressing case; **faire le n.** to do what's necessary *ou* the necessary. ◆**nécessairement** *adv* necessarily; (*échouer etc*) inevitably. ◆**nécessité** *nf* necessity. ◆**nécessiter** *vt* to necessitate, require. ◆**nécessiteux, -euse** *a* needy.
nécrologie [nekrɔlɔʒi] *nf* obituary.
nectarine [nektarin] *nf* (*fruit*) nectarine.
néerlandais, -aise [neɛrlɑ̃dɛ, -ɛz] *a* Dutch; – *nmf* Dutchman, Dutchwoman; – *nm* (*langue*) Dutch.
nef [nɛf] *nf* (*d'église*) nave.
néfaste [nefast] *a* (*influence etc*) harmful (**à** to).
négatif, -ive [negatif, -iv] *a* negative; – *nm Phot* negative; – *nf* **répondre par la négative** to answer in the negative. ◆**négation** *nf* negation, denial (**de** of); *Gram* negation; (*mot*) negative.
négligeable [negliʒabl] *a* negligible.
négligent [negliʒɑ̃] *a* negligent, careless. ◆**négligemment** [-amɑ̃] *adv* negligently, carelessly. ◆**négligence** *nf* negligence, carelessness; (*faute*) (careless) error.
néglig/er [negliʒe] *vt* (*personne, conseil, travail etc*) to neglect; **n. de faire** to neglect to do; **— se n.** *vpr* (*négliger sa tenue ou sa santé*) to neglect oneself. ◆**—é** *a* (*tenue*) untidy, neglected; (*travail*) careless; – *nm* (*de tenue*) untidiness; (*vêtement*) negligee.
négoci/er [negɔsje] *vti Fin Pol* to negotiate. ◆**—ant, -ante** *nmf* merchant, trader. ◆**—able** *a Fin* negotiable. ◆**négociateur, -trice** *nmf* negotiator. ◆**négociation** *nf* negotiation.
nègre [nɛgr] **1** *a* (*art, sculpture etc*) Negro. **2** *nm* (*écrivain*) ghost writer.
neige [nɛʒ] *nf* snow; **n. fondue** sleet; **n. carbonique** dry ice. ◆**neiger** *v imp* to snow. ◆**neigeux, -euse** *a* snowy.
nénuphar [nenyfar] *nm* water lily.
néo [neɔ] *préf* neo-.
néon [neɔ̃] *nm* (*gaz*) neon; **au n.** (*éclairage etc*) neon-.
néophyte [neɔfit] *nmf* novice.
néo-zélandais, -aise [neɔzelɑ̃dɛ, -ɛz] *a* (*peuple etc*) New Zealand-; – *nmf* New Zealander.
nerf [nɛr] *nm Anat* nerve; **avoir du n.** (*vigueur*) *Fam* to have guts; **du n.!, un peu de n.!** buck up!; **ça me porte** *ou* **me tape sur les nerfs** it gets on my nerves; **être sur les nerfs** *Fig* to be keyed up *ou* het up. ◆**nerveux, -euse** *a* nervous; (*centre, cellule*) nerve-. ◆**nervosité** *nf* nervousness.
nervure [nɛrvyr] *nf* (*de feuille*) vein.
nescafé [nɛskafe] *nm* instant coffee.
n'est-ce pas? [nɛspɑ] *adv* isn't he?, don't

you? *etc*; **il fait beau, n'est-ce pas?** the weather's fine, isn't it?

net, nette [nɛt] **1** *a* (*conscience, idée, image, refus*) clear; (*coupure, linge*) clean; (*soigné*) neat; (*copie*) fair; – *adv* (*s'arrêter*) short, dead; (*tuer*) outright; (*parler*) plainly; (*refuser*) flat(ly); (*casser, couper*) clean. **2** *a* (*poids, prix etc*) *Com* net(t). ◆**nettement** *adv* clearly, plainly; (*sensiblement*) markedly. ◆**netteté** *nf* clearness; (*de travail*) neatness.

nettoyer [nɛtwaje] *vt* to clean (up); (*plaie*) to cleanse, clean (up); (*vider, ruiner*) *Fam* to clean out. ◆**nettoiement** *nm* cleaning; **service du n.** refuse *ou Am* garbage collection. ◆**nettoyage** *nm* cleaning; **n. à sec** dry cleaning.

neuf[1], **neuve** [nœf, nœv] *a* new; **quoi de n.?** what's new(s)?; – *nm* **il y a du n.** there's been something new; **remettre à n.** to make as good as new.

neuf[2] [nœf] *a* & *nm* ([nœv] *before* **heures** & **ans**) nine. ◆**neuvième** *a* & *nmf* ninth.

neurasthénique [nørastenik] *a* depressed.

neutre [nøtr] **1** *a* (*pays, personne etc*) neutral; – *nm Él* neutral. **2** *a* & *nm Gram* neuter. ◆**neutraliser** *vt* to neutralize. ◆**neutralité** *nf* neutrality.

neveu, -x [nəvø] *nm* nephew.

névralgie [nevralʒi] *nf* headache; *Méd* neuralgia. ◆**névralgique** *a* **centre n.** *Fig* nerve centre.

névrose [nevroz] *nf* neurosis. ◆**névrosé, -ée** *a* & *nmf* neurotic.

nez [ne] *nm* nose; **n. à n.** face to face (**avec** with); **au n. de qn** (*rire etc*) in s.o.'s face; **mettre le n. dehors** *Fam* to stick one's nose outside.

ni [ni] *conj* **ni . . . ni** (+ *ne*) neither . . . nor; **il n'a ni faim ni soif** he's neither hungry nor thirsty; **sans manger ni boire** without eating or drinking; **ni l'un(e) ni l'autre** neither (of them).

niais, -aise [njɛ, -ɛz] *a* silly, simple; – *nmf* simpleton. ◆**niaiserie** *nf* silliness; *pl* (*paroles*) nonsense.

niche [niʃ] *nf* (*de chien*) kennel; (*cavité*) niche, recess.

nich/er [niʃe] *vi* (*oiseau*) to nest; (*loger*) *Fam* to hang out; – **se n.** *vpr* (*oiseau*) to nest; (*se cacher*) to hide oneself. ◆**–ée** *nf* (*oiseaux, enfants*) brood; (*chiens*) litter.

nickel [nikɛl] *nm* (*métal*) nickel.

nicotine [nikɔtin] *nf* nicotine.

nid [ni] *nm* nest; **n. de poules** *Aut* pothole.

nièce [njɛs] *nf* niece.

nième [ɛnjɛm] *a* nth.

nier [nje] *vt* to deny (**que** that); – *vi Jur* to deny the charge.

nigaud, -aude [nigo, -od] *a* silly; – *nmf* silly fool.

Nigéria [niʒerja] *nm ou f* Nigeria.

n'importe [nɛ̃pɔrt] *voir* **importer 1.**

nippon, -one *ou* **-onne** [nipɔ̃, -ɔn] *a* Japanese.

niveau, -x [nivo] *nm* (*hauteur*) level; (*degré, compétence*) standard, level; **n. de vie** standard of living; **n. à bulle (d'air)** spirit level; **au n. de qn** (*élève etc*) up to s.o.'s standard. ◆**niveler** *vt* (*surface*) to level; (*fortunes etc*) to even (up).

noble [nɔbl] *a* noble; – *nmf* nobleman, noblewoman. ◆**noblement** *adv* nobly. ◆**noblesse** *nf* (*caractère, classe*) nobility.

noce(s) [nɔs] *nf(pl)* wedding; **faire la noce** *Fam* to have a good time, make merry; **noces d'argent/d'or** silver/golden wedding. ◆**noceur, -euse** *nmf Fam* fast liver, reveller.

nocif, -ive [nɔsif, -iv] *a* harmful. ◆**nocivité** *nf* harmfulness.

noctambule [nɔktɑ̃byl] *nmf* (*personne*) night bird *ou* prowler. ◆**nocturne** *a* nocturnal, night-; – *nm* (*de magasins etc*) late night opening; **(match en) n.** *Sp* floodlit match, *Am* night game.

Noël [nɔɛl] *nm* Christmas; **le père N.** Father Christmas, Santa Claus.

nœud [nø] *nm* **1** knot; (*ruban*) bow; **le n. du problème/***etc* the crux of the problem/*etc*; **n. coulant** noose, slipknot; **n. papillon** bow tie. **2** (*mesure*) *Nau* knot.

noir, noire [nwar] *a* black; (*nuit, lunettes etc*) dark; (*idées*) gloomy; (*âme, crime*) vile; (*misère*) dire; **roman n.** thriller; **film n.** film noir; **il fait n.** it's dark; – *nm* (*couleur*) black; (*obscurité*) dark; **N.** (*homme*) black; **vendre au n.** to sell on the black market; – *nf Mus* crotchet, *Am* quarter note; **Noire** (*femme*) black. ◆**noirceur** *nf* blackness; (*d'une action etc*) vileness. ◆**noircir** *vt* to blacken; – *vi,* – **se n.** *vpr* to turn black.

noisette [nwazɛt] *nf* hazelnut. ◆**noisetier** *nm* hazel (tree).

noix [nwa] *nf* (*du noyer*) walnut; **n. de coco** coconut; **n. du Brésil** Brazil nut; **n. de beurre** knob of butter; **à la n.** *Fam* trashy, awful.

nom [nɔ̃] *nm* name; *Gram* noun; **n. de famille** surname; **n. de jeune fille** maiden name; **n. propre** *Gram* proper noun; **au n. de qn** on s.o.'s behalf; **sans n.** (*anonyme*) nameless; (*vil*) vile; **n. d'un chien!** *Fam* oh hell!

nomade [nɔmad] *a* nomadic; – *nmf* nomad.

nombre [nɔ̃br] *nm* number; **ils sont au** *ou* **du n. de** (*parmi*) they're among; **ils sont au n. de dix** there are ten of them; **elle est au n. de** she's one of; **le plus grand n. de** the majority of. ◆**nombreux, -euse** *a* (*amis, livres etc*) numerous; (*famille, collection etc*) large; **peu n.** few; **venir n.** to come in large numbers.

nombril [nɔ̃bri] *nm* navel.

nominal, -aux [nɔminal, -o] *a* nominal. ◆**nomination** *nf* appointment, nomination.

nommer [nɔme] *vt* (*appeler*) to name; **n. qn** (*désigner*) to appoint s.o. (**à un poste**/*etc* to a post/*etc*); **n. qn président/lauréat** to nominate s.o. chairman/prizewinner; – **se n.** *vpr* (*s'appeler*) to be called. ◆**nommément** *adv* by name.

non [nɔ̃] *adv* & *nm inv* no; **n.!** no!; **tu viens ou n.?** are you coming or not?; **n. seulement** not only; **n. (pas) que** (+ *sub*) . . . not that . . . ; **c'est bien, n.?** *Fam* it's all right, isn't it?; **je crois que n.** I don't think so; **(ni) moi n. plus** neither do, am, can *etc* I; **une place n. réservée** an unreserved seat.

non- [nɔ̃] *préf* non-.

nonante [nɔnɑ̃t] *a* (*en Belgique, en Suisse*) ninety.

nonchalant [nɔ̃ʃalɑ̃] *a* nonchalant, apathetic. ◆**nonchalance** *nf* nonchalance, apathy.

non-conformiste [nɔ̃kɔ̃fɔrmist] *a* & *nmf* nonconformist.

non-fumeur, -euse [nɔ̃fymœr, -øz] *nmf* non-smoker.

non-sens [nɔ̃sɑ̃s] *nm inv* absurdity.

nord [nɔr] *nm* north; **au n. de** north of; **du n.** (*vent, direction*) northerly; (*ville*) northern; (*gens*) from *ou* in the north; **Amérique/Afrique du N.** North America/Africa; **l'Europe du N.** Northern Europe; – *a inv* (*côte*) north(ern). ◆**n.-africain, -aine** *a* & *nmf* North African. ◆**n.-américain, -aine** *a* & *nmf* North American. ◆**n.-est** *nm* & *a inv* north-east. ◆**n.-ouest** *nm* & *a inv* north-west.

nordique [nɔrdik] *a* & *nmf* Scandinavian.

normal, -aux [nɔrmal, -o] *a* normal. ◆**normale** *nf* norm, normality; **au-dessus de la n.** above normal. ◆**normalement** *adv* normally. ◆**normaliser** *vt* (*uniformiser*) to standardize; (*relations etc*) to normalize.

normand, -ande [nɔrmɑ̃, -ɑ̃d] *a* & *nmf* Norman. ◆**Normandie** *nf* Normandy.

norme [nɔrm] *nf* norm.

Norvège [nɔrvɛʒ] *nf* Norway. ◆**norvégien, -ienne** *a* & *nmf* Norwegian; – *nm* (*langue*) Norwegian.

nos [no] *voir* **notre.**

nostalgie [nɔstalʒi] *nf* nostalgia. ◆**nostalgique** *a* nostalgic.

notable [nɔtabl] *a* (*fait etc*) notable; – *nm* (*personne*) notable. ◆**—ment** [-əmɑ̃] *adv* (*sensiblement*) notably.

notaire [nɔtɛr] *nm* solicitor, notary.

notamment [nɔtamɑ̃] *adv* notably.

note [nɔt] *nf* (*remarque etc*) & *Mus* note; (*chiffrée*) *Scol* mark, *Am* grade; (*compte, facture*) bill, *Am* check; **prendre n. de** to make a note of. ◆**notation** *nf* notation; *Scol* marking. ◆**noter** *vt* (*prendre note de*) to note; (*remarquer*) to note, notice; (*écrire*) to note down; (*devoir etc*) *Scol* to mark, *Am* grade; **être bien noté** (*personne*) to be highly rated.

notice [nɔtis] *nf* (*résumé, préface*) note; (*mode d'emploi*) instructions.

notifier [nɔtifje] *vt* **n. qch à qn** to notify s.o. of sth.

notion [nosjɔ̃] *nf* notion, idea; *pl* (*éléments*) rudiments.

notoire [nɔtwar] *a* (*criminel, bêtise*) notorious; (*fait*) well-known. ◆**notoriété** *nf* (*renom*) fame; (*de fait*) general recognition.

notre, *pl* **nos** [nɔtr, no] *a poss* our. ◆**nôtre** *pron poss* **le** *ou* **la n., les nôtres** ours; – *nmpl* **les nôtres** (*parents etc*) our (own) people.

nouer [nwe] *vt* to tie, knot; (*amitié, conversation*) to strike up; **avoir la gorge nouée** to have a lump in one's throat. ◆**noueux, -euse** *a* (*bois*) knotty; (*doigts*) gnarled.

nougat [nuga] *nm* nougat.

nouille [nuj] *nf* (*idiot*) *Fam* drip.

nouilles [nuj] *nfpl* noodles.

nounours [nunurs] *nm* teddy bear.

nourrice [nuris] *nf* (*assistante maternelle*) child minder, nurse; (*qui allaite*) wet nurse; **mettre en n.** to put out to nurse.

nourr/ir [nurir] *vt* (*alimenter, faire vivre*) to feed; (*espoir etc*) *Fig* to nourish; (*esprit*) to enrich; **se n. de** to feed on; – *vi* (*aliment*) to be nourishing. ◆**—issant** *a* nourishing. ◆**nourriture** *nf* food.

nourrisson [nurisɔ̃] *nm* infant.

nous [nu] *pron* **1** (*sujet*) we; **n. sommes** we are. **2** (*complément direct*) us; **il n. connaît** he knows us. **3** (*indirect*) (to) us; **il n. l'a donné** he gave it to us, he gave us it. **4** (*réfléchi*) ourselves; **n. n. lavons** we wash ourselves. **5** (*réciproque*) each other;

n. n. détestons we hate each other. ◆**n.-mêmes** *pron* ourselves.

nouveau (*or* **nouvel** *before vowel or mute h*), **nouvelle**[1], *pl* **nouveaux, nouvelles** [nuvo, nuvɛl] *a* new; – *nmf Scol* new boy, new girl; – *nm* **du n.** something new; **de n., à n.** again. ◆**n.-né, -ée** *a & nmf* new-born (baby). ◆**n.-venu** *nm,* ◆**nouvelle-venue** *nf* newcomer. ◆**nouveauté** *nf* newness, novelty; *pl* (*livres*) new books; (*disques*) new releases; (*vêtements*) new fashions; **une n.** (*objet*) a novelty.

nouvelle[2] [nuvɛl] *nf* **1 nouvelle(s)** news; **une n.** a piece of news. **2** *Littér* short story.

Nouvelle-Zélande [nuvɛlzelɑ̃d] *nf* New Zealand.

novateur, -trice [nɔvatœr, -tris] *nmf* innovator.

novembre [nɔvɑ̃br] *nm* November.

novice [nɔvis] *nmf* novice; – *a* inexperienced.

noyau, -x [nwajo] *nm* (*de fruit*) stone, *Am* pit; (*d'atome, de cellule*) nucleus; (*groupe*) group; **un n. d'opposants** a hard core of opponents.

noyaut/er [nwajote] *vt Pol* to infiltrate. ◆**—age** *nm* infiltration.

noy/er[1] [nwaje] *vt* (*personne etc*) to drown; (*terres*) to flood; **— se n.** *vpr* to drown; (*se suicider*) to drown oneself; **se n. dans le détail** to get bogged down in details. ◆**—é, -ée** *nmf* (*mort*) drowned person; – *a* **être n.** (*perdu*) *Fig* to be out of one's depth. ◆**noyade** *nf* drowning.

noyer[2] [nwaje] *nm* (*arbre*) walnut tree.

nu [ny] *a* (*personne, vérité*) naked; (*mains, chambre*) bare; **tout nu** (stark) naked, (in the) nude; **voir à l'œil nu** to see with the naked eye; **mettre à nu** (*exposer*) to lay bare; **se mettre nu** to strip off; **tête nue, nu-tête** bare-headed; – *nm* (*femme, homme, œuvre*) nude.

nuage [nɥaʒ] *nm* cloud; **un n. de lait** *Fig* a dash of milk. ◆**nuageux, -euse** *a* (*ciel*) cloudy.

nuance [nɥɑ̃s] *nf* (*de sens*) nuance; (*de couleurs*) shade, nuance; (*de regret*) tinge, nuance. ◆**nuanc/er** *vt* (*teintes*) to blend, shade; (*pensée*) to qualify. ◆**—é** *a* (*jugement*) qualified.

nucléaire [nykleɛr] *a* nuclear.

nudisme [nydism] *nm* nudism. ◆**nudiste** *nmf* nudist. ◆**nudité** *nf* nudity, nakedness; (*de mur etc*) bareness.

nuée [nɥe] *nf* **une n. de** (*foule*) a host of; (*groupe compact*) a cloud of.

nues [ny] *nfpl* **porter qn aux n.** to praise s.o. to the skies.

nuire* [nɥir] *vi* **n. à** (*personne, intérêts etc*) to harm. ◆**nuisible** *a* harmful.

nuit [nɥi] *nf* night; (*obscurité*) dark(ness); **il fait n.** it's dark; **avant la n.** before nightfall; **la n.** (*se promener etc*) at night; **cette n.** (*aujourd'hui*) tonight; (*hier*) last night. ◆**nuitée** *nf* overnight stay (*in hotel etc*).

nul, nulle [nyl] **1** *a* (*risque etc*) non-existent, nil; (*médiocre*) useless, hopeless; (*non valable*) *Jur* null (and void); **faire match n.** *Sp* to tie, draw. **2** *a* (*aucun*) no; **de nulle importance** of no importance; **sans n. doute** without any doubt; **nulle part** nowhere; – *pron m* (*aucun*) no one. ◆**nullard, -arde** *nmf Fam* useless person. ◆**nullement** *adv* not at all. ◆**nullité** *nf* (*d'un élève etc*) uselessness; (*personne*) useless person.

numéraire [nymerɛr] *nm* cash, currency.

numéral, -aux [nymeral, -o] *a & nm* numeral. ◆**numérique** *a* numerical; (*montre etc*) digital.

numéro [nymero] *nm* number; (*de journal*) issue, number; (*au cirque*) act; **un n. de danse/de chant** a dance/song number; **quel n.!** (*personne*) *Fam* what a character!; **n. vert** *Tél* = Freefone®, = *Am* tollfree number. ◆**numérot/er** *vt* (*pages, sièges*) to number. ◆**—age** *nm* numbering.

nu-pieds [nypje] *nmpl* open sandals.

nuptial, -aux [nypsjal, -o] *a* (*chambre*) bridal; (*anneau, cérémonie*) wedding-.

nuque [nyk] *nf* back *ou* nape of the neck.

nurse [nœrs] *nf* nanny, (children's) nurse.

nutritif, -ive [nytritif, -iv] *a* nutritious, nutritive. ◆**nutrition** *nf* nutrition.

nylon [nilɔ̃] *nm* (*fibre*) nylon.

nymphe [nɛ̃f] *nf* nymph. ◆**nymphomane** *nf Péj* nymphomaniac.

O

O, o [o] *nm* O, o.
oasis [ɔazis] *nf* oasis.
obédience [ɔbedjɑ̃s] *nf Pol* allegiance.
obé/ir [ɔbeir] *vi* to obey; **o. à qn/qch** to obey s.o./sth; **être obéi** to be obeyed. ◆**—issant** *a* obedient. ◆**obéissance** *nf* obedience (**à** to).
obélisque [ɔbelisk] *nm* (*monument*) obelisk.
obèse [ɔbɛz] *a* & *nmf* obese (person). ◆**obésité** *nf* obesity.
objecter [ɔbʒɛkte] *vt* (*prétexte*) to put forward, plead; **o. que** to object that; **on lui objecta son jeune âge** they objected that he *ou* she was too young. ◆**objecteur** *nm* **o. de conscience** conscientious objector. ◆**objection** *nf* objection.
objectif, -ive [ɔbʒɛktif, -iv] **1** *a* (*opinion etc*) objective. **2** *nm* (*but*) objective; *Phot* lens. ◆**objectivement** *adv* objectively. ◆**objectivité** *nf* objectivity.
objet [ɔbʒɛ] *nm* (*chose, sujet, but*) object; (*de toilette*) article; **faire l'o. de** (*étude, critiques etc*) to be the subject of; (*soins, surveillance*) to be given, receive; **objets trouvés** (*bureau*) lost property, *Am* lost and found.
obligation [ɔbligɑsjɔ̃] *nf* (*devoir, lieu, nécessité*) obligation; *Fin* bond. ◆**obligatoire** *a* compulsory, obligatory; (*inévitable*) *Fam* inevitable. ◆**obligatoirement** *adv* (*fatalement*) inevitably; **tu dois o. le faire** you have to do it.
oblig/er [ɔbliʒe] *vt* **1** (*contraindre*) to compel, oblige (**à faire** to do); (*engager*) to bind; **être obligé de faire** to have to do, be compelled *ou* obliged to do. **2** (*rendre service à*) to oblige; **être obligé à qn de qch** to be obliged to s.o. for sth. ◆**—eant** *a* obliging, kind. ◆**—é** *a* (*obligatoire*) necessary; (*fatal*) *Fam* inevitable. ◆**obligeamment** [-amɑ̃] *adv* obligingly. ◆**obligeance** *nf* kindness.
oblique [ɔblik] *a* oblique; **regard o.** sidelong glance; **en o.** at an (oblique) angle. ◆**obliquer** *vi* (*véhicule etc*) to turn off.
oblitérer [ɔblitere] *vt* (*timbre*) to cancel; (*billet, carte*) to stamp; **timbre oblitéré** (*non neuf*) used stamp. ◆**oblitération** *nf* cancellation; stamping.
oblong, -ongue [ɔblɔ̃, -ɔ̃g] *a* oblong.
obnubilé [ɔbnybile] *a* (*obsédé*) obsessed (**par** with).
obscène [ɔpsɛn] *a* obscene. ◆**obscénité** *nf* obscenity.
obscur [ɔpskyr] *a* (*noir*) dark; (*peu clair, inconnu, humble*) obscure. ◆**obscurcir** *vt* (*chambre etc*) to darken; (*rendre peu intelligible*) to obscure (*text, ideas etc*); **— s'o.** *vpr* (*ciel*) to cloud over, darken; (*vue*) to become dim. ◆**obscurément** *adv* obscurely. ◆**obscurité** *nf* dark(ness); (*de texte, d'acteur etc*) obscurity.
obséd/er [ɔpsede] *vt* to obsess, haunt. ◆**—ant** *a* haunting, obsessive. ◆**—é, -ée** *nmf* maniac (**de** for); **o. sexuel** sex maniac.
obsèques [ɔpsɛk] *nfpl* funeral.
obséquieux, -euse [ɔpsekjø, -øz] *a* obsequious.
observer [ɔpsɛrve] *vt* (*regarder*) to observe, watch; (*remarquer, respecter*) to observe; **faire o. qch à qn** (*signaler*) to point sth out to s.o. ◆**observateur, -trice** *a* observant; – *nmf* observer. ◆**observation** *nf* (*examen, remarque*) observation; (*reproche*) (critical) remark, rebuke; (*de règle etc*) observance; **en o.** (*malade*) under observation. ◆**observatoire** *nm* observatory; (*colline etc*) *Fig* & *Mil* observation post.
obsession [ɔpsesjɔ̃] *nf* obsession. ◆**obsessif, -ive** *a* (*peur etc*) obsessive. ◆**obsessionnel, -elle** *a Psy* obsessive.
obstacle [ɔpstakl] *nm* obstacle; **faire o. à** to stand in the way of.
obstétrique [ɔpstetrik] *nf Méd* obstetrics.
obstin/er (s') [sɔpstine] *vpr* to be obstinate *ou* persistent; **s'o. à faire** to persist in doing. ◆**—é** *a* stubborn, obstinate, persistent. ◆**obstination** *nf* stubbornness, obstinacy, persistence.
obstruction [ɔpstryksjɔ̃] *nf Méd Pol Sp* obstruction; **faire de l'o.** *Pol Sp* to be obstructive. ◆**obstruer** *vt* to obstruct.
obtempérer [ɔptɑ̃pere] *vi* to obey an injunction; **o. à** to obey.
obtenir* [ɔptənir] *vt* to get, obtain, secure. ◆**obtention** *nf* obtaining, getting.
obturer [ɔptyre] *vt* (*trou etc*) to stop *ou* close up. ◆**obturateur** *nm Phot* shutter; *Tech* valve.
obtus [ɔpty] *a* (*angle, esprit*) obtuse.

obus [ɔby] *nm Mil* shell.

occasion [ɔkɑzjɔ̃] *nf* **1** (*chance*) opportunity, chance (**de faire** to do); (*circonstance*) occasion; **à l'o.** on occasion, when the occasion arises; **à l'o. de** on the occasion of. **2** *Com* (*marché avantageux*) bargain; (*objet non neuf*) second-hand buy; **d'o.** second-hand, used. ◆**occasionner** *vt* to cause; **o. qch à qn** to cause s.o. sth.

occident [ɔksidɑ̃] *nm* **l'O.** *Pol* the West. ◆**occidental, -aux** *a Géog Pol* western; – *nmpl* **les occidentaux** *Pol* Westerners. ◆**occidentalisé** *a Pol* Westernized.

occulte [ɔkylt] *a* occult.

occup/er [ɔkype] *vt* (*maison, pays, usine etc*) to occupy; (*place, temps*) to take up, occupy; (*poste*) to hold, occupy; **o. qn** (*absorber*) to occupy s.o., keep s.o. busy; (*ouvrier etc*) to employ s.o.; **— s'o.** *vpr* to keep (oneself) busy (**à faire** doing); **s'o. de** (*affaire, problème etc*) to deal with; (*politique*) to be engaged in; **s'o. de qn** (*malade etc*) to take care of s.o.; (*client*) to see to s.o., deal with s.o.; **ne t'en occupe pas!** (*ne t'en fais pas*) don't worry!; (*ne t'en mêle pas*) mind your own business! ◆**—ant, -ante** *a* (*armée*) occupying; – *nmf* (*habitant*) occupant; – *nm Mil* forces of occupation, occupier. ◆**—é** *a* busy (**à faire** doing); (*place, maison etc*) occupied; (*ligne*) *Tél* engaged, *Am* busy; (*taxi*) hired. ◆**occupation** *nf* (*activité, travail etc*) occupation; **l'o. de** (*action*) the occupation of.

occurrence [ɔkyrɑ̃s] *nf Ling* occurrence; **en l'o.** in the circumstances, as it happens *ou* happened.

océan [ɔseɑ̃] *nm* ocean. ◆**océanique** *a* oceanic.

ocre [ɔkr] *nm & a inv* (*couleur*) ochre.

octave [ɔktav] *nf Mus* octave.

octobre [ɔktɔbr] *nm* October.

octogénaire [ɔktɔʒenɛr] *nmf* octogenarian.

octogone [ɔktɔgɔn] *nm* octagon. ◆**octogonal, -aux** *a* octagonal.

octroi [ɔktrwa] *nm Litt* granting. ◆**octroyer** *vt Litt* to grant (**à** to).

oculaire [ɔkylɛr] *a* **témoin o.** eyewitness; **globe o.** eyeball. ◆**oculiste** *nmf* eye specialist.

ode [ɔd] *nf* (*poème*) ode.

odeur [ɔdœr] *nf* smell, odour; (*de fleur*) scent. ◆**odorant** *a* sweet-smelling. ◆**odorat** *nm* sense of smell.

odieux, -euse [ɔdjø, -øz] *a* odious, obnoxious.

œcuménique [ekymenik] *a Rel* (o)ecumenical.

œil, *pl* **yeux** [œj, jø] *nm* eye; **sous mes yeux** before my very eyes; **lever/baisser les yeux** to look up/down; **fermer l'o.** (*dormir*) to shut one's eyes; **fermer les yeux sur** to turn a blind eye to; **ouvre l'o.!** keep your eyes open!; **coup d'o.** (*regard*) glance, look; **jeter un coup d'o. sur** to (have a) look *ou* glance at; **à vue d'o.** visibly; **faire les gros yeux à** to scowl at; **avoir à l'o.** (*surveiller*) to keep an eye on; **à l'o.** (*gratuitement*) *Fam* free; **faire de l'o. à** *Fam* to make eyes at; **o. au beurre noir** *Fig* black eye; **mon o.!** *Fam* (*incrédulité*) my foot!; (*refus*) no way!, no chance!

œillade [œjad] *nf* (*clin d'œil*) wink.

œillères [œjɛr] *nfpl* (*de cheval*) & *Fig* blinkers, *Am* blinders.

œillet [œjɛ] *nm* **1** *Bot* carnation. **2** (*trou de ceinture etc*) eyelet.

œuf, *pl* **œufs** [œf, ø] *nm* egg; *pl* (*de poisson*) (hard) roe; **o. sur le plat** fried egg; **étouffer qch dans l'o.** *Fig* to nip *ou* stifle sth in the bud.

œuvre [œvr] *nf* (*travail, acte, livre etc*) work; **o. (de charité)** (*organisation*) charity; **l'o. de** (*production artistique etc*) the works of; **mettre en o.** (*employer*) to make use of; **mettre tout en o.** to do everything possible (**pour faire** to do). ◆**œuvrer** *vi Litt* to work.

offense [ɔfɑ̃s] *nf* insult; *Rel* transgression. ◆**offens/er** *vt* to offend; **s'o. de** to take offence at. ◆**—ant** *a* offensive.

offensif, -ive [ɔfɑ̃sif, -iv] *a* offensive; – *nf* (*attaque*) offensive; (*du froid*) onslaught.

offert [ɔfɛr] voir **offrir.**

office [ɔfis] **1** *nm* (*fonction*) office; (*bureau*) office, bureau; **d'o.** (*être promu etc*) automatically; **faire o. de** to serve as; **ses bons offices** (*service*) one's good offices. **2** *nm Rel* service. **3** *nm ou f* (*pièce pour provisions*) pantry.

officiel, -ielle [ɔfisjɛl] *a* (*acte etc*) official; – *nm* (*personnage*) official. ◆**officiellement** *adv* officially. ◆**officieux, -euse** *a* unofficial.

officier [ɔfisje] **1** *vi Rel* to officiate. **2** *nm* (*dans l'armée etc*) officer.

offre [ɔfr] *nf* offer; (*aux enchères*) bid; **l'o. et la demande** *Écon* supply and demand; **offres d'emploi** *Journ* situations vacant. ◆**offrande** *nf* offering.

offr/ir* [ɔfrir] *vt* (*proposer, présenter*) to offer (**de faire** to do); (*donner en cadeau*) to give; (*démission*) to tender, offer; **je lui ai offert de le loger** I offered to put him up; **— s'o.** *vpr* (*cadeau etc*) to treat oneself to; (*se

proposer) to offer oneself (**comme** as); **s'o. à faire** to offer *ou* volunteer to do; **s'o. (aux yeux)** (*vue etc*) to present itself. ◆**—ant** *nm* **au plus o.** to the highest bidder.
offusquer [ɔfyske] *vt* to offend, shock; **s'o. de** to take offence at.
ogive [ɔʒiv] *nf* (*de fusée*) nose cone; **o. nucléaire** nuclear warhead.
ogre [ɔgr] *nm* ogre.
oh! [o] *int* oh!, o!
ohé! [ɔe] *int* hey (there)!
oie [wa] *nf* goose.
oignon [ɔɲɔ̃] *nm* (*légume*) onion; (*de tulipe, lis etc*) bulb; **occupe-toi de tes oignons!** *Fam* mind your own business!
oiseau, -x [wazo] *nm* bird; **à vol d'o.** as the crow flies; **drôle d'o.** (*individu*) *Péj* odd fish, *Am* oddball; **o. rare** (*personne étonnante*) *Iron* rare bird, perfect gem.
oiseux, -euse [wazø, -øz] *a* (*futile*) idle, vain.
oisif, -ive [wazif, -iv] *a* (*inactif*) idle; – *nmf* idler. ◆**oisiveté** *nf* idleness.
oléoduc [ɔleɔdyk] *nm* oil pipeline.
olive [ɔliv] *nf* (*fruit*) olive; **huile d'o.** olive oil; – *a inv* (*couleur*) **(vert) o.** olive (green). ◆**olivier** *nm* (*arbre*) olive tree.
olympique [ɔlɛ̃pik] *a* (*jeux, record etc*) Olympic.
ombilical, -aux [ɔ̃bilikal, -o] *a* (*cordon*) umbilical.
ombrage [ɔ̃braʒ] *nm* **1** (*ombre*) shade. **2 prendre o. de** (*jalousie, dépit*) to take umbrage at. ◆**ombrag/er** *vt* to give shade to. ◆**—é** *a* shady. ◆**ombrageux, -euse** *a* (*caractère, personne*) touchy.
ombre [ɔ̃br] *nf* (*d'arbre etc*) shade; (*de personne, objet*) shadow; **l'o. d'un doute** *Fig* the shadow of a doubt; **l'o. de** (*remords, reproche etc*) the trace of; **30° à l'o.** 30° in the shade; **dans l'o.** (*comploter, travailler etc*) in secret.
ombrelle [ɔ̃brɛl] *nf* sunshade, parasol.
omelette [ɔmlɛt] *nf* omelet(te); **o. au fromage**/*etc* cheese/*etc* omelet(te).
omettre* [ɔmɛtr] *vt* to omit (**de faire** to do). ◆**omission** *nf* omission.
omni- [ɔmni] *préf* omni-. ◆**omnipotent** *a* omnipotent.
omnibus [ɔmnibys] *a* & *nm* **(train) o.** slow train (*stopping at all stations*).
omoplate [ɔmɔplat] *nf* shoulder blade.
on [ɔ̃] (*sometimes* **l'on** [lɔ̃]) *pron* (*les gens*) they, people; (*nous*) we, one; (*vous*) you, one; **on dit** they say, people say, it is said; **on frappe** (*quelqu'un*) someone's knocking; **on me l'a donné** it was given to me, I was given it.
once [ɔ̃s] *nf* (*mesure*) & *Fig* ounce.
oncle [ɔ̃kl] *nm* uncle.
onctueux, -euse [ɔ̃ktɥø, -øz] *a* (*liquide, crème*) creamy; (*manières, paroles*) *Fig* smooth.
onde [ɔ̃d] *nf Phys Rad* wave; **grandes ondes** long wave; **ondes courtes/moyennes** short/medium wave; **sur les ondes** (*sur l'antenne*) on the radio.
ondée [ɔ̃de] *nf* (*pluie*) (sudden) shower.
on-dit [ɔ̃di] *nm inv* rumour, hearsay.
ondoyer [ɔ̃dwaje] *vi* to undulate. ◆**ondulation** *nf* undulation; (*de cheveux*) wave. ◆**ondul/er** *vi* to undulate; (*cheveux*) to be wavy. ◆**—é** *a* wavy.
onéreux, -euse [ɔnerø, -øz] *a* costly.
ongle [ɔ̃gl] *nm* (finger) nail.
onglet [ɔ̃glɛ] *nm* (*entaille de canif etc*) (nail) groove.
ont [ɔ̃] *voir* **avoir.**
ONU [ɔny] *nf abrév* (*Organisation des nations unies*) UN.
onyx [ɔniks] *nm* (*pierre précieuse*) onyx.
onze [ɔ̃z] *a* & *nm* eleven. ◆**onzième** *a* & *nmf* eleventh.
opale [ɔpal] *nf* (*pierre*) opal.
opaque [ɔpak] *a* opaque. ◆**opacité** *nf* opacity.
opéra [ɔpera] *nm* (*ouvrage, art*) opera; (*édifice*) opera house. ◆**opérette** *nf* operetta.
opér/er [ɔpere] **1** *vt* (*exécuter*) to carry out; (*choix*) to make; – *vi* (*agir*) to work, act; (*procéder*) to proceed; **— s'o.** *vpr* (*se produire*) to take place. **2** *vt* (*personne, organe*) *Méd* to operate on (**de** for); (*tumeur*) to remove; **cela peut s'o.** this can be removed; **se faire o.** to have an operation; – *vi* (*chirurgien*) to operate. ◆**—ant** *a* (*efficace*) operative. ◆**—é, -ée** *nmf Méd* patient (*operated on*). ◆**opérateur, -trice** *nmf* (*de prise de vues*) *Cin* cameraman; (*sur machine*) operator. ◆**opération** *nf* (*acte*) & *Méd Mil Math etc* operation; *Fin* deal. ◆**opérationnel, -elle** *a* operational. ◆**opératoire** *a Méd* operative; **bloc o.** operating *ou* surgical wing.
opiner [ɔpine] *vi* **o. (de la tête** *ou* **du chef)** to nod assent.
opiniâtre [ɔpinjɑtr] *a* stubborn, obstinate. ◆**opiniâtreté** *nf* stubbornness, obstinacy.
opinion [ɔpinjɔ̃] *nf* opinion (**sur** about, on).
opium [ɔpjɔm] *nm* opium.
opportun [ɔpɔrtœ̃] *a* opportune, timely. ◆**opportunément** *adv* opportunely.

◆**opportunisme** *nm* opportunism. ◆**opportunité** *nf* timeliness.

oppos/er [ɔpoze] *vt* (*argument, résistance*) to put up (à against); (*équipes, rivaux*) to bring together, set against each other; (*objets*) to place opposite each other; (*couleurs*) to contrast; **o. qch à qch** (*objet*) to place sth opposite sth; **o. qn à qn** to set s.o. against s.o.; **match qui oppose . . .** match between . . . ; **— s'o.** *vpr* (*couleurs*) to contrast; (*équipes*) to confront each other; **s'o. à** (*mesure, personne etc*) to oppose, be opposed to; **je m'y oppose** I'm opposed to it, I oppose. ◆**—ant, -ante** *a* opposing; – *nmf* opponent. ◆**—é** *a* (*direction etc*) opposite; (*intérêts, équipe*) opposing; (*opinions*) opposite, opposing; (*couleurs*) contrasting; **être o. à** to be opposed to; – *nm* **l'o.** the opposite (**de** of); **à l'o.** (*côté*) on the opposite side (**de** from, to); **à l'o. de** (*contrairement à*) contrary to. ◆**opposition** *nf* opposition; **faire o. à** to oppose; **par o. à** as opposed to.

oppress/er [ɔprese] *vt* (*gêner*) to oppress. ◆**—ant** *a* oppressive. ◆**—eur** *nm* *Pol* oppressor. ◆**oppressif, -ive** *a* (*loi etc*) oppressive. ◆**oppression** *nf* oppression. ◆**opprim/er** *vt* (*tyranniser*) to oppress. ◆**—és** *nmpl* **les o.** the oppressed.

opter [ɔpte] *vi* **o. pour** to opt for.

opticien, -ienne [ɔptisjɛ̃, -jɛn] *nmf* optician.

optimisme [ɔptimism] *nm* optimism. ◆**optimiste** *a* optimistic; – *nmf* optimist.

optimum [ɔptimɔm] *nm* & *a* optimum; **la température o.** the optimum temperature. ◆**optimal, -aux** *a* optimal.

option [ɔpsjɔ̃] *nf* (*choix*) option; (*chose*) optional extra.

optique [ɔptik] *a* (*verre*) optical; – *nf* optics; (*aspect*) *Fig* perspective; **d'o.** (*illusion, instrument etc*) optical.

opulent [ɔpylɑ̃] *a* opulent. ◆**opulence** *nf* opulence.

or [ɔr] **1** *nm* gold; **en or** (*chaîne etc*) gold-; **d'or** (*cheveux, âge, règle*) golden; (*cœur*) of gold; **mine d'or** *Géol* goldmine; (*fortune*) *Fig* goldmine; **affaire en or** (*achat*) bargain; (*commerce*) *Fig* goldmine; **or noir** (*pétrole*) *Fig* black gold. **2** *conj* (*alors, cependant*) now, well.

oracle [ɔrakl] *nm* oracle.

orage [ɔraʒ] *nm* (thunder)storm. ◆**orageux, -euse** *a* stormy.

oraison [ɔrɛzɔ̃] *nf* prayer; **o. funèbre** funeral oration.

oral, -aux [ɔral, -o] *a* oral; – *nm* (*examen*) *Scol* oral.

orange [ɔrɑ̃ʒ] *nf* (*fruit*) orange; **o. pressée** (fresh) orange juice; – *a* & *nm inv* (*couleur*) orange. ◆**orangé** *a* & *nm* (*couleur*) orange. ◆**orangeade** *nf* orangeade. ◆**oranger** *nm* orange tree.

orang-outan(g) [ɔrɑ̃utɑ̃] *nm* (*pl* **orangs-outan(g)s**) orang-outang.

orateur [ɔratœr] *nm* speaker, orator.

orbite [ɔrbit] *nf* (*d'astre etc*) & *Fig* orbit; (*d'œil*) socket; **mettre sur o.** (*fusée etc*) to put into orbit.

orchestre [ɔrkɛstr] *nm* (*classique*) orchestra; (*moderne*) band; (*places*) *Th* stalls, *Am* orchestra. ◆**orchestrer** *vt* (*organiser*) & *Mus* to orchestrate.

orchidée [ɔrkide] *nf* orchid.

ordinaire [ɔrdinɛr] *a* (*habituel, normal*) ordinary, *Am* regular; (*médiocre*) ordinary, average; **d'o., à l'o.** usually; **comme d'o., comme à l'o.** as usual; **de l'essence o.** two-star (petrol), *Am* regular. ◆**—ment** *adv* usually.

ordinal, -aux [ɔrdinal, -o] *a* (*nombre*) ordinal.

ordinateur [ɔrdinatœr] *nm* computer.

ordination [ɔrdinɑsjɔ̃] *nf* *Rel* ordination.

ordonnance [ɔrdɔnɑ̃s] *nf* **1** (*de médecin*) prescription. **2** (*décret*) *Jur* order, ruling. **3** (*disposition*) arrangement. **4** (*soldat*) orderly.

ordonn/er [ɔrdɔne] *vt* **1** (*enjoindre*) to order (**que** (+ *sub*) that); **o. à qn de faire** to order s.o. to do. **2** (*agencer*) to arrange, order. **3** (*médicament etc*) to prescribe. **4** (*prêtre*) to ordain. ◆**—é** *a* (*personne, maison etc*) orderly.

ordre [ɔrdr] *nm* (*commandement, structure, association etc*) order; (*absence de désordre*) tidiness (*of room, person etc*); **en o.** (*chambre etc*) tidy; **mettre en o., mettre de l'o. dans** to tidy (up); **de premier o.** first-rate; **o. (public)** (law and) order; **par o. d'âge** in order of age; **à l'o. du jour** (*au programme*) on the agenda; (*d'actualité*) of topical interest; **les forces de l'o.** the police; **jusqu'à nouvel o.** until further notice; **de l'o. de** (*environ*) of the order of.

ordure [ɔrdyr] *nf* filth, muck; *pl* (*débris*) refuse, rubbish, *Am* garbage. ◆**ordurier, -ière** *a* (*plaisanterie etc*) lewd.

oreille [ɔrɛj] *nf* ear; **être tout oreilles** to be all ears; **faire la sourde o.** to turn a deaf ear; **casser les oreilles à qn** to deafen s.o.

oreiller [ɔreje] *nm* pillow.

oreillons [ɔrɛjɔ̃] *nmpl* *Méd* mumps.

ores (d') [dɔr] *adv* **d'ores et déjà** [dɔrzedeʒa] henceforth.

orfèvre [ɔrfɛvr] *nm* goldsmith, silversmith. ◆**orfèvrerie** *nf* (*magasin*) goldsmith's *ou* silversmith's shop; (*objets*) gold *ou* silver plate.

organe [ɔrgan] *nm Anat* & *Fig* organ; (*porte-parole*) mouthpiece. ◆**organique** *a* organic. ◆**organisme** *nm* **1** (*corps*) body; *Anat Biol* organism. **2** (*bureaux etc*) organization.

organisation [ɔrganizɑsjɔ̃] *nf* (*arrangement, association*) organization.

organis/er [ɔrganize] *vt* to organize; **– s'o.** *vpr* to organize oneself, get organized. ◆**–é** *a* (*esprit, groupe etc*) organized. ◆**organisateur, -trice** *nmf* organizer.

organiste [ɔrganist] *nmf Mus* organist.

orgasme [ɔrgasm] *nm* orgasm.

orge [ɔrʒ] *nf* barley.

orgie [ɔrʒi] *nf* orgy.

orgue [ɔrg] *nm Mus* organ; **o. de Barbarie** barrel organ; – *nfpl* organ; **grandes orgues** great organ.

orgueil [ɔrgœj] *nm* pride. ◆**orgueilleux, -euse** *a* proud.

orient [ɔrjɑ̃] *nm* **l'O.** the Orient, the East; **Moyen-O., Proche-O.** Middle East; **Extrême-O.** Far East. ◆**oriental, -ale, -aux** *a* eastern; (*de l'Orient*) oriental; – *nmf* oriental.

orient/er [ɔrjɑ̃te] *vt* (*lampe, antenne etc*) to position, direct; (*voyageur, élève etc*) to direct; (*maison*) to orientate, *Am* orient; **– s'o.** *vpr* to find one's bearings *ou* direction; **s'o. vers** (*carrière etc*) to move towards. ◆**–é** *a* (*ouvrage, film etc*) slanted. ◆**orientable** *a* (*lampe etc*) adjustable, flexible; (*bras de machine*) movable. ◆**orientation** *nf* direction; (*action*) positioning, directing; (*de maison*) aspect, orientation; (*tendance*) *Pol Littér etc* trend; **o. professionnelle** vocational guidance.

orifice [ɔrifis] *nm* opening, orifice.

originaire [ɔriʒinɛr] *a* **être o. de** (*natif*) to be a native of.

original, -ale, -aux [ɔriʒinal, -o] **1** *a* (*ideé, artiste, version etc*) original; – *nm* (*modèle*) original. **2** *a* & *nmf* (*bizarre*) eccentric. ◆**originalité** *nf* originality; eccentricity.

origine [ɔriʒin] *nf* origin; **à l'o.** originally; **d'o.** (*pneu etc*) original; **pays d'o.** country of origin. ◆**originel, -elle** *a* (*sens, péché, habitant etc*) original.

orme [ɔrm] *nm* (*arbre, bois*) elm.

ornement [ɔrnəmɑ̃] *nm* ornament. ◆**ornemental, -aux** *a* ornamental. ◆**ornementation** *nf* ornamentation. ◆**ornementé** *a* adorned, ornamented (**de** with). ◆**orn/er** *vt* to decorate, adorn (**de** with). ◆**–é** *a* (*syle etc*) ornate.

ornière [ɔrnjɛr] *nf* (*sillon*) & *Fig* rut.

orphelin, -ine [ɔrfəlɛ̃, -in] *nmf* orphan; – *a* orphaned. ◆**orphelinat** *nm* orphanage.

orteil [ɔrtɛj] *nm* toe; **gros o.** big toe.

orthodoxe [ɔrtɔdɔks] *a* orthodox; – *nmpl* **les orthodoxes** the orthodox. ◆**orthodoxie** *nf* orthodoxy.

orthographe [ɔrtɔgraf] *nf* spelling. ◆**orthographier** *vt* (*mot*) to spell.

orthopédie [ɔrtɔpedi] *nf* orthop(a)edics.

ortie [ɔrti] *nf* nettle.

os [ɔs, *pl* o *ou* ɔs] *nm* bone; **trempé jusqu'aux os** soaked to the skin; **tomber sur un os** (*difficulté*) *Fam* to hit a snag.

OS [ɔɛs] *abrév* = **ouvrier spécialisé.**

oscar [ɔskar] *nm Cin* Oscar.

osciller [ɔsile] *vi Tech* to oscillate; (*se balancer*) to swing, sway; (*hésiter*) to waver; (*varier*) to fluctuate; (*flamme*) to flicker. ◆**oscillation** *nf Tech* oscillation; (*de l'opinion*) fluctuation.

oseille [ozɛj] *nf* **1** *Bot Culin* sorrel. **2** (*argent*) *Arg* dough.

os/er [oze] *vti* to dare; **o. faire** to dare (to) do. ◆**–é** *a* bold, daring.

osier [ozje] *nm* (*branches*) wicker.

ossature [ɔsatyr] *nf* (*du corps*) frame; (*de bâtiment*) & *Fig* framework. ◆**osselets** *nmpl* (*jeu*) jacks, knucklebones. ◆**ossements** *nmpl* (*de cadavres*) bones. ◆**osseux, -euse** *a* (*tissu*) bone-; (*maigre*) bony.

ostensible [ɔstɑ̃sibl] *a* conspicuous.

ostentation [ɔstɑ̃tɑsjɔ̃] *nf* ostentation.

otage [ɔtaʒ] *nm* hostage; **prendre qn en o.** to take s.o. hostage.

OTAN [ɔtɑ̃] *nf abrév* (*Organisation du traité de l'Atlantique Nord*) NATO.

otarie [ɔtari] *nf* (*animal*) sea lion.

ôter [ote] *vt* to remove, take away (**à qn** from s.o.); (*vêtement*) to take off, remove; (*déduire*) to take (away); **ôte-toi de là!** *Fam* get out of the way!

otite [ɔtit] *nf* ear infection.

oto-rhino [ɔtɔrino] *nmf Méd Fam* ear, nose and throat specialist.

ou [u] *conj* or; **ou bien** or else; **ou elle ou moi** either her or me.

où [u] *adv* & *pron* where; **le jour où** the day when, the day on which; **la table où** the table on which; **l'état où** the condition in which; **par où?** which way?; **d'où?** where from?; **d'où ma surprise/***etc* (*conséquence*) hence my surprise/*etc*; **le pays d'où** the country from which; **où qu'il soit** wherever he may be.

ouate [wat] *nf Méd* cotton wool, *Am* absorbent cotton.

oubli [ubli] *nm* (*défaut*) forgetfulness; **l'o. de qch** forgetting sth; **un o.** a lapse of memory; (*omission*) an oversight; **tomber dans l'o.** to fall into oblivion. ◆**oublier** *vt* to forget (**de faire** to do); (*faute, problème*) to overlook; **— s'o.** *vpr* (*traditions etc*) to be forgotten; (*personne*) *Fig* to forget oneself. ◆**oublieux, -euse** *a* forgetful (**de** of).

oubliettes [ublijɛt] *nfpl* (*de château*) dungeon.

ouest [wɛst] *nm* west; **à l'o. de** west of; **d'o.** (*vent*) west(erly); **de l'o.** western; **Allemagne de l'O.** West Germany; **l'Europe de l'O.** Western Europe; – *a inv* (*côte*) west(ern). ◆**o.-allemand, -ande** *a & nmf* West German.

ouf! [uf] *int* (*soulagement*) ah!, phew!

oui [wi] *adv & nm inv* yes; **o.!** yes!; **les o.** (*votes*) the ayes; **tu viens, o.?** come on, will you?; **je crois que o.** I think so; **si o.** if so.

ouï-dire [widir] *nm inv* hearsay.

ouïe[1] [wi] *nf* hearing; **être tout o.** *Fam* to be all ears.

ouïe[2]**!** [uj] *int* ouch!

ouïes [wi] *nfpl* (*de poisson*) gills.

ouille! [uj] *int* ouch!

ouragan [uragɑ̃] *nm* hurricane.

ourler [urle] *vt* to hem. ◆**ourlet** *nm* hem.

ours [urs] *nm* bear; **o. blanc/gris** polar/grizzly bear.

oursin [ursɛ̃] *nm* (*animal*) sea urchin.

ouste! [ust] *int Fam* scram!

outil [uti] *nm* tool. ◆**outill/er** *vt* to equip. ◆**—age** *nm* tools; (*d'une usine*) equipment.

outrage [utraʒ] *nm* insult (**à** to). ◆**outrag/er** *vt* to insult, offend. ◆**—eant** *a* insulting, offensive.

outrance [utrɑ̃s] *nf* (*excès*) excess; **à o.** (*travailler etc*) to excess; **guerre à o.** all-out war. ◆**outrancier, -ière** *a* excessive.

outre [utr] *prép* besides; – *adv* **en o.** besides, moreover; **o. mesure** inordinately; **passer o.** to take no notice (**à** of). ◆**o.-Manche** *adv* across the Channel. ◆**o.-mer** *adv* overseas; **d'o.-mer** (*peuple*) overseas.

outrepasser [utrəpɑse] *vt* (*limite etc*) to go beyond, exceed.

outr/er [utre] *vt* to exaggerate, overdo; **o. qn** (*indigner*) to outrage s.o. ◆**—é** *a* (*excessif*) exaggerated; (*révolté*) outraged.

outsider [awtsajdœr] *nm Sp* outsider.

ouvert [uvɛr] *voir* **ouvrir;** – *a* open; (*robinet, gaz etc*) on; **à bras ouverts** with open arms. ◆**ouvertement** *adv* openly. ◆**ouverture** *nf* opening; (*trou*) hole; (*avance*) & *Mus* overture; (*d'objectif*) *Phot* aperture; **o. d'esprit** open-mindedness.

ouvrable [uvrabl] *a* **jour o.** working day.

ouvrage [uvraʒ] *nm* (*travail, objet, livre*) work; (*couture*) (needle)work; **un o.** (*travail*) a piece of work. ◆**ouvragé** *a* (*bijou etc*) finely worked.

ouvreuse [uvrøz] *nf Cin* usherette.

ouvrier, -ière [uvrije, -jɛr] *nmf* worker; **o. agricole** farm labourer; **o. qualifié/spécialisé** skilled/unskilled worker; – *a* (*législation etc*) industrial; (*quartier, éducation*) working-class; **classe ouvrière** working class.

ouvrir* [uvrir] *vt* to open (up); (*gaz, radio etc*) to turn on, switch on; (*inaugurer*) to open; (*hostilités*) to begin; (*appétit*) to whet; (*liste, procession*) to head; – *vi* to open; (*ouvrir la porte*) to open (up); **— s'o.** *vpr* (*porte, boîte etc*) to open (up); **s'o. la jambe** to cut one's leg open; **s'o. à qn** *Fig* to open one's heart to s.o. (**de qch** about sth). ◆**ouvre-boîtes** *nm inv* tin opener, *Am* can-opener. ◆**ouvre-bouteilles** *nm inv* bottle opener.

ovaire [ɔvɛr] *nm Anat* ovary.

ovale [ɔval] *a & nm* oval.

ovation [ɔvɑsjɔ̃] *nf* (standing) ovation.

OVNI [ɔvni] *nm abrév* (*objet volant non identifié*) UFO.

oxyde [ɔksid] *nm Ch* oxide; **o. de carbone** carbon monoxide. ◆**oxyder** *vt*, **— s'o.** *vpr* to oxidize.

oxygène [ɔksiʒɛn] *nm* oxygen; **à o.** (*masque, tente*) oxygen-. ◆**oxygén/er** *vt* (*cheveux*) to bleach; **— s'o.** *vpr Fam* to breathe *ou* get some fresh air. ◆**—ée** *af* **eau o.** (hydrogen) peroxide.

P

P, p [pe] *nm* P, p.
pachyderme [paʃidɛrm] *nm* elephant.
pacifier [pasifje] *vt* to pacify. ◆**pacification** *nf* pacification. ◆**pacifique 1** *a* (*non violent, non militaire*) peaceful; (*personne, peuple*) peace-loving. **2** *a* (*côte etc*) Pacific; **Océan P.** Pacific Ocean; – *nm* **le P.** the Pacific. ◆**pacifiste** *a* & *nmf* pacifist.
pack [pak] *nm* (*de lait etc*) carton.
pacotille [pakɔtij] *nf* (*camelote*) trash.
pacte [pakt] *nm* pact. ◆**pactiser** *vi* **p. avec qn** *Péj* to be in league with s.o.
paf! [paf] **1** *int* bang!, wallop! **2** *a inv* (*ivre*) *Fam* sozzled, plastered.
pagaie [pagɛ] *nf* paddle. ◆**pagayer** *vi* (*ramer*) to paddle.
pagaïe, pagaille [pagaj] *nf* (*désordre*) *Fam* mess, shambles; **en p.** *Fam* in a mess; **avoir des livres/***etc* **en p.** *Fam* to have loads of books/*etc.*
paganisme [paganism] *nm* paganism.
page [paʒ] **1** *nf* (*de livre etc*) page; **à la p.** (*personne*) *Fig* up-to-date. **2** *nm* (*à la cour*) *Hist* page (boy).
pagne [paɲ] *nm* loincloth.
pagode [pagɔd] *nf* pagoda.
paie [pɛ] *nf* pay, wages. ◆**paiement** *nm* payment.
païen, -enne [pajɛ̃, -ɛn] *a* & *nmf* pagan, heathen.
paillasson [pajasɔ̃] *nm* (door)mat.
paille [pɑj] *nf* straw; (*pour boire*) (drinking) straw; **homme de p.** *Fig* stooge, man of straw; **tirer à la courte p.** to draw lots; **sur la p.** *Fig* penniless; **feu de p.** *Fig* flash in the pan. ◆**paillasse** *nf* **1** (*matelas*) straw mattress. **2** (*d'un évier*) draining-board.
paillette [pajɛt] *nf* (*d'habit*) sequin; *pl* (*de lessive, savon*) flakes; (*d'or*) *Géol* gold dust.
pain [pɛ̃] *nm* bread; **un p.** a loaf (of bread); **p. grillé** toast; **p. complet** wholemeal bread; **p. d'épice** gingerbread; **petit p.** roll; **p. de savon/de cire** bar of soap/wax; **avoir du p. sur la planche** (*travail*) *Fig* to have a lot on one's plate.
pair [pɛr] **1** *a* (*numéro*) even. **2** *nm* (*personne*) peer; **hors (de) p.** unrivalled, without equal; **aller de p.** to go hand in hand (**avec** with); **au p.** (*étudiante etc*) au pair; **travailler au p.** to work as an au pair.
paire [pɛr] *nf* pair (**de** of).
paisible [pezibl] *a* (*vie etc*) peaceful; (*caractère, personne*) peaceable.
paître* [pɛtr] *vi* to graze; **envoyer p.** *Fig* to send packing.
paix [pɛ] *nf* peace; (*traité*) *Pol* peace treaty; **en p.** in peace; (*avec sa conscience*) at peace (**avec** with); **avoir la p.** to have (some) peace and quiet.
Pakistan [pakistɑ̃] *nm* Pakistan. ◆**pakistanais, -aise** *a* & *nmf* Pakistani.
palabres [palabr] *nmpl* palaver.
palace [palas] *nm* luxury hotel.
palais [palɛ] *nm* **1** (*château*) palace; **P. de justice** law courts; **p. des sports** sports stadium *ou* centre. **2** *Anat* palate.
palan [palɑ̃] *nm* (*de navire etc*) hoist.
pâle [pɑl] *a* pale.
palet [palɛ] *nm* (*hockey sur glace*) puck.
paletot [palto] *nm* (knitted) cardigan.
palette [palɛt] *nf* **1** (*de peintre*) palette. **2** (*support pour marchandises*) pallet.
pâleur [pɑlœr] *nf* paleness, pallor. ◆**pâlir** *vi* to go *ou* turn pale (**de** with).
palier [palje] *nm* **1** (*d'escalier*) landing; **être voisins de p.** to live on the same floor. **2** (*niveau*) level; (*phase de stabilité*) plateau; **par paliers** (*étapes*) in stages.
palissade [palisad] *nf* fence (*of stakes*).
pallier [palje] *vt* (*difficultés etc*) to alleviate. ◆**palliatif** *nm* palliative.
palmarès [palmarɛs] *nm* prize list; (*des chansons*) hit-parade.
palme [palm] *nf* **1** palm (leaf); (*symbole*) *Fig* palm. **2** (*de nageur*) flipper. ◆**palmier** *nm* palm (tree).
palmé [palme] *a* (*patte, pied*) webbed.
palombe [palɔ̃b] *nf* wood pigeon.
pâlot, -otte [pɑlo, -ɔt] *a* pale.
palourde [palurd] *nf* (*mollusque*) clam.
palp/er [palpe] *vt* to feel, finger. ◆**—able** *a* tangible.
palpit/er [palpite] *vi* (*frémir*) to quiver; (*cœur*) to palpitate, throb. ◆**—ant** *a* (*film etc*) thrilling. ◆**palpitations** *nfpl* quivering; palpitations.
pâmer (se) [səpɑme] *vpr* **se p. de** (*joie etc*) to be paralysed *ou* ecstatic with.
pamphlet [pɑ̃flɛ] *nm* lampoon.
pamplemousse [pɑ̃pləmus] *nm* grapefruit.

pan [pɑ̃] **1** *nm* (*de chemise*) tail; (*de ciel*) patch; **p. de mur** section of wall. **2** *int* bang!
pan- [pɑ̃, pan] *préf* Pan-.
panacée [panase] *nf* panacea.
panache [panaʃ] *nm* (*plumet*) plume; **avoir du p.** (*fière allure*) to have panache; **un p. de fumée** a plume of smoke.
panaché [panaʃe] **1** *a* (*bigarré, hétéroclite*) motley. **2** *a* & *nm* **(demi) p.** shandy; **bière panachée** shandy.
pancarte [pɑ̃kart] *nf* sign, notice; (*de manifestant*) placard.
pancréas [pɑ̃kreɑs] *nm Anat* pancreas.
panda [pɑ̃da] *nm* (*animal*) panda.
pané [pane] *a Culin* breaded.
panier [panje] *nm* (*ustensile, contenu*) basket; **p. à salade** salad basket; (*voiture*) *Fam* police van, prison van. ◆**p.-repas** *nm* (*pl* **paniers-repas**) packed lunch.
panique [panik] *nf* panic; **pris de p.** panic-stricken; – *a* **peur p.** panic fear. ◆**paniqu/er** *vi* to panic. ◆**—é** *a* panic-stricken.
panne [pan] *nf* breakdown; **tomber en p.** to break down; **être en p.** to have broken down; **p. d'électricité** power cut, blackout; **avoir une p. sèche** to run out of petrol *ou Am* gas.
panneau, -x [pano] *nm* **1** (*écriteau*) sign, notice, board; **p. (de signalisation)** traffic *ou* road sign; **p. (d'affichage)** (*publicité*) hoarding, *Am* billboard. **2** (*de porte etc*) panel. ◆**panonceau, -x** *nm* (*enseigne*) sign.
panoplie [panɔpli] *nf* **1** (*jouet*) outfit. **2** (*gamme, arsenal*) (wide) range, assortment.
panorama [panɔrama] *nm* panorama. ◆**panoramique** *a* panoramic.
panse [pɑ̃s] *nf Fam* paunch, belly. ◆**pansu** *a* potbellied.
pans/er [pɑ̃se] *vt* (*plaie, main etc*) to dress, bandage; (*personne*) to dress the wound(s) of, bandage (up); (*cheval*) to groom. ◆**—ement** *nm* (*bande*) bandage, dressing; **p. adhésif** sticking plaster, *Am* Band-Aid®.
pantalon [pɑ̃talɔ̃] *nm* (pair of) trousers *ou Am* pants; **deux pantalons** two pairs of trousers *ou Am* pants; **en p.** in trousers, *Am* in pants.
pantelant [pɑ̃tlɑ̃] *a* gasping.
panthère [pɑ̃tɛr] *nf* (*animal*) panther.
pantin [pɑ̃tɛ̃] *nm* (*jouet*) jumping jack; (*personne*) *Péj* puppet.
pantois [pɑ̃twa] *a* flabbergasted.
pantoufle [pɑ̃tufl] *nf* slipper. ◆**pantouflard, -arde** *nmf Fam* stay-at-home, *Am* homebody.
paon [pɑ̃] *nm* peacock.
papa [papa] *nm* dad(dy); **de p.** (*désuet*) *Péj* outdated; **fils à p.** *Péj* rich man's son, daddy's boy.
pape [pap] *nm* pope. ◆**papauté** *nf* papacy.
paperasse(s) [papras] *nf(pl)* *Péj* (official) papers. ◆**paperasserie** *nf Péj* (official) papers; (*procédure*) red tape.
papeterie [papetri] *nf* (*magasin*) stationer's shop; (*articles*) stationery; (*fabrique*) paper mill. ◆**papetier, -ière** *nmf* stationer.
papi [papi] *nm Fam* grand(d)ad.
papier [papje] *nm* (*matière*) paper; **un p.** (*feuille*) a piece *ou* sheet of paper; (*formulaire*) a form; *Journ* an article; **en p.** (*sac etc*) paper-; **papiers (d'identité)** (identity) papers; **p. à lettres** writing paper; **du p. journal** (some) newspaper; **p. peint** wallpaper; **p. de verre** sandpaper.
papillon [papijɔ̃] *nm* **1** (*insecte*) butterfly; (*écrou*) butterfly nut, *Am* wing nut; **p. (de nuit)** moth. **2** (*contravention*) (parking) ticket.
papot/er [papɔte] *vi* to prattle. ◆**—age(s)** *nm(pl)* prattle.
paprika [paprika] *nm* (*poudre*) *Culin* paprika.
papy [papi] *nm Fam* grand(d)ad.
Pâque [pɑk] *nf* **la P.** *Rel* Passover.
paquebot [pakbo] *nm Nau* liner.
pâquerette [pɑkrɛt] *nf* daisy.
Pâques [pɑk] *nm* & *nfpl* Easter.
paquet [pakɛ] *nm* (*de sucre, bonbons etc*) packet; (*colis*) package; (*de cigarettes*) pack(et); (*de cartes*) pack.
par [par] *prép* **1** (*agent, manière, moyen*) by; **choisi/frappé/***etc* **p.** chosen/hit/*etc* by; **p. erreur** by mistake; **p. mer** by sea; **p. le train** by train; **p. la force/le travail/***etc* by *ou* through force/work/*etc*; **apprendre p. un voisin** to learn from *ou* through a neighbour; **commencer/s'ouvrir p. qch** (*récit etc*) to begin/open with sth; **p. malchance** unfortunately. **2** (*lieu*) through; **p. la porte/le tunnel/***etc* through *ou* by the door/tunnel/*etc*; **regarder/jeter p. la fenêtre** to look/throw out (of) the window; **p. les rues** through the streets; **p. ici/là** (*aller*) this/that way; (*habiter*) around here/there. **3** (*motif*) out of, from; **p. respect/pitié/***etc* out of *ou* from respect/pity/*etc*. **4** (*temps*) on; **p. un jour d'hiver/***etc* on a winter's day/*etc*; **p. le passé** in the past; **p. ce froid** in this cold. **5** (*distributif*) **dix fois p. an** ten times a *ou* per year; **deux p. deux** two by

two; **p. deux fois** twice. **6** (*trop*) **p. trop aimable**/*etc* far too kind/*etc*.
para [para] *nm Mil Fam* para(trooper).
para- [para] *préf* para-.
parabole [parabɔl] *nf* **1** (*récit*) parable. **2** *Math* parabola.
parachever [paraʃve] *vt* to perfect.
parachute [paraʃyt] *nf* parachute. ◆**parachuter** *vt* to parachute; (*nommer*) *Fam* to pitchfork (**à un poste** into a job). ◆**parachutisme** *nm* parachute jumping. ◆**parachutiste** *nmf* parachutist; *Mil* paratrooper.
parade [parad] *nf* **1** (*étalage*) show, parade; (*spectacle*) & *Mil* parade. **2** *Boxe Escrime* parry; (*riposte*) *Fig* reply. ◆**parader** *vi* to parade, show off.
paradis [paradi] *nm* paradise, heaven. ◆**paradisiaque** *a* (*endroit etc*) *Fig* heavenly.
paradoxe [paradɔks] *nm* paradox. ◆**paradoxalement** *adv* paradoxically.
parafe [paraf] *voir* **paraphe.** ◆**parafer** *voir* **parapher.**
paraffine [parafin] *nf* paraffin (wax).
parages [paraʒ] *nmpl* region, area (**de** of); **dans ces p.** in these parts.
paragraphe [paragraf] *nm* paragraph.
paraître* [parɛtr] **1** *vi* (*se montrer*) to appear; (*sembler*) to seem, look, appear; – *v imp* **il paraît qu'il va partir** it appears *ou* seems (that) he's leaving. **2** *vi* (*livre*) to be published, come out; **faire p.** to bring out.
parallèle [paralɛl] **1** *a* (*comparable*) & *Math* parallel (**à** with, to); (*marché*) *Com* unofficial. **2** *nm* (*comparaison*) & *Géog* parallel. ◆**—ment** *adv* **p. à** parallel to.
paralyser [paralize] *vt* to paralyse, *Am* paralyze. ◆**paralysie** *nf* paralysis. ◆**paralytique** *a* & *nmf* paralytic.
paramètre [paramɛtr] *nm* parameter.
paranoïa [paranɔja] *nf* paranoia. ◆**paranoïaque** *a* & *nmf* paranoid.
parapet [parapɛ] *nm* parapet.
paraphe [paraf] *nm* initials, signature; (*traits*) flourish. ◆**parapher** *vt* to initial, sign.
paraphrase [parafraz] *nf* paraphrase. ◆**paraphraser** *vt* to paraphrase.
parapluie [paraplɥi] *nm* umbrella.
parasite [parazit] *nm* (*personne, organisme*) parasite; *pl Rad* interference; – *a* parasitic(al).
parasol [parasɔl] *nm* parasol, sunshade.
paratonnerre [paratɔnɛr] *nm* lightning conductor *ou Am* rod.
paravent [paravɑ̃] *nm* (folding) screen.
parc [park] *nm* **1** park; (*de château*) grounds. **2** (*de bébé*) (play) pen; (*à moutons, à bétail*) pen; **p. (de stationnement)** car park, *Am* parking lot; **p. à huîtres** oyster bed.
parcelle [parsɛl] *nf* fragment, particle; (*terrain*) plot; (*de vérité*) *Fig* grain.
parce que [parsk(ə)] *conj* because.
parchemin [parʃəmɛ̃] *nm* parchment.
parcimonie [parsimɔni] *nf* **avec p.** parsimoniously. ◆**parcimonieux, -euse** *a* parsimonious.
par-ci par-là [parsiparla] *adv* here, there and everywhere.
parcmètre [parkmɛtr] *nm* parking meter.
parcourir* [parkurir] *vt* (*région*) to travel through, tour, scour; (*distance*) to cover; (*texte*) to glance through. ◆**parcours** *nm* (*itinéraire*) route; (*de fleuve*) & *Sp* course; (*voyage*) trip, journey.
par-delà [pard(ə)la] *voir* **delà.**
par-derrière [pardɛrjɛr] *voir* **derrière.**
par-dessous [pard(ə)su] *prép* & *adv* under(neath).
pardessus [pard(ə)sy] *nm* overcoat.
par-dessus [pard(ə)sy] *prép* & *adv* over (the top of); **p.-dessus tout** above all.
par-devant [pard(ə)vɑ̃] *voir* **devant.**
pardon [pardɔ̃] *nm* forgiveness, pardon; **p.?** (*pour demander*) excuse me?, *Am* pardon me?; **p.!** (*je le regrette*) sorry!; **demander p.** to apologize (**à** to). ◆**pardonn/er** *vt* to forgive; **p. qch à qn/à qn d'avoir fait qch** to forgive s.o. for sth/for doing sth. ◆**—able** *a* forgivable.
pare-balles [parbal] *a inv* **gilet p.-balles** bulletproof jacket *ou Am* vest.
pare-brise [parbriz] *nm inv Aut* windscreen, *Am* windshield.
pare-chocs [parʃɔk] *nm inv Aut* bumper.
pareil, -eille [parɛj] *a* similar; **p. à** the same as, similar to; **être pareils** to be the same, be similar *ou* alike; **un p. désordre**/*etc* such a mess/*etc*; **en p. cas** in such a case; – *nmf* (*personne*) equal; **rendre la pareille à qn** to treat s.o. the same way; **sans p.** unparalleled, unique; – *adv Fam* the same. ◆**pareillement** *adv* in the same way; (*aussi*) likewise.
parement [parmɑ̃] *nm* (*de pierre, de vêtement*) facing.
parent, -ente [parɑ̃, -ɑ̃t] *nmf* relation, relative; – *nmpl* (*père et mère*) parents; – *a* related (**de** to). ◆**parenté** *nf* (*rapport*) relationship, kinship.
parenthèse [parɑ̃tɛz] *nf* (*signe*) bracket, parenthesis; (*digression*) digression.

parer [pare] **1** *vt* (*coup*) to parry, ward off; – *vi* **p. à** to be prepared for. **2** *vt* (*orner*) to adorn (**de** with).

paresse [parɛs] *nf* laziness, idleness. ◆**paresser** *vi* to laze (about). ◆**paresseux, -euse** *a* lazy, idle; – *nmf* lazybones.

parfaire [parfɛr] *vt* to perfect. ◆**parfait** *a* perfect; **p.!** excellent!; – *nm Gram* perfect (tense). ◆**parfaitement** *adv* perfectly; (*certainement*) certainly.

parfois [parfwa] *adv* sometimes.

parfum [parfœ̃] *nm* (*odeur*) fragrance, scent; (*goût*) flavour; (*liquide*) perfume, scent. ◆**parfum/er** *vt* to perfume, scent; (*glace, crème etc*) to flavour (**à** with); **— se p.** *vpr* to put on perfume; (*habituellement*) to wear perfume. ◆**—é** *a* (*savon, mouchoir*) scented; **p. au café**/*etc* coffee-/*etc* flavoured. ◆**parfumerie** *nf* (*magasin*) perfume shop.

pari [pari] *nm* bet, wager; *pl Sp* betting, bets; **p. mutuel urbain** = the tote, *Am* pari-mutuel. ◆**parier** *vti* to bet (**sur** on, **que** that). ◆**parieur, -euse** *nmf Sp* better, punter.

Paris [pari] *nm ou f* Paris. ◆**parisien, -ienne** *a* (*accent etc*) Parisian, Paris-; – *nmf* Parisian.

parité [parite] *nf* parity.

parjure [parʒyr] *nm* perjury; – *nmf* perjurer. ◆**se parjurer** *vpr* to perjure oneself.

parka [parka] *nm* parka.

parking [parkiŋ] *nm* (*lieu*) car park, *Am* parking lot.

par-là [parla] *adv voir* **par-ci.**

parlement [parləmɑ̃] *nm* parliament. ◆**parlementaire** *a* parliamentary; – *nmf* member of parliament.

parlementer [parləmɑ̃te] *vi* to parley, negotiate.

parl/er [parle] *vi* to talk, speak (**de** about, of; **à** to); **tu parles!** *Fam* you must be joking!; **sans p. de . . .** not to mention . . . ; – *vt* (*langue*) to speak; **p. affaires**/*etc* to talk business/*etc*; **— se p.** *vpr* (*langue*) to be spoken; – *nm* speech; (*régional*) dialect. ◆**—ant** *a* (*film*) talking; (*regard etc*) eloquent. ◆**—é** *a* (*langue*) spoken.

parloir [parlwar] *nm* (*de couvent, prison*) visiting room.

parmi [parmi] *prép* among(st).

parodie [parɔdi] *nf* parody. ◆**parodier** *vt* to parody.

paroi [parwa] *nf* wall; (*de maison*) inside wall; (*de rocher*) (rock) face.

paroisse [parwas] *nf* parish. ◆**paroissial, -aux** *a* (*registre, activité etc*) parish-. ◆**paroissien, -ienne** *nmf* parishioner.

parole [parɔl] *nf* (*mot, promesse*) word; (*faculté, langage*) speech; **adresser la p. à** to speak to; **prendre la p.** to speak, make a speech; **demander la p.** to ask to speak; **perdre la p.** to lose one's tongue.

paroxysme [parɔksism] *nm* (*de douleur etc*) height.

parpaing [parpɛ̃] *nm* concrete block, breezeblock.

parquer [parke] *vt* (*bœufs*) to pen; (*gens*) to herd together, confine; (*véhicule*) to park; **— se p.** *vpr Aut* to park.

parquet [parkɛ] *nm* **1** (parquet) floor(ing). **2** *Jur* Public Prosecutor's office.

parrain [parɛ̃] *nm Rel* godfather; (*répondant*) sponsor. ◆**parrain/er** *vt* to sponsor. ◆**—age** *nm* sponsorship.

pars, part[1] [par] *voir* **partir.**

parsemer [parsəme] *vt* to strew, dot (**de** with).

part[2] [par] *nf* (*portion*) share, part; **prendre p. à** (*activité*) to take part in; (*la joie etc de qn*) to share; **de toutes parts** from *ou* on all sides; **de p. et d'autre** on both sides; **d'une p., . . . d'autre p.** on the one hand, . . . on the other hand; **d'autre p.** (*d'ailleurs*) moreover; **pour ma p.** as far as I'm concerned; **de la p. de** (*provenance*) from; **c'est de la p. de qui?** *Tél* who's speaking?; **faire p. de qch à qn** to inform s.o. of sth; **quelque p.** somewhere; **nulle p.** nowhere; **autre p.** somewhere else; **à p.** (*séparément*) apart; (*mettre, prendre*) aside; (*excepté*) apart from; **un cas/une place**/*etc* **à p.** a separate *ou* special case/place/*etc*; **membre à p. entière** full member.

partage [partaʒ] *nm* dividing (up), division; (*participation*) sharing; (*distribution*) sharing out; (*sort*) *Fig* lot. ◆**partag/er** *vt* (*repas, frais, joie etc*) to share (**avec** with); (*diviser*) to divide (up); (*distribuer*) to share out; **— se p.** *vpr* (*bénéfices etc*) to share (between themselves *etc*); **se p. entre** to divide one's time between. ◆**—é** *a* (*avis etc*) divided; **p. entre** (*sentiments*) torn between.

partance (en) [ɑ̃partɑ̃s] *adv* (*train etc*) about to depart (**pour** for).

partant [partɑ̃] *nm* (*coureur, cheval*) *Sp* starter.

partenaire [partənɛr] *nmf* (*époux etc*) & *Sp Pol* partner.

parterre [partɛr] *nm* **1** (*de jardin etc*) flower bed. **2** *Th* stalls, *Am* orchestra.

parti [parti] *nm Pol* party; (*époux*) match; **prendre un p.** to make a decision, follow a course; **prendre p. pour** to side with; **tirer p. de** to turn to (good) account; **p. pris** (*préjugé*) prejudice; **être de p. pris** to be prejudiced (**contre** against).

partial, -aux [parsjal, -o] *a* biased. ◆**partialité** *nf* bias.

participe [partisip] *nm Gram* participle.

particip/er [partisipe] *vi* **p. à** (*activité, jeu etc*) to take part in, participate in; (*frais, joie etc*) to share (in). ◆**—ant, -ante** *nmf* participant. ◆**participation** *nf* participation; sharing; (*d'un acteur*) appearance, collaboration; **p. (aux frais)** (*contribution*) share (in the expenses).

particule [partikyl] *nf* particle.

particulier, -ière [partikylje, -jɛr] *a* (*spécial, spécifique*) particular; (*privé*) private; (*bizarre*) peculiar; **p. à** peculiar to; **en p.** (*surtout*) in particular; (*à part*) in private; – *nm* private individual *ou* citizen. ◆**particularité** *nf* peculiarity. ◆**particulièrement** *adv* particularly; **tout p.** especially.

partie [parti] *nf* part; (*de cartes, de tennis etc*) game; (*de chasse, de plaisir*) & *Jur* party; (*métier*) line, field; **en p.** partly, in part; **en grande p.** mainly; **faire p. de** to be a part of; (*adhérer à*) to belong to; (*comité*) to be on. ◆**partiel, -ielle** *a* partial; – *nm* **(examen) p.** *Univ* term exam. ◆**partiellement** *adv* partially.

part/ir* [partir] *vi* (*aux* **être**) (*aller, disparaître*) to go; (*s'en aller*) to leave, go (off); (*se mettre en route*) to set off; (*s'éloigner*) to go (away); (*moteur*) to start; (*fusil, coup de feu*) to go off; (*flèche*) to shoot off; (*bouton*) to come off; (*tache*) to come out; **p. de** (*commencer par*) to start (off) with; **ça part du cœur** it comes from the heart; **p. bien** to get off to a good start; **à p. de** (*date, prix*) from. ◆**—i** *a* **bien p.** off to a good start.

partisan [partizɑ̃] *nm* follower, supporter; *Mil* partisan; – *a* (*esprit*) *Péj* partisan; **être p. de qch/de faire** to be in favour of sth/of doing.

partition [partisjɔ̃] *nf Mus* score.

partout [partu] *adv* everywhere; **p. où tu vas** *ou* **iras** everywhere *ou* wherever you go; **p. sur la table**/*etc* all over the table/*etc*.

paru [pary] *voir* **paraître.** ◆**parution** *nf* (*de livre etc*) publication.

parure [paryr] *nf* (*toilette*) finery; (*bijoux*) jewellery.

parven/ir* [parvənir] *vi* (*aux* **être**) **p. à** (*lieu*) to reach; (*fortune, ses fins*) to achieve; **p. à faire** to manage to do. ◆**—u, -ue** *nmf Péj* upstart.

parvis [parvi] *nm* square (*in front of church etc*).

pas[1] [pɑ] *adv* (*négatif*) not; **(ne)... p.** not; **je ne sais p.** I do not *ou* don't know; **p. de pain/de café**/*etc* no bread/coffee/*etc*; **p. encore** not yet; **p. du tout** not at all.

pas[2] [pɑ] *nm* **1** step, pace; (*allure*) pace; (*bruit*) footstep; (*trace*) footprint; **à deux p. (de)** close by; **revenir sur ses p.** to go back on one's tracks; **au p.** at a walking pace; **rouler au p.** (*véhicule*) to go dead slow(ly); **au p. (cadencé)** in step; **faire les cent p.** to walk up and down; **faux p.** stumble; (*faute*) *Fig* blunder; **le p. de la porte** the doorstep. **2** (*de vis*) thread. **3** *Géog* straits; **le p. de Calais** the Straits of Dover.

pascal [paskal] *a* (*semaine, messe etc*) Easter-.

passable [pɑsabl] *a* acceptable, tolerable; **mention p.** *Scol Univ* pass. ◆**—ment** [-əmɑ̃] *adv* acceptably; (*beaucoup*) quite a lot.

passage [pɑsaʒ] *nm* (*action*) passing, passage; (*traversée*) *Nau* crossing, passage; (*extrait*) passage; (*couloir*) passage(way); (*droit*) right of way; (*venue*) arrival; (*chemin*) path; **p. clouté** *ou* **pour piétons** (pedestrian) crossing; **obstruer le p.** to block the way; **p. souterrain** subway, *Am* underpass; **p. à niveau** level crossing, *Am* grade crossing; **'p. interdit'** 'no thoroughfare'; **'cédez le p.'** *Aut* 'give way', *Am* 'yield'; **être de p.** to be passing through (**à Paris**/*etc* Paris/*etc*); **hôte de p.** passing guest. ◆**passager, -ère 1** *nmf* passenger; **p. clandestin** stowaway. **2** *a* (*de courte durée*) passing, temporary. ◆**passagèrement** *adv* temporarily.

passant, -ante [pɑsɑ̃, -ɑ̃t] **1** *a* (*rue*) busy; – *nmf* passer-by. **2** *nm* (*de ceinture etc*) loop.

passe [pɑs] *nf Sp* pass; **mot de p.** password; **en p. de faire** on the road to doing; **une mauvaise p.** *Fig* a bad patch.

passe-montagne [pɑsmɔ̃taɲ] *nm* balaclava.

passe-partout [pɑspartu] *nm inv* (*clé*) master key; – *a inv* (*compliment, phrase*) all-purpose.

passe-passe [pɑspɑs] *nm inv* **tour de p.-passe** conjuring trick.

passe-plat [pɑsplɑ] *nm* service hatch.

passeport [pɑspɔr] *nm* passport.

passer [pɑse] *vi* (*aux* **être** *ou* **avoir**) (*aller, venir*) to pass (**à** to); (*facteur, laitier*) to come; (*temps*) to pass (by), go by; (*courant*) to flow; (*film, programme*) to be shown, be on; (*loi*) to be passed; (*douleur, mode*) to pass; (*couleur*) to fade; **p. devant** (*maison etc*) to go past *ou* by, pass (by); **p. à** *ou* **par Paris** to pass through Paris; **p. à la radio** to come *ou* go on the radio; **p. à l'ennemi/à la caisse** to go over to the enemy/the cash desk; **laisser p.** (*personne, lumière*) to let in *ou* through; (*occasion*) to let slip; **p. prendre** to pick up, fetch; **p. voir qn** to drop in on s.o.; **p. pour** (*riche etc*) to be taken for; **faire p. qn pour** to pass s.o. off as; **p. sur** (*détail etc*) to overlook, pass over; **p. capitaine**/*etc* to be promoted captain/*etc*; **p. en** (*seconde etc*) *Scol* to pass up into; *Aut* to change up to; **ça passe** (*c'est passable*) that'll do; **en passant** (*dire qch*) in passing; – *vt* (*aux* **avoir**) (*frontière etc*) to pass, cross; (*maison etc*) to pass, go past; (*donner*) to pass, hand (**à** to); (*mettre*) to put; (*omettre*) to overlook; (*temps*) to spend, pass (**à faire** doing); (*disque*) to play, put on; (*film, programme*) to show, put on; (*loi, motion*) to pass; (*chemise*) to slip on; (*examen*) to take, sit (for); (*thé*) to strain; (*café*) to filter; (*commande*) to place; (*accord*) to conclude; (*colère*) to vent (**sur** on); (*limites*) to go beyond; (*visite médicale*) to go through; **p. (son tour)** to pass; **p. qch à qn** (*caprice etc*) to grant s.o. sth; (*pardonner*) to excuse s.o. sth; **je vous passe . . .** *Tél* I'm putting you through to . . . ; **p. un coup d'éponge**/*etc* **à qch** to go over sth with a sponge/*etc*; **– se p.** *vpr* (*se produire*) to take place, happen; (*douleur*) to pass, go (away); **se p. de** to do *ou* go without; **se p. de commentaires** to need no comment; **ça s'est bien passé** it went off all right. ◆**passé 1** *a* (*temps etc*) past; (*couleur*) faded; **la semaine passée** last week; **dix heures passées** after *ou* gone ten (o'clock); **être passé** (*personne*) to have been (and gone); (*orage*) to be over; **avoir vingt ans passés** to be over twenty; – *nm* (*temps, vie passée*) past; *Gram* past (tense). **2** *prép* after; **p. huit heures** after eight (o'clock).

passerelle [pasrɛl] *nf* (*pont*) footbridge; (*voie d'accès*) *Nau Av* gangway.

passe-temps [pastɑ̃] *nm inv* pastime.

passeur, -euse [pasœr, -øz] *nmf* **1** *Nau* ferryman, ferrywoman. **2** (*contrebandier*) smuggler.

passible [pasibl] *a* **p. de** (*peine*) *Jur* liable to.

passif, -ive [pasif, -iv] **1** *a* (*rôle, personne etc*) passive; – *nm Gram* passive. **2** *nm Com* liabilities. ◆**passivité** *nf* passiveness, passivity.

passion [pasjɔ̃] *nf* passion; **avoir la p. des voitures/d'écrire**/*etc* to have a passion *ou* a great love for cars/writing/*etc*. ◆**passionnel, -elle** *a* (*crime*) of passion. ◆**passionn/er** *vt* to thrill, fascinate; **se p. pour** to have a passion for. ◆**—ant** *a* thrilling. ◆**—é, -ée** *a* passionate; **p. de qch** passionately fond of sth; – *nmf* fan (**de** of). ◆**—ément** *adv* passionately.

passoire [paswar] *nf* (*pour liquides*) sieve; (*à thé*) strainer; (*à légumes*) colander.

pastel [pastɛl] *nm* pastel; **au p.** (*dessin*) pastel-; – *a inv* (*ton*) pastel-.

pastèque [pastɛk] *nf* watermelon.

pasteur [pastœr] *nm Rel* pastor.

pasteurisé [pastœrize] *a* (*lait, beurre etc*) pasteurized.

pastiche [pastiʃ] *nm* pastiche.

pastille [pastij] *nf* pastille, lozenge.

pastis [pastis] *nm* aniseed liqueur, pastis.

pastoral, -aux [pastɔral, -o] *a* pastoral.

patate [patat] *nf Fam* spud, potato.

patatras! [patatra] *int* crash!

pataud [pato] *a* clumsy, lumpish.

patauger [patoʒe] *vi* (*marcher*) to wade (*in the mud etc*); (*barboter*) to splash about; (*s'empêtrer*) *Fig* to flounder. ◆**pataugeoire** *nf* paddling pool.

patchwork [patʃwœrk] *nm* patchwork.

pâte [pɑt] *nf* (*substance*) paste; (*à pain, à gâteau*) dough; (*à tarte*) pastry; **pâtes (alimentaires)** pasta; **p. à modeler** plasticine®, modelling clay; **p. à frire** batter; **p. dentifrice** toothpaste.

pâté [pɑte] *nm* **1** (*charcuterie*) pâté; **p. (en croûte)** meat pie. **2 p. (de sable)** sand castle; **p. de maisons** block of houses. **3** (*tache d'encre*) (ink) blot.

pâtée [pɑte] *nf* (*pour chien, volaille etc*) mash.

patelin [patlɛ̃] *nm Fam* village.

patent [patɑ̃] *a* patent, obvious.

patère [patɛr] *nf* (coat) peg.

paternel, -elle [patɛrnɛl] *a* (*amour etc*) fatherly, paternal; (*parenté, réprimande*) paternal. ◆**paternité** *nf* (*état*) paternity, fatherhood; (*de livre*) authorship.

pâteux, -euse [pɑtø, -øz] *a* (*substance*) doughy, pasty; (*style*) woolly; **avoir la bouche** *ou* **la langue pâteuse** (*après s'être enivré*) to have a mouth full of cotton wool *ou Am* cotton.

pathétique [patetik] *a* moving; – *nm* pathos.

pathologie [patɔlɔʒi] *nf* pathology. ◆**pathologique** *a* pathological.

patient, -ente [pasjɑ̃, -ɑ̃t] **1** *a* patient. **2** *nmf Méd* patient. ◆**patiemment** [-amɑ̃] *adv* patiently. ◆**patience** *nf* patience; **prendre p.** to have patience; **perdre p.** to lose patience. ◆**patienter** *vi* to wait (patiently).

patin [patɛ̃] *nm* skate; (*pour le parquet*) cloth pad (*used for walking*); **p. à glace/à roulettes** ice/roller skate. ◆**patin/er** *vi Sp* to skate; (*véhicule, embrayage*) to slip. ◆**—age** *nm Sp* skating; **p. artistique** figure skating. ◆**—eur, -euse** *nmf Sp* skater. ◆**patinoire** *nf* (*piste*) & *Fig* skating rink, ice rink.

patine [patin] *nf* patina.

patio [patjo] *nm* patio.

pâtir [pɑtir] *vi* **p. de** to suffer from.

pâtisserie [pɑtisri] *nf* pastry, cake; (*magasin*) cake shop; (*art*) cake *ou* pastry making. ◆**pâtissier, -ière** *nmf* pastrycook and cake shop owner.

patois [patwa] *nm Ling* patois.

patraque [patrak] *a* (*malade*) *Fam* under the weather.

patriarche [patrijarʃ] *nm* patriarch.

patrie [patri] *nf* (native) country; (*ville*) birth place. ◆**patriote** *nmf* patriot; – *a* (*personne*) patriotic. ◆**patriotique** *a* (*chant etc*) patriotic. ◆**patriotisme** *nm* patriotism.

patrimoine [patrimwan] *nm* (*biens*) & *Fig* heritage.

patron, -onne [patrɔ̃, -ɔn] **1** *nmf* (*chef*) employer, boss; (*propriétaire*) owner (**de** of); (*gérant*) manager, manageress; (*de bar*) landlord, landlady. **2** *nmf Rel* patron saint. **3** *nm* (*modèle de papier*) *Tex* pattern. ◆**patronage** *nm* **1** (*protection*) patronage. **2** (*centre*) youth club. ◆**patronal, -aux** *a* (*syndicat etc*) employers'. ◆**patronat** *nm* employers. ◆**patronner** *vt* to sponsor.

patrouille [patruj] *nf* patrol. ◆**patrouill/er** *vi* to patrol. ◆**—eur** *nm* (*navire*) patrol boat.

patte [pat] *nf* **1** (*membre*) leg; (*de chat, chien*) paw; (*main*) *Fam* hand; **à quatre pattes** on all fours. **2** (*de poche*) flap; (*languette*) tongue.

pattes [pat] *nfpl* (*favoris*) sideboards, *Am* sideburns.

pâture [pɑtyr] *nf* (*nourriture*) food; (*intellectuelle*) *Fig* fodder. ◆**pâturage** *nm* pasture.

paume [pom] *nf* (*de main*) palm.

paum/er [pome] *vt Fam* to lose; **un coin** *ou* **trou paumé** (*sans attrait*) a dump. ◆**—é, -ée** *nmf* (*malheureux*) *Fam* down-and-out, loser.

paupière [popjɛr] *nf* eyelid.

pause [poz] *nf* (*arrêt*) break; (*dans le discours etc*) pause.

pauvre [povr] *a* poor; (*terre*) impoverished, poor; **p. en** (*calories etc*) low in; (*ressources etc*) low on; – *nmf* (*indigent, malheureux*) poor man, poor woman; **les pauvres** the poor. ◆**pauvrement** *adv* poorly. ◆**pauvreté** *nf* (*besoin*) poverty; (*insuffisance*) poorness.

pavaner (se) [səpavane] *vpr* to strut (about).

pav/er [pave] *vt* to pave. ◆**—é** *nm* **un p.** a paving stone; (*rond, de vieille chaussée*) a cobblestone; **sur le p.** *Fig* on the streets. ◆**—age** *nm* (*travail, revêtement*) paving.

pavillon [pavijɔ̃] *nm* **1** (*maison*) house; (*de chasse*) lodge; (*d'hôpital*) ward; (*d'exposition*) pavilion. **2** (*drapeau*) flag.

pavoiser [pavwaze] *vt* to deck out with flags; – *vi* (*exulter*) *Fig* to rejoice.

pavot [pavo] *nm* (*cultivé*) poppy.

pay/er [peje] *vt* (*personne, somme*) to pay; (*service, objet, faute*) to pay for; (*récompenser*) to repay; **p. qch à qn** (*offrir en cadeau*) *Fam* to treat s.o. to sth; **p. qn pour faire** to pay s.o. to do *ou* for doing; – *vi* (*personne, métier, crime*) to pay; **se p. qch** (*s'acheter*) *Fam* to treat oneself to sth; **se p. la tête de qn** *Fam* to make fun of s.o. ◆**—ant** [pɛjɑ̃] *a* (*hôte, spectateur*) who pays, paying; (*place, entrée*) that one has to pay for; (*rentable*) worthwhile. ◆**payable** *a* payable. ◆**paye** *nf* pay, wages. ◆**payement** *nm* payment.

pays [pei] *nm* country; (*région*) region; (*village*) village; **p. des rêves/du soleil** land of dreams/sun; **du p.** (*vin, gens etc*) local.

paysage [peizaʒ] *nm* landscape, scenery.

paysan, -anne [peizɑ̃, -an] *nmf* (small) farmer; (*rustre*) *Péj* peasant; – *a* country-; (*monde*) farming.

Pays-Bas [peibɑ] *nmpl* **les P.-Bas** the Netherlands.

PCV [peseve] *abrév* (*paiement contre vérification*) **téléphoner en PCV** to reverse the charges, *Am* call collect.

PDG [pedeʒe] *abrév* = **président directeur général.**

péage [peaʒ] *nm* (*droit*) toll; (*lieu*) tollgate.

peau, -x [po] *nf* skin; (*de fruit*) peel, skin; (*cuir*) hide, skin; (*fourrure*) pelt; **dans la p. de qn** *Fig* in s.o.'s shoes; **faire p. neuve** *Fig* to turn over a new leaf. ◆**P.-Rouge** *nmf* (*pl* **Peaux-Rouges**) (Red) Indian.

pêche[1] [pɛʃ] *nf* (*activité*) fishing; (*poissons*) catch; **p. (à la ligne)** angling; **aller à la p.** to go fishing. ◆**pêcher**[1] *vi* to fish; – *vt* (*chercher à prendre*) to fish for; (*attraper*) to

catch; (*dénicher*) *Fam* to dig up. ◆**pêcheur** *nm* fisherman; angler.
pêche[2] [pɛʃ] *nf* (*fruit*) peach. ◆**pêcher**[2] *nm* (*arbre*) peach tree.
péché [peʃe] *nm* sin. ◆**péch/er** *vi* to sin; **p. par orgueil**/*etc* to be too proud/*etc*. ◆**—eur, -eresse** *nmf* sinner.
pectoraux [pɛktɔro] *nmpl* (*muscles*) chest muscles.
pécule [pekyl] *nm* **un p.** (*économies*) (some) savings, a nest egg.
pécuniaire [pekynjɛr] *a* monetary.
pédagogie [pedagɔʒi] *nf* (*science*) education, teaching methods. ◆**pédagogique** *a* educational. ◆**pédagogue** *nmf* teacher.
pédale [pedal] *nf* **1** pedal; **p. de frein** footbrake (pedal). **2** (*homosexuel*) *Péj Fam* pansy, queer. ◆**pédaler** *vi* to pedal.
pédalo [pedalo] *nm* pedal boat, pedalo.
pédant, -ante [pedɑ̃, -ɑ̃t] *nmf* pedant; – *a* pedantic. ◆**pédantisme** *nm* pedantry.
pédé [pede] *nm* (*homosexuel*) *Péj Fam* queer.
pédiatre [pedjatr] *nmf Méd* p(a)ediatrician.
pédicure [pedikyr] *nmf* chiropodist.
pedigree [pedigre] *nm* (*de chien, cheval etc*) pedigree.
pègre [pɛgr] *nf* **la p.** the (criminal) underworld.
peigne [pɛɲ] *nm* comb; **passer au p. fin** *Fig* to go through with a fine toothcomb; **un coup de p.** (*action*) a comb. ◆**peigner** *vt* (*cheveux*) to comb; **p. qn** to comb s.o.'s hair; **— se p.** *vpr* to comb one's hair.
peignoir [pɛɲwar] *nm* dressing gown, *Am* bathrobe; **p. (de bain)** bathrobe.
peinard [pɛnar] *a Arg* quiet (and easy).
peindre* [pɛ̃dr] *vt* to paint; (*décrire*) *Fig* to depict, paint; **p. en bleu**/*etc* to paint blue/*etc*; – *vi* to paint.
peine [pɛn] *nf* **1** (*châtiment*) punishment; **p. de mort** death penalty *ou* sentence; **p. de prison** prison sentence; **'défense d'entrer sous p. d'amende'** 'trespassers will be fined'. **2** (*chagrin*) sorrow, grief; **avoir de la p.** to be upset *ou* sad; **faire de la p. à** to upset, cause pain *ou* sorrow to. **3** (*effort, difficulté*) trouble; **se donner de la p.** *ou* **beaucoup de p.** to go to a lot of trouble (**pour faire** to do); **avec p.** with difficulty; **ça vaut la p. d'attendre**/*etc* it's worth (while) waiting/*etc*; **ce n'est pas** *ou* **ça ne vaut pas la p.** it's not worth while *ou* worth it *ou* worth bothering. ◆**peiner 1** *vt* to upset, grieve. **2** *vi* to labour, struggle.
peine (à) [apɛn] *adv* hardly, scarcely.
peintre [pɛ̃tr] *nm* painter; **p. (en bâtiment)** (house) painter, (painter and) decorator. ◆**peinture** *nf* (*tableau, activité*) painting; (*couleur*) paint; **'p. fraîche'** 'wet paint'. ◆**peinturlurer** *vt Fam* to daub with colour; **se p. (le visage)** to paint one's face.
péjoratif, -ive [peʒɔratif, -iv] *a* pejorative, derogatory.
pékinois [pekinwa] *nm* (*chien*) pekin(g)ese.
pelage [pəlaʒ] *nm* (*d'animal*) coat, fur.
pelé [pəle] *a* bare.
pêle-mêle [pɛlmɛl] *adv* in disorder.
peler [pəle] *vt* (*fruit*) to peel; **se p. facilement** (*fruit*) to peel easily; – *vi* (*peau bronzée*) to peel.
pèlerin [pɛlrɛ̃] *nm* pilgrim. ◆**pèlerinage** *nm* pilgrimage.
pèlerine [pɛlrin] *nf* (*manteau*) cape.
pélican [pelikɑ̃] *nm* (*oiseau*) pelican.
pelisse [pəlis] *nf* fur-lined coat.
pelle [pɛl] *nf* shovel; (*d'enfant*) spade; **p. à poussière** dustpan; **ramasser** *ou* **prendre une p.** (*tomber*) *Fam* to come a cropper, *Am* take a spill; **à la p.** (*argent etc*) *Fam* galore. ◆**pelletée** *nf* shovelful. ◆**pelleteuse** *nf Tech* mechanical shovel, excavator.
pellicule [pelikyl] *nf Phot* film; (*couche*) film, layer; *pl Méd* dandruff.
pelote [plɔt] *nf* (*de laine*) ball; (*à épingles*) pincushion; **p. (basque)** *Sp* pelota.
peloter [plɔte] *vt* (*palper*) *Péj Fam* to paw.
peloton [plɔtɔ̃] *nm* **1** (*coureurs*) *Sp* pack, main body. **2** *Mil* squad; **p. d'exécution** firing squad. **3** (*de ficelle*) ball.
pelotonner (se) [səplɔtɔne] *vpr* to curl up (into a ball).
pelouse [pluz] *nf* lawn; *Sp* enclosure.
peluche [plyʃ] *nf* (*tissu*) plush; *pl* (*flocons*) fluff, lint; **une p.** (*flocon*) a bit of fluff *ou* lint; **jouet en p.** soft toy; **chien**/*etc* **en p.** (*jouet*) furry dog/*etc*; **ours en p.** teddy bear. ◆**pelucher** *vi* to get fluffy *ou* linty. ◆**pelucheux, -euse** *a* fluffy, linty.
pelure [plyr] *nf* (*épluchure*) peeling; **une p.** a (piece of) peeling.
pénal, -aux [penal, -o] *a* (*droit, code etc*) penal. ◆**pénalisation** *nf Sp* penalty. ◆**pénaliser** *vt Sp Jur* to penalize (**pour** for). ◆**pénalité** *nf Jur Rugby* penalty.
penalty, *pl* **-ties** [penalti, -iz] *nm Fb* penalty.
penaud [pəno] *a* sheepish.
penchant [pɑ̃ʃɑ̃] *nm* (*goût*) liking (**pour** for); (*tendance*) inclination (**à qch** towards sth).
pench/er [pɑ̃ʃe] *vt* (*objet*) to tilt; (*tête*) to lean; – *vi* (*arbre etc*) to lean (over); **p. pour** *Fig* to be inclined towards; **— se p.** *vpr* to lean (forward); **se p. par** (*fenêtre*) to lean

out of; **se p. sur** (*problème etc*) to examine. ◆**—é** *a* leaning.
pendaison [pɑ̃dɛzɔ̃] *nf* hanging.
pendant[1] [pɑ̃dɑ̃] *prép* (*au cours de*) during; **p. la nuit** during the night; **p. deux mois** (*pour une période de*) for two months; **p. que** while, whilst.
pendentif [pɑ̃dɑ̃tif] *nm* (*collier*) pendant.
penderie [pɑ̃dri] *nf* wardrobe.
pend/re [pɑ̃dr] *vti* to hang (**à** from); **— se p.** *vpr* (*se tuer*) to hang oneself; (*se suspendre*) to hang (**à** from). ◆**—ant**[2] **1** *a* hanging; (*langue*) hanging out; (*joues*) sagging; (*question*) *Fig* pending. **2** *nm* **p. (d'oreille)** drop earring. **3** *nm* **le p. de** the companion piece to. ◆**—u, -ue** *a* (*objet*) hanging (**à** from); – *nmf* hanged man, hanged woman.
pendule [pɑ̃dyl] **1** *nf* clock. **2** *nm* (*balancier*) & *Fig* pendulum. ◆**pendulette** *nf* small clock.
pénétr/er [penetre] *vi* **p. dans** to enter; (*profondément*) to penetrate (into); – *vt* (*substance, mystère etc*) to penetrate; **se p. de** (*idée*) to become convinced of. ◆**—ant** *a* (*esprit, froid etc*) penetrating, keen. ◆**pénétration** *nf* penetration.
pénible [penibl] *a* (*difficile*) difficult; (*douloureux*) painful, distressing; (*ennuyeux*) tiresome; (*agaçant*) annoying. ◆**—ment** [-əmɑ̃] *adv* with difficulty; (*avec douleur*) painfully.
péniche [peniʃ] *nf* barge; **p. de débarquement** *Mil* landing craft.
pénicilline [penisilin] *nf* penicillin.
péninsule [penɛ̃syl] *nf* peninsula. ◆**péninsulaire** *a* peninsular.
pénis [penis] *nm* penis.
pénitence [penitɑ̃s] *nf* (*punition*) punishment; (*peine*) *Rel* penance; (*regret*) penitence. ◆**pénitent, -ente** *nmf Rel* penitent.
pénitencier [penitɑ̃sje] *nm* prison. ◆**pénitentiaire** *a* (*régime etc*) prison-.
pénombre [penɔ̃br] *nf* half-light, darkness.
pensée [pɑ̃se] *nf* **1** thought. **2** (*fleur*) pansy. ◆**pens/er** *vi* to think (**à** of, about); **p. à qch/à faire qch** (*ne pas oublier*) to remember sth/to do sth; **p. à tout** (*prévoir*) to think of everything; **penses-tu!** you must be joking!, not at all!; – *vt* to think (**que** that); (*concevoir*) to think out; (*imaginer*) to imagine (**que** that); **je pensais rester** (*intention*) I was thinking of staying, I thought I'd stay; **je pense réussir** (*espoir*) I hope to succeed; **que pensez-vous de . . . ?** what do you think of *ou* about . . . ?; **p. du bien de** to think highly of. ◆**—ant** *a* **bien p.** *Péj* orthodox. ◆**—eur** *nm* thinker. ◆**pensif, -ive** *a* thoughtful, pensive.
pension [pɑ̃sjɔ̃] *nf* **1** boarding school; (*somme, repas*) board; **être en p.** to board, be a boarder (**chez** with); **p. (de famille)** guesthouse, boarding house; **p. complète** full board. **2** (*allocation*) pension; **p. alimentaire** maintenance allowance. ◆**pensionnaire** *nmf* (*élève*) boarder; (*d'hôtel*) resident; (*de famille*) lodger. ◆**pensionnat** *nm* boarding school; (*élèves*) boarders. ◆**pensionné, -ée** *nmf* pensioner.
pentagone [pɛ̃tagɔn] *nm* **le P.** *Am Pol* the Pentagon.
pentathlon [pɛ̃tatlɔ̃] *nm Sp* pentathlon.
pente [pɑ̃t] *nf* slope; **être en p.** to slope, be sloping.
Pentecôte [pɑ̃tkot] *nf* Whitsun, *Am* Pentecost.
pénurie [penyri] *nf* scarcity, shortage (**de** of).
pépère [pepɛr] **1** *nm Fam* grand(d)ad. **2** *a* (*tranquille*) *Fam* quiet (and easy).
pépier [pepje] *vi* (*oiseau*) to cheep, chirp.
pépin [pepɛ̃] *nm* **1** (*de fruit*) pip, *Am* pit. **2** (*ennui*) *Fam* hitch, bother. **3** (*parapluie*) *Fam* brolly.
pépinière [pepinjɛr] *nf Bot* nursery.
pépite [pepit] *nf* (gold) nugget.
péquenaud, -aude [pɛkno, -od] *nmf Péj Arg* peasant, bumpkin.
perçant [pɛrsɑ̃] *a* (*cri, froid*) piercing; (*yeux*) sharp, keen.
percée [pɛrse] *nf* (*dans une forêt*) opening; (*avance technologique, attaque militaire*) breakthrough.
perce-neige [pɛrsənɛʒ] *nm ou f inv Bot* snowdrop.
perce-oreille [pɛrsɔrɛj] *nm* (*insecte*) earwig.
percepteur [pɛrsɛptœr] *nm* tax collector. ◆**perceptible** *a* perceptible (**à** to), noticeable. ◆**perception** *nf* **1** (*bureau*) tax office; (*d'impôt*) collection. **2** (*sensation*) perception.
perc/er [pɛrse] *vt* (*trouer*) to pierce; (*avec perceuse*) to drill (a hole in); (*trou, ouverture*) to make, drill; (*mystère etc*) to uncover; **p. une dent** (*bébé*) to cut a tooth; – *vi* (*soleil, ennemi, sentiment*) to break *ou* come through; (*abcès*) to burst. ◆**—euse** *nf* drill.
percevoir* [pɛrsəvwar] *vt* **1** (*sensation*) to perceive; (*son*) to hear. **2** (*impôt*) to collect.
perche [pɛrʃ] *nf* **1** (*bâton*) pole; **saut à la p.** pole-vaulting. **2** (*poisson*) perch.
perch/er [pɛrʃe] *vi* (*oiseau*) to perch; (*volailles*) to roost; (*loger*) *Fam* to hang out; –

vt (*placer*) *Fam* to perch; **— se p.** *vpr* (*oiseau, personne*) to perch. ◆**—é** *a* perched. ◆**perchoir** *nm* perch; (*de volailles*) roost.

percolateur [pɛrkɔlatœr] *nm* (*de restaurant*) percolator.

percussion [pɛrkysjɔ̃] *nf Mus* percussion.

percutant [pɛrkytɑ̃] *a Fig* powerful.

percuter [pɛrkyte] *vt* (*véhicule*) to crash into; – *vi* **p. contre** to crash into.

perd/re [pɛrdr] *vt* to lose; (*gaspiller*) to waste; (*ruiner*) to ruin; (*habitude*) to get out of; **p. de vue** to lose sight of; – *vi* to lose; (*récipient, tuyau*) to leak; **j'y perds** I lose out, I lose on the deal; **— se p.** *vpr* (*s'égarer*) to get lost; (*dans les détails*) to lose oneself; (*disparaître*) to disappear; **je m'y perds** I'm lost *ou* confused. ◆**—ant, -ante** *a* (*billet*) losing; – *nmf* loser. ◆**—u** *a* lost; wasted; (*malade*) finished; (*lieu*) isolated, in the middle of nowhere; **à ses moments perdus** in one's spare time; **une balle perdue** a stray bullet; **c'est du temps p.** it's a waste of time. ◆**perdition (en)** *adv* (*navire*) in distress.

perdrix [pɛrdri] *nf* partridge. ◆**perdreau, -x** *nm* young partridge.

père [pɛr] *nm* father; **Dupont p.** Dupont senior; **le p. Jean** *Fam* old John.

péremptoire [perɑ̃ptwar] *a* peremptory.

perfection [pɛrfɛksjɔ̃] *nf* perfection. ◆**perfectionn/er** *vt* to improve, perfect; **se p. en anglais**/*etc* to improve one's English/*etc*. ◆**—é** *a* (*machine etc*) advanced. ◆**—ement** *nm* improvement (**de** in, **par rapport à** on); **cours de p.** advanced *ou* refresher course. ◆**perfectionniste** *nmf* perfectionist.

perfide [pɛrfid] *a Litt* treacherous, perfidious. ◆**perfidie** *nf Litt* treachery.

perforer [pɛrfɔre] *vt* (*pneu, intestin etc*) to perforate; (*billet, carte*) to punch; **carte perforée** punch card. ◆**perforateur** *nm* (*appareil*) drill. ◆**perforation** *nf* perforation; (*trou*) punched hole. ◆**perforatrice** *nf* (*pour cartes*) *Tech* (card) punch. ◆**perforeuse** *nf* (paper) punch.

performance [pɛrfɔrmɑ̃s] *nf* (*d'athlète, de machine etc*) performance. ◆**performant** *a* (highly) efficient.

péricliter [periklite] *vi* to go to rack and ruin.

péril [peril] *nm* peril; **à tes risques et périls** at your own risk. ◆**périlleux, -euse** *a* perilous; **saut p.** somersault (*in mid air*).

périm/er [perime] *vi*, **— se p.** *vpr* **laisser (se) p.** (*billet*) to allow to expire. ◆**—é** *a* expired; (*désuet*) outdated.

périmètre [perimɛtr] *nm* perimeter.

période [perjɔd] *nf* period. ◆**périodique** *a* periodic; – *nm* (*revue*) periodical.

péripétie [peripesi] *nf* (unexpected) event.

périphérie [periferi] *nf* (*limite*) periphery; (*banlieue*) outskirts. ◆**périphérique** *a* (*quartier*) outlying, peripheral; – *nm* **(boulevard) p.** (motorway) ring road, *Am* beltway.

périphrase [perifraz] *nf* circumlocation.

périple [peripl] *nm* trip, tour.

pér/ir [perir] *vi* to perish, die. ◆**—issable** *a* (*denrée*) perishable.

périscope [periskɔp] *nm* periscope.

perle [pɛrl] *nf* (*bijou*) pearl; (*de bois, verre etc*) bead; (*personne*) *Fig* gem, pearl; (*erreur*) *Iron* howler, gem. ◆**perler** *vi* (*sueur*) to form beads; **grève perlée** go-slow, *Am* slow-down strike.

permanent, -ente [pɛrmanɑ̃, -ɑ̃t] **1** *a* permanent; (*spectacle*) *Cin* continuous; (*comité*) standing. **2** *nf* (*coiffure*) perm. ◆**permanence** *nf* permanence; (*service, bureau*) duty office; (*salle*) *Scol* study room; **être de p.** to be on duty; **en p.** permanently.

perméable [pɛrmeabl] *a* permeable.

permettre* [pɛrmɛtr] *vt* to allow, permit; **p. à qn de faire** (*permission, possibilité*) to allow *ou* permit s.o. to do; **permettez!** excuse me!; **vous permettez?** may I?; **se p. de faire** to allow oneself to do, take the liberty to do; **se p. qch** (*se payer*) to afford sth. ◆**permis** *a* allowed, permitted; – *nm* (*autorisation*) permit, licence; **p. de conduire** (*carte*) driving licence, *Am* driver's license; **p. de travail** work permit. ◆**permission** *nf* permission; (*congé*) *Mil* leave; **demander la p.** to ask (for) permission (**de faire** to do).

permuter [pɛrmyte] *vt* to change round *ou* over, permutate. ◆**permutation** *nf* permutation.

pernicieux, -euse [pɛrnisjø, -øz] *a* (*nocif*) & *Méd* pernicious.

pérorer [perɔre] *vi Péj* to speechify.

Pérou [peru] *nm* Peru.

perpendiculaire [pɛrpɑ̃dikylɛr] *a* & *nf* perpendicular (**à** to).

perpétrer [pɛrpetre] *vt* (*crime*) to perpetrate.

perpétuel, -elle [pɛrpetɥɛl] *a* perpetual; (*fonction, rente*) for life. ◆**perpétuellement** *adv* perpetually. ◆**perpétuer** *vt* to perpetuate. ◆**perpétuité (à)** *adv* in perpetuity; (*condamné*) for life.

perplexe [pɛrplɛks] *a* perplexed, puzzled. ◆**perplexité** *nf* perplexity.

perquisition [pɛrkizisjɔ̃] *nf* (house) search (*by police*). ◆**perquisitionner** *vti* to search.

perron [pɛrɔ̃] *nm* (front) steps.

perroquet [pɛrɔkɛ] *nm* parrot.

perruche [peryʃ] *nf* budgerigar, *Am* parakeet.

perruque [peryk] *nf* wig.

persan [pɛrsɑ̃] *a* (*langue, tapis, chat*) Persian; – *nm* (*langue*) Persian.

persécuter [pɛrsekyte] *vt* (*tourmenter*) to persecute; (*importuner*) to harass. ◆**persécuteur, -trice** *nmf* persecutor. ◆**persécution** *nf* persecution.

persévér/er [pɛrsevere] *vi* to persevere (**dans** in). ◆**—ant** *a* persevering. ◆**persévérance** *nf* perseverance.

persienne [pɛrsjɛn] *nf* (outside) shutter.

persil [pɛrsi] *nm* parsley.

persist/er [pɛrsiste] *vi* to persist (**à faire** in doing). ◆**—ant** *a* persistent; **à feuilles persistantes** (*arbre etc*) evergreen. ◆**persistance** *nf* persistence.

personnage [pɛrsɔnaʒ] *nm* (*célébrité*) (important) person; *Th Littér* character.

personnaliser [pɛrsɔnalize] *vt* to personalize; (*voiture*) to customize.

personnalité [pɛrsɔnalite] *nf* (*individualité, personnage*) personality.

personne [pɛrsɔn] **1** *nf* person; *pl* people; **grande p.** grown-up, adult; **jolie p.** pretty girl *ou* woman; **en p.** in person. **2** *pron* (*négatif*) nobody, no one; **ne . . . p.** nobody, no one; **je ne vois p.** I don't see anybody *ou* anyone; **mieux que p.** better than anybody *ou* anyone.

personnel, -elle [pɛrsɔnɛl] **1** *a* personal; (*joueur, jeu*) individualistic. **2** *nm* staff, personnel. ◆**personnellement** *adv* personally.

personnifier [pɛrsɔnifje] *vt* to personify. ◆**personnification** *nf* personification.

perspective [pɛrspɛktiv] *nf* (*art*) perspective; (*point de vue*) *Fig* viewpoint, perspective; (*de paysage etc*) view; (*possibilité, espérance*) prospect; **en p.** *Fig* in view, in prospect.

perspicace [pɛrspikas] *a* shrewd. ◆**perspicacité** *nf* shrewdness.

persuader [pɛrsɥade] *vt* to persuade (**qn de faire** s.o. to do); **se p. que** to be convinced that. ◆**persuasif, -ive** *a* persuasive. ◆**persuasion** *nf* persuasion; (*croyance*) conviction.

perte [pɛrt] *nf* loss; (*gaspillage*) waste (**de temps/d'argent** of time/money); (*ruine*) ruin; **à p. de vue** as far as the eye can see; **vendre à p.** to sell at a loss.

pertinent [pɛrtinɑ̃] *a* relevant, pertinent. ◆**pertinence** *nf* relevance.

perturb/er [pɛrtyrbe] *vt* (*trafic, cérémonie etc*) to disrupt; (*ordre public, personne*) to disturb. ◆**—é** *a* (*troublé*) *Fam* perturbed. ◆**perturbateur, -trice** *a* (*élément*) disruptive; – *nmf* trouble-maker. ◆**perturbation** *nf* disruption; (*crise*) upheaval.

péruvien, -ienne [peryvjɛ̃, -jɛn] *a & nmf* Peruvian.

pervenche [pɛrvɑ̃ʃ] *nf Bot* periwinkle.

pervers [pɛrvɛr] *a* wicked, perverse; (*dépravé*) perverted. ◆**perversion** *nf* perversion. ◆**perversité** *nf* perversity. ◆**pervert/ir** *vt* to pervert. ◆**—i, -ie** *nmf* pervert.

pesant [pəzɑ̃] *a* heavy, weighty; – *nm* **valoir son p. d'or** to be worth one's weight in gold. ◆**pesamment** *adv* heavily. ◆**pesanteur** *nf* heaviness; (*force*) *Phys* gravity.

pes/er [pəze] *vt* to weigh; – *vi* to weigh; **p. lourd** to be heavy; (*argument etc*) *Fig* to carry (a lot of) weight; **p. sur** (*appuyer*) to bear down upon; (*influer*) to bear upon; **p. sur qn** (*menace*) to hang over s.o.; **p. sur l'estomac** to lie (heavily) on the stomach. ◆**—ée** *nf* weighing; *Boxe* weigh-in; (*effort*) pressure. ◆**—age** *nm* weighing. ◆**pèse-bébé** *nm* (baby) scales. ◆**pèse-personne** *nm* (bathroom) scales.

pessimisme [pesimism] *nm* pessimism. ◆**pessimiste** *a* pessimistic; – *nmf* pessimist.

peste [pɛst] *nf Méd* plague; (*personne, enfant*) *Fig* pest.

pester [pɛste] *vi* to curse; **p. contre qch/qn** to curse sth/s.o.

pestilentiel, -ielle [pɛstilɑ̃sjɛl] *a* fetid, stinking.

pétale [petal] *nm* petal.

pétanque [petɑ̃k] *nf* (*jeu*) bowls.

pétarades [petarad] *nfpl* (*de moto etc*) backfiring. ◆**pétarader** *vi* to backfire.

pétard [petar] *nm* (*explosif*) firecracker, banger.

péter [pete] *vi Fam* (*éclater*) to go bang *ou* pop; (*se rompre*) to snap.

pétill/er [petije] *vi* (*eau, champagne*) to sparkle, fizz; (*bois, feu*) to crackle; (*yeux*) to sparkle. ◆**—ant** *a* (*eau, vin, regard*) sparkling.

petit, -ite [p(ə)ti, -it] *a* small, little; (*de taille*) short; (*bruit, espoir, coup*) slight; (*jeune*) young, small; (*mesquin, insignifiant*) petty; **tout p.** tiny; **un bon p. travail** a nice little job; **un p. Français** a (little) French boy; – *nmf* (little) boy, (little) girl; (*personne*) small person; *Scol* junior; *pl* (*d'animal*) young; (*de chien*) pups, young; (*de chat*) kittens, young; – *adv* **p. à p.** little by little. ◆**p.-bourgeois** *a Péj* middle-class. ◆**p.-suisse** *nm* soft cheese (*for dessert*). ◆**petitement** *adv* (*chichement*) shabbily, poorly. ◆**petitesse** *nf* (*de taille*) smallness; (*mesquinerie*) pettiness.

petit-fils [p(ə)tifis] *nm* (*pl* **petits-fils**) grandson, grandchild. ◆**petite-fille** *nf* (*pl* **petites-filles**) granddaughter, grandchild. ◆**petits-enfants** *nmpl* grandchildren.

pétition [petisjɔ̃] *nf* petition.

pétrifier [petrifje] *vt* (*de peur, d'émoi etc*) to petrify.

pétrin [petrɛ̃] *nm* (*situation*) *Fam* fix; **dans le p.** in a fix.

pétrir [petrir] *vt* to knead.

pétrole [petrɔl] *nm* oil, petroleum; **p. (lampant)** paraffin, *Am* kerosene; **nappe de p.** (*sur la mer*) oil slick. ◆**pétrolier, -ière** *a* (*industrie*) oil-; – *nm* (*navire*) oil tanker. ◆**pétrolifère** *a* **gisement p.** oil field.

pétulant [petylɑ̃] *a* exuberant.

pétunia [petynja] *nm Bot* petunia.

peu [pø] *adv* (*lire, manger etc*) not much, little; **elle mange p.** she doesn't eat much, she eats little; **un p.** (*lire, surpris etc*) a little, a bit; **p. de sel/de temps/***etc* not much salt/time/*etc*, little salt/time/*etc*; **un p. de fromage/***etc* a little cheese/*etc*, a bit of cheese/*etc*; **le p. de fromage que j'ai** the little cheese I have; **p. de gens/de livres/***etc* few people/books/*etc*, not many people/books/*etc*; **p. sont...** few are...; **un (tout) petit p.** a (tiny) little bit; **p. intéressant/souvent/***etc* not very interesting/often/*etc*; **p. de chose** not much; **p. à p.** gradually, little by little; **à p. près** more or less; **p. après/avant** shortly after/before.

peuplade [pœplad] *nf* tribe.

peuple [pœpl] *nm* (*nation, masse*) people; **les gens du p.** the common people. ◆**peupl/er** *vt* to populate, people. ◆**–é** *a* (*quartier etc*) populated (**de** with).

peuplier [pøplije] *nm* (*arbre, bois*) poplar.

peur [pœr] *nf* fear; **avoir p.** to be afraid *ou* frightened *ou* scared (**de** of); **faire p. à** to frighten, scare; **de p. que** (+ *sub*) for fear that; **de p. de faire** for fear of doing. ◆**peureux, -euse** *a* fearful, easily frightened.

peut, peux [pø] *voir* **pouvoir 1.**

peut-être [pøtɛtr] *adv* perhaps, maybe; **p.-être qu'il viendra** perhaps *ou* maybe he'll come.

phallique [falik] *a* phallic. ◆**phallocrate** *nm Péj* male chauvinist.

phare [far] *nm Nau* lighthouse; *Aut* headlight, headlamp; **rouler pleins phares** *Aut* to drive on full headlights; **faire un appel de phares** *Aut* to flash one's lights.

pharmacie [farmasi] *nf* chemist's shop, *Am* drugstore; (*science*) pharmacy; (*armoire*) medicine cabinet. ◆**pharmaceutique** *a* pharmaceutical. ◆**pharmacien, -ienne** *nmf* chemist, pharmacist, *Am* druggist.

pharynx [farɛ̃ks] *nm Anat* pharynx.

phase [fɑz] *nf* phase.

phénomène [fenɔmɛn] *nm* phenomenon; (*personne*) *Fam* eccentric. ◆**phénoménal, -aux** *a* phenomenal.

philanthrope [filɑ̃trɔp] *nmf* philanthropist. ◆**philanthropique** *a* philanthropic.

philatélie [filateli] *nf* philately, stamp collecting. ◆**philatélique** *a* philatelic. ◆**philatéliste** *nmf* philatelist, stamp collector.

philharmonique [filarmɔnik] *a* philharmonic.

Philippines [filipin] *nfpl* **les P.** the Philippines.

philosophe [filɔzɔf] *nmf* philosopher; – *a* (*sage, résigné*) philosophical. ◆**philosopher** *vi* to philosophize (**sur** about). ◆**philosophie** *nf* philosophy. ◆**philosophique** *a* philosophical.

phobie [fɔbi] *nf* phobia.

phonétique [fɔnetik] *a* phonetic; – *nf* phonetics.

phonographe [fɔnɔgraf] *nm* gramophone, *Am* phonograph.

phoque [fɔk] *nm* (*animal marin*) seal.

phosphate [fɔsfat] *nm Ch* phosphate.

phosphore [fɔsfɔr] *nm Ch* phosphorus.

photo [fɔto] *nf* photo; (*art*) photography; **prendre une p. de, prendre en p.** to take a photo of; – *a inv* **appareil p.** camera. ◆**photocopie** *nf* photocopy. ◆**photocopier** *vt* to photocopy. ◆**photocopieur** *nm*, ◆**photocopieuse** *nf* (*machine*) photocopier. ◆**photogénique** *a* photogenic. ◆**photographe** *nmf* photographer. ◆**photographie** *nf* (*art*) photography; (*image*) photograph. ◆**photographier** *vt* to photograph. ◆**photographique** *a*

photographic. ◆**photomaton**® *nm* (*appareil*) photo booth.
phrase [frɑz] *nf* (*mots*) sentence.
physicien, -ienne [fizisjɛ̃, -jɛn] *nmf* physicist.
physiologie [fizjɔlɔʒi] *nf* physiology. ◆**physiologique** *a* physiological.
physionomie [fizjɔnɔmi] *nf* face.
physique [fizik] **1** *a* physical; – *nm* (*corps, aspect*) physique; **au p.** physically. **2** *nf* (*science*) physics. ◆**—ment** *adv* physically.
piaffer [pjafe] *vi* (*cheval*) to stamp; **p. d'impatience** *Fig* to fidget impatiently.
piailler [pjɑje] *vi* (*oiseau*) to cheep; (*enfant*) *Fam* to squeal.
piano [pjano] *nm* piano; **p. droit/à queue** upright/grand piano. ◆**pianiste** *nmf* pianist.
piaule [pjol] *nf* (*chambre*) *Arg* room, pad.
pic [pik] *nm* **1** (*cime*) peak. **2** (*outil*) pick(axe); **p. à glace** ice pick. **3** (*oiseau*) woodpecker.
pic (à) [apik] *adv* (*verticalement*) sheer; **couler à p.** to sink to the bottom; **arriver à p.** *Fig* to arrive in the nick of time.
pichet [piʃɛ] *nm* jug, pitcher.
pickpocket [pikpɔkɛt] *nm* pickpocket.
pick-up [pikœp] *nm inv* (*camionnette*) pick-up truck.
picorer [pikɔre] *vti* to peck.
picoter [pikɔte] *vt* (*yeux*) to make smart; (*jambes*) to make tingle; **les yeux me picotent** my eyes are smarting.
pie [pi] **1** *nf* (*oiseau*) magpie. **2** *a inv* (*couleur*) piebald.
pièce [pjɛs] *nf* **1** (*de maison etc*) room. **2** (*morceau, objet etc*) piece; (*de pantalon*) patch; (*écrit*) & *Jur* document; **p. (de monnaie)** coin; **p. (de théâtre)** play; **p. (d'artillerie)** gun; **p. d'identité** proof of identity, identity card; **p. d'eau** pool, pond; **pièces détachées** *ou* **de rechange** (*de véhicule etc*) spare parts; **cinq dollars**/*etc* **(la) p.** five dollars/*etc* each; **travailler à la p.** to do piecework.
pied [pje] *nm* foot; (*de meuble*) leg; (*de verre, lampe*) base; *Phot* stand; **un p. de salade** a head of lettuce; **à p.** on foot; **aller à p.** to walk, go on foot; **au p. de** at the foot *ou* bottom of; **au p. de la lettre** *Fig* literally; **avoir p.** (*nageur*) to have a footing, touch the bottom; **coup de p.** kick; **donner un coup de p.** to kick (**à qn** s.o.); **sur p.** (*debout, levé*) up and about; **sur ses pieds** (*malade guéri*) up and about; **sur un p. d'égalité** on an equal footing; **comme un p.** (*mal*) *Fam* dreadfully; **faire un p. de nez** to thumb one's nose (**à** at); **mettre sur p.** (*projet*) to set up. ◆**p.-noir** *nmf* (*pl* **pieds-noirs**) Algerian Frenchman *ou* Frenchwoman.
piédestal, -aux [pjedɛstal, -o] *nm* pedestal.
piège [pjɛʒ] *nm* (*pour animal*) & *Fig* trap. ◆**piéger** *vt* (*animal*) to trap; (*voiture etc*) to booby-trap; **engin piégé** booby trap; **lettre/colis/voiture piégé(e)** letter/parcel/car bomb.
pierre [pjɛr] *nf* stone; (*précieuse*) gem, stone; **p. à briquet** flint; **geler à p. fendre** to freeze (rock) hard. ◆**pierreries** *nfpl* gems, precious stones. ◆**pierreux, -euse** *a* stony.
piété [pjete] *nf* piety.
piétiner [pjetine] *vt* (*fouler aux pieds*) to trample (on); – *vi* to stamp (one's feet); (*marcher sur place*) to mark time; (*ne pas avancer*) *Fig* to make no headway.
piéton[1] [pjetɔ̃] *nm* pedestrian. ◆**piéton**[2], **-onne** *a*, ◆**piétonnier, -ière** *a* (*rue etc*) pedestrian-.
piètre [pjɛtr] *a* wretched, poor.
pieu, -x [pjø] *nm* **1** (*piquet*) post, stake. **2** (*lit*) *Fam* bed.
pieuvre [pjœvr] *nf* octopus.
pieux, -euse [pjø, -øz] *a* pious.
pif [pif] *nm* (*nez*) *Fam* nose. ◆**pifomètre (au)** *adv* (*sans calcul*) *Fam* at a rough guess.
pigeon [piʒɔ̃] *nm* pigeon; (*personne*) *Fam* dupe; **p. voyageur** carrier pigeon. ◆**pigeonner** *vt* (*voler*) *Fam* to rip off.
piger [piʒe] *vti Fam* to understand.
pigment [pigmɑ̃] *nm* pigment.
pignon [piɲɔ̃] *nm* (*de maison etc*) gable.
pile [pil] **1** *nf Él* battery; (*atomique*) pile; **radio à piles** battery radio. **2** *nf* (*tas*) pile; **en p.** in a pile. **3** *nf* (*de pont*) pier. **4** *nf* **p. (ou face)?** heads (or tails)?; **jouer à p. ou face** to toss up. **5** *adv* **s'arrêter p.** to stop short *ou* dead; **à deux heures p.** on the dot of two.
piler [pile] **1** *vt* (*amandes*) to grind; (*ail*) to crush. **2** *vi* (*en voiture*) to stop dead. ◆**pilonner** *vt Mil* to bombard, shell.
pilier [pilje] *nm* pillar.
pilon [pilɔ̃] *nm* (*de poulet*) drumstick.
piller [pije] *vti* to loot, pillage. ◆**pillage** *nm* looting, pillage. ◆**pillard, -arde** *nmf* looter.
pilori [pilɔri] *nm* **mettre au p.** *Fig* to pillory.
pilote [pilɔt] *nm Av Nau* pilot; (*de voiture, char*) driver; (*guide*) *Fig* guide; – *a* **usine(-)/projet(-)p.** pilot factory/plan. ◆**pilot/er** *vt Av* to fly, pilot; *Nau* to pilot; **p. qn** to show s.o. around. ◆**—age** *nm* pi-

loting; **école de p.** flying school; **poste de p.** cockpit.

pilotis [pilɔti] *nm* (*pieux*) *Archit* piles.

pilule [pilyl] *nf* pill; **prendre la p.** (*femme*) to be on the pill; **se mettre à/arrêter la p.** to go on/off the pill.

piment [pimɑ̃] *nm* pimento, pepper. ◆**pimenté** *a Culin & Fig* spicy.

pimpant [pɛ̃pɑ̃] *a* pretty, spruce.

pin [pɛ̃] *nm* (*bois, arbre*) pine; **pomme de p.** pine cone.

pinailler [pinɑje] *vi Fam* to quibble, split hairs.

pinard [pinar] *nm* (*vin*) *Fam* wine.

pince [pɛ̃s] *nf* (*outil*) pliers; *Méd* forceps; (*de cycliste*) clip; (*levier*) crowbar; *pl* (*de crabe*) pincers; **p. (à linge)** (clothes) peg *ou Am* pin; **p. (à épiler)** tweezers; **p. (à sucre)** sugar tongs; **p. à cheveux** hairgrip. ◆**pinc/er** *vt* to pinch; (*corde*) *Mus* to pluck; **p. qn** (*arrêter*) *Jur* to nab s.o., pinch s.o.; **se p. le doigt** to get one's finger caught (**dans** in). ◆**—é** *a* (*air*) stiff, constrained. ◆**—ée** *nf* (*de sel etc*) pinch (**de** of). ◆**pincettes** *nfpl* (fire) tongs; (*d'horloger*) tweezers. ◆**pinçon** *nm* pinch (mark).

pinceau, -x [pɛ̃so] *nm* (paint)brush.

pince-sans-rire [pɛ̃ssɑ̃rir] *nm inv* person of dry humour.

pinède [pinɛd] *nf* pine forest.

pingouin [pɛ̃gwɛ̃] *nm* auk, penguin.

ping-pong [piŋpɔ̃g] *nm* ping-pong.

pingre [pɛ̃gr] *a* stingy; – *nmf* skinflint.

pinson [pɛ̃sɔ̃] *nm* (*oiseau*) chaffinch.

pintade [pɛ̃tad] *nf* guinea fowl.

pin-up [pinœp] *nf inv* (*fille*) pinup.

pioche [pjɔʃ] *nf* pick(axe). ◆**piocher** *vti* (*creuser*) to dig (with a pick).

pion [pjɔ̃] *nm* **1** (*au jeu de dames*) piece; *Échecs & Fig* pawn. **2** *Scol* master (in charge of discipline).

pionnier [pjɔnje] *nm* pioneer.

pipe [pip] *nf* (*de fumeur*) pipe; **fumer la p.** to smoke a pipe.

pipeau, -x [pipo] *nm* (*flûte*) pipe.

pipe-line [piplin] *nm* pipeline.

pipi [pipi] *nm* **faire p.** *Fam* to go for a pee.

pique [pik] **1** *nm* (*couleur*) *Cartes* spades. **2** *nf* (*arme*) pike. **3** *nf* (*allusion*) cutting remark.

pique-assiette [pikasjɛt] *nmf inv* scrounger.

pique-nique [piknik] *nm* picnic. ◆**pique-niquer** *vi* to picnic.

piqu/er [pike] *vt* (*entamer, percer*) to prick; (*langue, yeux*) to sting; (*curiosité*) to rouse; (*coudre*) to (machine-)stitch; (*édredon, couvre-lit*) to quilt; (*crise de nerfs*) to have; (*maladie*) to get; **p. qn** (*abeille*) to sting s.o.; (*serpent*) to bite s.o.; *Méd* to give s.o. an injection; **p. qch dans** (*enfoncer*) to stick sth into; **p. qn** (*arrêter*) *Jur Fam* to nab s.o., pinch s.o.; **p. qch** (*voler*) *Fam* to pinch sth; **p. une colère** to fly into a rage; **p. une tête** to plunge headlong; – *vi* (*avion*) to dive; (*moutarde etc*) to be hot; **— se p.** *vpr* to prick oneself; **se p. de faire qch** to pride oneself on being able to do sth. ◆**—ant** *a* (*épine*) prickly; (*froid*) biting; (*sauce, goût*) pungent, piquant; (*mot*) cutting; (*détail*) spicy; – *nm Bot* prickle, thorn; (*d'animal*) spine, prickle. ◆**—é** *a* (*meuble*) worm-eaten; (*fou*) *Fam* crazy; – *nm Av* (nose)dive; **descente en p.** *Av* nosedive. ◆**—eur, -euse** *nmf* (*sur machine à coudre*) machinist. ◆**piqûre** *nf* (*d'épingle*) prick; (*d'abeille*) sting; (*de serpent*) bite; (*trou*) hole; *Méd* injection; (*point*) stitch.

piquet [pikɛ] *nm* **1** (*pieu*) stake, picket; (*de tente*) peg. **2 p. (de grève)** picket (line), strike picket. **3 au p.** *Scol* in the corner.

piqueté [pikte] *a* **p. de** dotted with.

pirate [pirat] *nm* pirate; **p. de l'air** hijacker; – *a* (*radio, bateau*) pirate-. ◆**piraterie** *nf* piracy; (*acte*) act of piracy; **p. (aérienne)** hijacking.

pire [pir] *a* worse (**que** than); **le p. moment/résultat**/*etc* the worst moment/result/*etc*; – *nmf* **le** *ou* **la p.** the worst (one); **le p. de tout** the worst (thing) of all; **au p.** at (the very) worst; **s'attendre au p.** to expect the (very) worst.

pirogue [pirɔg] *nf* canoe, dugout.

pis [pi] **1** *nm* (*de vache*) udder. **2** *a inv & adv Litt* worse; **de mal en p.** from bad to worse; – *nm* **le p.** *Litt* the worst.

pis-aller [pizale] *nm inv* (*personne, solution*) stopgap.

piscine [pisin] *nf* swimming pool.

pissenlit [pisɑ̃li] *nm* dandelion.

pistache [pistaʃ] *nf* (*fruit, parfum*) pistachio.

piste [pist] *nf* (*trace de personne ou d'animal*) track, trail; *Sp* track, racetrack; (*de magnétophone*) track; *Av* runway; (*de cirque*) ring; (*de patinage*) rink; (*pour chevaux*) racecourse, racetrack; **p. cyclable** cycle track, *Am* bicycle path; **p. de danse** dance floor; **p. de ski** ski run; **tour de p.** *Sp* lap.

pistolet [pistɔlɛ] *nm* gun, pistol; (*de peintre*) spray gun.

piston [pistɔ̃] *nm* **1** *Aut* piston. **2 avoir du p.** (*appui*) to have connections. ◆**pistonner** *vt* (*appuyer*) to pull strings for.

pitié [pitje] *nf* pity; **j'ai p. de lui, il me fait p.** I pity him, I feel sorry for him. ◆**piteux, -euse** *a Iron* pitiful. ◆**pitoyable** *a* pitiful.
piton [pitɔ̃] *nm* **1** (*à crochet*) hook. **2** *Géog* peak.
pitre [pitr] *nm* clown. ◆**pitrerie(s)** *nf(pl)* clowning.
pittoresque [pitɔrɛsk] *a* picturesque.
pivert [pivɛr] *nm* (*oiseau*) woodpecker.
pivoine [pivwan] *nf Bot* peony.
pivot [pivo] *nm* pivot; (*personne*) *Fig* linchpin, mainspring. ◆**pivoter** *vi* (*personne*) to swing round; (*fauteuil*) to swivel; (*porte*) to revolve.
pizza [pidza] *nf* pizza. ◆**pizzeria** *nf* pizza parlour.
placage [plakaʒ] *nm* (*revêtement*) facing; (*en bois*) veneer.
placard [plakar] *nm* **1** (*armoire*) cupboard, *Am* closet. **2** (*pancarte*) poster. ◆**placarder** *vt* (*affiche*) to post (up); (*mur*) to cover with posters.
place [plas] *nf* (*endroit, rang*) & *Sp* place; (*occupée par qn ou qch*) room; (*lieu public*) square; (*siège*) seat, place; (*prix d'un trajet*) *Aut* fare; (*emploi*) job, position; **p. (forte)** *Mil* fortress; **p. (de parking)** (parking) space; **p. (financière)** (money) market; **à la p.** (*échange*) instead (**de** of); **à votre p.** in your place; **sur p.** on the spot; **en p.** (*objet*) in place; **ne pas tenir en p.** to be unable to keep still; **mettre en p.** to install, set up; **faire p. à** to give way to; **changer qch de p.** to move sth.
plac/er [plase] *vt* (*mettre*) to put, place; (*situer*) to place, position; (*invité, spectateur*) to seat; (*argent*) to invest, place (**dans** in); (*vendre*) to place, sell; **p. un mot** to get a word in edgeways *ou Am* edgewise; **— se p.** *vpr* (*personne*) to take up a position, place oneself; (*objet*) to be put *ou* placed; (*cheval, coureur*) to be placed; **se p. troisième**/*etc Sp* to come *ou* be third/*etc*. ◆**—é** *a* (*objet*) & *Sp* placed; **bien/mal p. pour faire** in a good/bad position to do; **les gens haut placés** people in high places. ◆**—ement** *nm* (*d'argent*) investment.
placide [plasid] *a* placid.
plafond [plafɔ̃] *nm* ceiling. ◆**plafonnier** *nm Aut* roof light.
plage [plaʒ] *nf* **1** beach; (*ville*) (seaside) resort. **2** (*sur disque*) track. **3 p. arrière** *Aut* parcel shelf.
plagiat [plaʒja] *nm* plagiarism. ◆**plagier** *vt* to plagiarize.
plaid [plɛd] *nm* travelling rug.
plaider [plede] *vti Jur* to plead. ◆**plaideur, -euse** *nmf* litigant. ◆**plaidoirie** *nf Jur* speech (for the defence). ◆**plaidoyer** *nm* plea.
plaie [plɛ] *nf* (*blessure*) wound; (*coupure*) cut; (*corvée, personne*) *Fig* nuisance.
plaignant, -ante [plɛɲɑ̃, -ɑ̃t] *nmf Jur* plaintiff.
plaindre* [plɛ̃dr] **1** *vt* to feel sorry for, pity. **2 se p.** *vpr* (*protester*) to complain (**de** about, **que** that); **se p. de** (*maux de tête etc*) to complain of *ou* about. ◆**plainte** *nf* complaint; (*cri*) moan, groan. ◆**plaintif, -ive** *a* sorrowful, plaintive.
plaine [plɛn] *nf Géog* plain.
plaire* [plɛr] *vi & v imp* **p. à** to please; **elle lui plaît** he likes her, she pleases him; **ça me plaît** I like it; **il me plaît de faire** I like doing; **s'il vous** *ou* **te plaît** please; **— se p.** *vpr* (*à Paris etc*) to like *ou* enjoy it; (*l'un l'autre*) to like each other.
plaisance [plɛzɑ̃s] *nf* **bateau de p.** pleasure boat; **navigation de p.** yachting.
plaisant [plɛzɑ̃] *a* (*drôle*) amusing; (*agréable*) pleasing; – *nm* **mauvais p.** *Péj* joker. ◆**plaisanter** *vi* to joke, jest; **p. avec qch** to trifle with sth; – *vt* to tease. ◆**plaisanterie** *nf* joke, jest; (*bagatelle*) trifle; **par p.** for a joke. ◆**plaisantin** *nm Péj* joker.
plaisir [plezir] *nm* pleasure; **faire p. à** to please; **faites-moi le p. de . . .** would you be good enough to . . . ; **pour le p.** for fun, for the fun of it; **au p. (de vous revoir)** see you again sometime.
plan [plɑ̃] **1** *nm* (*projet, dessin*) plan; (*de ville*) plan, map; (*niveau*) *Géom* plane; **au premier p.** in the foreground; **gros p.** *Phot Cin* close-up; **sur le p. politique**/*etc* from the political/*etc* viewpoint, politically/*etc*; **de premier p.** (*question etc*) major; **p. d'eau** stretch of water; **laisser en p.** (*abandonner*) to ditch. **2** *a* (*plat*) even, flat.
planche [plɑ̃ʃ] *nf* **1** board, plank; **p. à repasser/à dessin** ironing/drawing board; **p. (à roulettes)** skateboard; **p. (de surf)** surfboard; **p. (à voile)** sailboard; **faire de la p. (à voile)** to go windsurfing; **faire la p.** to float on one's back. **2** (*illustration*) plate. **3** (*de légumes*) bed, plot.
plancher [plɑ̃ʃe] *nm* floor.
plan/er [plane] *vi* (*oiseau*) to glide, hover; (*avion*) to glide; **p. sur qn** (*mystère, danger*) to hang over s.o.; **vol plané** glide. ◆**—eur** *nm* (*avion*) glider.
planète [planɛt] *nf* planet. ◆**planétaire** *a* planetary. ◆**planétarium** *nm* planetarium.
planifier [planifje] *vt Écon* to plan. ◆**pla-**

nification *nf Écon* planning. ◆**planning** *nm* (*industriel, commercial*) planning; **p familial** family planning.
planque [plɑ̃k] *nf* **1** (*travail*) *Fam* cushy job. **2** (*lieu*) *Fam* hideout. ◆**planquer** *vt,* **– se p.** *vpr Fam* to hide.
plant [plɑ̃] *nm* (*plante*) seedling; (*de légumes etc*) bed.
plante [plɑ̃t] *nf* **1** *Bot* plant; **p. d'appartement** house plant; **jardin des plantes** botanical gardens. **2 p. des pieds** sole (of the foot). ◆**plant/er** *vt* (*arbre, plante etc*) to plant; (*clou, couteau*) to drive in; (*tente, drapeau, échelle*) to put up; (*mettre*) to put (**sur** on, **contre** against); (*regard*) to fix (**sur** on); **p. là qn** to leave s.o. standing; **se p. devant** to plant oneself in front of. ◆**–é** *a* (*immobile*) standing; **bien p.** (*personne*) sturdy. ◆**plantation** *nf* (*action*) planting; (*terrain*) bed; (*de café, d'arbres etc*) plantation. ◆**planteur** *nm* plantation owner.
planton [plɑ̃tɔ̃] *nm Mil* orderly.
plantureux, -euse [plɑ̃tyrø, -øz] *a* (*repas etc*) abundant.
plaque [plak] *nf* plate; (*de verre, métal*) sheet, plate; (*de verglas*) sheet; (*de marbre*) slab; (*de chocolat*) bar; (*commémorative*) plaque; (*tache*) *Méd* blotch; **p. chauffante** *Culin* hotplate; **p. tournante** (*carrefour*) *Fig* centre; **p. minéralogique, p. d'immatriculation** *Aut* number *ou Am* license plate; **p. dentaire** (dental) plaque.
plaqu/er [plake] *vt* (*métal, bijou*) to plate; (*bois*) to veneer; (*cheveux*) to plaster (down); *Rugby* to tackle; (*aplatir*) to flatten (**contre** against); (*abandonner*) *Fam* to give (*sth*) up; **p. qn** *Fam* to ditch s.o.; **se p. contre** to flatten oneself against. ◆**–é** *a* (*bijou*) plated; **p. or** gold-plated; – *nm* **p. or** gold plate. ◆**–age** *nm Rugby* tackle.
plasma [plasma] *nm Méd* plasma.
plastic [plastik] *nm* plastic explosive. ◆**plastiquer** *vt* to blow up.
plastique [plastik] *a* (*art, substance*) plastic; **matière p.** plastic; – *nm* (*matière*) plastic; **en p.** (*bouteille etc*) plastic.
plastron [plastrɔ̃] *nm* shirtfront.
plat [pla] **1** *a* flat; (*mer*) calm, smooth; (*fade*) flat, dull; **à fond p.** flat-bottomed; **à p. ventre** flat on one's face; **à p.** (*pneu, batterie*) flat; (*déprimé, épuisé*) *Fam* low; **poser à p.** to put *ou* lay (down) flat; **tomber à p.** to fall down flat; **assiette plate** dinner plate; **calme p.** dead calm; – *nm* (*de la main*) flat. **2** *nm* (*récipient, mets*) dish; (*partie du repas*) course; **'p. du jour'** (*au restaurant*) 'today's special'.
platane [platan] *nm* plane tree.
plateau, -x [plato] *nm* (*pour servir*) tray; (*de balance*) pan; (*de tourne-disque*) turntable; (*plate-forme*) *Cin TV* set; *Th* stage; *Géog* plateau; **p. à fromages** cheeseboard.
plate-bande [platbɑ̃d] *nf* (*pl* **plates-bandes**) flower bed.
plate-forme [platfɔrm] *nf* (*pl* **plates-formes**) platform; **p.-forme pétrolière** oil rig.
platine [platin] **1** *nm* (*métal*) platinum. **2** *nf* (*d'électrophone*) deck. ◆**platiné** *a* (*cheveux*) platinum, platinum-blond(e).
platitude [platityd] *nf* platitude.
plâtre [plɑtr] *nm* (*matière*) plaster; **un p.** *Méd* a plaster cast; **dans le p.** *Méd* in plaster; **les plâtres** (*d'une maison etc*) the plasterwork; **p. à mouler** plaster of Paris. ◆**plâtr/er** *vt* (*mur*) to plaster; (*membre*) to put in plaster. ◆**–age** *nm* plastering. ◆**plâtrier** *nm* plasterer.
plausible [plozibl] *a* plausible.
plébiscite [plebisit] *nm* plebiscite.
plein [plɛ̃] *a* (*rempli, complet*) full; (*paroi*) solid; (*ivre*) *Fam* tight; **p. de** full of; **en pleine mer** on the open sea; **en p. visage**/*etc* right in the middle of the face/*etc*; **en p. jour** in broad daylight; – *prép & adv* **des billes p. les poches** pockets full of marbles; **du chocolat p. la figure** chocolate all over one's face; **p. de lettres/d'argent**/*etc* (*beaucoup de*) *Fam* lots of letters/money/*etc*; **à p.** (*travailler*) to full capacity; – *nm* **faire le p.** *Aut* to fill up (the tank); **battre son p.** (*fête*) to be in full swing. ◆**pleinement** *adv* fully.
pléonasme [pleɔnasm] *nm* (*expression*) redundancy.
pléthore [pletɔr] *nf* plethora.
pleurer [plœre] *vi* to cry, weep (**sur** over); – *vt* (*regretter*) to mourn (for). ◆**pleureur** *a* **saule p.** weeping willow. ◆**pleurnicher** *vi* to snivel, grizzle. ◆**pleurs (en)** *adv* in tears.
pleurésie [plœrezi] *nf Méd* pleurisy.
pleuvoir* [pløvwar] *v imp* to rain; **il pleut** it's raining; – *vi* (*coups etc*) to rain down (**sur** on).
pli [pli] *nm* **1** (*de papier etc*) fold; (*de jupe, robe*) pleat; (*de pantalon, de bouche*) crease; (*de bras*) bend; **(faux) p.** crease; **mise en plis** (*coiffure*) set. **2** (*enveloppe*) *Com* envelope, letter; **sous p. séparé** under separate cover. **3** *Cartes* trick. **4** (*habitude*) habit; **prendre le p. de faire** to get into the habit of doing. ◆**pli/er** *vt* to fold; (*courber*) to bend; **p. qn à** to submit s.o. to; – *vi* (*branche*) to bend; **– se p.** *vpr* (*lit, chaise*

etc) to fold (up); **se p. à** to submit to, give in to. **◆—ant** *a* (*chaise etc*) folding; (*parapluie*) telescopic; – *nm* folding stool. **◆—able** *a* pliable. **◆—age** *nm* (*manière*) fold; (*action*) folding.

plinthe [plɛ̃t] *nf* skirting board, *Am* baseboard.

pliss/er [plise] *vt* (*jupe, robe*) to pleat; (*froisser*) to crease; (*lèvres*) to pucker; (*front*) to wrinkle, crease; (*yeux*) to screw up. **◆—é** *nm* pleating, pleats.

plomb [plɔ̃] *nm* (*métal*) lead; (*fusible*) *Él* fuse; (*poids pour rideau etc*) lead weight; *pl* (*de chasse*) lead shot, buckshot; **de p.** (*tuyau etc*) lead-; (*sommeil*) *Fig* heavy; (*soleil*) blazing; (*ciel*) leaden. **◆plomb/er** *vt* (*dent*) to fill; (*colis*) to seal (with lead). **◆—é** *a* (*teint*) leaden. **◆—age** *nm* (*de dent*) filling.

plombier [plɔ̃bje] *nm* plumber. **◆plomberie** *nf* (*métier, installations*) plumbing.

plong/er [plɔ̃ʒe] *vi* (*personne, avion etc*) to dive, plunge; (*route, regard*) *Fig* to plunge; – *vt* (*mettre, enfoncer*) to plunge, thrust (**dans** into); **se p. dans** (*lecture etc*) to immerse oneself in. **◆—eant** *a* (*décolleté*) plunging; (*vue*) bird's eye-. **◆—é** *a* **p. dans** (*lecture etc*) immersed *ou* deep in. **◆—ée** *nf* diving; (*de sous-marin*) submersion; **en p.** (*sous-marin*) submerged. **◆plongeoir** *nm* diving board. **◆plongeon** *nm* dive. **◆plongeur, -euse** *nmf* diver; (*employé de restaurant*) dishwasher.

plouf [pluf] *nm & int* splash.

ployer [plwaje] *vti* to bend.

plu [ply] *voir* **plaire, pleuvoir.**

pluie [plɥi] *nf* rain; **une p.** (*averse*) & *Fig* a shower; **sous la p.** in the rain.

plume [plym] *nf* **1** (*d'oiseau*) feather. **2** (*pour écrire*) *Hist* quill (pen); (*pointe en acier*) (pen) nib; **stylo à p.** (fountain) pen; **vivre de sa p.** *Fig* to live by one's pen. **◆plumage** *nm* plumage. **◆plumeau, -x** *nm* feather duster. **◆plumer** *vt* (*volaille*) to pluck; **p. qn** (*voler*) *Fig* to fleece s.o. **◆plumet** *nm* plume. **◆plumier** *nm* pencil box, pen box.

plupart (la) [laplypar] *nf* most; **la p. des cas**/*etc* most cases/*etc*; **la p. du temps** most of the time; **la p. d'entre eux** most of them; **pour la p.** mostly.

pluriel, -ielle [plyrjɛl] *a & nm Gram* plural; **au p.** (*nom*) plural, in the plural.

plus[1] [ply] ([plyz] *before vowel*, [plys] *in end position*) **1** *adv comparatif* (*travailler etc*) more (**que** than); **p. d'un kilo/de dix**/*etc* (*quantité, nombre*) more than a kilo/ten/*etc*; **p. de thé**/*etc* (*davantage*) more tea/*etc*; **p. beau/rapidement**/*etc* more beautiful/rapidly/*etc* (**que** than); **p. tard** later; **p. petit** smaller; **de p. en p.** more and more; **de p. en p. vite** quicker and quicker; **p. il crie p. il s'enroue** the more he shouts the more hoarse he gets; **p. ou moins** more or less; **en p.** in addition (**de** to); **de p.** more (**que** than); (*en outre*) moreover; **les enfants (âgés) de p. de dix ans** children over ten; **j'ai dix ans de p. qu'elle** I'm ten years older than she is; **il est p. de cinq heures** it's after five (o'clock). **2** *adv superlatif* **le p.** (*travailler etc*) (the) most; **le p. beau**/*etc* the most beautiful/*etc*; (*de deux*) the more beautiful/*etc*; **le p. grand**/*etc* the biggest/*etc*; the bigger/*etc*; **j'ai le p. de livres** I have (the) most books; **j'en ai le p.** I have (the) most; **(tout) au p.** at (the very) most.

plus[2] [ply] *adv de négation* **p. de** (*pain, argent etc*) no more; **il n'a p. de pain** he has no more bread, he doesn't have any more bread; **tu n'es p. jeune** you're no longer young, you're not young any more *ou* any longer; **elle ne le fait p.** she no longer does it, she doesn't do it any more *ou* any longer; **je ne la reverrai p.** I won't see her again.

plus[3] [plys] *prép* plus; **deux p. deux font quatre** two plus two are four; **il fait p. deux (degrés)** it's two degrees above freezing; – *nm* **le signe p.** the plus sign.

plusieurs [plyzjœr] *a & pron* several.

plus-value [plyvaly] *nf* (*bénéfice*) profit.

plutonium [plytɔnjɔm] *nm* plutonium.

plutôt [plyto] *adv* rather (**que** than).

pluvieux, -euse [plyvjø, -øz] *a* rainy, wet.

PMU [peɛmy] *abrév* = **pari mutuel urbain.**

pneu [pnø] *nm* (*pl* **-s**) **1** (*de roue*) tyre, *Am* tire. **2** (*lettre*) express letter. **◆pneumatique 1** *a* (*matelas etc*) inflatable; **marteau p.** pneumatic drill. **2** *nm* = **pneu.**

pneumonie [pnømɔni] *nf* pneumonia.

poche [pɔʃ] *nf* pocket; (*de kangourou etc*) pouch; (*sac en papier etc*) bag; *pl* (*sous les yeux*) bags; **livre de p.** paperback; **faire des poches** (*pantalon*) to be baggy; **j'ai un franc en p.** I have one franc on me. **◆pochette** *nf* (*sac*) bag, envelope; (*d'allumettes*) book; (*de disque*) sleeve, jacket; (*mouchoir*) pocket handkerchief; (*sac à main*) (clutch) bag.

poch/er [pɔʃe] *vt* **1 p. l'œil à qn** to give s.o. a black eye. **2** (*œufs*) to poach. **◆—é** *a* **œil p.** black eye.

podium [pɔdjɔm] *nm Sp* rostrum, podium.

poêle [pwal] **1** *nm* stove. **2** *nf* **p. (à frire)** frying pan.

poème [pɔɛm] *nm* poem. **◆poésie** *nf* poetry; **une p.** (*poème*) a piece of poetry. ◆**poète** *nm* poet; – *a* **femme p.** poetess. ◆**poétique** *a* poetic.

pognon [pɔɲɔ̃] *nm* (*argent*) *Fam* dough.

poids [pwa] *nm* weight; **au p.** by weight; **de p.** (*influent*) influential; **p. lourd** (heavy) lorry *ou Am* truck; **lancer le p.** *Sp* to put *ou* hurl the shot.

poignant [pwaɲɑ̃] *a* (*souvenir etc*) poignant.

poignard [pwaɲar] *nm* dagger; **coup de p.** stab. ◆**poignarder** *vt* to stab.

poigne [pwaɲ] *nf* (*étreinte*) grip.

poignée [pwaɲe] *nf* (*quantité*) handful (**de** of); (*de porte, casserole etc*) handle; (*d'épée*) hilt; **p. de main** handshake; **donner une p. de main à** to shake hands with.

poignet [pwaɲɛ] *nm* wrist; (*de chemise*) cuff.

poil [pwal] *nm* hair; (*pelage*) coat, fur; (*de brosse*) bristle; *pl* (*de tapis*) pile; (*d'étoffe*) nap; **à p.** (*nu*) *Arg* (stark) naked; **au p.** (*travail etc*) *Arg* top-rate; **de bon/mauvais p.** *Fam* in a good/bad mood; **de tout p.** *Fam* of all kinds. ◆**poilu** *a* hairy.

poinçon [pwɛ̃sɔ̃] *nm* (*outil*) awl, bradawl; (*marque de bijou etc*) hallmark. ◆**poinçonner** *vt* (*bijou*) to hallmark; (*billet*) to punch. ◆**poinçonneuse** *nf* (*machine*) punch.

poindre [pwɛ̃dr] *vi* (*jour*) *Litt* to dawn.

poing [pwɛ̃] *nm* fist; **coup de p.** punch.

point[1] [pwɛ̃] *nm* (*lieu, question, degré, score etc*) point; (*sur i, à l'horizon etc*) dot; (*tache*) spot; (*note*) *Scol* mark; (*de couture*) stitch; **sur le p. de faire** about to do, on the point of doing; **p. (final)** full stop, period; **p. d'exclamation** exclamation mark *ou Am* point; **p. d'interrogation** question mark; **p. de vue** point of view, viewpoint; (*endroit*) viewing point; **à p. (nommé)** (*arriver etc*) at the right moment; **à p.** (*rôti etc*) medium (cooked); (*steak*) medium rare; **mal en p.** in bad shape; **mettre au p.** *Phot* to focus; *Aut* to tune; (*technique etc*) to elaborate, perfect; (*éclaircir*) *Fig* to clarify, clear up; **mise au p.** focusing; tuning, tune-up; elaboration; *Fig* clarification; **faire le p.** *Fig* to take stock, sum up; **p. mort** *Aut* neutral; **au p. mort** *Fig* at a standstill; **p. noir** *Aut* (accident) black spot; **p. du jour** daybreak; **p. de côté** (*douleur*) stitch (in one's side). ◆**p.-virgule** *nm* (*pl* **points-virgules**) semicolon.

point[2] [pwɛ̃] *adv Litt* = **pas**[1].

pointe [pwɛ̃t] *nf* (*extrémité*) point, tip; (*pour grille*) spike; (*clou*) nail; *Géog* headland; (*maximum*) *Fig* peak; **une p. de** (*soupçon, nuance*) a touch of; **sur la p. des pieds** on tiptoe; **en p.** pointed; **de p.** (*technique etc*) latest, most advanced; **à la p. de** (*progrès etc*) *Fig* in *ou* at the forefront of.

point/er [pwɛ̃te] **1** *vt* (*cocher*) to tick (off), *Am* check (off). **2** *vt* (*braquer, diriger*) to point (**sur, vers** at). **3** *vti* (*employé*) to clock in, (*à la sortie*) to clock out; **— se p.** *vpr* (*arriver*) *Fam* to show up. **4** *vi* (*bourgeon etc*) to appear; **p. vers** to point upwards towards. ◆**—age** *nm* (*de personnel*) clocking in; clocking out.

pointillé [pwɛ̃tije] *nm* dotted line; – *a* dotted.

pointilleux, -euse [pwɛ̃tijø, -øz] *a* fussy, particular.

pointu [pwɛ̃ty] *a* (*en pointe*) pointed; (*voix*) shrill.

pointure [pwɛ̃tyr] *nf* (*de chaussure, gant*) size.

poire [pwar] *nf* **1** (*fruit*) pear. **2** (*figure*) *Fam* mug. **3** (*personne*) *Fam* sucker. ◆**poirier** *nm* pear tree.

poireau, -x [pwaro] *nm* leek.

poireauter [pwarote] *vi* (*attendre*) *Fam* to kick one's heels.

pois [pwa] *nm* (*légume*) pea; (*dessin*) (polka) dot; **petits p.** (garden) peas; **p. chiche** chickpea; **à p.** (*vêtement*) spotted, dotted.

poison [pwazɔ̃] *nm* (*substance*) poison.

poisse [pwas] *nf Fam* bad luck.

poisseux, -euse [pwasø, -øz] *a* sticky.

poisson [pwasɔ̃] *nm* fish; **p. rouge** goldfish; **les Poissons** (*signe*) Pisces. ◆**poissonnerie** *nf* fish shop. ◆**poissonnier, -ière** *nmf* fishmonger.

poitrine [pwatrin] *nf Anat* chest; (*seins*) breast, bosom; (*de veau, mouton*) *Culin* breast.

poivre [pwavr] *nm* pepper. ◆**poivr/er** *vt* to pepper. ◆**—é** *a Culin* peppery; (*plaisanterie*) *Fig* spicy. ◆**poivrier** *nm Bot* pepper plant; (*ustensile*) pepperpot. ◆**poivrière** *nf* pepperpot.

poivron [pwavrɔ̃] *nm* pepper, capsicum.

poivrot, -ote [pwavro, -ɔt] *nmf Fam* drunk(ard).

poker [pɔkɛr] *nm Cartes* poker.

polar [pɔlar] *nm* (*roman*) *Fam* whodunit.

polariser [pɔlarize] *vt* to polarize.

pôle [pol] *nm Géog* pole; **p. Nord/Sud** North/South Pole. ◆**polaire** *a* polar.

polémique [pɔlemik] *a* controversial, polemical; – *nf* controversy, polemic.

poli [pɔli] **1** *a* (*courtois*) polite (**avec** to, with). **2** *a* (*lisse, brillant*) polished; – *nm* (*aspect*) polish. ◆**—ment** *adv* politely.

police [pɔlis] *nf* **1** police; **faire** *ou* **assurer la**

p. to maintain order (**dans** in); **p. secours** emergency services; **p. mondaine** *ou* **des mœurs** = vice squad. **2 p. (d'assurance)** (insurance) policy. ◆**policier** *a* (*enquête, état*) police-; **roman p.** detective novel; – *nm* policeman, detective.

polichinelle [pɔliʃinɛl] *nf* **secret de p.** open secret.

polio [pɔljo] *nf* (*maladie*) polio; – *nmf* (*personne*) polio victim. ◆**poliomyélite** *nf* poliomyelitis.

polir [pɔlir] *vt* (*substance dure, style*) to polish.

polisson, -onne [pɔlisɔ̃, -ɔn] *a* naughty; – *nmf* rascal.

politesse [pɔlitɛs] *nf* politeness; **une p.** (*parole*) a polite word; (*action*) an act of politeness.

politique [pɔlitik] *a* political; **homme p.** politician; – *nf* (*science, activité*) politics; (*mesures, manières de gouverner*) *Pol* policies; **une p.** (*tactique*) a policy. ◆**politicien, -ienne** *nmf Péj* politician. ◆**politiser** *vt* to politicize.

pollen [pɔlɛn] *nm* pollen.

polluer [pɔlɥe] *vt* to pollute. ◆**polluant** *nm* pollutant. ◆**pollution** *nf* pollution.

polo [pɔlo] *nm* **1** (*chemise*) sweat shirt. **2** *Sp* polo.

polochon [pɔlɔʃɔ̃] *nm* (*traversin*) *Fam* bolster.

Pologne [pɔlɔɲ] *nf* Poland. ◆**polonais, -aise** *a* Polish; – *nmf* Pole; – *nm* (*langue*) Polish.

poltron, -onne [pɔltrɔ̃, -ɔn] *a* cowardly; – *nmf* coward.

polycopi/er [pɔlikɔpje] *vt* to mimeograph, duplicate. ◆**—é** *nm Univ* mimeographed copy (*of lecture etc*).

polyester [pɔliɛstɛr] *nm* polyester.

Polynésie [pɔlinezi] *nf* Polynesia.

polyvalent [pɔlivalɑ̃] *a* (*rôle*) multi-purpose, varied; (*professeur, ouvrier*) all-round; **école polyvalente, lycée p.** comprehensive school.

pommade [pɔmad] *nf* ointment.

pomme [pɔm] *nf* **1** apple; **p. d'Adam** *Anat* Adam's apple. **2** (*d'arrosoir*) rose. **3 p. de terre** potato; **pommes vapeur** steamed potatoes; **pommes frites** chips, *Am* French fries; **pommes chips** potato crisps *ou Am* chips. ◆**pommier** *nm* apple tree.

pommette [pɔmɛt] *nf* cheekbone.

pompe [pɔ̃p] **1** *nf* pump; **p. à essence** petrol *ou Am* gas station; **p. à incendie** fire engine; **coup de p.** *Fam* tired feeling. **2** *nf* (*chaussure*) *Fam* shoe. **3** *nf* (*en gymnastique*) press-up, *Am* push-up. **4** *nfpl* **pompes funèbres** undertaker's; **entrepreneur des pompes funèbres** undertaker. **5** *nf* **p. anti-sèche** *Scol* crib. **6** *nf* (*splendeur*) pomp. ◆**pomper** *vt* to pump; (*évacuer*) to pump out (**de** of); (*absorber*) to soak up; (*épuiser*) *Fam* to tire out; – *vi* to pump. ◆**pompeux, -euse** *a* pompous. ◆**pompier 1** *nm* fireman; **voiture des pompiers** fire engine. **2** *a* (*emphatique*) pompous. ◆**pompiste** *nmf Aut* pump attendant.

pompon [pɔ̃pɔ̃] *nm* (*ornement*) pompon.

pomponner [pɔ̃pɔne] *vt* to doll up.

ponce [pɔ̃s] *nf* **(pierre) p.** pumice (stone). ◆**poncer** *vt* to rub down, sand. ◆**ponceuse** *nf* (*machine*) sander.

ponctuation [pɔ̃ktɥasjɔ̃] *nf* punctuation. ◆**ponctuer** *vt* to punctuate (**de** with).

ponctuel, -elle [pɔ̃ktɥɛl] *a* (*à l'heure*) punctual; (*unique*) *Fig* one-off, *Am* one-of-a-kind. ◆**ponctualité** *nf* punctuality.

pondéré [pɔ̃dere] *a* level-headed. ◆**pondération** *nf* level-headedness.

pondre [pɔ̃dr] *vt* (*œuf*) to lay; (*livre, discours*) *Péj Fam* to produce; – *vi* (*poule*) to lay.

poney [pɔnɛ] *nm* pony.

pont [pɔ̃] *nm* bridge; (*de bateau*) deck; **p. (de graissage)** *Aut* ramp; **faire le p.** *Fig* to take the intervening day(s) off (*between two holidays*); **p. aérien** airlift. ◆**p.-levis** *nm* (*pl* **ponts-levis**) drawbridge.

ponte [pɔ̃t] **1** *nf* (*d'œufs*) laying. **2** *nm* (*personne*) *Fam* bigwig.

pontife [pɔ̃tif] *nm* **1 (souverain) p.** pope. **2** (*ponte*) *Fam* bigshot. ◆**pontifical, -aux** *a* papal, pontifical.

pop [pɔp] *nm & a inv Mus* pop.

popote [pɔpɔt] *nf* (*cuisine*) *Fam* cooking.

populace [pɔpylas] *nf Péj* rabble.

populaire [pɔpylɛr] *a* (*personne, tradition, gouvernement etc*) popular; (*quartier, milieu*) lower-class; (*expression*) colloquial; (*art*) folk-. ◆**populariser** *vt* to popularize. ◆**popularité** *nf* popularity (**auprès de** with).

population [pɔpylasjɔ̃] *nf* population. ◆**populeux, -euse** *a* populous, crowded.

porc [pɔr] *nm* pig; (*viande*) pork; (*personne*) *Péj* swine.

porcelaine [pɔrsəlɛn] *nf* china, porcelain.

porc-épic [pɔrkepik] *nm* (*pl* **porcs-épics**) (*animal*) porcupine.

porche [pɔrʃ] *nm* porch.

porcherie [pɔrʃəri] *nf* pigsty.

pore [pɔr] *nm* pore. ◆**poreux, -euse** *a* porous.

pornographie [pɔrnɔgrafi] *nf* pornography. ◆**pornographique** *a* (*Fam* **porno**) pornographic.

port [pɔr] *nm* **1** port, harbour; **arriver à bon p.** to arrive safely. **2** (*d'armes*) carrying; (*de barbe*) wearing; (*prix*) carriage, postage; (*attitude*) bearing.

portable [pɔrtabl] *a* (*robe etc*) wearable; (*portatif*) portable.

portail [pɔrtaj] *nm* (*de cathédrale etc*) portal.

portant [pɔrtɑ̃] *a* **bien p.** in good health.

portatif, -ive [pɔrtatif, -iv] *a* portable.

porte [pɔrt] *nf* door, (*passage*) doorway; (*de jardin*) gate, (*passage*) gateway; (*de ville*) entrance, *Hist* gate; **p. (d'embarquement)** *Av* (departure) gate; **Alger, p. de . . .** Algiers, gateway to . . . ; **p. d'entrée** front door; **mettre à la p.** (*jeter dehors*) to throw out; (*renvoyer*) to sack. ◆**p.-fenêtre** *nf* (*pl* **portes-fenêtres**) French window.

porte-à-faux [pɔrtafo] *nm inv* **en p.-à-faux** (*en déséquilibre*) unstable.

porte-avions [pɔrtavjɔ̃] *nm inv* aircraft carrier. ◆**p.-bagages** *nm inv* luggage rack. ◆**p.-bébé** *nm* (*nacelle*) carrycot, *Am* baby basket; (*kangourou®*) baby sling. ◆**p.-bonheur** *nm inv* (*fétiche*) (lucky) charm. ◆**p.-cartes** *nm inv* card holder *ou* case. ◆**p.-clés** *nm inv* key ring. ◆**p.-documents** *nm inv* briefcase. ◆**p.-drapeau, -x** *nm Mil* standard bearer. ◆**p.-jarretelles** *nm inv* suspender *ou Am* garter belt. ◆**p.-monnaie** *nm inv* purse. ◆**p.-parapluie** *nm inv* umbrella stand. ◆**p.-plume** *nm inv* pen (*for dipping in ink*). ◆**p.-revues** *nm inv* newspaper rack. ◆**p.-savon** *nm* soapdish. ◆**p.-serviettes** *nm inv* towel rail. ◆**p.-voix** *nm inv* megaphone.

portée [pɔrte] *nf* **1** (*de fusil etc*) range; **à la p. de qn** within reach of s.o.; (*richesse, plaisir etc*) *Fig* within s.o.'s grasp; **à p. de la main** within (easy) reach; **à p. de voix** within earshot; **hors de p.** out of reach. **2** (*animaux*) litter. **3** (*importance, effet*) significance, import. **4** *Mus* stave.

portefeuille [pɔrtəfœj] *nm* wallet; *Pol Com* portfolio.

portemanteau, -x [pɔrtmɑ̃to] *nm* (*sur pied*) hatstand; (*barre*) hat *ou* coat peg.

porte-parole [pɔrtparɔl] *nm inv* (*homme*) spokesman; (*femme*) spokeswoman (**de** for, of).

port/er [pɔrte] *vt* to carry; (*vêtement, lunettes, barbe etc*) to wear; (*trace, responsabilité, fruits etc*) to bear; (*regard*) to cast; (*attaque*) to make (**contre** against); (*coup*) to strike; (*sentiment*) to have (**à** for); (*inscrire*) to enter, write down; **p. qch à** (*amener*) to bring *ou* take sth to; **p. qn à faire** (*pousser*) to lead *ou* prompt s.o. to do; **p. bonheur/malheur** to bring good/bad luck; **se faire p. malade** to report sick; – *vi* (*voix*) to carry; (*canon*) to fire; (*vue*) to extend; **p. (juste)** (*coup*) to hit the mark; (*mot, reproche*) to hit home; **p. sur** (*reposer sur*) to rest on; (*concerner*) to bear on; (*accent*) to fall on; (*heurter*) to strike; **— se p.** *vpr* (*vêtement*) to be worn; **se p. bien/mal** to be well/ill; **comment te portes-tu?** how are you?; **se p. candidat** to stand as a candidate. ◆**—ant** *a* **bien p.** in good health. ◆**—é** *a* **p. à croire**/*etc* inclined to believe/*etc*; **p. sur qch** fond of sth. ◆**—eur, -euse** *nm Rail* porter; – *nmf Méd* carrier; (*de nouvelles, chèque*) bearer; **mère porteuse** surrogate mother.

portier [pɔrtje] *nm* doorkeeper, porter. ◆**portière** *nf* (*de véhicule, train*) door. ◆**portillon** *nm* gate.

portion [pɔrsjɔ̃] *nf* (*part, partie*) portion; (*de nourriture*) helping, portion.

portique [pɔrtik] *nm* **1** *Archit* portico. **2** (*de balançoire etc*) crossbar, frame.

porto [pɔrto] *nm* (*vin*) port.

portrait [pɔrtrɛ] *nm* portrait; **être le p. de** (*son père etc*) to be the image of; **faire un p.** to paint *ou* draw a portrait (**de** of); **p. en pied** full-length portrait. ◆**p.-robot** *nm* (*pl* **portraits-robots**) identikit (picture), photofit.

portuaire [pɔrtɥɛr] *a* (*installations etc*) harbour-.

Portugal [pɔrtygal] *nm* Portugal. ◆**portugais, -aise** *a & nmf* Portuguese; – *nm* (*langue*) Portuguese.

pose [poz] *nf* **1** (*installation*) putting up; putting in; laying. **2** (*attitude de modèle, affectation*) pose; (*temps*) *Phot* exposure. ◆**pos/er** *vt* to put (down); (*papier peint, rideaux*) to put up; (*sonnette, chauffage*) to put in; (*mine, moquette, fondations*) to lay; (*question*) to ask (**à qn** s.o.); (*principe, conditions*) to lay down; **p. sa candidature** to apply, put in one's application (**à** for); **ça pose la question de . . .** it poses the question of . . . ; – *vi* (*modèle etc*) to pose (**pour** for); **— se p.** *vpr* (*oiseau, avion*) to land; (*problème, question*) to arise; **se p. sur** (*yeux*) to fix on; **se p. en chef**/*etc* to set oneself up as *ou* pose as a leader/*etc*; **la question se pose!** this question should be asked! ◆**—é** *a* (*calme*) calm, staid.

◆**—ément** *adv* calmly. ◆**—eur, -euse** *nmf Péj* poseur.
positif, -ive [pozitif, -iv] *a* positive. ◆**positivement** *adv* positively.
position [pozisjɔ̃] *nf* (*attitude, emplacement, opinion etc*) position; **prendre p.** *Fig* to take a stand (**contre** against); **prise de p.** stand.
posologie [pozɔlɔʒi] *nf* (*de médicament*) dosage.
posséder [pɔsede] *vt* to possess; (*maison etc*) to own, possess; (*bien connaître*) to master. ◆**possesseur** *nm* possessor; owner. ◆**possessif, -ive** *a* (*personne, adjectif etc*) possessive; – *nm Gram* possessive. ◆**possession** *nf* possession; **en p. de** in possession of; **prendre p. de** to take possession of.
possible [pɔsibl] *a* possible (**à faire** to do); **il (nous) est p. de le faire** it is possible (for us) to do it; **il est p. que** (+ *sub*) it is possible that; **si p.** if possible; **le plus tôt**/*etc* **p.** as soon/*etc* as possible; **autant que p.** as much *ou* as many as possible; – *nm* **faire son p.** to do one's utmost (**pour faire** to do); **dans la mesure du p.** as far as possible. ◆**possibilité** *nf* possibility.
post- [pɔst] *préf* post-.
postdater [pɔstdate] *vt* to postdate.
poste [pɔst] **1** *nf* (*service*) post, mail; (*local*) post office; **bureau de p.** post office; **Postes (et Télécommunications)** (*administration*) Post Office; **par la p.** by post, by mail; **p. aérienne** airmail; **mettre à la p.** to post, mail. **2** *nm* (*lieu, emploi*) post; **p. de secours** first aid post; **p. de police** police station; **p. d'essence** petrol *ou Am* gas station; **p. d'incendie** fire hydrant; **p. d'aiguillage** signal box *ou Am* tower. **3** *nm* (*appareil*) *Rad TV* set; *Tél* extension (number). ◆**postal, -aux** *a* postal; **boîte postale** PO Box; **code p.** postcode, *Am* zip code. ◆**poster 1** *vt* **p. qn** (*placer*) *Mil* to post s.o. **2** *vt* (*lettre*) to post, mail. **3** [pɔstɛr] *nm* poster.
postérieur [pɔsterjœr] **1** *a* (*document etc*) later; **p. à** after. **2** *nm* (*derrière*) *Fam* posterior.
postérité [pɔsterite] *nf* posterity.
posthume [pɔstym] *a* posthumous; **à titre p.** posthumously.
postiche [pɔstiʃ] *a* (*barbe etc*) false.
postier, -ière [pɔstje, -jɛr] *nmf* postal worker.
postillonner [pɔstijɔne] *vi* to sputter.
post-scriptum [pɔstskriptɔm] *nm inv* postscript.
postul/er [pɔstyle] *vt* **1** (*emploi*) to apply for. **2** (*poser*) *Math* to postulate. ◆**—ant, -ante** *nmf* applicant.
posture [pɔstyr] *nf* posture.
pot [po] *nm* **1** pot; (*à confiture*) jar, pot; (*à lait*) jug; (*à bière*) mug; (*de crème, yaourt*) carton; **p. de chambre** chamber pot; **p. de fleurs** flower pot; **prendre un p.** (*verre*) *Fam* to have a drink. **2** (*chance*) *Fam* luck; **avoir du p.** to be lucky.
potable [pɔtabl] *a* drinkable; (*passable*) *Fam* tolerable; **'eau p.'** 'drinking water'.
potage [pɔtaʒ] *nm* soup.
potager, -ère [pɔtaʒe, -ɛr] *a* (*jardin*) vegetable-; **plante potagère** vegetable; – *nm* vegetable garden.
potasser [pɔtase] *vt* (*examen*) to cram for; – *vi* to cram.
pot-au-feu [pɔtofø] *nm inv* (*plat*) beef stew.
pot-de-vin [podvɛ̃] *nm* (*pl* **pots-de-vin**) bribe.
pote [pɔt] *nm* (*ami*) *Fam* pal, buddy.
poteau, -x [pɔto] *nm* post; (*télégraphique*) pole; **p. d'arrivée** *Sp* winning post.
potelé [pɔtle] *a* plump, chubby.
potence [pɔtɑ̃s] *nf* (*gibet*) gallows.
potentiel, -ielle [pɔtɑ̃sjɛl] *a & nm* potential.
poterie [pɔtri] *nf* (*art*) pottery; **une p.** a piece of pottery; **des poteries** (*objets*) pottery. ◆**potier** *nm* potter.
potin [pɔtɛ̃] **1** *nmpl* (*cancans*) gossip. **2** *nm* (*bruit*) *Fam* row.
potion [posjɔ̃] *nf* potion.
potiron [pɔtirɔ̃] *nm* pumpkin.
pot pourri [popuri] *nm* (*pl* **pots-pourris**) *Mus* medley.
pou, -x [pu] *nm* louse; **poux** lice.
poubelle [pubɛl] *nf* dustbin, *Am* garbage can.
pouce [pus] *nm* **1** thumb; **un coup de p.** *Fam* a helping hand. **2** (*mesure*) *Hist & Fig* inch.
poudre [pudr] *nf* powder; **p. (à canon)** (*explosif*) gunpowder; **en p.** (*lait*) powdered; (*chocolat*) drinking; **sucre en p.** castor *ou* caster sugar. ◆**poudrer** *vt* to powder; — **se p.** *vpr* (*femme*) to powder one's nose. ◆**poudreux, -euse** *a* powdery, dusty. ◆**poudrier** *nm* (powder) compact. ◆**poudrière** *nf* powder magazine; (*région*) *Fig* powder keg.
pouf [puf] **1** *int* thump! **2** *nm* (*siège*) pouf(fe).
pouffer [pufe] *vi* **p. (de rire)** to burst out laughing, guffaw.
pouilleux, -euse [pujø, -øz] *a* (*sordide*) miserable; (*mendiant*) lousy.
poulain [pulɛ̃] *nm* (*cheval*) foal; **le p. de qn** *Fig* s.o.'s protégé.

poule [pul] *nf* **1** hen, *Culin* fowl; **être p. mouillée** (*lâche*) to be chicken; **oui, ma p.!** *Fam* yes, my pet! **2** (*femme*) *Péj* tart. ◆**poulailler** *nm* **1** (hen) coop. **2 le p.** *Th Fam* the gods, the gallery. ◆**poulet** *nm* **1** (*poule, coq*) *Culin* chicken. **2** (*policier*) *Fam* cop.

pouliche [puliʃ] *nf* (*jument*) filly.

poulie [puli] *nf* pulley.

poulpe [pulp] *nm* octopus.

pouls [pu] *nm Méd* pulse.

poumon [pumɔ̃] *nm* lung; **à pleins poumons** (*respirer*) deeply; (*crier*) loudly; **p. d'acier** iron lung.

poupe [pup] *nf Nau* stern, poop.

poupée [pupe] *nf* doll.

poupin [pupɛ̃] *a* **visage p.** baby face.

poupon [pupɔ̃] *nm* (*bébé*) baby; (*poupée*) doll.

pour [pur] **1** *prép* for; **p. toi/moi/***etc* for you/me/*etc*; **faites-le p. lui** do it for him, do it for his sake; **partir p.** (*Paris etc*) to leave for; **elle va partir p. cinq ans** she's leaving for five years; **p. femme/base/***etc* as a wife/basis/*etc*; **p. moi, p. ma part** (*quant à moi*) as for me; **dix p. cent** ten per cent; **gentil p.** kind to; **elle est p.** she's in favour; **p. faire** (in order) to do, so as to do; **p. que tu saches** so (that) you may know; **p. quoi faire?** what for?; **trop petit/poli/***etc* **p. faire** too small/polite/*etc* to do; **assez grand/***etc* **p. faire** big/*etc* enough to do; **p. cela** for that reason; **jour p. jour/heure p. heure** to the day/hour; **p. intelligent/***etc* **qu'il soit** however clever/*etc* he may be; **ce n'est pas p. me plaire** it doesn't exactly please me; **acheter p. cinq francs de bonbons** to buy five francs' worth of sweets. **2** *nm* **le p. et le contre** the pros and cons.

pourboire [purbwar] *nm* (*argent*) tip.

pourcentage [pursɑ̃taʒ] *nm* percentage.

pourchasser [purʃase] *vt* to pursue.

pourparlers [purparle] *nmpl* negotiations, talks.

pourpre [purpr] *a & nm* purple.

pourquoi [purkwa] *adv & conj* why; **p. pas?** why not?; – *nm inv* reason (**de** for); **le p. et le comment** the whys and wherefores.

pourra, pourrait [pura, purɛ] *voir* **pouvoir 1.**

pourrir [purir] *vi,* **— se p.** *vpr* to rot; – *vt* to rot; **p. qn** to corrupt s.o. ◆**pourri** *a* (*fruit, temps, personne etc*) rotten. ◆**pourriture** *nf* rot, rottenness; (*personne*) *Péj* swine.

poursuite [pursɥit] **1** *nf* chase, pursuit; (*du bonheur, de créancier*) pursuit (**de** of); (*continuation*) continuation; **se mettre à la p. de** to go in pursuit of. **2** *nfpl Jur* legal proceedings (**contre** against). ◆**poursuiv/re*** **1** *vt* (*courir après*) to chase, pursue; (*harceler, relancer*) to hound, pursue; (*obséder*) to haunt; (*but, idéal etc*) to pursue. **2** *vt* **p. qn** *Jur* (*au criminel*) to prosecute s.o.; (*au civil*) to sue s.o. **3** *vt* (*lecture, voyage etc*) to continue (with), carry on (with), pursue; – *vi,* **— se p.** *vpr* to continue, go on. ◆**—ant, -ante** *nmf* pursuer.

pourtant [purtɑ̃] *adv* yet, nevertheless.

pourtour [purtur] *nm* perimeter.

pourvoir* [purvwar] *vt* to provide (**de** with); **être pourvu de** to have, be provided with; – *vi* **p. à** (*besoins etc*) to provide for. ◆**pourvoyeur, -euse** *nmf* supplier.

pourvu que [purvyk(ə)] *conj* (*condition*) provided *ou* providing (that); **p. qu'elle soit là** (*souhait*) I only hope (that) she's there.

pousse [pus] *nf* **1** (*bourgeon*) shoot, sprout. **2** (*croissance*) growth.

pousse-café [puskafe] *nm inv* after-dinner liqueur.

pouss/er [puse] **1** *vt* to push; (*du coude*) to nudge, poke; (*véhicule, machine*) to drive hard; (*recherches*) to pursue; (*cri*) to utter; (*soupir*) to heave; **p. qn à faire** to urge s.o. to do; **p. qn à bout** to push s.o. to his limits; **p. trop loin** (*gentillesse etc*) to carry too far; **p. à la perfection** to bring to perfection; – *vi* to push; **p. jusqu'à Paris/***etc* to push on as far as Paris/*etc*; **— se p.** *vpr* (*se déplacer*) to move up *ou* over. **2** *vi* (*croître*) to grow; **faire p.** (*plante, barbe etc*) to grow. ◆**—é** *a* (*travail, études*) advanced. ◆**—ée** *nf* (*pression*) pressure; (*coup*) push; (*d'ennemi*) thrust, push; (*de fièvre etc*) outbreak; (*de l'inflation*) upsurge. ◆**poussette** *nf* pushchair, *Am* stroller; **p. canne** (baby) buggy, *Am* (collapsible) stroller; **p. de marché** shopping trolley *ou Am* cart. ◆**poussoir** *nm* (push) button.

poussière [pusjɛr] *nf* dust; **dix francs et des poussières** *Fam* a bit over ten francs. ◆**poussiéreux, -euse** *a* dusty.

poussif, -ive [pusif, -iv] *a* short-winded, puffing.

poussin [pusɛ̃] *nm* (*poulet*) chick.

poutre [putr] *nf* (*en bois*) beam; (*en acier*) girder. ◆**poutrelle** *nf* girder.

pouvoir* [puvwar] **1** *v aux* (*capacité*) to be able, can; (*permission, éventualité*) may, can; **je peux deviner** I can guess, I'm able to guess; **tu peux entrer** you may *ou* can come in; **il peut être malade** he may *ou* might be ill; **elle pourrait/pouvait venir** she might/could come; **j'ai pu l'obtenir** I managed to get it; **j'aurais pu l'obtenir** I could have got it *ou Am* gotten it; **je n'en peux plus** I'm utterly exhausted; – *v imp* **il peut neiger** it may snow; **— se p.** *vpr* **il se peut qu'elle parte** (it's possible that) she might leave. **2** *nm* (*capacité, autorité*) power; (*procuration*) power of attorney; **les pouvoirs publics** the authorities; **au p.** *Pol* in power; **en son p.** in one's power (**de faire** to do).

poux [pu] *voir* **pou.**

pragmatique [pragmatik] *a* pragmatic.

praire [prɛr] *nf* (*mollusque*) clam.

prairie [preri] *nf* meadow.

praline [pralin] *nf* sugared almond. **◆praliné** *a* (*glace*) praline-flavoured.

praticable [pratikabl] *a* (*projet, chemin*) practicable.

praticien, -ienne [pratisjɛ̃, -jɛn] *nmf* practitioner.

pratique [pratik] **1** *a* (*connaissance, personne, instrument etc*) practical. **2** *nf* (*exercice, procédé*) practice; (*expérience*) practical experience; **la p. de la natation/du golf/***etc* swimming/golfing/*etc*; **mettre en p.** to put into practice; **en p.** (*en réalité*) in practice. **◆pratiqu/er** *vt* (*art etc*) to practise; (*football*) to play, practise; (*trou, route*) to make; (*opération*) to carry out; **p. la natation** to go swimming; – *vi* to practise. **◆—ant, -ante** *a Rel* practising; – *nmf* churchgoer.

pratiquement [pratikmɑ̃] *adv* (*presque*) practically; (*en réalité*) in practice.

pré [pre] *nm* meadow.

pré- [pre] *préf* pre-.

préalable [prealabl] *a* previous, preliminary; **p. à** prior to; – *nm* precondition, prerequisite; **au p.** beforehand. **◆—ment** [-əmɑ̃] *adv* beforehand.

préambule [preɑ̃byl] *nm* (*de loi*) preamble; *Fig* prelude (**à** to).

préau, -x [preo] *nm Scol* covered playground.

préavis [preavi] *nm* (*de congé etc*) (advance) notice (**de** of).

précaire [prekɛr] *a* precarious.

précaution [prekosjɔ̃] *nf* (*mesure*) precaution; (*prudence*) caution; **par p.** as a precaution. **◆précautionneux, -euse** *a* cautious.

précédent, -ente [presedɑ̃, -ɑ̃t] **1** *a* previous, preceding, earlier; – *nmf* previous one. **2** *nm* **un p.** (*fait, exemple*) a precedent; **sans p.** unprecedented. **◆précédemment** [-amɑ̃] *adv* previously. **◆précéder** *vti* to precede; **faire p. qch de qch** to precede sth by sth.

précepte [presɛpt] *nm* precept.

précepteur, -trice [presɛptœr, -tris] *nmf* (private) tutor.

prêcher [preʃe] *vti* to preach; **p. qn** *Rel & Fig* to preach to s.o.

précieux, -euse [presjø, -øz] *a* precious.

précipice [presipis] *nm* abyss, chasm.

précipit/er [presipite] *vt* (*jeter*) to throw, hurl; (*plonger*) to plunge (**dans** into); (*hâter*) to hasten; **— se p.** *vpr* (*se jeter*) to throw *ou* hurl oneself; (*foncer*) to rush (**à, sur** on to); (*s'accélérer*) to speed up. **◆—é** *a* hasty. **◆précipitamment** *adv* hastily. **◆précipitation 1** *nf* haste. **2** *nfpl* (*pluie*) precipitation.

précis [presi] **1** *a* precise; (*idée, mécanisme*) accurate, precise; **à deux heures précises** at two o'clock sharp *ou* precisely. **2** *nm* (*résumé*) summary; (*manuel*) handbook. **◆précisément** *adv* precisely. **◆préciser** *vt* to specify (**que** that); **— se p.** *vpr* to become clear(er). **◆précision** *nf* precision; accuracy; (*détail*) detail; (*explication*) explanation.

précoce [prekɔs] *a* (*fruit, mariage, mort etc*) early; (*personne*) precocious. **◆précocité** *nf* precociousness; earliness.

préconçu [prekɔ̃sy] *a* preconceived.

préconiser [prekɔnize] *vt* to advocate (**que** that).

précurseur [prekyrsœr] *nm* forerunner, precursor; – *a* **un signe p. de qch** a sign heralding sth.

prédécesseur [predesesœr] *nm* predecessor.

prédestiné [predɛstine] *a* fated, predestined (**à faire** to do).

prédicateur [predikatœr] *nm* preacher.

prédilection [predilɛksjɔ̃] *nf* (special) liking; **de p.** favourite.

prédire* [predir] *vt* to predict (**que** that). **◆prédiction** *nf* prediction.

prédisposer [predispoze] *vt* to predispose (**à qch** to sth, **à faire** to do). **◆prédisposition** *nf* predisposition.

prédomin/er [predɔmine] *vi* to predominate. **◆—ant** *a* predominant. **◆prédominance** *nf* predominance.

préfabriqué [prefabrike] *a* prefabricated.

préface [prefas] *nf* preface. **◆préfacer** *vt* to preface.

préfér/er [prefere] *vt* to prefer (**à** to); **p. faire** to prefer to do. **◆—é, -ée** *a & nmf* favourite. **◆—able** *a* preferable (**à** to). **◆préférence** *nf* preference; **de p.** preferably; **de p. à** in preference to. **◆préférentiel, -ielle** *a* preferential.

préfet [prefɛ] *nm* prefect, *chief administrator in a department*; **p. de police** prefect of police, *Paris chief of police*. ◆**préfecture** *nf* prefecture; **p. de police** Paris police headquarters.
préfixe [prefiks] *nm* prefix.
préhistoire [preistwar] *nf* prehistory. ◆**préhistorique** *a* prehistoric.
préjudice [preʒydis] *nm Jur* prejudice, harm; **porter p. à** to prejudice, harm. ◆**préjudiciable** *a* prejudicial (**à** to).
préjugé [preʒyʒe] *nm* (*parti pris*) prejudice; **avoir un p.** *ou* **des préjugés** to be prejudiced (**contre** against).
prélasser (se) [səprelɑse] *vpr* to loll (about), lounge (about).
prélat [prela] *nm Rel* prelate.
prélever [prelve] *vt* (*échantillon*) to take (**sur** from); (*somme*) to deduct (**sur** from). ◆**prélèvement** *nm* taking; deduction; **p. de sang** blood sample; **p. automatique** *Fin* standing order.
préliminaire [preliminɛr] *a* preliminary; – *nmpl* preliminaries.
prélude [prelyd] *nm* prelude (**à** to).
prématuré [prematyre] *a* premature; – *nm* (*bébé*) premature baby. ◆**—ment** *adv* prematurely, too soon.
préméditer [premedite] *vt* to premeditate. ◆**préméditation** *nf Jur* premeditation.
premier, -ière [prəmje, -jɛr] *a* first; (*enfance*) early; (*page*) *Journ* front, first; (*qualité, nécessité, importance*) prime; (*état*) original; (*notion, cause*) basic; (*danseuse, rôle*) leading; (*inférieur*) bottom; (*supérieur*) top; **nombre p.** *Math* prime number; **le p. rang** the front *ou* first row; **à la première occasion** at the earliest opportunity; **P. ministre** Prime Minister, Premier; – *nmf* first (one); **arriver le p.** *ou* **en p.** to arrive first; **être le p. de la classe** to be (at the) top of the class; – *nm* (*date*) first; (*étage*) first *ou Am* second floor; **le p. de l'an** New Year's Day; – *nf Th Cin* première; *Rail* first class; *Scol* = sixth form, *Am* = twelfth grade; *Aut* first (gear); (*événement historique*) first. ◆**premier-né** *nm*, ◆**première-née** *nf* first-born (child). ◆**premièrement** *adv* firstly.
prémisse [premis] *nf* premiss.
prémonition [premɔnisjɔ̃] *nf* premonition.
prémunir [premynir] *vt* to safeguard (**contre** against).
prénatal, *mpl* **-als** [prenatal] *a* antenatal, *Am* prenatal.
prendre* [prɑ̃dr] *vt* to take (**à qn** from s.o.); (*attraper*) to catch, get; (*voyager par*) to take, travel by; (*acheter*) to get; (*douche, bain*) to take, have; (*repas*) to have; (*nouvelles*) to get; (*temps, heure*) to take (up); (*pensionnaire*) to take (in); (*ton, air*) to put on; (*engager*) to take (*s.o.*) (on); (*chercher*) to pick up, get; **p. qn pour** (*un autre*) to (mis)take s.o. for; (*considérer*) to take s.o. for; **p. qn** (*doute etc*) to seize s.o.; **p. feu** to catch fire; **p. de la place** to take up room; **p. du poids/de la vitesse** to put on weight/speed; **à tout p.** on the whole; **qu'est-ce qui te prend?** what's got *ou Am* gotten into you?; – *vi* (*feu*) to catch; (*gelée, ciment*) to set; (*greffe, vaccin*) to take; (*mode*) to catch on; **— se p.** *vpr* (*objet*) to be taken; (*s'accrocher*) to get caught; (*eau*) to freeze; **se p. pour un génie**/*etc* to think one is a genius/*etc*; **s'y p.** to go *ou* set about it; **s'en p. à** (*critiquer, attaquer*) to attack; (*accuser*) to blame; **se p. à faire** to begin to do. ◆**prenant** *a* (*travail, film etc*) engrossing; (*voix*) engaging. ◆**preneur, -euse** *nmf* taker, buyer.
prénom [prenɔ̃] *nm* first name. ◆**prénommer** *vt* to name; **il se prénomme Louis** his first name is Louis.
préoccup/er [preɔkype] *vt* (*inquiéter*) to worry; (*absorber*) to preoccupy; **se p. de** to be worried about; to be preoccupied about. ◆**—ant** *a* worrying. ◆**—é** *a* worried. ◆**préoccupation** *nf* worry; (*idée, problème*) preoccupation.
préparer [prepare] *vt* to prepare; (*repas etc*) to get ready, prepare; (*examen*) to study for, prepare (for); **p. qch à qn** to prepare sth for s.o.; **p. qn à** (*examen*) to prepare *ou* coach s.o. for; **— se p.** *vpr* to get (oneself) ready, prepare oneself (**à qch** for sth); (*orage*) to brew, threaten. ◆**préparatifs** *nmpl* preparations (**de** for). ◆**préparation** *nf* preparation. ◆**préparatoire** *a* preparatory.
prépondérant [prepɔ̃derɑ̃] *a* dominant. ◆**prépondérance** *nf* dominance.
prépos/er [prepoze] *vt* **p. qn à** to put s.o. in charge of. ◆**—é, -ée** *nmf* employee; (*facteur*) postman, postwoman.
préposition [prepozisjɔ̃] *nf* preposition.
préretraite [prerətrɛt] *nf* early retirement.
prérogative [prerɔgativ] *nf* prerogative.
près [prɛ] *adv* **p. de** (*qn, qch*) near (to), close to; **p. de deux ans**/*etc* (*presque*) nearly two years/*etc*; **p. de partir**/*etc* about to leave/*etc*; **tout p.** nearby (**de qn/qch** s.o./sth), close by (**de qn/qch** s.o./sth); **de p.** (*lire, examiner, suivre*) closely; **à peu de chose p.** almost; **à cela p.** except for that; **voici le**

chiffre à un franc p. here is the figure give or take a franc; **calculer au franc p.** to calculate to the nearest franc.

présage [prezaʒ] *nm* omen, foreboding. ◆**présager** *vt* to forebode.

presbyte [presbit] *a* & *nmf* long-sighted (person). ◆**presbytie** [-bisi] *nf* long-sightedness.

presbytère [presbitɛr] *nm Rel* presbytery.

préscolaire [preskɔlɛr] *a* (*âge etc*) pre-school.

prescrire* [preskrir] *vt* to prescribe. ◆**prescription** *nf* (*instruction*) & *Jur* prescription.

préséance [preseɑ̃s] *nf* precedence (**sur** over).

présent[1] [prezɑ̃] **1** *a* (*non absent*) present; **les personnes présentes** those present. **2** *a* (*actuel*) present; – *nm* (*temps*) present; *Gram* present (tense); **à p.** now, at present; **dès à p.** as from now. ◆**présence** *nf* presence; (*à l'école, au bureau etc*) attendance (**à** at); **feuille de p.** attendance sheet; **faire acte de p.** to put in an appearance; **en p.** (*personnes*) face to face; **en p. de** in the presence of; **p. d'esprit** presence of mind.

présent[2] [prezɑ̃] *nm* (*cadeau*) present.

présent/er [prezɑ̃te] *vt* (*offrir, exposer, animer etc*) to present; (*montrer*) to show, present; **p. qn à qn** to introduce *ou* present s.o. to s.o.; **— se p.** *vpr* to introduce *ou* present oneself (**à** to); (*chez qn*) to show up; (*occasion etc*) to arise; **se p. à** (*examen*) to sit for; (*élections*) to stand in *ou* at, run in; (*emploi*) to apply for; (*autorités*) to report to; **ça se présente bien** it looks promising. ◆**—able** *a* presentable. ◆**présentateur, -trice** *nmf TV* announcer, presenter. ◆**présentation** *nf* presentation; introduction. ◆**présentoir** *nm* (*étagère*) (display) stand.

préserver [prezɛrve] *vt* to protect, preserve (**de** from). ◆**préservatif** *nm* sheath, condom. ◆**préservation** *nf* protection, preservation.

présidence [prezidɑ̃s] *nf* (*de nation*) presidency; (*de firme etc*) chairmanship. ◆**président, -ente** *nmf* (*de nation*) president; (*de réunion, firme*) chairman, chairwoman; **p. directeur général** chairman and managing director, *Am* chief executive officer. ◆**présidentiel, -ielle** *a* presidential.

présider [prezide] *vt* (*réunion*) to preside at *ou* over, chair; – *vi* to preside.

présomption [prezɔ̃psjɔ̃] *nf* (*conjecture, suffisance*) presumption.

présomptueux, -euse [prezɔ̃ptɥø, -øz] *a* presumptuous.

presque [prɛsk(ə)] *adv* almost, nearly; **p. jamais/rien** hardly ever/anything.

presqu'île [prɛskil] *nf* peninsula.

presse [prɛs] *nf* (*journaux, appareil*) press; *Typ* (printing) press; **de p.** (*conférence, agence*) press-.

presse-citron [prɛssitrɔ̃] *nm inv* lemon squeezer. ◆**p.-papiers** *nm inv* paperweight. ◆**p.-purée** *nm inv* (potato) masher.

pressentir* [presɑ̃tir] *vt* (*deviner*) to sense (**que** that). ◆**pressentiment** *nm* foreboding, presentiment.

press/er [prese] *vt* (*serrer*) to squeeze, press; (*bouton*) to press; (*fruit*) to squeeze; (*départ etc*) to hasten; **p. qn** to hurry s.o. (**de faire** to do); (*assaillir*) to harass s.o. (**de questions** with questions); **p. le pas** to speed up; – *vi* (*temps*) to press; (*affaire*) to be pressing *ou* urgent; **rien ne presse** there's no hurry; **— se p.** *vpr* (*se grouper*) to crowd, swarm; (*se serrer*) to squeeze (together); (*se hâter*) to hurry (**de faire** to do); **presse-toi (de partir)** hurry up (and go). ◆**—ant** *a* pressing, urgent. ◆**—é** *a* (*personne*) in a hurry; (*air*) hurried; (*travail*) pressing, urgent. ◆**pressing** [-iŋ] *nm* (*magasin*) dry cleaner's. ◆**pressoir** *nm* (wine) press.

pression [prɛsjɔ̃] *nf* pressure; **faire p. sur qn** to put pressure on s.o., pressurize s.o.; **bière (à la) p.** draught beer; – *nm* **(bouton-)p.** press-stud, *Am* snap.

pressuriser [presyrize] *vt Av* to pressurize.

prestance [prɛstɑ̃s] *nf* (imposing) presence.

prestation [prɛstasjɔ̃] *nf* **1** (*allocation*) allowance, benefit. **2** (*performance*) performance.

prestidigitateur, -trice [prɛstidiʒitatœr, -tris] *nmf* conjurer. ◆**prestidigitation** *nf* conjuring.

prestige [prɛstiʒ] *nm* prestige. ◆**prestigieux, -euse** *a* prestigious.

presto [prɛsto] *Fam voir* **illico.**

présumer [prezyme] *vt* to presume (**que** that).

présupposer [presypoze] *vt* to presuppose (**que** that).

prêt[1] [prɛ] *a* (*préparé, disposé*) ready (**à faire** to do, **à qch** for sth). ◆**p.-à-porter** [prɛtapɔrte] *nm inv* ready-to-wear clothes.

prêt[2] [prɛ] *nm* (*emprunt*) loan. ◆**p.-logement** *nm* (*pl* **prêts-logement**) mortgage.

prétend/re [pretɑ̃dr] *vt* to claim (**que** that); (*vouloir*) to intend (**faire** to do); **p.**

être/savoir to claim to be/to know; **elle se prétend riche** she claims to be rich; – *vi* **p. à** (*titre etc*) to lay claim to. ◆**—ant** *nm* (*amoureux*) suitor. ◆**—u** *a* so-called. ◆**—ument** *adv* supposedly.

prétentieux, -euse [pretɑ̃sjø, -øz] *a & nmf* pretentious (person). ◆**prétention** *nf* (*vanité*) pretension; (*revendication, ambition*) claim.

prêt/er [prete] *vt* (*argent, objet*) to lend (**à** to); (*aide, concours*) to give (**à** to); (*attribuer*) to attribute (**à** to); **p. attention** to pay attention (**à** to); **p. serment** to take an oath; – *vi* **p. à** (*phrase etc*) to lend itself to; **se p. à** (*consentir à*) to agree to; (*sujet etc*) to lend itself to. ◆**—eur, -euse** *nmf* (*d'argent*) lender; **p. sur gages** pawnbroker.

prétexte [pretɛkst] *nm* pretext, excuse; **sous p. de/que** on the pretext of/that. ◆**prétexter** *vt* to plead (**que** that).

prêtre [prɛtr] *nm* priest; **grand p.** high priest.

preuve [prœv] *nf* proof, evidence; **faire p. de** to show; **faire ses preuves** (*personne*) to prove oneself; (*méthode*) to prove itself.

prévaloir [prevalwar] *vi* to prevail (**contre** against, **sur** over).

prévenant [prɛvnɑ̃] *a* considerate. ◆**prévenance(s)** *nf(pl)* (*gentillesse*) consideration.

préven/ir* [prɛvnir] *vt* **1** (*avertir*) to warn (**que** that); (*aviser*) to tell, inform (**que** that). **2** (*désir, question*) to anticipate; (*malheur*) to avert. ◆**—u, -ue 1** *nmf Jur* defendant, accused. **2** *a* prejudiced (**contre** against). ◆**préventif, -ive** *a* preventive. ◆**prévention** *nf* **1** prevention; **p. routière** road safety. **2** (*opinion*) prejudice.

prév/oir* [prevwar] *vt* (*anticiper*) to foresee (**que** that); (*prédire*) forecast (**que** that); (*temps*) *Mét* to forecast; (*projeter, organiser*) to plan (for); (*réserver, préparer*) to allow, provide. ◆**—u** *a* (*conditions*) laid down; **un repas est p.** a meal is provided; **au moment p.** at the appointed time; **comme p.** as planned, as expected; **p. pour** (*véhicule, appareil etc*) designed for. ◆**prévisible** *a* foreseeable. ◆**prévision** *nf* (*opinion*) & *Mét* forecast; **en p. de** in expectation of.

prévoyant [prevwajɑ̃] *a* (*personne*) provident. ◆**prévoyance** *nf* foresight; **société de p.** provident society.

prier [prije] **1** *vi Rel* to pray; – *vt* **p. Dieu pour qu'il nous accorde qch** to pray (to God) for sth. **2** *vt* **p. qn de faire** to ask *ou* request s.o. to do; (*implorer*) to beg s.o. to do; **je vous en prie** (*faites donc, allez-y*) please; (*en réponse à 'merci'*) don't mention it; **je vous prie** please; **se faire p.** to wait to be asked. ◆**prière** *nf Rel* prayer; (*demande*) request; **p. de répondre/etc** please answer/*etc*.

primaire [primɛr] *a* primary.

prime [prim] **1** *nf* (*d'employé*) bonus; (*d'État*) subsidy; (*cadeau*) *Com* free gift; **p. (d'assurance)** (insurance) premium. **2** *a* **de p. abord** at the very first glance.

primé [prime] *a* (*animal*) prize-winning.

primer [prime] *vi* to excel, prevail; – *vt* to prevail over.

primeurs [primœr] *nfpl* early fruit and vegetables.

primevère [primvɛr] *nf* (*à fleurs jaunes*) primrose.

primitif, -ive [primitif, -iv] *a* (*art, société etc*) primitive; (*état, sens*) original; – *nm* (*artiste*) primitive. ◆**primitivement** *adv* originally.

primo [primo] *adv* first(ly).

primordial, -aux [primɔrdjal, -o] *a* vital (**de faire** to do).

prince [prɛ̃s] *nm* prince. ◆**princesse** *nf* princess. ◆**princier, -ière** *a* princely. ◆**principauté** *nf* principality.

principal, -aux [prɛ̃sipal, -o] *a* main, chief, principal; – *nm* (*de collège*) *Scol* principal; **le p.** (*essentiel*) the main *ou* chief thing. ◆**—ement** *adv* mainly.

principe [prɛ̃sip] *nm* principle; **par p.** on principle; **en p.** theoretically, in principle; (*normalement*) as a rule.

printemps [prɛ̃tɑ̃] *nm* (*saison*) spring. ◆**printanier, -ière** *a* (*temps etc*) spring-, spring-like.

priorité [priɔrite] *nf* priority; **la p.** *Aut* the right of way; **la p. à droite** *Aut* right of way to traffic coming from the right; **'cédez la p.'** *Aut* 'give way', *Am* 'yield'; **en p.** as a matter of priority. ◆**prioritaire** *a* (*industrie etc*) priority-; **être p.** to have priority; *Aut* to have the right of way.

pris [pri] *voir* **prendre;** – *a* (*place*) taken; (*crème, ciment*) set; (*eau*) frozen; (*gorge*) infected; (*nez*) congested; **être (très) p.** (*occupé*) to be (very) busy; **p. de** (*peur, panique*) stricken with.

prise [priz] *voir* **prendre;** – *nf* taking; (*manière d'empoigner*) grip, hold; (*de ville*) capture, taking; (*objet saisi*) catch; (*de tabac*) pinch; **p. (de courant)** *Él* (*mâle*) plug; (*femelle*) socket; **p. multiple** *Él* adaptor; **p. d'air** air vent; **p. de conscience** awareness; **p. de contact** first meeting; **p. de position** *Fig* stand; **p. de sang** blood test; **p.**

de son (sound) recording; **p. de vue(s)** *Cin Phot* (*action*) shooting; (*résultat*) shot; **aux prises avec** at grips with.

priser [prize] **1** *vt* **tabac à p.** snuff; – *vi* to take snuff. **2** *vt* (*estimer*) to prize.

prisme [prism] *nm* prism.

prison [prizɔ̃] *nf* prison, jail, gaol; (*réclusion*) imprisonment; **mettre en p.** to imprison, put in prison. ◆**prisonnier, -ière** *nmf* prisoner; **faire qn p.** to take s.o. prisoner.

privé [prive] *a* private; **en p.** (*seul à seul*) in private; – *nm* **dans le p.** in private life; *Com Fam* in the private sector.

priver [prive] *vt* to deprive (**de** of); **se p. de** to deprive oneself of, do without. ◆**privation** *nf* deprivation (**de** of); *pl* (*sacrifices*) hardships.

privilège [privilɛʒ] *nm* privilege. ◆**privilégié, -ée** *a* & *nmf* privileged (person).

prix [pri] *nm* **1** (*d'un objet, du succès etc*) price; **à tout p.** at all costs; **à aucun p.** on no account; **hors (de) p.** exorbitant; **attacher du p. à** to attach importance to; **menu à p. fixe** set price menu. **2** (*récompense*) prize.

pro- [pro] *préf* pro-.

probable [prɔbabl] *a* probable, likely; **peu p.** unlikely. ◆**probabilité** *nf* probability, likelihood; **selon toute p.** in all probability. ◆**probablement** *adv* probably.

probant [prɔbɑ̃] *a* conclusive.

probité [prɔbite] *nf* (*honnêteté*) integrity.

problème [prɔblɛm] *nm* problem. ◆**problématique** *a* doubtful, problematic.

procéd/er [prɔsede] *vi* (*agir*) to proceed; (*se conduire*) to behave; **p. à** (*enquête etc*) to carry out. ◆**—é** *nm* process; (*conduite*) behaviour. ◆**procédure** *nf* procedure; *Jur* proceedings.

procès [prɔsɛ] *nm* (*criminel*) trial; (*civil*) lawsuit; **faire un p. à** to take to court.

processeur [prɔsesœr] *nm* (*d'ordinateur*) processor.

procession [prɔsesjɔ̃] *nf* procession.

processus [prɔsesys] *nm* process.

procès-verbal, -aux [prɔsɛvɛrbal, -o] *nm* (*de réunion*) minutes; (*constat*) *Jur* report; (*contravention*) fine, ticket.

prochain, -aine [prɔʃɛ̃, -ɛn] **1** *a* next; (*avenir*) near; (*parent*) close; (*mort, arrivée*) impending; (*mariage*) forthcoming; **un jour p.** one day soon; – *nf* **à la prochaine!** *Fam* see you soon!; **à la prochaine (station)** at the next stop. **2** *nm* (*semblable*) fellow (man). ◆**prochainement** *adv* shortly, soon.

proche [prɔʃ] *a* (*espace*) near, close; (*temps*) close (at hand); (*parent, ami*) close; (*avenir*) near; **p. de** near (to), close to; **une maison/etc p.** a house/*etc* nearby *ou* close by; – *nmpl* close relations.

proclamer [prɔklame] *vt* to proclaim, declare (**que** that); **p. roi** to proclaim king. ◆**proclamation** *nf* proclamation, declaration.

procréer [prɔkree] *vt* to procreate. ◆**procréation** *nf* procreation.

procuration [prɔkyrasjɔ̃] *nf* power of attorney; **par p.** (*voter*) by proxy.

procurer [prɔkyre] *vt* **p. qch à qn** (*personne*) to obtain sth for s.o.; (*occasion etc*) to afford s.o. sth; **se p. qch** to obtain sth.

procureur [prɔkyrœr] *nm* = *Br* public prosecutor, = *Am* district attorney.

prodige [prɔdiʒ] *nm* (*miracle*) wonder; (*personne*) prodigy. ◆**prodigieux, -euse** *a* prodigious, extraordinary.

prodigue [prɔdig] *a* (*dépensier*) wasteful, prodigal. ◆**prodiguer** *vt* to lavish (**à qn** on s.o.).

production [prɔdyksjɔ̃] *nf* production; (*de la terre*) yield. ◆**producteur, -trice** *nmf* *Com Cin* producer; – *a* producing; **pays p. de pétrole** oil-producing country. ◆**productif, -ive** *a* (*terre, réunion etc*) productive. ◆**productivité** *nf* productivity.

produire* [prɔdɥir] **1** *vt* (*fabriquer, présenter etc*) to produce; (*causer*) to bring about, produce. **2 se p.** *vpr* (*événement etc*) to happen, occur. ◆**produit** *nm* (*article etc*) product; (*pour la vaisselle*) liquid; (*d'une vente, d'une collecte*) proceeds; *pl* (*de la terre*) produce; **p. (chimique)** chemical; **p. de beauté** cosmetic.

proéminent [prɔeminɑ̃] *a* prominent.

prof [prɔf] *nm Fam* = **professeur.**

profane [prɔfan] **1** *nmf* lay person. **2** *a* (*art etc*) secular.

profaner [prɔfane] *vt* to profane, desecrate. ◆**profanation** *nf* profanation, desecration.

proférer [prɔfere] *vt* to utter.

professer [prɔfese] *vt* to profess (**que** that).

professeur [prɔfɛsœr] *nm* teacher; *Univ* lecturer, *Am* professor; (*titulaire d'une chaire*) *Univ* professor.

profession [prɔfɛsjɔ̃] *nf* **1** occupation, vocation; (*libérale*) profession; (*manuelle*) trade; **de p.** (*chanteur etc*) professional, by profession. **2 p. de foi** *Fig* declaration of principles. ◆**professionnel, -elle** *a* professional; (*école*) vocational, trade-; – *nmf* (*non amateur*) professional.

profil [prɔfil] *nm* (*de personne, objet*) profile;

de p. in profile. ◆**profiler** *vt* to outline, profile; — **se p.** *vpr* to be outlined *ou* profiled (**sur** against).

profit [prɔfi] *nm* profit; (*avantage*) advantage, profit; **vendre à p.** to sell at a profit; **tirer p. de** to benefit by, profit by; **au p. de** for the benefit of. ◆**profitable** *a* profitable (**à** to). ◆**profiter** *vi* **p. de** to take advantage of; **p. à qn** to profit s.o.; **p. (bien)** (*enfant*) *Fam* to thrive. ◆**profiteur, -euse** *nmf Péj* profiteer.

profond [prɔfɔ̃] *a* deep; (*esprit, joie, erreur etc*) profound, great; (*cause*) underlying; **p. de deux mètres** two metres deep; – *adv* (*pénétrer etc*) deep; – *nm* **au plus p. de** in the depths of. ◆**profondément** *adv* deeply; (*dormir*) soundly; (*triste, souhaiter*) profoundly; (*extrêmement*) thoroughly. ◆**profondeur** *nf* depth; profoundness; *pl* depths (**de** of); **en p.** (*étudier etc*) in depth; **à six mètres de p.** at a depth of six metres.

profusion [prɔfyzjɔ̃] *nf* profusion; **à p.** in profusion.

progéniture [prɔʒenityr] *nf Hum* offspring.

progiciel [prɔʒisjɛl] *nm* (*pour ordinateur*) (software) package.

programme [prɔgram] *nm* programme, *Am* program; (*d'une matière*) *Scol* syllabus; (*d'ordinateur*) program; **p. (d'études)** (*d'une école*) curriculum. ◆**programmation** *nf* programming. ◆**programmer** *vt Cin Rad TV* to programme, *Am* program; (*ordinateur*) to program. ◆**programmeur, -euse** *nmf* (computer) programmer.

progrès [prɔgrɛ] *nm & nmpl* progress; **faire des p.** to make (good) progress. ◆**progresser** *vi* to progress. ◆**progressif, -ive** *a* progressive. ◆**progression** *nf* progression. ◆**progressiste** *a & nmf Pol* progressive. ◆**progressivement** *adv* progressively, gradually.

prohiber [prɔibe] *vt* to prohibit, forbid. ◆**prohibitif, -ive** *a* prohibitive. ◆**prohibition** *nf* prohibition.

proie [prwa] *nf* prey; **être en p. à** to be (a) prey to, be tortured by.

projecteur [prɔʒɛktœr] *nm* (*de monument*) floodlight; (*de prison*) & *Mil* searchlight; *Th* spot(light); *Cin* projector.

projectile [prɔʒɛktil] *nm* missile.

projet [prɔʒɛ] *nm* plan; (*ébauche*) draft; (*entreprise, étude*) project.

projeter [prɔʒte] *vt* **1** (*lancer*) to hurl, project. **2** (*film, ombre*) to project; (*lumière*) to flash. **3** (*voyage, fête etc*) to plan; **p. de faire** to plan to do. ◆**projection** *nf* (*lancement*) hurling, projection; (*de film, d'ombre*) projection; (*séance*) showing.

prolétaire [prɔletɛr] *nmf* proletarian. ◆**prolétariat** *nm* proletariat. ◆**prolétarien, -ienne** *a* proletarian.

proliférer [prɔlifere] *vi* to proliferate. ◆**prolifération** *nf* proliferation.

prolifique [prɔlifik] *a* prolific.

prolixe [prɔliks] *a* verbose, wordy.

prologue [prɔlɔg] *nm* prologue (**de, à** to).

prolonger [prɔlɔ̃ʒe] *vt* to prolong, extend; — **se p.** *vpr* (*séance, rue, effet*) to continue. ◆**prolongateur** *nm* (*rallonge*) *Él* extension cord. ◆**prolongation** *nf* extension; *pl Fb* extra time. ◆**prolongement** *nm* extension.

promenade [prɔmnad] *nf* (*à pied*) walk; (*en voiture*) ride, drive; (*en vélo, à cheval*) ride; (*action*) *Sp* walking; (*lieu*) walk, promenade; **faire une p.** = **se promener.** ◆**promener** *vt* to take for a walk *ou* ride; (*visiteur*) to take *ou* show around; **p. qch sur qch** (*main, regard*) to run sth over sth; **envoyer p.** *Fam* to send packing; — **se p.** *vpr* (*à pied*) to (go for a) walk; (*en voiture*) to (go for a) ride *ou* drive. ◆**promeneur, -euse** *nmf* walker, stroller.

promesse [prɔmɛs] *nf* promise. ◆**promett/re*** *vt* to promise (**qch à qn** s.o. sth); **p. de faire** to promise to do; **c'est promis** it's a promise; – *vi* **p. (beaucoup)** *Fig* to be promising; **se p. qch** to promise oneself sth; **se p. de faire** to resolve to do. ◆**—eur, -euse** *a* promising.

promontoire [prɔmɔ̃twar] *nm Géog* headland.

promoteur [prɔmɔtœr] *nm* **p. (immobilier)** property developer.

promotion [prɔmosjɔ̃] *nf* **1** promotion; **en p.** *Com* on (special) offer. **2** (*candidats*) *Univ* year. ◆**promouvoir*** *vt* (*personne, produit etc*) to promote; **être promu** (*employé*) to be promoted (**à** to).

prompt [prɔ̃] *a* swift, prompt, quick. ◆**promptitude** *nf* swiftness, promptness.

promulguer [prɔmylge] *vt* to promulgate.

prôner [prone] *vt* (*vanter*) to extol; (*préconiser*) to advocate.

pronom [prɔnɔ̃] *nm Gram* pronoun. ◆**pronominal, -aux** *a* pronominal.

prononc/er [prɔnɔ̃se] *vt* (*articuler*) to pronounce; (*dire*) to utter; (*discours*) to deliver; (*jugement*) *Jur* to pronounce, pass; – *vi Jur Ling* to pronounce; — **se p.** *vpr* (*mot*) to be pronounced; (*personne*) to reach a decision (**sur** about, on); **se p. pour** to come out in favour of. ◆**—é** *a* (*visible*) pro-

nounced, marked. ◆**prononciation** *nf* pronunciation.
pronostic [prɔnɔstik] *nm* (*prévision*) & *Sp* forecast. ◆**pronostiquer** *vt* to forecast.
propagande [prɔpagɑ̃d] *nf* propaganda. ◆**propagandiste** *nmf* propagandist.
propager [prɔpaʒe] *vt*, **— se p.** *vpr* to spread. ◆**propagation** *nf* spread(ing).
propension [prɔpɑ̃sjɔ̃] *nf* propensity (**à qch** for sth, **à faire** to do).
prophète [prɔfɛt] *nm* prophet. ◆**prophétie** [-fesi] *nf* prophecy. ◆**prophétique** *a* prophetic. ◆**prophétiser** *vti* to prophesy.
propice [prɔpis] *a* favourable (**à** to).
proportion [prɔpɔrsjɔ̃] *nf* proportion; *Math* ratio; **en p. de** in proportion to; **hors de p.** out of proportion (**avec** to). ◆**proportionnel, -elle** *a* proportional (**à** to). ◆**proportionn/er** *vt* to proportion (**à** to). ◆**—é** *a* proportionate (**à** to); **bien p.** well *ou* nicely proportioned.
propos [prɔpo] **1** *nmpl* (*paroles*) remarks, utterances. **2** *nm* (*intention*) purpose. **3** *nm* (*sujet*) subject; **à p. de** about; **à p. de rien** for no reason; **à tout p.** for no reason, at every turn. **4** *adv* **à p.** (*arriver etc*) at the right time; **à p.!** by the way!; **juger à p. de faire** to consider it fit to do.
proposer [prɔpoze] *vt* (*suggérer*) to suggest, propose (**qch à qn** sth to s.o., **que** (+ *sub*) that); (*offrir*) to offer (**qch à qn** s.o. sth, **de faire** to do); (*candidat*) to put forward, propose; **je te propose de rester** I suggest (that) you stay; **se p. pour faire** to offer to do; **se p. de faire** to propose *ou* mean to do. ◆**proposition** *nf* suggestion, proposal; (*de paix*) proposal, (*affirmation*) proposition; *Gram* clause.
propre[1] [prɔpr] *a* clean; (*soigné*) neat; (*honnête*) decent; – *nm* **mettre qch au p.** to make a fair copy of sth. ◆**proprement**[1] *adv* (*avec propreté*) cleanly; (*avec netteté*) neatly; (*comme il faut*) decently. ◆**propreté** *nf* cleanliness; (*netteté*) neatness.
propre[2] [prɔpr] **1** *a* (*à soi*) own; **mon p. argent** my own money; **ses propres mots** his very *ou* his own words. **2** *a* (*qui convient*) right, proper; **p. à** (*attribut, coutume etc*) peculiar to; (*approprié*) well-suited to; **p. à faire** likely to do; **sens p.** literal meaning; **nom p.** proper noun; – *nm* **le p. de** (*qualité*) the distinctive quality of; **au p.** (*au sens propre*) literally. ◆**proprement**[2] *adv* (*strictement*) strictly; **à p. parler** strictly speaking; **le village/***etc* **p. dit** the village/*etc* proper *ou* itself.
propriété [prɔprijete] *nf* **1** (*bien*) property; (*droit*) ownership, property. **2** (*qualité*) property. **3** (*de mot*) suitability. ◆**propriétaire** *nmf* owner; (*d'hôtel*) proprietor, owner; (*qui loue*) landlord, landlady; **p. foncier** landowner.
propulser [prɔpylse] *vt* (*faire avancer, projeter*) to propel. ◆**propulsion** *nf* propulsion.
prosaïque [prozaik] *a* prosaic, pedestrian.
proscrire* [prɔskrir] *vt* to proscribe, banish. ◆**proscrit, -ite** *nmf* (*personne*) exile. ◆**proscription** *nf* banishment.
prose [proz] *nf* prose.
prospecter [prɔspɛkte] *vt* (*sol*) to prospect; (*pétrole*) to prospect for; (*région*) *Com* to canvass. ◆**prospecteur, -trice** *nmf* prospector. ◆**prospection** *nf* prospecting; *Com* canvassing.
prospectus [prɔspɛktys] *nm* leaflet, prospectus.
prospère [prɔspɛr] *a* (*florissant*) thriving, prosperous; (*riche*) prosperous. ◆**prospérer** *vi* to thrive, flourish, prosper. ◆**prospérité** *nf* prosperity.
prostate [prɔstat] *nf Anat* prostate (gland).
prostern/er (se) [səprɔstɛrne] *vpr* to prostrate oneself (**devant** before). ◆**—é** *a* prostrate. ◆**—ement** *nm* prostration.
prostituer [prɔstitɥe] *vt* to prostitute; **— se p.** *vpr* to prostitute oneself. ◆**prostituée** *nf* prostitute. ◆**prostitution** *nf* prostitution.
prostré [prɔstre] *a* (*accablé*) prostrate. ◆**prostration** *nf* prostration.
protagoniste [prɔtagɔnist] *nmf* protagonist.
protecteur, -trice [prɔtɛktœr, -tris] *nmf* protector; (*mécène*) patron; – *a* (*geste etc*) & *Écon* protective; (*ton, air*) *Péj* patronizing. ◆**protection** *nf* protection; (*mécénat*) patronage; **de p.** (*écran etc*) protective. ◆**protectionnisme** *nm Écon* protectionism.
protég/er [prɔteʒe] *vt* to protect (**de** from, **contre** against); (*appuyer*) *Fig* to patronize; **— se p.** *vpr* to protect oneself. ◆**—é** *nm* protégé. ◆**—ée** *nf* protégée. ◆**protège-cahier** *nm* exercise book cover.
proteine [prɔtein] *nf* protein.
protestant, -ante [prɔtɛstɑ̃, -ɑ̃t] *a* & *nmf* Protestant. ◆**protestantisme** *nm* Protestantism.
protester [prɔtɛste] *vi* to protest (**contre** against); **p. de** (*son innocence etc*) to protest; – *vt* to protest (**que** that). ◆**protestation** *nf* protest (**contre** against); *pl* (*d'amitié*) protestations (**de** of).

prothèse [prɔtɛz] *nf* **(appareil de) p.** (*membre*) artificial limb; (*dents*) false teeth.
protocole [prɔtɔkɔl] *nm* protocol.
prototype [prɔtɔtip] *nm* prototype.
protubérance [prɔtyberɑ̃s] *nf* protuberance. ◆**protubérant** *a* (*yeux*) bulging; (*menton*) protruding.
proue [pru] *nf Nau* prow, bow(s).
prouesse [pruɛs] *nf* feat, exploit.
prouver [pruve] *vt* to prove (**que** that).
Provence [prɔvɑ̃s] *nf* Provence. ◆**provençal, -ale, -aux** *a* & *nmf* Provençal.
provenir* [prɔvnir] *vi* **p. de** to come from. ◆**provenance** *nf* origin; **en p. de** from.
proverbe [prɔvɛrb] *nm* proverb. ◆**proverbial, -aux** *a* proverbial.
providence [prɔvidɑ̃s] *nf* providence. ◆**providentiel, -ielle** *a* providential.
province [prɔvɛ̃s] *nf* province; **la p.** the provinces; **en p.** in the provinces; **de p.** (*ville etc*) provincial. ◆**provincial, -ale, -aux** *a* & *nmf* provincial.
proviseur [prɔvizœr] *nm* (*de lycée*) headmaster.
provision [prɔvizjɔ̃] *nf* **1** (*réserve*) supply, stock; *pl* (*achats*) shopping; (*vivres*) provisions: **panier/sac à provisions** shopping basket/bag. **2** (*acompte*) advance payment; **chèque sans p.** dud cheque.
provisoire [prɔvizwar] *a* temporary, provisional. ◆**—ment** *adv* temporarily, provisionally.
provoquer [prɔvɔke] *vt* **1** (*causer*) to bring about, provoke; (*désir*) to arouse. **2** (*défier*) to provoke (*s.o.*). ◆**provocant** *a* provocative. ◆**provocateur** *nm* troublemaker. ◆**provocation** *nf* provocation.
proxénète [prɔksenɛt] *nm* pimp.
proximité [prɔksimite] *nf* closeness, proximity; **à p.** close by; **à p. de** close to.
prude [pryd] *a* prudish; – *nf* prude.
prudent [prydɑ̃] *a* (*circonspect*) cautious, careful; (*sage*) sensible. ◆**prudemment** [-amɑ̃] *adv* cautiously, carefully; (*sagement*) sensibly. ◆**prudence** *nf* caution, care, prudence; (*sagesse*) wisdom; **par p.** as a precaution.
prune [pryn] *nf* (*fruit*) plum. ◆**pruneau, -x** *nm* prune. ◆**prunelle** *nf* **1** (*fruit*) sloe. **2** (*de l'œil*) pupil. ◆**prunier** *nm* plum tree.
P.-S. [peɛs] *abrév* (*post-scriptum*) PS.
psaume [psom] *nm* psalm.
pseudo- [psødo] *préf* pseudo-.
pseudonyme [psødɔnim] *nm* pseudonym.
psychanalyse [psikanaliz] *nf* psychoanalysis. ◆**psychanalyste** *nmf* psychoanalyst.
psychiatre [psikjatr] *nmf* psychiatrist. ◆**psychiatrie** *nf* psychiatry. ◆**psychiatrique** *a* psychiatric.
psychique [psiʃik] *a* mental, psychic.
psycho [psiko] *préf* psycho-.
psychologie [psikɔlɔʒi] *nf* psychology. ◆**psychologique** *a* psychological. ◆**psychologue** *nmf* psychologist.
psychose [psikoz] *nf* psychosis.
PTT [petete] *nfpl* (*Postes, Télégraphes, Téléphones*) Post Office, = GPO.
pu [py] *voir* **pouvoir 1.**
puant [pɥɑ̃] *a* stinking. ◆**puanteur** *nf* stink, stench.
pub [pyb] *nf Fam* (*réclame*) advertising; (*annonce*) ad.
puberté [pybɛrte] *nf* puberty.
public, -ique [pyblik] *a* public; **dette publique** national debt; – *nm* public; (*de spectacle*) audience; **le grand p.** the general public; **en p.** in public. ◆**publiquement** *adv* publicly.
publication [pyblikasjɔ̃] *nf* (*action, livre etc*) publication. ◆**publier** *vt* to publish.
publicité [pyblisite] *nf* publicity (**pour** for); (*réclame*) advertising, publicity; (*annonce*) advertisement; *Rad TV* commercial. ◆**publicitaire** *a* (*agence, film*) publicity-, advertising-.
puce [pys] *nf* **1** flea; **le marché aux puces, les puces** the flea market. **2** (*d'un ordinateur*) chip, microchip.
puceron [pysrɔ̃] *nm* greenfly.
pudeur [pydœr] *nf* (sense of) modesty; **attentat à la p.** *Jur* indecency. ◆**pudibond** *a* prudish. ◆**pudique** *a* modest.
puer [pɥe] *vi* to stink; – *vt* to stink of.
puériculture [pɥerikyltyr] *nf* infant care, child care. ◆**puéricultrice** *nf* children's nurse.
puéril [pɥeril] *a* puerile. ◆**puérilité** *nf* puerility.
puis [pɥi] *adv* then: **et p. quoi?** and so what?
puiser [pɥize] *vt* to draw, take (**dans** from); – *vi* **p. dans** to dip into.
puisque [pɥisk(ə)] *conj* since, as.
puissant [pɥisɑ̃] *a* powerful. ◆**puissamment** *adv* powerfully. ◆**puissance** *nf* (*force, nation*) & *Math Tech* power; **en p.** (*talent, danger etc*) potential.
puits [pɥi] *nm* well; (*de mine*) shaft.
pull(-over) [pyl(ɔvɛr)] *nm* pullover, sweater.
pulluler [pylyle] *vi Péj* to swarm.
pulmonaire [pylmɔnɛr] *a* (*congestion, maladie*) of the lungs, lung-.

pulpe [pylp] *nf* (*de fruits*) pulp.
pulsation [pylsasjɔ̃] *nf* (heart)beat.
pulvériser [pylverize] *vt* (*broyer*) & *Fig* to pulverize; (*liquide*) to spray. **◆pulvérisateur** *nm* spray, atomizer. **◆pulvérisation** *nf* (*de liquide*) spraying.
punaise [pynɛz] *nf* **1** (*insecte*) bug. **2** (*clou*) drawing pin, *Am* thumbtack. **◆punaiser** *vt* (*fixer*) to pin (up).
punch [pɔ̃ʃ] *nm* **1** (*boisson*) punch. **2** [pœnʃ] (*énergie*) punch.
punir [pynir] *vt* to punish. **◆punissable** *a* punishable (**de** by). **◆punition** *nf* punishment.
pupille [pypij] **1** *nf* (*de l'œil*) pupil. **2** *nmf* (*enfant sous tutelle*) ward.
pupitre [pypitr] *nm* (*d'écolier*) desk; (*d'orateur*) lectern; **p. à musique** music stand.
pur [pyr] *a* pure; (*alcool*) neat, straight. **◆purement** *adv* purely. **◆pureté** *nf* purity.
purée [pyre] *nf* purée; **p. (de pommes de terre)** mashed potatoes, mash.
purgatoire [pyrgatwar] *nm* purgatory.
purge [pyrʒ] *nf Pol Méd* purge.
purger [pyrʒe] *vt* **1** (*conduite*) *Tech* to drain, clear. **2** (*peine*) *Jur* to serve.
purifier [pyrifje] *vt* to purify. **◆purification** *nf* purification.
purin [pyrɛ̃] *nm* liquid manure.
puriste [pyrist] *nmf Gram* purist.
puritain, -aine [pyritɛ̃, -ɛn] *a* & *nmf* puritan.
pur-sang [pyrsɑ̃] *nm inv* (*cheval*) thoroughbred.
pus¹ [py] *nm* (*liquide*) pus, matter.
pus², put [py] *voir* **pouvoir 1.**
putain [pytɛ̃] *nf Péj Fam* whore.
putois [pytwa] *nm* (*animal*) polecat.
putréfier [pytrefje] *vt*, **— se p.** *vpr* to putrefy. **◆putréfaction** *nf* putrefaction.
puzzle [pœzl] *nm* (jigsaw) puzzle, jigsaw.
p.-v. [peve] *nm inv* (*procès-verbal*) (traffic) fine.
PVC [pevese] *nm* (*plastique*) PVC.
pygmée [pigme] *nm* pygmy.
pyjama [piʒama] *nm* pyjamas, *Am* pajamas; **un p.** a pair of pyjamas *ou Am* pajamas; **de p.** (*veste, pantalon*) pyjama-, *Am* pajama-.
pylône [pilon] *nm* pylon.
pyramide [piramid] *nf* pyramid.
Pyrénées [pirene] *nfpl* **les P.** the Pyrenees.
pyromane [pirɔman] *nmf* arsonist, firebug.
python [pitɔ̃] *nm* (*serpent*) python.

Q

Q, q [ky] *nm* Q, q.
QI [kyi] *nm inv abrév* (*quotient intellectuel*) IQ.
qu' [k] *voir* **que.**
quadrill/er [kadrije] *vt* (*troupes, police*) to be positioned throughout, comb, cover (*town etc*). **◆—é** *a* (*papier*) squared. **◆—age** *nm* (*lignes*) squares.
quadrupède [k(w)adrypɛd] *nm* quadruped.
quadruple [k(w)adrypl] *a* **q. de** fourfold; — *nm* **le q. de** four times as much as. **◆quadrupl/er** *vti* to quadruple. **◆—és, -ées** *nmfpl* (*enfants*) quadruplets, quads.
quai [ke] *nm Nau* quay; (*pour marchandises*) wharf; (*de fleuve*) embankment, bank; *Rail* platform.
qualification [kalifikasjɔ̃] *nf* **1** description. **2** (*action*) *Sp* qualifying, qualification. **◆qualificatif** *nm* (*mot*) term. **◆qualifi/er 1** *vt* (*décrire*) to describe (**de** as); **se faire q. de menteur**/*etc* to be called a liar/*etc.* **2** *vt* (*rendre apte*) & *Sp* to qualify (**pour qch** for sth, **pour faire** to do); **— se q.** *vpr Sp* to qualify (**pour** for). **3** *vt Gram* to qualify. **◆—é** *a* qualified (**pour faire** to do); (*ouvrier, main-d'œuvre*) skilled.
qualité [kalite] *nf* quality; (*condition sociale etc*) occupation, status; **produit**/*etc* **de q.** high-quality product/*etc*; **en sa q. de** in one's capacity as. **◆qualitatif, -ive** *a* qualitative.
quand [kɑ̃] *conj* & *adv* when; **q. je viendrai** when I come; **c'est pour q.?** (*réunion, mariage*) when is it?; **q. bien même vous le feriez** even if you did it; **q. même** all the same.
quant (à) [kɑ̃ta] *prép* as for.
quantité [kɑ̃tite] *nf* quantity; **une q., des quantités** (*beaucoup*) a lot (**de** of); **en q.** (*abondamment*) in plenty. **◆quantifier** *vt* to quantify. **◆quantitatif, -ive** *a* quantitative.
quarante [karɑ̃t] *a* & *nm* forty. **◆quarantaine** *nf* **1 une q. (de)** (*nombre*)

(about) forty; **avoir la q.** (*âge*) to be about forty. **2** *Méd* quarantine; **mettre en q.** *Méd* to quarantine; *Fig* to send to Coventry, *Am* give the silent treatment to. **◆quarantième** *a & nmf* fortieth.

quart [kar] *nm* **1** quarter; **q. (de litre)** quarter litre, quarter of a litre; **q. d'heure** quarter of an hour; **un mauvais q. d'heure** *Fig* a trying time; **une heure et q.** an hour and a quarter; **il est une heure et q.** it's a quarter past *ou Am* after one; **une heure moins le q.** a quarter to one. **2** *Nau* watch; **de q.** on watch.

quartette [kwartɛt] *nm* (jazz) quartet(te).

quartier [kartje] **1** *nm* neighbourhood, district; (*chinois etc*) quarter; **de q.** (*cinéma etc*) local; **les gens du q.** the local people. **2** *nm* (*de pomme, lune*) quarter; (*d'orange*) segment. **3** *nm(pl)* **quartier(s)** *Mil* quarters; **q. général** headquarters.

quartz [kwarts] *nm* quartz; **montre/***etc* **à q.** quartz watch/*etc.*

quasi [kazi] *adv* almost. **◆quasi-** *préf* near; **q.-obscurité** near darkness. **◆quasiment** *adv* almost.

quatorze [katɔrz] *a & nm* fourteen. **◆quatorzième** *a & nmf* fourteenth.

quatre [katr] *a & nm* four; **se mettre en q.** to go out of one's way (**pour faire** to do); **son q. heures** (*goûter*) one's afternoon snack; **un de ces q.** *Fam* some day soon. **◆quatrième** *a & nmf* fourth. **◆quatrièmement** *adv* fourthly.

quatre-vingt(s) [katrəvɛ̃] *a & nm* eighty; **q.-vingts ans** eighty years; **q.-vingt-un** eighty-one. **◆q.-vingt-dix** *a & nm* ninety.

quatuor [kwatɥɔr] *nm Mus* quartet(te).

que [k(ə)] (**qu'** *before a vowel or mute h*) **1** *conj* that; **je pense qu'elle restera** I think (that) she'll stay; **qu'elle vienne ou non** whether she comes or not; **qu'il s'en aille!** let him leave!; **ça fait un an q. je suis là** I've been here for a year; **ça fait un an q. je suis parti** I left a year ago. **2** (**ne**) . . . **q.** only; **tu n'as qu'un franc** you only have one franc. **3** (*comparaison*) than; (*avec aussi, même, tel, autant*) as; **plus/moins âgé q. lui** older/younger than him; **aussi sage/***etc* **q.** as wise/*etc* as; **le même q.** the same as. **4** *adv* **(ce) qu'il est bête!** (*comme*) how silly he is!; **q. de gens!** (*combien*) what a lot of people! **5** *pron rel* (*chose*) that, which; (*personne*) that, whom; (*temps*) when; **le livre q. j'ai** the book (that *ou* which) I have; **l'ami q. j'ai** the friend (that *ou* whom) I have; **un jour/mois/***etc* **q.** one day/month/*etc* when. **6** *pron interrogatif* what; **q. fait-il?, qu'est-ce qu'il fait?** what is he doing?; **qu'est-ce qui est dans ta poche?** what's in your pocket?; **q. préférez-vous?** which do you prefer?

Québec [kebɛk] *nm* **le Q.** Quebec.

quel, quelle [kɛl] **1** *a interrogatif* what, which; (*qui*) who; **q. livre/acteur?** what *ou* which book/actor?; **q. livre/acteur préférez-vous?** which *ou* what book/actor do you prefer?; **q. est cet homme?** who is that man?; **je sais q. est ton but** I know what your aim is; **q. qu'il soit** (*chose*) whatever it may be; (*personne*) whoever it *ou* he may be; – *pron interrogatif* which (one); **q. est le meilleur?** which (one) is the best? **2** *a exclamatif* **q. idiot!** what a fool!; **q. joli bébé!** what a pretty baby!

quelconque [kɛlkɔ̃k] *a* **1** any, some (or other); **une raison q.** any reason (whatever *ou* at all), some reason (or other). **2** (*banal*) ordinary.

quelque [kɛlk(ə)] **1** *a* some; **q. jour** some day; **quelques femmes** a few women, some women; **les quelques amies qu'elle a** the few friends she has. **2** *adv* (*environ*) about, some; **et q.** *Fam* and a bit; **q. grand qu'il soit** however tall he may be; **q. numéro qu'elle choisisse** whichever number she chooses; **q. peu** somewhat. **3** *pron* **q. chose** something; (*interrogation*) anything, something; **il a q. chose** *Fig* there's something the matter with him; **q. chose d'autre** something else; **q. chose de grand/***etc* something big/*etc.* **4** *adv* **q. part** somewhere; (*interrogation*) anywhere, somewhere.

quelquefois [kɛlkəfwa] *adv* sometimes.

quelques-uns, -unes [kɛlkəzœ̃, -yn] *pron pl* some.

quelqu'un [kɛlkœ̃] *pron* someone, somebody; (*interrogation*) anyone, anybody, someone, somebody; **q. d'intelligent/***etc* someone clever/*etc.*

quémander [kemɑ̃de] *vt* to beg for.

qu'en-dira-t-on [kɑ̃diratɔ̃] *nm inv* (*propos*) gossip.

quenelle [kənɛl] *nf Culin* quenelle, fish *ou* meat roll.

querelle [kərɛl] *nf* quarrel, dispute. **◆se quereller** *vpr* to quarrel. **◆querelleur, -euse** *a* quarrelsome.

question [kɛstjɔ̃] *nf* question; (*affaire, problème*) matter, issue, question; **il est q. de** it's a matter *ou* question of (**faire** doing); (*on projette de*) there's some question of (**faire** doing); **il n'en est pas q.** there's no question of it, it's out of the question; **en q.** in question; **hors de q.** out of the question;

(re)mettre en q. to (call in) question. ◆**questionner** *vt* to question (**sur** about).

quête [kɛt] *nf* **1** (*collecte*) collection. **2** (*recherche*) quest (**de** for); **en q. de** in quest *ou* search of. ◆**quêter** *vt* to seek, beg for; – *vi* to collect money.

queue [kø] *nf* **1** (*d'animal*) tail; (*de fleur*) stalk, stem; (*de fruit*) stalk; (*de poêle*) handle; (*de comète*) trail; (*de robe*) train; (*de cortège, train*) rear; **q. de cheval** (*coiffure*) ponytail; **faire une q. de poisson** *Aut* to cut in (**à qn** in front of s.o.); **à la q. de** (*classe*) at the bottom of; **à la q. leu leu** (*marcher*) in single file. **2** (*file*) queue, *Am* line; **faire la q.** to queue up, *Am* line up. **3** (*de billard*) cue. ◆**q.-de-pie** *nf* (*pl* **queues-de-pie**) (*habit*) tails.

qui [ki] *pron* (*personne*) who, that; (*interrogatif*) who; (*après prép*) whom; (*chose*) which, that; **l'homme q.** the man who *ou* that; **la maison q.** the house which *ou* that; **q.?** who?; **q. (est-ce q.) est là?** who's there?; **q. désirez-vous voir?, q. est-ce que vous désirez voir?** who(m) do you want to see?; **sans q.** without whom; **la femme de q. je parle** the woman I'm talking about *ou* about whom I'm talking; **l'ami sur l'aide de q. je compte** the friend on whose help I rely; **q. que vous soyez** whoever you are, whoever you may be; **q. que ce soit** anyone (at all); **à q. est ce livre?** whose book is this?

quiche [kiʃ] *nf* (*tarte*) quiche.

quiconque [kikɔ̃k] *pron* (*celui qui*) whoever; (*n'importe qui*) anyone.

quignon [kiɲɔ̃] *nm* chunk (of bread).

quille [kij] *nf* **1** (*de navire*) keel. **2** (*de jeu*) skittle; *pl* (*jeu*) skittles, ninepins. **3** (*jambe*) *Fam* leg.

quincaillier, -ière [kɛ̃kaje, -jɛr] *nmf* hardware dealer, ironmonger. ◆**quincaillerie** *nf* hardware; (*magasin*) hardware shop.

quinine [kinin] *nf Méd* quinine.

quinquennal, -aux [kɛ̃kenal, -o] *a* (*plan*) five-year.

quinte [kɛ̃t] *nf Méd* coughing fit.

quintessence [kɛ̃tesɑ̃s] *nf* quintessence.

quintette [kɛ̃tɛt] *nm Mus* quintet(te).

quintuple [kɛ̃typl] *a* **q. de** fivefold; – *nm* **le q. de** five times as much as. ◆**quintupl/er** *vti* to increase fivefold. ◆**–és, -ées** *nmfpl* (*enfants*) quintuplets, quins.

quinze [kɛ̃z] *a & nm* fifteen; **q. jours** two weeks, fortnight. ◆**quinzaine** *nf* **une q. (de)** (*nombre*) (about) fifteen; **q. (de jours)** two weeks, fortnight. ◆**quinzième** *a & nmf* fifteenth.

quiproquo [kiprɔko] *nm* misunderstanding.

quittance [kitɑ̃s] *nf* receipt.

quitte [kit] *a* quits, even (**envers** with); **q. à faire** even if it means doing; **en être q. pour une amende**/*etc* to (be lucky enough to) get off with a fine/*etc*.

quitter [kite] *vt* to leave; (*ôter*) to take off; – *vi* **ne quittez pas!** *Tél* hold the line!, hold on!; **– se q.** *vpr* (*se séparer*) to part.

qui-vive (sur le) [syrləkiviv] *adv* on the alert.

quoi [kwa] *pron* what; (*après prép*) which; **à q. penses-tu?** what are you thinking about?; **après q.** after which; **ce à q. je m'attendais** what I was expecting; **de q. manger**/*etc* (*assez*) enough to eat/*etc*; **de q. couper/écrire**/*etc* (*instrument*) something to cut/write/*etc* with; **q. que je dise** whatever I say; **q. que ce soit** anything (at all); **q. qu'il en soit** be that as it may; **il n'y a pas de q.!** (*en réponse à 'merci'*) don't mention it!; **q.?** what?; **c'est un idiot, q.!** (*non traduit*) *Fam* he's a fool!

quoique [kwak(ə)] *conj* (+ *sub*) (al)though.

quolibet [kɔlibɛ] *nm Litt* gibe.

quorum [k(w)ɔrɔm] *nm* quorum.

quota [k(w)ɔta] *nm* quota.

quote-part [kɔtpar] *nf* (*pl* **quotes-parts**) share.

quotidien, -ienne [kɔtidjɛ̃, -jɛn] *a* (*journalier*) daily; (*banal*) everyday; – *nm* daily (paper). ◆**quotidiennement** *adv* daily.

quotient [kɔsjɑ̃] *nm* quotient.

R

R, r [ɛr] *nm* R, r.

rabâch/er [rabɑʃe] *vt* to repeat endlessly; – *vi* to repeat oneself ◆**–age** *nm* endless repetition.

rabais [rabɛ] *nm* (price) reduction, discount; **au r.** (*acheter*) cheap, at a reduction.

rabaisser [rabese] *vt* (*dénigrer*) to belittle, humble; **r. à** (*ravaler*) to reduce to.

rabat-joie [rabaʒwa] *nm inv* killjoy.

rabattre* [rabatr] *vt* (*baisser*) to put *ou* pull down; (*refermer*) to close (down); (*replier*) to fold down *ou* over; (*déduire*) to take off; **en r.** (*prétentieux*) *Fig* to climb down (from one's high horse); **— se r.** *vpr* (*se refermer*) to close; (*après avoir doublé*) *Aut* to cut in (**devant** in front of); **se r. sur** *Fig* to fall back on.
rabbin [rabɛ̃] *nm* rabbi; **grand r.** chief rabbi.
rabibocher [rabibɔʃe] *vt* (*réconcilier*) *Fam* to patch it up between; **— se r.** *vpr Fam* to patch it up.
rabiot [rabjo] *nm* (*surplus*) *Fam* extra (helping); **faire du r.** *Fam* to work extra time.
râblé [rɑble] *a* stocky, thickset.
rabot [rabo] *nm* (*outil*) plane. **◆raboter** *vt* to plane.
raboteux, -euse [rabɔtø, -øz] *a* uneven, rough.
rabougri [rabugri] *a* (*personne, plante*) stunted.
rabrouer [rabrue] *vt* to snub, rebuff.
racaille [rakɑj] *nf* rabble, riffraff.
raccommod/er [rakɔmɔde] **1** *vt* to mend; (*chaussette*) to darn. **2** *vt* (*réconcilier*) *Fam* to reconcile; **— se r.** *vpr Fam* to make it up (**avec** with). **◆—age** *nm* mending; darning.
raccompagner [rakɔ̃paɲe] *vt* to see *ou* take back (home); **r. à la porte** to see to the door, see out.
raccord [rakɔr] *nm* (*dispositif*) connection; (*de papier peint*) join; **r. (de peinture)** touch-up. **◆raccord/er** *vt*, **— se r.** *vpr* to connect (up), join (up) (**à** with, to). **◆—ement** *nm* (*action, résultat*) connection.
raccourc/ir [rakursir] *vt* to shorten; *– vi* to get shorter; (*au lavage*) to shrink. **◆—i** *nm* **1** (*chemin*) short cut. **2 en r.** (*histoire etc*) in a nutshell.
raccroc (par) [parrakro] *adv* by (a lucky) chance.
raccrocher [rakrɔʃe] *vt* to hang back up; (*récepteur*) *Tél* to put down; (*relier*) to connect (**à** with, to); (*client*) to accost; **se r. à** to hold on to, cling to; (*se rapporter à*) to link (up) with; *– vi Tél* to hang up, ring off.
race [ras] *nf* (*groupe ethnique*) race; (*animale*) breed; (*famille*) stock; (*engeance*) *Péj* breed; **de r.** (*chien*) pedigree-; (*cheval*) thoroughbred. **◆racé** *a* (*chien*) pedigree-; (*cheval*) thoroughbred; (*personne*) distinguished. **◆racial, -aux** *a* racial. **◆racisme** *nm* racism, racialism. **◆raciste** *a* & *nmf* racist, racialist.
rachat [raʃa] *nm Com* repurchase; (*de firme*) take-over; *Rel* redemption. **◆racheter** *vt* to buy back; (*objet d'occasion*) to buy; (*nouvel article*) to buy another; (*firme*) to take over, buy out; (*pécheur, dette*) to redeem; (*compenser*) to make up for; **r. des chaussettes/du pain/***etc* to buy (some) more socks/bread/*etc*; **— se r.** *vpr* to make amends, redeem oneself.
racine [rasin] *nf* (*de plante, personne etc*) & *Math* root; **prendre r.** (*plante*) & *Fig* to take root.
racket [rakɛt] *nm* (*association*) racket; (*activité*) racketeering.
raclée [rɑkle] *nf Fam* hiding, thrashing.
racler [rɑkle] *vt* to scrape; (*enlever*) to scrape off; **se r. la gorge** to clear one's throat. **◆raclette** *nf* scraper; (*à vitres*) squeegee. **◆racloir** *nm* scraper. **◆raclures** *nfpl* (*déchets*) scrapings.
racol/er [rakɔle] *vt* (*prostituée*) to solicit (*s.o.*); (*vendeur etc*) to tout for (*s.o.*), solicit (*s.o.*). **◆—age** *nm* soliciting; touting. **◆—eur, -euse** *nmf* tout.
raconter [rakɔ̃te] *vt* (*histoire*) to tell, relate; (*décrire*) to describe; **r. qch à qn** (*vacances etc*) to tell s.o. about sth; **r. à qn que** to tell s.o. that, say to s.o. that. **◆racontars** *nmpl* gossip, stories.
racornir [rakɔrnir] *vt* to harden; **— se r.** *vpr* to get hard.
radar [radar] *nm* radar; **contrôle r.** (*pour véhicules etc*) radar control. **◆radariste** *nmf* radar operator.
rade [rad] *nf* **1** *Nau* (natural) harbour. **2 laisser en r.** to leave stranded, abandon; **rester en r.** to be left behind.
radeau, -x [rado] *nm* raft.
radiateur [radjatœr] *nm* (*à eau*) & *Aut* radiator; (*électrique, à gaz*) heater.
radiation [radjɑsjɔ̃] *nf* **1** *Phys* radiation. **2** (*suppression*) removal (**de** from).
radical, -ale, -aux [radikal, -o] *a* radical; *– nm Ling* stem; *– nmf Pol* radical.
radier [radje] *vt* to strike *ou* cross off (**de** from).
radieux, -euse [radjø, -øz] *a* (*personne, visage*) radiant, beaming; (*soleil*) brilliant; (*temps*) glorious.
radin, -ine [radɛ̃, -in] *a Fam* stingy; *– nmf Fam* skinflint.
radio [radjo] **1** *nf* radio; (*poste*) radio (set); **à la r.** on the radio. **2** *nf* (*photo*) *Méd* X-ray; **passer** *ou* **faire une r.** to be X-rayed, have an X-ray. **3** *nm* (*opérateur*) radio operator. **◆radioactif, -ive** *a* radioactive. **◆radioactivité** *nf* radioactivity. **◆radiodiffuser** *vt* to broadcast (on the radio). **◆radio-**

diffusion *nf* broadcasting. ♦**radiographie** *nf* (*photo*) X-ray; (*technique*) radiography. ♦**radiographier** *vt* to X-ray. ♦**radiologie** *nf Méd* radiology. ♦**radiologue** *nmf* (*technicien*) radiographer; (*médecin*) radiologist. ♦**radiophonique** *a* (*programme*) radio-. ♦**radiotélévisé** *a* broadcast on radio and television.
radis [radi] *nm* radish; **r. noir** horseradish.
radot/er [radɔte] *vi* to drivel (on), ramble (on). ♦**—age** *nm* (*propos*) drivel.
radouc/ir (se) [səradusir] *vpr* to calm down; (*temps*) to become milder. ♦**—issement** *nm* **r. (du temps)** milder weather.
rafale [rafal] *nf* (*vent*) gust, squall; (*de mitrailleuse*) burst; (*de balles*) hail.
raffermir [rafɛrmir] *vt* to strengthen; (*muscles etc*) to tone up; **— se r.** *vpr* to become stronger.
raffin/er [rafine] *vt* (*pétrole, sucre, manières*) to refine. ♦**—é** *a* refined. ♦**—age** *nm* (*du pétrole, sucre*) refining. ♦**—ement** *nm* (*de personne*) refinement. ♦**raffinerie** *nf* refinery.
raffoler [rafɔle] *vi* **r. de** (*aimer*) to be very fond of, be mad *ou* wild about.
raffut [rafy] *nm Fam* din, row.
rafiot [rafjo] *nm* (*bateau*) *Péj* (old) tub.
rafistoler [rafistɔle] *vt Fam* to patch up.
rafle [rɑfl] *nf* (police) raid.
rafler [rɑfle] *vt* (*enlever*) *Fam* to swipe, make off with.
rafraîch/ir [rafreʃir] *vt* to cool (down); (*remettre à neuf*) to brighten up; (*mémoire, personne*) to refresh; – *vi* **mettre à r.** *Culin* to chill; **— se r.** *vpr* (*boire*) to refresh oneself; (*se laver*) to freshen (oneself) up; (*temps*) to get cooler. ♦**—issant** *a* refreshing. ♦**—issement** *nm* **1** (*de température*) cooling. **2** (*boisson*) cold drink; *pl* (*fruits, glaces etc*) refreshments.
ragaillardir [ragajardir] *vt* to buck up.
rage [raʒ] *nf* **1** (*colère*) rage; **r. de dents** violent toothache; **faire r.** (*incendie, tempête*) to rage. **2** (*maladie*) rabies. ♦**rager** *vi* (*personne*) *Fam* to rage, fume. ♦**rageant** *a Fam* infuriating. ♦**rageur, -euse** *a* bad-tempered, furious.
ragots [rago] *nmpl Fam* gossip.
ragoût [ragu] *nm Culin* stew.
ragoûtant [ragutɑ̃] *a* **peu r.** (*mets, personne*) unsavoury.
raid [rɛd] *nm* (*incursion, attaque*) *Mil Av* raid.
raide [rɛd] *a* (*rigide, guindé*) stiff; (*côte*) steep; (*cheveux*) straight; (*corde etc*) tight; **c'est r.!** (*exagéré*) *Fam* it's a bit stiff *ou* much!; – *adv* (*grimper*) steeply; **tomber r. mort** to drop dead. ♦**raideur** *nf* stiffness; steepness. ♦**raidillon** *nm* (*pente*) short steep rise. ♦**raidir** *vt*, **— se r.** *vpr* to stiffen; (*corde*) to tighten; (*position*) to harden; **se r. contre** *Fig* to steel oneself against.
raie [rɛ] *nf* **1** (*trait*) line; (*de tissu, zèbre*) stripe; (*de cheveux*) parting, *Am* part. **2** (*poisson*) skate, ray.
rail [rɑj] *nm* (*barre*) rail; **le r.** (*transport*) rail.
railler [rɑje] *vt* to mock, make fun of. ♦**raillerie** *nf* gibe, mocking remark. ♦**railleur, -euse** *a* mocking.
rainure [renyr] *nf* groove.
raisin [rɛzɛ̃] *nm* **raisin(s)** grapes; **grain de r.** grape; **manger du r.** *ou* **des raisins** to eat grapes; **r. sec** raisin.
raison [rɛzɔ̃] *nf* **1** (*faculté, motif*) reason; **entendre r.** to listen to reason; **la r. pour laquelle je . . .** the reason (why *ou* that) I . . . ; **pour raisons de famille/de santé/***etc* for family/health/*etc* reasons; **en r. de** (*cause*) on account of; **à r. de** (*proportion*) at the rate of; **avoir r. de qn/de qch** to get the better of s.o./sth; **mariage de r.** marriage of convenience; **à plus forte r.** all the more so; **r. de plus** all the more reason (**pour faire** to do, for doing). **2 avoir r.** to be right (**de faire** to do, in doing); **donner r. à qn** to agree with s.o.; (*événement etc*) to prove s.o. right; **avec r.** rightly. ♦**raisonnable** *a* reasonable. ♦**raisonnablement** *adv* reasonably.
raisonn/er [rɛzɔne] *vi* (*penser*) to reason; (*discuter*) to argue; – *vt* **r. qn** to reason with s.o. ♦**—é** *a* (*projet*) well-thought-out. ♦**—ement** *nm* (*faculté, activité*) reasoning; (*propositions*) argument. ♦**—eur, -euse** *a Péj* argumentative; – *nmf Péj* arguer.
rajeun/ir [raʒœnir] *vt* to make (feel *ou* look) younger; (*personnel*) to infuse new blood into; (*moderniser*) to modernize, update; (*personne âgée*) *Méd* to rejuvenate; – *vi* to get *ou* feel *ou* look younger. ♦**—issant** *a Méd* rejuvenating. ♦**—issement** *nm Méd* rejuvenation; **le r. de la population** the population getting younger.
rajout [raʒu] *nm* addition. ♦**rajouter** *vt* to add (**à** to); **en r.** *Fig* to overdo it.
rajuster [raʒyste] *vt* (*mécanisme*) to readjust; (*lunettes, vêtements*) to straighten, adjust; (*cheveux*) to rearrange; **— se r.** *vpr* to straighten *ou* tidy oneself up.
râle [rɑl] *nm* (*de blessé*) groan; (*de mourant*) death rattle. ♦**râler** *vi* (*blessé*) to groan; (*mourant*) to give the death rattle; (*protes-*

er) *Fam* to grouse, moan. ◆**râleur, -euse** *nmf Fam* grouser, moaner.

ralent/ir [ralɑ̃tir] *vti*, — **se r.** *vpr* to slow down. ◆**—i** *nm Cin TV* slow motion; **au r.** (*filmer, travailler*) in slow motion; (*vivre*) at a slower pace; **tourner au r.** (*moteur, usine*) to idle, tick over, *Am* turn over.

rallier [ralje] *vt* (*rassembler*) to rally; (*rejoindre*) to rejoin; **r. qn à** (*convertir*) to win s.o. over to; — **se r.** *vpr* (*se regrouper*) to rally; **se r. à** (*point de vue*) to come over *ou* round to.

rallonge [ralɔ̃ʒ] *nf* (*de table*) extension; (*fil électrique*) extension (lead); **une r. (de)** (*supplément*) *Fam* (some) extra. ◆**rallonger** *vti* to lengthen.

rallumer [ralyme] *vt* to light again, relight; (*lampe*) to switch on again; (*conflit, haine*) to rekindle; — **se r.** *vpr* (*guerre, incendie*) to flare up again.

rallye [rali] *nm Sp Aut* rally.

ramage [ramaʒ] **1** *nm* (*d'oiseaux*) song, warbling. **2** *nmpl* (*dessin*) foliage.

ramass/er [ramɑse] **1** *vt* (*prendre par terre, réunir*) to pick up; (*ordures, copies*) to collect, pick up; (*fruits, coquillages*) to gather; (*rhume, amende*) *Fam* to pick up, get; **r. une bûche** *ou* **une pelle** *Fam* to come a cropper, *Am* take a spill. **2 se r.** *vpr* (*se pelotonner*) to curl up. ◆**—é** *a* (*trapu*) squat, stocky; (*recroquevillé*) huddled; (*concis*) compact. ◆**—age** *nm* picking up; collection; gathering; **r. scolaire** school bus service.

ramassis [ramɑsi] *nm* **r. de** (*voyous etc*) *Péj* bunch of.

rambarde [rɑ̃bard] *nf* guardrail.

rame [ram] *nf* **1** (*aviron*) oar. **2** (*de métro*) train. **3** (*de papier*) ream. ◆**ramer** *vi* to row. ◆**rameur, -euse** *nmf* rower.

rameau, -x [ramo] *nm* branch; **les Rameaux** *Rel* Palm Sunday.

ramener [ramne] *vt* to bring *ou* take back; (*paix, calme, ordre etc*) to restore, bring back; (*remettre en place*) to put back; **r. à** (*réduire à*) to reduce to; **r. à la vie** to bring back to life; — **se r.** *vpr* (*arriver*) *Fam* to turn up; **se r. à** (*problème etc*) to boil down to.

ramier [ramje] *nm* **(pigeon) r.** wood pigeon.

ramification [ramifikɑsjɔ̃] *nf* ramification.

ramoll/ir [ramɔlir] *vt*, — **se r.** *vpr* to soften. ◆**—i** *a* soft; (*personne*) soft-headed.

ramon/er [ramɔne] *vt* (*cheminée*) to sweep. ◆**—age** *nm* (chimney) sweeping. ◆**—eur** *nm* (chimney)sweep.

rampe [rɑ̃p] *nf* **1** (*pente*) ramp, slope; **r. de lancement** (*de fusées etc*) launch(ing) pad. **2** (*d'escalier*) banister(s). **3** (*projecteurs*) *Th* footlights.

ramper [rɑ̃pe] *vi* to crawl; (*plante*) to creep; **r. devant** *Fig* to cringe *ou* crawl to.

rancard [rɑ̃kar] *nm Fam* (*rendez-vous*) date; (*renseignement*) tip.

rancart [rɑ̃kar] *nm* **mettre au r.** *Fam* to throw out, scrap.

rance [rɑ̃s] *a* rancid. ◆**rancir** *vi* to turn rancid.

ranch [rɑ̃tʃ] *nm* ranch.

rancœur [rɑ̃kœr] *nf* rancour, resentment.

rançon [rɑ̃sɔ̃] *nf* ransom; **la r. de** (*inconvénient*) the price of (*success, fame etc*). ◆**rançonner** *vt* to hold to ransom.

rancune [rɑ̃kyn] *nf* grudge; **garder r. à qn** to bear s.o. a grudge; **sans r.!** no hard feelings! ◆**rancunier, -ière** *a* vindictive, resentful.

randonnée [rɑ̃dɔne] *nf* (*à pied*) walk, hike; (*en voiture*) drive, ride; (*en vélo*) ride.

rang [rɑ̃] *nm* (*rangée*) row, line; (*condition, grade, classement*) rank; **les rangs** (*hommes*) *Mil* the ranks **(de** of); **les rangs de ses ennemis** (*nombre*) *Fig* the ranks of his enemies; **se mettre en rang(s)** to line up **(par trois**/*etc* in threes/*etc*); **par r. de** in order of. ◆**rangée** *nf* row, line.

rang/er [rɑ̃ʒe] *vt* (*papiers, vaisselle etc*) to put away; (*chambre etc*) to tidy (up); (*chiffres, mots*) to arrange; (*voiture*) to park; **r. parmi** (*auteur etc*) to rank among; — **se r.** *vpr* (*élèves etc*) to line up; (*s'écarter*) to stand aside; (*voiture*) to pull over; (*s'assagir*) to settle down; **se r. à** (*avis de qn*) to fall in with. ◆**—é** *a* (*chambre etc*) tidy; (*personne*) steady; (*bataille*) pitched. ◆**—ement** *nm* putting away; (*de chambre etc*) tidying (up); (*espace*) storage space.

ranimer [ranime] *vt* (*réanimer, revigorer*) to revive; (*encourager*) to spur on; (*feu, querelle*) to rekindle.

rapace [rapas] **1** *a* (*avide*) grasping. **2** *nm* (*oiseau*) bird of prey.

rapatrier [rapatrije] *vt* to repatriate. ◆**rapatriement** *nm* repatriation.

râpe [rɑp] *nf Culin* grater; shredder; (*lime*) rasp. ◆**râp/er** *vt* (*fromage*) to grate; (*carottes etc*) to shred, (*finement*) to grate; (*bois*) to rasp. ◆**—é 1** *a* (*fromage*) grated; — *nm* grated cheese. **2** *a* (*vêtement*) threadbare.

rapetisser [raptise] *vt* to make (look) smaller; (*vêtement*) to shorten; — *vi* to get smaller; (*au lavage*) to shrink; (*jours*) to get shorter.

râpeux, -euse [rɑpø, -øz] *a* rough.

raphia [rafja] *nm* raffia.
rapide [rapid] *a* fast, quick, rapid; (*pente*) steep; – *nm* (*train*) express (train); (*de fleuve*) rapid. ◆**—ment** *adv* fast, quickly, rapidly. ◆**rapidité** *nf* speed, rapidity.
rapiécer [rapjese] *vt* to patch (up).
rappel [rapɛl] *nm* (*de diplomate etc*) recall; (*évocation, souvenir*) reminder; (*paiement*) back pay; *pl Th* curtain calls; **(vaccination de) r.** *Méd* booster; **r. à l'ordre** call to order. ◆**rappeler** *vt* (*pour faire revenir*) & *Tél* to call back; (*diplomate, souvenir*) to recall; **r. qch à qn** (*redire*) to remind s.o. of sth; – *vi Tél* to call back; **— se r.** *vpr* (*histoire, personne etc*) to remember, recall, recollect.
rappliquer [raplike] *vi* (*arriver*) *Fam* to show up.
rapport [rapɔr] *nm* **1** (*lien*) connection, link; *pl* (*entre personnes*) relations; **rapports (sexuels)** (sexual) intercourse; **par r. à** compared to *ou* with; (*envers*) towards; **se mettre en r. avec qn** to get in touch with s.o.; **en r. avec** in keeping with; **sous le r. de** from the point of view of. **2** (*revenu*) *Com* return, yield. **3** (*récit*) report. ◆**rapporter 1** *vt* (*ramener*) to bring *ou* take back; (*ajouter*) to add; – *vi* (*chien*) to retrieve. **2** *vt* (*récit*) to report; (*mot célèbre*) to repeat; – *vi* (*moucharder*) *Fam* to tell tales. **3** *vt* (*profit*) *Com* to bring in, yield; – *vi* (*investissement*) *Com* to bring in a good return. **4** *vt* **r. qch à** (*rattacher*) to relate sth to; **se r. à** to relate to, be connected with; **s'en r. à** to rely on. ◆**rapporteur, -euse 1** *nmf* (*mouchard*) telltale. **2** *nm Jur* reporter. **3** *nm Géom* protractor.
rapproch/er [raprɔʃe] *vt* to bring closer (**de** to); (*chaise*) to pull up (**de** to); (*réconcilier*) to bring together; (*réunir*) to join; (*comparer*) to compare; **— se r.** *vpr* to come *ou* get closer (**de** to); (*se réconcilier*) to come together, be reconciled; (*ressembler*) to be close (**de** to). ◆**—é** *a* close, near; (*yeux*) close-set; (*fréquent*) frequent. ◆**—ement** *nm* (*réconciliation*) reconciliation; (*rapport*) connection; (*comparaison*) comparison.
rapt [rapt] *nm* (*d'enfant*) abduction.
raquette [rakɛt] *nf* (*de tennis*) racket; (*de ping-pong*) bat.
rare [rar] *a* rare; (*argent, main-d'œuvre etc*) scarce; (*barbe, herbe*) sparse; **il est r. que** (+ *sub*) it's seldom *ou* rare that. ◆**se raréfier** *vpr* (*denrées etc*) to get scarce. ◆**rarement** *adv* rarely, seldom. ◆**rareté** *nf* rarity; scarcity; **une r.** (*objet*) a rarity.
ras [rɑ] *a* (*cheveux*) close-cropped; (*herbe, poil*) short; (*mesure*) full; **en rase campagne** in (the) open country; **à r. de** very close to; **à r. bord** (*remplir*) to the brim; **en avoir r. le bol** *Fam* to be fed up (**de** with); **pull (au) r. du cou** *ou* **à col r.** crew-neck(ed) pullover; – *adv* short.
ras/er [rɑze] **1** *vt* (*menton, personne*) to shave; (*barbe, moustache*) to shave off; **— se r.** *vpr* to (have a) shave. **2** *vt* (*démolir*) to raze, knock down. **3** *vt* (*frôler*) to skim, brush. **4** *vt* (*ennuyer*) *Fam* to bore. ◆**—ant** *a Fam* boring. ◆**—é** *a* **bien r.** clean-shaven; **mal r.** unshaven. ◆**—age** *nm* shaving. ◆**—eur, -euse** *nmf Fam* bore. ◆**rasoir 1** *nm* shaver. **2** *a inv Fam* boring.
rassasier [rasazje] *vti* to satisfy; **être rassasié** to have had enough (**de** of).
rassembler [rasɑ̃ble] *vt* to gather (together), assemble; (*courage*) to summon up, muster; **— se r.** *vpr* to gather, assemble. ◆**rassemblement** *nm* (*action, gens*) gathering.
rasseoir* (se) [səraswar] *vpr* to sit down again.
rassis, *f* rassie [rasi] *a* (*pain, brioche etc*) stale. ◆**rassir** *vti* to turn stale.
rassur/er [rasyre] *vt* to reassure; **rassure-toi** set your mind at rest, don't worry. ◆**—ant** *a* (*nouvelle*) reassuring, comforting.
rat [ra] *nm* rat; **r. de bibliothèque** *Fig* bookworm.
ratatiner (se) [səratatine] *vpr* to shrivel (up); (*vieillard*) to become wizened.
rate [rat] *nf Anat* spleen.
râteau, -x [rɑto] *nm* (*outil*) rake.
râtelier [rɑtəlje] *nm* **1** (*support pour outils, armes etc*) rack. **2** (*dentier*) *Fam* set of false teeth.
rat/er [rate] *vt* (*bus, cible, occasion etc*) to miss; (*gâcher*) to spoil, ruin; (*vie*) to waste; (*examen*) to fail; – *vi* (*projet etc*) to fail; (*pistolet*) to misfire. ◆**—é, -ée 1** *nmf* (*personne*) failure. **2** *nmpl* **avoir des ratés** *Aut* to backfire. ◆**—age** *nm* (*échec*) *Fam* failure.
ratifier [ratifje] *vt* to ratify. ◆**ratification** *nf* ratification.
ration [rɑsjɔ̃] *nf* ration; **r. de** *Fig* share of. ◆**rationn/er** *vt* (*vivres, personne*) to ration. ◆**—ement** *nm* rationing.
rationaliser [rasjɔnalize] *vt* to rationalize. ◆**rationalisation** *nf* rationalization.
rationnel, -elle [rasjɔnɛl] *a* (*pensée, méthode*) rational.
ratisser [ratise] *vt* **1** (*allée etc*) to rake; (*feuilles etc*) to rake up. **2** (*fouiller*) to comb. **3 r. qn** (*au jeu*) *Fam* to clean s.o. out.
raton [ratɔ̃] *nm* **r. laveur** rac(c)oon.
rattach/er [rataʃe] *vt* to tie up again; (*in-*

corporer, joindre) to join (**à** to); (*idée, question*) to link (**à** to); **r. qn à** (*son pays etc*) to bind s.o. to; **se r. à** to be linked to. ◆**—ement** *nm* (*annexion*) joining (**à** to).

rattrap/er [ratrape] *vt* to catch; (*prisonnier etc*) to recapture; (*erreur, temps perdu*) to make up for; **r. qn** (*rejoindre*) to catch up with s.o., catch s.o. up; **— se r.** *vpr* to catch up; (*se dédommager, prendre une compensation*) to make up for it; **se r. à** (*branche etc*) to catch hold of. ◆**—age** *nm* **cours de r.** *Scol* remedial classes; **r. des prix/salaires** adjustment of prices/wages (*to the cost of living*).

rature [ratyr] *nf* deletion. ◆**raturer** *vt* to delete, cross out.

rauque [rok] *a* (*voix*) hoarse, raucous.

ravages [ravaʒ] *nmpl* devastation; (*de la maladie, du temps*) ravages; **faire des r.** to wreak havoc. ◆**ravager** *vt* to devastate, ravage.

raval/er [ravale] *vt* **1** (*façade etc*) to clean (and restore). **2** (*salive, sanglots*) to swallow. **3** (*avilir*) *Litt* to lower. ◆**—ement** *nm* (*de façade etc*) cleaning (and restoration).

ravi [ravi] *a* delighted (**de** with, **de faire** to do).

ravier [ravje] *nm* hors-d'œuvre dish.

ravigoter [ravigɔte] *vt Fam* to buck up.

ravin [ravɛ̃] *nm* ravine, gully.

ravioli [ravjɔli] *nmpl* ravioli.

rav/ir [ravir] *vt* **1** to delight; **à r.** (*chanter etc*) delightfully. **2** (*emporter*) to snatch (**à** from). ◆**—issant** *a* delightful, lovely. ◆**ravisseur, -euse** *nmf* kidnapper.

raviser (se) [səravize] *vpr* to change one's mind.

ravitaill/er [ravitɑje] *vt* to provide with supplies, supply; (*avion*) to refuel; **— se r.** *vpr* to stock up (with supplies). ◆**—ement** *nm* supplying; refuelling; (*denrées*) supplies; **aller au r.** (*faire des courses*) *Fam* to stock up, get stocks in.

raviver [ravive] *vt* (*feu, sentiment*) to revive; (*couleurs*) to brighten up.

ray/er [reje] *vt* (*érafler*) to scratch; (*mot etc*) to cross out; **r. qn de** (*liste*) to cross ou strike s.o. off. ◆**—é** *a* scratched; (*tissu*) striped; (*papier*) lined, ruled. ◆**rayure** *nf* scratch; (*bande*) stripe; **à rayures** striped.

rayon [rɛjɔ̃] *nm* **1** (*de lumière, soleil etc*) *Phys* ray; (*de cercle*) radius; (*de roue*) spoke; (*d'espoir*) *Fig* ray; **r. X** X-ray; **r. d'action** range; **dans un r. de** within a radius of. **2** (*planche*) shelf; (*de magasin*) department. **3** (*de ruche*) honeycomb. ◆**rayonnage** *nm* shelving, shelves.

rayonn/er [rɛjɔne] *vi* to radiate; (*dans une région*) to travel around (*from a central base*); **r. de joie** to beam with joy. ◆**—ant** *a* (*visage etc*) radiant, beaming (**de** with). ◆**—ement** *nm* (*éclat*) radiance; (*influence*) influence; (*radiation*) radiation.

raz-de-marée [rɑdmare] *nm inv* tidal wave; (*bouleversement*) *Fig* upheaval; **r.-de-marée électoral** landslide.

razzia [ra(d)zja] *nf* **faire une r. sur** (*tout enlever sur*) *Fam* to raid.

re- [r(ə)] *préf* re-.

ré- [re] *préf* re-.

réabonn/er (se) [səreabɔne] *vpr* to renew one's subscription (**à** to). ◆**—ement** *nm* renewal of subscription.

réacteur [reaktœr] *nm* (*d'avion*) jet engine; (*nucléaire*) reactor.

réaction [reaksjɔ̃] *nf* reaction; **r. en chaîne** chain reaction; **avion à r.** jet (aircraft); **moteur à r.** jet engine. ◆**réactionnaire** *a* & *nmf* reactionary.

réadapter [readapte] *vt*, **— se r.** *vpr* to readjust (**à** to). ◆**réadaptation** *nf* readjustment.

réaffirmer [reafirme] *vt* to reaffirm.

réagir [reaʒir] *vi* to react (**contre** against, **à** to); (*se secouer*) *Fig* to shake oneself out of it.

réalis/er [realize] *vt* (*projet etc*) to carry out, realize; (*ambition, rêve*) to fulfil; (*achat, bénéfice, vente*) to make; (*film*) to direct; (*capital*) *Com* to realize; (*se rendre compte*) to realize (**que** that); **— se r.** *vpr* (*vœu*) to come true; (*projet*) to be carried out; (*personne*) to fulfil oneself. ◆**—able** *a* (*plan*) workable; (*rêve*) attainable. ◆**réalisateur, -trice** *nmf Cin TV* director. ◆**réalisation** *nf* realization; (*de rêve*) fulfilment; *Cin TV* direction; (*œuvre*) achievement.

réalisme [realism] *nm* realism. ◆**réaliste** *a* realistic; – *nmf* realist.

réalité [realite] *nf* reality; **en r.** in (actual) fact, in reality.

réanimer [reanime] *vt Méd* to resuscitate. ◆**réanimation** *nf* resuscitation; **(service de) r.** intensive care unit.

réapparaître [reaparɛtr] *vi* to reappear. ◆**réapparition** *nf* reappearance.

réarmer [rearme] *vt* (*fusil etc*) to reload; – *vi*, **— se r.** *vpr* (*pays*) to rearm. ◆**réarmement** *nm* rearmament.

rébarbatif, -ive [rebarbatif, -iv] *a* forbidding, off-putting.

rebâtir [r(ə)bɑtir] *vt* to rebuild.

rebattu [r(ə)baty] *a* (*sujet*) hackneyed.

rebelle [rəbɛl] *a* rebellious; (*troupes*) rebel-; (*fièvre*) stubborn; (*mèche*) unruly; **r. à** resistant to; – *nmf* rebel. ◆**se rebeller** *vpr* to rebel (**contre** against). ◆**rébellion** *nf* rebellion.

rebiffer (se) [sər(ə)bife] *vpr Fam* to rebel.

rebond [r(ə)bɔ̃] *nm* bounce; (*par ricochet*) rebound. ◆**rebondir** *vi* to bounce; to rebound; **(faire) r.** (*affaire, discussion etc*) to get going again. ◆**rebondissement** *nm* new development (**de** in).

rebondi [r(ə)bɔ̃di] *a* chubby, rounded.

rebord [r(ə)bɔr] *nm* edge; (*de plat etc*) rim; (*de vêtement*) hem; **r. de (la) fenêtre** windowsill, window ledge.

reboucher [r(ə)buʃe] *vt* (*flacon*) to put the top back on.

rebours (à) [ar(ə)bur] *adv* the wrong way.

rebrousse-poil (à) [arbruspwal] *adv* **prendre qn à r.-poil** *Fig* to rub s.o. up the wrong way.

rebrousser [r(ə)bruse] *vt* **r. chemin** to turn back.

rebuffade [rəbyfad] *nf Litt* rebuff.

rébus [rebys] *nm inv* (*jeu*) rebus.

rebut [rəby] *nm* **mettre au r.** to throw out, scrap; **le r. de la société** *Péj* the dregs of society.

rebut/er [r(ə)byte] *vt* (*décourager*) to put off; (*choquer*) to repel. ◆**—ant** *a* off-putting; (*choquant*) repellent.

récalcitrant [rekalsitrɑ̃] *a* recalcitrant.

recaler [r(ə)kale] *vt* **r. qn** *Scol Fam* to fail s.o., flunk s.o.; **être recalé, se faire r.** *Scol Fam* to fail, flunk.

récapituler [rekapityle] *vti* to recapitulate. ◆**récapitulation** *nf* recapitulation.

recel [rəsɛl] *nm* receiving stolen goods, fencing; harbouring. ◆**receler** *vt* (*mystère, secret etc*) to contain; (*objet volé*) to receive; (*malfaiteur*) to harbour. ◆**receleur, -euse** *nmf* receiver (*of stolen goods*), fence.

recens/er [r(ə)sɑ̃se] *vt* (*population*) to take a census of; (*inventorier*) to make an inventory of. ◆**—ement** *nm* census; inventory.

récent [resɑ̃] *a* recent. ◆**récemment** [-amɑ̃] *adv* recently.

récépissé [resepise] *nm* (*reçu*) receipt.

récepteur [reseptœr] *nm Tél Rad* receiver. ◆**réceptif, -ive** *a* receptive (**à** to). ◆**réception** *nf* (*accueil, soirée*) & *Rad* reception; (*de lettre etc*) *Com* receipt; (*d'hôtel etc*) reception (desk). ◆**réceptionniste** *nmf* receptionist.

récession [resesjɔ̃] *nf Écon* recession.

recette [r(ə)sɛt] *nf* **1** *Culin* & *Fig* recipe. **2** (*argent, bénéfice*) takings; (*bureau*) tax office; **recettes** (*rentrées*) *Com* receipts; **faire r.** *Fig* to be a success.

recev/oir* [rəsvwar] *vt* to receive; (*obtenir*) to get, receive; (*accueillir*) to welcome; (*accepter*) to accept; **être reçu (à)** (*examen*) to pass; **être reçu premier** to come first; – *vi* to receive guests *ou* visitors *ou Méd* patients. ◆**—able** *a* (*excuse etc*) admissible. ◆**—eur, -euse** *nmf* (*d'autobus*) (bus) conductor, (bus) conductress; (*des impôts*) tax collector; (*des postes*) postmaster, postmistress.

rechange (de) [dər(ə)ʃɑ̃ʒ] *a* (*pièce, outil etc*) spare; (*solution etc*) alternative; **vêtements/chaussures de r.** a change of clothes/shoes.

rechapé [r(ə)ʃape] *a* **pneu r.** retread.

réchapper [reʃape] *vi* **r. de** *ou* **à** (*accident etc*) to come through.

recharge [r(ə)ʃarʒ] *nf* (*de stylo etc*) refill. ◆**recharger** *vt* (*camion, fusil*) to reload; (*briquet, stylo etc*) to refill; (*batterie*) to recharge.

réchaud [reʃo] *nm* (portable) stove.

réchauff/er [reʃofe] *vt* (*personne, aliment etc*) to warm up; **— se r.** *vpr* to warm oneself up; (*temps*) to get warmer. ◆**—é** *nm* **du r.** *Fig Péj* old hat. ◆**—ement** *nm* (*de température*) rise (**de** in).

rêche [rɛʃ] *a* rough, harsh.

recherche [r(ə)ʃɛrʃ] *nf* **1** search, quest (**de** for); **à la r. de** in search of. **2 la r., des recherches** (*scientifique etc*) research (**sur** on, into); **faire des recherches** to research; (*enquête*) to make investigations. **3** (*raffinement*) studied elegance; *Péj* affectation. ◆**recherch/er** *vt* to search *ou* hunt for; (*cause, faveur, perfection*) to seek. ◆**—é** *a* **1** (*très demandé*) in great demand; (*rare*) much sought-after; **r. pour meurtre** wanted for murder. **2** (*élégant*) elegant; *Péj* affected.

rechigner [r(ə)ʃiɲe] *vi* (*renâcler*) to jib (**à qch** at sth, **à faire** at doing).

rechute [r(ə)ʃyt] *nf Méd* relapse. ◆**rechuter** *vi Méd* to (have a) relapse.

récidive [residiv] *nf Jur* further offence; *Méd* recurrence (**de** of). ◆**récidiver** *vi Jur* to commit a further offence; (*maladie*) to recur. ◆**récidiviste** *nmf Jur* further offender.

récif [resif] *nm* reef.

récipient [resipjɑ̃] *nm* container, receptacle.

réciproque [resiprɔk] *a* mutual, reciprocal; – *nf* (*inverse*) opposite; **rendre la r. à qn** to get even with s.o. ◆**réciprocité** *nf* reci-

procity. ◆**réciproquement** *adv* (*l'un l'autre*) each other; **et r.** and vice versa.
récit [resi] *nm* (*compte rendu*) account; (*histoire*) story.
récital, *pl* **-als** [resital] *nm Mus* recital.
réciter [resite] *vt* to recite. ◆**récitation** *nf* recitation.
réclame [reklam] *nf* advertising; (*annonce*) advertisement; **en r.** *Com* on (special) offer; – *a inv* **prix r.** (special) offer price; **vente r.** (bargain) sale.
réclamer [reklame] *vt* (*demander, nécessiter*) to demand, call for; (*revendiquer*) to claim; – *vi* to complain; **se r. de qn** to invoke s.o.'s authority. ◆**réclamation** *nf* complaint; *pl* (*bureau*) complaints department.
reclasser [r(ə)klɑse] *vt* (*fiches etc*) to reclassify.
reclus, -use [rəkly, -yz] *a* (*vie*) cloistered; – *nmf* recluse.
réclusion [reklyzjɔ̃] *nf* imprisonment (with hard labour); **r. à perpétuité** life imprisonment.
recoiffer (se) [sər(ə)kwafe] *vpr* (*se peigner*) to do *ou* comb one's hair.
recoin [rəkwɛ̃] *nm* nook, recess.
recoller [r(ə)kɔle] *vt* (*objet cassé*) to stick together again; (*enveloppe*) to stick back down.
récolte [rekɔlt] *nf* (*action*) harvest; (*produits*) crop, harvest; (*collection*) *Fig* crop. ◆**récolter** *vt* to harvest, gather (in); (*recueillir*) *Fig* to collect, gather; (*coups*) *Fam* to get.
recommand/er [r(ə)kɔmɑ̃de] **1** *vt* (*appuyer, conseiller*) to recommend; **r. à qn de faire** to recommend s.o. to do. **2** *vt* (*lettre etc*) to register. **3** *vt* **r. à** (*âme*) to commend to. **4 se r.** *vpr* **se r. de qn** to invoke s.o.'s authority. ◆**—é** *nm* **en r.** (*envoyer*) by registered post. ◆**—able** *a* **peu r.** not very commendable. ◆**recommandation** *nf* **1** (*appui, conseil, louange*) recommendation. **2** (*de lettre etc*) registration.
recommenc/er [r(ə)kɔmɑ̃se] *vti* to start *ou* begin again. ◆**—ement** *nm* (*reprise*) renewal (**de** of).
récompense [rekɔ̃pɑ̃s] *nf* reward (**de** for); (*prix*) award; **en r. de** in return for. ◆**récompenser** *vt* to reward (**de, pour** for).
réconcilier [rekɔ̃silje] *vt* to reconcile; **— se r.** *vpr* to become reconciled, make it up (**avec** with). ◆**réconciliation** *nf* reconciliation.
reconduire* [r(ə)kɔ̃dɥir] *vt* **1 r. qn** to see *ou* take s.o. back; (*à la porte*) to show s.o. out. **2** (*mesures etc*) to renew. ◆**reconduction** *nf* renewal.
réconfort [rekɔ̃fɔr] *nm* comfort. ◆**réconfort/er** *vt* to comfort; (*revigorer*) to fortify. ◆**—ant** *a* comforting; (*boisson etc*) fortifying.
reconnaissant [r(ə)kɔnɛsɑ̃] *a* grateful, thankful (**à qn de qch** to s.o. for sth). ◆**reconnaissance**[1] *nf* (*gratitude*) gratitude.
reconnaître* [r(ə)kɔnɛtr] *vt* to recognize (**à qch** by sth); (*admettre*) to acknowledge, admit (**que** that); (*terrain*) *Mil* to reconnoitre; **être reconnu coupable** to be found guilty; **— se r.** *vpr* (*s'orienter*) to find one's bearings; **se r. coupable** to admit one's guilt. ◆**reconnu** *a* (*chef, fait*) acknowledged, recognized. ◆**reconnaissable** *a* recognizable (**à qch** by sth). ◆**reconnaissance**[2] *nf* recognition; (*aveu*) acknowledgement; *Mil* reconnaissance; **r. de dette** IOU.
reconsidérer [r(ə)kɔ̃sidere] *vt* to reconsider.
reconstituant [r(ə)kɔ̃stitɥɑ̃] *adj* (*aliment, régime*) restorative.
reconstituer [r(ə)kɔ̃stitɥe] *vt* (*armée, parti*) to reconstitute; (*crime, quartier*) to reconstruct; (*faits*) to piece together; (*fortune*) to build up again. ◆**reconstitution** *nf* reconstitution; reconstruction.
reconstruire* [r(ə)kɔ̃strɥir] *vt* (*ville, fortune*) to rebuild. ◆**reconstruction** *nf* rebuilding.
reconvertir [r(ə)kɔ̃vɛrtir] **1** *vt* (*bâtiment etc*) to reconvert. **2 se r.** *vpr* to take up a new form of employment. ◆**reconversion** *nf* reconversion.
recopier [r(ə)kɔpje] *vt* to copy out.
record [r(ə)kɔr] *nm* & *a inv Sp* record.
recoucher (se) [sər(ə)kuʃe] *vpr* to go back to bed.
recoudre* [r(ə)kudr] *vt* (*bouton*) to sew back on.
recoup/er [r(ə)kupe] *vt* (*témoignage etc*) to tally with, confirm; **— se r.** *vpr* to tally, match *ou* tie up. ◆**—ement** *nm* cross-check(ing).
recourbé [r(ə)kurbe] *a* curved; (*nez*) hooked.
recours [r(ə)kur] *nm* recourse (**à** to); *Jur* appeal; **avoir r. à** to resort to; (*personne*) to turn to; **notre dernier r.** our last resort. ◆**recourir*** *vi* **r. à** to resort to; (*personne*) to turn to.

recouvrer [r(ə)kuvre] *vt* (*argent, santé*) to recover.
recouvrir* [r(ə)kuvrir] *vt* (*livre, meuble, sol etc*) to cover; (*de nouveau*) to recover; (*cacher*) *Fig* to conceal, mask.
récréation [rekreɑsjɔ̃] *nf* recreation; (*temps*) *Scol* break, playtime.
récriminer [rekrimine] *vi* to complain bitterly (**contre** about). ◆**récrimination** *nf* (bitter) complaint.
récrire [rekrir] *vt* (*lettre etc*) to rewrite.
recroqueviller (se) [sər(ə)krɔkvije] *vpr* (*papier, personne etc*) to curl up.
recrudescence [rəkrydesɑ̃s] *nf* new outbreak (**de** of).
recrue [rəkry] *nf* recruit. ◆**recrut/er** *vt* to recruit. ◆**—ement** *nm* recruitment.
rectangle [rɛktɑ̃gl] *nm* rectangle. ◆**rectangulaire** *a* rectangular.
rectifier [rɛktifje] *vt* (*erreur etc*) to correct, rectify; (*ajuster*) to adjust. ◆**rectificatif** *nm* (*document*) amendment, correction. ◆**rectification** *nf* correction, rectification.
recto [rɛkto] *nm* front (of the page).
reçu [r(ə)sy] *voir* **recevoir;** – *a* (*usages etc*) accepted; (*idée*) conventional, received; (*candidat*) successful; – *nm* (*écrit*) *Com* receipt.
recueil [r(ə)kœj] *nm* (*ouvrage*) collection (**de** of).
recueill/ir* [r(ə)kœjir] **1** *vt* to collect, gather; (*suffrages*) to win, get; (*prendre chez soi*) to take in. **2 se r.** *vpr* to meditate; (*devant un monument*) to stand in silence. ◆**—i** *a* (*air*) meditative. ◆**—ement** *nm* meditation.
recul [r(ə)kyl] *nm* (*d'armée, de négociateur, de maladie*) retreat; (*éloignement*) distance; (*déclin*) decline; **(mouvement de) r.** (*de véhicule*) backward movement; **avoir un mouvement de r.** (*personne*) to recoil; **phare de r.** *Aut* reversing light. ◆**reculade** *nf Péj* retreat. ◆**recul/er** *vi* to move *ou* step back; *Aut* to reverse; (*armée*) to retreat; (*épidémie, glacier*) to recede, retreat; (*renoncer*) to back down, retreat; (*diminuer*) to decline; **r. devant** *Fig* to recoil *ou* shrink from; – *vt* to move *ou* push back; (*différer*) to postpone. ◆**—é** *a* (*endroit, temps*) remote.
reculons (à) [arkylɔ̃] *adv* backwards.
récupérer [rekypere] *vt* to recover, get back; (*ferraille etc*) to salvage; (*heures*) to make up; (*mouvement, personne etc*) *Pol Péj* to take over, convert; – *vi* to recuperate, recover. ◆**récupération** *nf* recovery; salvage; recuperation.
récurer [rekyre] *vt* (*casserole etc*) to scour; **poudre à r.** scouring powder.
récuser [rekyze] *vt* to challenge; **— se r.** *vpr* to decline to give an opinion.
recycl/er [r(ə)sikle] *vt* (*reconvertir*) to retrain (*s.o.*); (*matériaux*) to recycle; **— se r.** *vpr* to retrain. ◆**—age** *nm* retraining; recycling.
rédacteur, -trice [redaktœr, -tris] *nmf* writer; (*de chronique*) *Journ* editor; (*de dictionnaire etc*) compiler; **r. en chef** *Journ* editor(-in-chief). ◆**rédaction** *nf* (*action*) writing; (*de contrat*) drawing up; (*devoir*) *Scol* essay, composition; (*rédacteurs*) *Journ* editorial staff; (*bureaux*) *Journ* editorial offices.
reddition [redisjɔ̃] *nf* surrender.
redemander [rədmɑ̃de] *vt* (*pain etc*) to ask for more; **r. qch à qn** to ask s.o. for sth back.
rédemption [redɑ̃psjɔ̃] *nf Rel* redemption.
redescendre [r(ə)desɑ̃dr] *vi* (*aux* **être**) to come *ou* go back down; – *vt* (*aux* **avoir**) (*objet*) to bring *ou* take back down.
redevable [rədvabl] *a* **être r. de qch à qn** (*argent*) to owe s.o. sth; *Fig* to be indebted to s.o. for sth.
redevance [rədvɑ̃s] *nf* (*taxe*) *TV* licence fee; *Tél* rental charge.
redevenir* [rədvənir] *vi* (*aux* **être**) to become again.
rédiger [rediʒe] *vt* to write; (*contrat*) to draw up; (*dictionnaire etc*) to compile.
redire* [r(ə)dir] **1** *vt* to repeat. **2** *vi* **avoir** *ou* **trouver à r. à qch** to find fault with sth. ◆**redite** *nf* (pointless) repetition.
redondant [r(ə)dɔ̃dɑ̃] *a* (*style*) redundant.
redonner [r(ə)dɔne] *vt* to give back; (*de nouveau*) to give more.
redoubl/er [r(ə)duble] *vti* **1** to increase; **r. de patience**/*etc* to be much more patient/*etc*; **à coups redoublés** (*frapper*) harder and harder. **2 r. (une classe)** *Scol* to repeat a year *ou Am* a grade. ◆**—ant, -ante** *nmf* pupil repeating a year *ou Am* a grade. ◆**—ement** *nm* increase (**de** in); repeating a year *ou Am* a grade.
redout/er [r(ə)dute] *vt* to dread (**de faire** doing). ◆**—able** *a* formidable, fearsome.
redress/er [r(ə)drese] *vt* to straighten (out); (*économie, mât, situation, tort*) to right; **— se r.** *vpr* (*se mettre assis*) to sit up; (*debout*) to stand up; (*pays, situation etc*) to right itself. ◆**—ement** [-ɛsmɑ̃] *nm* (*essor*) recovery.

réduction [redyksjɔ̃] *nf* reduction (**de** in); **en r.** (*copie, modèle etc*) small-scale.
réduire* [redɥir] *vt* to reduce (**à** to, **de** by); **r. qn à** (*contraindre à*) to reduce s.o. to (*silence, inaction etc*); **se r. à** (*se ramener à*) to come down to, amount to; **se r. en cendres**/*etc* to be reduced to ashes/*etc*; – *vi* (**faire**) **r.** (*sauce*) to reduce, boil down. ◆**réduit 1** *a* (*prix, vitesse*) reduced; (*moyens*) limited; (*à petite échelle*) small-scale. **2** *nm* (*pièce*) *Péj* cubbyhole; (*recoin*) recess.
réécrire [reekrir] *vt* (*texte*) to rewrite.
rééduquer [reedyke] *vt* (*membre*) *Méd* to re-educate; **r. qn** to rehabilitate s.o., re-educate s.o. ◆**rééducation** *nf* re-education; rehabilitation.
réel, -elle [reɛl] *a* real; **le r.** reality. ◆**réellement** *adv* really.
réélire [reelir] *vt* to re-elect.
réexpédier [reɛkspedje] *vt* (*lettre etc*) to forward; (*à l'envoyeur*) to return.
refaire* [r(ə)fɛr] *vt* to do again, redo; (*erreur, voyage*) to make again; (*réparer*) to do up, redo; (*duper*) *Fam* to take in. ◆**réfection** *nf* repair(ing).
réfectoire [refɛktwar] *nm* refectory.
référendum [referɑ̃dɔm] *nm* referendum.
référer [refere] *vi* **en r. à** to refer the matter to; **— se r.** *vpr* **se r. à** to refer to. ◆**référence** *nf* reference.
refermer [r(ə)fɛrme] *vt*, **— se r.** *vpr* to close *ou* shut (again).
refiler [r(ə)file] *vt* (*donner*) *Fam* to palm off (**à** on).
réfléch/ir [refleʃir] **1** *vt* (*image*) to reflect; **— se r.** *vpr* to be reflected. **2** *vi* (*penser*) to think (**à, sur** about); – *vt* **r. que** to realize that. ◆**—i** *a* (*personne*) thoughtful, reflective; (*action, décision*) carefully thought-out; (*verbe*) *Gram* reflexive. ◆**réflecteur** *nm* reflector. ◆**réflexion** *nf* **1** (*de lumière etc*) reflection. **2** (*méditation*) thought, reflection; (*remarque*) remark; **à la r., r. faite** on second thoughts *ou Am* thought,on reflection.
reflet [r(ə)flɛ] *nm* (*image*) & *Fig* reflection; (*lumière*) glint; (*couleur*) tint. ◆**refléter** *vt* (*image, sentiment etc*) to reflect; **— se r.** *vpr* to be reflected.
réflexe [reflɛks] *nm* & *a* reflex.
refluer [r(ə)flye] *vi* (*eaux*) to ebb, flow back; (*foule*) to surge back. ◆**reflux** *nm* ebb; backward surge.
réforme *nf* **1** (*changement*) reform. **2** (*de soldat*) discharge. ◆**réformateur, -trice** *nmf* reformer. ◆**réformer 1** *vt* to reform; **— se r.** *vpr* to mend one's ways. **2** *vt* (*soldat*) to invalid out, discharge.
refoul/er [r(ə)fule] *vt* to force *ou* drive back; (*sentiment*) to repress; (*larmes*) to hold back. ◆**—é** *a* (*personne*) *Psy* repressed. ◆**—ement** *nm Psy* repression.
réfractaire [refraktɛr] *a* **r. à** resistant to.
refrain [r(ə)frɛ̃] *nm* (*de chanson*) refrain, chorus; (*rengaine*) *Fig* tune.
refréner [r(ə)frene] *vt* to curb, check.
réfrigér/er [refriʒere] *vt* to refrigerate. ◆**—ant** *a* (*accueil, air*) *Fam* icy. ◆**réfrigérateur** *nm* refrigerator. ◆**réfrigération** *nf* refrigeration.
refroid/ir [r(ə)frwadir] *vt* to cool (down); (*décourager*) *Fig* to put off; (*ardeur*) to dampen, cool; – *vi* to get cold, cool down; **— se r.** *vpr Méd* to catch cold; (*temps*) to get cold; (*ardeur*) to cool (off). ◆**—issement** *nm* cooling; (*rhume*) chill; **r. de la température** fall in the temperature.
refuge [r(ə)fyʒ] *nm* refuge; (*pour piétons*) (traffic) island; (*de montagne*) (mountain) hut. ◆**se réfugi/er** *vpr* to take refuge. ◆**—é, -ée** *nmf* refugee.
refus [r(ə)fy] *nm* refusal; **ce n'est pas de r.** *Fam* I won't say no. ◆**refuser** *vt* to refuse (**qch à qn** s.o. sth, **de faire** to do); (*offre, invitation*) to turn down, refuse; (*client*) to turn away, refuse; (*candidat*) to fail; **— se r.** *vpr* (*plaisir etc*) to deny oneself; **se r. à** (*évidence etc*) to refuse to accept, reject; **se r. à croire**/*etc* to refuse to believe/*etc*.
réfuter [refyte] *vt* to refute.
regagner [r(ə)gaɲe] *vt* (*récupérer*) to regain; (*revenir à*) to get back to. ◆**regain** *nm* **r. de** (*retour*) renewal of.
régal, *pl* **-als** [regal] *nm* treat. ◆**régaler** *vt* to treat to a delicious meal; **r. de** to treat to; **— se r.** *vpr* to have a delicious meal.
regard *nm* **1** (*coup d'œil, expression*) look; (*fixe*) stare, gaze; **chercher du r.** to look (a)round for; **attirer les regards** to attract attention; **jeter un r. sur** to glance at. **2 au r. de** in regard to; **en r. de** compared with. ◆**regard/er 1** *vt* to look at; (*fixement*) to stare at, gaze at; (*observer*) to watch; (*considérer*) to consider, regard (**comme** as); **r. qn faire** to watch s.o. do; – *vi* to look; to stare, gaze; to watch; **r. à** (*dépense, qualité etc*) to pay attention to; **r. vers** (*maison etc*) to face; **— se r.** *vpr* (*personnes*) to look at each other. **2** *vt* (*concerner*) to concern. ◆**—ant** *a* (*économe*) careful (with money).
régates [regat] *nfpl* regatta.
régence [reʒɑ̃s] *nf* regency.
régénérer [reʒenere] *vt* to regenerate.

régenter [reʒɑ̃te] *vt* to rule over.
régie [reʒi] *nf* (*entreprise*) state-owned company; *Th* stage management; *Cin TV* production department.
regimber [r(ə)ʒɛ̃be] *vi* to balk (**contre** at).
régime [reʒim] *nm* **1** system; *Pol* régime. **2** *Méd* diet; **se mettre au r.** to go on a diet; **suivre un r.** to be on a diet. **3** (*de moteur*) speed; **à ce r.** *Fig* at this rate. **4** (*de bananes, dattes*) bunch.
régiment [reʒimɑ̃] *nm Mil* regiment; **un r. de** (*quantité*) *Fig* a host of.
région [reʒjɔ̃] *nf* region, area. ◆**régional, -aux** *a* regional.
régir [reʒir] *vt* (*déterminer*) to govern.
régisseur [reʒisœr] *nm* (*de propriété*) steward; *Th* stage manager; *Cin* assistant director.
registre [rəʒistr] *nm* register.
règle [rɛgl] **1** *nf* (*principe*) rule; **en r.** (*papiers d'identité etc*) in order; **être/se mettre en r. avec qn** to be/put oneself right with s.o.; **en r. générale** as a (general) rule. **2** *nf* (*instrument*) ruler; **r. à calcul** slide rule. **3** *nfpl* (*menstruation*) period.
règlement [rɛgləmɑ̃] *nm* **1** (*arrêté*) regulation; (*règles*) regulations. **2** (*de conflit, problème etc*) settling; (*paiement*) payment; **r. de comptes** *Fig* (violent) settling of scores. ◆**réglementaire** *a* in accordance with the regulations; (*tenue*) *Mil* regulation-. ◆**réglementation** *nf* **1** (*action*) regulation. **2** (*règles*) regulations. ◆**réglementer** *vt* to regulate.
régler [regle] **1** *vt* (*conflit, problème etc*) to settle; (*mécanisme*) to regulate, adjust; (*moteur*) to tune; (*papier*) to rule; **se r. sur** to model oneself on. **2** *vti* (*payer*) to pay; **r. qn** to settle up with s.o.; **r. son compte à** *Fig* to settle old scores with. ◆**réglé** *a* (*vie*) ordered; (*papier*) ruled. ◆**réglable** *a* (*siège etc*) adjustable. ◆**réglage** *nm* adjustment; (*de moteur*) tuning.
réglisse [reglis] *nf* liquorice, *Am* licorice.
règne [rɛɲ] *nm* reign; (*animal, minéral, végétal*) kingdom. ◆**régner** *vi* to reign; (*prédominer*) to prevail; **faire r. l'ordre** to maintain (law and) order.
regorger [r(ə)gɔrʒe] *vi* **r. de** to be overflowing with.
régresser [regrese] *vi* to regress. ◆**régression** *nf* regression; **en r.** on the decline.
regret [r(ə)grɛ] *nm* regret; **à r.** with regret; **avoir le r.** *ou* **être au r. de faire** to be sorry to do. ◆**regrett/er** *vt* to regret; **r. qn** to miss s.o.; **je regrette** I'm sorry; **r. que** (+ *sub*) to be sorry that, regret that. ◆**—able** *a* regrettable.
regrouper [r(ə)grupe] *vt*, **— se r.** *vpr* to gather together.
régulariser [regylarize] *vt* (*situation*) to regularize.
régulation [regylɑsjɔ̃] *nf* (*action*) regulation.
régulier, -ière [regylje, -jɛr] *a* regular; (*progrès, vie, vitesse*) steady; (*légal*) legal; (*honnête*) honest. ◆**régularité** *nf* regularity; steadiness; legality. ◆**régulièrement** *adv* regularly; (*normalement*) normally.
réhabiliter [reabilite] *vt* (*dans l'estime publique*) to rehabilitate.
réhabituer (se) [səreabitɥe] *vpr* **se r. à qch/à faire qch** to get used to sth/to doing sth again.
rehausser [rəose] *vt* to raise; (*faire valoir*) to enhance.
réimpression [reɛ̃presjɔ̃] *nf* (*livre*) reprint.
rein [rɛ̃] *nm* kidney; *pl* (*dos*) (small of the) back; **r. artificiel** *Méd* kidney machine.
reine [rɛn] *nf* queen.
reine-claude [rɛnklod] *nf* greengage.
réintégrer [reɛ̃tegre] *vt* **1** (*fonctionnaire etc*) to reinstate. **2** (*lieu*) to return to. ◆**réintégration** *nf* reinstatement.
réitérer [reitere] *vt* to repeat.
rejaillir [r(ə)ʒajir] *vi* to spurt (up *ou* out); **r. sur** *Fig* to rebound on.
rejet [r(ə)ʒɛ] *nm* **1** (*refus*) & *Méd* rejection. **2** *Bot* shoot. ◆**rejeter** *vt* to throw back; (*épave*) to cast up; (*vomir*) to bring up; (*refuser*) & *Méd* to reject; **r. une erreur/***etc* **sur qn** to put the blame for a mistake/*etc* on s.o.
rejeton [rəʒtɔ̃] *nm* (*enfant*) *Fam* kid.
rejoindre* [r(ə)ʒwɛ̃dr] *vt* (*famille, régiment*) to rejoin, get *ou* go back to; (*lieu*) to get back to; (*route, rue*) to join; **r. qn** to join *ou* meet s.o.; (*rattraper*) to catch up with s.o.; **— se r.** *vpr* (*personnes*) to meet; (*routes, rues*) to join, meet.
réjou/ir [reʒwir] *vt* to delight; **— se r.** *vpr* to be delighted (**de** at, about; **de faire** to do). ◆**—i** *a* (*air*) joyful. ◆**—issant** *a* cheering. ◆**réjouissance** *nf* rejoicing; *pl* festivities, rejoicings.
relâche [r(ə)lɑʃ] *nf Th Cin* (temporary) closure; **faire r.** (*théâtre, cinéma*) to close; (*bateau*) to put in (**dans un port** at a port); **sans r.** without a break.
relâch/er [r(ə)lɑʃe] **1** *vt* to slacken; (*discipline, étreinte*) to relax; **r. qn** to release s.o.; **— se r.** *vpr* to slacken; (*discipline*) to get lax. **2** *vi* (*bateau*) to put in. ◆**—é** *a* lax.

◆**—ement** *nm* (*de corde etc*) slackness; (*de discipline*) slackening.
relais [r(ə)lɛ] *nm Él Rad TV* relay; **(course de) r.** *Sp* relay (race); **r. routier** transport café, *Am* truck stop (café); **prendre le r.** to take over (**de** from).
relance [r(ə)lɑ̃s] *nf* (*reprise*) revival. ◆**relancer** *vt* to throw back; (*moteur*) to restart; (*industrie etc*) to put back on its feet; **r. qn** (*solliciter*) to pester s.o.
relater [r(ə)late] *vt* to relate (**que** that).
relatif, -ive [r(ə)latif, -iv] *a* relative (**à** to). ◆**relativement** *adv* relatively; **r. à** compared to, relative to.
relation [r(ə)lɑsjɔ̃] *nf* (*rapport*) relation(ship); (*ami*) acquaintance; **avoir des relations** (*amis influents*) to have connections; **entrer/être en relations avec** to come into/be in contact with; **relations internationales**/*etc* international/*etc* relations.
relax(e) [rəlaks] *a Fam* relaxed, informal.
relaxer (se) [sər(ə)lakse] *vpr* to relax. ◆**relaxation** *nf* relaxation.
relayer [r(ə)leje] *vt* to relieve, take over from; (*émission*) to relay; **— se r.** *vpr* to take (it in) turns (**pour faire** to do); *Sp* to take over from one another.
reléguer [r(ə)lege] *vt* to relegate (**à** to).
relent [rəlɑ̃] *nm* stench, smell.
relève [r(ə)lɛv] *nf* (*remplacement*) relief; **prendre la r.** to take over (**de** from).
relev/er [rəlve] *vt* to raise; (*ramasser*) to pick up; (*chaise etc*) to put up straight; (*personne tombée*) to help up; (*col*) to turn up; (*manches*) to roll up; (*copier*) to note down; (*traces*) to find; (*relayer*) to relieve; (*rehausser*) to enhance; (*sauce*) to season; (*faute*) to pick *ou* point out; (*compteur*) to read; (*défi*) to accept; (*économie, pays*) to put back on its feet; (*mur*) to rebuild; **r. qn de** (*fonctions*) to relieve s.o. of; *– vi* **r. de** (*dépendre de*) to come under; (*maladie*) to get over; **— se r.** *vpr* (*personne*) to get up; **se r. de** (*malheur*) to recover from; (*ruines*) to rise from. ◆**—é** *nm* list; (*de dépenses*) statement; (*de compteur*) reading; **r. de compte** (bank) statement. ◆**relèvement** *nm* (*d'économie, de pays*) recovery.
relief [rəljɛf] **1** *nm* (*forme, ouvrage*) relief; **en r.** (*cinéma*) three-D; (*livre*) pop-up; **mettre en r.** *Fig* to highlight. **2** *nmpl* (*de repas*) remains.
relier [rəlje] *vt* to link, connect (**à** to); (*ensemble*) to link (together); (*livre*) to bind.
religion [r(ə)liʒjɔ̃] *nf* religion; (*foi*) faith. ◆**religieux, -euse 1** *a* religious; **mariage r.** church wedding; *– nm* monk; *– nf* nun. **2** *nf Culin* cream bun.
reliquat [r(ə)lika] *nm* (*de dette etc*) remainder.
relique [r(ə)lik] *nf* relic.
relire* [r(ə)lir] *vt* to reread.
reliure [rəljyr] *nf* (*couverture de livre*) binding; (*art*) bookbinding.
reluire [r(ə)lɥir] *vi* to shine, gleam; **faire r.** (*polir*) to shine (up). ◆**reluisant** *a* shiny; **peu r.** *Fig* far from brilliant.
reluquer [r(ə)lyke] *vt Fig* to eye (up).
remâcher [r(ə)mɑʃe] *vt Fig* to brood over.
remanier [r(ə)manje] *vt* (*texte*) to revise; (*ministère*) to reshuffle. ◆**remaniement** *nm* revision; reshuffle.
remarier (se) [sər(ə)marje] *vpr* to remarry.
remarque [r(ə)mark] *nf* remark; (*annotation*) note; **je lui en ai fait la r.** I remarked on it to him *ou* her. ◆**remarquable** *a* remarkable (**par** for). ◆**remarquablement** *adv* remarkably. ◆**remarquer** *vt* **1** (*apercevoir*) to notice (**que** that); **faire r.** to point out (**à** to, **que** that); **se faire r.** to attract attention; **remarque!** mind (you)! **2** (*dire*) to remark (**que** that).
rembarrer [rɑ̃bare] *vt* to rebuff, snub.
remblai [rɑ̃blɛ] *nm* (*terres*) embankment. ◆**remblayer** *vt* (*route*) to bank up; (*trou*) to fill in.
rembourr/er [rɑ̃bure] *vt* (*matelas etc*) to stuff, pad; (*vêtement*) to pad. ◆**—age** *nm* (*action, matière*) stuffing; padding.
rembourser [rɑ̃burse] *vt* to pay back, repay; (*billet*) to refund. ◆**remboursement** *nm* repayment; refund; **envoi contre r.** cash on delivery.
remède [r(ə)mɛd] *nm* remedy, cure; (*médicament*) medicine. ◆**remédier** *vi* **r. à** to remedy.
remémorer (se) [sər(ə)memɔre] *vpr* (*histoire etc*) to recollect, recall.
remercier [r(ə)mɛrsje] *vt* **1** to thank (**de qch, pour qch,** for sth); **je vous remercie d'être venu** thank you for coming; **je vous remercie** (*non merci*) no thank you. **2** (*congédier*) to dismiss. ◆**remerciements** *nmpl* thanks.
remettre* [r(ə)mɛtr] *vt* to put back, replace; (*vêtement*) to put back on; (*donner*) to hand over (**à** to); (*restituer*) to give back (**à** to); (*démission, devoir*) to hand in; (*différer*) to postpone (**à** until); (*ajouter*) to add more *ou* another; (*peine*) *Jur* to remit; (*guérir*) to restore to health; (*reconnaître*) to place, remember; **r. en cause** *ou* **question** to call into question; **r. en état** to repair; **r. ça** *Fam* to

start again; **se r. à** (*activité*) to go back to; **se r. à faire** to start to do again; **se r. de** (*chagrin, maladie*) to recover from, get over; **s'en r. à** to rely on. ◆**remise** *nf* **1** (*de lettre etc*) delivery; (*de peine*) *Jur* remission; (*ajournement*) postponement; **r. en cause** *ou* **question** calling into question; **r. en état** repair(ing). **2** (*rabais*) discount. **3** (*local*) shed; *Aut* garage. ◆**remiser** *vt* to put away.

réminiscences [reminisɑ̃s] *nfpl* (vague) recollections, reminiscences.

rémission [remisjɔ̃] *nf Jur Rel Méd* remission; **sans r.** (*travailler etc*) relentlessly.

remmener [rɑ̃mne] *vt* to take back.

remonte-pente [r(ə)mɔ̃tpɑ̃t] *nm* ski lift.

remont/er [r(ə)mɔ̃te] *vi* (*aux* **être**) to come *ou* go back up; (*niveau, prix*) to rise again, go back up; (*dans le temps*) to go back (**à** to); **r. dans** (*voiture*) to go *ou* get back in(to); (*bus, train*) to go *ou* get back on(to); **r. sur** (*cheval, vélo*) to remount; – *vt* (*aux* **avoir**) (*escalier, pente*) to come *ou* go back up; (*porter*) to bring *ou* take back up; (*montre*) to wind up; (*relever*) to raise; (*col*) to turn up; (*objet démonté*) to reassemble; (*garde-robe etc*) to restock; **r. qn** (*ragaillardir*) to buck s.o. up; **r. le moral à qn** to cheer s.o. up. ◆**—ant** *a* (*boisson*) fortifying; – *nm Méd* tonic. ◆**—ée** *nf* **1** (*de pente etc*) ascent; (*d'eau, de prix*) rise. **2 r. mécanique** ski lift. ◆**remontoir** *nm* (*de mécanisme, montre*) winder.

remontrance [r(ə)mɔ̃trɑ̃s] *nf* reprimand; **faire des remontrances à** to reprimand, remonstrate with.

remontrer [r(ə)mɔ̃tre] *vi* **en r. à qn** to prove one's superiority over s.o.

remords [r(ə)mɔr] *nm* & *nmpl* remorse; **avoir des r.** to feel remorse.

remorque [r(ə)mɔrk] *nf Aut* trailer; (**câble de**) **r.** towrope; **prendre en r.** to tow; **en r.** on tow. ◆**remorquer** *vt* (*voiture, bateau*) to tow. ◆**remorqueur** *nm* tug(boat).

remous [r(ə)mu] *nm* eddy; (*de foule*) bustle; (*agitation*) *Fig* turmoil.

rempart [rɑ̃par] *nm* rampart.

remplacer [rɑ̃plase] *vt* to replace (**par** with, by); (*succéder à*) to take over from; (*temporairement*) to stand in for. ◆**remplaçant, -ante** *nmf* (*personne*) replacement; (*enseignant*) supply teacher; *Sp* reserve. ◆**remplacement** *nm* (*action*) replacement; **assurer le r. de qn** to stand in for s.o.; **en r. de** in place of.

rempl/ir [rɑ̃plir] *vt* to fill (up) (**de** with); (*fiche etc*) to fill in *ou* out; (*condition, devoir, tâche*) to fulfil; (*fonctions*) to perform; **— se r.** *vpr* to fill (up). ◆**—i** *a* full (**de** of). ◆**remplissage** *nm* filling; (*verbiage*) *Péj* padding.

remporter [rɑ̃pɔrte] *vt* **1** (*objet*) to take back. **2** (*prix, victoire*) to win; (*succès*) to achieve.

remu/er [r(ə)mɥe] *vt* (*déplacer, émouvoir*) to move; (*café etc*) to stir; (*terre*) to turn over; (*salade*) to toss; – *vi* to move; (*gigoter*) to fidget; (*se rebeller*) to stir; **— se r.** *vpr* to move; (*se démener*) to exert oneself. ◆**—ant** *a* (*enfant*) restless, fidgety. ◆**remue-ménage** *nm inv* commotion.

rémunérer [remynere] *vt* (*personne*) to pay; (*travail*) to pay for. ◆**rémunérateur, -trice** *a* remunerative. ◆**rémunération** *nf* payment (**de** for).

renâcler [r(ə)nakle] *vi* **1** (*cheval*) to snort. **2 r. à** to jib at, balk at.

renaître* [r(ə)nɛtr] *vi* (*fleur*) to grow again; (*espoir, industrie*) to revive. ◆**renaissance** *nf* rebirth, renaissance.

renard [r(ə)nar] *nm* fox.

renchérir [rɑ̃ʃerir] *vi* **r. sur qn** *ou* **sur ce que qn dit**/*etc* to go further than s.o. in what one says/*etc*.

rencontre [rɑ̃kɔ̃tr] *nf* meeting; (*inattendue*) & *Mil* encounter; *Sp* match, *Am* game; (*de routes*) junction; **aller à la r. de** to go to meet. ◆**rencontrer** *vt* to meet; (*difficultés*) to come up against, encounter; (*trouver*) to come across, find; (*heurter*) to hit; (*équipe*) *Sp* to play; **— se r.** *vpr* to meet.

rendez-vous [rɑ̃devu] *nm inv* appointment; (*d'amoureux*) date; (*lieu*) meeting place; **donner r.-vous à qn, prendre r.-vous avec qn** to make an appointment with s.o.

rendormir* (se) [sərɑ̃dɔrmir] *vpr* to go back to sleep.

rend/re [rɑ̃dr] *vt* (*restituer*) to give back, return; (*hommage*) to pay; (*invitation*) to return; (*santé*) to restore; (*monnaie, son*) to give; (*justice*) to dispense; (*jugement*) to pronounce, give; (*armes*) to surrender; (*exprimer, traduire*) to render; (*vomir*) to bring up; **r. célèbre/plus grand/possible**/*etc* to make famous/bigger/possible/*etc*; – *vi* (*arbre, terre*) to yield; (*vomir*) to be sick; **— se r.** *vpr* (*capituler*) to surrender (**à** to); (*aller*) to go (**à** to); **se r. à** (*évidence, ordres*) to submit to; **se r. malade/utile**/*etc* to make oneself ill/useful/*etc*. ◆**—u** *a* (*fatigué*) exhausted; **être r.** (*arrivé*) to have arrived. ◆**rendement** *nm Agr Fin* yield; (*de personne, machine*) output.

renégat, -ate [rənega, -at] *nmf* renegade.

rênes [rɛn] *nfpl* reins.
renferm/er [rɑ̃fɛrme] *vt* to contain; **– se r.** *vpr* **se r. (en soi-même)** to withdraw into oneself. **◆–é 1** *a* (*personne*) withdrawn. **2** *nm* **sentir le r.** (*chambre etc*) to smell stuffy.
renflé [rɑ̃fle] *a* bulging. **◆renflement** *nm* bulge.
renflouer [rɑ̃flue] *vt* (*navire*) & *Com* to refloat.
renfoncement [rɑ̃fɔ̃smɑ̃] *nm* recess; **dans le r. d'une porte** in a doorway.
renforcer [rɑ̃fɔrse] *vt* to reinforce, strengthen. **◆renforcement** *nm* reinforcement, strengthening. **◆renfort** *nm* **des renforts** *Mil* reinforcements; **de r.** (*armée, personnel*) back-up; **à grand r. de** *Fig* with a great deal of.
renfrogn/er (se) [sərɑ̃frɔɲe] *vpr* to scowl. **◆–é** *a* scowling, sullen.
rengaine [rɑ̃gɛn] *nf* **la même r.** *Fig Péj* the same old song *ou* story.
rengorger (se) [sərɑ̃gɔrʒe] *vpr* to give oneself airs.
renier [rənje] *vt* (*ami, pays etc*) to disown; (*foi, opinion*) to renounce. **◆reniement** *nm* disowning; renunciation.
renifler [r(ə)nifle] *vti* to sniff. **◆reniflement** *nm* sniff.
renne [rɛn] *nm* reindeer.
renom [rənɔ̃] *nm* renown; (*réputation*) reputation (**de** for). **◆renommé** *a* famous, renowned (**pour** for). **◆renommée** *nf* fame, renown; (*réputation*) reputation.
renoncer [r(ə)nɔ̃se] *vi* **r. à** to give up, abandon; **r. à faire** to give up (the idea of) doing. **◆renoncement** *nm*, **◆renonciation** *nf* renunciation (**à** of).
renouer [rənwe] **1** *vt* (*lacet etc*) to retie. **2** *vt* (*reprendre*) to renew; – *vi* **r. avec qch** (*mode, tradition etc*) to revive sth; **r. avec qn** to take up with s.o. again.
renouveau, -x [r(ə)nuvo] *nm* revival.
renouveler [r(ə)nuvle] *vt* to renew; (*action, erreur, question*) to repeat; **– se r.** *vpr* (*incident*) to recur, happen again; (*cellules, sang*) to be renewed. **◆renouvelable** *a* renewable. **◆renouvellement** *nm* renewal.
rénover [renɔve] *vt* (*institution, méthode*) to reform; (*édifice, meuble etc*) to renovate. **◆rénovation** *nf* reform; renovation.
renseign/er [rɑ̃seɲe] *vt* to inform, give information to (**sur** about); **– se r.** *vpr* to inquire, make inquiries, find out (**sur** about). **◆–ement** *nm* (piece of) information; *pl* information; *Tél* directory inquiries, *Am* information; *Mil* intelligence; **prendre** *ou* **demander des reseignements** to make inquiries.
rentable [rɑ̃tabl] *a* profitable. **◆rentabilité** *nf* profitability.
rente [rɑ̃t] *nf* (private) income; (*pension*) pension; **avoir des rentes** to have private means. **◆rentier, -ière** *nmf* person of private means.
rentr/er [rɑ̃tre] *vi* (*aux* **être**) to go *ou* come back, return; (*chez soi*) to go *ou* come (back) home; (*entrer*) to go *ou* come in; (*entrer de nouveau*) to go *ou* come back in; (*école*) to start again; (*argent*) to come in; **r. dans** (*entrer dans*) to go *ou* come into; (*entrer de nouveau dans*) to go *ou* come back into; (*famille, pays*) to return to; (*ses frais*) to get back; (*catégorie*) to come under; (*heurter*) to crash into; (*s'emboîter dans*) to fit into; **r. (en classe)** to start (school) again; **je lui suis rentré dedans** (*frapper*) *Fam* I laid into him *ou* her; – *vt* (*aux* **avoir**) to bring *ou* take in; (*voiture*) to put away; (*chemise*) to tuck in; (*griffes*) to draw in. **◆–é** *a* (*colère*) suppressed; (*yeux*) sunken. **◆–ée** *nf* **1** (*retour*) return; (*de parlement*) reassembly; (*d'acteur*) comeback; **r. (des classes)** beginning of term *ou* of the school year. **2** (*des foins etc*) bringing in; (*d'impôt*) collection; *pl* (*argent*) receipts.
renverse (à la) [alarɑ̃vɛrs] *adv* (*tomber*) backwards, on one's back.
renvers/er [rɑ̃vɛrse] *vt* (*mettre à l'envers*) to turn upside down; (*faire tomber*) to knock over *ou* down; (*piéton*) to knock down, run over; (*liquide*) to spill, knock over; (*courant, ordre*) to reverse; (*gouvernement*) to overturn, overthrow; (*projet*) to upset; (*tête*) to tip back; **– se r.** *vpr* (*en arrière*) to lean back; (*bouteille, vase etc*) to fall over. **◆–ant** *a* (*nouvelle etc*) astounding. **◆–ement** *nm* (*d'ordre, de situation*) reversal; (*de gouvernement*) overthrow.
renvoi [rɑ̃vwa] *nm* **1** return; dismissal; expulsion; postponement; (*dans un livre*) reference. **2** (*rot*) belch, burp. **◆renvoyer*** *vt* to send back, return; (*importun*) to send away; (*employé*) to dismiss; (*élève*) to expel; (*balle etc*) to throw back; (*ajourner*) to postpone (**à** until); (*lumière, image etc*) to reflect; **r. qn à** (*adresser à*) to refer s.o. to.
réorganiser [reɔrganize] *vt* to reorganize.
réouverture [reuvɛrtyr] *nf* reopening.
repaire [r(ə)pɛr] *nm* den.
repaître (se) [sərəpɛtr] *vpr* **se r. de** (*sang*) *Fig* to wallow in.
répand/re [repɑ̃dr] *vt* (*liquide*) to spill;

(*idées, joie, nouvelle*) to spread; (*fumée, odeur*) to give off; (*chargement, lumière, larmes, sang*) to shed; (*gravillons etc*) to scatter; (*dons*) to lavish; **— se r.** *vpr* (*nouvelle, peur etc*) to spread; (*liquide*) to spill; **se r. dans** (*fumée, odeur*) to spread through; **se r. en louanges/***etc* to pour forth praise/*etc*. **◆—u** *a* (*opinion, usage*) widespread; (*épars*) scattered.

reparaître [r(ə)parɛtr] *vi* to reappear.

réparer [repare] *vt* to repair, mend; (*forces, santé*) to restore; (*faute*) to make amends for; (*perte*) to make good; (*erreur*) to put right. **◆réparable** *a* (*montre etc*) repairable. **◆réparateur, -trice** *nmf* repairer; – *a* (*sommeil*) refreshing. **◆réparation** *nf* repair(ing); (*compensation*) amends, compensation (**de** for); *pl Mil Hist* reparations; **en r.** under repair.

reparler [r(ə)parle] *vi* **r. de** to talk about again.

repartie [reparti] *nf* (*réponse vive*) repartee.

repartir* [r(ə)partir] *vi* (*aux* **être**) to set off again; (*s'en retourner*) to go back; (*reprendre*) to start again; **r. à** *ou* **de zéro** to go back to square one.

répartir [repartir] *vt* to distribute; (*partager*) to share (out); (*classer*) to divide (up); (*étaler dans le temps*) to spread (out) (**sur** over). **◆répartition** *nf* distribution; sharing; division.

repas [r(ə)pɑ] *nm* meal; **prendre un r.** to have *ou* eat a meal.

repass/er [r(ə)pɑse] **1** *vi* to come *ou* go back; – *vt* (*traverser*) to go back over; (*examen*) to resit; (*leçon, rôle*) to go over; (*film*) to show again; (*maladie, travail*) to pass on (**à** to). **2** *vt* (*linge*) to iron. **3** *vt* (*couteau*) to sharpen. **◆—age** *nm* ironing.

repêcher [r(ə)peʃe] *vt* to fish out; (*candidat*) *Fam* to allow to pass.

repenser [r(ə)pɑ̃se] *vt* to rethink.

repentir [r(ə)pɑ̃tir] *nm* repentance. **◆se repentir*** *vpr Rel* to repent (**de** of); **se r. de** (*regretter*) to regret, be sorry for. **◆repentant** *a*, **◆repenti** *a* repentant.

répercuter [reperkyte] *vt* (*son*) to echo; **— se r.** *vpr* to echo, reverberate; **se r. sur** *Fig* to have repercussions on. **◆répercussion** *nf* repercussion.

repère [r(ə)pɛr] *nm* (guide) mark; (*jalon*) marker; **point de r.** (*espace, temps*) landmark, point of reference. **◆repérer** *vt* to locate; (*personnne*) *Fam* to spot; **— se r.** *vpr* to get one's bearings.

répertoire [repɛrtwar] *nm* **1** index; (*carnet*) indexed notebook; **r. d'adresses** address book. **2** *Th* repertoire. **◆répertorier** *vt* to index.

répéter [repete] *vti* to repeat; *Th* to rehearse; **— se r.** *vpr* (*radoter*) to repeat oneself; (*se reproduire*) to repeat itself. **◆répétitif, -ive** *a* repetitive. **◆répétition** *nf* repetition; *Th* rehearsal; **r. générale** *Th* (final) dress rehearsal.

repiquer [r(ə)pike] *vt* **1** (*plante*) to plant out. **2** (*disque*) to tape, record (on tape).

répit [repi] *nm* rest, respite; **sans r.** ceaselessly.

replacer [r(ə)plase] *vt* to replace, put back.

repli [r(ə)pli] *nm* fold; withdrawal; *pl* (*de l'âme*) recesses. **◆replier 1** *vt* to fold (up); (*siège*) to fold up; (*couteau, couverture*) to fold back; (*ailes, jambes*) to tuck in; **— se r.** *vpr* (*siège*) to fold up; (*couteau, couverture*) to fold back. **2** *vt*, **— se r.** *vpr Mil* to withdraw; **se r. sur soi-même** to withdraw into oneself.

réplique [replik] *nf* **1** (*réponse*) reply; (*riposte*) retort; *Th* lines; **pas de r.!** no answering back!; **sans r.** (*argument*) irrefutable. **2** (*copie*) replica. **◆répliquer** *vt* to reply (**que** that); (*riposter*) to retort (**que** that); – *vi* (*être impertinent*) to answer back.

répond/re [repɔ̃dr] *vi* to answer, reply; (*être impertinent*) to answer back; (*réagir*) to respond (**à** to); **r. à qn** to answer s.o., reply to s.o.; (*avec impertinence*) to answer s.o. back; **r. à** (*lettre, objection, question*) to answer, reply to; (*salut*) to return; (*besoin*) to meet, answer; (*correspondre à*) to correspond to; **r. de** (*garantir*) to answer for (*s.o., sth*); – *vt* (*remarque etc*) to answer *ou* reply with; **r. que** to answer *ou* reply that. **◆—ant, -ante 1** *nmf* guarantor. **2** *nm* **avoir du r.** to have money behind one. **◆—eur** *nm Tél* answering machine. **◆réponse** *nf* answer, reply; (*réaction*) response (**à** to); **en r. à** in answer *ou* reply *ou* response to.

reporter[1] [r(ə)pɔrte] *vt* to take back; (*différer*) to postpone, put off (**à** until); (*transcrire, transférer*) to transfer (**sur** to); (*somme*) *Com* to carry forward (**sur** to); **se r. à** (*texte etc*) to refer to; (*en esprit*) to go *ou* think back to. **◆report** *nm* postponement; transfer; *Com* carrying forward. **◆reportage** *nm* (news) report, article; (*en direct*) commentary; (*métier*) reporting.

reporter[2] [r(ə)pɔrtɛr] *nm* reporter.

repos [r(ə)po] *nm* rest; (*tranquillité*) peace (and quiet); (*de l'esprit*) peace of mind; **r.!** *Mil* at ease!; **jour de r.** day off; **de tout r.** (*situation etc*) safe. **◆repos/er 1** *vt* (*objet*) to put back down; (*problème, question*) to raise again. **2** *vt* (*délasser*) to rest, relax; **r. sa tête sur** (*appuyer*) to rest one's head on; – *vi* (*être enterré ou étendu*) to rest, lie; **r. sur** (*bâtiment*) to be built on; (*théorie etc*) to be based on, rest on; **laisser r.** (*vin*) to allow to settle; **— se r.** *vpr* to rest; **se r. sur qn** to rely on s.o. **◆—ant** *a* relaxing, restful. **◆—é** *a* rested, fresh.

repouss/er [r(ə)puse] **1** *vt* to push back; (*écarter*) to push away; (*attaque, ennemi*) to repulse; (*importun etc*) to turn away, repulse; (*dégoûter*) to repel; (*décliner*) to reject; (*différer*) to put off, postpone. **2** *vi* (*cheveux, feuilles*) to grow again. **◆—ant** *a* repulsive, repellent.

répréhensible [repreɑ̃sibl] *a* reprehensible, blameworthy.

reprendre* [r(ə)prɑ̃dr] *vt* (*objet*) to take back; (*évadé, ville*) to recapture; (*passer prendre*) to pick up again; (*souffle*) to get back; (*activité*) to resume, take up again; (*texte*) to go back over; (*vêtement*) to alter; (*histoire, refrain*) to take up; (*pièce*) *Th* to put on again; (*blâmer*) to admonish; (*corriger*) to correct; **r. de la viande/un œuf/***etc* to take (some) more meat/another egg/*etc*; **r. ses esprits** to come round; **r. des forces** to recover one's strength; – *vi* (*plante*) to take again; (*recommencer*) to resume, start (up) again; (*affaires*) to pick up; (*dire*) to go on, continue; **— se r.** *vpr* (*se ressaisir*) to take a hold on oneself; (*se corriger*) to correct oneself; **s'y r. à deux/plusieurs fois** to have another go/several goes (at it).

représailles [r(ə)prezɑj] *nfpl* reprisals, retaliation.

représent/er [r(ə)prezɑ̃te] *vt* to represent; (*jouer*) *Th* to perform; **— se r.** *vpr* (*s'imaginer*) to imagine. **◆—ant, -ante** *nmf* representative; **r. de commerce** (travelling) salesman *ou* saleswoman, sales representative. **◆représentatif, -ive** *a* representative (**de** of). **◆représentation** *nf* representation; *Th* performance.

répression [represjɔ̃] *nf* suppression, repression; (*mesures de contrôle*) *Pol* repression. **◆répressif, -ive** *a* repressive. **◆réprimer** *vt* (*sentiment, révolte etc*) to suppress, repress.

réprimande [reprimɑ̃d] *nf* reprimand. **◆réprimander** *vt* to reprimand.

repris [r(ə)pri] *nm* **r. de justice** hardened criminal.

reprise [r(ə)priz] *nf* (*de ville*) *Mil* recapture; (*recommencement*) resumption; (*de pièce de théâtre, de coutume*) revival; *Rad TV* repeat; (*de tissu*) mend, repair; *Boxe* round; (*essor*) *Com* recovery, revival; (*d'un locataire*) money for fittings; (*de marchandise*) taking back; (*pour nouvel achat*) part exchange, trade-in; *pl Aut* acceleration; **à plusieurs reprises** on several occasions. **◆repriser** *vt* (*chaussette etc*) to mend, darn.

réprobation [reprɔbɑsjɔ̃] *nf* disapproval. **◆réprobateur, -trice** *a* disapproving.

reproche [r(ə)prɔʃ] *nm* reproach; **faire des reproches à qn** to reproach s.o.; **sans r.** beyond reproach. **◆reprocher** *vt* **r. qch à qn** to reproach *ou* blame s.o. for sth; **r. qch à qch** to have sth against sth; **n'avoir rien à se r.** to have nothing to reproach *ou* blame oneself for.

reproduire* [r(ə)prɔdɥir] **1** *vt* (*son, modèle etc*) to reproduce; **— se r.** *vpr Biol Bot* to reproduce. **2 se r.** *vpr* (*incident etc*) to happen again, recur. **◆reproducteur, -trice** *a* reproductive. **◆reproduction** *nf* (*de son etc*) & *Biol Bot* reproduction.

réprouver [repruve] *vt* to disapprove of, condemn.

reptile [rɛptil] *nm* reptile.

repu [rəpy] *a* (*rassasié*) satiated.

république [repyblik] *nf* republic. **◆républicain, -aine** *a* & *nmf* republican.

répudier [repydje] *vt* to repudiate.

répugnant [repyɲɑ̃] *a* repugnant, loathsome. **◆répugnance** *nf* repugnance, loathing (**pour** for); (*manque d'enthousiasme*) reluctance. **◆répugner** *vi* **r. à qn** to be repugnant to s.o.; **r. à faire** to be loath to do.

répulsion [repylsjɔ̃] *nf* repulsion.

réputation [repytɑsjɔ̃] *nf* reputation; **avoir la r. d'être franc** to have a reputation for frankness *ou* for being frank. **◆réputé** *a* (*célèbre*) renowned (**pour** for); **r. pour être** (*considéré comme*) reputed to be.

requérir [rəkerir] *vt* (*nécessiter*) to demand, require; (*peine*) *Jur* to call for. **◆requête** *nf* request; *Jur* petition. **◆requis** *a* required, requisite.

requiem [rekɥijɛm] *nm inv* requiem.

requin [r(ə)kɛ̃] *nm* (*poisson*) & *Fig* shark.

réquisition [rekizisjɔ̃] *nf* requisition. **◆réquisitionner** *vt* to requisition, commandeer.

réquisitoire [rekizitwar] *nm* (*critique*) indictment (**contre** of).

rescapé, -ée [rɛskape] *a* surviving; – *nmf* survivor.

rescousse (à la) [alarɛskus] *adv* to the rescue.

réseau, -x [rezo] *nm* network; **r. d'espionnage** spy ring *ou* network.

réserve [rezɛrv] *nf* **1** (*restriction, doute*) reservation; (*réticence*) reserve; **sans r.** (*admiration etc*) unqualified; **sous r. de** subject to; **sous toutes réserves** without guarantee. **2** (*provision*) reserve; (*entrepôt*) storeroom; (*de bibliothèque*) stacks; **la r.** *Mil* the reserve; **les réserves** (*soldats*) the reserves; **en r.** in reserve. **3** (*de chasse, pêche*) preserve; (*indienne*) reservation; **r. naturelle** nature reserve.

réserv/er [rezɛrve] *vt* to reserve; (*garder*) to keep, save; (*marchandises*) to put aside (**à** for); (*place, table*) to book, reserve; (*sort, surprise etc*) to hold in store (**à** for); **se r. pour** to save oneself for; **se r. de faire** to reserve the right to do. **◆—é** *a* (*personne, place*) reserved; (*prudent*) guarded. **◆réservation** *nf* reservation, booking. **◆réservoir** *nm* (*lac*) reservoir; (*citerne, cuve*) tank; **r. d'essence** *Aut* petrol *ou Am* gas tank.

résidence [rezidɑ̃s] *nf* residence; **r. secondaire** second home; **r. universitaire** hall of residence. **◆résident, -ente** *nmf* (foreign) resident. **◆résidentiel, -ielle** *a* (*quartier*) residential. **◆résider** *vi* to reside, be resident (**à, en, dans** in); **r. dans** (*consister dans*) to lie in.

résidu [rezidy] *nm* residue.

résigner (se) [səreziɲe] *vpr* to resign oneself (**à qch** to sth, **à faire** to doing). **◆résignation** *nf* resignation.

résilier [rezilje] *vt* (*contrat*) to terminate. **◆résiliation** *nf* termination.

résille [rezij] *nf* (*pour cheveux*) hairnet.

résine [rezin] *nf* resin.

résistance [rezistɑ̃s] *nf* resistance (**à** to); (*conducteur*) *Él* (heating) element; **plat de r.** main dish. **◆résist/er** *vi* **r. à** to resist; (*chaleur, fatigue, souffrance*) to withstand; (*examen*) to stand up to. **◆—ant, -ante** *a* tough, strong; **r. à la chaleur** heat-resistant; **r. au choc** shockproof; – *nmf Mil Hist* Resistance fighter.

résolu [rezɔly] *voir* **résoudre;** – *a* resolute, determined; **r. à faire** resolved *ou* determined to do. **◆—ment** *adv* resolutely. **◆résolution** *nf* (*décision*) resolution; (*fermeté*) determination.

résonance [rezɔnɑ̃s] *nf* resonance.

résonner [rezɔne] *vi* to resound (**de** with); (*salle, voix*) to echo.

résorber [rezɔrbe] *vt* (*chômage*) to reduce; (*excédent*) to absorb; **— se r.** *vpr* to be reduced; to be absorbed. **◆résorption** *nf* reduction; absorption.

résoudre* [rezudr] *vt* (*problème*) to solve; (*difficulté*) to resolve; **r. de faire** to decide *ou* resolve to do; **se r. à faire** to decide *ou* resolve to do; (*se résigner*) to bring oneself to do.

respect [rɛspɛ] *nm* respect (**pour, de** for); **mes respects à** my regards *ou* respects to; **tenir qn en r.** to hold s.o. in check. **◆respectabilité** *nf* respectability. **◆respectable** *a* (*honorable, important*) respectable. **◆respecter** *vt* to respect; **qui se respecte** self-respecting. **◆respectueux, -euse** *a* respectful (**envers** to, **de** of).

respectif, -ive [rɛspɛktif, -iv] *a* respective. **◆respectivement** *adv* respectively.

respirer [rɛspire] *vi* to breathe; (*reprendre haleine*) to get one's breath (back); (*être soulagé*) to breathe again; – *vt* to breathe (in); (*exprimer*) *Fig* to exude. **◆respiration** *nf* breathing; (*haleine*) breath; **r. artificielle** *Méd* artificial respiration. **◆respiratoire** *a* breathing-, respiratory.

resplend/ir [rɛsplɑ̃dir] *vi* to shine; (*visage*) to glow (**de** with). **◆—issant** *a* radiant.

responsable [rɛspɔ̃sabl] *a* responsible (**de qch** for sth, **devant qn** to s.o.); – *nmf* (*chef*) person in charge; (*dans une organisation*) official; (*coupable*) person responsible (**de** for). **◆responsabilité** *nf* responsibility; (*légale*) liability.

resquiller [rɛskije] *vi* (*au cinéma, dans le métro etc*) to avoid paying; (*sans attendre*) to jump the queue, *Am* cut in (line).

ressaisir (se) [sər(ə)sezir] *vpr* to pull oneself together.

ressasser [r(ə)sase] *vt* (*ruminer*) to keep going over; (*répéter*) to keep trotting out.

ressemblance [r(ə)sɑ̃blɑ̃s] *nf* resemblance, likeness. **◆ressembl/er** *vi* **r. à** to resemble, look *ou* be like; **cela ne lui ressemble pas** (*ce n'est pas son genre*) that's not like him *ou* her; **— se r.** *vpr* to look *ou* be alike. **◆—ant** *a* **portrait r.** good likeness.

ressentiment [r(ə)sɑ̃timɑ̃] *nm* resentment.

ressentir* [r(ə)sɑ̃tir] *vt* to feel; **se r. de** to feel *ou* show the effects of.

resserre [r(ə)sɛr] *nf* storeroom; (*remise*) shed.

resserrer [r(ə)sere] *vt* (*nœud, boulon etc*) to tighten; (*contracter*) to close (up), contract; (*liens*) *Fig* to strengthen; **— se r.** *vpr* to tighten; (*amitié*) to become closer; (*se contracter*) to close (up), contract; (*route etc*) to narrow.

resservir [r(ə)sɛrvir] **1** *vi* (*outil etc*) to come

in useful (again). **2 se r.** *vpr* **se r. de** (*plat etc*) to have another helping of.

ressort [r(ə)sɔr] *nm* **1** *Tech* spring. **2** (*énergie*) spirit. **3 du r. de** within the competence of; **en dernier r.** (*décider etc*) in the last resort, as a last resort.

ressortir[1]* [r(ə)sɔrtir] *vi* (*aux* **être**) **1** to go *ou* come back out. **2** (*se voir*) to stand out; **faire r.** to bring out; **il ressort de** (*résulte*) it emerges from.

ressortir[2] [r(ə)sɔrtir] *vi* (*conjugated like* **finir**) **r. à** to fall within the scope of.

ressortissant, -ante [r(ə)sɔrtisɑ̃, -ɑ̃t] *nmf* (*citoyen*) national.

ressource [r(ə)surs] **1** *nfpl* (*moyens*) resources; (*argent*) means, resources. **2** *nf* (*recours*) recourse; (*possibilité*) possibility (**de faire** of doing); **dernière r.** last resort.

ressusciter [resysite] *vi* to rise from the dead; (*malade, pays*) to recover, revive; – *vt* (*mort*) to raise; (*malade, mode*) to revive.

restaurant [rɛstɔrɑ̃] *nm* restaurant.

restaurer [rɛstɔre] **1** *vt* (*réparer, rétablir*) to restore. **2 se r.** *vpr* to (have sth to) eat. ◆**restaurateur, -trice** *nmf* **1** (*de tableaux*) restorer. **2** (*hôtelier, hôtelière*) restaurant owner. ◆**restauration** *nf* **1** restoration. **2** (*hôtellerie*) catering.

reste [rɛst] *nm* rest, remainder (**de** of); *Math* remainder; *pl* remains (**de** of); (*de repas*) leftovers; **un r. de fromage**/*etc* some left-over cheese/*etc*; **au r., du r.** moreover, besides.

rester [rɛste] *vi* (*aux* **être**) to stay, remain; (*calme, jeune etc*) to keep, stay, remain; (*subsister*) to remain, be left; **il reste du pain**/*etc* there's some bread/*etc* left (over); **il me reste une minute**/*etc* I have one minute/*etc* left; **l'argent qui lui reste** the money he *ou* she has left; **reste à savoir** it remains to be seen; **il me reste deux choses à faire** I still have two things to do; **il me reste à vous remercier** it remains for me to thank you; **en r. à** to stop at; **restons-en là** let's leave it at that. ◆**restant** *a* remaining; **poste restante** poste restante, *Am* general delivery; – *nm* **le r.** the rest, the remainder; **un r. de viande**/*etc* some left-over meat/*etc*.

restituer [rɛstitɥe] *vt* **1** (*rendre*) to return, restore (**à** to). **2** (*son*) to reproduce; (*énergie*) to release. ◆**restitution** *nf* return.

restreindre* [rɛstrɛ̃dr] *vt* to restrict, limit (**à** to); **— se r.** *vpr* to decrease; (*faire des économies*) to cut back *ou* down. ◆**restreint** *a* limited, restricted (**à** to). ◆**restrictif, -ive** *a* restrictive. ◆**restriction** *nf* restriction; **sans r.** unreservedly.

résultat [rezylta] *nm* result; (*conséquence*) outcome, result; **avoir qch pour r.** to result in sth. ◆**résulter** *vi* **r. de** to result from.

résum/er [rezyme] *vt* to summarize; (*récapituler*) to sum up; **— se r.** *vpr* (*orateur etc*) to sum up; **se r. à** (*se réduire à*) to boil down to. ◆**—é** *nm* summary; **en r.** in short; (*en récapitulant*) to sum up.

résurrection [rezyrɛksjɔ̃] *nf* resurrection.

rétabl/ir [retablir] *vt* to restore; (*fait, vérité*) to re-establish; (*malade*) to restore to health; (*employé*) to reinstate; **— se r.** *vpr* to be restored; (*malade*) to recover. ◆**—issement** *nm* restoring; re-establishment; *Méd* recovery.

retaper [r(ə)tape] *vt* (*maison, voiture etc*) to do up; (*lit*) to straighten; (*malade*) *Fam* to buck up.

retard [r(ə)tar] *nm* lateness; (*sur un programme etc*) delay; (*infériorité*) backwardness; **en r.** late; (*retardé*) backward; **en r. dans qch** behind in sth; **en r. sur qn/qch** behind s.o./sth; **rattraper** *ou* **combler son r.** to catch up; **avoir du r.** to be late; (*sur un programme*) to be behind (schedule); (*montre*) to be slow; **avoir une heure de r.** to be an hour late; **prendre du r.** (*montre*) to lose (time); **sans r.** without delay. ◆**retardataire** *a* (*arrivant*) late; **enfant r.** *Méd* slow learner; – *nmf* latecomer. ◆**retardement** *nm* **à r.** delayed-action-; **bombe à r.** time bomb.

retard/er [r(ə)tarde] *vt* to delay; (*date, départ, montre*) to put back; **r. qn** (*dans une activité*) to put s.o. behind; – *vi* (*montre*) to be slow; **r. de cinq minutes** to be five minutes slow; **r. (sur son temps)** (*personne*) to be behind the times. ◆**—é, -ée** *a* (*enfant*) backward; – *nmf* backward child.

retenir* [rətnir] *vt* (*empêcher d'agir, contenir*) to hold back; (*attention, souffle*) to hold; (*réserver*) to book; (*se souvenir de*) to remember; (*fixer*) to hold (in place), secure; (*déduire*) to take off; (*candidature, proposition*) to accept; (*chiffre*) *Math* to carry; (*chaleur, odeur*) to retain; (*invité, suspect etc*) to detain, keep; **r. qn prisonnier** to keep *ou* hold s.o. prisoner; **r. qn de faire** to stop s.o. (from) doing; **— se r.** *vpr* (*se contenir*) to restrain oneself; **se r. de faire** to stop oneself (from) doing; **se r. à** to cling to. ◆**retenue** *nf* **1** (*modération*) restraint. **2** (*de salaire*) deduction, stoppage; (*chiffre*) *Math* figure carried over. **3** *Scol* detention; **en r.** in detention.

retent/ir [r(ə)tɑ̃tir] *vi* to ring (out) (**de** with). ◆**—issant** *a* resounding; (*scandale*) major. ◆**—issement** *nm* (*effet*) effect; **avoir un grand r.** (*film etc*) to create a stir.

réticent [retisɑ̃] *a* (*réservé*) reticent; (*hésitant*) reluctant. ◆**réticence** *nf* reticence; reluctance.

rétine [retin] *nf Anat* retina.

retir/er [r(ə)tire] *vt* to withdraw; (*sortir*) to take out; (*ôter*) to take off; (*éloigner*) to take away; (*reprendre*) to pick up; (*offre, plainte*) to take back, withdraw; **r. qch à qn** (*permis etc*) to take sth away from s.o.; **r. qch de** (*gagner*) to derive sth from; **— se r.** *vpr* to withdraw, retire (**de** from); (*mer*) to ebb. ◆**—é** *a* (*lieu, vie*) secluded.

retomber [r(ə)tɔ̃be] *vi* to fall; (*de nouveau*) to fall again; (*pendre*) to hang (down); (*après un saut etc*) to land; (*intérêt*) to slacken; **r. dans** (*erreur, situation*) to fall *ou* sink back into; **r. sur qn** (*frais, responsabilité*) to fall on s.o. ◆**retombées** *nfpl* (*radioactives*) fallout.

rétorquer [retɔrke] *vt* **r. que** to retort that.

retors [rətɔr] *a* wily, crafty.

rétorsion [retɔrsjɔ̃] *nf Pol* retaliation; **mesure de r.** reprisal.

retouche [r(ə)tuʃ] *nf* touching up; alteration. ◆**retoucher** *vt* (*photo, tableau*) to touch up, retouch; (*texte, vêtement*) to alter.

retour [r(ə)tur] *nm* return; (*de fortune*) reversal; **être de r.** to be back (**de** from); **en r.** (*en échange*) in return; **par r. (du courrier)** by return (of post), *Am* by return mail; **à mon retour** when I get *ou* got back (**de** from); **r. en arrière** flashback; **r. de flamme** *Fig* backlash; **match r.** return match *ou Am* game.

retourner [r(ə)turne] *vt* (*aux* **avoir**) (*tableau etc*) to turn round; (*matelas, steak etc*) to turn over; (*foin, terre etc*) to turn; (*vêtement, sac etc*) to turn inside out; (*maison*) to turn upside down; (*compliment, lettre*) to return; **r. qn** (*bouleverser*) *Fam* to upset s.o., shake s.o.; **r. contre qn** (*argument*) to turn against s.o.; (*arme*) to turn on s.o.; **de quoi il retourne** what it's about; – *vi* (*aux* **être**) to go back, return; **— se r.** *vpr* (*pour regarder*) to turn round, look back; (*sur le dos*) to turn over *ou* round; (*dans son lit*) to toss and turn; (*voiture*) to overturn; **s'en r.** to go back; **se r. contre** *Fig* to turn against.

retracer [r(ə)trase] *vt* (*histoire etc*) to retrace.

rétracter [retrakte] *vt*, **— se r.** *vpr* to retract. ◆**rétractation** *nf* (*désaveu*) retraction.

retrait [r(ə)trɛ] *nm* withdrawal; (*de bagages, billets*) collection; (*de mer*) ebb(ing); **en r.** (*maison etc*) set back.

retraite [r(ə)trɛt] *nf* **1** (*d'employé*) retirement; (*pension*) (retirement) pension; (*refuge*) retreat, refuge; **r. anticipée** early retirement; **prendre sa r.** to retire; **à la r.** retired; **mettre à la r.** to pension off. **2** *Mil* retreat; **r. aux flambeaux** torchlight tattoo. ◆**retraité, -ée** *a* retired; – *nmf* senior citizen, (old age) pensioner.

retrancher [r(ə)trɑ̃ʃe] **1** *vt* (*mot, passage etc*) to cut (**de** from); (*argent, quantité*) to deduct (**de** from). **2 se r.** *vpr* (*soldat, gangster etc*) to entrench oneself; **se r. dans/derrière** *Fig* to take refuge in/behind.

retransmettre [r(ə)trɑ̃smɛtr] *vt* to broadcast. ◆**retransmission** *nf* broadcast.

rétréc/ir [retresir] *vt* to narrow; (*vêtement*) to take in; – *vi*, **— se r.** *vpr* (*au lavage*) to shrink; (*rue etc*) to narrow. ◆**—i** *a* (*esprit, rue*) narrow.

rétribuer [retribɥe] *vt* to pay, remunerate; (*travail*) to pay for. ◆**rétribution** *nf* payment, remuneration.

rétro [retro] *a inv* (*mode etc*) which harks back to the past, retro.

rétro- [retrɔ] *préf* retro-. ◆**rétroactif, -ive** *a* retroactive.

rétrograde [retrɔgrad] *a* retrograde. ◆**rétrograder** *vi* (*reculer*) to move back; (*civilisation etc*) to go backwards; *Aut* to change down; – *vt* (*fonctionnaire, officier*) to demote.

rétrospectif, -ive [retrɔspɛktif, -iv] *a* (*sentiment etc*) retrospective; – *nf* (*de films, tableaux*) retrospective. ◆**rétrospectivement** *adv* in retrospect.

retrouss/er [r(ə)truse] *vt* (*jupe etc*) to hitch *ou* tuck up; (*manches*) to roll up ◆**—é** *a* (*nez*) snub, turned-up.

retrouver [r(ə)truve] *vt* to find (again); (*rejoindre*) to meet (again); (*forces, santé*) to regain; (*découvrir*) to rediscover; (*se rappeler*) to recall; **— se r.** *vpr* (*chose*) to be found (again); (*se trouver*) to find oneself (back); (*se rencontrer*) to meet (again); **s'y r.** (*s'orienter*) to find one's bearings *ou* way. ◆**retrouvailles** *nfpl* reunion.

rétroviseur [retrɔvizœr] *nm Aut* (rear-view) mirror.

réunion [reynjɔ̃] *nf* (*séance*) meeting; (*d'objets*) collection, gathering; (*d'éléments divers*) combination; (*jonction*) joining. ◆**réunir** *vt* to collect, gather; (*relier*) to join; (*convoquer*) to call together, assemble; (*rapprocher*) to bring together; (*qua-*

lités, tendances) to combine. ◆**réunis** *apl* (*éléments*) combined.

réuss/ir [reysir] *vi* to succeed, be successful (**à faire** in doing); (*plante*) to thrive; **r. à** (*examen*) to pass; **r. à qn** to work (out) well for s.o.; (*aliment, climat*) to agree with s.o.; – *vt* to make a success of. ◆**—i** *a* successful. ◆**réussite** *nf* **1** success. **2 faire des réussites** *Cartes* to play patience.

revaloir [r(ə)valwar] *vt* **je vous le revaudrai** (*en bien ou en mal*) I'll pay you back.

revaloriser [r(ə)valɔrize] *vt* (*salaire*) to raise. ◆**revalorisation** *nf* raising.

revanche [r(ə)vɑ̃ʃ] *nf* revenge; *Sp* return game; **en r.** on the other hand.

rêve [rɛv] *nm* dream; **faire un r.** to have a dream; **maison/voiture/***etc* **de r.** dream house/car/*etc.* ◆**rêvasser** *vi* to daydream.

revêche [rəvɛʃ] *a* bad-tempered, surly.

réveil [revɛj] *nm* waking (up); *Fig* awakening; (*pendule*) alarm (clock). ◆**réveill/er** *vt* (*personne*) to wake (up); (*sentiment, souvenir*) *Fig* to revive, awaken; **— se r.** *vpr* to wake (up); *Fig* to revive, awaken. ◆**—é** *a* awake. ◆**réveille-matin** *nm inv* alarm (clock).

réveillon [revɛjɔ̃] *nm* (*repas*) midnight supper (*on Christmas Eve or New Year's Eve*). ◆**réveillonner** *vi* to take part in a *réveillon*.

révéler [revele] *vt* to reveal (**que** that); **— se r.** to be revealed; **se r. facile/***etc* to turn out to be easy/*etc.* ◆**révélateur, -trice** *a* revealing; **r. de** indicative of. ◆**révélation** *nf* revelation.

revenant [rəvnɑ̃] *nm* ghost.

revendiquer [r(ə)vɑ̃dike] *vt* to claim; (*exiger*) to demand. ◆**revendicatif, -ive** *a* (*mouvement etc*) protest-. ◆**revendication** *nf* claim; demand; (*action*) claiming; demanding.

revendre [r(ə)vɑ̃dr] *vt* to resell; **avoir (de) qch à r.** to have sth to spare. ◆**revendeur, -euse** *nmf* retailer; (*d'occasion*) second-hand dealer; **r. (de drogue)** drug pusher; **r. de billets** ticket tout. ◆**revente** *nf* resale.

revenir* [rəvnir] *vi* (*aux* **être**) to come back, return; (*date*) to come round again; (*mot*) to come *ou* crop up; (*coûter*) to cost (**à qn** s.o.); **r. à** (*activité, sujet*) to go back to, return to; (*se résumer à*) to boil down to; **r. à qn** (*forces, mémoire*) to come back to s.o., return to s.o.; (*honneur*) to fall to s.o.; **r. à soi** to come to *ou* round; **r. de** (*maladie, surprise*) to get over; **r. sur** (*décision, promesse*) to go back on; (*passé, question*) to go back over; **r. sur ses pas** to retrace one's steps; **faire r.** (*aliment*) to brown.

revenu [rəvny] *nm* income (**de** from); (*d'un État*) revenue (**de** from); **déclaration de revenus** tax return.

rêv/er [reve] *vi* to dream (**de** of, **de faire** of doing); – *vt* to dream (**que** that); (*désirer*) to dream of. ◆**—é** *a* ideal.

réverbération [reverberɑsjɔ̃] *nf* (*de lumière*) reflection; (*de son*) reverberation.

révérence [reverɑ̃s] *nf* reverence; (*salut d'homme*) bow; (*salut de femme*) curts(e)y; **faire une r.** to bow; to curts(e)y. ◆**révérer** *vt* to revere.

révérend, -ende [reverɑ̃, -ɑ̃d] *a & nm Rel* reverend.

rêverie [rɛvri] *nf* daydream; (*activité*) daydreaming.

revers [r(ə)vɛr] *nm* (*côté*) reverse; *Tennis* backhand; (*de veste*) lapel; (*de pantalon*) turn-up, *Am* cuff; (*d'étoffe*) wrong side; (*coup du sort*) setback, reverse; **r. de main** (*coup*) backhander; **le r. de la médaille** *Fig* the other side of the coin.

réversible [reversibl] *a* reversible.

revêtir* [r(ə)vetir] *vt* to cover (**de** with); (*habit*) to put on; (*caractère, forme*) to assume; (*route*) to surface; **r. qn** (*habiller*) to dress s.o. (**de** in); **r. de** (*signature*) to provide with. ◆**revêtement** *nm* (*surface*) covering; (*de route*) surface.

rêveur, -euse [rɛvœr, -øz] *a* dreamy; – *nmf* dreamer.

revient [rəvjɛ̃] *nm* **prix de r.** cost price.

revigorer [r(ə)vigɔre] *vt* (*personne*) to revive.

revirement [r(ə)virmɑ̃] *nm* (*changement*) about-turn, *Am* about-face; (*de situation, d'opinion, de politique*) reversal.

réviser [revize] *vt* (*notes, texte*) to revise; (*jugement, règlement etc*) to review; (*machine, voiture*) to overhaul, service. ◆**révision** *nf* revision; review; overhaul, service.

revivre* [r(ə)vivr] *vi* to live again; **faire r.** to revive; – *vt* (*incident etc*) to relive.

révocation [revɔkɑsjɔ̃] *nf* **1** (*de contrat etc*) revocation. **2** (*de fonctionnaire*) dismissal.

revoici [r(ə)vwasi] *prép* **me r.** here I am again.

revoilà [r(ə)vwala] *prép* **la r.** there she is again.

revoir* [r(ə)vwar] *vt* to see (again); (*texte*) to revise; **au r.** goodbye.

révolte [revɔlt] *nf* revolt. ◆**révolt/er 1** *vt* to revolt, incense. **2 se r.** *vpr* to revolt, rebel (**contre** against). ◆**—ant** *a* (*honteux*) revolting. ◆**—é, -ée** *nmf* rebel.

révolu [revɔly] *a* (*époque*) past; **avoir trente ans révolus** to be over thirty (years of age).

révolution [revɔlysjɔ̃] *nf* (*changement, rotation*) revolution. ◆**révolutionnaire** *a* & *nmf* revolutionary. ◆**révolutionner** *vt* to revolutionize; (*émouvoir*) *Fig* to shake up.

revolver [revɔlvɛr] *nm* revolver, gun.

révoquer [revɔke] *vt* **1** (*contrat etc*) to revoke. **2** (*fonctionnaire*) to dismiss.

revue [r(ə)vy] *nf* **1** (*examen*) & *Mil* review; **passer en r.** to review. **2** (*de music-hall*) variety show. **3** (*magazine*) magazine; (*spécialisée*) journal.

rez-de-chaussée [redʃose] *nm inv* ground floor, *Am* first floor.

rhabiller (se) [sərabije] *vpr* to get dressed again.

rhapsodie [rapsɔdi] *nf* rhapsody.

rhétorique [retɔrik] *nf* rhetoric.

Rhin [rɛ̃] *nm* **le R.** the Rhine.

rhinocéros [rinɔserɔs] *nm* rhinoceros.

rhododendron [rɔdɔdɛ̃drɔ̃] *nm* rhododendron.

rhubarbe [rybarb] *nf* rhubarb.

rhum [rɔm] *nm* rum.

rhumatisme [rymatism] *nm Méd* rheumatism; **avoir des rhumatismes** to have rheumatism. ◆**rhumatisant, -ante** *a* & *nmf* rheumatic. ◆**rhumatismal, -aux** *a* (*douleur*) rheumatic.

rhume [rym] *nm* cold; **r. de cerveau** head cold; **r. des foins** hay fever.

riant [rjɑ̃] *a* cheerful, smiling.

ricaner [rikane] *vi* (*sarcastiquement*) to snigger; (*bêtement*) to giggle.

riche [riʃ] *a* rich; (*personne, pays*) rich, wealthy; **r. en** (*minérai, vitamines etc*) rich in; – *nmf* rich *ou* wealthy person; **les riches** the rich. ◆**—ment** *a* (*vêtu, illustré etc*) richly. ◆**richesse** *nf* wealth; (*d'étoffe, de sol, vocabulaire*) richness; *pl* (*trésor*) riches; (*ressources*) wealth.

ricin [risɛ̃] *nm* **huile de r.** castor oil.

ricocher [rikɔʃe] *vi* to ricochet, rebound. ◆**ricochet** *nm* ricochet, rebound; **par r.** *Fig* as an indirect result.

rictus [riktys] *nm* grin, grimace.

ride [rid] *nf* wrinkle; ripple. ◆**rider** *vt* (*visage*) to wrinkle; (*eau*) to ripple; **— se r.** *vpr* to wrinkle.

rideau, -x [rido] *nm* curtain; (*métallique*) shutter; (*écran*) *Fig* screen (**de** of); **le r. de fer** *Pol* the Iron Curtain.

ridicule [ridikyl] *a* ridiculous, ludicrous; – *nm* (*moquerie*) ridicule; (*défaut*) absurdity; (*de situation etc*) ridiculousness; **tourner en r.** to ridicule. ◆**ridiculiser** *vt* to ridicule.

rien [rjɛ̃] *pron* nothing; **il ne sait r.** he knows nothing, he doesn't know anything; **r. du tout** nothing at all; **r. d'autre/de bon**/*etc* nothing else/good/*etc*; **r. de tel** nothing like it; **de r.!** (*je vous en prie*) don't mention it!; **ça ne fait r.** it doesn't matter; **en moins de r.** (*vite*) in no time; **trois fois r.** (*chose insignifiante*) next to nothing; **pour r.** (*à bas prix*) for next to nothing; **il n'en est r.** (*ce n'est pas vrai*) nothing of the kind; **r. que** only, just; – *nm* trifle, (mere) nothing; **un r. de** a hint *ou* touch of; **en un r. de temps** (*vite*) in no time; **un r. trop petit**/*etc* just a bit too small/*etc*.

rieur, -euse [rijœr, -øz] *a* cheerful.

riflard [riflar] *nm Fam* brolly, umbrella.

rigide [riʒid] *a* rigid; (*carton, muscle*) stiff; (*personne*) *Fig* inflexible; (*éducation*) strict. ◆**rigidité** *nf* rigidity; stiffness; inflexibility; strictness.

rigole [rigɔl] *nf* (*conduit*) channel; (*filet d'eau*) rivulet.

rigoler [rigɔle] *vi Fam* to laugh; (*s'amuser*) to have fun *ou* a laugh; (*plaisanter*) to joke (**avec** about). ◆**rigolade** *nf Fam* fun; (*chose ridicule*) joke, farce; **prendre qch à la r.** to make a joke out of sth. ◆**rigolo, -ote** *a Fam* funny; – *nmf Fam* joker.

rigueur [rigœr] *nf* rigour; harshness; strictness; (*précision*) precision; **être de r.** to be the rule; **à la r.** if absolutely necessary, at *ou Am* in a pinch; **tenir r. à qn de qch** *Fig* to hold sth against s.o. ◆**rigoureux, -euse** *a* rigorous; (*climat, punition*) harsh; (*personne, morale, sens*) strict.

rillettes [rijɛt] *nfpl* potted minced pork.

rime [rim] *nf* rhyme. ◆**rimer** *vi* to rhyme (**avec** with); **ça ne rime à rien** it makes no sense.

rincer [rɛ̃se] *vt* to rinse (out). ◆**rinçage** *nm* rinsing; (*opération*) rinse.

ring [riŋ] *nm* (boxing) ring.

ringard [rɛ̃gar] *a* (*démodé*) *Fam* unfashionable, fuddy-duddy.

ripaille [ripɑj] *nf Fam* feast.

riposte [ripɔst] *nf* (*réponse*) retort; (*attaque*) counter(attack). ◆**riposter** *vi* to retort; **r. à** (*attaque*) to counter; (*insulte*) to reply to; – *vt* **r. que** to retort that.

rire* [rir] *vi* to laugh (**de** at); (*s'amuser*) to have a good time; (*plaisanter*) to joke; **faire qch pour r.** to do sth for a laugh *ou* a joke; **se r. de qch** to laugh sth off; – *nm* laugh; *pl* laughter; **le r.** (*activité*) laughter. ◆**risée** *nf* mockery; **être la r. de** to be the laughing stock of. ◆**risible** *a* laughable.

ris [ri] *nm* **r. de veau** *Culin* (calf) sweetbread.

risque [risk] *nm* risk; **r. du métier** occupational hazard; **au r. de qch/de faire** at the risk of sth/of doing; **à vos risques et périls** at your own risk; **assurance tous risques** comprehensive insurance. ◆**risquer** *vt* to risk; (*question, regard*) to venture, hazard; **r. de faire** to stand a good chance of doing; **se r. à faire** to dare to do; **se r. dans** to venture into. ◆**risqué** *a* risky; (*plaisanterie*) daring, risqué.

ristourne [risturn] *nf* discount.

rite [rit] *nm* rite; (*habitude*) *Fig* ritual. ◆**rituel, -elle** *a* & *nm* ritual.

rivage [rivaʒ] *nm* shore.

rival, -ale, -aux [rival, -o] *a* & *nmf* rival. ◆**rivaliser** *vi* to compete (**avec** with, **de** in). ◆**rivalité** *nf* rivalry.

rive [riv] *nf* (*de fleuve*) bank; (*de lac*) shore.

rivé [rive] *a* **r. à** (*chaise etc*) *Fig* riveted to; **r. sur** *Fig* riveted on. ◆**rivet** *nm* (*tige*) rivet. ◆**riveter** *vt* to rivet (together).

riverain, -aine [rivrɛ̃, -ɛn] *a* riverside; lakeside; – *nmf* riverside resident; (*de lac*) lakeside resident; (*de rue*) resident.

rivière [rivjɛr] *nf* river.

rixe [riks] *nf* brawl, scuffle.

riz [ri] *nm* rice; **r. au lait** rice pudding. ◆**rizière** *nf* paddy (field), ricefield.

RN *abrév* = **route nationale.**

robe [rɔb] *nf* (*de femme*) dress; (*d'ecclésiastique, de juge*) robe; (*de professeur*) gown; (*pelage*) coat; **r. de soirée** *ou* **du soir** evening dress *ou* gown; **r. de grossesse/de mariée** maternity/wedding dress; **r. de chambre** dressing gown; **r. chasuble** pinafore (dress).

robinet [rɔbinɛ] *nm* tap, *Am* faucet; **eau du r.** tap water.

robot [rɔbo] *nm* robot; **r. ménager** food processor, liquidizer.

robuste [rɔbyst] *a* robust. ◆**robustesse** *nf* robustness.

roc [rɔk] *nm* rock.

rocaille [rɔkaj] *nf* (*terrain*) rocky ground; (*de jardin*) rockery. ◆**rocailleux, -euse** *a* rocky, stony; (*voix*) harsh.

rocambolesque [rɔkɑ̃bɔlɛsk] *a* (*aventure etc*) fantastic.

roche [rɔʃ] *nf*, **rocher** [rɔʃe] *nm* (*bloc, substance*) rock. ◆**rocheux, -euse** *a* rocky.

rock [rɔk] *nm* (*musique*) rock; – *a inv* (*chanteur etc*) rock-.

rod/er [rɔde] *vt* (*moteur, voiture*) to run in, *Am* break in; **être rodé** (*personne*) *Fig* to have got *ou Am* gotten the hang of things. ◆**—age** *nm* running in, *Am* breaking in.

rôd/er [rode] *vi* to roam (about); (*suspect*) to prowl (about). ◆**—eur, -euse** *nmf* prowler.

rogne [rɔɲ] *nf Fam* anger; **en r.** in a temper.

rogner [rɔɲe] *vt* to trim, clip; (*réduire*) to cut; – *vi* **r. sur** (*réduire*) to cut down on. ◆**rognures** *nfpl* clippings, trimmings.

rognon [rɔɲɔ̃] *nm Culin* kidney.

roi [rwa] *nm* king; **fête** *ou* **jour des rois** Twelfth Night.

roitelet [rwatlɛ] *nm* (*oiseau*) wren.

rôle [rol] *nm* role, part; **à tour de r.** in turn.

romain, -aine [rɔmɛ̃, -ɛn] **1** *a* & *nmf* Roman. **2** *nf* (*laitue*) cos (lettuce), *Am* romaine.

roman [rɔmɑ̃] **1** *nm* novel; (*histoire*) *Fig* story; **r.-fleuve** saga. **2** *a* (*langue*) Romance; *Archit* Romanesque. ◆**romancé** *a* (*histoire*) fictional. ◆**romancier, -ière** *nmf* novelist.

romanesque [rɔmanɛsk] *a* romantic; (*incroyable*) fantastic.

romanichel, -elle [rɔmaniʃɛl] *nmf* gipsy.

romantique [rɔmɑ̃tik] *a* romantic. ◆**romantisme** *nm* romanticism.

romarin [rɔmarɛ̃] *nm Bot Culin* rosemary.

romp/re* [rɔ̃pr] *vt* to break; (*pourparlers, relations*) to break off; (*digue*) to burst; – *vi* to break (*Fig* **avec** with); to burst; (*fiancés*) to break it off; **— se r.** *vpr* to break; to burst. ◆**—u** *a* **1** (*fatigué*) exhausted. **2 r. à** (*expérimenté*) experienced in.

romsteck [rɔmstɛk] *nm* rump steak.

ronces [rɔ̃s] *nfpl* (*branches*) brambles.

ronchonner [rɔ̃ʃɔne] *vi Fam* to grouse, grumble.

rond [rɔ̃] *a* round; (*gras*) plump; (*honnête*) straight; (*ivre*) *Fam* tight; **dix francs tout r.** ten francs exactly; – *adv* **tourner r.** (*machine etc*) to run smoothly; – *nm* (*objet*) ring; (*cercle*) circle; (*tranche*) slice; *pl* (*argent*) *Fam* money; **r. de serviette** napkin ring; **en r.** (*s'asseoir etc*) in a ring *ou* circle; **tourner en r.** (*toupie etc*) & *Fig* to go round and round. ◆**r.-de-cuir** *nm* (*pl* **ronds-de-cuir**) *Péj* pen pusher. ◆**r.-point** *nm* (*pl* **ronds-points**) *Aut* roundabout, *Am* traffic circle. ◆**ronde** *nf* (*tour de surveillance*) round; (*de policier*) beat; (*danse*) round (dance); (*note*) *Mus* semibreve, *Am* whole note; **à la r.** around; (*boire*) in turn. ◆**rondelet, -ette** *a* chubby; (*somme*) *Fig* tidy. ◆**rondelle** *nf* (*tranche*) slice; *Tech* washer. ◆**rondement** *adv* (*efficacement*) briskly; (*franchement*) straight. ◆**rondeur** *nf* roundness; (*du corps*) plumpness. ◆**rondin** *nm* log.

ronéotyper [rɔneɔtipe] *vt* to duplicate, roneo.
ronflant [rɔ̃flɑ̃] *a* (*langage etc*) *Péj* high-flown; (*feu*) roaring.
ronfler [rɔ̃fle] *vi* to snore; (*moteur*) to hum. ◆**ronflement** *nm* snore, snoring; hum(ming).
rong/er [rɔ̃ʒe] *vt* to gnaw (at); (*ver, mer, rouille*) to eat into (*sth*); **r. qn** (*chagrin, maladie*) to consume s.o.; **se r. les ongles** to bite one's nails; **se r. les sangs** (*s'inquiéter*) to worry oneself sick. ◆**—eur** *nm* (*animal*) rodent.
ronron [rɔ̃rɔ̃] *nm*, **ronronnement** [rɔ̃rɔnmɑ̃] *nm* purr(ing). ◆**ronronner** *vi* to purr.
roquette [rɔkɛt] *nf Mil* rocket.
rosbif [rɔsbif] *nm* **du r.** (*rôti*) roast beef; (*à rôtir*) roasting beef; **un r.** a joint of roast *ou* roasting beef.
rose [roz] **1** *nf* (*fleur*) rose. **2** *a* (*couleur*) pink; (*situation, teint*) rosy; – *nm* pink. ◆**rosé** *a* pinkish; & – *a* & *nm* (*vin*) rosé. ◆**rosette** *nf* (*d'un officier*) rosette; (*nœud*) bow. ◆**rosier** *nm* rose bush.
roseau, -x [rozo] *nm* (*plante*) reed.
rosée [roze] *nf* dew.
rosse [rɔs] *a* & *nf Fam* nasty (person).
ross/er [rɔse] *vt Fam* to thrash. ◆**—ée** *nf Fam* thrashing.
rossignol [rɔsiɲɔl] *nm* **1** (*oiseau*) nightingale. **2** (*crochet*) picklock.
rot [ro] *nm Fam* burp, belch. ◆**roter** *vi Fam* to burp, belch.
rotation [rɔtɑsjɔ̃] *nf* rotation; (*de stock*) turnover. ◆**rotatif, -ive** *a* rotary; – *nf* rotary press.
rotin [rɔtɛ̃] *nm* rattan, cane.
rôt/ir [rotir] *vti*, **— se r.** *vpr* to roast; **faire r.** to roast. ◆**—i** *nm* **du r.** roasting meat; (*cuit*) roast meat; **un r.** a joint; **r. de bœuf/de porc** (joint of) roast beef/pork. ◆**rôtissoire** *nf* (roasting) spit.
rotule [rɔtyl] *nf* kneecap.
roturier, -ière [rɔtyrje, -jɛr] *nmf* commoner.
rouage [rwaʒ] *nm* (*de montre etc*) (working) part; (*d'organisation etc*) *Fig* cog.
roublard [rublar] *a* wily, foxy.
rouble [rubl] *nm* (*monnaie*) r(o)uble.
roucouler [rukule] *vi* (*oiseau, amoureux*) to coo.
roue [ru] *nf* wheel; **r. (dentée)** cog(wheel); **faire la r.** (*paon*) to spread its tail; (*se pavaner*) *Fig* to strut; **faire r. libre** *Aut* to freewheel.
roué, -ée [rwe] *a* & *nmf* sly *ou* calculating (person).
rouer [rwe] *vt* **r. qn de coups** to beat s.o. black and blue.
rouet [rwɛ] *nm* spinning wheel.
rouge [ruʒ] *a* red; (*fer*) red-hot; – *nm* (*couleur*) red; (*vin*) *Fam* red wine; **r. (à lèvres)** lipstick; **r. (à joues)** rouge; **le feu est au r.** *Aut* the (traffic) lights are red; – *nmf* (*personne*) *Pol* Red. ◆**r.-gorge** *nm* (*pl* **rouges-gorges**) robin. ◆**rougeâtre** *a* reddish. ◆**rougeaud** *a* red-faced. ◆**rougeoyer** *vi* to glow (red). ◆**rougeur** *nf* redness; (*due à la gêne ou à la honte*) blush(ing); *pl Méd* red spots *ou* blotches. ◆**rougir** *vti* to redden, turn red; – *vi* (*de gêne, de honte*) to blush (**de** with); (*de colère, de joie*) to flush (**de** with).
rougeole [ruʒɔl] *nf* measles.
rouget [ruʒɛ] *nm* (*poisson*) mullet.
rouille [ruj] *nf* rust; – *a inv* (*couleur*) rust(-coloured). ◆**rouill/er** *vi* to rust; **— se r.** *vpr* to rust; (*esprit, sportif etc*) *Fig* to get rusty. ◆**—é** *a* rusty.
roul/er [rule] *vt* to roll; (*brouette, meuble*) to wheel, push; (*crêpe, ficelle, manches etc*) to roll up; **r. qn** (*duper*) *Fam* to cheat s.o.; – *vi* to roll; (*train, voiture*) to go, travel; (*conducteur*) to drive; **r. sur** (*conversation*) to turn on; **ça roule!** *Fam* everything's fine!; **— se r.** *vpr* to roll; **se r. dans** (*couverture etc*) to roll oneself (up) in. ◆**—ant** *a* (*escalier, trottoir*) moving; (*meuble*) on wheels. ◆**—é** *nm* (*gâteau*) Swiss roll. ◆**rouleau, -x** *nm* (*outil, vague*) roller; (*de papier, pellicule etc*) roll; **r. à pâtisserie** rolling pin; **r. compresseur** steamroller. ◆**roulement** *nm* (*bruit*) rumbling, rumble; (*de tambour, de tonnerre, d'yeux*) roll; (*ordre*) rotation; **par r.** in rotation; **r. à billes** *Tech* ball bearing. ◆**roulette** *nf* (*de meuble*) castor; (*de dentiste*) drill; (*jeu*) roulette. ◆**roulis** *nm* (*de navire*) roll(ing).
roulotte [rulɔt] *nf* (*de gitan*) caravan.
Roumanie [rumani] *nf* Romania. ◆**roumain, -aine** *a* & *nmf* Romanian; – *nm* (*langue*) Romanian.
round [rawnd, rund] *nm Boxe* round.
roupiller [rupije] *vi Fam* to kip, sleep.
rouqin, -ine [rukɛ̃, -in] *a Fam* red-haired; – *nmf Fam* redhead.
rouspét/er [ruspete] *vi Fam* to grumble, complain. ◆**—eur, -euse** *nmf* grumbler.
rousse [rus] *voir* **roux.**
rousseur [rusœr] *nf* redness; **tache de r.** freckle. ◆**roussir** *vt* (*brûler*) to singe, scorch; – *vi* (*feuilles*) to turn brown; **faire r.** *Culin* to brown.
route [rut] *nf* road (**de** to); (*itinéraire*) way,

route; (*aérienne, maritime*) route; (*chemin*) *Fig* path, way; **r. nationale/départementale** main/secondary road; **grande r., grand-r.** main road; **code de la r.** Highway Code; **en r.** on the way, en route; **en r.!** let's go!; **par la r.** by road; **sur la bonne r.** *Fig* on the right track; **mettre en r.** (*voiture etc*) to start (up); **se mettre en r.** to set out (**pour** for); **une heure de r.** *Aut* an hour's drive; **bonne r.!** *Aut* have a good trip! ◆**routier, -ière** *a* (*carte etc*) road-; – *nm* (*camionneur*) (long distance) lorry *ou Am* truck driver; (*restaurant*) transport café, *Am* truck stop.

routine [rutin] *nf* routine; **de r.** (*contrôle etc*) routine-. ◆**routinier, -ière** *a* (*travail etc*) routine-; (*personne*) addicted to routine.

rouvrir* [ruvrir] *vti*, — **se r.** *vpr* to reopen.

roux, rousse [ru, rus] *a* (*cheveux*) red, ginger; (*personne*) red-haired; – *nmf* redhead.

royal, -aux [rwajal, -o] *a* royal; (*cadeau, festin etc*) fit for a king; (*salaire*) princely. ◆**royalement** *adv* (*traiter*) royally. ◆**royaliste** *a* & *nmf* royalist. ◆**royaume** *nm* kingdom. ◆**Royaume-Uni** *nm* United Kingdom. ◆**royauté** *nf* (*monarchie*) monarchy.

ruade [rɥad] *nf* (*d'âne etc*) kick.

ruban [rybɑ̃] *nm* ribbon; (*d'acier, de chapeau*) band; **r. adhésif** adhesive *ou* sticky tape.

rubéole [rybeɔl] *nf* German measles, rubella.

rubis [rybi] *nm* (*pierre*) ruby; (*de montre*) jewel.

rubrique [rybrik] *nf* (*article*) *Journ* column; (*catégorie, titre*) heading.

ruche [ryʃ] *nf* (bee)hive.

rude [ryd] *a* (*grossier*) crude; (*rêche*) rough; (*pénible*) tough; (*hiver, voix*) harsh; (*remarquable*) *Fam* tremendous. ◆**—ment** *adv* (*parler, traiter*) harshly; (*frapper, tomber*) hard; (*très*) *Fam* awfully. ◆**rudesse** *nf* harshness. ◆**rudoyer** *vt* to treat harshly.

rudiments [rydimɑ̃] *nmpl* rudiments. ◆**rudimentaire** *a* rudimentary.

rue [ry] *nf* street; **être à la r.** (*sans domicile*) to be on the streets. ◆**ruelle** *nf* alley(way).

ruer [rɥe] **1** *vi* (*cheval*) to kick (out). **2 se r.** *vpr* (*foncer*) to rush, fling oneself (**sur** at). ◆**ruée** *nf* rush.

rugby [rygbi] *nm* rugby. ◆**rugbyman,** *pl* **-men** [rygbiman, -mɛn] *nm* rugby player.

rug/ir [ryʒir] *vi* to roar. ◆**—issement** *nm* roar.

rugueux, -euse [rygø, -øz] *a* rough. ◆**rugosité** *nf* roughness; *pl* (*aspérités*) roughness.

ruine [rɥin] *nf* (*décombres*) & *Fig* ruin; **en r.** (*édifice*) in ruins; **tomber en r.** to fall into ruin. ◆**ruiner** *vt* to ruin; — **se r.** *vpr* (*en dépensant*) to ruin oneself. ◆**ruineux, -euse** *a* (*goûts, projet*) ruinously expensive; (*dépense*) ruinous.

ruisseau, -x [rɥiso] *nm* stream; (*caniveau*) gutter. ◆**ruisseler** *vi* to stream (**de** with).

rumeur [rymœr] *nf* (*protestation*) clamour; (*murmure*) murmur; (*nouvelle*) rumour.

ruminer [rymine] *vt* (*méditer*) to ponder on, ruminate over.

rumsteak [rɔmstɛk] *nm* rump steak.

rupture [ryptyr] *nf* break(ing); (*de fiançailles, relations*) breaking off; (*de pourparlers*) breakdown (**de** in); (*brouille*) break (up), split; (*de contrat*) breach; (*d'organe*) *Méd* rupture.

rural, -aux [ryral, -o] *a* rural, country-; – *nmpl* country people.

ruse [ryz] *nf* (*subterfuge*) trick; **la r.** (*habileté*) cunning; (*fourberie*) trickery. ◆**rusé, -ée** *a* & *nmf* crafty *ou* cunning (person). ◆**ruser** *vi* to resort to trickery.

Russie [rysi] *nf* Russia. ◆**russe** *a* & *nmf* Russian; – *nm* (*langue*) Russian.

rustique [rystik] *a* (*meuble*) rustic.

rustre [rystr] *nm* lout, churl.

rutabaga [rytabaga] *nm* (*racine*) swede, *Am* rutabaga.

rutilant [rytilɑ̃] *a* gleaming, glittering.

rythme [ritm] *nm* rhythm; (*de travail*) rate, tempo; (*de la vie*) pace; **au r. de trois par jour** at a *ou* the rate of three a day. ◆**rythmé** *a*, ◆**rythmique** *a* rhythmic(al).

S

S, s [ɛs] *nm* S, s.

s' [s] *voir* **se, si.**

sa [sa] *voir* **son²**.

SA *abrév* (*société anonyme*) *Com* plc, *Am* Inc.

sabbat [saba] *nm* (Jewish) Sabbath.

◆**sabbatique** *a* (*année etc*) *Univ* sabbatical.

sable [sɑbl] *nm* sand; **sables mouvants** quicksand(s). ◆**sabler** *vt* (*route*) to sand. ◆**sableux, -euse** *a* (*eau*) sandy. ◆**sablier** *nm* hourglass; *Culin* egg timer. ◆**sablière** *nf* (*carrière*) sandpit. ◆**sablonneux, -euse** *a* (*terrain*) sandy.

sablé [sɑble] *nm* shortbread biscuit *ou Am* cookie.

saborder [sabɔrde] *vt* (*navire*) to scuttle; (*entreprise*) *Fig* to shut down.

sabot [sabo] *nm* **1** (*de cheval etc*) hoof. **2** (*chaussure*) clog. **3** (*de frein*) *Aut* shoe; **s. (de Denver)** *Aut* (wheel) clamp.

sabot/er [sabɔte] *vt* to sabotage; (*bâcler*) to botch. ◆**—age** *nm* sabotage; **un s.** an act of sabotage. ◆**—eur, -euse** *nmf* saboteur.

sabre [sɑbr] *nm* sabre, sword.

sabrer [sɑbre] *vt* (*élève, candidat*) *Fam* to give a thoroughly bad mark to.

sac [sak] *nm* **1** bag; (*grand et en toile*) sack; **s. (à main)** handbag; **s. à dos** rucksack. **2 mettre à s.** (*ville*) *Mil* to sack.

saccade [sakad] *nf* jerk, jolt; **par saccades** jerkily, in fits and starts. ◆**saccadé** *a* (*geste, style*) jerky.

saccager [sakaʒe] *vt* (*ville, région*) *Mil* to sack; (*bouleverser*) *Fig* to turn upside down.

saccharine [sakarin] *nf* saccharin.

sacerdoce [sasɛrdɔs] *nm* (*fonction*) *Rel* priesthood; *Fig* vocation.

sachet [saʃɛ] *nm* (small) bag; (*de lavande etc*) sachet; **s. de thé** teabag.

sacoche [sakɔʃ] *nf* bag; (*de vélo, moto*) saddlebag; *Scol* satchel.

sacquer [sake] *vt Fam* (*renvoyer*) to sack; (*élève*) to give a thoroughly bad mark to.

sacre [sakr] *nm* (*d'évêque*) consecration; (*de roi*) coronation. ◆**sacrer** *vt* (*évêque*) to consecrate; (*roi*) to crown.

sacré [sakre] *a* (*saint*) sacred; (*maudit*) *Fam* damned. ◆**—ment** *adv Fam* (*très*) damn(ed); (*beaucoup*) a hell of a lot.

sacrement [sakrəmɑ̃] *nm Rel* sacrament.

sacrifice [sakrifis] *nm* sacrifice. ◆**sacrifier** *vt* to sacrifice (**à** to, **pour** for); – *vi* **s. à** (*mode etc*) to pander to; **– se s.** *vpr* to sacrifice oneself (**à** to, **pour** for).

sacrilège [sakrilɛʒ] *nm* sacrilege; – *a* sacrilegious.

sacristie [sakristi] *nf* vestry.

sacro-saint [sakrosɛ̃] *a Iron* sacrosanct.

sadisme [sadism] *nm* sadism. ◆**sadique** *a* sadistic; – *nmf* sadist.

safari [safari] *nm* safari; **faire un s.** to be *ou* go on safari.

safran [safrɑ̃] *nm* saffron.

sagace [sagas] *a* shrewd, sagacious.

sage [saʒ] *a* wise; (*enfant*) well-behaved, good; (*modéré*) moderate; – *nm* wise man, sage. ◆**sagement** *adv* wisely; (*avec calme*) quietly. ◆**sagesse** *nf* wisdom; good behaviour; moderation.

sage-femme [saʒfam] *nf* (*pl* **sages-femmes**) midwife.

Sagittaire [saʒitɛr] *nm* **le S.** (*signe*) Sagittarius.

Sahara [saara] *nm* **le S.** the Sahara (desert).

saign/er [seɲe] *vti* to bleed. ◆**—ant** [sɛɲɑ̃] *a* (*viande*) *Culin* rare, underdone. ◆**—ée** *nf* **1** *Méd* bleeding, blood-letting; (*perte*) *Fig* heavy loss. **2 la s. du bras** *Anat* the bend of the arm. ◆**saignement** *nm* bleeding; **s. de nez** nosebleed.

saillant [sajɑ̃] *a* projecting, jutting out; (*trait etc*) *Fig* salient. ◆**saillie** *nf* projection; **en s., faisant s.** projecting.

sain [sɛ̃] *a* healthy; (*moralement*) sane; (*jugement*) sound; (*nourriture*) wholesome, healthy; **s. et sauf** safe and sound, unhurt. ◆**sainement** *adv* (*vivre*) healthily; (*raisonner*) sanely.

saindoux [sɛ̃du] *nm* lard.

saint, sainte [sɛ̃, sɛ̃t] *a* holy; (*personne*) saintly; **s. Jean** Saint John; **sainte nitouche** *Iron* little innocent; **la Sainte Vierge** the Blessed Virgin; – *nmf* saint. ◆**s.-bernard** *nm* (*chien*) St Bernard. ◆**S.-Esprit** *nm* Holy Spirit. ◆**S.-Siège** *nm* Holy See. ◆**S.-Sylvestre** *nf* New Year's Eve.

sais [sɛ] *voir* **savoir.**

saisie [sezi] *nf Jur* seizure; **s. de données** data capture *ou* entry.

sais/ir [sezir] **1** *vt* to grab (hold of), seize; (*occasion*) & *Jur* to seize; (*comprendre*) to understand, grasp; (*frapper*) *Fig* to strike; **se s. de** to grab (hold of), seize. **2** *vt* (*viande*) *Culin* to fry briskly. ◆**—i** *a* **s. de** (*joie, peur etc*) overcome by. ◆**—issant** *a* (*film etc*) gripping; (*contraste, ressemblance*) striking. ◆**—issement** *nm* (*émotion*) shock.

saison [sɛzɔ̃] *nf* season; **en/hors s.** in/out of season; **en pleine** *ou* **haute s.** in (the) high season; **en basse s.** in the low season. ◆**saisonnier, -ière** *a* seasonal.

sait [sɛ] *voir* **savoir.**

salade [salad] **1** *nf* (*laitue*) lettuce; **s. (verte)** (green) salad; **s. de fruits/de tomates/***etc* fruit/tomato/*etc* salad. **2** *nf* (*désordre*) *Fam* mess. **3** *nfpl* (*mensonges*) *Fam* stories, nonsense. ◆**saladier** *nm* salad bowl.

salaire [salɛr] *nm* wage(s), salary.

salaison [salɛzɔ̃] *nf Culin* salting; *pl* (*denrées*) salt(ed) meat *ou* fish.

salamandre [salamɑ̃dr] *nf* (*animal*) salamander.

salami [salami] *nm Culin* salami.

salarial, -aux [salarjal, -o] *a* (*accord etc*) wage-. ◆**salarié, -ée** *a* wage-earning; – *nmf* wage earner.

salaud [salo] *nm Arg Péj* bastard, swine.

sale [sal] *a* dirty; (*dégoûtant*) filthy; (*mauvais*) nasty; (*couleur*) dingy. ◆**salement** *adv* (*se conduire, manger*) disgustingly. ◆**saleté** *nf* dirtiness; filthiness; (*crasse*) dirt, filth; (*action*) dirty trick; (*camelote*) *Fam* rubbish, junk; *pl* (*détritus*) mess, dirt; (*obscénités*) filth. ◆**salir** *vt* to (make) dirty; (*réputation*) *Fig* to sully, tarnish; – **se s.** *vpr* to get dirty. ◆**salissant** *a* (*métier*) dirty, messy; (*étoffe*) easily dirtied. ◆**salissure** *nf* (*tache*) dirty mark.

sal/er [sale] *vt Culin* to salt. ◆**—é** *a* **1** (*eau*) salt-; (*saveur*) salty; (*denrées*) salted; (*grivois*) *Fig* spicy. **2** (*excessif*) *Fam* steep. ◆**salière** *nf* saltcellar.

salive [saliv] *nf* saliva. ◆**saliver** *vi* to salivate.

salle [sal] *nf* room; (*très grande, publique*) hall; *Th* auditorium; (*d'hôpital*) ward; (*public*) *Th* house, audience; **s. à manger** dining room; **s. d'eau** washroom, shower room; **s. d'exposition** *Com* showroom; **s. de jeux** (*pour enfants*) games room; (*avec machines à sous*) amusement arcade; **s. d'opération** *Méd* operating theatre.

salon [salɔ̃] *nm* sitting room, lounge; (*exposition*) show; **s. de beauté/de coiffure** beauty/hairdressing salon; **s. de thé** tearoom(s).

salope [salɔp] *nf* (*femme*) *Arg Péj* bitch, cow. ◆**saloperie** *nf Arg* (*action*) dirty trick; (*camelote*) rubbish, junk; **des saloperies** (*propos*) filth.

salopette [salɔpɛt] *nf* dungarees; (*d'ouvrier*) overalls.

salsifis [salsifi] *nf Bot Culin* salsify.

saltimbanque [saltɛ̃bɑ̃k] *nmf* (travelling) acrobat.

salubre [salybr] *a* healthy, salubrious. ◆**salubrité** *nf* healthiness; **s. publique** public health.

saluer [salɥe] *vt* to greet; (*en partant*) to take one's leave; (*de la main*) to wave to; (*de la tête*) to nod to; *Mil* to salute; **s. qn comme** *Fig* to hail s.o. as. ◆**salut 1** *nm* greeting; wave; nod; *Mil* salute; – *int Fam* hello!, hi!; (*au revoir*) bye! **2** *nm* (*de peuple etc*) salvation; (*sauvegarde*) safety. ◆**salutation** *nf* greeting.

salutaire [salytɛr] *a* salutary.

salve [salv] *nf* salvo.

samedi [samdi] *nm* Saturday.

SAMU [samy] *nm abrév* (*service d'assistance médicale d'urgence*) emergency medical service.

sanatorium [sanatɔrjɔm] *nm* sanatorium.

sanctifier [sɑ̃ktifje] *vt* to sanctify.

sanction [sɑ̃ksjɔ̃] *nf* (*approbation, peine*) sanction. ◆**sanctionner** *vt* (*confirmer, approuver*) to sanction; (*punir*) to punish.

sanctuaire [sɑ̃ktɥɛr] *nm Rel* sanctuary.

sandale [sɑ̃dal] *nf* sandal.

sandwich [sɑ̃dwitʃ] *nm* sandwich.

sang [sɑ̃] *nm* blood; **coup de s.** *Méd* stroke. ◆**sanglant** *a* bloody; (*critique, reproche*) scathing. ◆**sanguin, -ine 1** *a* (*vaisseau etc*) blood-; (*tempérament*) full-blooded. **2** *nf* (*fruit*) blood orange. ◆**sanguinaire** *a* blood-thirsty.

sang-froid [sɑ̃frwa] *nm* self-control, calm; **avec s.-froid** calmly; **de s.-froid** (*tuer*) in cold blood.

sangle [sɑ̃gl] *nf* (*de selle, parachute*) strap.

sanglier [sɑ̃glije] *nm* wild boar.

sanglot [sɑ̃glo] *nm* sob. ◆**sangloter** *vi* to sob.

sangsue [sɑ̃sy] *nf* leech.

sanitaire [sanitɛr] *a* health-; (*conditions*) sanitary; (*personnel*) medical; (*appareils etc*) bathroom-, sanitary.

sans [sɑ̃] ([sɑ̃z] *before vowel and mute h*) *prép* without; **s. faire** without doing; **ça va s. dire** that goes without saying; **s. qu'il le sache** without him *ou* his knowing; **s. cela, s. quoi** otherwise; **s. plus** (but) no more than that; **s. exception/faute** without exception/fail; **s. importance/travail** unimportant/unemployed; **s. argent/manches** penniless/sleeveless. ◆**s.-abri** *nmf inv* homeless person; **les s.-abri** the homeless. ◆**s.-gêne** *a inv* inconsiderate; – *nm inv* inconsiderateness. ◆**s.-travail** *nmf inv* unemployed person.

santé [sɑ̃te] *nf* health; **en bonne/mauvaise s.** in good/bad health, well/not well; **(à votre) s.!** (*en trinquant*) your health!, cheers!; **maison de s.** nursing home.

saoul [su] = **soûl.**

saper [sape] *vt* to undermine.

sapeur-pompier [sapœrpɔ̃pje] *nm* (*pl* **sapeurs-pompiers**) fireman.

saphir [safir] *nm* (*pierre*) sapphire; (*d'électrophone*) sapphire, stylus.

sapin [sapɛ̃] *nm* (*arbre, bois*) fir; **s. de Noël** Christmas tree.
sarbacane [sarbakan] *nf* (*jouet*) peashooter.
sarcasme [sarkasm] *nm* sarcasm; **un s.** a piece of sarcasm. ◆**sarcastique** *a* sarcastic.
sarcler [sarkle] *vt* (*jardin etc*) to weed.
Sardaigne [sardɛɲ] *nf* Sardinia.
sardine [sardin] *nf* sardine.
sardonique [sardɔnik] *a* sardonic.
SARL *abrév* (*société à responsabilité limitée*) Ltd, *Am* Inc.
sarment [sarmɑ̃] *nm* vine shoot.
sarrasin [sarazɛ̃] *nm* buckwheat.
sas [sɑ(s)] *nm* (*pièce étanche*) *Nau Av* airlock.
Satan [satɑ̃] *nm* Satan. ◆**satané** *a* (*maudit*) blasted. ◆**satanique** *a* satanic.
satellite [satelit] *nm* satellite; **pays s.** *Pol* satellite (country).
satiété [sasjete] *nf* **à s.** (*boire, manger*) one's fill; (*répéter*) ad nauseam.
satin [satɛ̃] *nm* satin. ◆**satiné** *a* satiny, silky.
satire [satir] *nf* satire (**contre** on). ◆**satirique** *a* satiric(al).
satisfaction [satisfaksjɔ̃] *nf* satisfaction. ◆**satisfaire*** *vt* to satisfy; – *vi* **s. à** (*conditions, engagement etc*) to fulfil. ◆**satisfaisant** *a* (*acceptable*) satisfactory. ◆**satisfait** *a* satisfied, content (**de** with).
saturateur [satyratœr] *nm* (*de radiateur*) humidifier.
saturer [satyre] *vt* to saturate (**de** with).
satyre [satir] *nm Fam* sex fiend.
sauce [sos] *nf* sauce; (*jus de viande*) gravy; **s. tomate** tomato sauce. ◆**saucière** *nf* sauce boat; gravy boat.
saucisse [sosis] *nf* sausage. ◆**saucisson** *nm* (cold) sausage.
sauf[1] [sof] *prép* except (**que** that); **s. avis contraire** unless you hear otherwise; **s. erreur** barring error.
sauf[2], **sauve** [sof, sov] *a* (*honneur*) intact, saved; **avoir la vie sauve** to be unharmed. ◆**sauf-conduit** *nm* (*document*) safe-conduct.
sauge [soʒ] *nf Bot Culin* sage.
saugrenu [sogrəny] *a* preposterous.
saule [sol] *nm* willow; **s. pleureur** weeping willow.
saumâtre [somɑtr] *a* (*eau*) briny, brackish.
saumon [somɔ̃] *nm* salmon; – *a inv* (*couleur*) salmon (pink).
saumure [somyr] *nf* (pickling) brine.
sauna [sona] *nm* sauna.
saupoudrer [sopudre] *vt* (*couvrir*) to sprinkle (**de** with).
saur [sɔr] *am* **hareng s.** smoked herring, kipper.
saut [so] *nm* jump, leap; **faire un s.** to jump, leap; **faire un s. chez qn** (*visite*) to pop round to s.o.; **au s. du lit** on getting out of bed; **s. à la corde** skipping, *Am* jumping rope. ◆**sauter** *vi* to jump, leap; (*bombe*) to go off, explode; (*poudrière etc*) to go up, blow up; (*fusible*) to blow; (*se détacher*) to come off; **faire s.** (*détruire*) to blow up; (*arracher*) to tear off; (*casser*) to break; (*renvoyer*) *Fam* to get rid of, fire; (*fusible*) to blow; *Culin* to sauté; **s. à la corde** to skip, *Am* jump rope; **ça saute aux yeux** it's obvious; – *vt* (*franchir*) to jump (over); (*mot, classe, repas*) to skip. ◆**saute-mouton** *nm* (*jeu*) leapfrog. ◆**sautiller** *vi* to hop. ◆**sautoir** *nm Sp* jumping area.
sauté [sote] *a* & *nm Culin* sauté. ◆**sauteuse** *nf* (shallow) pan.
sauterelle [sotrɛl] *nf* grasshopper.
sautes [sot] *nfpl* (*d'humeur, de température*) sudden changes (**de** in).
sauvage [sovaʒ] *a* wild; (*primitif, cruel*) savage; (*farouche*) unsociable, shy; (*illégal*) unauthorized; – *nmf* unsociable person; (*brute*) savage. ◆**sauvagerie** *nf* unsociability; (*cruauté*) savagery.
sauve [sov] *a voir* **sauf**[2].
sauvegarde [sovgard] *nf* safeguard (**contre** against). ◆**sauvegarder** *vt* to safeguard.
sauver [sove] **1** *vt* to save; (*d'un danger*) to rescue (**de** from); (*matériel*) to salvage; **s. la vie à qn** to save s.o.'s life. **2 se s.** *vpr* (*s'enfuir*) to run away *ou* off; (*partir*) *Fam* to get off, go. ◆**sauve-qui-peut** *nm inv* stampede. ◆**sauvetage** *nm* rescue; **canot de s.** lifeboat; **ceinture de s.** life belt; **radeau de s.** life raft. ◆**sauveteur** *nm* rescuer. ◆**sauveur** *nm* saviour.
sauvette (à la) [alasovɛt] *adv* **vendre à la s.** to hawk illicitly (on the streets).
savant [savɑ̃] *a* learned, scholarly; (*manœuvre etc*) masterly, clever; – *nm* scientist. ◆**savamment** *adv* learnedly; (*avec habileté*) cleverly, skilfully.
savate [savat] *nf* old shoe *ou* slipper.
saveur [savœr] *nf* (*goût*) flavour; (*piment*) *Fig* savour.
savoir* [savwar] *vt* to know; (*nouvelle*) to know, have heard; **j'ai su la nouvelle** I heard *ou* got to know the news; **s. lire/nager**/*etc* (*pouvoir*) to know how to read/swim/*etc*; **faire s. à qn que** to inform *ou* tell s.o. that; **à s.** (*c'est-à-dire*) that is,

namely; **je ne saurais pas** I could not, I cannot; **(pas) que je sache** (not) as far as I know; **je n'en sais rien** I have no idea, I don't know; **en s. long sur** to know a lot about; **un je ne sais quoi** a something or other; – *nm* (*culture*) learning, knowledge. ◆**s.-faire** *nm inv* know-how, ability. ◆**s.-vivre** *nm inv* good manners.

savon [savɔ̃] *nm* **1** soap; (*morceau*) bar of soap. **2 passer un s. à qn** (*réprimander*) *Fam* to give s.o. a dressing-down *ou* a talking-to. ◆**savonner** *vt* to soap. ◆**savonnette** *nf* bar of soap. ◆**savonneux, -euse** *a* soapy.

savourer [savure] *vt* to savour, relish. ◆**savoureux, -euse** *a* tasty; (*histoire etc*) *Fig* juicy.

saxophone [saksɔfɔn] *nm* saxophone.

sbire [sbir] *nm* (*homme de main*) *Péj* henchman.

scabreux, -euse [skabrø, -øz] *a* obscene.

scalpel [skalpɛl] *nm* scalpel.

scandale [skɑ̃dal] *nm* scandal; (*tapage*) uproar; **faire s.** (*livre etc*) to scandalize people; **faire un s.** to make a scene. ◆**scandaleux, -euse** *a* scandalous, outrageous. ◆**scandaleusement** *adv* outrageously. ◆**scandaliser** *vt* to scandalize, shock; **— se s.** *vpr* to be shocked *ou* scandalized (**de** by, **que** (+ *sub*) that).

scander [skɑ̃de] *vt* (*vers*) to scan; (*slogan*) to chant.

Scandinavie [skɑ̃dinavi] *nf* Scandinavia. ◆**scandinave** *a* & *nmf* Scandinavian.

scanner [skanɛr] *nm* (*appareil*) *Méd* scanner.

scaphandre [skafɑ̃dr] *nm* (*de plongeur*) diving suit; (*de cosmonaute*) spacesuit; **s. autonome** aqualung. ◆**scaphandrier** *nm* diver.

scarabée [skarabe] *nm* beetle.

scarlatine [skarlatin] *nf* scarlet fever.

scarole [skarɔl] *nf* endive.

sceau, -x [so] *nm* (*cachet, cire*) seal. ◆**scell/er** *vt* **1** (*document etc*) to seal. **2** (*fixer*) *Tech* to cement. ◆**—és** *nmpl* (*cachets de cire*) seals.

scélérat, -ate [selera, -at] *nmf* scoundrel.

scel-o-frais® [selofrɛ] *nm* clingfilm, *Am* plastic wrap.

scénario [senarjo] *nm* (*déroulement*) *Fig* scenario; (*esquisse*) *Cin* scenario; (*dialogues etc*) screenplay. ◆**scénariste** *nmf* *Cin* scriptwriter.

scène [sɛn] *nf* **1** *Th* scene; (*estrade, art*) stage; (*action*) action; **mettre en s.** (*pièce, film*) to direct. **2** (*dispute*) scene; **faire une s.** (**à qn**) to make *ou* create a scene; **s. de ménage** domestic quarrel.

scepticisme [sɛptisism] *nm* scepticism, *Am* skepticism. ◆**sceptique** *a* sceptical, *Am* skeptical; – *nmf* sceptic, *Am* skeptic.

scheik [ʃɛk] *nm* sheikh.

schéma [ʃema] *nm* diagram; *Fig* outline. ◆**schématique** *a* diagrammatic; (*succinct*) *Péj* sketchy. ◆**schématiser** *vt* to represent diagrammatically; (*simplifier*) *Péj* to oversimplify.

schizophrène [skizɔfrɛn] *a* & *nmf* schizophrenic.

sciatique [sjatik] *nf Méd* sciatica.

scie [si] *nf* (*outil*) saw. ◆**scier** *vt* to saw. ◆**scierie** *nf* sawmill.

sciemment [sjamɑ̃] *adv* knowingly.

science [sjɑ̃s] *nf* science; (*savoir*) knowledge; (*habileté*) skill; **sciences humaines** social science(s); **étudier les sciences** to study science. ◆**s.-fiction** *nf* science fiction. ◆**scientifique** *a* scientific; – *nmf* scientist.

scinder [sɛ̃de] *vt*, **— se s.** *vpr* to divide, split.

scintill/er [sɛ̃tije] *vi* to sparkle, glitter; (*étoiles*) to twinkle. ◆**—ement** *nm* sparkling; twinkling.

scission [sisjɔ̃] *nf* (*de parti etc*) split (**de** in).

sciure [sjyr] *nf* sawdust.

sclérose [skleroz] *nf Méd* sclerosis; *Fig* ossification; **s. en plaques** multiple sclerosis. ◆**sclérosé** *a* (*société etc*) *Fig* ossified.

scolaire [skɔlɛr] *a* school-. ◆**scolariser** *vt* (*pays*) to provide with schools; (*enfant*) to send to school, put in school. ◆**scolarité** *nf* schooling.

scooter [skutɛr] *nm* (motor) scooter.

score [skɔr] *nm Sp* score.

scories [skɔri] *nfpl* (*résidu*) slag.

scorpion [skɔrpjɔ̃] *nm* scorpion; **le S.** (*signe*) Scorpio.

scotch [skɔtʃ] *nm* **1** (*boisson*) Scotch, whisky. **2**® (*ruban adhésif*) sellotape®, *Am* scotch (tape)®. ◆**scotcher** *vt* to sellotape, *Am* to tape.

scout [skut] *a* & *nm* scout. ◆**scoutisme** *nm* scout movement, scouting.

script [skript] *nm* (*écriture*) printing.

scrupule [skrypyl] *nm* scruple; **sans scrupules** unscrupulous; (*agir*) unscrupulously. ◆**scrupuleux, -euse** *a* scrupulous. ◆**scrupuleusement** *adv* scrupulously.

scruter [skryte] *vt* to examine, scrutinize.

scrutin [skrytɛ̃] *nm* (*vote*) ballot; (*opérations électorales*) poll(ing).

sculpter [skylte] *vt* to sculpt(ure), carve.

◆**sculpteur** *nm* sculptor. ◆**sculptural, -aux** *a* (*beauté*) statuesque. ◆**sculpture** *nf* (*art, œuvre*) sculpture; **s. sur bois** woodcarving.

se [s(ə)] (**s'** *before vowel or mute h*) *pron* **1** (*complément direct*) himself; (*sujet femelle*) herself; (*non humain*) itself; (*indéfini*) oneself; *pl* themselves; **il se lave** he washes himself. **2** (*indirect*) to himself; to herself; to itself; to oneself; **se dire** to say to oneself; **elle se dit** she says to herself. **3** (*réciproque*) (to) each other, (to) one another; **ils s'aiment** they love each other *ou* one another; **ils** *ou* **elles se parlent** they speak to each other *ou* one another. **4** (*passif*) **ça se fait** that is done; **ça se vend bien** it sells well. **5** (*possessif*) **il se lave les mains** he washes his hands.

séance [seɑ̃s] *nf* **1** (*d'assemblée etc*) session, sitting; (*de travail etc*) session; **s. (de pose)** (*chez un peintre*) sitting. **2** *Cin Th* show, performance. **3 s. tenante** at once.

séant [seɑ̃] **1** *a* (*convenable*) seemly, proper. **2** *nm* **se mettre sur son s.** to sit up.

seau, -x [so] *nm* bucket, pail.

sec, sèche [sɛk, sɛʃ] *a* dry; (*fruits, légumes*) dried; (*ton*) curt, harsh; (*maigre*) spare; (*cœur*) *Fig* hard; **coup s.** sharp blow, tap; **bruit s.** (*rupture*) snap; – *adv* (*frapper, pleuvoir*) hard; (*boire*) neat, *Am* straight; – *nm* **à s.** dried up, dry; (*sans argent*) *Fam* broke; **au s.** in a dry place. ◆**séch/er 1** *vti* to dry; **— se s.** *vpr* to dry oneself. **2** *vt* (*cours*) *Scol Fam* to skip; – *vi* (*ignorer*) *Scol Fam* to be stumped. ◆**—age** *nm* drying. ◆**sécheresse** *nf* dryness; (*de ton*) curtness; *Mét* drought. ◆**séchoir** *nm* (*appareil*) drier; **s. à linge** clotheshorse.

sécateur [sekatœr] *nm* pruning shears, secateurs.

sécession [sesesjɔ̃] *nf* secession; **faire s.** to secede.

sèche [sɛʃ] *voir* **sec.** ◆**sèche-cheveux** *nm inv* hair drier. ◆**sèche-linge** *nm inv* tumble drier.

second, -onde[1] [sgɔ̃, -ɔ̃d] *a* & *nmf* second; **de seconde main** second-hand; – *nm* (*adjoint*) second in command; (*étage*) second floor, *Am* third floor; – *nf* *Rail* second class; *Scol* = fifth form, *Am* = eleventh grade; (*vitesse*) *Aut* second (gear). ◆**secondaire** *a* secondary.

seconde[2] [sgɔ̃d] *nf* (*instant*) second.

seconder [sgɔ̃de] *vt* to assist.

secouer [s(ə)kwe] *vt* to shake; (*paresse, poussière*) to shake off; **s. qn** (*maladie, nouvelle etc*) to shake s.o. up; **s. qch de qch** (*enlever*) to shake sth out of sth; **— se s.** *vpr* (*faire un effort*) *Fam* to shake oneself out of it.

secour/ir [skurir] *vt* to assist, help. ◆**—able** *a* (*personne*) helpful. ◆**secourisme** *nm* first aid. ◆**secouriste** *nmf* first-aid worker.

secours [s(ə)kur] *nm* assistance, help; (*aux indigents*) aid, relief; **le s., les s.** *Mil* relief; **(premiers) s.** *Méd* first aid; **au s.!** help!; **porter s. à qn** to give s.o. assistance *ou* help; **de s.** (*sortie*) emergency-; (*équipe*) rescue-; (*roue*) spare.

secousse [s(ə)kus] *nf* jolt, jerk; (*psychologique*) shock; *Géol* tremor.

secret, -ète [səkrɛ, -ɛt] *a* secret; (*cachottier*) secretive; – *nm* secret; (*discrétion*) secrecy; **en s.** in secret, secretly; **dans le s.** (*au courant*) in on the secret.

secrétaire [səkretɛr] **1** *nmf* secretary; **s. d'État** Secretary of State; **s. de mairie** town clerk; **s. de rédaction** subeditor. **2** *nm* (*meuble*) writing desk. ◆**secrétariat** *nm* (*bureau*) secretary's office; (*d'organisation internationale*) secretariat; (*métier*) secretarial work; **de s.** (*école, travail*) secretarial.

sécréter [sekrete] *vt* *Méd Biol* to secrete. ◆**sécrétion** *nf* secretion.

secte [sɛkt] *nf* sect. ◆**sectaire** *a* & *nmf* *Péj* sectarian.

secteur [sɛktœr] *nm* *Mil Com* sector; (*de ville*) district; (*domaine*) *Fig* area; (*de réseau*) *Él* supply area; (*ligne*) *Él* mains.

section [sɛksjɔ̃] *nf* section; (*de ligne d'autobus*) fare stage; *Mil* platoon. ◆**sectionner** *vt* to divide (into sections); (*artère, doigt*) to sever.

séculaire [sekylɛr] *a* (*tradition etc*) age-old.

secundo [s(ə)gɔ̃do] *adv* secondly.

sécurité [sekyrite] *nf* (*tranquillité*) security; (*matérielle*) safety; **s. routière** road safety; **s. sociale** = social services *ou* security; **de s.** (*dispositif, ceinture, marge etc*) safety-; **en s.** secure; safe. ◆**sécuriser** *vt* to reassure, make feel (emotionally) secure.

sédatif [sedatif] *nm* sedative.

sédentaire [sedɑ̃tɛr] *a* sedentary.

sédiment [sedimɑ̃] *nm* sediment.

séditieux, -euse [sedisjø, -øz] *a* seditious. ◆**sédition** *nf* sedition.

séduire* [sedɥir] *vt* to charm, attract; (*plaire à*) to appeal to; (*abuser de*) to seduce. ◆**séduisant** *a* attractive. ◆**séducteur, -trice** *a* seductive; – *nmf* seducer. ◆**séduction** *nf* attraction.

segment [sɛgmɑ̃] *nm* segment.

ségrégation [segregasjɔ̃] *nf* segregation.

seiche [sɛʃ] *nf* cuttlefish.
seigle [sɛgl] *nm* rye.
seigneur [sɛɲœr] *nm Hist* lord; **S.** *Rel* Lord.
sein [sɛ̃] *nm* (*mamelle, poitrine*) breast; *Fig* bosom; **bout de s.** nipple; **au s. de** (*parti etc*) within; (*bonheur etc*) in the midst of.
Seine [sɛn] *nf* **la S.** the Seine.
séisme [seism] *nm* earthquake.
seize [sɛz] *a & nm* sixteen. ◆**seizième** *a & nmf* sixteenth.
séjour [seʒur] *nm* stay; **(salle de) s.** living room. ◆**séjourner** *vi* to stay.
sel [sɛl] *nm* salt; (*piquant*) *Fig* spice; (*humour*) wit; *pl Méd* (smelling) salts; **sels de bain** bath salts.
sélect [selɛkt] *a Fam* select.
sélectif, -ive [selɛktif, -iv] *a* selective. ◆**sélection** *nf* selection. ◆**sélectionner** *vt* to select.
self(-service) [sɛlf(sɛrvis)] *nm* self-service restaurant *ou* shop.
selle [sɛl] **1** *nf* (*de cheval*) saddle. **2** *nfpl* **les selles** *Méd* bowel movements, stools. ◆**seller** *vt* (*cheval*) to saddle.
sellette [sɛlɛt] *nf* **sur la s.** (*personne*) under examination, in the hot seat.
selon [s(ə)lɔ̃] *prép* according to (**que** whether); **c'est s.** *Fam* it (all) depends.
Seltz (eau de) [odsɛls] *nf* soda (water).
semailles [s(ə)mɑj] *nfpl* (*travail*) sowing; (*période*) seedtime.
semaine [s(ə)mɛn] *nf* week; **en s.** (*opposé à week-end*) in the week.
sémantique [semɑ̃tik] *a* semantic; – *nf* semantics.
sémaphore [semafɔr] *nm* (*appareil*) *Rail Nau* semaphore.
semblable [sɑ̃blabl] *a* similar (**à** to); **être semblables** to be alike *ou* similar; **de semblables propos**/*etc* (*tels*) such remarks/*etc*; – *nm* fellow (creature); **toi et tes semblables** you and your kind.
semblant [sɑ̃blɑ̃] *nm* **faire s.** to pretend (**de faire** to do); **un s. de** a semblance of.
sembler [sɑ̃ble] *vi* to seem (**à** to); **il (me) semble vieux** he seems *ou* looks old (to me); **s. être/faire** to seem to be/to do; – *v imp* **il semble que** (+ *sub ou indic*) it seems that, it looks as if; **il me semble que** it seems to me that, I think that.
semelle [s(ə)mɛl] *nf* (*de chaussure*) sole; (*intérieure*) insole.
semer [s(ə)me] *vt* **1** (*graines*) to sow; (*jeter*) *Fig* to strew; (*répandre*) to spread; **semé de** *Fig* strewn with, dotted with. **2** (*concurrent, poursuivant*) to shake off. ◆**semence** *nf* seed; (*clou*) tack. ◆**semeur, -euse** *nmf* sower (**de** of).
semestre [s(ə)mɛstr] *nm* half-year; *Univ* semester. ◆**semestriel, -ielle** *a* half-yearly.
semi- [səmi] *préf* semi-.
séminaire [seminɛr] *nm* **1** *Univ* seminar. **2** *Rel* seminary.
semi-remorque [səmirəmɔrk] *nm* (*camion*) articulated lorry, *Am* semi(trailer).
semis [s(ə)mi] *nm* sowing; (*terrain*) seedbed; (*plant*) seedling.
sémite [semit] *a* Semitic; – *nmf* Semite. ◆**sémitique** *a* (*langue*) Semitic.
semonce [səmɔ̃s] *nf* reprimand; **coup de s.** *Nau* warning shot.
semoule [s(ə)mul] *nf* semolina.
sempiternel, -elle [sɑ̃pitɛrnɛl] *a* endless, ceaseless.
sénat [sena] *nm Pol* senate. ◆**sénateur** *nm Pol* senator.
sénile [senil] *a* senile. ◆**sénilité** *nf* senility.
sens [sɑ̃s] *nm* **1** (*faculté, raison*) sense; (*signification*) meaning, sense; **à mon s.** to my mind; **s. commun** commonsense; **s. de l'humour** sense of humour; **ça n'a pas de s.** that doesn't make sense. **2** (*direction*) direction; **s. giratoire** *Aut* roundabout, *Am* traffic circle, rotary; **s. interdit** *ou* **unique** (*rue*) one-way street; **'s. interdit'** 'no entry'; **à s. unique** (*rue*) one-way; **s. dessus dessous** [sɑ̃dsydsu] upside down; **dans le s./le s. inverse des aiguilles d'une montre** clockwise/anticlockwise, *Am* counterclockwise.
sensation [sɑ̃sɑsjɔ̃] *nf* sensation, feeling; **faire s.** to cause *ou* create a sensation; **à s.** (*film etc*) *Péj* sensational. ◆**sensationnel, -elle** *a Fig* sensational.
sensé [sɑ̃se] *a* sensible.
sensible [sɑ̃sibl] *a* sensitive (**à** to); (*douloureux*) tender, sore; (*perceptible*) perceptible; (*progrès etc*) appreciable. ◆**sensiblement** *adv* (*notablement*) appreciably; (*à peu près*) more or less. ◆**sensibiliser** *vt* **s. qn à** (*problème etc*) to make s.o. alive to *ou* aware of. ◆**sensibilité** *nf* sensitivity.
sensoriel, -ielle [sɑ̃sɔrjɛl] *a* sensory.
sensuel, -elle [sɑ̃sɥɛl] *a* (*sexuel*) sensual; (*musique, couleur etc*) sensuous. ◆**sensualité** *nf* sensuality; sensuousness.
sentence [sɑ̃tɑ̃s] *nf* **1** *Jur* sentence. **2** (*maxime*) maxim.
senteur [sɑ̃tœr] *nf* (*odeur*) scent.
sentier [sɑ̃tje] *nm* path.
sentiment [sɑ̃timɑ̃] *nm* feeling; **avoir le s. de** (*apprécier*) to be aware of; **faire du s.** to be sentimental. ◆**sentimental, -aux** *a* senti-

mental; (*amoureux*) love-. ◆**sentimentalité** *nf* sentimentality.
sentinelle [sɑ̃tinɛl] *nf* sentry.
sentir* [sɑ̃tir] *vt* to feel; (*odeur*) to smell; (*goût*) to taste; (*racisme etc*) to smack of; (*connaître*) to sense, be conscious of; **s. le moisi/le parfum/***etc* to smell musty/of perfume/*etc*; **s. le poisson/***etc* (*avoir le goût de*) to taste of fish/*etc*; **je ne peux pas le s.** (*supporter*) *Fam* I can't bear *ou* stand him; **se faire s.** (*effet etc*) to make itself felt; **se s. fatigué/humilié/***etc* to feel tired/humiliated/*etc*; – *vi* to smell.
séparation [separɑsjɔ̃] *nf* separation; (*en deux*) division, split; (*départ*) parting. ◆**séparer** *vt* to separate (**de** from); (*diviser en deux*) to divide, split (up); (*cheveux*) to part; **— se s.** *vpr* (*se quitter*) to part; (*adversaires, époux*) to separate; (*assemblée, cortège*) to disperse, break up; (*se détacher*) to split off; **se s. de** (*objet aimé, chien etc*) to part with. ◆**séparé** *a* (*distinct*) separate; (*époux*) separated (**de** from). ◆**séparément** *adv* separately.
sept [sɛt] *a & nm* seven. ◆**septième** *a & nmf* seventh; **un s.** a seventh.
septante [sɛptɑ̃t] *a & nm* (*en Belgique, Suisse*) seventy.
septembre [sɛptɑ̃br] *nm* September.
septennat [sɛptena] *nm Pol* seven-year term (of office).
septentrional, -aux [sɛptɑ̃trijɔnal, -o] *a* northern.
sépulcre [sepylkr] *nm Rel* sepulchre.
sépulture [sepyltyr] *nf* burial; (*lieu*) burial place.
séquelles [sekɛl] *nfpl* (*de maladie etc*) aftereffects; (*de guerre*) aftermath.
séquence [sekɑ̃s] *nf Mus Cartes Cin* sequence.
séquestrer [sekɛstre] *vt* to confine (illegally), lock up.
sera, serait [s(ə)ra, s(ə)rɛ] *voir* **être**.
serein [sərɛ̃] *a* serene. ◆**sérénité** *nf* serenity.
sérénade [serenad] *nf* serenade.
sergent [sɛrʒɑ̃] *nm Mil* sergeant.
série [seri] *nf* series; (*ensemble*) set; **s. noire** *Fig* string *ou* series of disasters; **de s.** (*article etc*) standard; **fabrication en s.** mass production; **fins de s.** *Com* oddments; **hors s.** *Fig* outstanding.
sérieux, -euse [serjø, -øz] *a* (*personne, maladie, doute etc*) serious; (*de bonne foi*) genuine, serious; (*digne de foi, fiable*) reliable; (*bénéfices*) substantial; **de sérieuses chances de . . .** a good chance of . . . ; – *nm* seriousness; (*fiabilité*) reliability; **prendre au s.** to take seriously; **garder son s.** to keep a straight face; **manquer de s.** (*travailleur*) to lack application. ◆**sérieusement** *adv* seriously; (*travailler*) conscientiously.
serin [s(ə)rɛ̃] *nm* canary.
seriner [s(ə)rine] *vt* **s. qch à qn** to repeat sth to s.o. over and over again.
seringue [s(ə)rɛ̃g] *nf* syringe.
serment [sɛrmɑ̃] *nm* (*affirmation solennelle*) oath; (*promesse*) pledge; **prêter s.** to take an oath; **faire le s. de faire** to swear to do; **sous s.** *Jur* on *ou* under oath.
sermon [sɛrmɔ̃] *nm Rel* sermon; (*discours*) *Péj* lecture. ◆**sermonner** *vt* (*faire la morale à*) to lecture.
serpe [sɛrp] *nf* bill(hook).
serpent [sɛrpɑ̃] *nm* snake; **s. à sonnette** rattlesnake.
serpenter [sɛrpɑ̃te] *vi* (*sentier etc*) to meander.
serpentin [sɛrpɑ̃tɛ̃] *nm* (*ruban*) streamer.
serpillière [sɛrpijɛr] *nf* floor cloth.
serre [sɛr] **1** *nf* greenhouse. **2** *nfpl* (*d'oiseau*) claws, talons.
serre-livres [sɛrlivr] *nm inv* bookend. ◆**s.-tête** *nm inv* (*bandeau*) headband.
serr/er [sere] *vt* (*saisir, tenir*) to grip, clasp; (*presser*) to squeeze, press; (*corde, nœud, vis*) to tighten; (*poing*) to clench; (*taille*) to hug; (*pieds*) to pinch; (*frein*) to apply, put on; (*rapprocher*) to close up; (*rangs*) *Mil* to close; **s. la main à** to shake hands with; **s. les dents** *Fig* to grit one's teeth; **s. qn** (*embrasser*) to hug s.o.; (*vêtement*) to be too tight for s.o.; **s. qn de près** (*talonner*) to be close behind s.o.; – *vi* **s. à droite** *Aut* to keep (to the) right; **— se s.** *vpr* (*se rapprocher*) to squeeze up *ou* together; **se s. contre** to squeeze up against. ◆**—é** *a* (*budget, nœud, vêtement*) tight; (*gens*) packed (together); (*mailles, lutte*) close; (*rangs*) serried; (*dense*) dense, thick; (*cœur*) *Fig* heavy; **avoir la gorge serrée** *Fig* to have a lump in one's throat.
serrure [seryr] *nf* lock. ◆**serrurier** *nm* locksmith.
sertir [sɛrtir] *vt* (*diamant etc*) to set.
sérum [serɔm] *nm* serum.
servante [sɛrvɑ̃t] *nf* (maid)servant.
serveur, -euse [sɛrvœr, -øz] *nmf* waiter, waitress; (*au bar*) barman, barmaid.
serviable [sɛrvjabl] *a* helpful, obliging. ◆**serviabilité** *nf* helpfulness.
service [sɛrvis] *nm* service; (*fonction, travail*) duty; (*pourboire*) service (charge); (*département*) *Com* department; *Tennis*

serve, service; **un s.** (*aide*) a favour; **rendre s.** to be of service (**à qn** to s.o.), help (**à qn** s.o.); **rendre un mauvais s. à qn** to do s.o. a disservice; **ça pourrait rendre s.** *Fam* that might come in useful; **s. (non) compris** service (not) included; **s. après-vente** *Com* aftersales (service); **s. d'ordre** (*policiers*) police; **être de s.** to be on duty; **s. à café/à thé** coffee/tea service *ou* set; **à votre s.!** at your service!

serviette [sɛrvjɛt] *nf* **1** towel; **s. de bain/de toilette** bath/hand towel; **s. hygiénique** sanitary towel; **s. (de table)** serviette, napkin. **2** (*sac*) briefcase.

servile [sɛrvil] *a* servile; (*imitation*) slavish. ◆**servilité** *nf* servility; slavishness.

servir* [sɛrvir] **1** *vt* to serve (**qch à qn** s.o. with sth, sth to s.o.); (*convive*) to wait on; – *vi* to serve; **– se s.** *vpr* (*à table*) to help oneself (**de** to). **2** *vi* (*être utile*) to be useful, serve; **s. à qch/à faire** (*objet*) to be used for sth/to do *ou* for doing; **ça ne sert à rien** it's useless, it's no good *ou* use (**de faire** doing); **à quoi ça sert de protester**/*etc* what's the use *ou* good of protesting/*etc*; **s. de qch** (*objet*) to be used for sth, serve as sth; **ça me sert à faire/de qch** I use it to do *ou* for doing/as sth; **s. à qn de guide**/*etc* to act as a guide/*etc* to s.o. **3 se s.** *vpr* **se s. de** (*utiliser*) to use.

serviteur [sɛrvitœr] *nm* servant. ◆**servitude** *nf* (*esclavage*) servitude; (*contrainte*) *Fig* constraint.

ses [se] *voir* **son**[2].

session [sesjɔ̃] *nf* session.

set [sɛt] *nm* **1** *Tennis* set. **2 s. (de table)** (*napperon*) place mat.

seuil [sœj] *nm* doorstep; (*entrée*) doorway; (*limite*) *Fig* threshold; **au s. de** *Fig* on the threshold of.

seul, seule [sœl] **1** *a* (*sans compagnie*) alone; **tout s.** all alone, by oneself, on one's own; **se sentir s.** to feel lonely *ou* alone; – *adv* **(tout) s.** (*agir, vivre*) by oneself, alone, on one's own; (*parler*) to oneself; **s. à s.** (*parler*) in private. **2** *a* (*unique*) only; **la seule femme**/*etc* the only *ou* sole woman/*etc*; **un s. chat**/*etc* only one cat/*etc*; **une seule fois** only once; **pas un s. livre**/*etc* not a single book/*etc*; **seuls les garçons . . . , les garçons seuls . . .** only the boys . . . ; – *nmf* **le s., la seule** the only one; **un s., une seule** only one, one only; **pas un s.** not (a single) one. ◆**seulement** *adv* only; **non s. . . . mais . . .** not only . . . but (also) . . . ; **pas s.** (*même*) not even; **sans s. faire** without even doing.

sève [sɛv] *nf Bot & Fig* sap.

sévère [sevɛr] *a* severe; (*parents, professeur*) strict. ◆**—ment** *adv* severely; (*élever*) strictly. ◆**sévérité** *nf* severity; strictness.

sévices [sevis] *nmpl* brutality.

sévir [sevir] *vi* (*fléau*) *Fig* to rage; **s. contre** to deal severely with.

sevrer [səvre] *vt* (*enfant*) to wean; **s. de** (*priver*) *Fig* to deprive of.

sexe [sɛks] *nm* (*catégorie, sexualité*) sex; (*organes*) genitals; **l'autre s.** the opposite sex. ◆**sexiste** *a & nmf* sexist. ◆**sexualité** *nf* sexuality. ◆**sexuel, -elle** *a* sexual; (*éducation, acte etc*) sex-.

sextuor [sɛkstɥɔr] *nm* sextet.

seyant [sɛjɑ̃] *a* (*vêtement*) becoming.

shampooing [ʃɑ̃pwɛ̃] *nm* shampoo; **s. colorant** rinse; **faire un s. à qn** to shampoo s.o.'s hair.

shérif [ʃerif] *nm Am* sheriff.

shooter [ʃute] *vti Fb* to shoot.

short [ʃɔrt] *nm* (pair of) shorts.

si [si] **1** (= **s'** [s] *before* **il, ils**) *conj* if; **s'il vient** if he comes; **si j'étais roi** if I were *ou* was king; **je me demande si** I wonder whether *ou* if; **si on restait?** (*suggestion*) what if we stayed?; **si je dis ça, c'est que . . .** I say this because . . . ; **si ce n'est** (*sinon*) if not; **si oui** if so. **2** *adv* (*tellement*) so; **pas si riche que toi/que tu crois** not as rich as you/as you think; **un si bon dîner** such a good dinner; **si grand qu'il soit** however big he may be; **si bien que** with the result that. **3** *adv* (*après négative*) yes; **tu ne viens pas? – si!** you're not coming? – yes (I am)!

siamois [sjamwa] *a* Siamese; **frères s., sœurs siamoises** Siamese twins.

Sicile [sisil] *nf* Sicily.

SIDA [sida] *nm Méd* AIDS. ◆**sidéen, -enne** *nmf* AIDS sufferer.

sidérer [sidere] *vt Fam* to flabbergast.

sidérurgie [sideryrʒi] *nf* iron and steel industry.

siècle [sjɛkl] *nm* century; (*époque*) age.

siège [sjɛʒ] *nm* **1** (*meuble, centre*) & *Pol* seat; (*d'autorité, de parti etc*) headquarters; **s. (social)** (*d'entreprise*) head office. **2** *Mil* siege; **mettre le s. devant** to lay siege to. ◆**siéger** *vi Pol* to sit.

sien, sienne [sjɛ̃, sjɛn] *pron poss* **le s., la sienne, les sien(ne)s** his; (*de femme*) hers; (*de chose*) its; **les deux siens** his *ou* her two; – *nmpl* **les siens** (*amis etc*) one's (own) people.

sieste [sjɛst] *nf* siesta; **faire la s.** to have *ou* take a nap.

siffler [sifle] *vi* to whistle; (*avec un sifflet*) to

blow one's whistle; (*gaz, serpent*) to hiss; (*en respirant*) to wheeze; – *vt* (*chanson*) to whistle; (*chien*) to whistle to; (*faute, fin de match*) *Sp* to blow one's whistle for; (*acteur, pièce*) to boo; (*boisson*) *Fam* to knock back. ◆**sifflement** *nm* whistling, whistle; hiss(ing). ◆**sifflet** *nm* (*instrument*) whistle; *pl Th* booing, boos; **(coup de) s.** (*son*) whistle. ◆**siffloter** *vti* to whistle.

sigle [sigl] *nm* (*initiales*) abbreviation; (*prononcé comme un mot*) acronym.

signal, -aux [siɲal, -o] *nm* signal; **s. d'alarme** *Rail* communication cord; **signaux routiers** road signs. ◆**signal/er 1** *vt* (*faire remarquer*) to point out (**à qn** to s.o., **que** that); (*annoncer, indiquer*) to indicate, signal; (*dénoncer à la police etc*) to report (**à** to). **2 se s.** *vpr* **se s. par** to distinguish oneself by. ◆**–ement** *nm* (*de personne*) description, particulars. ◆**signalisation** *nf* signalling; *Aut* signposting; **s. (routière)** (*signaux*) road signs.

signature [siɲatyr] *nf* signature; (*action*) signing. ◆**signataire** *nmf* signatory. ◆**signer 1** *vt* to sign. **2 se s.** *vpr Rel* to cross oneself.

signe [siɲ] *nm* (*indice*) sign, indication; **s. particulier/de ponctuation** distinguishing/punctuation mark; **faire s. à qn** (*geste*) to motion to *ou* beckon s.o. **(de faire** to do); (*contacter*) to get in touch with s.o.; **faire s. que oui** to nod (one's head); **faire s. que non** to shake one's head.

signet [siɲɛ] *nm* bookmark.

signification [siɲifikɑsjɔ̃] *nf* meaning. ◆**significatif, -ive** *a* significant, meaningful; **s. de** indicative of. ◆**signifier** *vt* to mean, signify (**que** that); **s. qch à qn** (*faire connaître*) to make sth known to s.o., signify sth to s.o.

silence [silɑ̃s] *nm* silence; *Mus* rest; **en s.** in silence; **garder le s.** to keep quiet *ou* silent (**sur** about). ◆**silencieux, -euse 1** *a* silent. **2** *nm Aut* silencer, *Am* muffler; (*d'arme*) silencer. ◆**silencieusement** *adv* silently.

silex [silɛks] *nm* (*roche*) flint.

silhouette [silwɛt] *nf* outline; (*en noir*) silhouette; (*ligne du corps*) figure.

silicium [silisjɔm] *nm* silicon. ◆**silicone** *nf* silicone.

sillage [sijaʒ] *nm* (*de bateau*) wake; **dans le s. de** *Fig* in the wake of.

sillon [sijɔ̃] *nm* furrow; (*de disque*) groove.

sillonner [sijɔne] *vt* (*traverser*) to cross; (*en tous sens*) to criss-cross.

silo [silo] *nm* silo.

simagrées [simagre] *nfpl* airs (and graces); (*cérémonies*) fuss.

similaire [similɛr] *a* similar. ◆**similitude** *nf* similarity.

similicuir [similikɥir] *nm* imitation leather.

simple [sɛ̃pl] *a* simple; (*non multiple*) single; (*employé, particulier*) ordinary; – *nmf* **s. d'esprit** simpleton; – *nm Tennis* singles. ◆**simplement** *adv* simply. ◆**simplet, -ette** *a* (*personne*) a bit simple. ◆**simplicité** *nf* simplicity. ◆**simplification** *nf* simplification. ◆**simplifier** *vt* to simplify. ◆**simpliste** *a* simplistic.

simulacre [simylakr] *nm* **un s. de** *Péj* a pretence of.

simuler [simyle] *vt* to simulate; (*feindre*) to feign. ◆**simulateur, -trice 1** *nmf* (*hypocrite*) shammer; (*tire-au-flanc*) & *Mil* malingerer. **2** *nm* (*appareil*) simulator. ◆**simulation** *nf* simulation; feigning.

simultané [simyltane] *a* simultaneous. ◆**–ment** *adv* simultaneously.

sincère [sɛ̃sɛr] *a* sincere. ◆**sincèrement** *adv* sincerely. ◆**sincérité** *nf* sincerity.

sinécure [sinekyr] *nf* sinecure.

singe [sɛ̃ʒ] *nm* monkey, ape. ◆**singer** *vt* (*imiter*) to ape, mimic. ◆**singeries** *nfpl* antics, clowning.

singulariser (se) [səsɛ̃gylarize] *vpr* to draw attention to oneself.

singulier, -ière [sɛ̃gylje, -jɛr] **1** *a* peculiar, odd. **2** *a & nm Gram* singular. ◆**singularité** *nf* peculiarity. ◆**singulièrement** *adv* (*notamment*) particularly; (*beaucoup*) extremely.

sinistre [sinistr] **1** *a* (*effrayant*) sinister. **2** *nm* disaster; (*incendie*) fire; (*dommage*) *Jur* damage. ◆**sinistré, -ée** *a* (*population, région*) disaster-stricken; – *nmf* disaster victim.

sinon [sinɔ̃] *conj* (*autrement*) otherwise, or else; (*sauf*) except (**que** that); (*si ce n'est*) if not.

sinueux, -euse [sinɥø, -øz] *a* winding. ◆**sinuosités** *nfpl* twists (and turns).

sinus [sinys] *nm inv Anat* sinus.

siphon [sifɔ̃] *nm* siphon; (*d'évier*) trap, U-bend.

sirène [sirɛn] *nf* **1** (*d'usine etc*) siren. **2** (*femme*) mermaid.

sirop [siro] *nm* syrup; (*à diluer, boisson*) (fruit) cordial; **s. contre la toux** cough mixture *ou* syrup.

siroter [sirɔte] *vt Fam* to sip (at).

sis [si] *a Jur* situated.

sismique [sismik] *a* seismic; **secousse s.** earth tremor.
site [sit] *nm* (*endroit*) site; (*environnement*) setting; (*pittoresque*) beauty spot; **s. (touristique)** (*monument etc*) place of interest.
sitôt [sito] *adv* **s. que** as soon as; **s. levée, elle partit** as soon as she was up, she left; **s. après** immediately after; **pas de s.** not for some time.
situation [sitɥasjɔ̃] *nf* situation, position; (*emploi*) position; **s. de famille** marital status. ◆**situ/er** *vt* to situate, locate; — **se s.** *vpr* (*se trouver*) to be situated. ◆**—é** *a* (*maison etc*) situated.
six [sis] ([si] *before consonant*, [siz] *before vowel*) *a* & *nm* six. ◆**sixième** *a* & *nmf* sixth; **un s.** a sixth.
sketch [skɛtʃ] *nm* (*pl* **sketches**) *Th* sketch.
ski [ski] *nm* (*objet*) ski; (*sport*) skiing; **faire du s.** to ski; **s. nautique** water skiing. ◆**ski/er** *vi* to ski. ◆**—eur, -euse** *nmf* skier.
slalom [slalɔm] *nm Sp* slalom.
slave [slav] *a* Slav; (*langue*) Slavonic; – *nmf* Slav.
slip [slip] *nm* (*d'homme*) briefs, (under)pants; (*de femme*) panties, pants, knickers; **s. de bain** (swimming) trunks; (*d'un bikini*) briefs.
slogan [slɔgɑ̃] *nm* slogan.
SMIC [smik] *nm abrév* (*salaire minimum interprofessionnel de croissance*) minimum wage.
smoking [smɔkiŋ] *nm* (*veston, costume*) dinner jacket, *Am* tuxedo.
snack(-bar) [snak(bar)] *nm* snack bar.
SNCF [ɛsɛnseɛf] *nf abrév* (*Société nationale des Chemins de fer français*) French railways.
snob [snɔb] *nmf* snob; – *a* snobbish. ◆**snober** *vt* **s. qn** to snub s.o. ◆**snobisme** *nm* snobbery.
sobre [sɔbr] *a* sober. ◆**sobriété** *nf* sobriety.
sobriquet [sɔbrikɛ] *nm* nickname.
sociable [sɔsjabl] *a* sociable. ◆**sociabilité** *nf* sociability.
social, -aux [sɔsjal, -o] *a* social. ◆**socialisme** *nm* socialism. ◆**socialiste** *a* & *nmf* socialist.
société [sɔsjete] *nf* society; (*compagnie*) & *Com* company; **s. anonyme** *Com* (public) limited company, *Am* incorporated company. ◆**sociétaire** *nmf* (*d'une association*) member.
sociologie [sɔsjɔlɔʒi] *nf* sociology. ◆**sociologique** *a* sociological. ◆**sociologue** *nmf* sociologist.
socle [sɔkl] *nm* (*de statue, colonne*) plinth, pedestal; (*de lampe*) base.
socquette [sɔkɛt] *nf* ankle sock.
soda [sɔda] *nm* (*à l'orange etc*) fizzy drink, *Am* soda (pop).
sœur [sœr] *nf* sister; *Rel* nun, sister.
sofa [sɔfa] *nm* sofa, settee.
soi [swa] *pron* oneself; **chacun pour s.** every man for himself; **en s.** in itself; **cela va de s.** it's self-evident (**que** that); **amour/conscience de s.** self-love/-awareness. ◆**s.-même** *pron* oneself.
soi-disant [swadizɑ̃] *a inv* so-called; – *adv* supposedly.
soie [swa] *nf* **1** silk. **2** (*de porc etc*) bristle. ◆**soierie** *nf* (*tissu*) silk.
soif [swaf] *nf* thirst (*Fig* **de** for); **avoir s.** to be thirsty; **donner s. à qn** to make s.o. thirsty.
soign/er [swaɲe] *vt* to look after, take care of; (*malade*) to tend, nurse; (*maladie*) to treat; (*détails, présentation, travail*) to take care over; **se faire s.** to have (medical) treatment; — **se s.** *vpr* to take care of oneself, look after oneself. ◆**—é** *a* (*personne*) well-groomed; (*vêtement*) neat, tidy; (*travail*) careful. ◆**soigneux, -euse** *a* careful (**de** with); (*propre*) tidy, neat. ◆**soigneusement** *adv* carefully.
soin [swɛ̃] *nm* care; (*ordre*) tidiness, neatness; *pl* care; *Méd* treatment; **avoir** *ou* **prendre s. de qch/de faire** to take care of sth/to do; **les premiers soins** first aid; **soins de beauté** beauty care *ou* treatment; **aux bons soins de** (*sur lettre*) care of, c/o; **avec s.** carefully, with care.
soir [swar] *nm* evening; **le s.** (*chaque soir*) in the evening; **à neuf heures du s.** at nine in the evening; **du s.** (*repas, robe etc*) evening-. ◆**soirée** *nf* evening; (*réunion*) party; **s. dansante** dance.
soit 1 [swa] *voir* **être. 2** [swa] *conj* (*à savoir*) that is (to say); **s. . . . s. . . .** either . . . or . . . . **3** [swat] *adv* (*oui*) very well.
soixante [swasɑ̃t] *a* & *nm* sixty. ◆**soixantaine** *nf* **une s. (de)** (*nombre*) (about) sixty; **avoir la s.** (*âge*) to be about sixty. ◆**soixante-dix** *a* & *nm* seventy. ◆**soixante-dixième** *a* & *nmf* seventieth. ◆**soixantième** *a* & *nmf* sixtieth.
soja [sɔʒa] *nm* (*plante*) soya; **graine de s.** soya bean; **germes** *ou* **pousses de s.** beansprouts.
sol [sɔl] *nm* ground; (*plancher*) floor; (*matière, territoire*) soil.

solaire [sɔlɛr] *a* solar; (*chaleur, rayons*) sun's; (*crème, filtre*) sun-; (*lotion, huile*) suntan-.
soldat [sɔlda] *nm* soldier; **simple s.** private.
solde [sɔld] **1** *nm* (*de compte, à payer*) balance. **2** *nm* **en s.** (*acheter*) at sale price, *Am* on sale; *pl* (*marchandises*) sale goods; (*vente*) (clearance) sale(s). **3** *nf Mil* pay; **à la s. de** *Fig Péj* in s.o.'s pay. ◆**sold/er 1** *vt* (*articles*) to sell off, clear. **2** *vt* (*compte*) to pay the balance of. **3 se s.** *vpr* **se s. par** (*un échec, une défaite etc*) to end in. ◆**–é** *a* (*article etc*) reduced. ◆**solderie** *nf* discount *ou* reject shop.
sole [sɔl] *nf* (*poisson*) sole.
soleil [sɔlɛj] *nm* sun; (*chaleur, lumière*) sunshine; (*fleur*) sunflower; **au s.** in the sun; **il fait (du) s.** it's sunny, the sun's shining; **prendre un bain de s.** to sunbathe; **coup de s.** *Méd* sunburn.
solennel, -elle [sɔlanɛl] *a* solemn. ◆**solennellement** *adv* solemnly. ◆**solennité** [-anite] *nf* solemnity.
solex® [sɔlɛks] *nm* moped.
solfège [sɔlfɛʒ] *nm* rudiments of music.
solidaire [sɔlidɛr] *a* **être s.** (*ouvriers etc*) to be as one, show solidarity (**de** with); (*pièce de machine*) to be interdependent (**de** with). ◆**solidairement** *adv* jointly. ◆**se solidariser** *vpr* to show solidarity (**avec** with). ◆**solidarité** *nf* solidarity; (*d'éléments*) interdependence.
solide [sɔlid] *a* (*voiture, nourriture, caractère etc*) & *Ch* solid; (*argument, qualité, raison*) sound; (*vigoureux*) robust; – *nm Ch* solid. ◆**solidement** *adv* solidly. ◆**se solidifier** *vpr* to solidify. ◆**solidité** *nf* solidity; (*d'argument etc*) soundness.
soliste [sɔlist] *nmf Mus* soloist.
solitaire [sɔlitɛr] *a* solitary; – *nmf* loner; (*ermite*) recluse, hermit; **en s.** on one's own. ◆**solitude** *nf* solitude.
solive [sɔliv] *nf* joist, beam.
solliciter [sɔlisite] *vt* (*audience, emploi etc*) to seek; (*tenter*) to tempt, entice; **s. qn** (*faire appel à*) to appeal to s.o. (**de faire** to do); **être (très) sollicité** (*personne*) to be in (great) demand. ◆**sollicitation** *nf* (*demande*) appeal; (*tentation*) temptation.
sollicitude [sɔlisityd] *nf* solicitude, concern.
solo [sɔlo] *a inv* & *nm Mus* solo.
solstice [sɔlstis] *nm* solstice.
soluble [sɔlybl] *a* (*substance, problème*) soluble; **café s.** instant coffee. ◆**solution** *nf* (*d'un problème etc*) & *Ch* solution (**de** to).
solvable [sɔlvabl] *a Fin* solvent. ◆**solvabilité** *nf Fin* solvency.
solvant [sɔlvɑ̃] *nm Ch* solvent.
sombre [sɔ̃br] *a* dark; (*triste*) sombre, gloomy; **il fait s.** it's dark.
sombrer [sɔ̃bre] *vi* (*bateau*) to sink, founder; **s. dans** (*folie, sommeil etc*) to sink into.
sommaire [sɔmɛr] *a* summary; (*repas, tenue*) scant; – *nm* summary, synopsis.
sommation [sɔmɑsjɔ̃] *nf Jur* summons; (*de sentinelle etc*) warning.
somme [sɔm] **1** *nf* sum; **faire la s. de** to add up; **en s., s. toute** in short. **2** *nm* (*sommeil*) nap; **faire un s.** to have *ou* take a nap.
sommeil [sɔmɛj] *nm* sleep; (*envie de dormir*) sleepiness, drowsiness; **avoir s.** to be *ou* feel sleepy *ou* drowsy. ◆**sommeiller** *vi* to doze; (*faculté, qualité*) *Fig* to slumber.
sommelier [sɔməlje] *nm* wine waiter.
sommer [sɔme] *vt* **s. qn de faire** (*enjoindre*) & *Jur* to summon s.o. to do.
sommes [sɔm] *voir* **être**.
sommet [sɔmɛ] *nm* top; (*de montagne*) summit, top; (*de la gloire etc*) *Fig* height, summit; **conférence au s.** summit (conference).
sommier [sɔmje] *nm* (*de lit*) base; **s. à ressorts** spring base.
sommité [sɔmite] *nf* leading light, top person (**de** in).
somnambule [sɔmnɑ̃byl] *nmf* sleepwalker; **être s.** to sleepwalk. ◆**somnambulisme** *nm* sleepwalking.
somnifère [sɔmnifɛr] *nm* sleeping pill.
somnolence [sɔmnɔlɑ̃s] *nf* drowsiness, sleepiness. ◆**somnolent** *a* drowsy, sleepy. ◆**somnoler** *vi* to doze, drowse.
somptueux, -euse [sɔ̃ptɥø, -øz] *a* sumptuous, magnificent. ◆**somptuosité** *nf* sumptuousness, magnificence.
son[1] [sɔ̃] *nm* **1** (*bruit*) sound. **2** (*de grains*) bran.
son[2], **sa**, *pl* **ses** [sɔ̃, sa, se] (**sa** *becomes* **son** [sɔ̃n] *before a vowel or mute h*) *a poss* his; (*de femme*) her; (*de chose*) its; (*indéfini*) one's; **son père** his *ou* her *ou* one's father; **sa durée** its duration.
sonate [sɔnat] *nf Mus* sonata.
sonde [sɔ̃d] *nf Géol* drill; *Nau* sounding line; *Méd* probe; (*pour l'alimentation*) (feeding) tube; **s. spatiale** *Av* space probe. ◆**sondage** *nm* sounding; drilling; probing; **s. (d'opinion)** opinion poll. ◆**sonder** *vt* (*rivière etc*) to sound; (*terrain*) to drill; *Av* & *Méd* to probe; (*personne, l'opinion*) *Fig* to sound out.
songe [sɔ̃ʒ] *nm* dream.
song/er [sɔ̃ʒe] *vi* **s. à qch/à faire** to think of sth/of doing; – *vt* **s. que** to consider *ou*

think that. ◆**—eur, -euse** *a* thoughtful, pensive.

sonner [sɔne] *vi* to ring; (*cor, cloches etc*) to sound; **midi a sonné** it has struck twelve; – *vt* to ring; (*domestique*) to ring for; (*cor etc*) to sound; (*l'heure*) to strike; (*assommer*) to knock out. ◆**sonnantes** *afpl* **à cinq**/*etc* **heures s.** on the stroke of five/*etc*. ◆**sonné** *a* **1 trois**/*etc* **heures sonnées** gone *ou* past three/*etc* o'clock. **2** (*fou*) crazy. ◆**sonnerie** *nf* (*son*) ring(ing); (*de cor etc*) sound; (*appareil*) bell. ◆**sonnette** *nf* bell; **s. d'alarme** alarm (bell); **coup de s.** ring.

sonnet [sɔnɛ] *nm* (*poème*) sonnet.

sonore [sɔnɔr] *a* (*rire*) loud; (*salle, voix*) resonant; (*effet, film, ondes etc*) sound-. ◆**sonorisation** *nf* (*matériel*) sound equipment *ou* system. ◆**sonoriser** *vt* (*film*) to add sound to; (*salle*) to wire for sound. ◆**sonorité** *nf* (*de salle*) acoustics, resonance; (*de violon etc*) tone.

sont [sɔ̃] *voir* **être.**

sophistiqué [sɔfistike] *a* sophisticated.

soporifique [sɔpɔrifik] *a* (*médicament, discours etc*) soporific.

soprano [sɔprano] *nmf* (*personne*) *Mus* soprano; – *nm* (*voix*) soprano.

sorbet [sɔrbɛ] *nm Culin* water ice, sorbet.

sorcellerie [sɔrsɛlri] *nf* witchcraft, sorcery. ◆**sorcier** *nm* sorcerer. ◆**sorcière** *nf* witch; **chasse aux sorcières** *Pol* witch-hunt.

sordide [sɔrdid] *a* (*acte, affaire etc*) sordid; (*maison etc*) squalid.

sornettes [sɔrnɛt] *nfpl* (*propos*) *Péj* twaddle.

sort [sɔr] *nm* **1** (*destin, hasard*) fate; (*condition*) lot. **2** (*maléfice*) spell.

sorte [sɔrt] *nf* sort, kind (**de** of); **en quelque s.** as it were, in a way; **de (telle) s. que** so that, in such a way that; **de la s.** (*de cette façon*) in that way; **faire en s. que** (+ *sub*) to see to it that.

sortie [sɔrti] *nf* **1** departure, exit; (*de scène*) exit; (*promenade*) walk; (*porte*) exit, way out; (*de livre, modèle*) *Com* appearance; (*de disque, film*) release; (*d'ordinateur*) output; *pl* (*argent*) outgoings; **à la s. de l'école** (*moment*) when school comes out; **l'heure de la s. de qn** the time at which s.o. leaves; **première s.** (*de convalescent etc*) first time out. **2 s. de bain** (*peignoir*) bathrobe.

sortilège [sɔrtilɛʒ] *nm* (magic) spell.

sort/ir* [sɔrtir] *vi* (*aux* **être**) to go out, leave; (*venir*) to come out; (*pour s'amuser*) to go out; (*film, modèle, bourgeon etc*) to come out; (*numéro gagnant*) to come up; **s. de** (*endroit*) to leave; (*sujet*) to stray from; (*université*) to be a graduate of; (*famille, milieu*) to come from; (*légalité, limites*) to go beyond; (*compétence*) to be outside; (*gonds, rails*) to come off; **s. de l'ordinaire** to be out of the ordinary; **s. de table** to leave the table; **s. de terre** (*plante, fondations*) to come up; **s. indemne** to escape unhurt (**de** from); – *vt* (*aux* **avoir**) to take out (**de** of); (*film, modèle, livre etc*) *Com* to bring out; (*dire*) *Fam* to come out with; (*expulser*) *Fam* to throw out; **s'en s., se s. d'affaire** to pull *ou* come through, get out of trouble. ◆**—ant** *a* (*numéro*) winning; (*député etc*) *Pol* outgoing. ◆**—able** *a* (*personne*) presentable.

sosie [sozi] *nm* (*de personne*) double.

sot, sotte [so, sɔt] *a* foolish; – *nmf* fool. ◆**sottement** *adv* foolishly. ◆**sottise** *nf* foolishness; (*action, parole*) foolish thing; *pl* (*injures*) *Fam* insults; **faire des sottises** (*enfant*) to be naughty, misbehave.

sou [su] *nm* **sous** (*argent*) money; **elle n'a pas un** *ou* **le s.** she doesn't have a penny, she's penniless; **pas un s. de** (*bon sens etc*) not an ounce of; **appareil** *ou* **machine à sous** fruit machine, one-armed bandit.

soubresaut [subrəso] *nm* (*sursaut*) (sudden) start.

souche [suʃ] *nf* (*d'arbre*) stump; (*de carnet*) stub, counterfoil; (*famille, de vigne*) stock.

souci [susi] *nm* (*inquiétude*) worry, concern; (*préoccupation*) concern; **se faire du s.** to be worried, worry; **ça lui donne du s.** it worries him *ou* her. ◆**se soucier** *vpr* **se s. de** to be concerned *ou* worried about. ◆**soucieux, -euse** *a* concerned, worried (**de qch** about sth); **s. de plaire**/*etc* anxious to please/*etc*.

soucoupe [sukup] *nf* saucer; **s. volante** flying saucer.

soudain [sudɛ̃] *a* sudden; – *adv* suddenly. ◆**soudainement** *adv* suddenly. ◆**soudaineté** *nf* suddenness.

Soudan [sudɑ̃] *nm* Sudan.

soude [sud] *nf Ch* soda; **cristaux de s.** washing soda.

souder [sude] *vt* to solder; (*par soudure autogène*) to weld; (*groupes etc*) *Fig* to unite (closely); **— se s.** *vpr* (*os*) to knit (together). ◆**soudure** *nf* soldering; (*métal*) solder; **s. (autogène)** welding.

soudoyer [sudwaje] *vt* to bribe.

souffle [sufl] *nm* puff, blow; (*haleine*) breath; (*respiration*) breathing; (*de bombe etc*) blast; (*inspiration*) *Fig* inspiration; **s. (d'air)** breath of air. ◆**souffler** *vi* to blow; (*haleter*) to puff; **laisser s. qn** (*reprendre haleine*) to let s.o. get his breath back; – *vt* (*bougie*) to blow out; (*fumée, poussière, verre*) to blow; (*par une explosion*) to blow down, blast; (*chuchoter*) to whisper; (*voler*) *Fam* to pinch (**à** from); (*étonner*) *Fam* to stagger; **s. son rôle à qn** *Th* to prompt s.o.; **ne pas s. mot** not to breathe a word. **◆soufflet** *nm* **1** (*instrument*) bellows. **2** (*gifle*) *Litt* slap. **◆souffleur, -euse** *nmf Th* prompter.

soufflé [sufle] *nm Culin* soufflé.

souffrance [sufrɑ̃s] *nf* **1** suffering. **2 en s.** (*colis etc*) unclaimed; (*affaire*) in abeyance.

souffreteux, -euse [sufrətø, -øz] *a* sickly.

souffr/ir* [sufrir] **1** *vi* to suffer; **s. de** to suffer from; (*gorge, pieds etc*) to have trouble with; **faire s. qn** (*physiquement*) to hurt s.o.; (*moralement*) to make s.o. suffer, hurt s.o. **2** *vt* (*endurer*) to suffer; **je ne peux pas le s.** I can't bear him. **3** *vt* (*exception*) to admit of. **◆—ant** *a* unwell.

soufre [sufr] *nm* sulphur, *Am* sulfur.

souhait [swɛ] *nm* wish; **à vos souhaits!** (*après un éternuement*) bless you!; **à s.** perfectly. **◆souhait/er** *vt* (*bonheur etc*) to wish for; **s. qch à qn** to wish s.o. sth; **s. faire** to hope to do; **s. que** (+ *sub*) to hope that. **◆—able** *a* desirable.

souiller [suje] *vt* to soil, dirty; (*déshonorer*) *Fig* to sully.

soûl [su] **1** *a* drunk. **2** *nm* **tout son s.** (*boire etc*) to one's heart's content. **◆soûler** *vt* to make drunk; **— se s.** *vpr* to get drunk.

soulager [sulaʒe] *vt* to relieve (**de** of). **◆soulagement** *nm* relief.

soulever [sulve] *vt* to raise, lift (up); (*l'opinion, le peuple*) to stir up; (*poussière, question*) to raise; (*sentiment*) to arouse; **cela me soulève le cœur** it makes me feel sick, it turns my stomach; **— se s.** *vpr* (*malade etc*) to lift oneself (up); (*se révolter*) to rise (up). **◆soulèvement** *nm* (*révolte*) (up)rising.

soulier [sulje] *nm* shoe.

souligner [suliɲe] *vt* (*d'un trait*) to underline; (*accentuer, faire remarquer*) to emphasize, underline; **s. que** to emphasize that.

soumettre* [sumɛtr] **1** *vt* (*pays, rebelles*) to subjugate, subdue; **s. à** (*assujettir*) to subject to; **— se s.** *vpr* to submit (**à** to). **2** *vt* (*présenter*) to submit (**à** to). **◆soumis** *a* (*docile*) submissive; **s. à** subject to. **◆soumission** *nf* **1** submission; (*docilité*) submissiveness. **2** (*offre*) *Com* tender.

soupape [supap] *nf* valve.

soupçon [supsɔ̃] *nm* suspicion; **un s. de** (*quantité*) *Fig* a hint *ou* touch of. **◆soupçonner** *vt* to suspect (**de** of, **d'avoir fait** of doing, **que** that). **◆soupçonneux, -euse** *a* suspicious.

soupe [sup] *nf* soup. **◆soupière** *nf* (soup) tureen.

soupente [supɑ̃t] *nf* (*sous le toit*) loft.

souper [supe] *nm* supper; – *vi* to have supper.

soupeser [supəze] *vt* (*objet dans la main*) to feel the weight of; (*arguments etc*) *Fig* to weigh up.

soupir [supir] *nm* sigh. **◆soupir/er** *vi* to sigh; **s. après** to yearn for. **◆—ant** *nm* (*amoureux*) suitor.

soupirail, -aux [supiraj, -o] *nm* basement window.

souple [supl] *a* (*personne, esprit, règlement*) flexible; (*cuir, membre, corps*) supple. **◆souplesse** *nf* flexibility; suppleness.

source [surs] *nf* **1** (*point d'eau*) spring; **eau de s.** spring water; **prendre sa s.** (*rivière*) to rise (**à** at, **dans** in). **2** (*origine*) source; **de s. sûre** on good authority.

sourcil [sursi] *nm* eyebrow. **◆sourciller** *vi* **ne pas s.** *Fig* not to bat an eyelid.

sourd, sourde [sur, surd] **1** *a* deaf (*Fig* **à** to); – *nmf* deaf person. **2** *a* (*bruit, douleur*) dull; (*caché*) secret. **◆s.-muet** (*pl* **sourds-muets**), **◆sourde-muette** (*pl* **sourdes-muettes**) *a* deaf and dumb; – *nmf* deaf mute.

sourdine [surdin] *nf* (*dispositif*) *Mus* mute; **en s.** *Fig* quietly, secretly.

souricière [surisjɛr] *nf* mousetrap; *Fig* trap.

sourire* [surir] *vi* to smile (**à** at); **s. à qn** (*fortune*) to smile on s.o.; – *nm* smile; **faire un s. à qn** to give s.o. a smile.

souris [suri] *nf* mouse.

sournois [surnwa] *a* sly, underhand. **◆sournoisement** *adv* slyly. **◆sournoiserie** *nf* slyness.

sous [su] *prép* (*position*) under(neath), beneath; (*rang*) under; **s. la pluie** in the rain; **s. cet angle** from that angle *ou* point of view; **s. le nom de** under the name of; **s. Charles X** under Charles X; **s. peu** (*bientôt*) shortly.

sous- [su] *préf* (*subordination, subdivision*) sub-; (*insuffisance*) under-.

sous-alimenté [suzalimɑ̃te] *a* undernourished. **◆sous-alimentation** *nf* undernourishment.

sous-bois [subwa] *nm* undergrowth.

sous-chef [suʃɛf] *nmf* second-in-command.

souscrire* [suskrir] *vi* **s. à** (*payer, approuver*) to subscribe to. **◆souscription** *nf* subscription.

sous-développé [sudevlɔpe] *a* (*pays*) underdeveloped.
sous-directeur, -trice [sudirɛktœr, -tris] *nmf* assistant manager, assistant manageress.
sous-entend/re [suzɑ̃tɑ̃dr] *vt* to imply. ◆**—u** *nm* insinuation.
sous-estimer [suzɛstime] *vt* to underestimate.
sous-jacent [suʒasɑ̃] *a* underlying.
sous-louer [sulwe] *vt* (*appartement*) to sublet.
sous-main [sumɛ̃] *nm inv* desk pad.
sous-marin [sumarɛ̃] *a* underwater; **plongée sous-marine** skin diving; – *nm* submarine.
sous-officier [suzɔfisje] *nm* noncommissioned officer.
sous-payer [supeje] *vt* (*ouvrier etc*) to underpay.
sous-produit [suprɔdɥi] *nm* by-product.
soussigné, -ée [susiɲe] *a* & *nmf* undersigned; **je s.** I the undersigned.
sous-sol [susɔl] *nm* basement; *Géol* subsoil.
sous-titre [sutitr] *nm* subtitle. ◆**sous-titrer** *vt* (*film*) to subtitle.
soustraire* [sustrɛr] *vt* to remove; *Math* to subtract, take away (**de** from); **s. qn à** (*danger etc*) to shield *ou* protect s.o. from; **se s. à** to escape from; (*devoir, obligation*) to avoid. ◆**soustraction** *nf Math* subtraction.
sous-trait/er [sutrete] *vi Com* to subcontract. ◆**—ant** *nm* subcontractor.
sous-verre [suvɛr] *nm inv* (*encadrement*) (frameless) glass mount.
sous-vêtement [suvɛtmɑ̃] *nm* undergarment; *pl* underwear.
soutane [sutan] *nf* (*de prêtre*) cassock.
soute [sut] *nf* (*magasin*) *Nau* hold.
souten/ir* [sutnir] *vt* to support, hold up; (*droits, opinion*) to uphold, maintain; (*candidat etc*) to back, support; (*malade*) to sustain; (*effort, intérêt*) to sustain, keep up; (*thèse*) to defend; (*résister à*) to withstand; **s. que** to maintain that; **— se s.** *vpr* (*blessé etc*) to hold oneself up; (*se maintenir, durer*) to be sustained. ◆**—u** *a* (*attention, effort*) sustained; (*style*) lofty. ◆**soutien** *nm* support; (*personne*) supporter; **s. de famille** breadwinner. ◆**soutien-gorge** *nm* (*pl* **soutiens-gorge**) bra.
souterrain [sutɛrɛ̃] *a* underground; – *nm* underground passage.
soutirer [sutire] *vt* **s. qch à qn** to extract *ou* get sth from s.o.
souvenir [suvnir] *nm* memory, recollection; (*objet*) memento; (*cadeau*) keepsake; (*pour touristes*) souvenir; **en s. de** in memory of; **mon bon s. à** (give) my regards to. ◆**se souvenir*** *vpr* **se s. de** to remember, recall; **se s. que** to remember *ou* recall that.
souvent [suvɑ̃] *adv* often; **peu s.** seldom; **le plus s.** more often than not, most often.
souverain, -aine [suvrɛ̃, -ɛn] *a* sovereign; (*extrême*) *Péj* supreme; – *nmf* sovereign. ◆**souveraineté** *nf* sovereignty.
soviétique [sɔvjetik] *a* Soviet; **l'Union s.** the Soviet Union; – *nmf* Soviet citizen.
soyeux, -euse [swajø, -øz] *a* silky.
spacieux, -euse [spasjø, -øz] *a* spacious, roomy.
spaghetti(s) [spageti] *nmpl* spaghetti.
sparadrap [sparadra] *nm Méd* sticking plaster, *Am* adhesive tape.
spasme [spasm] *nm* spasm. ◆**spasmodique** *a* spasmodic.
spatial, -aux [spasjal, -o] *a* (*vol etc*) space-; **engin s.** spaceship, spacecraft.
spatule [spatyl] *nf* spatula.
speaker [spikœr] *nm*, **speakerine** [spikrin] *nf Rad TV* announcer.
spécial, -aux [spesjal, -o] *a* special; (*bizarre*) peculiar. ◆**spécialement** *adv* especially, particularly; (*exprès*) specially.
spécialiser (se) [səspesjalize] *vpr* to specialize (**dans** in). ◆**spécialisation** *nf* specialization. ◆**spécialiste** *nmf* specialist. ◆**spécialité** *nf* speciality, *Am* specialty.
spécifier [spesifje] *vt* to specify (**que** that).
spécifique [spesifik] *a Phys Ch* specific.
spécimen [spesimɛn] *nm* specimen; (*livre etc*) specimen copy.
spectacle [spɛktakl] *nm* **1** (*vue*) spectacle, sight; **se donner en s.** *Péj* to make an exhibition of oneself. **2** (*représentation*) show; **le s.** (*industrie*) show business. ◆**spectateur, -trice** *nmf Sp* spectator; (*témoin*) onlooker, witness; *pl Th Cin* audience.
spectaculaire [spɛktakylɛr] *a* spectacular.
spectre [spɛktr] *nm* **1** (*fantôme*) spectre, ghost. **2** (*solaire*) spectrum.
spéculer [spekyle] *vi Fin Phil* to speculate; **s. sur** (*tabler sur*) to bank *ou* rely on ◆**spéculateur, -trice** *nmf* speculator. ◆**spéculatif, -ive** *a Fin Phil* speculative. ◆**spéculation** *nf Fin Phil* speculation.
spéléologie [speleɔlɔʒi] *nf* (*activité*) potholing, caving, *Am* spelunking. ◆**spéléologue** *nmf* potholer, *Am* spelunker.
sperme [spɛrm] *nm* sperm, semen.
sphère [sfɛr] *nf* (*boule, domaine*) sphere. ◆**sphérique** *a* spherical.
sphinx [sfɛ̃ks] *nm* sphinx.

spirale [spiral] *nf* spiral.
spirite [spirit] *nmf* spiritualist. ◆**spiritisme** *nm* spiritualism.
spirituel, -elle [spiritɥɛl] *a* **1** (*amusant*) witty. **2** (*pouvoir, vie etc*) spiritual.
spiritueux [spiritɥø] *nmpl* (*boissons*) spirits.
splendide [splɑ̃did] *a* (*merveilleux, riche, beau*) splendid. ◆**splendeur** *nf* splendour.
spongieux, -euse [spɔ̃ʒjø, -øz] *a* spongy.
spontané [spɔ̃tane] *a* spontaneous. ◆**spontanéité** *nf* spontaneity. ◆**spontanément** *adv* spontaneously.
sporadique [spɔradik] *a* sporadic.
sport [spɔr] *nm* sport; **faire du s.** to play sport *ou Am* sports; **(de) s.** (*chaussures, vêtements*) casual, sports; **voiture/veste de s.** sports car/jacket. ◆**sportif, -ive** *a* (*attitude, personne*) sporting; (*association, journal, résultats*) sports, sporting; (*allure*) athletic; – *nmf* sportsman, sportswoman. ◆**sportivité** *nf* (*esprit*) sportsmanship.
spot [spɔt] *nm* **1** (*lampe*) spot(light). **2 s. (publicitaire)** *Rad TV* commercial.
sprint [sprint] *nm Sp* sprint. ◆**sprint/er** *vt* to sprint; – *nm* [-œr] sprinter. ◆**—euse** *nf* sprinter.
square [skwar] *nm* public garden.
squelette [skəlɛt] *nm* skeleton. ◆**squelettique** *a* (*personne, maigreur*) skeleton-like; (*exposé*) sketchy.
stable [stabl] *a* stable. ◆**stabilisateur** *nm* stabilizer. ◆**stabiliser** *vt* to stabilize; – **se s.** *vpr* to stabilize. ◆**stabilité** *nf* stability.
stade [stad] *nm* **1** *Sp* stadium. **2** (*phase*) stage.
stage [staʒ] *nm* training period; (*cours*) (training) course. ◆**stagiaire** *a* & *nmf* trainee.
stagner [stagne] *vi* to stagnate. ◆**stagnant** *a* stagnant. ◆**stagnation** *nf* stagnation.
stalle [stal] *nf* (*box*) & *Rel* stall.
stand [stɑ̃d] *nm* (*d'exposition etc*) stand, stall; **s. de ravitaillement** *Sp* pit; **s. de tir** (*de foire*) shooting range; *Mil* firing range.
standard [stɑ̃dar] **1** *nm Tél* switchboard. **2** *a inv* (*modèle etc*) standard. ◆**standardiser** *vt* to standardize. ◆**standardiste** *nmf* (switchboard) operator.
standing [stɑ̃diŋ] *nm* standing, status; **de (grand) s.** (*immeuble*) luxury-.
starter [startɛr] *nm* **1** *Aut* choke. **2** *Sp* starter.
station [stasjɔ̃] *nf* (*de métro, d'observation etc*) & *Rad* station; (*de ski etc*) resort; (*d'autobus*) stop; **s. de taxis** taxi rank, *Am* taxi stand; **s. debout** standing (position); **s. (thermale)** spa. ◆**s.-service** *nf* (*pl* **stations-service**) *Aut* service station.
stationnaire [stasjɔnɛr] *vi a* stationary.
stationn/er [stasjɔne] *vi* (*se garer*) to park; (*être garé*) to be parked. ◆**—ement** *nm* parking.
statique [statik] *a* static.
statistique [statistik] *nf* (*donnée*) statistic; **la s.** (*techniques*) statistics; – *a* statistical.
statue [staty] *nf* statue. ◆**statuette** *nf* statuette.
statuer [statɥe] *vi* **s. sur** *Jur* to rule on.
statu quo [statykwo] *nm inv* status quo.
stature [statyr] *nf* stature.
statut [staty] *nm* **1** (*position*) status. **2** *pl* (*règles*) statutes. ◆**statutaire** *a* statutory.
steak [stɛk] *nm* steak.
stencil [stɛnsil] *nm* stencil.
sténo [steno] *nf* (*personne*) stenographer; (*sténographie*) shorthand, stenography; **prendre en s.** to take down in shorthand. ◆**sténodactylo** *nf* shorthand typist, *Am* stenographer. ◆**sténographie** *nf* shorthand, stenography.
stéréo [stereo] *nf* stereo; – *a inv* (*disque etc*) stereo. ◆**stéréophonique** *a* stereophonic.
stéréotype [stereɔtip] *nm* stereotype. ◆**stéréotypé** *a* stereotyped.
stérile [steril] *a* sterile; (*terre*) barren. ◆**stérilisation** *nf* sterilization. ◆**stériliser** *vt* to sterilize. ◆**stérilité** *nf* sterility; (*de terre*) barrenness.
stérilet [sterilɛ] *nm* IUD, coil.
stéthoscope [stetɔskɔp] *nm* stethoscope.
steward [stiwart] *nm Av Nau* steward.
stigmate [stigmat] *nm Fig* mark, stigma (**de** of). ◆**stigmatiser** *vt* (*dénoncer*) to stigmatize.
stimul/er [stimyle] *vt* to stimulate. ◆**—ant** *nm Fig* stimulus; *Méd* stimulant. ◆**stimulateur** *nm* **s. cardiaque** pacemaker. ◆**stimulation** *nf* stimulation.
stimulus [stimylys] *nm* (*pl* **stimuli** [-li]) (*physiologique*) stimulus.
stipuler [stipyle] *vt* to stipulate (**que** that). ◆**stipulation** *nf* stipulation.
stock [stɔk] *nm Com* & *Fig* stock (**de** of). ◆**stock/er** *vt* to (keep in) stock. ◆**—age** *nm* stocking.
stoïque [stɔik] *a* stoic(al). ◆**stoïcisme** *nm* stoicism.
stop [stɔp] **1** *int* stop; – *nm* (*panneau*) *Aut* stop sign; (*feu arrière*) *Aut* brake light. **2** *nm* **faire du s.** *Fam* to hitchhike. ◆**stopp/er 1** *vti* to stop. **2** *vt* (*vêtement*) to

mend (invisibly). ◆**—age** *nm* (invisible) mending.
store [stɔr] *nm* blind, *Am* (window) shade; (*de magasin*) awning.
strabisme [strabism] *nm* squint.
strapontin [strapɔ̃tɛ̃] *nm* tip-up seat.
stratagème [strataʒɛm] *nm* stratagem, ploy.
stratège [stratɛʒ] *nm* strategist. ◆**stratégie** *nf* strategy. ◆**stratégique** *a* strategic.
stress [strɛs] *nm inv Méd Psy* stress. ◆**stressant** *a* stressful. ◆**stressé** *a* under stress.
strict [strikt] *a* strict; (*langue, tenue, vérité*) plain; (*droit*) basic; **le s. minimum/nécessaire** the bare minimum/necessities. ◆**strictement** *adv* strictly; (*vêtu*) plainly.
strident [stridɑ̃] *a* strident, shrill.
strie [stri] *nf* streak; (*sillon*) groove. ◆**strier** *vt* to streak.
strip-tease [striptiz] *nm* striptease. ◆**strip-teaseuse** *nf* stripper.
strophe [strɔf] *nf* stanza, verse.
structure [stryktyr] *nf* structure. ◆**structural, -aux** *a* structural. ◆**structurer** *vt* to structure.
stuc [styk] *nm* stucco.
studieux, -euse [stydjø, -øz] *a* studious; (*vacances etc*) devoted to study.
studio [stydjo] *nm* (*de peintre*) & *Cin TV* studio; (*logement*) studio flat *ou Am* apartment.
stupéfait [stypefɛ] *a* amazed, astounded (**de** at, by). ◆**stupéfaction** *nf* amazement. ◆**stupéfi/er** *vt* to amaze, astound. ◆**—ant 1** *a* amazing, astounding. **2** *nm* drug, narcotic. ◆**stupeur** *nf* **1** (*étonnement*) amazement. **2** (*inertie*) stupor.
stupide [stypid] *a* stupid. ◆**stupidement** *adv* stupidly. ◆**stupidité** *nf* stupidity; (*action, parole*) stupid thing.
style [stil] *nm* style; **de s.** (*meuble*) period-. ◆**stylisé** *a* stylized. ◆**styliste** *nmf* (*de mode etc*) designer. ◆**stylistique** *a* stylistic.
stylé [stile] *a* well-trained.
stylo [stilo] *nm* pen; **s. à bille** ballpoint (pen), biro®; **s. à encre** fountain pen.
su [sy] *voir* **savoir.**
suave [sɥav] *a* (*odeur, voix*) sweet.
subalterne [sybaltɛrn] *a* & *nmf* subordinate.
subconscient [sypkɔ̃sjɑ̃] *a* & *nm* subconscious.
subdiviser [sybdivize] *vt* to subdivide (**en** into). ◆**subdivision** *nf* subdivision.
subir [sybir] *vt* to undergo; (*conséquences, défaite, perte, tortures*) to suffer; (*influence*) to be under; **s. qn** (*supporter*) *Fam* to put up with s.o.
subit [sybi] *a* sudden. ◆**subitement** *adv* suddenly.
subjectif, -ive [sybʒɛktif, -iv] *a* subjective. ◆**subjectivement** *adv* subjectively. ◆**subjectivité** *nf* subjectivity.
subjonctif [sybʒɔ̃ktif] *nm Gram* subjunctive.
subjuguer [sybʒyge] *vt* to subjugate; (*envoûter*) to captivate.
sublime [syblim] *a* & *nm* sublime.
sublimer [syblime] *vt Psy* to sublimate.
submerger [sybmɛrʒe] *vt* to submerge; (*envahir*) *Fig* to overwhelm; **submergé de** (*travail etc*) overwhelmed with; **submergé par** (*ennemi, foule*) swamped by. ◆**submersible** *nm* submarine.
subordonn/er [sybɔrdɔne] *vt* to subordinate (**à** to). ◆**—é, -ée** *a* subordinate (**à** to); **être s. à** (*dépendre de*) to depend on; – *nmf* subordinate. ◆**subordination** *nf* subordination.
subreptice [sybrɛptis] *a* surreptitious.
subside [sypsid] *nm* grant, subsidy.
subsidiaire [sybsidjɛr] *a* subsidiary; **question s.** (*de concours*) deciding question.
subsister [sybziste] *vi* (*rester*) to remain; (*vivre*) to get by, subsist; (*doutes, souvenirs etc*) to linger (on), subsist. ◆**subsistance** *nf* subsistence.
substance [sypstɑ̃s] *nf* substance; **en s.** *Fig* in essence. ◆**substantiel, -ielle** *a* substantial.
substantif [sypstɑ̃tif] *nm Gram* noun, substantive.
substituer [sypstitɥe] *vt* to substitute (**à** for); **se s. à qn** to take the place of s.o., substitute for s.o.; (*représenter*) to substitute for s.o. ◆**substitution** *nf* substitution.
subterfuge [sypterfyʒ] *nm* subterfuge.
subtil [syptil] *a* subtle. ◆**subtilité** *nf* subtlety.
subtiliser [syptilize] *vt* (*dérober*) *Fam* to make off with.
subvenir* [sybvənir] *vi* **s. à** (*besoins, frais*) to meet.
subvention [sybvɑ̃sjɔ̃] *nf* subsidy. ◆**subventionner** *vt* to subsidize.
subversif, -ive [sybvɛrsif, -iv] *a* subversive. ◆**subversion** *nf* subversion.
suc [syk] *nm* (*gastrique, de fruit*) juice; (*de plante*) sap.

succédané [syksedane] *nm* substitute (**de** for).
succéder [syksede] *vi* **s. à qn** to succeed s.o.; **s. à qch** to follow sth, come after sth; **— se s.** *vpr* to succeed one another; to follow one another. ◆**successeur** *nm* successor. ◆**successif, -ive** *a* successive. ◆**successivement** *adv* successively. ◆**succession** *nf* **1** succession (**de** of, **à** to); **prendre la s. de qn** to succeed s.o. **2** (*patrimoine*) *Jur* inheritance, estate.
succès [syksɛ] *nm* success; **s. de librairie** (*livre*) best-seller; **avoir du s.** to be successful, be a success; **à s.** (*auteur, film etc*) successful; **avec s.** successfully.
succinct [syksɛ̃] *a* succinct, brief.
succion [sy(k)sjɔ̃] *nf* suction.
succomber [sykɔ̃be] *vi* **1** (*mourir*) to die. **2** **s. à** (*céder à*) to succumb to, give in to.
succulent [sykylɑ̃] *a* succulent.
succursale [sykyrsal] *nf* *Com* branch; **magasin à succursales multiples** chain *ou* multiple store.
sucer [syse] *vt* to suck. ◆**sucette** *nf* lollipop; (*tétine*) dummy, comforter, *Am* pacifier.
sucre [sykr] *nm* sugar; (*morceau*) sugar lump; **s. cristallisé** granulated sugar; **s. en morceaux** lump sugar; **s. en poudre, s. semoule** caster sugar, *Am* finely ground sugar; **s. d'orge** barley sugar. ◆**sucr/er** *vt* to sugar, sweeten. ◆**—é** *a* sweet, sugary; (*artificiellement*) sweetened; (*doucereux*) *Fig* sugary, syrupy. ◆**sucrerie 1** *nf* (*usine*) sugar refinery. **2** *nfpl* (*bonbons*) sweets, *Am* candy. ◆**sucrier, -ière** *a* (*industrie*) sugar-; – *nm* (*récipient*) sugar bowl.
sud [syd] *nm* south; **au s. de** south of; **du s.** (*vent, direction*) southerly; (*ville*) southern; (*gens*) from *ou* in the south; **Amérique/Afrique du S.** South America/Africa; **l'Europe du S.** Southern Europe; – *a inv* (*côte*) south(ern). ◆**s.-africain, -aine** *a* & *nmf* South African. ◆**s.-américain, -aine** *a* & *nmf* South American. ◆**s.-est** *nm* & *a inv* south-east. ◆**s.-ouest** *nm* & *a inv* south-west.
Suède [syɛd] *nf* Sweden. ◆**suédois, -oise** *a* Swedish; – *nmf* Swede; – *nm* (*langue*) Swedish.
suer [sye] *vi* (*personne, mur etc*) to sweat; **faire s. qn** *Fam* to get on s.o.'s nerves; **se faire s.** *Fam* to be bored stiff; – *vt* (*sang etc*) to sweat. ◆**sueur** *nf* sweat; **(tout) en s.** sweating.
suffire* [syfir] *vi* to be enough *ou* sufficient, suffice (**à** for); **ça suffit!** that's enough!; **il suffit de faire** one only has to do; **il suffit d'une goutte/***etc* **pour faire** a drop/*etc* is enough to do; **il ne me suffit pas de faire** I'm not satisfied with doing; **— se s.** *vpr* **se s. (à soi-même)** to be self-sufficient. ◆**suffisant** *a* **1** sufficient, adequate. **2** (*vaniteux*) conceited. ◆**suffisamment** *adv* sufficiently; **s. de** sufficient, enough. ◆**suffisance** *nf* (*vanité*) conceit.
suffixe [syfiks] *nm* *Gram* suffix.
suffoquer [syfɔke] *vti* to choke, suffocate. ◆**suffocant** *a* stifling, suffocating. ◆**suffocation** *nf* suffocation; (*sensation*) feeling of suffocation.
suffrage [syfraʒ] *nm* *Pol* (*voix*) vote; (*droit*) suffrage.
suggérer [sygʒere] *vt* (*proposer*) to suggest (**de faire** doing, **que** (+ *sub*) that); (*évoquer*) to suggest. ◆**suggestif, -ive** *a* suggestive. ◆**suggestion** *nf* suggestion.
suicide [sɥisid] *nm* suicide. ◆**suicidaire** *a* suicidal. ◆**se suicid/er** *vpr* to commit suicide. ◆**—é, -ée** *nmf* suicide (victim).
suie [sɥi] *nf* soot.
suif [sɥif] *nm* tallow.
suinter [sɥɛ̃te] *vi* to ooze, seep. ◆**suintement** *nm* oozing, seeping.
suis [sɥi] *voir* **être, suivre.**
Suisse [sɥis] *nf* Switzerland. ◆**suisse** *a* & *nmf* Swiss. ◆**Suissesse** *nf* Swiss (woman *ou* girl).
suite [sɥit] *nf* (*reste*) rest; (*continuation*) continuation; (*de film, roman*) sequel; (*série*) series, sequence; (*appartement, escorte*) & *Mus* suite; (*cohérence*) order; *pl* (*résultats*) consequences; (*séquelles*) effects; **attendre la s.** to wait and see what happens next; **donner s. à** (*demande etc*) to follow up; **faire s. (à)** to follow; **prendre la s. de qn** to take over from s.o.; **par la s.** afterwards; **par s. de** as a result of; **à la s.** one after another; **à la s. de** (*derrière*) behind; (*événement, maladie etc*) as a result of; **de s.** in succession.
suiv/re* [sɥivr] *vt* to follow; (*accompagner*) to go with, accompany; (*classe*) *Scol* to attend, go to; (*malade*) to treat; **s. (des yeux** *ou* **du regard)** to watch; **s. son chemin** to go on one's way; **se s.** to follow each other; – *vi* to follow; **faire s.** (*courrier*) to forward; **'à s.'** 'to be continued'; **comme suit** as follows. ◆**—ant[1], -ante** *a* next, following; (*ci-après*) following; – *nmf* next (one); **au s.!** next!, the next person! ◆**—ant[2]** *prép* (*selon*) according to. ◆**—i** *a* (*régulier*) regular, steady; (*cohérent*) coherent; (*article*)

Com regularly on sale; **peu/très s.** (*cours*) poorly/well attended.

sujet[1]**, -ette** [syʒɛ, -ɛt] *a* **s. à** (*maladie etc*) subject *ou* liable to; – *nmf* (*personne*) *Pol* subject.

sujet[2] [syʒɛ] *nm* **1** (*question*) & *Gram* subject; (*d'examen*) question; **au s. de** about; **à quel s.?** about what? **2** (*raison*) cause; **avoir s. de faire** to have (good) cause *ou* (good) reason to do. **3** *nm* (*individu*) subject; **un mauvais s.** (*garçon*) a rotten egg.

sulfurique [sylfyrik] *a* (*acide*) sulphuric, *Am* sulfuric.

sultan [syltɑ̃] *nm* sultan.

summum [sɔmɔm] *nm* (*comble*) *Fig* height.

super [sypɛr] **1** *a* (*bon*) *Fam* great. **2** *nm* (*supercarburant*) *Fam* four-star (petrol), *Am* premium *ou* hi-test gas.

superbe [sypɛrb] *a* superb.

supercarburant [sypɛrkarbyrɑ̃] *nm* high-octane petrol *ou Am* gasoline.

supercherie [sypɛrʃəri] *nf* deception.

superficie [sypɛrfisi] *nf* surface; (*dimensions*) area. ◆**superficiel, -ielle** *a* superficial. ◆**superficiellement** *adv* superficially.

superflu [sypɛrfly] *a* superfluous.

super-grand [sypɛrgrɑ̃] *nm Pol Fam* superpower.

supérieur, -eure [syperjœr] *a* (*étages, partie etc*) upper; (*qualité, air, ton*) superior; (*études*) higher; **à l'étage s.** on the floor above; **s. à** (*meilleur que*) superior to, better than; (*plus grand que*) above, greater than; – *nmf* superior. ◆**supériorité** *nf* superiority.

superlatif, -ive [sypɛrlatif, -iv] *a & nm Gram* superlative.

supermarché [sypɛrmarʃe] *nm* supermarket.

superposer [sypɛrpoze] *vt* (*objets*) to put on top of each other; (*images etc*) to superimpose.

superproduction [sypɛrprɔdyksjɔ̃] *nf* (*film*) blockbuster.

superpuissance [sypɛrpɥisɑ̃s] *nf Pol* superpower.

supersonique [sypɛrsɔnik] *a* supersonic.

superstitieux, -euse [sypɛrstisjø, -øz] *a* superstitious. ◆**superstition** *nf* superstition.

superviser [sypɛrvize] *vt* to supervise.

supplanter [syplɑ̃te] *vt* to take the place of.

supplé/er [syplee] *vt* (*remplacer*) to replace; (*compenser*) to make up for; – *vi* **s. à** (*compenser*) to make up for. ◆**—ant, -ante** *a & nmf* (*personne*) substitute, replacement; **(professeur) s.** supply teacher.

supplément [syplemɑ̃] *nm* (*argent*) extra charge, supplement; (*de livre, revue*) supplement; **en s.** extra; **un s. de** (*information, travail etc*) extra, additional. ◆**supplémentaire** *a* extra, additional.

supplice [syplis] *nm* torture; **au s.** *Fig* on the rack. ◆**supplicier** *vt* to torture.

suppli/er [syplije] *vt* **s. qn de faire** to beg *ou* implore s.o. to do; **je vous en supplie!** I beg *ou* implore you! ◆**—ant, -ante** *a* (*regard etc*) imploring. ◆**supplication** *nf* plea, entreaty.

support [sypɔr] *nm* **1** support; (*d'instrument etc*) stand. **2** (*moyen*) *Fig* medium; **s. audio-visuel** audio-visual aid.

support/er[1] [sypɔrte] *vt* to bear, endure; (*frais*) to bear; (*affront etc*) to suffer; (*résister à*) to withstand; (*soutenir*) to support. ◆**—able** *a* bearable; (*excusable, passable*) tolerable.

supporter[2] [sypɔrtɛr] *nm Sp* supporter.

supposer [sypoze] *vt* to suppose, assume (**que** that); (*impliquer*) to imply (**que** that); **à s.** *ou* **en supposant que** (+ *sub*) supposing (that). ◆**supposition** *nf* supposition, assumption.

suppositoire [sypozitwar] *nm Méd* suppository.

supprimer [syprime] *vt* to remove, get rid of; (*institution, loi*) to abolish; (*journal etc*) to suppress; (*mot, passage*) to cut, delete; (*train etc*) to cancel; (*tuer*) to do away with; **s. qch à qn** to take sth away from s.o. ◆**suppression** *nf* removal; abolition; suppression; cutting; cancellation.

suprématie [sypremasi] *nf* supremacy. ◆**suprême** *a* supreme.

sur [syr] *prép* on, upon; (*par-dessus*) over; (*au sujet de*) on, about; **s. les trois heures** at about three o'clock; **six s. dix** six out of ten; **un jour s. deux** every other day; **coup s. coup** blow after *ou* upon blow; **six mètres s. dix** six metres by ten; **mettre/monter/***etc* **s.** to put/climb/*etc* on (to); **aller/tourner/***etc* **s.** to go/turn/*etc* towards; **s. ce** after which, and then; (*maintenant*) and now.

sur- [syr] *préf* over-.

sûr [syr] *a* sure, certain (**de** of, **que** that); (*digne de confiance*) reliable; (*avenir*) secure; (*lieu*) safe; (*main*) steady; (*goût*) unerring; (*jugement*) sound; **s. de soi** self-assured; **bien s.!** of course!

surabondant [syrabɔ̃dɑ̃] *a* over-abundant.

suranné [syrane] *a* outmoded.

surboum [syrbum] *nf Fam* party.

surcharge [syrʃarʒ] *nf* **1** overloading; (*poids*) extra load; **s. de travail** extra work; **en s.** (*passagers etc*) extra. **2** (*correction de texte etc*) alteration; (*de timbre-poste*) surcharge. ◆**surcharger** *vt* (*voiture, personne etc*) to overload (**de** with).
surchauffer [syrʃofe] *vt* to overheat.
surchoix [syrʃwa] *a inv Com* top-quality.
surclasser [syrklɑse] *vt* to outclass.
surcroît [syrkrwa] *nm* increase (**de** in); **de s., par s.** in addition.
surdité [syrdite] *nf* deafness.
surdoué, -ée [syrdwe] *nmf* child who has a genius-level IQ.
surélever [syrɛlve] *vt* to raise (the height of).
sûrement [syrmɑ̃] *adv* certainly; (*sans danger*) safely.
surenchère [syrɑ̃ʃɛr] *nf Com* higher bid; **s. électorale** *Fig* bidding for votes. ◆**surenchérir** *vi* to bid higher (**sur** than).
surestimer [syrɛstime] *vt* to overestimate; (*peinture etc*) to overvalue.
sûreté [syrte] *nf* safety; (*de l'état*) security; (*garantie*) surety; (*de geste*) sureness; (*de jugement*) soundness; **être en s.** to be safe; **mettre en s.** to put in a safe place; **de s.** (*épingle, soupape etc*) safety-.
surexcité [syrɛksite] *a* overexcited.
surf [sœrf] *nm Sp* surfing; **faire du s.** to surf, go surfing.
surface [syrfas] *nf* surface; (*dimensions*) (surface) area; **faire s.** (*sous-marin etc*) to surface; **(magasin à) grande s.** hypermarket.
surfait [syrfɛ] *a* overrated.
surgelé [syrʒəle] *a* (deep-)frozen; – *nmpl* (deep-)frozen foods.
surgir [syrʒir] *vi* to appear suddenly (**de** from); (*conflit, problème*) to arise.
surhomme [syrɔm] *nm* superman. ◆**surhumain** *a* superhuman.
sur-le-champ [syrləʃɑ̃] *adv* immediately.
surlendemain [syrlɑ̃dmɛ̃] *nm* **le s.** two days later; **le s. de** two days after.
surmen/er [syrməne] *vt*, **— se s.** *vpr* to overwork. ◆**—age** *nm* overwork.
surmonter [syrmɔ̃te] *vt* **1** (*obstacle, peur etc*) to overcome, get over. **2** (*être placé sur*) to be on top of, top.
surnager [syrnaʒe] *vi* to float.
surnaturel, -elle [syrnatyrɛl] *a & nm* supernatural.
surnom [syrnɔ̃] *nm* nickname. ◆**surnommer** *vt* to nickname.
surnombre [syrnɔ̃br] *nm* **en s.** too many; **je suis en s.** I am one too many.
surpasser [syrpɑse] *vt* to surpass (**en** in); **— se s.** *vpr* to surpass oneself.
surpeuplé [syrpœple] *a* overpopulated.
surplomb [syrplɔ̃] *nm* **en s.** overhanging. ◆**surplomber** *vti* to overhang.
surplus [syrply] *nm* surplus; *pl Com* surplus (stock).
surprendre* [syrprɑ̃dr] *vt* (*étonner, prendre sur le fait*) to surprise; (*secret*) to discover; (*conversation*) to overhear; **se s. à faire** to find oneself doing. ◆**surprenant** *a* surprising. ◆**surpris** *a* surprised (**de** at, **que** (+ *sub*) that). ◆**surprise** *nf* surprise. ◆**surprise-partie** *nf* (*pl* **surprises-parties**) party.
surréaliste [syrealist] *a* (*bizarre*) *Fam* surrealistic.
sursaut [syrso] *nm* (sudden) start *ou* jump; **en s.** with a start; **s. de** (*énergie etc*) burst of. ◆**sursauter** *vi* to start, jump.
sursis [syrsi] *nm Mil* deferment; (*répit*) *Fig* reprieve; **un an (de prison) avec s.** a one-year suspended sentence.
surtaxe [syrtaks] *nf* surcharge.
surtout [syrtu] *adv* especially; (*avant tout*) above all; **s. pas** certainly not; **s. que** especially as *ou* since.
surveill/er [syrveje] *vt* (*garder*) to watch, keep an eye on; (*épier*) to watch; (*contrôler*) to supervise; **s. son langage/sa santé** *Fig* to watch one's language/health; **— se s.** *vpr* to watch oneself. ◆**—ant, -ante** *nmf* (*de lycée*) supervisor (in charge of discipline); (*de prison*) warder; (*de chantier*) supervisor; **s. de plage** lifeguard. ◆**surveillance** *nf* watch (**sur** over); (*de travaux, d'ouvriers*) supervision; (*de la police*) surveillance, observation.
survenir* [syrvənir] *vi* to occur; (*personne*) to turn up.
survêtement [syrvɛtmɑ̃] *nm Sp* tracksuit.
survie [syrvi] *nf* survival. ◆**surviv/re*** *vi* to survive (**à qch** sth); **s. à qn** to outlive s.o., survive s.o. ◆**—ant, -ante** *nmf* survivor. ◆**survivance** *nf* (*chose*) survival, relic.
survol [syrvɔl] *nm* **le s. de** flying over; (*question*) *Fig* the overview of. ◆**survoler** *vt* (*en avion*) to fly over; (*question*) *Fig* to go over (quickly).
survolté [syrvɔlte] *a* (*surexcité*) worked up.
susceptible [sysɛptibl] *a* **1** (*ombrageux*) touchy, sensitive. **2 s. de** (*interprétations etc*) open to; **s. de faire** likely *ou* liable to do; (*capable*) able to do. ◆**susceptibilité** *nf* touchiness, sensitiveness.
susciter [sysite] *vt* (*sentiment*) to arouse; (*ennuis, obstacles etc*) to create.

suspect, -ecte [syspɛ(kt), -ɛkt] *a* suspicious, suspect; **s. de** suspected of; – *nmf* suspect. ◆**suspecter** *vt* to suspect (**de qch** of sth, **de faire** of doing); (*bonne foi etc*) to question, suspect, doubt.
suspend/re [syspɑ̃dr] *vt* **1** (*destituer, différer, interrompre*) to suspend. **2** (*fixer*) to hang (up) (**à** on); **se s. à** to hang from. ◆**—u** *a* **s. à** hanging from; **pont s.** suspension bridge. ◆**suspension** *nf* **1** (*d'hostilités, d'employé etc*) & *Aut* suspension; **points de s.** *Gram* dots, suspension points. **2** (*lustre*) hanging lamp.
suspens (en) [ɑ̃syspɑ̃] *adv* **1** (*affaire, travail*) in abeyance. **2** (*dans l'incertitude*) in suspense.
suspense [syspɛns] *nm* suspense; **film à s.** thriller, suspense film.
suspicion [syspisjɔ̃] *nf* suspicion.
susurrer [sysyre] *vti* to murmur.
suture [sytyr] *nf Méd* stitching; **point de s.** stitch. ◆**suturer** *vt* to stitch up.
svelte [svɛlt] *a* slender. ◆**sveltesse** *nf* slenderness.
SVP *abrév* (*s'il vous plaît*) please.
syllabe [silab] *nf* syllable.
symbole [sɛ̃bɔl] *nm* symbol. ◆**symbolique** *a* symbolic; (*salaire*) nominal. ◆**symboliser** *vt* to symbolize. ◆**symbolisme** *nm* symbolism.
symétrie [simetri] *nf* symmetry. ◆**symétrique** *a* symmetrical.
sympa [sɛ̃pa] *a inv Fam* = **sympathique.**
sympathie [sɛ̃pati] *nf* liking, affection; (*affinité*) affinity; (*condoléances*) sympathy; **avoir de la s. pour qn** to be fond of s.o. ◆**sympathique** *a* nice, pleasant; (*accueil, geste*) friendly. ◆**sympathis/er** *vi* to get on well (**avec** with). ◆**—ant, -ante** *nmf Pol* sympathizer.
symphonie [sɛ̃fɔni] *nf* symphony. ◆**symphonique** *a* symphonic; (*orchestre*) symphony-.
symposium [sɛ̃pozjɔm] *nm* symposium.
symptôme [sɛ̃ptom] *nm* symptom. ◆**symptomatique** *a* symptomatic (**de** of).
synagogue [sinagɔg] *nf* synagogue.
synchroniser [sɛ̃krɔnize] *vt* to synchronize.
syncope [sɛ̃kɔp] *nf Méd* blackout; **tomber en s.** to black out.
syndicat [sɛ̃dika] *nm* **1** (*d'employés, d'ouvriers*) (trade) union; (*de patrons etc*) association. **2 s. d'initiative** tourist (information) office. ◆**syndical, -aux** *a* (*réunion etc*) (trade) union-. ◆**syndicalisme** *nm* trade unionism. ◆**syndicaliste** *nmf* trade unionist; – *a* (trade) union-. ◆**syndiqu/er** *vt* to unionize; **— se s.** *vpr* (*adhérer*) to join a (trade) union. ◆**—é, -ée** *nmf* (trade) union member.
syndrome [sɛ̃drom] *nm Méd* & *Fig* syndrome.
synode [sinɔd] *nm Rel* synod.
synonyme [sinɔnim] *a* synonymous (**de** with); – *nm* synonym.
syntaxe [sɛ̃taks] *nf Gram* syntax.
synthèse [sɛ̃tɛz] *nf* synthesis. ◆**synthétique** *a* synthetic.
syphilis [sifilis] *nf* syphilis.
Syrie [siri] *nf* Syria. ◆**syrien, -ienne** *a* & *nmf* Syrian.
système [sistɛm] *nm* (*structure, réseau etc*) & *Anat* system; **le s. D** *Fam* resourcefulness. ◆**systématique** *a* systematic; (*soutien*) unconditional. ◆**systématiquement** *adv* systematically.

T

T, t [te] *nm* T, t.
t' [t] *voir* **te.**
ta [ta] *voir* **ton**[1].
tabac [taba] **1** *nm* tobacco; (*magasin*) tobacconist's (shop), *Am* tobacco store; **t. (à priser)** snuff. **2** *nm* **passer à t.** to beat up; **passage à t.** beating up. **3** *a inv* (*couleur*) buff. ◆**tabatière** *nf* (*boîte*) snuffbox.
tabasser [tabase] *vt Fam* to beat up.
table [tabl] *nf* **1** (*meuble*) table; (*nourriture*) fare; **t. de jeu/de nuit/d'opération** card/bedside/operating table; **t. basse** coffee table; **t. à repasser** ironing board; **t. roulante** (tea) trolley, *Am* (serving) cart; **mettre/débarrasser la t.** to lay *ou* set/clear the table; **être à t.** to be sitting at the table; **à t.!** (food's) ready!; **faire t. rase** *Fig* to make a clean sweep (**de** of); **mettre sur t. d'écoute** (*téléphone*) to tap. **2** (*liste*) table; **t. des matières** table of contents.
tableau, -x [tablo] *nm* **1** (*peinture*) picture, painting; (*image, description*) picture; *Th* scene; **t. de maître** (*peinture*) old master. **2** (*panneau*) board; *Rail* train-indicator;

(*liste*) list; (*graphique*) chart; **t. (noir)** (black)board; **t. d'affichage** notice board, *Am* bulletin board; **t. de bord** *Aut* dashboard; **t. de contrôle** *Tech* control panel.
tabler [table] *vi* **t. sur** to count *ou* rely on.
tablette [tablɛt] *nf* (*d'armoire, de lavabo*) shelf; (*de cheminée*) mantelpiece; (*de chocolat*) bar, slab.
tablier [tablije] *nm* **1** (*vêtement*) apron; (*d'écolier*) smock; **rendre son t.** (*démissionner*) to give notice. **2** (*de pont*) roadway.
tabou [tabu] *a & nm* taboo.
tabouret [taburɛ] *nm* stool.
tabulateur [tabylatœr] *nm* (*de machine à écrire etc*) tabulator.
tac [tak] *nm* **répondre du t. au t.** to give tit for tat.
tache [taʃ] *nf* spot, mark; (*salissure*) stain; **faire t.** (*détonner*) *Péj* to jar, stand out; **faire t. d'huile** *Fig* to spread. ◆**tacher** *vt*, **— se t.** *vpr* (*tissu etc*) to stain; – *vi* (*vin etc*) to stain. ◆**tacheté** *a* speckled, spotted.
tâche [taʃ] *nf* task, job; **travailler à la t.** to do piecework.
tâcher [taʃe] *vi* **t. de faire** to try *ou* endeavour to do.
tâcheron [taʃrɔ̃] *nm* drudge.
tacite [tasit] *a* tacit. ◆**—ment** *adv* tacitly.
taciturne [tasityrn] *a* taciturn.
tacot [tako] *nm* (*voiture*) *Fam* (old) wreck, banger.
tact [takt] *nm* tact.
tactile [taktil] *a* tactile.
tactique [taktik] *a* tactical; – *nf* **la t.** tactics; **une t.** a tactic.
Tahiti [taiti] *nm* Tahiti. ◆**tahitien, -ienne** [taisjɛ̃, -jɛn] *a* & *nmf* Tahitian.
taie [tɛ] *nf* **t. d'oreiller** pillowcase, pillowslip.
taillade [tɑjad] *nf* gash, slash. ◆**taillader** *vt* to gash, slash.
taille[1] [tɑj] *nf* **1** (*stature*) height; (*dimension, mesure commerciale*) size; **de haute t.** (*personne*) tall; **de petite t.** short; **de t. moyenne** (*objet, personne*) medium-sized; **être de t. à faire** *Fig* to be capable of doing; **de t.** (*erreur, objet*) *Fam* enormous. **2** *Anat* waist; **tour de t.** waist measurement.
taille[2] [tɑj] *nf* cutting; cutting out; trimming; pruning; (*forme*) cut. ◆**taill/er 1** *vt* to cut; (*vêtement*) to cut out; (*haie, barbe*) to trim; (*arbre*) to prune; (*crayon*) to sharpen. **2 se t.** *vpr* (*partir*) *Arg* to clear off. ◆**—é** *a* **t. en athlète/***etc* built like an athlete/*etc*; **t. pour faire** *Fig* cut out for doing.
taille-crayon(s) [tɑjkrɛjɔ̃] *nm inv* pencil-sharpener. ◆**t.-haies** *nm inv* (garden) shears; (*électrique*) hedge trimmer.
tailleur [tɑjœr] *nm* **1** (*personne*) tailor. **2** (*costume féminin*) suit.
taillis [taji] *nm* copse, coppice.
tain [tɛ̃] *nm* (*de glace*) silvering; **glace sans t.** two-way mirror.
taire* [tɛr] *vt* to say nothing about; – *vi* **faire t. qn** to silence s.o. **— se t.** *vpr* (*rester silencieux*) to keep quiet (**sur qch** about sth); (*cesser de parler*) to fall silent, shut up; **tais-toi!** be *ou* keep quiet!, shut up!
talc [talk] *nm* talcum powder.
talent [talɑ̃] *nm* talent; **avoir du t. pour** to have a talent for. ◆**talentueux, -euse** *a* talented.
taler [tale] *vt* (*fruit*) to bruise.
talion [taljɔ̃] *nm* **la loi du t.** (*vengeance*) an eye for an eye.
talisman [talismɑ̃] *nm* talisman.
talkie-walkie [talkiwalki] *nm* (*poste*) walkie-talkie.
taloche [talɔʃ] *nf* (*gifle*) *Fam* clout, smack.
talon [talɔ̃] *nm* **1** heel; **(chaussures à) talons hauts** high heels, high-heeled shoes. **2** (*de chèque, carnet*) stub, counterfoil; (*bout de pain*) crust; (*de jambon*) heel. ◆**talonner** *vt* (*fugitif etc*) to follow on the heels of; (*ballon*) *Rugby* to heel; (*harceler*) *Fig* to hound, dog.
talus [taly] *nm* slope, embankment.
tambour [tɑ̃bur] *nm* **1** (*de machine etc*) & *Mus* drum; (*personne*) drummer. **2** (*porte*) revolving door. ◆**tambourin** *nm* tambourine. ◆**tambouriner** *vi* (*avec les doigts etc*) to drum (**sur** on).
tamis [tami] *nm* sieve. ◆**tamiser** *vt* to sift; (*lumière*) to filter, subdue.
Tamise [tamiz] *nf* **la T.** the Thames.
tampon [tɑ̃pɔ̃] *nm* **1** (*bouchon*) plug, stopper; (*d'ouate*) wad, pad; *Méd* swab; **t. hygiénique** *ou* **périodique** tampon; **t. à récurer** scouring pad. **2** (*de train etc*) & *Fig* buffer; **état t.** buffer state. **3** (*marque, instrument*) stamp; **t. buvard** blotter; **t. encreur** ink(ing) pad. ◆**tamponn/er 1** *vt* (*visage etc*) to dab; (*plaie*) to swab. **2** *vt* (*train, voiture*) to crash into; **— se t.** *vpr* to crash into each other. **3** *vt* (*lettre, document*) to stamp. ◆**—euses** *afpl* **autos t.** dodgems, bumper cars.
tam-tam [tamtam] *nm* (*tambour*) tom-tom.
tandem [tɑ̃dɛm] *nm* **1** (*bicyclette*) tandem. **2** (*duo*) *Fig* duo, pair; **en t.** (*travailler etc*) in tandem.
tandis que [tɑ̃dik(ə)] *conj* (*pendant que*) while; (*contraste*) whereas, while.
tangent [tɑ̃ʒɑ̃] *a* **1** *Géom* tangential (**à** to).

2 (*juste*) *Fam* touch and go, close. ◆**tangente** *nf Géom* tangent.

tangible [tɑ̃ʒibl] *a* tangible.

tango [tɑ̃go] *nm* tango.

tang/uer [tɑ̃ge] *vi* (*bateau, avion*) to pitch. ◆**—age** *nm* pitching.

tanière [tanjɛr] *nf* den, lair.

tank [tɑ̃k] *nm Mil* tank.

tanker [tɑ̃kɛr] *nm* (*navire*) tanker.

tann/er [tane] *vt* (*cuir*) to tan. ◆**—é** *a* (*visage*) weather-beaten, tanned.

tant [tɑ̃] *adv* so much (**que** that); **t. de** (*pain, temps etc*) so much (**que** that); (*gens, choses etc*) so many (**que** that); **t. de fois** so often, so many times; **t. que** (*autant que*) as much as; (*aussi fort que*) as hard as; (*aussi longtemps que*) as long as; **en t. que** (*considéré comme*) as; **t. mieux!** good!, I'm glad!; **t. pis!** too bad!, pity!; **t. soit peu** (even) remotely *ou* slightly; **un t. soit peu** somewhat; **t. s'en faut** far from it; **t. bien que mal** more or less, so-so.

tante [tɑ̃t] *nf* aunt.

tantinet [tɑ̃tinɛ] *nm & adv* **un t.** a tiny bit (**de** of).

tantôt [tɑ̃to] *adv* **1 t. . . . t.** sometimes . . . sometimes, now . . . now. **2** (*cet après-midi*) this afternoon.

taon [tɑ̃] *nm* horsefly, gadfly.

tapage [tapaʒ] *nm* din, uproar. ◆**tapageur, -euse** *a* **1** (*bruyant*) rowdy. **2** (*criard*) flashy.

tape [tap] *nf* slap. ◆**tap/er 1** *vt* (*enfant, cuisse*) to slap; (*table*) to bang; **t. qn** (*emprunter de l'argent à qn*) *Fam* to touch s.o., tap s.o. (**de** for); – *vi* (*soleil*) to beat down; **t. sur qch** to bang on sth; **t. à la porte** to bang on the door; **t. sur qn** (*critiquer*) *Fam* to run s.o. down, knock s.o.; **t. sur les nerfs de qn** *Fam* to get on s.o.'s nerves; **t. dans** (*provisions etc*) to dig into; **t. du pied** to stamp one's foot; **t. dans l'œil à qn** *Fam* to take s.o.'s fancy; **— se t.** *vpr* (*travail*) *Fam* to do, take on; (*repas, vin*) *Fam* to put away. **2** *vti* (*écrire à la machine*) to type. ◆**—ant** *a* **à midi t.** at twelve sharp; **à huit heures tapant(es)** at eight sharp. ◆**—eur, -euse** *nmf Fam* person who borrows money.

tape-à-l'œil [tapalœj] *a inv* flashy, gaudy.

tapée [tape] *nf* **une t. de** *Fam* a load of.

tapioca [tapjɔka] *nm* tapioca.

tapir (se) [sətapir] *vpr* to crouch (down). ◆**tapi** *a* crouching, crouched.

tapis [tapi] *nm* carpet; **t. de bain** bathmat; **t. roulant** (*pour marchandises*) conveyor belt; (*pour personnes*) moving pavement *ou Am* sidewalk; **t. de sol** groundsheet; **t. de table** table cover; **envoyer qn au t.** (*abattre*) to floor s.o.; **mettre sur le t.** (*sujet*) to bring up for discussion. ◆**t.-brosse** *nm* doormat.

tapisser [tapise] *vt* (*mur*) to (wall)paper; to hang with tapestry; (*recouvrir*) *Fig* to cover. ◆**tapisserie** *nf* (*tenture*) tapestry; (*papier peint*) wallpaper. ◆**tapissier, -ière** *nmf* (*qui pose des tissus etc*) upholsterer; **t.(-décorateur)** interior decorator.

tapoter [tapɔte] *vt* to tap; (*joue*) to pat; – *vi* **t. sur** to tap (on).

taquin, -ine [takɛ̃, -in] *a* (fond of) teasing; – *nmf* tease(r). ◆**taquiner** *vt* to tease; (*inquiéter, agacer*) to bother. ◆**taquinerie(s)** *nf(pl)* teasing.

tarabiscoté [tarabiskɔte] *a* over-elaborate.

tarabuster [tarabyste] *vt* (*idée etc*) to trouble (*s.o.*).

tard [tar] *adv* late; **plus t.** later (on); **au plus t.** at the latest; **sur le t.** late in life. ◆**tarder** *vi* (*lettre, saison*) to be a long time coming; **t. à faire** to take one's time doing; (*différer*) to delay (in) doing; **ne tardez pas** (*agissez tout de suite*) don't delay; **elle ne va pas t.** she won't be long; **sans t.** without delay; **il me tarde de faire** I long to do. ◆**tardif, -ive** *a* late; (*regrets*) belated. ◆**tardivement** *adv* late.

tare [tar] *nf* **1** (*poids*) tare. **2** (*défaut*) *Fig* defect. ◆**taré** *a* (*corrompu*) corrupt; *Méd* defective; (*fou*) *Fam* mad, idiotic.

targuer (se) [sətarge] *vpr* **se t. de qch/de faire** to boast about sth/about doing.

tarif [tarif] *nm* (*prix*) rate; *Aut Rail* fare; (*tableau*) price list, tariff. ◆**tarification** *nf* (price) fixing.

tarir [tarir] *vti*, **— se t.** *vpr* (*fleuve etc*) & *Fig* to dry up; **ne pas t. d'éloges sur qn** to rave about s.o.

tartare [tartar] *a* **sauce t.** tartar sauce.

tarte [tart] **1** *nf* tart, flan, *Am* (open) pie. **2** *a inv Fam* (*sot*) silly; (*laid*) ugly. ◆**tartelette** *nf* (small) tart.

tartine [tartin] *nf* slice of bread; **t. (de beurre/de confiture)** slice of bread and butter/jam. ◆**tartiner** *vt* (*beurre*) to spread; **fromage à t.** cheese spread.

tartre [tartr] *nm* (*de bouilloire*) scale, fur; (*de dents*) tartar.

tas [tɑ] *nm* pile, heap; **un** *ou* **des t. de** (*beaucoup*) *Fam* lots of; **mettre en t.** to pile *ou* heap up; **former qn sur le t.** (*au travail*) to train s.o. on the job.

tasse [tas] *nf* cup; **t. à café** coffee cup; **t. à thé** teacup; **boire la t.** *Fam* to swallow a mouthful (*when swimming*).

tasser [tase] *vt* to pack, squeeze (**dans** into); (*terre*) to pack down; **un café/***etc* **bien tassé** (*fort*) a good strong coffee/*etc*; **— se t.** *vpr* (*se voûter*) to become bowed; (*se serrer*) to squeeze up; (*sol*) to sink, collapse; **ça va se t.** (*s'arranger*) *Fam* things will pan out (all right).
tâter [tate] *vt* to feel; (*sonder*) *Fig* to sound out; – *vi* **t. de** (*métier, prison*) to have a taste of, experience; **— se t.** *vpr* (*hésiter*) to be in *ou* of two minds. ◆**tâtonn/er** *vi* to grope about, feel one's way. ◆**—ement** *nm* **par t.** (*procéder*) by trial and error. ◆**tâtons (à)** *adv* **avancer à t.** to feel one's way (along); **chercher à t.** to grope for.
tatillon, -onne [tatijɔ, -ɔn] *a* finicky.
tatou/er [tatwe] *vt* (*corps, dessin*) to tattoo. ◆**—age** *nm* (*dessin*) tattoo; (*action*) tattooing.
taudis [todi] *nm* slum, hovel.
taule [tol] *nf* (*prison*) *Fam* nick, jug, *Am* can.
taupe [top] *nf* (*animal, espion*) mole. ◆**taupinière** *nf* molehill.
taureau, -x [tɔro] *nm* bull; **le T.** (*signe*) Taurus. ◆**tauromachie** *nf* bull-fighting.
taux [to] *nm* rate; **t. d'alcool/de cholestérol/***etc* alcohol/cholesterol/*etc* level.
taverne [tavɛrn] *nf* tavern.
taxe [taks] *nf* (*prix*) official price; (*impôt*) tax; (*douanière*) duty; **t. de séjour** tourist tax; **t. à la valeur ajoutée** value-added tax. ◆**taxation** *nf* fixing of the price (**de** of); taxation (**de** of). ◆**taxer** *vt* **1** (*produit*) to fix the price of; (*objet de luxe etc*) to tax. **2 t. qn de** to accuse s.o. of.
taxi [taksi] *nm* taxi.
taxiphone [taksifɔn] *nm* pay phone.
Tchécoslovaquie [tʃekɔslɔvaki] *nf* Czechoslovakia. ◆**tchèque** *a & nmf* Czech; – *nm* (*langue*) Czech.
te [t(ə)] (**t'** *before vowel or mute h*) *pron* **1** (*complément direct*) you; **je te vois** I see you. **2** (*indirect*) (to) you; **il te parle** he speaks to you; **elle te l'a dit** she told you. **3** (*réfléchi*) yourself; **tu te laves** you wash yourself.
technicien, -ienne [tɛknisjɛ̃, -jɛn] *nmf* technician. ◆**technique** *a* technical; – *nf* technique. ◆**techniquement** *adv* technically. ◆**technocrate** *nm* technocrat. ◆**technologie** *nf* technology. ◆**technologique** *a* technological.
teck [tɛk] *nm* (*bois*) teak.
teckel [tekɛl] *nm* (*chien*) dachshund.
tee-shirt [tiʃœrt] *nm* tee-shirt.
teindre* [tɛ̃dr] *vt* to dye; **— se t.** *vpr* to dye one's hair. ◆**teinture** *nf* dyeing; (*produit*) dye. ◆**teinturerie** *nf* (*boutique*) (dry) cleaner's. ◆**teinturier, -ière** *nmf* dry cleaner.
teint [tɛ̃] *nm* **1** (*de visage*) complexion. **2 bon** *ou* **grand t.** (*tissu*) colourfast; **bon t.** (*catholique etc*) *Fig* staunch.
teinte [tɛ̃t] *nf* shade, tint; **une t. de** (*dose*) *Fig* a tinge of. ◆**teinter** *vt* to tint; (*bois*) to stain; **se t. de** (*remarque, ciel*) *Fig* to be tinged with.
tel, telle [tɛl] *a* such; **un t. homme/livre/***etc* such a man/book/*etc*; **un t. intérêt/***etc* such interest/*etc*; **de tels mots/***etc* such words/*etc*; **t. que** such as, like; **t. que je l'ai laissé** just as I left it; **laissez-le t. quel** leave it just as it is; **en tant que t., comme t.** as such; **t. ou t.** such and such; **rien de t. que** . . . (there's) nothing like . . . ; **rien de t.** nothing like it; **Monsieur Un t.** Mr So-and-so; **t. père t. fils** like father like son.
télé [tele] *nf* (*téléviseur*) *Fam* TV, telly; **à la t.** on TV, on the telly; **regarder la t.** to watch TV *ou* the telly.
télé- [tele] *préf* tele-.
télébenne [telebɛn] *nf*, **télécabine** [telekabin] *nf* (*cabine, système*) cable car.
télécommande [telekɔmɑ̃d] *nf* remote control. ◆**télécommander** *vt* to operate by remote control.
télécommunications [telekɔmynikɑsjɔ̃] *nfpl* telecommunications.
téléfilm [telefilm] *nm* TV film.
télégramme [telegram] *nm* telegram.
télégraphe [telegraf] *nm* telegraph. ◆**télégraphie** *nf* telegraphy. ◆**télégraphier** *vt* (*message*) to wire, cable (**que** that). ◆**télégraphique** *a* (*fil, poteau*) telegraph-; (*style*) *Fig* telegraphic. ◆**télégraphiste** *nm* (*messager*) telegraph boy.
téléguid/er [telegide] *vt* to radio-control. ◆**—age** *nm* radio-control.
télématique [telematik] *nf* telematics, computer communications.
télépathie [telepati] *nf* telepathy.
téléphérique [teleferik] *nm* (*système*) cable car, cableway.
téléphone [telefɔn] *nm* (tele)phone; **coup de t.** (phone) call; **passer un coup de t. à qn** to give s.o. a call *ou* a ring; **au t.** on the (tele)phone; **avoir le t.** to be on the (tele)phone; **par le t. arabe** *Fig* on the grapevine. ◆**téléphoner** *vt* (*nouvelle etc*) to (tele)phone (**à** to); – *vi* to (tele)phone; **t. à qn** to (tele)phone s.o., call s.o. (up). ◆**téléphonique** *a* (*appel etc*) (tele)phone-. ◆**téléphoniste** *nmf* operator, telephonist.

télescope [teleskɔp] *nm* telescope. ◆**télescopique** *a* telescopic.

télescop/er [teleskɔpe] *vt Aut Rail* to smash into; **se t.** to smash into each other. ◆**—age** *nm* smash.

téléscripteur [teleskriptœr] *nm* (*appareil*) teleprinter.

télésiège [telesjɛʒ] *nm* chair lift.

téléski [teleski] *nm* ski tow.

téléspectateur, -trice [telespɛktatœr, -tris] *nmf* (television) viewer.

téléviser [televise] *vt* to televise; **journal télévisé** television news. ◆**téléviseur** *nm* television (set). ◆**télévision** *nf* television; **à la t.** on (the) television; **regarder la t.** to watch (the) television; **de t.** (*programme etc*) television-.

télex [telɛks] *nm* (*service, message*) telex.

telle [tɛl] *voir* **tel.**

tellement [tɛlmɑ̃] *adv* (*si*) so; (*tant*) so much; **t. grand/***etc* **que** so big/*etc* that; **crier/***etc* **t. que** to shout/*etc* so much that; **t. de** (*travail etc*) so much; (*soucis etc*) so many; **personne ne peut le supporter, t. il est bavard** nobody can stand him, he's so talkative; **tu aimes ça? - pas t.** do you like it? - not much *ou* a lot.

téméraire [temerɛr] *a* rash, reckless. ◆**témérité** *nf* rashness, recklessness.

témoign/er [temwaɲe] **1** *vi Jur* to testify (**contre** against); **t. de qch** (*personne, attitude etc*) to testify to sth; – *vt* **t. que** *Jur* to testify that. **2** *vt* (*gratitude etc*) to show (**à qn** (to) s.o.). ◆**—age** *nm* **1** testimony, evidence; (*récit*) account; **faux t.** (*délit*) *Jur* perjury. **2** (*d'affection etc*) *Fig* token, sign (**de** of); **en t. de** as a token *ou* sign of.

témoin [temwɛ̃] **1** *nm* witness; **t. oculaire** eyewitness; **être t. de** (*accident etc*) to witness; – *a* **appartement t.** show flat *ou Am* apartment. **2** *nm Sp* baton.

tempe [tɑ̃p] *nf Anat* temple.

tempérament [tɑ̃peramɑ̃] *nm* **1** (*caractère*) temperament; (*physique*) constitution. **2** **acheter à t.** to buy on hire purchase *ou Am* on the installment plan.

tempérance [tɑ̃perɑ̃s] *nf* temperance.

température [tɑ̃peratyr] *nf* temperature; **avoir** *ou* **faire de la t.** *Méd* to have a temperature.

tempér/er [tɑ̃pere] *vt Litt* to temper. ◆**—é** *a* (*climat, zone*) temperate.

tempête [tɑ̃pɛt] *nf* storm; **t. de neige** snowstorm, blizzard.

tempêter [tɑ̃pete] *vi* (*crier*) to storm, rage (**contre** against).

temple [tɑ̃pl] *nm Rel* temple; (*protestant*) church.

tempo [tɛmpo] *nm* tempo.

temporaire [tɑ̃pɔrɛr] *a* temporary. ◆**—ment** *adv* temporarily.

temporel, -elle [tɑ̃pɔrɛl] *a* temporal.

temporiser [tɑ̃pɔrize] *vi* to procrastinate, play for time.

temps[1] [tɑ̃] *nm* (*durée, période, moment*) time; *Gram* tense; (*étape*) stage; **t. d'arrêt** pause, break; **en t. de guerre** in time of war, in wartime; **avoir/trouver le t.** to have/find (the) time (**de faire** to do); **il est t.** it is time (**de faire** to do); **il était t.!** it was about time (too)!; **pendant un t.** for a while *ou* time; **ces derniers t.** lately; **de t. en t.** [dətɑ̃zɑ̃tɑ̃], **de t. à autre** [dətɑ̃zaotr] from time to time, now and again; **en t. utile** [ɑ̃tɑ̃zytil] in good *ou* due time; **en même t.** at the same time (**que** as); **à t.** (*arriver*) in time; **à plein t.** (*travailler etc*) full-time; **à t. partiel** (*travailler etc*) part-time; **dans le t.** (*autrefois*) once, at one time; **avec le t.** (*à la longue*) in time; **tout le t.** all the time; **du t. de** in the time of; **de mon t.** in my time; **à quatre t.** (*moteur*) four-stroke.

temps[2] [tɑ̃] *nm* (*atmosphérique*) weather; **il fait beau/mauvais t.** the weather's fine/bad; **quel t. fait-il?** what's the weather like?

tenable [tənabl] *a* bearable.

tenace [tənas] *a* stubborn, tenacious. ◆**ténacité** *nf* stubbornness, tenacity.

tenailler [tənaje] *vt* (*faim, remords*) to rack, torture (*s.o.*).

tenailles [tənaj] *nfpl* (*outil*) pincers.

tenancier, -ière [tənɑ̃sje, -jɛr] *nmf* (*d'hôtel etc*) manager, manageress.

tenant, -ante [tənɑ̃, -ɑ̃t] *nmf* (*de titre*) *Sp* holder. **2** *nm* (*partisan*) supporter (**de** of).

tenants [tənɑ̃] *nmpl* **les t. et les aboutissants** (*d'une question etc*) the ins and outs (**de** of).

tendance [tɑ̃dɑ̃s] *nf* (*penchant*) tendency; (*évolution*) trend (**à** towards); **avoir t. à faire** to have a tendency to do, tend to do.

tendancieux, -euse [tɑ̃dɑ̃sjø, -øz] *a Péj* tendentious.

tendeur [tɑ̃dœr] *nm* (*pour arrimer des bagages*) elastic strap.

tendon [tɑ̃dɔ̃] *nm Anat* tendon, sinew.

tend/re[1] [tɑ̃dr] **1** *vt* to stretch; (*main*) to hold out (**à qn** to s.o.); (*bras, jambe*) to stretch out; (*cou*) to strain, crane; (*muscle*) to tense, flex; (*arc*) to bend; (*piège*) to lay, set; (*filet*) to spread; (*tapisserie*) to hang; **t. qch à qn** to hold out sth to s.o.; **t. l'oreille** *Fig* to prick up one's ears; **— se t.** *vpr* (*rap-*

ports) to become strained. **2** *vi* **t. à qch/à faire** to tend towards sth/to do. ◆**—u** *a* (*corde*) tight, taut; (*personne, situation*) tense; (*rapports*) strained; (*main*) outstretched.

tendre² [tɑ̃dr] *a* **1** (*viande*) tender; (*peau*) delicate, tender; (*bois, couleur*) soft. **2** (*affectueux*) loving, tender. ◆**—ment** [-əmɑ̃] *adv* lovingly, tenderly. ◆**tendresse** *nf* (*affection*) affection, tenderness. ◆**tendreté** *nf* (*de viande*) tenderness.

ténèbres [tenɛbr] *nfpl* darkness, gloom. ◆**ténébreux, -euse** *a* dark, gloomy; (*mystérieux*) mysterious.

teneur [tənœr] *nf* (*de lettre etc*) content; **t. en alcool/***etc* alcohol/*etc* content (**de** of).

tenir* [tənir] *vt* (*à la main etc*) to hold; (*pari, promesse*) to keep; (*hôtel*) to run, keep; (*comptes*) *Com* to keep; (*propos*) to utter; (*rôle*) to play; **t. propre/chaud/***etc* to keep clean/hot/*etc*; **je le tiens!** (*je l'ai attrapé*) I've got him!; **je le tiens de** (*fait etc*) I got it from; (*caractère héréditaire*) I get it from; **t. pour** to regard as; **t. sa droite** *Aut* to keep to the right; **t. la route** (*voiture*) to hold the road; – *vi* (*nœud etc*) to hold; (*coiffure, neige*) to last, hold; (*offre*) to stand; (*résister*) to hold out; **t. à** (*personne, jouet etc*) to be attached to, be fond of; (*la vie*) to value; (*provenir*) to stem from; **t. à faire** to be anxious to do; **t. dans qch** (*être contenu*) to fit into sth; **t. de qn** to take after s.o.; **tenez!** (*prenez*) here (you are)!; **tiens!** (*surprise*) hey!, well!; – *v imp* **il ne tient qu'à vous** it's up to you (**de faire** to do); **— se t.** *vpr* (*rester*) to keep, remain; (*avoir lieu*) to be held; **se t. (debout)** to stand (up); **se t. droit** to stand up *ou* sit up straight; **se t. par la main** to hold hands; **se t. à** to hold on to; **se t. bien** to behave oneself; **tout se tient** *Fig* it all hangs together; **s'en t. à** (*se limiter à*) to stick to; **savoir à quoi s'en t.** to know what's what.

tennis [tenis] *nm* tennis; (*terrain*) (tennis) court; **t. de table** table tennis; – *nfpl* (*chaussures*) plimsolls, pumps, *Am* sneakers.

ténor [tenɔr] *nm Mus* tenor.

tension [tɑ̃sjɔ̃] *nf* tension; **t. (artérielle)** blood pressure; **t. d'esprit** concentration; **avoir de la t.** *Méd* to have high blood pressure.

tentacule [tɑ̃takyl] *nm* tentacle.

tente [tɑ̃t] *nf* tent.

tenter¹ [tɑ̃te] *vt* (*essayer*) to try; **t. de faire** to try *ou* attempt to do. ◆**tentative** *nf* attempt; **t. de suicide** suicide attempt.

tent/er² [tɑ̃te] *vt* (*allécher*) to tempt; **tenté de faire** tempted to do. ◆**—ant** *a* tempting. ◆**tentation** *nf* temptation.

tenture [tɑ̃tyr] *nf* (wall) hanging; (*de porte*) drape, curtain.

tenu [təny] *voir* **tenir;** – *a* **t. de faire** obliged to do; **bien/mal t.** (*maison etc*) well/badly kept.

ténu [teny] *a* (*fil etc*) fine; (*soupçon, différence*) tenuous; (*voix*) thin.

tenue [təny] *nf* **1** (*vêtements*) clothes, outfit; (*aspect*) appearance; **t. de combat** *Mil* combat dress; **t. de soirée** (*smoking*) evening dress. **2** (*conduite*) (good) behaviour; (*maintien*) posture; **manquer de t.** to lack (good) manners. **3** (*de maison, hôtel*) running; (*de comptes*) *Com* keeping. **4 t. de route** *Aut* road-holding.

ter [tɛr] *a* **4 t.** (*numéro*) 4B.

térébenthine [terebɑ̃tin] *nf* turpentine.

tergal® [tɛrgal] *nm* Terylene®, *Am* Dacron®.

tergiverser [tɛrʒivɛrse] *vi* to procrastinate.

terme [tɛrm] *nm* **1** (*mot*) term. **2** (*loyer*) rent; (*jour*) rent day; (*période*) rental period. **3** (*date limite*) time (limit), date; (*fin*) end; **mettre un t. à** to put an end to; **à court/long t.** (*projet etc*) short-/long-term; **être né avant/à t.** to be born prematurely/at (full) term. **4 moyen t.** (*solution*) middle course. **5 en bons/mauvais termes** on good/bad terms (**avec qn** with s.o.).

terminer [tɛrmine] *vt* (*achever*) to finish, complete; (*lettre, phrase, débat, soirée*) to end; **— se t.** *vpr* to end (**par** with, **en** in). ◆**terminaison** *nf Gram* ending. ◆**terminal, -aux 1** *a* final; (*phase*) *Méd* terminal; – *a* & *nf* **(classe) terminale** *Scol* = sixth form, *Am* = twelfth grade. **2** *nm* (*d'ordinateur, pétrolier*) terminal.

terminologie [tɛrminɔlɔʒi] *nf* terminology.

terminus [tɛrminys] *nm* terminus.

termite [tɛrmit] *nm* (*insecte*) termite.

terne [tɛrn] *a* (*couleur, journée etc*) dull, drab; (*personne*) dull. ◆**ternir** *vt* (*métal, réputation*) to tarnish; (*miroir, meuble*) to dull; **— se t.** *vpr* (*métal*) to tarnish.

terrain [tɛrɛ̃] *nm* (*sol*) & *Fig* ground; (*étendue*) land; *Mil Géol* terrain; (*à bâtir*) plot, site; **un t.** a piece of land; **t. d'aviation** airfield; **t. de camping** campsite; **t. de football/rugby** football/rugby pitch; **t. de golf** golf course; **t. de jeu** playground; **t. de sport** sports ground, playing field; **t. vague** waste ground, *Am* vacant lot; **céder/gagner/perdre du t.** *Mil* & *Fig* to give/

lose ground; **tout t., tous terrains** (*véhicule*) all-purpose.

terrasse [tɛras] *nf* **1** terrace; (*toit*) terrace (roof). **2** (*de café*) pavement *ou Am* sidewalk area; **à la t.** outside.

terrassement [tɛrasmɑ̃] *nm* (*travail*) excavation.

terrasser [tɛrase] *vt* (*adversaire*) to floor, knock down; (*accabler*) *Fig* to overcome.

terrassier [tɛrasje] *nm* labourer, navvy.

terre [tɛr] *nf* (*matière*) earth; (*sol*) ground; (*opposé à mer, étendue*) land; *pl* (*domaine*) land, estate; *Él* earth, *Am* ground; **la t.** (*le monde*) the earth; **la T.** (*planète*) Earth; **à** *ou* **par t.** (*poser, tomber*) to the ground; **par t.** (*assis, couché*) on the ground; **aller à t.** *Nau* to go ashore; **sous t.** underground; **t. cuite** (baked) clay, earthenware; **en t. cuite** (*poterie*) clay-. ◆**t.-à-terre** *a inv* down-to-earth. ◆**t.-plein** *nm* (earth) platform; (*au milieu de la route*) central reservation, *Am* median strip. ◆**terrestre** *a* (*vie, joies*) earthly; (*animaux, transport*) land-; **la surface t.** the earth's surface; **globe t.** (terrestrial) globe. ◆**terreux, -euse** *a* (*goût*) earthy; (*sale*) grubby; (*couleur*) dull; (*teint*) ashen. ◆**terrien, -ienne** *a* land-owning; **propriétaire t.** landowner; – *nmf* (*habitant de la terre*) earth dweller, earthling.

terreau [tɛro] *nm* compost.

terrer (se) [sətere] *vpr* (*fugitif, animal*) to hide, go to ground *ou* earth.

terreur [tɛrœr] *nf* terror; **t. de** fear of. ◆**terrible** *a* terrible; (*formidable*) *Fam* terrific. ◆**terriblement** *adv* (*extrêmement*) terribly. ◆**terrifi/er** *vt* to terrify. ◆**—ant** *a* terrifying; (*extraordinaire*) incredible.

terrier [tɛrje] *nm* **1** (*de lapin etc*) burrow. **2** (*chien*) terrier.

terrine [tɛrin] *nf* (*récipient*) *Culin* terrine; (*pâté*) pâté.

territoire [tɛritwar] *nm* territory. ◆**territorial, -aux** *a* territorial.

terroir [tɛrwar] *nm* (*sol*) soil; (*région*) region; **du t.** (*accent etc*) rural.

terroriser [tɛrɔrize] *vt* to terrorize. ◆**terrorisme** *nm* terrorism. ◆**terroriste** *a* & *nmf* terrorist.

tertiaire [tɛrsjɛr] *a* tertiary.

tertre [tɛrtr] *nm* hillock, mound.

tes [te] *voir* **ton** [1].

tesson [tesɔ̃] *nm* **t. de bouteille** piece of broken bottle.

test [tɛst] *nm* test. ◆**tester** *vt* (*élève, produit*) to test.

testament [tɛstamɑ̃] *nm* **1** *Jur* will; (*œuvre*) *Fig* testament. **2 Ancien/Nouveau T.** *Rel* Old/New Testament.

testicule [tɛstikyl] *nm Anat* testicle.

tétanos [tetanos] *nm Méd* tetanus.

têtard [tɛtar] *nm* tadpole.

tête [tɛt] *nf* head; (*figure*) face; (*cheveux*) (head of) hair; (*cerveau*) brain; (*cime*) top; (*de clou, cortège, lit*) head; (*de page, liste*) top, head; (*coup*) *Fb* header; **t. nucléaire** nuclear warhead; **tenir t. à** (*s'opposer à*) to stand up to; **t. nue** bare-headed; **tu n'as pas de t.!** you're a scatterbrain!; **faire la t.** (*bouder*) to sulk; **faire une t.** *Fb* to head the ball; **avoir/faire une drôle de t.** to have/give a funny look; **perdre la t.** *Fig* to lose one's head; **tomber la t. la première** to fall headlong *ou* head first; **calculer qch de t.** to work sth out in one's head; **se mettre dans la t. de faire** to get it into one's head to do; **à t. reposée** at one's leisure; **à la t. de** (*entreprise, parti*) at the head of; (*classe*) *Scol* at the top of; **de la t. aux pieds** from head *ou* top to toe; **en t.** *Sp* in the lead. ◆**t.-à-queue** *nm inv* **faire un t.-à-queue** *Aut* to spin right round. ◆**t.-à-tête** *adv* **(en) t.-à-tête** (*seul*) in private, alone together; – *nm inv* tête-à-tête. ◆**t.-bêche** *adv* head to tail.

tét/er [tete] *vt* (*lait, biberon etc*) to suck; **t. sa mère** (*bébé*) to suck, feed; – *vi* **donner à t. à** to feed, suckle. ◆**—ée** *nf* (*de bébé*) feed. ◆**tétine** *nf* **1** (*de biberon*) teat, *Am* nipple; (*sucette*) dummy, *Am* pacifier. **2** (*de vache*) udder. ◆**téton** *nm Fam* breast.

têtu [tety] *a* stubborn, obstinate.

texte [tɛkst] *nm* text; *Th* lines, text; (*de devoir*) *Scol* subject; (*morceau choisi*) *Littér* passage. ◆**textuel, -elle** *a* (*traduction*) literal.

textile [tɛkstil] *a* & *nm* textile.

texture [tɛkstyr] *nf* texture.

TGV [teʒeve] *abrév* = **train à grande vitesse.**

Thaïlande [tailɑ̃d] *nf* Thailand. ◆**thaïlandais, -aise** *a* & *nmf* Thai.

thé [te] *nm* (*boisson, réunion*) tea. ◆**théière** *nf* teapot.

théâtre [teatr] *nm* (*art, lieu*) theatre; (*œuvres*) drama; (*d'un crime*) *Fig* scene; (*des opérations*) *Mil* theatre; **faire du t.** to act. ◆**théâtral, -aux** *a* theatrical.

thème [tɛm] *nm* theme; (*traduction*) *Scol* translation, prose.

théologie [teɔlɔʒi] *nf* theology. ◆**théologien** *nm* theologian. ◆**théologique** *a* theological.

théorème [teɔrɛm] *nm* theorem.

théorie [teɔri] *nf* theory; **en t.** in theory.

◆**théoricien, -ienne** *nmf* theorist, theoretician. ◆**théorique** *a* theoretical. ◆**théoriquement** *adv* theoretically.
thérapeutique [terapøtik] *a* therapeutic; – *nf* (*traitement*) therapy. ◆**thérapie** *nf Psy* therapy.
thermal, -aux [tɛrmal, -o] *a* **station thermale** spa; **eaux thermales** hot springs.
thermique [tɛrmik] *a* (*énergie, unité*) thermal.
thermomètre [tɛrmɔmɛtr] *nm* thermometer.
thermonucléaire [tɛrmɔnykleɛr] *a* thermonuclear.
thermos® [tɛrmɔs] *nm ou f* Thermos (flask)®, vacuum flask.
thermostat [tɛrmɔsta] *nm* thermostat.
thèse [tɛz] *nf* (*proposition, ouvrage*) thesis.
thon [tɔ̃] *nm* tuna (fish).
thorax [tɔraks] *nm Anat* thorax.
thym [tɛ̃] *nm Bot Culin* thyme.
thyroïde [tirɔid] *a & nf Anat* thyroid.
tibia [tibja] *nm* shin bone, tibia.
tic [tik] *nm* (*contraction*) tic, twitch; (*manie*) *Fig* mannerism.
ticket [tikɛ] *nm* ticket; **t. de quai** *Rail* platform ticket.
tic(-)tac [tiktak] *int & nm inv* tick-tock.
tiède [tjɛd] *a* (luke)warm, tepid; (*climat, vent*) mild; (*accueil, partisan*) half-hearted. ◆**tiédeur** *nf* (luke)warmness, tepidness; mildness; half-heartedness. ◆**tiédir** *vt* to cool (down); (*chauffer*) to warm (up); – *vi* to cool (down); to warm up.
tien, tienne [tjɛ̃, tjɛn] *pron poss* **le t., la tienne, les tien(ne)s** yours; **les deux tiens** your two; – *nmpl* **les tiens** (*amis etc*) your (own) people.
tiens, tient [tjɛ̃] *voir* **tenir.**
tiercé [tjɛrse] *nm* (*pari*) place betting (*on horses*); **gagner au t.** to win on the races.
tiers, tierce [tjɛr, tjɛrs] *a* third; – *nm* (*fraction*) third; (*personne*) third party; **assurance au t.** third-party insurance. ◆**T.-Monde** *nm* Third World.
tige [tiʒ] *nf* (*de plante*) stem, stalk; (*de botte*) leg; (*barre*) rod.
tignasse [tiɲas] *nf* mop (of hair).
tigre [tigr] *nm* tiger. ◆**tigresse** *nf* tigress.
tigré [tigre] *a* (*tacheté*) spotted; (*rayé*) striped.
tilleul [tijœl] *nm* lime (tree), linden (tree); (*infusion*) lime (blossom) tea.
timbale [tɛ̃bal] *nf* **1** (*gobelet*) (metal) tumbler. **2** *Mus* kettledrum.
timbre [tɛ̃br] *nm* **1** (*marque, tampon, vignette*) stamp; (*cachet de la poste*) postmark. **2** (*sonnette*) bell. **3** (*d'instrument, de voix*) tone (quality). ◆**t.-poste** *nm* (*pl* **timbres-poste**) (postage) stamp. ◆**timbr/er** *vt* (*affranchir*) to stamp (*letter*); (*marquer*) to stamp (*document*). ◆**–é** *a* **1** (*voix*) sonorous. **2** (*fou*) *Fam* crazy.
timide [timid] *a* (*gêné*) shy, timid; (*timoré*) timid. ◆**–ment** *adv* shyly; timidly. ◆**timidité** *nf* shyness; timidity.
timonier [timɔnje] *nm Nau* helmsman.
timoré [timɔre] *a* timorous, fearful.
tintamarre [tɛ̃tamar] *nm* din, racket.
tint/er [tɛ̃te] *vi* (*cloche*) to ring, toll; (*clés, monnaie*) to jingle; (*verres*) to chink. ◆**–ement(s)** *nm*(*pl*) ringing; jingling; chinking.
tique [tik] *nf* (*insecte*) tick.
tiquer [tike] *vi* (*personne*) to wince.
tir [tir] *nm* (*sport*) shooting; (*action*) firing, shooting; (*feu, rafale*) fire; *Fb* shot; **t. (forain), (stand de) t.** shooting *ou* rifle range; **t. à l'arc** archery; **ligne de t.** line of fire.
tirade [tirad] *nf Th & Fig* monologue.
tiraill/er [tirɑje] **1** *vt* to pull (away) at; (*harceler*) *Fig* to pester, plague; **tiraillé entre** (*possibilités etc*) torn between. **2** *vi* (*au fusil*) to shoot wildly. ◆**–ement** *nm* **1** (*conflit*) conflict (**entre** between). **2** (*crampe*) *Méd* cramp.
tire [tir] *nf* **vol à la t.** *Fam* pickpocketing.
tire-au-flanc [tiroflɑ̃] *nm inv* (*paresseux*) shirker. ◆**t.-bouchon** *nm* corkscrew. ◆**t.-d'aile (à)** *adv* swiftly.
tirelire [tirlir] *nf* moneybox, *Am* coin bank.
tir/er [tire] *vt* to pull; (*langue*) to stick out; (*trait, conclusion, rideaux*) to draw; (*chapeau*) to raise; (*balle, canon*) to fire, shoot; (*gibier*) to shoot; *Typ Phot* to print; **t. de** (*sortir*) to take *ou* pull *ou* draw out of; (*obtenir*) to get from; (*nom, origine*) to derive from; (*produit*) to extract from; **t. qn de** (*danger, lit*) to get s.o. out of; – *vi* to pull (**sur** on, at); (*faire feu*) to fire, shoot (**sur** at); *Fb* to shoot; (*cheminée*) to draw; **t. sur** (*couleur*) to verge on; **t. au sort** to draw lots; **t. à sa fin** to draw to a close; **– se t.** *vpr* (*partir*) *Fam* to beat it; **se t. de** (*problème, travail*) to cope with; (*danger, situation*) to get out of; **se t. d'affaire** to get out of trouble; **s'en t.** *Fam* (*en réchapper*) to come *ou* pull through; (*réussir*) to get along. ◆**–é** *a* (*traits, visage*) drawn; **t. par les cheveux** *Fig* far-fetched. ◆**–age** *nm* **1** (*action*) *Typ Phot* printing; (*édition*) edition; (*quantité*) (print) run; (*de journal*) circulation. **2** (*de loterie*) draw; **t. au sort**

drawing of lots. **3** (*de cheminée*) draught. **◆—eur** *nm* gunman; **t. d'élite** marksman; **un bon/mauvais t.** a good/bad shot. **◆—euse** *nf* **t. de cartes** fortune-teller.

tiret [tirɛ] *nm* (*trait*) dash.

tiroir [tirwar] *nm* (*de commode etc*) drawer. **◆t.-caisse** *nm* (*pl* **tiroirs-caisses**) (cash) till.

tisane [tizan] *nf* herb(al) tea.

tison [tizɔ̃] *nm* (fire)brand, ember. **◆tisonner** *vt* (*feu*) to poke. **◆tisonnier** *nm* poker.

tiss/er [tise] *vt* to weave. **◆—age** *nm* (*action*) weaving. **◆tisserand, -ande** *nmf* weaver.

tissu [tisy] *nm* fabric, material, cloth; *Biol* tissue; **un t. de** (*mensonges etc*) a web of; **le t. social** the fabric of society, the social fabric; **du t.-éponge** (terry) towelling.

titre [titr] *nm* (*nom, qualité*) title; *Com* bond; (*diplôme*) qualification; *pl* (*droits*) claims (**à** to); **(gros) t.** *Journ* headline; **t. de propriété** title deed; **t. de transport** ticket; **à quel t.?** (*pour quelle raison*) on what grounds?; **à ce t.** (*en cette qualité*) as such; (*pour cette raison*) therefore; **à aucun t.** on no account; **au même t.** in the same way (**que** as); **à t. d'exemple/d'ami** as an example/friend; **à t. exceptionnel** exceptionally; **à t. privé** in a private capacity; **à juste t.** rightly. **◆titr/er** *vt* (*film*) to title; *Journ* to run as a headline. **◆—é** *a* (*personne*) titled. **◆titulaire** *a* (*professeur*) staff-, full; **être t. de** (*permis etc*) to be the holder of; (*poste*) to hold; – *nmf* (*de permis, poste*) holder (**de** of). **◆titulariser** *vt* (*fonctionnaire*) to give tenure to.

tituber [titybe] *vi* to reel, stagger.

toast [tost] *nm* **1** (*pain grillé*) piece *ou* slice of toast. **2** (*allocution*) toast; **porter un t. à** to drink (a toast) to.

toboggan [tɔbɔgɑ̃] *nm* **1** (*pente*) slide; (*traîneau*) toboggan. **2** *Aut* flyover, *Am* overpass.

toc [tɔk] **1** *int* **t. t.!** knock knock! **2** *nm* **du t.** (*camelote*) rubbish, trash; **en t.** (*bijou*) imitation-.

tocsin [tɔksɛ̃] *nm* alarm (bell).

tohu-bohu [tɔybɔy] *nm* (*bruit*) hubbub, commotion; (*confusion*) hurly-burly.

toi [twa] *pron* **1** (*complément*) you; **c'est t.** it's you; **avec t.** with you. **2** (*sujet*) you; **t., tu peux** *you* may. **3** (*réfléchi*) **assieds-t.** sit (yourself) down; **dépêche-t.** hurry up. **◆t.-même** *pron* yourself.

toile [twal] *nf* **1** cloth; (*à voile*) canvas; (*à draps*) linen; **une t.** a piece of cloth *ou* canvas *ou* linen; **t. de jute** hessian; **drap de t.** linen sheet; **t. de fond** *Th* & *Fig* backcloth. **2** (*tableau*) canvas, painting. **3 t. d'araignée** cobweb, (spider's) web.

toilette [twalɛt] *nf* (*action*) wash(ing); (*vêtements*) outfit, clothes; **articles de t.** toiletries; **cabinet de t.** washroom; **eau/savon/trousse de t.** toilet water/soap/bag; **table de t.** dressing table; **faire sa t.** to wash (and dress); **les toilettes** (*W-C*) the toilet(s); **aller aux toilettes** to go to the toilet.

toiser [twaze] *vt* to eye scornfully.

toison [twazɔ̃] *nf* (*de mouton*) fleece.

toit [twa] *nm* roof; **t. ouvrant** *Aut* sunroof. **◆toiture** *nf* roof(ing).

tôle [tol] *nf* **la t.** sheet metal; **une t.** a steel *ou* metal sheet; **t. ondulée** corrugated iron.

tolér/er [tɔlere] *vt* (*permettre*) to tolerate, allow; (*supporter*) to tolerate, bear; (*à la douane*) to allow. **◆—ant** *a* tolerant (**à l'égard de** of). **◆—able** *a* tolerable. **◆tolérance** *nf* tolerance; (*à la douane*) allowance.

tollé [tɔle] *nm* outcry.

tomate [tɔmat] *nf* tomato; **sauce t.** tomato sauce.

tombe [tɔ̃b] *nf* grave; (*avec monument*) tomb. **◆tombale** *af* **pierre t.** gravestone, tombstone. **◆tombeau, -x** *nm* tomb.

tomb/er [tɔ̃be] *vi* (*aux* **être**) to fall; (*température*) to drop, fall; (*vent*) to drop (off); (*cheveux, robe*) to hang down; **t. malade** to fall ill; **t. (par terre)** to fall (down); **faire t.** (*personne*) to knock over; (*gouvernement, prix*) to bring down; **laisser t.** (*objet*) to drop; (*personne, projet etc*) *Fig* to drop, give up; **tu m'as laissé t. hier** *Fig* you let me down yesterday; **se laisser t. dans un fauteuil** to drop into an armchair; **tu tombes bien/mal** *Fig* you've come at the right/wrong time; **t. de fatigue** *ou* **de sommeil** to be ready to drop; **t. un lundi** to fall on a Monday; **t. sur** (*trouver*) to come across. **◆—ée** *nf* **t. de la nuit** nightfall.

tombereau, -x [tɔ̃bro] *nm* (*charrette*) tip cart.

tombola [tɔ̃bɔla] *nf* raffle.

tome [tɔm] *nm* (*livre*) volume.

ton¹, ta, *pl* **tes** [tɔ̃, ta, te] (**ta** *becomes* **ton** [tɔ̃n] *before a vowel or mute h*) *a poss* your; **t. père** your father; **ta mère** your mother; **ton ami(e)** your friend.

ton² [tɔ̃] *nm* tone; (*de couleur*) shade, tone; (*gamme*) *Mus* key; (*hauteur de son*) & *Ling* pitch; **de bon t.** (*goût*) in good taste; **donner le t.** *Fig* to set the tone. **◆tonalité** *nf* (*de* *radio etc*) tone; *Tél* dialling tone, *Am* dial tone.

tond/re [tɔ̃dr] *vt* **1** (*mouton*) to shear; (*cheveux*) to clip, crop; (*gazon*) to mow. **2 t. qn** (*escroquer*) *Fam* to fleece s.o. **◆—euse** *nf* shears; (*à cheveux*) clippers; **t. (à gazon)** (lawn)mower.

tonifi/er [tɔnifje] *vt* (*muscles, peau*) to tone up; (*esprit, personne*) to invigorate. **◆—ant** *a* (*activité, climat etc*) invigorating.

tonique [tɔnik] **1** *a* (*accent*) *Ling* tonic. **2** *a* (*froid, effet, vin*) tonic, invigorating; – *nm Méd* tonic.

tonitruant [tɔnitryɑ̃] *a* (*voix*) *Fam* booming.

tonnage [tɔnaʒ] *nm Nau* tonnage.

tonne [tɔn] *nf* (*poids*) metric ton, tonne; **des tonnes de** (*beaucoup*) *Fam* tons of.

tonneau, -x [tɔno] *nm* **1** (*récipient*) barrel, cask. **2** (*manœuvre*) *Av* roll; **faire un t.** *Aut* to roll over. **3** (*poids*) *Nau* ton. **◆tonnelet** *nm* keg.

tonnelle [tɔnɛl] *nf* arbour, bower.

tonner [tɔne] *vi* (*canons*) to thunder; (*crier*) *Fig* to thunder, rage (**contre** against); – *v imp* **il tonne** it's thundering. **◆tonnerre** *nm* thunder; **coup de t.** thunderclap; *Fig* bombshell, thunderbolt; **du t.** (*excellent*) *Fam* terrific.

tonte [tɔ̃t] *nf* (*de moutons*) shearing; (*de gazon*) mowing.

tonton [tɔ̃tɔ̃] *nm Fam* uncle.

tonus [tɔnys] *nm* (*énergie*) energy, vitality.

top [tɔp] *nm* (*signal sonore*) *Rad* stroke.

topaze [tɔpaz] *nf* (*pierre*) topaz.

topinambour [tɔpinɑ̃bur] *nm* Jerusalem artichoke.

topo [tɔpo] *nm* (*exposé*) *Fam* talk, speech.

topographie [tɔpɔgrafi] *nf* topography.

toque [tɔk] *nf* (*de fourrure*) fur hat; (*de juge, jockey*) cap; (*de cuisinier*) hat.

toqu/er (se) [sətɔke] *vpr* **se t. de qn** *Fam* to become infatuated with s.o. **◆—é** *a* (*fou*) *Fam* crazy. **◆toquade** *nf Fam* (*pour qch*) craze (**pour** for); (*pour qn*) infatuation (**pour** with).

torche [tɔrʃ] *nf* (*flambeau*) torch; **t. électrique** torch, *Am* flashlight.

torcher [tɔrʃe] *vt* **1** (*travail*) to skimp. **2** (*essuyer*) *Fam* to wipe.

torchon [tɔrʃɔ̃] *nm* (*à vaisselle*) tea towel, *Am* dish towel; (*de ménage*) duster, cloth.

tord/re [tɔrdr] *vt* to twist; (*linge, cou*) to wring; (*barre*) to bend; **se t. la cheville/le pied/le dos** to twist *ou* sprain one's ankle/foot/back; **— se t.** *vpr* to twist; (*barre*) to bend; **se t. de douleur** to writhe with pain; **se t. (de rire)** to split one's sides (laughing). **◆—ant** *a* (*drôle*) *Fam* hilarious. **◆—u** *a* twisted; (*esprit*) warped.

tornade [tɔrnad] *nf* tornado.

torpeur [tɔrpœr] *nf* lethargy, torpor.

torpille [tɔrpij] *nf* torpedo. **◆torpill/er** *vt Mil & Fig* to torpedo. **◆—eur** *nm* torpedo boat.

torréfier [tɔrefje] *vt* (*café*) to roast.

torrent [tɔrɑ̃] *nm* (*ruisseau*) torrent; **un t. de** (*injures, larmes*) a flood of; **il pleut à torrents** it's pouring (down). **◆torrentiel, -ielle** *a* (*pluie*) torrential.

torride [tɔrid] *a* (*chaleur etc*) torrid, scorching.

torsade [tɔrsad] *nf* (*de cheveux*) twist, coil. **◆torsader** *vt* to twist (together).

torse [tɔrs] *nm Anat* chest; (*statue*) torso.

torsion [tɔrsjɔ̃] *nf* twisting; *Phys Tech* torsion.

tort [tɔr] *nm* (*dommage*) wrong; (*défaut*) fault; **avoir t.** to be wrong (**de faire** to do, in doing); **tu as t. de fumer!** you shouldn't smoke!; **être dans son t.** *ou* **en t.** to be in the wrong; **donner t. à qn** (*accuser*) to blame s.o.; (*faits etc*) to prove s.o. wrong; **faire du t. à qn** to harm *ou* wrong s.o.; **à t.** wrongly; **à t. et à travers** wildly, indiscriminately; **à t. ou à raison** rightly or wrongly.

torticolis [tɔrtikɔli] *nm* stiff neck.

tortill/er [tɔrtije] *vt* to twist, twirl; (*moustache*) to twirl; (*tripoter*) to twiddle with; **— se t.** *vpr* (*ver, personne*) to wriggle; (*en dansant, des hanches*) to wiggle. **◆—ement** *nm* wriggling, wiggling.

tortionnaire [tɔrsjɔnɛr] *nm* torturer.

tortue [tɔrty] *nf* tortoise; (*marine*) turtle; **quelle t.!** *Fig* what a slowcoach *ou Am* slowpoke!

tortueux, -euse [tɔrtɥø, -øz] *a* tortuous.

torture [tɔrtyr] *nf* torture. **◆torturer** *vt* to torture; **se t. les méninges** to rack one's brains.

tôt [to] *adv* early; **au plus t.** at the earliest; **le plus t. possible** as soon as possible; **t. ou tard** sooner or later; **je n'étais pas plus t. sorti que . . .** no sooner had I gone out than . . . .

total, -aux [tɔtal, -o] *a & nm* total; **au t.** all in all, in total; (*somme toute*) all in all. **◆totalement** *adv* totally, completely. **◆totaliser** *vt* to total. **◆totalité** *nf* entirety; **la t. de** all of; **en t.** entirely, totally.

totalitaire [tɔtalitɛr] *a Pol* totalitarian.

toubib [tubib] *nm* (*médecin*) *Fam* doctor.

touche [tuʃ] *nf* (*de peintre*) touch; *Pêche* bite; (*clavier*) key; **une t. de** (*un peu de*) a touch *ou* hint of; **(ligne de) t.** *Fb Rugby* touchline.

touche-à-tout [tuʃatu] **1** *a & nmf inv* (*qui touche*) meddlesome (person). **2** *nmf inv* (*qui se disperse*) dabbler.

touch/er [tuʃe] *vt* to touch; (*paie*) to draw; (*chèque*) to cash; (*cible*) to hit; (*émouvoir*) to touch, move; (*concerner*) to affect; **t. qn** (*contacter*) to get in touch with s.o., reach s.o.; – *vi* **t. à** to touch; (*sujet*) to touch on; (*but, fin*) to approach; **— se t.** *vpr* (*lignes etc*) to touch; – *nm* (*sens*) touch; **au t.** to the touch. **◆—ant** *a* (*émouvant*) touching, moving.

touffe [tuf] *nf* (*de cheveux, d'herbe*) tuft; (*de plantes*) cluster. **◆touffu** *a* (*barbe, haie*) thick, bushy; (*livre*) *Fig* heavy.

toujours [tuʒur] *adv* always; (*encore*) still; **pour t.** for ever; **essaie t.!** (*quand même*) try anyhow!; **t. est-il que . . .** the fact remains that . . . .

toupet [tupɛ] *nm* (*audace*) *Fam* cheek, nerve.

toupie [tupi] *nf* (spinning) top.

tour¹ [tur] *nf* **1** *Archit* tower; (*immeuble*) tower block, high-rise. **2** *Échecs* rook, castle.

tour² [tur] *nm* **1** (*mouvement, ordre, tournure*) turn; (*artifice*) trick; (*excursion*) trip, outing; (*à pied*) stroll, walk; (*en voiture*) drive; **t. (de phrase)** turn of phrase; **t. (de piste)** *Sp* lap; **t. de cartes** card trick; **t. d'horizon** survey; **t. de poitrine**/*etc* chest/*etc* measurement *ou* size; **de dix mètres de t.** ten metres round; **faire le t. de** to go round; (*question, situation*) to review; **faire un t.** (*à pied*) to go for a stroll *ou* walk; (*en voiture*) to go for a drive; (*voyage*) to go on a trip; **faire** *ou* **jouer un t. à qn** to play a trick on s.o.; **c'est mon t.** it's my turn; **à qui le tour?** whose turn (is it)?; **à son t.** in (one's) turn; **à t. de rôle** in turn; **t. à t.** in turn, by turns. **2** *Tech* lathe; (*de potier*) wheel.

tourbe [turb] *nf* peat. **◆tourbière** *nf* peat bog.

tourbillon [turbijɔ̃] *nm* (*de vent*) whirlwind; (*d'eau*) whirlpool; (*de neige, sable*) eddy; (*tournoiement*) *Fig* whirl, swirl. **◆tourbillonner** *vi* to whirl, swirl; to eddy.

tourelle [turɛl] *nf* turret.

tourisme [turism] *nm* tourism; **faire du t.** to do some sightseeing *ou* touring; **agence/office de t.** tourist agency/office. **◆touriste** *nmf* tourist. **◆touristique** *a* (*guide, menu etc*) tourist-; **route t., circuit t.** scenic route.

tourment [turmɑ̃] *nm* torment. **◆tourment/er** *vt* to torment; **— se t.** *vpr* to worry (oneself). **◆—é** *a* (*mer, vie*) turbulent, stormy; (*sol*) rough, uneven; (*expression, visage*) anguished.

tourmente [turmɑ̃t] *nf* (*troubles*) turmoil.

tourne-disque [turnədisk] *nm* record player.

tournée [turne] *nf* **1** (*de livreur etc*) round; (*théâtrale*) tour; **faire la t. de** (*magasins etc*) to make the rounds of, go round. **2** (*de boissons*) round.

tourn/er [turne] *vt* to turn; (*film*) to shoot, make; (*difficulté*) to get round; **t. en ridicule** to ridicule; – *vi* to turn; (*tête, toupie*) to spin; (*Terre*) to revolve, turn; (*moteur*) to run, go; (*usine*) to run; (*lait, viande*) to go off; *Cin* to shoot; **t. autour de** (*objet*) to go round; (*maison, personne*) to hang around; (*question*) to centre on; **t. bien/mal** (*évoluer*) to turn out well/badly; **t. au froid** (*temps*) to turn cold; **t. à l'aigre** (*ton, conversation etc*) to turn nasty *ou* sour; **t. de l'œil** *Fam* to faint; **— se t.** *vpr* to turn (**vers** to, towards). **◆—ant 1** *a* **pont t.** swing bridge. **2** *nm* (*virage*) bend, turning; (*moment*) *Fig* turning point. **◆—age** *nm Cin* shooting, filming. **◆—eur** *nm* (*ouvrier*) turner. **◆tournoyer** *vi* to spin (round), whirl. **◆tournure** *nf* (*expression*) turn of phrase; **t. d'esprit** way of thinking; **t. des événements** turn of events; **prendre t.** (*forme*) to take shape.

tournesol [turnəsɔl] *nm* sunflower.

tournevis [turnəvis] *nm* screwdriver.

tourniquet [turnikɛ] *nm* **1** (*barrière*) turnstile. **2** (*pour arroser*) sprinkler.

tournoi [turnwa] *nm Sp & Hist* tournament.

tourte [turt] *nf* pie.

tourterelle [turtərɛl] *nf* turtledove.

Toussaint [tusɛ̃] *nf* All Saints' Day.

tousser [tuse] *vi* to cough.

tout, toute, *pl* **tous, toutes** [tu, tut, tu, tut] **1** *a* all; **tous les livres**/*etc* all the books/*etc*; **t. l'argent/le village**/*etc* the whole (of the) money/village/*etc*, all the money/village/*etc*; **toute la nuit** all night, the whole (of the) night; **tous (les) deux** both; **tous (les) trois** all three; **t. un problème** quite a problem. **2** *a* (*chaque*) every, each; (*n'importe quel*) any; **tous les ans/jours**/*etc* every *ou* each year/day/*etc*; **tous les deux/trois mois**/*etc* every second/third month/*etc*; **tous les cinq mètres** every five metres; **t. homme** [tutɔm] every *ou* any man; **à toute heure** at any time. **3** *pron pl* (**tous** = [tus]) all; **ils sont tous là, tous sont là** they're all there. **4** *pron m sing* **tout** everything;

dépenser t. to spend everything, spend it all; **t. ce que** everything that, all that; **en t.** (*au total*) in all. **5** *adv* (*tout à fait*) quite; (*très*) very; **t. petit** very small; **t. neuf** brand new; **t. simplement** quite simply; **t. seul** all alone; **t. droit** straight ahead; **t. autour** all around, right round; **t. au début** right at the beginning; **le t. premier** the very first; **t. au moins/plus** at the very least/most; **t. en chantant**/*etc* while singing/*etc*; **t. rusé qu'il est** however sly he may be; **t. à coup** suddenly, all of a sudden; **t. à fait** completely, quite; **t. de même** all the same; (*indignation*) really!; **t. de suite** at once. **6** *nm* **le t.** everything, the lot; **un t.** a whole; **le t. est** (*l'important*) the main thing is (**que** that, **de faire** to do); **pas du t.** not at all; **rien du t.** nothing at all; **du t. au t.** (*changer*) entirely, completely. ◆**t.-puissant, toute-puissante** *a* all-powerful.

tout-à-l'égout [tutalegu] *nm inv* mains drainage.

toutefois [tutfwa] *adv* nevertheless, however.

toutou [tutu] *nm* (*chien*) *Fam* doggie.

toux [tu] *nf* cough.

toxicomane [tɔksikɔman] *nmf* drug addict. ◆**toxicomanie** *nf* drug addiction. ◆**toxine** *nf* toxin. ◆**toxique** *a* toxic.

trac [trak] *nm* **le t.** (*peur*) the jitters; (*de candidat*) exam nerves; *Th* stage fright.

tracas [traka] *nm* worry. ◆**tracasser** *vt*, — **se t.** *vpr* to worry. ◆**tracasseries** *nfpl* annoyances. ◆**tracassier, -ière** *a* irksome.

trace [tras] *nf* (*quantité, tache, vestige*) trace; (*marque*) mark; (*de fugitif etc*) trail; *pl* (*de bête, de pneus*) tracks; **traces de pas** footprints; **suivre les traces de qn** *Fig* to follow in s.o.'s footsteps.

trac/er [trase] *vt* (*dessiner*) to draw; (*écrire*) to trace; **t. une route** to mark out a route; (*frayer*) to open up a route. ◆**—é** *nm* (*plan*) layout; (*ligne*) line.

trachée [traʃe] *nf Anat* windpipe.

tract [trakt] *nm* leaflet.

tractations [traktɑsjɔ̃] *nfpl Péj* dealings.

tracter [trakte] *vt* (*caravane etc*) to tow. ◆**tracteur** *nm* (*véhicule*) tractor.

traction [traksjɔ̃] *nf Tech* traction; *Sp* pull-up; **t. arrière/avant** *Aut* rear-/front-wheel drive.

tradition [tradisjɔ̃] *nf* tradition. ◆**traditionnel, -elle** *a* traditional.

traduire* [tradɥir] *vt* **1** to translate (**de** from, **en** into); (*exprimer*) *Fig* to express. **2** **t. qn en justice** to bring s.o. before the courts. ◆**traducteur, -trice** *nmf* translator. ◆**traduction** *nf* translation. ◆**traduisible** *a* translatable.

trafic [trafik] *nm* **1** *Aut Rail etc* traffic. **2** *Com Péj* traffic, trade; **faire du t.** to traffic, trade; **faire le t. de** to traffic in, trade in. ◆**trafiqu/er 1** *vi* to traffic, trade. **2** *vt* (*produit*) *Fam* to tamper with. ◆**—ant, -ante** *nmf* trafficker, dealer; **t. d'armes/de drogue** arms/drug trafficker *ou* dealer.

tragédie [traʒedi] *nf Th & Fig* tragedy. ◆**tragique** *a* tragic. ◆**tragiquement** *adv* tragically.

trahir [trair] *vt* to betray; (*secret etc*) to betray, give away; (*forces*) to fail (*s.o.*); — **se t.** *vpr* to give oneself away, betray oneself. ◆**trahison** *nf* betrayal; (*crime*) *Pol* treason.

train [trɛ̃] *nm* **1** (*locomotive, transport, jouet*) train; **t. à grande vitesse** high-speed train; **t. couchettes** sleeper; **t. auto-couchettes** (car) sleeper. **2 en t.** (*forme*) on form; **se mettre en t.** to get (oneself) into shape. **3 être en t. de faire** to be (busy) doing; **mettre qch en t.** to get sth going, start sth off. **4** (*allure*) pace; **t. de vie** life style. **5** (*de pneus*) set; (*de péniches, véhicules*) string. **6 t. d'atterrissage** *Av* undercarriage.

traîne [trɛn] *nf* **1** (*de robe*) train. **2 à la t.** (*en arrière*) lagging behind.

traîneau, -x [trɛno] *nm* sledge, sleigh, *Am* sled.

traînée [trene] *nf* **1** (*de substance*) trail, streak; (*bande*) streak; **se répandre comme une t. de poudre** (*vite*) to spread like wildfire. **2** (*prostituée*) *Arg* tart.

traîner [trene] *vt* to drag; (*mots*) to drawl; **(faire) t. en longueur** (*faire durer*) to drag out; – *vi* (*jouets, papiers etc*) to lie around; (*subsister*) to linger on; (*s'attarder*) to lag behind, dawdle; (*errer*) to hang around; **t. (par terre)** (*robe etc*) to trail (on the ground); **t. (en longueur)** (*durer*) to drag on; — **se t.** *vpr* (*avancer*) to drag oneself (along); (*par terre*) to crawl; (*durer*) to drag on. ◆**traînant** *a* (*voix*) drawling. ◆**traînailler** *vi Fam* = **traînasser.** ◆**traînard, -arde** *nmf* slowcoach, *Am* slowpoke. ◆**traînasser** *vi Fam* to dawdle; (*errer*) to hang around.

train-train [trɛ̃trɛ̃] *nm* routine.

traire* [trɛr] *vt* (*vache*) to milk.

trait [trɛ] *nm* **1** line; (*en dessinant*) stroke; (*caractéristique*) feature, trait; *pl* (*du visage*) features; **t. d'union** hyphen; (*intermédiaire*) *Fig* link; **d'un t.** (*boire*) in one gulp, in one

go; **à grands traits** in outline; **t. de** (*esprit, génie*) flash of; (*bravoure*) act of; **avoir t. à** (*se rapporter à*) to relate to. **2 cheval de t.** draught horse.
traite [trɛt] *nf* **1** (*de vache*) milking. **2** *Com* bill, draft. **3 d'une (seule) t.** (*sans interruption*) in one go. **4 t. des Noirs** slave trade; **t. des blanches** white slave trade.
traité [trete] *nm* **1** *Pol* treaty. **2** (*ouvrage*) treatise (**sur** on).
trait/er [trete] *vt* (*se comporter envers*) & *Méd* to treat; (*problème, sujet*) to deal with; (*marché*) *Com* to negotiate; (*matériau, produit*) to treat, process; **t. qn de lâche/***etc* to call s.o. a coward/*etc*; – *vi* to negotiate, deal (**avec** with); **t. de** (*sujet*) to deal with. ◆**—ant** [-ɛtɑ̃] *a* **médecin t.** regular doctor. ◆**—ement** [-ɛtmɑ̃] *nm* **1** treatment; **mauvais traitements** rough treatment; **t. de données/de texte** data/word processing; **machine de t. de texte** word processor. **2** (*gains*) salary.
traiteur [trɛtœr] *nm* (*fournisseur*) caterer; **chez le t.** (*magasin*) at the delicatessen.
traître [trɛtr] *nm* traitor; **en t.** treacherously; – *a* (*dangereux*) treacherous; **être t. à** to be a traitor to. ◆**traîtrise** *nf* treachery.
trajectoire [traʒɛktwar] *nf* path, trajectory.
trajet [traʒɛ] *nm* journey, trip; (*distance*) distance; (*itinéraire*) route.
trame [tram] *nf* **1** (*de récit etc*) framework. **2** (*de tissu*) weft.
tramer [trame] *vt* (*évasion etc*) to plot; (*complot*) to hatch.
trampoline [trɑ̃pɔlin] *nm* trampoline.
tram(way) [tram(wɛ)] *nm* tram, *Am* streetcar.
tranche [trɑ̃ʃ] *nf* (*morceau coupé*) slice; (*bord*) edge; (*partie*) portion; (*de salaire, impôts*) bracket; **t. d'âge** age bracket.
tranchée [trɑ̃ʃe] *nf* trench.
tranch/er [trɑ̃ʃe] **1** *vt* to cut. **2** *vt* (*difficulté, question*) to settle; – *vi* (*décider*) to decide. **3** *vi* (*contraster*) to contrast (**avec, sur** with). ◆**—ant 1** *a* (*couteau*) sharp; – *nm* (cutting) edge. **2** *a* (*péremptoire*) trenchant, cutting. ◆**—é** *a* (*couleurs*) distinct; (*opinion*) clear-cut.
tranquille [trɑ̃kil] *a* quiet; (*mer*) calm, still; (*conscience*) clear; (*esprit*) easy; (*certain*) *Fam* confident; **je suis t.** (*rassuré*) my mind is at rest; **soyez t.** don't worry; **laisser t.** to leave be *ou* alone. ◆**tranquillement** *adv* calmly. ◆**tranquillis/er** *vt* to reassure; **tranquillisez-vous** set your mind at rest. ◆**—ant** *nm Méd* tranquillizer. ◆**tranquillité** *nf* (peace and) quiet; (*d'esprit*) peace of mind.
trans- [trɑ̃z, trɑ̃s] *préf* trans-.
transaction [trɑ̃zaksjɔ̃] *nf* **1** (*compromis*) compromise. **2** *Com* transaction.
transatlantique [trɑ̃zatlɑ̃tik] *a* transatlantic; – *nm* (*paquebot*) transatlantic liner; (*chaise*) deckchair.
transcend/er [trɑ̃sɑ̃de] *vt* to transcend. ◆**—ant** *a* transcendent.
transcrire* [trɑ̃skrir] *vt* to transcribe. ◆**transcription** *nf* transcription; (*document*) transcript.
transe [trɑ̃s] *nf* **en t.** (*mystique*) in a trance; (*excité*) very exited.
transférer [trɑ̃sfere] *vt* to transfer (**à** to). ◆**transfert** *nm* transfer.
transfigurer [trɑ̃sfigyre] *vt* to transform, transfigure.
transformer [trɑ̃sfɔrme] *vt* to transform, change; (*maison, matière première*) to convert; (*robe etc*) to alter; (*essai*) *Rugby* to convert; **t. en** to turn into; **— se t.** *vpr* to change, be transformed (**en** into). ◆**transformateur** *nm Él* transformer. ◆**transformation** *nf* transformation, change; conversion.
transfuge [trɑ̃sfyʒ] *nm Mil* renegade; – *nmf Pol* renegade.
transfusion [trɑ̃sfyzjɔ̃] *nf* **t. (sanguine)** (blood) transfusion.
transgresser [trɑ̃sgrese] *vt* (*loi, ordre*) to disobey.
transi [trɑ̃zi] *a* (*personne*) numb with cold; **t. de peur** paralysed by fear.
transiger [trɑ̃ziʒe] *vi* to compromise.
transistor [trɑ̃zistɔr] *nm* (*dispositif, poste*) transistor. ◆**transistorisé** *a* (*téléviseur etc*) transistorized.
transit [trɑ̃zit] *nm* transit; **en t.** in transit. ◆**transiter** *vt* **(faire) t.** to send in transit; – *vi* to be in transit.
transitif, -ive [trɑ̃zitif, -iv] *a Gram* transitive.
transition [trɑ̃zisjɔ̃] *nf* transition. ◆**transitoire** *a* (*qui passe*) transient; (*provisoire*) transitional.
transmettre* [trɑ̃smɛtr] *vt* (*héritage, message etc*) to pass on (**à** to); *Phys Tech* to transmit; *Rad TV* to broadcast, transmit. ◆**transmetteur** *nm* (*appareil*) transmitter, transmitting device. ◆**transmission** *nf* transmission; passing on.
transparaître* [trɑ̃sparɛtr] *vi* to show (through).
transparent [trɑ̃sparɑ̃] *a* transparent. ◆**transparence** *nf* transparency.

transpercer [trɑ̃spɛrse] *vt* to pierce, go through.

transpirer [trɑ̃spire] *vi* (*suer*) to perspire; (*information*) *Fig* to leak out. ◆**transpiration** *nf* perspiration.

transplanter [trɑ̃splɑ̃te] *vt* (*organe, plante etc*) to transplant. ◆**transplantation** *nf* transplantation; (*greffe*) *Méd* transplant.

transport [trɑ̃spɔr] *nm* **1** (*action*) transport, transportation (**de** of); *pl* (*moyens*) transport; **moyen de t.** means of transport; **transports en commun** public transport. **2** (*émotion*) *Litt* rapture. ◆**transporter 1** *vt* (*véhicule, train*) to transport, convey; (*à la main*) to carry, take; **t. d'urgence à l'hôpital** to rush to hospital; **— se t.** *vpr* (*aller*) to take oneself (**à** to). **2** *vt Litt* to enrapture. ◆**transporteur** *nm* **t. (routier)** haulier, *Am* trucker.

transposer [trɑ̃spoze] *vt* to transpose. ◆**transposition** *nf* transposition.

transvaser [trɑ̃svɑze] *vt* (*vin*) to decant.

transversal, -aux [trɑ̃svɛrsal, -o] *a* (*barre, rue etc*) cross-, transverse.

trapèze [trapɛz] *nm* (*au cirque*) trapeze. ◆**trapéziste** *nmf* trapeze artist.

trappe [trap] *nf* (*dans le plancher*) trap door.

trappeur [trapœr] *nm* (*chasseur*) trapper.

trapu [trapy] *a* **1** (*personne*) stocky, thickset. **2** (*problème etc*) *Fam* tough.

traquenard [traknar] *nm* trap.

traquer [trake] *vt* to track *ou* hunt (down).

traumatis/er [tromatize] *vt* to traumatize. ◆**—ant** *a* traumatic. ◆**traumatisme** *nm* (*choc*) trauma.

travail, -aux [travaj, -o] *nm* (*activité, lieu*) work; (*emploi, tâche*) job; (*façonnage*) working (**de** of); (*ouvrage, étude*) work, publication; *Écon Méd* labour; *pl* work; (*dans la rue*) roadworks; (*aménagement*) alterations; **travaux forcés** hard labour; **travaux ménagers** housework; **travaux pratiques** *Scol Univ* practical work; **travaux publics** public works; **t. au noir** moonlighting; **en t.** (*femme*) *Méd* in labour.

travaill/er [travaje] **1** *vi* to work (**à qch** at *ou* on sth); – *vt* (*discipline, rôle, style*) to work on; (*façonner*) to work; (*inquiéter*) to worry; **t. la terre** to work the land. **2** *vi* (*bois*) to warp. ◆**—é** *a* (*style*) elaborate. ◆**—eur, -euse** *a* hard-working; – *nmf* worker ◆**travailliste** *a Pol* Labour-; – *nmf Pol* member of the Labour party.

travers [travɛr] **1** *prép* & *adv* **à t.** through; **en t. (de)** across. **2** *adv* **de t.** (*chapeau, nez etc*) crooked; (*comprendre*) badly; (*regarder*) askance; **aller de t.** *Fig* to go wrong; **j'ai avalé de t.** it went down the wrong way. **3** *nm* (*défaut*) failing.

traverse [travɛrs] *nf* **1** *Rail* sleeper, *Am* tie. **2 chemin de t.** short cut.

travers/er [travɛrse] *vt* to cross, go across; (*foule, période, mur*) to go through. ◆**—ée** *nf* (*action, trajet*) crossing.

traversin [travɛrsɛ̃] *nm* (*coussin*) bolster.

travest/ir [travɛstir] *vt* to disguise; (*pensée, vérité*) to misrepresent. ◆**—i** *nm Th* female impersonator; (*homosexuel*) transvestite. ◆**—issement** *nm* disguise; misrepresentation.

trébucher [trebyʃe] *vi* to stumble (**sur** over); **faire t.** to trip (up).

trèfle [trɛfl] *nm* **1** (*plante*) clover. **2** (*couleur*) *Cartes* clubs.

treille [trɛj] *nf* climbing vine.

treillis [treji] *nm* **1** lattice(work); (*en métal*) wire mesh. **2** (*tenue militaire*) combat uniform.

treize [trɛz] *a* & *nm inv* thirteen. ◆**treizième** *a* & *nmf* thirteenth.

tréma [trema] *nm Gram* di(a)eresis.

trembl/er [trɑ̃ble] *vi* to tremble, shake; (*de froid, peur*) to tremble (**de** with); (*flamme, lumière*) to flicker; (*voix*) to tremble, quaver; (*avoir peur*) to be afraid (**que** (+ *sub*) that, **de faire** to do); **t. pour qn** to fear for s.o. ◆**—ement** *nm* (*action, frisson*) trembling; **t. de terre** earthquake. ◆**trembloter** *vi* to quiver.

trémousser (se) [sətremuse] *vpr* to wriggle (about).

trempe [trɑ̃p] *nf* (*caractère*) stamp; **un homme de sa t.** a man of his stamp.

tremper [trɑ̃pe] **1** *vt* to soak, drench; (*plonger*) to dip (**dans** in); – *vi* to soak; **faire t.** to soak; **— se t.** *vpr* (*se baigner*) to take a dip. **2** *vt* (*acier*) to temper. **3** *vi* **t. dans** (*participer*) *Péj* to be mixed up in. ◆**trempette** *nf* **faire t.** (*se baigner*) to take a dip.

tremplin [trɑ̃plɛ̃] *nm Natation* & *Fig* springboard.

trente [trɑ̃t] *a* & *nm* thirty; **un t.-trois tours** (*disque*) an LP. ◆**trentaine** *nf* **une t. (de)** (*nombre*) (about) thirty; **avoir la t.** (*âge*) to be about thirty. ◆**trentième** *a* & *nmf* thirtieth.

trépidant [trepidɑ̃] *a* (*vie etc*) hectic.

trépied [trepje] *nm* tripod.

trépigner [trepiɲe] *vi* to stamp (one's feet).

très [trɛ] *adv* ([trɛz] *before vowel or mute h*) very; **t. aimé/critiqué/***etc* much liked/criticized/*etc.*

trésor [trezɔr] *nm* treasure; **le T. (public)**

(*service*) public revenue (department); (*finances*) public funds; **des trésors de** *Fig* a treasure house of. ◆**trésorerie** *nf* (*bureaux d'un club etc*) accounts department; (*capitaux*) funds; (*gestion*) accounting. ◆**trésorier, -ière** *nmf* treasurer.

tressaill/ir* [tresajir] *vi* (*sursauter*) to jump, start; (*frémir*) to shake, quiver; (*de joie, peur*) to tremble (**de** with). ◆**—ement** *nm* start; quiver; trembling.

tressauter [tresote] *vi* (*sursauter*) to start, jump.

tresse [trɛs] *nf* (*cordon*) braid; (*cheveux*) plait, *Am* braid. ◆**tresser** *vt* to braid; to plait.

tréteau, -x [treto] *nm* trestle.

treuil [trœj] *nm* winch, windlass.

trêve [trɛv] *nf Mil* truce; (*répit*) *Fig* respite.

tri [tri] *nm* sorting (out); **faire le t. de** to sort (out); **(centre de) t.** (*des postes*) sorting office. ◆**triage** *nm* sorting (out).

triangle [trijɑ̃gl] *nm* triangle. ◆**triangulaire** *a* triangular.

tribord [tribɔr] *nm Nau Av* starboard.

tribu [triby] *nf* tribe. ◆**tribal, -aux** *a* tribal.

tribulations [tribylɑsjɔ̃] *nfpl* tribulations.

tribunal, -aux [tribynal, -o] *nm Jur* court; (*militaire*) tribunal.

tribune [tribyn] *nf* **1** (*de salle publique etc*) gallery; (*de stade*) (grand)stand; (*d'orateur*) rostrum. **2 t. libre** (*dans un journal*) open forum.

tribut [triby] *nm* tribute (**à** to).

tributaire [tribytɛr] *a* **t. de** *Fig* dependent on.

tricher [triʃe] *vi* to cheat. ◆**tricherie** *nf* cheating, trickery; **une t.** a piece of trickery. ◆**tricheur, -euse** *nmf* cheat, *Am* cheater.

tricolore [trikɔlɔr] *a* **1** (*cocarde etc*) red, white and blue; **le drapeau/l'équipe t.** the French flag/team. **2 feu t.** traffic lights.

tricot [triko] *nm* (*activité, ouvrage*) knitting; (*chandail*) jumper, sweater; **un t.** (*ouvrage*) a piece of knitting; **en t.** knitted; **t. de corps** vest, *Am* undershirt. ◆**tricoter** *vti* to knit.

tricycle [trisikl] *nm* tricycle.

trier [trije] *vt* (*séparer*) to sort (out); (*choisir*) to pick *ou* sort out.

trilogie [trilɔʒi] *nf* trilogy.

trimbal(l)er [trɛ̃bale] *vt Fam* to cart about, drag around; **— se t.** *vpr Fam* to trail around.

trimer [trime] *vi Fam* to slave (away), toil.

trimestre [trimɛstr] *nm* (*période*) *Com* quarter; *Scol* term. ◆**trimestriel, -ielle** *a* (*revue*) quarterly; (*bulletin*) *Scol* end-of-term.

tringle [trɛ̃gl] *nf* rail, rod; **t. à rideaux** curtain rail *ou* rod.

Trinité [trinite] *nf* **la T.** (*fête*) Trinity; (*dogme*) the Trinity.

trinquer [trɛ̃ke] *vi* to chink glasses; **t. à** to drink to.

trio [trijo] *nm* (*groupe*) & *Mus* trio.

triomphe [trijɔ̃f] *nm* triumph (**sur** over); **porter qn en t.** to carry s.o. shoulder-high. ◆**triomphal, -aux** *a* triumphal. ◆**triomph/er** *vi* to triumph (**de** over); (*jubiler*) to be jubilant. ◆**—ant** *a* triumphant.

tripes [trip] *nfpl* (*intestins*) *Fam* guts; *Culin* tripe. ◆**tripier, -ière** *nmf* tripe butcher.

triple [tripl] *a* treble, triple; – *nm* **le t.** three times as much (**de** as). ◆**tripl/er** *vti* to treble, triple. ◆**—és, -ées** *nmfpl* (*enfants*) triplets.

tripot [tripo] *nm* (*café etc*) *Péj* gambling den.

tripoter [tripɔte] *vt* to fiddle about *ou* mess about with; – *vi* to fiddle *ou* mess about.

trique [trik] *nf* cudgel, stick.

triste [trist] *a* sad; (*couleur, temps, rue*) gloomy, dreary; (*lamentable*) unfortunate, sorry. ◆**tristement** *adv* sadly. ◆**tristesse** *nf* sadness; gloom, dreariness.

triturer [trityre] *vt* (*manipuler*) to manipulate.

trivial, -aux [trivjal, -o] *a* coarse, vulgar. ◆**trivialité** *nf* coarseness, vulgarity.

troc [trɔk] *nm* exchange, barter.

troène [trɔɛn] *nm* (*arbuste*) privet.

trognon [trɔɲɔ̃] *nm* (*de pomme, poire*) core; (*de chou*) stump.

trois [trwa] *a* & *nm* three. ◆**troisième** *a* & *nmf* third. ◆**troisièmement** *adv* thirdly.

trolley(bus) [trɔlɛ(bys)] *nm* trolley(bus).

trombe [trɔ̃b] *nf* **t. d'eau** (*pluie*) rainstorm, downpour; **en t.** (*entrer etc*) *Fig* like a whirlwind.

trombone [trɔ̃bɔn] *nm* **1** *Mus* trombone. **2** (*agrafe*) paper clip.

trompe [trɔ̃p] *nf* **1** (*d'éléphant*) trunk; (*d'insecte*) proboscis. **2** *Mus* horn.

tromper [trɔ̃pe] *vt* to deceive, mislead; (*escroquer*) to cheat; (*échapper à*) to elude; (*être infidèle à*) to be unfaithful to; **— se t.** *vpr* to be mistaken, make a mistake; **se t. de route/de train**/*etc* to take the wrong road/train/*etc*; **se t. de date/de jour**/*etc* to get the date/day/*etc* wrong. ◆**tromperie** *nf* deceit, deception. ◆**trompeur, -euse** *a* (*apparences etc*) deceptive, misleading; (*personne*) deceitful.

trompette [trɔ̃pɛt] *nf* trumpet. ◆**trompettiste** *nmf* trumpet player.

tronc [trɔ̃] *nm* **1** *Bot Anat* trunk. **2** *Rel* collection box.

tronçon [trɔ̃sɔ̃] *nm* section. ◆**tronçonn/er** *vt* to cut (into sections). ◆**—euse** *nf* chain saw.

trône [tron] *nm* throne. ◆**trôner** *vi* (*vase, personne etc*) *Fig* to occupy the place of honour.

tronquer [trɔ̃ke] *vt* to truncate; (*texte etc*) to curtail.

trop [tro] *adv* too; too much; **t. dur/loin**/*etc* too hard/far/*etc*; **t. fatigué** too tired, overtired; **boire/lire**/*etc* **t.** to drink/read/*etc* too much; **t. de sel**/*etc* (*quantité*) too much salt/*etc*; **t. de gens**/*etc* (*nombre*) too many people/*etc*; **du fromage**/*etc* **de** *ou* **en t.** (*quantité*) too much cheese/*etc*; **des œufs**/*etc* **de** *ou* **en t.** (*nombre*) too many eggs/*etc*; **un franc/verre**/*etc* **de t.** *ou* **en t.** one franc/glass/*etc* too many; **se sentir de t.** *Fig* to feel in the way.

trophée [trɔfe] *nm* trophy.

tropique [trɔpik] *nm* tropic. ◆**tropical, -aux** *a* tropical.

trop-plein [trɔplɛ̃] *nm* (*dispositif, liquide*) overflow; (*surabondance*) *Fig* excess.

troquer [trɔke] *vt* to exchange (**contre** for).

trot [tro] *nm* trot; **aller au t.** to trot; **au t.** (*sans traîner*) *Fam* at the double. ◆**trott/er** [trɔte] *vi* (*cheval*) to trot; (*personne*) *Fig* to scurry (along).

trotteuse [trɔtøz] *nf* (*de montre*) second hand.

trottiner [trɔtine] *vi* (*personne*) to patter (along).

trottinette [trɔtinɛt] *nf* (*jouet*) scooter.

trottoir [trɔtwar] *nm* pavement, *Am* sidewalk; **t. roulant** moving walkway, travolator.

trou [tru] *nm* hole; (*d'aiguille*) eye; (*manque*) *Fig* gap (**dans** in); (*village*) *Péj* hole, dump; **t. d'homme** (*ouverture*) manhole; **t. de (la) serrure** keyhole; **t. (de mémoire)** *Fig* lapse (of memory).

trouble [trubl] **1** *a* (*liquide*) cloudy; (*image*) blurred; (*affaire*) shady; **voir t.** to see blurred. **2** *nm* (*émoi, émotion*) agitation; (*désarroi*) distress; (*désordre*) confusion; *pl Méd* trouble; (*révolte*) disturbances, troubles. ◆**troubl/er** *vt* to disturb; (*liquide*) to make cloudy; (*projet*) to upset; (*esprit*) to unsettle; (*vue*) to blur; (*inquiéter*) to trouble; **— se t.** *vpr* (*liquide*) to become cloudy; (*candidat etc*) to become flustered. ◆**—ant** *a* (*détail etc*) disquieting. ◆**trouble-fête** *nmf inv* killjoy, spoilsport.

trou/er [true] *vt* to make a hole *ou* holes in; (*silence, ténèbres*) to cut through. ◆**—ée** *nf* gap; (*brèche*) *Mil* breach.

trouille [truj] *nf* **avoir la t.** *Fam* to have the jitters, be scared. ◆**trouillard** *a* (*poltron*) *Fam* chicken.

troupe [trup] *nf Mil* troop; (*groupe*) group; *Th* company, troupe; **la t., les troupes** (*armée*) the troops.

troupeau, -x [trupo] *nm* (*de vaches*) & *Fig Péj* herd; (*de moutons, d'oies*) flock.

trousse [trus] **1** *nf* (*étui*) case, kit; (*d'écolier*) pencil case; **t. à outils** toolkit; **t. à pharmacie** first-aid kit. **2** *nfpl* **aux trousses de qn** *Fig* on s.o.'s heels.

trousseau, -x [truso] *nm* **1** (*de clés*) bunch. **2** (*de mariée*) trousseau.

trouver [truve] *vt* to find; **aller/venir t. qn** to go/come and see s.o.; **je trouve que** (*je pense que*) I think that; **comment la trouvez-vous?** what do you think of her?; **— se t.** *vpr* to be; (*être situé*) to be situated; (*se sentir*) to feel; (*dans une situation*) to find oneself; **se t. mal** (*s'évanouir*) to faint; **il se trouve que** it happens that. ◆**trouvaille** *nf* (lucky) find.

truand [tryɑ̃] *nm* crook.

truc [tryk] *nm* **1** (*astuce*) trick; (*moyen*) way; **avoir/trouver le t.** to have/get the knack (**pour faire** of doing). **2** (*chose*) *Fam* thing. ◆**—age** *nm* = **truquage.**

truchement [tryʃmɑ̃] *nm* **par le t. de qn** through (the intermediary of) s.o.

truculent [trykylɑ̃] *a* (*langage, personnage*) colourful.

truelle [tryɛl] *nf* trowel.

truffe [tryf] *nf* **1** (*champignon*) truffle. **2** (*de chien*) nose.

truff/er [tryfe] *vt* (*remplir*) to stuff (**de** with). ◆**—é** *a* (*pâté etc*) *Culin* with truffles.

truie [trɥi] *nf* (*animal*) sow.

truite [trɥit] *nf* trout.

truqu/er [tryke] *vt* (*photo etc*) to fake; (*élections, match*) to rig, fix. ◆**—é** *a* (*photo etc*) fake-; (*élections, match*) rigged, fixed; (*scène*) *Cin* trick-. ◆**—age** *nm Cin* (special) effect; (*action*) faking; rigging.

trust [trœst] *nm Com* (*cartel*) trust; (*entreprise*) corporation.

tsar [dzar] *nm* tsar, czar.

TSF [teɛsɛf] *nf abrév* (*télégraphie sans fil*) wireless, radio.

tsigane [tsigan] *a* & *nmf* (Hungarian) gipsy.

TSVP [teɛsvepe] *abrév* (*tournez s'il vous plaît*) PTO.

TTC [tetese] *abrév* (*toutes taxes comprises*) inclusive of tax.

tu[1] [ty] *pron* you (*familiar form of address*).

tu[2] [ty] *voir* **taire.**
tuba [tyba] *nm* **1** *Mus* tuba. **2** *Sp* snorkel.
tube [tyb] *nm* **1** tube; (*de canalisation*) pipe. **2** (*chanson, disque*) *Fam* hit. ◆**tubulaire** *a* tubular.
tuberculeux, -euse [tybɛrkylø, -øz] *a* tubercular; **être t.** to have tuberculosis *ou* TB. ◆**tuberculose** *nf* tuberculosis, TB.
tue-mouches [tymuʃ] *a inv* **papier t.-mouches** flypaper. ◆**t.-tête (à)** *adv* at the top of one's voice.
tu/er [tɥe] *vt* to kill; (*d'un coup de feu*) to shoot (dead), kill; (*épuiser*) *Fig* to wear out; **— se t.** *vpr* to kill oneself; to shoot oneself; (*dans un accident*) to be killed; **se t. à faire** *Fig* to wear oneself out doing. ◆**—ant** *a* (*fatigant*) exhausting. ◆**tuerie** *nf* slaughter. ◆**tueur, -euse** *nmf* killer.
tuile [tɥil] *nf* **1** tile. **2** (*malchance*) *Fam* (stroke of) bad luck.
tulipe [tylip] *nf* tulip.
tuméfié [tymefje] *a* swollen.
tumeur [tymœr] *nf* tumour, growth.
tumulte [tymylt] *nm* commotion; (*désordre*) turmoil. ◆**tumultueux, -euse** *a* turbulent.
tunique [tynik] *nf* tunic.
Tunisie [tynizi] *nf* Tunisia. ◆**tunisien, -ienne** *a* & *nmf* Tunisian.
tunnel [tynɛl] *nm* tunnel.
turban [tyrbɑ̃] *nm* turban.
turbine [tyrbin] *nf* turbine.
turbulences [tyrbylɑ̃s] *nfpl Phys Av* turbulence.
turbulent [tyrbylɑ̃] *a* (*enfant etc*) boisterous, turbulent.
turfiste [tyrfist] *nmf* racegoer, punter.
Turquie [tyrki] *nf* Turkey. ◆**turc, turque** *a* Turkish; – *nmf* Turk; – *nm* (*langue*) Turkish.
turquoise [tyrkwaz] *a inv* turquoise.
tuteur, -trice [tytœr, -tris] **1** *nmf Jur* guardian. **2** *nm* (*bâton*) stake, prop. ◆**tutelle** *nf Jur* guardianship; *Fig* protection.
tutoyer [tytwaje] *vt* to address familiarly (*using tu*). ◆**tutoiement** *nm* familiar address, use of *tu*.
tutu [tyty] *nm* ballet skirt, tutu.
tuyau, -x [tɥijo] *nm* **1** pipe; **t. d'arrosage** hose(pipe); **t. de cheminée** flue; **t. d'échappement** *Aut* exhaust (pipe). **2** (*renseignement*) *Fam* tip. ◆**tuyauter** *vt* **t. qn** (*conseiller*) *Fam* to give s.o. a tip. ◆**tuyauterie** *nf* (*tuyaux*) piping.
TVA [teveа] *nf abrév* (*taxe à la valeur ajoutée*) VAT.
tympan [tɛ̃pɑ̃] *nm* eardrum.
type [tip] *nm* (*modèle*) type; (*traits*) features; (*individu*) *Fam* fellow, guy, bloke; **le t. même de** *Fig* the very model of; – *a inv* (*professeur etc*) typical. ◆**typique** *a* typical (**de** of). ◆**typiquement** *adv* typically.
typhoïde [tifɔid] *nf Méd* typhoid (fever).
typhon [tifɔ̃] *nm Mét* typhoon.
typographe [tipɔgraf] *nmf* typographer. ◆**typographie** *nf* typography, printing. ◆**typographique** *a* typographical, printing-.
tyran [tirɑ̃] *nm* tyrant. ◆**tyrannie** *nf* tyranny. ◆**tyrannique** *a* tyrannical. ◆**tyranniser** *vt* to tyrannize.
tzigane [dzigan] *a* & *nmf* (Hungarian) gipsy.

U

U, u [y] *nm* U, u.
ulcère [ylsɛr] *nm* ulcer, sore.
ulcérer [ylsere] *vt* (*blesser, irriter*) to embitter.
ultérieur [ylterjœr] *a* later. ◆**—ement** *adv* later.
ultimatum [yltimatɔm] *nm* ultimatum.
ultime [yltim] *a* final, last.
ultra- [yltra] *préf* ultra-. ◆**u.-secret, -ète** *a* (*document*) top-secret.
ultramoderne [yltramɔdɛrn] *a* ultramodern.
ultraviolet, -ette [yltravjɔlɛ, -ɛt] *a* ultraviolet.
un, une [œ̃, yn] **1** *art indéf* a, (*devant voyelle*) an; **une page** a page; **un ange** [œ̃nɑ̃ʒ] an angel. **2** *a* one; **la page un** page one; **un kilo** one kilo; **un type** (*un quelconque*) some *ou* a fellow. **3** *pron* & *nmf* one; **l'un** one; **les uns** some; **le numéro un** number one; **j'en ai un** I have one; **l'un d'eux** one of them; **la une** *Journ* page one.
unanime [ynanim] *a* unanimous. ◆**unanimité** *nf* unanimity; **à l'u.** unanimously.

uni [yni] *a* united; (*famille etc*) close; (*surface*) smooth; (*couleur, étoffe*) plain.
unième [ynjɛm] *a* (*après un numéral*) (-)first; **trente et u.** thirty-first; **cent u.** hundred and first.
unifier [ynifje] *vt* to unify. ◆**unification** *nf* unification.
uniforme [ynifɔrm] **1** *a* (*régulier*) uniform. **2** *nm* (*vêtement*) uniform. ◆**uniformément** *adv* uniformly. ◆**uniformiser** *vt* to standardize. ◆**uniformité** *nf* uniformity.
unijambiste [yniʒɑ̃bist] *a* & *nmf* one-legged (man *ou* woman).
unilatéral, -aux [ynilateral, -o] *a* unilateral; (*stationnement*) on one side of the road only.
union [ynjɔ̃] *nf* union; (*association*) association; (*entente*) unity. ◆**unir** *vt* to unite, join (together); **u. la force au courage**/*etc* to combine strength with courage/*etc*; **— s'u.** *vpr* to unite; (*se marier*) to be joined together; (*se joindre*) to join (together).
unique [ynik] *a* **1** (*fille, fils*) only; (*espoir, souci etc*) only, sole; (*prix, salaire, voie*) single, one; **son seul et u. souci** his *ou* her one and only worry. **2** (*incomparable*) unique. ◆**uniquement** *adv* only, solely.
unisexe [yniseks] *a inv* (*vêtements etc*) unisex.
unisson (à l') [alynisɔ̃] *adv* in unison (**de** with).
unité [ynite] *nf* (*élément, grandeur*) & *Mil* unit; (*cohésion, harmonie*) unity. ◆**unitaire** *a* (*prix*) per unit.
univers [ynivɛr] *nm* universe.
universel, -elle [ynivɛrsɛl] *a* universal. ◆**universellement** *adv* universally. ◆**universalité** *nf* universality.
université [ynivɛrsite] *nf* university; **à l'u.** at university. ◆**universitaire** *a* university-; – *nmf* academic.
uranium [yranjɔm] *nm* uranium.
urbain [yrbɛ̃] *a* urban, town-, city-. ◆**urbaniser** *vt* to urbanize, build up. ◆**urbanisme** *nm* town planning, *Am* city planning. ◆**urbaniste** *nmf* town planner, *Am* city planner.
urgent [yrʒɑ̃] *a* urgent, pressing. ◆**urgence** *nf* (*cas*) emergency; (*de décision, tâche etc*) urgency; **d'u.** (*mesures etc*) emergency-; **état d'u.** *Pol* state of emergency; **faire qch d'u.** to do sth urgently.
urine [yrin] *nf* urine. ◆**uriner** *vi* to urinate. ◆**urinoir** *nm* (public) urinal.
urne [yrn] *nf* **1** (*électorale*) ballot box; **aller aux urnes** to go to the polls. **2** (*vase*) urn.
URSS [yrs] *nf abrév* (*Union des Républiques Socialistes Soviétiques*) USSR.
usage [yzaʒ] *nm* use; *Ling* usage; (*habitude*) custom; **faire u. de** to make use of; **faire de l'u.** (*vêtement etc*) to wear well; **d'u.** (*habituel*) customary; **à l'u. de** for (the use of); **hors d'u.** no longer usable. ◆**usagé** *a* worn; (*d'occasion*) used. ◆**usager** *nm* user. ◆**us/er** *vt* (*vêtement, personne*) to wear out; (*consommer*) to use (up); (*santé*) to ruin; – *vi* **u. de** to use; **— s'u.** *vpr* (*tissu, machine*) to wear out; (*personne*) to wear oneself out. ◆**—é** *a* (*tissu etc*) worn (out); (*sujet etc*) well-worn; (*personne*) worn out.
usine [yzin] *nf* factory; (*à gaz, de métallurgie*) works.
usiner [yzine] *vt* (*pièce*) *Tech* to machine.
usité [yzite] *a* commonly used.
ustensile [ystɑ̃sil] *nm* utensil.
usuel, -elle [yzɥɛl] *a* everyday, ordinary; – *nmpl* (*livres*) reference books.
usure [yzyr] *nf* (*détérioration*) wear (and tear); **avoir qn à l'u.** *Fig* to wear s.o. down (in the end).
usurier, -ière [yzyrje, -jɛr] *nmf* usurer.
usurper [yzyrpe] *vt* to usurp.
utérus [yterys] *nm Anat* womb, uterus.
utile [ytil] *a* useful (**à** to). ◆**utilement** *adv* usefully.
utiliser [ytilize] *vt* to use, utilize. ◆**utilisable** *a* usable. ◆**utilisateur, -trice** *nmf* user. ◆**utilisation** *nf* use. ◆**utilité** *nf* use(fulness); **d'une grande u.** very useful.
utilitaire [ytilitɛr] *a* utilitarian; (*véhicule*) utility-.
utopie [ytɔpi] *nf* (*idéal*) utopia; (*projet, idée*) utopian plan *ou* idea. ◆**utopique** *a* utopian.

V

V, v [ve] *nm* V, v.
va [va] *voir* **aller 1**.
vacances [vakɑ̃s] *nfpl* holiday(s), *Am* vacation; **en v.** on holiday, *Am* on vacation; **prendre ses v.** to take one's holiday(s) *ou Am* vacation; **les grandes v.** the summer

holidays *ou Am* vacation. ◆**vacancier, -ière** *nmf* holidaymaker, *Am* vacationer.
vacant [vakɑ̃] *a* vacant. ◆**vacance** *nf* (*poste*) vacancy.
vacarme [vakarm] *nm* din, uproar.
vaccin [vaksɛ̃] *nm* vaccine; **faire un v. à** to vaccinate. ◆**vaccination** *nf* vaccination. ◆**vacciner** *vt* to vaccinate.
vache [vaʃ] **1** *nf* cow; **v. laitière** dairy cow. **2** *nf* **(peau de) v.** (*personne*) *Fam* swine; – *a* (*méchant*) *Fam* nasty. ◆**vachement** *adv Fam* (*très*) damned; (*beaucoup*) a hell of a lot. ◆**vacherie** *nf Fam* (*action, parole*) nasty thing; (*caractère*) nastiness.
vacill/er [vasije] *vi* to sway, wobble; (*flamme, lumière*) to flicker; (*jugement, mémoire etc*) to falter, waver. ◆**—ant** *a* (*démarche, mémoire*) shaky; (*lumière etc*) flickering.
vadrouille [vadruj] *nf* **en v.** *Fam* roaming *ou* wandering about. ◆**vadrouiller** *vi Fam* to roam *ou* wander about.
va-et-vient [vaevjɛ̃] *nm inv* (*mouvement*) movement to and fro; (*de personnes*) comings and goings.
vagabond, -onde [vagabɔ̃, -ɔ̃d] *a* wandering; – *nmf* (*clochard*) vagrant, tramp. ◆**vagabond/er** *vi* to roam *ou* wander about; (*pensée*) to wander. ◆**—age** *nm* wandering; *Jur* vagrancy.
vagin [vaʒɛ̃] *nm* vagina.
vagir [vaʒir] *vi* (*bébé*) to cry, wail.
vague [vag] **1** *a* vague; (*regard*) vacant; (*souvenir*) dim, vague; – *nm* vagueness; **regarder dans le v.** to gaze into space, gaze vacantly; **rester dans le v.** (*être évasif*) to keep it vague. **2** *nf* (*de mer*) & *Fig* wave; **v. de chaleur** heat wave; **v. de froid** cold snap *ou* spell; **v. de fond** (*dans l'opinion*) *Fig* tidal wave. ◆**vaguement** *adv* vaguely.
vaillant [vajɑ̃] *a* brave, valiant; (*vigoureux*) healthy. ◆**vaillamment** *adv* bravely, valiantly. ◆**vaillance** *nf* bravery.
vain [vɛ̃] *a* **1** (*futile*) vain, futile; (*mots, promesse*) empty; **en v.** in vain, vainly. **2** (*vaniteux*) vain. ◆**vainement** *adv* in vain, vainly.
vainc/re* [vɛ̃kr] *vt* to defeat, beat; (*surmonter*) to overcome. ◆**—u, -ue** *nmf* defeated man *ou* woman; *Sp* loser. ◆**vainqueur** *nm* victor; *Sp* winner; – *am* victorious.
vaisseau, -x [vɛso] *nm* **1** *Anat Bot* vessel. **2** (*bateau*) ship, vessel; **v. spatial** spaceship.
vaisselle [vɛsɛl] *nf* crockery; (*à laver*) washing up; **faire la v.** to do the washing up, do *ou* wash the dishes.
val, *pl* **vals** *ou* **vaux** [val, vo] *nm* valley.
valable [valabl] *a* (*billet, motif etc*) valid; (*remarquable, rentable*) *Fam* worthwhile.
valet [valɛ] *nm* **1** *Cartes* jack. **2 v. (de chambre)** valet, manservant; **v. de ferme** farmhand.
valeur [valœr] *nf* value; (*mérite*) worth; (*poids*) importance, weight; *pl* (*titres*) *Com* stocks and shares; **la v. de** (*quantité*) the equivalent of; **avoir de la v.** to be valuable; **mettre en v.** (*faire ressortir*) to highlight; **de v.** (*personne*) of merit, able; **objets de v.** valuables.
valide [valid] *a* **1** (*personne*) fit, able-bodied; (*population*) able-bodied. **2** (*billet etc*) valid. ◆**valider** *vt* to validate. ◆**validité** *nf* validity.
valise [valiz] *nf* (suit)case; **v. diplomatique** diplomatic bag *ou Am* pouch; **faire ses valises** to pack (one's bags).
vallée [vale] *nf* valley. ◆**vallon** *nm* (small) valley. ◆**vallonné** *a* (*région etc*) undulating.
valoir* [valwar] *vi* to be worth; (*s'appliquer*) to apply (**pour** to); **v. mille francs/cher/***etc* to be worth a thousand francs/a lot/*etc*; **un vélo vaut bien une auto** a bicycle is as good as a car; **il vaut mieux rester** it's better to stay; **il vaut mieux que j'attende** I'd better wait; **ça ne vaut rien** it's worthless, it's no good; **ça vaut le coup** *Fam ou* **la peine** it's worthwhile **(de faire** doing); **faire v.** (*faire ressortir*) to highlight, set off; (*argument*) to put forward; (*droit*) to assert; – *vt* **v. qch à qn** to bring *ou* get s.o. sth; **— se v.** *vpr* (*objets, personnes*) to be as good as each other; **ça se vaut** *Fam* it's all the same.
valse [vals] *nf* waltz. ◆**valser** *vi* to waltz.
valve [valv] *nf* (*clapet*) valve. ◆**valvule** *nf* (*du cœur*) valve.
vampire [vɑ̃pir] *nm* vampire.
vandale [vɑ̃dal] *nmf* vandal. ◆**vandalisme** *nm* vandalism.
vanille [vanij] *nf* vanilla; **glace/***etc* **à la v.** vanilla ice cream/*etc*. ◆**vanillé** *a* vanilla-flavoured.
vanité [vanite] *nf* vanity. ◆**vaniteux, -euse** *a* vain, conceited.
vanne [van] *nf* **1** (*d'écluse*) sluice (gate), floodgate. **2** (*remarque*) *Fam* dig, jibe.
vanné [vane] *a* (*fatigué*) *Fam* dead beat.
vannerie [vanri] *nf* (*fabrication, objets*) basketwork, basketry.
vantail, -aux [vɑ̃taj, -o] *nm* (*de porte*) leaf.
vanter [vɑ̃te] *vt* to praise; **— se v.** *vpr* to boast, brag (**de** about, of). ◆**vantard, -arde** *a* boastful; – *nmf* boaster, braggart.

◆**vantardise** *nf* boastfulness; (*propos*) boast.
va-nu-pieds [vanypje] *nmf inv* tramp, beggar.
vapeur [vapœr] *nf* (*brume, émanation*) vapour; **v. (d'eau)** steam; **cuire à la v.** to steam; **bateau à v.** steamship. ◆**vaporeux, -euse** *a* hazy, misty; (*tissu*) translucent, diaphanous.
vaporiser [vapɔrize] *vt* to spray. ◆**vaporisateur** *nm* (*appareil*) spray.
vaquer [vake] *vi* **v. à** to attend to.
varappe [varap] *nf* rock-climbing.
varech [varɛk] *nm* wrack, seaweed.
vareuse [varøz] *nf* (*d'uniforme*) tunic.
varicelle [varisɛl] *nf* chicken pox.
varices [varis] *nfpl* varicose veins.
vari/er [varje] *vti* to vary (**de** from). ◆**—é** *a* (*diversifié*) varied; (*divers*) various. ◆**—able** *a* variable; (*humeur, temps*) changeable. ◆**variante** *nf* variant. ◆**variation** *nf* variation. ◆**variété** *nf* variety; **spectacle de variétés** *Th* variety show.
variole [varjɔl] *nf* smallpox.
vas [va] *voir* **aller 1**.
vase [vaz] **1** *nm* vase. **2** *nf* (*boue*) silt, mud.
vaseline [vazlin] *nf* Vaseline®.
vaseux, -euse [vazø, -øz] *a* **1** (*boueux*) silty, muddy. **2** (*fatigué*) off colour. **3** (*idées etc*) woolly, hazy.
vasistas [vazistas] *nm* (*dans une porte ou une fenêtre*) hinged panel.
vaste [vast] *a* vast, huge.
Vatican [vatikɑ̃] *nm* Vatican.
va-tout [vatu] *nm inv* **jouer son v.-tout** to stake one's all.
vaudeville [vodvil] *nm Th* light comedy.
vau-l'eau (à) [avolo] *adv* **aller à v.-l'eau** to go to rack and ruin.
vaurien, -ienne [vorjɛ̃, -jɛn] *nmf* good-for-nothing.
vautour [votur] *nm* vulture.
vautrer (se) [səvotre] *vpr* to sprawl; **se v. dans** (*boue, vice*) to wallow in.
va-vite (à la) [alavavit] *adv Fam* in a hurry.
veau, -x [vo] *nm* (*animal*) calf; (*viande*) veal; (*cuir*) calf(skin).
vécu [veky] *voir* **vivre;** – *a* (*histoire etc*) real(-life), true.
vedette [vədɛt] *nf* **1** *Cin Th* star; **avoir la v.** (*artiste*) to head the bill; **en v.** (*personne*) in the limelight; (*objet*) in a prominent position. **2** (*canot*) motor boat, launch.
végétal, -aux [veʒetal, -o] *a* (*huile, règne*) vegetable-; – *nm* plant. ◆**végétarien, -ienne** *a* & *nmf* vegetarian. ◆**végétation 1** *nf* vegetation. **2** *nfpl Méd* adenoids.
végéter [veʒete] *vi* (*personne*) *Péj* to vegetate.
véhément [veemɑ̃] *a* vehement. ◆**véhémence** *nf* vehemence.
véhicule [veikyl] *nm* vehicle. ◆**véhiculer** *vt* to convey.
veille [vɛj] *nf* **1 la v. (de)** (*jour précédent*) the day before; **à la v. de** (*événement*) on the eve of; **la v. de Noël** Christmas Eve. **2** (*état*) wakefulness; *pl* vigils.
veill/er [veje] *vi* to stay up *ou* awake; (*sentinelle etc*) to be on watch; **v. à qch** to attend to sth, see to sth; **v. à ce que** (+ *sub*) to make sure that; **v. sur qn** to watch over s.o.; – *vt* (*malade*) to sit with, watch over. ◆**—ée** *nf* (*soirée*) evening; (*réunion*) evening get-together; (*mortuaire*) vigil. ◆**—eur** *nm* **v. de nuit** night watchman. ◆**—euse** *nf* (*lampe*) night light; (*de voiture*) sidelight; (*de réchaud*) pilot light.
veine [vɛn] *nf* **1** *Anat Bot Géol* vein. **2** (*chance*) *Fam* luck; **avoir de la v.** to be lucky; **une v.** a piece *ou* stroke of luck. ◆**veinard, -arde** *nmf Fam* lucky devil; – *a Fam* lucky.
vêler [vele] *vi* (*vache*) to calve.
vélin [velɛ̃] *nm* (*papier, peau*) vellum.
velléité [veleite] *nf* vague desire.
vélo [velo] *nm* bike, bicycle; (*activité*) cycling; **faire du v.** to cycle, go cycling. ◆**vélodrome** *nm Sp* velodrome, cycle track. ◆**vélomoteur** *nm* (lightweight) motorcycle.
velours [v(ə)lur] *nm* velvet; **v. côtelé** corduroy, cord. ◆**velouté** *a* soft, velvety; (*au goût*) mellow, smooth; – *nm* smoothness; **v. d'asperges/***etc* (*potage*) cream of asparagus/*etc* soup.
velu [vəly] *a* hairy.
venaison [vənɛzɔ̃] *nf* venison.
vénal, -aux [venal, -o] *a* mercenary, venal.
vendange(s) [vɑ̃dɑ̃ʒ] *nf(pl)* grape harvest, vintage. ◆**vendanger** *vi* to pick the grapes. ◆**vendangeur, -euse** *nmf* grape-picker.
vendetta [vɑ̃deta] *nf* vendetta.
vend/re [vɑ̃dr] *vt* to sell; **v. qch à qn** to sell s.o. sth, sell sth to s.o.; **v. qn** (*trahir*) to sell s.o. out; **à v.** (*maison etc*) for sale; **— se v.** *vpr* to be sold; **ça se vend bien** it sells well. ◆**—eur, -euse** *nmf* (*de magasin*) sales *ou* shop assistant, *Am* sales clerk; (*marchand*) salesman, saleswoman; *Jur* vendor, seller.
vendredi [vɑ̃drədi] *nm* Friday; **V. saint** Good Friday.

venir de = to just have done qqc (+ inf)

vénéneux, -euse [venenø, -øz] *a* poisonous.

vénérable [venerabl] *a* venerable. ◆**vénérer** *vt* to venerate.

vénérien, -ienne [venerjɛ̃, -jɛn] *a Méd* venereal.

venger [vɑ̃ʒe] *vt* to avenge; **– se v.** *vpr* to take (one's) revenge, avenge oneself (**de qn** on s.o., **de qch** for sth). ◆**vengeance** *nf* revenge, vengeance. ◆**vengeur, -eresse** *a* vengeful; – *nmf* avenger.

venin [vənɛ̃] *nm* (*substance*) & *Fig* venom. ◆**venimeux, -euse** *a* poisonous, venomous; (*haineux*) *Fig* venomous.

venir* [v(ə)nir] *vi* (*aux* **être**) to come (**de** from); **v. faire** to come to do; **viens me voir** come and *ou* to see me; **je viens/venais d'arriver** I've/I'd just arrived; **en v. à** (*conclusion etc*) to come to; **où veux-tu en v.?** what are you driving *ou* getting at?; **d'où vient que . . . ?** how is it that . . . ?; **s'il venait à faire** (*éventualité*) if he happened to do; **les jours/***etc* **qui viennent** the coming days/*etc*; **une idée m'est venue** an idea occurred to me; **faire v.** to send for, get.

vent [vɑ̃] *nm* wind; **il fait** *ou* **il y a du v.** it's windy; **coup de v.** gust of wind; **avoir v. de** (*connaissance de*) to get wind of; **dans le v.** (*à la mode*) *Fam* trendy, with it.

vente [vɑ̃t] *nf* sale; **v. (aux enchères)** auction (sale); **v. de charité** bazaar, charity sale; **en v.** (*disponible*) on sale; **point de v.** sales *ou* retail outlet; **prix de v.** selling price; **salle des ventes** auction room.

ventilateur [vɑ̃tilatœr] *nm* (*électrique*) & *Aut* fan; (*dans un mur*) ventilator. ◆**ventilation** *nf* ventilation. ◆**ventiler** *vt* to ventilate.

ventouse [vɑ̃tuz] *nf* (*pour fixer*) suction grip; **à v.** (*crochet, fléchette etc*) suction-.

ventre [vɑ̃tr] *nm* belly, stomach; (*utérus*) womb; (*de cruche etc*) bulge; **avoir/prendre du v.** to have/get a paunch; **à plat v.** flat on one's face. ◆**ventru** *a* (*personne*) pot-bellied; (*objet*) bulging.

ventriloque [vɑ̃trilɔk] *nmf* ventriloquist.

venu, -ue[1] [v(ə)ny] *voir* **venir**; – *nmf* **nouveau v., nouvelle venue** newcomer; **premier v.** anyone; – *a* **bien v.** (*à propos*) timely; **mal v.** untimely; **être bien/mal v. de faire** to have good grounds/no grounds for doing.

venue[2] [v(ə)ny] *nf* (*arrivée*) coming.

vêpres [vɛpr] *nfpl Rel* vespers.

ver [vɛr] *nm* worm; (*larve*) grub; (*de fruits, fromage etc*) maggot; **v. luisant** glow-worm; **v. à soie** silkworm; **v. solitaire** tapeworm; **v. de terre** earthworm.

véracité [verasite] *nf* truthfulness, veracity.

véranda [verɑ̃da] *nf* veranda(h).

verbe [vɛrb] *nm Gram* verb. ◆**verbal, -aux** *a* (*promesse, expression etc*) verbal.

verbeux, -euse [vɛrbø, -øz] *a* verbose. ◆**verbiage** *nm* verbiage.

verdâtre [vɛrdɑtr] *a* greenish.

verdeur [vɛrdœr] *nf* (*de fruit, vin*) tartness; (*de vieillard*) sprightliness; (*de langage*) crudeness.

verdict [vɛrdikt] *nm* verdict.

verdir [vɛrdir] *vti* to turn green. ◆**verdoyant** *a* green, verdant. ◆**verdure** *nf* (*arbres etc*) greenery.

véreux, -euse [verø, -øz] *a* (*fruit etc*) wormy, maggoty; (*malhonnête*) *Fig* dubious, shady.

verge [vɛrʒ] *nf Anat* penis.

verger [vɛrʒe] *nm* orchard.

vergetures [vɛrʒətyr] *nfpl* stretch marks.

verglas [vɛrgla] *nm* (black) ice, *Am* sleet. ◆**verglacé** *a* (*route*) icy.

vergogne (sans) [sɑ̃vɛrgɔɲ] *a* shameless; – *adv* shamelessly.

véridique [veridik] *a* truthful.

vérifier [verifje] *vt* to check, verify; (*confirmer*) to confirm; (*comptes*) to audit. ◆**vérifiable** *a* verifiable. ◆**vérification** *nf* verification; confirmation; audit(ing).

vérité [verite] *nf* truth; (*de personnage, tableau etc*) trueness to life; (*sincérité*) sincerity; **en v.** in fact. ◆**véritable** *a* true, real; (*non imité*) real, genuine; (*exactement nommé*) veritable, real. ◆**véritablement** *adv* really.

vermeil, -eille [vɛrmɛj] *a* bright red, vermilion.

vermicelle(s) [vɛrmisɛl] *nm(pl) Culin* vermicelli.

vermine [vɛrmin] *nf* (*insectes, racaille*) vermine.

vermoulu [vɛrmuly] *a* worm-eaten.

vermouth [vɛrmut] *nm* vermouth.

verni [vɛrni] *a* (*chanceux*) *Fam* lucky.

vernir [vɛrnir] *vt* to varnish; (*poterie*) to glaze. ◆**vernis** *nm* varnish; glaze; (*apparence*) *Fig* veneer; **v. à ongles** nail polish *ou* varnish. ◆**vernissage** *nm* (*d'exposition de peinture*) first day. ◆**vernisser** *vt* (*poterie*) to glaze.

verra, verrait [vɛra, vɛrɛ] *voir* **voir.**

verre [vɛr] *nm* (*substance, récipient*) glass; **boire** *ou* **prendre un v.** to have a drink; **v. à bière/à vin** beer/wine glass; **v. de contact**

contact lens. ◆**verrerie** *nf* (*objets*) glassware. ◆**verrière** *nf* (*toit*) glass roof.
verrou [vɛru] *nm* bolt; **fermer au v.** to bolt; **sous les verrous** behind bars. ◆**verrouiller** *vt* to bolt.
verrue [vɛry] *nf* wart.
vers[1] [vɛr] *prép* (*direction*) towards, toward; (*approximation*) around, about.
vers[2] [vɛr] *nm* (*d'un poème*) line; *pl* (*poésie*) verse.
versant [vɛrsɑ̃] *nm* slope, side.
versatile [vɛrsatil] *a* fickle, volatile.
verse (à) [avɛrs] *adv* in torrents; **pleuvoir à v.** to pour (down).
versé [vɛrse] *a* **v. dans** (well-)versed in.
Verseau [vɛrso] *nm* **le V.** (*signe*) Aquarius.
vers/er [vɛrse] **1** *vt* to pour; (*larmes, sang*) to shed. **2** *vt* (*argent*) to pay. **3** *vti* (*basculer*) to overturn. ◆**—ement** *nm* payment. ◆**—eur** *a* **bec v.** spout.
verset [vɛrsɛ] *nm Rel* verse.
version [vɛrsjɔ̃] *nf* version; (*traduction*) *Scol* translation, unseen.
verso [vɛrso] *nm* back (of the page); **'voir au v.'** 'see overleaf'.
vert [vɛr] *a* green; (*pas mûr*) unripe; (*vin*) young; (*vieillard*) *Fig* sprightly; – *nm* green.
vert-de-gris [vɛrdəgri] *nm inv* verdigris.
vertèbre [vɛrtɛbr] *nf* vertebra.
vertement [vɛrtəmɑ̃] *adv* (*réprimander etc*) sharply.
vertical, -ale, -aux [vɛrtikal, -o] *a* & *nf* vertical; **à la verticale** vertically. ◆**verticalement** *adv* vertically.
vertige [vɛrtiʒ] *nm* (feeling of) dizziness *ou* giddiness; (*peur de tomber dans le vide*) vertigo; *pl* dizzy spells; **avoir le v.** to feel dizzy *ou* giddy. ◆**vertigineux, -euse** *a* (*hauteur*) giddy, dizzy; (*très grand*) *Fig* staggering.
vertu [vɛrty] *nf* virtue; **en v. de** in accordance with. ◆**vertueux, -euse** *a* virtuous.
verve [vɛrv] *nf* (*d'orateur etc*) brilliance.
verveine [vɛrvɛn] *nf* (*plante*) verbena.
vésicule [vezikyl] *nf* **v. biliaire** gall bladder.
vessie [vesi] *nf* bladder.
veste [vɛst] *nf* jacket, coat.
vestiaire [vɛstjɛr] *nm* cloakroom, *Am* locker room; (*meuble métallique*) locker.
vestibule [vɛstibyl] *nm* (entrance) hall.
vestiges [vɛstiʒ] *nmpl* (*restes, ruines*) remains; (*traces*) traces, vestiges.
vestimentaire [vɛstimɑ̃tɛr] *a* (*dépense*) clothing-; (*détail*) of dress.
veston [vɛstɔ̃] *nm* (suit) jacket.
vêtement [vɛtmɑ̃] *nm* garment, article of clothing; *pl* clothes; **du v.** (*industrie, commerce*) clothing-; **vêtements de sport** sportswear.
vétéran [veterɑ̃] *nm* veteran.
vétérinaire [veterinɛr] *a* veterinary; – *nmf* vet, veterinary surgeon, *Am* veterinarian.
vétille [vetij] *nf* trifle, triviality.
vêt/ir* [vetir] *vt*, **— se v.** *vpr* to dress. ◆**—u** *a* dressed (**de** in).
veto [veto] *nm inv* veto; **mettre** *ou* **opposer son v. à** to veto.
vétuste [vetyst] *a* dilapidated.
veuf, veuve [vœf, vœv] *a* widowed; – *nm* widower; – *nf* widow.
veuille [vœj] *voir* **vouloir.**
veule [vøl] *a* feeble. ◆**veulerie** *nf* feebleness.
veut, veux [vø] *voir* **vouloir.**
vex/er [vɛkse] *vt* to upset, hurt; **— se v.** *vpr* to be *ou* get upset (**de** at). ◆**—ant** *a* hurtful; (*contrariant*) annoying. ◆**vexation** *nf* humiliation.
viable [vjabl] *a* (*enfant, entreprise etc*) viable. ◆**viabilité** *nf* viability.
viaduc [vjadyk] *nm* viaduct.
viager, -ère [vjaʒe, -ɛr] *a* **rente viagère** life annuity; – *nm* life annuity.
viande [vjɑ̃d] *nf* meat.
vibrer [vibre] *vi* to vibrate; (*être ému*) to thrill (**de** with); **faire v.** (*auditoire etc*) to thrill. ◆**vibrant** *a* (*émouvant*) emotional; (*voix, son*) resonant, vibrant. ◆**vibration** *nf* vibration. ◆**vibromasseur** *nm* (*appareil*) vibrator.
vicaire [vikɛr] *nm* curate.
vice [vis] *nm* vice; (*défectuosité*) defect.
vice- [vis] *préf* vice-.
vice versa [vis(e)vɛrsa] *adv* vice versa.
vicier [visje] *vt* to taint, pollute.
vicieux, -euse [visjø, -øz] **1** *a* depraved; – *nmf* pervert. **2** *a* **cercle v.** vicious circle.
vicinal, -aux [visinal, -o] *a* **chemin v.** byroad, minor road.
vicissitudes [visisityd] *nfpl* vicissitudes.
vicomte [vikɔ̃t] *nm* viscount. ◆**vicomtesse** *nf* viscountess.
victime [viktim] *nf* victim; (*d'un accident*) casualty; **être v. de** to be the victim of.
victoire [viktwar] *nf* victory; *Sp* win. ◆**victorieux, -euse** *a* victorious; (*équipe*) winning.
victuailles [viktɥaj] *nfpl* provisions.
vidange [vidɑ̃ʒ] *nf* emptying, draining; *Aut* oil change; (*dispositif*) waste outlet. ◆**vidanger** *vt* to empty, drain.
vide [vid] *a* empty; – *nm* emptiness, void; (*absence d'air*) vacuum; (*gouffre etc*) drop;

(*trou, manque*) gap; **regarder dans le v.** to stare into space; **emballé sous v.** vacuum-packed; **à v.** empty.

vidéo [video] *a inv* video. ◆**vidéocassette** *nf* video (cassette).

vide-ordures [vidɔrdyr] *nm inv* (refuse) chute. ◆**vide-poches** *nm inv Aut* glove compartment.

vid/er [vide] *vt* to empty; (*lieu*) to vacate; (*poisson, volaille*) *Culin* to gut; (*querelle*) to settle; **v. qn** *Fam* (*chasser*) to throw s.o. out; (*épuiser*) to tire s.o. out; **— se v.** *vpr* to empty. ◆**—é** *a* (*fatigué*) *Fam* exhausted. ◆**—eur** *nm* (*de boîte de nuit*) bouncer.

vie [vi] *nf* life; (*durée*) lifetime; **coût de la v.** cost of living; **gagner sa v.** to earn one's living *ou* livelihood; **en v.** living; **à v., pour la v.** for life; **donner la v. à** to give birth to; **avoir la v. dure** (*préjugés etc*) to die hard; **jamais de la v.!** not on your life!, never!

vieill/ir [vjejir] *vi* to grow old; (*changer*) to age; (*théorie, mot*) to become old-fashioned; – *vt* **v. qn** (*vêtement etc*) to age s.o. ◆**—i** *a* (*démodé*) old-fashioned. ◆**—issant** *a* ageing. ◆**—issement** *nm* ageing.

viens, vient [vjɛ̃] *voir* **venir.**

vierge [vjɛrʒ] *nf* virgin; **la V.** (*signe*) Virgo; – *a* (*femme, neige etc*) virgin; (*feuille de papier, film*) blank; **être v.** (*femme, homme*) to be a virgin.

Viêt-nam [vjɛtnam] *nm* Vietnam. ◆**vietnamien, -ienne** *a & nmf* Vietnamese.

vieux (*or* **vieil** *before vowel or mute h*), **vieille,** *pl* **vieux, vieilles** [vjø, vjɛj] *a* old; **être v. jeu** (*a inv*) to be old-fashioned; **v. garçon** bachelor; **vieille fille** *Péj* old maid; – *nm* old man; *pl* old people; **mon v.** (*mon cher*) *Fam* old boy, old man; – *nf* old woman; **ma vieille** (*ma chère*) *Fam* old girl. ◆**vieillard** *nm* old man; *pl* old people. ◆**vieillerie** *nf* (*objet*) old thing; (*idée*) old idea. ◆**vieillesse** *nf* old age. ◆**vieillot** *a* antiquated.

vif, vive [vif, viv] *a* (*enfant, mouvement*) lively; (*alerte*) quick, sharp; (*intelligence, intérêt, vent*) keen; (*couleur, lumière*) bright; (*froid*) biting; (*pas*) quick, brisk; (*impression, imagination, style*) vivid; (*parole*) sharp; (*regret, satisfaction, succès etc*) great; (*coléreux*) quick-tempered; **brûler/enterrer qn v.** to burn/bury s.o. alive; – *nm* **le v. du sujet** the heart of the matter; **à v.** (*plaie*) open; **piqué au v.** (*vexé*) cut to the quick.

vigie [viʒi] *nf* (*matelot*) lookout; (*poste*) lookout post.

vigilant [viʒilɑ̃] *a* vigilant. ◆**vigilance** *nf* vigilance.

vigile [viʒil] *nm* (*gardien*) watchman; (*de nuit*) night watchman.

vigne [viɲ] *nf* (*plante*) vine; (*plantation*) vineyard. ◆**vigneron, -onne** *nmf* wine grower. ◆**vignoble** *nm* vineyard; (*région*) vineyards.

vignette [viɲɛt] *nf Aut* road tax sticker; (*de médicament*) price label (*for reimbursement by Social Security*).

vigueur [vigœr] *nf* vigour; **entrer/être en v.** (*loi*) to come into/be in force. ◆**vigoureux, -euse** *a* (*personne, style etc*) vigorous; (*bras*) sturdy.

vilain [vilɛ̃] *a* (*laid*) ugly; (*mauvais*) nasty; (*enfant*) naughty.

villa [villa] *nf* (detached) house.

village [vilaʒ] *nm* village. ◆**villageois, -oise** *a* village-; – *nmf* villager.

ville [vil] *nf* town; (*grande*) city; **aller/être en v.** to go into/be in town; **v. d'eaux** spa (town).

villégiature [vileʒjatyr] *nf* **lieu de v.** (holiday) resort.

vin [vɛ̃] *nm* wine; **v. ordinaire** *ou* **de table** table wine; **v. d'honneur** reception (*in honour of s.o.*). ◆**vinicole** *a* (*région*) wine-growing; (*industrie*) wine-.

vinaigre [vinɛgr] *nm* vinegar. ◆**vinaigré** *a* seasoned with vinegar. ◆**vinaigrette** *nf* (*sauce*) vinaigrette, French dressing, *Am* Italian dressing.

vindicatif, -ive [vɛ̃dikatif, -iv] *a* vindictive.

vingt [vɛ̃] ([vɛ̃t] *before vowel or mute h and in numbers 22–29*) *a & nm* twenty; **v. et un** twenty-one. ◆**vingtaine** *nf* **une v. (de)** (*nombre*) about twenty; **avoir la v.** (*âge*) to be about twenty. ◆**vingtième** *a & nmf* twentieth.

vinyle [vinil] *nm* vinyl.

viol [vjɔl] *nm* rape; (*de loi, lieu*) violation. ◆**violation** *nf* violation. ◆**violenter** *vt* to rape. ◆**violer** *vt* (*femme*) to rape; (*loi, lieu*) to violate. ◆**violeur** *nm* rapist.

violent [vjɔlɑ̃] *a* violent; (*remède*) drastic. ◆**violemment** [-amɑ̃] *adv* violently. ◆**violence** *nf* violence; (*acte*) act of violence.

violet, -ette [vjɔlɛ, -ɛt] **1** *a & nm* (*couleur*) purple, violet. **2** *nf* (*fleur*) violet. ◆**violacé** *a* purplish.

violon [vjɔlɔ̃] *nm* violin. ◆**violoncelle** *nm* cello. ◆**violoncelliste** *nmf* cellist. ◆**violoniste** *nmf* violinist.

vipère [vipɛr] *nf* viper, adder.

virage [viraʒ] *nm* (*de route*) bend; (*de véhicule*) turn; (*revirement*) *Fig* change of course. ◆**vir/er 1** *vi* to turn, veer; (*sur soi*) to turn round; **v. au bleu**/*etc* to turn blue/*etc*. **2** *vt* (*expulser*) *Fam* to throw out. **3** *vt* (*somme*) *Fin* to transfer (**à** to). ◆**—ement** *nm Fin* (bank *ou* credit) transfer.

virée [vire] *nf Fam* trip, outing.

virevolter [virvɔlte] *vi* to spin round.

virginité [virʒinite] *nf* virginity.

virgule [virgyl] *nf Gram* comma; *Math* (decimal) point; **2 v. 5** 2 point 5.

viril [viril] *a* virile, manly; (*attribut, force*) male. ◆**virilité** *nf* virility, manliness.

virtuel, -elle [virtɥɛl] *a* potential.

virtuose [virtɥoz] *nmf* virtuoso. ◆**virtuosité** *nf* virtuosity.

virulent [virylɑ̃] *a* virulent. ◆**virulence** *nf* virulence.

virus [virys] *nm* virus.

vis[1] [vi] *voir* **vivre, voir.**

vis[2] [vis] *nf* screw.

visa [viza] *nm* (*timbre*) stamp, stamped signature; (*de passeport*) visa; **v. de censure** (*d'un film*) certificate.

visage [vizaʒ] *nm* face.

vis-à-vis [vizavi] *prép* **v.-à-vis de** opposite; (*à l'égard de*) with respect to; (*envers*) towards; (*comparé à*) compared to; – *nm inv* (*personne*) person opposite; (*bois, maison etc*) opposite view.

viscères [visɛr] *nmpl* intestines. ◆**viscéral, -aux** *a* (*haine etc*) *Fig* deeply felt.

viscosité [viskozite] *nf* viscosity.

viser [vize] **1** *vi* to aim (**à** at); **v. à faire** to aim to do; – *vt* (*cible*) to aim at; (*concerner*) to be aimed at. **2** *vt* (*passeport, document*) to stamp. ◆**visées** *nfpl* (*desseins*) *Fig* aims; **avoir des visées sur** to have designs on. ◆**viseur** *nm Phot* viewfinder; (*d'arme*) sight.

visible [vizibl] *a* visible. ◆**visiblement** *adv* visibly. ◆**visibilité** *nf* visibility.

visière [vizjɛr] *nf* (*de casquette*) peak; (*en plastique etc*) eyeshade; (*de casque*) visor.

vision [vizjɔ̃] *nf* (*conception, image*) vision; (*sens*) (eye)sight, vision; **avoir des visions** *Fam* to be seeing things. ◆**visionnaire** *a* & *nmf* visionary. ◆**visionner** *vt Cin* to view. ◆**visionneuse** *nf* (*pour diapositives*) viewer.

visite [vizit] *nf* visit; (*personne*) visitor; (*examen*) inspection; **rendre v. à, faire une v. à** to visit; **v. (à domicile)** *Méd* call, visit; **v. (médicale)** medical examination; **v. guidée** guided tour; **de v.** (*carte, heures*) visiting-. ◆**visiter** *vt* to visit; (*examiner*) to inspect. ◆**visiteur, -euse** *nmf* visitor.

vison [vizɔ̃] *nm* mink.

visqueux, -euse [viskø, -øz] *a* viscous; (*surface*) sticky; (*répugnant*) *Fig* slimy.

visser [vise] *vt* to screw on.

visuel, -elle [vizɥɛl] *a* visual.

vit [vi] *voir* **vivre, voir.**

vital, -aux [vital, -o] *a* vital. ◆**vitalité** *nf* vitality.

vitamine [vitamin] *nf* vitamin. ◆**vitaminé** *a* (*biscuits etc*) vitamin-enriched.

vite [vit] *adv* quickly, fast; (*tôt*) soon; **v.!** quick(ly)! ◆**vitesse** *nf* speed; (*régime*) *Aut* gear; **boîte de vitesses** gearbox; **à toute v.** at top *ou* full speed; **v. de pointe** top speed; **en v.** quickly.

viticole [vitikɔl] *a* (*région*) wine-growing; (*industrie*) wine-. ◆**viticulteur** *nm* wine grower. ◆**viticulture** *nf* wine growing.

vitre [vitr] *nf* (window)pane; (*de véhicule*) window. ◆**vitrage** *nm* (*vitres*) windows. ◆**vitrail, -aux** *nm* stained-glass window. ◆**vitré** *a* glass-, glazed. ◆**vitreux, -euse** *a* (*regard, yeux*) *Fig* glassy. ◆**vitrier** *nm* glazier.

vitrine [vitrin] *nf* (*de magasin*) (shop) window; (*meuble*) showcase, display cabinet.

vitriol [vitrijɔl] *nm Ch* & *Fig* vitriol.

vivable [vivabl] *a* (*personne*) easy to live with; (*endroit*) fit to live in.

vivace [vivas] *a* (*plante*) perennial; (*haine*) *Fig* inveterate.

vivacité [vivasite] *nf* liveliness; (*de l'air, d'émotion*) keenness; (*agilité*) quickness; (*de couleur, d'impression, de style*) vividness; (*emportement*) petulance; **v. d'esprit** quick-wittedness.

vivant [vivɑ̃] *a* (*en vie*) alive, living; (*être, matière, preuve*) living; (*conversation, enfant, récit, rue*) lively; **langue vivante** modern language; – *nm* **de son v.** in one's lifetime; **bon v.** jovial fellow; **les vivants** the living.

vivats [viva] *nmpl* cheers.

vive[1] [viv] *voir* **vif.**

vive[2] [viv] *int* **v. le roi**/*etc*! long live the king/*etc*!; **v. les vacances!** hurray for the holidays!

vivement [vivmɑ̃] *adv* quickly, briskly; (*répliquer*) sharply; (*sentir*) keenly; (*regretter*) deeply; **v. demain!** roll on tomorrow!, I can hardly wait for tomorrow!; **v. que** (+ *sub*) I'll be glad when.

vivier [vivje] *nm* fish pond.

vivifier [vivifje] *vt* to invigorate.

vivisection [vivisɛksjɔ̃] *nf* vivisection.

vivre* [vivr] **1** *vi* to live; **elle vit encore** she's still alive *ou* living; **faire v.** (*famille etc*) to support; **v. vieux** to live to be old; **difficile/facile à v.** hard/easy to get on with; **manière de v.** way of life; **v. de** (*fruits etc*) to live on; (*travail etc*) to live by; **avoir de quoi v.** to have enough to live on; **vivent les vacances!** hurray for the holidays!; – *vt* (*vie*) to live; (*aventure, époque*) to live through; (*éprouver*) to experience. **2** *nmpl* food, supplies. ◆**vivoter** *vi* to jog along, get by.

vlan! [vlɑ̃] *int* bang!, wham!

vocable [vɔkabl] *nm* term, word.

vocabulaire [vɔkabylɛr] *nm* vocabulary.

vocal, -aux [vɔkal, -o] *a* (*cordes, musique*) vocal.

vocation [vɔkɑsjɔ̃] *nf* vocation, calling.

vociférer [vɔsifere] *vti* to shout angrily. ◆**vocifération** *nf* angry shout.

vodka [vɔdka] *nf* vodka.

vœu, -x [vø] *nm* (*souhait*) wish; (*promesse*) vow; **faire le v. de faire** to (make a) vow to do; **tous mes vœux!** (my) best wishes!

vogue [vɔg] *nf* fashion, vogue; **en v.** in fashion, in vogue.

voici [vwasi] *prép* here is, this is; *pl* here are, these are; **me v.** here I am; **me v. triste** I'm sad now; **v. dix ans**/*etc* ten years/*etc* ago; **v. dix ans que** it's ten years since.

voie [vwa] *nf* (*route*) road; (*rails*) track, line; (*partie de route*) lane; (*chemin*) way; (*moyen*) means, way; (*de communication*) line; (*diplomatique*) channels; (*quai*) *Rail* platform; **en v. de** in the process of; **en v. de développement** (*pays*) developing; **v. publique** public highway; **v. navigable** waterway; **v. sans issue** cul-de-sac, dead end; **préparer la v.** *Fig* to pave the way; **sur la (bonne) v.** on the right track.

voilà [vwala] *prép* there is, that is; *pl* there are, those are; **les v.** there they are; **v., j'arrive!** all right, I'm coming!; **le v. parti** he has left now; **v. dix ans**/*etc* ten years/*etc* ago; **v. dix ans que** it's ten years since.

voile[1] [vwal] *nm* (*étoffe qui cache, coiffure etc*) & *Fig* veil. ◆**voilage** *nm* net curtain. ◆**voil/er**[1] *vt* (*visage, vérité etc*) to veil; – **se v.** *vpr* (*personne*) to wear a veil; (*ciel, regard*) to cloud over. ◆**–é** *a* (*femme, allusion*) veiled; (*terne*) dull; (*photo*) hazy.

voile[2] [vwal] *nf* (*de bateau*) sail; (*activité*) sailing; **bateau à voiles** sailing boat, *Am* sailboat; **faire de la v.** to sail, go sailing. ◆**voilier** *nm* sailing ship; (*de plaisance*) sailing boat, *Am* sailboat. ◆**voilure** *nf* *Nau* sails.

voiler[2] [vwale] *vt*, – **se v.** *vpr* (*roue*) to buckle.

voir* [vwar] *vti* to see; **faire** *ou* **laisser v. qch** to show sth; **fais v.** let me see, show me; **v. qn faire** to see s.o. do *ou* doing; **voyons!** (*sois raisonnable*) come on!; **y v. clair** (*comprendre*) to see clearly; **je ne peux pas la v.** (*supporter*) *Fam* I can't stand (the sight of) her; **v. venir** (*attendre*) to wait and see; **on verra bien** (*attendons*) we'll see; **ça n'a rien à v. avec** that's got nothing to do with; – **se v.** *vpr* to see oneself; (*se fréquenter*) to see each other; (*objet, attitude etc*) to be seen; (*reprise, tache*) to show; **ça se voit** that's obvious.

voire [vwar] *adv* indeed.

voirie [vwari] *nf* (*enlèvement des ordures*) refuse collection; (*routes*) public highways.

voisin, -ine [vwazɛ̃, -in] *a* (*pays, village etc*) neighbouring; (*maison, pièce*) next (**de** to); (*idée, état etc*) similar (**de** to); – *nmf* neighbour. ◆**voisinage** *nm* (*quartier, voisins*) neighbourhood; (*proximité*) proximity. ◆**voisiner** *vi* **v. avec** to be side by side with.

voiture [vwatyr] *nf* *Aut* car; *Rail* carriage, coach, *Am* car; (*charrette*) cart; **v. (à cheval)** (horse-drawn) carriage; **v. de course/de tourisme** racing/private car; **v. d'enfant** pram, *Am* baby carriage; **en v.!** *Rail* all aboard!

voix [vwa] *nf* voice; (*suffrage*) vote; **à v. basse** in a whisper; **à portée de v.** within earshot; **avoir v. au chapitre** *Fig* to have a say.

vol [vɔl] *nm* **1** (*d'avion, d'oiseau*) flight; (*groupe d'oiseaux*) flock, flight; **v. libre** hang gliding; **v. à voile** gliding. **2** (*délit*) theft; (*hold-up*) robbery; **v. à l'étalage** shoplifting; **c'est du v.!** (*trop cher*) it's daylight robbery!

volage [vɔlaʒ] *a* flighty, fickle.

volaille [vɔlɑj] *nf* **la v.** (*oiseaux*) poultry; **une v.** (*oiseau*) a fowl. ◆**volailler** *nm* poulterer.

volatile [vɔlatil] *nm* (*oiseau domestique*) fowl.

volatiliser (se) [səvɔlatilize] *vpr* (*disparaître*) to vanish (into thin air).

vol-au-vent [vɔlovɑ̃] *nm inv* *Culin* vol-au-vent.

volcan [vɔlkɑ̃] *nm* volcano. ◆**volcanique** *a* volcanic.

voler [vɔle] **1** *vi* (*oiseau, avion etc*) to fly; (*courir*) *Fig* to rush. **2** *vt* (*dérober*) to steal (**à** from); **v. qn** to rob s.o.; – *vi* to steal. ◆**volant 1** *a* (*tapis etc*) flying; **feuille volante** loose sheet. **2** *nm* *Aut* (steering) wheel; (*objet*) *Sp* shuttlecock; (*de jupe*) flounce. ◆**volée** *nf* flight; (*groupe d'oiseaux*) flock, flight; (*de coups, flèches etc*) volley; (*suite de *coups*) thrashing; **lancer à toute v.** to throw as hard as one can; **sonner à toute v.** to peal *ou* ring out. ◆**voleter** *vi* to flutter. ◆**voleur, -euse** *nmf* thief; **au v.!** stop thief!; – *a* thieving.

volet [vɔlɛ] *nm* **1** (*de fenêtre*) shutter. **2** (*de programme, reportage etc*) section, part.

volière [vɔljɛr] *nf* aviary.

volley(-ball) [vɔlɛ(bol)] *nm* volleyball. ◆**volleyeur, -euse** *nmf* volleyball player.

volonté [vɔlɔ̃te] *nf* (*faculté, intention*) will; (*désir*) wish; *Phil Psy* free will; **elle a de la v.** she has willpower; **bonne v.** goodwill; **mauvaise v.** ill will; **à v.** at will; (*quantité*) as much as desired. ◆**volontaire** *a* (*délibéré, qui agit librement*) voluntary; (*opiniâtre*) wilful, *Am* willful; – *nmf* volunteer. ◆**volontairement** *adv* voluntarily; (*exprès*) deliberately. ◆**volontiers** [-ɔ̃tje] *adv* willingly, gladly; (*habituellement*) readily; **v.!** (*oui*) I'd love to!

volt [vɔlt] *nm Él* volt. ◆**voltage** *nm* voltage.

volte-face [vɔltəfas] *nf inv* about turn, *Am* about face; **faire v.-face** to turn round.

voltige [vɔltiʒ] *nf* acrobatics.

voltiger [vɔltiʒe] *vi* to flutter.

volubile [vɔlybil] *a* (*bavard*) loquacious, voluble.

volume [vɔlym] *nm* (*capacité, intensité, tome*) volume. ◆**volumineux, -euse** *a* bulky, voluminous.

volupté [vɔlypte] *nf* sensual pleasure. ◆**voluptueux, -euse** *a* voluptuous.

vom/ir [vɔmir] *vt* to vomit, bring up; (*exécrer*) *Fig* to loathe; – *vi* to vomit, be sick. ◆**—i** *nm Fam* vomit. ◆**—issement** *nm* (*action*) vomiting. ◆**vomitif, -ive** *a Fam* nauseating.

vont [vɔ̃] *voir* **aller 1.**

vorace [vɔras] *a* (*appétit, lecteur etc*) voracious.

vos [vo] *voir* **votre.**

vote [vɔt] *nm* (*action*) vote, voting; (*suffrage*) vote; (*de loi*) passing; **bureau de v.** polling station. ◆**voter** *vi* to vote; – *vt* (*loi*) to pass; (*crédits*) to vote. ◆**votant, -ante** *nmf* voter.

votre, *pl* **vos** [vɔtr, vo] *a poss* your. ◆**vôtre** *pron poss* **le** *ou* **la v., les vôtres** yours; **à la v.!** (*toast*) cheers!; – *nmpl* **les vôtres** (*parents etc*) your (own) people.

vouer [vwe] *vt* (*promettre*) to vow (**à** to); (*consacrer*) to dedicate (**à** to); (*condamner*) to doom (**à** to); **se v. à** to dedicate oneself to.

vouloir* [vulwar] *vt* to want (**faire** to do); **je veux qu'il parte** I want him to go; **v. dire** to mean (**que** that); **je voudrais rester** I'd like to stay; **je voudrais un pain** I'd like a loaf of bread; **voulez-vous me suivre** will you follow me; **si tu veux** if you like *ou* wish; **en v. à qn d'avoir fait qch** to hold it against s.o. for doing sth; **l'usage veut que . . .** (+ *sub*) custom requires that . . . ; **v. du bien à qn** to wish s.o. well; **je veux bien** I don't mind (**faire** doing); **que voulez-vous!** (*résignation*) what can you expect!; **sans le v.** unintentionally; **ça ne veut pas bouger** it won't move; **ne pas v. de qch/de qn** not to want sth/s.o.; **veuillez attendre** kindly wait. ◆**voulu** *a* (*requis*) required; (*délibéré*) deliberate, intentional.

vous [vu] *pron* **1** (*sujet, complément direct*) you; **v. êtes** you are; **il v. connaît** he knows you. **2** (*complément indirect*) (to) you; **il v. l'a donné** he gave it to you, he gave you it. **3** (*réfléchi*) yourself, *pl* yourselves; **v. v. lavez** you wash yourself; you wash yourselves. **4** (*réciproque*) each other; **v. v. aimez** you love each other. ◆**v.-même** *pron* yourself. ◆**v.-mêmes** *pron pl* yourselves.

voûte [vut] *nf* (*plafond*) vault; (*porche*) arch(way). ◆**voûté** *a* (*personne*) bent, stooped.

vouvoyer [vuvwaje] *vt* to address formally (*using vous*).

voyage [vwajaʒ] *nm* trip, journey; (*par mer*) voyage; **aimer les voyages** to like travelling; **faire un v., partir en v.** to go on a trip; **être en v.** to be (away) travelling; **de v.** (*compagnon etc*) travelling-; **bon v.!** have a pleasant trip!; **v. de noces** honeymoon; **v. organisé** (package) tour. ◆**voyager** *vi* to travel. ◆**voyageur, -euse** *nmf* traveller; (*passager*) passenger; **v. de commerce** commercial traveller. ◆**voyagiste** *nm* tour operator.

voyant [vwajɑ̃] **1** *a* gaudy, loud. **2** *nm* (*signal*) (warning) light; (*d'appareil électrique*) pilot light.

voyante [vwajɑ̃t] *nf* clairvoyant.

voyelle [vwajɛl] *nf* vowel.

voyeur, -euse [vwajœr, -øz] *nmf* peeping Tom, voyeur.

voyou [vwaju] *nm* hooligan, hoodlum.

vrac (en) [ɑ̃vrak] *adv* (*en désordre*) haphazardly; (*au poids*) loose, unpackaged.

vrai [vrɛ] *a* true; (*réel*) real; (*authentique*) genuine; – *adv* **dire v.** to be right (in what one says); – *nm* (*vérité*) truth. ◆**—ment** *adv* really.

vraisemblable [vrɛsɑ̃blabl] *a* (*probable*) likely, probable; (*plausible*) plausible. ◆**vraisemblablement** *adv* probably.

◆**vraisemblance** *nf* likelihood; plausibility.

vrille [vrij] *nf* **1** (*outil*) gimlet. **2** *Av* (tail)spin.

vromb/ir [vrɔ̃bir] *vi* to hum. ◆**—issement** *nm* hum(ming).

vu [vy] **1** *voir* **voir;** – *a* **bien vu** well thought of; **mal vu** frowned upon. **2** *prép* in view of; **vu que** seeing that.

vue [vy] *nf* (*spectacle*) sight; (*sens*) (eye)sight; (*panorama, photo, idée*) view; **en v.** (*proche*) in sight; (*en évidence*) on view; (*personne*) *Fig* in the public eye; **avoir en v.** to have in mind; **à v.** (*tirer*) on sight; (*payable*) at sight; **à première v.** at first sight; **de v.** (*connaître*) by sight; **en v. de faire** with a view to doing.

vulgaire [vylgɛr] *a* (*grossier*) vulgar, coarse; (*ordinaire*) common. ◆**—ment** *adv* vulgarly, coarsely; (*appeler*) commonly. ◆**vulgariser** *vt* to popularize. ◆**vulgarité** *nf* vulgarity, coarseness.

vulnérable [vylnerabl] *a* vulnerable. ◆**vulnérabilité** *nf* vulnerability.

W

W, w [dubləve] *nm* W, w.

wagon [vagɔ̃] *nm Rail* (*de voyageurs*) carriage, coach, *Am* car; (*de marchandises*) wag(g)on, truck, *Am* freight car. ◆**w.-lit** *nm* (*pl* **wagons-lits**) sleeping car, sleeper. ◆**w.-restaurant** *nm* (*pl* **wagons-restaurants**) dining car, diner. ◆**wagonnet** *nm* (small) wagon *ou* truck.

wallon, -onne [walɔ̃, -ɔn] *a & nmf* Walloon.

waters [watɛr] *nmpl* toilet.

watt [wat] *nm Él* watt.

w-c [(dublə)vese] *nmpl* toilet.

week-end [wikɛnd] *nm* weekend.

western [wɛstɛrn] *nm Cin* western.

whisky, *pl* **-ies** [wiski] *nm* whisky, *Am* whiskey.

X

X, x [iks] *nm* X, x; **rayon X** X-ray.

xénophobe [ksenɔfɔb] *a* xenophobic; – *nmf* xenophobe. ◆**xénophobie** *nf* xenophobia.

xérès [gzerɛs] *nm* sherry.

xylophone [ksilɔfɔn] *nm* xylophone.

Y

Y, y[1] [igrɛk] *nm* Y, y.

y[2] [i] **1** *adv* there; (*dedans*) in it; *pl* in them; (*dessus*) on it; *pl* on them; **elle y vivra** she'll live there; **j'y entrai** I entered (it); **allons-y** let's go; **j'y suis!** (*je comprends*) now I get it!; **je n'y suis pour rien** I have nothing to do with it, that's nothing to do with me. **2** *pron* (= *à cela*) **j'y pense** I think of it; **je m'y attendais** I was expecting it; **ça y est!** that's it!

yacht [jɔt] *nm* yacht.

yaourt [jaur(t)] *nm* yog(h)urt.

yeux [jø] *voir* **œil.**

yiddish [(j)idiʃ] *nm & a* Yiddish.

yoga [jɔga] *nm* yoga.

yog(h)ourt [jɔgur(t)] *voir* **yaourt.**

Yougoslavie [jugɔslavi] *nf* Yugoslavia. ◆**yougoslave** *a & nmf* Yugoslav(ian).

yo-yo [jojo] *nm inv* yoyo.

Z

Z, z [zɛd] *nm* Z, z.
zèbre [zɛbr] *nm* zebra. ◆**zébré** *a* striped, streaked (**de** with).
zèle [zɛl] *nm* zeal; **faire du z.** to overdo it. ◆**zélé** *a* zealous.
zénith [zenit] *nm* zenith.
zéro [zero] *nm* (*chiffre*) nought, zero; (*dans un numéro*) 0 [əʊ]; (*température*) zero; (*rien*) nothing; (*personne*) *Fig* nobody, nonentity; **deux buts à z.** *Fb* two nil, *Am* two zero; **partir de z.** to start from scratch.
zeste [zɛst] *nm* **un z. de citron** (a piece of) lemon peel.
zézayer [zezeje] *vi* to lisp.
zibeline [ziblin] *nf* (*animal*) sable.
zigzag [zigzag] *nm* zigzag; **en z.** (*route etc*) zigzag(ging); ◆**zigzaguer** *vi* to zigzag.
zinc [zɛ̃g] *nm* (*métal*) zinc; (*comptoir*) *Fam* bar.
zizanie [zizani] *nf* discord.
zodiaque [zɔdjak] *nm* zodiac.
zona [zona] *nm Méd* shingles.
zone [zon] *nf* zone, area; (*domaine*) *Fig* sphere; (*faubourgs misérables*) shanty town; **z. bleue** restricted parking zone; **z. industrielle** trading estate, *Am* industrial park.
zoo [zo(o)] *nm* zoo. ◆**zoologie** [zɔɔlɔʒi] *nf* zoology. ◆**zoologique** *a* zoological; **jardin** *ou* **parc z.** zoo.
zoom [zum] *nm* (*objectif*) zoom lens.
zut! [zyt] *int Fam* bother!, heck!

Numerals

Les nombres

Cardinal numbers

Les nombres cardinaux

nought	0	zéro
one	1	un
two	2	deux
three	3	trois
four	4	quatre
five	5	cinq
six	6	six
seven	7	sept
eight	8	huit
nine	9	neuf
ten	10	dix
eleven	11	onze
twelve	12	douze
thirteen	13	treize
fourteen	14	quatorze
fifteen	15	quinze
sixteen	16	seize
seventeen	17	dix-sept
eighteen	18	dix-huit
nineteen	19	dix-neuf
twenty	20	vingt
twenty-one	21	vingt et un
twenty-two	22	vingt-deux
thirty	30	trente
forty	40	quarante
fifty	50	cinquante
sixty	60	soixante
seventy	70	soixante-dix
seventy-five	75	soixante-quinze
eighty	80	quatre-vingts
eighty-one	81	quatre-vingt-un
ninety	90	quatre-vingt-dix
ninety-one	91	quatre-vingt-onze
a *or* one hundred	100	cent
a hundred and one	101	cent un
a hundred and two	102	cent deux
a hundred and fifty	150	cent cinquante
two hundred	200	deux cents
two hundred and one	201	deux cent un
two hundred and two	202	deux cent deux
a *or* one thousand	1,000 (1 000)	mille
a thousand and one	1,001 (1 001)	mille un
a thousand and two	1,002 (1 002)	mille deux
two thousand	2,000 (2 000)	deux mille
a *or* one million	1,000,000 (1 000 000)	un million

Ordinal numbers

Les nombres ordinaux

first	1st	1er	premier
second	2nd	2e	deuxième
third	3rd	3e	troisième
fourth	4th	4e	quatrième
fifth	5th	5e	cinquième
sixth	6th	6e	sixième
seventh	7th	7e	septième
eighth	8th	8e	huitième
ninth	9th	9e	neuvième
tenth	10th	10e	dixième
eleventh	11th	11e	onzième
twelfth	12th	12e	douzième
thirteenth	13th	13e	treizième
fourteenth	14th	14e	quatorzième
fifteenth	15th	15e	quinzième
twentieth	20th	20e	vingtième
twenty-first	21st	21e	vingt et unième
twenty-second	22nd	22e	vingt deuxième
thirtieth	30th	30e	trentième

Examples of usage

Exemples d'emplois

three (times) out of ten	*trois (fois) sur dix*
ten at a time, in *or* by tens, ten by ten	*dix par dix, dix à dix*
the ten of us/you, we ten/you ten	*nous dix/vous dix*
all ten of them *or* us *or* you	*tous les dix, toutes les dix*
there are ten of us/them	*nous sommes dix/elles sont dix*
(between) the ten of them	*à eux dix, à elles dix*
ten of them came/were living together	*ils sont venus/ils vivaient à dix*
page ten	*page dix*
Charles the Tenth	*Charles Dix*
to live at number ten	*habiter au (numéro) dix*
to be the tenth to arrive/to leave	*arriver/partir le dixième*
to come tenth, be tenth *(in a race)*	*arriver dixième, être dixième*
it's the tenth (today)	*nous sommes le dix (aujourd'hui)*
the tenth of May, May the tenth, *Am* May tenth	*le dix mai*
to arrive/be paid/*etc* on the tenth	*arriver/être payé/*etc *le dix*
to arrive/be paid/*etc* on the tenth of May *or* on May the tenth *or Am* on May tenth	*arriver/être payé/*etc *le dix mai*
by the tenth, before the tenth	*avant le dix, pour le dix*
it's ten (o'clock)	*il est dix heures*
it's half past ten	*il est dix heures et demie*
ten past ten, *Am* ten after ten	*dix heures dix*
ten to ten	*dix heures moins dix*
by ten (o'clock), before ten (o'clock)	*pour dix heures, avant dix heures*
to be ten (years old)	*avoir dix ans*
a child of ten, a ten-year-old (child)	*un enfant de dix ans*

Days and months

Les jours et les mois

Monday *lundi*; Tuesday *mardi*; Wednesday *mercredi*; Thursday *jeudi*; Friday *vendredi*; Saturday *samedi*; Sunday *dimanche*

January *janvier*; February *février*; March *mars*; April *avril*; May *mai*; June *juin*; July *juillet*; August *août*; September *septembre*; October *octobre*; November *novembre*; December *décembre*

Examples of usage	Exemples d'emplois
on Monday (*e.g.* he arrives on Monday)	*lundi* (par exemple *il arrive lundi*)
(on) Mondays	*le lundi*
see you on Monday!	*à lundi!*
by Monday, before Monday	*avant lundi, pour lundi*
Monday morning/evening	*lundi matin/soir*
a week/two weeks on Monday, *Am* a week/two weeks from Monday	*lundi en huit/en quinze*
it's Monday (today)	*nous sommes (aujourd'hui) lundi*
Monday the tenth of May, Monday May the tenth, *Am* Monday May tenth	*(le) lundi dix mai*
on Monday the tenth of May, on Monday May the tenth *or Am* May tenth	*le lundi dix mai*
tomorrow is Tuesday	*demain c'est mardi*
in May	*en mai, au mois de mai*
every May, cach May	*tous les ans en mai, chaque année en mai*
by May, before May	*avant mai, pour mai*

A

A, a [eɪ] *n* A, a *m*; **5A** (*number*) 5 bis; **A1** (*dinner etc*) *Fam* super, superbe; **to go from A to B** aller du point A au point B.

a [ə, *stressed* eɪ] (*before vowel or mute h* **an** [ən, *stressed* æn]) *indef art* **1** un, une; **a man** un homme; **an apple** une pomme. **2** (= *def art in Fr*) **six pence a kilo** six pence le kilo; **50 km an hour** 50 km à l'heure; **I have a broken arm** j'ai le bras cassé. **3** (*art omitted in Fr*) **he's a doctor** il est médecin; **Caen, a town in Normandy** Caen, ville de Normandie; **what a man!** quel homme! **4** (*a certain*) **a Mr Smith** un certain M. Smith. **5** (*time*) **twice a month** deux fois par mois. **6** (*some*) **to make a noise/a fuss** faire du bruit/des histoires.

aback [ə'bæk] *adv* **taken a.** déconcerté.

abandon [ə'bændən] **1** *vt* abandonner. **2** *n* (*freedom of manner*) laisser-aller *m*, abandon *m*. ◆**—ment** *n* abandon *m*.

abase [ə'beɪs] *vt* **to a. oneself** s'humilier, s'abaisser.

abashed [ə'bæʃt] *a* confus, gêné.

abate [ə'beɪt] *vi* (*of storm, pain*) se calmer; (*of flood*) baisser; – *vt* diminuer, réduire. ◆**—ment** *n* diminution *f*, réduction *f*.

abbey ['æbɪ] *n* abbaye *f*.

abbot ['æbət] *n* abbé *m*. ◆**abbess** *n* abbesse *f*.

abbreviate [ə'briːvɪeɪt] *vt* abréger. ◆**abbrevi'ation** *n* abréviation *f*.

abdicate ['æbdɪkeɪt] *vti* abdiquer. ◆**abdi'cation** *n* abdication *f*.

abdomen ['æbdəmən] *n* abdomen *m*. ◆**ab'dominal** *a* abdominal.

abduct [æb'dʌkt] *vt Jur* enlever. ◆**abduction** *n* enlèvement *m*, rapt *m*.

aberration [æbə'reɪʃ(ə)n] *n* (*folly, lapse*) aberration *f*.

abet [ə'bet] *vt* (**-tt-**) **to aid and a. s.o.** *Jur* être le complice de qn.

abeyance [ə'beɪəns] *n* **in a.** (*matter*) en suspens.

abhor [əb'hɔːr] *vt* (**-rr-**) avoir horreur de, exécrer. ◆**abhorrent** *a* exécrable. ◆**abhorrence** *n* horreur *f*.

abide [ə'baɪd] **1** *vi* **to a. by** (*promise etc*) rester fidèle à. **2** *vt* supporter; **I can't a. him** je ne peux pas le supporter.

ability [ə'bɪlətɪ] *n* capacité *f* (**to do** pour faire), aptitude *f* (**to do** à faire); **to the best of my a.** de mon mieux.

abject ['æbdʒekt] *a* abject; **a. poverty** la misère.

ablaze [ə'bleɪz] *a* en feu; **a. with** (*light*) resplendissant de; (*anger*) enflammé de.

able ['eɪb(ə)l] *a* (**-er, -est**) capable, compétent; **to be a. to do** être capable de faire, pouvoir faire; **to be a. to swim/drive** savoir nager/conduire. ◆**a.-'bodied** *a* robuste. ◆**ably** *adv* habilement.

ablutions [ə'bluːʃ(ə)nz] *npl* ablutions *fpl*.

abnormal [æb'nɔːm(ə)l] *a* anormal. ◆**abnor'mality** *n* anomalie *f*; (*of body*) difformité *f*. ◆**abnormally** *adv Fig* exceptionnellement.

aboard [ə'bɔːd] *adv Nau* à bord; **all a.** *Rail* en voiture; – *prep* **a. the ship** à bord du navire; **a. the train** dans le train.

abode [ə'bəʊd] *n* (*house*) *Lit* demeure *f*; *Jur* domicile *m*.

abolish [ə'bɒlɪʃ] *vt* supprimer, abolir. ◆**abo'lition** *n* suppression *f*, abolition *f*.

abominable [ə'bɒmɪnəb(ə)l] *a* abominable. ◆**abomi'nation** *n* abomination *f*.

aboriginal [æbə'rɪdʒən(ə)l] *a & n* aborigène (*m*). ◆**aborigines** *npl* aborigènes *mpl*.

abort [ə'bɔːt] *vt Med* faire avorter; (*space flight, computer program*) abandonner; – *vi Med & Fig* avorter. ◆**abortion** *n* avortement *m*; **to have an a.** se faire avorter. ◆**abortive** *a* (*plan etc*) manqué, avorté.

abound [ə'baʊnd] *vi* abonder (**in, with** en).

about [ə'baʊt] *adv* **1** (*approximately*) à peu près, environ; **(at) a. two o'clock** vers deux heures. **2** (*here and there*) çà et là, ici et là; (*ideas, flu*) *Fig* dans l'air; (*rumour*) en circulation; **to look a.** regarder autour; **to follow a.** suivre partout; **to bustle a.** s'affairer; **there are lots a.** il en existe beaucoup; **(out and) a.** (*after illness*) sur pied, guéri; **(up and) a.** (*out of bed*) levé, debout; **a. turn, a. face** *Mil* demi-tour *m*; *Fig* volte-face *f inv*; – *prep* **1** (*around*) **a. the garden** autour du jardin; **a. the streets** par *or* dans les rues. **2** (*near to*) **a. here** par ici. **3** (*concerning*) au sujet de; **to talk a.** parler de; **a book a.** un livre sur; **what's it (all) a.?** de quoi s'agit-il?; **while you're a. it** pendant que vous y êtes; **what** *or* **how a. me?** et moi alors?; **what** *or* **how a. a drink?** que dirais-tu de prendre un verre? **4** (+ *inf*) **a. to do** sur le point de faire; **I was a. to say** j'étais sur le point de dire, j'allais dire.

above [ə'bʌv] *adv* au-dessus; (*in book*) ci-dessus; **from a.** d'en haut; **floor a.** étage *m* supérieur *or* du dessus; – *prep* au-dessus de; **a. all** par-dessus tout, surtout; **a. the bridge** (*on river*) en amont du pont; **he's a. me** (*in rank*) c'est mon supéri r; **a. lying** incapable de mentir; **a. asking** trop fier pour demander. ◆**a.-'mentioned** *a* susmentionné. ◆**aboveboard** *a* ouvert, honnête; – *adv* sans tricherie, cartes sur table.

abrasion [ə'breɪʒ(ə)n] *n* frottement *m*; *Med* écorchure *f*. ◆**abrasive** *a* (*substance*) abrasif; (*rough*) *Fig* rude, dur; (*irritating*) agaçant; – *n* abrasif *m*.

abreast [ə'brest] *adv* côte à côte, de front; **four a.** par rangs de quatre; **to keep a. of** *or* **with** se tenir au courant de.

abridge [ə'brɪdʒ] *vt* (*book etc*) abréger. ◆**abridg(e)ment** *n* abrégement *m* (**of** de); (*abridged version*) abrégé *m*.

abroad [ə'brɔːd] *adv* **1** (*in or to a foreign country*) à l'étranger; **from a.** de l'étranger. **2** (*over a wide area*) de tous côtés; **rumour a.** bruit *m* qui court.

abrogate ['æbrəgeɪt] *vt* abroger.

abrupt [ə'brʌpt] *a* (*sudden*) brusque; (*person*) brusque, abrupt; (*slope, style*) abrupt. ◆**—ly** *adv* (*suddenly*) brusquement; (*rudely*) avec brusquerie.

abscess ['æbses] *n* abcès *m*.

abscond [əb'skɒnd] *vi Jur* s'enfuir.

absence ['æbsəns] *n* absence *f*; **in the a. of sth** à défaut de qch, faute de qch; **a. of mind** distraction *f*.

absent ['æbsənt] *a* absent (**from** de); (*look*) distrait; – [æb'sent] *vt* **to a. oneself** s'absenter. ◆**a.-'minded** *a* distrait. ◆**a.-'mindedness** *n* distraction *f*. ◆**absen'tee** *n* absent, -ente *mf*. ◆**absen'teeism** *n* absentéisme *m*.

absolute ['æbsəluːt] *a* absolu; (*proof etc*) indiscutable; (*coward etc*) parfait, véritable. ◆**—ly** *adv* absolument; (*forbidden*) formellement.

absolve [əb'zɒlv] *vt Rel Jur* absoudre; **to a. from** (*vow*) libérer de. ◆**absolution** [æbsə'luːʃ(ə)n] *n* absolution *f*.

absorb [əb'zɔːb] *vt* absorber; (*shock*) amortir; **to become absorbed in** (*work*) s'absorber dans. ◆**—ing** *a* (*work*) absorbant; (*book, film*) prenant. ◆**absorbent** *a* & *n* absorbant (*m*); **a. cotton** *Am* coton *m* hydrophile. ◆**absorber** *n* **shock a.** *Aut* amortisseur *m*. ◆**absorption** *n* absorption *f*.

abstain [əb'steɪn] *vi* s'abstenir (**from** de). ◆**abstemious** *a* sobre, frugal. ◆**abstention** *n* abstention *f*. ◆**'abstinence** *n* abstinence *f*.

abstract ['æbstrækt] **1** *a* & *n* abstrait (*m*). **2** *n* (*summary*) résumé *m*. **3** [əb'strækt] *vt* (*remove*) retirer; (*notion*) abstraire. ◆**ab'straction** *n* (*idea*) abstraction *f*; (*absent-mindedness*) distraction *f*.

abstruse [əb'struːs] *a* obscur.

absurd [əb'sɜːd] *a* absurde, ridicule. ◆**absurdity** *n* absurdité *f*. ◆**absurdly** *adv* absurdement.

abundant [ə'bʌndənt] *a* abondant. ◆**abundance** *n* abondance *f*. ◆**abundantly** *adv* **a. clear** tout à fait clair.

abuse [ə'bjuːs] *n* (*abusing*) abus *m* (**of** de); (*curses*) injures *fpl*; – [ə'bjuːz] *vt* (*misuse*) abuser de; (*malign*) dire du mal de; (*insult*) injurier. ◆**abusive** [ə'bjuːsɪv] *a* injurieux.

abysmal [ə'bɪzm(ə)l] *a* (*bad*) *Fam* désastreux, exécrable.

abyss [ə'bɪs] *n* abîme *m*.

acacia [ə'keɪʃə] *n* (*tree*) acacia *m*.

academic [ækə'demɪk] *a* universitaire; (*scholarly*) érudit, intellectuel; (*issue etc*) *Pej* théorique; (*style, art*) académique; – *n* (*teacher*) *Univ* universitaire *mf*.

academy [ə'kædəmɪ] *n* (*society*) académie *f*; *Mil Mus* école *f*. ◆**acade'mician** *n* académicien, -ienne *mf*.

accede [ək'siːd] *vi* **to a. to** (*request, throne, position*) accéder à.

accelerate [ək'seləreɪt] *vt* accélérer; – *vi* s'accélérer; *Aut* accélérer. ◆**accele'ration** *n* accélération *f*. ◆**accelerator** *n* *Aut* accélérateur *m*.

accent ['æksənt] *n* accent *m*; – [æk'sent] *vt* accentuer. ◆**accentuate** [æk'sentʃʊeɪt] *vt* accentuer.

accept [ək'sept] *vt* accepter. ◆**—ed** *a* (*opinion etc*) reçu, admis. ◆**acceptable** *a* (*worth accepting, tolerable*) acceptable. ◆**acceptance** *n* acceptation *f*; (*approval, favour*) accueil *m* favorable.

access ['ækses] *n* accès *m* (**to sth** à qch, **to s.o.** auprès de qn). ◆**ac'cessible** *a* accessible.

accession [æk'seʃ(ə)n] *n* accession *f* (**to** à); (*increase*) augmentation *f*; (*sth added*) nouvelle acquisition *f*.

accessory [ək'sesərɪ] **1** *n* (*person*) *Jur* complice *mf.* **2** *npl* (*objects*) accessoires *mpl.*

accident ['æksɪdənt] *n* accident *m*; **by a.** (*by chance*) par accident; (*unintentionally*) accidentellement, sans le vouloir. ◆**a.-prone** *a* prédisposé aux accidents. ◆**acci'dental** *a* accidentel, fortuit. ◆**acci'dentally** *adv* accidentellement, par mégarde; (*by chance*) par accident.

acclaim [ə'kleɪm] *vt* acclamer; **to a. king** proclamer roi. ◆**accla'mation** *n* acclamation(s) *f*(*pl*), louange(s) *f*(*pl*).

acclimate ['æklɪmeɪt] *vti Am* = **acclimatize.** ◆**a'cclimatize** *vt* acclimater; – *vi* s'acclimater. ◆**accli'mation** *n Am*, ◆**acclimati'zation** *n* acclimatisation *f.*

accolade ['ækəleɪd] *n* (*praise*) *Fig* louange *f.*

accommodat/e [ə'kɒmədeɪt] *vt* (*of house*) loger, recevoir; (*have room for*) avoir dela place pour (mettre); (*adapt*) adapter (**to** à); (*supply*) fournir (**s.o. with sth** qch à qn); (*oblige*) rendre service à; (*reconcile*) concilier; **to a. oneself to** s'accomoder à. ◆**—ing** *a* accommodant, obligeant. ◆**accommo'dation** *n* **1** (*lodging*) logement *m*; (*rented room or rooms*) chambre(s) *f*(*pl*); *pl* (*in hotel*) *Am* chambre(s) *f*(*pl*). **2** (*compromise*) compromis *m*, accommodement *m.*

accompany [ə'kʌmpənɪ] *vt* accompagner. ◆**accompaniment** *n* accompagnement *m.* ◆**accompanist** *n Mus* accompagnateur, -trice *mf.*

accomplice [ə'kʌmplɪs] *n* complice *mf.*

accomplish [ə'kʌmplɪʃ] *vt* (*task, duty*) accomplir; (*aim*) réaliser. ◆**—ed** *a* accompli. ◆**—ment** *n* accomplissement *m*; (*of aim*) réalisation *f*; (*thing achieved*) réalisation *f*; *pl* (*skills*) talents *mpl.*

accord [ə'kɔːd] **1** *n* accord *m*; **of my own a.** volontairement, de mon plein gré; – *vi* concorder. **2** *vt* (*grant*) accorder. ◆**accordance** *n* **in a. with** conformément à.

according to [ə'kɔːdɪŋtuː] *prep* selon, d'après, suivant. ◆**accordingly** *adv* en conséquence.

accordion [ə'kɔːdɪən] *n* accordéon *m.*

accost [ə'kɒst] *vt* accoster, aborder.

account [ə'kaʊnt] **1** *n Com* compte *m*; *pl* comptabilité *f*, comptes *mpl*; **accounts department** comptabilité *f*; **to take into a.** tenir compte de; **ten pounds on a.** un acompte de dix livres; **of some a.** d'une certaine importance; **on a. of** à cause de; **on no a.** en aucun cas. **2** *n* (*report*) compte rendu *m*, récit *m*; (*explanation*) explication *f*; **by all accounts** au dire de tous; **to give a good a. of oneself** s'en tirer à son avantage; – *vi* **to a. for** (*explain*) expliquer; (*give reckoning of*) rendre compte de. **3** *vt* **to a. oneself lucky**/*etc* (*consider*) se considérer heureux/*etc.* ◆**accountable** *a* responsable (**for** de, **to** devant); (*explainable*) explicable.

accountant [ə'kaʊntənt] *n* comptable *mf.* ◆**accountancy** *n* comptabilité *f.*

accoutrements [ə'kuːtrəmənts] (*Am* **accouterments** [ə'kuːtəmənts]) *npl* équipement *m.*

accredit [ə'kredɪt] *vt* (*ambassador*) accréditer; **to a. s.o. with sth** attribuer qch à qn.

accrue [ə'kruː] *vi* (*of interest*) *Fin* s'accumuler; **to a. to** (*of advantage etc*) revenir à.

accumulate [ə'kjuːmjʊleɪt] *vt* accumuler, amasser; – *vi* s'accumuler. ◆**accumu'lation** *n* accumulation *f*; (*mass*) amas *m.* ◆**accumulator** *n El* accumulateur *m.*

accurate ['ækjʊrət] *a* exact, précis. ◆**accuracy** *n* exactitude *f*, précision *f.* ◆**accurately** *adv* avec précision.

accursed [ə'kɜːsɪd] *a* maudit, exécrable.

accus/e [ə'kjuːz] *vt* accuser (**of** de). ◆**—ed** *n* **the a.** *Jur* l'inculpé, -ée *mf*, l'accusé, -ée *mf.* ◆**—ing** *a* accusateur. ◆**accu'sation** *n* accusation *f.*

accustom [ə'kʌstəm] *vt* habituer, accoutumer. ◆**—ed** *a* habitué (**to sth** à qch, **to doing** à faire); **to get a. to** s'habituer à, s'accoutumer à.

ace [eɪs] *n* (*card, person*) as *m.*

acetate ['æsɪteɪt] *n* acétate *m.*

acetic [ə'siːtɪk] *a* acétique.

ache [eɪk] *n* douleur *f*, mal *m*; **to have an a. in one's arm** avoir mal au bras; – *vi* faire mal; **my head aches** ma tête me fait mal; **it makes my heart a.** cela me serre le cœur; **to be aching to do** brûler de faire. ◆**aching** *a* douloureux.

achieve [ə'tʃiːv] *vt* accomplir, réaliser; (*success, aim*) atteindre; (*victory*) remporter. ◆**—ment** *n* accomplissement *m*, réalisation *f* (**of** de); (*feat*) réalisation *f*, exploit *m.*

acid ['æsɪd] *a* & *n* acide (*m*). ◆**a'cidity** *n* acidité *f.*

acknowledge [ək'nɒlɪdʒ] *vt* reconnaître (**as** pour); (*greeting*) répondre à; **to a. (receipt of)** accuser réception de; **to a. defeat** s'avouer vaincu. ◆**—ment** *n* reconnaissance *f*; (*of letter*) accusé *m* de réception; (*receipt*) reçu *m*, récépissé *m.*

acme ['ækmɪ] *n* sommet *m*, comble *m*.
acne ['æknɪ] *n* acné *f*.
acorn ['eɪkɔːn] *n Bot* gland *m*.
acoustic [ə'kuːstɪk] *a* acoustique; – *npl* acoustique *f*.
acquaint [ə'kweɪnt] *vt* **to a. s.o. with sth** informer qn de qch; **to be acquainted with** (*person*) connaître; (*fact*) savoir; **we are acquainted** on se connaît. ◆**acquaintance** *n* (*person, knowledge*) connaissance *f*.
acquiesce [ækwɪ'es] *vi* acquiescer (**in** à). ◆**acquiescence** *n* acquiescement *m*.
acquire [ə'kwaɪər] *vt* acquérir; (*taste*) prendre (**for** à); (*friends*) se faire; **aquired taste** goût *m* qui s'acquiert. ◆**acqui'sition** *n* acquisition *f*. ◆**acquisitive** *a* avide, cupide.
acquit [ə'kwɪt] *vt* (**-tt-**) **to a. s.o. (of a crime)** acquitter qn. ◆**acquittal** *n* acquittement *m*.
acre ['eɪkər] *n* acre *f* (= *0,4 hectare*). ◆**acreage** *n* superficie *f*.
acrid ['ækrɪd] *a* (*smell, manner etc*) âcre.
acrimonious [ækrɪ'məʊnɪəs] *a* acerbe.
acrobat ['ækrəbæt] *n* acrobate *mf*. ◆**acro'batic** *a* acrobatique; – *npl* acrobatie(s) *f*(*pl*).
acronym ['ækrənɪm] *n* sigle *m*.
across [ə'krɒs] *adv* & *prep* (*from side to side* (*of*)) d'un côté à l'autre (de); (*on the other side* (*of*)) de l'autre côté (de); (*crossways*) en travers (de); **to be a kilometre**/*etc* **a.** (*wide*) avoir un kilomètre/*etc* de large; **to walk** *or* **go a.** (*street etc*) traverser; **to come a.** (*person*) rencontrer (par hasard), tomber sur; (*thing*) trouver (par hasard); **to get sth a. to s.o.** faire comprendre qch à qn.
acrostic [ə'krɒstɪk] *n* acrostiche *m*.
acrylic [ə'krɪlɪk] *a* & *n* acrylique (*m*).
act [ækt] **1** *n* (*deed*) acte *m*; **a. (of parliament)** loi *f*; **caught in the a.** pris sur le fait; **a. of walking** action *f* de marcher; **an a. of folly** une folie. **2** *n* (*of play*) *Th* acte *m*; (*turn*) *Th* numéro *m*; **in on the a.** *Fam* dans le coup; **to put on an a.** *Fam* jouer la comédie; – *vt* (*part*) *Th* jouer; **to a. the fool** faire l'idiot; – *vi Th Cin* jouer; (*pretend*) jouer la comédie. **3** *vi* (*do sth, behave*) agir; (*function*) fonctionner; **to a. as** (*secretary etc*) faire office de; (*of object*) servir de; **to a. (up)on** (*affect*) agir sur; (*advice*) suivre; **to a. on behalf of** représenter; **to a. up** (*of person, machine*) *Fam* faire des siennes. ◆**—ing 1** *a* (*manager etc*) intérimaire, provisoire. **2** *n* (*of play*) représentation *f*; (*actor's art*) jeu *m*; (*career*) théâtre *m*.
action ['ækʃ(ə)n] *n* action *f*; *Mil* combat *m*; *Jur* procès *m*, action *f*; **to take a.** prendre des mesures; **to put into a.** (*plan*) exécuter; **out of a.** hors d'usage, hors (de) service; (*person*) hors de combat; **killed in a.** mort au champ d'honneur; **to take industrial a.** se mettre en grève.
active ['æktɪv] *a* actif; (*interest*) vif; (*volcano*) en activité. ◆**activate** *vt Ch* activer; (*mechanism*) actionner. ◆**activist** *n* activiste *mf*. ◆**ac'tivity** *n* activité *f*; (*in street*) mouvement *m*.
actor ['æktər] *n* acteur *m*. ◆**actress** *n* actrice *f*.
actual ['æktʃʊəl] *a* réel, véritable; (*example*) concret; **the a. book** le livre même; **in a. fact** en réalité, effectivement. ◆**—ly** *adv* (*truly*) réellement; (*in fact*) en réalité, en fait.
actuary ['æktʃʊərɪ] *n* actuaire *mf*.
actuate ['æktʃʊeɪt] *vt* (*person*) animer; (*machine*) actionner.
acumen ['ækjʊmen, *Am* ə'kjuːmən] *n* perspicacité *f*, finesse *f*.
acupuncture ['ækjʊpʌŋktʃər] *n* acupuncture *f*.
acute [ə'kjuːt] *a* aigu; (*anxiety, emotion*) vif, profond; (*observer*) perspicace; (*shortage*) grave. ◆**—ly** *adv* (*to suffer, feel*) vivement, profondément. ◆**—ness** *n* acuité *f*; perspicacité *f*.
ad [æd] *n Fam* pub *f*; (*private, in newspaper*) annonce *f*; **small ad** petite annonce.
AD [eɪ'diː] *abbr* (*anno Domini*) après Jésus-Christ.
adage ['ædɪdʒ] *n* adage *m*.
Adam ['ædəm] *n* **A.'s apple** pomme *f* d'Adam.
adamant ['ædəmənt] *a* inflexible.
adapt [ə'dæpt] *vt* adapter (**to** à); **to a. (oneself)** s'adapter. ◆**adaptable** *a* (*person*) capable de s'adapter, adaptable. ◆**adaptor** *n* (*device*) adaptateur *m*; (*plug*) prise *f* multiple. ◆**adap'tation** *n* adaptation *f*.
add [æd] *vt* ajouter (**to** à, **that** que); **to a. (up** *or* **together)** (*total*) additionner; **to a. in** inclure; – *vi* **to a. to** (*increase*) augmenter; **to a. up to** (*total*) s'élever à; (*mean*) signifier; **it all adds up** *Fam* ça s'explique. ◆**a'ddendum,** *pl* **-da** *n* supplément *m*. ◆**adding machine** *n* machine *f* à calculer. ◆**a'ddition** *n* addition *f*; augmentation *f*; **in a.** de plus; **in a. to** en plus de. ◆**a'dditional** *a* supplémentaire. ◆**a'dditionally** *adv* de plus. ◆**additive** *n* additif *m*.
adder ['ædər] *n* vipère *f*.

addict ['ædıkt] *n* intoxiqué, -ée *mf*; **jazz/sport a.** fanatique *mf* du jazz/du sport; **drug a.** drogué, -ée *mf*. ◆**a'ddicted** *a* **to be a. to** (*study, drink*) s'adonner à; (*music*) se passionner pour; (*to have the habit of*) avoir la manie de; **a. to cigarettes** drogué par la cigarette. ◆**a'ddiction** *n* (*habit*) manie *f*; (*dependency*) *Med* dépendance *f*; **drug a.** toxicomanie *f*. ◆**a'ddictive** *a* qui crée une dépendance.

address [ə'dres, *Am* 'ædres] *n* (*on letter etc*) adresse *f*; (*speech*) allocution *f*; **form of a.** formule *f* de politesse; – [ə'dres] *vt* (*person*) s'adresser à; (*audience*) parler devant; (*words, speech*) adresser (**to** à); (*letter*) mettre l'adresse sur; **to a. to s.o.** (*send, intend for*) adresser à qn. ◆**addressee** [ædre'siː] *n* destinataire *mf*.

adenoids ['ædınɔıdz] *npl* végétations *fpl* (adénoïdes).

adept ['ædept, *Am* ə'dept] *a* expert (**in, at** à).

adequate ['ædıkwət] *a* (*quantity*) suffisant; (*acceptable*) convenable; (*person, performance*) compétent. ◆**adequacy** *n* (*of person*) compétence *f*; **to doubt the a. of sth** douter que qch soit suffisant. ◆**adequately** *adv* suffisamment; convenablement.

adhere [əd'hıər] *vi* **to a. to** adhérer à; (*decision*) s'en tenir à; (*rule*) respecter. ◆**adherence** *n*, ◆**adhesion** *n* (*grip*) adhérence *f*; (*support*) *Fig* adhésion *f*. ◆**adhesive** *a* & *n* adhésif (*m*).

ad infinitum [ædınfı'naıtəm] *adv* à l'infini.

adjacent [ə'dʒeısənt] *a* (*house, angle etc*) adjacent (**to** à).

adjective ['ædʒıktıv] *n* adjectif *m*.

adjoin [ə'dʒɔın] *vt* avoisiner. ◆**—ing** *a* avoisinant, voisin.

adjourn [ə'dʒɜːn] *vt* (*postpone*) adjourner; (*session*) lever, suspendre; – *vi* lever la séance; **to a. to** (*go*) passer à. ◆**—ment** *n* ajournement *m*; suspension *f* (de séance), levée *f* de séance.

adjudicate [ə'dʒuːdıkeıt] *vti* juger. ◆**adjudi'cation** *n* jugement *m*. ◆**adjudicator** *n* juge *m*, arbitre *m*.

adjust [ə'dʒʌst] *vt* *Tech* régler, ajuster; (*prices*) (r)ajuster; (*arrange*) arranger; **to a. (oneself) to** s'adapter à. ◆**—able** *a* réglable. ◆**—ment** *n* *Tech* réglage *m*; (*of person*) adaptation *f*; (*of prices*) (r)ajustement *m*.

ad-lib [æd'lıb] *vi* (**-bb-**) improviser; – *a* (*joke etc*) improvisé.

administer [əd'mınıstər] **1** *vt* (*manage, dispense*) administrer (**to** à). **2** *vi* **to a. to** pourvoir à. ◆**admini'stration** *n* administration *f*; (*ministry*) gouvernement *m*. ◆**administrative** *a* administratif. ◆**administrator** *n* administrateur, -trice *mf*.

admiral ['ædmərəl] *n* amiral *m*.

admir/e [əd'maıər] *vt* admirer. ◆**—ing** *a* admiratif. ◆**—er** *n* admirateur, -trice *mf*. ◆**'admirable** *a* admirable. ◆**admi'ration** *n* admiration *f*.

admit [əd'mıt] *vt* (**-tt-**) (*let in*) laisser entrer; (*accept*) admettre; (*acknowledge*) reconnaître, avouer; – *vi* **to a. to sth** (*confess*) avouer qch; **to a. of** permettre. ◆**admittedly** *adv* c'est vrai (que). ◆**admissible** *a* admissible. ◆**admission** *n* (*entry to theatre etc*) entrée *f* (**to** à, de); (*to club, school*) admission *f*; (*acknowledgement*) aveu *m*; **a. (charge)** (prix *m* d')entrée *f*. ◆**admittance** *n* entrée *f*; **'no a.'** 'entrée interdite'.

admonish [əd'mɒnıʃ] *vt* (*reprove*) réprimander; (*warn*) avertir.

ado [ə'duː] *n* **without further a.** sans (faire) plus de façons.

adolescent [ædə'lesənt] *n* adolescent, -ente *mf*. ◆**adolescence** *n* adolescence *f*.

adopt [ə'dɒpt] *vt* (*child, method, attitude etc*) adopter; (*candidate*) *Pol* choisir. ◆**—ed** *a* (*child*) adoptif; (*country*) d'adoption. ◆**adoption** *n* adoption *f*. ◆**adoptive** *a* (*parent*) adoptif.

adore [ə'dɔːr] *vt* adorer; **he adores being flattered** il adore qu'on le flatte. ◆**adorable** *a* adorable. ◆**ado'ration** *n* adoration *f*.

adorn [ə'dɔːn] *vt* (*room, book*) orner; (*person, dress*) parer. ◆**—ment** *n* ornement *m*; parure *f*.

adrenalin(e) [ə'drenəlın] *n* adrénaline *f*.

Adriatic [eıdrı'ætık] *n* **the A.** l'Adriatique *f*.

adrift [ə'drıft] *a* & *adv* *Nau* à la dérive; **to come a.** (*of rope, collar etc*) se détacher; **to turn s.o. a.** *Fig* abandonner qn à son sort.

adroit [ə'drɔıt] *a* adroit, habile.

adulation [ædjʊ'leıʃ(ə)n] *n* adulation *f*.

adult ['ædʌlt] *a* & *n* adulte (*mf*). ◆**adulthood** *n* âge *m* adulte.

adulterate [ə'dʌltəreıt] *vt* (*food*) altérer.

adultery [ə'dʌltərı] *n* adultère *m*. ◆**adulterous** *a* adultère.

advanc/e [əd'vɑːns] *n* (*movement, money*) avance *f*; (*of science*) progrès *mpl*; *pl* (*of friendship, love*) avances *fpl*; **in a.** à l'avance, d'avance; (*to arrive*) en avance; **in a. of s.o.** avant qn; – *a* (*payment*) anticipé; **a. booking** réservation *f*; **a. guard** avant-garde *f*; – *vt* (*put forward, lend*) avancer; (*science, work*) faire avancer; – *vi* (*go forward, progress*) avancer; (*towards s.o.*) s'avancer, avancer. ◆**—ed** *a* avancé; (*studies*) supérieur; **a. in years** âgé. ◆**—ement** *n* (*progress, promotion*) avancement *m*.

advantage [əd'vɑːntɪdʒ] *n* avantage *m* (**over** sur); **to take a. of** profiter de; (*person*) tromper, exploiter; (*woman*) séduire; **to show (off) to a.** faire valoir. ◆**advan'tageous** *a* avantageux (**to,** pour), profitable.

advent ['ædvent] *n* arrivée *f*, avènement *m*; **A.** *Rel* l'Avent *m*.

adventure [əd'ventʃər] *n* aventure *f*; – *a* (*film etc*) d'aventures. ◆**adventurer** *n* aventurier, -ière *mf*. ◆**adventurous** *a* aventureux.

adverb ['ædvɜːb] *n* adverbe *m*.

adversary ['ædvəsərɪ] *n* adversaire *mf*.

adverse ['ædvɜːs] *a* hostile, défavorable. ◆**ad'versity** *n* adversité *f*.

advert ['ædvɜːt] *n Fam* pub *f*; (*private, in newspaper*) annonce *f*.

advertis/e ['ædvətaɪz] *vt* (*goods*) faire de la publicité pour; (*make known*) annoncer; – *vi* faire de la publicité; **to a. (for s.o.)** mettre une annonce (pour chercher qn). ◆**—er** *n* annonceur *m*. ◆**—ement** [əd'vɜːtɪsmənt, *Am* ædvə'taɪzmənt] *n* publicité *f*; (*private or classified in newspaper*) annonce *f*; (*poster*) affiche *f*; **classified a.** petite annonce; **the advertisements** *TV* la publicité.

advice [əd'vaɪs] *n* conseil(s) *m*(*pl*); *Com* avis *m*; **a piece of a.** un conseil.

advis/e [əd'vaɪz] *vt* (*counsel*) conseiller; (*recommend*) recommander; (*notify*) informer; **to a. s.o. to do** conseiller à qn de faire; **to a. against** déconseiller. ◆**—ed** *a* **well-a.** (*action*) prudent. ◆**—able** *a* (*wise*) prudent (**to do** de faire); (*act*) à conseiller. ◆**—edly** [-ɪdlɪ] *adv* après réflexion. ◆**—er** *n* conseiller, -ère *mf*. ◆**advisory** *a* consultatif.

advocate 1 ['ædvəkət] *n* (*of cause*) défenseur *m*, avocat, -ate *mf*; *Jur* avocat *m*. **2** ['ædvəkeɪt] *vt* préconiser, recommander.

aegis ['iːdʒɪs] *n* **under the a. of** sous l'égide de.

aeon ['iːən] *n* éternité *f*.

aerial ['eərɪəl] *n* antenne *f*; – *a* aérien.

aerobatics [eərə'bætɪks] *npl* acrobatie *f* aérienne. ◆**ae'robics** *npl* aérobic *f*. ◆**'aerodrome** *n* aérodrome *m*. ◆**aerody'namic** *a* aérodynamique. ◆**aero'nautics** *npl* aéronautique *f*. ◆**'aeroplane** *n* avion *m*. ◆**'aerosol** *n* aérosol *m*. ◆**'aerospace** *a* (*industry*) aérospatial.

aesthetic [iːs'θetɪk, *Am* es'θetɪk] *a* esthétique.

afar [ə'fɑːr] *adv* **from a.** de loin.

affable ['æfəb(ə)l] *a* affable, aimable.

affair [ə'feər] *n* (*matter, concern*) affaire *f*; **(love) a.** liaison *f*; **state of affairs** état *m* de choses.

affect [ə'fekt] *vt* (*move, feign*) affecter; (*concern*) toucher, affecter; (*harm*) nuire à; (*be fond of*) affectionner. ◆**—ed** *a* (*manner*) affecté; (*by disease*) atteint. ◆**affec'tation** *n* affectation *f*.

affection [ə'fekʃ(ə)n] *n* affection *f* (**for** pour). ◆**affectionate** *a* affectueux, aimant. ◆**affectionately** *adv* affectueusement.

affiliate [ə'fɪlɪeɪt] *vt* affilier; **to be affiliated** s'affilier (**to** à); **affiliated company** filiale *f*. ◆**affili'ation** *n* affiliation *f*; *pl* (*political*) attaches *fpl*.

affinity [ə'fɪnɪtɪ] *n* affinité *f*.

affirm [ə'fɜːm] *vt* affirmer. ◆**affir'mation** *n* affirmation *f*. ◆**affirmative** *a* affirmatif; – *n* affirmative *f*.

affix [ə'fɪks] *vt* apposer.

afflict [ə'flɪkt] *vt* affliger (**with** de). ◆**affliction** *n* (*misery*) affliction *f*; (*disorder*) infirmité *f*.

affluent ['æflʊənt] *a* riche; **a. society** société *f* d'abondance. ◆**affluence** *n* richesse *f*.

afford [ə'fɔːd] *vt* **1** (*pay for*) avoir les moyens d'acheter, pouvoir se payer; (*time*) pouvoir trouver; **I can a. to wait** je peux me permettre d'attendre. **2** (*provide*) fournir, donner; **to a. s.o. sth** fournir qch à qn.

affray [ə'freɪ] *n Jur* rixe *f*, bagarre *f*.

affront [ə'frʌnt] *n* affront *m*; – *vt* faire un affront à.

Afghanistan [æf'gænɪstɑːn] *n* Afghanistan *m*. ◆**'Afghan** *a* & *n* afghan, -ane (*mf*).

afield [ə'fiːld] *adv* **further a.** plus loin; **too far a.** trop loin.

afloat [ə'fləʊt] *adv* (*ship, swimmer, business*) à flot; (*awash*) submergé; **life a.** la vie sur l'eau.

afoot [ə'fʊt] *adv* **there's sth a.** il se trame qch; **there's a plan a. to** on prépare un projet pour.

aforementioned [ə'fɔːmenʃənd] *a* susmentionné.

afraid [ə'freɪd] *a* **to be a.** avoir peur (**of, to** de; **that** que); **to make s.o. afraid** faire peur à qn; **he's a. (that) she may be ill** il a peur qu'elle (ne) soit malade; **I'm a. he's out** (*I regret to say*) je regrette, il est sorti.

afresh [ə'freʃ] *adv* de nouveau.

Africa ['æfrɪkə] *n* Afrique *f.* ◆**African** *a & n* africain, -aine (*mf*).

after ['ɑːftər] *adv* après; **the month a.** le mois suivant, le mois d'après; – *prep* après; **a. all** après tout; **a. eating** après avoir mangé; **day a. day** jour après jour; **page a. page** page sur page; **time a. time** bien des fois; **a. you!** je vous en prie!; **ten a. four** *Am* quatre heures dix; **to be a. sth/s.o.** (*seek*) chercher qch/qn; – *conj* après que; **a. he saw you** après qu'il t'a vu. ◆**aftercare** *n Med* soins *mpl* postopératoires; *Jur* surveillance *f.* ◆**aftereffects** *npl* suites *fpl,* séquelles *fpl.* ◆**afterlife** *n* vie *f* future. ◆**aftermath** [-mɑːθ] *n* suites *fpl.* ◆**after'noon** *n* après-midi *m or f inv*; **in the a.** l'après-midi; **good a.!** (*hello*) bonjour!; (*goodbye*) au revoir! ◆**after'noons** *adv Am* l'après midi. ◆**aftersales (service)** *n* service *m* après-vente. ◆**aftershave (lotion)** *n* lotion *f* après-rasage. ◆**aftertaste** *n* arrière-goût *m.* ◆**afterthought** *n* réflexion *f* après coup. ◆**afterward(s)** *adv* après, plus tard.

afters ['ɑːftəz] *npl Fam* dessert *m.*

again [ə'gen, ə'geɪn] *adv* de nouveau, encore une fois; (*furthermore*) en outre; **to do a.** refaire; **to go down/up a.** redescendre/remonter; **never a.** plus jamais; **half as much a.** moitié plus; **a. and a., time and (time) a.** maintes fois; **what's his name a.?** comment s'appelle-t-il déjà?

against [ə'genst, ə'geɪnst] *prep* contre; **to go** *or* **be a.** s'opposer à; **a law a. drinking** une loi qui interdit de boire; **his age is a. him** son âge lui est défavorable; **a. a background of** sur (un) fond de; **a. the light** à contre-jour; **a. the law** illégal; **a. the rules** interdit, contraire aux règlements.

age [eɪdʒ] *n* (*lifespan, period*) âge *m*; **(old) a.** vieillesse *f*; **the Middle Ages** le moyen âge; **what a. are you?, what's your a.?** quel âge as-tu?; **five years of a.** âgé de cinq ans; **to be of a.** être majeur; **under a.** trop jeune, mineur; **to wait (for) ages** *Fam* attendre une éternité; **a. group** tranche *f* d'âge; – *vti* (*pres p* **ag(e)ing**) vieillir. ◆**a.-old** *a* séculaire. ◆**aged** *a* [eɪdʒd] **a. ten** âgé de dix ans; ['eɪdʒɪd] vieux, âgé; **the a.** les personnes *fpl* âgées. ◆**ageless** *a* toujours jeune.

agenda [ə'dʒendə] *n* ordre *m* du jour.

agent ['eɪdʒənt] *n* agent *m*; (*dealer*) *Com* concessionnaire *mf.* ◆**agency** *n* **1** (*office*) agence *f.* **2 through the a. of s.o.** par l'intermédiaire de qn.

agglomeration [əglɒmə'reɪʃ(ə)n] *n* agglomération *f.*

aggravate ['ægrəveɪt] *vt* (*make worse*) aggraver; **to a. s.o.** *Fam* exaspérer qn. ◆**aggra'vation** *n* aggravation *f*; *Fam* exaspération *f*; (*bother*) *Fam* ennui(s) *m(pl)*.

aggregate ['ægrɪgət] *a* global; – *n* (*total*) ensemble *m.*

aggression [ə'greʃ(ə)n] *n* agression *f.* ◆**aggressive** *a* agressif. ◆**aggressiveness** *n* agressivité *f.* ◆**agressor** *n* agresseur *m.*

aggrieved [ə'griːvd] *a* (*offended*) blessé, froissé; (*tone*) peiné.

aghast [ə'gɑːst] *a* consterné, horrifié.

agile ['ædʒaɪl, *Am* 'ædʒ(ə)l] *a* agile. ◆**a'gility** *n* agilité *f.*

agitate ['ædʒɪteɪt] *vt* (*worry, shake*) agiter; – *vi* **to a. for** *Pol* faire campagne pour. ◆**agi'tation** *n* (*anxiety, unrest*) agitation *f.* ◆**agitator** *n* agitateur, -trice *mf.*

aglow [ə'gləʊ] *a* **to be a.** briller **(with** de).

agnostic [æg'nɒstɪk] *a & n* agnostique (*mf*).

ago [ə'gəʊ] *adv* **a year a.** il y a un an; **how long a.?** il y a combien de temps (de cela)?; **as long a. as 1800** (déjà) en 1800.

agog [ə'gɒg] *a* (*excited*) en émoi; (*eager*) impatient.

agony ['ægənɪ] *n* (*pain*) douleur *f* atroce; (*anguish*) angoisse *f*; **to be in a.** souffrir horriblement; **a. column** *Journ* courrier *m* du cœur. ◆**agonize** *vi* se faire beaucoup de souci. ◆**agonized** *a* (*look*) angoissé; (*cry*) de douleur. ◆**agonizing** *a* (*pain*) atroce; (*situation*) angoissant.

agree [ə'griː] *vi* (*come to terms*) se mettre d'accord, s'accorder; (*be in agreement*) être d'accord, s'accorder **(with** avec); (*of facts, dates etc*) concorder; *Gram* s'accorder; **to a. upon** (*decide*) convenir de; **to a. to sth/to doing** consentir à qch/à faire; **it doesn't a. with me** (*food, climate*) ça ne me réussit pas; – *vt* (*figures*) faire concorder; (*accounts*) *Com* approuver; **to a. to do** accepter de faire; **to a. that** (*admit*) admettre que. ◆**agreed** *a* (*time, place*) convenu; **we are a.** nous sommes d'accord; **a.!** entendu! ◆**agreeable** *a* **1** (*pleasant*) agréable. **2 to be a.** (*agree*) être d'accord; **to be a. to sth** consentir à qch. ◆**agreement** *n* accord *m*; *Pol Com* convention *f,* accord *m*; **in a. with** d'accord avec.

agriculture ['ægrɪkʌltʃər] *n* agriculture *f.* ◆**agri'cultural** *a* agricole.

aground [ə'graʊnd] *adv* **to run a.** *Nau* (s')échouer.

ah! [ɑː] *int* ah!
ahead [əˈhed] *adv* (*in space*) en avant; (*leading*) en tête; (*in the future*) dans l'avenir; **a. (of time** *or* **of schedule)** en avance (sur l'horaire); **one hour/***etc* **a.** une heure/*etc* d'avance (**of** sur); **a. of** (*space*) devant; (*time, progress*) en avance sur; **to go a.** (*advance*) avancer; (*continue*) continuer; (*start*) commencer; **go a.!** allez-y!; **to go a. with** (*task*) poursuivre; **to get a.** prendre de l'avance; (*succeed*) réussir; **to think a.** penser à l'avenir; **straight a.** tout droit.
aid [eɪd] *n* (*help*) aide *f*; (*apparatus*) support *m*, moyen *m*; **with the a. of** (*a stick etc*) à l'aide de; **in a. of** (*charity etc*) au profit de; **what's this in a. of?** *Fam* quel est le but de tout ça?, ça sert à quoi?; – *vt* aider (**to do** à faire).
aide [eɪd] *n Pol* aide *mf*.
AIDS [eɪdz] *n Med* SIDA *m*.
ail [eɪl] *vt* **what ails you?** de quoi souffrez-vous? ◆**—ing** *a* souffrant, malade. ◆**—ment** *n* maladie *f*.
aim [eɪm] *n* but *m*; **to take a.** viser; **with the a. of** dans le but de; – *vt* (*gun*) braquer, diriger (**at** sur); (*lamp*) diriger (**at** vers); (*stone*) lancer (**at** à, vers); (*blow, remark*) décocher (**at** à); – *vi* viser; **to a. at s.o.** viser qn; **to a. to do** *or* **at doing** avoir l'intention de faire. ◆**—less** *a*, ◆**—lessly** *adv* sans but.
air [eər] **1** *n* air *m*; **in the open a.** en plein air; **by a.** (*to travel*) en *or* par avion; (*letter, freight*) par avion; **to be** *or* **go on the a.** (*person*) passer à l'antenne; (*programme*) être diffusé; **(up) in the a.** (*to throw*) en l'air; (*plan*) incertain, en l'air; **there's sth in the a.** *Fig* il se prépare qch; – *a* (*raid, base etc*) aérien; **a. force/hostess** armée *f*/hôtesse *f* de l'air; **a. terminal** aérogare *f*; – *vt* (*room*) aérer; (*views*) exposer; **airing cupboard** armoire *f* sèche-linge. **2** *n* (*appearance, tune*) air *m*; **to put on airs** se donner des airs; **with an a. of sadness/***etc* d'un air triste/*etc*.
airborne [ˈeəbɔːn] *a* en (cours de) vol; (*troops*) aéroporté; **to become a.** (*of aircraft*) décoller. ◆**airbridge** *n* pont *m* aérien. ◆**air-conditioned** *a* climatisé. ◆**air-conditioner** *n* climatiseur *m*. ◆**aircraft** *n inv* avion(s) *m*(*pl*); **a. carrier** porte-avions *m inv*. ◆**aircrew** *n Av* équipage *m*. ◆**airfield** *n* terrain *m* d'aviation. ◆**airgun** *n* carabine *f* à air comprimé. ◆**airletter** *n* aérogramme *m*. ◆**airlift** *n* pont *m* aérien; – *vt* transporter par avion. ◆**airline** *n* ligne *f* aérienne. ◆**airliner** *n* avion *m* de ligne. ◆**airlock** *n* (*chamber*) *Nau Av* sas *m*; (*in pipe*) bouchon *m*. ◆**airmail** *n* poste *f* aérienne; **by a.** par avion. ◆**airman** *n* (*pl* **-men**) aviateur *m*. ◆**airplane** *n Am* avion *m*. ◆**airpocket** *n* trou *m* d'air. ◆**airport** *n* aéroport *m*. ◆**airship** *n* dirigeable *m*. ◆**airsickness** *n* mal *m* de l'air. ◆**airstrip** *n* terrain *m* d'atterrissage. ◆**airtight** *a* hermétique. ◆**airway** *n* (*route*) couloir *m* aérien. ◆**airworthy** *a* en état de navigation.
airy [ˈeərɪ] *a* (**-ier, -iest**) (*room*) bien aéré; (*promise*) vain; (*step*) léger. ◆**a.-fairy** *a Fam* farfelu. ◆**airily** *adv* (*not seriously*) d'un ton léger.
aisle [aɪl] *n* couloir *m*; (*of church*) nef *f* latérale.
aitch [eɪtʃ] *n* (*letter*) h *m*.
ajar [əˈdʒɑːr] *a* & *adv* (*door*) entrouvert.
akin [əˈkɪn] *a* **a. (to)** apparenté (à).
alabaster [ˈæləbɑːstər] *n* albâtre *m*.
alacrity [əˈlækrɪtɪ] *n* empressement *m*.
à la mode [ælæˈməʊd] *a Culin Am* avec de la crème glacée.
alarm [əˈlɑːm] *n* (*warning, fear*) alarme *f*; (*apparatus*) sonnerie *f* (d'alarme); **false a.** fausse alerte *f*; **a. (clock)** réveil *m*, réveille-matin *m inv*; – *vt* (*frighten*) alarmer. ◆**alarmist** *n* alarmiste *mf*.
alas! [əˈlæs] *int* hélas!
albatross [ˈælbətrɒs] *n* albatros *m*.
albeit [ɔːlˈbiːɪt] *conj Lit* quoique.
albino [ælˈbiːnəʊ, *Am* ælˈbaɪnəʊ] *n* (*pl* **-os**) albinos *mf*.
album [ˈælbəm] *n* (*book, record*) album *m*.
alchemy [ˈælkəmɪ] *n* alchimie *f*. ◆**alchemist** *n* alchimiste *m*.
alcohol [ˈælkəhɒl] *n* alcool *m*. ◆**alcoˈholic** *a* (*person*) alcoolique; (*drink*) alcoolisé; – *n* (*person*) alcoolique *mf*. ◆**alcoholism** *n* alcoolisme *m*.
alcove [ˈælkəʊv] *n* alcôve *f*.
alderman [ˈɔːldəmən] *n* (*pl* **-men**) conseiller, -ère *mf* municipal(e).
ale [eɪl] *n* bière *f*.
alert [əˈlɜːt] *a* (*watchful*) vigilant; (*sharp, awake*) éveillé; – *n* alerte *f*; **on the a.** sur le qui-vive; – *vt* alerter. ◆**—ness** *n* vigilance *f*.
alfalfa [ælˈfælfə] *n Am* luzerne *f*.
algebra [ˈældʒɪbrə] *n* algèbre *f*. ◆**algebˈraic** *a* algébrique.
Algeria [ælˈdʒɪərɪə] *n* Algérie *f*. ◆**Algerian** *a* & *n* algérien, -ienne (*mf*).
alias [ˈeɪlɪəs] *adv* alias; – *n* nom *m* d'emprunt.
alibi [ˈælɪbaɪ] *n* alibi *m*.

alien ['eɪlɪən] *a* étranger (**to** à); – *n* étranger, -ère *mf*. ◆**alienate** *vt* aliéner; **to a. s.o.** (*make unfriendly*) s'aliéner qn.

alight [ə'laɪt] **1** *a* (*fire*) allumé; (*building*) en feu; (*face*) éclairé; **to set a.** mettre le feu à. **2** *vi* descendre (**from** de); (*of bird*) se poser.

align [ə'laɪn] *vt* aligner. ◆**—ment** *n* alignement *m*.

alike [ə'laɪk] **1** *a* (*people, things*) semblables, pareils; **to look** *or* **be a.** se ressembler. **2** *adv* de la même manière; **summer and winter a.** été comme hiver.

alimony ['ælɪmənɪ, *Am* 'ælɪməʊnɪ] *n Jur* pension *f* alimentaire.

alive [ə'laɪv] *a* vivant, en vie; **a. to** conscient de; **a. with** grouillant de; **burnt a.** brûlé vif; **anyone a.** n'importe qui; **to keep a.** (*custom, memory*) entretenir, perpétuer; **a. and kicking** *Fam* plein de vie; **look a.!** *Fam* active-toi!

all [ɔːl] *a* tout, toute, *pl* tous, toutes; **a. day** toute la journée; **a. (the) men** tous les hommes; **with a. speed** à toute vitesse; **for a. her wealth** malgré toute sa fortune; – *pron* tous *mpl*, toutes *fpl*; (*everything*) tout; **a. will die** tous mourront; **my sisters are a. here** toutes mes sœurs sont ici; **he ate it a., he ate a. of it** il a tout mangé; **a. (that) he has** tout ce qu'il a; **a. in a.** à tout prendre; **in a., a. told** en tout; **a. but impossible/***etc* presque impossible/*etc*; **anything at a.** quoi que ce soit; **if he comes at a.** s'il vient effectivement; **if there's any wind at a.** s'il y a le moindre vent; **not at a.** pas du tout; (*after 'thank you'*) il n'y a pas de quoi; **a. of us** nous tous; **take a. of it** prends (le) tout; – *adv* tout; **a. alone** tout seul; **a. bad** entièrement mauvais; **a. over** (*everywhere*) partout; (*finished*) fini; **a. right** (très) bien; **he's a. right** (*not harmed*) il est sain et sauf; (*healthy*) il va bien; **a. too soon** bien trop tôt; **six a.** *Fb* six buts partout; **a. there** *Fam* éveillé, intelligent; **not a. there** *Fam* simple d'esprit; **a. in** *Fam* épuisé; **a.-in price** prix global; – *n* **my a.** tout ce que j'ai. ◆**a.-'clear** *n Mil* fin *f* d'alerte. ◆**a.-night** *a* (*party*) qui dure toute la nuit; (*shop*) ouvert toute la nuit. ◆**a.-out** *a* (*effort*) violent; (*war, strike*) tous azimuts. ◆**a.-'powerful** *a* tout-puissant. ◆**a.-purpose** *a* (*tool*) universel. ◆**a.-round** *a* complet. ◆**a.-'rounder** *n* personne *f* qui fait de tout. ◆**a.-time** *a* (*record*) jamais atteint; **to reach an a.-time low/high** arriver au point le plus bas/le plus haut.

allay [ə'leɪ] *vt* calmer, apaiser.

alleg/e [ə'ledʒ] *vt* prétendre. ◆**—ed** *a* (*so-called*) prétendu; (*author, culprit*) présumé; **he is a. to be** on prétend qu'il est. ◆**—edly** [-ɪdlɪ] *adv* d'après ce qu'on dit. ◆**alle'gation** *n* allégation *f*.

allegiance [ə'liːdʒəns] *n* fidélité *f* (**to** à).

allegory ['ælɪgərɪ, *Am* 'æləgɔːrɪ] *n* allégorie *f*. ◆**alle'gorical** *a* allégorique.

allergy ['ælədʒɪ] *n* allergie *f*. ◆**a'llergic** *a* allergique (**to** à).

alleviate [ə'liːvɪeɪt] *vt* alléger.

alley ['ælɪ] *n* ruelle *f*; (*in park*) allée *f*; **blind a.** impasse *f*; **that's up my a.** *Fam* c'est mon truc. ◆**alleyway** *n* ruelle *f*.

alliance [ə'laɪəns] *n* alliance *f*.

allied ['ælaɪd] *a* (*country*) allié; (*matters*) connexe.

alligator ['ælɪgeɪtər] *n* alligator *m*.

allocate ['æləkeɪt] *vt* (*assign*) attribuer, allouer (**to** à); (*distribute*) répartir. ◆**allo'cation** *n* attribution *f*.

allot [ə'lɒt] *vt* (**-tt-**) (*assign*) attribuer; (*distribute*) répartir. ◆**—ment** *n* attribution *f*; (*share*) partage *m*; (*land*) lopin *m* de terre (*loué pour la culture*).

allow [ə'laʊ] **1** *vt* permettre; (*grant*) accorder; (*a request*) accéder à; (*deduct*) *Com* déduire; (*add*) *Com* ajouter; **to a. s.o. to do** permettre à qn de faire, autoriser qn à faire; **a. me!** permettez(-moi)!; **not allowed** interdit; **you're not allowed to go** on vous interdit de partir. **2** *vi* **to a. for** tenir compte de. ◆**—able** *a* (*acceptable*) admissible; (*expense*) déductible.

allowance [ə'laʊəns] *n* allocation *f*; (*for travel, housing, food*) indemnité *f*; (*for duty-free goods*) tolérance *f*; (*tax-free amount*) abattement *m*; **to make allowance(s) for** (*person*) être indulgent envers; (*thing*) tenir compte de.

alloy ['ælɔɪ] *n* alliage *m*.

allude [ə'luːd] *vi* **to a. to** faire allusion à. ◆**allusion** *n* allusion *f*.

allure [ə'lʊər] *vt* attirer.

ally ['ælaɪ] *n* allié, -ée *mf*; – [ə'laɪ] *vt* (*country, person*) allier.

almanac ['ɔːlmənæk] *n* almanach *m*.

almighty [ɔːl'maɪtɪ] **1** *a* tout-puissant; **the A.** le Tout-Puissant. **2** *a* (*great*) *Fam* terrible, formidable.

almond ['ɑːmənd] *n* amande *f*.

almost ['ɔːlməʊst] *adv* presque; **he a. fell/***etc* il a failli tomber/*etc*.

alms [ɑːmz] *npl* aumône *f*.

alone [ə'ləʊn] *a & adv* seul; **an expert a. can . . .** seul un expert peut . . . ; **I did it (all) a.** je l'ai fait à moi (tout) seul, je l'ai fait (tout) seul; **to leave** *or* **let a.** (*person*) laisser tranquille *or* en paix; (*thing*) ne pas toucher à.

along [ə'lɒŋ] *prep* **(all) a.** (tout) le long de; **to go** *or* **walk a.** (*street*) passer par; **a. here** par ici; **a. with** avec; – *adv* **all a.** d'un bout à l'autre; (*time*) dès le début; **come a.!** venez!; **move a.!** avancez!

alongside [əlɒŋ'saɪd] *prep* & *adv* à côté (de); **to come a.** *Nau* accoster; **a. the kerb** le long du trottoir.

aloof [ə'luːf] *a* distant; – *adv* à distance; **to keep a.** garder ses distances (**from** par rapport à). ♦**—ness** *n* réserve *f*.

aloud [ə'laʊd] *adv* à haute voix.

alphabet ['ælfəbet] *n* alphabet *m*. ♦**alpha'betical** *a* alphabétique.

Alps [ælps] *npl* **the A.** les Alpes *fpl*. ♦**alpine** *a* (*club, range etc*) alpin; (*scenery*) alpestre.

already [ɔːl'redɪ] *adv* déjà.

alright [ɔːl'raɪt] *adv Fam* = **all right.**

Alsatian [æl'seɪʃ(ə)n] *n* (*dog*) berger *m* allemand, chien-loup *m*.

also ['ɔːlsəʊ] *adv* aussi, également. ♦**a.-ran** *n* (*person*) *Fig* perdant, -ante *mf*.

altar ['ɔːltər] *n* autel *m*.

alter ['ɔːltər] *vt* changer, modifier; (*clothing*) retoucher; – *vi* changer. ♦**alte'ration** *n* changement *m*, modification *f*; retouche *f*.

altercation [ɔːltə'keɪʃ(ə)n] *n* altercation *f*.

alternat/e [ɔːl'tɜːnət] *a* alterné; **on a. days** tous les deux jours; **a. laughter and tears** des rires et des larmes qui se succèdent; – ['ɔːltəneɪt] *vi* alterner (**with** avec); – *vt* faire alterner. ♦**—ing** *a* (*current*) *El* alternatif. ♦**—ely** *adv* alternativement. ♦**alter'nation** *n* alternance *f*.

alternative [ɔːl'tɜːnətɪv] *a* **an a. way/***etc* une autre façon/*etc*; **a. answers/***etc* d'autres réponses/*etc* (différentes); – *n* (*choice*) alternative *f*. ♦**—ly** *adv* comme alternative; **or a.** (*or else*) ou bien.

although [ɔːl'ðəʊ] *adv* bien que, quoique (+ *sub*).

altitude ['æltɪtjuːd] *n* altitude *f*.

altogether [ɔːltə'geðər] *adv* (*completely*) tout à fait; (*on the whole*) somme toute; **how much a.?** combien en tout?

aluminium [æljʊ'mɪnjəm] (*Am* **aluminum** [ə'luːmɪnəm]) *n* aluminium *m*.

alumnus, *pl* **-ni** [ə'lʌmnəs, -naɪ] *n Am* ancien(ne) élève *mf*, ancien(ne) étudiant, -ante *mf*.

always ['ɔːlweɪz] *adv* toujours; **he's a. criticizing** il est toujours à critiquer.

am [æm, *unstressed* əm] *see* **be.**

a.m. [eɪ'em] *adv* du matin.

amalgam [ə'mælgəm] *n* amalgame *m*. ♦**a'malgamate** *vt* amalgamer; (*society*) *Com* fusionner; – *vi* s'amalgamer; fusionner.

amass [ə'mæs] *vt* (*riches*) amasser.

amateur ['æmətər] *n* amateur *m*; – *a* (*interest, sports*) d'amateur; **a. painter/***etc* peintre/*etc* amateur. ♦**amateurish** *a* (*work*) *Pej* d'amateur; (*person*) *Pej* maladroit, malhabile. ♦**amateurism** *n* amateurisme *m*.

amaz/e [ə'meɪz] *vt* stupéfier, étonner. ♦**—ed** *a* stupéfait (**at sth** de qch), étonné (**at sth** par *or* de qch); **a. at seeing/***etc* stupéfait *or* étonné de voir/*etc*. ♦**—ing** *a* stupéfiant; *Fam* extraordinaire. ♦**—ingly** *adv* extraordinairement; (*miraculously*) par miracle. ♦**amazement** *n* stupéfaction *f*.

ambassador [æm'bæsədər] *n* ambassadeur *m*; (*woman*) ambassadrice *f*.

amber ['æmbər] *n* ambre *m*; **a. (light)** *Aut* (feu *m*) orange *m*.

ambidextrous [æmbɪ'dekstrəs] *a* ambidextre.

ambiguous [æm'bɪgjʊəs] *a* ambigu. ♦**ambi'guity** *n* ambiguïté *f*.

ambition [æm'bɪʃ(ə)n] *n* ambition *f*. ♦**ambitious** *a* ambitieux.

ambivalent [æm'bɪvələnt] *a* ambigu, équivoque.

amble ['æmb(ə)l] *vi* marcher d'un pas tranquille.

ambulance ['æmbjʊləns] *n* ambulance *f*; **a. man** ambulancier *m*.

ambush ['æmbʊʃ] *n* guet-apens *m*, embuscade *f*; – *vt* prendre en embuscade.

amen [ɑː'men, eɪ'men] *int* amen.

amenable [ə'miːnəb(ə)l] *a* docile; **a. to** (*responsive to*) sensible à; **a. to reason** raisonnable.

amend [ə'mend] *vt* (*text*) modifier; (*conduct*) corriger; *Pol* amender. ♦**—ment** *n Pol* amendement *m*.

amends [ə'mendz] *npl* **to make a. for** réparer; **to make a.** réparer son erreur.

amenities [ə'miːnɪtɪz, *Am* ə'menɪtɪz] *npl* (*pleasant things*) agréments *mpl*; (*of sports club etc*) équipement *m*; (*of town*) aménagements *mpl*.

America [ə'merɪkə] *n* Amérique *f*; **North/South A.** Amérique du Nord/du Sud. ♦**American** *a* & *n* américain, -aine (*mf*). ♦**Americanism** *n* américanisme *m*.

amethyst ['æməθɪst] *n* améthyste *f*.

amiable ['eɪmɪəb(ə)l] *a* aimable.

amicab/le ['æmɪkəb(ə)l] *a* amical. ♦**—ly** *adv* amicalement; *Jur* à l'amiable.

amid(st) [ə'mɪd(st)] *prep* au milieu de, parmi.
amiss [ə'mɪs] *adv & a* mal (à propos); **sth is a.** (*wrong*) qch ne va pas; **that wouldn't come a.** ça ne ferait pas de mal; **to take a.** prendre en mauvaise part.
ammonia [ə'məʊnjə] *n* (*gas*) ammoniac *m*; (*liquid*) ammoniaque *f*.
ammunition [æmjʊ'nɪʃ(ə)n] *n* munitions *fpl*.
amnesia [æm'niːzjə] *n* amnésie *f*.
amnesty ['æmnəstɪ] *n* amnistie *f*.
amok [ə'mɒk] *adv* **to run a.** se déchaîner, s'emballer.
among(st) [ə'mʌŋ(st)] *prep* parmi, entre; **a. themselves/friends** entre eux/amis; **a. the French/**etc (*group*) chez les Français/*etc*; **a. the crowd** dans *or* parmi la foule.
amoral [eɪ'mɒrəl] *a* amoral.
amorous ['æmərəs] *a* amoureux.
amount [ə'maʊnt] **1** *n* quantité *f*; (*sum of money*) somme *f*; (*total of bill etc*) montant *m*; (*scope, size*) importance *f*. **2** *vi* **to a. to** s'élever à; (*mean*) *Fig* signifier; **it amounts to the same thing** ça revient au même.
amp(ere) ['æmp(eər)] *n El* ampère *m*.
amphibian [æm'fɪbɪən] *n & a* amphibie (*m*). ◆**amphibious** *a* amphibie.
amphitheatre ['æmfɪθɪətər] *n* amphithéâtre *m*.
ample ['æmp(ə)l] *a* (*roomy*) ample; (*enough*) largement assez de; (*reasons, means*) solides; **you have a. time** tu as largement le temps. ◆**amply** *adv* largement, amplement.
amplify ['æmplɪfaɪ] *vt* amplifier. ◆**amplifier** *n El* amplificateur *m*.
amputate ['æmpjʊteɪt] *vt* amputer. ◆**ampu'tation** *n* amputation *f*.
amuck [ə'mʌk] *adv see* **amok.**
amulet ['æmjʊlət] *n* amulette *f*.
amus/e [ə'mjuːz] *vt* amuser, divertir; **to keep s.o. amused** amuser qn. ◆**—ing** *a* amusant. ◆**—ement** *n* amusement *m*, divertissement *m*; (*pastime*) distraction *f*; **a. arcade** salle *f* de jeux.
an [æn, *unstressed* ən] *see* **a.**
anachronism [ə'nækrənɪz(ə)m] *n* anachronisme *m*.
an(a)emia [ə'niːmɪə] *n* anémie *f*. ◆**an(a)emic** *a* anémique.
an(a)esthesia [ænɪs'θiːzɪə] *n* anesthésie *f*. ◆**an(a)esthetic** [ænɪs'θetɪk] *n* (*substance*) anesthésique *m*; **under the a.** sous anesthésie; **general/local a.** anesthésie *f* générale/locale. ◆**an(a)esthetize** [ə'niːsθɪtaɪz] *vt* anesthésier.
anagram ['ænəgræm] *n* anagramme *f*.
analogy [ə'nælədʒɪ] *n* analogie *f*. ◆**analogous** *a* analogue (**to** à).
analyse ['ænəlaɪz] *vt* analyser. ◆**analysis,** *pl* **-yses** [ə'næləsɪs, -ɪsiːz] *n* analyse *f*. ◆**analyst** *n* analyste *mf*. ◆**ana'lytical** *a* analytique.
anarchy ['ænəkɪ] *n* anarchie *f*. ◆**a'narchic** *a* anarchique. ◆**anarchist** *n* anarchiste *mf*.
anathema [ə'næθəmə] *n Rel* anathème *m*; **it is (an) a. to me** j'ai une sainte horreur de cela.
anatomy [ə'nætəmɪ] *n* anatomie *f*. ◆**ana'tomical** *a* anatomique.
ancestor ['ænsestər] *n* ancêtre *m*. ◆**an'cestral** *a* ancestral. ◆**ancestry** *n* (*lineage*) ascendance *f*; (*ancestors*) ancêtres *mpl*.
anchor ['æŋkər] *n* ancre *f*; **to weigh a.** lever l'ancre; – *vt* (*ship*) mettre à l'ancre; – *vi* jeter l'ancre, mouiller. ◆**—ed** *a* à l'ancre. ◆**—age** *n* mouillage *m*.
anchovy ['æntʃəvɪ, *Am* æn'tʃəʊvɪ] *n* anchois *m*.
ancient ['eɪnʃənt] *a* ancien; (*pre-medieval*) antique; (*person*) *Hum* vétuste.
ancillary [æn'sɪlərɪ] *a* auxiliaire.
and [ænd, *unstressed* ən(d)] *conj* et; **a knife a. fork** un couteau et une fourchette; **two hundred a. two** deux cent deux; **better a. better** de mieux en mieux; **go a. see** va voir.
anecdote ['ænɪkdəʊt] *n* anecdote *f*.
anemone [ə'nemənɪ] *n* anémone *f*.
anew [ə'njuː] *adv Lit* de *or* à nouveau.
angel ['eɪndʒəl] *n* ange *m*. ◆**an'gelic** *a* angélique.
anger ['æŋgər] *n* colère *f*; **in a., out of a.** sous le coup de la colère; – *vt* mettre en colère, fâcher.
angl/e ['æŋg(ə)l] **1** *n* angle *m*; **at an a.** en biais. **2** *vi* (*to fish*) pêcher à la ligne; **to a. for** *Fig* quêter. ◆**—er** *n* pêcheur, -euse *mf* à la ligne. ◆**—ing** *n* pêche *f* à la ligne.
Anglican ['æŋglɪkən] *a & n* anglican, -ane (*mf*).
anglicism ['æŋglɪsɪz(ə)m] *n* anglicisme *m*.
Anglo- ['æŋgləʊ] *pref* anglo-. ◆**Anglo-'Saxon** *a & n* anglo-saxon, -onne (*mf*).
angora [æŋ'gɔːrə] *n* (*wool*) angora *m*.
angry ['æŋgrɪ] *a* (**-ier, -iest**) (*person, look*) fâché; (*letter*) indigné; **to get a.** se fâcher, se mettre en colère (**with** contre). ◆**angrily** *adv* en colère; (*to speak*) avec colère.
anguish ['æŋgwɪʃ] *n* angoisse *f*. ◆**—ed** *a* angoissé.
angular ['æŋgjʊlər] *a* (*face*) anguleux.

animal ['ænɪməl] *a* animal; – *n* animal *m*, bête *f*.
animate ['ænɪmeɪt] *vt* animer; **to become animated** s'animer; – ['ænɪmət] *a* (*alive*) animé. ◆**ani'mation** *n* animation *f*.
animosity [ænɪ'mɒsɪtɪ] *n* animosité *f*.
aniseed ['ænɪsiːd] *n Culin* anis *m*.
ankle ['æŋk(ə)l] *n* cheville *f*; **a. sock** socquette *f*.
annals ['æn(ə)lz] *npl* annales *fpl*.
annex [ə'neks] *vt* annexer.
annex(e) ['æneks] *n* (*building*) annexe *f*. ◆**annex'ation** *n* annexion *f*.
annihilate [ə'naɪəleɪt] *vt* anéantir, annihiler. ◆**annihi'lation** *n* anéantissement *m*.
anniversary [ænɪ'vɜːsərɪ] *n* (*of event*) anniversaire *m*, commémoration *f*.
annotate ['ænəteɪt] *vt* annoter. ◆**anno'tation** *n* annotation *f*.
announc/e [ə'naʊns] *vt* annoncer; (*birth, marriage*) faire part de. ◆**—ement** *n* annonce *f*; (*of birth, marriage*) avis *m*; (*private letter*) faire-part *m inv*. ◆**—er** *n TV* speaker *m*, speakerine *f*.
annoy [ə'nɔɪ] *vt* (*inconvenience*) ennuyer, gêner; (*irritate*) agacer, contrarier. ◆**—ed** *a* contrarié, fâché; **to get a.** se fâcher (**with** contre). ◆**—ing** *a* ennuyeux, contrariant. ◆**annoyance** *n* contrariété *f*, ennui *m*.
annual ['ænjʊəl] *a* annuel; – *n* (*book*) annuaire *m*. ◆**—ly** *adv* annuellement.
annuity [ə'njʊətɪ] *n* (*of retired person*) pension *f* viagère.
annul [ə'nʌl] *vt* (**-ll-**) annuler. ◆**—ment** *n* annulation *f*.
anoint [ə'nɔɪnt] *vt* oindre (**with** de). ◆**—ed** *a* oint.
anomalous [ə'nɒmələs] *a* anormal. ◆**anomaly** *n* anomalie *f*.
anon [ə'nɒn] *adv Hum* tout à l'heure.
anonymous [ə'nɒnɪməs] *a* anonyme; **to remain a.** garder l'anonymat. ◆**ano'nymity** *n* anonymat *m*.
anorak ['ænəræk] *n* anorak *m*.
anorexia [ænə'reksɪə] *n* anorexie *f*.
another [ə'nʌðər] *a & pron* un(e) autre; **a. man** un autre homme; **a. month** (*additional*) encore un mois, un autre mois; **a. ten** encore dix; **one a.** l'un(e) l'autre, *pl* les un(e)s les autres; **they love one a.** ils s'aiment (l'un l'autre).
answer ['ɑːnsər] *n* réponse *f*; (*to problem*) solution (**to** de); (*reason*) explication *f*; – *vt* (*person, question, phone etc*) répondre à; (*word*) répondre; (*problem*) résoudre; (*prayer, wish*) exaucer; **to a. the bell** *or* **the door** ouvrir la porte; – *vi* répondre; **to a. back** répliquer, répondre; **to a. for** (*s.o., sth*) répondre de. ◆**—able** *a* responsable (**for sth** de qch, **to s.o.** devant qn).
ant [ænt] *n* fourmi *f*. ◆**anthill** *n* fourmilière *f*.
antagonism [æn'tægənɪz(ə)m] *n* antagonisme *m*; (*hostility*) hostilité *f*. ◆**antagonist** *n* antagoniste *mf*. ◆**antago'nistic** *a* antagoniste; (*hostile*) hostile. ◆**antagonize** *vt* provoquer (l'hostilité de).
antarctic [æn'tɑːktɪk] *a* antarctique; – *n* **the A.** l'Antarctique *m*.
antecedent [æntɪ'siːd(ə)nt] *n* antécédent *m*.
antechamber ['æntɪtʃeɪmbər] *n* antichambre *f*.
antedate ['æntɪdeɪt] *vt* (*letter*) antidater.
antelope ['æntɪləʊp] *n* antilope *f*.
antenatal [æntɪ'neɪt(ə)l] *a* prénatal.
antenna[1], *pl* **-ae** [æn'tenə, -iː] *n* (*of insect etc*) antenne *f*.
antenna[2] [æn'tenə] *n* (*pl* **-as**) (*aerial*) *Am* antenne *f*.
anteroom ['æntɪrʊm] *n* antichambre *f*.
anthem ['ænθəm] *n* **national a.** hymne *m* national.
anthology [æn'θɒlədʒɪ] *n* anthologie *f*.
anthropology [ænθrə'pɒlədʒɪ] *n* anthropologie *f*.
anti- ['æntɪ, *Am* 'æntaɪ] *pref* anti-; **to be a. sth** *Fam* être contre qch. ◆**anti'aircraft** *a* antiaérien. ◆**antibi'otic** *a & n* antibiotique (*m*). ◆**antibody** *n* anticorps *m*. ◆**anti'climax** *n* chute *f* dans l'ordinaire; (*let-down*) déception *f*. ◆**anti'clockwise** *adv* dans le sens inverse des aiguilles d'une montre. ◆**anti'cyclone** *n* anticyclone *m*. ◆**antidote** *n* antidote *m*. ◆**antifreeze** *n Aut* antigel *m*. ◆**anti'histamine** *n Med* antihistaminique *m*. ◆**anti'perspirant** *n* antisudoral *m*. ◆**anti-Se'mitic** *a* antisémite. ◆**anti-'Semitism** *n* antisémitisme *m*. ◆**anti'septic** *a & n* antiseptique (*m*). ◆**anti'social** *a* (*misfit*) asocial; (*measure, principles*) antisocial; (*unsociable*) insociable.
anticipate [æn'tɪsɪpeɪt] *vt* (*foresee*) prévoir; (*forestall*) devancer; (*expect*) s'attendre à; (*the future*) anticiper sur. ◆**antici'pation** *n* prévision *f*; (*expectation*) attente *f*; **in a. of** en prévision de, dans l'attente de; **in a.** (*to thank s.o., pay etc*) d'avance.
antics ['æntɪks] *npl* bouffonneries *fpl*.
antipathy [æn'tɪpəθɪ] *n* antipathie *f*.
antipodes [æn'tɪpədiːz] *npl* antipodes *mpl*.
antiquarian [æntɪ'kweərɪən] *a* **a. bookseller**

libraire *mf* spécialisé(e) dans le livre ancien.

antiquated ['æntɪkweɪtɪd] *a* vieilli; (*person*) vieux jeu *inv*.

antique [æn'tiːk] *a* (*furniture etc*) ancien; (*of Greek etc antiquity*) antique; **a. dealer** antiquaire *mf*; **a. shop** magasin *m* d'antiquités; – *n* objet *m* ancien *or* d'époque, antiquité *f*. ◆**antiquity** *n* (*period etc*) antiquité *f*.

antithesis, *pl* **-eses** [æn'tɪθəsɪs, -ɪsiːz] *n* antithèse *f*.

antler ['æntlər] *n* (*tine*) andouiller *m*; *pl* bois *mpl*.

antonym ['æntənɪm] *n* antonyme *m*.

Antwerp ['æntwɜːp] *n* Anvers *m or f*.

anus ['eɪnəs] *n* anus *m*.

anvil ['ænvɪl] *n* enclume *f*.

anxiety [æŋ'zaɪətɪ] *n* (*worry*) inquiétude *f* (**about** au sujet de); (*fear*) anxiété *f*; (*eagerness*) impatience *f* (**for** de).

anxious ['æŋkʃəs] *a* (*worried*) inquiet (**about** de, pour); (*troubled*) anxieux; (*causing worry*) inquiétant; (*eager*) impatient (**to do** de faire); **I'm a. (that) he should go** je tiens beaucoup à ce qu'il parte. ◆**—ly** *adv* avec inquiétude; (*to wait etc*) impatiemment.

any ['enɪ] *a* **1** (*interrogative*) du, de la, des; **have you a. milk/tickets?** avez-vous du lait/des billets?; **is there a. man (at all) who . . . ?** y a-t-il un homme (quelconque) qui . . . ? **2** (*negative*) de; (*not any at all*) aucun; **he hasn't a. milk/tickets** il n'a pas de lait/de billets; **there isn't a. proof** il n'y a aucune preuve. **3** (*no matter which*) n'importe quel. **4** (*every*) tout; **at a. hour** à toute heure; **in a. case, at a. rate** de toute façon; – *pron* **1** (*no matter which one*) n'importe lequel; (*somebody*) quelqu'un; **if a. of you** si l'un d'entre vous, si quelqu'un parmi vous; **more than a.** plus qu'aucun. **2** (*quantity*) en; **have you a.?** en as-tu?; **I don't see a.** je n'en vois pas; – *adv* (*usually not translated*) **(not) a. further/happier/***etc* (pas) plus loin/plus heureux/*etc*; **I don't see her a. more** je ne la vois plus; **a. more tea?** (*a little*) encore du thé?, encore un peu de thé?; **a. better?** (un peu) mieux?

anybody ['enɪbɒdɪ] *pron* **1** (*somebody*) quelqu'un; **do you see a.?** vois-tu quelqu'un?; **more than a.** plus qu'aucun. **2** (*negative*) personne; **he doesn't know a.** il ne connaît personne. **3** (*no matter who*) n'importe qui; **a. would think that . . .** on croirait que . . . .

anyhow ['enɪhaʊ] *adv* (*at any rate*) de toute façon; (*badly*) n'importe comment; **to leave sth a.** (*in confusion*) laisser qch sens dessus dessous.

anyone ['enɪwʌn] *pron* = **anybody.**

anyplace ['enɪpleɪs] *adv Am* = **anywhere.**

anything ['enɪθɪŋ] *pron* **1** (*something*) quelque chose; **can you see a.?** voyez-vous quelque chose? **2** (*negative*) rien; **he doesn't do a.** il ne fait rien; **without a.** sans rien. **3** (*everything*) tout; **a. you like** (tout) ce que tu veux; **like a.** (*to work etc*) *Fam* comme un fou. **4** (*no matter what*) **a. (at all)** n'importe quoi.

anyway ['enɪweɪ] *adv* (*at any rate*) de toute façon.

anywhere ['enɪweər] *adv* **1** (*no matter where*) n'importe où. **2** (*everywhere*) partout; **a. you go** partout où vous allez, où que vous alliez; **a. you like** là où tu veux. **3** (*somewhere*) quelque part; **is he going a.?** va-t-il quelque part? **4** (*negative*) nulle part; **he doesn't go a.** il ne va nulle part; **without a. to put it** sans un endroit où le mettre.

apace [ə'peɪs] *adv* rapidement.

apart [ə'pɑːt] *adv* (*to or at one side*) à part; **to tear a.** (*to pieces*) mettre en pièces; **we kept them a.** (*separate*) on les tenait séparés; **with legs (wide) a.** les jambes écartées; **they are a metre a.** ils se trouvent à un mètre l'un de l'autre; **a. from** (*except for*) à part; **to take a.** démonter; **to come a.** (*of two objects*) se séparer; (*of knot etc*) se défaire; **to tell a.** distinguer entre; **worlds a.** (*very different*) diamétralement opposé.

apartheid [ə'pɑːteɪt] *n* apartheid *m*.

apartment [ə'pɑːtmənt] *n* (*flat*) *Am* appartement *m*; (*room*) chambre *f*; **a. house** *Am* immeuble *m* (*d'habitation*).

apathy ['æpəθɪ] *n* apathie *f*. ◆**apa'thetic** *a* apathique.

ape [eɪp] *n* singe; – *vt* (*imitate*) singer.

aperitif [ə'perətiːf] *n* apéritif *m*.

aperture ['æpətʃʊər] *n* ouverture *f*.

apex ['eɪpeks] *n Geom & Fig* sommet *m*.

aphorism ['æfərɪz(ə)m] *n* aphorisme *m*.

aphrodisiac [æfrə'dɪzɪæk] *a & n* aphrodisiaque (*m*).

apiece [ə'piːs] *adv* chacun; **a pound a.** une livre (la) pièce *or* chacun.

apish ['eɪpɪʃ] *a* simiesque; (*imitative*) imitateur.

apocalypse [ə'pɒkəlɪps] *n* apocalypse *f*. ◆**apoca'lyptic** *a* apocalyptique.

apocryphal [ə'pɒkrɪfəl] *a* apocryphe.

apogee ['æpədʒiː] *n* apogée *m*.

apologetic [əpɒlə'dʒetɪk] *a* (*letter*) plein d'excuses; **to be a. about** s'excuser de. ◆**apologetically** *adv* en s'excusant.

apology [ə'pɒlədʒɪ] *n* excuses *fpl*; **an a. for a dinner** *Fam Pej* un dîner minable. ◆**apologist** *n* apologiste *mf*. ◆**apologize** *vi* s'excuser (**for** de); **to a. to s.o.** faire ses excuses à qn (**for** pour).

apoplexy ['æpəpleksɪ] *n* apoplexie *f*. ◆**apo'plectic** *a* & *n* apoplectique (*mf*).

apostle [ə'pɒs(ə)l] *n* apôtre *m*.

apostrophe [ə'pɒstrəfɪ] *n* apostrophe *f*.

appal [ə'pɔːl] (*Am* **appall**) *vt* (**-ll-**) épouvanter. ◆**appalling** *a* épouvantable.

apparatus [æpə'reɪtəs, *Am* -'rætəs] *n* (*equipment, organization*) appareil *m*; (*in gym*) agrès *mpl*.

apparel [ə'pærəl] *n* habit *m*, habillement *m*.

apparent [ə'pærənt] *a* (*obvious, seeming*) apparent; **it's a. that** il est évident que. ◆**—ly** *adv* apparemment.

apparition [æpə'rɪʃ(ə)n] *n* apparition *f*.

appeal [ə'piːl] *n* (*call*) appel *m*; (*entreaty*) supplication *f*; (*charm*) attrait *m*; (*interest*) intérêt *m*; *Jur* appel *m*; – *vt* **to a. to** (*s.o., s.o.'s kindness*) faire appel à; **to a. to s.o.** (*attract*) plaire à qn, séduire qn; (*interest*) intéresser qn; **to a. to s.o. for sth** demander qch à qn; **to a. to s.o. to do** supplier qn de faire; – *vi Jur* faire appel. ◆**—ing** *a* (*begging*) suppliant; (*attractive*) séduisant.

appear [ə'pɪər] *vi* (*become visible*) apparaître; (*present oneself*) se présenter; (*seem, be published*) paraître; (*act*) *Th* jouer; *Jur* comparaître; **it appears that** (*it seems*) il semble que (+ *sub or indic*); (*it is rumoured*) il paraîtrait que (+ *indic*). ◆**appearance** *n* (*act*) apparition *f*; (*look*) apparence *f*, aspect *m*; (*of book*) parution *f*; **to put in an a.** faire acte de présence.

appease [ə'piːz] *vt* apaiser; (*curiosity*) satisfaire.

append [ə'pend] *vt* joindre, ajouter (**to** à). ◆**—age** *n Anat* appendice *m*.

appendix, *pl* **-ixes** *or* **-ices** [ə'pendɪks, -ɪksɪz, -ɪsiːz] *n* (*of book*) & *Anat* appendice *m*. ◆**appendicitis** [əpendɪ'saɪtɪs] *n* appendicite *f*.

appertain [æpə'teɪn] *vi* **to a. to** se rapporter à.

appetite ['æpɪtaɪt] *n* appétit *m*; **to take away s.o.'s a.** couper l'appétit à qn. ◆**appetizer** *n* (*drink*) apéritif *m*; (*food*) amuse-gueule *m inv*. ◆**appetizing** *a* appétissant.

applaud [ə'plɔːd] *vt* (*clap*) applaudir; (*approve of*) approuver, applaudir à; – *vi* applaudir. ◆**applause** *n* applaudissements *mpl*.

apple ['æp(ə)l] *n* pomme *f*; **stewed apples, a. sauce** compote *f* de pommes; **eating/cooking a.** pomme *f* à couteau/à cuire; **a. pie** tarte *f* aux pommes; **a. core** trognon *m* de pomme; **a. tree** pommier *m*.

appliance [ə'plaɪəns] *n* appareil *m*.

apply [ə'plaɪ] **1** *vt* (*put, carry out etc*) appliquer; (*brake*) *Aut* appuyer sur; **to a. oneself to** s'appliquer à. **2** *vi* (*be relevant*) s'appliquer (**to** à); **to a. for** (*job*) poser sa candidature à, postuler; **to a. to s.o.** (*ask*) s'adresser à qn (**for** pour). ◆**applied** *a* (*maths etc*) appliqué. ◆**applicable** *a* applicable (**to** à). ◆**'applicant** *n* candidat, -ate *mf* (**for** à). ◆**appli'cation** *n* application *f*; (*request*) demande *f*; (*for job*) candidature *f*; (*for membership*) demande *f* d'adhésion *or* d'inscription; **a. (form)** (*job*) formulaire *m* de candidature; (*club*) formulaire *m* d'inscription *or* d'adhésion.

appoint [ə'pɔɪnt] *vt* (*person*) nommer (**to sth** à qch, **to do** pour faire); (*time etc*) désigner, fixer; **at the appointed time** à l'heure dite; **well-appointed** bien équipé. ◆**—ment** *n* nomination *f*; (*meeting*) rendez-vous *m inv*; (*post*) place *f*, situation *f*.

apportion [ə'pɔːʃ(ə)n] *vt* répartir.

apposite ['æpəzɪt] *a* juste, à propos.

appraise [ə'preɪz] *vt* évaluer. ◆**appraisal** *n* évaluation *f*.

appreciate [ə'priːʃɪeɪt] **1** *vt* (*enjoy, value, assess*) apprécier; (*understand*) comprendre; (*be grateful for*) être reconnaissant de. **2** *vi* prendre de la valeur. ◆**appreciable** *a* appréciable, sensible. ◆**appreci'ation** *n* **1** (*judgement*) appréciation *f*; (*gratitude*) reconnaissance *f*. **2** (*rise in value*) plus-value *f*. ◆**appreciative** *a* (*grateful*) reconnaissant (**of** de); (*laudatory*) élogieux; **to be a. of** (*enjoy*) apprécier.

apprehend [æprɪ'hend] *vt* (*seize, arrest*) appréhender. ◆**apprehension** *n* (*fear*) appréhension *f*. ◆**apprehensive** *a* inquiet (**about** de, au sujet de); **to be a. of** redouter.

apprentice [ə'prentɪs] *n* apprenti, -ie *mf*; – *vt* mettre en apprentissage (**to** chez). ◆**apprenticeship** *n* apprentissage *m*.

approach [ə'prəʊtʃ] *vt* (*draw near to*) s'approcher de (*qn, feu, porte etc*); (*age, result, town*) approcher de; (*subject*) aborder; (*accost*) aborder (*qn*); **to a. s.o. about** parler à qn de; – *vi* (*of person, vehicle*) s'approcher; (*of date etc*) approcher; – *n* approche *f*; (*method*) façon *f* de s'y prendre; (*path*) (voie *f* d')accès *m*; **a. to** (*question*) manière *f* d'aborder; **to make approaches to** faire des avances à.

◆**—able** *a* (*place*) accessible; (*person*) abordable.

appropriate 1 [ə'prəʊprɪət] *a* (*place, tools, clothes etc*) approprié, adéquat; (*remark, time*) opportun; **a. to** *or* **for** propre à, approprié à. **2** [ə'prəʊprɪeɪt] *vt* (*set aside*) affecter; (*steal*) s'approprier. ◆**—ly** *adv* convenablement.

approv/e [ə'pruːv] *vt* approuver; **to a. of sth** approuver qch; **I don't a. of him** il ne me plaît pas, je ne l'apprécie pas; **I a. of his going** je trouve bon qu'il y aille; **I a. of her having accepted** je l'approuve d'avoir accepté. ◆**—ing** *a* approbateur. ◆**approval** *n* approbation *f*; **on a.** (*goods*) *Com* à l'essai.

approximate [ə'prɒksɪmət] *a* approximatif; – [ə'prɒksɪmeɪt] *vi* **to a. to** se rapprocher de. ◆**—ly** *adv* à peu près, approximativement. ◆**approxi'mation** *n* approximation *f*.

apricot ['eɪprɪkɒt] *n* abricot *m*.

April ['eɪprəl] *n* avril *m*; **to make an A. fool of** faire un poisson d'avril à.

apron ['eɪprən] *n* (*garment*) tablier *m*.

apse [æps] *n* (*of church*) abside *f*.

apt [æpt] *a* (*suitable*) convenable; (*remark, reply*) juste; (*word, name*) bien choisi; (*student*) doué, intelligent; **to be a. to** avoir tendance à; **a. at sth** habile à qch. ◆**aptitude** *n* aptitude *f* (**for** à, pour). ◆**aptly** *adv* convenablement; **a. named** qui porte bien son nom.

aqualung ['ækwəlʌŋ] *n* scaphandre *m* autonome.

aquarium [ə'kweərɪəm] *n* aquarium *m*.

Aquarius [ə'kweərɪəs] *n* (*sign*) le Verseau.

aquatic [ə'kwætɪk] *a* (*plant etc*) aquatique; (*sport*) nautique.

aqueduct ['ækwɪdʌkt] *n* aqueduc *m*.

aquiline ['ækwɪlaɪn] *a* (*nose, profile*) aquilin.

Arab ['ærəb] *a* & *n* arabe (*mf*). ◆**Arabian** [ə'reɪbɪən] *a* arabe. ◆**Arabic** *a* & *n* (*language*) arabe (*m*); **A. numerals** chiffres *mpl* arabes.

arabesque [ærə'besk] *n* (*decoration*) arabesque *f*.

arable ['ærəb(ə)l] *a* (*land*) arable.

arbiter ['ɑːbɪtər] *n* arbitre *m*. ◆**arbitrate** *vti* arbitrer. ◆**arbi'tration** *n* arbitrage *m*; **to go to a.** soumettre la question à l'arbitrage. ◆**arbitrator** *n* (*in dispute*) médiateur, -trice *mf*.

arbitrary ['ɑːbɪtrərɪ] *a* arbitraire.

arbour ['ɑːbər] *n* tonnelle *f*, charmille *f*.

arc [ɑːk] *n* (*of circle*) arc *m*.

arcade [ɑː'keɪd] *n* (*market*) passage *m* couvert.

arch [ɑːtʃ] *n* (*of bridge*) arche *f*; *Archit* voûte *f*, arc *m*; (*of foot*) cambrure *f*; – *vt* (*one's back etc*) arquer, courber. ◆**archway** *n* passage *m* voûté, voûte *f*.

arch- [ɑːtʃ] *pref* (*villain etc*) achevé; **a. enemy** ennemi *m* numéro un.

arch(a)eology [ɑːkɪ'ɒlədʒɪ] *n* archéologie *f*. ◆**arch(a)eologist** *n* archéologue *mf*.

archaic [ɑː'keɪɪk] *a* archaïque.

archangel ['ɑːkeɪndʒəl] *n* archange *m*.

archbishop [ɑːtʃ'bɪʃəp] *n* archevêque *m*.

archer ['ɑːtʃər] *n* archer *m*. ◆**archery** *n* tir *m* à l'arc.

archetype ['ɑːkɪtaɪp] *n* archétype *m*.

archipelago [ɑːkɪ'peləgəʊ] *n* (*pl* **-oes** *or* **-os**) archipel *m*.

architect ['ɑːkɪtekt] *n* architecte *m*. ◆**architecture** *n* architecture *f*.

archives ['ɑːkaɪvz] *npl* archives *fpl*. ◆**archivist** *n* archiviste *mf*.

arctic ['ɑːktɪk] *a* arctique; (*weather*) polaire, glacial; – *n* **the A.** l'Arctique *m*.

ardent ['ɑːdənt] *a* ardent. ◆**—ly** *adv* ardemment. ◆**ardour** *n* ardeur *f*.

arduous ['ɑːdjʊəs] *a* ardu.

are [ɑːr] *see* **be**.

area ['eərɪə] *n* *Math* superficie *f*; *Geog* région *f*; (*of town*) quartier *m*; *Mil* zone *f*; (*domain*) *Fig* domaine *m*, secteur *m*, terrain *m*; **built-up a.** agglomération *f*; **parking a.** aire *f* de stationnement; **a. code** *Tel Am* indicatif *m*.

arena [ə'riːnə] *n* *Hist* & *Fig* arène *f*.

Argentina [ɑːdʒən'tiːnə] *n* Argentine *f*. ◆**Argentine** ['ɑːdʒəntaɪn] *a* & *n*, ◆**Argentinian** *a* & *n* argentin, -ine (*mf*).

argu/e ['ɑːgjuː] *vi* (*quarrel*) se disputer (**with** avec, **about** au sujet de); (*reason*) raisonner (**with** avec, **about** sur); **to a. in favour of** plaider pour; – *vt* (*matter*) discuter; **to a. that** (*maintain*) soutenir que. ◆**—able** ['ɑːgjʊəb(ə)l] *a* discutable. ◆**—ably** *adv* on pourrait soutenir que. ◆**—ment** *n* (*quarrel*) dispute *f*; (*reasoning*) argument *m*; (*debate*) discussion *f*; **to have an a.** se disputer. ◆**argu'mentative** *a* raisonneur.

aria ['ɑːrɪə] *n* *Mus* air *m* (d'opéra).

arid ['ærɪd] *a* aride.

Aries ['eəriːz] *n* (*sign*) le Bélier.

arise [ə'raɪz] *vi* (*pt* **arose**, *pp* **arisen**) (*of problem, opportunity etc*) se présenter; (*of cry, objection*) s'élever; (*result*) résulter (**from** de); (*get up*) *Lit* se lever.

aristocracy [ærɪ'stɒkrəsɪ] *n* aristocratie *f*. ◆**aristocrat** ['ærɪstəkræt, *Am* ə'rɪstəkræt] *n* aristocrate *mf*. ◆**aristo'cratic** *a* aristocratique.

arithmetic [ə'rɪθmətɪk] *n* arithmétique *f*.

ark [ɑːk] *n* **Noah's a.** l'arche *f* de Noé.

arm [ɑːm] **1** *n* bras *m*; **a. in a.** bras dessus bras dessous; **with open arms** à bras ouverts. **2** *n* (*weapon*) arme *f*; **arms race** course *f* aux armements; – *vt* armer (**with** de). ◆**armament** *n* armement *m*. ◆**armband** *n* brassard *m*. ◆**armchair** *n* fauteuil *m*. ◆**armful** *n* brassée *f*. ◆**armhole** *n* emmanchure *f*. ◆**armpit** *n* aisselle *f*. ◆**armrest** *n* accoudoir *m*.

armadillo [ɑːmə'dɪləʊ] *n* (*pl* **-os**) tatou *m*.

armistice ['ɑːmɪstɪs] *n* armistice *m*.

armour ['ɑːmər] *n* (*of knight etc*) armure *f*; (*of tank etc*) blindage *m*. ◆**armoured** *a*, ◆**armour-plated** *a* blindé. ◆**armoury** *n* arsenal *m*.

army ['ɑːmɪ] *n* armée *f*; – *a* (*uniform etc*) militaire; **to join the a.** s'engager; **regular a.** armée *f* active.

aroma [ə'rəʊmə] *n* arôme *m*. ◆**aro'matic** *a* aromatique.

arose [ə'rəʊz] *see* **arise.**

around [ə'raʊnd] *prep* autour de; (*approximately*) environ, autour de; **to go a. the world** faire le tour du monde; – *adv* autour; **all a.** tout autour; **to follow a.** suivre partout; **to rush a.** courir çà et là; **a. here** par ici; **he's still a.** il est encore là; **there's a lot of flu a.** il y a pas mal de grippes dans l'air; **up and a.** (*after illness*) *Am* sur pied, guéri.

arouse [ə'raʊz] *vt* éveiller, susciter; (*sexually*) exciter; **to a. from sleep** tirer du sommeil.

arrange [ə'reɪndʒ] *vt* arranger; (*time, meeting*) fixer; **it was arranged that** il était convenu que; **to a. to do** s'arranger pour faire. ◆**—ment** *n* (*layout, agreement*) arrangement *m*; *pl* (*preparations*) préparatifs *mpl*; (*plans*) projets *mpl*; **to make arrangements to** s'arranger pour.

array [ə'reɪ] *n* (*display*) étalage *m*. ◆**arrayed** *a* (*dressed*) *Lit* (re)vêtu (**in** de).

arrears [ə'rɪəz] *npl* (*payment*) arriéré *m*; **to be in a.** avoir des arriérés.

arrest [ə'rest] *vt* arrêter; – *n Jur* arrestation *f*; **under a.** en état d'arrestation; **cardiac a.** arrêt *m* du cœur. ◆**—ing** *a* (*striking*) *Fig* frappant.

arrive [ə'raɪv] *vi* arriver. ◆**arrival** *n* arrivée *f*; **new a.** nouveau venu *m*, nouvelle venue *f*; (*baby*) nouveau-né, -ée *mf*.

arrogant ['ærəgənt] *a* arrogant. ◆**arrogance** *n* arrogance *f*. ◆**arrogantly** *adv* avec arrogance.

arrow ['ærəʊ] *n* flèche *f*.

arsenal ['ɑːsən(ə)l] *n* arsenal *m*.

arsenic ['ɑːsnɪk] *n* arsenic *m*.

arson ['ɑːs(ə)n] *n* incendie *m* volontaire. ◆**arsonist** *n* incendiaire *mf*.

art [ɑːt] *n* art *m*; (*cunning*) artifice *m*; **work of a.** œuvre *f* d'art; **fine arts** beaux-arts *mpl*; **faculty of arts** *Univ* faculté *f* des lettres; **a. school** école *f* des beaux-arts.

artefact ['ɑːtɪfækt] *n* objet *m* fabriqué.

artery ['ɑːtərɪ] *n Anat Aut* artère *f*. ◆**ar'terial** *a Anat* artériel; **a. road** route *f* principale.

artful ['ɑːtfəl] *a* rusé, astucieux. ◆**—ly** *adv* astucieusement.

arthritis [ɑː'θraɪtɪs] *n* arthrite *f*.

artichoke ['ɑːtɪtʃəʊk] *n* (**globe**) **a.** artichaut *m*; **Jerusalem a.** topinambour *m*.

article ['ɑːtɪk(ə)l] *n* (*object, clause*) & *Journ Gram* article *m*; **a. of clothing** vêtement *m*; **articles of value** objets *mpl* de valeur; **leading a.** *Journ* éditorial *m*.

articulat/e [ɑː'tɪkjʊlət] *a* (*sound*) net, distinct; (*person*) qui s'exprime clairement; – [ɑː'tɪkjʊleɪt] *vti* (*speak*) articuler. ◆**—ed** *a* **a. lorry** semi-remorque *m*. ◆**articu'lation** *n* articulation *f*.

artifact ['ɑːtɪfækt] *n* object *m* fabriqué.

artifice ['ɑːtɪfɪs] *n* artifice *m*.

artificial [ɑːtɪ'fɪʃ(ə)l] *a* artificiel. ◆**artifici'ality** *n* caractère *m* artificiel. ◆**artificially** *adv* artificiellement.

artillery [ɑː'tɪlərɪ] *n* artillerie *f*.

artisan ['ɑːtɪzæn] *n* artisan *m*.

artist ['ɑːtɪst] *n* (*actor, painter etc*) artiste *mf*. ◆**artiste** [ɑː'tiːst] *n Th Mus* artiste *m*. ◆**ar'tistic** *a* (*sense, treasure etc*) artistique; (*person*) artiste. ◆**artistry** *n* art *m*.

artless ['ɑːtləs] *a* naturel, naïf.

arty ['ɑːtɪ] *a Pej* du genre artiste.

as [æz, *unstressed* əz] *adv* & *conj* **1** (*manner etc*) comme; **as you like** comme tu veux; **such as** comme, tel que; **as much** *or* **as hard as I can** (au)tant que je peux; **as it is** (*this being the case*) les choses étant ainsi, (*to leave sth*) comme ça, tel quel; **it's late as it is** il est déjà tard; **as if, as though** comme si. **2** (*comparison*) **as tall as you** aussi grand que vous; **is he as tall as you?** est-il aussi *or* si grand que vous?; **as white as a sheet** blanc comme un linge; **as much** *or* **as hard as you** autant que vous; **the same as** le même que; **twice as big as** deux fois plus grand que. **3** (*concessive*) (**as**) **clever as he is** si *or* aussi intelligent qu'il soit. **4** (*capacity*) **as a**

teacher comme professeur, en tant que *or* en qualité de professeur; **to act as a father** agir en père. **5** (*reason*) puisque, comme; **as it's late** puisqu'il est tard, comme il est tard. **6** (*time*) **as I left** comme je partais; **as one grows older** à mesure que l'on vieillit; **as he slept** pendant qu'il dormait; **one day as . . .** un jour que . . . ; **as from, as of** (*time*) à partir de. **7** (*concerning*) **as for that, as to that** quant à cela. **8** (+ *inf*) **so as to** de manière à; **so stupid as to** assez bête pour.

asbestos [æs'bestəs] *n* amiante *f*.

ascend [ə'send] *vi* monter; – *vt* (*throne*) monter sur; (*stairs*) monter; (*mountain*) faire l'ascension de. ◆**ascent** *n* ascension *f* (**of** de); (*slope*) côte *f*.

ascertain [æsə'teɪn] *vt* (*discover*) découvrir; (*check*) s'assurer de.

ascetic [ə'setɪk] *a* ascétique; – *n* ascète *mf*.

ascribe [ə'skraɪb] *vt* attribuer (**to** à).

ash [æʃ] *n* **1** (*of cigarette etc*) cendre *f*; **A. Wednesday** mercredi *m* des Cendres. **2** (*tree*) frêne *m*. ◆**ashen** *a* (*pale grey*) cendré; (*face*) pâle. ◆**ashcan** *n Am* poubelle *f*. ◆**ashtray** *n* cendrier *m*.

ashamed [ə'ʃeɪmd] *a* honteux; **to be a. of** avoir honte de; **to be a. (of oneself)** avoir honte.

ashore [ə'ʃɔːr] *adv* **to go a.** débarquer; **to put s.o. a.** débarquer qn.

Asia ['eɪʃə] *n* Asie *f*. ◆**Asian** *a* asiatique; – *n* Asiatique *mf*, Asiate *mf*.

aside [ə'saɪd] **1** *adv* de côté; **to draw a.** (*curtain*) écarter; **to take** *or* **draw s.o. a.** prendre qn à part; **to step a.** s'écarter; **a. from** en dehors de. **2** *n Th* aparté *m*.

asinine ['æsɪnaɪn] *a* stupide, idiot.

ask [ɑːsk] *vt* demander; (*a question*) poser; (*invite*) inviter; **to a. s.o. (for) sth** demander qch à qn; **to a. s.o. to do** demander à qn de faire; – *vi* demander; **to a. for sth/s.o.** demander qch/qn; **to a. for sth back** redemander qch; **to a. about sth** se renseigner sur qch; **to a. after** *or* **about s.o.** demander des nouvelles de qn; **to a. s.o. about** interroger qn sur; **asking price** prix *m* demandé.

askance [ə'skɑːns] *adv* **to look a. at** regarder avec méfiance.

askew [ə'skjuː] *adv* de biais, de travers.

aslant [ə'slɑːnt] *adv* de travers.

asleep [ə'sliːp] *a* endormi; (*arm, leg*) engourdi; **to be a.** dormir; **to fall a.** s'endormir.

asp [æsp] *n* (*snake*) aspic *m*.

asparagus [ə'spærəgəs] *n* (*plant*) asperge *f*; (*shoots*) *Culin* asperges *fpl*.

aspect ['æspekt] *n* aspect *m*; (*of house*) orientation *f*.

aspersions [ə'spɜːʃ(ə)nz] *npl* **to cast a. on** dénigrer.

asphalt ['æsfælt, *Am* 'æsfɔːlt] *n* asphalte *m*; – *vt* asphalter.

asphyxia [əs'fɪksɪə] *n* asphyxie *f*. ◆**asphyxiate** *vt* asphyxier. ◆**asphyxi'ation** *n* asphyxie *f*.

aspire [ə'spaɪər] *vi* **to a. to** aspirer à. ◆**aspi'ration** *n* aspiration *f*.

aspirin ['æsprɪn] *n* aspirine *f*.

ass [æs] *n* (*animal*) âne *m*; (*person*) *Fam* imbécile *mf*, âne *m*; **she-a.** ânesse *f*.

assail [ə'seɪl] *vt* assaillir (**with** de). ◆**assailant** *n* agresseur *m*.

assassin [ə'sæsɪn] *n Pol* assassin *m*. ◆**assassinate** *vt Pol* assassiner. ◆**assassi'nation** *n Pol* assassinat *m*.

assault [ə'sɔːlt] *n Mil* assaut *m*; *Jur* agression *f*; – *vt Jur* agresser; (*woman*) violenter.

assemble [ə'semb(ə)l] *vt* (*objects, ideas*) assembler; (*people*) rassembler; (*machine*) monter; – *vi* se rassembler. ◆**assembly** *n* (*meeting*) assemblée *f*; *Tech* montage *m*, assemblage *m*; *Sch* rassemblement *m*; **a. line** (*in factory*) chaîne *f* de montage.

assent [ə'sent] *n* assentiment *m*; – *vi* consentir (**to** à).

assert [ə'sɜːt] *vt* affirmer (**that** que); (*rights*) revendiquer; **to a. oneself** s'affirmer. ◆**assertion** *n* affirmation *f*; revendication *f*. ◆**assertive** *a* affirmatif; *Pej* autoritaire.

assess [ə'ses] *vt* (*estimate, evaluate*) évaluer; (*decide amount of*) fixer le montant de; (*person*) juger. ◆**—ment** *n* évaluation *f*; jugement *m*. ◆**assessor** *n* (*valuer*) expert *m*.

asset ['æset] *n* atout *m*, avantage *m*; *pl Com* biens *mpl*, avoir *m*.

assiduous [ə'sɪdjʊəs] *a* assidu.

assign [ə'saɪn] *vt* (*allocate*) assigner; (*day etc*) fixer; (*appoint*) nommer (**to** à). ◆**—ment** *n* (*task*) mission *f*; *Sch* devoirs *mpl*.

assimilate [ə'sɪmɪleɪt] *vt* assimiler; – *vi* s'assimiler. ◆**assimi'lation** *n* assimilation *f*.

assist [ə'sɪst] *vti* aider (**in doing, to do** à faire). ◆**assistance** *n* aide *f*; **to be of a. to s.o.** aider qn. ◆**assistant** *n* assistant, -ante *mf*; (*in shop*) vendeur, -euse *mf*; – *a* adjoint.

assizes [ə'saɪzɪz] *npl Jur* assises *fpl*.

associate [ə'səʊʃɪeɪt] *vt* associer (**with** à, avec); – *vi* **to a. with s.o.** fréquenter qn; **to**

a. (oneself) with (*in business venture*) s'associer à *or* avec; – [ə'səʊʃɪət] *n & a* associé, -ée (*mf*). ◆**associ'ation** *n* association *f*; *pl* (*memories*) souvenirs *mpl*.

assort/ed [ə'sɔːtɪd] *a* (*different*) variés; (*foods*) assortis; **well-a.** bien assorti. ◆**—ment** *n* assortiment *m*.

assuage [ə'sweɪdʒ] *vt* apaiser, adoucir.

assum/e [ə'sjuːm] *vt* **1** (*take on*) prendre; (*responsibility, role*) assumer; (*attitude, name*) adopter. **2** (*suppose*) présumer (**that** que). ◆**—ed** *a* (*feigned*) faux; **a. name** nom *m* d'emprunt. ◆**assumption** *n* (*supposition*) supposition *f*.

assur/e [ə'ʃʊər] *vt* assurer. ◆**—edly** [-ɪdlɪ] *adv* assurément. ◆**assurance** *n* assurance *f*.

asterisk ['æstərɪsk] *n* astérisque *m*.

astern [ə'stɜːn] *adv Nau* à l'arrière.

asthma ['æsmə] *n* asthme *m*. ◆**asth'matic** *a & n* asthmatique (*mf*).

astir [ə'stɜːr] *a* (*excited*) en émoi; (*out of bed*) debout.

astonish [ə'stɒnɪʃ] *vt* étonner; **to be astonished** s'étonner (**at sth** de qch). ◆**—ing** *a* étonnant. ◆**—ingly** *adv* étonnamment. ◆**—ment** *n* étonnement *m*.

astound [ə'staʊnd] *vt* stupéfier, étonner. ◆**—ing** *a* stupéfiant.

astray [ə'streɪ] *adv* **to go a.** s'égarer; **to lead a.** égarer.

astride [ə'straɪd] *adv* à califourchon; – *prep* à cheval sur.

astringent [ə'strɪndʒənt] *a* (*harsh*) sévère.

astrology [ə'strɒlədʒɪ] *n* astrologie *f*. ◆**astrologer** *n* astrologue *mf*.

astronaut ['æstrənɔːt] *n* astronaute *mf*.

astronomy [ə'strɒnəmɪ] *n* astronomie *f*. ◆**astronomer** *n* astronome *m*. ◆**astro'nomical** *a* astronomique.

astute [ə'stjuːt] *a* (*crafty*) rusé; (*clever*) astucieux.

asunder [ə'sʌndər] *adv* (*to pieces*) en pièces; (*in two*) en deux.

asylum [ə'saɪləm] *n* asile *m*; **lunatic a.** *Pej* maison *f* de fous, asile *m* d'aliénés.

at [æt, *unstressed* ət] *prep* **1** à; **at the end** à la fin, **at work** au travail; **at six (o'clock)** à six heures. **2** chez; **at the doctor's** chez le médecin; **at home** chez soi, à la maison. ◆**at-home** *n* réception *f*. **3** en; **at sea** en mer; **at war** en guerre; **good at** (*geography etc*) fort en. **4** contre; **angry at** fâché contre. **5** sur; **to shoot at** tirer sur; **at my request** sur ma demande. **6** de; **to laugh at** rire de; **surprised at** surpris de. **7** (au)près de; **at the window** (au)près de la fenêtre. **8** par; **to come in at the door** entrer par la porte; **six at a time** six par six. **9 at night** la nuit; **to look at** regarder; **not at all** pas du tout; (*after 'thank you'*) pas de quoi!; **nothing at all** rien du tout; **to be (hard) at it** être très occupé, travailler dur; **he's always (on) at me** *Fam* il est toujours après moi.

ate [et, *Am* eɪt] *see* **eat**.

atheism ['eɪθɪɪz(ə)m] *n* athéisme *m*. ◆**atheist** *n* athée *mf*.

Athens ['æθɪnz] *n* Athènes *m or f*.

athlete ['æθliːt] *n* athlète *mf*; **a.'s foot** *Med* mycose *f*. ◆**ath'letic** *a* athlétique; **a. meeting** réunion *f* sportive. ◆**ath'letics** *npl* athlétisme *m*.

atishoo! [ə'tɪʃuː] (*Am* **atchoo** [ə'tʃuː]) *int* atchoum!

Atlantic [ət'læntɪk] *a* atlantique; – *n* **the A.** l'Atlantique *m*.

atlas ['ætləs] *n* atlas *m*.

atmosphere ['ætməsfɪər] *n* atmosphère *f*. ◆**atmos'pheric** *a* atmosphérique.

atom ['ætəm] *n* atome *m*; **a. bomb** bombe *f* atomique. ◆**a'tomic** *a* atomique. ◆**atomizer** *n* atomiseur *m*.

atone [ə'təʊn] *vi* **to a. for** expier. ◆**—ment** *n* expiation *f* (**for** de).

atrocious [ə'trəʊʃəs] *a* atroce. ◆**atrocity** *n* atrocité *f*.

atrophy ['ætrəfɪ] *vi* s'atrophier.

attach [ə'tætʃ] *vt* attacher (**to** à); (*document*) joindre (**to** à); **attached to** (*fond of*) attaché à. ◆**—ment** *n* (*affection*) attachement *m*; (*fastener*) attache *f*; (*tool*) accessoire *m*.

attaché [ə'tæʃeɪ] *n* **1** *Pol* attaché, -ée *mf*. **2 a. case** attaché-case *m*.

attack [ə'tæk] *n Mil Med & Fig* attaque *f*; (*of fever*) accès *m*; (*on s.o.'s life*) attentat *m*; **heart a.** crise *f* cardiaque; – *vt* attaquer; (*problem, plan*) s'attaquer à; – *vi* attaquer. ◆**—er** *n* agresseur *m*.

attain [ə'teɪn] *vt* parvenir à, atteindre, réaliser. ◆**—able** *a* accessible. ◆**—ment** *n* (*of ambition, aim etc*) réalisation *f* (**of** de); *pl* (*skills*) talents *mpl*.

attempt [ə'tempt] *n* tentative *f*; **to make an a. to** essayer *or* tenter de; **a. on** (*record*) tentative pour battre; **a. on s.o.'s life** attentat *m* contre qn; – *vt* tenter; (*task*) entreprendre; **to a. to do** essayer *or* tenter de faire; **attempted murder** tentative de meurtre.

attend [ə'tend] *vt* (*match etc*) assister à; (*course*) suivre; (*school, church*) aller à; (*wait on, serve*) servir; (*escort*) accompagner; (*patient*) soigner; – *vi* assister; **to a. to** (*pay attention to*) prêter attention à;

(*take care of*) s'occuper de. ◆**—ed** *a* **well-a.** (*course*) très suivi; (*meeting*) où il y a du monde. ◆**attendance** *n* présence *f* (at à); (*people*) assistance *f*; **school a.** scolarité *f*; **in a.** de service. ◆**attendant 1** *n* employé, -ée *mf*; (*in museum*) gardien, -ienne *mf*; *pl* (*of prince, king etc*) suite *f*. **2** *a* (*fact*) concomitant.

attention [ə'tenʃ(ə)n] *n* attention *f*; **to pay a.** prêter *or* faire attention (**to** à); **a.!** *Mil* garde-à-vous!; **to stand at a.** *Mil* être au garde-à-vous; **a. to detail** minutie *f*. ◆**attentive** *a* (*heedful*) attentif (**to** à); (*thoughtful*) attentionné (**to** pour). ◆**attentively** *adv* avec attention, attentivement.

attenuate [ə'tenjʊeɪt] *vt* atténuer.

attest [ə'test] *vti* **to a. (to)** témoigner de.

attic ['ætɪk] *n* grenier *m*.

attire [ə'taɪər] *n Lit* vêtements *mpl*.

attitude ['ætɪtjuːd] *n* attitude *f*.

attorney [ə'tɜːnɪ] *n* (*lawyer*) *Am* avocat *m*; **district a.** *Am* = procureur *m* (de la République).

attract [ə'trækt] *vt* attirer. ◆**attraction** *n* attraction *f*; (*charm, appeal*) attrait *m*. ◆**attractive** *a* (*price etc*) intéressant; (*girl*) belle, jolie; (*boy*) beau; (*manners*) attrayant.

attribut/e 1 ['ætrɪbjuːt] *n* (*quality*) attribut *m*. **2** [ə'trɪbjuːt] *vt* (*ascribe*) attribuer (**to** à). ◆**—able** *a* attribuable (**to** à).

attrition [ə'trɪʃ(ə)n] *n* **war of a.** guerre *f* d'usure.

attuned [ə'tjuːnd] *a* **a. to** (*of ideas, trends etc*) en accord avec; (*used to*) habitué à.

atypical [eɪ'tɪpɪk(ə)l] *a* peu typique.

aubergine ['əʊbəʒiːn] *n* aubergine *f*.

auburn ['ɔːbən] *a* (*hair*) châtain roux.

auction ['ɔːkʃən] *n* vente *f* (aux enchères); – *vt* **to a. (off)** vendre (aux enchères). ◆**auctio'neer** *n* commissaire-priseur *m*, adjudicateur, -trice *mf*.

audacious [ɔː'deɪʃəs] *a* audacieux. ◆**audacity** *n* audace *f*.

audib/le ['ɔːdɪb(ə)l] *a* perceptible, audible. ◆**—ly** *adv* distinctement.

audience ['ɔːdɪəns] *n* assistance *f*, public *m*; (*of speaker, musician*) auditoire *m*; *Th Cin* spectateurs *mpl*; *Rad* auditeurs *mpl*; (*interview*) audience *f*.

audio ['ɔːdɪəʊ] *a* (*cassette, system etc*) audio *inv*. ◆**audiotypist** *n* dactylo *f* au magnétophone, audiotypiste *mf*. ◆**audio-'visual** *a* audio-visuel.

audit ['ɔːdɪt] *vt* (*accounts*) vérifier; – *n* vérification *f* (des comptes). ◆**auditor** *n* commissaire *m* aux comptes.

audition [ɔː'dɪʃ(ə)n] *n* audition *f*; – *vti* auditionner.

auditorium [ɔːdɪ'tɔːrɪəm] *n* salle *f* (*de spectacle, concert etc*).

augment [ɔːg'ment] *vt* augmenter (**with, by** de).

augur ['ɔːgər] *vt* présager; – *vi* **to a. well** être de bon augure.

august [ɔː'gʌst] *a* auguste.

August ['ɔːgəst] *n* août *m*.

aunt [ɑːnt] *n* tante *f*. ◆**auntie** *or* **aunty** *n Fam* tata *f*.

au pair [əʊ'peər] *adv* au pair; – *n* **au p. (girl)** jeune fille *f* au pair.

aura ['ɔːrə] *n* émanation *f*, aura *f*; (*of place*) atmosphère *f*.

auspices ['ɔːspɪsɪz] *npl* auspices *mpl*.

auspicious [ɔː'spɪʃəs] *a* favorable.

austere [ɔː'stɪər] *a* austère. ◆**austerity** *n* austérité *f*.

Australia [ɒ'streɪlɪə] *n* Australie *f*. ◆**Australian** *a* & *n* australien, -ienne (*mf*).

Austria ['ɒstrɪə] *n* Autriche *f*. ◆**Austrian** *a* & *n* autrichien, -ienne (*mf*).

authentic [ɔː'θentɪk] *a* authentique. ◆**authenticate** *vt* authentifier. ◆**authen'ticity** *n* authenticité *f*.

author ['ɔːθər] *n* auteur *m*. ◆**authoress** *n* femme *f* auteur. ◆**authorship** *n* (*of book etc*) paternité *f*.

authority [ɔː'θɒrɪtɪ] *n* autorité *f*; (*permission*) autorisation *f* (**to do** de faire); **to be in a.** (*in charge*) être responsable. ◆**authori'tarian** *a* & *n* autoritaire (*mf*). ◆**authoritative** *a* (*report*) autorisé; (*tone, person*) autoritaire.

authorize ['ɔːθəraɪz] *vt* autoriser (**to do** à faire). ◆**authori'zation** *n* autorisation *f*.

autistic [ɔː'tɪstɪk] *a* autiste, autistique.

autobiography [ɔːtəʊbaɪ'ɒgrəfɪ] *n* autobiographie *f*.

autocrat ['ɔːtəkræt] *n* autocrate *m*. ◆**auto'cratic** *a* autocratique.

autograph ['ɔːtəgrɑːf] *n* autographe *m*; – *vt* dédicacer (**for** à).

automat ['ɔːtəmæt] *n Am* cafétéria *f* à distributeurs automatiques.

automate ['ɔːtəmeɪt] *vt* automatiser. ◆**auto'mation** *n* automatisation *f*, automation *f*.

automatic [ɔːtə'mætɪk] *a* automatique. ◆**automatically** *adv* automatiquement.

automaton [ɔː'tɒmətən] *n* automate *m*.

automobile ['ɔːtəməbiːl] *n Am* auto(mobile) *f*.

autonomous [ɔːˈtɒnəməs] *a* autonome. ◆**autonomy** *n* autonomie *f*.

autopsy [ˈɔːtɒpsɪ] *n* autopsie *f*.

autumn [ˈɔːtəm] *n* automne *m*. ◆**autumnal** [ɔːˈtʌmnəl] *a* automnal.

auxiliary [ɔːgˈzɪljərɪ] *a* & *n* auxiliaire (*mf*); **a. (verb)** (verbe *m*) auxiliaire *m*.

avail [əˈveɪl] **1** *vt* **to a. oneself of** profiter de, tirer parti de. **2** *n* **to no a.** en vain; **of no a.** inutile.

available [əˈveɪləb(ə)l] *a* (*thing, means etc*) disponible; (*person*) libre, disponible; (*valid*) valable; **a. to all** (*goal etc*) accessible à tous. ◆**availaˈbility** *n* disponibilité *f*; validité *f*; accessibilité *f*.

avalanche [ˈævəlɑːnʃ] *n* avalanche *f*.

avarice [ˈævərɪs] *n* avarice *f*. ◆**avaˈricious** *a* avare.

avenge [əˈvendʒ] *vt* venger; **to a. oneself** se venger (**on** de).

avenue [ˈævənjuː] *n* avenue *f*; (*way to a result*) *Fig* voie *f*.

average [ˈævərɪdʒ] *n* moyenne *f*; **on a.** en moyenne; – *a* moyen; – *vt* (*do*) faire en moyenne; (*reach*) atteindre la moyenne de; (*figures*) faire la moyenne de.

averse [əˈvɜːs] *a* **to be a. to doing** répugner à faire. ◆**aversion** *n* (*dislike*) aversion *f*, répugnance *f*.

avert [əˈvɜːt] *vt* (*prevent*) éviter; (*turn away*) détourner (**from** de).

aviary [ˈeɪvɪərɪ] *n* volière *f*.

aviation [eɪvɪˈeɪʃ(ə)n] *n* aviation *f*. ◆**ˈaviator** *n* aviateur, -trice *mf*.

avid [ˈævɪd] *a* avide (**for** de).

avocado [ævəˈkɑːdəʊ] *n* (*pl* **-os**) **a. (pear)** avocat *m*.

avoid [əˈvɔɪd] *vt* éviter; **to a. doing** éviter de faire. ◆**—able** *a* évitable. ◆**avoidance** *n* **his a. of** (*danger etc*) son désir *m* d'éviter; **tax a.** évasion *f* fiscale.

avowed [əˈvaʊd] *a* (*enemy*) déclaré, avoué.

await [əˈweɪt] *vt* attendre.

awake [əˈweɪk] *vi* (*pt* **awoke**, *pp* **awoken**) s'éveiller; – *vt* (*person, hope etc*) éveiller; – *a* réveillé, éveillé; **(wide-)a.** éveillé; **to keep s.o. a.** empêcher qn de dormir, tenir qn éveillé; **he's (still) a.** il ne dort pas (encore); **a. to** (*conscious of*) conscient de. ◆**awaken 1** *vti* = **awake. 2** *vt* **to a. s.o. to sth** faire prendre conscience de qch à qn. ◆**awakening** *n* réveil *m*.

award [əˈwɔːd] *vt* (*money*) attribuer; (*prize*) décerner, attribuer; (*damages*) accorder; – *n* (*prize*) prix *m*, récompense *f*; (*scholarship*) bourse *f*.

aware [əˈweər] *a* avisé, informé; **a. of** (*conscious*) conscient de; (*informed*) au courant de; **to become a. of** prendre conscience de. ◆**—ness** *n* conscience *f*.

awash [əˈwɒʃ] *a* inondé (**with** de).

away [əˈweɪ] *adv* **1** (*distant*) loin; **(far) a.** au loin, très loin; **5 km a.** à 5 km (de distance). **2** (*absent*) parti, absent; **a. with you!** va-t-en!; **to drive a.** partir (en voiture); **to look a.** détourner les yeux; **to work/talk/etc a.** travailler/parler/*etc* sans relâche; **to fade/melt a.** disparaître/fondre complètement. **3 to play a.** *Sp* jouer à l'extérieur.

awe [ɔː] *n* crainte *f* (*mêlée de respect*); **to be in a. of s.o.** éprouver de la crainte envers qn. ◆**a.-inspiring** *a*, ◆**awesome** *a* (*impressive*) imposant; (*frightening*) effrayant.

awful [ˈɔːfəl] *a* affreux; (*terrifying*) épouvantable; (*ill*) malade; **an a. lot of** *Fam* un nombre incroyable de; **I feel a. (about it)** j'ai vraiment honte. ◆**—ly** *adv* affreusement; (*very*) *Fam* terriblement; **thanks a.** merci infiniment.

awhile [əˈwaɪl] *adv* quelque temps; (*to stay, wait*) un peu.

awkward [ˈɔːkwəd] *a* **1** (*clumsy*) maladroit; (*age*) ingrat. **2** (*difficult*) difficile; (*cumbersome*) gênant; (*tool*) peu commode; (*time*) inopportun; (*silence*) gêné. ◆**—ly** *adv* maladroitement; (*speak*) d'un ton gêné; (*placed*) à un endroit difficile. ◆**—ness** *n* maladresse *f*; difficulté *f*; (*discomfort*) gêne *f*.

awning [ˈɔːnɪŋ] *n* auvent *m*; (*over shop*) store *m*; (*glass canopy*) marquise *f*.

awoke(n) [əˈwəʊk(ən)] *see* **awake**.

awry [əˈraɪ] *adv* **to go a.** (*of plan etc*) mal tourner.

axe [æks] (*Am* **ax**) *n* hache *f*; (*reduction*) *Fig* coupe *f* sombre; – *vt* réduire; (*eliminate*) supprimer.

axiom [ˈæksɪəm] *n* axiome *m*.

axis, *pl* **axes** [ˈæksɪs, ˈæksiːz] *n* axe *m*.

axle [ˈæks(ə)l] *n* essieu *m*.

ay(e) [aɪ] **1** *adv* oui. **2** *n* **the ayes** (*votes*) les voix *fpl* pour.

azalea [əˈzeɪlɪə] *n* (*plant*) azalée *f*.

B

B, b [biː] *n* B, b *m*; **2B** (*number*) 2 ter.
BA *abbr* = **Bachelor of Arts.**
babble ['bæb(ə)l] *vi* (*of baby, stream*) gazouiller; (*mumble*) bredouiller; – *vt* **to b. (out)** bredouiller; – *n inv* gazouillement *m*, gazouillis *m*; (*of voices*) rumeur *f*.
babe [beɪb] *n* **1** petit(e) enfant *mf*, bébé *m*. **2** (*girl*) *Sl* pépée *f*.
baboon [bə'buːn] *n* babouin *m*.
baby ['beɪbɪ] **1** *n* bébé *m*; – *a* (*clothes etc*) de bébé; **b. boy** petit garçon *m*; **b. girl** petite fille *f*; **b. carriage** *Am* voiture *f* d'enfant; **b. sling** kangourou® *m*, porte-bébé *m*; **b. tiger/***etc* bébé-tigre/*etc m*; **b. face** visage *m* poupin. **2** *n Sl* (*girl*) pépée *f*; (*girlfriend*) copine *f*. **3** *vt Fam* dorloter. ◆**b.-batterer** *n* bourreau *m* d'enfants. ◆**b.-minder** *n* gardien, -ienne *mf* d'enfants. ◆**b.-sit** *vi* (*pt & pp* **-sat,** *pres p* **-sitting**) garder les enfants, faire du baby-sitting. ◆**b.-sitter** *n* baby-sitter *mf*. ◆**b.-snatching** *n* rapt *m* d'enfant. ◆**b.-walker** *n* trotteur *m*, youpala® *m*.
babyish ['beɪbɪɪʃ] *a Pej* de bébé; (*puerile*) enfantin.
bachelor ['bætʃələr] *n* **1** célibataire *m*; **b. flat** garçonnière *f*. **2 B. of Arts/of Science** licencié -ée *mf* ès lettres/ès sciences.
back [bæk] *n* (*of person, animal*) dos *m*; (*of chair*) dossier *m*; (*of hand*) revers *m*; (*of house*) derrière *m*, arrière *m*; (*of room*) fond *m*; (*of page*) verso *m*,(*of fabric*) envers *m*; *Fb* arrière *m*; **at the b. of** (*book*) à la fin de; (*car*) à l'arrière de; **at the b. of one's mind** derrière la tête; **b. to front** devant derrière, à l'envers; **to get s.o.'s b. up** *Fam* irriter qn; **in b. of** *Am* derrière; – *a* arrière *inv*, de derrière; (*taxes*) arriéré; **b. door** porte *f* de derrière; **b. room** pièce *f* du fond; **b. end** (*of bus*) arrière *m*; **b. street** rue *f* écartée; **b. number** vieux numéro *m*; **b. pay** rappel *m* de salaire; **b. tooth** molaire *f*; – *adv* en arrière; **far b.** loin derrière; **far b. in the past** à une époque reculée; **to stand b.** (*of house*) être en retrait (**from** par rapport à); **to go b. and forth** aller et venir; **to come b.** revenir; **he's b.** il est de retour, il est rentré *or* revenu; **a month b.** il y a un mois; **the trip there and b.** le voyage aller et retour; – *vt Com* financer; (*horse etc*) parier sur, jouer; (*car*) faire reculer; (*wall*) renforcer; **to b. s.o (up)** (*support*) appuyer qn; – *vi* (*move backwards*) reculer; **to b. down** se dégonfler; **to b. out** (*withdraw*) se retirer; *Aut* sortir en marche arrière; **to b. on to** (*of window etc*) donner par derrière sur; **to b. up** *Aut* faire marche arrière. ◆**—ing** *n* (*aid*) soutien *m*; (*material*) support *m*, renfort *m*. ◆**—er** *n* (*supporter*) partisan *m*; *Sp* parieur, -euse *mf*; *Fin* bailleur *m* de fonds.
backache ['bækeɪk] *n* mal *m* aux reins. ◆**back'bencher** *n Pol* membre *m* sans portefeuille. ◆**backbiting** *n* médisance *f*. ◆**backbreaking** *a* éreintant. ◆**backcloth** *n* toile *f* de fond. ◆**backchat** *n* impertinence *f*. ◆**back'date** *vt* (*cheque*) antidater. ◆**back'handed** *a* (*compliment*) équivoque. ◆**backhander** *n* revers *m*; (*bribe*) *Fam* pot-de-vin *m*. ◆**backrest** *n* dossier *m*. ◆**backside** *n* (*buttocks*) *Fam* derrière *m*. ◆**back'stage** *adv* dans les coulisses. ◆**backstroke** *n Sp* dos *m* crawlé. ◆**backtrack** *vi* rebrousser chemin. ◆**backup** *n* appui *m*; (*tailback*) *Am* embouteillage *m*; **b. lights** *Aut* feux *mpl* de recul. ◆**backwater** *n* (*place*) trou *m* perdu. ◆**backwoods** *npl* forêts *f* vierges. ◆**back'yard** *n* arrière-cour *f*; *Am* jardin *m* (*à l'arrière d'une maison*).
backbone ['bækbəʊn] *n* colonne *f* vertébrale; (*of fish*) grande arête *f*; (*main support*) pivot *m*.
backfire [bæk'faɪər] *vi Aut* pétarader; (*of plot etc*) *Fig* échouer.
backgammon ['bækgæmən] *n* trictrac *m*.
background ['bækgraʊnd] *n* fond *m*, arrière-plan *m*; (*events*) *Fig* antécédents *mpl*; (*education*) formation *f*; (*environment*) milieu *m*; (*conditions*) *Pol* climat *m*, contexte *m*; **to keep s.o. in the b.** tenir qn à l'écart; **b. music** musique *f* de fond.
backlash ['bæklæʃ] *n* choc *m* en retour, retour *m* de flamme.
backlog ['bæklɒg] *n* (*of work*) arriéré *m*.
backward ['bækwəd] *a* (*glance etc*) en arrière; (*retarded*) arriéré; **b. in doing** lent à faire; – *adv* = **backwards.** ◆**—ness** *n* (*of country etc*) retard *m*. ◆**backwards** *adv* en arrière; (*to walk*) à reculons; (*to fall*) à la

renverse; **to move b.** reculer; **to go b. and forwards** aller et venir.

bacon ['beɪkən] *n* lard *m*; (*in rashers*) bacon *m*; **b. and eggs** œufs *mpl* au jambon.

bacteria [bæk'tɪərɪə] *npl* bactéries *fpl*.

bad [bæd] *a* (**worse, worst**) mauvais; (*wicked*) méchant; (*sad*) triste; (*accident, wound etc*) grave; (*tooth*) carié; (*arm, leg*) malade; (*pain*) violent; (*air*) vicié; **b. language** gros mots *mpl*; **it's b. to think that . . .** ce n'est pas bien de penser que . . . ; **to feel b.** *Med* se sentir mal; **I feel b. about it** ça m'a chagriné; **things are b.** ça va mal; **she's not b.!** elle n'est pas mal!; **to go b.** se gâter; (*of milk*) tourner; **in a b. way** mal en point; (*ill*) très mal; (*in trouble*) dans le pétrin; **too b.!** tant pis! ◆**b.-'mannered** *a* mal élevé. ◆**b.-'tempered** *a* grincheux. ◆**badly** *adv* mal; (*hurt*) grièvement; **b. affected/shaken** très touché/bouleversé; **to be b. mistaken** se tromper lourdement; **b. off** dans la gêne; **to be b. off for** manquer de; **to want b.** avoir grande envie de.

badge [bædʒ] *n* insigne *m*; (*of postman etc*) plaque *f*; (*bearing slogan or joke*) badge *m*.

badger ['bædʒər] **1** *n* (*animal*) blaireau *m*. **2** *vt* importuner.

badminton ['bædmɪntən] *n* badminton *m*.

baffle ['bæf(ə)l] *vt* (*person*) déconcerter, dérouter.

bag [bæg] **1** *n* sac *m*; *pl* (*luggage*) valises *fpl*, bagages *mpl*; (*under the eyes*) poches *fpl*; **bags of** *Fam* (*lots of*) beaucoup de; **an old b.** une vieille taupe; **in the b.** *Fam* dans la poche. **2** *vt* (**-gg-**) (*take, steal*) *Fam* piquer, s'adjuger; (*animal*) *Sp* tuer.

baggage ['bægɪdʒ] *n* bagages *mpl*; *Mil* équipement *m*; **b. car** *Am* fourgon *m*; **b. room** *Am* consigne *f*.

baggy ['bægɪ] *a* (**-ier, -iest**) (*clothing*) trop ample; (*trousers*) faisant des poches.

bagpipes ['bægpaɪps] *npl* cornemuse *f*.

Bahamas [bə'hɑːməz] *npl* **the B.** les Bahamas *fpl*.

bail [beɪl] **1** *n Jur* caution *f*; **on b.** en liberté provisoire; – *vt* **to b. (out)** fournir une caution pour; **to b. out** (*ship*) écoper; (*person, company*) *Fig* tirer d'embarras. **2** *vi* **to b. out** *Am Av* sauter (en parachute).

bailiff ['beɪlɪf] *n Jur* huissier *m*; (*of landowner*) régisseur *m*.

bait [beɪt] **1** *n* amorce *f*, appât *m*; – *vt* (*fishing hook*) amorcer. **2** *vt* (*annoy*) asticoter, tourmenter.

baize [beɪz] *n* **green b.** (*on card table etc*) tapis *m* vert.

bak/e [beɪk] *vt* (faire) cuire (au four); – *vi* (*of cook*) faire de la pâtisserie *or* du pain; (*of cake etc*) cuire (au four); **we're** *or* **it's baking (hot)** *Fam* on cuit. ◆**–ed** *a* (*potatoes*) au four; **b. beans** haricots *mpl* blancs (à la tomate). ◆**–ing** *n* cuisson *f*; **b. powder** levure *f* (chimique). ◆**–er** *n* boulanger, -ère *mf*. ◆**bakery** *n* boulangerie *f*.

balaclava [bælə'klɑːvə] *n* **b. (helmet)** passe-montagne *m*.

balance ['bæləns] *n* (*scales*) & *Econ Pol Com* balance *f*; (*equilibrium*) équilibre *m*; (*of account*) *Com* solde *m*; (*remainder*) reste *m*; **to strike a b.** trouver le juste milieu; **sense of b.** sens *m* de la mesure; **in the b.** incertain; **on b.** à tout prendre; **b. sheet** bilan *m*; – *vt* tenir *or* mettre en équilibre (**on** sur); (*budget, account*) équilibrer; (*compare*) mettre en balance, peser; **to b. (out)** (*compensate for*) compenser; **to b. (oneself)** se tenir en équilibre; – *vi* (*of accounts*) être en équilibre, s'équilibrer.

balcony ['bælkənɪ] *n* balcon *m*.

bald [bɔːld] *a* (**-er, -est**) chauve; (*statement*) brutal; (*tyre*) lisse; **b. patch** *or* **spot** tonsure *f*. ◆**b.-'headed** *a* chauve. ◆**balding** *a* **to be b.** perdre ses cheveux. ◆**baldness** *n* calvitie *f*.

balderdash ['bɔːldədæʃ] *n* balivernes *fpl*.

bale [beɪl] **1** *n* (*of cotton etc*) balle *f*. **2** *vi* **to b. out** *Av* sauter (en parachute).

baleful ['beɪlfʊl] *a* sinistre, funeste.

balk [bɔːk] *vi* reculer (**at** devant), regimber (**at** contre).

ball[1] [bɔːl] *n* balle *f*; (*inflated*) *Fb Rugby etc* ballon *m*; *Billiards* bille *f*; (*of string, wool*) pelote *f*; (*sphere*) boule *f*; (*of meat or fish*) *Culin* boulette *f*; **on the b.** (*alert*) *Fam* éveillé; **he's on the b.** (*efficient, knowledgeable*) *Fam* il connaît son affaire, il est au point; **b. bearing** roulement *m* à billes; **b. game** *Am* partie *f* de baseball; **it's a whole new b. game** *or* **a different b. game** *Am Fig* c'est une tout autre affaire. ◆**ballcock** *n* robinet *m* à flotteur. ◆**ballpoint** *n* stylo *m* à bille.

ball[2] [bɔːl] *n* (*dance*) bal *m*. ◆**ballroom** *n* salle *f* de danse.

ballad ['bæləd] *n Liter* ballade *f*; *Mus* romance *f*.

ballast ['bæləst] *n* lest *m*; – *vt* lester.

ballet ['bæleɪ] *n* ballet *m*. ◆**balle'rina** *n* ballerine *f*.

ballistic [bə'lɪstɪk] *a* **b. missile** engin *m* balistique.

balloon [bə'luːn] *n* ballon *m*; *Met* ballon-sonde *m*.

ballot ['bælət] *n* (*voting*) scrutin *m*; **b.** **(paper)** bulletin *m* de vote; **b. box** urne *f*; – *vt* (*members*) consulter (par un scrutin).

ballyhoo [bælɪ'huː] *n Fam* battage *m* (publicitaire).

balm [bɑːm] *n* (*liquid, comfort*) baume *m*. ◆**balmy** *a* **(-ier, -iest) 1** (*air*) *Lit* embaumé. **2** (*crazy*) *Fam* dingue, timbré.

baloney [bə'ləʊnɪ] *n Sl* foutaises *fpl*.

Baltic ['bɔːltɪk] *n* **the B.** la Baltique.

balustrade ['bæləstreɪd] *n* balustrade *f*.

bamboo [bæm'buː] *n* bambou *m*.

bamboozle [bæm'buːz(ə)l] *vt* (*cheat*) *Fam* embobiner.

ban [bæn] *n* interdiction *f*; – *vt* **(-nn-)** interdire; **to b. from** (*club etc*) exclure de; **to ban s.o. from doing** interdire à qn de faire.

banal [bə'nɑːl, *Am* 'beɪn(ə)l] *a* banal. ◆**ba'nality** *n* banalité *f*.

banana [bə'nɑːnə] *n* banane *f*.

band [bænd] **1** *n* (*strip*) bande *f*; (*of hat*) ruban *m*; **rubber** *or* **elastic b.** élastique *m*. **2** *n* (*group*) bande *f*; *Mus* (petit) orchestre *m*; *Mil* fanfare *f*; – *vi* **to b. together** former une bande, se grouper. ◆**bandstand** *n* kiosque *m* à musique. ◆**bandwagon** *n* **to jump on the b.** *Fig* suivre le mouvement.

bandage ['bændɪdʒ] *n* (*strip*) bande *f*; (*for wound*) pansement *m*; (*for holding in place*) bandage *m*; – *vt* **to b. (up)** (*arm, leg*) bander; (*wound*) mettre un pansement sur.

Band-Aid® ['bændeɪd] *n* pansement *m* adhésif.

bandit ['bændɪt] *n* bandit *m*. ◆**banditry** *n* banditisme *m*.

bandy ['bændɪ] **1** *a* **(-ier, -iest)** (*person*) bancal; (*legs*) arqué. ◆**b.-'legged** *a* bancal. **2** *vt* **to b. about** (*story etc*) faire circuler, propager.

bane [beɪn] *n Lit* fléau *m*. ◆**baneful** *a* funeste.

bang [bæŋ] **1** *n* (*hit, noise*) coup *m* (violent); (*of gun etc*) détonation *f*; (*of door*) claquement *m*; – *vt* cogner, frapper; (*door*) (faire) claquer; **to b. one's head** se cogner la tête; – *vi* cogner, frapper; (*of door*) claquer; (*of gun*) détoner; (*of firework*) éclater; **to b. down** (*lid*) rabattre (violemment); **to b. into sth** heurter qch; – *int* vlan!, pan!; **to go (off) b.** éclater. **2** *adv* (*exactly*) *Fam* exactement; **b. in the middle** en plein milieu; **b. on six** à six heures tapantes.

banger ['bæŋər] *n* **1** *Culin Fam* saucisse *f*. **2** (*firecracker*) pétard *m*. **3 old b.** (*car*) *Fam* tacot *m*, guimbarde *f*.

bangle ['bæŋg(ə)l] *n* bracelet *m* (rigide).

bangs [bæŋz] *npl* (*of hair*) *Am* frange *f*.

banish ['bænɪʃ] *vt* bannir.

banister ['bænɪstər] *n* **banister(s)** rampe *f* (d'escalier).

banjo ['bændʒəʊ] *n* (*pl* **-os** *or* **-oes**) banjo *m*.

bank [bæŋk] **1** *n* (*of river*) bord *m*, rive *f*; (*raised*) berge *f*; (*of earth*) talus *m*; (*of sand*) banc *m*; **the Left B.** (*in Paris*) la Rive gauche; – *vt* **to b. (up)** (*earth etc*) amonceler; (*fire*) couvrir. **2** *n Com* banque *f*; **b. account** compte *m* en banque; **b. card** carte *f* d'identité bancaire; **b. holiday** jour *m* férié; **b. note** billet *m* de banque; **b. rate** taux *m* d'escompte; – *vt* (*money*) *Com* mettre en banque; – *vi* avoir un compte en banque **(with** à). **3** *vi Av* virer. **4** *vi* **to b. on s.o./sth** (*rely on*) compter sur qn/qch. ◆**—ing** *a* bancaire; – *n* (*activity, profession*) la banque. ◆**—er** *n* banquier *m*.

bankrupt ['bæŋkrʌpt] *a* **to go b.** faire faillite; **b. of** (*ideas*) *Fig* dénué de; – *vt* mettre en faillite. ◆**bankruptcy** *n* faillite *f*.

banner ['bænər] *n* (*at rallies etc*) banderole *f*; (*flag*) & *Fig* bannière *f*.

banns [bænz] *npl* bans *mpl*.

banquet ['bæŋkwɪt] *n* banquet *m*.

banter ['bæntər] *vti* plaisanter; – *n* plaisanterie *f*. ◆**—ing** *a* (*tone, air*) plaisantin.

baptism ['bæptɪzəm] *n* baptême *m*. ◆**bap'tize** *vt* baptiser.

bar [bɑːr] **1** *n* barre *f*; (*of gold*) lingot *m*; (*of chocolate*) tablette *f*; (*on window*) & *Jur* barreau *m*; **b. of soap** savonnette *f*; **behind bars** *Jur* sous les verrous; **to be a b. to** *Fig* faire obstacle à. **2** *n* (*pub*) bar *m*; (*counter*) comptoir *m*. **3** *n* (*group of notes*) *Mus* mesure *f*. **4** *vt* **(-rr-)** (*way etc*) bloquer, barrer; (*window*) griller. **5** *vt* (*prohibit*) interdire **(s.o. from doing** à qn de faire); (*exclude*) exclure **(from** à). **6** *prep* sauf. ◆**barmaid** *n* serveuse *f* de bar. ◆**barman** *n*, ◆**bartender** *n* barman *m*.

Barbados [bɑː'beɪdɒs] *n* Barbade *f*.

barbarian [bɑː'beərɪən] *n* barbare *mf*. ◆**barbaric** *a* barbare. ◆**barbarity** *n* barbarie *f*.

barbecue ['bɑːbɪkjuː] *n* barbecue *m*; – *vt* griller (au barbecue).

barbed [bɑːbd] *a* **b. wire** fil *m* de fer barbelé; (*fence*) barbelés *mpl*.

barber ['bɑːbər] *n* coiffeur *m* (*pour hommes*).

barbiturate [bɑː'bɪtjʊrət] *n* barbiturique *m*.

bare [beər] *a* **(-er, -est)** nu; (*tree, hill etc*) dénudé; (*cupboard*) vide; (*mere*) simple; **the b. necessities** le strict nécessaire; **with his b. hands** à mains nues; – *vt* mettre à nu.

◆**—ness** *n* (*of person*) nudité *f*. ◆**bareback** *adv* **to ride b.** monter à cru. ◆**barefaced** *a* (*lie*) éhonté. ◆**barefoot** *adv* nu-pieds; – *a* aux pieds nus. ◆**bare'headed** *a* & *adv* nu-tête *inv*.
barely ['beəlɪ] *adv* (*scarcely*) à peine, tout juste.
bargain ['bɑːgɪn] *n* (*deal*) marché *m*, affaire *f*; **a (good) b.** (*cheap buy*) une occasion, une bonne affaire; **it's a b.!** (*agreed*) c'est entendu!; **into the b.** par-dessus le marché; **b. price** prix *m* exceptionnel; **b. counter** rayon *m* des soldes; – *vi* (*negotiate*) négocier; (*haggle*) marchander; **to b. for** *or* **on sth** *Fig* s'attendre à qch. ◆**—ing** *n* négociations *fpl*; marchandage *m*.
barge [bɑːdʒ] **1** *n* chaland *m*, péniche *f*. **2** *vi* **to b. in** (*enter a room*) faire irruption; (*interrupt*) interrompre; **to b. into** (*hit*) se cogner contre.
baritone ['bærɪtəʊn] *n* (*voice, singer*) baryton *m*.
bark [bɑːk] **1** *n* (*of tree*) écorce *f*. **2** *vi* (*of dog etc*) aboyer; – *n* aboiement *m*. ◆**—ing** *n* aboiements *mpl*.
barley ['bɑːlɪ] *n* orge *f*; **b. sugar** sucre *m* d'orge.
barmy ['bɑːmɪ] *a* (**-ier, -iest**) *Fam* dingue, timbré.
barn [bɑːn] *n* (*for crops etc*) grange *f*; (*for horses*) écurie *f*; (*for cattle*) étable *f*. ◆**barnyard** *n* basse-cour *f*.
barometer [bə'rɒmɪtər] *n* baromètre *m*.
baron ['bærən] *n* baron *m*; (*industrialist*) *Fig* magnat *m*. ◆**baroness** *n* baronne *f*.
baroque [bə'rɒk, *Am* bə'rəʊk] *a* & *n Archit Mus etc* baroque (*m*).
barracks ['bærəks] *npl* caserne *f*.
barrage ['bærɑːʒ, *Am* bə'rɑːʒ] *n* (*barrier*) barrage *m*; **a b. of** (*questions etc*) un feu roulant de.
barrel ['bærəl] *n* **1** (*cask*) tonneau *m*; (*of oil*) baril *m*. **2** (*of gun*) canon *m*. **3 b. organ** orgue *m* de Barbarie.
barren ['bærən] *a* stérile; (*style*) *Fig* aride.
barrette [bə'ret] *n* (*hair slide*) *Am* barrette *f*.
barricade ['bærɪkeɪd] *n* barricade *f*; – *vt* barricader; **to b. oneself (in)** se barricader.
barrier ['bærɪər] *n* barrière *f*; *Fig* obstacle *m*, barrière *f*; **(ticket) b.** *Rail* portillon *m*; **sound b.** mur *m* du son.
barring ['bɑːrɪŋ] *prep* sauf, excepté.
barrister ['bærɪstər] *n* avocat *m*.
barrow ['bærəʊ] *n* charrette *f or* voiture *f* à bras; (*wheelbarrow*) brouette *f*.
barter ['bɑːtər] *vt* troquer, échanger (**for** contre); – *n* troc *m*, échange *m*.
base [beɪs] **1** *n* (*bottom, main ingredient*) base *f*; (*of tree, lamp*) pied *m*. **2** *n Mil* base *f*. **3** *vt* baser, fonder (**on** sur); **based in** *or* **on London** basé à Londres. **4** *a* (*dishonourable*) bas, ignoble; (*metal*) vil. ◆**—less** *a* sans fondement. ◆**—ness** *n* bassesse *f*. ◆**baseball** *n* base-ball *m*. ◆**baseboard** *n Am* plinthe *f*.
basement ['beɪsmənt] *n* sous-sol *m*.
bash [bæʃ] *n Fam* (*bang*) coup *m*; **to have a b.** (*try*) essayer un coup; – *vt Fam* (*hit*) cogner; **to b. (about)** (*ill-treat*) malmener; **to b. s.o. up** tabasser qn; **to b. in** *or* **down** (*door etc*) défoncer. ◆**—ing** *n* (*thrashing*) *Fam* raclée *f*.
bashful ['bæʃfəl] *a* timide.
basic ['beɪsɪk] *a* fondamental; (*pay etc*) de base; – *n* **the basics** *Fam* l'essentiel *m*. ◆**—ally** [-klɪ] *adv* au fond.
basil ['bæz(ə)l] *n Bot Culin* basilic *m*.
basilica [bə'zɪlɪkə] *n* basilique *f*.
basin ['beɪs(ə)n] *n* bassin *m*, bassine *f*; (*for soup, food*) bol *m*; (*of river*) bassin *m*; (*portable washbasin*) cuvette *f*; (*sink*) lavabo *m*.
basis, *pl* **-ses** ['beɪsɪs, -siːz] *n* base *f*; **on the b. of** d'après; **on that b.** dans ces conditions; **on a weekly/***etc* **b.** chaque semaine/*etc*.
bask [bɑːsk] *vi* se chauffer.
basket ['bɑːskɪt] *n* panier *m*; (*for bread, laundry, litter*) corbeille *f*. ◆**basketball** *n* basket(-ball) *m*.
Basque [bæsk] *a* & *n* basque (*mf*).
bass[1] [beɪs] *n Mus* basse *f*; – *a* (*note, voice*) bas.
bass[2] [bæs] *n* (*sea fish*) bar *m*; (*fresh-water*) perche *f*.
bassinet [bæsɪ'net] *n* (*cradle*) *Am* couffin *m*.
bastard ['bɑːstəd] **1** *n* & *a* bâtard, -arde (*mf*). **2** *n Pej Sl* salaud *m*, salope *f*.
baste [beɪst] *vt* **1** (*fabric*) bâtir. **2** *Culin* arroser.
bastion ['bæstɪən] *n* bastion *m*.
bat [bæt] **1** *n* (*animal*) chauve-souris *f*. **2** *n Cricket* batte *f*; *Table Tennis* raquette *f*; **off my own b.** de ma propre initiative; – *vt* (**-tt-**) (*ball*) frapper. **3** *vt* **she didn't b. an eyelid** elle n'a pas sourcillé.
batch [bætʃ] *n* (*of people*) groupe *m*; (*of letters*) paquet *m*; (*of books*) lot *m*; (*of loaves*) fournée *f*; (*of papers*) liasse *f*.
bated ['beɪtɪd] *a* **with b. breath** en retenant son souffle.
bath [bɑːθ] *n* (*pl* **-s** [bɑːðz]) bain *m*; (*tub*) baignoire *f*; **swimming baths** piscine *f*; – *vt* baigner; – *vi* prendre un bain.

◆**bathrobe** *n* peignoir *m* (de bain); *Am* robe *f* de chambre. ◆**bathroom** *n* salle *f* de bain(s); (*toilet*) *Am* toilettes *fpl*. ◆**bathtub** *n* baignoire *f*.

bath/e [beɪð] *vt* baigner; (*wound*) laver; – *vi* se baigner; *Am* prendre un bain; – *n* bain *m* (de mer), baignade *f*. ◆**–ing** *n* baignade(s) *f(pl)*; **b. costume** *or* **suit** maillot *m* de bain.

baton ['bætən, *Am* bə'tɒn] *n Mus Mil* bâton *m*; (*truncheon*) matraque *f*.

battalion [bə'tæljən] *n* bataillon *m*.

batter ['bætər] **1** *n* pâte *f* à frire. **2** *vt* battre, frapper; (*baby*) martyriser; *Mil* pilonner; **to b. down** (*door*) défoncer. ◆**–ed** *a* (*car, hat*) cabossé; (*house*) délabré; (*face*) meurtri; (*wife*) battu. ◆**–ing** *n* **to take a b.** *Fig* souffrir beaucoup.

battery ['bætərɪ] *n Mil Aut Agr* batterie *f*; (*in radio etc*) pile *f*.

battle ['bæt(ə)l] *n* bataille *f*; (*struggle*) *Fig* lutte *f*; **that's half the b.** *Fam* c'est ça le secret de la victoire; **b. dress** tenue *f* de campagne; – *vi* se battre, lutter. ◆**battlefield** *n* champ *m* de bataille. ◆**battleship** *n* cuirassé *m*.

battlements ['bæt(ə)lmənts] *npl* (*indentations*) créneaux *mpl*; (*wall*) remparts *mpl*.

batty ['bætɪ] *a* (**-ier, -iest**) *Sl* dingue, toqué.

baulk [bɔːk] *vi* reculer (**at** devant), regimber (**at** contre).

bawdy ['bɔːdɪ] *a* (**-ier, -iest**) paillard, grossier.

bawl [bɔːl] *vti* **to b. (out)** beugler, brailler; **to b. s.o. out** *Am Sl* engueuler qn.

bay [beɪ] **1** *n Geog Archit* baie *f*. **2** *n Bot* laurier *m*. **3** *n* (*for loading etc*) aire *f*. **4** *n* (*of dog*) aboiement *m*; **at b.** aux abois; **to hold at b.** tenir à distance; – *vi* aboyer. **5** *a* (*horse*) bai.

bayonet ['beɪənɪt] *n* baïonnette *f*.

bazaar [bə'zɑːr] *n* (*market, shop*) bazar *m*; (*charity sale*) vente *f* de charité.

bazooka [bə'zuːkə] *n* bazooka *m*.

BC [biː'siː] *abbr* (*before Christ*) avant Jésus-Christ.

be [biː] *vi* (*pres t* **am, are, is;** *pt* **was, were;** *pp* **been;** *pres p* **being**) **1** être; **it is green/small** c'est vert/petit; **she's a doctor** elle est médecin; **he's an Englishman** c'est un Anglais; **it's 3 (o'clock)** il est trois heures; **it's the sixth of May** c'est *or* nous sommes le six mai. **2** avoir; **to be hot/right/lucky** avoir chaud/raison/de la chance; **my feet are cold** j'ai froid aux pieds; **he's 20** (*age*) il a 20 ans; **to be 2 metres high** avoir 2 mètres de haut; **to be 6 feet tall** mesurer 1,80 m. **3** (*health*) aller; **how are you?** comment vas-tu? **4** (*place, situation*) se trouver, être; **she's in York** elle se trouve *or* elle est à York. **5** (*exist*) être; **the best painter there is** le meilleur peintre qui soit; **leave me be** laissez-moi (tranquille); **that may be** cela se peut. **6** (*go, come*) **I've been to see her** je suis allé *or* j'ai été la voir; **he's (already) been** il est (déjà) venu. **7** (*weather*) & *Math* faire; **it's fine** il fait beau; **2 and 2 are 4** 2 et 2 font 4. **8** (*cost*) coûter, faire; **it's 20 pence** ça coûte 20 pence; **how much is it?** ça fait combien?, c'est combien? **9** (*auxiliary*) **I am/was doing** je fais/faisais; **I'm listening to the radio** (*in the process of*) je suis en train d'écouter la radio; **she's been there some time** elle est là depuis longtemps; **he was killed** il a été tué, on l'a tué; **I've been waiting (for) two hours** j'attends depuis deux heures; **it is said** on dit; **to be pitied** à plaindre; **isn't it?, aren't you?** *etc* n'est-ce pas?, non?; **I am!, he is!** *etc* oui! **10** (+ *inf*) **he is to come** (*must*) il doit venir; **he's shortly to go** (*intends to*) il va bientôt partir. **11 there is** *or* **are** il y a; (*pointing*) voilà; **here is** *or* **are** voici.

beach [biːtʃ] *n* plage *f*. ◆**beachcomber** *n* (*person*) ramasseur, -euse *mf* d'épaves.

beacon ['biːkən] *n Nau Av* balise *f*; (*lighthouse*) phare *m*.

bead [biːd] *n* (*small sphere, drop of liquid*) perle *f*; (*of rosary*) grain *m*; (*of sweat*) goutte *f*; **(string of) beads** collier *m*.

beak [biːk] *n* bec *m*.

beaker ['biːkər] *n* gobelet *m*.

beam [biːm] **1** *n* (*of wood*) poutre *f*. **2** *n* (*of light*) rayon *m*; (*of headlight, torch*) faisceau *m* (lumineux); – *vi* rayonner; (*of person*) *Fig* sourire largement. **3** *vt Rad* diffuser. ◆**–ing** *a* (*radiant*) radieux.

bean [biːn] *n* haricot *m*; (*of coffee*) grain *m*; **(broad) b.** fève *f*; **to be full of beans** *Fam* déborder d'entrain. ◆**beanshoots** *npl*, ◆**beansprouts** *npl* germes *mpl* de soja.

bear[1] [beər] *n* (*animal*) ours *m*.

bear[2] [beər] *vt* (*pt* **bore**, *pp* **borne**) (*carry, show*) porter; (*endure*) supporter; (*resemblance*) offrir; (*comparison*) soutenir; (*responsibility*) assumer; (*child*) donner naissance à; **to b. in mind** tenir compte de; **to b. out** corroborer; – *vi* **to b. left/***etc* (*turn*) tourner à gauche/*etc*; **to b. north/***etc* (*go*) aller en direction du nord/*etc*; **to b. (up)on** (*relate to*) se rapporter à; **to b. heavily on** (*of burden*) *Fig* peser sur; **to b. with** être indulgent envers, être patient avec; **to bring to b.** (*one's energies*) consacrer (**on** à);

(*pressure*) exercer (**on** sur); **to b. up** ne pas se décourager, tenir le coup; **b. up!** du courage! ◆**–ing** *n* (*posture, conduct*) maintien *m*; (*relationship, relevance*) relation *f* (**on** avec); *Nau Av* position *f*; **to get one's bearings** s'orienter. ◆**–able** *a* supportable. ◆**–er** *n* porteur, -euse *mf*.

beard [bɪəd] *n* barbe *f*. ◆**bearded** *a* barbu.

beast [biːst] *n* bête *f*, animal *m*; (*person*) *Pej* brute *f*. ◆**beastly** *a Fam* (*bad*) vilain, infect; (*spiteful*) méchant; – *adv Fam* terriblement.

beat [biːt] *n* (*of heart, drum*) battement *m*; (*of policeman*) ronde *f*; *Mus* mesure *f*, rythme *m*; – *vt* (*pt* **beat**, *pp* **beaten**) battre; (*defeat*) vaincre, battre; **to b. a drum** battre du tambour; **that beats me** *Fam* ça me dépasse; **to b. s.o. to it** devancer qn; **b. it!** *Sl* fichez le camp!; **to b. back** *or* **off** repousser; **to b. down** (*price*) faire baisser; **to b. in** *or* **down** (*door*) défoncer; **to b. out** (*rhythm*) marquer; (*tune*) jouer; **to b. s.o. up** tabasser qn; – *vi* battre; (*at door*) frapper (**at** à); **to b. about** *or* **around the bush** *Fam* tourner autour du pot; **to b. down** (*of rain*) tomber à verse; (*of sun*) taper. ◆**–ing** *n* (*blows, defeat*) raclée *f*. ◆**–er** *n* (*for eggs*) batteur *m*.

beauty ['bjuːtɪ] *n* (*quality, woman*) beauté *f*; **it's a b.!** c'est une merveille!; **the b. of it is . . .** le plus beau, c'est que . . . ; **b. parlour** institut *m* de beauté; **b. spot** (*on skin*) grain *m* de beauté; (*in countryside*) site *m* pittoresque. ◆**beau'tician** *n* esthéticienne *f*. ◆**beautiful** *a* (très) beau; (*superb*) merveilleux. ◆**beautifully** *adv* merveilleusement.

beaver ['biːvər] *n* castor *m*; – *vi* **to b. away** travailler dur (**at sth** à qch).

because [bɪ'kɒz] *conj* parce que; **b. of** à cause de.

beck [bek] *n* **at s.o.'s b. and call** aux ordres de qn.

beckon ['bekən] *vti* **to b. (to) s.o.** faire signe à qn (**to do** de faire).

becom/e [bɪ'kʌm] **1** *vi* (*pt* **became**, *pp* **become**) devenir; **to b. a painter** devenir peintre; **to b. thin** maigrir; **to b. worried** commencer à s'inquiéter; **what has b. of her?** qu'est-elle devenue? **2** *vt* **that hat becomes her** ce chapeau lui sied *or* lui va. ◆**–ing** *a* (*clothes*) seyant; (*modesty*) bienséant.

bed [bed] *n* lit *m*; *Geol* couche *f*; (*of vegetables*) carré *m*; (*of sea*) fond *m*; (*flower bed*) parterre *m*; **to go to b.** (aller) se coucher; **in b.** couché; **to get out of b.** se lever; **b. and breakfast** (*in hotel etc*) chambre *f* avec petit déjeuner; **b. settee** (canapé *m*) convertible *m*; **air b.** matelas *m* pneumatique; – *vt* (**-dd-**) **to b. (out)** (*plant*) repiquer; – *vi* **to b. down** se coucher. ◆**bedding** *n* literie *f*. ◆**bedbug** *n* punaise *f*. ◆**bedclothes** *npl* couvertures *fpl* et draps *mpl*. ◆**bedridden** *a* alité. ◆**bedroom** *n* chambre *f* à coucher. ◆**bedside** *n* chevet *m*; – *a* (*lamp, book, table*) de chevet. ◆**bed'sitter** *n*, *Fam* ◆**bedsit** *n* chambre *f* meublée. ◆**bedspread** *n* dessus-de-lit *m inv*. ◆**bedtime** *n* heure *f* du coucher.

bedeck [bɪ'dek] *vt* orner (**with** de).

bedevil [bɪ'dev(ə)l] *vt* (**-ll-**, *Am* **-l-**) (*plague*) tourmenter; (*confuse*) embrouiller; **bedevilled by** (*problems etc*) perturbé par, empoisonné par.

bedlam ['bedləm] *n* (*noise*) *Fam* chahut *m*.

bedraggled [bɪ'dræg(ə)ld] *a* (*clothes, person*) débraillé.

bee [biː] *n* abeille *f*. ◆**beehive** *n* ruche *f*. ◆**beekeeping** *n* apiculture *f*. ◆**beeline** *n* **to make a b. for** aller droit vers.

beech [biːtʃ] *n* (*tree, wood*) hêtre *m*.

beef [biːf] **1** *n* bœuf *m*. **2** *vi* (*complain*) *Sl* rouspéter. ◆**beefburger** *n* hamburger *m*. ◆**beefy** *a* (**-ier**, **-iest**) *Fam* musclé, costaud.

beer [bɪər] *n* bière *f*; **b. glass** chope *f*. ◆**beery** *a* (*room, person*) qui sent la bière.

beet [biːt] *n* betterave *f* (à sucre); *Am* = **beetroot**. ◆**beetroot** *n* betterave *f* (potagère).

beetle ['biːt(ə)l] **1** *n* cafard *m*, scarabée *m*. **2** *vi* **to b. off** *Fam* se sauver.

befall [bɪ'fɔːl] *vt* (*pt* **befell**, *pp* **befallen**) arriver à.

befit [bɪ'fɪt] *vt* (**-tt-**) convenir à.

before [bɪ'fɔːr] *adv* avant; (*already*) déjà; (*in front*) devant; **the month b.** le mois d'avant *or* précédent; **the day b.** la veille; **I've never done it b.** je ne l'ai jamais (encore) fait; – *prep* (*time*) avant; (*place*) devant; **the year b. last** il y a deux ans; – *conj* avant que (+ ne + *sub*), avant de (+ *inf*); **b. he goes** avant qu'il (ne) parte; **b. going** avant de partir. ◆**beforehand** *adv* à l'avance, avant.

befriend [bɪ'frend] *vt* offrir son amitié à, aider.

befuddled [bɪ'fʌd(ə)ld] *a* (*drunk*) ivre.

beg [beg] *vt* (**-gg-**) **to b. (for)** solliciter, demander; (*bread, money*) mendier; **to b. s.o. to do** prier *or* supplier qn de faire; **I b. to** je me permets de; **to b. the question** esquiver la question; – *vi* mendier;

(*entreat*) supplier; **to go begging** (*of food, articles*) ne pas trouver d'amateurs. ◆**beggar** *n* mendiant, -ante *mf*; (*person*) *Sl* individu *m*; **lucky b.** veinard, -arde *mf*. ◆**beggarly** *a* misérable.

beget [bɪ'get] *vt* (*pt* **begot,** *pp* **begotten,** *pres p* **begetting**) engendrer.

begin [bɪ'gɪn] *vt* (*pt* **began,** *pp* **begun,** *pres p* **beginning**) commencer; (*fashion, campaign*) lancer; (*bottle, sandwich*) entamer; (*conversation*) engager; **to b. doing** *or* **to do** commencer *or* se mettre à faire; – *vi* commencer (**with** par, **by doing** par faire); **to b. on sth** commencer qch; **beginning from** à partir de; **to b. with** (*first*) d'abord. ◆**—ning** *n* commencement *m*, début *m*. ◆**—ner** *n* débutant, -ante *mf*.

begrudge [bɪ'grʌdʒ] *vt* (*give unwillingly*) donner à contrecœur; (*envy*) envier (**s.o. sth** qch à qn); (*reproach*) reprocher (**s.o. sth** qch à qn); **to b. doing** faire à contrecœur.

behalf [bɪ'hɑːf] *n* **on b. of** pour, au nom de, de la part de; (*in the interest of*) en faveur de, pour.

behave [bɪ'heɪv] *vi* se conduire; (*of machine*) fonctionner; **to b. (oneself)** se tenir bien; (*of child*) être sage. ◆**behaviour** *n* conduite *f*, comportement *m*; **to be on one's best b.** se conduire de son mieux.

behead [bɪ'hed] *vt* décapiter.

behest [bɪ'hest] *n Lit* ordre *m*.

behind [bɪ'haɪnd] **1** *prep* derrière; (*more backward than, late according to*) en retard sur; – *adv* derrière; (*late*) en retard (**with, in** dans). **2** *n* (*buttocks*) *Fam* derrière *m*. ◆**behindhand** *adv* en retard.

beholden [bɪ'həʊldən] *a* redevable (**to** à, **for** de).

beige [beɪʒ] *a* & *n* beige (*m*).

being ['biːɪŋ] *n* (*person, life*) être *m*; **to come into b.** naître, être créé.

belated [bɪ'leɪtɪd] *a* tardif.

belch [beltʃ] **1** *vi* (*of person*) faire un renvoi, éructer; – *n* renvoi *m*. **2** *vt* **to b. (out)** (*smoke*) vomir.

beleaguered [bɪ'liːgəd] *a* (*besieged*) assiégé.

belfry ['belfrɪ] *n* beffroi *m*, clocher *m*.

Belgium ['beldʒəm] *n* Belgique *f*. ◆**Belgian** ['beldʒən] *a* & *n* belge (*mf*).

belie [bɪ'laɪ] *vt* démentir.

belief [bɪ'liːf] *n* (*believing, thing believed*) croyance *f* (**in s.o.** en qn, **in sth** à *or* en qch); (*trust*) confiance *f*, foi *f*; (*faith*) *Rel* foi *f* (**in** en).

believ/e [bɪ'liːv] *vti* croire (**in sth** à qch, **in God/s.o.** en Dieu/qn); **I b. so** je crois que oui; **I b. I'm right** je crois avoir raison; **to b. in doing** croire qu'il faut faire; **he doesn't b. in smoking** il désapprouve que l'on fume. ◆**—able** *a* croyable. ◆**—er** *n Rel* croyant, -ante *mf*; **b. in** (*supporter*) partisan, -ane *mf* de.

belittle [bɪ'lɪt(ə)l] *vt* déprécier.

bell [bel] *n* cloche *f*; (*small*) clochette *f*; (*in phone*) sonnerie *f*; (*on door, bicycle*) sonnette *f*; (*on dog*) grelot *m*. ◆**bellboy** *n*, ◆**bellhop** *n Am* groom *m*.

belle [bel] *n* (*woman*) beauté *f*, belle *f*.

belligerent [bɪ'lɪdʒərənt] *a* & *n* belligérant, -ante (*mf*).

bellow ['beləʊ] *vi* beugler, mugir.

bellows ['beləʊz] *npl* **(pair of) b.** soufflet *m*.

belly ['belɪ] *n* ventre *m*; **b. button** *Sl* nombril *m*. ◆**bellyache** *n* mal *m* au ventre; – *vi Sl* rouspéter. ◆**bellyful** *n* **to have a b.** *Sl* en avoir plein le dos.

belong [bɪ'lɒŋ] *vi* appartenir (**to** à); **to b. to** (*club*) être membre de; **the cup belongs here** la tasse se range ici. ◆**—ings** *npl* affaires *fpl*.

beloved [bɪ'lʌvɪd] *a* & *n* bien-aimé, -ée (*mf*).

below [bɪ'ləʊ] *prep* (*lower than*) au-dessous de; (*under*) sous, au-dessous de; (*unworthy of*) *Fig* indigne de; – *adv* en dessous; **see b.** (*in book etc*) voir ci-dessous.

belt [belt] **1** *n* ceinture *f*; (*area*) zone *f*, région *f*; *Tech* courroie *f*. **2** *vt* (*hit*) *Sl* rosser. **3** *vi* **to b. (along)** (*rush*) *Sl* filer à toute allure; **b. up!** (*shut up*) *Sl* boucle-la!

bemoan [bɪ'məʊn] *vt* déplorer.

bench [bentʃ] *n* (*seat*) banc *m*; (*work table*) établi *m*, banc *m*; **the B.** *Jur* la magistrature (assise); (*court*) le tribunal.

bend [bend] *n* courbe *f*; (*in river, pipe*) coude *m*; (*in road*) *Aut* virage *m*; (*of arm, knee*) pli *m*; **round the b.** (*mad*) *Sl* tordu; – *vt* (*pt* & *pp* **bent**) courber; (*leg, arm*) plier; (*direct*) diriger; **to b. the rules** faire une entorse au règlement; – *vi* (*of branch*) plier, être courbé; (*of road*) tourner; **to b. (down)** se courber; **to b. (over** *or* **forward)** se pencher; **to b. to** (*s.o.'s will*) se soumettre à.

beneath [bɪ'niːθ] *prep* au-dessous de, sous; (*unworthy of*) indigne de; – *adv* (au-)dessous.

benediction [benɪ'dɪkʃ(ə)n] *n* bénédiction *f*.

benefactor ['benɪfæktər] *n* bienfaiteur *m*. ◆**benefactress** *n* bienfaitrice *f*.

beneficial [benɪ'fɪʃəl] *a* bénéfique.

beneficiary [benɪ'fɪʃərɪ] *n* bénéficiaire *mf*.

benefit ['benɪfɪt] *n* (*advantage*) avantage *m*; (*money*) allocation *f*; *pl* (*of science, education etc*) bienfaits *mpl*; **to s.o.'s b.** dans l'intérêt de qn; **for your (own) b.** pour vous, pour votre bien; **to be of b.** faire du bien (to à); **to give s.o. the b. of the doubt** accorder à qn le bénéfice du doute; **b. concert/***etc* concert/*etc m* de bienfaisance; – *vt* faire du bien à; (*be useful to*) profiter à; – *vi* gagner (**from doing** à faire); **you'll b. from** *or* **by the rest** le repos vous fera du bien.

Benelux ['benɪlʌks] *n* Bénélux *m*.

benevolent [bɪ'nevələnt] *a* bienveillant. ◆**benevolence** *n* bienveillance *f*.

benign [bɪ'naɪn] *a* bienveillant, bénin; (*climate*) doux; (*tumour*) bénin.

bent [bent] **1** *a* (*nail, mind*) tordu; (*dishonest*) *Sl* corrompu; **b. on doing** résolu à faire. **2** *n* (*talent*) aptitude *f* (**for** pour); (*inclination, liking*) penchant *m*, goût *m* (**for** pour).

bequeath [bɪ'kwiːð] *vt* léguer (**to** à). ◆**bequest** *n* legs *m*.

bereaved [bɪ'riːvd] *a* endeuillé; – *n* **the b.** la famille, la femme *etc* du disparu. ◆**bereavement** *n* deuil *m*.

bereft [bɪ'reft] *a* **b. of** dénué de.

beret ['bereɪ, *Am* bə'reɪ] *n* béret *m*.

berk [bɜːk] *n Sl* imbécile *mf*.

Bermuda [bə'mjuːdə] *n* Bermudes *fpl*.

berry ['berɪ] *n* baie *f*.

berserk [bə'zɜːk] *a* **to go b.** devenir fou, se déchaîner.

berth [bɜːθ] *n* (*in ship, train*) couchette *f*; (*anchorage*) mouillage *m*; – *vi* (*of ship*) mouiller.

beseech [bɪ'siːtʃ] *vt* (*pt & pp* **besought** *or* **beseeched**) *Lit* implorer (**to do** de faire).

beset [bɪ'set] *vt* (*pt & pp* **beset,** *pres p* **besetting**) assaillir (*qn*); **b. with obstacles/***etc* semé *or* hérissé d'obstacles/*etc*.

beside [bɪ'saɪd] *prep* à côté de; **that's b. the point** ça n'a rien à voir; **b. oneself** (*angry, excited*) hors de soi.

besides [bɪ'saɪdz] *prep* (*in addition to*) en plus de; (*except*) excepté; **there are ten of us b. Paul** nous sommes dix sans compter Paul; – *adv* (*in addition*) de plus; (*moreover*) d'ailleurs.

besiege [bɪ'siːdʒ] *vt* (*of soldiers, crowd*) assiéger; (*annoy*) *Fig* assaillir (**with** de).

besotted [bɪ'sɒtɪd] *a* (*drunk*) abruti; **b. with** (*infatuated*) entiché de.

bespatter [bɪ'spætər] *vt* éclabousser (**with** de).

bespectacled [bɪ'spektɪk(ə)ld] *a* à lunettes.

bespoke [bɪ'spəʊk] *a* (*tailor*) à façon.

best [best] *a* meilleur; **the b. page in the book** la meilleure page du livre; **the b. part of** (*most*) la plus grande partie de; **the b. thing** le mieux; **b. man** (*at wedding*) témoin *m*, garçon *m* d'honneur; – *n* **the b. (one)** le meilleur, la meilleure; **it's for the b.** c'est pour le mieux; **at b.** au mieux; **to do one's b.** faire de son mieux; **to look one's b., be at one's b.** être à son avantage; **to the b. of my knowledge** autant que je sache; **to make the b. of** (*accept*) s'accommoder de; **to get the b. of it** avoir le dessus; **in one's Sunday b.** endimanché; **all the b.!** portez-vous bien!; (*in letter*) amicalement; – *adv* **(the) b.** (*to play etc*) le mieux; **the b. loved** le plus aimé; **to think it b. to** juger prudent de. ◆**b.-'seller** *n* (*book*) best-seller *m*.

bestow [bɪ'stəʊ] *vt* accorder, conférer (**on** à).

bet [bet] *n* pari *m*; – *vti* (*pt & pp* **bet** *or* **betted,** *pres p* **betting**) parier (**on** sur, **that** que); **you b.!** *Fam* (*of course*) tu parles! ◆**betting** *n* pari(s) *m(pl)*; **b. shop** *or* **office** bureau *m* du pari mutuel.

betoken [bɪ'təʊkən] *vt Lit* annoncer.

betray [bɪ'treɪ] *vt* trahir; **to b. to s.o.** (*give away to*) livrer à qn. ◆**betrayal** *n* (*disloyalty*) trahison *f*; (*disclosure*) révélation *f*.

better ['betər] *a* meilleur (**than** que); **she's (much) b.** *Med* elle va (bien) mieux; **he's b. than** (*at games*) il joue mieux que; (*at maths etc*) il est plus fort que; **that's b.** c'est mieux; **to get b.** (*recover*) se remettre; (*improve*) s'améliorer; **it's b. to go** il vaut mieux partir; **the b. part of** (*most*) la plus grande partie de; – *adv* mieux; **I had b. go** il vaut mieux que je parte; **so much the b., all the b.** tant mieux (**for** pour); – *n* **to get the b. of s.o.** l'emporter sur qn; **change for the b.** amélioration *f*; **one's betters** ses supérieurs *mpl*; – *vt* (*improve*) améliorer; (*outdo*) dépasser; **to b. oneself** améliorer sa condition. ◆**—ment** *n* amélioration *f*.

between [bɪ'twiːn] *prep* entre; **we did it b. (the two of) us** nous l'avons fait à nous deux; **b. you and me** entre nous; **in b.** entre; – *adv* **in b.** (*space*) au milieu, entre les deux; (*time*) dans l'intervalle.

bevel ['bevəl] *n* (*edge*) biseau *m*.

beverage ['bevərɪdʒ] *n* boisson *f*.

bevy ['bevɪ] *n* (*of girls*) essaim *m*, bande *f*.

beware [bɪ'weər] *vi* **to b. of** (*s.o., sth*) se méfier de, prendre garde à; **b.!** méfiez-vous!, prenez garde!; **b. of falling/***etc* prenez garde de (ne pas) tomber/*etc*; **'b. of the trains'** 'attention aux trains'.

bewilder [bɪ'wɪldər] *vt* dérouter, rendre perplexe. ◆**—ment** *n* confusion *f*.

bewitch [bɪ'wɪtʃ] *vt* enchanter. ◆**—ing** *a* enchanteur.

beyond [bɪ'jɒnd] *prep* (*further than*) au-delà

de; (*reach, doubt*) hors de; (*except*) sauf; **b. a year/***etc* (*longer than*) plus d'un an/*etc*; **b. belief** incroyable; **b. his** *or* **her means** au-dessus de ses moyens; **it's b. me** ça me dépasse; – *adv* (*further*) au-delà.

bias ['baɪəs] **1** *n* penchant *m* (**towards** pour); (*prejudice*) préjugé *m*, parti pris *m*; – *vt* (-ss- *or* -s-) influencer. **2** *n* **cut on the b.** (*fabric*) coupé dans le biais. ◆**bias(s)ed** *a* partial; **to be b. against** avoir des préjugés contre.

bib [bɪb] *n* (*baby's*) bavoir *m*.

bible ['baɪb(ə)l] *n* bible *f*; **the B.** la Bible. ◆**biblical** ['bɪblɪk(ə)l] *a* biblique.

bibliography [bɪblɪ'ɒgrəfɪ] *n* bibliographie *f*.

bicarbonate [baɪ'kɑːbənət] *n* bicarbonate *m*.

bicentenary [baɪsen'tiːnərɪ] *n*, ◆**bicentennial** *n* bicentenaire *m*.

biceps ['baɪseps] *n Anat* biceps *m*.

bicker ['bɪkər] *vi* se chamailler. ◆**—ing** *n* chamailleries *fpl*.

bicycle ['baɪsɪk(ə)l] *n* bicyclette *f*; – *vi* faire de la bicyclette.

bid[1] [bɪd] *vt* (*pt & pp* **bid**, *pres p* **bidding**) offrir, faire une offre de; – *vi* faire une offre (**for** pour); **to b. for** *Fig* tenter d'obtenir; – *n* (*at auction*) offre *f*, enchère *f*; (*tender*) *Com* soumission *f*; (*attempt*) tentative *f*. ◆**—ding**[1] *n* enchères *fpl*. ◆**—der** *n* enchérisseur *m*; soumissionnaire *mf*; **to the highest b.** au plus offrant.

bid[2] [bɪd] *vt* (*pt* **bade** [bæd], *pp* **bidden** *or* **bid**, *pres p* **bidding**) (*command*) commander (**s.o. to do** à qn de faire); (*say*) dire. ◆**—ding**[2] *n* ordre(s) *m*(*pl*).

bide [baɪd] *vt* **to b. one's time** attendre le bon moment.

bier [bɪər] *n* (*for coffin*) brancards *mpl*.

bifocals [baɪ'fəʊkəlz] *npl* verres *mpl* à double foyer.

big [bɪg] *a* (**bigger, biggest**) grand, gros; (*in age, generous*) grand; (*in bulk, amount*) gros; **b. deal!** *Am Fam* (bon) et alors!; **b. mouth** *Fam* grande gueule *f*; **b. toe** gros orteil *m*; – *adv* **to do things b.** *Fam* faire grand; **to talk b.** fanfaronner. ◆**bighead** *n*, ◆**big'headed** *a Fam* prétentieux, -euse (*mf*). ◆**big-'hearted** *a* généreux. ◆**bigshot** *n*, ◆**bigwig** *n Fam* gros bonnet *m*. ◆**big-time** *a Fam* important.

bigamy ['bɪgəmɪ] *n* bigamie *f*. ◆**bigamist** *n* bigame *mf*. ◆**bigamous** *a* bigame.

bigot ['bɪgət] *n* fanatique *mf*; *Rel* bigot, -ote *mf*. ◆**bigoted** *a* fanatique; *Rel* bigot.

bike [baɪk] *n Fam* vélo *m*; – *vi Fam* aller à vélo.

bikini [bɪ'kiːnɪ] *n* bikini *m*.

bilberry ['bɪlbərɪ] *n* myrtille *f*.

bile [baɪl] *n* bile *f*. ◆**bilious** ['bɪlɪəs] *a* bilieux.

bilge [bɪldʒ] *n* (*nonsense*) *Sl* foutaises *fpl*.

bilingual [baɪ'lɪŋgwəl] *a* bilingue.

bill [bɪl] **1** *n* (*of bird*) bec *m*. **2** *n* (*invoice*) facture *f*, note *f*; (*in restaurant*) addition *f*; (*in hotel*) note *f*; (*draft*) *Com* effet *m*; (*of sale*) acte *m*; (*banknote*) *Am* billet *m*; (*law*) *Pol* projet *m* de loi; (*poster*) affiche *f*; **b. of fare** menu *m*; **b. of rights** déclaration *f* des droits; – *vt Th* mettre à l'affiche, annoncer; **to b. s.o.** *Com* envoyer la facture à qn. ◆**billboard** *n* panneau *m* d'affichage. ◆**billfold** *n Am* portefeuille *m*.

billet ['bɪlɪt] *vt Mil* cantonner; – *n* cantonnement *m*.

billiard ['bɪljəd] *a* (*table etc*) de billard. ◆**billiards** *npl* (jeu *m* de) billard *m*.

billion ['bɪljən] *n* billion *m*; *Am* milliard *m*.

billow ['bɪləʊ] *n* flot *m*; – *vi* (*of sea*) se soulever; (*of smoke*) tourbillonner.

billy-goat ['bɪlɪgəʊt] *n* bouc *m*.

bimonthly [baɪ'mʌnθlɪ] *a* (*fortnightly*) bimensuel; (*every two months*) bimestriel.

bin [bɪn] *n* boîte *f*; (*for bread*) coffre *m*, huche *f*; (*for litter*) boîte *f* à ordures, poubelle *f*.

binary ['baɪnərɪ] *a* binaire.

bind [baɪnd] **1** *vt* (*pt & pp* **bound**) lier; (*fasten*) attacher, lier; (*book*) relier; (*fabric, hem*) border; **to b. s.o. to do** *Jur* obliger *or* astreindre qn à faire. **2** *n* (*bore*) *Fam* plaie *f*. ◆**—ing 1** *a* (*contract*) irrévocable; **to be b. on s.o.** *Jur* lier qn. **2** *n* (*of book*) reliure *f*. ◆**—er** *n* (*for papers*) classeur *m*.

binge [bɪndʒ] *n* **to go on a b.** *Sl* faire la bringue.

bingo ['bɪŋgəʊ] *n* loto *m*.

binoculars [bɪ'nɒkjʊləz] *npl* jumelles *fpl*.

biochemistry [baɪəʊ'kemɪstrɪ] *n* biochimie *f*.

biodegradable [baɪəʊdɪ'greɪdəb(ə)l] *a* biodégradable.

biography [baɪ'ɒgrəfɪ] *n* biographie *f*. ◆**biographer** *n* biographe *mf*.

biology [baɪ'ɒlədʒɪ] *n* biologie *f*. ◆**bio'logical** *a* biologique.

biped ['baɪped] *n* bipède *m*.

birch [bɜːtʃ] *n* **1** (*tree*) bouleau *m*. **2** (*whip*) verge *f*; – *vt* fouetter.

bird [bɜːd] *n* oiseau *m*; (*fowl*) *Culin* volaille *f*; (*girl*) *Sl* poulette *f*, nana *f*; **b.'s-eye view**

perspective *f* à vol d'oiseau; *Fig* vue *f* d'ensemble. ◆**birdseed** *n* grains *mpl* de millet.

biro® ['baɪərəʊ] *n* (*pl* **-os**) stylo *m* à bille, bic® *m*.

birth [bɜːθ] *n* naissance *f*; **to give b. to** donner naissance à; **b. certificate** acte *m* de naissance; **b. control** limitation *f* des naissances. ◆**birthday** *n* anniversaire *m*; **happy b.!** bon anniversaire! ◆**birthplace** *n* lieu *m* de naissance; (*house*) maison *f* natale. ◆**birthrate** *n* (taux *m* de) natalité *f*. ◆**birthright** *n* droit *m* (*qu'on a dès sa naissance*), patrimoine *m*.

biscuit ['bɪskɪt] *n* biscuit *m*, gâteau *m* sec; *Am* petit pain *m* au lait.

bishop ['bɪʃəp] *n* évêque *m*; (*in chess*) fou *m*.

bison ['baɪs(ə)n] *n inv* bison *m*.

bit[1] [bɪt] *n* **1** morceau *m*; (*of string, time*) bout *m*; **a b.** (*a little*) un peu; **a tiny b.** un tout petit peu; **quite a b.** (*very*) très; (*much*) beaucoup; **not a b.** pas du tout; **a b. of luck** une chance; **b. by b.** petit à petit; **in bits (and pieces)** en morceaux; **to come to bits** se démonter. **2** (*coin*) pièce *f*. **3** (*of horse*) mors *m*. **4** (*of drill*) mèche *f*. **5** (*computer information*) bit *m*.

bit[2] [bɪt] *see* **bite**.

bitch [bɪtʃ] **1** *n* chienne *f*; (*woman*) *Pej Fam* garce *f*. **2** *vi* (*complain*) *Fam* râler. ◆**bitchy** *a* (**-ier, -iest**) *Fam* vache.

bit/e [baɪt] *n* (*wound*) morsure *f*; (*from insect*) piqûre *f*; *Fishing* touche *f*; (*mouthful*) bouchée *f*; (*of style etc*) *Fig* mordant *m*; **a b. to eat** un morceau à manger; – *vti* (*pt* **bit**, *pp* **bitten**) mordre; (*of insect*) piquer, mordre; **to b. one's nails** se ronger les ongles; **to b. on sth** mordre qch; **to b. sth off** arracher qch d'un coup de dent(s). ◆**—ing** *a* mordant; (*wind*) cinglant.

bitter ['bɪtər] **1** *a* (*person, taste, irony etc*) amer; (*cold, wind*) glacial, âpre; (*criticism*) acerbe; (*shock, fate*) cruel; (*conflict*) violent. **2** *n* bière *f* (pression). ◆**—ness** *n* amertume *f*; âpreté *f*; violence *f*. ◆**bitter'sweet** *a* aigre-doux.

bivouac ['bɪvʊæk] *n Mil* bivouac *m*; – *vi* (**-ck-**) bivouaquer.

bizarre [bɪ'zɑːr] *a* bizarre.

blab [blæb] *vi* (**-bb-**) jaser. ◆**blabber** *vi* jaser. ◆**blabbermouth** *n* jaseur, -euse *mf*.

black [blæk] *a* (**-er, -est**) noir; **b. eye** œil *m* au beurre noir; **to give s.o. a b. eye** pocher l'œil à qn; **b. and blue** (*bruised*) couvert de bleus; **b. sheep** *Fig* brebis *f* galeuse; **b. ice** verglas *m*; **b. pudding** boudin *m*; – *n* (*colour*) noir *m*; (*Negro*) Noir, -e *mf*; – *vt* noircir; (*refuse to deal with*) boycotter; – *vi* **to b. out** (*faint*) s'évanouir. ◆**blacken** *vti* noircir. ◆**blackish** *a* noirâtre. ◆**blackness** *n* noirceur *f*; (*of night*) obscurité *f*.

blackberry ['blækbərɪ] *n* mûre *f*. ◆**blackbird** *n* merle *m*. ◆**blackboard** *n* tableau *m* (noir). ◆**black'currant** *n* cassis *m*. ◆**blackleg** *n* (*strike breaker*) jaune *m*. ◆**blacklist** *n* liste *f* noire; – *vt* mettre sur la liste noire. ◆**blackmail** *n* chantage *m*; – *vt* faire chanter. ◆**blackmailer** *n* maître chanteur *m*. ◆**blackout** *n* panne *f* d'électricité; (*during war*) *Mil* black-out *m*; *Med* syncope *f*; **(news) b.** black-out *m*. ◆**blacksmith** *n* forgeron *m*.

blackguard ['blægɑːd, -gəd] *n* canaille *f*.

bladder ['blædər] *n* vessie *f*.

blade [bleɪd] *n* lame *f*; (*of grass*) brin *m*; (*of windscreen wiper*) caoutchouc *m*.

blame [bleɪm] *vt* accuser; (*censure*) blâmer; **to b. sth on s.o.** *or* **s.o. for sth** rejeter la responsabilité de qch sur qn; **to b. s.o. for sth** (*reproach*) reprocher qch à qn; **you're to b.** c'est ta faute; – *n* faute *f*; (*censure*) blâme *m*. ◆**—less** *a* irréprochable.

blanch [blɑːntʃ] *vt* (*vegetables*) blanchir; – *vi* (*turn pale with fear etc*) blêmir.

blancmange [blə'mɒnʒ] *n* blanc-manger *m*.

bland [blænd] *a* (**-er, -est**) doux; (*food*) fade.

blank [blæŋk] *a* (*paper, page*) blanc, vierge; (*cheque*) en blanc; (*look, mind*) vide; (*puzzled*) ébahi; (*refusal*) absolu; – *a* & *n* **b. (space)** blanc *m*; **b. (cartridge)** cartouche *f* à blanc; **my mind's a b.** j'ai la tête vide. ◆**blankly** *adv* sans expression.

blanket ['blæŋkɪt] **1** *n* couverture *f*; (*of snow etc*) *Fig* couche *f*; – *vt* (*cover*) *Fig* recouvrir. **2** *a* (*term etc*) général. ◆**—ing** *n* (*blankets*) couvertures *fpl*.

blare [bleər] *n* (*noise*) beuglement *m*; (*of trumpet*) sonnerie *f*; – *vi* **to b. (out)** (*of radio*) beugler; (*of music, car horn*) retentir.

blarney ['blɑːnɪ] *n Fam* boniment(s) *m*(*pl*).

blasé ['blɑːzeɪ] *a* blasé.

blaspheme [blæs'fiːm] *vti* blasphémer. ◆**'blasphemous** *a* blasphématoire; (*person*) blasphémateur. ◆**'blasphemy** *n* blasphème *m*.

blast [blɑːst] **1** *n* explosion *f*; (*air from explosion*) souffle *m*; (*of wind*) rafale *f*, coup *m*; (*of trumpet*) sonnerie *f*; **(at) full b.** (*loud*) à plein volume; (*fast*) à pleine vitesse; **b. furnace** haut fourneau *m*; – *vt* (*blow up*) faire sauter; (*hopes*) *Fig* détruire; **to b. s.o.** *Fam* réprimander qn. **2** *int* zut!,

merde! ◆—**ed** *a Fam* fichu. ◆**blast-off** *n* (*of spacecraft*) mise *f* à feu.
blatant ['bleɪtənt] *a* (*obvious*) flagrant, criant; (*shameless*) éhonté.
blaz/e [bleɪz] **1** *n* (*fire*) flamme *f*, feu *m*; (*conflagration*) incendie *m*; (*splendour*) *Fig* éclat *m*; **b. of light** torrent *m* de lumière; – *vi* (*of fire*) flamber; (*of sun, colour, eyes*) flamboyer. **2** *vt* **to b. a trail** marquer la voie. ◆—**ing** *a* (*burning*) en feu; (*sun*) brûlant; (*argument*) *Fig* violent.
blazer ['bleɪzər] *n* blazer *m*.
bleach [bliːtʃ] *n* décolorant *m*; (*household detergent*) eau *f* de Javel; – *vt* (*hair*) décolorer, oxygéner; (*linen*) blanchir.
bleak [bliːk] *a* (**-er, -est**) (*appearance, future etc*) morne; (*countryside*) désolé.
bleary ['blɪərɪ] *a* (*eyes*) troubles, voilés.
bleat [bliːt] *vi* bêler.
bleed [bliːd] *vti* (*pt & pp* **bled**) saigner; **to b. to death** perdre tout son sang. ◆—**ing** *a* (*wound*) saignant; (*bloody*) *Sl* foutu.
bleep [bliːp] *n* signal *m*, bip *m*; – *vt* appeler au bip-bip. ◆**bleeper** *n* bip-bip *m*.
blemish ['blemɪʃ] *n* (*fault*) défaut *m*; (*on fruit, reputation*) tache *f*; – *vt* (*reputation*) ternir.
blend [blend] *n* mélange *m*; – *vt* mélanger; – *vi* se mélanger; (*go together*) se marier (**with** avec). ◆—**er** *n Culin* mixer *m*.
bless [bles] *vt* bénir; **to be blessed with** avoir le bonheur de posséder; **b. you!** (*sneezing*) à vos souhaits! ◆—**ed** [-ɪd] *a* saint, béni; (*happy*) *Rel* bienheureux; (*blasted*) *Fam* fichu, sacré. ◆—**ing** *n* bénédiction *f*; (*divine favour*) grâce *f*; (*benefit*) bienfait *m*; **what a b. that ...** quelle chance que ....
blew [bluː] *see* **blow**[1].
blight [blaɪt] *n* (*on plants*) rouille *f*; (*scourge*) *Fig* fléau *m*; **to be** *or* **cast a b. on** avoir une influence néfaste sur; **urban b.** (*area*) quartier *m* délabré; (*condition*) délabrement *m* (de quartier). ◆**blighter** *n Pej Fam* type *m*.
blimey! ['blaɪmɪ] *int Fam* zut!, mince!
blimp [blɪmp] *n* dirigeable *m*.
blind [blaɪnd] **1** *a* aveugle; **b. person** aveugle *mf*; **b. in one eye** borgne; **he's b. to** (*fault*) il ne voit pas; **to turn a b. eye to** fermer les yeux sur; **b. alley** impasse *f*; – *n* **the b.** les aveugles *mpl*; – *vt* aveugler. **2** *n* (*on window*) store *m*; (*deception*) feinte *f*. ◆—**ly** *adv* aveuglément. ◆—**ness** *n* cécité *f*; *Fig* aveuglement *m*. ◆**blinders** *npl Am* œillères *fpl*. ◆**blindfold** *n* bandeau *m*; – *vt* bander les yeux à; – *adv* les yeux bandés.
blink [blɪŋk] *vi* cligner des yeux; (*of eyes*) cligner; (*of light*) clignoter; – *vt* **to b. one's eyes** cligner des yeux; – *n* clignement *m*; **on the b.** (*machine*) *Fam* détraqué. ◆—**ing** *a* (*bloody*) *Fam* sacré. ◆**blinkers** *npl* (*for horse*) œillères *fpl*; (*indicators*) *Aut* clignotants *mpl*.
bliss [blɪs] *n* félicité *f*. ◆**blissful** *a* (*happy*) très joyeux; (*wonderful*) merveilleux. ◆**blissfully** *adv* (*happy, unaware*) parfaitement.
blister ['blɪstər] *n* (*on skin*) ampoule *f*; – *vi* se couvrir d'ampoules.
blithe [blaɪð] *a* joyeux.
blitz [blɪts] *n* (*attack*) *Av* raid *m* éclair; (*bombing*) bombardement *m* aérien; *Fig Fam* offensive *f*; – *vt* bombarder.
blizzard ['blɪzəd] *n* tempête *f* de neige.
bloat [bləʊt] *vt* gonfler.
bloater ['bləʊtər] *n* hareng *m* saur.
blob [blɒb] *n* (*of water*) (grosse) goutte *f*; (*of ink, colour*) tache *f*.
bloc [blɒk] *n Pol* bloc *m*.
block [blɒk] **1** *n* (*of stone etc*) bloc *m*; (*of buildings*) pâté *m* (de maisons); (*in pipe*) obstruction *f*; (*mental*) blocage *m*; **b. of flats** immeuble *m*; **a b. away** *Am* une rue plus loin; **school b.** groupe *m* scolaire; **b. capitals** *or* **letters** majuscules *fpl*. **2** *vt* (*obstruct*) bloquer; (*pipe*) boucher, bloquer; (*one's view*) boucher; **to b. off** (*road*) barrer; (*light*) intercepter; **to b. up** (*pipe, hole*) bloquer. ◆**blo'ckade** *n* blocus *m*; – *vt* bloquer. ◆**blockage** *n* obstruction *f*. ◆**blockbuster** *n Cin* superproduction *f*, film *m* à grand spectacle. ◆**blockhead** *n* imbécile *mf*.
bloke [bləʊk] *n Fam* type *m*.
blond [blɒnd] *a & n* blond (*m*). ◆**blonde** *a & n* blonde (*f*).
blood [blʌd] *n* sang *m*; – *a* (*group, orange etc*) sanguin; (*donor, bath etc*) de sang; (*poisoning etc*) du sang; **b. pressure** tension *f* (artérielle); **high b. pressure** (hyper)tension *f*. ◆**bloodcurdling** *a* à vous tourner le sang. ◆**bloodhound** *n* (*dog, detective*) limier *m*. ◆**bloodletting** *n* saignée *f*. ◆**bloodshed** *n* effusion *f* de sang. ◆**bloodshot** *a* (*eye*) injecté de sang. ◆**bloodsucker** *n* (*insect, person*) sangsue *f*. ◆**bloodthirsty** *a* sanguinaire.
bloody ['blʌdɪ] **1** *a* (**-ier, -iest**) sanglant. **2** *a* (*blasted*) *Fam* sacré; – *adv Fam* vachement. ◆**b.-'minded** *a* hargneux, pas commode.
bloom [bluːm] *n* fleur *f*; **in b.** en fleur(s); – *vi* fleurir; (*of person*) *Fig* s'épanouir. ◆—**ing**

a **1** (*in bloom*) en fleur(s); (*thriving*) florissant. **2** (*blinking*) *Fam* fichu.

bloomer ['bluːmər] *n Fam* (*mistake*) gaffe *f*.

blossom ['blɒsəm] *n* fleur(s) *f*(*pl*); – *vi* fleurir; **to b. (out)** (*of person*) s'épanouir; **to b. (out) into** devenir.

blot [blɒt] *n* tache *f*; – *vt* (**-tt-**) tacher; (*dry*) sécher; **to b. out** (*word*) rayer; (*memory*) effacer. ◆**blotting** *a* **b. paper** (papier *m*) buvard *m*. ◆**blotter** *n* buvard *m*.

blotch [blɒtʃ] *n* tache *f*. ◆**blotchy** *a* (**-ier, -iest**) couvert de taches; (*face*) marbré.

blouse [blaʊz, *Am* blaʊs] *n* chemisier *m*.

blow[1] [bləʊ] *vt* (*pt* **blew**, *pp* **blown**) (*of wind*) pousser (*un navire etc*), chasser (*la pluie etc*); (*smoke, glass*) souffler; (*bubbles*) faire; (*trumpet*) souffler dans; (*fuse*) faire sauter; (*kiss*) envoyer (**to** à); (*money*) *Fam* claquer; **to b. one's nose** se moucher; **to b. a whistle** siffler; **to b. away** (*of wind*) emporter; **to b. down** (*chimney etc*) faire tomber; **to b. off** (*hat etc*) emporter; (*arm*) arracher; **to b. out** (*candle*) souffler; (*cheeks*) gonfler; **to b. up** (*building etc*) faire sauter; (*tyre*) gonfler; (*photo*) agrandir; – *vi* (*of wind, person*) souffler; (*of fuse*) sauter; (*of papers etc*) s'éparpiller; **b.!** *Fam* zut!; **to b. down** (*fall*) tomber; **to b. off** *or* **away** s'envoler; **to b. out** (*of light*) s'éteindre; **to b. over** (*pass*) passer; **to b. up** (*explode*) exploser. ◆**—er** *n* (*telephone*) *Fam* bigophone *m*. ◆**blow-dry** *n* brushing *m*. ◆**blowlamp** *n* chalumeau *m*. ◆**blowout** *n* (*of tyre*) éclatement *m*; (*meal*) *Sl* gueuleton *m*. ◆**blowtorch** *n Am* chalumeau *m*. ◆**blow-up** *n Phot* agrandissement *m*.

blow[2] [bləʊ] *n* coup *m*; **to come to blows** en venir aux mains.

blowy ['bləʊɪ] *a* **it's b.** *Fam* il y a du vent.

blowzy ['blaʊzɪ] *a* **b. woman** (*slovenly*) *Fam* femme *f* débraillée.

blubber ['blʌbər] *n* graisse *f* (de baleine).

bludgeon ['blʌdʒən] *n* gourdin *m*; – *vt* matraquer.

blue [bluː] *a* (**bluer, bluest**) bleu; **to feel b.** *Fam* avoir le cafard; **b. film** *Fam* film *m* porno; – *n* bleu *m*; **the blues** (*depression*) *Fam* le cafard; *Mus* le blues. ◆**bluebell** *n* jacinthe *f* des bois. ◆**blueberry** *n* airelle *f*. ◆**bluebottle** *n* mouche *f* à viande. ◆**blueprint** *n Fig* plan *m* (de travail).

bluff [blʌf] **1** *a* (*person*) brusque, direct. **2** *vti* bluffer; – *n* bluff *m*.

blunder ['blʌndər] **1** *n* (*mistake*) bévue *f*, gaffe *f*; – *vi* faire une bévue. **2** *vi* (*move awkwardly*) avancer à tâtons. ◆**—ing** *a* maladroit; – *n* maladresse *f*.

blunt [blʌnt] *a* (**-er, -est**) (*edge*) émoussé; (*pencil*) épointé; (*person*) brusque; (*speech*) franc; – *vt* émousser; épointer. ◆**—ly** *adv* carrément. ◆**—ness** *n Fig* brusquerie *f*; (*of speech*) franchise *f*.

blur [blɜːr] *n* tache *f* floue, contour *m* imprécis; – *vt* (**-rr-**) estomper, rendre flou; (*judgment*) *Fig* troubler. ◆**blurred** *a* (*image*) flou, estompé.

blurb [blɜːb] *n Fam* résumé *m* publicitaire, laïus *m*.

blurt [blɜːt] *vt* **to b. (out)** laisser échapper, lâcher.

blush [blʌʃ] *vi* rougir (**at, with** de); – *n* rougeur *f*; **with a b.** en rougissant.

bluster ['blʌstər] *vi* (*of person*) tempêter; (*of wind*) faire rage. ◆**blustery** *a* (*weather*) de grand vent, à bourrasques.

boa ['bəʊə] *n* (*snake*) boa *m*.

boar [bɔːr] *n* **(wild) b.** sanglier *m*.

board[1] [bɔːd] **1** *n* (*piece of wood*) planche *f*; (*for notices, games etc*) tableau *m*; (*cardboard*) carton *m*; (*committee*) conseil *m*, commission *f*; **b. (of directors)** conseil *m* d'administration; **on b.** *Nau Av* à bord (de); **B. of Trade** *Br Pol* ministère *m* du Commerce; **across the b.** (*pay rise*) général; **to go by the b.** (*of plan*) être abandonné. **2** *vt Nau Av* monter à bord de; (*bus, train*) monter dans; **to b. up** (*door*) boucher. ◆**—ing** *n Nau Av* embarquement *m*. ◆**boardwalk** *n Am* promenade *f*.

board[2] [bɔːd] *n* (*food*) pension *f*; **b. and lodging, bed and b.** (chambre *f* avec) pension *f*; – *vi* (*lodge*) être en pension (**with** chez); **boarding house** pension *f* (de famille); **boarding school** pensionnat *m*. ◆**—er** *n* pensionnaire *mf*.

boast [bəʊst] *vi* se vanter (**about, of** de); – *vt* se glorifier de; **to b. that one can do . . .** se vanter de (pouvoir) faire . . . ; – *n* vantardise *f*. ◆**—ing** *n* vantardise *f*. ◆**boastful** *a* vantard. ◆**boastfully** *adv* en se vantant.

boat [bəʊt] *n* bateau *m*; (*small*) barque *f*, canot *m*; (*liner*) paquebot *m*; **in the same b.** *Fig* logé à la même enseigne; **b. race** course *f* d'aviron. ◆**—ing** *n* canotage *m*; **b. trip** excursion *f* en bateau.

boatswain ['bəʊs(ə)n] *n* maître *m* d'équipage.

bob [bɒb] *vi* (**-bb-**) **to b. (up and down)** (*on water*) danser sur l'eau.

bobbin ['bɒbɪn] *n* bobine *f*.

bobby ['bɒbɪ] *n* **1** (*policeman*) *Fam* flic *m*, agent *m*. **2** **b. pin** *Am* pince *f* à cheveux.

bode [bəʊd] *vi* **to b. well/ill** être de bon/mauvais augure.
bodice ['bɒdɪs] *n* corsage *m*.
body ['bɒdɪ] *n* corps *m*; (*of vehicle*) carrosserie *f*; (*quantity*) masse *f*; (*institution*) organisme *m*; **the main b. of** le gros de; **b. building** culturisme *m*. ◆**bodily** *a* physique; (*need*) matériel; – *adv* physiquement; (*as a whole*) tout entier. ◆**bodyguard** *n* garde *m* du corps, gorille *m*. ◆**bodywork** *n* carrosserie *f*.
boffin ['bɒfɪn] *n Fam* chercheur, -euse *mf* scientifique.
bog [bɒg] *n* marécage *m*; – *vt* **to get bogged down** s'enliser. ◆**boggy** *a* (**-ier, -iest**) marécageux.
bogey ['bəʊgɪ] *n* spectre *m*; **b. man** croque-mitaine *m*.
boggle ['bɒg(ə)l] *vi* **the mind boggles** cela confond l'imagination.
bogus ['bəʊgəs] *a* faux.
bohemian [bəʊ'hiːmɪən] *a* & *n* (*artist etc*) bohème (*mf*).
boil [bɔɪl] **1** *n Med* furoncle *m*, clou *m*. **2** *vi* bouillir; **to b. away** (*until dry*) s'évaporer; (*on and on*) bouillir sans arrêt; **to b. down to** *Fig* se ramener à; **to b. over** (*of milk, emotions etc*) déborder; – *vt* **to b. (up)** faire bouillir; – *n* **to be on the b., come to the b.** bouillir; **to bring to the b.** amener à ébullition. ◆**—ed** *a* (*beef*) bouilli; (*potato*) (cuit) à l'eau; **b. egg** œuf *m* à la coque. ◆**—ing** *n* ébullition *f*; **at b. point** à ébullition; – *a* & *adv* **b. (hot)** bouillant; **it's b. (hot)** (*weather*) il fait une chaleur infernale. ◆**—er** *n* chaudière *f*; **b. suit** bleu *m* (de travail).
boisterous ['bɔɪstərəs] *a* (*noisy*) tapageur; (*child*) turbulent; (*meeting*) houleux.
bold [bəʊld] *a* (**-er, -est**) hardi; **b. type** caractères *mpl* gras. ◆**—ness** *n* hardiesse *f*.
Bolivia [bə'lɪvɪə] *n* Bolivie *f*. ◆**Bolivian** *a* & *n* bolivien, -ienne (*mf*).
bollard ['bɒləd, 'bɒlɑːd] *n Aut* borne *f*.
boloney [bə'ləʊnɪ] *n Sl* foutaises *fpl*.
bolster ['bəʊlstər] **1** *n* (*pillow*) traversin *m*, polochon *m*. **2** *vt* **to b. (up)** (*support*) soutenir.
bolt [bəʊlt] **1** *n* (*on door etc*) verrou *m*; (*for nut*) boulon *m*; – *vt* (*door*) verrouiller. **2** *n* (*dash*) fuite *f*, ruée *f*; – *vi* (*dash*) se précipiter; (*flee*) détaler; (*of horse*) s'emballer. **3** *n* **b. (of lightning)** éclair *m*. **4** *vt* (*food*) engloutir. **5** *adv* **b. upright** tout droit.
bomb [bɒm] *n* bombe *f*; **letter b.** lettre *f* piégée; **b. disposal** désamorçage *m*; – *vt* bombarder. ◆**—ing** *n* bombardement *m*. ◆**—er** *n* (*aircraft*) bombardier *m*; (*terrorist*) plastiqueur *m*. ◆**bombshell** *n* **to come as a b.** tomber comme une bombe. ◆**bombsite** *n* terrain *m* vague, lieu *m* bombardé.
bombard [bɒm'bɑːd] *vt* bombarder (**with** de). ◆**—ment** *n* bombardement *m*.
bona fide [bəʊnə'faɪdɪ, *Am* -'faɪd] *a* sérieux, de bonne foi.
bonanza [bə'nænzə] *n Fig* mine *f* d'or.
bond [bɒnd] **1** *n* (*agreement, promise*) engagement *m*; (*link*) lien *m*; *Com* bon *m*, obligation *f*; (*adhesion*) adhérence *f*. **2** *vt* (*goods*) entreposer.
bondage ['bɒndɪdʒ] *n* esclavage *m*.
bone [bəʊn] **1** *n* os *m*; (*of fish*) arête *f*; **b. of contention** pomme *f* de discorde; **b. china** porcelaine *f* tendre; – *vt* (*meat etc*) désosser. **2** *vi* **to b. up on** (*subject*) *Am Fam* bûcher. ◆**bony** *a* (**-ier, -iest**) (*thin*) osseux, maigre; (*fish*) plein d'arêtes.
bone-dry [bəʊn'draɪ] *a* tout à fait sec. ◆**b.-idle** *a* paresseux comme une couleuvre.
bonfire ['bɒnfaɪər] *n* (*for celebration*) feu *m* de joie; (*for dead leaves*) feu *m* (de jardin).
bonkers ['bɒŋkəz] *a* (*crazy*) *Fam* dingue.
bonnet ['bɒnɪt] *n* (*hat*) bonnet *m*; *Aut* capot *m*.
bonus ['bəʊnəs] *n* prime *f*; **no claims b.** *Aut* bonus *m*.
boo [buː] **1** *int* hou! **2** *vti* huer; – *npl* huées *fpl*.
boob [buːb] *n* (*mistake*) gaffe *f*; – *vi Sl* gaffer.
booby-trap ['buːbɪtræp] *n* engin *m* piégé; – *vt* (**-pp-**) piéger.
book [bʊk] **1** *n* livre *m*; (*of tickets*) carnet *m*; (*record*) registre *m*; *pl* (*accounts*) comptes *mpl*; **(excercise) b.** cahier *m*. **2** *vt* **to b. (up)** (*seat etc*) réserver, retenir; **to b. s.o.** *Jur* donner un procès-verbal à qn; **to b. (down)** inscrire; **(fully) booked (up)** (*hotel, concert*) complet; (*person*) pris; – *vi* **to b. (up)** réserver des places; **to b. in** (*in hotel*) signer le registre. ◆**—ing** *n* réservation *f*; **b. clerk** guichetier, -ière *mf*; **b. office** bureau *m* de location, guichet *m*. ◆**—able** *a* (*seat*) qu'on peut réserver. ◆**bookish** *a* (*word, theory*) livresque; (*person*) studieux.
bookbinding ['bʊkbaɪndɪŋ] *n* reliure *f*. ◆**bookcase** *n* bibliothèque *f*. ◆**bookend** *n* serre-livres *m inv*. ◆**bookkeeper** *n* comptable *mf*. ◆**bookkeeping** *n* comptabilité *f*. ◆**booklet** *n* brochure *f*. ◆**book-lover** *n* bibliophile *mf*. ◆**bookmaker** *n* bookmaker *m*. ◆**bookmark** *n*

marque *f*. ◆**bookseller** *n* libraire *mf*. ◆**bookshelf** *n* rayon *m*. ◆**bookshop** *n*, *Am* ◆**bookstore** *n* librairie *f*. ◆**bookstall** *n* kiosque *m* (à journaux). ◆**bookworm** *n* rat *m* de bibliothèque.

boom [buːm] **1** *vi* (*of thunder, gun etc*) gronder; – *n* grondement *m*; **sonic b.** bang *m*. **2** *n Econ* expansion *f*, essor *m*, boom *m*.

boomerang ['buːməræŋ] *n* boomerang *m*.

boon [buːn] *n* aubaine *f*, avantage *m*.

boor [bʊər] *n* rustre *m*. ◆**boorish** *a* rustre.

boost [buːst] *vt* (*push*) donner une poussée à; (*increase*) augmenter; (*product*) faire de la réclame pour; (*economy*) stimuler; (*morale*) remonter; – *n* **to give a b. to** = **to boost**. ◆**—er** *n* **b. (injection)** piqûre *f* de rappel.

boot [buːt] **1** *n* (*shoe*) botte *f*; **(ankle) b.** bottillon *m*; **(knee) b.** bottine *f*; **to get the b.** *Fam* être mis à la porte; **b. polish** cirage *m*; – *vt* (*kick*) donner un coup *or* des coups de pied à; **to b. out** mettre à la porte. **2** *n Aut* coffre *m*. **3** *n* **to b.** en plus. ◆**bootblack** *n* cireur *m*. ◆**boo'tee** *n* (*of baby*) chausson *m*.

booth [buːð, buːθ] *n Tel* cabine *f*; (*at fair*) baraque *f*.

booty ['buːtɪ] *n* (*stolen goods*) butin *m*.

booz/e [buːz] *n Fam* alcool *m*, boisson(s) *f(pl)*; (*drinking bout*) beuverie *f*; – *vi Fam* boire (beaucoup). ◆**—er** *n Fam* (*person*) buveur, -euse *mf*; (*place*) bistrot *m*.

border ['bɔːdər] *n* (*of country*) & *Fig* frontière *f*; (*edge*) bord *m*; (*of garden etc*) bordure *f*; – *a* (*town*) frontière *inv*; (*incident*) de frontière; – *vt* (*street*) border; **to b. (on)** (*country*) toucher à; **to b. (up)on** (*resemble*) être voisin de. ◆**borderland** *n* pays *m* frontière. ◆**borderline** *n* frontière *f*; **b. case** cas *m* limite.

bor/e[1] [bɔːr] **1** *vt* (*weary*) ennuyer; **to be bored** s'ennuyer; – *n* (*person*) raseur, -euse *mf*; (*thing*) ennui *m*. **2** *vt Tech* forer, creuser; (*hole*) percer; – *vi* forer. **3** *n* (*of gun*) calibre *m*. ◆**—ing** *a* ennuyeux. ◆**boredom** *n* ennui *m*.

bore[2] [bɔːr] *see* **bear**[2].

born [bɔːn] *a* né; **to be b.** naître; **he was b.** il est né.

borne [bɔːn] *see* **bear**[2].

borough ['bʌrə] *n* (*town*) municipalité *f*; (*part of town*) arrondissement *m*.

borrow ['bɒrəʊ] *vt* emprunter (**from** à). ◆**—ing** *n* emprunt *m*.

Borstal ['bɔːst(ə)l] *n* maison *f* d'éducation surveillée.

bosom ['bʊzəm] *n* (*chest*) & *Fig* sein *m*; **b. friend** ami, -ie *mf* intime.

boss [bɒs] *n Fam* patron, -onne *mf*, chef *m*; – *vt Fam* diriger; **to b. s.o. around** *or* **about** régenter qn. ◆**bossy** *a* (**-ier, -iest**) *Fam* autoritaire.

boss-eyed ['bɒsaɪd] *a* **to be b.-eyed** loucher.

bosun ['bəʊs(ə)n] *n* maître *m* d'équipage.

botany ['bɒtənɪ] *n* botanique *f*. ◆**bo'tanical** *a* botanique. ◆**botanist** *n* botaniste *mf*.

botch [bɒtʃ] *vt* **to b. (up)** (*spoil*) bâcler; (*repair*) rafistoler.

both [bəʊθ] *a* les deux, l'un(e) et l'autre; – *pron* tous *or* toutes (les) deux, l'un(e) et l'autre; **b. of us** nous deux; – *adv* (*at the same time*) à la fois; **b. you and I** vous et moi.

bother ['bɒðər] *vt* (*annoy, worry*) ennuyer; (*disturb*) déranger; (*pester*) importuner; **I can't be bothered!** je n'en ai pas envie!, ça m'embête!; – *vi* **to b. about** (*worry about*) se préoccuper de; (*deal with*) s'occuper de; **to b. doing** *or* **to do** se donner la peine de faire; – *n* (*trouble*) ennui *m*; (*effort*) peine *f*; (*inconvenience*) dérangement *m*; **(oh) b.!** zut alors!

bottle ['bɒt(ə)l] *n* bouteille *f*; (*small*) flacon *m*; (*wide-mouthed*) bocal *m*; (*for baby*) biberon *m*; **(hot-water) b.** bouillotte *f*; **b. opener** ouvre-bouteilles *m inv*; – *vt* mettre en bouteille; **to b. up** (*feeling*) contenir. ◆**b.-feed** *vt* (*pt* & *pp* **-fed**) nourrir au biberon. ◆**bottleneck** *n* (*in road*) goulot *m* d'étranglement; (*traffic holdup*) bouchon *m*.

bottom ['bɒtəm] *n* (*of sea, box, etc*) fond *m*; (*of page, hill etc*) bas *m*; (*buttocks*) *Fam* derrière *m*; (*of table*) bout *m*; **to be (at the) b. of the class** être le dernier de la classe; – *a* (*part, shelf*) inférieur, du bas; **b. floor** rez-de-chaussée *m*; **b. gear** première vitesse *f*. ◆**—less** *a* insondable.

bough [baʊ] *n Lit* rameau *m*.

bought [bɔːt] *see* **buy**.

boulder ['bəʊldər] *n* rocher *m*.

boulevard ['buːləvɑːd] *n* boulevard *m*.

bounc/e [baʊns] **1** *vi* (*of ball*) rebondir; (*of person*) faire des bonds; **to b. into** bondir dans; – *vt* faire rebondir; – *n* (re)bond *m*. **2** *vi* (*of cheque*) *Fam* être sans provision, être en bois. ◆**—ing** *a* (*baby*) robuste. ◆**—er** *n* (*at club etc*) *Fam* videur *m*.

bound[1] [baʊnd] **1** *a* **b. to do** (*obliged*) obligé de faire; (*certain*) sûr de faire; **it's b. to happen** ça arrivera sûrement; **to be b. for**

être en route pour. **2** *n* (*leap*) bond *m*; – *vi* bondir.

bound[2] [baʊnd] *see* **bind 1**; – *a* **b. up with** (*connected*) lié à.

bounds [baʊndz] *npl* limites *fpl*; **out of b.** (*place*) interdit. ◆**boundary** *n* limite *f*. ◆**bounded** *a* **b. by** limité par. ◆**boundless** *a* sans bornes.

bountiful ['baʊntɪfʊl] *a* généreux.

bounty ['baʊntɪ] *n* (*reward*) prime *f*.

bouquet [bəʊ'keɪ] *n* (*of flowers, wine*) bouquet *m*.

bourbon ['bɜːbən] *n* (*whisky*) *Am* bourbon *m*.

bout [baʊt] *n* période *f*; *Med* accès *m*, crise *f*; *Boxing* combat *m*; (*session*) séance *f*.

boutique [buː'tiːk] *n* boutique *f* (de mode).

bow[1] [bəʊ] *n* (*weapon*) arc *m*; *Mus* archet *m*; (*knot*) nœud *m*; **b. tie** nœud *m* papillon. ◆**b.-'legged** *a* aux jambes arquées.

bow[2] [baʊ] **1** *n* révérence *f*; (*nod*) salut *m*; – *vt* courber, incliner; – *vi* s'incliner (**to** devant); (*nod*) incliner la tête; **to b. down** (*submit*) s'incliner. **2** *n* *Nau* proue *f*.

bowels ['baʊəlz] *npl* intestins *mpl*; (*of earth*) *Fig* entrailles *fpl*.

bowl [bəʊl] **1** *n* (*for food*) bol *m*; (*basin*) & *Geog* cuvette *f*; (*for sugar*) sucrier *m*; (*for salad*) saladier *m*; (*for fruit*) corbeille *f*, coupe *f*. **2** *npl* *Sp* boules *fpl*. **3** *vi* *Cricket* lancer la balle; **to b. along** *Aut* rouler vite; – *vt* (*ball*) *Cricket* servir; **to b. s.o. over** (*knock down*) renverser qn; (*astound*) bouleverser qn. ◆**—ing** *n* (**tenpin**) **b.** bowling *m*; **b. alley** bowling *m*. ◆**—er**[1] *n* *Cricket* lanceur, -euse *mf*.

bowler[2] ['bəʊlər] *n* **b. (hat)** (chapeau *m*) melon *m*.

box [bɒks] **1** *n* boîte *f*; (*large*) caisse *f*; (*of cardboard*) carton *m*; *Th* loge *f*; *Jur* barre *f*, banc *m*; (*for horse*) box *m*; *TV Fam* télé *f*; **b. office** bureau *m* de location, guichet *m*; **b. room** (*lumber room*) débarras *m*; (*bedroom*) petite chambre *f* (carrée); – *vt* **to b. (up)** mettre en boîte; **to b. in** (*enclose*) enfermer. **2** *vti* *Boxing* boxer; **to b. s.o.'s ears** gifler qn. ◆**—ing** *n* **1** boxe *f*; **b. ring** ring *m*. **2 B. Day** le lendemain de Noël. ◆**—er** *n* boxeur *m*. ◆**boxcar** *n* *Rail Am* wagon *m* couvert. ◆**boxwood** *n* buis *m*.

boy [bɔɪ] *n* garçon *m*; **English b.** jeune Anglais *m*; **old b.** *Sch* ancien élève *m*; **yes, old b.!** oui, mon vieux!; **the boys** (*pals*) *Fam* les copains *mpl*; **my dear b.** mon cher ami; **oh b.!** *Am* mon Dieu! ◆**boyfriend** *n* petit ami *m*. ◆**boyhood** *n* enfance *f*. ◆**boyish** *a* de garçon; *Pej* puéril.

boycott ['bɔɪkɒt] *vt* boycotter; – *n* boycottage *m*.

bra [brɑː] *n* soutien-gorge *m*.

brac/e [breɪs] *n* (*for fastening*) attache *f*; (*dental*) appareil *m*; *pl* (*trouser straps*) bretelles *fpl*; – *vt* (*fix*) attacher; (*press*) appuyer; **to b. oneself for** (*news, shock*) se préparer à. ◆**—ing** *a* (*air etc*) fortifiant.

bracelet ['breɪslɪt] *n* bracelet *m*.

bracken ['brækən] *n* fougère *f*.

bracket ['brækɪt] *n* *Tech* support *m*, tasseau *m*; (*round sign*) *Typ* parenthèse *f*; (*square*) *Typ* crochet *m*; *Fig* groupe *m*, tranche *f*; – *vt* mettre entre parenthèses *or* crochets; **to b. together** *Fig* mettre dans le même groupe.

bradawl ['brædɔːl] *n* poinçon *m*.

brag [bræg] *vi* (**-gg-**) se vanter (**about, of** de). ◆**—ging** *n* vantardise *f*. ◆**braggart** *n* vantard, -arde *mf*.

braid [breɪd] *vt* (*hair*) tresser; (*trim*) galonner; – *n* tresse *f*; galon *m*.

Braille [breɪl] *n* braille *m*.

brain [breɪn] *n* cerveau *m*; (*of bird etc*) & *Pej* cervelle *f*; – *a* (*operation, death*) cérébral; – *vt* *Fam* assommer; **to have brains** (*sense*) avoir de l'intelligence; **b. drain** fuite *f* des cerveaux. ◆**brainchild** *n* invention *f* personnelle. ◆**brainstorm** *n* *Psy Fig* aberration *f*; *Am* idée *f* géniale. ◆**brainwash** *vt* faire un lavage de cerveau à. ◆**brainwave** *n* idée *f* géniale.

brainy ['breɪnɪ] *a* (**-ier, -iest**) *Fam* intelligent.

braise [breɪz] *vt* *Culin* braiser.

brak/e [breɪk] *vi* freiner; – *n* frein *m*; **b. light** *Aut* stop *m*. ◆**—ing** *n* freinage *m*.

bramble ['bræmb(ə)l] *n* ronce *f*.

bran [bræn] *n* *Bot* son *m*.

branch [brɑːntʃ] *n* branche *f*; (*of road*) embranchement *m*; (*of store etc*) succursale *f*; **b. office** succursale *f*; – *vi* **to b. off** (*of road*) bifurquer; **to b. out** (*of family, tree*) se ramifier; *Fig* étendre ses activités.

brand [brænd] *n* (*trademark, stigma & on cattle*) marque *f*; – *vt* (*mark*) marquer; (*stigmatize*) flétrir; **to be branded as** avoir la réputation de.

brandish ['brændɪʃ] *vt* brandir.

brand-new [brænd'njuː] *a* tout neuf, flambant neuf.

brandy ['brændɪ] *n* cognac *m*; (*made with pears etc*) eau-de-vie *f*.

brash [bræʃ] *a* effronté, fougueux.

brass [brɑːs] *n* cuivre *m*; (*instruments*) *Mus* cuivres *mpl*; **the top b.** (*officers, executives*) *Fam* les huiles *fpl*; **b. band** fanfare *f*.

brassiere ['bræzɪər, *Am* brə'zɪər] *n* soutien-gorge *m*.
brat [bræt] *n Pej* môme *mf*, gosse *mf*; (*badly behaved*) galopin *m*.
bravado [brə'vɑːdəʊ] *n* bravade *f*.
brave [breɪv] *a* (**-er, -est**) courageux, brave; – *n* (*Red Indian*) guerrier *m* (indien), brave *m*; – *vt* braver. ◆**bravery** *n* courage *m*.
bravo! ['brɑːvəʊ] *int* bravo!
brawl [brɔːl] *n* (*fight*) bagarre *f*; – *vi* se bagarrer. ◆**–ing** *a* bagarreur.
brawn [brɔːn] *n* muscles *mpl*. ◆**brawny** *a* (**-ier, -iest**) musclé.
bray [breɪ] *vi* (*of ass*) braire.
brazen ['breɪz(ə)n] *a* (*shameless*) effronté; – *vt* **to b. it out** payer d'audace, faire front.
Brazil [brə'zɪl] *n* Brésil *m*. ◆**Brazilian** *a & n* brésilien, -ienne (*mf*).
breach [briːtʃ] **1** *n* violation *f*, infraction *f*; (*of contract*) rupture *f*; (*of trust*) abus *m*; – *vt* (*law, code*) violer. **2** *n* (*gap*) brèche *f*; – *vt* (*wall etc*) ouvrir une brèche dans.
bread [bred] *n inv* pain *m*; (*money*) *Sl* blé *m*, fric *m*; **loaf of b.** pain *m*; **(slice** *or* **piece of) b. and butter** tartine *f*; **b. and butter** (*job*) *Fig* gagne-pain *m*. ◆**breadbin** *n*, *Am* ◆**breadbox** *n* coffre *m* à pain. ◆**breadboard** *n* planche *f* à pain. ◆**breadcrumb** *n* miette *f* (de pain); *pl Culin* chapelure *f*. ◆**breadline** *n* **on the b.** indigent. ◆**breadwinner** *n* soutien *m* de famille.
breadth [bretθ] *n* largeur *f*.
break [breɪk] *vt* (*pt* **broke**, *pp* **broken**) casser; (*into pieces*) briser; (*silence, vow etc*) rompre; (*strike, heart, ice etc*) briser; (*record*) *Sp* battre; (*law*) violer; (*one's word*) manquer à; (*journey*) interrompre; (*sound barrier*) franchir; (*a fall*) amortir; (*news*) révéler (**to** à); **to b. (oneself of)** (*habit*) se débarrasser de; **to b. open** (*safe*) percer; **to b. new ground** innover; – *vi* (se) casser; se briser; se rompre; (*of voice*) s'altérer; (*of boy's voice*) muer; (*of weather*) se gâter; (*of news*) éclater; (*of day*) se lever; (*of wave*) déferler; **to b. free** se libérer; **to b. loose** s'échapper; **to b. with s.o.** rompre avec qn; – *n* cassure *f*; (*in relationship, continuity etc*) rupture *f*; (*in journey*) interruption *f*; (*rest*) repos *m*; (*for tea*) pause *f*; *Sch* récréation *f*; (*change*) *Met* changement *m*; **a lucky b.** *Fam* une chance. ◆**–ing** *a* **b. point** *Tech* point *m* de rupture; **at b. point** (*patience*) à bout; (*person*) sur le point de craquer, à bout. ◆**–able** *a* cassable. ◆**–age** *n* casse *f*; *pl* (*things broken*) la casse. ◆**–er** *n* (*wave*) brisant *m*; (*dealer*) *Aut* casseur *m*. ■ **to b. away** *vi* se détacher; – *vt* détacher. ◆**breakaway** *a* (*group*) dissident; **to b. down** *vt* (*door*) enfoncer; (*resistance*) briser; (*analyse*) analyser; – *vi Aut Tech* tomber en panne; (*of negotiations etc*) échouer; (*collapse*) s'effondrer. ◆**breakdown** *n* panne *f*; analyse *f*; (*in talks*) rupture *f*; (*nervous*) dépression *f*; – *a* (*service*) *Aut* de dépannage; **b. lorry** dépanneuse *f*; **to b. in** *vi* interrompre; (*of burglar*) entrer par effraction; – *vt* (*door*) enfoncer; (*horse*) dresser; (*vehicle*) *Am* roder. ◆**break-in** *n* cambriolage *m*; **to b. into** *vt* (*safe*) forcer; (*start*) entamer; **to b. off** *vt* détacher; (*relations*) rompre; – *vi* se détacher; (*stop*) s'arrêter; **to b. off with** rompre avec; **to b. out** *vi* éclater; (*escape*) s'échapper; **to b. out in** (*pimples*) avoir une poussée de; **to b. through** *vi* (*of sun*) & *Mil* percer; – *vt* (*defences*) percer. ◆**breakthrough** *n Fig* percée *f*, découverte *f*; **to b. up** *vt* mettre en morceaux; (*marriage*) briser; (*fight*) mettre fin à; – *vi* (*end*) prendre fin; (*of group*) se disperser; (*of marriage*) se briser; *Sch* partir en vacances. ◆**breakup** *n* fin *f*; (*in friendship, marriage*) rupture *f*.
breakfast ['brekfəst] *n* petit déjeuner *m*.
breakwater ['breɪkwɔːtər] *n* brise-lames *m inv*.
breast [brest] *n* sein *m*; (*chest*) poitrine *f*. ◆**b.-feed** *vt* (*pt & pp* **-fed**) allaiter. ◆**breaststroke** *n* (*swimming*) brasse *f*.
breath [breθ] *n* haleine *f*, souffle *m*; (*of air*) souffle *m*; **under one's b.** tout bas; **one's last b.** son dernier soupir; **out of b.** à bout de souffle; **to get a b. of air** prendre l'air; **to take a deep b.** respirer profondément. ◆**breathalyser**® *n* alcootest® *m*. ◆**breathless** *a* haletant. ◆**breathtaking** *a* sensationnel.
breath/e [briːð] *vti* respirer; **to b. in** aspirer; **to b. out** expirer; **to b. air into sth** souffler dans qch; – *vt* (*a sigh*) pousser; (*a word*) dire. ◆**–ing** *n* respiration *f*; **b. space** moment *m* de repos. ◆**–er** *n Fam* moment *m* de repos; **to go for a b.** sortir prendre l'air.
bred [bred] *see* **breed 1;** – *a* **well-b.** bien élevé.
breeches ['brɪtʃɪz] *npl* culotte *f*.
breed [briːd] **1** *vt* (*pt & pp* **bred**) (*animals*) élever; (*cause*) *Fig* engendrer; – *vi* (*of animals*) se reproduire. **2** *n* race *f*, espèce *f*. ◆**–ing** *n* élevage *m*; reproduction *f*; *Fig* éducation *f*. ◆**–er** *n* éleveur, -euse *mf*.
breeze [briːz] *n* brise *f*. ◆**breezy** *a* (**-ier,**

-iest) **1** (*weather, day*) frais, venteux. **2** (*cheerful*) jovial; (*relaxed*) décontracté.
breezeblock ['bri:zblɒk] *n* parpaing *m*, briquette *f*.
brevity ['brevɪtɪ] *n* brièveté *f*.
brew [bru:] *vt* (*beer*) brasser; (*trouble, plot*) préparer; **to b. tea** préparer du thé; (*infuse*) (faire) infuser du thé; – *vi* (*of beer*) fermenter; (*of tea*) infuser; (*of storm, trouble*) se préparer; – *n* (*drink*) breuvage *m*; (*of tea*) infusion *f*. ◆**—er** *n* brasseur *m*. ◆**brewery** *n* brasserie *f*.
bribe [braɪb] *n* pot-de-vin *m*; – *vt* soudoyer, corrompre. ◆**bribery** *n* corruption *f*.
brick [brɪk] *n* brique *f*; (*child's*) cube *m*; **to drop a b.** *Fam* faire une gaffe; – *vt* **to b. up** (*gap, door*) murer. ◆**bricklayer** *n* maçon *m*. ◆**brickwork** *n* ouvrage *m* en briques; (*bricks*) briques *fpl*.
bridal ['braɪd(ə)l] *a* (*ceremony*) nuptial; **b. gown** robe *f* de mariée.
bride [braɪd] *n* mariée *f*; **the b. and groom** les mariés *mpl*. ◆**bridegroom** *n* marié *m*. ◆**bridesmaid** *n* demoiselle *f* d'honneur.
bridge [brɪdʒ] **1** *n* pont *m*; (*on ship*) passerelle *f*; (*of nose*) arête *f*; (*false tooth*) bridge *m*; – *vt* **to b. a gap** combler une lacune. **2** *n* *Cards* bridge *m*.
bridle ['braɪd(ə)l] *n* (*for horse*) bride *f*; – *vt* (*horse, instinct etc*) brider; **b. path** allée *f* cavalière.
brief [bri:f] **1** *a* (**-er, -est**) bref; **in b.** en résumé. **2** *n* *Jur* dossier *m*; (*instructions*) *Mil Pol* instructions *fpl*; *Fig* tâche *f*, fonctions *fpl*; – *vt* donner des instructions à; (*inform*) mettre au courant (**on** de). **3** *npl* (*underpants*) slip *m*. ◆**—ing** *n* *Mil Pol* instructions *fpl*; *Av* briefing *m*. ◆**—ly** *adv* (*quickly*) en vitesse; (*to say*) brièvement.
brigade [brɪ'geɪd] *n* brigade *f*. ◆**briga'dier** *n* général *m* de brigade.
bright [braɪt] *a* (**-er, -est**) brillant, vif; (*weather, room*) clair; (*clever*) intelligent; (*happy*) joyeux; (*future*) brillant, prometteur; (*idea*) génial; **b. interval** *Met* éclaircie *f*; – *adv* **b. and early** (*to get up*) de bonne heure. ◆**—ly** *adv* brillamment. ◆**—ness** *n* éclat *m*; (*of person*) intelligence *f*. ◆**brighten** *vt* **to b. (up)** (*person, room*) égayer; – *vi* **to b. (up)** (*of weather*) s'éclaircir; (*of face*) s'éclairer.
brilliant ['brɪljənt] *a* (*light*) éclatant; (*very clever*) brillant. ◆**brilliance** *n* éclat *m*; (*of person*) grande intelligence *f*.
brim [brɪm] *n* bord *m*; – *vi* (**-mm-**) **to b. over** déborder (**with** de).
brine [braɪn] *n* *Culin* saumure *f*.
bring [brɪŋ] *vt* (*pt & pp* **brought**) (*person, vehicle etc*) amener; (*thing*) apporter; (*to cause*) amener; (*action*) *Jur* intenter; **to b. along** *or* **over** *or* **round** amener; apporter; **to b. back** ramener; rapporter; (*memories*) rappeler; **to b. sth up/down** monter/descendre qch; **to b. sth in/out** rentrer/sortir qch; **to b. sth to** (*perfection, a peak etc*) porter qch à; **to b. to an end** mettre fin à; **to b. to mind** rappeler; **to b. sth on oneself** s'attirer qch; **to b. oneself to do** se résoudre à faire; **to b. about** provoquer, amener; **to b. down** (*overthrow*) faire tomber; (*reduce*) réduire; (*shoot down*) abattre; **to b. forward** (*in time or space*) avancer; (*witness*) produire; **to b. in** (*person*) faire entrer *or* venir; (*introduce*) introduire; (*income*) *Com* rapporter; **to b. off** (*task*) mener à bien; **to b. out** (*person*) faire sortir; (*meaning*) faire ressortir; (*book*) publier; (*product*) lancer; **to b. over to** (*convert to*) convertir à; **to b. round** *Med* ranimer; (*convert*) convertir (**to** à); **to b. s.o. to** *Med* ranimer qn; **to b. together** mettre en contact; (*reconcile*) réconcilier; **to b. up** (*child etc*) élever; (*question*) soulever; (*subject*) mentionner; (*vomit*) vomir.
brink [brɪŋk] *n* bord *m*.
brisk [brɪsk] *a* (**-er, -est**) vif; (*trade*) actif; **at a b. pace** d'un bon pas. ◆**—ly** *adv* vivement; (*to walk*) d'un bon pas. ◆**—ness** *n* vivacité *f*.
bristl/e ['brɪs(ə)l] *n* poil *m*; – *vi* se hérisser. ◆**—ing** *a* **b. with** (*difficulties*) hérissé de.
Britain ['brɪt(ə)n] *n* Grande-Bretagne *f*. ◆**British** *a* britannique; – *n* **the B.** les Britanniques *mpl*. ◆**Briton** *n* Britannique *mf*.
Brittany ['brɪtənɪ] *n* Bretagne *f*.
brittle ['brɪt(ə)l] *a* cassant, fragile.
broach [brəʊtʃ] *vt* (*topic*) entamer.
broad[1] [brɔ:d] *a* (**-er, -est**) (*wide*) large; (*outline*) grand, général; (*accent*) prononcé; **in b. daylight** au grand jour; **b. bean** fève *f*; **b. jump** *Sp Am* saut *m* en longueur. ◆**b.-'minded** *a* à l'esprit large. ◆**b.-'shouldered** *a* large d'épaules. ◆**broaden** *vt* élargir; – *vi* s'élargir. ◆**broadly** *adv* **b. (speaking)** en gros, grosso modo.
broad[2] [brɔ:d] *n* (*woman*) *Am Sl* nana *f*.
broadcast ['brɔ:dkɑ:st] *vt* (*pt & pp* **broadcast**) *Rad & Fig* diffuser; *TV* téléviser; – *vi* (*of station*) émettre; (*of person*) parler à la radio *or* à la télévision; – *a* (radio)diffusé; télévisé; – *n* émission *f*. ◆**—ing** *n* radiodiffusion *f*; télévision *f*.

broccoli ['brɒkəlɪ] *n inv* brocoli *m*.
brochure ['brəʊʃər] *n* brochure *f*, dépliant *m*.
brogue [brəʊg] *n Ling* accent *m* irlandais.
broil [brɔɪl] *vti* griller. ◆**—er** *n* poulet *m* (à rôtir); (*apparatus*) gril *m*.
broke [brəʊk] **1** *see* **break. 2** *a* (*penniless*) fauché. ◆**broken** *see* **break;** – *a* (*ground*) accidenté; (*spirit*) abattu; (*man, voice, line*) brisé; **b. English** mauvais anglais *m*; **b. home** foyer *m* brisé. ◆**broken-'down** *a* (*machine etc*) (tout) déglingué, détraqué.
brolly ['brɒlɪ] *n* (*umbrella*) *Fam* pépin *m*.
bronchitis [brɒŋ'kaɪtɪs] *n* bronchite *f*.
bronze [brɒnz] *n* bronze *m*; – *a* (*statue etc*) en bronze.
brooch [brəʊtʃ] *n* (*ornament*) broche *f*.
brood [bruːd] **1** *n* couvée *f*, nichée *f*; – *vi* (*of bird*) couver. **2** *vi* méditer tristement (**over, on** sur); **to b. over** (*a plan*) ruminer. ◆**broody** *a* (**-ier, -iest**) (*person*) maussade, rêveur; (*woman*) *Fam* qui a envie d'avoir un enfant.
brook [brʊk] **1** *n* ruisseau *m*. **2** *vt* souffrir, tolérer.
broom [bruːm] *n* **1** (*for sweeping*) balai *m*. **2** *Bot* genêt *m*. ◆**broomstick** *n* manche *m* à balai.
Bros *abbr* (*Brothers*) Frères *mpl*.
broth [brɒθ] *n* bouillon *m*.
brothel ['brɒθ(ə)l] *n* maison *f* close, bordel *m*.
brother ['brʌðər] *n* frère *m*. ◆**b.-in-law** *n* (*pl* **brothers-in-law**) beau-frère *m*. ◆**brotherhood** *n* fraternité *f*. ◆**brotherly** *a* fraternel.
brow [braʊ] *n* (*forehead*) front *m*; (*of hill*) sommet *m*.
browbeat ['braʊbiːt] *vt* (*pt* **-beat,** *pp* **-beaten**) intimider.
brown [braʊn] *a* (**-er, -est**) brun; (*reddish*) marron; (*hair*) châtain; (*tanned*) bronzé; – *n* brun *m*; marron *m*; – *vt* brunir; *Culin* faire dorer; **to be browned off** *Fam* en avoir marre. ◆**brownish** *a* brunâtre.
Brownie ['braʊnɪ] *n* **1** (*girl scout*) jeannette *f*. **2 b.** *Culin Am* petit gâteau *m* au chocolat.
browse [braʊz] *vi* (*in shop*) regarder; (*in bookshop*) feuilleter des livres; (*of animal*) brouter; **to b. through** (*book*) feuilleter.
bruis/e [bruːz] *vt* contusionner, meurtrir; (*fruit, heart*) meurtrir; – *n* bleu *m*, contusion *f*. ◆**—ed** *a* couvert de bleus.
brunch [brʌntʃ] *n* repas *m* mixte (*petit déjeuner pris comme déjeuner*).
brunette [bruː'net] *n* brunette *f*.
brunt [brʌnt] *n* **to bear the b. of** (*attack etc*) subir le plus gros de.
brush [brʌʃ] *n* brosse *f*; (*for shaving*) blaireau *m*; (*little broom*) balayette *f*; (*action*) coup *m* de brosse; (*fight*) accrochage *m*; – *vt* (*teeth, hair etc*) brosser; (*clothes*) donner un coup de brosse à; **to b. aside** écarter; **to b. away** *or* **off** enlever; **to b. up (on)** (*language*) se remettre à; – *vi* **to b. against** effleurer. ◆**b.-off** *n Fam* **to give s.o. the b.-off** envoyer promener qn. ◆**b.-up** *n* coup *m* de brosse. ◆**brushwood** *n* broussailles *fpl*.
brusque [bruːsk] *a* brusque.
Brussels ['brʌs(ə)lz] *n* Bruxelles *m or f*; **B. sprouts** choux *mpl* de Bruxelles.
brutal ['bruːt(ə)l] *a* brutal. ◆**bru'tality** *n* brutalité *f*.
brute [bruːt] *n* (*animal, person*) brute *f*; – *a* **by b. force** par la force.
BSc, *Am* **BS** *abbr* = **Bachelor of Science.**
bubble ['bʌb(ə)l] *n* (*of air, soap etc*) bulle *f*; (*in boiling liquid*) bouillon *m*; **b. and squeak** *Fam* friture *f* de purée et de viande réchauffées; **b. bath** bain *m* moussant; **b. gum** chewing-gum *m*; – *vi* bouillonner; **to b. over** déborder (**with** de). ◆**bubbly** *n Hum Fam* champagne *m*.
buck [bʌk] **1** *n Am Fam* dollar *m*. **2** *n* (*animal*) mâle *m*. **3** *vt* **to b. up** remonter le moral à; – *vi* **to b. up** prendre courage; (*hurry*) se grouiller. ◆**buckshot** *n inv* du gros plomb *m*. ◆**buck'tooth** *n* (*pl* **-teeth**) dent *f* saillante.
bucket ['bʌkɪt] *n* seau *m*.
buckle ['bʌk(ə)l] **1** *n* boucle *f*; – *vt* boucler. **2** *vti* (*warp*) voiler, gauchir. **3** *vi* **to b. down to** (*task*) s'atteler à.
bud [bʌd] *n* (*of tree*) bourgeon *m*; (*of flower*) bouton *m*; – *vi* (**-dd-**) bourgeonner; pousser des boutons. ◆**budding** *a* (*talent*) naissant; (*doctor etc*) en herbe.
Buddhist ['bʊdɪst] *a & n* bouddhiste (*mf*).
buddy ['bʌdɪ] *n Am Fam* copain *m*, pote *m*.
budge [bʌdʒ] *vi* bouger; – *vt* faire bouger.
budgerigar ['bʌdʒərɪgɑːr] *n* perruche *f*.
budget ['bʌdʒɪt] *n* budget *m*; – *vi* dresser un budget; **to b. for** inscrire au budget. ◆**budgetary** *a* budgétaire.
budgie ['bʌdʒɪ] *n Fam* perruche *f*.
buff [bʌf] **1** *a* **b.(-coloured)** chamois *inv*. **2** *n* **jazz/***etc* **b.** *Fam* fana(tique) *mf* du jazz/*etc*. **3** *n* **in the b.** *Fam* tout nu.
buffalo ['bʌfələʊ] *n* (*pl* **-oes** *or* **-o**) buffle *m*; **(American) b.** bison *m*.
buffer ['bʌfər] *n* (*on train*) tampon *m*; (*at end of track*) butoir *m*; **b. state** état *m* tampon.

buffet 1 ['bʌfɪt] *vt* frapper; (*of waves*) battre; (*of wind, rain*) cingler (*qn*). **2** ['bʊfeɪ] *n* (*table, meal, café*) buffet *m*; **cold b.** viandes *fpl* froides.

buffoon [bə'fuːn] *n* bouffon *m*.

bug[1] [bʌg] **1** *n* punaise *f*; (*any insect*) *Fam* bestiole *f*; *Med Fam* microbe *m*, virus *m*; **the travel b.** (*urge*) le désir de voyager. **2** *n Fam* (*in machine*) défaut *m*; (*in computer program*) erreur *f*. **3** *n* (*apparatus*) *Fam* micro *m*; – *vt* (**-gg-**) (*room*) *Fam* installer des micros dans.

bug[2] [bʌg] *vt* (**-gg-**) (*annoy*) *Am Fam* embêter.

bugbear ['bʌgbeər] *n* (*worry*) cauchemar *m*.

buggy ['bʌgɪ] *n* **(baby) b.** (*pushchair*) poussette *f*; (*folding*) poussette-canne *f*; (*pram*) *Am* landau *m*.

bugle ['bjuːg(ə)l] *n* clairon *m*. ◆**bugler** *n* (*person*) clairon *m*.

build [bɪld] **1** *n* (*of person*) carrure *f*. **2** *vt* (*pt & pp* **built**) construire; (*house, town*) construire, bâtir; **to b. in** (*cupboard etc*) encastrer; – *vi* bâtir, construire. ◆**built-in** *a* (*cupboard etc*) encastré; (*element of machine etc*) incorporé; (*innate*) *Fig* inné. **3 to b. up** *vt* (*reputation*) bâtir; (*increase*) augmenter; (*accumulate*) accumuler; (*business*) monter; (*speed, one's strength*) prendre; – *vi* augmenter, monter; s'accumuler. ◆**build-up** *n* montée *f*; accumulation *f*; *Mil* concentration *f*; *Journ* publicité *f*. ◆**built-up** *a* urbanisé; **b.-up area** agglomération *f*.

builder ['bɪldər] *n* maçon *m*; (*contractor*) entrepreneur *m*; (*of cars etc*) constructeur *m*; (*labourer*) ouvrier *m*.

building ['bɪldɪŋ] *n* bâtiment *m*; (*flats, offices*) immeuble *m*; (*action*) construction *f*; **b. society** caisse *f* d'épargne-logement, = société *f* de crédit immobilier.

bulb [bʌlb] *n Bot* bulbe *m*, oignon *m*; *El* ampoule *f*. ◆**bulbous** *a* bulbeux.

Bulgaria [bʌl'geərɪə] *n* Bulgarie *f*. ◆**Bulgarian** *a & n* bulgare (*mf*).

bulg/e [bʌldʒ] *vi* **to b. (out)** se renfler, bomber; (*of eyes*) sortir de la tête; – *n* renflement *m*; (*increase*) *Fam* augmentation *f*. ◆**—ing** *a* renflé, bombé; (*eyes*) protubérant; (*bag*) gonflé **(with** de).

bulk [bʌlk] *n inv* grosseur *f*, volume *m*; **the b. of** (*most*) la majeure partie de; **in b.** (*to buy, sell*) en gros. ◆**bulky** *a* (**-ier, -iest**) gros, volumineux.

bull [bʊl] *n* **1** taureau *m*. **2** (*nonsense*) *Fam* foutaises *fpl*. ◆**bullfight** *n* corrida *f*. ◆**bullfighter** *n* matador *m*. ◆**bullring** *n* arène *f*.

bulldog ['bʊldɒg] *n* bouledogue *m*; **b. clip** pince *f* (à dessin).

bulldoz/e ['bʊldəʊz] *vt* passer au bulldozer. ◆**—er** *n* bulldozer *m*, bouteur *m*.

bullet ['bʊlɪt] *n* balle *f*. ◆**bulletproof** *a* (*jacket, Am vest*) pare-balles *inv*; (*car*) blindé.

bulletin ['bʊlətɪn] *n* bulletin *m*.

bullion ['bʊljən] *n* or *m or* argent *m* en lingots.

bullock ['bʊlək] *n* bœuf *m*.

bull's-eye ['bʊlzaɪ] *n* (*of target*) centre *m*; **to hit the b.-eye** faire mouche.

bully ['bʊlɪ] *n* (grosse) brute *f*, tyran *m*; – *vt* brutaliser; (*persecute*) tyranniser; **to b. into doing** forcer à faire.

bulwark ['bʊlwək] *n* rempart *m*.

bum [bʌm] **1** *n* (*loafer*) *Am Fam* clochard *m*; – *vi* (**-mm-**) **to b. (around)** se balader. **2** *vt* (**-mm-**) **to b. sth off s.o.** (*cadge*) *Am Fam* taper qn de qch. **3** *n* (*buttocks*) *Fam* derrière *m*.

bumblebee ['bʌmb(ə)lbiː] *n* bourdon *m*.

bumf [bʌmf] *n Pej Sl* paperasses *fpl*.

bump [bʌmp] *vt* (*of car etc*) heurter; **to b. one's head/knee** se cogner la tête/le genou; **to b. into** se cogner contre; (*of car*) rentrer dans; (*meet*) *Fam* tomber sur; **to b. off** (*kill*) *Sl* liquider; **to b. up** *Fam* augmenter; – *vi* **to b. along** (*on rough road*) *Aut* cahoter; – *n* (*impact*) choc *m*; (*jerk*) cahot *m*; (*on road, body*) bosse *f*. ◆**—er** *n* (*of car etc*) pare-chocs *m inv*; – *a* (*crop etc*) exceptionnel; **b. cars** autos *fpl* tamponneuses. ◆**bumpy** *a* (**-ier, -iest**) (*road, ride*) cahoteux.

bumpkin ['bʌmpkɪn] *n* rustre *m*.

bumptious ['bʌmpʃəs] *a* prétentieux.

bun [bʌn] *n* **1** *Culin* petit pain *m* au lait. **2** (*of hair*) chignon *m*.

bunch [bʌntʃ] *n* (*of flowers*) bouquet *m*; (*of keys*) trousseau *m*; (*of bananas*) régime *m*; (*of people*) bande *f*; **b. of grapes** grappe *f* de raisin; **a b. of** (*mass*) *Fam* un tas de.

bundle ['bʌnd(ə)l] **1** *n* paquet *m*; (*of papers*) liasse *f*; (*of firewood*) fagot *m*. **2** *vt* (*put*) fourrer; (*push*) pousser **(into** dans); **to b. (up)** mettre en paquet; **to b. s.o. off** expédier qn; – *vi* **to b. (oneself) up** se couvrir (bien).

bung [bʌŋ] **1** *n* (*stopper*) bonde *f*; – *vt* **to b. up** (*stop up*) boucher. **2** *vt* (*toss*) *Fam* balancer, jeter.

bungalow ['bʌŋgələʊ] *n* bungalow *m*.

bungl/e ['bʌŋg(ə)l] *vt* gâcher; – *vi* travailler

mal. ◆**–ing** *n* gâchis *m*; – *a* (*clumsy*) maladroit.

bunion ['bʌnjən] *n* (*on toe*) oignon *m*.

bunk [bʌŋk] *n* **1** *Rail Nau* couchette *f*; **b. beds** lits *mpl* superposés. **2** *Sl* = **bunkum.** ◆**bunkum** *n Sl* foutaises *fpl*.

bunker ['bʌŋkər] *n Mil Golf* bunker *m*; (*coalstore in garden*) coffre *m*.

bunny ['bʌnɪ] *n Fam* Jeannot *m* lapin.

buoy [bɔɪ] *n* bouée *f*; – *vt* **to b. up** (*support*) *Fig* soutenir.

buoyant ['bɔɪənt] *a Fig* gai, optimiste; (*market*) *Fin* ferme.

burden ['bɜːd(ə)n] *n* fardeau *m*; (*of tax*) poids *m*; – *vt* charger, accabler (**with** de).

bureau, *pl* **-eaux** ['bjʊərəʊ, -əʊz] *n* (*office*) bureau *m*; (*desk*) secrétaire *m*. ◆**bureaucracy** [bjʊə'rɒkrəsɪ] *n* bureaucratie *f*. ◆**bureaucrat** ['bjʊərəkræt] *n* bureaucrate *mf*.

burger ['bɜːgər] *n Fam* hamburger *m*.

burglar ['bɜːglər] *n* cambrioleur, -euse *mf*; **b. alarm** sonnerie *f* d'alarme. ◆**burglarize** *vt Am* cambrioler. ◆**burglary** *n* cambriolage *m*. ◆**burgle** *vt* cambrioler.

burial ['berɪəl] *n* enterrement *m*; – *a* (*service*) funèbre; **b. ground** cimetière *m*.

burlap ['bɜːlæp] *n* (*sacking*) *Am* toile *f* à sac.

burlesque [bɜː'lesk] *n* parodie *f*; *Th Am* revue *f*.

burly ['bɜːlɪ] *a* (**-ier, -iest**) costaud.

Burma ['bɜːmə] *n* Birmanie *f*. ◆**Bur'mese** *a & n* birman, -ane (*mf*).

burn [bɜːn] *n* brûlure *f*; – *vt* (*pt & pp* **burned** *or* **burnt**) brûler; **to b. down** *or* **off** *or* **up** brûler; **burnt alive** brûlé vif; – *vi* brûler; **to b. down** (*of house*) brûler (complètement), être réduit en cendres; **to b. out** (*of fire*) s'éteindre; (*of fuse*) sauter. ◆**–ing** *a* en feu; (*fire*) allumé; (*topic, fever etc*) *Fig* brûlant; – *n* **smell of b.** odeur *f* de brûlé. ◆**–er** *n* (*of stove*) brûleur *m*.

burp [bɜːp] *n Fam* rot *m*; – *vi Fam* roter.

burrow ['bʌrəʊ] *n* (*hole*) terrier *m*; – *vti* creuser.

bursar ['bɜːsər] *n* (*in school*) intendant, -ante *mf*.

bursary ['bɜːsərɪ] *n* (*grant*) bourse *f*.

burst [bɜːst] *n* éclatement *m*, explosion *f*; (*of laughter*) éclat *m*; (*of applause*) salve *f*; (*of thunder*) coup *m*; (*surge*) élan *m*; (*fit*) accès *m*; (*burst water pipe*) *Fam* tuyau *m* crevé; – *vi* (*pt & pp* **burst**) (*of bomb etc*) éclater; (*of bubble, tyre, cloud etc*) crever; **to b. into** (*room*) faire irruption dans; **to b. into tears** fondre en larmes; **to b. into flames** prendre feu, s'embraser; **to b. open** s'ouvrir avec force; **to b. out laughing** éclater de rire; – *vt* crever, faire éclater; (*rupture*) rompre; **to b. open** ouvrir avec force. ◆**–ing** *a* (*full*) plein à craquer (**with** de); **b. with** (*joy*) débordant de; **to be b. to do** mourir d'envie de faire.

bury ['berɪ] *vt* (*dead person*) enterrer; (*hide*) enfouir; (*plunge, absorb*) plonger.

bus [bʌs] *n* (auto)bus *m*; (*long-distance*) (auto)car *m*; – *a* (*driver, ticket etc*) d'autobus; d'autocar; **b. shelter** abribus *m*; **b. station** gare *f* routière; **b. stop** arrêt *m* d'autobus; – *vt* (**-ss-**) (*children*) transporter (en bus) à l'école. ◆**bussing** *n Sch* ramassage *m* scolaire.

bush [bʊʃ] *n* buisson *m*; (*of hair*) tignasse *f*; **the b.** (*land*) la brousse. ◆**bushy** *a* (**-ier, -iest**) (*hair, tail etc*) broussailleux.

bushed [bʊʃt] *a* (*tired*) *Fam* crevé.

business ['bɪznɪs] *n* affaires *fpl*, commerce *m*; (*shop*) commerce *m*; (*task, concern, matter*) affaire *f*; **the textile b.** le textile; **big b.** *Fam* les grosses entreprises *fpl* commerciales; **on b.** (*to travel*) pour affaires; **it's your b. to . . .** c'est à vous de . . . ; **you have no b. to . . .** vous n'avez pas le droit de . . . ; **that's none of your b.!** ça ne vous regarde pas!; **to mean b.** *Fam* ne pas plaisanter; – *a* commercial; (*meeting, trip*) d'affaires; **b. hours** (*office*) heures *fpl* de travail; (*shop*) heures *fpl* d'ouverture. ◆**businesslike** *a* sérieux, pratique. ◆**businessman** *n* (*pl* **-men**) homme *m* d'affaires. ◆**businesswoman** *n* (*pl* **-women**) femme *f* d'affaires.

busker ['bʌskər] *n* musicien, -ienne *mf* des rues.

bust [bʌst] **1** *n* (*sculpture*) buste *m*; (*woman's breasts*) poitrine *f*. **2** *a* (*broken*) *Fam* fichu; **to go b.** (*bankrupt*) faire faillite; – *vti* (*pt & pp* **bust** *or* **busted**) *Fam* = **to burst** & **to break.** ◆**b.-up** *n Fam* (*quarrel*) engueulade *f*; (*breakup*) rupture *f*.

bustl/e ['bʌs(ə)l] *vi* **to b. (about)** s'affairer; – *n* activité *f*, branle-bas *m*. ◆**–ing** *a* (*street*) bruyant.

bus/y ['bɪzɪ] *a* (**-ier, -iest**) occupé (**doing** à faire); (*active*) actif; (*day*) chargé; (*street*) animé; (*line*) *Tel Am* occupé; **to be b. doing** (*in the process of*) être en train de faire; – *vt* **to b. oneself** s'occuper (**with sth** à qch, **doing** à faire). ◆**–ily** *adv* activement. ◆**busybody** *n* **to be a b.** faire la mouche du coche.

but [bʌt, *unstressed* bət] **1** *conj* mais. **2** *prep* (*except*) sauf; **b. for that** sans cela; **b. for him** sans lui; **no one b. you** personne

d'autre que toi. **3** *adv* (*only*) ne . . . que, seulement.
butane ['bjuːteɪn] *n* (*gas*) butane *m*.
butcher ['bʊtʃər] *n* boucher *m*; **b.'s shop** boucherie *f*; – *vt* (*people*) massacrer; (*animal*) abattre. ◆**butchery** *n* massacre *m* (**of** de).
butler ['bʌtlər] *n* maître *m* d'hôtel.
butt [bʌt] **1** *n* (*of cigarette*) mégot *m*; (*of gun*) crosse *f*; (*buttocks*) *Am Fam* derrière *m*; **b. for ridicule** objet *m* de risée. **2** *vi* **to b. in** interrompre, intervenir.
butter ['bʌtər] *n* beurre *m*; **b. bean** haricot *m* blanc; **b. dish** beurrier *m*; – *vt* beurrer; **to b. s.o. up** *Fam* flatter qn. ◆**buttercup** *n* bouton-d'or *m*. ◆**buttermilk** *n* lait *m* de beurre.
butterfly ['bʌtəflaɪ] *n* papillon *m*; **to have butterflies** *Fam* avoir le trac; **b. stroke** *Swimming* brasse *f* papillon.
buttock ['bʌtək] *n* fesse *f*.
button ['bʌtən] *n* bouton *m*; – *vt* **to b. (up)** boutonner; – *vi* **to b. up** (*of garment*) se boutonner. ◆**buttonhole 1** *n* boutonnière *f*; (*flower*) fleur *f*. **2** *vt* (*person*) *Fam* accrocher.
buttress ['bʌtrɪs] *n Archit* contrefort *m*; *Fig* soutien *m*; **flying b.** arc-boutant *m*; – *vt* (*support*) *Archit* & *Fig* soutenir.
buxom ['bʌksəm] *a* (*woman*) bien en chair.
buy [baɪ] *vt* (*pt* & *pp* **bought**) acheter (**from s.o.** à qn, **for s.o.** à *or* pour qn); (*story etc*) *Am Fam* avaler, croire; **to b. back** racheter; **to b. over** (*bribe*) corrompre; **to b. up** acheter en bloc; – *n* **a good b.** une bonne affaire. ◆**–er** *n* acheteur, -euse *mf*.
buzz [bʌz] **1** *vi* bourdonner; **to b. off** *Fam* décamper; – *n* bourdonnement *m*. **2** *vt* (*building etc*) *Av* raser. **3** *vt* **to b. s.o.** *Tel* appeler qn; – *n Tel Fam* coup *m* de fil. ◆**–er** *n* interphone *m*; (*of bell, clock*) sonnerie *f*; (*hooter*) sirène *f*.
by [baɪ] *prep* **1** (*agent, manner*) par; **hit/chosen/***etc* **by** frappé/choisi/*etc* par; **surrounded/followed/***etc* **by** entouré/suivi/*etc* de; **by doing** en faisant; **by sea** par mer; **by mistake** par erreur; **by car** en voiture; **by bicycle** à bicyclette; **by moonlight** au clair de lune; **one by one** un à un; **day by day** de jour en jour; **by sight/day/far** de vue/jour/loin; **by the door** (*through*) par la porte; **(all) by oneself** tout seul. **2** (*next to*) à côté de; (*near*) près de; **by the lake/sea** au bord du lac/de la mer; **to pass by the bank** passer devant la banque. **3** (*before in time*) avant; **by Monday** avant lundi, d'ici lundi; **by now** à cette heure-ci, déjà; **by yesterday** (dès) hier. **4** (*amount, measurement*) à; **by the kilo** au kilo; **taller by a metre** plus grand d'un mètre; **paid by the hour** payé à l'heure. **5** (*according to*) d'après; – *adv* **close by** tout près; **to go by, pass by** passer; **to put by** mettre de côté; **by and by** bientôt; **by and large** en gros. ◆**by-election** *n* élection *f* partielle. ◆**by-law** *n* arrêté *m*; (*of organization*) *Am* statut *m*. ◆**by-product** *n* sous-produit *m*. ◆**by-road** *n* chemin *m* de traverse.
bye(-bye)! [baɪ('baɪ)] *int Fam* salut!, au revoir!
bygone ['baɪgɒn] *a* **in b. days** jadis.
bypass ['baɪpɑːs] *n* déviation *f* (routière), dérivation *f*; – *vt* contourner; (*ignore*) *Fig* éviter de passer par.
bystander ['baɪstændər] *n* spectateur, -trice *mf*; (*in street*) badaud, -aude *mf*.
byword ['baɪwɜːd] *n* **a b. for** *Pej* un synonyme de.

C

C, c [siː] *n* C, c *m*.
c *abbr* = **cent.**
cab [kæb] *n* taxi *m*; (*horse-drawn*) *Hist* fiacre *m*; (*of train driver etc*) cabine *f*. ◆**cabby** *n Fam* (chauffeur *m* de) taxi *m*; *Hist* cocher *m*.
cabaret ['kæbəreɪ] *n* (*show*) spectacle *m*; (*place*) cabaret *m*.
cabbage ['kæbɪdʒ] *n* chou *m*.
cabin ['kæbɪn] *n Nau Rail* cabine *f*; (*hut*) cabane *f*, case *f*; **c. boy** mousse *m*.
cabinet ['kæbɪnɪt] **1** *n* (*cupboard*) armoire *f*; (*for display*) vitrine *f*; **(filing) c.** classeur *m* (de bureau). **2** *n Pol* cabinet *m*; – *a* ministériel; **c. minister** ministre *m*. ◆**c.-maker** *n* ébéniste *m*.
cable ['keɪb(ə)l] *n* câble *m*; **c. car** (*with overhead cable*) téléphérique *m*; *Rail* funiculaire *m*; **c. television** la télévision par câble; **to have c.** *Fam* avoir le câble; – *vt* (*message etc*) câbler (**to** à).

caboose [kə'buːs] *n Rail Am* fourgon *m* (de queue).
cache [kæʃ] *n* (*place*) cachette *f*; **an arms' c.** des armes cachées, une cache d'armes.
cachet ['kæʃeɪ] *n* (*mark, character etc*) cachet *m*.
cackle ['kæk(ə)l] *vi* (*of hen*) caqueter; (*laugh*) glousser; – *n* caquet *m*; gloussement *m*.
cacophony [kə'kɒfənɪ] *n* cacophonie *f*.
cactus, *pl* **-ti** *or* **-tuses** ['kæktəs, -taɪ, -təsɪz] *n* cactus *m*.
cad [kæd] *n Old-fashioned Pej* goujat *m*.
cadaverous [kə'dævərəs] *a* cadavérique.
caddie ['kædɪ] *n Golf* caddie *m*.
caddy ['kædɪ] *n* **(tea) c.** boîte *f* à thé.
cadence ['keɪdəns] *n Mus* cadence *f*.
cadet [kə'det] *n Mil* élève *m* officier.
cadge [kædʒ] *vi* (*beg*) *Pej* quémander; – *vt* (*meal*) se faire payer (**off s.o.** par qn); **to c. money from** *or* **off s.o.** taper qn.
Caesarean [sɪ'zeərɪən] *n* **c. (section)** *Med* césarienne *f*.
café ['kæfeɪ] *n* café(-restaurant) *m*. ◆**cafeteria** [kæfɪ'tɪərɪə] *n* cafétéria *f*.
caffeine ['kæfiːn] *n* caféine *f*.
cage [keɪdʒ] *n* cage *f*; – *vt* **to c. (up)** mettre en cage.
cagey ['keɪdʒɪ] *a Fam* peu communicatif (**about** à l'égard de).
cahoots [kə'huːts] *n* **in c.** *Sl* de mèche, en cheville (**with** avec).
cajole [kə'dʒəʊl] *vt* amadouer, enjôler.
cak/e [keɪk] **1** *n* gâteau *m*; (*small*) pâtisserie *f*; **c. of soap** savonnette *f*. **2** *vi* (*harden*) durcir; – *vt* (*cover*) couvrir (**with** de). ◆**—ed** *a* (*mud*) séché.
calamine ['kæləmaɪn] *n* **c. (lotion)** lotion *f* apaisante (à la calamine).
calamity [kə'læmɪtɪ] *n* calamité *f*. ◆**calamitous** *a* désastreux.
calcium ['kælsɪəm] *n* calcium *m*.
calculat/e ['kælkjʊleɪt] *vti* calculer; **to c. that** *Fam* supposer que; **to c. on** compter sur. ◆**—ing** *a* (*shrewd*) calculateur. ◆**calcu'lation** *n* calcul *m*. ◆**calculator** *n* (*desk computer*) calculatrice *f*; **(pocket) c.** calculatrice (de poche). ◆**calculus** *n Math Med* calcul *m*.
calendar ['kælɪndər] *n* calendrier *m*; (*directory*) annuaire *m*.
calf [kɑːf] *n* (*pl* **calves**) **1** (*animal*) veau *m*. **2** *Anat* mollet *m*.
calibre ['kælɪbər] *n* calibre *m*. ◆**calibrate** *vt* calibrer.
calico ['kælɪkəʊ] *n* (*pl* **-oes** *or* **-os**) (*fabric*) calicot *m*; (*printed*) *Am* indienne *f*.
call [kɔːl] *n* appel *m*; (*shout*) cri *m*; (*vocation*) vocation *f*; (*visit*) visite *f*; **(telephone) c.** communication *f*, appel *m* téléphonique; **to make a c.** *Tel* téléphoner (**to** à); **on c.** de garde; **no c. to do** aucune raison de faire; **there's no c. for that article** *Com* cet article n'est pas très demandé; **c. box** cabine *f* (téléphonique); – *vt* appeler; (*wake up*) réveiller; (*person to meeting*) convoquer (**to** à); (*attention*) attirer (**to** sur); (*truce*) demander; (*consider*) considérer; **he's called David** il s'appelle David; **to c. a meeting** convoquer une assemblée; **to c. s.o. a liar**/*etc* qualifier *or* traiter qn de menteur/*etc*; **to c. into question** mettre en question; **let's c. it a day** *Fam* on va s'arrêter là, ça suffit; **to c. sth (out)** (*shout*) crier qch; – *vi* appeler; **to c. (out)** (*cry out*) crier; **to c. (in** *or* **round** *or* **by** *or* **over)** (*visit*) passer. ■ **to c. back** *vti* rappeler; **to c. for** *vt* (*require*) demander; (*summon*) appeler; (*collect*) passer prendre; **to c. in** *vt* faire venir *or* entrer; (*police*) appeler; (*recall*) rappeler, faire rentrer; – *vi* **to c. in on s.o.** passer chez qn. ◆**call-in** *a* (*programme*) *Rad* à ligne ouverte; **to c. off** *vt* (*cancel*) annuler; (*dog*) rappeler; **to c. out** *vt* (*doctor*) appeler; (*workers*) donner une consigne de grève à; – *vi* **to c. out for** demander à haute voix; **to c. up** *vt Mil Tel* appeler; (*memories*) évoquer. ◆**call-up** *n Mil* appel *m*, mobilisation *f*; **to c. (up)on** *vi* (*visit*) passer voir, passer chez; (*invoke*) invoquer; **to c. (up)on s.o. to do** inviter qn à faire; (*urge*) sommer qn de faire. ◆**calling** *n* vocation *f*; **c. card** *Am* carte *f* de visite. ◆**caller** *n* visiteur, -euse *mf*; *Tel* correspondant, -ante *mf*.
calligraphy [kə'lɪgrəfɪ] *n* calligraphie *f*.
callous ['kæləs] *a* **1** cruel, insensible. **2** (*skin*) calleux. ◆**callus** *n* durillon *m*, cal *m*.
callow ['kæləʊ] *a* inexpérimenté.
calm [kɑːm] *a* **(-er, -est)** calme, tranquille; **keep c.!** (*don't panic*) du calme!; – *n* calme *m*; – *vt* **to c. (down)** calmer; – *vi* **to c. down** se calmer. ◆**—ly** *adv* calmement. ◆**—ness** *n* calme *m*.
calorie ['kælərɪ] *n* calorie *f*.
calumny ['kæləmnɪ] *n* calomnie *f*.
calvary ['kælvərɪ] *n Rel* calvaire *m*.
calve [kɑːv] *vi* (*of cow*) vêler.
camber ['kæmbər] *n* (*in road*) bombement *m*.
came [keɪm] *see* **come.**
camel ['kæməl] *n* chameau *m*.
camellia [kə'miːlɪə] *n Bot* camélia *m*.

cameo ['kæmɪəʊ] *n* camée *m*.
camera ['kæmrə] *n* appareil(-photo) *m*; *TV Cin* caméra *f*. ◆**cameraman** *n* (*pl* **-men**) caméraman *m*.
camomile ['kæməmaɪl] *n Bot* camomille *f*.
camouflage ['kæməflɑːʒ] *n* camouflage *m*; – *vt* camoufler.
camp[1] [kæmp] *n* camp *m*, campement *m*; **c. bed** lit *m* de camp; – *vi* **to c. (out)** camper. ◆**—ing** *n Sp* camping *m*; **c. site** (terrain *m* de) camping *m*. ◆**—er** *n* (*person*) campeur, -euse *mf*; (*vehicle*) camping-car *m*. ◆**campfire** *n* feu *m* de camp. ◆**campsite** *n* camping *m*.
camp[2] [kæmp] *a* (*affected*) affecté, exagéré (*de façon à provoquer le rire*).
campaign [kæm'peɪn] *n Pol Mil Journ etc* campagne *f*; – *vi* faire campagne. ◆**—er** *n* militant, -ante *mf* (**for** pour).
campus ['kæmpəs] *n Univ* campus *m*.
can[1] [kæn, *unstressed* kən] *v aux* (*pres t* **can;** *pt* **could**) (*be able to*) pouvoir; (*know how to*) savoir; **if I c.** si je peux; **she c. swim** elle sait nager; **if I could swim** si je savais nager; **he could do it tomorrow** il pourrait le faire demain; **he couldn't help me** il ne pouvait pas m'aider; **he could have done it** il aurait pu le faire; **you could be wrong** (*possibility*) tu as peut-être tort; **he can't be old** (*probability*) il ne doit pas être vieux; **c. I come in?** (*permission*) puis-je entrer?; **you can't** *or* **c. not come** tu ne peux pas venir; **I c. see** je vois.
can[2] [kæn] *n* (*for water etc*) bidon *m*; (*tin for food*) boîte *f*; – *vt* (**-nn-**) mettre en boîte. ◆**canned** *a* en boîte, en conserve; **c. food** conserves *fpl*. ◆**can-opener** *n* ouvre-boîtes *m inv*.
Canada ['kænədə] *n* Canada *m*. ◆**Canadian** [kə'neɪdɪən] *a* & *n* canadien, -ienne (*mf*).
canal [kə'næl] *n* canal *m*.
canary [kə'neərɪ] *n* canari *m*, serin *m*.
cancan ['kænkæn] *n* french-cancan *m*.
cancel ['kænsəl] *vt* (**-ll-**, *Am* **-l-**) annuler; (*goods, taxi, appointment*) décommander; (*word, paragraph etc*) biffer; (*train*) supprimer; (*stamp*) oblitérer; **to c. a ticket** (*with date*) composter un billet; (*punch*) poinçonner un billet; **to c. each other out** s'annuler. ◆**cance'llation** *n* annulation *f*; suppression *f*; oblitération *f*.
cancer ['kænsər] *n* cancer *m*; **C.** (*sign*) le Cancer; **c. patient** cancéreux, -euse *mf*. ◆**cancerous** *a* cancéreux.
candelabra [kændɪ'lɑːbrə] *n* candélabre *m*.
candid ['kændɪd] *a* franc, sincère. ◆**candour** *n* franchise *f*, sincérité *f*.
candidate ['kændɪdeɪt] *n* candidat, -ate *mf*. ◆**candidacy** *n*, ◆**candidature** *n* candidature *f*.
candle ['kænd(ə)l] *n* bougie *f*; (*tallow*) chandelle *f*; *Rel* cierge *m*; **c. grease** suif *m*. ◆**candlelight** *n* **by c.** à la (lueur d'une) bougie; **to have dinner by c.** dîner aux chandelles. ◆**candlestick** *n* bougeoir *m*; (*tall*) chandelier *m*.
candy ['kændɪ] *n Am* bonbon(s) *m*(*pl*); **(sugar) c.** sucre *m* candi; **c. store** *Am* confiserie *f*. ◆**candied** *a* (*fruit*) confit, glacé. ◆**candyfloss** *n* barbe *f* à papa.
cane [keɪn] *n* canne *f*; (*for basket*) rotin *m*; *Sch* baguette *f*; – *vt* (*punish*) *Sch* fouetter.
canine ['keɪnaɪn] **1** *a* canin. **2** *n* (*tooth*) canine *f*.
canister ['kænɪstər] *n* boîte *f* (*en métal*).
canker ['kæŋkər] *n* (*in disease*) & *Fig* chancre *m*.
cannabis ['kænəbɪs] *n* (*plant*) chanvre *m* indien; (*drug*) haschisch *m*.
cannibal ['kænɪbəl] *n* & *a* cannibale (*mf*).
cannon ['kænən] *n* (*pl* **-s** *or inv*) canon *m*. ◆**cannonball** *n* boulet *m* (de canon).
cannot ['kænɒt] = **can not.**
canny ['kænɪ] *a* (**-ier, -iest**) rusé, malin.
canoe [kə'nuː] *n* canoë *m*, kayak *m*; – *vi* faire du canoë *or* du kayak. ◆**—ing** *n* **to go c.** *Sp* faire du canoë *or* du kayak. ◆**canoeist** *n* canoéiste *mf*.
canon ['kænən] *n* (*law*) canon *m*; (*clergyman*) chanoine *m*. ◆**canonize** *vt Rel* canoniser.
canopy ['kænəpɪ] *n* (*over bed, altar etc*) dais *m*; (*hood of pram*) capote *f*; (*awning*) auvent *m*; (*made of glass*) marquise *f*; (*of sky*) *Fig* voûte *f*.
cant [kænt] *n* (*jargon*) jargon *m*.
can't [kɑːnt] = **can not.**
cantaloup(e) ['kæntəluːp, *Am* -ləʊp] *n* (*melon*) cantaloup *m*.
cantankerous [kæn'tæŋkərəs] *a* grincheux, acariâtre.
cantata [kæn'tɑːtə] *n Mus* cantate *f*.
canteen [kæn'tiːn] *n* (*place*) cantine *f*; (*flask*) gourde *f*; **c. of cutlery** ménagère *f*.
canter ['kæntər] *n* petit galop *m*; – *vi* aller au petit galop.
cantor ['kæntər] *n Rel* chantre *m*, maître *m* de chapelle.
canvas ['kænvəs] *n* (grosse) toile *f*; (*for embroidery*) canevas *m*.
canvass ['kænvəs] *vt* (*an area*) faire du démarchage dans; (*opinions*) sonder; **to c.**

s.o. *Pol* solliciter des voix de qn; *Com* solliciter des commandes de qn. ◆**–ing** *n* *Com* démarchage *m*, prospection *f*; *Pol* démarchage *m* (électoral). ◆**–er** *n* *Pol* agent *m* électoral; *Com* démarcheur, -euse *mf*.

canyon ['kænjən] *n* cañon *m*, canyon *m*.

cap[1] [kæp] *n* **1** (*hat*) casquette *f*; (*for shower etc*) & *Nau* bonnet *m*; *Mil* képi *m*. **2** (*of bottle, tube, valve*) bouchon *m*; (*of milk or beer bottle*) capsule *f*; (*of pen*) capuchon *m*. **3** (*of child's gun*) amorce *f*, capsule *f*. **4** **(Dutch) c.** (*contraceptive*) diaphragme *m*.

cap[2] [kæp] *vt* (**-pp-**) (*outdo*) surpasser; **to c. it all** pour comble; **capped with** (*covered*) coiffé de.

capable ['keɪpəb(ə)l] *a* (*person*) capable (**of sth** de qch, **of doing** de faire), compétent; **c. of** (*thing*) susceptible de. ◆**capa'bility** *n* capacité *f*. ◆**capably** *adv* avec compétence.

capacity [kə'pæsətɪ] *n* (*of container*) capacité *f*, contenance *f*; (*ability*) aptitude *f*, capacité *f*; (*output*) rendement *m*; **in my c. as** en ma qualité de; **in an advisory/***etc* **c.** à titre consultatif/*etc*; **filled to c.** absolument plein, comble; **c. audience** salle *f* comble.

cape [keɪp] *n* **1** (*cloak*) cape *f*; (*of cyclist*) pèlerine *f*. **2** *Geog* cap *m*; **C. Town** Le Cap.

caper ['keɪpər] **1** *vi* (*jump about*) gambader. **2** *n* (*activity*) *Sl* affaire *f*; (*prank*) *Fam* farce *f*; (*trip*) *Fam* virée *f*. **3** *n* *Bot Culin* câpre *f*.

capital ['kæpɪtəl] **1** *a* (*punishment, letter, importance*) capital; – *n* **c. (city)** capitale *f*; **c. (letter)** majuscule *f*, capitale *f*. **2** *n* (*money*) capital *m*, capitaux *mpl*. ◆**capitalism** *n* capitalisme *m*. ◆**capitalist** *a* & *n* capitaliste (*mf*). ◆**capitalize** *vi* **to c. on** tirer parti de.

capitulate [kə'pɪtʃʊleɪt] *vi* capituler. ◆**capitu'lation** *n* capitulation *f*.

caprice [kə'priːs] *n* caprice *m*. ◆**capricious** [kə'prɪʃəs] *a* capricieux.

Capricorn ['kæprɪkɔːn] *n* (*sign*) le Capricorne.

capsize [kæp'saɪz] *vi* *Nau* chavirer; – *vt* (faire) chavirer.

capsule ['kæpsəl, 'kæpsjuːl] *n* (*medicine, of spaceship etc*) capsule *f*.

captain ['kæptɪn] *n* capitaine *m*; – *vt* *Nau* commander; *Sp* être le capitaine de.

caption ['kæpʃ(ə)n] *n* *Cin Journ* sous-titre *m*; (*under illustration*) légende *f*.

captivate ['kæptɪveɪt] *vt* captiver.

captive ['kæptɪv] *n* captif, -ive *mf*, prisonnier, -ière *mf*. ◆**cap'tivity** *n* captivité *f*.

capture ['kæptʃər] *n* capture *f*; – *vt* (*person, animal*) prendre, capturer; (*town*) prendre; (*attention*) capter; (*represent in words, on film etc*) rendre, reproduire.

car [kɑːr] *n* voiture *f*, auto(mobile) *f*; *Rail* wagon *m*; – *a* (*industry*) automobile; **c. ferry** ferry-boat *m*; **c. park** parking *m*; **c. radio** autoradio *m*; **c. wash** (*action*) lavage *m* automatique; (*machine*) lave-auto *m*. ◆**carfare** *n* *Am* frais *mpl* de voyage. ◆**carport** *n* auvent *m* (pour voiture). ◆**carsick** *a* **to be c.** être malade en voiture.

carafe [kə'ræf] *n* carafe *f*.

caramel ['kærəməl] *n* (*flavouring, toffee*) caramel *m*.

carat ['kærət] *n* carat *m*.

caravan ['kærəvæn] *n* (*in desert*) & *Aut* caravane *f*; (*horse-drawn*) roulotte *f*; **c. site** camping *m* pour caravanes.

caraway ['kærəweɪ] *n* *Bot Culin* cumin *m*, carvi *m*.

carbohydrates [kɑːbəʊ'haɪdreɪts] *npl* (*in diet*) féculents *mpl*.

carbon ['kɑːbən] *n* carbone *m*; **c. copy** double *m* (au carbone); *Fig* réplique *f*, double *m*; **c. paper** (papier *m*) carbone *m*.

carbuncle ['kɑːbʌŋk(ə)l] *n* *Med* furoncle *m*, clou *m*.

carburettor [kɑːbjʊ'retər] (*Am* **carburetor** ['kɑːbəreɪtər]) *n* carburateur *m*.

carcass ['kɑːkəs] *n* (*body, framework*) carcasse *f*.

carcinogenic [kɑːsɪnə'dʒenɪk] *a* cancérigène.

card [kɑːd] *n* carte *f*; (*cardboard*) carton *m*; **(index) c.** fiche *f*; **c. index** fichier *m*; **c. table** table *f* de jeu; **to play cards** jouer aux cartes; **on** *or* *Am* **in the cards** *Fam* très vraisemblable; **to get one's cards** (*be dismissed*) *Fam* être renvoyé. ◆**cardboard** *n* carton *m*. ◆**cardsharp** *n* tricheur, -euse *mf*.

cardiac ['kɑːdɪæk] *a* cardiaque.

cardigan ['kɑːdɪgən] *n* cardigan *m*, gilet *m*.

cardinal ['kɑːdɪn(ə)l] **1** *a* (*number etc*) cardinal. **2** *n* (*priest*) cardinal *m*.

care [keər] **1** *vi* **to c. about** (*feel concern about*) se soucier de, s'intéresser à; **I don't c.** ça m'est égal; **I couldn't c. less** *Fam* je m'en fiche; **who cares?** qu'est-ce que ça fait? **2** *vi* (*like*) aimer, vouloir; **would you c. to try?** voulez-vous essayer?, aimeriez-vous essayer?; **I don't c. for it** (*music etc*) je n'aime pas tellement ça; **to c. for** (*a drink, a change etc*) avoir envie de; **to c. about** *or* **for s.o.** avoir de la sympathie pour qn; **to c. for**

(*look after*) s'occuper de; (*sick person*) soigner. **3** *n* (*application, heed*) soin(s) *m*(*pl*), attention *f*; (*charge, protection*) garde *f*, soin *m*; (*anxiety*) souci *m*; **to take c. not to do** faire attention à ne pas faire; **take c. to put everything back** veillez à tout ranger; **to take c. of** s'occuper de; **to take c. of itself** (*of matter*) s'arranger; **to take c. of oneself** (*manage*) se débrouiller; (*keep healthy*) faire attention à sa santé. ◆**carefree** *a* insouciant. ◆**caretaker** *n* gardien, -ienne *mf*, concierge *mf*.

career [kə'rɪər] **1** *n* carrière *f*; – *a* (*diplomat etc*) de carrière. **2** *vi* **to c. along** aller à toute vitesse.

careful ['keəf(ə)l] *a* (*diligent*) soigneux (**about, of** de); (*cautious*) prudent; **c. (with money)** regardant; **to be c. of** *or* **with** (*heed*) faire attention à. ◆**–ly** *adv* avec soin; prudemment. ◆**careless** *a* négligent; (*thoughtless*) irréfléchi; (*inattentive*) inattentif (**of** à). ◆**carelessness** *n* négligence *f*, manque *m* de soin.

caress [kə'res] *n* caresse *f*; – *vt* (*stroke*) caresser; (*kiss*) embrasser.

cargo ['kɑːgəʊ] *n* (*pl* **-oes**, *Am* **-os**) cargaison *f*; **c. boat** cargo *m*.

Caribbean [kærɪ'biːən, *Am* kə'rɪbɪən] *a* caraïbe; – *n* **the C. (Islands)** les Antilles *fpl*.

caricature ['kærɪkətʃʊər] *n* caricature *f*; – *vt* caricaturer.

caring ['keərɪŋ] *a* (*loving*) aimant; (*understanding*) compréhensif; – *n* affection *f*.

carnage ['kɑːnɪdʒ] *n* carnage *m*.

carnal ['kɑːnəl] *a* charnel, sexuel.

carnation [kɑː'neɪʃən] *n* œillet *m*.

carnival ['kɑːnɪvəl] *n* carnaval *m*.

carnivore ['kɑːnɪvɔːr] *n* carnivore *m*. ◆**car'nivorous** *a* carnivore.

carol ['kærəl] *n* chant *m* (de Noël).

carouse [kə'raʊz] *vi* faire la fête.

carp [kɑːp] **1** *n* (*fish*) carpe *f*. **2** *vi* critiquer; **to c. at** critiquer.

carpenter ['kɑːpɪntər] *n* (*for house building*) charpentier *m*; (*light woodwork*) menuisier *m*. ◆**carpentry** *n* charpenterie *f*; menuiserie *f*.

carpet ['kɑːpɪt] *n* tapis *m*; (*fitted*) moquette *f*; **c. sweeper** balai *m* mécanique; – *vt* recouvrir d'un tapis *or* d'une moquette; (*of snow etc*) *Fig* tapisser. ◆**–ing** *n* (*carpets*) tapis *mpl*; moquette *f*.

carriage ['kærɪdʒ] *n* (*horse-drawn*) voiture *f*, équipage *m*; *Rail* voiture *f*; *Com* transport *m*; (*bearing of person*) port *m*; (*of typewriter*) chariot *m*; **c. paid** port payé. ◆**carriageway** *n* (*of road*) chaussée *f*.

carrier ['kærɪər] *n Com* entreprise *f* de transports; *Med* porteur, -euse *mf*; **c. (bag)** sac *m* (en plastique); **c. pigeon** pigeon *m* voyageur.

carrion ['kærɪən] *n* charogne *f*.

carrot ['kærət] *n* carotte *f*.

carry ['kærɪ] *vt* porter; (*goods*) transporter; (*by wind*) emporter; (*involve*) comporter; (*interest*) *Com* produire; (*extend*) faire passer; (*win*) remporter; (*authority*) avoir; (*child*) *Med* attendre; (*motion*) *Pol* faire passer, voter; (*sell*) stocker; *Math* retenir; **to c. too far** pousser trop loin; **to c. oneself** se comporter; – *vi* (*of sound*) porter. ■ **to c. away** *vt* emporter; *Fig* transporter; **to be** *or* **get carried away** (*excited*) s'emballer; **to c. back** *vt* (*thing*) rapporter; (*person*) ramener; (*in thought*) reporter; **to c. off** *vt* emporter; (*kidnap*) enlever; (*prize*) remporter; **to c. it off** réussir; **to c. on** *vt* continuer; (*conduct*) diriger, mener; (*sustain*) soutenir; – *vi* continuer (**doing** à faire); (*behave*) *Pej* se conduire (mal); (*complain*) se plaindre; **to c. on with sth** continuer qch; **to c. on about** (*talk*) causer de. ◆**carryings-'on** *npl Pej* activités *fpl*; (*behaviour*) *Pej* façons *fpl*; **to c. out** *vt* (*plan etc*) exécuter, réaliser; (*repair etc*) effectuer; (*duty*) accomplir; (*meal*) *Am* emporter; **to c. through** *vt* (*plan etc*) mener à bonne fin.

carryall ['kærɪɔːl] *n Am* fourre-tout *m inv*. ◆**carrycot** *n* (nacelle *f*) porte-bébé *m*.

cart [kɑːt] **1** *n* charrette *f*; (*handcart*) voiture *f* à bras. **2** *vt* (*goods, people*) transporter; **to c. (around)** *Fam* trimbal(l)er; **to c. away** emporter. ◆**carthorse** *n* cheval *m* de trait.

cartel [kɑː'tel] *n Econ Pol* cartel *m*.

cartilage ['kɑːtɪlɪdʒ] *n* cartilage *m*.

carton ['kɑːtən] *n* (*box*) carton *m*; (*of milk, fruit juice etc*) brick *m*, pack *m*; (*of cigarettes*) cartouche *f*; (*of cream*) pot *m*.

cartoon [kɑː'tuːn] *n Journ* dessin *m* (humoristique); *Cin* dessin *m* animé; **(strip) c.** bande *f* dessinée. ◆**cartoonist** *n Journ* dessinateur, -trice *mf* (humoristique).

cartridge ['kɑːtrɪdʒ] *n* (*of firearm, pen, camera, tape deck*) cartouche *f*; (*of record player*) cellule *f*; **c. belt** cartouchière *f*.

carv/e [kɑːv] *vt* (*cut*) tailler (**out of** dans); (*sculpt*) sculpter; (*initials etc*) graver; **to c. (up)** (*meat*) découper; **to c. up** (*country*) dépecer, morceler; **to c. out sth for oneself** (*career etc*) se tailler qch. ◆**–ing** *n* **(wood) c.** sculpture *f* (sur bois).

cascade [kæs'keɪd] *n* (*of rocks*) chute *f*; (*of*

blows) déluge *m*; (*of lace*) flot *m*; – *vi* tomber; (*hang*) pendre.
case [keɪs] *n* **1** (*instance*) & *Med* cas *m*; *Jur* affaire *f*; *Phil* arguments *mpl*; **in any c.** en tout cas; **in c. it rains** au cas où il pleuvrait; **in c. of** en cas de; **(just) in c.** à tout hasard. **2** (*bag*) valise *f*; (*crate*) caisse *f*; (*for pen, glasses, camera, violin, cigarettes*) étui *m*; (*for jewels*) coffret *m*. ◆**casing** *n* (*covering*) enveloppe *f*.
cash [kæʃ] *n* argent *m*; **to pay (in) c.** (*not by cheque*) payer en espèces *or* en liquide; **to pay c. (down)** payer comptant; **c. price** prix *m* (au) comptant; **c. box** caisse *f*; **c. desk** caisse *f*; **c. register** caisse *f* enregistreuse; – *vt* (*banknote*) changer; **to c. a cheque** (*of person*) encaisser un chèque; (*of bank*) payer un chèque; **to c. in on** *Fam* profiter de. ◆**ca'shier 1** *n* caissier, -ière *mf*. **2** *vt* (*dismiss*) *Mil* casser.
cashew ['kæʃuː] *n* (*nut*) cajou *m*.
cashmere ['kæʃmɪər] *n* cachemire *m*.
casino [kə'siːnəʊ] *n* (*pl* **-os**) casino *m*.
cask [kɑːsk] *n* fût *m*, tonneau *m*. ◆**casket** *n* (*box*) coffret *m*; (*coffin*) cercueil *m*.
casserole ['kæsərəʊl] *n* (*covered dish*) cocotte *f*; (*stew*) ragoût *m* en cocotte.
cassette [kə'set] *n* cassette *f*; *Phot* cartouche *f*; **c. player** lecteur *m* de cassettes; **c. recorder** magnétophone *m* à cassettes.
cassock ['kæsək] *n* soutane *f*.
cast [kɑːst] **1** *n* *Th* acteurs *mpl*; (*list*) *Th* distribution *f*; (*mould*) moulage *m*; (*of dice*) coup *m*; *Med* plâtre *m*; (*squint*) léger strabisme *m*; **c. of mind** tournure *f* d'esprit. **2** *vt* (*pt & pp* **cast**) (*throw*) jeter; (*light, shadow*) projeter; (*blame*) rejeter; (*glance*) jeter; (*doubt*) exprimer; (*lose*) perdre; (*metal*) couler; (*role*) *Th* distribuer; (*actor*) donner un rôle à; **to c. one's mind back** se reporter en arrière; **to c. a vote** voter; **to c. aside** rejeter; **to c. off** (*chains etc*) se libérer de; (*shed, lose*) se dépouiller de; *Fig* abandonner. **3** *vi* **to c. off** *Nau* appareiller. **4** *n* **c. iron** fonte *f*. ◆**c.-'iron** *a* (*pan etc*) en fonte; (*will etc*) *Fig* de fer, solide.
castaway ['kɑːstəweɪ] *n* naufragé, -ée *mf*.
caste [kɑːst] *n* caste *f*.
caster ['kɑːstər] *n* (*wheel*) roulette *f*; **c. sugar** sucre *m* en poudre.
castle ['kɑːs(ə)l] *n* château *m*; (*in chess*) tour *f*.
castoffs ['kɑːstɒfs] *npl* vieux vêtements *mpl*.
castor ['kɑːstər] *n* (*wheel*) roulette *f*; **c. oil** huile *f* de ricin; **c. sugar** sucre *m* en poudre.
castrate [kæ'streɪt] *vt* châtrer. ◆**castration** *n* castration *f*.
casual ['kæʒjʊəl] *a* (*meeting*) fortuit; (*remark*) fait en passant; (*stroll*) sans but; (*offhand*) désinvolte, insouciant; (*worker*) temporaire; (*work*) irrégulier; **c. clothes** vêtements *mpl* sport; **a c. acquaintance** quelqu'un que l'on connaît un peu. ◆**—ly** *adv* par hasard; (*informally*) avec désinvolture; (*to remark*) en passant.
casualty ['kæʒjʊəltɪ] *n* (*dead*) mort *m*, morte *f*; (*wounded*) blessé, -ée *mf*; (*accident victim*) accidenté, -ée *mf*; **casualties** morts et blessés *mpl*; *Mil* pertes *fpl*; **c. department** *Med* service *m* des accidentés.
cat [kæt] *n* chat *m*, chatte *f*; **c. burglar** monte-en-l'air *m inv*; **c.'s eyes®** cataphotes® *mpl*, clous *mpl*. ◆**catcall** *n* sifflet *m*, huée *f*.
cataclysm ['kætəklɪzəm] *n* cataclysme *m*.
catalogue ['kætəlɒg] (*Am* **catalog**) *n* catalogue *m*; – *vt* cataloguer.
catalyst ['kætəlɪst] *n* *Ch* & *Fig* catalyseur *m*.
catapult ['kætəpʌlt] *n* lance-pierres *m inv*; *Hist Av* catapulte *f*; – *vt* catapulter.
cataract ['kætərækt] *n* (*waterfall*) & *Med* cataracte *f*.
catarrh [kə'tɑːr] *n* catarrhe *m*, rhume *m*.
catastrophe [kə'tæstrəfɪ] *n* catastrophe *f*. ◆**cata'strophic** *a* catastrophique.
catch [kætʃ] *vt* (*pt & pp* **caught**) (*ball, thief, illness etc*) attraper; (*grab*) prendre, saisir; (*surprise*) (sur)prendre; (*understand*) saisir; (*train etc*) attraper, (réussir à) prendre; (*attention*) attirer; (*of nail etc*) accrocher; (*finger etc*) se prendre (**in** dans); **to c. sight of** apercevoir; **to c. fire** prendre feu; **to c. s.o. (in)** *Fam* trouver qn (chez soi); **to c. one's breath** (*rest a while*) reprendre haleine; (*stop breathing*) retenir son souffle; **I didn't c. the train**/*etc* j'ai manqué le train/*etc*; **to c. s.o. out** prendre qn en défaut; **to c. s.o. up** rattraper qn; – *vi* (*of fire*) prendre; **her skirt (got) caught in the door** sa jupe s'est prise *or* coincée dans la porte; **to c. on** prendre, devenir populaire; (*understand*) saisir; **to c. up** se rattraper; **to c. up with s.o.** rattraper qn; – *n* capture *f*, prise *f*; (*trick, snare*) piège *m*; (*on door*) loquet *m*. ◆**—ing** *a* contagieux. ◆**catchphrase** *n*, ◆**catchword** *n* slogan *m*.
catchy ['kætʃɪ] *a* (**-ier, -iest**) (*tune*) *Fam* facile à retenir.
catechism ['kætɪkɪzəm] *n* *Rel* catéchisme *m*.
category ['kætɪgərɪ] *n* catégorie *f*. ◆**cate-**

'gorical *a* catégorique. ◆**categorize** *vt* classer (par catégories).

cater ['keɪtər] *vi* s'occuper de la nourriture; **to c. for** *or* **to** (*need, taste*) satisfaire; (*readership*) *Journ* s'adresser à. ◆**–ing** *n* restauration *f.* ◆**—er** *n* traiteur *m.*

caterpillar ['kætəpɪlər] *n* chenille *f.*

catgut ['kætgʌt] *n* (*cord*) boyau *m.*

cathedral [kə'θiːdrəl] *n* cathédrale *f.*

catholic ['kæθlɪk] **1** *a* & *n* **C.** catholique (*mf*). **2** *a* (*taste*) universel; (*view*) libéral. ◆**Ca'tholicism** *n* catholicisme *m.*

cattle ['kæt(ə)l] *npl* bétail *m,* bestiaux *mpl.*

catty ['kætɪ] *a* (**-ier, -iest**) *Fam* rosse, méchant.

caucus ['kɔːkəs] *n Pol Am* comité *m* électoral.

caught [kɔːt] *see* **catch.**

cauldron ['kɔːldrən] *n* chaudron *m.*

cauliflower ['kɒlɪflaʊər] *n* chou-fleur *m.*

cause [kɔːz] *n* cause *f*; (*reason*) raison *f*; **c. for complaint** sujet *m* de plainte; – *vt* causer, occasionner; (*trouble*) créer, causer (**for** à); **to c. sth to move**/*etc* faire bouger/*etc* qch.

causeway ['kɔːzweɪ] *n* chaussée *f.*

caustic ['kɔːstɪk] *a* (*remark, substance*) caustique.

cauterize ['kɔːtəraɪz] *vt Med* cautériser.

caution ['kɔːʃ(ə)n] *n* (*care*) prudence *f,* précaution *f*; (*warning*) avertissement *m*; – *vt* (*warn*) avertir; **to c. s.o. against sth** mettre qn en garde contre qch. ◆**cautionary** *a* (*tale*) moral. ◆**cautious** *a* prudent, circonspect. ◆**cautiously** *adv* prudemment.

cavalcade ['kævəlkeɪd] *n* (*procession*) cavalcade *f.*

cavalier [kævə'lɪər] **1** *a* (*selfish*) cavalier. **2** *n* (*horseman, knight*) *Hist* cavalier *m.*

cavalry ['kævəlrɪ] *n* cavalerie *f.*

cave [keɪv] **1** *n* caverne *f,* grotte *f.* **2** *vi* **to c. in** (*fall in*) s'effondrer. ◆**caveman** *n* (*pl* **-men**) homme *m* des cavernes. ◆**cavern** ['kævən] *n* caverne *f.*

caviar(e) ['kævɪɑːr] *n* caviar *m.*

cavity ['kævɪtɪ] *n* cavité *f.*

cavort [kə'vɔːt] *vi Fam* cabrioler; **to c. naked**/*etc* se balader tout nu/*etc.*

cease [siːs] *vti* cesser (**doing** de faire). ◆**c.-fire** *n* cessez-le-feu *m inv.* ◆**ceaseless** *a* incessant. ◆**ceaselessly** *adv* sans cesse.

cedar ['siːdər] *n* (*tree, wood*) cèdre *m.*

cedilla [sɪ'dɪlə] *n Gram* cédille *f.*

ceiling ['siːlɪŋ] *n* (*of room, on wages etc*) plafond *m.*

celebrat/e ['selɪbreɪt] *vt* (*event*) fêter; (*mass, s.o.'s merits etc*) célébrer; – *vi* faire la fête; **we should c. (that)!** il faut fêter ça! ◆**—ed** *a* célèbre. ◆**cele'bration** *n* fête *f*; **the c. of** (*marriage etc*) la célébration de. ◆**ce'lebrity** *n* (*person*) célébrité *f.*

celery ['selərɪ] *n* céleri *m.*

celibate ['selɪbət] *a* (*abstaining from sex*) célibataire; (*monk etc*) abstinent. ◆**celibacy** *n* (*of young person etc*) célibat *m*; (*of monk etc*) abstinence *f.*

cell [sel] *n* cellule *f*; *El* élément *m.* ◆**cellular** *a* cellulaire; **c. blanket** couverture *f* en cellular.

cellar ['selər] *n* cave *f.*

cello ['tʃeləʊ] *n* (*pl* **-os**) violoncelle *m.* ◆**cellist** *n* violoncelliste *mf.*

cellophane® ['seləfeɪn] *n* cellophane® *f.*

celluloid ['seljʊlɔɪd] *n* celluloïd *m.*

cellulose ['seljʊləʊs] *n* cellulose *f.*

Celsius ['selsɪəs] *a* Celsius *inv.*

Celt [kelt] *n* Celte *mf.* ◆**Celtic** *a* celtique, celte.

cement [sɪ'ment] *n* ciment *m*; **c. mixer** bétonnière *f*; – *vt* cimenter.

cemetery ['semətrɪ, *Am* 'semətərɪ] *n* cimetière *m.*

cenotaph ['senətɑːf] *n* cénotaphe *m.*

censor ['sensər] *n* censeur *m*; – *vt* (*film etc*) censurer. ◆**censorship** *n* censure *f.*

censure ['senʃər] *vt* blâmer; *Pol* censurer; – *n* blâme *m*; **c. motion, vote of c.** motion *f* de censure.

census ['sensəs] *n* recensement *m.*

cent [sent] *n* (*coin*) cent *m*; **per c.** pour cent.

centenary [sen'tiːnərɪ, *Am* sen'tenərɪ] *n* centenaire *m.*

centigrade ['sentɪgreɪd] *a* centigrade.

centimetre ['sentɪmiːtər] *n* centimètre *m.*

centipede ['sentɪpiːd] *n* mille-pattes *m inv.*

centre ['sentər] *n* centre *m*; **c. forward** *Fb* avant-centre *m*; – *vt* centrer; – *vi* **to c. on** (*of thoughts*) se concentrer sur; (*of question*) tourner autour de. ◆**central** *a* central. ◆**centralize** *vt* centraliser. ◆**centrifugal** [sen'trɪfjʊgəl] *a* centrifuge.

century ['sentʃərɪ] *n* siècle *m*; (*score*) *Sp* cent points *mpl.*

ceramic [sə'ræmɪk] *a* (*tile etc*) de *or* en céramique; – *npl* (*objects*) céramiques *fpl*; (*art*) céramique *f.*

cereal ['sɪərɪəl] *n* céréale *f.*

cerebral ['serɪbrəl, *Am* sə'riːbrəl] *a* cérébral.

ceremony ['serɪmənɪ] *n* (*event*) cérémonie *f*; **to stand on c.** faire des cérémonies *or* des façons. ◆**cere'monial** *a* de cérémonie; –

n cérémonial *m.* ◆**cere'monious** *a* cérémonieux.

certain ['sɜːtən] *a* (*particular, some*) certain; (*sure*) sûr, certain; **she's c. to come, she'll come for c.** c'est certain *or* sûr qu'elle viendra; **I'm not c. what to do** je ne sais pas très bien ce qu'il faut faire; **to be c. of sth/that** être certain de qch/que; **for c.** (*to say, know*) avec certitude; **be c. to go!** vas-y sans faute!; **to make c. of** (*fact*) s'assurer de; (*seat etc*) s'assurer. ◆**—ly** *adv* certainement; (*yes*) bien sûr; (*without fail*) sans faute; (*without any doubt*) sans aucun doute. ◆**certainty** *n* certitude *f.*

certificate [sə'tɪfɪkɪt] *n* certificat *m*; *Univ* diplôme *m.*

certify ['sɜːtɪfaɪ] *vt* certifier; **to c. (insane)** déclarer dément; – *vi* **to c. to sth** attester qch.

cervix ['sɜːvɪks] *n* col *m* de l'utérus.

cesspool ['sespuːl] *n* fosse *f* d'aisances; *Fig* cloaque *f.*

chafe [tʃeɪf] *vt* (*skin*) *Lit* frotter.

chaff [tʃæf] *vt* (*tease*) taquiner.

chaffinch ['tʃæfɪntʃ] *n* (*bird*) pinson *m.*

chagrin ['ʃægrɪn, *Am* ʃə'grɪn] *n* contrariété *f*; – *vt* contrarier.

chain [tʃeɪn] *n* (*of rings, mountains*) chaîne *f*; (*of ideas, events*) enchaînement *m*, suite *f*; (*of lavatory*) chasse *f* d'eau; **c. reaction** réaction *f* en chaîne; **to be a c.-smoker, to c.-smoke** fumer cigarette sur cigarette, fumer comme un pompier; **c. saw** tronçonneuse *f*; **c. store** magasin *m* à succursales multiples; – *vt* **to c. (down)** enchaîner; **to c. (up)** (*dog*) mettre à l'attache.

chair [tʃeər] *n* chaise *f*; (*armchair*) fauteuil *m*; *Univ* chaire *f*; **the c.** (*office*) la présidence; **c. lift** télésiège *m*; – *vt* (*meeting*) présider. ◆**chairman** *n* (*pl* **-men**) président, -ente *mf.* ◆**chairmanship** *n* présidence *f.*

chalet ['ʃæleɪ] *n* chalet *m.*

chalk [tʃɔːk] *n* craie *f*; **not by a long c.** loin de là, tant s'en faut; – *vt* marquer *or* écrire à la craie; **to c. up** (*success*) *Fig* remporter. ◆**chalky** *a* (**-ier, -iest**) crayeux.

challeng/e ['tʃælɪndʒ] *n* défi *m*; (*task*) gageure *f*; *Mil* sommation *f*; **c. for** (*bid*) tentative *f* d'obtenir; – *vt* défier (**s.o. to do** qn de faire); (*dispute*) contester; **to c. s.o. to a game** inviter qn à jouer; **to c. s.o. to a duel** provoquer qn en duel. ◆**—ing** *a* (*job*) exigeant; (*book*) stimulant. ◆**—er** *n* *Sp* challenger *m.*

chamber ['tʃeɪmbər] *n* chambre *f*; (*of judge*) cabinet *m*; – *a* (*music, orchestra*) de chambre; **c. pot** pot *m* de chambre. ◆**chambermaid** *n* femme *f* de chambre.

chameleon [kə'miːlɪən] *n* (*reptile*) caméléon *m.*

chamois ['ʃæmɪ] *n* **c. (leather)** peau *f* de chamois.

champagne [ʃæm'peɪn] *n* champagne *m.*

champion ['tʃæmpɪən] *n* champion, -onne *mf*; **c. skier** champion, -onne du ski; – *vt* (*support*) se faire le champion de. ◆**championship** *n* *Sp* championnat *m.*

chance [tʃɑːns] *n* (*luck*) hasard *m*; (*possibility*) chances *fpl*, possibilité *f*; (*opportunity*) occasion *f*; (*risk*) risque *m*; **by c.** par hasard; **by any c.** (*possibly*) par hasard; **on the off c. (that) you could help me** au cas où tu pourrais m'aider; – *a* (*remark*) fait au hasard; (*occurrence*) accidentel; – *vt* **to c. doing** prendre le risque de faire; **to c. to find**/*etc* trouver/*etc* par hasard; **to c. it** risquer le coup; – *v imp* **it chanced that** (*happened*) il s'est trouvé que.

chancel ['tʃɑːnsəl] *n* (*in church*) chœur *m.*

chancellor ['tʃɑːnsələr] *n* *Pol Jur* chancelier *m.* ◆**chancellery** *n* chancellerie *f.*

chandelier [ʃændə'lɪər] *n* lustre *m.*

chang/e [tʃeɪndʒ] *n* changement *m*; (*money*) monnaie *f*; **for a c.** pour changer; **it makes a c. from** ça change de; **to have a c. of heart** changer d'avis; **a c. of clothes** des vêtements de rechange; – *vt* (*modify*) changer; (*exchange*) échanger (**for** contre); (*money*) changer; (*transform*) transformer (**into** en); **to c. trains/one's skirt**/*etc* changer de train/de jupe/*etc*; **to c. gear** *Aut* changer de vitesse; **to c. the subject** changer de sujet; – *vi* (*alter*) changer; (*change clothes*) se changer; **to c. over** passer. ◆**—ing** *n* (*of guard*) relève *f*; **c. room** vestiaire *m.* ◆**changeable** *a* (*weather, mood etc*) changeant, variable. ◆**changeless** *a* immuable. ◆**changeover** *n* passage *m* (**from** de, **to** à).

channel ['tʃæn(ə)l] *n* (*navigable*) chenal *m*; *TV* chaîne *f*, canal *m*; (*groove*) rainure *f*; *Fig* direction *f*; **through the c. of** par le canal de; **the C.** *Geog* la Manche; **the C. Islands** les îles anglo-normandes; – *vt* (**-ll-**, *Am* **-l-**) (*energies, crowd etc*) canaliser (**into** vers).

chant [tʃɑːnt] *n* (*of demonstrators*) chant *m* scandé; *Rel* psalmodie *f*; – *vt* (*slogan*) scander; – *vi* scander des slogans.

chaos ['keɪɒs] *n* chaos *m.* ◆**cha'otic** *a* chaotique.

chap [tʃæp] **1** *n* (*fellow*) *Fam* type *m*; **old c.!**

mon vieux! **2** *n* (*on skin*) gerçure *f*; – *vi* (**-pp-**) se gercer; – *vt* gercer.

chapel ['tʃæp(ə)l] *n* chapelle *f*; (*nonconformist church*) temple *m*.

chaperon(e) ['ʃæpərəʊn] *n* chaperon *m*; – *vt* chaperonner.

chaplain ['tʃæplɪn] *n* aumônier *m*.

chapter ['tʃæptər] *n* chapitre *m*.

char [tʃɑːr] **1** *vt* (**-rr-**) (*convert to carbon*) carboniser; (*scorch*) brûler légèrement. **2** *n Fam* femme *f* de ménage; – *vi* **to go charring** *Fam* faire des ménages. **3** *n* (*tea*) *Sl* thé *m*.

character ['kærɪktər] *n* (*of person, place etc*) & *Typ* caractère *m*; (*in book, film*) personnage *m*; (*strange person*) numéro *m*; **c. actor** acteur *m* de genre. ◆**characte'ristic** *a* & *n* caractéristique (*f*). ◆**characte'ristically** *adv* typiquement. ◆**characterize** *vt* caractériser.

charade [ʃə'rɑːd] *n* (*game*) charade *f* (mimée); (*travesty*) parodie *f*, comédie *f*.

charcoal ['tʃɑːkəʊl] *n* charbon *m* (de bois); (*crayon*) fusain *m*, charbon *m*.

charge [tʃɑːdʒ] *n* (*in battle*) *Mil* charge *f*; *Jur* accusation *f*; (*cost*) prix *m*; (*responsibility*) responsabilité *f*, charge *f*; (*care*) garde *f*; *pl* (*expenses*) frais *mpl*; **there's a c. (for it)** c'est payant; **free of c.** gratuit; **extra c.** supplément *m*; **to take c. of** prendre en charge; **to be in c. of** (*child etc*) avoir la garde de; (*office etc*) être responsable de; **the person in c.** le *or* la responsable; **who's in c. here?** qui commande ici?; – *vt Mil El* charger; *Jur* accuser, inculper; **to c. s.o.** *Com* faire payer qn; **to c. (up) to** *Com* mettre sur le compte de; **how much do you c.?** combien demandez-vous?; – *vi* (*rush*) se précipiter; **c.!** *Mil* chargez! ◆**—able** *a* **c. to** aux frais de. ◆**charger** *n* (*for battery*) chargeur *m*.

chariot ['tʃærɪət] *n Mil* char *m*.

charisma [kə'rɪzmə] *n* magnétisme *m*.

charity ['tʃærɪtɪ] *n* (*kindness, alms*) charité *f*; (*society*) fondation *f or* œuvre *f* charitable; **to give to c.** faire la charité. ◆**charitable** *a* charitable.

charlady ['tʃɑːleɪdɪ] *n* femme *f* de ménage.

charlatan ['ʃɑːlətən] *n* charlatan *m*.

charm [tʃɑːm] *n* (*attractiveness, spell*) charme *m*; (*trinket*) amulette *f*; – *vt* charmer. ◆**—ing** *a* charmant. ◆**—ingly** *adv* d'une façon charmante.

chart [tʃɑːt] *n* (*map*) carte *f*; (*graph*) graphique *m*, tableau *m*; **(pop) charts** hit-parade *m*; **flow c.** organigramme *m*; – *vt* (*route*) porter sur la carte; (*figures*) faire le graphique de; (*of graph*) montrer.

charter ['tʃɑːtər] *n* (*document*) charte *f*; (*aircraft*) charter *m*; **the c. of** (*hiring*) l'affrètement *m* de; **c. flight** charter *m*; – *vt* (*aircraft etc*) affréter. ◆**—ed** *a* **c. accountant** expert-comptable *m*.

charwoman ['tʃɑːwʊmən] *n* (*pl* **-women**) femme *f* de ménage.

chary ['tʃeərɪ] *a* (**-ier, -iest**) (*cautious*) prudent.

chase [tʃeɪs] *n* poursuite *f*, chasse *f*; **to give c.** se lancer à la poursuite (**to** de); – *vt* poursuivre; **to c. away** *or* **off** chasser; **to c. sth up** *Fam* essayer d'obtenir qch, rechercher qch; – *vi* **to c. after** courir après.

chasm ['kæzəm] *n* abîme *m*, gouffre *m*.

chassis ['ʃæsɪ, *Am* 'tʃæsɪ] *n Aut* châssis *m*.

chaste [tʃeɪst] *a* chaste. ◆**chastity** *n* chasteté *f*.

chasten ['tʃeɪs(ə)n] *vt* (*punish*) châtier; (*cause to improve*) faire se corriger, assagir. ◆**—ing** *a* (*experience*) instructif.

chastise [tʃæ'staɪz] *vt* punir.

chat [tʃæt] *n* causette *f*; **to have a c.** bavarder; – *vi* (**-tt-**) causer, bavarder; – *vt* **to c. up** *Fam* baratiner, draguer. ◆**chatty** *a* (**-ier, -iest**) (*person*) bavard; (*style*) familier; (*text*) plein de bavardages.

chatter ['tʃætər] *vi* bavarder; (*of birds, monkeys*) jacasser; **his teeth are chattering** il claque des dents; – *n* bavardage *m*; jacassement *m*. ◆**chatterbox** *n* bavard, -arde *mf*.

chauffeur ['ʃəʊfər] *n* chauffeur *m* (de maître).

chauvinist ['ʃəʊvɪnɪst] *n* & *a* chauvin, -ine (*mf*); **male c.** *Pej* phallocrate *m*.

cheap [tʃiːp] *a* (**-er, -est**) bon marché *inv*, pas cher; (*rate etc*) réduit; (*worthless*) sans valeur; (*superficial*) facile; (*mean, petty*) mesquin; **cheaper** moins cher, meilleur marché; – *adv* (*to buy*) (à) bon marché, au rabais; (*to feel*) humilié. ◆**cheapen** *vt Fig* déprécier. ◆**cheaply** *adv* (à) bon marché. ◆**cheapness** *n* bas prix *m*; *Fig* mesquinerie *f*.

cheat [tʃiːt] *vt* (*deceive*) tromper; (*defraud*) frauder; **to c. s.o. out of sth** escroquer qch à qn; **to c. on** (*wife, husband*) faire une infidélité *or* des infidélités à; – *vi* tricher; (*defraud*) frauder; – *n* (*at games etc*) tricheur, -euse *mf*; (*crook*) escroc *m*. ◆**—ing** *n* (*deceit*) tromperie *f*; (*trickery*) tricherie *f*. ◆**—er** *n Am* = **cheat**.

check[1] [tʃek] *vt* (*examine*) vérifier; (*inspect*) contrôler; (*tick*) cocher, pointer; (*stop*) arrêter, enrayer; (*restrain*) contenir, maîtriser; (*rebuke*) réprimander; (*baggage*) *Am* mettre à la consigne; **to c. in** (*luggage*) *Av* enregistrer; **to c. sth out** confirmer qch; – *vi* vérifier; **to c. in** (*at hotel etc*) signer le registre; (*arrive at hotel*) arriver; (*at airport*) se présenter (à l'enregistrement), enregistrer ses bagages; **to c. on sth** vérifier qch; **to c. out** (*at hotel etc*) régler sa note; **to c. up** vérifier, se renseigner; – *n* vérification *f*; contrôle *m*; (*halt*) arrêt *m*; *Chess* échec *m*; (*curb*) frein *m*; (*tick*) = croix *f*; (*receipt*) *Am* reçu *m*; (*bill in restaurant etc*) *Am* addition *f*; (*cheque*) *Am* chèque *m*. ◆**c.-in** *n Av* enregistrement *m* (des bagages). ◆**checking account** *n Am* compte *m* courant. ◆**checkmate** *n Chess* échec et mat *m*. ◆**checkout** *n* (*in supermarket*) caisse *f*. ◆**checkpoint** *n* contrôle *m*. ◆**checkroom** *n Am* vestiaire *m*; (*left-luggage office*) *Am* consigne *f*. ◆**checkup** *n* bilan *m* de santé.

check[2] [tʃek] *n* (*pattern*) carreaux *mpl*; – *a* à carreaux. ◆**checked** *a* à carreaux.

checkered ['tʃekəd] *a Am* = **chequered**.

checkers ['tʃekəz] *npl Am* jeu *m* de dames.

cheddar ['tʃedər] *n* (*cheese*) cheddar *m*.

cheek [tʃiːk] *n* joue *f*; (*impudence*) *Fig* culot *m*. ◆**cheekbone** *n* pommette *f*. ◆**cheeky** *a* (**-ier, -iest**) (*person, reply etc*) effronté.

cheep [tʃiːp] *vi* (*of bird*) piauler.

cheer[1] [tʃɪər] *n* **cheers** (*shouts*) acclamations *fpl*; **cheers!** *Fam* à votre santé! – *vt* (*applaud*) acclamer; **to c. on** encourager; **to c. (up)** donner du courage à; (*amuse*) égayer; – *vi* applaudir; **to c. up** prendre courage; s'égayer; **c. up!** (du) courage! ◆**—ing** *n* (*shouts*) acclamations *fpl*; – *a* (*encouraging*) réjouissant.

cheer[2] [tʃɪər] *n* (*gaiety*) joie *f*; **good c.** (*food*) la bonne chère. ◆**cheerful** *a* gai. ◆**cheerfully** *adv* gaiement. ◆**cheerless** *a* morne.

cheerio! [tʃɪərɪ'əʊ] *int* salut!, au revoir!

cheese [tʃiːz] *n* fromage *m*. ◆**cheeseburger** *n* cheeseburger *m*. ◆**cheesecake** *n* tarte *f* au fromage blanc. ◆**cheesed** *a* **to be c. (off)** *Fam* en avoir marre (**with** de). ◆**cheesy** *a* (**-ier, -iest**) (*shabby, bad*) *Am Fam* miteux.

cheetah ['tʃiːtə] *n* guépard *m*.

chef [ʃef] *n Culin* chef *m*.

chemistry ['kemɪstrɪ] *n* chimie *f*. ◆**chemical** *a* chimique; – *n* produit *m* chimique. ◆**chemist** *n* (*dispensing*) pharmacien, -ienne *mf*; (*scientist*) chimiste *mf*; **chemist('s)** (*shop*) pharmacie *f*.

cheque [tʃek] *n* chèque *m*. ◆**chequebook** *n* carnet *m* de chèques.

chequered ['tʃekəd] *a* (*pattern*) à carreaux; (*career etc*) qui connaît des hauts et des bas.

cherish ['tʃerɪʃ] *vt* (*person*) chérir; (*hope*) nourrir, caresser.

cherry ['tʃerɪ] *n* cerise *f*; – *a* cerise *inv*; **c. brandy** cherry *m*.

chess [tʃes] *n* échecs *mpl*. ◆**chessboard** *n* échiquier *m*.

chest [tʃest] *n* **1** *Anat* poitrine *f*. **2** (*box*) coffre *m*; **c. of drawers** commode *f*.

chestnut ['tʃestnʌt] *n* châtaigne *f*, marron *m*; – *a* (*hair*) châtain; **c. tree** châtaignier *m*.

chew [tʃuː] *vt* **to c. (up)** mâcher; **to c. over** *Fig* ruminer; – *vi* mastiquer; **chewing gum** chewing-gum *m*.

chick [tʃɪk] *n* poussin *m*; (*girl*) *Fam* nana *f*. ◆**chicken 1** *n* poulet *m*; *pl* (*poultry*) volaille *f*; **it's c. feed** *Fam* c'est deux fois rien, c'est une bagatelle. **2** *a Fam* froussard; – *vi* **to c. out** *Fam* se dégonfler. ◆**chickenpox** *n* varicelle *f*.

chickpea ['tʃɪkpiː] *n* pois *m* chiche.

chicory ['tʃɪkərɪ] *n* (*in coffee etc*) chicorée *f*; (*for salad*) endive *f*.

chide [tʃaɪd] *vt* gronder.

chief [tʃiːf] *n* chef *m*; (*boss*) *Fam* patron *m*, chef *m*; **in c.** (*commander, editor*) en chef; – *a* (*main, highest in rank*) principal. ◆**—ly** *adv* principalement, surtout. ◆**chieftain** *n* (*of clan etc*) chef *m*.

chilblain ['tʃɪlbleɪn] *n* engelure *f*.

child, *pl* **children** [tʃaɪld, 'tʃɪldrən] *n* enfant *mf*; **c. care** *or* **welfare** protection *f* de l'enfance; **child's play** *Fig* jeu *m* d'enfant; **c. minder** gardien, -ienne *mf* d'enfants. ◆**childbearing** *n* (*act*) accouchement *m*; (*motherhood*) maternité *f*. ◆**childbirth** *n* accouchement *m*, couches *fpl*. ◆**childhood** *n* enfance *f*. ◆**childish** *a* puéril, enfantin. ◆**childishness** *n* puérilité *f*. ◆**childlike** *a* naïf, innocent.

chill [tʃɪl] *n* froid *m*; (*coldness in feelings*) froideur *f*; *Med* refroidissement *m*; **to catch a c.** prendre froid; – *vt* (*wine, melon*) faire rafraîchir; (*meat, food*) réfrigérer; **to c. s.o.** (*with fear, cold etc*) faire frissonner qn (**with** de); **to be chilled to the bone** être transi. ◆**—ed** *a* (*wine*) frais. ◆**chilly** *a* (**-ier, -iest**) froid; (*sensitive to cold*) frileux; **it's c.** il fait (un peu) froid.

chilli ['tʃɪlɪ] *n* (*pl* **-ies**) piment *m* (de Cayenne).

chime [tʃaɪm] *vi* (*of bell*) carillonner; (*of clock*) sonner; **to c. in** (*interrupt*) interrompre; – *n* carillon *m*; sonnerie *f*.

chimney ['tʃɪmnɪ] *n* cheminée *f*. ♦**chimneypot** *n* tuyau *m* de cheminée. ♦**chimneysweep** *n* ramoneur *m*.

chimpanzee [tʃɪmpæn'ziː] *n* chimpanzé *m*.

chin [tʃɪn] *n* menton *m*.

china ['tʃaɪnə] *n inv* porcelaine *f*; – *a* en porcelaine. ♦**chinaware** *n* (*objects*) porcelaine *f*.

China ['tʃaɪnə] *n* Chine *f*. ♦**Chi'nese** *a & n* chinois, -oise (*mf*); – *n* (*language*) chinois *m*.

chink [tʃɪŋk] **1** *n* (*slit*) fente *f*. **2** *vi* tinter; – *vt* faire tinter; – *n* tintement *m*.

chip [tʃɪp] *vt* (**-pp-**) (*cup etc*) ébrécher; (*table etc*) écorner; (*paint*) écailler; (*cut*) tailler; – *vi* **to c. in** *Fam* contribuer; – *n* (*splinter*) éclat *m*; (*break*) ébréchure *f*; écornure *f*; (*microchip*) puce *f*; (*counter*) jeton *m*; *pl* (*French fries*) frites *fpl*; (*crisps*) *Am* chips *mpl*. ♦**chipboard** *n* (bois *m*) aggloméré *m*. ♦**chippings** *npl* **road** *or* **loose c.** gravillons *mpl*.

chiropodist [kɪ'rɒpədɪst] *n* pédicure *mf*.

chirp [tʃɜːp] *vi* (*of bird*) pépier; – *n* pépiement *m*.

chirpy ['tʃɜːpɪ] *a* (**-ier, -iest**) gai, plein d'entrain.

chisel ['tʃɪz(ə)l] *n* ciseau *m*; – *vt* (**-ll-**, *Am* **-l-**) ciseler.

chit [tʃɪt] *n* (*paper*) note *f*, billet *m*.

chitchat ['tʃɪttʃæt] *n* bavardage *m*.

chivalry ['ʃɪvəlrɪ] *n* (*practices etc*) chevalerie *f*; (*courtesy*) galanterie *f*. ♦**chivalrous** *a* (*man*) galant.

chives [tʃaɪvz] *npl* ciboulette *f*.

chloride ['klɔːraɪd] *n* chlorure *m*. ♦**chlorine** *n* chlore *m*. ♦**chloroform** *n* chloroforme *m*.

choc-ice ['tʃɒkaɪs] *n* (*ice cream*) esquimau *m*.

chock [tʃɒk] *n* (*wedge*) cale *f*; – *vt* caler.

chock-a-block [tʃɒkə'blɒk] *a*, ♦**c.-'full** *a* *Fam* archiplein.

chocolate ['tʃɒklɪt] *n* chocolat *m*; **milk c.** chocolat au lait; **plain** *or* *Am* **bittersweet c.** chocolat à croquer; – *a* (*cake*) au chocolat; (*colour*) chocolat *inv*.

choice [tʃɔɪs] *n* choix *m*; **from c., out of c.** de son propre choix; – *a* (*goods*) de choix.

choir ['kwaɪər] *n* chœur *m*. ♦**choirboy** *n* jeune choriste *m*.

chok/e [tʃəʊk] **1** *vt* (*person*) étrangler, étouffer; (*clog*) boucher, engorger; **to c. back** (*sobs etc*) étouffer; – *vi* s'étrangler, étouffer; **to c. on** (*fish bone etc*) s'étrangler avec. **2** *n Aut* starter *m*. ♦**—er** *n* (*scarf*) foulard *m*; (*necklace*) collier *m* (de chien).

cholera ['kɒlərə] *n* choléra *m*.

cholesterol [kə'lestərɒl] *n* cholestérol *m*.

choose [tʃuːz] *vt* (*pt* **chose**, *pp* **chosen**) choisir (**to do** de faire); **to c. to do** (*decide*) juger bon de faire; – *vi* choisir; **as I/you/***etc* **c.** comme il me/vous/*etc* plaît. ♦**choos(e)y** *a* (**-sier, -siest**) difficile (**about** sur).

chop [tʃɒp] **1** *n* (*of lamb, pork*) côtelette *f*; **to lick one's chops** *Fig* s'en lécher les babines; **to get the c.** *Sl* être flanqué à la porte. **2** *vt* (**-pp-**) couper (à la hache); (*food*) hacher; **to c. down** (*tree*) abattre; **to c. off** trancher; **to c. up** hacher. **3** *vti* (**-pp-**) **to c. and change** changer constamment d'idées, de projets *etc*. ♦**chopper** *n* hachoir *m*; *Sl* hélicoptère *m*. ♦**choppy** *a* (*sea*) agité.

chopsticks ['tʃɒpstɪks] *npl Culin* baguettes *fpl*.

choral ['kɔːrəl] *a* choral; **c. society** chorale *f*. ♦**chorister** ['kɒrɪstər] *n* choriste *mf*.

chord [kɔːd] *n Mus* accord *m*.

chore [tʃɔːr] *n* travail *m* (routinier); (*unpleasant*) corvée *f*; *pl* (*domestic*) travaux *mpl* du ménage.

choreographer [kɒrɪ'ɒgrəfər] *n* chorégraphe *mf*.

chortle ['tʃɔːt(ə)l] *vi* glousser; – *n* gloussement *m*.

chorus ['kɔːrəs] *n* chœur *m*; (*dancers*) *Th* troupe *f*; (*of song*) refrain *m*; **c. girl** girl *f*.

chose, chosen [tʃəʊz, 'tʃəʊz(ə)n] *see* **choose**.

chowder ['tʃaʊdər] *n Am* soupe *f* aux poissons.

Christ [kraɪst] *n* Christ *m*. ♦**Christian** ['krɪstʃən] *a & n* chrétien, -ienne (*mf*); **C. name** prénom *m*. ♦**Christi'anity** *n* christianisme *m*.

christen ['krɪs(ə)n] *vt* (*name*) & *Rel* baptiser. ♦**—ing** *n* baptême *m*.

Christmas ['krɪsməs] *n* Noël *m*; **at C. (time)** à (la) Noël; **Merry C.** Joyeux Noël; **Father C.** le père Noël; – *a* (*tree, card, day, party etc*) de Noël; **C. box** étrennes *fpl*.

chrome [krəʊm] *n*, ♦**chromium** *n* chrome *m*.

chromosome ['krəʊməsəʊm] *n* chromosome *m*.

chronic ['krɒnɪk] *a* (*disease, state etc*) chronique; (*bad*) *Sl* atroce.

chronicle ['krɒnɪk(ə)l] *n* chronique *f*; – *vt* faire la chronique de.

chronology [krə'nɒlədʒɪ] *n* chronologie *f.* ◆**chrono'logical** *a* chronologique.
chronometer [krə'nɒmɪtər] *n* chronomètre *m.*
chrysanthemum [krɪ'sænθəməm] *n* chrysanthème *m.*
chubby ['tʃʌbɪ] *a* (**-ier, -iest**) (*body*) dodu; (*cheeks*) rebondi. ◆**c.-'cheeked** *a* joufflu.
chuck [tʃʌk] *vt Fam* jeter, lancer; **to c. (in)** *or* **(up)** (*give up*) *Fam* laisser tomber; **to c. away** *Fam* balancer; (*money*) gaspiller; **to c. out** *Fam* balancer.
chuckle ['tʃʌk(ə)l] *vi* glousser, rire; – *n* gloussement *m.*
chuffed [tʃʌft] *a Sl* bien content; (*displeased*) *Iron Sl* pas heureux.
chug [tʃʌg] *vi* (**-gg-**) **to c. along** (*of vehicle*) avancer lentement (*en faisant teuf-teuf*).
chum [tʃʌm] *n Fam* copain *m.* ◆**chummy** *a* (**-ier, -iest**) *Fam* amical; **c. with** copain avec.
chump [tʃʌmp] *n* (*fool*) crétin, -ine *mf.*
chunk [tʃʌŋk] *n* (gros) morceau *m.* ◆**chunky** *a* (**-ier, -iest**) (*person*) *Fam* trapu; (*coat, material etc*) de grosse laine.
church [tʃɜːtʃ] *n* église *f*; (*service*) office *m*; (*Catholic*) messe *f*; **c. hall** salle *f* paroissiale. ◆**churchgoer** *n* pratiquant, -ante *mf.* ◆**churchyard** *n* cimetière *m.*
churlish ['tʃɜːlɪʃ] *a* (*rude*) grossier; (*bad-tempered*) hargneux.
churn [tʃɜːn] **1** *n* (*for making butter*) baratte *f*; (*milk can*) bidon *m.* **2** *vt* **to c. out** *Pej* produire (en série).
chute [ʃuːt] *n* glissière *f*; (*in playground, pool*) toboggan *m*; (*for refuse*) vide-ordures *m inv.*
chutney ['tʃʌtnɪ] *n* condiment *m* épicé (*à base de fruits*).
cider ['saɪdər] *n* cidre *m.*
cigar [sɪ'gɑːr] *n* cigare *m.* ◆**ciga'rette** *n* cigarette *f*; **c. end** mégot *m*; **c. holder** fume-cigarette *m inv*; **c. lighter** briquet *m.*
cinch [sɪntʃ] *n* **it's a c.** *Fam* (*easy*) c'est facile; (*sure*) c'est (sûr et) certain.
cinder ['sɪndər] *n* cendre *f*; **c. track** *Sp* cendrée *f.*
Cinderella [sɪndə'relə] *n Liter* Cendrillon *f*; *Fig* parent *m* pauvre.
cine-camera ['sɪnɪkæmrə] *n* caméra *f.*
cinema ['sɪnəmə] *n* cinéma *m.* ◆**cinemagoer** *n* cinéphile *mf.* ◆**cinemascope** *n* cinémascope *m.*
cinnamon ['sɪnəmən] *n Bot Culin* cannelle *f.*
cipher ['saɪfər] *n* (*code, number*) chiffre *m*; (*zero, person*) *Fig* zéro *m.*
circle ['sɜːk(ə)l] *n* (*shape, group, range etc*) cercle *m*; (*around eyes*) cerne *m*; *Th* balcon *m*; *pl* (*milieux*) milieux *mpl*; – *vt* (*move round*) faire le tour de; (*word etc*) entourer d'un cercle; – *vi* (*of aircraft, bird*) décrire des cercles. ◆**circular** *a* circulaire; – *n* (*letter*) circulaire *f*; (*advertisement*) prospectus *m.* ◆**circulate** *vi* circuler; – *vt* faire circuler. ◆**circu'lation** *n* circulation *f*; *Journ* tirage *m*; **in c.** (*person*) *Fam* dans le circuit.
circuit ['sɜːkɪt] *n* circuit *m*; *Jur Th* tournée *f*; **c. breaker** *El* disjoncteur *m.* ◆**circuitous** [sɜː'kjuːɪtəs] *a* (*route, means*) indirect. ◆**circuitry** *n El* circuits *mpl.*
circumcised ['sɜːkəmsaɪzd] *a* circoncis. ◆**circum'cision** *n* circoncision *f.*
circumference [sɜː'kʌmfərəns] *n* circonférence *f.*
circumflex ['sɜːkəmfleks] *n* circonflexe *m.*
circumscribe ['sɜːkəmskraɪb] *vt* circonscrire.
circumspect ['sɜːkəmspekt] *a* circonspect.
circumstance ['sɜːkəmstæns] *n* circonstance *f*; *pl Com* situation *f* financière; **in** *or* **under no circumstances** en aucun cas. ◆**circum'stantial** *a* (*evidence*) *Jur* indirect.
circus ['sɜːkəs] *n Th Hist* cirque *m.*
cirrhosis [sɪ'rəʊsɪs] *n Med* cirrhose *f.*
cistern ['sɪstən] *n* (*in house*) réservoir *m* (d'eau).
citadel ['sɪtəd(ə)l] *n* citadelle *f.*
cite [saɪt] *vt* citer. ◆**citation** [saɪ'teɪʃ(ə)n] *n* citation *f.*
citizen ['sɪtɪz(ə)n] *n Pol Jur* citoyen, -enne *mf*; (*of town*) habitant, -ante *mf*; **Citizens' Band** *Rad* la CB. ◆**citizenship** *n* citoyenneté *f.*
citrus ['sɪtrəs] *a* **c. fruit(s)** agrumes *mpl.*
city ['sɪtɪ] *n* (grande) ville *f*, cité *f*; **c. dweller** citadin, -ine *mf*; **c. centre** centre-ville *m inv*; **c. hall** *Am* hôtel *m* de ville; **c. page** *Journ* rubrique *f* financière.
civic ['sɪvɪk] *a* (*duty*) civique; (*centre*) administratif; (*authorities*) municipal; – *npl* (*social science*) instruction *f* civique.
civil ['sɪv(ə)l] *a* **1** (*rights, war, marriage etc*) civil; **c. defence** défense *f* passive; **c. servant** fonctionnaire *mf*; **c. service** fonction *f* publique. **2** (*polite*) civil. ◆**ci'vilian** *a & n* civil, -ile (*mf*). ◆**ci'vility** *n* civilité *f.*
civilize ['sɪvɪlaɪz] *vt* civiliser. ◆**civili'zation** *n* civilisation *f.*
civvies ['sɪvɪz] *npl* **in c.** *Sl* (habillé) en civil.
clad [klæd] *a* vêtu (**in** de).
claim [kleɪm] *vt* (*one's due etc*) revendiquer, réclamer; (*require*) réclamer; **to c. that**

(*assert*) prétendre que; – *n* (*demand*) prétention *f*, revendication *f*; (*statement*) affirmation *f*; (*complaint*) réclamation *f*; (*right*) droit *m*; (*land*) concession *f*; (**insurance**) **c.** demande *f* d'indemnité; **to lay c. to** prétendre à. ◆**claimant** *n* allocataire *mf*.

clairvoyant [kleə'vɔɪənt] *n* voyant, -ante *mf*.

clam [klæm] *n* (*shellfish*) praire *f*.

clamber ['klæmbər] *vi* **to c. (up)** grimper; **to c. up** (*stairs*) grimper; (*mountain*) gravir.

clammy ['klæmɪ] *a* (*hands etc*) moite (et froid).

clamour ['klæmər] *n* clameur *f*; – *vi* vociférer (**against** contre); **to c. for** demander à grands cris.

clamp [klæmp] *n* crampon *m*; *Carp* serre-joint(s) *m*; (**wheel**) **c.** *Aut* sabot *m* (de Denver); – *vt* serrer; – *vi* **to c. down** *Fam* sévir (**on** contre). ◆**clampdown** *n* (*limitation*) *Fam* coup *m* d'arrêt, restriction *f*.

clan [klæn] *n* clan *m*.

clandestine [klæn'destɪn] *a* clandestin.

clang [klæŋ] *n* son *m* métallique. ◆**clanger** *n Sl* gaffe *f*; **to drop a c.** faire une gaffe.

clap [klæp] **1** *vti* (**-pp-**) (*applaud*) applaudir; **to c. (one's hands)** battre des mains; – *n* battement *m* (des mains); (*on back*) tape *f*; (*of thunder*) coup *m*. **2** *vt* (**-pp-**) (*put*) *Fam* fourrer. ◆**clapped-'out** *a* (*car, person*) *Sl* crevé. ◆**clapping** *n* applaudissements *mpl*. ◆**claptrap** *n* (*nonsense*) *Fam* boniment *m*.

claret ['klærət] *n* (*wine*) bordeaux *m* rouge.

clarify ['klærɪfaɪ] *vt* clarifier. ◆**clarifi'cation** *n* clarification *f*.

clarinet [klærɪ'net] *n* clarinette *f*.

clarity ['klærətɪ] *n* (*of water, expression etc*) clarté *f*.

clash [klæʃ] *vi* (*of plates, pans*) s'entrechoquer; (*of interests, armies*) se heurter; (*of colours*) jurer (**with** avec); (*of people*) se bagarrer; (*coincide*) tomber en même temps (**with** que); – *n* (*noise, of armies*) choc *m*, heurt *m*; (*of interests*) conflit *m*; (*of events*) coïncidence *f*.

clasp [klɑːsp] *vt* (*hold*) serrer; **to c. one's hands** joindre les mains; – *n* (*fastener*) fermoir *m*; (*of belt*) boucle *f*.

class [klɑːs] *n* classe *f*; (*lesson*) cours *m*; (*grade*) *Univ* mention *f*; **the c. of 1987** *Am* la promotion de 1987; – *vt* classer. ◆**classmate** *n* camarade *mf* de classe. ◆**classroom** *n* (salle *f* de) classe *f*.

classic ['klæsɪk] *a* classique; – *n* (*writer, work etc*) classique *m*; **to study classics** étudier les humanités *fpl*. ◆**classical** *a* classique. ◆**classicism** *n* classicisme *m*.

classif/y ['klæsɪfaɪ] *vt* classer, classifier. ◆**–ied** *a* (*information*) secret. ◆**classifi'cation** *n* classification *f*.

classy ['klɑːsɪ] *a* (**-ier, -iest**) *Fam* chic *inv*.

clatter ['klætər] *n* bruit *m*, fracas *m*.

clause [klɔːz] *n Jur* clause *f*; *Gram* proposition *f*.

claustrophobia [klɔːstrə'fəʊbɪə] *n* claustrophobie *f*. ◆**claustrophobic** *a* claustrophobe.

claw [klɔː] *n* (*of cat, sparrow etc*) griffe *f*; (*of eagle*) serre *f*; (*of lobster*) pince *f*; – *vt* (*scratch*) griffer; **to c. back** (*money etc*) *Pej Fam* repiquer, récupérer.

clay [kleɪ] *n* argile *f*.

clean [kliːn] *a* (**-er, -est**) propre; (*clear-cut*) net; (*fair*) *Sp* loyal; (*joke*) non paillard; (*record*) *Jur* vierge; **c. living** vie *f* saine; **to make a c. breast of it** tout avouer; – *adv* (*utterly*) complètement, carrément; **to break c.** se casser net; **to cut c.** couper net; – *n* **to give sth a c.** nettoyer qch; – *vt* nettoyer; (*wash*) laver; (*wipe*) essuyer; **to c. one's teeth** se brosser *or* se laver les dents; **to c. out** nettoyer; (*empty*) *Fig* vider; **to c. up** nettoyer; (*reform*) *Fig* épurer; – *vi* **to c. (up)** faire le nettoyage. ◆**–ing** *n* nettoyage *m*; (*housework*) ménage *m*; **c. woman** femme *f* de ménage. ◆**–er** *n* (*woman*) femme *f* de ménage; (**dry**) **c.** teinturier, -ière *mf*. ◆**–ly** *adv* (*to break, cut*) net. ◆**–ness** *n* propreté *f*. ◆**clean-'cut** *a* net. ◆**clean-'living** *a* honnête, chaste. ◆**clean-'shaven** *a* rasé (de près). ◆**clean-up** *n Fig* épuration *f*.

cleanliness ['klenlɪnɪs] *n* propreté *f*.

cleans/e [klenz] *vt* nettoyer; (*soul, person etc*) *Fig* purifier. ◆**–ing** *a* **c. cream** crème *f* démaquillante. ◆**–er** *n* (*cream, lotion*) démaquillant *m*.

clear [klɪər] *a* (**-er, -est**) (*water, sound etc*) clair; (*glass*) transparent; (*outline, photo*) net, clair; (*mind*) lucide; (*road*) libre, dégagé; (*profit*) net; (*obvious*) évident, clair; (*certain*) certain; (*complete*) entier; **to be c. of** (*free of*) être libre de; (*out of*) être hors de; **to make oneself c.** se faire comprendre; **c. conscience** conscience *f* nette *or* tranquille; – *adv* (*quite*) complètement; **c. of** (*away from*) à l'écart de; **to keep** *or* **steer c. of** se tenir à l'écart de; **to get c. of** (*away from*) s'éloigner de; – *vt* (*path, place, table*) débarrasser, dégager; (*land*) défricher; (*fence*) franchir (sans toucher); (*obstacle*) éviter; (*person*) *Jur* disculper;

(*cheque*) compenser; (*goods, debts*) liquider; (*through customs*) dédouaner; (*for security etc*) autoriser; **to c. s.o. of** (*suspicion*) laver qn de; **to c. one's throat** s'éclaircir la gorge; – *vi* **to c. (up)** (*of weather*) s'éclaircir; (*of fog*) se dissiper. ■ **to c. away** *vt* (*remove*) enlever; – *vi* (*of fog*) se dissiper; **to c. off** *vi* (*leave*) *Fam* filer; – *vt* (*table*) débarrasser; **to c. out** *vt* (*empty*) vider; (*clean*) nettoyer; (*remove*) enlever; **to c. up** *vt* (*mystery etc*) éclaircir; – *vti* (*tidy*) ranger. ◆**—ing** *n* (*in woods*) clairière *f*. ◆**—ly** *adv* clairement; (*to understand*) bien, clairement; (*obviously*) évidemment. ◆**—ness** *n* (*of sound*) clarté *f*, netteté *f*; (*of mind*) lucidité *f*. ◆**clearance** *n* (*sale*) soldes *mpl*; (*space*) dégagement *m*; (*permission*) autorisation *f*; (*of cheque*) compensation *f*. ◆**clear-'cut** *a* net. ◆**clear-'headed** *a* lucide.

clearway ['klɪəweɪ] *n* route *f* à stationnement interdit.

cleavage ['kliːvɪdʒ] *n* (*split*) clivage *m*; (*of woman*) *Fam* naissance *f* des seins.

cleft [kleft] *a* (*palate*) fendu; (*stick*) fourchu; – *n* fissure *f*.

clement ['klemənt] *a* clément. ◆**clemency** *n* clémence *f*.

clementine ['kleməntaɪn] *n* clémentine *f*.

clench [klentʃ] *vt* (*press*) serrer.

clergy ['klɜːdʒɪ] *n* clergé *m*. ◆**clergyman** *n* (*pl* **-men**) ecclésiastique *m*.

cleric ['klerɪk] *n* *Rel* clerc *m*. ◆**clerical** *a* (*job*) d'employé; (*work*) de bureau; (*error*) d'écriture; *Rel* clérical.

clerk [klɑːk, *Am* klɜːk] *n* employé, -ée *mf* (de bureau); *Jur* clerc *m*; (*in store*) *Am* vendeur, -euse *mf*; **c. of the court** *Jur* greffier *m*.

clever ['klevər] *a* (**-er, -est**) intelligent; (*smart, shrewd*) astucieux; (*skilful*) habile (**at sth** à qch, **at doing** à faire); (*ingenious*) ingénieux; (*gifted*) doué; **c. at** (*English etc*) fort en; **c. with one's hands** habile *or* adroit de ses mains. ◆**—ly** *adv* intelligemment; astucieusement; habilement. ◆**—ness** *n* intelligence *f*; astuce *f*; habileté *f*.

cliché ['kliːʃeɪ] *n* (*idea*) cliché *m*.

click [klɪk] **1** *n* déclic *m*, bruit *m* sec; – *vi* faire un déclic; (*of lovers etc*) *Fam* se plaire du premier coup; **it clicked** (*I realized*) *Fam* j'ai compris tout à coup. **2** *vt* **to c. one's heels** *Mil* claquer des talons.

client ['klaɪənt] *n* client, -ente *mf*. ◆**clientele** [kliːɒn'tel] *n* clientèle *f*.

cliff [klɪf] *n* falaise *f*.

climate ['klaɪmɪt] *n* *Met* & *Fig* climat *m*; **c. of opinion** opinion *f* générale. ◆**cli'matic** *a* climatique.

climax ['klaɪmæks] *n* point *m* culminant; (*sexual*) orgasme *m*; – *vi* atteindre son point culminant.

climb [klaɪm] *vt* **to c. (up)** (*steps*) monter, gravir; (*hill, mountain*) gravir, faire l'ascension de; (*tree, ladder*) monter à, grimper à; **to c. (over)** (*wall*) escalader; **to c. down (from)** descendre de; – *vi* **to c. (up)** monter; (*of plant*) grimper; **to c. down** descendre; (*back down*) *Fig* en rabattre; – *n* montée *f*. ◆**—ing** *n* montée *f*; **(mountain) c.** alpinisme *m*. ◆**—er** *n* grimpeur, -euse *mf*; *Sp* alpiniste *mf*; *Bot* plante *f* grimpante; **social c.** arriviste *mf*.

clinch [klɪntʃ] *vt* (*deal, bargain*) conclure; (*argument*) consolider.

cling [klɪŋ] *vi* (*pt* & *pp* **clung**) se cramponner, s'accrocher (**to** à); (*stick*) adhérer (**to** à). ◆**—ing** *a* (*clothes*) collant. ◆**clingfilm** *n* scel-o-frais®*m*, film *m* étirable.

clinic ['klɪnɪk] *n* (*private*) clinique *f*; (*health centre*) centre *m* médical. ◆**clinical** *a* *Med* clinique; *Fig* scientifique, objectif.

clink [klɪŋk] *vi* tinter; – *vt* faire tinter; – *n* tintement *m*.

clip [klɪp] **1** *vt* (**-pp-**) (*cut*) couper; (*sheep*) tondre; (*hedge*) tailler; (*ticket*) poinçonner; **to c. sth out of** (*newspaper etc*) découper qch dans. **2** *n* (*for paper*) attache *f*, trombone *m*; (*of brooch, of cyclist, for hair*) pince *f*; – *vt* (**-pp-**) **to c. (on)** attacher. **3** *n* (*of film*) extrait *m*; (*blow*) *Fam* taloche *f*. ◆**clipping** *n* *Journ* coupure *f*. ◆**clippers** *npl* (*for hair*) tondeuse *f*; (*for nails*) pince *f* à ongles; (*pocket-sized, for finger nails*) coupe-ongles *m inv*.

clique [kliːk] *n* *Pej* clique *f*. ◆**cliquey** *a* *Pej* exclusif.

cloak [kləʊk] *n* (grande) cape *f*; *Fig* manteau *m*; **c. and dagger** (*film etc*) d'espionnage. ◆**cloakroom** *n* vestiaire *m*; (*for luggage*) *Rail* consigne *f*; (*lavatory*) toilettes *fpl*.

clobber ['klɒbər] **1** *vt* (*hit*) *Sl* rosser. **2** *n* (*clothes*) *Sl* affaires *fpl*.

clock [klɒk] *n* (*large*) horloge *f*; (*small*) pendule *f*; *Aut* compteur *m*; **against the c.** *Fig* contre la montre; **round the c.** *Fig* vingt-quatre heures sur vingt-quatre; **c. tower** clocher *m*; – *vt* *Sp* chronométrer; **to c. up** (*miles*) *Aut Fam* faire; – *vi* **to c. in** *or* **out** (*of worker*) pointer. ◆**clockwise** *adv* dans le sens des aiguilles d'une montre. ◆**clockwork** *a* mécanique; *Fig* régulier;

– *n* **to go like c.** aller comme sur des roulettes.

clod [klɒd] *n* **1** (*of earth*) motte *f*. **2** (*oaf*) *Fam* balourd, -ourde *mf*.

clog [klɒg] **1** *n* (*shoe*) sabot *m*. **2** *vt* (**-gg-**) **to c. (up)** (*obstruct*) boucher.

cloister ['klɔɪstər] *n* cloître *m*; – *vt* cloîtrer.

close¹ [kləʊs] *a* (**-er, -est**) (*place, relative etc*) proche (**to** de); (*collaboration, resemblance, connection*) étroit; (*friend etc*) intime; (*order, contest*) serré; (*study*) rigoureux; (*atmosphere*) *Met* lourd; (*vowel*) fermé; **c. to** (*near*) près de, proche de; **c. to tears** au bord des larmes; **to have a c. shave** *or* **call** l'échapper belle; – *adv* **c. (by), c. at hand** (tout) près; **c. to** près de; **c. behind** juste derrière; **c. on** (*almost*) *Fam* pas loin de; **c. together** (*to stand*) serrés; **to follow c.** suivre de près; – *n* (*enclosed area*) enceinte *f*. ◆**c.-'cropped** *a* (*hair*) (coupé) ras. ◆**c.-'knit** *a* très uni. ◆**c.-up** *n* gros plan *m*.

close² [kləʊz] *n* fin *f*, conclusion *f*; **to bring to a c.** mettre fin à; **to draw to a c.** tirer à sa fin; – *vt* fermer; (*discussion*) terminer, clore; (*opening*) boucher; (*road*) barrer; (*gap*) réduire; (*deal*) conclure; **to c. the meeting** lever la séance; **to c. ranks** serrer les rangs; **to c. in** (*enclose*) enfermer; **to c. up** fermer; – *vi* se fermer; (*end*) (se) terminer; **to c. (up)** (*of shop*) fermer; (*of wound*) se refermer; **to c. in** (*approach*) approcher; **to c. in on s.o.** se rapprocher de qn. ■ **to c. down** *vti* (*close for good*) fermer (définitivement); – *vi TV* terminer les émissions. ◆**c.-down** *n* fermeture *f* (définitive); *TV* fin *f* (des émissions). ◆**closing** *n* fermeture *f*; (*of session*) clôture *f*; – *a* final; **c. time** heure *f* de fermeture. ◆**closure** ['kləʊʒər] *n* fermeture *f*.

closely ['kləʊslɪ] *adv* (*to link, guard*) étroitement; (*to follow*) de près; (*to listen*) attentivement; **c. contested** très disputé; **to hold s.o. c.** tenir qn contre soi. ◆**closeness** *n* proximité *f*; (*of collaboration etc*) étroitesse *f*; (*of friendship*) intimité *f*; (*of weather*) lourdeur *f*.

closet ['klɒzɪt] *n* (*cupboard*) *Am* placard *m*; (*wardrobe*) *Am* penderie *f*.

clot [klɒt] **1** *n* (*of blood*) caillot *m*; – *vt* (**-tt-**) (*blood*) coaguler; – *vi* (*of blood*) se coaguler. **2** *n* (*person*) *Fam* imbécile *mf*.

cloth [klɒθ] *n* tissu *m*, étoffe *f*; (*of linen*) toile *f*; (*of wool*) drap *m*; (*for dusting*) chiffon *m*; (*for dishes*) torchon *m*; (*tablecloth*) nappe *f*.

cloth/e [kləʊð] *vt* habiller, vêtir (**in** de). ◆**–ing** *n* habillement *m*; (*clothes*) vêtements *mpl*; **an article of c.** un vêtement.

clothes [kləʊðz] *npl* vêtements *mpl*; **to put one's c. on** s'habiller; **c. shop** magasin *m* d'habillement; **c. brush** brosse *f* à habits; **c. peg,** *Am* **c. pin** pince *f* à linge; **c. line** corde *f* à linge.

cloud [klaʊd] *n* nuage *m*; (*of arrows, insects*) *Fig* nuée *f*; – *vt* (*mind, issue*) obscurcir; (*window*) embuer; – *vi* **to c. (over)** (*of sky*) se couvrir. ◆**cloudburst** *n* averse *f*. ◆**cloudy** *a* (**-ier, -iest**) (*weather*) couvert, nuageux; (*liquid*) trouble.

clout [klaʊt] **1** *n* (*blow*) *Fam* taloche *f*; – *vt* *Fam* flanquer une taloche à, talocher. **2** *n* *Pol Fam* influence *f*, pouvoir *m*.

clove [kləʊv] *n* clou *m* de girofle; **c. of garlic** gousse *f* d'ail.

clover ['kləʊvər] *n* trèfle *m*.

clown [klaʊn] *n* clown *m*; – *vi* **to c. (around)** faire le clown.

cloying ['klɔɪɪŋ] *a* écœurant.

club [klʌb] **1** *n* (*weapon*) matraque *f*, massue *f*; **(golf) c.** (*stick*) club *m*; – *vt* (**-bb-**) matraquer. **2** *n* (*society*) club *m*, cercle *m*; – *vi* (**-bb-**) **to c. together** se cotiser (**to buy** pour acheter). **3** *n* & *npl Cards* trèfle *m*. ◆**clubhouse** *n* pavillon *m*.

clubfoot ['klʌbfʊt] *n* pied *m* bot. ◆**club'footed** *a* pied bot *inv*.

cluck [klʌk] *vi* (*of hen*) glousser.

clue [kluː] *n* indice *m*; (*of crossword*) définition *f*; (*to mystery*) clef *f*; **I don't have a c.** *Fam* je n'en ai pas la moindre idée. ◆**clueless** *a Fam* stupide.

clump [klʌmp] *n* (*of flowers, trees*) massif *m*.

clumsy ['klʌmzɪ] *a* (**-ier, -iest**) maladroit; (*shape*) lourd; (*tool*) peu commode. ◆**clumsily** *adv* maladroitement. ◆**clumsiness** *n* maladresse *f*.

clung [klʌŋ] *see* **cling.**

cluster ['klʌstər] *n* groupe *m*; (*of flowers*) grappe *f*; (*of stars*) amas *m*; – *vi* se grouper.

clutch [klʌtʃ] **1** *vt* (*hold tight*) serrer, étreindre; (*cling to*) se cramponner à; (*grasp*) saisir; – *vi* **to c. at** essayer de saisir; – *n* étreinte *f*. **2** *n* (*apparatus*) *Aut* embrayage *m*; (*pedal*) pédale *f* d'embrayage. **3** *npl* **s.o.'s clutches** (*power*) les griffes *fpl* de qn.

clutter ['klʌtər] *n* (*objects*) fouillis *m*, désordre *m*; – *vt* **to c. (up)** encombrer (**with** de).

cm *abbr* (*centimetre*) cm.

co- [kəʊ] *prep* co-.

Co *abbr* (*company*) Cie.

coach [kəʊtʃ] **1** *n* (*horse-drawn*) carrosse *m*; *Rail* voiture *f*, wagon *m*; *Aut* autocar *m*. **2** *n* (*person*) *Sch* répétiteur, -trice *mf*; *Sp*

entraîneur *m*; – *vt* (*pupil*) donner des leçons (particulières) à; (*sportsman etc*) entraîner; **to c. s.o. for** (*exam*) préparer qn à. ◆**coachman** *n* (*pl* **-men**) cocher *m*.
coagulate [kəʊ'ægjʊleɪt] *vi* (*of blood*) se coaguler; – *vt* coaguler.
coal [kəʊl] *n* charbon *m*; *Geol* houille *f*; – *a* (*basin etc*) houiller; (*merchant, fire*) de charbon; (*cellar, bucket*) à charbon. ◆**coalfield** *n* bassin *m* houiller. ◆**coalmine** *n* mine *f* de charbon.
coalition [kəʊə'lɪʃ(ə)n] *n* coalition *f*.
coarse [kɔɪs] *a* (**-er, -est**) (*person, manners*) grossier, vulgaire; (*surface*) rude; (*fabric*) grossier; (*salt*) gros; (*accent*) commun, vulgaire. ◆**—ness** *n* grossièreté *f*; vulgarité *f*.
coast [kəʊst] **1** *n* côte *f*. **2** *vi* **to c. (down** *or* **along)** (*of vehicle etc*) descendre en roue libre. ◆**coastal** *a* côtier. ◆**coaster** *n* (*ship*) caboteur *m*; (*for glass etc*) dessous *m* de verre, rond *m*. ◆**coastguard** *n* (*person*) garde *m* maritime, garde-côte *m*. ◆**coastline** *n* littoral *m*.
coat [kəʊt] *n* manteau *m*; (*overcoat*) pardessus *m*; (*jacket*) veste *f*; (*of animal*) pelage *m*; (*of paint*) couche *f*; **c. of arms** blason *m*, armoiries *fpl*; **c. hanger** cintre *m*; – *vt* couvrir, enduire (**with** de); (*with chocolate*) enrober (**with** de). ◆**—ed** *a* **c. tongue** langue *f* chargée. ◆**—ing** *n* couche *f*.
coax [kəʊks] *vt* amadouer, cajoler; **to c. s.o. to do** *or* **into doing** amadouer qn pour qu'il fasse. ◆**—ing** *n* cajoleries *fpl*.
cob [kɒb] *n* **corn on the c.** épi *m* de maïs.
cobble ['kɒb(ə)l] *n* pavé *m*; – *vt* **to c. together** (*text etc*) *Fam* bricoler. ◆**cobbled** *a* pavé. ◆**cobblestone** *n* pavé *m*.
cobbler ['kɒblər] *n* cordonnier *m*.
cobra ['kəʊbrə] *n* (*snake*) cobra *m*.
cobweb ['kɒbweb] *n* toile *f* d'araignée.
cocaine [kəʊ'keɪn] *n* cocaïne *f*.
cock [kɒk] **1** *n* (*rooster*) coq *m*; (*male bird*) (oiseau *m*) mâle *m*. **2** *vt* (*gun*) armer; **to c. (up)** (*ears*) dresser. ◆**c.-a-doodle-'doo** *n* & *int* cocorico (*m*). ◆**c.-and-'bull story** *n* histoire *f* à dormir debout.
cockatoo [kɒkə'tuɪ] *n* (*bird*) cacatoès *m*.
cocker ['kɒkər] *n* **c. (spaniel)** cocker *m*.
cockerel ['kɒkərəl] *n* jeune coq *m*, coquelet *m*.
cock-eyed [kɒk'aɪd] *a Fam* **1** (*cross-eyed*) bigleux. **2** (*crooked*) de travers. **3** (*crazy*) absurde, stupide.
cockle ['kɒk(ə)l] *n* (*shellfish*) coque *f*.
cockney ['kɒknɪ] *a* & *n* cockney (*mf*).
cockpit ['kɒkpɪt] *n Av* poste *m* de pilotage.
cockroach ['kɒkrəʊtʃ] *n* (*beetle*) cafard *m*.
cocksure [kɒk'ʃʊər] *a Fam* trop sûr de soi.
cocktail ['kɒkteɪl] *n* (*drink*) cocktail *m*; **(fruit) c.** macédoine *f* (de fruits); **c. party** cocktail *m*; **prawn c.** crevettes *fpl* à la mayonnaise.
cocky ['kɒkɪ] *a* (**-ier, -iest**) *Fam* trop sûr de soi, arrogant.
cocoa ['kəʊkəʊ] *n* cacao *m*.
coconut ['kəʊkənʌt] *n* noix *f* de coco; **c. palm** cocotier *m*.
cocoon [kə'kuɪn] *n* cocon *m*.
cod [kɒd] *n* morue *f*; (*bought fresh*) cabillaud *m*. ◆**c.-liver 'oil** *n* huile *f* de foie de morue.
COD [siɪəʊ'diɪ] *abbr* (*cash on delivery*) livraison *f* contre remboursement.
coddle ['kɒd(ə)l] *vt* dorloter.
cod/e [kəʊd] *n* code *m*; – *vt* coder. ◆**—ing** *n* codage *m*. ◆**codify** *vt* codifier.
co-educational [kəʊedjʊ'keɪʃən(ə)l] *a* (*school, teaching*) mixte.
coefficient [kəʊɪ'fɪʃənt] *n Math* coefficient *m*.
coerce [kəʊ'ɜɪs] *vt* contraindre. ◆**coercion** *n* contrainte *f*.
coexist [kəʊɪg'zɪst] *vi* coexister. ◆**coexistence** *n* coexistence *f*.
coffee ['kɒfɪ] *n* café *m*; **white c.** café *m* au lait; (*ordered in restaurant etc*) (café *m*) crème *m*; **black c.** café *m* noir, café nature; **c. bar, c. house** café *m*, cafétéria *f*; **c. break** pause-café *f*; **c. table** table *f* basse. ◆**coffeepot** *n* cafetière *f*.
coffers ['kɒfəz] *npl* (*funds*) coffres *mpl*.
coffin ['kɒfɪn] *n* cercueil *m*.
cog [kɒg] *n Tech* dent *f*; (*person*) *Fig* rouage *m*.
cogent ['kəʊdʒənt] *a* (*reason, argument*) puissant, convaincant.
cogitate ['kɒdʒɪteɪt] *vi Iron* cogiter.
cognac ['kɒnjæk] *n* cognac *m*.
cohabit [kəʊ'hæbɪt] *vi* (*of unmarried people*) vivre en concubinage.
coherent [kəʊ'hɪərənt] *a* cohérent; (*speech*) compréhensible. ◆**cohesion** *n* cohésion *f*. ◆**cohesive** *a* cohésif.
cohort ['kəʊhɔɪt] *n* (*group*) cohorte *f*.
coil [kɔɪl] *n* (*of wire etc*) rouleau *m*; *El* bobine *f*; (*contraceptive*) stérilet *m*; – *vt* (*rope, hair*) enrouler; – *vi* (*of snake etc*) s'enrouler.
coin [kɔɪn] *n* pièce *f* (de monnaie); (*currency*) monnaie *f*; – *vt* (*money*) frapper; (*word*) *Fig* inventer, forger; **to c. a phrase** pour ainsi dire. ◆**c.-operated** *a*

automatique. ◆**coinage** *n* (*coins*) monnaie *f*; *Fig* invention *f*.
coincide [kəʊɪn'saɪd] *vi* coïncider (**with** avec). ◆**co'incidence** *n* coïncidence *f*. ◆**coinci'dental** *a* fortuit; **it's c.** c'est une coïncidence.
coke [kəʊk] *n* **1** (*fuel*) coke *m*. **2** (*Coca-Cola®*) coca *m*.
colander ['kʌləndər] *n* (*for vegetables etc*) passoire *f*.
cold [kəʊld] *n* froid *m*; *Med* rhume *m*; **to catch c.** prendre froid; **out in the c.** *Fig* abandonné, en carafe; – *a* (**-er, -est**) froid; **to be** *or* **feel c.** (*of person*) avoir froid; **my hands are c.** j'ai les mains froides; **it's c.** (*of weather*) il fait froid; **to get c.** (*of weather*) se refroidir; (*of food*) refroidir; **to get c. feet** *Fam* se dégonfler; **in c. blood** de sang-froid; **c. cream** crème *f* de beauté; **c. meats,** *Am* **c. cuts** *Culin* assiette *f* anglaise. ◆**c.-'blooded** *a* (*person*) cruel, insensible; (*act*) de sang-froid. ◆**c.-'shoulder** *vt* snober. ◆**coldly** *adv* avec froideur. ◆**coldness** *n* froideur *f*.
coleslaw ['kəʊlslɔː] *n* salade *f* de chou cru.
colic ['kɒlɪk] *n Med* coliques *fpl*.
collaborate [kə'læbəreɪt] *vi* collaborer (**on** à). ◆**collabo'ration** *n* collaboration *f*. ◆**collaborator** *n* collaborateur, -trice *mf*.
collage ['kɒlɑːʒ] *n* (*picture*) collage *m*.
collapse [kə'læps] *vi* (*fall*) s'effondrer, s'écrouler; (*of government*) tomber; (*faint*) *Med* se trouver mal; – *n* effondrement *m*, écroulement *m*; (*of government*) chute *f*. ◆**collapsible** *a* (*chair etc*) pliant.
collar ['kɒlər] *n* (*on garment*) col *m*; (*of dog*) collier *m*; **to seize by the c.** saisir au collet; – *vt Fam* saisir (*qn*) au collet; *Fig Fam* retenir (*qn*); (*take, steal*) *Sl* piquer. ◆**collarbone** *n* clavicule *f*.
collate [kə'leɪt] *vt* collationner, comparer (**with** avec).
colleague ['kɒliːg] *n* collègue *mf*, confrère *m*.
collect [kə'lekt] *vt* (*pick up*) ramasser; (*gather*) rassembler, recueillir; (*taxes*) percevoir; (*rent, money*) encaisser; (*stamps etc as hobby*) collectionner; (*fetch, call for*) (passer) prendre; – *vi* (*of dust*) s'accumuler; (*of people*) se rassembler; **to c. for** (*in street, church*) quêter pour; – *adv* **to call** *or* **phone c.** *Am* téléphoner en PCV. ◆**collection** [kə'lekʃ(ə)n] *n* ramassage *m*; (*of taxes*) perception *f*; (*of objects*) collection *f*; (*of poems etc*) recueil *m*; (*of money in church etc*) quête *f*; (*of mail*) levée *f*. ◆**collective** *a* collectif. ◆**collectively** *adv* collectivement. ◆**collector** *n* (*of stamps etc*) collectionneur, -euse *mf*.
college ['kɒlɪdʒ] *n Pol Rel Sch* collège *m*; (*university*) université *f*; *Mus* conservatoire *m*; **teachers' training c.** école *f* normale; **art c.** école *f* des beaux-arts; **agricultural c.** institut *m* d'agronomie, lycée *m* agricole.
collide [kə'laɪd] *vi* entrer en collision (**with** avec), se heurter (**with** à). ◆**collision** *n* collision *f*; *Fig* conflit *m*, collision *f*.
colliery ['kɒlɪərɪ] *n* houillère *f*.
colloquial [kə'ləʊkwɪəl] *a* (*word etc*) familier. ◆**colloquialism** *n* expression *f* familière.
collusion [kə'luːʒ(ə)n] *n* collusion *f*.
collywobbles ['kɒlɪwɒb(ə)lz] *npl* **to have the c.** (*feel nervous*) *Fam* avoir la frousse.
cologne [kə'ləʊn] *n* eau *f* de Cologne.
colon ['kəʊlən] *n* **1** *Gram* deux-points *m inv*. **2** *Anat* côlon *m*.
colonel ['kɜːn(ə)l] *n* colonel *m*.
colony ['kɒlənɪ] *n* colonie *f*. ◆**colonial** [kə'ləʊnɪəl] *a* colonial. ◆**coloni'zation** *n* colonisation *f*. ◆**colonize** *vt* coloniser.
colossal [kə'lɒs(ə)l] *a* colossal.
colour ['kʌlər] *n* couleur *f*; – *a* (*photo, television*) en couleurs; (*television set*) couleur *inv*; (*problem*) racial; **c. supplement** *Journ* supplément *m* illustré; **off c.** (*not well*) mal fichu; (*improper*) scabreux; – *vt* colorer; **to c. (in)** (*drawing*) colorier. ◆**—ed** *a* (*person, pencil*) de couleur; (*glass, water*) coloré. ◆**—ing** *n* coloration *f*; (*with crayons*) coloriage *m*; (*hue, effect*) coloris *m*; (*matter*) colorant *m*. ◆**colour-blind** *a* daltonien. ◆**colourful** *a* (*crowd, story*) coloré; (*person*) pittoresque.
colt [kəʊlt] *n* (*horse*) poulain *m*.
column ['kɒləm] *n* colonne *f*. ◆**columnist** *n Journ* chroniqueur *m*; **gossip c.** échotier, -ière *mf*.
coma ['kəʊmə] *n* coma *m*; **in a c.** dans le coma.
comb [kəʊm] *n* peigne *m*; – *vt* peigner; (*search*) *Fig* ratisser; **to c. one's hair** se peigner; **to c. out** (*hair*) démêler.
combat ['kɒmbæt] *n* combat *m*; – *vti* combattre (**for** pour). ◆**'combatant** *n* combattant, -ante *mf*.
combin/e[1] [kəm'baɪn] *vt* unir, joindre (**with** à); (*elements, sounds*) combiner; (*qualities, efforts*) allier, joindre; – *vi* s'unir; **everything combined to . . .** tout s'est ligué pour . . . . ◆**—ed** *a* (*effort*) conjugué; **c. wealth/***etc* (*put together*) richesses/*etc fpl* réunies; **c. forces** *Mil* forces *fpl* alliées. ◆**combi'nation** *n* combinaison *f*; (*of*

qualities) réunion *f*; (*of events*) concours *m*; **in c. with** en association avec.

combine² ['kɒmbaɪn] *n Com* cartel *m*; **c. harvester** *Agr* moissonneuse-batteuse *f*.

combustion [kəm'bʌstʃ(ə)n] *n* combustion *f*.

come [kʌm] *vi* (*pt* **came**, *pp* **come**) venir (**from** de, **to** à); (*arrive*) arriver, venir; (*happen*) arriver; **c. and see me** viens me voir; **I've just c. from** j'arrive de; **to c. for** venir chercher; **to c. home** rentrer; **coming!** j'arrive!; **c. now!** voyons!; **to c. as a surprise (to)** surprendre; **to c. near** *or* **close to doing** faillir faire; **to c. on page 2** se trouver à la page 2; **nothing came of it** ça n'a abouti à rien; **to c. to** (*understand etc*) en venir à; (*a decision*) parvenir à; **to c. to an end** toucher à sa fin; **to c. true** se réaliser; **c. May**/*etc* *Fam* en mai/*etc*; **the life to c.** la vie future; **how c. that . . . ?** *Fam* comment se fait-il que . . . ? ■ **to c. about** *vi* (*happen*) se faire, arriver; **to c. across** *vi* (*of speech*) faire de l'effet; (*of feelings*) se montrer; – *vt* (*thing, person*) tomber sur; **to c. along** *vi* venir (**with** avec); (*progress*) avancer; **c. along!** allons!; **to c. at** *vt* (*attack*) attaquer; **to c. away** *vi* (*leave, come off*) partir; **to c. back** *vi* revenir; (*return home*) rentrer. ◆**comeback** *n* retour *m*; *Th Pol* rentrée *f*; (*retort*) réplique *f*; **to c. by** *vt* (*obtain*) obtenir; (*find*) trouver; **to c. down** *vi* descendre; (*of rain, price*) tomber. ◆**comedown** *n Fam* humiliation *f*; **to c. forward** *vi* (*make oneself known, volunteer*) se présenter; **to c. forward with** offrir, suggérer; **to c. in** *vi* entrer; (*of tide*) monter; (*of train, athlete*) arriver; *Pol* arriver au pouvoir; (*of clothes*) devenir la mode, se faire beaucoup; (*of money*) rentrer; **to c. in for** recevoir; **to c. into** (*money*) hériter de; **to c. off** *vi* se détacher, partir; (*succeed*) réussir; (*happen*) avoir lieu; (*fare, manage*) s'en tirer; – *vt* (*fall from*) tomber de; (*get down from*) descendre de; **to c. on** *vi* (*follow*) suivre; (*progress*) avancer; (*start*) commencer; (*arrive*) arriver; (*of play*) être joué; **c. on!** allez!; **to c. out** *vi* sortir; (*of sun, book*) paraître; (*of stain*) s'enlever, partir; (*of secret*) être révélé; (*of photo*) réussir; **to c. out (on strike)** se mettre en grève; **to c. over** *vi* (*visit*) venir, passer; **to c. over funny** *or* **peculiar** se trouver mal; – *vt* (*take hold of*) saisir (*qn*), prendre (*qn*); **to c. round** *vi* (*visit*) venir, passer; (*recur*) revenir; (*regain consciousness*) revenir à soi; **to c. through** *vi* (*survive*) s'en tirer; – *vt* se tirer indemne de; **to c. to** *vi* (*regain consciousness*) revenir à soi; (*amount to*) *Com* revenir à, faire; **to c. under** *vi* être classé sous; (*s.o.'s influence*) tomber sous; **to c. up** *vi* (*rise*) monter; (*of plant*) sortir; (*of question, job*) se présenter; **to c. up against** (*wall, problem*) se heurter à; **to c. up to** (*reach*) arriver jusqu'à; (*one's hopes*) répondre à; **to c. up with** (*idea, money*) trouver; **to c. upon** *vt* (*book, reference etc*) tomber sur. ◆**coming** *a* (*future*) à venir; – *n Rel* avènement *m*; **comings and goings** allées *fpl* et venues.

comedy ['kɒmɪdɪ] *n* comédie *f*. ◆**co'median** *n* (acteur *m*) comique *m*, actrice *f* comique.

comet ['kɒmɪt] *n* comète *f*.

comeuppance [kʌm'ʌpəns] *n* **he got his c.** *Pej Fam* il n'a eu que ce qu'il mérite.

comfort ['kʌmfət] *n* confort *m*; (*consolation*) réconfort *m*, consolation *f*; (*peace of mind*) tranquillité *f* d'esprit; **to like one's comforts** aimer ses aises *fpl*; **c. station** *Am* toilettes *fpl*; – *vt* consoler; (*cheer*) réconforter. ◆**—able** *a* (*chair, house etc*) confortable; (*rich*) aisé; **he's c.** (*in chair etc*) il est à l'aise, il est bien; **make yourself c.** mets-toi à l'aise. ◆**—ably** *adv* **c. off** (*rich*) à l'aise. ◆**—er** *n* (*baby's dummy*) sucette *f*; (*quilt*) *Am* édredon *m*. ◆**comfy** *a* (**-ier, -iest**) (*chair etc*) *Fam* confortable; **I'm c.** je suis bien.

comic ['kɒmɪk] *a* comique; – *n* (*actor*) comique *m*; (*actress*) actrice *f* comique; (*magazine*) illustré *m*; **c. strip** bande *f* dessinée. ◆**comical** *a* comique, drôle.

comma ['kɒmə] *n Gram* virgule *f*.

command [kə'mɑːnd] *vt* (*order*) commander (**s.o. to do** à qn de faire); (*control, dominate*) commander (*régiment, vallée etc*); (*be able to use*) disposer de; (*respect*) imposer (**from** à); (*require*) exiger; – *vi* commander; – *n* ordre *m*; (*power*) commandement *m*; (*troops*) troupes *fpl*; (*mastery*) maîtrise *f* (**of** de); **at one's c.** (*disposal*) à sa disposition; **to be in c. (of)** (*ship, army etc*) commander; (*situation*) être maître (de). ◆**—ing** *a* (*authoritative*) imposant; (*position*) dominant; **c. officer** commandant *m*. ◆**—er** *n* chef *m*; *Mil* commandant *m*. ◆**—ment** *n Rel* commandement *m*.

commandant ['kɒməndænt] *n Mil* commandant *m* (*d'un camp etc*). ◆**comman'deer** *vt* réquisitionner.

commando [kə'mɑːndəʊ] *n* (*pl* **-os** *or* **-oes**) *Mil* commando *m*.

commemorate [kə'meməreɪt] *vt* commémorer. ◆**commemo'ration** *n* commé-

moration *f*. ◆**commemorative** *a* commémoratif.
commence [kə'mens] *vti* commencer (**doing** à faire). ◆**—ment** *n* commencement *m*; *Univ Am* remise *f* des diplômes.
commend [kə'mend] *vt* (*praise*) louer; (*recommend*) recommander; (*entrust*) confier (**to** à). ◆**—able** *a* louable. ◆**commen'dation** *n* éloge *m*.
commensurate [kə'menʃərət] *a* proportionné (**to, with** à).
comment ['kɒment] *n* commentaire *m*, remarque *f*; – *vi* faire des commentaires *or* des remarques (**on** sur); **to c. on** (*text, event, news item*) commenter; **to c. that** remarquer que. ◆**commentary** *n* commentaire *m*; (**live**) **c.** *TV Rad* reportage *m*. ◆**commentate** *vi TV Rad* faire un reportage (**on** sur). ◆**commentator** *n TV Rad* reporter *m*, commentateur, -trice *mf*.
commerce ['kɒmɜːs] *n* commerce *m*. ◆**co'mmercial 1** *a* commercial; (*street*) commerçant; (*traveller*) de commerce. **2** *n* (*advertisement*) *TV* publicité *f*; **the commercials** *TV* la publicité. ◆**co'mmercialize** *vt* (*event*) *Pej* transformer en une affaire de gros sous.
commiserate [kə'mɪzəreɪt] *vi* **to c. with s.o.** s'apitoyer sur (le sort de) qn. ◆**commise'ration** *n* commisération *f*.
commission [kə'mɪʃ(ə)n] *n* (*fee, group*) commission *f*; (*order for work*) commande *f*; **out of c.** hors service; **to get one's c.** *Mil* être nommé officier; – *vt* (*artist*) passer une commande à; (*book*) commander; *Mil* nommer (*qn*) officier; **to c. to do** charger de faire. ◆**commissio'naire** *n* (*in hotel etc*) commissionnaire *m*. ◆**commissioner** *n Pol* commissaire *m*; (**police**) **c.** préfet *m* (de police).
commit [kə'mɪt] *vt* (**-tt-**) (*crime*) commettre; (*entrust*) confier (**to** à); **to c. suicide** se suicider; **to c. to memory** apprendre par cœur; **to c. to prison** incarcérer; **to c. oneself** s'engager (**to** à); (*compromise oneself*) se compromettre. ◆**—ment** *n* obligation *f*; (*promise*) engagement *m*.
committee [kə'mɪtɪ] *n* comité *m*.
commodity [kə'mɒdɪtɪ] *n* produit *m*, article *m*.
common ['kɒmən] **1** *a* (**-er, -est**) (*shared, vulgar*) commun; (*frequent*) courant, fréquent, commun; **the c. man** l'homme *m* du commun; **in c.** (*shared*) en commun (**with** avec); **to have nothing in c.** n'avoir rien de commun (**with** avec); **in c. with** (*like*) comme; **c. law** droit *m* coutumier; **C. Market** Marché *m* commun; **c. room** salle *f* commune; **c. or garden** ordinaire. **2** *n* (*land*) terrain *m* communal; **House of Commons** *Pol* Chambre *f* des Communes; **the Commons** *Pol* les Communes *fpl*. ◆**—er** *n* roturier, -ière *mf*. ◆**—ly** *adv* (*generally*) communément; (*vulgarly*) d'une façon commune. ◆**—ness** *n* fréquence *f*; (*vulgarity*) vulgarité *f*. ◆**commonplace** *a* banal; – *n* banalité *f*. ◆**common'sense** *n* sens *m* commun; – *a* sensé.
Commonwealth ['kɒmənwelθ] *n* **the C.** le Commonwealth.
commotion [kə'məʊʃ(ə)n] *n* agitation *f*.
communal [kə'mjuːn(ə)l] *a* (*of the community*) communautaire; (*shared*) commun. ◆**—ly** *adv* en commun; (*to live*) en communauté.
commune 1 ['kɒmjuːn] *n* (*district*) commune *f*; (*group*) communauté *f*. **2** [kə'mjuːn] *vi Rel & Fig* communier (**with** avec). ◆**co'mmunion** *n* communion *f*; (**Holy**) **C.** communion *f*.
communicate [kə'mjuːnɪkeɪt] *vt* communiquer; (*illness*) transmettre; – *vi* (*of person, rooms etc*) communiquer. ◆**communi'cation** *n* communication *f*; **c. cord** *Rail* signal *m* d'alarme. ◆**communicative** *a* communicatif. ◆**communiqué** *n Pol* communiqué *m*.
communism ['kɒmjʊnɪz(ə)m] *n* communisme *m*. ◆**communist** *a & n* communiste (*mf*).
community [kə'mjuːnɪtɪ] *n* communauté *f*, – *a* (*rights, life etc*) communautaire; **the student c.** les étudiants *mpl*; **c. centre** centre *m* socio-culturel; **c. worker** animateur, -trice *mf* socio-culturel(le).
commut/e [kə'mjuːt] **1** *vt Jur* commuer (**to** en). **2** *vi* (*travel*) faire la navette (**to work** pour se rendre à son travail). ◆**—ing** *n* trajets *mpl* journaliers. ◆**—er** *n* banlieusard, -arde *mf*; **c. train** train *m* de banlieue.
compact 1 [kəm'pækt] *a* (*car, crowd, substance*) compact; (*style*) condensé; **c. disc** ['kɒmpækt] disque *m* compact. **2** ['kɒmpækt] *n* (*for face powder*) poudrier *m*.
companion [kəm'pænjən] *n* (*person*) compagnon *m*, compagne *f*; (*handbook*) manuel *m*. ◆**companionship** *n* camaraderie *f*.
company ['kʌmpənɪ] *n* (*fellowship, firm*) compagnie *f*; (*guests*) invités, -ées *mfpl*; **to keep s.o. c.** tenir compagnie à qn; **to keep good c.** avoir de bonnes fréquentations; **he's good c.** c'est un bon compagnon.

compar/e [kəm'peər] *vt* comparer; **compared to** *or* **with** en comparaison de; – *vi* être comparable, se comparer (**with** à). ◆**–able** ['kɒmpərəb(ə)l] *a* comparable. ◆**comparative** *a* comparatif; (*relative*) relatif. ◆**comparatively** *adv* relativement. ◆**comparison** *n* comparaison *f* (**between** entre; **with** à, avec).

compartment [kəm'pɑːtmənt] *n* compartiment *m*. ◆**compart'mentalize** *vt* compartimenter.

compass ['kʌmpəs] *n* **1** (*for navigation*) boussole *f*; *Nau* compas *m*; (*range*) *Fig* portée *f*. **2** (*for measuring etc*) *Am* compas *m*; **(pair of) compasses** compas *m*.

compassion [kəm'pæʃ(ə)n] *n* compassion *f*. ◆**compassionate** *a* compatissant; **on c. grounds** pour raisons de famille.

compatible [kəm'pætɪb(ə)l] *a* compatible. ◆**compati'bility** *n* compatibilité *f*.

compatriot [kəm'pætrɪət, kəm'peɪtrɪət] *n* compatriote *mf*.

compel [kəm'pel] *vt* (**-ll-**) contraindre (**to do** à faire); (*respect etc*) imposer (**from** à); **compelled to do** contraint de faire. ◆**compelling** *a* irrésistible.

compendium [kəm'pendɪəm] *n* abrégé *m*.

compensate ['kɒmpənseɪt] *vt* **to c. s.o.** (*with payment, recompense*) dédommager qn (**for** de); **to c. for sth** (*make up for*) compenser qch; – *vi* compenser. ◆**compen'sation** *n* (*financial*) dédommagement *m*; (*consolation*) compensation *f*, dédommagement *m*; **in c. for** en compensation de.

compère ['kɒmpeər] *n TV Rad* animateur, -trice *mf*, présentateur, -trice *mf*; – *vt* (*a show*) animer, présenter.

compete [kəm'piːt] *vi* prendre part (**in** à), concourir (**in** à); (*vie*) rivaliser (**with** avec); *Com* faire concurrence (**with** à); **to c. for** (*prize etc*) concourir pour; **to c. in a rally** courir dans un rallye.

competent ['kɒmpɪtənt] *a* (*capable*) compétent (**to do** pour faire); (*sufficient*) suffisant. ◆**–ly** *adv* avec compétence. ◆**competence** *n* compétence *f*.

competition [kɒmpə'tɪʃ(ə)n] *n* (*rivalry*) compétition *f*, concurrence *f*; **a c.** (*contest*) un concours; *Sp* une compétition. ◆**com'petitive** *a* (*price, market*) compétitif; (*selection*) par concours; (*person*) aimant la compétition; **c. exam(ination)** concours *m*. ◆**com'petitor** *n* concurrent, -ente *mf*.

compil/e [kəm'paɪl] *vt* (*dictionary*) rédiger; (*list*) dresser; (*documents*) compiler. ◆**–er** *n* rédacteur, -trice *mf*.

complacent [kəm'pleɪsənt] *a* content de soi. ◆**complacence** *n*, ◆**complacency** *n* autosatisfaction *f*, contentement *m* de soi.

complain [kəm'pleɪn] *vi* se plaindre (**of, about** de; **that** que). ◆**complaint** *n* plainte *f*; *Com* réclamation *f*; *Med* maladie *f*; **(cause for) c.** sujet *m* de plainte.

complement ['kɒmplɪmənt] *n* complément *m*; – ['kɒmplɪment] *vt* compléter. ◆**comple'mentary** *a* complémentaire.

complete [kəm'pliːt] *a* (*total*) complet; (*finished*) achevé; (*downright*) *Pej* parfait; – *vt* (*add sth missing*) compléter; (*finish*) achever; (*a form*) remplir. ◆**–ly** *adv* complètement. ◆**completion** *n* achèvement *m*, réalisation *f*.

complex ['kɒmpleks] **1** *a* complexe. **2** *n* (*feeling, buildings*) complexe *m*; **housing c.** grand ensemble *m*. ◆**com'plexity** *n* complexité *f*.

complexion [kəm'plekʃ(ə)n] *n* (*of the face*) teint *m*; *Fig* caractère *m*.

compliance [kəm'plaɪəns] *n* (*agreement*) conformité *f* (**with** avec).

complicat/e ['kɒmplɪkeɪt] *vt* compliquer. ◆**–ed** *a* compliqué. ◆**compli'cation** *n* complication *f*.

complicity [kəm'plɪsɪtɪ] *n* complicité *f*.

compliment ['kɒmplɪmənt] *n* compliment *m*; *pl* (*of author*) hommages *mpl*; **compliments of the season** meilleurs vœux pour Noël et la nouvelle année; – ['kɒmplɪment] *vt* complimenter. ◆**compli'mentary** *a* **1** (*flattering*) flatteur. **2** (*free*) à titre gracieux; (*ticket*) de faveur.

comply [kəm'plaɪ] *vi* obéir (**with** à); (*request*) accéder à.

component [kəm'pəʊnənt] *a* (*part*) constituant; – *n* (*chemical, electronic*) composant *m*; *Tech* pièce *f*; (*element*) *Fig* composante *f*.

compos/e [kəm'pəʊz] *vt* composer; **to c. oneself** se calmer. ◆**–ed** *a* calme. ◆**–er** *n Mus* compositeur, -trice *mf*. ◆**compo'sition** *n Mus Liter Ch* composition *f*; *Sch* rédaction *f*. ◆**composure** *n* calme *m*, sang-froid *m*.

compost ['kɒmpɒst, *Am* 'kɒmpəʊst] *n* compost *m*.

compound **1** ['kɒmpaʊnd] *n* (*substance, word*) composé *m*; (*area*) enclos *m*; – *a Ch* composé; (*sentence, number*) complexe. **2** [kəm'paʊnd] *vt Ch* composer; (*increase*) *Fig* aggraver.

comprehend [kɒmprɪ'hend] *vt* comprendre. ◆**comprehensible** *a* compréhensible. ◆**comprehension** *n* compréhension *f.* ◆**comprehensive** *a* complet; (*knowledge*) étendu; (*view, measure*) d'ensemble; (*insurance*) tous-risques *inv*; – *a* & *n* **c.** (**school**) = collège *m* d'enseignement secondaire.

compress [kəm'pres] *vt* comprimer; (*ideas etc*) *Fig* condenser. ◆**compression** *n* compression *f*; condensation *f*.

comprise [kəm'praɪz] *vt* comprendre, englober.

compromise ['kɒmprəmaɪz] *vt* compromettre; – *vi* accepter un compromis; – *n* compromis *m*; – *a* (*solution*) de compromis.

compulsion [kəm'pʌlʃ(ə)n] *n* contrainte *f*. ◆**compulsive** *a* (*behaviour*) *Psy* compulsif; (*smoker, gambler*) invétéré; **c. liar** mythomane *mf*.

compulsory [kəm'pʌlsərɪ] *a* obligatoire.

compunction [kəm'pʌŋkʃ(ə)n] *n* scrupule *m*.

comput/e [kəm'pjuːt] *vt* calculer. ◆**—ing** *n* informatique *f*. ◆**computer** *n* ordinateur *m*; – *a* (*system*) informatique; (*course*) d'informatique; **c. operator** opérateur, -trice *mf* sur ordinateur; **c. science** informatique *f*; **c. scientist** informaticien, -ienne *mf*. ◆**computerize** *vt* informatiser.

comrade ['kɒmreɪd] *n* camarade *mf*. ◆**comradeship** *n* camaraderie *f*.

con [kɒn] *vt* (**-nn-**) *Sl* rouler, escroquer; **to be conned** se faire avoir *or* rouler; – *n Sl* escroquerie *f*; **c. man** escroc *m*.

concave ['kɒnkeɪv] *a* concave.

conceal [kən'siːl] *vt* (*hide*) dissimuler (**from s.o.** à qn); (*plan etc*) tenir secret. ◆**—ment** *n* dissimulation *f*.

concede [kən'siːd] *vt* concéder (**to** à, **that** que); – *vi* céder.

conceit [kən'siːt] *n* vanité *f*. ◆**conceited** *a* vaniteux. ◆**conceitedly** *adv* avec vanité.

conceiv/e [kən'siːv] *vt* (*idea, child etc*) concevoir; – *vi* (*of woman*) concevoir; **to c. of** concevoir. ◆**—able** *a* concevable, envisageable. ◆**—ably** *adv* **yes, c.** oui, c'est concevable.

concentrate ['kɒnsəntreɪt] *vt* concentrer; – *vi* se concentrer (**on** sur); **to c. on doing** s'appliquer à faire. ◆**concen'tration** *n* concentration *f*; **c. camp** camp *m* de concentration.

concentric [kən'sentrɪk] *a* concentrique.

concept ['kɒnsept] *n* concept *m*. ◆**con'ception** *n* (*idea*) & *Med* conception *f*.

concern [kən'sɜːn] *vt* concerner; **to c. oneself with, be concerned with** s'occuper de; **to be concerned about** s'inquiéter de; – *n* (*matter*) affaire *f*; (*anxiety*) inquiétude *f*; (*share*) *Com* intérêt(s) *m*(*pl*) (**in** dans); (**business**) **c.** entreprise *f*. ◆**—ed** *a* (*anxious*) inquiet; **the department c.** le service compétent; **the main person c.** le principal intéressé. ◆**—ing** *prep* en ce qui concerne.

concert ['kɒnsət] *n* concert *m*; **in c.** (*together*) de concert (**with** avec). ◆**c.-goer** *n* habitué, -ée *mf* des concerts. ◆**con'certed** *a* (*effort*) concerté.

concertina [kɒnsə'tiːnə] *n* concertina *m*; **c. crash** *Aut* carambolage *m*.

concession [kən'seʃ(ə)n] *n* concession *f* (**to** à).

conciliate [kən'sɪlɪeɪt] *vt* **to c. s.o.** (*win over*) se concilier qn; (*soothe*) apaiser qn. ◆**concili'ation** *n* conciliation *f*; apaisement *m*. ◆**conciliatory** [kən'sɪlɪətərɪ, *Am* -tɔːrɪ] *a* conciliant.

concise [kən'saɪs] *a* concis. ◆**—ly** *adv* avec concision. ◆**—ness** *n*, ◆**concision** *n* concision *f*.

conclud/e [kən'kluːd] *vt* (*end, settle*) conclure; **to c. that** (*infer*) conclure que; – *vi* (*of event etc*) se terminer (**with** par); (*of speaker*) conclure. ◆**—ing** *a* final. ◆**conclusion** *n* conclusion *f*; **in c.** pour conclure. ◆**conclusive** *a* concluant. ◆**conclusively** *adv* de manière concluante.

concoct [kən'kɒkt] *vt Culin Pej* concocter, confectionner; (*scheme*) *Fig* combiner. ◆**concoction** *n* (*substance*) *Pej* mixture *f*; (*act*) confection *f*; *Fig* combinaison *f*.

concord ['kɒŋkɔːd] *n* concorde *f*.

concourse ['kɒŋkɔːs] *n* (*hall*) *Am* hall *m*; *Rail* hall *m*, salle *f* des pas perdus.

concrete ['kɒŋkriːt] **1** *a* (*real, positive*) concret. **2** *n* béton *m*; – *a* en béton; **c. mixer** bétonnière *f*, bétonneuse *f*.

concur [kən'kɜːr] *vi* (**-rr-**) **1** (*agree*) être d'accord (**with** avec). **2 to c. to** (*contribute*) concourir à.

concurrent [kən'kʌrənt] *a* simultané. ◆**—ly** *adv* simultanément.

concussion [kən'kʌʃ(ə)n] *n Med* commotion *f* (cérébrale).

condemn [kən'dem] *vt* condamner; (*building*) déclarer inhabitable. ◆**condem'nation** *n* condamnation *f*.

condense [kən'dens] *vt* condenser; – *vi* se condenser. ◆**conden'sation** *n* condensation *f* (**of** de); (*mist*) buée *f*.

condescend [kɒndɪ'send] *vi* condescendre (**to do** à faire). ◆**condescension** *n* condescendance *f*.

condiment ['kɒndɪmənt] *n* condiment *m*.

condition ['kəndɪʃ(ə)n] **1** *n* (*stipulation, circumstance, rank*) condition *f*; (*state*) état *m*, condition *f*; **on c. that one does** à condition de faire, à condition que l'on fasse; **in/out of c.** en bonne/mauvaise forme. **2** *vt* (*action etc*) déterminer, conditionner; **to c. s.o.** *Psy* conditionner qn (**into doing** à faire). ◆**conditional** *a* conditionnel; **to be c. upon** dépendre de. ◆**conditioner** *n* (**hair**) **c.** après-shampooing *m*.

condo ['kɒndəʊ] *n abbr* (*pl* **-os**) *Am* = **condominium.**

condolences [kən'dəʊlənsɪz] *npl* condoléances *fpl*.

condom ['kɒndəm] *n* préservatif *m*, capote *f* (anglaise).

condominium [kɒndə'mɪnɪəm] *n Am* (*building*) (immeuble *m* en) copropriété *f*; (*apartment*) appartement *m* dans une copropriété.

condone [kən'dəʊn] *vt* (*forgive*) pardonner; (*overlook*) fermer les yeux sur.

conducive [kən'djuːsɪv] *a* **c. to** favorable à.

conduct ['kɒndʌkt] *n* (*behaviour, directing*) conduite *f*; – [kən'dʌkt] *vt* (*lead*) conduire, mener; (*orchestra*) diriger; (*electricity etc*) conduire; **to c. oneself** se conduire. ◆**—ed** *a* (*visit*) guidé; **c. tour** excursion *f* accompagnée. ◆**conductor** *n Mus* chef *m* d'orchestre; (*on bus*) receveur *m*; *Rail Am* chef *m* de train; (*metal, cable etc*) conducteur *m*. ◆**conductress** *n* (*on bus*) receveuse *f*.

cone [kəʊn] *n* cône *m*; (*of ice cream*) cornet *m*; (**paper**) **c.** cornet *m* (de papier); **traffic c.** cône *m* de chantier.

confectioner [kən'fekʃənər] *n* (*of sweets*) confiseur, -euse *mf*; (*of cakes*) pâtissier, -ière *mf*. ◆**confectionery** *n* (*sweets*) confiserie *f*; (*cakes*) pâtisserie *f*.

confederate [kən'fedərət] *a* confédéré; – *n* (*accomplice*) complice *mf*, acolyte *m*. ◆**confederacy** *n*, ◆**confede'ration** *n* confédération *f*.

confer [kən'fɜːr] **1** *vt* (**-rr-**) (*grant*) conférer (**on** à); (*degree*) *Univ* remettre. **2** *vi* (**-rr-**) (*talk together*) conférer, se consulter.

conference ['kɒnfərəns] *n* conférence *f*; (*scientific etc*) congrès *m*.

confess [kən'fes] **1** *vt* avouer, confesser (**that** que, **to** à); – *vi* avouer; **to c. to** (*crime etc*) avouer, confesser. **2** *vt Rel* confesser; – *vi* se confesser. ◆**confession** *n* aveu *m*, confession *f*; *Rel* confession *f*. ◆**confessional** *n Rel* confessionnal *m*.

confetti [kən'fetɪ] *n* confettis *mpl*.

confide [kən'faɪd] *vt* confier (**to** à, **that** que); – *vi* **to c. in** (*talk to*) se confier à. ◆**'confidant, -ante** [-ænt] *n* confident, -ente *mf*. ◆**'confidence** *n* (*trust*) confiance *f*; (*secret*) confidence *f*; (**self-**)**c.** confiance *f* en soi; **in c.** en confidence; **motion of no c.** *Pol* motion *f* de censure; **c. trick** escroquerie *f*; **c. trickster** escroc *m*. ◆**'confident** *a* sûr, assuré; (**self-**)**c.** sûr de soi. ◆**confi'dential** *a* confidentiel; (*secretary*) particulier. ◆**confi'dentially** *adv* en confidence. ◆**'confidently** *adv* avec confiance.

configuration [kənfɪgjʊ'reɪʃ(ə)n] *n* configuration *f*.

confin/e [kən'faɪn] *vt* enfermer, confiner (**to, in** dans); (*limit*) limiter (**to** à); **to c. oneself to doing** se limiter à faire. ◆**—ed** *a* (*atmosphere*) confiné; (*space*) réduit; **c. to bed** obligé de garder le lit. ◆**—ement** *n Med* couches *fpl*; *Jur* emprisonnement *m*. ◆**'confines** *npl* limites *fpl*, confins *mpl*.

confirm [kən'fɜːm] *vt* confirmer (**that** que); (*strengthen*) raffermir. ◆**—ed** *a* (*bachelor*) endurci; (*smoker, habit*) invétéré. ◆**confir'mation** *n* confirmation *f*; raffermissement *m*.

confiscate ['kɒnfɪskeɪt] *vt* confisquer (**from s.o.** à qn). ◆**confis'cation** *n* confiscation *f*.

conflagration [kɒnflə'greɪʃ(ə)n] *n* (grand) incendie *m*, brasier *m*.

conflict ['kɒnflɪkt] *n* conflit *m*; – [kən'flɪkt] *vi* être en contradiction, être incompatible (**with** avec); (*of dates, events, TV programmes*) tomber en même temps (**with** que). ◆**—ing** *a* (*views, theories etc*) contradictoires; (*dates*) incompatibles.

confluence ['kɒnflʊəns] *n* (*of rivers*) confluent *m*.

conform [kən'fɔːm] *vi* se conformer (**to, with** à); (*of ideas etc*) être en conformité. ◆**conformist** *a & n* conformiste (*mf*). ◆**conformity** *n* (*likeness*) conformité *f*; *Pej* conformisme *m*.

confound [kən'faʊnd] *vt* confondre; **c. him!** que le diable l'emporte! ◆**—ed** *a* (*damned*) *Fam* sacré.

confront [kən'frʌnt] *vt* (*danger*) affronter; (*problems*) faire face à; **to c. s.o.** (*be face to face with*) se trouver en face de qn; (*oppose*) s'opposer à qn; **to c. s.o. with** (*person*) confronter qn avec; (*thing*) mettre qn en présence de. ◆**confron'tation** *n* confrontation *f*.

confus/e [kən'fjuːz] *vt* (*perplex*) confondre; (*muddle*) embrouiller; **to c. with** (*mistake for*) confondre avec. ◆**—ed** *a* (*situation,* *noises etc*) confus; **to be c.** (*of person*) s'y perdre; **to get c.** s'embrouiller. ◆**—ing** *a* difficile à comprendre, déroutant. ◆**confusion** *n* confusion *f*; **in c.** en désordre.

congeal [kən'dʒiːl] *vt* figer; – *vi* (se) figer.

congenial [kən'dʒiːnɪəl] *a* sympathique.

congenital [kən'dʒenɪtəl] *a* congénital.

congested [kən'dʒestɪd] *a* (*street*) encombré; (*town*) surpeuplé; *Med* congestionné. ◆**congestion** *n* (*traffic*) encombrement(s) *m*(*pl*); (*overcrowding*) surpeuplement *m*; *Med* congestion *f*.

Congo ['kɒŋgəʊ] *n* Congo *m*.

congratulate [kən'grætʃʊleɪt] *vt* féliciter (**s.o. on sth** qn de qch). ◆**congratu'lations** *npl* félicitations *fpl* (**on** pour). ◆**congratu'latory** *a* (*telegram etc*) de félicitations.

congregate ['kɒŋgrɪgeɪt] *vi* se rassembler. ◆**congre'gation** *n* (*worshippers*) assemblée *f*, fidèles *mfpl*.

congress ['kɒŋgres] *n* congrès *m*; **C.** *Pol Am* le Congrès. ◆**Congressman** *n* (*pl* **-men**) *Am* membre *m* du Congrès. ◆**Con'gressional** *a Am* du Congrès.

conic(al) ['kɒnɪk(ə)l] *a* conique.

conifer ['kɒnɪfər] *n* (*tree*) conifère *m*.

conjecture [kən'dʒektʃər] *n* conjecture *f*; – *vt* conjecturer; – *vi* faire des conjectures. ◆**conjectural** *a* conjectural.

conjugal ['kɒndʒʊgəl] *a* conjugal.

conjugate ['kɒndʒʊgeɪt] *vt* (*verb*) conjuguer. ◆**conju'gation** *n Gram* conjugaison *f*.

conjunction [kən'dʒʌŋkʃ(ə)n] *n Gram* conjonction *f*; **in c. with** conjointement avec.

conjur/e ['kʌndʒər] *vt* **to c. (up)** (*by magic*) faire apparaître; **to c. up** (*memories etc*) *Fig* évoquer. ◆**—ing** *n* prestidigitation *f*. ◆**—er** *n* prestidigitateur, -trice *mf*.

conk [kɒŋk] **1** *n* (*nose*) *Sl* pif *m*. **2** *vi* **to c. out** (*break down*) *Fam* claquer, tomber en panne.

conker ['kɒŋkər] *n* (*horse-chestnut fruit*) *Fam* marron *m* (d'Inde).

connect [kə'nekt] *vt* relier (**with, to** à); (*telephone, stove etc*) brancher; **to c. with** *Tel* mettre en communication avec; (*in memory*) associer avec; – *vi* (*be connected*) être relié; **to c. with** (*of train, bus*) assurer la correspondance avec. ◆**—ed** *a* (*facts etc*) lié, connexe; (*speech*) suivi; **to be c. with** (*have dealings with*) être lié à; (*have to do with, relate to*) avoir rapport à; (*by marriage*) être allié à. ◆**connection** *n* (*link*) rapport *m*, relation *f* (**with** avec); (*train, bus etc*) correspondance *f*; (*phone call*) communication *f*; (*between pipes etc*) *Tech* raccord *m*; *pl* (*contacts*) relations *fpl*; **in c. with** à propos de.

connive [kə'naɪv] *vi* **to c. at** fermer les yeux sur; **to c. to do** se mettre de connivence pour faire (**with** avec); **to c. together** agir en complicité. ◆**connivance** *n* connivence *f*.

connoisseur [kɒnə'sɜːr] *n* connaisseur *m*.

connotation [kɒnə'teɪʃ(ə)n] *n* connotation *f*.

conquer ['kɒŋkər] *vt* (*country, freedom etc*) conquérir; (*enemy, habit*) vaincre. ◆**—ing** *a* victorieux. ◆**conqueror** *n* conquérant, -ante *mf*, vainqueur *m*. ◆**conquest** *n* conquête *f*.

cons [kɒnz] *npl* **the pros and (the) c.** le pour et le contre.

conscience ['kɒnʃəns] *n* conscience *f*. ◆**c.-stricken** *a* pris de remords.

conscientious [kɒnʃɪ'enʃəs] *a* consciencieux; **c. objector** objecteur *m* de conscience. ◆**—ness** *n* application *f*, sérieux *m*.

conscious ['kɒnʃəs] *a* conscient (**of sth** de qch); (*intentional*) délibéré; *Med* conscient; **to be c. of doing** avoir conscience de faire. ◆**—ly** *adv* (*knowingly*) consciemment. ◆**—ness** *n* conscience *f* (**of** de); *Med* connaissance *f*.

conscript ['kɒnskrɪpt] *n Mil* conscrit *m*; – [kən'skrɪpt] *vt* enrôler (par conscription). ◆**con'scription** *n* conscription *f*.

consecrate ['kɒnsɪkreɪt] *vt* (*church etc*) *Rel* consacrer. ◆**conse'cration** *n* consécration *f*.

consecutive [kən'sekjʊtɪv] *a* consécutif. ◆**—ly** *adv* consécutivement.

consensus [kən'sensəs] *n* consensus *m*, accord *m* (général).

consent [kən'sent] *vi* consentir (**to** à); – *n* consentement *m*; **by common c.** de l'aveu de tous; **by mutual c.** d'un commun accord.

consequence ['kɒnsɪkwəns] *n* (*result*) conséquence *f*; (*importance*) importance *f*, conséquence *f*. ◆**consequently** *adv* par conséquent.

conservative [kən'sɜːvətɪv] **1** *a* (*estimate*) modeste; (*view*) traditionnel. **2** *a* & *n* **C.** *Pol* conservateur, -trice (*mf*). ◆**conservatism** *n* (*in behaviour*) & *Pol Rel* conservatisme *m*.

conservatoire [kən'sɜːvətwɑːr] *n Mus* conservatoire *m*.

conservatory [kən'sɜːvətrɪ] *n* (*greenhouse*) serre *f*.

conserve [kən'sɜːv] *vt* préserver, conserver;

(*one's strength*) ménager; **to c. energy** faire des économies d'énergie. ◆**conser'vation** *n* (*energy-saving*) économies *fpl* d'énergie; (*of nature*) protection *f* de l'environnement; *Phys* conservation *f*.

consider [kən'sɪdər] *vt* considérer; (*take into account*) tenir compte de; **I'll c. it** j'y réfléchirai; **to c. doing** envisager de faire; **to c. that** estimer *or* considérer que; **he's** *or* **she's being considered (for the job)** sa candidature est à l'étude; **all things considered** en fin de compte. ◆**—ing** *prep* étant donné, vu. ◆**—able** *a* (*large*) considérable; (*much*) beaucoup de. ◆**—ably** *adv* beaucoup, considérablement. ◆**conside'ration** *n* (*thought, thoughtfulness, reason*) considération *f*; **under c.** à l'étude; **out of c. for** par égard pour; **to take into c.** prendre en considération.

considerate [kən'sɪdərət] *a* plein d'égards (**to** pour), attentionné (**to** à l'égard de).

consign [kən'saɪn] *vt* (*send*) expédier; (*give, entrust*) confier (**to** à). ◆**—ment** *n* (*act*) expédition *f*; (*goods*) arrivage *m*.

consist [kən'sɪst] *vi* consister (**of** en, **in** dans, **in doing** à faire).

consistent [kən'sɪstənt] *a* logique, conséquent; (*coherent*) cohérent; (*friend*) fidèle; **c. with** compatible avec, conforme à. ◆**—ly** *adv* (*logically*) avec logique; (*always*) constamment. ◆**consistency** *n* **1** logique *f*; cohérence *f*. **2** (*of liquid etc*) consistance *f*.

console[1] [kən'səʊl] *vt* consoler. ◆**conso'lation** *n* consolation *f*; **c. prize** prix *m* de consolation.

console[2] ['kɒnsəʊl] *n* (*control desk*) *Tech* console *f*.

consolidate [kən'sɒlɪdeɪt] *vt* consolider; – *vi* se consolider. ◆**consoli'dation** *n* consolidation *f*.

consonant ['kɒnsənənt] *n* consonne *f*.

consort 1 ['kɒnsɔːt] *n* époux *m*, épouse *f*; **prince c.** prince *m* consort. **2** [kən'sɔːt] *vi* **to c. with** *Pej* fréquenter.

consortium [kən'sɔːtɪəm] *n Com* consortium *m*.

conspicuous [kən'spɪkjʊəs] *a* visible, en évidence; (*striking*) remarquable, manifeste; (*showy*) voyant; **to be c. by one's absence** briller par son absence; **to make oneself c.** se faire remarquer. ◆**—ly** *adv* visiblement.

conspire [kən'spaɪər] **1** *vi* (*plot*) conspirer (**against** contre); **to c. to do** comploter de faire. **2** *vt* **to c. to do** (*of events*) conspirer à faire. ◆**conspiracy** *n* conspiration *f*.

constable ['kɒnstəb(ə)l] *n* (**police**) **c.** agent *m* (de police). ◆**con'stabulary** *n* la police.

constant ['kɒnstənt] *a* (*frequent*) incessant; (*unchanging*) constant; (*faithful*) fidèle. ◆**constancy** *n* constance *f*. ◆**constantly** *adv* constamment, sans cesse.

constellation [kɒnstə'leɪʃ(ə)n] *n* constellation *f*.

consternation [kɒnstə'neɪʃ(ə)n] *n* consternation *f*.

constipate ['kɒnstɪpeɪt] *vt* constiper. ◆**consti'pation** *n* constipation *f*.

constituent [kən'stɪtjʊənt] **1** *a* (*element etc*) constituant, constitutif. **2** *n Pol* électeur, -trice *mf*. ◆**constituency** *n* circonscription *f* électorale; (*voters*) électeurs *mpl*.

constitute ['kɒnstɪtjuːt] *vt* constituer. ◆**consti'tution** *n* (*of person etc*) & *Pol* constitution *f*. ◆**consti'tutional** *a Pol* constitutionnel.

constrain [kən'streɪn] *vt* contraindre.

constrict [kən'strɪkt] *vt* (*tighten, narrow*) resserrer; (*movement*) gêner. ◆**con'striction** *n* resserrement *m*.

construct [kən'strʌkt] *vt* construire. ◆**construction** *n* construction *f*; **under c.** en construction. ◆**constructive** *a* constructif.

construe [kən'struː] *vt* interpréter, comprendre.

consul ['kɒnsəl] *n* consul *m*. ◆**consular** *a* consulaire. ◆**consulate** *n* consulat *m*.

consult [kən'sʌlt] *vt* consulter; – *vi* **to c. with** discuter avec, conférer avec. ◆**—ing** *a* (*room*) *Med* de consultation; (*physician*) consultant. ◆**consultancy** *n* **c. (firm)** *Com* cabinet *m* d'experts-conseils; **c. fee** honoraires *mpl* de conseils. ◆**consultant** *n* conseiller, -ère *mf*; *Med* spécialiste *mf*; (*financial, legal*) conseil *m*, expert-conseil *m*; – *a* (*engineer etc*) consultant. ◆**consul'tation** *n* consultation *f*. ◆**consultative** *a* consultatif.

consum/e [kən'sjuːm] *vt* (*food, supplies etc*) consommer; (*of fire, grief, hate*) consumer. ◆**—ing** *a* (*ambition*) brûlant. ◆**—er** *n* consommateur, -trice *mf*; **c. goods/society** biens *mpl*/société *f* de consommation. ◆**con'sumption** *n* consommation *f* (**of** de).

consummate ['kɒnsəmət] *a* (*perfect*) consommé.

contact ['kɒntækt] *n* contact *m*; (*person*) relation *f*; **in c. with** en contact avec; **c. lenses** lentilles *fpl* *or* verres *mpl* de contact; – *vt* se mettre en contact avec, contacter.

contagious [kən'teɪdʒəs] *a* contagieux.
contain [kən'teɪn] *vt* (*enclose, hold back*) contenir; **to c. oneself** se contenir. ◆**—er** *n* récipient *m*; (*for transporting freight*) conteneur *m*, container *m*.
contaminate [kən'tæmɪneɪt] *vt* contaminer. ◆**contami'nation** *n* contamination *f*.
contemplate ['kɒntəmpleɪt] *vt* (*look at*) contempler; (*consider*) envisager (**doing** de faire). ◆**contem'plation** *n* contemplation *f*; **in c. of** en prévision de.
contemporary [kən'tempərərɪ] *a* contemporain (**with** de); – *n* (*person*) contemporain, -aine *mf*.
contempt [kən'tempt] *n* mépris *m*; **to hold in c.** mépriser. ◆**contemptible** *a* méprisable. ◆**contemptuous** *a* dédaigneux (**of** de).
contend [kən'tend] **1** *vi* **to c. with** (*problem*) faire face à; (*person*) avoir affaire à; (*compete*) rivaliser avec; (*struggle*) se battre avec. **2** *vt* **to c. that** (*claim*) soutenir que. ◆**—er** *n* concurrent, -ente *mf*. ◆**contention** *n* **1** (*argument*) dispute *f*. **2** (*claim*) affirmation *f*. ◆**contentious** *a* (*issue*) litigieux.
content[1] [kən'tent] *a* satisfait (**with** de); **he's c. to do** il ne demande pas mieux que de faire. ◆**—ed** *a* satisfait. ◆**—ment** *n* contentement *m*.
content[2] ['kɒntent] *n* (*of text, film etc*) contenu *m*; *pl* (*of container*) contenu *m*; **(table of) contents** (*of book*) table *f* des matières; **alcoholic/iron/***etc* **c.** teneur *f* en alcool/fer/*etc*.
contest [kən'test] *vt* (*dispute*) contester; (*fight for*) disputer; – ['kɒntest] *n* (*competition*) concours *m*; (*fight*) lutte *f*; *Boxing* combat *m*. ◆**con'testant** *n* concurrent, -ente *mf*; (*in fight*) adversaire *mf*.
context ['kɒntekst] *n* contexte *m*.
continent ['kɒntɪnənt] *n* continent *m*; **the C.** l'Europe *f* (continentale). ◆**conti'nental** *a* continental; européen; **c. breakfast** petit déjeuner *m* à la française.
contingent [kən'tɪndʒənt] **1** *a* (*accidental*) contingent; **to be c. upon** dépendre de. **2** *nm Mil* contingent *m*. ◆**contingency** *n* éventualité *f*; **c. plan** plan *m* d'urgence.
continu/e [kən'tɪnjuː] *vt* continuer (**to do** *or* **doing** à *or* de faire); (*resume*) reprendre; **to c. (with)** (*work, speech etc*) poursuivre, continuer; – *vi* continuer; (*resume*) reprendre; **to c. in** (*job*) garder. ◆**—ed** *a* (*interest, attention etc*) soutenu, assidu; (*presence*) continu(el); **to be c.** (*of story*) à suivre. ◆**continual** *a* continuel. ◆**continually** *adv* continuellement. ◆**continuance** *n* continuation *f*. ◆**continu'ation** *n* continuation *f*; (*resumption*) reprise *f*; (*new episode*) suite *f*. ◆**continuity** [kɒntɪ'njuːɪtɪ] *n* continuité *f*. ◆**continuous** *a* continu; **c. performance** *Cin* spectacle *m* permanent. ◆**continuously** *adv* sans interruption.
contort [kən'tɔːt] *vt* (*twist*) tordre; **to c. oneself** se contorsionner. ◆**contortion** *n* contorsion *f*. ◆**contortionist** *n* (*acrobat*) contorsionniste *mf*.
contour ['kɒntʊər] *n* contour *m*.
contraband ['kɒntrəbænd] *n* contrebande *f*.
contraception [kɒntrə'sepʃ(ə)n] *n* contraception *f*. ◆**contraceptive** *a* & *n* contraceptif (*m*).
contract 1 ['kɒntrækt] *n* contrat *m*; **c. work** travail *m* en sous-traitance; – *vi* **to c. out of** (*agreement etc*) se dégager de. **2** [kən'trækt] *vt* (*habit, debt, muscle etc*) contracter; – *vi* (*of heart etc*) se contracter. ◆**con'traction** *n* (*of muscle, word*) contraction *f*. ◆**con'tractor** *n* entrepreneur *m*.
contradict [kɒntrə'dɪkt] *vt* contredire; (*belie*) démentir. ◆**contradiction** *n* contradiction *f*. ◆**contradictory** *a* contradictoire.
contralto [kən'træltəʊ] *n* (*pl* **-os**) contralto *m*.
contraption [kən'træpʃ(ə)n] *n Fam* machin *m*, engin *m*.
contrary 1 ['kɒntrərɪ] *a* contraire (**to** à); – *adv* **c. to** contrairement à; – *n* contraire *m*; **on the c.** au contraire; **unless you, I** *etc* **hear to the c.** sauf avis contraire; **she said nothing to the c.** elle n'a rien dit contre. **2** [kən'treərɪ] *a* (*obstinate*) entêté, difficile.
contrast 1 ['kɒntrɑːst] *n* contraste *m*; **in c. to** par opposition à. **2** [kən'trɑːst] *vi* contraster (**with** avec); – *vt* faire contraster, mettre en contraste. ◆**—ing** *a* (*colours etc*) opposés.
contravene [kɒntrə'viːn] *vt* (*law*) enfreindre. ◆**contravention** *n* **in c. of** en contravention de.
contribute [kən'trɪbjuːt] *vt* donner, fournir (**to** à); (*article*) écrire (**to** pour); **to c. money to** contribuer à, verser de l'argent à; – *vi* **to c. to** contribuer à; (*publication*) collaborer à. ◆**contri'bution** *n* contribution *f*; (*to pension fund etc*) cotisation(s) *f(pl)*; *Journ* article *m*. ◆**contributor** *n Journ* collaborateur, -trice *mf*; (*of money*) donateur, -trice *mf*. ◆**contributory** *a* **a c. factor** un facteur qui a contribué (**in** à).
contrite [kən'traɪt] *a* contrit. ◆**contrition** *n* contrition *f*.
contriv/e [kən'traɪv] *vt* inventer; **to c. to do**

trouver moyen de faire. ◆**—ed** *a* artificiel. ◆**contrivance** *n* (*device*) dispositif *m*; (*scheme*) invention *f*.

control [kən'trəʊl] *vt* (**-ll-**) (*business, organization*) diriger; (*traffic*) régler; (*prices, quality*) contrôler; (*emotion, reaction*) maîtriser, contrôler; (*disease*) enrayer; (*situation*) être maître de; **to c. oneself** se contrôler; – *n* (*authority*) autorité *f* (**over** sur); (*of traffic*) réglementation *f*; (*of prices etc*) contrôle *m*; (*of emotion etc*) maîtrise *f*; *pl* (*of train etc*) commandes *fpl*; (*knobs*) *TV Rad* boutons *mpl*; **the c. of** (*fires etc*) la lutte contre; **(self-)c.** le contrôle de soi-même; **to keep s.o. under c.** tenir qn; **everything is under c.** tout est en ordre; **in c. of** maître de; **to lose c. of** (*situation, vehicle*) perdre le contrôle de; **out of c.** (*situation, crowd*) difficilement maîtrisable; **c. tower** *Av* tour *f* de contrôle. ◆**controller** *n* **air traffic c.** aiguilleur *m* du ciel.

controversy ['kɒntrəvɜːsɪ] *n* controverse *f*. ◆**contro'versial** *a* (*book, author*) contesté, discuté; (*doubtful*) discutable.

conundrum [kə'nʌndrəm] *n* devinette *f*, énigme *f*; (*mystery*) énigme *f*.

conurbation [kɒnɜː'beɪʃ(ə)n] *n* agglomération *f*, conurbation *f*.

convalesce [kɒnvə'les] *vi* être en convalescence. ◆**convalescence** *n* convalescence *f*. ◆**convalescent** *n* convalescent, -ente *mf*; **c. home** maison *f* de convalescence.

convector [kən'vektər] *n* radiateur *m* à convection.

convene [kən'viːn] *vt* convoquer; – *vi* se réunir.

convenient [kən'viːnɪənt] *a* commode, pratique; (*well-situated*) bien situé (**for the shops**/*etc* par rapport aux magasins/*etc*); (*moment*) convenable, opportun; **to be c. (for)** (*suit*) convenir (à). ◆**—ly** *adv* (*to arrive*) à propos; **c. situated** bien situé. ◆**convenience** *n* commodité *f*; (*comfort*) confort *m*; (*advantage*) avantage *m*; **to** *or* **at one's c.** à sa convenance; **c. food(s)** plats *mpl or* aliments *mpl* minute; **(public) conveniences** toilettes *fpl*.

convent ['kɒnvənt] *n* couvent *m*.

convention [kən'venʃ(ə)n] *n* (*agreement*) & *Am Pol* convention *f*; (*custom*) usage *m*, convention *f*; (*meeting*) *Pol* assemblée *f*. ◆**conventional** *a* conventionnel.

converg/e [kən'vɜːdʒ] *vi* converger. ◆**—ing** *a* convergent. ◆**convergence** *n* convergence *f*.

conversant [kən'vɜːsənt] *a* **to be c. with** (*custom etc*) connaître; (*fact*) savoir; (*cars etc*) s'y connaître en.

conversation [kɒnvə'seɪʃ(ə)n] *n* conversation *f*. ◆**conversational** *a* (*tone*) de la conversation; (*person*) loquace. ◆**conversationalist** *n* causeur, -euse *mf*.

converse 1 [kən'vɜːs] *vi* s'entretenir (**with** avec). **2** ['kɒnvɜːs] *a* & *n* inverse (*m*). ◆**con'versely** *adv* inversement.

convert [kən'vɜːt] *vt* (*change*) convertir (**into** en); (*building*) aménager (**into** en); **to c. s.o.** convertir qn (**to** à); – ['kɒnvɜːt] *n* converti, -ie *mf*. ◆**con'version** *n* conversion *f*; aménagement *m*. ◆**con'vertible** *a* convertible; – *n* (*car*) (voiture *f*) décapotable *f*.

convex ['kɒnveks] *a* convexe.

convey [kən'veɪ] *vt* (*goods, people*) transporter; (*sound, message, order*) transmettre; (*idea*) communiquer; (*evoke*) évoquer; (*water etc through pipes*) amener. ◆**conveyance** *n* transport *m*; *Aut* véhicule *m*. ◆**conveyor** *a* **c. belt** tapis *m* roulant.

convict ['kɒnvɪkt] *n* forçat *m*; – [kən'vɪkt] *vt* déclarer coupable, condamner. ◆**con'viction** *n Jur* condamnation *f*; (*belief*) conviction *f*; **to carry c.** (*of argument etc*) être convaincant.

convinc/e [kən'vɪns] *vt* convaincre, persuader. ◆**—ing** *a* convaincant. ◆**—ingly** *adv* de façon convaincante.

convivial [kən'vɪvɪəl] *a* joyeux, gai; (*person*) bon vivant.

convoke [kən'vəʊk] *vt* (*meeting etc*) convoquer.

convoluted [kɒnvə'luːtɪd] *a* (*argument, style*) compliqué, tarabiscoté.

convoy ['kɒnvɔɪ] *n* (*ships, cars, people*) convoi *m*.

convulse [kən'vʌls] *vt* bouleverser, ébranler; (*face*) convulser. ◆**convulsion** *n* convulsion *f*. ◆**convulsive** *a* convulsif.

coo [kuː] *vi* (*of dove*) roucouler.

cook [kʊk] *vt* (faire) cuire; (*accounts*) *Fam* truquer; **to c. up** *Fam* inventer; – *vi* (*of food*) cuire; (*of person*) faire la cuisine; **what's cooking?** *Fam* qu'est-ce qui se passe?; – *n* (*person*) cuisinier, -ière *mf*. ◆**—ing** *n* cuisine *f*; **c. apple** pomme *f* à cuire. ◆**—er** *n* (*stove*) cuisinière *f*; (*apple*) pomme *f* à cuire. ◆**cookbook** *n* livre *m* de cuisine. ◆**cookery** *n* cuisine *f*; **c. book** livre *m* de cuisine.

cookie ['kʊkɪ] *n Am* biscuit *m*, gâteau *m* sec.

cool [kuːl] *a* (**-er, -est**) (*weather, place etc*) frais; (*manner, person*) calme; (*reception etc*) froid; (*impertinent*) *Fam* effronté; **I feel**

c. j'ai (un peu) froid; **a c. drink** une boisson fraîche; **a c. £50** la coquette somme de 50 livres; – *n* (*of evening*) fraîcheur *f*; **to keep (in the) c.** tenir au frais; **to keep/lose one's c.** garder/perdre son sang-froid; – *vt* **to c. (down)** refroidir, rafraîchir; – *vi* **to c. (down** *or* **off)** (*of enthusiasm*) se refroidir; (*of anger, angry person*) se calmer; (*of hot liquid*) refroidir; **to c. off** (*refresh oneself by drinking, bathing etc*) se rafraîchir; **to c. off towards s.o.** se refroidir envers qn. ◆**—ing** *n* (*of air, passion etc*) refroidissement *m*. ◆**—er** *n* (*for food*) glacière *f*. ◆**—ly** *adv* calmement; (*to welcome*) froidement; (*boldly*) effrontément. ◆**—ness** *n* fraîcheur *f*; (*unfriendliness*) froideur *f*. ◆**cool-'headed** *a* calme.

coop [kuːp] **1** *n* (*for chickens*) poulailler *m*. **2** *vt* **to c. up** (*person*) enfermer.

co-op ['kəʊɒp] *n Am* appartement *m* en copropriété.

co-operate [kəʊ'ɒpəreɪt] *vi* coopérer (**in** à, **with** avec). ◆**co-ope'ration** *n* coopération *f*. ◆**co-operative** *a* coopératif; – *n* coopérative *f*.

co-opt [kəʊ'ɒpt] *vt* coopter.

co-ordinate [kəʊ'ɔːdɪneɪt] *vt* coordonner. ◆**co-ordinates** [kəʊ'ɔːdɪnəts] *npl Math* coordonnées *fpl*; (*clothes*) coordonnés *mpl*. ◆**co-ordi'nation** *n* coordination *f*.

cop [kɒp] **1** *n* (*policeman*) *Fam* flic *m*. **2** *vt* (**-pp-**) (*catch*) *Sl* piquer. **3** *vi* (**-pp-**) **to c. out** *Sl* se défiler, éviter ses responsabilités.

cope [kəʊp] *vi* **to c. with** s'occuper de; (*problem*) faire face à; **(to be able) to c.** (savoir) se débrouiller.

co-pilot ['kəʊpaɪlət] *n* copilote *m*.

copious ['kəʊpɪəs] *a* copieux.

copper ['kɒpər] *n* **1** cuivre *m*; *pl* (*coins*) petite monnaie *f*. **2** (*policeman*) *Fam* flic *m*.

coppice ['kɒpɪs] *n*, ◆**copse** [kɒps] *n* taillis *m*.

copulate ['kɒpjʊleɪt] *vi* s'accoupler. ◆**copu'lation** *n* copulation *f*.

copy ['kɒpɪ] *n* copie *f*; (*of book etc*) exemplaire *m*; *Phot* épreuve *f*; – *vti* copier; – *vt* **to c. out** *or* **down** (re)copier. ◆**copyright** *n* copyright *m*.

coral ['kɒrəl] *n* corail *m*; **c. reef** récif *m* de corail.

cord [kɔːd] **1** *n* (*of curtain, pyjamas etc*) cordon *m*; *El* cordon *m* électrique; **vocal cords** cordes *fpl* vocales. **2** *npl Fam* velours *m*, pantalon *m* en velours (côtelé).

cordial ['kɔːdɪəl] **1** *a* (*friendly*) cordial. **2** *n* **(fruit) c.** sirop *m*.

cordon ['kɔːdən] *n* cordon *m*; – *vt* **to c. off** (*place*) boucler, interdire l'accès à.

corduroy ['kɔːdərɔɪ] *n* (*fabric*) velours *m* côtelé; *pl* pantalon *m* en velours (côtelé), velours *m*.

core [kɔːr] *n* (*of fruit*) trognon *m*; (*of problem*) cœur *m*; (*group of people*) & *Geol El* noyau *m*; – *vt* (*apple*) vider. ◆**corer** *n* vide-pomme *m*.

cork [kɔːk] *n* liège *m*; (*for bottle*) bouchon *m*; – *vt* **to c. (up)** (*bottle*) boucher. ◆**corkscrew** *n* tire-bouchon *m*.

corn [kɔːn] *n* **1** (*wheat*) blé *m*; (*maize*) *Am* maïs *m*; (*seed*) grain *m*; **c. on the cob** épi *m* de maïs. **2** (*hard skin*) cor *m*. ◆**corned** *a* **c. beef** corned-beef *m*, singe *m*. ◆**cornflakes** *npl* céréales *fpl*. ◆**cornflour** *n* farine *f* de maïs, maïzena® *f*. ◆**cornflower** *n* bleuet *m*. ◆**cornstarch** *n Am* = **cornflour.**

cornea ['kɔːnɪə] *n Anat* cornée *f*.

corner ['kɔːnər] **1** *n* coin *m*; (*of street, room*) coin *m*, angle *m*; (*bend in road*) virage *m*; *Fb* corner *m*; **in a (tight) c.** dans une situation difficile. **2** *vt* (*animal, enemy etc*) acculer; (*person in corridor etc*) *Fig* coincer, accrocher; (*market*) *Com* accaparer; – *vi Aut* prendre un virage. ◆**cornerstone** *n* pierre *f* angulaire.

cornet ['kɔːnɪt] *n* (*of ice cream etc*) & *Mus* cornet *m*.

Cornwall ['kɔːnwəl] *n* Cornouailles *fpl*. ◆**Cornish** *a* de Cornouailles.

corny ['kɔːnɪ] *a* (**-ier, -iest**) (*joke etc*) rebattu.

corollary [kə'rɒlərɪ, *Am* 'kɒrəlerɪ] *n* corollaire *m*.

coronary ['kɒrənərɪ] *n Med* infarctus *m*.

coronation [kɒrə'neɪʃ(ə)n] *n* couronnement *m*, sacre *m*.

coroner ['kɒrənər] *n Jur* coroner *m*.

corporal ['kɔːpərəl] **1** *n Mil* caporal(-chef) *m*. **2** *a* **c. punishment** châtiment *m* corporel.

corporation [kɔːpə'reɪʃ(ə)n] *n* (*business*) société *f* commerciale; (*of town*) conseil *m* municipal. ◆**'corporate** *a* collectif; **c. body** corps *m* constitué.

corps [kɔːr, *pl* kɔːz] *n Mil Pol* corps *m*.

corpse [kɔːps] *n* cadavre *m*.

corpulent ['kɔːpjʊlənt] *a* corpulent. ◆**corpulence** *n* corpulence *f*.

corpus ['kɔːpəs] *n Ling* corpus *m*.

corpuscle ['kɔːpʌs(ə)l] *n Med* globule *m*.

corral [kə'ræl] *n Am* corral *m*.

correct [kə'rekt] *a* (*right, accurate*) exact, correct; (*proper*) correct; **he's c.** il a raison; – *vt* corriger. ◆**—ly** *adv* correctment.

◆**–ness** *n* (*accuracy, propriety*) correction *f*. ◆**correction** *n* correction *f*. ◆**corrective** *a* (*act, measure*) rectificatif.

correlate ['kɒrəleɪt] *vi* correspondre (**with** à); – *vt* faire correspondre. ◆**corre'lation** *n* corrélation *f*.

correspond [kɒrɪ'spɒnd] *vi* **1** (*agree, be similar*) correspondre (**to** à, **with** avec). **2** (*by letter*) correspondre (**with** avec). ◆**–ing** *a* (*matching*) correspondant; (*similar*) semblable. ◆**correspondence** *n* correspondance *f*; **c. course** cours *m* par correspondance. ◆**correspondent** *n* correspondant, -ante *mf*; *Journ* envoyé, -ée *mf*.

corridor ['kɒrɪdɔːr] *n* couloir *m*, corridor *m*.

corroborate [kə'rɒbəreɪt] *vt* corroborer.

corrode [kə'rəʊd] *vt* ronger, corroder; – *vi* se corroder. ◆**corrosion** *n* corrosion *f*. ◆**corrosive** *a* corrosif.

corrugated ['kɒrəgeɪtɪd] *a* (*cardboard*) ondulé; **c. iron** tôle *f* ondulée.

corrupt [kə'rʌpt] *vt* corrompre; – *a* corrompu. ◆**corruption** *n* corruption *f*.

corset ['kɔːsɪt] *n* (*boned*) corset *m*; (*elasticated*) gaine *f*.

Corsica ['kɔːsɪkə] *n* Corse *f*.

cos [kɒs] *n* **c. (lettuce)** (laitue *f*) romaine *f*.

cosh [kɒʃ] *n* matraque *f*; – *vt* matraquer.

cosiness ['kəʊzɪnəs] *n* intimité *f*, confort *m*.

cosmetic [kɒz'metɪk] *n* produit *m* de beauté; – *a* esthétique; *Fig* superficiel.

cosmopolitan [kɒzmə'pɒlɪtən] *a* & *n* cosmopolite (*mf*).

cosmos ['kɒzmɒs] *n* cosmos *m*. ◆**cosmic** *a* cosmique. ◆**cosmonaut** *n* cosmonaute *mf*.

Cossack ['kɒsæk] *n* cosaque *m*.

cosset ['kɒsɪt] *vt* choyer.

cost [kɒst] *vti* (*pt* & *pp* **cost**) coûter; **how much does it c.?** ça coûte *or* ça vaut combien?; **to c. the earth** *Fam* coûter les yeux de la tête; – *n* coût *m*, prix *m*; **at great c.** à grands frais; **to my c.** à mes dépens; **at any c., at all costs** à tout prix; **at c. price** au prix coûtant. ◆**c.-effective** *a* rentable. ◆**costly** *a* (**-ier, -iest**) (*expensive*) coûteux; (*valuable*) précieux.

co-star ['kəʊstɑːr] *n Cin Th* partenaire *mf*.

costume ['kɒstjuːm] *n* costume *m*; (*woman's suit*) tailleur *m*; **(swimming) c.** maillot *m* (de bain); **c. jewellery** bijoux *mpl* de fantaisie.

cosy ['kəʊzɪ] **1** *a* (**-ier, -iest**) douillet, intime; **make yourself (nice and) c.** mets-toi à l'aise; **we're c.** on est bien ici. **2** *n* **(tea) c.** couvre-théière *m*.

cot [kɒt] *n* lit *m* d'enfant; (*camp bed*) *Am* lit *m* de camp.

cottage ['kɒtɪdʒ] *n* petite maison *f* de campagne; **(thatched) c.** chaumière *f*; **c. cheese** fromage *m* blanc (maigre); **c. industry** travail *m* à domicile (*activité artisanale*).

cotton ['kɒtən] **1** *n* coton *m*; (*yarn*) fil *m* (de coton); **absorbent c.** *Am*, **c. wool** coton *m* hydrophile, ouate *f*; **c. candy** *Am* barbe *f* à papa. **2** *vi* **to c. on (to)** *Sl* piger.

couch [kaʊtʃ] **1** *n* canapé *m*. **2** *vt* (*express*) formuler.

couchette [kuː'ʃet] *n Rail* couchette *f*.

cough [kɒf] **1** *n* toux *f*; **c. mixture** sirop *m* contre la toux; – *vi* tousser; – *vt* **to c. up** (*blood*) cracher. **2** *vt* **to c. up** (*money*) *Sl* cracher; – *vi* **to c. up** *Sl* payer, casquer.

could [kʊd, *unstressed* kəd] *see* **can**[1].

couldn't ['kʊd(ə)nt] = **could not.**

council ['kaʊns(ə)l] *n* conseil *m*; **c. flat/house** appartement *m*/maison *f* loué(e) à la municipalité, HLM *m or f*. ◆**councillor** *n* conseiller, -ère *mf*; **(town) c.** conseiller *m* municipal.

counsel ['kaʊnsəl] *n* (*advice*) conseil *m*; *Jur* avocat, -ate *mf*; – *vt* (**-ll-**, *Am* **-l-**) conseiller (**s.o. to do** à qn de faire). ◆**counsellor** *n* conseiller, -ère *mf*.

count[1] [kaʊnt] *vt* (*find number of, include*) compter; (*deem*) considérer; **not counting Paul** sans compter Paul; **to c. in** (*include*) inclure; **to c. out** exclure; (*money*) compter; – *vi* (*calculate, be important*) compter; **to c. against s.o.** être un désavantage pour qn, jouer contre qn; **to c. on s.o.** (*rely on*) compter sur qn; **to c. on doing** compter faire; – *n* compte *m*; *Jur* chef *m* (d'accusation); **he's lost c. of the books he has** il ne sait plus combien il a de livres. ◆**countdown** *n* compte *m* à rebours.

count[2] [kaʊnt] *n* (*title*) comte *m*.

countenance ['kaʊntɪnəns] **1** *n* (*face*) mine *f*, expression *f*. **2** *vt* (*allow*) tolérer; (*approve*) approuver.

counter ['kaʊntər] **1** *n* (*in shop, bar etc*) comptoir *m*; (*in bank etc*) guichet *m*; **under the c.** *Fig* clandestinement, au marché noir; **over the c.** (*to obtain medicine*) sans ordonnance. **2** *n* (*in games*) jeton *m*. **3** *n Tech* compteur *m*. **4** *adv* **c. to** à l'encontre de. **5** *vt* (*plan*) contrarier; (*insult*) riposter à; (*blow*) parer; – *vi* riposter (**with** par).

counter- ['kaʊntər] *pref* contre-.

counterattack ['kaʊntərətæk] *n* contre-attaque *f*; – *vti* contre-attaquer.

counterbalance ['kaʊntəbæləns] *n* contrepoids *m*; – *vt* contrebalancer.

counterclockwise [kaʊntəˈklɒkwaɪz] *a & adv Am* dans le sens inverse des aiguilles d'une montre.
counterfeit [ˈkaʊntəfɪt] *a* faux; – *n* contrefaçon *f*, faux *m*; – *vt* contrefaire.
counterfoil [ˈkaʊntəfɔɪl] *n* souche *f*.
counterpart [ˈkaʊntəpɑːt] *n* (*thing*) équivalent *m*; (*person*) homologue *mf*.
counterpoint [ˈkaʊntəpɔɪnt] *n Mus* contrepoint *m*.
counterproductive [kaʊntəprəˈdʌktɪv] *a* (*action*) inefficace, qui produit l'effet contraire.
countersign [ˈkaʊntəsaɪn] *vt* contresigner.
countess [ˈkaʊntes] *n* comtesse *f*.
countless [ˈkaʊntləs] *a* innombrable.
countrified [ˈkʌntrɪfaɪd] *a* rustique.
country [ˈkʌntrɪ] *n* pays *m*; (*region*) région *f*, pays *m*; (*homeland*) patrie *f*; (*opposed to town*) campagne *f*; – *a* (*house etc*) de campagne; **c. dancing** la danse folklorique. ◆**countryman** *n* (*pl* **-men**) **(fellow) c.** compatriote *m*. ◆**countryside** *n* campagne *f*.
county [ˈkaʊntɪ] *n* comté *m*; **c. seat** *Am*, **c. town** chef-lieu *m*.
coup [kuː, *pl* kuːz] *n Pol* coup *m* d'État.
couple [ˈkʌp(ə)l] **1** *n* (*of people, animals*) couple *m*; **a c. of** deux ou trois; (*a few*) quelques. **2** *vt* (*connect*) accoupler. **3** *vi* (*mate*) s'accoupler.
coupon [ˈkuːpɒn] *n* (*voucher*) bon *m*; (*ticket*) coupon *m*.
courage [ˈkʌrɪdʒ] *n* courage *m*. ◆**courageous** [kəˈreɪdʒəs] *a* courageux.
courgette [kʊəˈʒet] *n* courgette *f*.
courier [ˈkʊrɪər] *n* (*for tourists*) guide *m*; (*messenger*) messager *m*; **c. service** service *m* de messagerie.
course [kɔːs] **1** *n* (*duration, movement*) cours *m*; (*of ship*) route *f*; (*of river*) cours *m*; (*way*) *Fig* route *f*, chemin *m*; (*means*) moyen *m*; **c. (of action)** ligne *f* de conduite; (*option*) parti *m*; **your best c. is to . . .** le mieux c'est de . . . ; **as a matter of c.** normalement; **in (the) c. of time** avec le temps, à la longue; **in due c.** en temps utile. **2** *n Sch Univ* cours *m*; **c. of lectures** série *f* de conférences; **c. (of treatment)** *Med* traitement *m*. **3** *n Culin* plat *m*; **first c.** entrée *f*. **4** *n* (*racecourse*) champ *m* de courses; **(golf) c.** terrain *m* (de golf). **5** *adv* **of c.!** bien sûr!, mais oui!; **of c. not!** bien sûr que non!
court [kɔːt] **1** *n* (*of monarch*) cour *f*; *Jur* cour *f*, tribunal *m*; *Tennis* court *m*; **c. of enquiry** commission *f* d'enquête; **high c.** cour *f* suprême; **to take to c.** poursuivre en justice; **c. shoe** escarpin *m*. **2** *vt* (*woman*) faire la cour à; (*danger, support*) rechercher. ◆**—ing** *a* (*couple*) d'amoureux; **they are c.** ils sortent ensemble. ◆**courthouse** *n* palais *m* de justice. ◆**courtier** *n Hist* courtisan *m*. ◆**courtroom** *n* salle *f* du tribunal. ◆**courtship** *n* (*act, period of time*) cour *f*. ◆**courtyard** *n* cour *f*.
courteous [ˈkɜːtɪəs] *a* poli, courtois. ◆**courtesy** *n* politesse *f*, courtoisie *f*.
court-martial [kɔːtˈmɑːʃəl] *n* conseil *m* de guerre; – *vt* (**-ll-**) faire passer en conseil de guerre.
cousin [ˈkʌz(ə)n] *n* cousin, -ine *mf*.
cove [kəʊv] *n* (*bay*) *Geog* anse *f*.
covenant [ˈkʌvənənt] *n Jur* convention *f*; *Rel* alliance *f*.
Coventry [ˈkɒvəntrɪ] *n* **to send s.o. to C.** *Fig* mettre qn en quarantaine.
cover [ˈkʌvər] *n* (*lid*) couvercle *m*; (*of book*) *& Fin* couverture *f*; (*for furniture, typewriter*) housse *f*; (*bedspread*) dessus-de-lit *m*; **the covers** (*blankets*) les couvertures *fpl*; **to take c.** se mettre à l'abri; **c. charge** (*in restaurant*) couvert *m*; **c. note** certificat *m* provisoire d'assurance; **under separate c.** (*letter*) sous pli séparé; – *vt* couvrir; (*protect*) protéger, couvrir; (*distance*) parcourir, couvrir; (*include*) englober, recouvrir; (*treat*) traiter; (*event*) *Journ TV Rad* couvrir, faire le reportage de; (*aim gun at*) tenir en joue; (*insure*) assurer; **to c. over** recouvrir; **to c. up** recouvrir; (*truth, tracks*) dissimuler; (*scandal*) étouffer, camoufler; – *vi* **to c. (oneself) up** se couvrir; **to c. up for s.o.** couvrir qn. ◆**c.-up** *n* tentative *f* pour étouffer *or* camoufler une affaire. ◆**covering** *n* (*wrapping*) enveloppe *f*; (*layer*) couche *f*; **c. letter** lettre *f* jointe (*à un document*).
coveralls [ˈkʌvərɔːlz] *npl Am* bleus *mpl* de travail.
covert [ˈkəʊvət, ˈkʌvət] *a* secret.
covet [ˈkʌvɪt] *vt* convoiter. ◆**covetous** *a* avide.
cow [kaʊ] **1** *n* vache *f*; (*of elephant etc*) femelle *f*; (*nasty woman*) *Fam* chameau *m*. **2** *vt* (*person*) intimider. ◆**cowboy** *n* cow-boy *m*. ◆**cowhand** *n* vacher, -ère *mf*. ◆**cowshed** *n* étable *f*.
coward [ˈkaʊəd] *n* lâche *mf*. ◆**—ly** *a* lâche. ◆**cowardice** *n* lâcheté *f*.
cower [ˈkaʊər] *vi* (*crouch*) se tapir; (*with fear*) *Fig* reculer (par peur).
cowslip [ˈkaʊslɪp] *n Bot* coucou *m*.

cox [kɒks] *vt Nau* barrer; – *n* barreur, -euse *mf.*

coy [kɔɪ] *a* (**-er, -est**) qui fait son *or* sa timide. ◆**coyness** *n* timidité *f* feinte.

coyote [kaɪ'əʊtɪ] *n (wolf) Am* coyote *m.*

cozy ['kəʊzɪ] *Am* = **cosy.**

crab [kræb] **1** *n* crabe *m.* **2** *n* **c. apple** pomme *f* sauvage. **3** *vi* (**-bb-**) *(complain) Fam* rouspéter. ◆**crabbed** *a (person)* grincheux.

crack[1] [kræk] *n (fissure)* fente *f*; *(in glass etc)* fêlure *f*; *(in skin)* crevasse *f*; *(snapping noise)* craquement *m*; *(of whip)* claquement *m*; *(blow)* coup *m*; *(joke) Fam* plaisanterie *f* (**at** aux dépens de); **to have a c. at doing** *Fam* essayer de faire; **at the c. of dawn** au point du jour; – *vt (glass, ice)* fêler; *(nut)* casser; *(ground, skin)* crevasser; *(whip)* faire claquer; *(joke)* lancer; *(problem)* résoudre; *(code)* déchiffrer; *(safe)* percer; **it's not as hard as it's cracked up to be** ce n'est pas aussi dur qu'on le dit; – *vi* se fêler; se crevasser; *(of branch, wood)* craquer; **to get cracking** *(get to work) Fam* s'y mettre; *(hurry) Fam* se grouiller; **to c. down on** sévir contre; **to c. up** *(mentally) Fam* craquer. ◆**c.-up** *n Fam* dépression *f* nerveuse; *(crash) Am Fam* accident *m.* ◆**cracked** *a (crazy) Fam* fou. ◆**cracker** *n* **1** *(cake)* biscuit *m* (salé). **2** *(firework)* pétard *m*; **Christmas c.** diablotin *m.* **3 she's a c.** *Fam* elle est sensationnelle. ◆**crackers** *a (mad) Sl* cinglé. ◆**crackpot** *a Fam* fou; – *n* fou *m,* folle *f.*

crack[2] [kræk] *a (first-rate)* de premier ordre; **c. shot** tireur *m* d'élite.

crackle ['kræk(ə)l] *vi* crépiter; *(of sth frying) Culin* grésiller; – *n* crépitement *m*; grésillement *m.*

cradle ['kreɪd(ə)l] *n* berceau *m*; – *vt* bercer.

craft [krɑːft] **1** *n (skill)* art *m*; *(job)* métier *m* (artisanal); – *vt* façonner. **2** *n (cunning)* ruse *f.* **3** *n inv (boat)* bateau *m.* ◆**craftsman** *n* (*pl* **-men**) artisan *m.* ◆**craftsmanship** *n (skill)* art *m*; **a piece of c.** un beau travail, une belle pièce. ◆**crafty** *a* (**-ier, -iest**) astucieux; *Pej* rusé.

crag [kræg] *n* rocher *m* à pic. ◆**craggy** *a (rock)* à pic; *(face)* rude.

cram [kræm] *vt* (**-mm-**) **to c. into** *(force)* fourrer dans; **to c. with** *(fill)* bourrer de; – *vi* **to c. into** *(of people)* s'entasser dans; **to c. (for an exam)** bachoter.

cramp [kræmp] *n Med* crampe *f* (**in** à). ◆**cramped** *a (in a room or one's clothes)* à l'étroit; **in c. conditions** à l'étroit.

cranberry ['krænbərɪ] *n Bot* canneberge *f.*

crane [kreɪn] **1** *n (bird)* & *Tech* grue *f.* **2** *vt* **to c. one's neck** tendre le cou.

crank [kræŋk] **1** *n (person) Fam* excentrique *mf*; *(fanatic)* fanatique *mf.* **2** *n (handle) Tech* manivelle *f*; – *vt* **to c. (up)** *(vehicle)* faire démarrer à la manivelle. ◆**cranky** *a* (**-ier, -iest**) excentrique; *(bad-tempered) Am* grincheux.

crannies ['krænɪz] *npl* **nooks and c.** coins et recoins *mpl.*

craps [kræps] *n* **to shoot c.** *Am* jouer aux dés.

crash [kræʃ] *n* accident *m*; *(of firm)* faillite *f*; *(noise)* fracas *m*; *(of thunder)* coup *m*; **c. course/diet** cours *m*/régime *m* intensif; **c. helmet** casque *m* (anti-choc); **c. landing** atterrissage *m* en catastrophe; – *int (of fallen object)* patatras!; – *vt (car)* avoir un accident avec; **to c. one's car into** faire rentrer sa voiture dans; – *vi Aut Av* s'écraser; **to c. into** rentrer dans; **the cars crashed (into each other)** les voitures se sont percutées *or* carambolées; **to c. (down)** tomber; *(break)* se casser; *(of roof)* s'effondrer. ◆**c.-land** *vi* atterrir en catastrophe.

crass [kræs] *a* grossier; *(stupidity)* crasse.

crate [kreɪt] *n* caisse *f,* cageot *m.*

crater ['kreɪtər] *n* cratère *m*; **(bomb) c.** entonnoir *m.*

cravat [krə'væt] *n* foulard *m* (*autour du cou*).

crav/e [kreɪv] *vt* **to c. (for)** éprouver un grand besoin de; *(mercy)* implorer. ◆**–ing** *n* désir *m,* grand besoin *m* (**for** de).

craven ['kreɪvən] *a Pej* lâche.

crawl [krɔːl] *vi* ramper; *(of child)* se traîner (à quatre pattes); *Aut* avancer au pas; **to be crawling with** grouiller de; – *n Swimming* crawl *m*; **to move at a c.** *Aut* avancer au pas.

crayfish ['kreɪfɪʃ] *n inv* écrevisse *f.*

crayon ['kreɪən] *n* crayon *m,* pastel *m.*

craze [kreɪz] *n* manie *f* (**for** de), engouement *m* (**for** pour). ◆**crazed** *a* affolé.

crazy ['kreɪzɪ] *a* (**-ier, -iest**) fou; **c. about sth** fana de qch; **c. about s.o.** fou de qn; **c. paving** dallage *m* irrégulier. ◆**craziness** *n* folie *f.*

creak [kriːk] *vi (of hinge)* grincer; *(of timber)* craquer. ◆**creaky** *a* grinçant; qui craque.

cream [kriːm] *n* crème *f*; *(élite) Fig* crème *f,* gratin *m*; – *a (cake)* à la crème; **c.(-coloured)** crème *inv*; **c. cheese** fromage *m* blanc; – *vt (milk)* écrémer; **to c. off** *Fig* écrémer. ◆**creamy** *a* (**-ier, -iest**) crémeux.

crease [kriːs] *vt* froisser, plisser; – *vi* se froisser; – *n* pli *m*; *(accidental)* (faux) pli *m.* ◆**c.-resistant** *a* infroissable.

create [kriːˈeɪt] *vt* créer; (*impression, noise*) faire. ◆**creation** *n* création *f*. ◆**creative** *a* créateur, créatif. ◆**creativeness** *n* créativité *f*. ◆**creaˈtivity** *n* créativité *f*. ◆**creator** *n* créateur, -trice *mf*.

creature [ˈkriːtʃər] *n* animal *m*, bête *f*; (*person*) créature *f*; **one's c. comforts** ses aises *fpl*.

crèche [kreʃ] *n* (*nursery*) crèche *f*; (*manger*) *Rel Am* crèche *f*.

credence [ˈkriːdəns] *n* **to give** *or* **lend c. to** ajouter foi à.

credentials [krɪˈdenʃəlz] *npl* références *fpl*; (*identity*) pièces *fpl* d'identité; (*of diplomat*) lettres *fpl* de créance.

credible [ˈkredɪb(ə)l] *a* croyable; (*politician, information*) crédible. ◆**crediˈbility** *n* crédibilité *f*.

credit [ˈkredɪt] *n* (*influence, belief*) & *Fin* crédit *m*; (*merit*) mérite *m*; *Univ* unité *f* de valeur; *pl Cin* générique *m*; **to give c. to** (*person*) *Fin* faire crédit à; *Fig* reconnaître le mérite de; (*statement*) ajouter foi à; **to be a c. to** faire honneur à; **on c.** à crédit; **in c.** (*account*) créditeur; **to one's c.** *Fig* à son actif; – *a* (*balance*) créditeur; **c. card** carte *f* de crédit; **c. facilities** facilités *fpl* de paiement; – *vt* (*believe*) croire; *Fin* créditer (**s.o. with sth** qn de qch); **to c. s.o. with** (*qualities*) attribuer à qn. ◆**creditable** *a* honorable. ◆**creditor** *n* créancier, -ière *mf*. ◆**creditworthy** *a* solvable.

credulous [ˈkredjʊləs] *a* crédule.

creed [kriːd] *n* credo *m*.

creek [kriːk] *n* (*bay*) crique *f*; (*stream*) *Am* ruisseau *m*; **up the c.** (*in trouble*) *Sl* dans le pétrin.

creep [kriːp] **1** *vi* (*pt* & *pp* **crept**) ramper; (*silently*) se glisser (furtivement); (*slowly*) avancer lentement; **it makes my flesh c.** ça me donne la chair de poule. **2** *n* (*person*) *Sl* salaud *m*; **it gives me the creeps** *Fam* ça me fait froid dans le dos. ◆**creepy** *a* (**-ier, -iest**) *Fam* terrifiant; (*nasty*) *Fam* vilain. ◆**creepy-ˈcrawly** *n Fam, Am* ◆**creepy-ˈcrawler** *n Fam* bestiole *f*.

cremate [krɪˈmeɪt] *vt* incinérer. ◆**cremation** *n* crémation *f*. ◆**cremaˈtorium** *n* crématorium *m*. ◆**ˈcrematory** *n Am* crématorium *m*.

Creole [ˈkriːəʊl] *n* créole *mf*; *Ling* créole *m*.

crêpe [kreɪp] *n* (*fabric*) crêpe *m*; **c. (rubber)** crêpe *m*; **c. paper** papier *m* crêpon.

crept [krept] *see* **creep 1**.

crescendo [krɪˈʃendəʊ] *n* (*pl* **-os**) crescendo *m inv*.

crescent [ˈkres(ə)nt] *n* croissant *m*; (*street*) *Fig* rue *f* (en demi-lune).

cress [kres] *n* cresson *m*.

crest [krest] *n* (*of bird, wave, mountain*) crête *f*; (*of hill*) sommet *m*; (*on seal, letters etc*) armoiries *fpl*.

Crete [kriːt] *n* Crète *f*.

cretin [ˈkretɪn, *Am* ˈkriːt(ə)n] *n* crétin, -ine *mf*. ◆**cretinous** *a* crétin.

crevasse [krɪˈvæs] *n* (*in ice*) *Geol* crevasse *f*.

crevice [ˈkrevɪs] *n* (*crack*) crevasse *f*, fente *f*.

crew [kruː] *n Nau Av* équipage *m*; (*gang*) équipe *f*; **c. cut** (coupe *f* en) brosse *f*. ◆**c.-neck(ed)** *a* à col ras.

crib [krɪb] **1** *n* (*cradle*) berceau *m*; (*cot*) *Am* lit *m* d'enfant; *Rel* crèche *f*. **2** *n* (*copy*) plagiat *m*; *Sch* traduction *f*; (*list of answers*) *Sch* pompe *f* anti-sèche; – *vti* (**-bb-**) copier.

crick [krɪk] *n* **c. in the neck** torticolis *m*; **c. in the back** tour *m* de reins.

cricket [ˈkrɪkɪt] *n* **1** (*game*) cricket *m*. **2** (*insect*) grillon *m*. ◆**cricketer** *n* joueur, -euse *mf* de cricket.

crikey! [ˈkraɪkɪ] *int Sl* zut (alors)!

crime [kraɪm] *n* crime *m*; (*not serious*) délit *m*; (*criminal practice*) criminalité *f*. ◆**criminal** *a* & *n* criminel, -elle (*mf*).

crimson [ˈkrɪmz(ə)n] *a* & *n* cramoisi (*m*).

cring/e [krɪndʒ] *vi* reculer (**from** devant); *Fig* s'humilier (**to, before** devant). ◆**—ing** *a Fig* servile.

crinkle [ˈkrɪŋk(ə)l] *vt* froisser; – *vi* se froisser; – *n* fronce *f*. ◆**crinkly** *a* froissé; (*hair*) frisé.

crippl/e [ˈkrɪpəl] *n* (*lame*) estropié, -ée *mf*; (*disabled*) infirme *mf*; – *vt* estropier; (*disable*) rendre infirme; (*nation etc*) *Fig* paralyser. ◆**—ed** *a* estropié; infirme; (*ship*) désemparé; **c. with** (*rheumatism, pains*) perclus de. ◆**—ing** *a* (*tax*) écrasant.

crisis, *pl* **-ses** [ˈkraɪsɪs, -siːz] *n* crise *f*.

crisp [krɪsp] **1** *a* (**-er, -est**) (*biscuit*) croustillant; (*apple etc*) croquant; (*snow*) craquant; (*air, style*) vif. **2** *npl* **(potato) crisps** (pommes *fpl*) chips *mpl*. ◆**crispbread** *n* pain *m* suédois.

criss-cross [ˈkrɪskrɒs] *a* (*lines*) entrecroisés; (*muddled*) enchevêtrés; – *vi* s'entrecroiser; – *vt* sillonner (en tous sens).

criterion, *pl* **-ia** [kraɪˈtɪərɪən, -ɪə] *n* critère *m*.

critic [ˈkrɪtɪk] *n* critique *m*. ◆**critical** *a* critique. ◆**critically** *adv* (*to examine etc*) en critique; (*harshly*) sévèrement; (*ill*) gravement. ◆**criticism** *n* critique *f*. ◆**criticize** *vti* critiquer. ◆**criˈtique** *n* (*essay etc*) critique *f*.

croak [krəʊk] *vi* (*of frog*) croasser; – *n* croassement *m*.
crochet ['krəʊʃeɪ] *vt* faire au crochet; – *vi* faire du crochet; – *n* (travail *m* au) crochet *m*; **c. hook** crochet *m*.
crock [krɒk] *n* **a c., an (old) c.** *Fam* (*person*) un croulant; (*car*) un tacot.
crockery ['krɒkərɪ] *n* (*cups etc*) vaisselle *f*.
crocodile ['krɒkədaɪl] *n* crocodile *m*.
crocus ['krəʊkəs] *n* crocus *m*.
crony ['krəʊnɪ] *n Pej Fam* copain *m*, copine *f*.
crook [krʊk] *n* **1** (*thief*) escroc *m*. **2** (*shepherd's stick*) houlette *f*.
crooked ['krʊkɪd] *a* courbé; (*path*) tortueux; (*hat, picture*) de travers; (*deal, person*) malhonnête; – *adv* de travers. ◆**—ly** *adv* de travers.
croon [kruːn] *vti* chanter (à voix basse).
crop [krɒp] **1** *n* (*harvest*) récolte *f*; (*produce*) culture *f*; (*of questions etc*) *Fig* série *f*; (*of people*) groupe *m*. **2** *vt* (**-pp-**) (*hair*) couper (ras); – *n* **c. of hair** chevelure *f*. **3** *vi* (**-pp-**) **to c. up** se présenter, survenir. ◆**cropper** *n* **to come a c.** *Sl* (*fall*) ramasser une pelle; (*fail*) échouer.
croquet ['krəʊkeɪ] *n* (*game*) croquet *m*.
croquette [krəʊ'ket] *n Culin* croquette *f*.
cross[1] [krɒs] **1** *n* croix *f*; **a c. between** (*animal*) un croisement entre *or* de. **2** *vt* traverser; (*threshold, barrier*) franchir; (*legs, animals*) croiser; (*thwart*) contrecarrer; (*cheque*) barrer; **to c. off** *or* **out** rayer; **it never crossed my mind that . . .** il ne m'est pas venu à l'esprit que . . . ; **crossed lines** *Tel* lignes *fpl* embrouillées; – *vi* (*of paths*) se croiser; **to c. (over)** traverser. ◆**—ing** *n Nau* traversée *f*; **(pedestrian) c.** passage *m* clouté. ◆**cross-breed** *n* métis, -isse *mf*, hybride *m*. ◆**c.-'country** *a* à travers champs; **c.-country race** cross(-country) *m*. ◆**c.-exami'nation** *n* contre-interrogatoire *m*. ◆**c.-e'xamine** *vt* interroger. ◆**c.-eyed** *a* qui louche. ◆**c.-'legged** *a* & *adv* les jambes croisées. ◆**c.-'purposes** *npl* **to be at c.-purposes** se comprendre mal. ◆**c.-'reference** *n* renvoi *m*. ◆**c.-section** *n* coupe *f* transversale; *Fig* échantillon *m*.
cross[2] [krɒs] *a* (*angry*) fâché (**with** contre). ◆**—ly** *adv* d'un air fâché.
crossbow ['krɒsbəʊ] *n* arbalète *f*.
crosscheck [krɒs'tʃek] *n* contre-épreuve *f*; – *vt* vérifier.
crossfire ['krɒsfaɪər] *n* feux *mpl* croisés.
crossroads ['krɒsrəʊdz] *n* carrefour *m*.
crosswalk ['krɒswɔːk] *n Am* passage *m* clouté.
crossword ['krɒswɜːd] *n* **c. (puzzle)** mots *mpl* croisés.
crotch [krɒtʃ] *n* (*of garment*) entre-jambes *m inv*.
crotchet ['krɒtʃɪt] *n Mus* noire *f*.
crotchety ['krɒtʃɪtɪ] *a* grincheux.
crouch [kraʊtʃ] *vi* **to c. (down)** s'accroupir, se tapir. ◆**—ing** *a* accroupi, tapi.
croupier ['kruːpɪər] *n* (*in casino*) croupier *m*.
crow [krəʊ] **1** *n* corbeau *m*, corneille *f*; **as the c. flies** à vol d'oiseau; **c.'s nest** *Nau* nid *m* de pie. **2** *vi* (*of cock*) chanter; (*boast*) *Fig* se vanter (**about** de). ◆**crowbar** *n* levier *m*.
crowd [kraʊd] *n* foule *f*; (*particular group*) bande *f*; (*of things*) *Fam* masse *f*; **quite a c.** beaucoup de monde; – *vi* **to c. into** (*of people*) s'entasser dans; **to c. round s.o.** se presser autour de qn; **to c. together** se serrer; – *vt* (*fill*) remplir; **to c. into** (*press*) entasser dans; **don't c. me!** *Fam* ne me bouscule pas! ◆**—ed** *a* plein (**with** de); (*train etc*) bondé, plein; (*city*) encombré; **it's very c.!** il y a beaucoup de monde!
crown [kraʊn] *n* (*of king, tooth*) couronne *f*; (*of head, hill*) sommet *m*; **c. court** cour *f* d'assises; **C. jewels,** joyaux *mpl* de la Couronne; – *vt* couronner. ◆**—ing** *a* (*glory etc*) suprême; **c. achievement** couronnement *m*.
crucial ['kruːʃəl] *a* crucial.
crucify ['kruːsɪfaɪ] *vt* crucifier. ◆**crucifix** ['kruːsɪfɪks] *n* crucifix *m*. ◆**cruci'fixion** *n* crucifixion *f*.
crude [kruːd] *a* (**-er, -est**) (*oil, fact*) brut; (*manners, person*) grossier; (*language, light*) cru; (*painting, work*) rudimentaire. ◆**—ly** *adv* (*to say, order etc*) crûment. ◆**—ness** *n* grossièreté *f*; crudité *f*; état *m* rudimentaire.
cruel [krʊəl] *a* (**crueller, cruellest**) cruel. ◆**cruelty** *n* cruauté *f*; **an act of c.** une cruauté.
cruet ['kruːɪt] *n* **c. (stand)** salière *f*, poivrière *f* et huilier *m*.
cruis/e [kruːz] *vi Nau* croiser; *Aut* rouler; *Av* voler; (*of taxi*) marauder; (*of tourists*) faire une croisière; – *n* croisière *f*. ◆**—ing** *a* **c. speed** *Nau Av* & *Fig* vitesse *f* de croisière. ◆**—er** *n Nau* croiseur *m*.
crumb [krʌm] *n* miette *f*; (*of comfort*) *Fig* brin *m*; **crumbs!** *Hum Fam* zut!
crumble ['krʌmb(ə)l] *vt* (*bread*) émietter; – *vi* (*collapse*) s'effondrer; **to c. (away)** (*in small pieces*) & *Fig* s'effriter. ◆**crumbly** *a* friable.
crummy ['krʌmɪ] *a* (**-ier, -iest**) *Fam* moche, minable.

crumpet ['krʌmpɪt] *n Culin* petite crêpe *f* grillée (*servie beurrée*).
crumple ['krʌmp(ə)l] *vt* froisser; – *vi* se froisser.
crunch [krʌntʃ] **1** *vt* (*food*) croquer; – *vi* (*of snow*) craquer. **2** *n* **the c.** *Fam* le moment critique. ◆**crunchy** *a* (**-ier, -iest**) (*apple etc*) croquant.
crusade [kruː'seɪd] *n Hist & Fig* croisade *f*; – *vi* faire une croisade. ◆**crusader** *n Hist* croisé *m*; *Fig* militant, -ante *mf*.
crush [krʌʃ] **1** *n* (*crowd*) cohue *f*; (*rush*) bousculade *f*; **to have a c. on s.o.** *Fam* avoir le béguin pour qn. **2** *vt* écraser; (*hope*) détruire; (*clothes*) froisser; (*cram*) entasser (**into** dans). ◆**—ing** *a* (*defeat*) écrasant.
crust [krʌst] *n* croûte *f*. ◆**crusty** *a* (**-ier, -iest**) (*bread*) croustillant.
crutch [krʌtʃ] *n* **1** *Med* béquille *f*. **2** (*crotch*) entre-jambes *m inv*.
crux [krʌks] *n* **the c. of** (*problem, matter*) le nœud de.
cry [kraɪ] *n* (*shout*) cri *m*; **to have a c.** *Fam* pleurer; – *vi* (*weep*) pleurer; **to c. (out)** pousser un cri, crier; (*exclaim*) s'écrier; **to c. (out) for** demander (à grands cris); **to be crying out for** avoir grand besoin de; **to c. off** (*withdraw*) abandonner; **to c. off (sth)** se désintéresser (de qch); **to c. over** pleurer (sur); – *vt* (*shout*) crier. ◆**—ing** *a* (*need etc*) très grand; **a c. shame** une véritable honte; – *n* cris *mpl*; (*weeping*) pleurs *mpl*.
crypt [krɪpt] *n* crypte *f*.
cryptic ['krɪptɪk] *a* secret, énigmatique.
crystal ['krɪst(ə)l] *n* cristal *m*. ◆**c.-'clear** *a* (*water, sound*) cristallin; *Fig* clair comme le jour *or* l'eau de roche. ◆**crystallize** *vt* cristalliser; – *vi* (se) cristalliser.
cub [kʌb] *n* **1** (*of animal*) petit *m*. **2** (*scout*) louveteau *m*.
Cuba ['kjuːbə] *n* Cuba *m*. ◆**Cuban** *a & n* cubain, -aine (*mf*).
cubbyhole ['kʌbɪhəʊl] *n* cagibi *m*.
cube [kjuːb] *n* cube *m*; (*of meat etc*) dé *m*. ◆**cubic** *a* (*shape*) cubique; (*metre etc*) cube; **c. capacity** volume *m*; *Aut* cylindrée *f*.
cubicle ['kjuːbɪk(ə)l] *n* (*for changing*) cabine *f*; (*in hospital*) box *m*.
cuckoo ['kʊkuː] **1** *n* (*bird*) coucou *m*; **c. clock** coucou *m*. **2** *a* (*stupid*) *Sl* cinglé.
cucumber ['kjuːkʌmbər] *n* concombre *m*.
cuddle ['kʌd(ə)l] *vt* (*hug*) serrer (dans ses bras); (*caress*) câliner; – *vi* (*of lovers*) se serrer; **to (kiss and) c.** s'embrasser; **to c. up to** (*huddle*) se serrer *or* se blottir contre; – *n* caresse *f*. ◆**cuddly** *a* (**-ier, -iest**) *a* câlin, caressant; (*toy*) doux, en peluche.
cudgel ['kʌdʒəl] *n* trique *f*, gourdin *m*.
cue [kjuː] *n* **1** *Th* réplique *f*; (*signal*) signal *m*. **2 (billiard) c.** queue *f* (de billard).
cuff [kʌf] **1** *n* (*of shirt etc*) poignet *m*, manchette *f*; (*of trousers*) *Am* revers *m*; **off the c.** *Fig* impromptu; **c. link** bouton *m* de manchette. **2** *vt* (*strike*) gifler.
cul-de-sac ['kʌldəsæk] *n* impasse *f*, cul-de-sac *m*.
culinary ['kʌlɪnərɪ] *a* culinaire.
cull [kʌl] *vt* choisir; (*animals*) abattre sélectivement.
culminate ['kʌlmɪneɪt] *vi* **to c. in** finir par. ◆**culmi'nation** *n* point *m* culminant.
culprit ['kʌlprɪt] *n* coupable *mf*.
cult [kʌlt] *n* culte *m*.
cultivat/e ['kʌltɪveɪt] *vt* (*land, mind etc*) cultiver. ◆**—ed** *a* cultivé. ◆**culti'vation** *n* culture *f*; **land** *or* **fields under c.** cultures *fpl*.
culture ['kʌltʃər] *n* culture *f*. ◆**cultural** *a* culturel. ◆**cultured** *a* cultivé.
cumbersome ['kʌmbəsəm] *a* encombrant.
cumulative ['kjuːmjʊlətɪv] *a* cumulatif; **c. effect** (*long-term*) effet *m or* résultat *m* à long terme.
cunning ['kʌnɪŋ] *a* astucieux; *Pej* rusé; – *n* astuce *f*; ruse *f*. ◆**—ly** *adv* avec astuce; avec ruse.
cup [kʌp] *n* tasse *f*; (*goblet, prize*) coupe *f*; **that's my c. of tea** *Fam* c'est à mon goût; **c. final** *Fb* finale *f* de la coupe. ◆**c.-tie** *n Fb* match *m* éliminatoire. ◆**cupful** *n* tasse *f*.
cupboard ['kʌbəd] *n* armoire *f*; (*built-in*) placard *m*.
Cupid ['kjuːpɪd] *n* Cupidon *m*.
cupola ['kjuːpələ] *n Archit* coupole *f*.
cuppa ['kʌpə] *n Fam* tasse *f* de thé.
curate ['kjʊərɪt] *n* vicaire *m*.
curator [kjʊə'reɪtər] *n* (*of museum*) conservateur *m*.
curb [kɜːb] **1** *n* (*kerb*) *Am* bord *m* du trottoir. **2** *vt* (*feelings*) refréner, freiner; (*ambitions*) modérer; (*expenses*) limiter; – *n* frein *m*; **to put a c. on** mettre un frein à.
curdle ['kɜːd(ə)l] *vt* cailler; – *vi* se cailler; (*of blood*) *Fig* se figer.
curds [kɜːdz] *npl* lait *m* caillé. ◆**curd cheese** *n* fromage *m* blanc (maigre).
cure [kjʊər] **1** *vt* guérir (**of** de); (*poverty*) *Fig* éliminer; – *n* remède *m* (**for** contre); (*recovery*) guérison *f*; **rest c.** cure *f* de repos. **2** *vt Culin* (*smoke*) fumer; (*salt*) saler; (*dry*) sécher. ◆**curable** *a* guérissable, curable. ◆**curative** *a* curatif.
curfew ['kɜːfjuː] *n* couvre-feu *m*.

curio ['kjʊərɪəʊ] *n* (*pl* **-os**) bibelot *m*, curiosité *f*.
curious ['kjʊərɪəs] *a* (*odd*) curieux; (*inquisitive*) curieux (**about** de); **c. to know** curieux de savoir. ◆**—ly** *adv* (*oddly*) curieusement. ◆**curi'osity** *n* curiosité *f*.
curl [kɜːl] **1** *vti* (*hair*) boucler, friser; – *n* boucle *f*; (*of smoke*) *Fig* spirale *f*. **2** *vi* **to c. up** (*shrivel*) se racornir; **to c. oneself up** (*into a ball*) se pelotonner. ◆**—er** *n* bigoudi *m*. ◆**curly** *a* (**-ier, -iest**) bouclé, frisé.
currant ['kʌrənt] *n* (*fruit*) groseille *f*; (*dried grape*) raisin *m* de Corinthe.
currency ['kʌrənsɪ] *n* (*money*) monnaie *f*; (*acceptance*) *Fig* cours *m*; **(foreign) c.** devises *fpl* (étrangères).
current ['kʌrənt] **1** *a* (*fashion, trend etc*) actuel; (*opinion, use, phrase*) courant; (*year, month*) en cours, courant; **c. affairs** questions *fpl* d'actualité; **c. events** actualité *f*; **the c. issue** (*of magazine etc*) le dernier numéro. **2** *n* (*of river, air*) & *El* courant *m*. ◆**—ly** *adv* actuellement, à présent.
curriculum, *pl* **-la** [kə'rɪkjʊləm, -lə] *n* programme *m* (scolaire); **c. (vitae)** curriculum (vitae) *m inv*.
curry ['kʌrɪ] **1** *n Culin* curry *m*, cari *m*. **2** *vt* **to c. favour with** s'insinuer dans les bonnes grâces de.
curs/e [kɜːs] *n* malédiction *f*; (*swearword*) juron *m*; (*bane*) *Fig* fléau *m*; – *vt* maudire; **cursed with** (*blindness etc*) affligé de; – *vi* (*swear*) jurer. ◆**—ed** [-ɪd] *a Fam* maudit.
cursor ['kɜːsər] *n* (*on computer screen*) curseur *m*.
cursory ['kɜːsərɪ] *a* (trop) rapide, superficiel.
curt [kɜːt] *a* brusque. ◆**—ly** *adv* d'un ton brusque. ◆**—ness** *n* brusquerie *f*.
curtail [kɜː'teɪl] *vt* écourter, raccourcir; (*expenses*) réduire. ◆**—ment** *n* raccourcissement *m*; réduction *f*.
curtain ['kɜːt(ə)n] *n* rideau *m*; **c. call** *Th* rappel *m*.
curts(e)y ['kɜːtsɪ] *n* révérence *f*; – *vi* faire une révérence.
curve [kɜːv] *n* courbe *f*; (*in road*) *Am* virage *m*; *pl* (*of woman*) *Fam* rondeurs *fpl*; – *vt* courber; – *vi* se courber; (*of road*) tourner, faire une courbe.
cushion ['kʊʃən] *n* coussin *m*; – *vt* (*shock*) *Fig* amortir. ◆**cushioned** *a* (*seat*) rembourré; **c. against** *Fig* protégé contre.
cushy ['kʊʃɪ] *a* (**-ier, -iest**) (*job, life*) *Fam* pépère, facile.
custard ['kʌstəd] *n* crème *f* anglaise; (*when set*) crème *f* renversée.
custodian [kʌ'stəʊdɪən] *n* gardien, -ienne *mf*.
custody ['kʌstədɪ] *n* (*care*) garde *f*; **to take into c.** *Jur* mettre en détention préventive. ◆**cu'stodial** *a* **c. sentence** peine *f* de prison.
custom ['kʌstəm] *n* coutume *f*; (*patronage*) *Com* clientèle *f*. ◆**customary** *a* habituel, coutumier; **it is c. to** il est d'usage de. ◆**custom-built** *a*, ◆**customized** *a* (*car etc*) (fait) sur commande.
customer ['kʌstəmər] *n* client, -ente *mf*; *Pej* individu *m*.
customs ['kʌstəmz] *n* & *npl* **(the) c.** la douane; **c. (duties)** droits *mpl* de douane; **c. officer** douanier *m*; **c. union** union *f* douanière.
cut [kʌt] *n* coupure *f*; (*stroke*) coup *m*; (*of clothes, hair*) coupe *f*; (*in salary*) réduction *f*; (*of meat*) morceau *m*; – *vt* (*pt* & *pp* **cut,** *pres p* **cutting**) couper; (*meat*) découper; (*glass, tree*) tailler; (*record*) graver; (*hay*) faucher; (*profits, prices etc*) réduire; (*tooth*) percer; (*corner*) *Aut* prendre à la corde; **to c. open** ouvrir (*au couteau etc*); **to c. short** (*visit*) abréger; – *vi* (*of person, scissors*) couper; (*of material*) se couper; **to c. into** (*cake*) entamer. ■ **to c. away** *vt* (*remove*) enlever; **to c. back (on)** *vti* réduire. ◆**cutback** *n* réduction *f*; **to c. down** *vt* (*tree*) abattre, couper; **to c. down (on)** *vti* réduire; **to c. in** *vi* interrompre; *Aut* faire une queue de poisson (**on s.o.** à qn); **to c. off** *vt* couper; (*isolate*) isoler; **to c. out** *vi* (*of engine*) *Aut* caler; – *vt* (*article*) découper; (*garment*) tailler; (*remove*) enlever; (*leave out, get rid of*) *Fam* supprimer; **to c. out drinking** (*stop*) *Fam* s'arrêter de boire; **c. it out!** *Fam* ça suffit!; **c. out to be a doctor**/*etc* fait pour être médecin/*etc*. ◆**cutout** *n* (*picture*) découpage *m*; *El* coupe-circuit *m inv*; **to c. up** *vt* couper (en morceaux); (*meat*) découper; **c. up about** démoralisé par. ◆**cutting** *n* coupe *f*; (*of diamond*) taille *f*; (*article*) *Journ* coupure *f*; (*plant*) bouture *f*; *Cin* montage *m*; – *a* (*wind, word*) cinglant; **c. edge** tranchant *m*.
cute [kjuːt] *a* (**-er, -est**) *Fam* (*pretty*) mignon; (*shrewd*) astucieux.
cuticle ['kjuːtɪk(ə)l] *n* petites peaux *fpl* (*de l'ongle*).
cutlery ['kʌtlərɪ] *n* couverts *mpl*.
cutlet ['kʌtlɪt] *n* (*of veal etc*) côtelette *f*.
cut-price [kʌt'praɪs] *a* à prix réduit.
cutthroat ['kʌtθrəʊt] *n* assassin *m*; – *a* (*competition*) impitoyable.

cv [siːˈviː] *n abbr* curriculum (vitae) *m inv.*
cyanide [ˈsaɪənaɪd] *n* cyanure *m.*
cybernetics [saɪbəˈnetɪks] *n* cybernétique *f.*
cycle [ˈsaɪk(ə)l] **1** *n* bicyclette *f*, vélo *m*; – *a* (*path, track*) cyclable; (*race*) cycliste; – *vi* aller à bicyclette (**to** à); *Sp* faire de la bicyclette. **2** *n* (*series, period*) cycle *m.* ◆**cycling** *n* cyclisme *m*; – *a* (*champion*) cycliste. ◆**cyclist** *n* cycliste *mf.* ◆**cyclic(al)** [ˈsɪklɪk(əl)] *a* cyclique.
cyclone [ˈsaɪkləʊn] *n* cyclone *m.*
cylinder [ˈsɪlɪndər] *n* cylindre *m.* ◆**cyˈlindrical** *a* cylindrique.
cymbal [ˈsɪmbəl] *n* cymbale *f.*
cynic [ˈsɪnɪk] *n* cynique *mf.* ◆**cynical** *a* cynique. ◆**cynicism** *n* cynisme *m.*
cypress [ˈsaɪprəs] *n* (*tree*) cyprès *m.*
Cyprus [ˈsaɪprəs] *n* Chypre *f.* ◆**Cypriot** [ˈsɪprɪət] *a* & *n* cypriote (*mf*).
cyst [sɪst] *n Med* kyste *m.*
czar [zɑːr] *n* tsar *m.*
Czech [tʃek] *a* & *n* tchèque (*mf*). ◆**Czechoˈslovak** *a* & *n* tchécoslovaque (*mf*). ◆**Czechosloˈvakia** *n* Tchécoslovaquie *f.* ◆**Czechosloˈvakian** *a* & *n* tchécoslovaque (*mf*).

D

D, d [diː] *n* D, d *m.* ◆**D.-day** *n* le jour J.
dab [dæb] *n* **a d. of** un petit peu de; – *vt* (**-bb-**) (*wound, brow etc*) tamponner; **to d. sth on sth** appliquer qch (à petits coups) sur qch.
dabble [ˈdæb(ə)l] *vi* **to d. in** s'occuper *or* se mêler un peu de.
dad [dæd] *n Fam* papa *m.* ◆**daddy** *n Fam* papa *m*; **d. longlegs** (*cranefly*) tipule *f*; (*spider*) *Am* faucheur *m.*
daffodil [ˈdæfədɪl] *n* jonquille *f.*
daft [dɑːft] *a* (**-er, -est**) *Fam* idiot, bête.
dagger [ˈdægər] *n* poignard *m*; **at daggers drawn** à couteaux tirés (**with** avec).
dahlia [ˈdeɪljə, *Am* ˈdæljə] *n* dahlia *m.*
daily [ˈdeɪlɪ] *a* quotidien, journalier; (*wage*) journalier; – *adv* quotidiennement; – *n* **d. (paper)** quotidien *m*; **d. (help)** (*cleaning woman*) femme *f* de ménage.
dainty [ˈdeɪntɪ] *a* (**-ier, -iest**) délicat; (*pretty*) mignon; (*tasteful*) élégant. ◆**daintily** *adv* délicatement; élégamment.
dairy [ˈdeərɪ] *n* (*on farm*) laiterie *f*; (*shop*) crémerie *f*; – *a* (*produce, cow etc*) laitier. ◆**dairyman** *n* (*pl* **-men**) (*dealer*) laitier *m.* ◆**dairywoman** *n* (*pl* **-women**) laitière *f.*
daisy [ˈdeɪzɪ] *n* pâquerette *f.*
dale [deɪl] *n Geog Lit* vallée *f.*
dally [ˈdælɪ] *vi* musarder, lanterner.
dam [dæm] *n* (*wall*) barrage *m*; – *vt* (**-mm-**) (*river*) barrer.
damag/e [ˈdæmɪdʒ] *n* dégâts *mpl*, dommages *mpl*; (*harm*) *Fig* préjudice *m*; *pl Jur* dommages-intérêts *mpl*; – *vt* (*spoil*) abîmer; (*material object*) endommager, abîmer; (*harm*) *Fig* nuire à. ◆**—ing** *a* préjudiciable (**to** à).
dame [deɪm] *n Lit* dame *f*; *Am Sl* nana *f*, fille *f.*
damn [dæm] *vt* (*condemn, doom*) condamner; *Rel* damner; (*curse*) maudire; **d. him!** *Fam* qu'il aille au diable!; – *int* **d. (it)!** *Fam* zut!, merde!; – *n* **he doesn't care a d.** *Fam* il s'en fiche pas mal; – *a Fam* fichu, sacré; – *adv Fam* sacrément; **d. all** rien du tout. ◆**—ed** **1** *a* (*soul*) damné. **2** *Fam* = **damn** *a* & *adv.* ◆**—ing** *a* (*evidence etc*) accablant. ◆**damˈnation** *n* damnation *f.*
damp [dæmp] *a* (**-er, -est**) humide; (*skin*) moite; – *n* humidité *f.* ◆**damp(en)** *vt* humecter; **to d. (down)** (*zeal*) refroidir; (*ambition*) étouffer. ◆**damper** *n* **to put a d. on** jeter un froid sur. ◆**dampness** *n* humidité *f.*
damsel [ˈdæmzəl] *n Lit* & *Hum* demoiselle *f.*
damson [ˈdæmzən] *n* prune *f* de Damas.
danc/e [dɑːns] *n* danse *f*; (*social event*) bal *m*; **d. hall** dancing *m*; – *vi* danser; **to d. for joy** sauter de joie; – *vt* (*polka etc*) danser. ◆**—ing** *n* danse *f*; **d. partner** cavalier, -ière *mf.* ◆**—er** *n* danseur, -euse *mf.*
dandelion [ˈdændɪlaɪən] *n* pissenlit *m.*
dandruff [ˈdændrʌf] *n* pellicules *fpl.*
dandy [ˈdændɪ] **1** *n* dandy *m.* **2** *a* (*very good*) *Am Fam* formidable.
Dane [deɪn] *n* Danois, -oise *mf.*
danger [ˈdeɪndʒər] *n* (*peril*) danger *m* (**to** pour); (*risk*) risque *m*; **in d.** en danger; **in d. of** (*threatened by*) menacé de; **to be in d. of falling/***etc* risquer de tomber/*etc*; **on the d. list** *Med* dans un état critique; **d. signal** signal *m* d'alarme; **d. zone** zone *f* dangereuse. ◆**dangerous** *a* (*place, illness,*

person etc) dangereux (**to** pour). ◆**dangerously** *adv* dangereusement; (*ill*) gravement.

dangle ['dæŋg(ə)l] *vt* balancer; (*prospect*) *Fig* faire miroiter (**before s.o.** aux yeux de qn); – *vi* (*hang*) pendre; (*swing*) se balancer.

Danish ['deɪnɪʃ] *a* danois; – *n* (*language*) danois *m*.

dank [dæŋk] *a* (**-er, -est**) humide (et froid).

dapper ['dæpər] *a* pimpant, fringant.

dappled ['dæp(ə)ld] *a* pommelé, tacheté.

dar/e [deər] *vt* oser (**do** faire); **she d. not come** elle n'ose pas venir; **he doesn't d. (to) go** il n'ose pas y aller; **if you d. (to)** si tu l'oses, si tu oses le faire; **I d. say he tried** il a sans doute essayé, je suppose qu'il a essayé; **to d. s.o. to do** défier qn de faire. ◆**—ing** *a* audacieux; – *n* audace *f*. ◆**daredevil** *n* casse-cou *m inv*, risque-tout *m inv*.

dark [dɑːk] *a* (**-er, -est**) obscur, noir, sombre; (*colour*) foncé, sombre; (*skin*) brun, foncé; (*hair*) brun, noir, foncé; (*eyes*) foncé; (*gloomy*) sombre; **it's d.** il fait nuit *or* noir; **to keep sth d.** tenir qch secret; **d. glasses** lunettes *fpl* noires; – *n* noir *m*, obscurité *f*; **after d.** après la tombée de la nuit; **to keep s.o. in the d.** laisser qn dans l'ignorance (**about** de). ◆**d.-'haired** *a* aux cheveux bruns. ◆**d.-'skinned** *a* brun; (*race*) de couleur. ◆**darken** *vt* assombrir, obscurcir; (*colour*) foncer; – *vi* s'assombrir; (*of colour*) foncer. ◆**darkness** *n* obscurité *f*, noir *m*.

darkroom ['dɑːkruːm] *n Phot* chambre *f* noire.

darling ['dɑːlɪŋ] *n* (*favourite*) chouchou, -oute *mf*; **(my) d.** (mon) chéri, (ma) chérie; **he's a d.** c'est un amour; **be a d.!** sois un ange!; – *a* chéri; (*delightful*) *Fam* adorable.

darn [dɑːn] **1** *vt* (*socks*) repriser. **2** *int* **d. it!** bon sang! ◆**—ing** *n* reprise *f*; – *a* (*needle, wool*) à repriser.

dart [dɑːt] **1** *vi* se précipiter, s'élancer (**for** vers); – *n* **to make a d.** se précipiter (**for** vers). **2** *n Sp* fléchette *f*; *pl* (*game*) fléchettes *fpl*. ◆**dartboard** *n Sp* cible *f*.

dash [dæʃ] **1** *n* (*run, rush*) ruée *f*; **to make a d.** se précipiter (**for** vers); – *vi* se précipiter; (*of waves*) se briser (**against** contre); **to d. off** *or* **away** partir *or* filer en vitesse; – *vt* jeter (avec force); (*shatter*) briser; **d. (it)!** *Fam* zut!; **to d. off** (*letter*) faire en vitesse. **2** *n* **a d. of** un (petit) peu de; **a d. of milk** une goutte *or* un nuage de lait. **3** *n* (*stroke*) trait *m*; *Typ* tiret *m*. ◆**—ing** *a* (*person*) sémillant.

dashboard ['dæʃbɔːd] *n Aut* tableau *m* de bord.

data ['deɪtə] *npl* données *fpl*; **d. processing** informatique *f*.

date[1] [deɪt] *n* date *f*; (*on coin*) millésime *m*; (*meeting*) *Fam* rendez-vous *m inv*; (*person*) *Fam* copain, -ine *mf* (*avec qui on a un rendez-vous*); **up to d.** moderne; (*information*) à jour; (*well-informed*) au courant (**on** de); **out of d.** (*old-fashioned*) démodé; (*expired*) périmé; **to d.** à ce jour, jusqu'ici; **d. stamp** (*object*) (tampon *m*) dateur *m*; (*mark*) cachet *m*; – *vt* (*letter etc*) dater; (*girl, boy*) *Fam* sortir avec; – *vi* (*become out of date*) dater; **to d. back to, d. from** dater de. ◆**dated** *a* démodé.

date[2] [deɪt] *n Bot* datte *f*.

datebook ['deɪtbʊk] *n Am* agenda *m*.

daub [dɔːb] *vt* barbouiller (**with** de).

daughter ['dɔːtər] *n* fille *f*. ◆**d.-in-law** *n* (*pl* **daughters-in-law**) belle-fille *f*, bru *f*.

daunt [dɔːnt] *vt* décourager, rebuter. ◆**—less** *a* intrépide.

dawdl/e ['dɔːd(ə)l] *vi* traîner, lambiner. ◆**—er** *n* traînard, -arde *mf*.

dawn [dɔːn] *n* aube *f*, aurore *f*; – *vi* (*of day*) poindre; (*of new era, idea*) naître, voir le jour; **it dawned upon him that . . .** il lui est venu à l'esprit que . . . . ◆**—ing** *a* naissant.

day [deɪ] *n* jour *m*; (*working period, whole day long*) journée *f*; *pl* (*period*) époque *f*, temps *mpl*; **all d. (long)** toute la journée; **what d. is it?** quel jour sommes-nous?; **the following** *or* **next d.** le lendemain; **the d. before** la veille; **the d. before yesterday** avant-hier; **the d. after tomorrow** après-demain; **to the d.** jour pour jour; **d. boarder** demi-pensionnaire *mf*; **d. nursery** crèche *f*; **d. return** *Rail* aller et retour *m* (*pour une journée*); **d. tripper** excursionniste *mf*. ◆**d.-to-'d.** *a* journalier; **on a d.-to-day basis** (*every day*) journellement. ◆**daybreak** *n* point *m* du jour. ◆**daydream** *n* rêverie *f*; – *vi* rêvasser. ◆**daylight** *n* (lumière *f* du) jour *m*; (*dawn*) point *m* du jour; **it's d.** il fait jour. ◆**daytime** *n* journée *f*.

daze [deɪz] *vt* (*with drugs etc*) hébéter; (*by blow*) étourdir; – *n* **in a d.** étourdi; hébété.

dazzle ['dæz(ə)l] *vt* éblouir; – *n* éblouissement *m*.

deacon ['diːkən] *n Rel* diacre *m*.

dead [ded] *a* mort; (*numb*) engourdi; (*party etc*) qui manque de vie, mortel; (*telephone*) sans tonalité; **in (the) d. centre** au beau milieu; **to be a d. loss** (*person*) *Fam* n'être bon à rien; **it's a d. loss** *Fam* ça ne vaut rien; **d. silence** un silence de mort; **a d. stop** un arrêt complet; **d. end** (*street*) & *Fig* impasse *f*; **a d.-end job** un travail sans avenir; – *adv* (*completely*) absolument; (*very*) très; **d. beat** *Fam* éreinté; **d. drunk** *Fam* ivre mort; **to stop d.** s'arrêter net; – *n* **the d.** les morts *mpl*; **in the d. of** (*night, winter*) au cœur de. ◆**—ly** *a* (**-ier, -iest**) (*enemy, silence, paleness*) mortel; (*weapon*) meurtrier; **d. sins** péchés *mpl* capitaux; – *adv* mortellement. ◆**deadbeat** *n Am Fam* parasite *m*. ◆**deadline** *n* date *f* limite; (*hour*) heure *f* limite. ◆**deadlock** *n Fig* impasse *f*. ◆**deadpan** *a* (*face*) figé, impassible.

deaden ['ded(ə)n] *vt* (*shock*) amortir; (*pain*) calmer; (*feeling*) émousser.

deaf [def] *a* sourd (**to** à); **d. and dumb** sourd-muet; **d. in one ear** sourd d'une oreille; – *n* **the d.** les sourds *mpl*. ◆**d.-aid** *n* audiophone *m*, prothèse *f* auditive. ◆**deafen** *vt* assourdir. ◆**deafness** *n* surdité *f*.

deal[1] [diːl] **1** *n* **a good** *or* **great d.** beaucoup (**of** de). **2** *n Com* marché *m*, affaire *f*; *Cards* donne *f*; **fair d.** traitement *m or* arrangement *m* équitable; **it's a d.** d'accord; **big d.!** *Iron* la belle affaire! **3** *vt* (*pt & pp* **dealt** [delt]) (*blow*) porter; **to d. (out)** (*cards*) donner; (*money*) distribuer. **4** *vi* (*trade*) traiter (**with s.o.** avec qn), **to d. in** faire le commerce de; **to d. with** (*take care of*) s'occuper de; (*concern*) traiter de, parler de; **I can d. with him** (*handle*) je sais m'y prendre avec lui. ◆**—ings** *npl* relations *fpl* (**with** avec); *Com* transactions *fpl*. ◆**—er** *n* marchand, -ande *mf* (**in** de); (*agent*) dépositaire *mf*; (*for cars*) concessionnaire *mf*; (*in drugs*) *Sl* revendeur, -euse *mf* de drogues; *Cards* donneur, -euse *mf*.

deal[2] [diːl] *n* (*wood*) sapin *m*.

dean [diːn] *n Rel Univ* doyen *m*.

dear [dɪər] *a* (**-er, -est**) (*loved, precious, expensive*) cher; (*price*) élevé; **D. Sir** (*in letter*) *Com* Monsieur; **D. Uncle** (mon) cher oncle; **oh d.!** oh là là!, oh mon Dieu!; – *n* **(my) d.** (*darling*) (mon) chéri, (ma) chérie; (*friend*) mon cher, ma chère; **she's a d.** c'est un amour; **be a d.!** sois un ange!; – *adv* (*to cost, pay*) cher. ◆**—ly** *adv* tendrement; (*very much*) beaucoup; **to pay d. for sth** payer qch cher.

dearth [dɜːθ] *n* manque *m*, pénurie *f*.

death [deθ] *n* mort *f*; **to put to d.** mettre à mort; **to be bored to d.** s'ennuyer à mourir; **to be burnt to d.** mourir carbonisé; **to be sick to d.** en avoir vraiment marre; **many deaths** (*people killed*) de nombreux morts *mpl*; – *a* (*march*) funèbre; (*mask*) mortuaire; **d. certificate** acte *m* de décès; **d. duty** droits *mpl* de succession; **d. penalty** *or* **sentence** peine *f* de mort; **d. rate** mortalité *f*; **it's a d. trap** il y a danger de mort. ◆**deathbed** *n* lit *m* de mort. ◆**deathblow** *n* coup *m* mortel. ◆**deathly** *a* mortel, de mort; – *adv* **d. pale** d'une pâleur mortelle.

debar [dɪ'bɑːr] *vt* (**-rr-**) exclure; **to d. from doing** interdire de faire.

debase [dɪ'beɪs] *vt* (*person*) avilir; (*reputation, talents*) galvauder; (*coinage*) altérer.

debat/e [dɪ'beɪt] *vti* discuter; **to d. (with oneself) whether to leave/***etc* se demander si on doit partir/*etc*; – *n* débat *m*, discussion *f*. ◆**—able** *a* discutable, contestable.

debauch [dɪ'bɔːtʃ] *vt* corrompre, débaucher. ◆**debauchery** *n* débauche *f*.

debilitate [dɪ'bɪlɪteɪt] *vt* débiliter. ◆**debility** *n* faiblesse *f*, débilité *f*.

debit ['debɪt] *n* débit *m*; **in d.** (*account*) débiteur; – *a* (*balance*) *Fin* débiteur; – *vt* débiter (**s.o. with sth** qn de qch).

debonair [debə'neər] *a* jovial; (*charming*) charmant; (*polite*) poli.

debris ['debriː] *n* débris *mpl*.

debt [det] *n* dette *f*; **to be in d.** avoir des dettes; **to be £50 in d.** devoir 50 livres; **to run** *or* **get into d.** faire des dettes. ◆**debtor** *n* débiteur, -trice *mf*.

debunk [diː'bʌŋk] *vt Fam* démystifier.

debut ['debjuː] *n Th* début *m*.

decade ['dekeɪd] *n* décennie *f*.

decadent ['dekədənt] *a* décadent. ◆**decadence** *n* décadence *f*.

decaffeinated [diː'kæfɪneɪtɪd] *a* décaféiné.

decal ['diːkæl] *n Am* décalcomanie *f*.

decant [dɪ'kænt] *vt* (*wine*) décanter. ◆**—er** *n* carafe *f*.

decapitate [dɪ'kæpɪteɪt] *vt* décapiter.

decathlon [dɪ'kæθlɒn] *n Sp* décathlon *m*.

decay [dɪ'keɪ] *vi* (*go bad*) se gâter; (*rot*) pourrir; (*of tooth*) se carier, se gâter; (*of building*) tomber en ruine; (*decline*) *Fig* décliner; – *n* pourriture *f*; *Archit* délabrement *m*; (*of tooth*) carie(s) *f(pl)*; (*of nation*) décadence *f*; **to fall into d.** (*of building*) tomber en ruine. ◆**—ing** *a* (*nation*) décadent; (*meat, fruit etc*) pourrissant.

deceased [dɪ'siːst] *a* décédé, défunt; – *n* **the d.** le défunt, la défunte; *pl* les défunt(e)s.

deceit [dɪ'siːt] *n* tromperie *f*. ◆**deceitful** *a*

trompeur. ◆**deceitfully** *adv* avec duplicité.
deceive [dɪ'siːv] *vti* tromper; **to d. oneself** se faire des illusions.
December [dɪ'sembər] *n* décembre *m*.
decent ['diːsənt] *a* (*respectable*) convenable, décent; (*good*) *Fam* bon; (*kind*) *Fam* gentil; **that was d. (of you)** c'était chic de ta part. ◆**decency** *n* décence *f*; (*kindness*) *Fam* gentillesse *f*. ◆**decently** *adv* décemment.
decentralize [diː'sentrəlaɪz] *vt* décentraliser. ◆**decentrali'zation** *n* décentralisation *f*.
deception [dɪ'sepʃ(ə)n] *n* tromperie *f*. ◆**deceptive** *a* trompeur.
decibel ['desɪbel] *n* décibel *m*.
decid/e [dɪ'saɪd] *vt* (*question etc*) régler, décider; (*s.o.'s career, fate etc*) décider de; **to d. to do** décider de faire; **to d. that** décider que; **to d. s.o. to do** décider qn à faire; – *vi* (*make decisions*) décider; (*make up one's mind*) se décider (**on doing** à faire); **to d. on sth** décider de qch, se décider à qch; (*choose*) se décider pour qch. ◆**—ed** *a* (*firm*) décidé, résolu; (*clear*) net. ◆**—edly** *adv* résolument; nettement. ◆**—ing** *a* (*factor etc*) décisif.
decimal ['desɪməl] *a* décimal; **d. point** virgule *f*; – *n* décimale *f*. ◆**decimali'zation** *n* décimalisation *f*.
decimate ['desɪmeɪt] *vt* décimer.
decipher [dɪ'saɪfər] *vt* déchiffrer.
decision [dɪ'sɪʒ(ə)n] *n* décision *f*. ◆**decisive** [dɪ'saɪsɪv] *a* (*defeat, tone etc*) décisif; (*victory*) net, incontestable. ◆**decisively** *adv* (*to state*) avec décision; (*to win*) nettement, incontestablement.
deck [dek] **1** *n Nau* pont *m*; **top d.** (*of bus*) impériale *f*. **2** *n* **d. of cards** jeu *m* de cartes. **3** *n* (*of record player*) platine *f*. **4** *vt* **to d. (out)** (*adorn*) orner. ◆**deckchair** *n* chaise *f* longue.
declare [dɪ'kleər] *vt* déclarer (**that** que); (*verdict, result*) proclamer. ◆**decla'ration** *n* déclaration *f*; proclamation *f*.
declin/e [dɪ'klaɪn] **1** *vi* (*deteriorate*) décliner; (*of birthrate, price etc*) baisser; **to d. in importance** perdre de l'importance; – *n* déclin *m*; (*fall*) baisse *f*. **2** *vt* refuser, décliner; **to d. to do** refuser de faire. ◆**—ing** *a* **one's d. years** ses dernières années.
decode [diː'kəʊd] *vt* (*message*) décoder.
decompose [diːkəm'pəʊz] *vt* décomposer; – *vi* se décomposer. ◆**decompo'sition** *n* décomposition *f*.
decompression [diːkəm'preʃ(ə)n] *n* décompression *f*.
decontaminate [diːkən'tæmɪneɪt] *vt* décontaminer.
decor ['deɪkɔːr] *n* décor *m*.
decorat/e ['dekəreɪt] *vt* (*cake, house, soldier*) décorer (**with** de); (*paint etc*) peindre (et tapisser); (*hat, skirt etc*) orner (**with** de). ◆**—ing** *n* **interior d.** décoration *f* d'intérieurs. ◆**deco'ration** *n* décoration *f*. ◆**decorative** *a* décoratif. ◆**decorator** *n* (*house painter etc*) peintre *m* décorateur; **(interior) d.** ensemblier *m*, décorateur, -trice *mf*.
decorum [dɪ'kɔːrəm] *n* bienséances *fpl*.
decoy ['diːkɔɪ] *n* (*artificial bird*) appeau *m*; **(police) d.** policier *m* en civil.
decreas/e [dɪ'kriːs] *vti* diminuer; – ['diːkriːs] *n* diminution *f* (**in** de). ◆**—ing** *a* (*number etc*) décroissant. ◆**—ingly** *adv* de moins en moins.
decree [dɪ'kriː] *n Pol Rel* décret *m*; *Jur* jugement *m*; (*municipal*) arrêté *m*; – *vt* (*pt & pp* **decreed**) décréter.
decrepit [dɪ'krepɪt] *a* (*building*) en ruine; (*person*) décrépit.
decry [dɪ'kraɪ] *vt* décrier.
dedicat/e ['dedɪkeɪt] *vt* (*devote*) consacrer (**to** à); (*book*) dédier (**to** à); **to d. oneself to** se consacrer à. ◆**dedi'cation** *n* (*in book*) dédicace *f*; (*devotion*) dévouement *m*.
deduce [dɪ'djuːs] *vt* (*conclude*) déduire (**from** de, **that** que).
deduct [dɪ'dʌkt] *vt* (*subtract*) déduire, retrancher (**from** de); (*from wage, account*) prélever (**from** sur). ◆**deductible** *a* à déduire (**from** de); (*expenses*) déductible. ◆**deduction** *n* (*inference*) & *Com* déduction *f*.
deed [diːd] *n* action *f*, acte *m*; (*feat*) exploit *m*; *Jur* acte *m* (notarié).
deem [diːm] *vt* juger, estimer.
deep [diːp] *a* (**-er, -est**) profond; (*snow*) épais; (*voice*) grave; (*note*) *Mus* bas; (*person*) insondable; **to be six metres/***etc* **d.** avoir six mètres/*etc* de profondeur; **d. in thought** absorbé *or* plongé dans ses pensées; **the d. end** (*in swimming pool*) le grand bain; **d. red** rouge foncé; – *adv* (*to breathe*) profondément; **d. into the night** tard dans la nuit; – *n* **the d.** l'océan *m*. ◆**—ly** *adv* (*grateful, to regret etc*) profondément. ◆**deep-'freeze** *vt* surgeler; – *n* congélateur *m*. ◆**d.-'fryer** *n* friteuse *f*. ◆**d.-'rooted** *a*, ◆**d.-'seated** *a* bien ancré, profond. ◆**d.-'set** *a* (*eyes*) enfoncés.

deepen ['diːpən] *vt* approfondir; (*increase*) augmenter; – *vi* devenir plus profond; (*of mystery*) s'épaissir. ◆**—ing** *a* grandissant.
deer [dɪər] *n inv* cerf *m*.
deface [dɪ'feɪs] *vt* (*damage*) dégrader; (*daub*) barbouiller.
defamation [defə'meɪʃ(ə)n] *n* diffamation *f*. ◆**de'famatory** *a* diffamatoire.
default [dɪ'fɔːlt] *n* **by d.** *Jur* par défaut; **to win by d.** gagner par forfait; – *vi Jur* faire défaut; **to d. on one's payments** *Fin* être en rupture de paiement.
defeat [dɪ'fiːt] *vt* battre, vaincre; (*plan*) faire échouer; – *n* défaite *f*; (*of plan*) échec *m*. ◆**defeatism** *n* défaitisme *m*.
defect 1 ['diːfekt] *n* défaut *m*. **2** [dɪ'fekt] *vi Pol* déserter, faire défection; **to d. to** (*the West, the enemy*) passer à. ◆**de'fection** *n* défection *f*. ◆**de'fective** *a* défectueux; *Med* déficient. ◆**de'fector** *n* transfuge *mf*.
defence [dɪ'fens] (*Am* **defense**) *n* défense *f*; **the body's defences** la défense de l'organisme (**against** contre); **in his d.** *Jur* à sa décharge, pour le défendre. ◆**defenceless** *a* sans défense. ◆**defensible** *a* défendable. ◆**defensive** *a* défensif; – *n* **on the d.** sur la défensive.
defend [dɪ'fend] *vt* défendre. ◆**defendant** *n* (*accused*) *Jur* prévenu, -ue *mf*. ◆**defender** *n* défenseur *m*; (*of title*) *Sp* détenteur, -trice *mf*.
defer [dɪ'fɜːr] **1** *vt* (**-rr-**) (*postpone*) différer, reporter. **2** *vi* (**-rr-**) **to d. to** (*yield*) déférer à. ◆**—ment** *n* report *m*.
deference ['defərəns] *n* déférence *f*. ◆**defe'rential** *a* déférent, plein de déférence.
defiant [dɪ'faɪənt] *a* (*tone etc*) de défi; (*person*) rebelle. ◆**defiance** *n* (*resistance*) défi *m* (**of** à); **in d. of** (*contempt*) au mépris de. ◆**defiantly** *adv* d'un air de défi.
deficient [dɪ'fɪʃənt] *a* insuffisant; *Med* déficient; **to be d. in** manquer de. ◆**deficiency** *n* manque *m*; (*flaw*) défaut *m*; *Med* carence *f*; (*mental*) déficience *f*.
deficit ['defɪsɪt] *n* déficit *m*.
defile [dɪ'faɪl] *vt* souiller, salir.
define [dɪ'faɪn] *vt* définir. ◆**defi'nition** *n* définition *f*.
definite ['defɪnɪt] *a* (*date, plan*) précis, déterminé; (*obvious*) net, évident; (*firm*) ferme; (*certain*) certain; **d. article** *Gram* article *m* défini. ◆**—ly** *adv* certainement; (*appreciably*) nettement; (*to say*) catégoriquement.
definitive [dɪ'fɪnɪtɪv] *a* définitif.
deflate [dɪ'fleɪt] *vt* (*tyre*) dégonfler. ◆**deflation** *n* dégonflement *m*; *Econ* déflation *f*.
deflect [dɪ'flekt] *vt* faire dévier; – *vi* dévier.
deform [dɪ'fɔːm] *vt* déformer. ◆**—ed** *a* (*body*) difforme. ◆**deformity** *n* difformité *f*.
defraud [dɪ'frɔːd] *vt* (*customs, State etc*) frauder; **to d. s.o. of sth** escroquer qch à qn.
defray [dɪ'freɪ] *vt* (*expenses*) payer.
defrost [diː'frɒst] *vt* (*fridge*) dégivrer; (*food*) décongeler.
deft [deft] *a* adroit (**with** de). ◆**—ness** *n* adresse *f*.
defunct [dɪ'fʌŋkt] *a* défunt.
defuse [diː'fjuːz] *vt* (*bomb, conflict*) désamorcer.
defy [dɪ'faɪ] *vt* (*person, death etc*) défier; (*effort, description*) résister à; **to d. s.o. to do** défier qn de faire.
degenerate [dɪ'dʒenəreɪt] *vi* dégénérer (**into** en); – [dɪ'dʒenərət] *a* & *n* dégénéré, -ée (*mf*). ◆**degene'ration** *n* dégénérescence *f*.
degrade [dɪ'greɪd] *vt* dégrader. ◆**degradation** [degrə'deɪʃ(ə)n] *n Mil Ch* dégradation *f*; (*of person*) déchéance *f*.
degree [dɪ'griː] *n* **1** degré *m*; **not in the slightest d.** pas du tout; **to such a d.** à tel point (**that** que). **2** *Univ* diplôme *m*; (*Bachelor's*) licence *f*; (*Master's*) maîtrise *f*; (*PhD*) doctorat *m*.
dehumanize [diː'hjuːmənaɪz] *vt* déshumaniser.
dehydrate [diːhaɪ'dreɪt] *vt* déshydrater.
de-ice [diː'aɪs] *vt Av Aut* dégivrer.
deign [deɪn] *vt* daigner (**to do** faire).
deity ['diːɪtɪ] *n* dieu *m*.
dejected [dɪ'dʒektɪd] *a* abattu, découragé. ◆**dejection** *n* abattement *m*.
dekko ['dekəʊ] *n Sl* coup *m* d'œil.
delay [dɪ'leɪ] *vt* retarder; (*payment*) différer; – *vi* (*be slow*) tarder (**doing** à faire); (*linger*) s'attarder; – *n* (*lateness*) retard *m*; (*waiting period*) délai *m*; **without d.** sans tarder. ◆**delayed-'action** *a* (*bomb*) à retardement. ◆**delaying** *a* **d. tactics** moyens *mpl* dilatoires.
delectable [dɪ'lektəb(ə)l] *a* délectable.
delegate 1 ['delɪgeɪt] *vt* déléguer (**to** à). **2** ['delɪgət] *n* délégué, -ée *mf*. ◆**dele'gation** *n* délégation *f*.
delete [dɪ'liːt] *vt* rayer, supprimer. ◆**deletion** *n* (*thing deleted*) rature *f*; (*act*) suppression *f*.
deleterious [delɪ'tɪərɪəs] *a* néfaste.
deliberate[1] [dɪ'lɪbəreɪt] *vi* délibérer; – *vt* délibérer sur.
deliberate[2] [dɪ'lɪbərət] *a* (*intentional*) délibéré; (*cautious*) réfléchi; (*slow*) mesuré.

◆—**ly** *adv* (*intentionally*) exprès, délibérément; (*to walk*) avec mesure. ◆**delibe'ration** *n* délibération *f.*
delicate ['delɪkət] *a* délicat. ◆**delicacy** *n* délicatesse *f*; *Culin* mets *m* délicat, gourmandise *f.* ◆**delicately** *adv* délicatement. ◆**delica'tessen** *n* (*shop*) épicerie *f* fine, traiteur *m.*
delicious [dɪ'lɪʃəs] *a* délicieux.
delight [dɪ'laɪt] *n* délice *m*, grand plaisir *m*, joie *f*; *pl* (*pleasures, things*) délices *fpl*; **to be the d. of** faire les délices de; **to take d. in sth/in doing** se délecter de qch/à faire; – *vt* réjouir; – *vi* se délecter (**in doing** à faire). ◆—**ed** *a* ravi, enchanté (**with sth** de qch, **to do** de faire, **that** que). ◆**delightful** *a* charmant; (*meal, perfume, sensation*) délicieux. ◆**delightfully** *adv* avec beaucoup de charme; (*wonderfully*) merveilleusement.
delineate [dɪ'lɪnɪeɪt] *vt* (*outline*) esquisser; (*portray*) décrire.
delinquent [dɪ'lɪŋkwənt] *a* & *n* délinquant, -ante (*mf*). ◆**delinquency** *n* délinquance *f.*
delirious [dɪ'lɪərɪəs] *a* délirant; **to be d.** avoir le délire, délirer. ◆**delirium** *n Med* délire *m.*
deliver [dɪ'lɪvər] *vt* **1** (*goods, milk etc*) livrer; (*letters*) distribuer; (*hand over*) remettre (**to** à). **2** (*rescue*) délivrer (**from** de). **3** (*give birth to*) mettre au monde, accoucher de; **to d. a woman('s baby)** accoucher une femme. **4** (*speech*) prononcer; (*ultimatum, warning*) lancer; (*blow*) porter. ◆**deliverance** *n* délivrance *f.* ◆**delivery** *n* **1** livraison *f*; distribution *f*; remise *f.* **2** *Med* accouchement *m.* **3** (*speaking*) débit *m.* ◆**deliveryman** *n* (*pl* **-men**) livreur *m.*
delta ['deltə] *n* (*of river*) delta *m.*
delude [dɪ'lu:d] *vt* tromper; **to d. oneself** se faire des illusions. ◆**delusion** *n* illusion *f*; *Psy* aberration *f* mentale.
deluge ['deljuːdʒ] *n* (*of water, questions etc*) déluge *m*; – *vt* inonder (**with** de).
de luxe [dɪ'lʌks] *a* de luxe.
delve [delv] *vi* **to d. into** (*question, past*) fouiller; (*books*) fouiller dans.
demagogue ['deməgɒg] *n* démagogue *mf.*
demand [dɪ'mɑːnd] *vt* exiger (**sth from s.o.** qch de qn), réclamer (**sth from s.o.** qch à qn); (*rights, more pay*) revendiquer; **to d. that** exiger que; **to d. to know** insister pour savoir; – *n* exigence *f*; (*claim*) revendication *f*, réclamation *f*; (*request*) & *Econ* demande *f*; **in great d.** très demandé; **to make demands on s.o.** exiger beaucoup de qn. ◆—**ing** *a* exigeant.
demarcation [diːmɑː'keɪʃ(ə)n] *n* démarcation *f.*
demean [dɪ'miːn] *vt* **to d. oneself** s'abaisser, s'avilir.
demeanour [dɪ'miːnər] *n* (*behaviour*) comportement *m.*
demented [dɪ'mentɪd] *a* dément.
demerara [demə'reərə] *n* **d. (sugar)** cassonade *f*, sucre *m* roux.
demise [dɪ'maɪz] *n* (*death*) décès *m*; *Fig* disparition *f.*
demo ['deməʊ] *n* (*pl* **-os**) (*demonstration*) *Fam* manif *f.*
demobilize [diː'məʊbɪlaɪz] *vt* démobiliser.
democracy [dɪ'mɒkrəsɪ] *n* démocratie *f.* ◆**democrat** ['deməkræt] *n* démocrate *mf.* ◆**demo'cratic** *a* démocratique; (*person*) démocrate.
demography [dɪ'mɒgrəfɪ] *n* démographie *f.*
demolish [dɪ'mɒlɪʃ] *vt* démolir. ◆**demo'lition** *n* démolition *f.*
demon ['diːmən] *n* démon *m.*
demonstrate ['demənstreɪt] *vt* démontrer; (*machine*) faire une démonstration de; – *vi Pol* manifester. ◆**demon'stration** *n* démonstration *f*; *Pol* manifestation *f.* ◆**de'monstrative** *a* démonstratif. ◆**demonstrator** *n Pol* manifestant, -ante *mf*; (*in shop etc*) démonstrateur, -trice *mf.*
demoralize [dɪ'mɒrəlaɪz] *vt* démoraliser.
demote [dɪ'məʊt] *vt* rétrograder.
demure [dɪ'mjʊər] *a* sage, réservé.
den [den] *n* antre *m*, tanière *f.*
denationalize [diː'næʃ(ə)nəlaɪz] *vt* dénationaliser.
denial [dɪ'naɪəl] *n* (*of truth etc*) dénégation *f*; (*of rumour*) démenti *m*; (*of authority*) rejet *m*; **to issue a d.** publier un démenti.
denigrate ['denɪgreɪt] *vt* dénigrer.
denim ['denɪm] *n* (toile *f* de) coton *m*; *pl* (*jeans*) (blue-)jean *m.*
denizen ['denɪz(ə)n] *n* habitant, -ante *mf.*
Denmark ['denmɑːk] *n* Danemark *m.*
denomination [dɪnɒmɪ'neɪʃ(ə)n] *n* confession *f*, religion *f*; (*sect*) secte *m*; (*of coin, banknote*) valeur *f*; *Math* unité *f.* ◆**denominational** *a* (*school*) confessionnel.
denote [dɪ'nəʊt] *vt* dénoter.
denounce [dɪ'naʊns] *vt* (*person, injustice etc*) dénoncer (**to** à); **to d. s.o. as a spy/***etc* accuser qn publiquement d'être un espion/*etc.* ◆**denunci'ation** *n* dénonciation *f*; accusation *f* publique.
dense [dens] *a* (**-er, -est**) dense; (*stupid*)

Fam lourd, bête. ◆**—ly** *adv* **d. populated**/*etc* très peuplé/*etc*. ◆**density** *n* densité *f*.

dent [dent] *n* (*in metal*) bosselure *f*; (*in car*) bosse *f*, gnon *m*; **full of dents** (*car*) cabossé; **to make a d. in one's savings** taper dans ses économies; – *vt* cabosser, bosseler.

dental ['dent(ə)l] *a* dentaire; **d. surgeon** chirurgien *m* dentiste. ◆**dentist** *n* dentiste *mf*. ◆**dentistry** *n* médecine *f* dentaire; **school of d.** école *f* dentaire. ◆**dentures** *npl* dentier *m*.

deny [dɪ'naɪ] *vt* nier (**doing** avoir fait, **that** que); (*rumour*) démentir; (*authority*) rejeter; (*disown*) renier; **to d. s.o. sth** refuser qch à qn.

deodorant [diː'əʊdərənt] *n* déodorant *m*.

depart [dɪ'pɑːt] *vi* partir; (*deviate*) s'écarter (**from** de); – *vt* **to d. this world** *Lit* quitter ce monde. ◆**—ed** *a* & *n* (*dead*) défunt, -unte (*mf*). ◆**departure** *n* départ *m*; **a d. from** (*custom, rule*) un écart par rapport à, une entorse à; **to be a new d. for** constituer une nouvelle voie pour.

department [dɪ'pɑːtmənt] *n* département *m*; (*in office*) service *m*; (*in shop*) rayon *m*; *Univ* section *f*, département *m*; **that's your d.** (*sphere*) c'est ton rayon; **d. store** grand magasin *m*. ◆**depart'mental** *a* **d. manager** (*office*) chef *m* de service; (*shop*) chef *m* de rayon.

depend [dɪ'pend] *vi* dépendre (**on, upon** de); **to d. (up)on** (*rely on*) compter sur (**for sth** pour qch); **you can d. on it!** tu peux en être sûr! ◆**—able** *a* (*person, information etc*) sûr; (*machine*) fiable, sûr. ◆**dependant** *n* personne *f* à charge. ◆**dependence** *n* dépendance *f*. ◆**dependency** *n* (*country*) dépendance *f*. ◆**dependent** *a* dépendant (**on, upon** de); (*relative*) à charge; **to be d. (up)on** dépendre de.

depict [dɪ'pɪkt] *vt* (*describe*) dépeindre; (*pictorially*) représenter. ◆**depiction** *n* peinture *f*; représentation *f*.

deplete [dɪ'pliːt] *vt* (*use up*) épuiser; (*reduce*) réduire. ◆**depletion** *n* épuisement *m*; réduction *f*.

deplor/e [dɪ'plɔːr] *vt* déplorer. ◆**—able** *a* déplorable.

deploy [dɪ'plɔɪ] *vt* (*troops etc*) déployer.

depopulate [diː'pɒpjʊleɪt] *vt* dépeupler. ◆**depopu'lation** *n* dépeuplement *m*.

deport [dɪ'pɔːt] *vt Pol Jur* expulser; (*to concentration camp etc*) *Hist* déporter. ◆**depor'tation** *n* expulsion *f*; déportation *f*.

deportment [dɪ'pɔːtmənt] *n* maintien *m*.

depose [dɪ'pəʊz] *vt* (*king etc*) déposer.

deposit [dɪ'pɒzɪt] *vt* (*object, money etc*) déposer; – *n* (*in bank, wine*) & *Ch* dépôt *m*; (*part payment*) acompte *m*; (*against damage*) caution *f*; (*on bottle*) consigne *f*; **d. account** *Fin* compte *m* d'épargne. ◆**—or** *n* déposant, -ante *mf*, épargnant, -ante *mf*.

depot ['depəʊ, *Am* 'diːpəʊ] *n* dépôt *m*; (*station*) *Rail Am* gare *f*; **(bus) d.** *Am* gare *f* routière.

deprave [dɪ'preɪv] *vt* dépraver. ◆**depravity** *n* dépravation *f*.

deprecate ['deprɪkeɪt] *vt* désapprouver.

depreciate [dɪ'priːʃɪeɪt] *vt* (*reduce in value*) déprécier; – *vi* se déprécier. ◆**depreci'ation** *n* dépréciation *f*.

depress [dɪ'pres] *vt* (*discourage*) déprimer; (*push down*) appuyer sur. ◆**—ed** *a* déprimé; (*in decline*) en déclin; (*in crisis*) en crise; **to get d.** se décourager. ◆**depression** *n* dépression *f*.

depriv/e [dɪ'praɪv] *vt* priver (**of** de). ◆**—ed** *a* (*child etc*) déshérité. ◆**depri'vation** *n* privation *f*; (*loss*) perte *f*.

depth [depθ] *n* profondeur *f*; (*of snow*) épaisseur *f*; (*of interest*) intensité *f*; **in the depths of** (*forest, despair*) au plus profond de; (*winter*) au cœur de; **to get out of one's d.** *Fig* perdre pied, nager; **in d.** en profondeur.

deputize ['depjʊtaɪz] *vi* assurer l'intérim (**for** de); – *vt* députer (**s.o. to do** qn pour faire). ◆**depu'tation** *n* députation *f*. ◆**deputy** *n* (*replacement*) suppléant, -ante *mf*; (*assistant*) adjoint, -ointe *mf*; **d. (sheriff)** *Am* shérif *m* adjoint; **d. chairman** vice-président, -ente *mf*.

derailed [dɪ'reɪld] *a* **to be d.** (*of train*) dérailler. ◆**derailment** *n* déraillement *m*.

deranged [dɪ'reɪndʒd] *a* (*person, mind*) dérangé.

derelict ['derɪlɪkt] *a* à l'abandon, abandonné.

deride [dɪ'raɪd] *vt* tourner en dérision. ◆**derision** *n* dérision *f*. ◆**derisive** *a* (*laughter etc*) moqueur; (*amount*) dérisoire. ◆**derisory** *a* dérisoire.

derive [dɪ'raɪv] *vt* **to d. from** (*pleasure, profit etc*) tirer de; *Ling* dériver de; **to be derived from** dériver de, provenir de; – *vi* **to d. from** dériver de. ◆**deri'vation** *n Ling* dérivation *f*. ◆**derivative** *a* & *n Ling Ch* dérivé (*m*).

dermatology [dɜːmə'tɒlədʒɪ] *n* dermatologie *f*.

derogatory [dɪ'rɒgət(ə)rɪ] *a* (*word*) péjoratif; (*remark*) désobligeant (**to** pour).

derrick ['derɪk] *n* (*over oil well*) derrick *m*.
derv [dɜɪv] *n* gazole *m*, gas-oil *m*.
descend [dɪ'send] *vi* descendre (**from** de); (*of rain*) tomber; **to d. upon** (*attack*) faire une descente sur, tomber sur; (*of tourists*) envahir; – *vt* (*stairs*) descendre; **to be descended from** descendre de. ◆**—ing** *a* (*order*) décroissant. ◆**descendant** *n* descendant, -ante *mf*. ◆**descent** *n* **1** descente *f*; (*into crime*) chute *f*. **2** (*ancestry*) souche *f*, origine *f*.
describe [dɪ'skraɪb] *vt* décrire. ◆**description** *n* description *f*; (*on passport*) signalement *m*; **of every d.** de toutes sortes. ◆**descriptive** *a* descriptif.
desecrate ['desɪkreɪt] *vt* profaner. ◆**dese'cration** *n* profanation *f*.
desegregate [diː'segrɪgeɪt] *vt* supprimer la ségrégation raciale dans. ◆**desegre'gation** *n* déségrégation *f*.
desert[1] ['dezət] *n* désert *m*; – *a* désertique; **d. island** île *f* déserte.
desert[2] [dɪ'zɜːt] *vt* déserter, abandonner; **to d. s.o.** (*of luck etc*) abandonner qn; – *vi Mil* déserter. ◆**—ed** *a* (*place*) désert. ◆**—er** *n Mil* déserteur *m*. ◆**desertion** *n* désertion *f*; (*by spouse*) abandon *m* (du domicile conjugal).
deserts [dɪ'zɜːts] *n* **one's just d.** ce qu'on mérite.
deserv/e [dɪ'zɜːv] *vt* mériter (**to do** de faire). ◆**—ing** *a* (*person*) méritant; (*act, cause*) louable, méritoire; **d. of** digne de. ◆**—edly** [-ɪdlɪ] *adv* à juste titre.
desiccated ['desɪkeɪtɪd] *a* (des)séché.
design [dɪ'zaɪn] *vt* (*car, furniture etc*) dessiner; (*dress*) créer, dessiner; (*devise*) concevoir (**for s.o.** pour qn, **to do** pour faire); **well designed** bien conçu; – *n* (*aim*) dessein *m*, intention *f*; (*sketch*) plan *m*, dessin *m*; (*of dress, car*) modèle *m*; (*planning*) conception *f*, création *f*; (*pattern*) motif *m*, dessin *m*; **industrial d.** dessin *m* industriel; **by d.** intentionellement; **to have designs on** avoir des desseins sur. ◆**—er** *n* dessinateur, -trice *mf*; **d. clothes** vêtements *mpl* griffés.
designate ['dezɪgneɪt] *vt* désigner. ◆**desig'nation** *n* désignation *f*.
desir/e [dɪ'zaɪər] *n* désir *m*; **I've no d. to** je n'ai aucune envie de; – *vt* désirer (**to do** faire). ◆**—able** *a* désirable; **d. property**/*etc* (*in advertising*) (très) belle propriété/*etc*.
desk [desk] *n Sch* pupitre *m*; (*in office*) bureau *m*; (*in shop*) caisse *f*; **(reception) d.** réception *f*; **the news d.** *Journ* le service des informations; – *a* (*job*) de bureau; **d. clerk** (*in hotel*) *Am* réceptionniste *mf*.
desolate ['desələt] *a* (*deserted*) désolé; (*in ruins*) dévasté; (*dreary, bleak*) morne, triste. ◆**deso'lation** *n* (*ruin*) dévastation *f*; (*emptiness*) solitude *f*.
despair [dɪ'speər] *n* désespoir *m*; **to drive s.o. to d.** désespérer qn; **in d.** au désespoir; – *vi* désespérer (**of s.o.** de qn, **of doing** de faire). ◆**—ing** *a* désespéré. ◆**'desperate** *a* désespéré; (*criminal*) capable de tout; (*serious*) grave; **to be d. for** (*money, love etc*) avoir désespérément besoin de; (*a cigarette, baby etc*) mourir d'envie d'avoir. ◆**'desperately** *adv* (*ill*) gravement; (*in love*) éperdument. ◆**despe'ration** *n* désespoir *m*; **in d.** (*as a last resort*) en désespoir de cause.
despatch [dɪ'spætʃ] *see* **dispatch**.
desperado [despə'rɑːdəʊ] *n* (*pl* **-oes** *or* **-os**) criminel *m*.
despise [dɪ'spaɪz] *vt* mépriser. ◆**despicable** *a* ignoble, méprisable.
despite [dɪ'spaɪt] *prep* malgré.
despondent [dɪ'spɒndənt] *a* découragé. ◆**despondency** *n* découragement *m*.
despot ['despɒt] *n* despote *m*. ◆**despotism** *n* despotisme *m*.
dessert [dɪ'zɜːt] *n* dessert *m*. ◆**dessertspoon** *n* cuiller *f* à dessert.
destabilize [diː'steɪbəlaɪz] *vt* déstabiliser.
destination [destɪ'neɪʃ(ə)n] *n* destination *f*.
destine ['destɪn] *vt* destiner (**for** à, **to do** à faire); **it was destined to happen** ça devait arriver. ◆**destiny** *n* destin *m*; (*fate of individual*) destinée *f*.
destitute ['destɪtjuːt] *a* (*poor*) indigent; **d. of** (*lacking in*) dénué de. ◆**desti'tution** *n* dénuement *m*.
destroy [dɪ'strɔɪ] *vt* détruire; (*horse etc*) abattre. ◆**—er** *n* (*person*) destructeur, -trice *mf*; (*ship*) contre-torpilleur *m*. ◆**destruct** *vt Mil* détruire. ◆**destruction** *n* destruction *f*. ◆**destructive** *a* (*person, war*) destructeur; (*power*) destructif.
detach [dɪ'tætʃ] *vt* détacher (**from** de). ◆**—ed** *a* (*indifferent*) détaché; (*view*) désintéressé; **d. house** maison *f* individuelle. ◆**—able** *a* (*lining*) amovible. ◆**—ment** *n* (*attitude*) & *Mil* détachement *m*; **the d. of** (*action*) la séparation de.
detail ['diːteɪl, *Am* dɪ'teɪl] **1** *n* détail *m*; **in d.** en détail; – *vt* raconter *or* exposer en détail *or* par le menu, détailler. **2** *vt Mil* détacher (**to do** pour faire); – *n* détachement *m*. ◆**—ed** *a* (*account etc*) détaillé.
detain [dɪ'teɪn] *vt* retenir; (*imprison*) détenir.

◆detai'nee *n Pol Jur* détenu, -ue *mf*. **◆detention** *n Jur* détention *f*; *Sch* retenue *f*.

detect [dɪ'tekt] *vt* découvrir; (*perceive*) distinguer; (*identify*) identifier; (*mine*) détecter; (*illness*) dépister. **◆detection** *n* découverte *f*; identification *f*; détection *f*; dépistage *m*. **◆detector** *n* détecteur *m*.

detective [dɪ'tektɪv] *n* agent *m* de la Sûreté, policier *m* (en civil); (*private*) détective *m*; – *a* (*film etc*) policier; **d. story** roman *m* policier; **d. constable** = inspecteur *m* de police.

deter [dɪ'tɜːr] *vt* (**-rr-**) **to d. s.o.** dissuader *or* décourager qn (**from doing** de faire, **from sth** de qch).

detergent [dɪ'tɜːdʒənt] *n* détergent *m*.

deteriorate [dɪ'tɪərɪəreɪt] *vi* se détériorer; (*of morals*) dégénérer. **◆deterio'ration** *n* détérioration *f*; dégénérescence *f*.

determin/e [dɪ'tɜːmɪn] *vt* déterminer; (*price*) fixer; **to d. s.o. to do** décider qn à faire; **to d. that** décider que; **to d. to do** se déterminer à faire. **◆—ed** *a* (*look, quantity*) déterminé; **d. to do** *or* **on doing** décidé à faire; **I'm d. she'll succeed** je suis bien décidé à ce qu'elle réussisse.

deterrent [dɪ'terənt, *Am* dɪ'tɜːrənt] *n Mil* force *f* de dissuasion; **to be a d.** *Fig* être dissuasif.

detest [dɪ'test] *vt* détester (**doing** faire). **◆—able** *a* détestable.

detonate ['detəneɪt] *vt* faire détoner *or* exploser; – *vi* détoner. **◆deto'nation** *n* détonation *f*. **◆detonator** *n* détonateur *m*.

detour ['diːtʊər] *n* détour *m*.

detract [dɪ'trækt] *vi* **to d. from** (*make less*) diminuer. **◆detractor** *n* détracteur, -trice *mf*.

detriment ['detrɪmənt] *n* détriment *m*. **◆detri'mental** *a* préjudiciable (**to** à).

devalue [diː'væljuː] *vt* (*money*) & *Fig* dévaluer. **◆devalu'ation** *n* dévaluation *f*.

devastat/e ['devəsteɪt] *vt* (*lay waste*) dévaster; (*opponent*) anéantir; (*person*) *Fig* foudroyer. **◆—ing** *a* (*storm etc*) dévastateur; (*overwhelming*) confondant, accablant; (*charm*) irrésistible.

develop [dɪ'veləp] *vt* développer; (*area, land*) mettre en valeur; (*habit, illness*) contracter; (*talent*) manifester; *Phot* développer; **to d. a liking for** prendre goût à; – *vi* se développer; (*of event*) se produire; **to d. into** devenir. **◆—ing** *a* (*country*) en voie de développement; – *n Phot* développement *m*. **◆—er** *n* (**property**) **d.** promoteur *m* (de construction). **◆—ment** *n* développement *m*; (*of land*) mise *f* en valeur; (**housing**) **d.** lotissement *m*; (*large*) grand ensemble *m*; **a (new) d.** (*in situation*) un fait nouveau.

deviate ['diːvɪeɪt] *vi* dévier (**from** de); **to d. from the norm** s'écarter de la norme. **◆deviant** *a* anormal. **◆devi'ation** *n* déviation *f*.

device [dɪ'vaɪs] *n* dispositif *m*, engin *m*; (*scheme*) procédé *m*; **left to one's own devices** livré à soi-même.

devil ['dev(ə)l] *n* diable *m*; **a** *or* **the d. of a problem** *Fam* un problème épouvantable; **a** *or* **the d. of a noise** *Fam* un bruit infernal; **I had a** *or* **the d. of a job** *Fam* j'ai eu un mal fou (**doing, to do** à faire); **what/where/why the d.?** *Fam* que/où/pourquoi diable?; **like the d.** (*to run etc*) comme un fou. **◆devilish** *a* diabolique. **◆devilry** *n* (*mischief*) diablerie *f*.

devious ['diːvɪəs] *a* (*mind, behaviour*) tortueux; **he's d.** il a l'esprit tortueux. **◆—ness** *n* (*of person*) esprit *m* tortueux.

devise [dɪ'vaɪz] *vt* (*plan*) combiner; (*plot*) tramer; (*invent*) inventer.

devitalize [diː'vaɪtəlaɪz] *vt* rendre exsangue, affaiblir.

devoid [dɪ'vɔɪd] *a* **d. of** dénué *or* dépourvu de; (*guilt*) exempt de.

devolution [diːvə'luːʃ(ə)n] *n Pol* décentralisation *f*; **the d. of** (*power*) la délégation de.

devolve [dɪ'vɒlv] *vi* **to d. upon** incomber à.

devot/e [dɪ'vəʊt] *vt* consacrer (**to** à). **◆—ed** *a* dévoué; (*admirer*) fervent. **◆—edly** *adv* avec dévouement. **◆devo'tee** *n Sp Mus* passionné, -ée *mf*. **◆devotion** *n* dévouement *m*; (*religious*) dévotion *f*; *pl* (*prayers*) dévotions *fpl*.

devour [dɪ'vaʊər] *vt* (*eat, engulf, read etc*) dévorer.

devout [dɪ'vaʊt] *a* dévot, pieux; (*supporter, prayer*) fervent.

dew [djuː] *n* rosée *f*. **◆dewdrop** *n* goutte *f* de rosée.

dext(e)rous ['dekst(ə)rəs] *a* adroit, habile. **◆dex'terity** *n* adresse *f*, dextérité *f*.

diabetes [daɪə'biːtiːz] *n Med* diabète *m*. **◆diabetic** *a* & *n* diabétique (*mf*).

diabolical [daɪə'bɒlɪk(ə)l] *a* diabolique; (*bad*) épouvantable.

diadem ['daɪədem] *n* diadème *m*.

diagnosis, *pl* **-oses** [daɪəg'nəʊsɪs, -əʊsiːz] *n* diagnostic *m*. **◆'diagnose** *vt* diagnostiquer.

diagonal [daɪ'ægən(ə)l] *a* diagonal; – *n* (*line*) diagonale *f*. **◆—ly** *adv* en diagonale.

diagram ['daɪəgræm] *n* schéma *m*,

diagramme *m*; *Geom* figure *f*. ◆**dia-gra'mmatic** *a* schématique.

dial ['daɪəl] *n* cadran *m*; – *vt* (**-ll-**, *Am* **-l-**) (*number*) *Tel* faire, composer; (*person*) appeler; **to d. s.o. direct** appeler qn par l'automatique; **d. tone** *Am* tonalité *f*. ◆**dialling** *a* **d. code** indicatif *m*; **d. tone** tonalité *f*.

dialect ['daɪəlekt] *n* (*regional*) dialecte *m*; (*rural*) patois *m*.

dialogue ['daɪəlɒg] (*Am* **dialog**) *n* dialogue *m*.

dialysis, *pl* **-yses** [daɪ'ælɪsɪs, -ɪsiːz] *n Med* dialyse *f*.

diameter [daɪ'æmɪtər] *n* diamètre *m*. ◆**dia'metrically** *adv* (*opposed*) diamétralement.

diamond ['daɪəmənd] **1** *n* (*stone*) diamant *m*; (*shape*) losange *m*; **(baseball) d.** *Am* terrain *m* (de baseball); **d. necklace/***etc* rivière *f*/*etc* de diamants. **2** *n* & *npl Cards* carreau *m*.

diaper ['daɪəpər] *n* (*for baby*) *Am* couche *f*.

diaphragm ['daɪəfræm] *n* diaphragme *m*.

diarrh(o)ea [daɪə'riːə] *n* diarrhée *f*.

diary ['daɪərɪ] *n* (*calendar*) agenda *m*; (*private*) journal *m* (intime).

dice [daɪs] *n inv* dé *m* (à jouer); – *vt Culin* couper en dés.

dicey ['daɪsɪ] *a* (**-ier, -iest**) *Fam* risqué.

dichotomy [daɪ'kɒtəmɪ] *n* dichotomie *f*.

dickens ['dɪkɪnz] *n* **where/why/what the d.?** *Fam* où/pourquoi/que diable?

dictate [dɪk'teɪt] *vt* dicter (**to** à); – *vi* dicter; **to d. to s.o.** (*order around*) régenter qn. ◆**dictation** *n* dictée *f*. ◆**'dictaphone®** *n* dictaphone® *m*.

dictates ['dɪkteɪts] *npl* préceptes *mpl*; **the d. of conscience** la voix de la conscience.

dictator [dɪk'teɪtər] *n* dictateur *m*. ◆**dicta'torial** *a* dictatorial. ◆**dictatorship** *n* dictature *f*.

diction ['dɪkʃ(ə)n] *n* langage *m*; (*way of speaking*) diction *f*.

dictionary ['dɪkʃənərɪ] *n* dictionnaire *m*.

dictum ['dɪktəm] *n* dicton *m*.

did [dɪd] *see* **do.**

diddle ['dɪd(ə)l] *vt Sl* rouler; **to d. s.o. out of sth** carotter qch à qn; **to get diddled out of sth** se faire refaire de qch.

die [daɪ] **1** *vi* (*pt* & *pp* **died,** *pres p* **dying**) mourir (**of, from** de); **to be dying to do** *Fam* mourir d'envie de faire; **to be dying for sth** *Fam* avoir une envie folle de qch; **to d. away** (*of noise*) mourir; **to d. down** (*of fire*) mourir; (*of storm*) se calmer; **to d. off** mourir (les uns après les autres); **to d. out** (*of custom*) mourir. **2** *n* (*in engraving*) coin *m*; *Tech* matrice *f*; **the d. is cast** *Fig* les dés sont jetés.

diehard ['daɪhɑːd] *n* réactionnaire *mf*.

diesel ['diːzəl] *a* & *n* **d. (engine)** (moteur *m*) diesel *m*; **d. (oil)** gazole *m*.

diet ['daɪət] *n* (*for slimming etc*) régime *m*; (*usual food*) alimentation *f*; **to go on a d.** faire un régime; – *vi* suivre un régime. ◆**dietary** *a* diététique; **d. fibre** fibre(s) *f*(*pl*) alimentaire(s). ◆**die'tician** *n* diététicien, -ienne *mf*.

differ ['dɪfər] *vi* différer (**from** de); (*disagree*) ne pas être d'accord (**from** avec). ◆**difference** *n* différence *f* (**in** de); (*in age, weight etc*) écart *m*, différence *f*; **d. (of opinion)** différend *m*; **it makes no d.** ça n'a pas d'importance; **it makes no d. to me** ça m'est égal; **to make a d. in sth** changer qch. ◆**different** *a* différent (**from, to** de); (*another*) autre; (*various*) différents, divers. ◆**diffe'rential** *a* différentiel; – *npl Econ* écarts *mpl* salariaux. ◆**diffe'rentiate** *vt* différencier (**from** de); **to d. (between)** faire la différence entre. ◆**differently** *adv* différemment (**from, to** de), autrement (**from, to** que).

difficult ['dɪfɪkəlt] *a* difficile (**to do** à faire); **it's d. for us to . . .** il nous est difficile de . . . ; **the d. thing is to . . .** le plus difficile est de . . . . ◆**difficulty** *n* difficulté *f*; **to have d. doing** avoir du mal à faire; **to be in d.** avoir des difficultés; **d. with** des ennuis *mpl* avec.

diffident ['dɪfɪdənt] *a* (*person*) qui manque d'assurance; (*smile, tone*) mal assuré. ◆**diffidence** *n* manque *m* d'assurance.

diffuse [dɪ'fjuːz] *vt* (*spread*) diffuser; – [dɪ'fjuːs] *a* (*spread out, wordy*) diffus. ◆**diffusion** *n* diffusion *f*.

dig [dɪg] *vt* (*pt* & *pp* **dug,** *pres p* **digging**) (*ground*) bêcher; (*hole, grave etc*) creuser; (*understand*) *Sl* piger; (*appreciate*) *Sl* aimer; **to d. sth into** (*thrust*) enfoncer qch dans; **to d. out** (*animal, fact*) déterrer; (*accident victim*) dégager; (*find*) *Fam* dénicher; **to d. up** déterrer; (*weed*) arracher; (*earth*) retourner; (*street*) piocher; – *vi* creuser; (*of pig*) fouiller; **to d. (oneself) in** *Mil* se retrancher; **to d. in** (*eat*) *Fam* manger; **to d. into** (*s.o.'s past*) fouiller dans; (*meal*) *Fam* attaquer; – *n* (*with spade*) coup *m* de bêche; (*push*) coup *m* de poing *or* de coude; (*remark*) *Fam* coup *m* de griffe. ◆**digger** *n* (*machine*) pelleteuse *f*.

digest [daɪ'dʒest] *vti* digérer; – ['daɪdʒest] *n Journ* condensé *m*. ◆**digestible** *a* digeste.

◆**digestion** *n* digestion *f.* ◆**digestive** *a* digestif.
digit ['dɪdʒɪt] *n* (*number*) chiffre *m.* ◆**digital** *a* (*watch, keyboard etc*) numérique.
dignified ['dɪgnɪfaɪd] *a* digne, qui a de la dignité. ◆**dignify** *vt* donner de la dignité à; **to d. with the name of** honorer du nom de. ◆**dignitary** *n* dignitaire *m.* ◆**dignity** *n* dignité *f.*
digress [daɪ'gres] *vi* faire une digression; **to d. from** s'écarter de. ◆**digression** *n* digression *f.*
digs [dɪgz] *npl Fam* chambre *f* (meublée), logement *m.*
dilapidated [dɪ'læpɪdeɪtɪd] *a* (*house*) délabré. ◆**dilapi'dation** *n* délabrement *m.*
dilate [daɪ'leɪt] *vt* dilater; – *vi* se dilater. ◆**dilation** *n* dilatation *f.*
dilemma [daɪ'lemə] *n* dilemme *m.*
dilettante [dɪlɪ'tæntɪ] *n* dilettante *mf.*
diligent ['dɪlɪdʒənt] *a* assidu, appliqué; **to be d. in doing sth** faire qch avec zèle. ◆**diligence** *n* zèle *m,* assiduité *f.*
dilly-dally [dɪlɪ'dælɪ] *vi Fam* (*dawdle*) lambiner, lanterner; (*hesitate*) tergiverser.
dilute [daɪ'luːt] *vt* diluer; – *a* dilué.
dim [dɪm] *a* (**dimmer, dimmest**) (*feeble*) faible; (*colour*) terne; (*room*) sombre; (*memory, outline*) vague; (*person*) stupide; – *vt* (**-mm-**) (*light*) baisser, réduire; (*glory*) ternir; (*memory*) estomper. ◆**—ly** *adv* faiblement; (*vaguely*) vaguement. ◆**—ness** *n* faiblesse *f*; (*of memory etc*) vague *m*; (*of room*) pénombre *f.* ◆**dimwit** *n* idiot, -ote *mf.* ◆**dim'witted** *a* idiot.
dime [daɪm] *n* (*US & Can coin*) (pièce *f* de) dix cents *mpl*; **a d. store** = un Prisunic®, un Monoprix®.
dimension [daɪ'menʃ(ə)n] *n* dimension *f*; (*extent*) *Fig* étendue *f.* ◆**dimensional** *a* **two-d.** à deux dimensions.
diminish [dɪ'mɪnɪʃ] *vti* diminuer. ◆**—ing** *a* qui diminue.
diminutive [dɪ'mɪnjʊtɪv] **1** *a* (*tiny*) minuscule. **2** *a & n Gram* diminutif (*m*).
dimple ['dɪmp(ə)l] *n* fossette *f.* ◆**dimpled** *a* (*chin, cheek*) à fossettes.
din [dɪn] **1** *n* (*noise*) vacarme *m.* **2** *vt* (**-nn-**) **to d. into s.o. that** rabâcher à qn que.
din/e [daɪn] *vi* dîner (**off, on** de); **to d. out** dîner en ville. ◆**—ing** *a* **d. car** *Rail* wagon-restaurant *m*; **d. room** salle *f* à manger. ◆**—er** *n* dîneur, -euse *mf*; *Rail* wagon-restaurant *m*; (*short-order restaurant*) *Am* petit restaurant *m.*
ding(dong)! ['dɪŋ(dɒŋ)] *int* (*of bell*) dring!, ding (dong)!
dinghy ['dɪŋgɪ] *n* petit canot *m,* youyou *m*; **(rubber) d.** canot *m* pneumatique.
dingy ['dɪndʒɪ] *a* (**-ier, -iest**) (*dirty*) malpropre; (*colour*) terne. ◆**dinginess** *n* malpropreté *f.*
dinner ['dɪnər] *n* (*evening meal*) dîner *m*; (*lunch*) déjeuner *m*; (*for dog, cat*) pâtée *f*; **to have d.** dîner; **to have s.o. to d.** avoir qn à dîner; **d. dance** dîner-dansant *m*; **d. jacket** smoking *m*; **d. party** dîner *m* (à la maison); **d. plate** grande assiette *f*; **d. service, d. set** service *m* de table.
dinosaur ['daɪnəsɔːr] *n* dinosaure *m.*
dint [dɪnt] *n* **by d. of** à force de.
diocese ['daɪəsɪs] *n Rel* diocèse *m.*
dip [dɪp] *vt* (**-pp-**) plonger; (*into liquid*) tremper, plonger; **to d. one's headlights** se mettre en code; – *vi* (*of sun etc*) baisser; (*of road*) plonger; **to d. into** (*pocket, savings*) puiser dans; (*book*) feuilleter; – *n* (*in road*) déclivité *f*; **to go for a d.** faire trempette.
diphtheria [dɪp'θɪərɪə] *n* diphtérie *f.*
diphthong ['dɪfθɒŋ] *n Ling* diphtongue *f.*
diploma [dɪ'pləʊmə] *n* diplôme *m.*
diplomacy [dɪ'pləʊməsɪ] *n* (*tact*) & *Pol* diplomatie *f.* ◆**'diplomat** *n* diplomate *mf.* ◆**diplo'matic** *a* diplomatique; **to be d.** (*tactful*) *Fig* être diplomate.
dipper ['dɪpər] *n* **the big d.** (*at fairground*) les montagnes *fpl* russes.
dire ['daɪər] *a* affreux; (*poverty, need*) extrême.
direct [daɪ'rekt] **1** *a* (*result, flight, person etc*) direct; (*danger*) immédiat; – *adv* directement. **2** *vt* (*work, one's steps, one's attention*) diriger; (*letter, remark*) adresser (**to** à); (*efforts*) orienter (**to, towards** vers); (*film*) réaliser; (*play*) mettre en scène; **to d. s.o. to** (*place*) indiquer à qn le chemin de; **to d. s.o. to do** charger qn de faire. ◆**direction** *n* direction *f,* sens *m*; (*management*) direction *f*; (*of film*) réalisation *f*; (*of play*) mise *f* en scène; *pl* (*orders*) indications *fpl*; **directions (for use)** mode *m* d'emploi; **in the opposite d.** en sens inverse. ◆**directive** [dɪ'rektɪv] *n* directive *f.* ◆**directly** *adv* (*without detour*) directement; (*at once*) tout de suite; (*to speak*) franchement; – *conj Fam* aussitôt que. ◆**directness** *n* (*of reply*) franchise *f.* ◆**director** *n* directeur, -trice *mf*; (*of film*) réalisateur, -trice *mf*; (*of play*) metteur *m* en scène. ◆**directorship** *n Com* poste *m* de directeur.
directory [daɪ'rektərɪ] *n Tel* annuaire *m*; (*of

streets) guide *m*; (*of addresses*) répertoire *m*; **d. enquiries** *Tel* renseignements *mpl.*
dirge [dɜːdʒ] *n* chant *m* funèbre.
dirt [dɜːt] *n* saleté *f*; (*filth*) ordure *f*; (*mud*) boue *f*; (*earth*) terre *f*; (*talk*) *Fig* obscénité(s) *f*(*pl*); **d. cheap** *Fam* très bon marché; **d. road** chemin *m* de terre; **d. track** *Sp* cendrée *f.* ◆**dirty** *a* (**-ier, -iest**) sale; (*job*) salissant; (*obscene, unpleasant*) sale; (*word*) grossier, obscène; **to get d.** se salir; **to get sth d.** salir qch; **a d. joke** une histoire cochonne; **a d. trick** un sale tour; **a d. old man** un vieux cochon; – *adv* (*to fight*) déloyalement; – *vt* salir; (*machine*) encrasser; – *vi* se salir.
disabl/e [dɪ'seɪb(ə)l] *vt* rendre infirme; (*maim*) mutiler. ◆**—ed** *a* infirme, handicapé; (*maimed*) mutilé; – *n* **the d.** les infirmes *mpl*, les handicapés *mpl.* ◆**disa'bility** *n* infirmité *f*; *Fig* désavantage *m.*
disadvantage [dɪsəd'vɑːntɪdʒ] *n* désavantage *m*; – *vt* désavantager.
disaffected [dɪsə'fektɪd] *a* mécontent. ◆**disaffection** *n* désaffection *f* (**for** pour).
disagree [dɪsə'griː] *vi* ne pas être d'accord, être en désaccord (**with** avec); (*of figures*) ne pas concorder; **to d. with** (*of food etc*) ne pas réussir à. ◆**—able** *a* désagréable. ◆**—ment** *n* désaccord *m*; (*quarrel*) différend *m.*
disallow [dɪsə'laʊ] *vt* rejeter.
disappear [dɪsə'pɪər] *vi* disparaître. ◆**disappearance** *n* disparition *f.*
disappoint [dɪsə'pɔɪnt] *vt* décevoir; **I'm disappointed with it** ça m'a déçu. ◆**—ing** *a* décevant. ◆**—ment** *n* déception *f.*
disapprov/e [dɪsə'pruːv] *vi* **to d. of s.o./sth** désapprouver qn/qch; **I d.** je suis contre. ◆**—ing** *a* (*look etc*) désapprobateur. ◆**disapproval** *n* désapprobation *f.*
disarm [dɪs'ɑːm] *vti* désarmer. ◆**disarmament** *n* désarmement *m.*
disarray [dɪsə'reɪ] *n* (*disorder*) désordre *m*; (*distress*) désarroi *m.*
disaster [dɪ'zɑːstər] *n* désastre *m*, catastrophe *f*; **d. area** région *f* sinistrée. ◆**d.-stricken** *a* sinistré. ◆**disastrous** *a* désastreux.
disband [dɪs'bænd] *vt* disperser; – *vi* se disperser.
disbelief [dɪsbə'liːf] *n* incrédulité *f.*
disc [dɪsk] (*Am* **disk**) *n* disque *m*; **identity d.** plaque *f* d'identité; **d. jockey** animateur, -trice *mf* (de variétés *etc*), disc-jockey *m.*
discard [dɪs'kɑːd] *vt* (*get rid of*) se débarrasser de; (*plan, hope etc*) *Fig* abandonner.
discern [dɪ'sɜːn] *vt* discerner. ◆**—ing** *a* (*person*) averti, sagace. ◆**—ible** *a* perceptible. ◆**—ment** *n* discernement *m.*
discharge [dɪs'tʃɑːdʒ] *vt* (*gun, accused person*) décharger; (*liquid*) déverser; (*patient, employee*) renvoyer; (*soldier*) libérer; (*unfit soldier*) réformer; (*one's duty*) accomplir; – *vi* (*of wound*) suppurer; – ['dɪstʃɑːdʒ] *n* (*of gun*) & *El* décharge *f*; (*of liquid*) & *Med* écoulement *m*; (*dismissal*) renvoi *m*; (*freeing*) libération *f*; (*of unfit soldier*) réforme *f.*
disciple [dɪ'saɪp(ə)l] *n* disciple *m.*
discipline ['dɪsɪplɪn] *n* (*behaviour, subject*) discipline *f*; – *vt* (*control*) discipliner; (*punish*) punir. ◆**discipli'narian** *n* partisan, -ane *mf* de la discipline; **to be a (strict) d.** être très à cheval sur la discipline. ◆**disci'plinary** *a* disciplinaire.
disclaim [dɪs'kleɪm] *vt* désavouer; (*responsibility*) (dé)nier.
disclose [dɪs'kləʊz] *vt* révéler, divulguer. ◆**disclosure** *n* révélation *f.*
disco ['dɪskəʊ] *n* (*pl* **-os**) *Fam* disco(thèque) *f.*
discolour [dɪs'kʌlər] *vt* décolorer; (*teeth*) jaunir; – *vi* se décolorer; jaunir. ◆**discolo(u)'ration** *n* décoloration *f*; jaunissement *m.*
discomfort [dɪs'kʌmfət] *n* (*physical, mental*) malaise *m*, gêne *f*; (*hardship*) inconvénient *m.*
disconcert [dɪskən'sɜːt] *vt* déconcerter.
disconnect [dɪskə'nekt] *vt* (*unfasten etc*) détacher; (*unplug*) débrancher; (*wires*) *El* déconnecter; (*gas, telephone etc*) couper. ◆**—ed** *a* (*speech*) décousu.
discontent [dɪskən'tent] *n* mécontentement *m.* ◆**discontented** *a* mécontent.
discontinu/e [dɪskən'tɪnjuː] *vt* cesser, interrompre. ◆**—ed** *a* (*article*) *Com* qui ne se fait plus.
discord ['dɪskɔːd] *n* discorde *f*; *Mus* dissonance *f.*
discotheque ['dɪskətek] *n* (*club*) discothèque *f.*
discount 1 ['dɪskaʊnt] *n* (*on article*) remise *f*; (*on account paid early*) escompte *m*; **at a d.** (*to buy, sell*) au rabais; **d. store** solderie *f.* **2** [dɪs'kaʊnt] *vt* (*story etc*) ne pas tenir compte de.
discourage [dɪs'kʌrɪdʒ] *vt* décourager; **to get discouraged** se décourager. ◆**—ment** *n* découragement *m.*
discourse ['dɪskɔːs] *n* discours *m.*
discourteous [dɪs'kɜːtɪəs] *a* impoli, discourtois. ◆**discourtesy** *n* impolitesse *f.*
discover [dɪs'kʌvər] *vt* découvrir. ◆**discovery** *n* découverte *f.*

discredit [dɪs'kredɪt] *vt* (*cast slur on*) discréditer; (*refuse to believe*) ne pas croire; – *n* discrédit *m*. ◆**—able** *a* indigne.
discreet [dɪ'skriːt] *a* (*careful*) prudent, avisé; (*unassuming, reserved etc*) discret. ◆**discretion** *n* prudence *f*; discrétion *f*; **I'll use my own d.** je ferai comme bon me semblera. ◆**discretionary** *a* discrétionnaire.
discrepancy [dɪ'skrepənsɪ] *n* divergence *f*, contradiction *f* (**between** entre).
discriminat/e [dɪ'skrɪmɪneɪt] *vi* **to d. between** distinguer entre; **to d. against** établir une discrimination contre; – *vt* **to d. sth/s.o. from** distinguer qch/qn de. ◆**—ing** *a* (*person*) averti, sagace; (*ear*) fin. ◆**discrimi'nation** *n* (*judgement*) discernement *m*; (*distinction*) distinction *f*; (*partiality*) discrimination *f*. ◆**discriminatory** [-ətərɪ] *a* discriminatoire.
discus ['dɪskəs] *n Sp* disque *m*.
discuss [dɪ'skʌs] *vt* (*talk about*) discuter de; (*examine in detail*) discuter. ◆**discussion** *n* discussion *f*; **under d.** (*matter etc*) en question, en discussion.
disdain [dɪs'deɪn] *vt* dédaigner; – *n* dédain *m*. ◆**disdainful** *a* dédaigneux; **to be d. of** dédaigner.
disease [dɪ'ziːz] *n* maladie *f*. ◆**diseased** *a* malade.
disembark [dɪsɪm'bɑːk] *vti* débarquer. ◆**disembar'kation** *n* débarquement *m*.
disembodied [dɪsɪm'bɒdɪd] *a* désincarné.
disembowel [dɪsɪm'baʊəl] *vt* (**-ll-**, *Am* **-l-**) éventrer.
disenchant [dɪsɪn'tʃɑːnt] *vt* désenchanter. ◆**—ment** *n* désenchantement *m*.
disengage [dɪsɪn'geɪdʒ] *vt* (*object*) dégager; (*troops*) désengager.
disentangle [dɪsɪn'tæŋg(ə)l] *vt* démêler; **to d. oneself from** se dégager de.
disfavour [dɪs'feɪvər] *n* défaveur *f*.
disfigure [dɪs'fɪgər] *vt* défigurer. ◆**—ment** *n* défigurement *m*.
disgorge [dɪs'gɔːdʒ] *vt* (*food*) vomir.
disgrac/e [dɪs'greɪs] *n* (*shame*) honte *f* (**to** à); (*disfavour*) disgrâce *f*; – *vt* déshonorer, faire honte à. ◆**—ed** *a* (*politician etc*) disgracié. ◆**disgraceful** *a* honteux (**of s.o.** de la part de qn). ◆**disgracefully** *adv* honteusement.
disgruntled [dɪs'grʌnt(ə)ld] *a* mécontent.
disguise [dɪs'gaɪz] *vt* déguiser (**as** en); – *n* déguisement *m*; **in d.** déguisé.
disgust [dɪs'gʌst] *n* dégoût *m* (**for, at, with** de); **in d.** dégoûté; – *vt* dégoûter, écœurer. ◆**—ed** *a* dégoûté (**at, by, with** de); **to be d. with s.o.** (*annoyed*) être fâché contre qn; **d. to hear that . . .** indigné d'apprendre que . . . . ◆**—ing** *a* dégoûtant, écœurant. ◆**—ingly** *adv* d'une façon dégoûtante.
dish [dɪʃ] **1** *n* (*container*) plat *m*; (*food*) mets *m*, plat *m*; **the dishes** la vaisselle; **she's a (real) d.** *Sl* c'est un beau brin de fille. **2** *vt* **to d. out** distribuer; **to d. out** *or* **up** (*food*) servir. ◆**dishcloth** *n* (*for washing*) lavette *f*; (*for drying*) torchon *m*. ◆**dishpan** *n Am* bassine *f* (à vaisselle). ◆**dishwasher** *n* lave-vaisselle *m inv*.
disharmony [dɪs'hɑːmənɪ] *n* désaccord *m*; *Mus* dissonance *f*.
dishearten [dɪs'hɑːt(ə)n] *vt* décourager.
dishevelled [dɪ'ʃevəld] *a* hirsute, échevelé.
dishonest [dɪs'ɒnɪst] *a* malhonnête; (*insincere*) de mauvaise foi. ◆**dishonesty** *n* malhonnêteté *f*; mauvaise foi *f*.
dishonour [dɪs'ɒnər] *n* déshonneur *m*; – *vt* déshonorer; (*cheque*) refuser d'honorer. ◆**—able** *a* peu honorable. ◆**—ably** *adv* avec déshonneur.
dishy ['dɪʃɪ] *a* (**-ier, -iest**) (*woman, man*) *Sl* beau, sexy, qui a du chien.
disillusion [dɪsɪ'luːʒ(ə)n] *vt* désillusionner; – *n* désillusion *f*. ◆**—ment** *n* désillusion *f*.
disincentive [dɪsɪn'sentɪv] *n* mesure *f* dissuasive; **to be a d. to s.o.** décourager qn; **it's a d. to work/invest/***etc* cela n'encourage pas à travailler/investir/*etc*.
disinclined [dɪsɪŋ'klaɪnd] *a* peu disposé (**to** à). ◆**disincli'nation** *n* répugnance *f*.
disinfect [dɪsɪn'fekt] *vt* désinfecter. ◆**disinfectant** *a* & *n* désinfectant (*m*). ◆**disinfection** *n* désinfection *f*.
disinherit [dɪsɪn'herɪt] *vt* déshériter.
disintegrate [dɪs'ɪntɪgreɪt] *vi* se désintégrer; – *vt* désintégrer. ◆**disinte'gration** *n* désintégration *f*.
disinterested [dɪs'ɪntrɪstɪd] *a* (*impartial*) désintéressé; (*uninterested*) *Fam* indifférent (**in** à).
disjointed [dɪs'dʒɔɪntɪd] *a* décousu.
disk [dɪsk] *n* **1** *Am* = **disc. 2 (magnetic) d.** (*of computer*) disque *m* (magnétique).
dislike [dɪs'laɪk] *vt* ne pas aimer (**doing** faire); **he doesn't d. it** ça ne lui déplaît pas; – *n* aversion *f* (**for, of** pour); **to take a d. to** (*person, thing*) prendre en grippe; **our likes and dislikes** nos goûts et dégoûts *mpl*.
dislocate ['dɪsləkeɪt] *vt* (*limb*) disloquer; *Fig* désorganiser. ◆**dislo'cation** *n* dislocation *f*.
dislodge [dɪs'lɒdʒ] *vt* faire bouger, déplacer; (*enemy*) déloger.
disloyal [dɪs'lɔɪəl] *a* déloyal. ◆**disloyalty** *n* déloyauté *f*.

dismal ['dɪzməl] *a* morne, triste. ◆**—ly** *adv* (*to fail, behave*) lamentablement.

dismantle [dɪs'mænt(ə)l] *vt* (*machine etc*) démonter; (*organization*) démanteler.

dismay [dɪs'meɪ] *vt* consterner; – *n* consternation *f*.

dismember [dɪs'membər] *vt* (*country etc*) démembrer.

dismiss [dɪs'mɪs] *vt* congédier, renvoyer (**from** de); (*official*) destituer; (*appeal*) *Jur* rejeter; (*thought etc*) *Fig* écarter; **d.!** *Mil* rompez!; **(class) d.!** *Sch* vous pouvez partir. ◆**dismissal** *n* renvoi *m*; destitution *f*.

dismount [dɪs'maʊnt] *vi* descendre (**from** de); – *vt* (*rider*) démonter, désarçonner.

disobey [dɪsə'beɪ] *vt* désobéir à; – *vi* désobéir. ◆**disobedience** *n* désobéissance *f*. ◆**disobedient** *a* désobéissant.

disorder [dɪs'ɔːdər] *n* (*confusion*) désordre *m*; (*riots*) désordres *mpl*; **disorder(s)** *Med* troubles *mpl*. ◆**disorderly** *a* (*meeting etc*) désordonné.

disorganize [dɪs'ɔːgənaɪz] *vt* désorganiser.

disorientate [dɪs'ɔːrɪənteɪt] (*Am* **disorient** [dɪs'ɔːrɪənt]) *vt* désorienter.

disown [dɪs'əʊn] *vt* désavouer, renier.

disparag/e [dɪs'pærɪdʒ] *vt* dénigrer. ◆**—ing** *a* peu flatteur.

disparate ['dɪspərət] *a* disparate. ◆**dis'parity** *n* disparité *f* (**between** entre, de).

dispassionate [dɪs'pæʃənət] *a* (*unemotional*) calme; (*not biased*) impartial.

dispatch [dɪs'pætʃ] *vt* (*letter, work*) expédier; (*troops, messenger*) envoyer; – *n* expédition *f* (**of** de); *Journ Mil* dépêche *f*; **d. rider** *Mil etc* courrier *m*.

dispel [dɪs'pel] *vt* (**-ll-**) dissiper.

dispensary [dɪs'pensərɪ] *n* (*in hospital*) pharmacie *f*; (*in chemist's shop*) officine *f*.

dispense [dɪs'pens] **1** *vt* (*give out*) distribuer; (*justice*) administrer; (*medicine*) préparer. **2** *vi* **to d. with** (*do without*) se passer de; **to d. with the need for** rendre superflu. ◆**dispen'sation** *n* distribution *f*; **special d.** (*exemption*) dérogation *f*. ◆**dispenser** *n* (*device*) distributeur *m*; **cash d.** distributeur *m* de billets.

disperse [dɪ'spɜːs] *vt* disperser; – *vi* se disperser. ◆**dispersal** *n*, ◆**dispersion** *n* dispersion *f*.

dispirited [dɪ'spɪrɪtɪd] *a* découragé.

displace [dɪs'pleɪs] *vt* (*bone, furniture, refugees*) déplacer; (*replace*) supplanter.

display [dɪ'spleɪ] *vt* montrer; (*notice, electronic data etc*) afficher; (*painting, goods*) exposer; (*courage etc*) faire preuve de; – *n* (*in shop*) étalage *m*; (*of force*) déploiement *m*; (*of anger etc*) manifestation *f*; (*of paintings*) exposition *f*; (*of luxury*) étalage *m*; *Mil* parade *f*; (*of electronic data*) affichage *m*; **d. (unit)** (*of computer*) moniteur *m*; **on d.** exposé; **air d.** fête *f* aéronautique.

displeas/e [dɪs'pliːz] *vt* déplaire à. ◆**—ed** *a* mécontent (**with** de). ◆**—ing** *a* désagréable. ◆**displeasure** *n* mécontentement *m*.

dispos/e [dɪ'spəʊz] *vt* disposer (**s.o. to do** qn à faire); – *vi* **to d. of** (*get rid of*) se débarrasser de; (*one's time, money*) disposer de; (*sell*) vendre; (*matter*) expédier, liquider; (*kill*) liquider. ◆**—ed** *a* disposé (**to do** à faire); **well-d. towards** bien disposé envers. ◆**—able** *a* (*plate etc*) à jeter, jetable; (*income*) disponible. ◆**disposal** *n* (*sale*) vente *f*; (*of waste*) évacuation *f*; **at the d. of** à la disposition de. ◆**dispo'sition** *n* (*placing*) disposition *f*; (*character*) naturel *m*; (*readiness*) inclination *f*.

dispossess [dɪspə'zes] *vt* déposséder (**of** de).

disproportion [dɪsprə'pɔːʃ(ə)n] *n* disproportion *f*. ◆**disproportionate** *a* disproportionné.

disprove [dɪs'pruːv] *vt* réfuter.

dispute [dɪ'spjuːt] *n* discussion *f*; (*quarrel*) dispute *f*; *Pol* conflit *m*; *Jur* litige *m*; **beyond d.** incontestable; **in d.** (*matter*) en litige; (*territory*) contesté; – *vt* (*claim etc*) contester; (*discuss*) discuter.

disqualify [dɪs'kwɒlɪfaɪ] *vt* (*make unfit*) rendre inapte (**from** à); *Sp* disqualifier; **to d. from driving** retirer le permis à. ◆**disqualifi'cation** *n Sp* disqualification *f*.

disquiet [dɪs'kwaɪət] *n* inquiétude *f*; – *vt* inquiéter.

disregard [dɪsrɪ'gɑːd] *vt* ne tenir aucun compte de; – *n* indifférence *f* (**for** à); (*law*) désobéissance *f* (**for** à).

disrepair [dɪsrɪ'peər] *n* **in (a state of) d.** en mauvais état.

disreputable [dɪs'repjʊtəb(ə)l] *a* peu recommandable; (*behaviour*) honteux.

disrepute [dɪsrɪ'pjuːt] *n* discrédit *m*; **to bring into d.** jeter le discrédit sur.

disrespect [dɪsrɪ'spekt] *n* manque *m* de respect. ◆**disrespectful** *a* irrespectueux (**to** envers).

disrupt [dɪs'rʌpt] *vt* perturber; (*communications*) interrompre; (*plan*) déranger. ◆**disruption** *n* perturbation *f*; interruption *f*;

dérangement *m.* ◆**disruptive** *a* (*element etc*) perturbateur.
dissatisfied [dɪ'sætɪsfaɪd] *a* mécontent (**with** de). ◆**dissatis'faction** *n* mécontentement *m.*
dissect [daɪ'sekt] *vt* disséquer. ◆**dissection** *n* dissection *f.*
disseminate [dɪ'semɪneɪt] *vt* disséminer.
dissension [dɪ'senʃ(ə)n] *n* dissension *f.*
dissent [dɪ'sent] *vi* différer (d'opinion) (**from sth** à l'égard de qch); – *n* dissentiment *m.* ◆**—ing** *a* dissident.
dissertation [dɪsə'teɪʃ(ə)n] *n Univ* mémoire *m.*
dissident ['dɪsɪdənt] *a* & *n* dissident, -ente (*mf*). ◆**dissidence** *n* dissidence *f.*
dissimilar [dɪ'sɪmɪlər] *a* dissemblable (**to** à).
dissipate ['dɪsɪpeɪt] *vt* dissiper; (*energy*) gaspiller. ◆**dissi'pation** *n* dissipation *f*; gaspillage *m.*
dissociate [dɪ'səʊʃɪeɪt] *vt* dissocier (**from** de).
dissolute ['dɪsəluːt] *a* (*life, person*) dissolu.
dissolve [dɪ'zɒlv] *vt* dissoudre; – *vi* se dissoudre. ◆**disso'lution** *n* dissolution *f.*
dissuade [dɪ'sweɪd] *vt* dissuader (**from doing** de faire); **to d. s.o. from sth** détourner qn de qch. ◆**dissuasion** *n* dissuasion *f.*
distance ['dɪstəns] *n* distance *f*; **in the d.** au loin; **from a d.** de loin; **at a d.** à quelque distance; **it's within walking d.** on peut y aller à pied; **to keep one's d.** garder ses distances. ◆**distant** *a* éloigné, lointain; (*relative*) éloigné; (*reserved*) distant; **5 km d. from** à (une distance de) 5 km de. ◆**distantly** *adv* **we're d. related** nous sommes parents éloignés.
distaste [dɪs'teɪst] *n* aversion *f* (**for** pour). ◆**distasteful** *a* désagréable, déplaisant.
distemper [dɪ'stempər] **1** *n* (*paint*) badigeon *m*; – *vt* badigeonner. **2** *n* (*in dogs*) maladie *f.*
distend [dɪ'stend] *vt* distendre; – *vi* se distendre.
distil [dɪ'stɪl] *vt* (**-ll-**) distiller. ◆**disti'llation** *n* distillation *f.* ◆**distillery** *n* distillerie *f.*
distinct [dɪ'stɪŋkt] *a* **1** (*voice, light etc*) distinct; (*definite, marked*) net, marqué; (*promise*) formel. **2** (*different*) distinct (**from** de). ◆**distinction** *n* distinction *f*; *Univ* mention *f* très bien; **of d.** (*singer, writer etc*) de marque. ◆**distinctive** *a* distinctif. ◆**distinctively** *adv* distinctement; (*to stipulate, forbid*) formellement; (*noticeably*) nettement, sensiblement; **d. possible** tout à fait possible.
distinguish [dɪ'stɪŋgwɪʃ] *vti* distinguer (**from** de, **between** entre); **to d. oneself** se distinguer (**as** en tant que). ◆**—ed** *a* distingué. ◆**—ing** *a* **d. mark** signe *m* particulier. ◆**—able** *a* qu'on peut distinguer; (*discernible*) visible.
distort [dɪ'stɔːt] *vt* déformer. ◆**—ed** *a* (*false*) faux. ◆**distortion** *n El Med* distorsion *f*; (*of truth*) déformation *f.*
distract [dɪ'strækt] *vt* distraire (**from** de). ◆**—ed** *a* (*troubled*) préoccupé; (*mad with worry*) éperdu. ◆**—ing** *a* (*noise etc*) gênant. ◆**distraction** *n* (*lack of attention, amusement*) distraction *f*; **to drive to d.** rendre fou.
distraught [dɪ'strɔːt] *a* éperdu, affolé.
distress [dɪ'stres] *n* (*pain*) douleur *f*; (*anguish*) chagrin *m*; (*misfortune, danger*) détresse *f*; **in d.** (*ship, soul*) en détresse; **in (great) d.** (*poverty*) dans la détresse; – *vt* affliger, peiner. ◆**—ing** *a* affligeant, pénible.
distribute [dɪ'strɪbjuːt] *vt* distribuer; (*spread evenly*) répartir. ◆**distri'bution** *n* distribution *f*; répartition *f.* ◆**distributor** *n Aut Cin* distributeur *m*; (*of goods*) *Com* concessionnaire *mf.*
district ['dɪstrɪkt] *n* région *f*; (*of town*) quartier *m*; (*administrative*) arrondissement *m*; **d. attorney** *Am* = procureur *m* (de la République); **d. nurse** infirmière *f* visiteuse.
distrust [dɪs'trʌst] *vt* se méfier de; – *n* méfiance *f* (**of** de). ◆**distrustful** *a* méfiant; **to be d. of** se méfier de.
disturb [dɪ'stɜːb] *vt* (*sleep, water*) troubler; (*papers, belongings*) déranger; **to d. s.o.** (*bother*) déranger qn; (*alarm, worry*) troubler qn. ◆**—ed** *a* (*person etc*) *Psy* troublé. ◆**—ing** *a* (*worrying*) inquiétant; (*annoying, irksome*) gênant. ◆**disturbance** *n* (*noise*) tapage *m*; *pl Pol* troubles *mpl.*
disunity [dɪs'juːnɪtɪ] *n* désunion *f.*
disuse [dɪs'juːs] *n* **to fall into d.** tomber en désuétude. ◆**disused** [-'juːzd] *a* désaffecté.
ditch [dɪtʃ] **1** *n* fossé *m.* **2** *vt Fam* se débarrasser de.
dither ['dɪðər] *vi Fam* hésiter, tergiverser; **to d. (around)** (*waste time*) tourner en rond.
ditto ['dɪtəʊ] *adv* idem.
divan [dɪ'væn] *n* divan *m.*
div/e [daɪv] **1** *vi* (*pt* **dived,** *Am* **dove** [dəʊv]) plonger; (*rush*) se précipiter, se jeter; **to d. for** (*pearls*) pêcher; – *n* plongeon *m*; (*of submarine*) plongée *f*; (*of aircraft*) piqué *m.* **2** *n* (*bar, club*) *Pej* boui-boui *m.* ◆**—ing** *n*

(*underwater*) plongée *f* sous-marine; **d. suit** scaphandre *m*; **d. board** plongeoir *m*. **◆—er** *n* plongeur, -euse *mf*; (*in suit*) scaphandrier *m*.

diverge [daɪ'vɜːdʒ] *vi* diverger (**from** de). **◆divergence** *n* divergence *f*. **◆divergent** *a* divergent.

diverse [daɪ'vɜːs] *a* divers. **◆diversify** *vt* diversifier; – *vi Econ* se diversifier. **◆diversity** *n* diversité *f*.

divert [daɪ'vɜːt] *vt* détourner (**from** de); (*traffic*) dévier; (*aircraft*) dérouter; (*amuse*) divertir. **◆diversion** *n Aut* déviation *f*; (*amusement*) divertissement *m*; *Mil* diversion *f*.

divest [daɪ'vest] *vt* **to d. of** (*power, rights*) priver de.

divid/e [dɪ'vaɪd] *vt* diviser (**into** en); **to d. (off) from** séparer de; **to d. up** (*money*) partager; **to d. one's time between** partager son temps entre; – *vi* se diviser. **◆—ed** *a* (*opinion*) partagé. **◆—ing** *a* **d. line** ligne *f* de démarcation.

dividend ['dɪvɪdənd] *n Math Fin* dividende *m*.

divine [dɪ'vaɪn] *a* divin. **◆divinity** *n* (*quality, deity*) divinité *f*; (*study*) théologie *f*.

division [dɪ'vɪʒ(ə)n] *n* division *f*; (*dividing object*) séparation *f*. **◆divisible** *a* divisible. **◆divisive** [-'vaɪsɪv] *a* qui sème la zizanie.

divorc/e [dɪ'vɔːs] *n* divorce *m*; – *vt* (*spouse*) divorcer d'avec; *Fig* séparer; – *vi* divorcer. **◆—ed** *a* divorcé (**from** d'avec); **to get d.** divorcer. **◆divorcee** [dɪvɔː'siː, *Am* dɪvɔː'seɪ] *n* divorcé, -ée *mf*.

divulge [dɪ'vʌldʒ] *vt* divulguer.

DIY [diːaɪ'waɪ] *n abbr* (*do-it-yourself*) bricolage *m*.

dizzy ['dɪzɪ] *a* (**-ier, -iest**) (*heights*) vertigineux; **to feel d.** avoir le vertige; **to make s.o. (feel) d.** donner le vertige à qn. **◆dizziness** *n* vertige *m*.

DJ [diː'dʒeɪ] *abbr* = **disc jockey**.

do [duː] **1** *v aux* (*3rd person sing pres t* **does;** *pt* **did;** *pp* **done;** *pres p* **doing) do you know?** savez-vous?, est-ce que vous savez?; **I do not** *or* **don't see** je ne vois pas; **he** *did* **say so** (*emphasis*) il l'a bien dit; **do stay** reste donc; **you know him, don't you?** tu le connais, n'est-ce pas?; **better than I do** mieux que je ne le fais; **neither do I** moi non plus; **so do I** moi aussi; **oh, does he?** (*surprise*) ah oui?; **don't!** non! **2** *vt* faire; **to do nothing but sleep** ne faire que dormir; **what does she do?** (*in general*), **what is she doing?** (*now*) qu'est-ce qu'elle fait?, que fait-elle?; **what have you done (with) . . . ?** qu'as-tu fait (de) . . . ?; **well done** (*congratulations*) bravo!; *Culin* bien cuit; **it's over and done (with)** c'est fini; **that'll do me** (*suit*) ça fera mon affaire; **I've been done** (*cheated*) *Fam* je me suis fait avoir; **I'll do you!** *Fam* je t'aurai!; **to do s.o. out of sth** escroquer qch à qn; **he's hard done by** on le traite durement; **I'm done (in)** (*tired*) *Sl* je suis claqué *or* vanné; **he's done for** *Fam* il est fichu; **to do in** (*kill*) *Sl* supprimer; **to do out** (*clean*) nettoyer; **to do over** (*redecorate*) refaire; **to do up** (*coat, button*) boutonner; (*zip*) fermer; (*house*) refaire; (*goods*) emballer; **do yourself up (well)!** (*wrap up*) couvre-toi (bien)! **3** *vi* (*get along*) aller, marcher; (*suit*) faire l'affaire, convenir; (*be enough*) suffire; (*finish*) finir; **how do you do?** (*introduction*) enchanté; (*greeting*) bonjour; **he did well** *or* **right to leave** il a bien fait de partir; **do as I do** fais comme moi; **to make do** se débrouiller; **to do away with sth/s.o.** supprimer qch/qn; **I could do with** (*need, want*) j'aimerais bien (avoir *or* prendre); **to do without sth/s.o.** se passer de qch/qn; **to have to do with** (*relate to*) avoir à voir avec; (*concern*) concerner; **anything doing?** *Fam* est-ce qu'il se passe quelque chose? **4** *n* (*pl* **dos** *or* **do's**) (*party*) soirée *f*, fête *f*; **the do's and don'ts** ce qu'il faut faire ou ne pas faire.

docile ['dəʊsaɪl] *a* docile.

dock [dɒk] **1** *n Nau* dock *m*; – *vi* (*in port*) relâcher; (*at quayside*) se mettre à quai; (*of spacecraft*) s'arrimer. **2** *n Jur* banc *m* des accusés. **3** *vt* (*wages*) rogner; **to d. sth from** (*wages*) retenir qch sur. **◆—er** *n* docker *m*. **◆dockyard** *n* chantier *m* naval.

docket ['dɒkɪt] *n* fiche *f*, bordereau *m*.

doctor ['dɒktər] **1** *n Med* médecin *m*, docteur *m*; *Univ* docteur *m*. **2** *vt* (*text, food*) altérer; (*cat*) *Fam* châtrer. **◆doctorate** *n* doctorat *m* (**in** ès, en).

doctrine ['dɒktrɪn] *n* doctrine *f*. **◆doctri'naire** *a & n Pej* doctrinaire (*mf*).

document ['dɒkjʊmənt] *n* document *m*; – ['dɒkjʊment] *vt* (*inform*) documenter; (*report in detail*) *TV Journ* accorder une large place à. **◆docu'mentary** *a & n* documentaire (*m*).

doddering ['dɒdərɪŋ] *a* (*senile*) gâteux; (*shaky*) branlant.

dodge [dɒdʒ] *vt* (*question, acquaintance etc*) esquiver; (*pursuer*) échapper à; (*tax*) éviter de payer; – *vi* faire un saut (de côté); **to d. out of sight** s'esquiver; **to d. through**

(*crowd*) se faufiler dans; – *n* mouvement *m* de côté; (*trick*) *Fig* truc *m*, tour *m*.
dodgems ['dɒdʒəmz] *npl* autos *fpl* tamponneuses.
dodgy ['dɒdʒɪ] *a* (**-ier, -iest**) *Fam* (*tricky*) délicat; (*dubious*) douteux; (*unreliable*) peu sûr.
doe [dəʊ] *n* (*deer*) biche *f*.
doer ['duːər] *n Fam* personne *f* dynamique.
does [dʌz] *see* **do**.
dog [dɒg] **1** *n* chien *m*; (*person*) *Pej* type *m*; **d. biscuit** biscuit *m or* croquette *f* pour chien; **d. collar** *Fam* col *m* de pasteur; **d. days** canicule *f*. **2** *vt* (**-gg-**) (*follow*) poursuivre. ◆**d.-eared** *a* (*page etc*) écorné. ◆**d.-'tired** *a Fam* claqué, crevé. ◆**doggy** *n Fam* toutou *m*; **d. bag** (*in restaurant*) *Am* petit sac *m* pour emporter les restes.
dogged ['dɒgɪd] *a* obstiné. ◆**—ly** *adv* obstinément.
dogma ['dɒgmə] *n* dogme *m*. ◆**dog'matic** *a* dogmatique. ◆**dogmatism** *n* dogmatisme *m*.
dogsbody ['dɒgzbɒdɪ] *n Pej* factotum *m*, sous-fifre *m*.
doily ['dɔɪlɪ] *n* napperon *m*.
doing ['duːɪŋ] *n* **that's your d.** c'est toi qui as fait ça; **doings** *Fam* activités *fpl*, occupations *fpl*.
do-it-yourself [duːɪtjə'self] *n* bricolage *m*; – *a* (*store, book*) de bricolage.
doldrums ['dɒldrəmz] *npl* **to be in the d.** (*of person*) avoir le cafard; (*of business*) être en plein marasme.
dole [dəʊl] **1** *n* **d. (money)** allocation *f* de chômage; **to go on the d.** s'inscrire au chômage. **2** *vt* **to d. out** distribuer au compte-gouttes.
doleful ['dəʊlfʊl] *a* morne, triste.
doll [dɒl] **1** *n* poupée *f*; (*girl*) *Fam* nana *f*; **doll's house,** *Am* **dollhouse** maison *f* de poupée. **2** *vt* **to d. up** *Fam* bichonner.
dollar ['dɒlər] *n* dollar *m*.
dollop ['dɒləp] *n* (*of food*) *Pej* gros morceau *m*.
dolphin ['dɒlfɪn] *n* (*sea animal*) dauphin *m*.
domain [dəʊ'meɪn] *n* (*land, sphere*) domaine *m*.
dome [dəʊm] *n* dôme *m*, coupole *f*.
domestic [də'mestɪk] *a* familial, domestique; (*animal*) domestique; (*trade, flight*) intérieur; (*product*) national; **d. science** arts *mpl* ménagers; **d. servant** domestique *mf*. ◆**domesticated** *a* habitué à la vie du foyer; (*animal*) domestiqué.
domicile ['dɒmɪsaɪl] *n* domicile *m*.
dominant ['dɒmɪnənt] *a* dominant; (*person*) dominateur. ◆**dominance** *n* prédominance *f*. ◆**dominate** *vti* dominer. ◆**domi'nation** *n* domination *f*. ◆**domi'neering** *a* dominateur.
dominion [də'mɪnjən] *n* domination *f*; (*land*) territoire *m*; *Br Pol* dominion *m*.
domino ['dɒmɪnəʊ] *n* (*pl* **-oes**) domino *m*; *pl* (*game*) dominos *mpl*.
don [dɒn] **1** *n Br Univ* professeur *m*. **2** *vt* (**-nn-**) revêtir.
donate [dəʊ'neɪt] *vt* faire don de; (*blood*) donner; – *vi* donner. ◆**donation** *n* don *m*.
done [dʌn] *see* **do**.
donkey ['dɒŋkɪ] *n* âne *m*; **for d.'s years** *Fam* depuis belle lurette, depuis un siècle; **d. work** travail *m* ingrat.
donor ['dəʊnər] *n* (*of blood, organ*) donneur, -euse *mf*.
doodle ['duːd(ə)l] *vi* griffonner.
doom [duːm] *n* ruine *f*; (*fate*) destin *m*; (*gloom*) *Fam* tristesse *f*; – *vt* condamner, destiner (**to** à); **to be doomed (to failure)** être voué à l'échec.
door [dɔːr] *n* porte *f*; (*of vehicle, train*) portière *f*, porte *f*; **out of doors** dehors; **d.-to-door salesman** démarcheur *m*. ◆**doorbell** *n* sonnette *f*. ◆**doorknob** *n* poignée *f* de porte. ◆**doorknocker** *n* marteau *m*. ◆**doorman** *n* (*pl* **-men**) (*of hotel etc*) portier *m*, concierge *m*. ◆**doormat** *n* paillasson *m*. ◆**doorstep** *n* seuil *m*. ◆**doorstop(per)** *n* butoir *m* (de porte). ◆**doorway** *n* **in the d.** dans l'encadrement de la porte.
dope [dəʊp] **1** *n Fam* drogue *f*; (*for horse, athlete*) doping *m*; – *vt* doper. **2** *n* (*information*) *Fam* tuyaux *mpl*. **3** *n* (*idiot*) *Fam* imbécile *mf*. ◆**dopey** *a* (**-ier, -iest**) *Fam* (*stupid*) abruti; (*sleepy*) endormi; (*drugged*) drogué, camé.
dormant ['dɔːmənt] *a* (*volcano, matter*) en sommeil; (*passion*) endormi.
dormer ['dɔːmər] *n* **d. (window)** lucarne *f*.
dormitory ['dɔːmɪtrɪ, *Am* 'dɔːmɪtɔːrɪ] *n* dortoir *m*; *Am* résidence *f* (universitaire).
dormouse, *pl* **-mice** ['dɔːmaʊs, -maɪs] *n* loir *m*.
dos/e [dəʊs] *n* dose *f*; (*of hard work*) *Fig* période *f*; (*of illness*) attaque *f*; – *vt* **to d. oneself (up)** se bourrer de médicaments. ◆**—age** *n* (*amount*) dose *f*.
dosshouse ['dɒshaʊs] *n Sl* asile *m* (de nuit).
dossier ['dɒsɪeɪ] *n* (*papers*) dossier *m*.
dot [dɒt] *n* point *m*; **polka d.** pois *m*; **on the d.** *Fam* à l'heure pile; – *vt* (**-tt-**) (*an i*)

mettre un point sur. ◆**dotted** *a* **d. line** pointillé *m*; **d. with** parsemé de.

dot/e [dəʊt] *vt* **to d. on** être gaga de. ◆**—ing** *a* affectueux; **her d. husband/father** son mari/père qui lui passe tout.

dotty ['dɒtɪ] *a* (**-ier, -iest**) *Fam* cinglé, toqué.

double ['dʌb(ə)l] *a* double; **a d. bed** un grand lit; **a d. room** une chambre pour deux personnes; **d. 's'** deux 's'; **d. six** deux fois six; **d. three four two** (*phone number*) trente-trois quarante-deux; – *adv* deux fois; (*to fold*) en deux; **he earns d. what I earn** il gagne le double de moi *or* deux fois plus que moi; **to see d.** voir double; – *n* double *m*; (*person*) double *m*, sosie *m*; (*stand-in*) *Cin* doublure *f*; **on** *or* **at the d.** au pas de course; – *vt* doubler; **to d. back** *or* **over** replier; – *vi* doubler; **to d. back** (*of person*) revenir en arrière; **to d. up** (*with pain, laughter*) être plié en deux. ◆**d.-'barrelled** *a* (*gun*) à deux canons; (*name*) à rallonges. ◆**d.-'bass** *n Mus* contrebasse *f*. ◆**d.-'breasted** *a* (*jacket*) croisé. ◆**d.-'cross** *vt* tromper. ◆**d.-'dealing** *n* double jeu *m*. ◆**d.-'decker (bus)** *n* autobus *m* à impériale. ◆**d.-'door** *n* porte *f* à deux battants. ◆**d.-'dutch** *n Fam* baragouin *m*. ◆**d.-'glazing** *n* (*window*) double vitrage *m*, double(s) fenêtre(s) *f(pl)*. ◆**d.-'parking** *n* stationnement *m* en double file. ◆**d.-'quick** *adv* en vitesse.

doubly ['dʌblɪ] *adv* doublement.

doubt [daʊt] *n* doute *m*; **to be in d. about** avoir des doutes sur; **I have no d. about it** je n'en doute pas; **no d.** (*probably*) sans doute; **in d.** (*result, career etc*) dans la balance; – *vt* douter de; **to d. whether** *or* **that** *or* **if** douter que (+ *sub*). ◆**doubtful** *a* douteux; **to be d. about sth** avoir des doutes sur qch; **it's d. whether** *or* **that** il est douteux que (+ *sub*). ◆**doubtless** *adv* sans doute.

dough [dəʊ] *n* pâte *f*; (*money*) *Fam* fric *m*, blé *m*. ◆**doughnut** *n* beignet *m* (rond).

dour ['dʊər] *a* austère.

douse [daʊs] *vt* arroser, tremper; (*light*) *Fam* éteindre.

dove[1] [dʌv] *n* colombe *f*. ◆**dovecote** [-kɒt] *n* colombier *m*.

dove[2] [dəʊv] *Am see* **dive 1.**

Dover ['dəʊvər] *n* Douvres *m or f*.

dovetail ['dʌvteɪl] **1** *n Carp* queue *f* d'aronde. **2** *vi* (*fit*) *Fig* concorder.

dowdy ['daʊdɪ] *a* (**-ier, -iest**) peu élégant, sans chic.

down[1] [daʊn] *adv* en bas; (*to the ground*) par terre, à terre; (*of sun*) couché; (*of blind, temperature*) baissé; (*out of bed*) descendu; (*of tyre*) dégonflé, (*worn*) usé; **d. (in writing)** inscrit; **(lie) d.!** (*to dog*) couché!; **to come** *or* **go d.** descendre; **to come d. from** (*place*) arriver de; **to fall d.** tomber (par terre); **d. there** *or* **here** en bas; **d. with traitors/***etc*! à bas les traîtres/*etc*!; **d. with (the) flu** grippé; **to feel d.** (*depressed*) *Fam* avoir le cafard; **d. to** (*in series, numbers, dates etc*) jusqu'à; **d. payment** acompte *m*; **d. under** aux antipodes, en Australie; **d. at heel,** *Am* **d. at the heels** miteux; – *prep* (*at bottom of*) en bas de; (*from top to bottom of*) du haut en bas de; (*along*) le long de; **to go d.** (*hill etc*) descendre; **to live d. the street** habiter plus loin dans la rue; – *vt* (*shoot down*) abattre; (*knock down*) terrasser; **to d. a drink** vider un verre. ◆**down-and-'out** *a* sur le pavé; – *n* clochard, -arde *mf*. ◆**downbeat** *a* (*gloomy*) *Fam* pessimiste. ◆**downcast** *a* découragé. ◆**downfall** *n* chute *f*. ◆**downgrade** *vt* (*job etc*) déclasser; (*person*) rétrograder. ◆**down'hearted** *a* découragé. ◆**down'hill** *adv* en pente; **to go d.** descendre; *Fig* être sur le déclin. ◆**downmarket** *a Com* bas de gamme. ◆**downpour** *n* averse *f*, pluie *f* torrentielle. ◆**downright** *a* (*rogue etc*) véritable; (*refusal etc*) catégorique; **a d. nerve** *or* **cheek** un sacré culot; – *adv* (*rude etc*) franchement. ◆**'downstairs** *a* (*room, neighbours*) d'en bas; (*on the ground floor*) du rez-de-chaussée; – [daʊn'steəz] *adv* en bas; au rez-de-chaussée; **to come** *or* **go d.** descendre l'escalier. ◆**down'stream** *adv* en aval. ◆**down-to-'earth** *a* terre-à-terre *inv*. ◆**down'town** *adv* en ville; **d. Chicago/***etc* le centre de Chicago/*etc*. ◆**downtrodden** *a* opprimé. ◆**downward** *a* vers le bas; (*path*) qui descend; (*trend*) à la baisse. ◆**downward(s)** *adv* vers le bas.

down[2] [daʊn] *n* (*on bird, person etc*) duvet *m*.

downs [daʊnz] *npl* collines *fpl*.

dowry ['daʊərɪ] *n* dot *f*.

doze [dəʊz] *n* petit somme *m*; – *vi* sommeiller; **to d. off** s'assoupir. ◆**dozy** *a* (**-ier, -iest**) assoupi; (*silly*) *Fam* bête, gourde.

dozen ['dʌz(ə)n] *n* douzaine *f*; **a d.** (*eggs, books etc*) une douzaine de; **dozens of** *Fig* des dizaines de.

Dr *abbr* (*Doctor*) Docteur.

drab [dræb] *a* terne; (*weather*) gris. ◆**—ness** *n* caractère *m* terne; (*of weather*) grisaille *f*.

draconian [drə'kəʊnɪən] *a* draconien.

draft [drɑːft] **1** *n* (*outline*) ébauche *f*; (*of letter etc*) brouillon *m*; (*bill*) *Com* traite *f*; – *vt* **to d. (out)** (*sketch out*) faire le brouillon de; (*write out*) rédiger. **2** *n Mil Am* conscription *f*; (*men*) contingent *m*; – *vt* (*conscript*) appeler (sous les drapeaux). **3** *n Am* = **draught.**

draftsman ['drɑːftsmən] *n* = **draughtsman.**

drag [dræg] *vt* (**-gg-**) traîner, tirer; (*river*) draguer; **to d. sth from s.o.** (*confession etc*) arracher qch à qn; **to d. along** (en)traîner; **to d. s.o. away from** arracher qn à; **to d. s.o. into** entraîner qn dans; – *vi* traîner; **to d. on** *or* **out** (*last a long time*) se prolonger; – *n Fam* (*tedium*) corvée *f*; (*person*) raseur, -euse *mf*; (*on cigarette*) bouffée *f* (**on** de); **in d.** (*clothing*) en travesti.

dragon ['drægən] *n* dragon *m*. ◆**dragonfly** *n* libellule *f*.

drain [dreɪn] *n* (*sewer*) égout *m*; (*pipe, channel*) canal *m*; (*outside house*) puisard *m*; (*in street*) bouche *f* d'égout; **it's (gone) down the d.** (*wasted*) *Fam* c'est fichu; **to be a d. on** (*resources, patience*) épuiser; – *vt* (*land*) drainer; (*glass, tank*) vider; (*vegetables*) égoutter; (*resources*) épuiser; **to d. (off)** (*liquid*) faire écouler; **to d. of** (*deprive of*) priver de; – *vi* **to d. (off)** (*of liquid*) s'écouler; **to d. away** (*of strength*) s'épuiser; **draining board** paillasse *f*. ◆**—age** *n* (*act*) drainage *m*; (*sewers*) système *m* d'égouts. ◆**—er** *n* (*board*) paillasse *f*; (*rack, basket*) égouttoir *m*. ◆**drainboard** *n Am* paillasse *f*. ◆**drainpipe** *n* tuyau *m* d'évacuation.

drake [dreɪk] *n* canard *m* (mâle).

dram [dræm] *n* (*drink*) *Fam* goutte *f*.

drama ['drɑːmə] *n* (*event*) drame *m*; (*dramatic art*) théâtre *m*; **d. critic** critique *m* dramatique. ◆**dra'matic** *a* dramatique; (*very great, striking*) spectaculaire. ◆**dra'matically** *adv* (*to change, drop etc*) de façon spectaculaire. ◆**dra'matics** *n* théâtre *m*. ◆**dramatist** ['dræmətɪst] *n* dramaturge *m*. ◆**dramatize** *vt* (*exaggerate*) dramatiser; (*novel etc*) adapter (pour la scène *or* l'écran).

drank [dræŋk] *see* **drink.**

drap/e [dreɪp] *vt* draper (**with** de); (*wall*) tapisser (de tentures); – *npl* tentures *fpl*; (*heavy curtains*) *Am* rideaux *mpl*. ◆**—er** *n* marchand, -ande *mf* de nouveautés.

drastic ['dræstɪk] *a* radical, sévère; (*reduction*) massif. ◆**drastically** *adv* radicalement.

draught [drɑːft] *n* courant *m* d'air; (*for fire*) tirage *m*; *pl* (*game*) dames *fpl*; – *a* (*horse*) de trait; (*beer*) (à la) pression; **d. excluder** bourrelet *m* (*de porte, de fenêtre*). ◆**draughtboard** *n* damier *m*. ◆**draughty** *a* (**-ier, -iest**) (*room*) plein de courants d'air.

draughtsman ['drɑːftsmən] *n* (*pl* **-men**) dessinateur, -trice *mf* (industriel(le) *or* technique).

draw[1] [drɔː] *n* (*of lottery*) tirage *m* au sort; *Sp* match *m* nul; (*attraction*) attraction *f*; – *vt* (*pt* **drew,** *pp* **drawn**) (*pull*) tirer; (*pass*) passer (**over** sur, **into** dans); (*prize*) gagner; (*applause*) provoquer; (*money from bank*) retirer (**from, out of** de); (*salary*) toucher; (*attract*) attirer; (*well-water, comfort*) puiser (**from** dans); **to d. a smile** faire sourire (**from s.o.** qn); **to d. a bath** faire couler un bain; **to d. sth to a close** mettre fin à qch; **to d. a match** *Sp* faire match nul; **to d. in** (*claws*) rentrer; **to d. out** (*money*) retirer; (*meeting*) prolonger; **to d. up** (*chair*) approcher; (*contract, list, plan*) dresser, rédiger; **to d. (up)on** (*savings*) puiser dans; – *vi* (*enter*) entrer (**into** dans); (*arrive*) arriver; **to d. near (to)** s'approcher (de); (*of time*) approcher (de); **to d. to a close** tirer à sa fin; **to d. aside** (*step aside*) s'écarter; **to d. away** (*go away*) s'éloigner; **to d. back** (*recoil*) reculer; **to d. in** (*of days*) diminuer; **to d. on** (*of time*) s'avancer; **to d. up** (*of vehicle*) s'arrêter. ◆**drawback** *n* inconvénient *m*. ◆**drawbridge** *n* pont-levis *m*.

draw[2] [drɔː] *vt* (*pt* **drew,** *pp* **drawn**) (*picture*) dessiner; (*circle*) tracer; (*parallel, distinction*) *Fig* faire (**between** entre); – *vi* (*as artist*) dessiner. ◆**—ing** *n* dessin *m*; **d. board** planche *f* à dessin; **d. pin** punaise *f*; **d. room** salon *m*.

drawer [drɔːr] **1** *n* (*in furniture*) tiroir *m*. **2** *npl* (*women's knickers*) culotte *f*.

drawl [drɔːl] *vi* parler d'une voix traînante; – *n* voix *f* traînante.

drawn [drɔːn] *see* **draw**[1,2]; – *a* (*face*) tiré, crispé; **d. match** *or* **game** match *m* nul.

dread [dred] *vt* redouter (**doing** de faire); – *n* crainte *f*, terreur *f*. ◆**dreadful** *a* épouvantable; (*child*) insupportable; (*ill*) malade; **I feel d. (about it)** j'ai vraiment honte. ◆**dreadfully** *adv* terriblement; **to be** *or* **feel d. sorry** regretter infiniment.

dream [driːm] *vti* (*pt* & *pp* **dreamed** *or* **dreamt** [dremt]) rêver; (*imagine*) songer (**of** à, **that** que); **I wouldn't d. of it!** (il n'en est) pas question!; **to d. sth up** imaginer qch; – *n* rêve *m*; (*wonderful thing or person*) *Fam* merveille *f*; **to have a d.** faire un rêve (**about** de); **to have dreams of** rêver de; **a d. house**/*etc* une maison/*etc* de rêve; **a d.**

world un monde imaginaire. ◆**—er** *n* rêveur, -euse *mf.* ◆**dreamy** *a* (**-ier, -iest**) rêveur.

dreary ['drɪərɪ] *a* (**-ier, -iest**) (*gloomy*) morne; (*monotonous*) monotone; (*boring*) ennuyeux.

dredg/e [dredʒ] *vt* (*river etc*) draguer; – *n* drague *f.* ◆**—er** *n* **1** (*ship*) dragueur *m.* **2** *Culin* saupoudreuse *f.*

dregs [dregz] *npl* **the d.** (*in liquid, of society*) la lie.

drench [drentʃ] *vt* tremper; **to get drenched** se faire tremper (jusqu'aux os).

dress [dres] **1** *n* (*woman's garment*) robe *f*; (*style of dressing*) tenue *f*; **d. circle** *Th* (premier) balcon *m*; **d. designer** dessinateur, -trice *mf* de mode; (*well-known*) couturier *m*; **d. rehearsal** (répétition *f*) générale *f*; **d. shirt** chemise *f* de soirée. **2** *vt* (*clothe*) habiller; (*adorn*) orner; (*salad*) assaisonner; (*wound*) panser; (*skins, chicken*) préparer; **to get dressed** s'habiller; **dressed for tennis/***etc* en tenue de tennis/*etc*; – *vi* s'habiller; **to d. up** (*smartly*) bien s'habiller; (*in disguise*) se déguiser (**as** en). ◆**—ing** *n Med* pansement *m*; (*seasoning*) *Culin* assaisonnement *m*; **to give s.o. a d.-down** passer un savon à qn; **d. gown** robe *f* de chambre; (*of boxer*) peignoir *m*; **d. room** *Th* loge *f*; **d. table** coiffeuse *f.* ◆**—er** *n* **1** (*furniture*) vaisselier *m*; *Am* coiffeuse *f.* **2 she's a good d.** elle s'habille toujours bien. ◆**dressmaker** *n* couturière *f.* ◆**dressmaking** *n* couture *f.*

dressy ['dresɪ] *a* (**-ier, -iest**) (*smart*) chic *inv*; **(too) d.** trop habillé.

drew [druː] *see* **draw**[1,2].

dribble ['drɪb(ə)l] *vi* (*of baby*) baver; (*of liquid*) tomber goutte à goutte; *Sp* dribbler; – *vt* laisser tomber goutte à goutte; (*ball*) *Sp* dribbler.

dribs [drɪbz] *npl* **in d. and drabs** par petites quantités; (*to arrive*) par petits groupes.

dried [draɪd] *a* (*fruit*) sec; (*milk*) en poudre; (*flowers*) séché.

drier ['draɪər] *n* = **dryer.**

drift [drɪft] *vi* être emporté par le vent *or* le courant; (*of ship*) dériver; *Fig* aller à la dérive; (*of snow*) s'amonceler; **to d. about (aimlessly)** se promener sans but, traînailler; **to d. apart** (*of husband and wife*) devenir des étrangers l'un pour l'autre; **to d. into/towards** glisser dans/vers; – *n* mouvement *m*; (*direction*) sens *m*; (*of events*) cours *m*; (*of snow*) amoncellement *m*, congère *f*; (*meaning*) sens *m* général. ◆**—er** *n* (*aimless person*) paumé, -ée *mf.* ◆**driftwood** *n* bois *m* flotté.

drill [drɪl] **1** *n* (*tool*) perceuse *f*; (*bit*) mèche *f*; (*for rock*) foreuse *f*; (*for tooth*) fraise *f*; (*pneumatic*) marteau *m* pneumatique; – *vt* percer; (*tooth*) fraiser; (*oil well*) forer; – *vi* **to d. for oil** faire de la recherche pétrolière. **2** *n Mil Sch* exercice(s) *m*(*pl*); (*procedure*) *Fig* marche *f* à suivre; – *vi* faire l'exercice; – *vt* faire faire l'exercice à.

drink [drɪŋk] *n* boisson *f*; (*glass of sth*) verre *m*; **to give s.o. a d.** donner (quelque chose) à boire à qn; – *vt* (*pt* **drank,** *pp* **drunk**) boire; **to d. oneself to death** se tuer à force de boire; **to d. down** *or* **up** boire; – *vi* boire (**out of** dans); **to d. up** finir son verre; **to d. to** boire à la santé de. ◆**—ing** *a* (*water*) potable; (*song*) à boire; **d. bout** beuverie *f*; **d. fountain** fontaine *f* publique, borne-fontaine *f*; **d. trough** abreuvoir *m.* ◆**—able** *a* (*fit for drinking*) potable; (*palatable*) buvable. ◆**—er** *n* buveur, -euse *mf.*

drip [drɪp] *vi* (**-pp-**) dégouliner, dégoutter; (*of washing, vegetables*) s'égoutter; (*of tap*) fuir; – *vt* (*paint etc*) laisser couler; – *n* (*drop*) goutte *f*; (*sound*) bruit *m* (de goutte); (*fool*) *Fam* nouille *f.* ◆**d.-dry** *a* (*shirt etc*) sans repassage. ◆**dripping** *n* (*Am* **drippings**) *Culin* graisse *f*; – *a* & *adv* **d. (wet)** dégoulinant.

driv/e [draɪv] *n* promenade *f* en voiture; (*energy*) énergie *f*; *Psy* instinct *m*; *Pol* campagne *f*; (*road to private house*) allée *f*; **an hour's d.** une heure de voiture; **left-hand d.** *Aut* (véhicule *m* à) conduite *f* à gauche; **front-wheel d.** *Aut* traction *f* avant; – *vt* (*pt* **drove,** *pp* **driven**) (*vehicle, train, passenger*) conduire; (*machine*) actionner; **to d. (away or out)** (*chase away*) chasser; **to d. s.o. to do** pousser qn à faire; **to d. to despair** réduire au désespoir; **to d. mad** *or* **crazy** rendre fou; **to d. the rain/smoke against** (*of wind*) rabattre la pluie/fumée contre; **to d. back** (*enemy etc*) repousser; (*passenger*) *Aut* ramener (en voiture); **to d. in** (*thrust*) enfoncer; **to d. s.o. hard** surmener qn; **he drives a Ford** il a une Ford; – *vi* (*drive a car*) conduire; **to d. (along)** (*go, run*) *Aut* rouler; **to d. on the left** rouler à gauche; **to d. away** *or* **off** *Aut* partir; **to d. back** *Aut* revenir; **to d. on** *Aut* continuer; **to d. to** *Aut* aller (en voiture) à; **to d. up** *Aut* arriver; **what are you driving at?** *Fig* où veux-tu en venir? ◆**—ing 1** *n* conduite *f*; **d. lesson** leçon *f* de conduite; **d. licence, d. test** permis *m* de conduire; **d. school** auto-école *f.* **2** *a* (*forceful*) **d. force** force *f* agissante; **d. rain** pluie *f* battante. ◆**—er** *n* (*of car*) conducteur, -trice *mf*; (*of taxi, lorry*) chauffeur *m*, conducteur, -trice *mf*; **(train) d.** mécanicien *m*; **she's a good d.** elle conduit bien; **driver's license** *Am* permis *m* de conduire.

drivel ['drɪv(ə)l] *vi* (**-ll-**, *Am* **-l-**) radoter; – *n* radotage *m*.

drizzle ['drɪz(ə)l] *n* bruine *f*, crachin *m*; – *vi* bruiner. ◆**drizzly** *a* (*weather*) de bruine; **it's d.** il bruine.

droll [drəʊl] *a* drôle, comique.

dromedary ['drɒmədərɪ, *Am* 'drɒmɪderɪ] *n* dromadaire *m*.

drone [drəʊn] **1** *n* (*bee*) abeille *f* mâle. **2** *n* (*hum*) bourdonnement *m*; (*purr*) ronronnement *m*; *Fig* débit *m* monotone; – *vi* (*of bee*) bourdonner; (*of engine*) ronronner; **to d. (on)** *Fig* parler d'une voix monotone.

drool [druːl] *vi* (*slaver*) baver; *Fig* radoter; **to d. over** *Fig* s'extasier devant.

droop [druːp] *vi* (*of head*) pencher; (*of eyelid*) tomber; (*of flower*) se faner.

drop [drɒp] **1** *n* (*of liquid*) goutte *f*. **2** *n* (*fall*) baisse *f*, chute *f* (**in** de); (*slope*) descente *f*; (*distance of fall*) hauteur *f* (de chute); (*jump*) *Av* saut *m*; – *vt* (**-pp-**) laisser tomber; (*price, voice*) baisser; (*bomb*) larguer; (*passenger, goods*) *Aut* déposer; *Nau* débarquer; (*letter*) envoyer (**to** à); (*put*) mettre; (*omit*) omettre; (*remark*) laisser échapper; (*get rid of*) supprimer; (*habit*) abandonner; (*team member*) *Sp* écarter; **to d. s.o. off** *Aut* déposer qn; **to d. a line** écrire un petit mot (**to** à); **to d. a hint** faire une allusion; **to d. a hint that** laisser entendre que; **to d. one's h's** ne pas aspirer les h; **to d. a word in s.o.'s ear** glisser un mot à l'oreille de qn; – *vi* (*fall*) tomber; (*of person*) (se laisser) tomber; (*of price*) baisser; (*of conversation*) cesser; **he's ready to d.** *Fam* il tombe de fatigue; **let it d.!** *Fam* laisse tomber!; **to d. across** *or* **in** passer (chez qn); **to d. away** (*diminish*) diminuer; **to d. back** *or* **behind** rester en arrière, se laisser distancer; **to d. off** (*fall asleep*) s'endormir; (*fall off*) tomber; (*of interest, sales etc*) diminuer. ◆**d.-off** *n* (*decrease*) diminution *f* (**in** de); **to d. out** (*fall out*) tomber; (*withdraw*) se retirer; (*socially*) se mettre en marge de la société; *Sch Univ* laisser tomber ses études. ◆**d.-out** *n* marginal, -ale *mf*; *Univ* étudiant, -ante *mf* qui abandonne ses études. ◆**droppings** *npl* (*of animal*) crottes *fpl*; (*of bird*) fiente *f*.

dross [drɒs] *n* déchets *mpl*.

drought [draʊt] *n* sécheresse *f*.

drove [drəʊv] *see* **drive**.

droves [drəʊvz] *npl* (*of people*) foules *fpl*; **in d.** en foule.

drown [draʊn] *vi* se noyer; – *vt* noyer; **to d. oneself, be drowned** se noyer. ◆**—ing** *a* qui se noie; – *n* (*death*) noyade *f*.

drowse [draʊz] *vi* somnoler. ◆**drows/y** *a* (**-ier, -iest**) somnolent; **to feel d.** avoir sommeil; **to make s.o. (feel) d.** assoupir qn. ◆**—ily** *adv* d'un air somnolent. ◆**—iness** *n* somnolence *f*.

drubbing ['drʌbɪŋ] *n* (*beating*) raclée *f*.

drudge [drʌdʒ] *n* bête *f* de somme, esclave *mf* du travail; – *vi* trimer. ◆**drudgery** *n* corvée(s) *f*(*pl*), travail *m* ingrat.

drug [drʌg] *n Med* médicament *m*, drogue *f*; (*narcotic*) stupéfiant *m*, drogue *f*; *Fig* drogue *f*; **drugs** (*dope in general*) la drogue; **to be on drugs, take drugs** se droguer; **d. addict** drogué, -ée *mf*; **d. addiction** toxicomanie *f*; **d. taking** usage *m* de la drogue; – *vt* (**-gg-**) droguer; (*drink*) mêler un somnifère à. ◆**druggist** *n Am* pharmacien, -ienne *mf*, droguiste *mf*. ◆**drugstore** *n Am* drugstore *m*.

drum [drʌm] *n Mus* tambour *m*; (*for oil*) bidon *m*; **the big d.** *Mus* la grosse caisse; **the drums** *Mus* la batterie; – *vi* (**-mm-**) *Mil* battre du tambour; (*with fingers*) tambouriner; – *vt* **to d. sth into s.o.** *Fig* rabâcher qch à qn; **to d. up** (*support, interest*) susciter; **to d. up business** *or* **custom** attirer les clients. ◆**drummer** *n* (joueur, -euse *mf* de) tambour *m*; (*in pop or jazz group*) batteur *m*. ◆**drumstick** *n Mus* baguette *f* de tambour; (*of chicken*) pilon *m*, cuisse *f*.

drunk [drʌŋk] *see* **drink; –** *a* ivre; **d. with** *Fig* ivre de; **to get d.** s'enivrer; – *n* ivrogne *mf*, pochard, -arde *mf*. ◆**drunkard** *n* ivrogne *mf*. ◆**drunken** *a* (*quarrel*) d'ivrogne; (*person*) ivrogne; (*driver*) ivre; **d. driving** conduite *f* en état d'ivresse. ◆**drunkenness** *n* (*state*) ivresse *f*; (*habit*) ivrognerie *f*.

dry [draɪ] *a* (**drier, driest**) sec; (*well, river*) à sec; (*day*) sans pluie; (*toast*) sans beurre; (*wit*) caustique; (*subject, book*) aride; **on d. land** sur la terre ferme; **to keep sth d.** tenir qch au sec; **to wipe d.** essuyer; **to run d.** se tarir; **to feel** *or* **be d.** *Fam* avoir soif; **d. dock** cale *f* sèche; **d. goods store** *Am* magasin *m* de nouveautés; – *vt* sécher; (*dishes etc*) essuyer; **to d. off** *or* **up** sécher; – *vi* sécher; **to d. off** sécher; **to d. up** sécher; (*run dry*) se tarir; **d. up!** *Fam* tais-toi! ◆**—ing** *n* séchage *m*, essuyage *m*. ◆**—er** *n* (*for hair,* *clothes*) séchoir *m*; (*helmet-style for hair*) casque *m*. ◆**—ness** *n* sécheresse *f*; (*of wit*) causticité *f*; (*of book etc*) aridité *f*. ◆**dry-'clean** *vt* nettoyer à sec. ◆**dry-'cleaner** *n* teinturier, -ière *mf*.

dual ['djuːəl] *a* double; **d. carriageway** route *f* à deux voies (séparées). ◆**du'ality** *n* dualité *f*.

dub [dʌb] *vt* (**-bb-**) **1** (*film*) doubler. **2** (*nickname*) surnommer. ◆**dubbing** *n Cin* doublage *m*.

dubious ['djuːbɪəs] *a* (*offer, person etc*) douteux; **I'm d. about going** *or* **whether to go** je me demande si je dois y aller; **to be d. about sth** douter de qch.

duchess ['dʌtʃɪs] *n* duchesse *f*. ◆**duchy** *n* duché *m*.

duck [dʌk] **1** *n* canard *m*. **2** *vi* se baisser (vivement); – *vt* (*head*) baisser; **to d. s.o.** plonger qn dans l'eau. ◆**—ing** *n* bain *m* forcé. ◆**duckling** *n* caneton *m*.

duct [dʌkt] *n Anat Tech* conduit *m*.

dud [dʌd] *a Fam* (*bomb*) non éclaté; (*coin*) faux; (*cheque*) en bois; (*watch etc*) qui ne marche pas; – *n* (*person*) zéro *m*, type *m* nul.

dude [duːd] *n Am Fam* dandy *m*; **d. ranch** ranch(-hôtel) *m*.

due¹ [djuː] *a* (*money, sum*) dû (**to** à); (*rent, bill*) à payer; (*respect*) qu'on doit (**to** à); (*fitting*) qui convient; **to fall d.** échoir; **she's d. for** (*a rise etc*) elle doit *or* devrait recevoir; **he's d. (to arrive)** (*is awaited*) il doit arriver, il est attendu; **I'm d. there** je dois être là-bas; **in d. course** (*at proper time*) en temps utile; (*finally*) à la longue; **d. to** (*attributable to*) dû à; (*because of*) à cause de; (*thanks to*) grâce à; – *n* dû *m*; *pl* (*of club*) cotisation *f*; (*official charges*) droits *mpl*; **to give s.o. his d.** admettre que qn a raison.

due² [djuː] *adv* (tout) droit; **d. north/south** plein nord/sud.

duel ['djuːəl] *n* duel *m*; – *vi* (**-ll-**, *Am* **-l-**) se battre en duel.

duet [djuː'et] *n* duo *m*.

duffel, duffle ['dʌf(ə)l] *a* **d. bag** sac *m* de marin; **d. coat** duffel-coat *m*.

dug [dʌg] *see* **dig**. ◆**dugout** *n* **1** *Mil* abri *m* souterrain. **2** (*canoe*) pirogue *f*.

duke [djuːk] *n* duc *m*.

dull [dʌl] *a* (**-er, -est**) (*boring*) ennuyeux; (*colour, character*) terne; (*weather*) maussade; (*mind*) lourd, borné; (*sound, ache*) sourd; (*edge, blade*) émoussé; (*hearing, sight*) faible; – *vt* (*senses*) émousser; (*sound, pain*) amortir; (*colour*) ternir; (*mind*) engourdir. ◆**—ness** *n* (*of mind*) lourdeur *f* d'esprit; (*tedium*) monotonie *f*; (*of colour*) manque *m* d'éclat.

duly ['djuːlɪ] *adv* (*properly*) comme il convient (convenait *etc*); (*in fact*) en effet; (*in due time*) en temps utile.

dumb [dʌm] *a* (**-er, -est**) muet; (*stupid*) *Fam* idiot, bête. ◆**—ness** *n* mutisme *m*; bêtise *f*. ◆**dumbbell** *n* (*weight*) haltère *m*. ◆**dumb'waiter** *n* (*lift for food*) monte-plats *m inv*.

dumbfound [dʌm'faʊnd] *vt* sidérer, ahurir.

dummy [dʌmɪ] **1** *n* (*of baby*) sucette *f*; (*of dressmaker*) mannequin *m*; (*of book*) maquette *f*; (*of ventriloquist*) pantin *m*; (*fool*) *Fam* idiot, -ote *mf*. **2** *a* factice, faux; **d. run** (*on car etc*) essai *m*.

dump [dʌmp] *vt* (*rubbish*) déposer; **to d. (down)** déposer; **to d. s.o.** (*ditch*) *Fam* plaquer qn; – *n* (*for ammunition*) *Mil* dépôt *m*; (*dirty or dull town*) *Fam* trou *m*; (*house, slum*) *Fam* baraque *f*; **(rubbish) d.** tas *m* d'ordures; (*place*) dépôt *m* d'ordures, décharge *f*; **to be (down) in the dumps** *Fam* avoir le cafard; **d. truck = dumper.** ◆**—er** *n* **d. (truck)** camion *m* à benne basculante.

dumpling ['dʌmplɪŋ] *n Culin* boulette *f* (de pâte).

dumpy ['dʌmpɪ] *a* (**-ier, -iest**) (*person*) boulot, gros et court.

dunce [dʌns] *n* cancre *m*, âne *m*.

dune [djuːn] *n* dune *f*.

dung [dʌŋ] *n* crotte *f*; (*of cattle*) bouse *f*; (*manure*) fumier *m*.

dungarees [dʌŋgə'riːz] *npl* (*of child, workman*) salopette *f*; (*jeans*) *Am* jean *m*.

dungeon ['dʌndʒən] *n* cachot *m*.

dunk [dʌŋk] *vt* (*bread, biscuit etc*) tremper.

dupe [djuːp] *vt* duper; – *n* dupe *f*.

duplex ['duːpleks] *n* (*apartment*) *Am* duplex *m*.

duplicate ['djuːplɪkeɪt] *vt* (*key, map*) faire un double de; (*on machine*) polycopier; – ['djuːplɪkət] *n* double *m*; **in d.** en deux exemplaires; **a d. copy/***etc* une copie/*etc* en double; **a d. key** un double de la clef. ◆**dupli'cation** *n* (*on machine*) polycopie *f*; (*of effort*) répétition *f*. ◆**duplicator** *n* duplicateur *m*.

duplicity [djuː'plɪsɪtɪ] *n* duplicité *f*.

durable ['djʊərəb(ə)l] *a* (*shoes etc*) résistant; (*friendship, love*) durable. ◆**dura'bility** *n* résistance *f*; durabilité *f*.

duration [djʊə'reɪʃ(ə)n] *n* durée *f*.

duress [djʊ'res] *n* **under d.** sous la contrainte.

during ['djʊərɪŋ] *prep* pendant, durant.

dusk [dʌsk] *n* (*twilight*) crépuscule *m*.
dusky ['dʌskɪ] *a* (**-ier, -iest**) (*complexion*) foncé.
dust [dʌst] *n* poussière *f*; **d. cover** (*for furniture*) housse *f*; (*for book*) jaquette *f*; **d. jacket** jaquette *f*; – *vt* épousseter; (*sprinkle*) saupoudrer (**with** de). ◆**—er** *n* chiffon *m*. ◆**dustbin** *n* poubelle *f*. ◆**dustcart** *n* camion-benne *m*. ◆**dustman** *n* (*pl* **-men**) éboueur *m*, boueux *m*. ◆**dustpan** *n* petite pelle *f* (à poussière).
dusty ['dʌstɪ] *a* (**-ier, -iest**) poussiéreux.
Dutch [dʌtʃ] *a* néerlandais, hollandais; **D. cheese** hollande *m*; **to go D.** partager les frais (**with** avec); – *n* (*language*) hollandais *m*. ◆**Dutchman** *n* (*pl* **-men**) Hollandais *m*. ◆**Dutchwoman** *n* (*pl* **-women**) Hollandaise *f*.
duty ['djuːtɪ] *n* devoir *m*; (*tax*) droit *m*; *pl* (*responsibilities*) fonctions *fpl*; **on d.** *Mil* de service; (*doctor etc*) de garde; *Sch* de permanence; **off d.** libre. ◆**d.-'free** *a* (*goods, shop*) hors-taxe *inv*. ◆**dutiful** *a* respectueux, obéissant; (*worker*) consciencieux.
dwarf [dwɔːf] *n* nain *m*, naine *f*; – *vt* (*of building, person etc*) rapetisser, écraser.
dwell [dwel] *vi* (*pt & pp* **dwelt**) demeurer; **to d. (up)on** (*think about*) penser sans cesse à; (*speak about*) parler sans cesse de, s'étendre sur; (*insist on*) appuyer sur. ◆**—ing** *n* habitation *f*. ◆**—er** *n* habitant, -ante *mf*.
dwindl/e ['dwɪnd(ə)l] *vt* diminuer (peu à peu). ◆**—ing** *a* (*interest etc*) décroissant.
dye [daɪ] *n* teinture *f*; – *vt* teindre; **to d. green**/*etc* teindre en vert/*etc*. ◆**dyeing** *n* teinture *f*; (*industry*) teinturerie *f*. ◆**dyer** *n* teinturier, -ière *mf*.
dying ['daɪɪŋ] *see* **die 1**; – *a* mourant, moribond; (*custom*) qui se perd; (*day, words*) dernier; – *n* (*death*) mort *f*.
dyke [daɪk] *n* (*wall*) digue *f*; (*ditch*) fossé *m*.
dynamic [daɪ'næmɪk] *a* dynamique. ◆**'dynamism** *n* dynamisme *m*.
dynamite ['daɪnəmaɪt] *n* dynamite *f*; – *vt* dynamiter.
dynamo ['daɪnəməʊ] *n* (*pl* **-os**) dynamo *f*.
dynasty ['dɪnəstɪ, *Am* 'daɪnəstɪ] *n* dynastie *f*.
dysentery ['dɪsəntrɪ] *n* *Med* dysenterie *f*.
dyslexic [dɪs'leksɪk] *a* & *n* dyslexique (*mf*).

E

E, e [iː] *n* E, e *m*.
each [iːtʃ] *a* chaque; – *pron* chacun, -une; **e. one** chacun, -une; **e. other** l'un(e) l'autre, *pl* les un(e)s les autres; **to see e. other** se voir (l'un(e) l'autre); **e. of us** chacun, -une d'entre nous.
eager ['iːgər] *a* impatient (**to do** de faire); (*enthusiastic*) ardent, passionné; **to be e. for** désirer vivement; **e. for** (*money*) avide de; **e. to help** empressé (à aider); **to be e. to do** (*want*) avoir envie de faire. ◆**—ly** *adv* (*to await*) avec impatience; (*to work, serve*) avec empressement. ◆**—ness** *n* impatience *f* (**to do** de faire); (*zeal*) empressement *m* (**to do** à faire); (*greed*) avidité *f*.
eagle ['iːg(ə)l] *n* aigle *m*. ◆**e.-'eyed** *a* au regard d'aigle.
ear¹ [ɪər] *n* oreille *f*; **all ears** *Fam* tout ouïe; **up to one's ears in work** débordé de travail; **to play it by e.** *Fam* agir selon la situation; **thick e.** *Fam* gifle *f*. ◆**earache** *n* mal *m* d'oreille. ◆**eardrum** *n* tympan *m*. ◆**earmuffs** *npl* serre-tête *m inv* (*pour protéger les oreilles*), protège-oreilles *m inv*. ◆**earphones** *npl* casque *m*. ◆**earpiece** *n* écouteur *m*. ◆**earplug** *n* (*to keep out noise*) boule *f* Quiès®. ◆**earring** *n* boucle *f* d'oreille. ◆**earshot** *n* **within e.** à portée de voix. ◆**ear-splitting** *a* assourdissant.
ear² [ɪər] *n* (*of corn*) épi *m*.
earl [ɜːl] *n* comte *m*.
early ['ɜːlɪ] *a* (**-ier, -iest**) (*first*) premier; (*fruit, season*) précoce; (*death*) prématuré; (*age*) jeune; (*painting, work*) de jeunesse; (*reply*) rapide; (*return, retirement*) anticipé; (*ancient*) ancien; **it's e.** (*looking at time*) il est tôt; (*referring to appointment etc*) c'est tôt; **it's too e. to get up**/*etc* il est trop tôt pour se lever/*etc*; **to be e.** (*ahead of time*) arriver de bonne heure *or* tôt, être en avance; (*in getting up*) être matinal; **in e. times** jadis; **in e. summer** au début de l'été; **one's e. life** sa jeunesse; – *adv* tôt, de bonne heure; (*ahead of time*) en avance; (*to die*) prématurément; **as e. as possible** le plus tôt possible; **earlier (on)** plus tôt; **at**

the earliest au plus tôt; **as e. as yesterday** déjà hier. ◆**e.-'warning system** *n* dispositif *m* de première alerte.

earmark ['ɪəmɑːk] *vt* (*funds*) assigner (**for** à).

earn [ɜːn] *vt* gagner; (*interest*) *Fin* rapporter. ◆**—ings** *npl* (*wages*) rémunérations *fpl*; (*profits*) bénéfices *mpl*.

earnest ['ɜːnɪst] *a* sérieux; (*sincere*) sincère; – *n* **in e.** sérieusement; **it's raining in e.** il pleut pour de bon; **he's in e.** il est sérieux. ◆**—ness** *n* sérieux *m*; sincérité *f*.

earth [ɜːθ] *n* (*world, ground*) terre *f*; *El* terre *f*, masse *f*; **to fall to e.** tomber à *or* par terre; **nothing/nobody on e.** rien/personne au monde; **where/what on e.?** où/que diable? ◆**earthly** *a* (*possessions etc*) terrestre; **not an e. chance** *Fam* pas la moindre chance; **for no e. reason** *Fam* sans la moindre raison. ◆**earthy** *a* terreux; (*person*) *Fig* terre-à-terre *inv*. ◆**earthquake** *n* tremblement *m* de terre. ◆**earthworks** *npl* (*excavations*) terrassements *mpl*. ◆**earthworm** *n* ver *m* de terre.

earthenware ['ɜːθənweər] *n* faïence *f*; – *a* en faïence.

earwig ['ɪəwɪg] *n* (*insect*) perce-oreille *m*.

ease [iːz] **1** *n* (*physical*) bien-être *m*; (*mental*) tranquillité *f*; (*facility*) facilité *f*; **(ill) at e.** (*in situation*) (mal) à l'aise; **at e.** (*of mind*) tranquille; **(stand) at e.!** *Mil* repos!; **with e.** facilement. **2** *vt* (*pain*) soulager; (*mind*) calmer; (*tension*) diminuer; (*loosen*) relâcher; **to e. off/along** enlever/déplacer doucement; **to e. oneself through** se glisser par; – *vi* **to e. (off *or* up)** (*of situation*) se détendre; (*of pressure*) diminuer; (*of demand*) baisser; (*of pain*) se calmer; (*not work so hard*) se relâcher. ◆**easily** *adv* facilement; **e. the best/*etc*** de loin le meilleur/*etc*; **that could e. be** ça pourrait bien être. ◆**easiness** *n* aisance *f*.

easel ['iːz(ə)l] *n* chevalet *m*.

east [iːst] *n* est *m*; **Middle/Far E.** Moyen-/Extrême-Orient *m*; – *a* (*coast*) est *inv*; (*wind*) d'est; **E. Africa** Afrique *f* orientale; **E. Germany** Allemagne *f* de l'Est; – *adv* à l'est, vers l'est. ◆**eastbound** *a* (*carriageway*) est *inv*; (*traffic*) en direction de l'est. ◆**easterly** *a* (*point*) est *inv*; (*direction*) de l'est; (*wind*) d'est. ◆**eastern** *a* (*coast*) est *inv*; **E. France** l'Est *m* de la France; **E. Europe** Europe *f* de l'Est. ◆**easterner** *n* habitant, -ante *mf* de l'Est. ◆**eastward(s)** *a* & *adv* vers l'est.

Easter ['iːstər] *n* Pâques *m sing or fpl*; **E. week** semaine *f* pascale; **Happy E.!** joyeuses Pâques!

easy ['iːzɪ] *a* (**-ier, -iest**) facile; (*manners*) naturel; (*life*) tranquille; (*pace*) modéré; **to feel e. in one's mind** être tranquille; **to be an e. first** *Sp* être bon premier; **I'm e.** *Fam* ça m'est égal; **e. chair** fauteuil *m* (rembourré); – *adv* doucement; **go e. on** (*sugar etc*) vas-y doucement *or* mollo avec; (*person*) ne sois pas trop dur avec *or* envers; **take it e.** (*rest*) repose-toi; (*work less*) ne te fatigue pas; (*calm down*) calme-toi; (*go slow*) ne te presse pas. ◆**easy'going** *a* (*carefree*) insouciant; (*easy to get on with*) traitable.

eat [iːt] *vt* (*pt* **ate** [et, *Am* eɪt], *pp* **eaten** ['iːt(ə)n]) manger; (*meal*) prendre; (*one's words*) *Fig* ravaler; **to e. breakfast** *or* **lunch** déjeuner; **what's eating you?** *Sl* qu'est-ce qui te tracasse?; **to e. up** (*finish*) finir; **eaten up with** (*envy*) dévoré de; – *vi* manger; **to e. into** (*of acid*) ronger; **to e. out** (*lunch*) déjeuner dehors; (*dinner*) dîner dehors. ◆**—ing** *a* **e. apple** pomme *f* à couteau; **e. place** restaurant *m*. ◆**—able** *a* mangeable. ◆**—er** *n* **big e.** gros mangeur *m*, grosse mangeuse *f*.

eau de Cologne [əʊdəkə'ləʊn] *n* eau *f* de Cologne.

eaves [iːvz] *npl* avant-toit *m*. ◆**eavesdrop** *vt* (**-pp-**) **to e. (on)** écouter (de façon indiscrète). ◆**eavesdropper** *n* oreille *f* indiscrète.

ebb [eb] *n* reflux *m*; **e. and flow** le flux et le reflux; **e. tide** marée *f* descendante; **at a low e.** *Fig* très bas; – *vi* refluer; **to e. (away)** (*of strength etc*) *Fig* décliner.

ebony ['ebənɪ] *n* (*wood*) ébène *f*.

ebullient [ɪ'bʌlɪənt] *a* exubérant.

eccentric [ɪk'sentrɪk] *a* & *n* excentrique (*mf*). ◆**eccen'tricity** *n* excentricité *f*.

ecclesiastic [ɪkliːzɪ'æstɪk] *a* & *n* ecclésiastique (*m*). ◆**ecclesiastical** *a* ecclésiastique.

echelon ['eʃəlɒn] *n* (*of organization*) échelon *m*.

echo ['ekəʊ] *n* (*pl* **-oes**) écho *m*; – *vt* (*sound*) répercuter; (*repeat*) *Fig* répéter; – *vi* **the explosion/*etc* echoed** l'écho de l'explosion/*etc* se répercuta; **to e. with the sound of** résonner de l'écho de.

éclair [eɪ'kleər] *n* (*cake*) éclair *m*.

eclectic [ɪ'klektɪk] *a* éclectique.

eclipse [ɪ'klɪps] *n* (*of sun etc*) & *Fig* éclipse *f*; – *vt* éclipser.

ecology [ɪ'kɒlədʒɪ] *n* écologie *f*. ◆**eco'logical** *a* écologique.

economic [iːkə'nɒmɪk] *a* économique; (*profitable*) rentable. ◆**economical** *a* économique; (*thrifty*) économe. ◆**economically** *adv* économiquement. ◆**economics** *n* (science *f*) économique *f*; (*profitability*) aspect *m* financier.

economy [ɪ'kɒnəmɪ] *n* (*saving, system, thrift*) économie *f*; **e. class** *Av* classe *f* touriste. ◆**economist** *n* économiste *mf*. ◆**economize** *vti* économiser (**on** sur).

ecstasy ['ekstəsɪ] *n* extase *f*. ◆**ec'static** *a* extasié; **to be e. about** s'extasier sur. ◆**ec'statically** *adv* avec extase.

ecumenical [iːkjʊ'menɪk(ə)l] *a* œcuménique.

eczema ['eksɪmə] *n Med* eczéma *m*.

eddy ['edɪ] *n* tourbillon *m*, remous *m*.

edg/e [edʒ] *n* bord *m*; (*of forest*) lisière *f*; (*of town*) abords *mpl*; (*of page*) marge *f*; (*of knife etc*) tranchant *m*, fil *m*; **on e.** (*person*) énervé; (*nerves*) tendu; **to set s.o.'s teeth on e.** (*irritate s.o.*) crisper qn, faire grincer les dents à qn; **to have the e.** *or* **a slight e.** *Fig* être légèrement supérieur (**over, on** à); – *vt* (*clothing etc*) border (**with** de); – *vti* **to e. (oneself) into** (*move*) se glisser dans; **to e. (oneself) forward** avancer doucement. ◆**—ing** *n* (*border*) bordure *f*. ◆**edgeways** *adv* de côté; **to get a word in e.** *Fam* placer un mot.

edgy ['edʒɪ] *a* (**-ier, -iest**) énervé. ◆**edginess** *n* nervosité *f*.

edible ['edɪb(ə)l] *a* (*mushroom, berry etc*) comestible; (*meal, food*) mangeable.

edict ['iːdɪkt] *n* décret *m*; *Hist* édit *m*.

edifice ['edɪfɪs] *n* (*building, organization*) édifice *m*.

edify ['edɪfaɪ] *vt* (*improve the mind of*) édifier.

Edinburgh ['edɪnb(ə)rə] *n* Édimbourg *m or f*.

edit ['edɪt] *vt* (*newspaper etc*) diriger; (*article etc*) mettre au point; (*film*) monter; (*annotate*) éditer; (*compile*) rédiger; **to e. (out)** (*cut out*) couper. ◆**editor** *n* (*of review*) directeur, -trice *mf*; (*compiler*) rédacteur, -trice *mf*; *TV Rad* réalisateur, -trice *mf*; **sports e.** *Journ* rédacteur *m* sportif, rédactrice *f* sportive; **the e. (in chief)** (*of newspaper*) le rédacteur *m* en chef. ◆**edi'torial** *a* de la rédaction; **e. staff** rédaction *f*; – *n* éditorial *m*.

edition [ɪ'dɪʃ(ə)n] *n* édition *f*.

educat/e ['edjʊkeɪt] *vt* (*family, children*) éduquer; (*pupil*) instruire; (*mind*) former, éduquer; **to be educated at** faire ses études à. ◆**—ed** *a* (*voice*) cultivé; **(well-)e.** (*person*) instruit. ◆**edu'cation** *n* éducation *f*; (*teaching*) instruction *f*, enseignement *m*; (*training*) formation *f*; (*subject*) *Univ* pédagogie *f*. ◆**edu'cational** *a* (*establishment*) d'enseignement; (*method*) pédagogique; (*game*) éducatif; (*supplies*) scolaire. ◆**edu'cationally** *adv* du point de vue de l'éducation. ◆**educator** *n* éducateur, -trice *mf*.

EEC [iːiː'siː] *n abbr* (*European Economic Community*) CEE *f*.

eel [iːl] *n* anguille *f*.

eerie ['ɪərɪ] *a* (**-ier, -iest**) sinistre, étrange.

efface [ɪ'feɪs] *vt* effacer.

effect [ɪ'fekt] **1** *n* (*result, impression*) effet *m* (**on** sur); *pl* (*goods*) biens *mpl*; **to no e.** en vain; **in e.** en fait; **to put into e.** mettre en application, faire entrer en vigueur; **to come into e., take e.** entrer en vigueur; **to take e.** (*of drug etc*) agir; **to have an e.** (*of medicine etc*) faire de l'effet; **to have no e.** rester sans effet; **to this e.** (*in this meaning*) dans ce sens; **to the e. that** (*saying that*) comme quoi. **2** *vt* (*carry out*) effectuer, réaliser.

effective [ɪ'fektɪv] *a* (*efficient*) efficace; (*actual*) effectif; (*striking*) frappant; **to become e.** (*of law*) prendre effet. ◆**—ly** *adv* efficacement; (*in effect*) effectivement. ◆**—ness** *n* efficacité *f*; (*quality*) effet *m* frappant.

effeminate [ɪ'femɪnɪt] *a* efféminé.

effervescent [efə'ves(ə)nt] *a* (*mixture, youth*) effervescent; (*drink*) gazeux. ◆**effervesce** *vi* (*of drink*) pétiller. ◆**effervescence** *n* (*excitement*) & *Ch* effervescence *f*; pétillement *m*.

effete [ɪ'fiːt] *a* (*feeble*) mou, faible; (*decadent*) décadent.

efficient [ɪ'fɪʃ(ə)nt] *a* (*method*) efficace; (*person*) compétent, efficace; (*organization*) efficace, performant; (*machine*) performant, à haut rendement. ◆**efficiency** *n* efficacité *f*; compétence *f*; performances *fpl*. ◆**efficiently** *adv* efficacement; avec compétence; **to work e.** (*of machine*) bien fonctionner.

effigy ['efɪdʒɪ] *n* effigie *f*.

effort ['efət] *n* effort *m*; **to make an e.** faire un effort (**to** pour); **it isn't worth the e.** ça ne *or* n'en vaut pas la peine; **his** *or* **her latest e.** *Fam* ses dernières tentatives. ◆**—less** *a* (*victory etc*) facile. ◆**—lessly** *adv* facilement, sans effort.

effrontery [ɪ'frʌntərɪ] *n* effronterie *f*.

effusive [ɪ'fjuːsɪv] *a* (*person*) expansif; (*thanks, excuses*) sans fin. ◆**—ly** *adv* avec effusion.

e.g. [iːˈdʒiː] *abbr* (*exempli gratia*) par exemple.
egalitarian [ɪgælɪˈteərɪən] *a* (*society etc*) égalitaire.
egg¹ [eg] *n* œuf *m*; **e. timer** sablier *m*; **e. whisk** fouet *m* (à œufs). ◆**eggcup** *n* coquetier *m*. ◆**egghead** *n Pej* intellectuel, -elle *mf*. ◆**eggplant** *n* aubergine *f*. ◆**eggshell** *n* coquille *f*.
egg² [eg] *vt* **to e. on** (*encourage*) inciter (**to do** à faire).
ego [ˈiːgəʊ] *n* (*pl* **-os**) **the e.** *Psy* le moi. ◆**ego'centric** *a* égocentrique. ◆**egoism** *n* égoïsme *m*. ◆**egoist** *n* égoïste *mf*. ◆**ego'istic(al)** *a* égoïste. ◆**egotism** *n* égotisme *m*.
Egypt [ˈiːdʒɪpt] *n* Égypte *f*. ◆**E'gyptian** *a* & *n* égyptien, -ienne (*mf*).
eh? [eɪ] *int Fam* hein?
eiderdown [ˈaɪdədaʊn] *n* édredon *m*.
eight [eɪt] *a* & *n* huit (*m*). ◆**eigh'teen** *a* & *n* dix-huit (*m*). ◆**eigh'teenth** *a* & *n* dix-huitième (*mf*). ◆**eighth** *a* & *n* huitième (*mf*); **an e.** un huitième. ◆**eightieth** *a* & *n* quatre-vingtième (*mf*). ◆**eighty** *a* & *n* quatre-vingts (*m*); **e.-one** quatre-vingt-un.
Eire [ˈeərə] *n* République *f* d'Irlande.
either [ˈaɪðər] **1** *a* & *pron* (*one or other*) l'un(e) ou l'autre; (*with negative*) ni l'un(e) ni l'autre; (*each*) chaque; **on e. side** de chaque côté, des deux côtés. **2** *adv* **she can't swim e.** elle ne sait pas nager non plus; **I don't e.** (ni) moi non plus; **not so far off e.** (*moreover*) pas si loin d'ailleurs. **3** *conj* **e. . . . or** ou (bien) . . . ou (bien), soit . . . soit; (*with negative*) ni . . . ni.
eject [ɪˈdʒekt] *vt* expulser; *Tech* éjecter. ◆**ejector** *a* **e. seat** *Av* siège *m* éjectable.
eke [iːk] *vt* **to e. out** (*income etc*) faire durer; **to e. out a living** gagner (difficilement) sa vie.
elaborate [ɪˈlæbərət] *a* compliqué, détaillé; (*preparation*) minutieux; (*style*) recherché; (*meal*) raffiné; – [ɪˈlæbəreɪt] *vt* (*theory etc*) élaborer; – *vi* entrer dans les détails (**on** de). ◆**—ly** *adv* (*to plan*) minutieusement; (*to decorate*) avec recherche. ◆**elabo'ration** *n* élaboration *f*.
elapse [ɪˈlæps] *vi* s'écouler.
elastic [ɪˈlæstɪk] *a* (*object, character*) élastique; **e. band** élastique *m*; – *n* (*fabric*) élastique *m*. ◆**ela'sticity** *n* élasticité *f*.
elated [ɪˈleɪtɪd] *a* transporté de joie. ◆**elation** *n* exaltation *f*.
elbow [ˈelbəʊ] *n* coude *m*; **e. grease** *Fam* huile *f* de coude; **to have enough e. room** avoir assez de place; – *vt* **to e. one's way** se frayer un chemin (à coups de coude) (**through** à travers).
elder¹ [ˈeldər] *a* & *n* (*of two people*) aîné, -ée (*mf*). ◆**elderly** *a* assez âgé, entre deux âges. ◆**eldest** *a* & *n* aîné, -ée (*mf*); **his** *or* **her e. brother** l'aîné de ses frères.
elder² [ˈeldər] *n* (*tree*) sureau *m*.
elect [ɪˈlekt] *vt Pol* élire (**to** à); **to e. to do** choisir de faire; – *a* **the president/***etc* **e.** le président/*etc* désigné. ◆**election** *n* élection *f*; **general e.** élections *fpl* législatives; – *a* (*campaign*) électoral; (*day, results*) du scrutin, des élections. ◆**electio'neering** *n* campagne *f* électorale. ◆**elective** *a* (*course*) *Am* facultatif. ◆**electoral** *a* électoral. ◆**electorate** *n* électorat *m*.
electric [ɪˈlektrɪk] *a* électrique; **e. blanket** couverture *f* chauffante; **e. shock** décharge *f* électrique; **e. shock treatment** électrochoc *m*. ◆**electrical** *a* électrique; **e. engineer** ingénieur *m* électricien. ◆**elec'trician** *n* électricien *m*. ◆**elec'tricity** *n* électricité *f*. ◆**electrify** *vt Rail* électrifier; (*excite*) *Fig* électriser. ◆**electrocute** *vt* électrocuter.
electrode [ɪˈlektrəʊd] *n El* électrode *f*.
electron [ɪˈlektrɒn] *n* électron *m*; – *a* (*microscope*) électronique. ◆**elec'tronic** *a* électronique. ◆**elec'tronics** *n* électronique *f*.
elegant [ˈelɪgənt] *a* élégant. ◆**elegance** *n* élégance *f*. ◆**elegantly** *adv* avec élégance, élégamment.
elegy [ˈelədʒɪ] *n* élégie *f*.
element [ˈeləmənt] *n* (*component, environment*) élément *m*; (*of heater*) résistance *f*; **an e. of truth** un grain *or* une part de vérité; **the human/chance e.** le facteur humain/chance; **in one's e.** dans son élément. ◆**ele'mental** *a* élémentaire. ◆**ele'mentary** *a* élémentaire; (*school*) *Am* primaire; **e. courtesy** la courtoisie la plus élémentaire.
elephant [ˈelɪfənt] *n* éléphant *m*. ◆**elephantine** [elɪˈfæntaɪn] *a* (*large*) éléphantesque; (*clumsy*) gauche.
elevate [ˈelɪveɪt] *vt* élever (**to** à). ◆**ele'vation** *n* élévation *f* (**of** de); (*height*) altitude *f*. ◆**elevator** *n Am* ascenseur *m*.
eleven [ɪˈlev(ə)n] *a* & *n* onze (*m*). ◆**elevenses** [ɪˈlev(ə)nzɪz] *n Fam* pause-café *f* (*vers onze heures du matin*). ◆**eleventh** *a* & *n* onzième (*mf*).
elf [elf] *n* (*pl* **elves**) lutin *m*.
elicit [ɪˈlɪsɪt] *vt* tirer, obtenir (**from** de).
elide [ɪˈlaɪd] *vt Ling* élider. ◆**elision** *n* élision *f*.

eligible ['elɪdʒəb(ə)l] *a* (*for post etc*) admissible (**for** à); (*for political office*) éligible (**for** à); **to be e. for** (*entitled to*) avoir droit à; **an e. young man** (*suitable as husband*) un beau parti. ◆**eligi'bility** *n* admissibilité *f*; *Pol* éligibilité *f*.
eliminate [ɪ'lɪmɪneɪt] *vt* éliminer (**from** de). ◆**elimi'nation** *n* élimination *f*.
elite [eɪ'liːt] *n* élite *f* (**of** de).
elk [elk] *n* (*animal*) élan *m*.
ellipse [ɪ'lɪps] *n Geom* ellipse *f*. ◆**elliptical** *a* elliptique.
elm [elm] *n* (*tree, wood*) orme *m*.
elocution [elə'kjuːʃ(ə)n] *n* élocution *f*.
elongate ['iːlɒŋgeɪt] *vt* allonger. ◆**elon'gation** *n* allongement *m*.
elope [ɪ'ləʊp] *vi* (*of lovers*) s'enfuir (**with** avec). ◆**—ment** *n* fugue *f* (amoureuse).
eloquent ['eləkwənt] *a* éloquent. ◆**eloquence** *n* éloquence *f*.
else [els] *adv* d'autre; **someone e.** quelqu'un d'autre; **everybody e.** tout le monde à part moi, vous *etc*, tous les autres; **nobody/nothing e.** personne/rien d'autre; **something e.** autre chose; **something** *or* **anything e.?** encore quelque chose?; **somewhere e.** ailleurs, autre part; **who e.?** qui encore?, qui d'autre?; **how e.?** de quelle autre façon?; **or e.** ou bien, sinon. ◆**elsewhere** *adv* ailleurs; **e. in the town** dans une autre partie de la ville.
elucidate [ɪ'luːsɪdeɪt] *vt* élucider.
elude [ɪ'luːd] *vt* (*enemy*) échapper à; (*question*) éluder; (*obligation*) se dérober à; (*blow*) esquiver. ◆**elusive** *a* (*enemy, aims*) insaisissable; (*reply*) évasif.
emaciated [ɪ'meɪsɪeɪtɪd] *a* émacié.
emanate ['eməneɪt] *vi* émaner (**from** de).
emancipate [ɪ'mænsɪpeɪt] *vt* (*women*) émanciper. ◆**emanci'pation** *n* émancipation *f*.
embalm [ɪm'bɑːm] *vt* (*dead body*) embaumer.
embankment [ɪm'bæŋkmənt] *n* (*of path etc*) talus *m*; (*of river*) berge *f*.
embargo [ɪm'bɑːgəʊ] *n* (*pl* **-oes**) embargo *m*.
embark [ɪm'bɑːk] *vt* embarquer; – *vi* (s')embarquer; **to e. on** (*start*) commencer, entamer; (*launch into*) se lancer dans, s'embarquer dans. ◆**embar'kation** *n* embarquement *m*.
embarrass [ɪm'bærəs] *vt* embarrasser, gêner. ◆**—ing** *a* (*question etc*) embarrassant. ◆**—ment** *n* embarras *m*, gêne *f*; (*financial*) embarras *mpl*.
embassy ['embəsɪ] *n* ambassade *f*.
embattled [ɪm'bæt(ə)ld] *a* (*political party, person etc*) assiégé de toutes parts; (*attitude*) belliqueux.
embedded [ɪm'bedɪd] *a* (*stick, bullet*) enfoncé; (*jewel*) & *Ling* enchâssé; (*in one's memory*) gravé; (*in stone*) scellé.
embellish [ɪm'belɪʃ] *vt* embellir. ◆**—ment** *n* embellissement *m*.
embers ['embəz] *npl* braise *f*, charbons *mpl* ardents.
embezzl/e [ɪm'bez(ə)l] *vt* (*money*) détourner. ◆**—ement** *n* détournement *m* de fonds. ◆**—er** *n* escroc *m*, voleur *m*.
embitter [ɪm'bɪtər] *vt* (*person*) aigrir; (*situation*) envenimer.
emblem ['embləm] *n* emblème *m*.
embody [ɪm'bɒdɪ] *vt* (*express*) exprimer; (*represent*) incarner; (*include*) réunir. ◆**embodiment** *n* incarnation *f* (**of** de).
emboss [ɪm'bɒs] *vt* (*metal*) emboutir; (*paper*) gaufrer, emboutir. ◆**—ed** *a* en relief.
embrace [ɪm'breɪs] *vt* étreindre, embrasser; (*include, adopt*) embrasser; – *vi* s'étreindre, s'embrasser; – *n* étreinte *f*.
embroider [ɪm'brɔɪdər] *vt* (*cloth*) broder; (*story, facts*) *Fig* enjoliver. ◆**embroidery** *n* broderie *f*.
embroil [ɪm'brɔɪl] *vt* **to e. s.o. in** mêler qn à.
embryo ['embrɪəʊ] *n* (*pl* **-os**) embryon *m*. ◆**embry'onic** *a Med* & *Fig* embryonnaire.
emcee [em'siː] *n Am* présentateur, -trice *mf*.
emend [ɪ'mend] *vt* (*text*) corriger.
emerald ['emərəld] *n* émeraude *f*.
emerge [ɪ'mɜːdʒ] *vi* apparaître (**from** de); (*from hole etc*) sortir; (*of truth, from water*) émerger; (*of nation*) naître; **it emerges that** il apparaît que. ◆**emergence** *n* apparition *f*.
emergency [ɪ'mɜːdʒənsɪ] *n* (*case*) urgence *f*; (*crisis*) crise *f*; (*contingency*) éventualité *f*; **in an e.** en cas d'urgence; – *a* (*measure etc*) d'urgence; (*exit, brake*) de secours; (*ward, services*) *Med* des urgences; **e. landing** atterrissage *m* forcé; **e. powers** *Pol* pouvoirs *mpl* extraordinaires.
emery ['emərɪ] *a* **e. cloth** toile *f* (d')émeri.
emigrant ['emɪgrənt] *n* émigrant, -ante *mf*. ◆**emigrate** *vi* émigrer. ◆**emi'gration** *n* émigration *f*.
eminent ['emɪnənt] *a* éminent. ◆**eminence** *n* distinction *f*; **his E.** *Rel* son Éminence. ◆**eminently** *adv* hautement, remarquablement.
emissary ['emɪsərɪ] *n* émissaire *m*.
emit [ɪ'mɪt] *vt* (**-tt-**) (*light, heat etc*) émettre;

(*smell*) dégager. ◆**emission** *n* émission *f*; dégagement *m*.

emotion [ɪ'məʊʃ(ə)n] *n* (*strength of feeling*) émotion *f*; (*joy, love etc*) sentiment *m*. ◆**emotional** *a* (*person, reaction*) émotif; (*story, speech*) émouvant; (*moment*) d'émotion intense; (*state*) *Psy* émotionnel. ◆**emotionally** *adv* (*to say*) avec émotion; **to be e. unstable** avoir des troubles émotifs. ◆**emotive** *a* (*person*) émotif; (*word*) affectif; **an e. issue** une question sensible.

emperor ['empərər] *n* empereur *m*.

emphasize ['emfəsaɪz] *vt* souligner (**that** que); (*word, fact*) appuyer *or* insister sur, souligner. ◆**emphasis** *n Ling* accent *m* (tonique); (*insistence*) insistance *f*; **to lay** *or* **put e. on** mettre l'accent sur. ◆**em'phatic** *a* (*person, refusal*) catégorique; (*forceful*) énergique; **to be e. about** insister sur. ◆**em'phatically** *adv* catégoriquement; énergiquement; **e. no!** absolument pas!

empire ['empaɪər] *n* empire *m*.

empirical [em'pɪrɪk(ə)l] *a* empirique. ◆**empiricism** *n* empirisme *m*.

employ [ɪm'plɔɪ] *vt* (*person, means*) employer; – *n* **in the e. of** employé par. ◆**employee** [ɪm'plɔɪiː, emplɔɪ'iː] *n* employé, -ée *mf*. ◆**employer** *n* patron, -onne *mf*. ◆**employment** *n* emploi *m*; **place of e.** lieu *m* de travail; **in the e. of** employé par; **e. agency** bureau *m* de placement.

empower [ɪm'paʊər] *vt* autoriser (**to do** à faire).

empress ['emprɪs] *n* impératrice *f*.

empt/y ['emptɪ] *a* (**-ier, -iest**) vide; (*threat, promise etc*) vain; (*stomach*) creux; **on an e. stomach** à jeun; **to return/***etc* **e.-handed** revenir/*etc* les mains vides; – *npl* (*bottles*) bouteilles *fpl* vides; – *vt* **to e. (out)** (*box, pocket, liquid etc*) vider; (*vehicle*) décharger; (*objects in box etc*) sortir (**from, out of** de); – *vi* se vider; (*of river*) se jeter (**into** dans). ◆**—iness** *n* vide *m*.

emulate ['emjʊleɪt] *vt* imiter. ◆**emu'lation** *n* émulation *f*.

emulsion [ɪ'mʌlʃ(ə)n] *n* (*paint*) peinture *f* (mate); *Phot* émulsion *f*.

enable [ɪ'neɪb(ə)l] *vt* **to e. s.o. to do** permettre à qn de faire.

enact [ɪn'ækt] *vt* (*law*) promulguer; (*part of play*) jouer.

enamel [ɪ'næm(ə)l] *n* émail *m*; – *a* en émail; – *vt* (**-ll-**, *Am* **-l-**) émailler.

enamoured [ɪn'æməd] *a* **e. of** (*thing*) séduit par; (*person*) amoureux de.

encamp [ɪn'kæmp] *vi* camper. ◆**—ment** *n* campement *m*.

encapsulate [ɪn'kæpsjʊleɪt] *vt Fig* résumer.

encase [ɪn'keɪs] *vt* recouvrir (**in** de).

enchant [ɪn'tʃɑːnt] *vt* enchanter. ◆**—ing** *a* enchanteur. ◆**—ment** *n* enchantement *m*.

encircle [ɪn'sɜːk(ə)l] *vt* entourer; *Mil* encercler. ◆**—ment** *n* encerclement *m*.

enclave ['enkleɪv] *n* enclave *f*.

enclos/e [ɪn'kləʊz] *vt* (*send with letter*) joindre (**in, with** à); (*fence off*) clôturer; **to e. with** (*a fence, wall*) entourer de. ◆**—ed** *a* (*space*) clos; (*cheque etc*) ci-joint; (*market*) couvert. ◆**enclosure** *n Com* pièce *f* jointe; (*fence, place*) enceinte *f*.

encompass [ɪn'kʌmpəs] *vt* (*surround*) entourer; (*include*) inclure.

encore ['ɒŋkɔːr] *int* & *n* bis (*m*); – *vt* bisser.

encounter [ɪn'kaʊntər] *vt* rencontrer; – *n* rencontre *f*.

encourage [ɪn'kʌrɪdʒ] *vt* encourager (**to do** à faire). ◆**—ment** *n* encouragement *m*.

encroach [ɪn'krəʊtʃ] *vi* empiéter (**on, upon** sur); **to e. on the land** (*of sea*) gagner du terrain. ◆**—ment** *n* empiétement *m*.

encumber [ɪn'kʌmbər] *vt* encombrer (**with** de). ◆**encum'brance** *n* embarras *m*.

encyclical [ɪn'sɪklɪk(ə)l] *n Rel* encyclique *f*.

encyclop(a)edia [ɪnsaɪklə'piːdɪə] *n* encyclopédie *f*. ◆**encyclop(a)edic** *a* encyclopédique.

end [end] *n* (*of street, object etc*) bout *m*, extrémité *f*; (*of time, meeting, book etc*) fin *f*; (*purpose*) fin *f*, but *m*; **at an e.** (*discussion etc*) fini; (*period*) écoulé; (*patience*) à bout; **in the e.** à la fin; **to come to an e.** prendre fin; **to put an e. to, bring to an e.** mettre fin à; **there's no e. to it** ça n'en finit plus; **no e. of** *Fam* beaucoup de; **six days on e.** six jours d'affilée; **for days on e.** pendant des jours (et des jours); **(standing) on e.** (*box etc*) debout; (*hair*) hérissé; – *a* (*row, house*) dernier; **e. product** *Com* produit *m* fini; *Fig* résultat *m*; – *vt* finir, terminer, achever (**with** par); (*rumour, speculation*) mettre fin à; – *vi* finir, se terminer, s'achever; **to e. in failure** se solder par un échec; **to e. in a point** finir en pointe; **to e. up doing** finir par faire; **to e. up in** (*London etc*) se retrouver à; **he ended up in prison/a doctor** il a fini en prison/par devenir médecin.

endanger [ɪn'deɪndʒər] *vt* mettre en danger.

endear [ɪn'dɪər] *vt* faire aimer *or* apprécier (**to** de); **that's what endears him to me** c'est cela qui me plaît en lui. ◆**—ing** *a* attachant, sympathique. ◆**—ment** *n* parole *f* tendre; **term of e.** terme *m* d'affection.

endeavour [ɪn'devər] *vi* s'efforcer (**to do** de faire); – *n* effort *m* (**to do** pour faire).

ending ['endɪŋ] *n* fin *f*; (*outcome*) issue *f*; *Ling* terminaison *f*. ◆**endless** *a* (*speech, series etc*) interminable; (*patience*) infini; (*countless*) innombrable. ◆**endlessly** *adv* interminablement.

endive ['endɪv, *Am* 'endaɪv] *n Bot Culin* (*curly*) chicorée *f*; (*smooth*) endive *f*.

endorse [ɪn'dɔːs] *vt* (*cheque etc*) endosser; (*action*) approuver; (*claim*) appuyer. ◆**—ment** *n* (*on driving licence*) contravention *f*.

endow [ɪn'daʊ] *vt* (*institution*) doter (**with** de); (*chair, hospital bed*) fonder; **endowed with** (*person*) *Fig* doté de. ◆**—ment** *n* dotation *f*; fondation *f*.

endur/e [ɪn'djʊər] **1** *vt* (*bear*) supporter (**doing** de faire). **2** *vi* (*last*) durer. ◆**—ing** *a* durable. ◆**—able** *a* supportable. ◆**endurance** *n* endurance *f*, résistance *f*.

enemy ['enəmɪ] *n* ennemi, -ie *mf*; – *a* (*army, tank etc*) ennemi.

energy ['enədʒɪ] *n* énergie *f*; – *a* (*crisis, resources etc*) énergétique. ◆**ener'getic** *a* énergique; **to feel e.** se sentir en pleine forme. ◆**ener'getically** *adv* énergiquement.

enforc/e [ɪn'fɔːs] *vt* (*law*) faire respecter; (*discipline*) imposer (**on** à). ◆**—ed** *a* (*rest, silence etc*) forcé.

engag/e [ɪn'geɪdʒ] *vt* (*take on*) engager, prendre; **to e. s.o. in conversation** engager la conversation avec qn; **to e. the clutch** *Aut* embrayer; – *vi* **to e. in** (*launch into*) se lancer dans; (*be involved in*) être mêlé à. ◆**—ed** *a* **1** (*person, toilet*) & *Tel* occupé; **e. in doing** occupé à faire; **to be e. in business**/*etc* être dans les affaires/*etc*. **2** (*betrothed*) fiancé; **to get e.** se fiancer. ◆**—ing** *a* (*smile*) engageant. ◆**—ement** *n* (*agreement to marry*) fiançailles *fpl*; (*meeting*) rendez-vous *m inv*; (*undertaking*) engagement *m*; **to have a prior e.** (*be busy*) être déjà pris, ne pas être libre; **e. ring** bague *f* de fiançailles.

engender [ɪn'dʒendər] *vt* (*produce*) engendrer.

engine ['endʒɪn] *n Aut* moteur *m*; *Rail* locomotive *f*; *Nau* machine *f*; **e. driver** mécanicien *m*.

engineer [endʒɪ'nɪər] **1** *n* ingénieur *m*; (*repairer*) dépanneur *m*; *Rail Am* mécanicien *m*; **civil e.** ingénieur *m* des travaux publics; **mechanical e.** ingénieur *m* mécanicien. **2** *vt* (*arrange secretly*) machiner. ◆**—ing** *n* ingénierie *f*; **(civil) e.** génie *m* civil, travaux *mpl* publics; **(mechanical) e.** mécanique *f*; **e. factory** atelier *m* de construction mécanique.

England ['ɪŋglənd] *n* Angleterre *f*. ◆**English** *a* anglais; **the E. Channel** la Manche; **the E.** les Anglais *mpl*; – *n* (*language*) anglais *m*. ◆**Englishman** *n* (*pl* **-men**) Anglais *m*. ◆**English-speaking** *a* anglophone. ◆**Englishwoman** *n* (*pl* **-women**) Anglaise *f*.

engrav/e [ɪn'greɪv] *vt* graver. ◆**—ing** *n* gravure *f*. ◆**—er** *n* graveur *m*.

engrossed [ɪn'grəʊst] *a* absorbé (**in** par).

engulf [ɪn'gʌlf] *vt* engloutir.

enhance [ɪn'hɑːns] *vt* (*beauty etc*) rehausser; (*value*) augmenter.

enigma [ɪ'nɪgmə] *n* énigme *f*. ◆**enig'matic** *a* énigmatique.

enjoy [ɪn'dʒɔɪ] *vt* aimer (**doing** faire); (*meal*) apprécier; (*income, standard of living etc*) jouir de; **to e. the evening** passer une bonne soirée; **to e. oneself** s'amuser; **to e. being in London**/*etc* se plaire à Londres/*etc*. ◆**—able** *a* agréable. ◆**—ably** *adv* agréablement. ◆**—ment** *n* plaisir *m*.

enlarge [ɪn'lɑːdʒ] *vt* agrandir; – *vi* s'agrandir; **to e. (up)on** (*say more about*) s'étendre sur. ◆**—ment** *n* agrandissement *m*.

enlighten [ɪn'laɪt(ə)n] *vt* éclairer (**s.o. on** *or* **about sth** qn sur qch). ◆**—ing** *a* instructif. ◆**—ment** *n* (*explanations*) éclaircissements *mpl*; **an age of e.** une époque éclairée.

enlist [ɪn'lɪst] *vi* (*in the army etc*) s'engager; – *vt* (*recruit*) engager; (*supporter*) recruter; (*support*) obtenir. ◆**—ment** *n* engagement *m*; recrutement *m*.

enliven [ɪn'laɪv(ə)n] *vt* (*meeting, people etc*) égayer, animer.

enmeshed [ɪn'meʃt] *a* empêtré (**in** dans).

enmity ['enmɪtɪ] *n* inimitié *f* (**between** entre).

enormous [ɪ'nɔːməs] *a* énorme; (*explosion*) terrible; (*success*) fou. ◆**enormity** *n* (*vastness, extent*) énormité *f*; (*atrocity*) atrocité *f*. ◆**enormously** *adv* (*very much*) énormément; (*very*) extrêmement.

enough [ɪ'nʌf] *a* & *n* assez (de); **e. time/cups**/*etc* assez de temps/de tasses/*etc*; **to have e. to live on** avoir de quoi vivre; **to have e. to drink** avoir assez à boire; **to have had e. of** *Pej* en avoir assez de; **it's e. for me to see that . . .** il me suffit de voir que . . . ; **that's e.** ça suffit, c'est assez; – *adv* assez, suffisamment (**to** pour); **strangely e., he left** chose curieuse, il est parti.

enquire [ɪn'kwaɪər] *vi* = **inquire.**

enquiry [ɪn'kwaɪərɪ] *n* = **inquiry.**

enrage [ɪn'reɪdʒ] *vt* mettre en rage.

enrapture [ɪn'ræptʃər] *vt* ravir.

enrich [ɪn'rɪtʃ] *vt* enrichir; (*soil*) fertiliser. ◆**—ment** *n* enrichissement *m.*

enrol [ɪn'rəʊl] (*Am* **enroll**) *vi* (**-ll-**) s'inscrire (**in, for** à); – *vt* inscrire. ◆**—ment** *n* inscription *f*; (*people enrolled*) effectif *m.*

ensconced [ɪn'skɒnst] *a* bien installé (**in** dans).

ensemble [ɒn'sɒmb(ə)l] *n* (*clothes*) & *Mus* ensemble *m.*

ensign ['ensən] *n* (*flag*) pavillon *m*; (*rank*) *Am Nau* enseigne *m* de vaisseau.

enslave [ɪn'sleɪv] *vt* asservir.

ensu/e [ɪn'sjuː] *vi* s'ensuivre. ◆**—ing** *a* (*day, year etc*) suivant; (*event*) qui s'ensuit.

ensure [ɪn'ʃʊər] *vt* assurer; **to e. that** (*make sure*) s'assurer que.

entail [ɪn'teɪl] *vt* (*imply, involve*) entraîner, impliquer.

entangle [ɪn'tæŋg(ə)l] *vt* emmêler, enchevêtrer; **to get entangled** s'empêtrer. ◆**—ment** *n* enchevêtrement *m*; **an e. with** (*police*) des démêlés *mpl* avec.

enter ['entər] *vt* (*room, vehicle, army etc*) entrer dans; (*road*) s'engager dans; (*university*) s'inscrire à; (*write down*) inscrire (**in** dans, **on** sur); (*in ledger*) porter (**in** sur); **to e. s.o. for** (*exam*) présenter qn à; **to e. a painting/***etc* **in** (*competition*) présenter un tableau/*etc* à; **it didn't e. my head** ça ne m'est pas venu à l'esprit (**that** que); – *vi* entrer; **to e. for** (*race, exam*) s'inscrire pour; **to e. into** (*plans*) entrer dans; (*conversation, relations*) entrer en; **you don't e. into it** tu n'y es pour rien; **to e. into** *or* **upon** (*career*) entrer dans; (*negotiations*) entamer; (*agreement*) conclure.

enterpris/e ['entəpraɪz] *n* (*undertaking, firm*) entreprise *f*; (*spirit*) *Fig* initiative *f.* ◆**—ing** *a* (*person*) plein d'initiative; (*attempt*) hardi.

entertain [entə'teɪn] *vt* amuser, distraire; (*guest*) recevoir; (*idea, possibility*) envisager; (*hope*) chérir; **to e. s.o. to a meal** recevoir qn à dîner; – *vi* (*receive guests*) recevoir. ◆**—ing** *a* amusant. ◆**—er** *n* artiste *mf.* ◆**—ment** *n* amusement *m*, distraction *f*; (*show*) spectacle *m.*

enthral(l) [ɪn'θrɔːl] *vt* (**-ll-**) (*delight*) captiver.

enthuse [ɪn'θjuːz] *vi* **to e. over** *Fam* s'emballer pour. ◆**enthusiasm** *n* enthousiasme *m.* ◆**enthusiast** *n* enthousiaste *mf*; **jazz/***etc* **e.** passionné, -ée *mf* du jazz/*etc.* ◆**enthusi'astic** *a* enthousiaste; (*golfer etc*) passionné; **to be e. about** (*hobby*) être passionné de; **he was e. about** *or* **over** (*gift etc*) il a été emballé par; **to get e.** s'emballer (**about** pour). ◆**enthusi'astically** *adv* avec enthousiasme.

entic/e [ɪn'taɪs] *vt* attirer (par la ruse); **to e. to do** entraîner (par la ruse) à faire. ◆**—ing** *a* séduisant, alléchant. ◆**—ement** *n* (*bait*) attrait *m.*

entire [ɪn'taɪər] *a* entier. ◆**—ly** *adv* tout à fait, entièrement. ◆**entirety** [ɪn'taɪərətɪ] *n* intégralité *f*; **in its e.** en entier.

entitl/e [ɪn'taɪt(ə)l] *vt* **to e. s.o. to do** donner à qn le droit de faire; **to e. s.o. to sth** donner à qn (le) droit à qch; **that entitles me to believe that . . .** ça m'autorise à croire que . . . . ◆**—ed** *a* (*book*) intitulé; **to be e. to do** avoir le droit de faire; **to be e. to sth** avoir droit à qch. ◆**—ement** *n* **one's e.** son dû.

entity ['entɪtɪ] *n* entité *f.*

entourage ['ɒntʊrɑːʒ] *n* entourage *m.*

entrails ['entreɪlz] *npl* entrailles *fpl.*

entrance 1 ['entrəns] *n* entrée *f* (**to** de); (*to university etc*) admission *f* (**to** à); **e. examination** examen *m* d'entrée. **2** [ɪn'trɑːns] *vt Fig* transporter, ravir.

entrant ['entrənt] *n* (*in race*) concurrent, -ente *mf*; (*for exam*) candidat, -ate *mf.*

entreat [ɪn'triːt] *vt* supplier, implorer (**to do** de faire). ◆**entreaty** *n* supplication *f.*

entrée ['ɒntreɪ] *n Culin* entrée *f*; (*main dish*) *Am* plat *m* principal.

entrench [ɪn'trentʃ] *vt* **to e. oneself** *Mil* & *Fig* se retrancher.

entrust [ɪn'trʌst] *vt* confier (**to** à); **to e. s.o. with sth** confier qch à qn.

entry ['entrɪ] *n* (*way in, action*) entrée *f*; (*in ledger*) écriture *f*; (*term in dictionary or logbook*) entrée *f*; (*competitor*) *Sp* concurrent, -ente *mf*; (*thing to be judged in competition*) objet *m* (*or* œuvre *f or* projet *m*) soumis à un jury; **e. form** feuille *f* d'inscription; **'no e.'** (*on door etc*) 'entrée interdite'; (*road sign*) 'sens interdit'.

entwine [ɪn'twaɪn] *vt* entrelacer.

enumerate [ɪ'njuːməreɪt] *vt* énumérer. ◆**enume'ration** *n* énumération *f.*

enunciate [ɪ'nʌnsɪeɪt] *vt* (*word*) articuler; (*theory*) énoncer. ◆**enunci'ation** *n* articulation *f*; énonciation *f.*

envelop [ɪn'veləp] *vt* envelopper (**in fog/mystery/***etc* de brouillard/mystère/*etc*).

envelope ['envələʊp] *n* enveloppe *f.*

envious ['envɪəs] *a* envieux (**of sth** de qch);

e. of s.o. jaloux de qn. ◆**enviable** *a* enviable. ◆**enviously** *adv* avec envie.
environment [ɪn'vaɪərənmənt] *n* milieu *m*; (*cultural, natural*) environnement *m*. ◆**environ'mental** *a* du milieu; de l'environnement. ◆**environ'mentalist** *n* écologiste *mf*.
envisage [ɪn'vɪzɪdʒ] *vt* (*imagine*) envisager; (*foresee*) prévoir.
envision [ɪn'vɪʒ(ə)n] *vt Am* = **envisage.**
envoy ['envɔɪ] *n Pol* envoyé, -ée *mf*.
envy ['envɪ] *n* envie *f*; – *vt* envier (**s.o. sth** qch à qn).
ephemeral [ɪ'femərəl] *a* éphémère.
epic ['epɪk] *a* épique; – *n* épopée *f*; (**screen**) **e.** film *m* à grand spectacle.
epidemic [epɪ'demɪk] *n* épidémie *f*; – *a* épidémique.
epilepsy ['epɪlepsɪ] *n* épilepsie *f*. ◆**epi'leptic** *a* & *n* épileptique (*mf*).
epilogue ['epɪlɒg] *n* épilogue *m*.
episode ['epɪsəʊd] *n* épisode *m*. ◆**episodic** [epɪ'sɒdɪk] *a* épisodique.
epistle [ɪ'pɪs(ə)l] *n* épître *f*.
epitaph ['epɪtɑːf] *n* épitaphe *f*.
epithet ['epɪθet] *n* épithète *f*.
epitome [ɪ'pɪtəmɪ] *n* **the e. of** l'exemple même de, l'incarnation de. ◆**epitomize** *vt* incarner.
epoch ['iːpɒk] *n* époque *f*. ◆**e.-making** *a* (*event*) qui fait date.
equal ['iːkwəl] *a* égal (**to** à); **with e. hostility** avec la même hostilité; **on an e. footing** sur un pied d'égalité (**with** avec); **to be e. to** égaler; **e. to** (*task, situation*) *Fig* à la hauteur de; – *n* égal, -ale *mf*; **to treat s.o. as an e.** traiter qn en égal *or* d'égal à égal; **he doesn't have his e.** il n'a pas son pareil; – *vt* (**-ll-**, *Am* **-l-**) égaler (**in beauty**/*etc* en beauté/*etc*); **equals sign** *Math* signe *m* d'égalité. ◆**e'quality** *n* égalité *f*. ◆**equalize** *vt* égaliser; – *vi Sp* égaliser. ◆**equally** *adv* (*to an equal degree, also*) également; (*to divide*) en parts égales; **he's e. stupid** (*just as*) il est tout aussi bête.
equanimity [ekwə'nɪmɪtɪ] *n* égalité *f* d'humeur.
equate [ɪ'kweɪt] *vt* mettre sur le même pied (**with** que), assimiler (**with** à).
equation [ɪ'kweɪʒ(ə)n] *n Math* équation *f*.
equator [ɪ'kweɪtər] *n* équateur *m*; **at** *or* **on the e.** sous l'équateur. ◆**equatorial** [ekwə'tɔːrɪəl] *a* équatorial.
equestrian [ɪ'kwestrɪən] *a* équestre.
equilibrium [iːkwɪ'lɪbrɪəm] *n* équilibre *m*.
equinox ['iːkwɪnɒks] *n* équinoxe *m*.
equip [ɪ'kwɪp] *vt* (**-pp-**) équiper (**with** de); (**well-)equipped with** pourvu de; (**well-)equipped to do** compétent pour faire. ◆**—ment** *n* équipement *m*, matériel *m*.
equity ['ekwɪtɪ] *n* (*fairness*) équité *f*; *pl Com* actions *fpl*. ◆**equitable** *a* équitable.
equivalent [ɪ'kwɪvələnt] *a* & *n* équivalent (*m*). ◆**equivalence** *n* équivalence *f*.
equivocal [ɪ'kwɪvək(ə)l] *a* équivoque.
era ['ɪərə, *Am* 'erə] *n* époque *f*; (*historical, geological*) ère *f*.
eradicate [ɪ'rædɪkeɪt] *vt* supprimer; (*evil, prejudice*) extirper.
erase [ɪ'reɪz, *Am* ɪ'reɪs] *vt* effacer. ◆**eraser** *n* (*rubber*) gomme *f*. ◆**erasure** *n* rature *f*.
erect [ɪ'rekt] **1** *a* (*upright*) (bien) droit. **2** *vt* (*build*) construire; (*statue, monument*) ériger; (*scaffolding*) monter; (*tent*) dresser. ◆**erection** *n* construction *f*; érection *f*; montage *m*; dressage *m*.
ermine ['ɜːmɪn] *n* (*animal, fur*) hermine *f*.
erode [ɪ'rəʊd] *vt* éroder; (*confidence etc*) *Fig* miner, ronger. ◆**erosion** *n* érosion *f*.
erotic [ɪ'rɒtɪk] *a* érotique. ◆**eroticism** *n* érotisme *m*.
err [ɜːr] *vi* (*be wrong*) se tromper; (*sin*) pécher.
errand ['erənd] *n* commission *f*, course *f*; **e. boy** garçon *m* de courses.
erratic [ɪ'rætɪk] *a* (*conduct etc*) irrégulier; (*person*) lunatique.
error ['erər] *n* (*mistake*) erreur *f*, faute *f*; (*wrongdoing*) erreur *f*; **in e.** par erreur. ◆**erroneous** [ɪ'rəʊnɪəs] *a* erroné.
erudite ['eruːdaɪt, *Am* 'erjʊdaɪt] *a* érudit, savant. ◆**eru'dition** *n* érudition *f*.
erupt [ɪ'rʌpt] *vi* (*of volcano*) entrer en éruption; (*of pimples*) apparaître; (*of war, violence*) éclater. ◆**eruption** *n* (*of volcano, pimples, anger*) éruption *f* (**of** de); (*of violence*) flambée *f*.
escalate ['eskəleɪt] *vi* (*of war, violence*) s'intensifier; (*of prices*) monter en flèche; – *vt* intensifier. ◆**esca'lation** *n* escalade *f*.
escalator ['eskəleɪtər] *n* escalier *m* roulant.
escapade ['eskəpeɪd] *n* (*prank*) frasque *f*.
escape [ɪ'skeɪp] *vi* (*of gas, animal etc*) s'échapper; (*of prisoner*) s'évader, s'échapper; **to e. from** (*person*) échapper à; (*place, object*) s'échapper de; **escaped prisoner** évadé, -ée *mf*; – *vt* (*death*) échapper à; (*punishment*) éviter; **that name escapes me** ce nom m'échappe; **to e. notice** passer inaperçu; – *n* (*of gas etc*) fuite *f*; (*of person*) évasion *f*, fuite *f*; **to have a lucky** *or* **narrow e.** l'échapper belle. ◆**escapism** *n* évasion *f* (hors de la réalité). ◆**escapist** *a* (*film etc*) d'évasion.

eschew [ɪ'stʃuː] *vt* éviter, fuir.
escort ['eskɔːt] *n Mil Nau* escorte *f*; (*of woman*) cavalier *m*; – [ɪ'skɔːt] *vt* escorter.
Eskimo ['eskɪməʊ] *n* (*pl* **-os**) Esquimau, -aude *mf*; – *a* esquimau.
esoteric [esəʊ'terɪk] *a* obscur, ésotérique.
especial [ɪ'speʃəl] *a* particulier. ◆**—ly** *adv* (*in particular*) particulièrement; (*for particular purpose*) (tout) exprès; **e. as** d'autant plus que.
espionage ['espɪənɑːʒ] *n* espionnage *m*.
esplanade ['espləneɪd] *n* esplanade *f*.
espouse [ɪ'spaʊz] *vt* (*a cause*) épouser.
espresso [e'spresəʊ] *n* (*pl* **-os**) (café *m*) express *m*.
Esq [ɪ'skwaɪər] *abbr* (*esquire*) **J. Smith Esq** (*on envelope*) Monsieur J. Smith.
essay ['eseɪ] *n* (*attempt*) & *Liter* essai *m*; *Sch* rédaction *f*; *Univ* dissertation *f*.
essence ['esəns] *n Phil Ch* essence *f*; *Culin* extrait *m*, essence *f*; (*main point*) essentiel *m* (**of** de); **in e.** essentiellement.
essential [ɪ'senʃ(ə)l] *a* (*principal*) essentiel; (*necessary*) indispensable, essentiel; **it's e. that** il est indispensable que (+ *sub*); – *npl* **the essentials** l'essentiel *m* (**of** de); (*of grammar*) les éléments *mpl*. ◆**—ly** *adv* essentiellement.
establish [ɪ'stæblɪʃ] *vt* établir; (*state, society*) fonder. ◆**—ed** *a* **(well-)e.** (*firm*) solide; (*fact*) reconnu; (*reputation*) établi; **she's (well-)e.** elle a une réputation établie. ◆**—ment** *n* (*institution, firm*) établissement *m*; **the e. of** l'établissement de; la fondation de; **the E.** les classes *fpl* dirigeantes.
estate [ɪ'steɪt] *n* (*land*) terre(s) *f*(*pl*), propriété *f*; (*possessions*) *Jur* fortune *f*; (*of deceased person*) succession *f*; **housing e.** lotissement *m*; (*workers'*) cité *f* (ouvrière); **industrial e.** complexe *m* industriel; **e. agency** agence *f* immobilière; **e. agent** agent *m* immobilier; **e. car** break *m*; **e. tax** *Am* droits *mpl* de succession.
esteem [ɪ'stiːm] *vt* estimer; **highly esteemed** très estimé; – *n* estime *f*.
esthetic [es'θetɪk] *a Am* esthétique.
estimate ['estɪmeɪt] *vt* (*value*) estimer, évaluer; (*consider*) estimer (**that** que); – ['estɪmət] *n* (*assessment*) évaluation *f*, estimation *f*; (*judgement*) évaluation *f*; (*price for work to be done*) devis *m*; **rough e.** chiffre *m* approximatif. ◆**esti'mation** *n* jugement *m*; (*esteem*) estime *f*; **in my e.** à mon avis.
estranged [ɪ'streɪndʒd] *a* **to become e.** (*of couple*) se séparer.
estuary ['estjʊərɪ] *n* estuaire *m*.
etc [et'setərə] *adv* etc.
etch [etʃ] *vti* graver à l'eau forte. ◆**—ing** *n* (*picture*) eau-forte *f*.
eternal [ɪ'tɜːn(ə)l] *a* éternel. ◆**eternally** *adv* éternellement. ◆**eternity** *n* éternité *f*.
ether ['iːθər] *n* éther *m*. ◆**e'thereal** *a* éthéré.
ethic ['eθɪk] *n* éthique *f*. ◆**ethics** *n* (*moral standards*) moralité *f*; (*study*) *Phil* éthique *f*. ◆**ethical** *a* moral, éthique.
Ethiopia [iːθɪ'əʊpɪə] *n* Éthiopie *f*. ◆**Ethiopian** *a* & *n* éthiopien, -ienne (*mf*).
ethnic ['eθnɪk] *a* ethnique.
ethos ['iːθɒs] *n* génie *m*.
etiquette ['etɪket] *n* (*rules*) bienséances *fpl*; **(diplomatic) e.** protocole *m*, étiquette *f*; **professional e.** déontologie *f*.
etymology [etɪ'mɒlədʒɪ] *n* étymologie *f*.
eucalyptus [juːkə'lɪptəs] *n* (*tree*) eucalyptus *m*.
eulogy ['juːlədʒɪ] *n* panégyrique *m*, éloge *m*.
euphemism ['juːfəmɪz(ə)m] *n* euphémisme *m*.
euphoria [juː'fɔːrɪə] *n* euphorie *f*. ◆**euphoric** *a* euphorique.
Euro- ['jʊərəʊ] *pref* euro-.
Europe ['jʊərəp] *n* Europe *f*. ◆**Euro'pean** *a* & *n* européen, -éenne (*mf*).
euthanasia [juːθə'neɪzɪə] *n* euthanasie *f*.
evacuate [ɪ'vækjʊeɪt] *vt* évacuer. ◆**evacu'ation** *n* évacuation *f*.
evade [ɪ'veɪd] *vt* éviter, esquiver; (*pursuer, tax*) échapper à; (*law, question*) éluder.
evaluate [ɪ'væljʊeɪt] *vt* évaluer (**at** à). ◆**evalu'ation** *n* évaluation *f*.
evangelical [iːvæn'dʒelɪk(ə)l] *a Rel* évangélique.
evaporat/e [ɪ'væpəreɪt] *vi* s'évaporer; (*of hopes*) s'évanouir. ◆**—ed** *a* **e. milk** lait *m* concentré. ◆**evapo'ration** *n* évaporation *f*.
evasion [ɪ'veɪʒ(ə)n] *n* **e. of** (*pursuer etc*) fuite *f* devant; (*question*) esquive *f* de; **tax e.** évasion *f* fiscale. ◆**evasive** *a* évasif.
eve [iːv] *n* **the e. of** la veille de.
even ['iːv(ə)n] **1** *a* (*flat*) uni, égal, lisse; (*equal*) égal; (*regular*) régulier; (*number*) pair; **to get e. with** se venger de; **I'll get e. with him (for that)** je lui revaudrai ça; **we're e.** (*quits*) nous sommes quittes; (*in score*) nous sommes à égalité; **to break e.** *Fin* s'y retrouver; – *vt* **to e. (out** *or* **up)** égaliser. **2** *adv* même; **e. better/more** encore mieux/plus; **e. if** *or* **though** même si; **e. so** quand même. ◆**—ly** *adv* de manière égale; (*regularly*) régulièrement. ◆**—ness** *n* (*of*

surface, temper) égalité *f*; (*of movement etc*) régularité *f*. ◆**even-'tempered** *a* de caractère égal.

evening ['iːvnɪŋ] *n* soir *m*; (*duration of evening, event*) soirée *f*; **in the e.,** *Am* **evenings** le soir; **at seven in the e.** à sept heures du soir; **every Tuesday e.** tous les mardis soir; **all e. (long)** toute la soirée; – *a* (*newspaper etc*) du soir; **e. performance** *Th* soirée *f*; **e. dress** tenue *f* de soirée; (*of woman*) robe *f* du soir *or* de soirée.

event [ɪ'vent] *n* événement *m*; *Sp* épreuve *f*; **in the e. of death** en cas de décès; **in any e.** en tout cas; **after the e.** après coup. ◆**eventful** *a* (*journey etc*) mouvementé; (*occasion*) mémorable.

eventual [ɪ'ventʃʊəl] *a* final, définitif. ◆**eventu'ality** *n* éventualité *f*. ◆**eventually** *adv* finalement, à la fin; (*some day or other*) un jour ou l'autre; (*after all*) en fin de compte.

ever ['evər] *adv* jamais; **has he e. seen it?** l'a-t-il jamais vu?; **more than e.** plus que jamais; **nothing e.** jamais rien; **hardly e.** presque jamais; **e. ready** toujours prêt; **the first e.** le tout premier; **e. since** (*that event etc*) depuis; **e. since then** depuis lors, dès lors; **for e.** (*for always*) pour toujours; (*continually*) sans cesse; **the best son e.** le meilleur fils du monde; **e. so sorry/happy/***etc* *Fam* vraiment désolé/heureux/*etc*; **thank you e. so much** *Fam* merci mille fois; **it's e. such a pity** *Fam* c'est vraiment dommage; **why e. not?** pourquoi pas donc? ◆**evergreen** *n* arbre *m* à feuilles persistantes. ◆**ever'lasting** *a* éternel. ◆**ever'more** *adv* **for e.** à (tout) jamais.

every ['evrɪ] *a* chaque; **e. child** chaque enfant, tous les enfants; **e. time** chaque fois (**that** que); **e. one** chacun; **e. single one** tous (sans exception); **to have e. confidence in** avoir pleine confiance en; **e. second** *or* **other day** tous les deux jours; **her e. gesture** ses moindres gestes; **e. bit as big** tout aussi grand (**as** que); **e. so often, e. now and then** de temps en temps. ◆**everybody** *pron* tout le monde; **e. in turn** chacun à son tour. ◆**everyday** *a* (*happening, life etc*) de tous les jours; (*banal*) banal; **in e. use** d'usage courant. ◆**everyone** *pron* = **everybody.** ◆**everyplace** *adv Am* = **everywhere.** ◆**everything** *pron* tout; **e. I have** tout ce que j'ai. ◆**everywhere** *adv* partout; **e. she goes** où qu'elle aille, partout où elle va.

evict [ɪ'vɪkt] *vt* expulser (**from** de). ◆**eviction** *n* expulsion *f*.

evidence ['evɪdəns] *n* (*proof*) preuve(s) *f(pl)*; (*testimony*) témoignage *m*; (*obviousness*) évidence *f*; **to give e.** témoigner (**against** contre); **e. of** (*wear etc*) des signes *mpl* de; **in e.** (*noticeable*) (bien) en vue. ◆**evident** *a* évident (**that** que); **it is e. from . . .** il apparaît de . . . (**that** que). ◆**evidently** *adv* (*obviously*) évidemment; (*apparently*) apparemment.

evil ['iːv(ə)l] *a* (*spell, influence, person*) malfaisant; (*deed, advice, system*) mauvais; (*consequence*) funeste; – *n* mal *m*; **to speak e.** dire du mal (**about, of** de).

evince [ɪ'vɪns] *vt* manifester.

evoke [ɪ'vəʊk] *vt* (*recall, conjure up*) évoquer; (*admiration*) susciter. ◆**evocative** *a* évocateur.

evolution [iːvə'luːʃ(ə)n] *n* évolution *f*. ◆**evolve** *vi* (*of society, idea etc*) évoluer; (*of plan*) se développer; – *vt* (*system etc*) développer.

ewe [juː] *n* brebis *f*.

ex [eks] *n* (*former spouse*) *Fam* ex *mf*.

ex- [eks] *pref* ex-; **ex-wife** ex-femme *f*.

exacerbate [ɪk'sæsəbeɪt] *vt* (*pain*) exacerber.

exact [ɪg'zækt] **1** *a* (*accurate, precise etc*) exact; **to be (more) e. about** préciser. **2** *vt* (*demand*) exiger (**from** de); (*money*) extorquer (**from** à). ◆**—ing** *a* exigeant. ◆**—ly** *adv* exactement; **it's e. 5 o'clock** il est 5 heures juste. ◆**—ness** *n* exactitude *f*.

exaggerate [ɪg'zædʒəreɪt] *vt* exagérer; (*in one's own mind*) s'exagérer; – *vi* exagérer. ◆**exagge'ration** *n* exagération *f*.

exalt [ɪg'zɔːlt] *vt* (*praise*) exalter. ◆**—ed** *a* (*position, rank*) élevé. ◆**exal'tation** *n* exaltation *f*.

exam [ɪg'zæm] *n Univ Sch Fam* examen *m*.

examine [ɪg'zæmɪn] *vt* examiner; (*accounts, luggage*) vérifier; (*passport*) contrôler; (*orally*) interroger (*témoin, élève*). ◆**exami'nation** *n* (*inspection*) & *Univ Sch* examen *m*; (*of accounts etc*) vérification *f*; (*of passport*) contrôle *m*; **class e.** *Sch* composition *f*. ◆**examiner** *n Sch* examinateur, -trice *mf*.

example [ɪg'zɑːmp(ə)l] *n* exemple *m*; **for e.** par exemple; **to set a good/bad e.** donner le bon/mauvais exemple (**to** à); **to make an e. of** punir pour l'exemple.

exasperate [ɪg'zɑːspəreɪt] *vt* exaspérer; **to get exasperated** s'exaspérer (**at** de). ◆**exaspe'ration** *n* exaspération *f*.

excavate ['ekskəveɪt] *vt* (*dig*) creuser; (*for relics etc*) fouiller; (*uncover*) déterrer. ◆**exca'vation** *n Tech* creusement *m*; (*archeological*) fouille *f*.

exceed [ɪk'siːd] *vt* dépasser, excéder. ◆**—ingly** *adv* extrêmement.

excel [ɪk'sel] *vi* (**-ll-**) exceller (**in sth** en qch, **in doing** à faire); – *vt* surpasser.

Excellency ['eksələnsɪ] *n* (*title*) Excellence *f*.

excellent ['eksələnt] *a* excellent. ◆**excellence** *n* excellence *f*. ◆**excellently** *adv* parfaitement, admirablement.

except [ɪk'sept] *prep* sauf, excepté; **e. for** à part; **e. that** à part le fait que, sauf que; **e. if** sauf si; **to do nothing e. wait** ne rien faire sinon attendre; – *vt* excepter. ◆**exception** *n* exception *f*; **with the e. of** à l'exception de; **to take e. to** (*object to*) désapprouver; (*be hurt by*) s'offenser de. ◆**exceptional** *a* exceptionnel. ◆**exceptionally** *adv* exceptionnellement.

excerpt ['eksɜːpt] *n* (*from film, book etc*) extrait *m*.

excess ['ekses] *n* excès *m*; (*surplus*) *Com* excédent *m*; **one's excesses** ses excès *mpl*; **to e.** à l'excès; **an e. of** (*details*) un luxe de; – *a* (*weight etc*) excédentaire, en trop; **e. fare** supplément *m* (de billet); **e. luggage** excédent *m* de bagages. ◆**ex'cessive** *a* excessif. ◆**ex'cessively** *adv* (*too, too much*) excessivement; (*very*) extrêmement.

exchange [ɪks'tʃeɪndʒ] *vt* (*addresses, blows etc*) échanger (**for** contre); – *n* échange *m*; *Fin* change *m*; **(telephone) e.** central *m* (téléphonique); **in e.** en échange (**for** de).

Exchequer [ɪks'tʃekər] *n* **Chancellor of the E.** = ministre *m* des Finances.

excise ['eksaɪz] *n* taxe *f* (**on** sur).

excit/e [ɪk'saɪt] *vt* (*agitate, provoke, stimulate*) exciter; (*enthuse*) passionner, exciter. ◆**—ed** *a* excité; (*laughter*) énervé; **to get e.** (*nervous, angry, enthusiastic*) s'exciter; **to be e. about** (*new car, news*) se réjouir de; **to be e. about the holidays** être surexcité à l'idée de partir en vacances. ◆**—ing** *a* (*book, adventure*) passionnant. ◆**—able** *a* excitable. ◆**—edly** *adv* avec agitation; (*to wait, jump about*) dans un état de surexcitation. ◆**—ement** *n* agitation *f*, excitation *f*, fièvre *f*; (*emotion*) vive émotion *f*; (*adventure*) aventure *f*; **great e.** surexcitation *f*.

exclaim [ɪk'skleɪm] *vti* s'exclamer, s'écrier (**that** que). ◆**excla'mation** *n* exclamation *f*; **e. mark** *or Am* **point** point *m* d'exclamation.

exclude [ɪks'kluːd] *vt* exclure (**from** de); (*name from list*) écarter (**from** de). ◆**exclusion** *n* exclusion *f*. ◆**exclusive** *a* (*right, interest, design*) exclusif; (*club, group*) fermé; (*interview*) en exclusivité; **e. of wine/etc** vin/*etc* non compris. ◆**exclusively** *adv* exclusivement.

excommunicate [ekskə'mjuːnɪkeɪt] *vt* excommunier.

excrement ['ekskrəmənt] *n* excrément(s) *m(pl)*.

excruciating [ɪk'skruːʃɪeɪtɪŋ] *a* insupportable, atroce.

excursion [ɪk'skɜːʃ(ə)n] *n* excursion *f*.

excuse [ɪk'skjuːz] *vt* (*justify, forgive*) excuser (**s.o. for doing** qn d'avoir fait, qn de faire); (*exempt*) dispenser (**from** de); **e. me for asking** permettez-moi de demander; **e. me!** excusez-moi!, pardon!; **you're excused** tu peux t'en aller *or* sortir; – [ɪk'skjuːs] *n* excuse *f*; **it was an e. for** cela a servi de prétexte à.

ex-directory [eksdaɪ'rektərɪ] *a Tel* sur la liste rouge.

execute ['eksɪkjuːt] *vt* (*criminal, order, plan etc*) exécuter. ◆**exe'cution** *n* exécution *f*. ◆**exe'cutioner** *n* bourreau *m*.

executive [ɪg'zekjʊtɪv] *a* (*power*) exécutif; (*ability*) d'exécution; (*job*) de cadre; (*car, plane*) de direction; – *n* (*person*) cadre *m*; (*board, committee*) bureau *m*; **the e.** *Pol* l'exécutif *m*; **(senior) e.** cadre *m* supérieur; **junior e.** jeune cadre *m*; **business e.** directeur *m* commercial.

exemplary [ɪg'zemplərɪ] *a* exemplaire. ◆**exemplify** *vt* illustrer.

exempt [ɪg'zempt] *a* exempt (**from** de); – *vt* exempter (**from** de). ◆**exemption** *n* exemption *f*.

exercise ['eksəsaɪz] *n* (*of power etc*) & *Sch Sp Mil* exercice *m*; *pl Univ Am* cérémonies *fpl*; **e. book** cahier *m*; – *vt* exercer; (*troops*) faire faire l'exercice à; (*dog, horse etc*) promener; (*tact, judgement etc*) faire preuve de; (*rights*) faire valoir, exercer; – *vi* (*take exercise*) prendre de l'exercice.

exert [ɪg'zɜːt] *vt* exercer; (*force*) employer; **to e. oneself** (*physically*) se dépenser; **he never exerts himself** (*takes the trouble*) il ne se fatigue jamais; **to e. oneself to do** (*try hard*) s'efforcer de faire. ◆**exertion** *n* effort *m*; (*of force*) emploi *m*.

exhale [eks'heɪl] *vt* (*breathe out*) expirer; (*give off*) exhaler; – *vi* expirer.

exhaust [ɪg'zɔːst] **1** *vt* (*use up, tire*) épuiser; **to become exhausted** s'épuiser. **2** *n* **e. (pipe)** *Aut* pot *m or* tuyau *m* d'échappement. ◆**—ing** *a* épuisant. ◆**exhaustion** *n* épuisement *m*. ◆**exhaustive** *a* (*study etc*) complet; (*research*) approfondi.

exhibit [ɪg'zɪbɪt] *vt* (*put on display*) exposer; (*ticket, courage etc*) montrer; – *n* objet *m*

exposé; *Jur* pièce *f* à conviction. ◆**exhi'bition** *n* exposition *f*; **an e. of** (*display*) une démonstration de; **to make an e. of oneself** se donner en spectacle. ◆**exhi'bitionist** *n* exhibitionniste *mf*. ◆**exhibitor** *n* exposant, -ante *mf*.
exhilarate [ɪg'zɪləreɪt] *vt* stimuler; (*of air*) vivifier; (*elate*) rendre fou de joie. ◆**exhila'ration** *n* liesse *f*, joie *f*.
exhort [ɪg'zɔːt] *vt* exhorter (**to do** à faire, **to sth** à qch).
exhume [eks'hjuːm] *vt* exhumer.
exile ['egzaɪl] *vt* exiler; – *n* (*absence*) exil *m*; (*person*) exilé, -ée *mf*.
exist [ɪg'zɪst] *vi* exister; (*live*) vivre (**on** de); (**to continue**) **to e.** subsister; **the notion exists that ...** il existe une notion selon laquelle .... ◆**–ing** *a* (*law*) existant; (*circumstances*) actuel. ◆**existence** *n* existence *f*; **to come into e.** être créé; **to be in e.** exister. ◆**exi'stentialism** *n* existentialisme *m*.
exit ['eksɪt, 'egzɪt] *n* (*action*) sortie *f*; (*door, window*) sortie *f*, issue *f*; – *vi Th* sortir.
exodus ['eksədəs] *n inv* exode *m*.
exonerate [ɪg'zɒnəreɪt] *vt* (*from blame*) disculper (**from** de).
exorbitant [ɪg'zɔːbɪtənt] *a* exorbitant. ◆**–ly** *adv* démesurément.
exorcize ['eksɔːsaɪz] *vt* exorciser. ◆**exorcism** *n* exorcisme *m*.
exotic [ɪg'zɒtɪk] *a* exotique.
expand [ɪk'spænd] *vt* (*one's fortune, knowledge etc*) étendre; (*trade, ideas*) développer; (*production*) augmenter; (*gas, metal*) dilater; – *vi* s'étendre; se développer; augmenter; se dilater; **to e. on** développer ses idées sur; (**fast** *or* **rapidly**) **expanding sector**/*etc Com* secteur/*etc* en (pleine) expansion. ◆**expansion** *n Com Phys Pol* expansion *f*; développement *m*; augmentation *f*. ◆**expansionism** *n* expansionnisme *m*.
expanse [ɪk'spæns] *n* étendue *f*.
expansive [ɪk'spænsɪv] *a* expansif. ◆**–ly** *adv* avec effusion.
expatriate [eks'pætrɪət, *Am* eks'peɪtrɪət] *a* & *n* expatrié, -ée (*mf*).
expect [ɪk'spekt] *vt* (*anticipate*) s'attendre à, attendre, escompter; (*think*) penser (**that** que); (*suppose*) supposer (**that** que); (*await*) attendre; **to e. sth from s.o./sth** attendre qch de qn/qch; **to e. to do** compter faire; **to e. that** (*anticipate*) s'attendre à ce que (+ *sub*); **I e. you to come** (*want*) je te demande de venir; **it was expected** c'était prévu (**that** que); **she's expecting a baby** elle attend un bébé. ◆**expectancy** *n* attente *f*; **life e.** espérance *f* de vie. ◆**expectant** *a* (*crowd*) qui attend; **e. mother** future mère *f*. ◆**expec'tation** *n* attente *f*; **to come up to s.o.'s expectations** répondre à l'attente de qn.
expedient [ɪks'piːdɪənt] *a* avantageux; (*suitable*) opportun; – *n* (*resource*) expédient *m*.
expedite ['ekspədaɪt] *vt* (*hasten*) accélérer; (*task*) expédier.
expedition [ekspɪ'dɪʃ(ə)n] *n* expédition *f*.
expel [ɪk'spel] *vt* (**-ll-**) expulser (**from** de); (*from school*) renvoyer; (*enemy*) chasser.
expend [ɪk'spend] *vt* (*energy, money*) dépenser; (*resources*) épuiser. ◆**–able** *a* (*object*) remplaçable; (*soldiers*) sacrifiable. ◆**expenditure** *n* (*money spent*) dépenses *fpl*; **an e. of** (*time, money*) une dépense de.
expense [ɪk'spens] *n* frais *mpl*, dépense *f*; *pl Fin* frais *mpl*; **business/travelling expenses** frais *mpl* généraux/de déplacement; **to go to some e.** faire des frais; **at s.o.'s e.** aux dépens de qn; **an** *or* **one's e. account** une *or* sa note de frais (professionnels).
expensive [ɪk'spensɪv] *a* (*goods etc*) cher, coûteux; (*hotel etc*) cher; (*tastes*) dispendieux; **to be e.** coûter cher; **an e. mistake** une faute qui coûte cher. ◆**–ly** *adv* à grands frais.
experienc/e [ɪk'spɪərɪəns] *n* (*knowledge, skill, event*) expérience *f*; **from** *or* **by e.** par expérience; **he's had e. of** (*work etc*) il a déjà fait; (*grief etc*) il a déjà éprouvé; **I've had e. of driving** j'ai déjà conduit; **terrible experiences** de rudes épreuves *fpl*; **unforgettable e.** moment *m* inoubliable; – *vt* (*undergo*) connaître, subir; (*remorse, difficulty*) éprouver; (*joy*) ressentir. ◆**–ed** *a* (*person*) expérimenté; (*eye, ear*) exercé; **to be e. in** s'y connaître en (matière de).
experiment [ɪk'sperɪmənt] *n* expérience *f*; – [ɪk'sperɪment] *vi* faire une expérience *or* des expériences; **to e. with sth** *Phys Ch* expérimenter qch. ◆**experi'mental** *a* expérimental; **e. period** période *f* d'expérimentation.
expert ['ekspɜːt] *n* expert *m* (**on, in** en), spécialiste *mf* (**on, in** de); – *a* expert (**in sth** en qch, **in** *or* **at doing** à faire); (*advice*) d'un expert, d'expert; (*eye*) connaisseur; **e. touch** doigté *m*, grande habileté *f*. ◆**exper'tise** *n* compétence *f* (**in** en). ◆**expertly** *adv* habilement.
expiate ['ekspɪeɪt] *vt* (*sins*) expier.
expir/e [ɪk'spaɪər] *vi* expirer. ◆**–ed** *a*

(*ticket, passport etc*) périmé. ◆**expi'ration** *n Am,* ◆**expiry** *n* expiration *f.*

explain [ɪk'spleɪn] *vt* expliquer (**to** à, **that** que); (*reasons*) exposer; (*mystery*) éclaircir; **e. yourself!** explique-toi!; **to e. away** justifier. ◆**—able** *a* explicable. ◆**expla'nation** *n* explication *f.* ◆**explanatory** *a* explicatif.

expletive [ɪk'spliːtɪv, *Am* 'eksplətɪv] *n* (*oath*) juron *m.*

explicit [ɪk'splɪsɪt] *a* explicite. ◆**—ly** *adv* explicitement.

explode [ɪk'spləʊd] *vi* exploser; **to e. with laughter** *Fig* éclater de rire; – *vt* faire exploser; (*theory*) *Fig* démythifier, discréditer.

exploit 1 [ɪk'splɔɪt] *vt* (*person, land etc*) exploiter. **2** ['eksplɔɪt] *n* (*feat*) exploit *m.* ◆**exploi'tation** *n* exploitation *f.*

explore [ɪk'splɔːr] *vt* explorer; (*possibilities*) examiner. ◆**explo'ration** *n* exploration *f.* ◆**exploratory** *a* d'exploration; (*talks, step etc*) préliminaire, exploratoire; **e. operation** *Med* sondage *m.* ◆**explorer** *n* explorateur, -trice *mf.*

explosion [ɪk'spləʊʒ(ə)n] *n* explosion *f.* ◆**explosive** *a* (*weapon, question*) explosif; (*mixture, gas*) détonant; – *n* explosif *m.*

exponent [ɪk'spəʊnənt] *n* (*of opinion, theory etc*) interprète *m* (**of** de).

export ['ekspɔːt] *n* exportation *f*; – *a* (*goods etc*) d'exportation; – [ɪk'spɔːt] *vt* exporter (**to** vers, **from** de). ◆**expor'tation** *n* exportation *f.* ◆**ex'porter** *n* exportateur, -trice *mf*; (*country*) pays *m* exportateur.

expose [ɪk'spəʊz] *vt* (*leave uncovered, describe*) & *Phot* exposer; (*wire*) dénuder; (*plot, scandal etc*) révéler, dévoiler; (*crook etc*) démasquer; **to e. to** (*subject to*) exposer à; **to e. oneself** *Jur* commettre un attentat à la pudeur. ◆**expo'sition** *n* exposition *f.* ◆**exposure** *n* exposition *f* (**to** à); (*of plot etc*) révélation *f*; (*of house etc*) exposition *f*; *Phot* pose *f*; **to die of e.** mourir de froid.

expound [ɪk'spaʊnd] *vt* (*theory etc*) exposer.

express [ɪk'spres] **1** *vt* exprimer; (*proposition*) énoncer; **to e. oneself** s'exprimer. **2** *a* (*order*) exprès, formel; (*intention*) explicite; (*purpose*) seul; (*letter, delivery*) exprès *inv*; (*train*) rapide, express *inv*; – *adv* (*to send*) par exprès; – *n* (*train*) rapide *m,* express *m inv.* ◆**expression** *n* (*phrase, look etc*) expression *f*; **an e. of** (*gratitude, affection etc*) un témoignage de. ◆**expressive** *a* expressif. ◆**expressly** *adv* expressément. ◆**expressway** *n Am* autoroute *f.*

expulsion [ɪk'spʌlʃ(ə)n] *n* expulsion *f*; (*from school*) renvoi *m.*

expurgate ['ekspəgeɪt] *vt* expurger.

exquisite [ɪk'skwɪzɪt] *a* exquis. ◆**—ly** *adv* d'une façon exquise.

ex-serviceman [eks'sɜːvɪsmən] *n* (*pl* **-men**) ancien combattant *m.*

extant ['ekstənt, ek'stænt] *a* existant.

extend [ɪk'stend] *vt* (*arm, business*) étendre; (*line, visit, meeting*) prolonger (**by** de); (*hand*) tendre (**to s.o.** à qn); (*house*) agrandir; (*knowledge*) élargir; (*time limit*) reculer; (*help, thanks*) offrir (**to** à); **to e. an invitation to** faire une invitation à; – *vi* (*of wall, plain etc*) s'étendre (**to** jusqu'à); (*in time*) se prolonger; **to e. to s.o.** (*of joy etc*) gagner qn. ◆**extension** *n* (*in space*) prolongement *m*; (*in time*) prolongation *f*; (*of powers, measure, meaning, strike*) extension *f*; (*for table, wire*) rallonge *f*; (*to building*) agrandissement(s) *m*(*pl*); (*of telephone*) appareil *m* supplémentaire; (*of office telephone*) poste *m*; **an e. (of time)** un délai. ◆**extensive** *a* étendu, vaste; (*repairs, damage*) important; (*use*) courant. ◆**extensively** *adv* (*very much*) beaucoup, considérablement; **e. used** largement répandu.

extent [ɪk'stent] *n* (*scope*) étendue *f*; (*size*) importance *f*; (*degree*) mesure *f*; **to a large/certain e.** dans une large/certaine mesure; **to such an e. that** à tel point que.

extenuating [ɪk'stenjʊeɪtɪŋ] *a* **e. circumstances** circonstances *fpl* atténuantes.

exterior [ɪks'tɪərɪər] *a* & *n* extérieur (*m*).

exterminate [ɪk'stɜːmɪneɪt] *vt* (*people etc*) exterminer; (*disease*) supprimer; (*evil*) extirper. ◆**extermi'nation** *n* extermination *f*; suppression *f.*

external [ek'stɜːn(ə)l] *a* (*influence, trade etc*) extérieur; **for e. use** (*medicine*) à usage externe; **e. affairs** *Pol* affaires *fpl* étrangères. ◆**—ly** *adv* extérieurement.

extinct [ɪk'stɪŋkt] *a* (*volcano, love*) éteint; (*species, animal*) disparu. ◆**extinction** *n* extinction *f*; disparition *f.*

extinguish [ɪk'stɪŋgwɪʃ] *vt* éteindre. ◆**—er** *n* (**fire**) **e.** extincteur *m.*

extol [ɪk'stəʊl] *vt* (**-ll-**) exalter, louer.

extort [ɪk'stɔːt] *vt* (*money*) extorquer (**from** à); (*consent*) arracher (**from** à). ◆**extortion** *n Jur* extorsion *f* de fonds; **it's (sheer) e.!** c'est du vol! ◆**extortionate** *a* exorbitant.

extra ['ekstrə] *a* (*additional*) supplémentaire; **one e. glass** un verre de *or* en plus, encore un verre; **(any) e. bread?**

encore du pain?; **to be e.** (*spare*) être en trop; (*cost more*) être en supplément; (*of postage*) être en sus; **wine is 3 francs e.** il y a un supplément de 3F pour le vin; **e. care** un soin tout particulier; **e. charge** *or* **portion** supplément *m*; **e. time** *Fb* prolongation *f*; – *adv* **e. big/***etc* plus grand/*etc* que d'habitude; – *n* (*perk*) à-côté *m*; *Cin Th* figurant, -ante *mf*; *pl* (*expenses*) frais *mpl* supplémentaires; **an optional e.** (*for car etc*) un accessoire en option.

extra- ['ekstrə] *pref* extra-. ◆**e.-'dry** *a* (*champagne*) brut. ◆**e.-'fine** *a* extra-fin. ◆**e.-'strong** *a* extra-fort.

extract [ɪk'strækt] *vt* extraire (**from** de); (*tooth*) arracher, extraire; (*promise*) arracher, soutirer (**from** à); (*money*) soutirer (**from** à); – ['ekstrækt] *n* (*of book etc*) & *Culin Ch* extrait *m*. ◆**ex'traction** *n* extraction *f*; arrachement *m*; (*descent*) origine *f*.

extra-curricular [ekstrəkə'rɪkjʊlər] *a* (*activities etc*) en dehors des heures de cours, extrascolaire.

extradite ['ekstrədaɪt] *vt* extrader. ◆**extra'dition** *n* extradition *f*.

extramarital [ekstrə'mærɪt(ə)l] *a* en dehors du mariage, extra-conjugal.

extramural [ekstrə'mjʊərəl] *a* (*studies*) hors faculté.

extraneous [ɪk'streɪnɪəs] *a* (*detail etc*) accessoire.

extraordinary [ɪk'strɔːdən(ə)rɪ] *a* (*strange, exceptional*) extraordinaire.

extra-special [ekstrə'speʃəl] *a* (*occasion*) très spécial; (*care*) tout particulier.

extravagant [ɪk'strævəgənt] *a* (*behaviour, idea etc*) extravagant; (*claim*) exagéré; (*wasteful with money*) dépensier, prodigue. ◆**extravagance** *n* extravagance *f*; prodigalité *f*; (*thing bought*) folle dépense *f*.

extravaganza [ɪkstrævə'gænzə] *n Mus Liter & Fig* fantaisie *f*.

extreme [ɪk'striːm] *a* (*exceptional, furthest*) extrême; (*danger, poverty*) très grand; (*praise*) outré; **at the e. end** à l'extrémité; **of e. importance** de première importance; – *n* (*furthest degree*) extrême *m*; **to carry** *or* **take to extremes** pousser à l'extrême; **extremes of temperature** températures *fpl* extrêmes; **extremes of climate** excès *mpl* du climat. ◆**extremely** *adv* extrêmement. ◆**extremist** *a* & *n* extrémiste (*mf*). ◆**extremity** [ɪk'stremɪtɪ] *n* extrémité *f*.

extricate ['ekstrɪkeɪt] *vt* dégager (**from** de); **to e. oneself from** (*difficulty*) se tirer de.

extrovert ['ekstrəvɜːt] *n* extraverti, -ie *mf*.

exuberant [ɪg'z(j)uːbərənt] *a* exubérant. ◆**exuberance** *n* exubérance *f*.

exude [ɪg'zjuːd] *vt* (*charm, honesty etc*) *Fig* respirer.

exultation [egzʌl'teɪʃ(ə)n] *n* exultation *f*.

eye[1] [aɪ] *n* œil *m* (*pl* yeux); **before my very eyes** sous mes yeux; **to be all eyes** être tout yeux; **as far as the e. can see** à perte de vue; **up to one's eyes in debt** endetté jusqu'au cou; **up to one's eyes in work** débordé de travail; **to have an e. on** (*house, car*) avoir en vue; **to keep an e. on** surveiller; **to make eyes at** *Fam* faire de l'œil à; **to lay** *or* **set eyes on** voir, apercevoir; **to take one's eyes off s.o./sth** quitter qn/qch des yeux; **to catch the e.** attirer l'œil, accrocher le regard; **keep an e. out!, keep your eyes open!** ouvre l'œil!, sois vigilant!; **we don't see e. to e.** nous n'avons pas le même point de vue; **e. shadow** fard *m* à paupières; **to be an e.-opener for s.o.** *Fam* être une révélation pour qn. ◆**eyeball** *n* globe *m* oculaire. ◆**eyebrow** *n* sourcil *m*. ◆**eye-catching** *a* (*title etc*) accrocheur. ◆**eyeglass** *n* monocle *m*. ◆**eyeglasses** *npl* (*spectacles*) *Am* lunettes *fpl*. ◆**eyelash** *n* cil *m*. ◆**eyelid** *n* paupière *f*. ◆**eyeliner** *n* eye-liner *m*. ◆**eyesight** *n* vue *f*. ◆**eyesore** *n* (*building etc*) horreur *f*. ◆**eyestrain** *n* **to have e.** avoir les yeux qui tirent. ◆**eyewash** *n* (*nonsense*) *Fam* sottises *fpl*. ◆**eyewitness** *n* témoin *m* oculaire.

eye[2] [aɪ] *vt* reluquer, regarder.

F

F, f [ef] *n* F, f *m*.

fable ['feɪb(ə)l] *n* fable *f*.

fabric ['fæbrɪk] *n* (*cloth*) tissu *m*, étoffe *f*; (*of building*) structure *f*; **the f. of society** le tissu social.

fabricate ['fæbrɪkeɪt] *vt* (*invent, make*) fabriquer. ◆**fabri'cation** *n* fabrication *f*.

fabulous ['fæbjʊləs] *a* (*incredible, legendary*) fabuleux; (*wonderful*) *Fam* formidable.

façade [fə'sɑːd] *n Archit & Fig* façade *f*.

face [feɪs] *n* visage *m*, figure *f*; (*expression*) mine *f*; (*of clock*) cadran *m*; (*of building*) façade *f*; (*of cliff*) paroi *f*; (*of the earth*) surface *f*; **she laughed in my f.** elle m'a ri au nez; **to show one's f.** se montrer; **f. down(wards)** (*person*) face contre terre; (*thing*) tourné à l'envers; **f. to f.** face à face; **in the f. of** devant; (*despite*) en dépit de; **to save/lose f.** sauver/perdre la face; **to make** *or* **pull faces** faire des grimaces; **to tell s.o. sth to his f.** dire qch à qn tout cru; **f. powder** poudre *f* de riz; **f. value** (*of stamp etc*) valeur *f*; **to take sth at f. value** prendre qch au pied de la lettre; – *vt* (*danger, enemy etc*) faire face à; (*accept*) accepter; (*look in the face*) regarder (*qn*) bien en face; **to f., be facing** (*be opposite*) être en face de; (*of window etc*) donner sur; **faced with** (*prospect, problem*) face à, devant; (*defeat*) menacé par; (*bill*) contraint à payer; **he can't f. leaving** il n'a pas le courage de partir; – *vi* (*of house*) être orienté (**north**/*etc* au nord/*etc*); (*of person*) se tourner (**towards** vers); **to f. up to** (*danger*) faire face à; (*fact*) accepter; **about f.!** *Am Mil* demi-tour! ◆**facecloth** *n* gant *m* de toilette. ◆**facelift** *n Med* lifting *m*; (*of building*) ravalement *m*.

faceless ['feɪsləs] *a* anonyme.

facet ['fæsɪt] *n* (*of problem, diamond etc*) facette *f*.

facetious [fə'siːʃəs] *a* (*person*) facétieux; (*remark*) plaisant.

facial ['feɪʃ(ə)l] *a* du visage; *Med* facial; – *n* soin *m* du visage.

facile ['fæsaɪl, *Am* 'fæs(ə)l] *a* facile, superficiel.

facilitate [fə'sɪlɪteɪt] *vt* faciliter. ◆**facility** *n* (*ease*) facilité *f*; *pl* (*possibilities*) facilités *fpl*; (*for sports*) équipements *mpl*; (*in harbour, airport etc*) installations *fpl*; (*means*) moyens *mpl*, ressources *fpl*; **special facilities** (*conditions*) conditions *fpl* spéciales (**for** pour).

facing ['feɪsɪŋ] *n* (*of dress etc*) parement *m*.

fact [fækt] *n* fait *m*; **as a matter of f., in f.** en fait; **the facts of life** les choses *fpl* de la vie; **is that a f.?** c'est vrai?; **f. and fiction** le réel et l'imaginaire.

faction ['fækʃ(ə)n] *n* (*group*) *Pol* faction *f*.

factor ['fæktər] *n* (*element*) facteur *m*.

factory ['fækt(ə)rɪ] *n* (*large*) usine *f*; (*small*) fabrique *f*; **arms/porcelain f.** manufacture *f* d'armes/de porcelaine.

factual ['fæktʃʊəl] *a* objectif, basé sur les faits, factuel; (*error*) de fait.

faculty ['fækəltɪ] *n* (*aptitude*) & *Univ* faculté *f*.

fad [fæd] *n* (*personal habit*) marotte *f*; (*fashion*) folie *f*, mode *f* (**for** de).

fade [feɪd] *vi* (*of flower*) se faner; (*of light*) baisser; (*of colour*) passer; (*of fabric*) se décolorer; **to f. (away)** (*of memory, smile*) s'effacer; (*of sound*) s'affaiblir; (*of person*) dépérir; – *vt* (*fabric*) décolorer.

fag [fæg] *n* **1** (*cigarette*) *Fam* clope *m*, tige *f*; **f. end** mégot *m*. **2** (*male homosexual*) *Am Sl* pédé *m*.

fagged [fægd] *a* **f. (out)** (*tired*) *Sl* claqué.

faggot ['fægət] *n* **1** *Culin* boulette *f* (de viande). **2** (*male homosexual*) *Am Sl* pédé *m*.

fail [feɪl] *vi* (*of person, plan etc*) échouer; (*of business*) faire faillite; (*of light, health, sight*) baisser; (*of memory, strength*) défaillir; (*of brakes*) *Aut* lâcher; (*run short*) manquer; (*of gas, electricity*) être coupé; (*of engine*) tomber en panne; **to f. in** (*one's duty*) manquer à; (*exam*) échouer à; – *vt* (*exam*) échouer à; (*candidate*) refuser, recaler; **to f. s.o.** (*let down*) laisser tomber qn, décevoir qn; (*of words*) manquer à qn, faire défaut à qn; **to f. to do** (*omit*) manquer de faire; (*not be able*) ne pas arriver à faire; **I f. to see** je ne vois pas; – *n* **without f.** à coup sûr, sans faute. ◆**—ed** *a* (*attempt, poet*) manqué. ◆**—ing** *n* (*fault*) défaut *m*; – *prep* à défaut de; **f. this, f. that** à défaut. ◆**failure** *n* échec *m*; (*of business*) faillite *f*; (*of engine, machine*) panne *f*; (*of gas etc*) coupure *f*, panne *f*; (*person*) raté, -ée *mf*; **f. to do** (*inability*) incapacité *f* de faire; **her f. to leave** le fait qu'elle n'est pas partie; **to end in f.** se solder par un échec; **heart f.** arrêt *m* du cœur.

faint [feɪnt] **1** *a* (**-er, -est**) léger; (*voice*) faible; (*colour*) pâle; (*idea*) vague; **I haven't the faintest idea** je n'en ai pas la moindre idée. **2** *a Med* défaillant (**with** de); **to feel f.** se trouver mal, défaillir; – *vi* s'évanouir (**from** de); **fainting fit** évanouissement *m*. ◆**—ly** *adv* (*weakly*) faiblement; (*slightly*) légèrement. ◆**—ness** *n* légèreté *f*, faiblesse *f*. ◆**faint-'hearted** *a* timoré, timide.

fair[1] [feər] *n* foire *f*; (*for charity*) fête *f*; (*funfair*) fête *f* foraine; (*larger*) parc *m* d'attractions. ◆**fairground** *n* champ *m* de foire.

fair² [feər] **1** *a* (**-er, -est**) (*equitable*) juste, équitable; (*game, fight*) loyal; **f. (and square)** honnête(ment); **f. play** fair-play *m inv*; **that's not f. play!** ce n'est pas du jeu!; **that's not f. to him** ce n'est pas juste pour lui; **f. enough!** très bien!; – *adv* (*to play*) loyalement. **2** *a* (*rather good*) passable, assez bon; (*amount, warning*) raisonnable; **a f. amount (of)** pas mal (de); **f. copy** copie *f* au propre. **3** *a* (*wind*) favorable; (*weather*) beau. ◆**—ly** *adv* **1** (*to treat*) équitablement; (*to get*) loyalement. **2** (*rather*) assez, plutôt; **f. sure** presque sûr. ◆**—ness¹** *n* justice *f*; (*of decision*) équité *f*; **in all f.** en toute justice. ◆**fair-'minded** *a* impartial. ◆**fair-'sized** *a* assez grand.

fair³ [feər] *a* (*hair, person*) blond; (*complexion, skin*) clair. ◆**—ness²** *n* (*of hair*) blond *m*; (*of skin*) blancheur *f*. ◆**fair-'haired** *a* blond. ◆**fair-'skinned** *a* à la peau claire.

fairy ['feərɪ] *n* fée *f*; **f. lights** guirlande *f* multicolore; **f. tale** conte *m* de fées.

faith [feɪθ] *n* foi *f*; **to have f. in s.o.** avoir confiance en qn; **to put one's f. in** (*justice, medicine etc*) se fier à; **in good/bad f.** de bonne/mauvaise foi; **f. healer** guérisseur, -euse *mf*. ◆**faithful** *a* fidèle. ◆**faithfully** *adv* fidèlement; **yours f.** (*in letter*) *Com* veuillez agréer l'expression de mes salutations distinguées. ◆**faithfulness** *n* fidélité *f*. ◆**faithless** *a* déloyal, infidèle.

fake [feɪk] *n* (*painting, document etc*) faux *m*; (*person*) imposteur *m*; – *vt* (*document, signature etc*) falsifier, maquiller; (*election*) truquer; **to f. death** faire semblant d'être mort; – *vi* (*pretend*) faire semblant; – *a* faux; (*elections*) truqué.

falcon ['fɔːlkən] *n* faucon *m*.

fall [fɔːl] *n* chute *f*; (*in price, demand etc*) baisse *f*; *pl* (*waterfall*) chutes *fpl* (d'eau); **the f.** *Am* l'automne *m*; – *vi* (*pt* **fell**, *pp* **fallen**) tomber; (*of building*) s'effondrer; **her face fell** *Fig* son visage se rembrunit; **to f. into** tomber dans; (*habit*) *Fig* prendre; **to f. off a bicycle**/*etc* tomber d'une bicyclette/*etc*; **to f. off** *or* **down a ladder** tomber (en bas) d'une échelle; **to fall on s.o.** (*of onus*) retomber sur qn; **to f. on a Monday**/*etc* (*of event*) tomber un lundi/*etc*; **to f. over sth** tomber en butant contre qch; **to f. short of** (*expectation*) ne pas répondre à; **to f. short of being** être loin d'être; **to f. victim** devenir victime (**to** de); **to f. asleep** s'endormir; **to f. ill** tomber malade; **to f. due** échoir. ■ **to f. apart** (*of mechanism*) tomber en morceaux; *Fig* se désagréger; **to f. away** (*come off*) se détacher, tomber; (*of numbers*) diminuer; **to f. back on** (*as last resort*) se rabattre sur; **to f. behind** rester en arrière; (*in work*) prendre du retard; **to f. down** tomber; (*of building*) s'effondrer; **to f. for** *Fam* (*person*) tomber amoureux de; (*trick*) se laisser prendre à; **to f. in** (*collapse*) s'écrouler; **to f. in with** (*tally with*) cadrer avec; (*agree to*) accepter; **to f. off** (*come off*) se détacher, tomber; (*of numbers*) diminuer. ◆**falling-'off** *n* diminution *f*; **to f. out with** (*quarrel with*) se brouiller avec; **to f. over** tomber; (*of table, vase*) se renverser; **to f. through** (*of plan*) tomber à l'eau, échouer. ◆**fallen** *a* tombé; (*angel, woman*) déchu; **f. leaf** feuille *f* morte. ◆**fallout** *n* (*radioactive*) retombées *fpl*.

fallacious [fə'leɪʃəs] *a* faux. ◆**fallacy** ['fæləsɪ] *n* erreur *f*; *Phil* faux raisonnement *m*.

fallible ['fæləb(ə)l] *a* faillible.

fallow ['fæləʊ] *a* (*land*) en jachère.

false [fɔːls] *a* faux; **a f. bottom** un double fond. ◆**falsehood** *n* mensonge *m*; **truth and f.** le vrai et le faux. ◆**falseness** *n* fausseté *f*. ◆**falsify** *vt* falsifier.

falter ['fɔːltər] *vi* (*of step, resolution*) chanceler; (*of voice, speaker*) hésiter; (*of courage*) vaciller.

fame [feɪm] *n* renommée *f*; (*glory*) gloire *f*. ◆**famed** *a* renommé.

familiar [fə'mɪljər] *a* (*task, atmosphere etc*) familier; (*event*) habituel, **f. with s.o.** (*too friendly*) familier avec qn; **to be f. with** (*know*) connaître; **I'm f. with her voice** je connais bien sa voix, sa voix m'est familière; **to make oneself f. with** se familiariser avec; **he looks f. (to me)** je l'ai déjà vu (quelque part). ◆**famili'arity** *n* familiarité *f* (**with** avec); (*of event, sight etc*) caractère *m* familier. ◆**familiarize** *vt* familiariser (**with** avec); **to f. oneself with** se familiariser avec.

family ['fæmɪlɪ] *n* famille *f*; – *a* (*name, doctor etc*) de famille; (*planning, problem*) familial; (*tree*) généalogique; **f. man** père *m* de famille.

famine ['fæmɪn] *n* famine *f*.

famished ['fæmɪʃt] *a* affamé.

famous ['feɪməs] *a* célèbre (**for** par, pour). ◆**—ly** *adv* (*very well*) *Fam* rudement bien.

fan [fæn] **1** *n* (*hand-held*) éventail *m*; (*mechanical*) ventilateur *m*; **f. heater** radiateur *m* soufflant; – *vt* (**-nn-**) (*person etc*) éventer; (*fire, quarrel*) attiser. **2** *n* (*of person*) admirateur, -trice *mf*, fan *m*; *Sp* supporter *m*; **to be a jazz/sports f.** être passionné *or* mordu de jazz/de sport.

fanatic [fəˈnætɪk] *n* fanatique *mf*. ◆**fanatical** *a* fanatique. ◆**fanaticism** *n* fanatisme *m*.

fancy [ˈfænsɪ] **1** *n* (*whim, imagination*) fantaisie *f*; (*liking*) goût *m*; **to take a f. to s.o.** se prendre d'affection pour qn; **I took a f. to it, it took my f.** j'en ai eu envie; **when the f. takes me** quand ça me chante; – *a* (*hat, button etc*) fantaisie *inv*; (*idea*) fantaisiste; (*price*) exorbitant; (*car*) de luxe; (*house, restaurant*) chic; **f. dress** (*costume*) travesti *m*; **f.-dress ball** bal *m* masqué. **2** *vt* (*imagine*) se figurer (**that** que); (*think*) croire (**that** que); (*want*) avoir envie de; (*like*) aimer; **f. that!** tiens (donc)!; **he fancies her** *Fam* elle lui plaît; **to f. oneself as** se prendre pour; **she fancies herself!** elle se prend pour qn! ◆**fancier** *n* **horse/***etc* **f.** amateur *m* de chevaux/*etc*. ◆**fanciful** *a* fantaisiste.

fanfare [ˈfænfeər] *n* (*of trumpets*) fanfare *f*.

fang [fæŋ] *n* (*of dog etc*) croc *m*; (*of snake*) crochet *m*.

fantastic [fænˈtæstɪk] *a* fantastique; **a f. idea** (*absurd*) une idée aberrante.

fantasy [ˈfæntəsɪ] *n* (*imagination*) fantaisie *f*; *Psy* fantasme *m*. ◆**fantasize** *vi* fantasmer (**about** sur).

far [fɑːr] *adv* (**farther** *or* **further, farthest** *or* **furthest**) (*distance*) loin; **f. bigger/more expensive/***etc* (*much*) beaucoup plus grand/plus cher/*etc* (**than** que); **f. more** beaucoup plus; **f. advanced** très avancé; **how f. is it to . . . ?** combien y a-t-il d'ici à . . . ?; **is it f. to . . . ?** sommes-nous, suis-je *etc* loin de . . . ?; **how f. are you going?** jusqu'où vas-tu?; **how f. has he got with?** (*plans, work etc*) où en est-il de?; **so f.** (*time*) jusqu'ici; (*place*) jusque-là; **as f. as** (*place*) jusqu'à; **as f.** *or* **so f. as I know** autant que je sache; **as f.** *or* **so f. as I'm concerned** en ce qui me concerne; **as f. back as 1820** dès 1820; **f. from doing** loin de faire; **f. from it!** loin de là!; **f. away** *or* **off** au loin; **to be (too) f. away** être (trop) loin (**from** de); **f. and wide** partout; **by f.** de loin; **f. into the night** très avant dans la nuit; – *a* (*side, end*) autre; **it's a f. cry from** on est loin de. ◆**faraway** *a* lointain; (*look*) distrait, dans le vague. ◆**far-'fetched** *a* forcé, exagéré. ◆**f.-'flung** *a* (*widespread*) vaste. ◆**f.-'off** *a* lointain. ◆**f.-'reaching** *a* de grande portée. ◆**f.-'sighted** *a* clairvoyant.

farce [fɑːs] *n* farce *f*. ◆**farcical** *a* grotesque, ridicule.

fare [feər] **1** *n* (*price*) prix *m* du billet; (*ticket*) billet *m*; (*taxi passenger*) client, -ente *mf*. **2** *n* (*food*) chère *f*, nourriture *f*; **prison f.** régime *m* de prison; **bill of f.** menu *m*. **3** *vi* (*manage*) se débrouiller; **how did she f.?** comment ça s'est passé (pour elle)?

farewell [feəˈwel] *n* & *int* adieu (*m*); – *a* (*party etc*) d'adieu.

farm [fɑːm] *n* ferme *f*; – *a* (*worker, produce etc*) agricole; **f. land** terres *fpl* cultivées; – *vt* cultiver; – *vi* être agriculteur. ◆**—ing** *n* agriculture *f*; (*breeding*) élevage *m*; **dairy f.** industrie *f* laitière. ◆**—er** *n* fermier, -ière *mf*, agriculteur *m*. ◆**farmhand** *n* ouvrier, -ière *mf* agricole. ◆**farmhouse** *n* ferme *f*. ◆**farmyard** *n* basse-cour *f*.

farther [ˈfɑːðər] *adv* plus loin; **nothing is f. from** (*my mind, the truth etc*) rien n'est plus éloigné de; **f. forward** plus avancé; **to get f. away** s'éloigner; – *a* (*end*) autre. ◆**farthest** *a* le plus éloigné; – *adv* le plus loin.

fascinate [ˈfæsɪneɪt] *vt* fasciner. ◆**fasci'nation** *n* fascination *f*.

fascism [ˈfæʃɪz(ə)m] *n* fascisme *m*. ◆**fascist** *a* & *n* fasciste (*mf*).

fashion [ˈfæʃ(ə)n] **1** *n* (*style in clothes etc*) mode *f*; **in f.** à la mode; **out of f.** démodé; **f. designer** (grand) couturier *m*; **f. house** maison *f* de couture; **f. show** présentation *f* de collections. **2** *n* (*manner*) façon *f*; (*custom*) habitude *f*; **after a f.** tant bien que mal, plus au moins. **3** *vt* (*make*) façonner. ◆**—able** *a* à la mode; (*place*) chic *inv*; **it's f. to do** il est de bon ton de faire. ◆**—ably** *adv* (*dressed etc*) à la mode.

fast [fɑːst] **1** *a* (**-er, -est**) rapide; **to be f.** (*of clock*) avancer (**by** de); **f. colour** couleur *f* grand teint *inv*; **f. living** vie *f* dissolue; – *adv* (*quickly*) vite; (*firmly*) ferme, bien; **how f.?** à quelle vitesse?; **f. asleep** profondément endormi. **2** *vi* (*go without food*) jeûner; – *n* jeûne *m*.

fasten [ˈfɑːs(ə)n] *vt* attacher (**to** à); (*door, window*) fermer (bien); **to f. down** *or* **up** attacher; – *vi* (*of dress etc*) s'attacher; (*of door, window*) se fermer. ◆**—er** *n*, ◆**—ing** *n* (*clip*) attache *f*; (*of garment*) fermeture *f*; (*of bag*) fermoir *m*; (*hook*) agrafe *f*.

fastidious [fəˈstɪdɪəs] *a* difficile (à contenter), exigeant.

fat [fæt] **1** *n* graisse *f*; (*on meat*) gras *m*; **vegetable f.** huile *f* végétale. **2** *a* (**fatter, fattest**) gras; (*cheek, salary, volume*) gros; **to get f.** grossir; **that's a f. lot of good** *or* **use!** *Iron*

Fam ça va vraiment servir (à quelque chose)! ◆**fathead** *n* imbécile *mf.*

fatal ['feɪt(ə)l] *a* mortel; (*error, blow etc*) *Fig* fatal. ◆**—ly** *adv* (*wounded*) mortellement.

fatality [fə'tælɪtɪ] *n* **1** (*person killed*) victime *f.* **2** (*of event*) fatalité *f.*

fate [feɪt] *n* destin *m*, sort *m*; **one's f.** son sort. ◆**fated** *a* **f. to do** destiné à faire; **our meeting/his death/***etc* **was f.** notre rencontre/sa mort/*etc* devait arriver. ◆**fateful** *a* (*important*) fatal, décisif; (*prophetic*) fatidique; (*disastrous*) néfaste.

father ['fɑːðər] *n* père *m*; – *vt* engendrer; (*idea*) *Fig* inventer. ◆**f.-in-law** *n* (*pl* **fathers-in-law**) beau-père *m.* ◆**fatherhood** *n* paternité *f.* ◆**fatherland** *n* patrie *f.* ◆**fatherly** *a* paternel.

fathom ['fæðəm] **1** *n Nau* brasse *f* (= *1,8 m*). **2** *vt* **to f. (out)** (*understand*) comprendre.

fatigue [fə'tiːg] **1** *n* fatigue *f*; – *vt* fatiguer. **2** *n* **f. (duty)** *Mil* corvée *f.*

fatness ['fætnɪs] *n* corpulence *f.* ◆**fatten** *vt* engraisser. ◆**fattening** *a* qui fait grossir. ◆**fatty** *a* (**-ier, -iest**) (*food*) gras; (*tissue*) *Med* adipeux; – *n* (*person*) *Fam* gros lard *m.*

fatuous ['fætʃʊəs] *a* stupide.

faucet ['fɔːsɪt] *n* (*tap*) *Am* robinet *m.*

fault [fɔːlt] *n* (*blame*) faute *f*; (*failing, defect*) défaut *m*; (*mistake*) erreur *f*; *Geol* faille *f*; **to find f. (with)** critiquer; **he's at f.** c'est sa faute, il est fautif; **his** *or* **her memory is at f.** sa mémoire lui fait défaut; – *vt* **to f. s.o./sth** trouver des défauts chez qn/à qch. ◆**f.-finding** *a* critique, chicanier. ◆**faultless** *a* irréprochable. ◆**faulty** *a* (**-ier, -iest**) défectueux.

fauna ['fɔːnə] *n* (*animals*) faune *f.*

favour ['feɪvər] *n* (*approval, advantage*) faveur *f*; (*act of kindness*) service *m*; **to do s.o. a f.** rendre service à qn; **in f.** (*person*) bien vu; (*fashion*) en vogue; **it's in her f. to do** elle a intérêt à faire; **in f. of** (*for the sake of*) au profit de, en faveur de; **to be in f. of** (*support*) être pour, être partisan de; (*prefer*) préférer; – *vt* (*encourage*) favoriser; (*support*) être partisan de; (*prefer*) préférer; **he favoured me with a visit** il a eu la gentillesse de me rendre visite. ◆**—able** *a* favorable (**to** à). ◆**favourite** *a* favori, préféré; – *n* favori, -ite *mf.* ◆**favouritism** *n* favoritisme *m.*

fawn [fɔːn] **1** *n* (*deer*) faon *m*; – *a* & *n* (*colour*) fauve (*m*). **2** *vi* **to f. (up)on** flatter, flagorner.

fear [fɪər] *n* crainte *f*, peur *f*; **for f. of** de peur de; **for f. that** de peur que (+ ne + *sub*); **there's no f. of his going** il ne risque pas d'y aller; **there are fears (that) he might leave** on craint qu'il ne parte; – *vt* craindre; **I f. (that) he might leave** je crains qu'il ne parte; **to f. for** (*one's life etc*) craindre pour. ◆**fearful** *a* (*frightful*) affreux; (*timid*) peureux. ◆**fearless** *a* intrépide. ◆**fearlessness** *n* intrépidité *f.* ◆**fearsome** *a* redoutable.

feasible ['fiːzəb(ə)l] *a* (*practicable*) faisable; (*theory, explanation etc*) plausible. ◆**feasi'bility** *n* possibilité *f* (**of doing** de faire); plausibilité *f.*

feast [fiːst] *n* festin *m*, banquet *m*; *Rel* fête *f*; – *vi* banqueter; **to f. on** (*cakes etc*) se régaler de.

feat [fiːt] *n* exploit *m*, tour *m* de force; **f. of skill** tour *m* d'adresse.

feather ['feðər] **1** *n* plume *f*; **f. duster** plumeau *m.* **2** *vt* **to f. one's nest** (*enrich oneself*) faire sa pelote.

feature ['fiːtʃər] **1** *n* (*of face, person*) trait *m*; (*of thing, place, machine*) caractéristique *f*; **f. (article)** article *m* de fond; **f. (film)** grand film *m*; **to be a regular f.** (*in newspaper*) paraître régulièrement. **2** *vt* représenter (**as** comme); *Journ Cin* présenter; **a film featuring Chaplin** un film avec Charlot en vedette; – *vi* (*appear*) figurer (**in** dans).

February ['februərɪ] *n* février *m.*

fed [fed] *see* **feed**; – *a* **to be f. up** *Fam* en avoir marre (**with** de).

federal ['fedərəl] *a* fédéral. ◆**federate** *vt* fédérer. ◆**fede'ration** *n* fédération *f.*

fee [fiː] *n* (*price*) prix *m*; (*sum*) somme *f*; **fee(s)** (*professional*) honoraires *mpl*; (*of artist*) cachet *m*; (*for registration*) droits *mpl*; **tuition fees** frais *mpl* de scolarité; **entrance f.** droit *m* d'entrée; **membership fee(s)** cotisation *f*; **f.-paying school** école *f* privée.

feeble ['fiːb(ə)l] *a* (**-er, -est**) faible; (*excuse*) pauvre. ◆**f.-'minded** *a* imbécile.

feed [fiːd] *n* (*food*) nourriture *f*; (*baby's breast feed*) tétée *f*; (*baby's bottle feed*) biberon *m*; – *vt* (*pt* & *pp* **fed**) donner à manger à, nourrir; (*breast-feed*) allaiter (*un bébé*); (*bottle-feed*) donner le biberon à (*un bébé*); (*machine*) *Fig* alimenter; – *vi* (*eat*) manger; **to f. on** se nourrir de. ◆**—ing** *n* alimentation *f.* ◆**feedback** *n* réaction(s) *f(pl).*

feel [fiːl] *n* (*touch*) toucher *m*; (*sensation*) sensation *f*; – *vt* (*pt* & *pp* **felt**) (*be aware of*) sentir; (*experience*) éprouver, ressentir; (*touch*) tâter, palper; (*think*) avoir l'impression (**that** que); **to f. one's way**

avancer à tâtons; – *vi* (*tired, old etc*) se sentir; **to f. (about)** (*grope*) tâtonner; (*in pocket etc*) fouiller; **it feels hard** c'est dur (au toucher); **I f. sure** je suis sûr (**that** que); **I f. hot/sleepy/hungry** j'ai chaud/sommeil/faim; **she feels better** elle va mieux; **to f. like** (*want*) avoir envie de; **to f. as if** avoir l'impression que; **it feels like cotton** on dirait du coton; **what do you f. about . . . ?** que pensez-vous de . . . ?; **I f. bad about it** ça m'ennuie, ça me fait de la peine; **what does it f. like?** quelle impression ça (te) fait?; **to f. for** (*look for*) chercher; (*pity*) éprouver de la pitié pour; **to f. up to doing** être (assez) en forme pour faire. ◆**—ing** *n* (*emotion, impression*) sentiment *m*; (*physical*) sensation *f*; **a f. for** (*person*) de la sympathie pour; (*music*) une appréciation de; **bad f.** animosité *f*. ◆**—er** *n* (*of snail etc*) antenne *f*; **to put out a f.** *Fig* lancer un ballon d'essai.

feet [fiːt] *see* **foot**[1].

feign [feɪn] *vt* feindre, simuler.

feint [feɪnt] *n Mil Boxing* feinte *f*.

feisty ['faɪstɪ] *a* (**-ier, -iest**) (*lively*) *Am Fam* plein d'entrain.

felicitous [fə'lɪsɪtəs] *a* heureux.

feline ['fiːlaɪn] *a* félin.

fell [fel] **1** *see* **fall. 2** *vt* (*tree etc*) abattre.

fellow ['feləʊ] *n* **1** (*man, boy*) garçon *m*, type *m*; **an old f.** un vieux; **poor f.!** pauvre malheureux! **2** (*comrade*) compagnon *m*, compagne *f*; **f. being** *or* **man** semblable *m*; **f. countryman, f. countrywoman** compatriote *mf*; **f. passenger** compagnon *m* de voyage, compagne *f* de voyage. **3** (*of society*) membre *m*. ◆**fellowship** *n* camaraderie *f*; (*group*) association *f*; (*membership*) qualité *f* de membre; (*grant*) bourse *f* universitaire.

felony ['felənɪ] *n* crime *m*.

felt[1] [felt] *see* **feel.**

felt[2] [felt] *n* feutre *m*; **f.-tip(ped) pen** crayon *m* feutre.

female ['fiːmeɪl] *a* (*animal etc*) femelle; (*quality, name, voice etc*) féminin; (*vote*) des femmes; **f. student** étudiante *f*; – *n* (*woman*) femme *f*; (*animal*) femelle *f*.

feminine ['femɪnɪn] *a* féminin. ◆**femi'ninity** *n* féminité *f*. ◆**feminist** *a* & *n* féministe (*mf*).

fenc/e [fens] **1** *n* barrière *f*, clôture *f*; *Sp* obstacle *m*; – *vt* **to f. (in)** clôturer. **2** *vi* (*with sword*) *Sp* faire de l'escrime. **3** *n* (*criminal*) *Fam* receleur, -euse *mf*. ◆**—ing** *n Sp* escrime *f*.

fend [fend] **1** *vi* **to f. for oneself** se débrouiller. **2** *vt* **to f. off** (*blow etc*) parer, éviter. ◆**—er** *n* **1** (*for fire*) garde-feu *m inv*. **2** (*on car*) *Am* aile *f*.

fennel ['fen(ə)l] *n Bot Culin* fenouil *m*.

ferment ['fɜːment] *n* ferment *m*; *Fig* effervescence *f*; – [fə'ment] *vi* fermenter. ◆**fermen'tation** *n* fermentation *f*.

fern [fɜːn] *n* fougère *f*.

ferocious [fə'rəʊʃəs] *a* féroce. ◆**ferocity** *n* férocité *f*.

ferret ['ferɪt] *n* (*animal*) furet *m*; – *vi* **to f. about** (*pry*) fureter; – *vt* **to f. out** dénicher.

Ferris wheel ['ferɪswiːl] *n* (*at funfair*) grande roue *f*.

ferry ['ferɪ] *n* ferry-boat *m*; (*small, for river*) bac *m*; – *vt* transporter.

fertile ['fɜːtaɪl, *Am* 'fɜːt(ə)l] *a* (*land, imagination*) fertile; (*person, creature*) fécond. ◆**fer'tility** *n* fertilité *f*; fécondité *f*. ◆**fertilize** *vt* (*land*) fertiliser; (*egg, animal etc*) féconder. ◆**fertilizer** *n* engrais *m*

fervent ['fɜːv(ə)nt] *a* fervent. ◆**fervour** *n* ferveur *f*.

fester ['festər] *vi* (*of wound*) suppurer; (*of anger etc*) *Fig* couver.

festival ['festɪv(ə)l] *n Mus Cin* festival *m*; *Rel* fête *f*. ◆**festive** *a* (*atmosphere, clothes*) de fête; (*mood*) joyeux; **f. season** période *f* des fêtes. ◆**fe'stivities** *npl* réjouissances *fpl*, festivités *fpl*.

festoon [fe'stuːn] *vt* **to f. with** orner de.

fetch [fetʃ] *vt* **1** (*person*) amener; (*object*) apporter; **to (go and) f.** aller chercher; **to f. in** rentrer; **to f. out** sortir. **2** (*be sold for*) rapporter (**ten pounds**/*etc* dix livres/*etc*); (*price*) atteindre. ◆**—ing** *a* (*smile etc*) charmant, séduisant.

fête [feɪt] *n* fête *f*; – *vt* fêter.

fetid ['fetɪd] *a* fétide.

fetish ['fetɪʃ] *n* (*magical object*) fétiche *m*; **to make a f. of** *Fig* être obsédé par.

fetter ['fetər] *vt* (*hinder*) entraver.

fettle ['fet(ə)l] *n* **in fine f.** en pleine forme.

fetus ['fiːtəs] *n Am* fœtus *m*.

feud [fjuːd] *n* querelle *f*, dissension *f*.

feudal ['fjuːd(ə)l] *a* féodal.

fever ['fiːvər] *n* fièvre *f*; **to have a f.** (*temperature*) avoir de la fièvre. ◆**feverish** *a* (*person, activity*) fiévreux.

few [fjuː] *a* & *pron* peu (de); **f. towns**/*etc* peu de villes/*etc*; **a f. towns**/*etc* quelques villes/*etc*; **f. of them** peu d'entre eux; **a f.** quelques-un(e)s (**of** de); **a f. of us** quelques-uns d'entre nous; **one of the f. books** l'un des rares livres; **quite a f., a good f.** bon nombre (de); **a f. more books**/*etc* encore quelques livres/*etc*; **f. and far between** rares (et espacés); **f. came** peu sont venus; **to be f.** être peu nombreux; **every f. days** tous les trois ou quatre jours. ◆**fewer** *a & pron* moins (de) (**than** que); **to be f.** être moins nombreux (**than** que); **no f. than** pas moins de. ◆**fewest** *a & pron* le moins (de).

fiancé(e) [fɪ'ɒnseɪ] *n* fiancé, -ée *mf*.

fiasco [fɪ'æskəʊ] *n* (*pl* **-os**, *Am* **-oes**) fiasco *m*.

fib [fɪb] *n Fam* blague *f*, bobard *m*; – *vi* (**-bb-**) *Fam* raconter des blagues. ◆**fibber** *n Fam* blagueur, -euse *mf*.

fibre ['faɪbər] *n* fibre *f*; *Fig* caractère *m*. ◆**fibreglass** *n* fibre *f* de verre.

fickle ['fɪk(ə)l] *a* inconstant.

fiction ['fɪkʃ(ə)n] *n* fiction *f*; **(works of) f.** romans *mpl*. ◆**fictional** *a*, ◆**fic'titious** *a* fictif.

fiddl/e ['fɪd(ə)l] **1** *n* (*violin*) *Fam* violon *m*; – *vi Fam* jouer du violon. **2** *vi Fam* **to f. about** (*waste time*) traînailler, glandouiller; **to f. (about) with** (*watch, pen etc*) tripoter; (*cars etc*) bricoler. **3** *n* (*dishonesty*) *Fam* combine *f*, fraude *f*; – *vi* (*swindle*) *Fam* faire de la fraude; – *vt* (*accounts etc*) *Fam* falsifier. ◆**—ing** *a* (*petty*) insignifiant. ◆**—er** *n* **1** *Fam* joueur, -euse *mf* de violon. **2** (*swindler*) *Sl* combinard, -arde *mf*. ◆**fiddly** *a* (*task*) délicat.

fidelity [fɪ'delɪtɪ] *n* fidélité *f* (**to** à).

fidget ['fɪdʒɪt] *vi* **to f. (about)** gigoter, se trémousser; **to f. (about) with** tripoter; – *n* personne *f* qui ne tient pas en place. ◆**fidgety** *a* agité, remuant.

field [fiːld] *n* champ *m*; *Sp* terrain *m*; (*sphere*) domaine *m*; **to have a f. day** (*a good day*) s'en donner à cœur joie; **f. glasses** jumelles *fpl*; **f. marshal** maréchal *m*.

fiend [fiːnd] *n* démon *m*; **a jazz**/*etc* **f.** *Fam* un(e) passionné, -ée de jazz/*etc*; **(sex) f.** *Fam* satyre *m*. ◆**fiendish** *a* diabolique.

fierce [fɪəs] *a* (**-er, -est**) féroce; (*wind, attack*) furieux. ◆**—ness** *n* férocité *f*; fureur *f*.

fiery ['faɪərɪ] *a* (**-ier, -iest**) (*person, speech*) fougueux; (*sun, eyes*) ardent.

fiesta [fɪ'estə] *n* fiesta *f*.

fifteen [fɪf'tiːn] *a & n* quinze (*m*). ◆**fifteenth** *a & n* quinzième (*mf*). ◆**fifth** *a & n* cinquième (*mf*); **a f.** un cinquième. ◆**'fiftieth** *a & n* cinquantième (*mf*). ◆**'fifty** *a & n* cinquante (*m*).

fig [fɪg] *n* figue *f*; **f. tree** figuier *m*.

fight [faɪt] *n* bagarre *f*, rixe *f*; *Mil Boxing* combat *m*; (*struggle*) lutte *f*; (*quarrel*) dispute *f*; (*spirit*) combativité *f*; **to put up a (good) f.** bien se défendre; – *vi* (*pt & pp* **fought**) se battre (**against** contre); *Mil* se battre, combattre; (*struggle*) lutter; (*quarrel*) se disputer; **to f. back** se défendre; **to f. over sth** se disputer qch; – *vt* se battre avec (**s.o.** qn); (*evil*) lutter contre, combattre; **to f. a battle** livrer bataille; **to f. back** (*tears*) refouler; **to f. off** (*attacker, attack*) repousser; (*illness*) lutter contre; **to f. it out** se bagarrer. ◆**—ing** *n Mil* combat(s) *m*(*pl*); – *a* (*person*) combatif; (*troops*) de combat. ◆**—er** *n* combattant, -ante *mf*; *Boxing* boxeur *m*; *Fig* battant *m*, lutteur, -euse *mf*; (*aircraft*) chasseur *m*.

figment ['fɪgmənt] *n* **a f. of one's imagination** une création de son esprit.

figurative ['fɪgjʊrətɪv] *a* (*meaning*) figuré; (*art*) figuratif. ◆**—ly** *adv* au figuré.

figure[1] ['fɪgər, *Am* 'fɪgjər] *n* **1** (*numeral*) chiffre *m*; (*price*) prix *m*; *pl* (*arithmetic*) calcul *m*. **2** (*shape*) forme *f*; (*outlined shape*) silhouette *f*; (*of woman*) ligne *f*; **she has a nice f.** elle est bien faite. **3** (*diagram*) & *Liter* figure *f*; **a f. of speech** une figure de rhétorique; *Fig* une façon de parler; **f. of eight,** *Am* **f. eight** huit *m*; **f. skating** patinage *m* artistique. **4** (*important person*) figure *f*, personnage *m*. ◆**figurehead** *n Nau* figure *f* de proue; (*person*) *Fig* potiche *f*.

figure[2] ['fɪgər, *Am* 'fɪgjər] **1** *vt* (*imagine*) (s')imaginer; (*guess*) penser (**that** que); **to f. out** arriver à comprendre; (*problem*) résoudre; – *vi* (*make sense*) s'expliquer; **to f. on doing** *Am* compter faire. **2** *vi* (*appear*) figurer (**on** sur).

filament ['fɪləmənt] *n* filament *m*.

filch [fɪltʃ] *vt* (*steal*) voler (**from** à).

fil/e [faɪl] **1** *n* (*tool*) lime *f*; – *vt* **to f. (down)** limer. **2** *n* (*folder, information*) dossier *m*; (*loose-leaf*) classeur *m*; (*for card index, computer data*) fichier *m*; – *vt* (*claim, application*) déposer; **to f. (away)** classer. **3** *n* **in single f.** en file; – *vi* **to f. in/out** entrer/sortir à la queue leu leu; **to f. past** (*coffin etc*) défiler devant. ◆**—ing 1** *a* **f. clerk** documentaliste *mf*; **f. cabinet** classeur *m*. **2** *npl* (*particles*) limaille *f*.

fill [fɪl] *vt* remplir (**with** de); (*tooth*) plomber; (*sail*) gonfler; (*need*) répondre à; **to f. in** (*form*) remplir; (*hole*) combler; (*door*) condamner; **to f. s.o. in on** *Fam* mettre qn au courant de; **to f. up** (*glass etc*) remplir; **to f. up** *or* **out** (*form*) remplir; – *vi* **to f. (up)** se remplir; **to f. out** (*get fatter*) grossir, se remplumer; **to f. up** *Aut* faire le plein; – *n* **to eat one's f.** manger à sa faim; **to have had one's f. of** *Pej* en avoir assez de. ◆**—ing** *a* (*meal etc*) substantiel, nourrissant; – *n* (*in tooth*) plombage *m*; *Culin* garniture *f*; **f. station** poste *m* d'essence. ◆**—er** *n* (*for cracks in wood*) mastic *m*.

fillet ['fɪlɪt, *Am* fɪ'leɪ] *n Culin* filet *m*; – *vt* (*pt* & *pp Am* [fɪ'leɪd]) (*fish*) découper en filets; (*meat*) désosser.

fillip ['fɪlɪp] *n* (*stimulus*) coup *m* de fouet.

filly ['fɪlɪ] *n* (*horse*) pouliche *f*.

film [fɪlm] *n* film *m*; (*layer*) & *Phot* pellicule *f*; – *a* (*festival*) du film; (*studio, technician, critic*) de cinéma; **f. fan** *or* **buff** cinéphile *mf*; **f. library** cinémathèque *f*; **f. star** vedette *f* (de cinéma); – *vt* filmer.

filter ['fɪltər] *n* filtre *m*; (*traffic sign*) flèche *f*; **f. lane** *Aut* couloir *m* (pour tourner); **f. tip** (bout *m*) filtre *m*; **f.-tipped cigarette** cigarette *f* (à bout) filtre; – *vt* filtrer; – *vi* filtrer (**through sth** à travers qch); **to f. through** filtrer.

filth [fɪlθ] *n* saleté *f*; (*obscenities*) *Fig* saletés *fpl*. ◆**filthy** *a* (**-ier, -iest**) (*hands etc*) sale; (*language*) obscène; (*habit*) dégoûtant; **f. weather** un temps infect, un sale temps.

fin [fɪn] *n* (*of fish, seal*) nageoire *f*; (*of shark*) aileron *m*.

final ['faɪn(ə)l] *a* dernier; (*decision*) définitif; (*cause*) final; – *n Sp* finale *f*; *pl Univ* examens *mpl* de dernière année. ◆**finalist** *n Sp* finaliste *mf*. ◆**finalize** *vt* (*plan*) mettre au point; (*date*) fixer (définitivement). ◆**finally** *adv* (*lastly*) enfin, en dernier lieu; (*eventually*) finalement, enfin; (*once and for all*) définitivement.

finale [fɪ'nɑːlɪ] *n Mus* finale *m*.

finance ['faɪnæns] *n* finance *f*; – *a* (*company, page*) financier; – *vt* financer. ◆**fi'nancial** *a* financier; **f. year** année *f* budgétaire. ◆**fi'nancially** *adv* financièrement. ◆**fi'nancier** *n* (grand) financier *m*.

find [faɪnd] *n* (*discovery*) trouvaille *f*; – *vt* (*pt* & *pp* **found**) trouver; (*sth or s.o. lost*) retrouver; (*difficulty*) éprouver, trouver (**in doing** à faire); **I f. that** je trouve que; **£20 all found** 20 livres logé et nourri; **to f. s.o. guilty** *Jur* prononcer qn coupable; **to f. one's feet** (*settle in*) s'adapter; **to f. oneself** (*to be*) se trouver. ■ **to f. out** *vt* (*information etc*) découvrir; (*person*) démasquer; – *vi* (*enquire*) se renseigner (**about** sur); **to f. out about** (*discover*) découvrir. ◆**—ings** *npl* conclusions *fpl*.

fine¹ [faɪn] *n* (*money*) amende *f*; *Aut* contravention *f*; – *vt* **to f. s.o. (£10/***etc***)** infliger une amende (de dix livres/*etc*) à qn.

fine² [faɪn] **1** *a* (**-er, -est**) (*thin, small, not coarse*) fin; (*gold*) pur; (*feeling*) délicat; (*distinction*) subtil; – *adv* (*to cut, write*) menu. **2** *a* (**-er, -est**) (*beautiful*) beau; (*good*) bon; (*excellent*) excellent; **to be f.** (*in good health*) aller bien; – *adv* (*well*) très bien. ◆**—ly** *adv* (*dressed*) magnifiquement; (*chopped*) menu; (*embroidered, ground*) finement.

finery ['faɪnərɪ] *n* (*clothes*) parure *f*, belle toilette *f*.

finesse [fɪ'nes] *n* (*skill, tact*) doigté *m*; (*refinement*) finesse *f*.

finger ['fɪŋgər] *n* doigt *m*; **little f.** auriculaire *m*, petit doigt *m*; **middle f.** majeur *m*; **f. mark** trace *f* de doigt; – *vt* toucher (des doigts), palper. ◆**—ing** *n Mus* doigté *m*. ◆**fingernail** *n* ongle *m*. ◆**fingerprint** *n* empreinte *f* digitale. ◆**fingerstall** *n* doigtier *m*. ◆**fingertip** *n* bout *m* du doigt.

finicky ['fɪnɪkɪ] *a* (*precise*) méticuleux; (*difficult*) difficile (**about** sur).

finish ['fɪnɪʃ] *n* (*end*) fin *f*; *Sp* arrivée *f*; (*of article, car etc*) finition *f*; **paint with a matt f.** peinture *f* mate; – *vt* **to f. (off** *or* **up)** finir, terminer; **to f. doing** finir de faire; **to f. s.o. off** (*kill*) achever qn; – *vi* (*of meeting etc*) finir, se terminer; (*of person*) finir, terminer; **to f. first** terminer premier; (*in race*) arriver premier; **to have finished with** (*object*) ne plus avoir besoin de; (*situation, person*) en avoir fini avec; **to f. off** *or* **up** (*of person*) finir, terminer; **to f. up in** (*end up in*) se retrouver à; **to f. up doing** finir par faire; **finishing school** institution *f* pour jeunes filles; **finishing touch** touche *f* finale. ◆**—ed** *a* (*ended, done for*) fini.

finite ['faɪnaɪt] *a* fini.

Finland ['fɪnlənd] *n* Finlande *f*. ◆**Finn** *n* Finlandais, -aise *mf*, Finnois, -oise *mf*. ◆**Finnish** *a* finlandais, finnois; – *n* (*language*) finnois *m*.

fir [fɜːr] *n* (*tree, wood*) sapin *m*.

fire¹ ['faɪər] *n* feu *m*; (*accidental*) incendie *m*; (*electric*) radiateur *m*; **on f.** en feu; **(there's a) f.!** au feu!; **f.!** *Mil* feu!; **f. alarm** avertisseur *m* d'incendie; **f. brigade,** *Am* **f. department** pompiers *mpl*; **f. engine** (*vehicle*) voiture *f* de pompiers; (*machine*) pompe *f* à incendie; **f. escape** escalier *m* de secours; **f. station** caserne *f* de pompiers. ◆**firearm** *n* arme *f* à feu. ◆**firebug** *n* pyromane *mf*. ◆**firecracker** *n Am* pétard *m*. ◆**fireguard** *n* garde-feu *m inv*. ◆**fireman** *n* (*pl* **-men**) (sapeur-)pompier *m*. ◆**fireplace** *n* cheminée *f*. ◆**fireproof** *a* (*door*) ignifugé, anti-incendie. ◆**fireside** *n* coin *m* du feu; **f. chair** fauteuil *m*. ◆**firewood** *n* bois *m* de chauffage.

◆**firework** *n* feu *m* d'artifice; a **f. display, fireworks,** un feu d'artifice.
fire² ['faɪər] *vt* (*cannon*) tirer; (*pottery*) cuire; (*imagination*) enflammer; **to f. a gun** tirer un coup de fusil; **to f. questions at** bombarder de questions; **to f. s.o.** (*dismiss*) *Fam* renvoyer qn; – *vi* tirer (**at** sur); **f. away!** *Fam* vas-y, parle!; **firing squad** peloton *m* d'exécution; **in** *or Am* **on the firing line** en butte aux attaques.
firm [fɜːm] **1** *n Com* maison *f*, firme *f*. **2** *a* (**-er, -est**) (*earth, decision etc*) ferme; (*strict*) ferme (**with** avec); (*faith*) solide; (*character*) résolu. ◆**—ly** *adv* fermement; (*to speak*) d'une voix ferme. ◆**—ness** *n* fermeté *f*; (*of faith*) solidité *f*.
first [fɜːst] *a* premier; **I'll do it f. thing in the morning** je le ferai dès le matin, sans faute; **f. cousin** cousin, -ine *mf* germain(e); – *adv* d'abord, premièrement; (*for the first time*) pour la première fois; **f. of all** tout d'abord; **at f.** d'abord; **to come f.** (*in race*) arriver premier; (*in exam*) être le premier; – *n* premier, -ière *mf*; *Univ* = licence *f* avec mention très bien; **from the f.** dès le début; **f. aid** premiers soins *mpl or* secours *mpl*; **f. (gear)** *Aut* première *f*. ◆**f.-'class** *a* (*ticket etc*) de première (classe); (*mail*) ordinaire; – *adv* (*to travel*) en première. ◆**f.-'hand** *a* & *adv* de première main; **to have (had) f.-hand experience of** avoir fait l'expérience personnelle de. ◆**f.-'rate** *a* excellent. ◆**firstly** *adv* premièrement.
fiscal ['fɪsk(ə)l] *a* fiscal.
fish [fɪʃ] *n* (*pl inv or* **-es** [-ɪz]) poisson *m*; **f. market** marché *m* aux poissons; **f. bone** arête *f*; **f. bowl** bocal *m*; **f. fingers,** *Am* **f. sticks** *Culin* bâtonnets *mpl* de poisson; **f. shop** poissonnerie *f*; – *vi* pêcher; **to f. for** (*salmon etc*) pêcher; (*compliment etc*) *Fig* chercher; – *vt* **to f. out** (*from water*) repêcher; (*from pocket etc*) *Fig* sortir. ◆**—ing** *n* pêche *f*; **to go f.** aller à la pêche; **f. net** (*of fisherman*) filet *m* (de pêche); (*of angler*) épuisette *f*; **f. rod** canne *f* à pêche. ◆**fisherman** *n* (*pl* **-men**) pêcheur *m*. ◆**fishmonger** *n* poissonnier, -ière *mf*. ◆**fishy** *a* (**-ier, -iest**) (*smell*) de poisson; *Fig Pej* louche.
fission ['fɪʃ(ə)n] *n Phys* fission *f*.
fissure ['fɪʃər] *n* fissure *f*.
fist [fɪst] *n* poing *m*. ◆**fistful** *n* poignée *f*.
fit¹ [fɪt] **1** *a* (**fitter, fittest**) (*suited*) propre, bon (**for** à); (*fitting*) convenable; (*worthy*) digne (**for** de); (*able*) capable (**for** de, **to do** de faire); (*healthy*) en bonne santé; **f. to eat** bon à manger, mangeable; **to see f. to do** juger à propos de faire; **as you see f.** comme bon vous semble; **f. to drop** *Fam* prêt à tomber; **to keep f.** se maintenir en forme. **2** *vt* (**-tt-**) (*of coat etc*) aller (bien) à (*qn*), être à la taille de (*qn*); (*match*) répondre à; (*equal*) égaler; **to f. sth on s.o.** (*garment*) ajuster qch à qn; **to f. sth (on) to sth** (*put*) poser qch sur qch; (*adjust*) adapter qch à qch; (*fix*) fixer qch à qch; **to f. (out** *or* **up) with** (*house, ship etc*) équiper de; **to f. (in)** (*window*) poser; **to f. in** (*object*) faire entrer; (*patient, customer*) prendre; **to f. (in) the lock** (*of key*) aller dans la serrure; – *vi* (*of clothes*) aller (bien) (*à qn*); **this shirt fits** (*fits me*) cette chemise me va (bien); **to f. (in)** (*go in*) entrer, aller; (*of facts, plans*) s'accorder, cadrer (**with** avec); **he doesn't f. in** il ne peut pas s'intégrer; – *n* **a good f.** (*dress etc*) à la bonne taille; **a close** *or* **tight f.** ajusté. ◆**fitted** *a* (*cupboard*) encastré; (*garment*) ajusté; **f. carpet** moquette *f*; **f. (kitchen) units** éléments *mpl* de cuisine. ◆**fitting 1** *a* (*suitable*) convenable. **2** *n* (*of clothes*) essayage *m*; **f. room** salon *m* d'essayage; (*booth*) cabine *f* d'essayage. **3** *npl* (*in house etc*) installations *fpl*. ◆**fitment** *n* (*furniture*) meuble *m* encastré; (*accessory*) *Tech* accessoire *m*. ◆**fitness** *n* (*of remark etc*) à-propos *m*; (*for job*) aptitudes *fpl* (**for** pour); *Med* santé *f*. ◆**fitter** *n Tech* monteur, -euse *mf*.
fit² [fɪt] *n Med & Fig* accès *m*, crise *f*; **in fits and starts** par à-coups. ◆**fitful** *a* (*sleep*) agité.
five [faɪv] *a* & *n* cinq (*m*). ◆**fiver** *n Fam* billet *m* de cinq livres.
fix [fɪks] **1** *vt* (*make firm, decide*) fixer; (*tie with rope*) attacher; (*mend*) réparer; (*deal with*) arranger; (*prepare, cook*) *Am* préparer, faire; (*in s.o.'s mind*) graver (**in** dans); (*conduct fraudulently*) *Fam* truquer; (*bribe*) *Fam* acheter; (*hopes, ambitions*) mettre (**on** en); **to f. s.o.** (*punish*) *Fam* régler son compte à qn; **to f. (on)** (*lid etc*) mettre en place; **to f. up** arranger; **to f. s.o. up with sth** (*job etc*) procurer qch à qn. **2** *n Av Nau* position *f*; (*injection*) *Sl* piqûre *f*; **in a f.** *Fam* dans le pétrin. ◆**—ed** *a* (*idea, price etc*) fixe; (*resolution*) inébranlable; **how's he f. for . . . ?** *Fam* (*cash etc*) a-t-il assez de . . . ?; (*tomorrow etc*) qu'est-ce qu'il fait pour . . . ? ◆**fixings** *npl Culin Am* garniture *f*. ◆**fix'ation** *n* fixation *f*. ◆**fixer** *n* (*schemer*) *Fam* combinard, -arde *mf*. ◆**fixture 1** *n Sp* match *m* (prévu). **2** *npl* (*in house*) meubles *mpl* fixes, installations *fpl*.

fizz [fɪz] *vi* (*of champagne*) pétiller; (*of gas*) siffler. ◆**fizzy** *a* (**-ier, -iest**) pétillant.

fizzle ['fɪz(ə)l] *vi* (*hiss*) siffler; (*of liquid*) pétiller; **to f. out** (*of firework*) rater, faire long feu; (*of plan*) *Fig* tomber à l'eau; (*of custom*) disparaître.

flabbergasted ['flæbəgɑːstɪd] *a Fam* sidéré.

flabby ['flæbɪ] *a* (**-ier, -iest**) (*skin, character, person*) mou, flasque.

flag [flæg] **1** *n* drapeau *m*; *Nau* pavillon *m*; (*for charity*) insigne *m*; **f. stop** *Am* arrêt *m* facultatif; – *vt* (**-gg-**) **to f. down** (*taxi*) faire signe à. **2** *vi* (**-gg-**) (*of plant*) dépérir; (*of conversation*) languir; (*of worker*) fléchir. ◆**flagpole** *n* mât *m*.

flagrant ['fleɪgrənt] *a* flagrant.

flagstone ['flægstəʊn] *n* dalle *f*.

flair [fleər] *n* (*intuition*) flair *m*; **to have a f. for** (*natural talent*) avoir un don pour.

flake [fleɪk] *n* (*of snow etc*) flocon *m*; (*of metal, soap*) paillette *f*; – *vi* **to f. (off)** (*of paint*) s'écailler. ◆**flaky** *a* **f. pastry** pâte *f* feuilletée.

flamboyant [flæm'bɔɪənt] *a* (*person, manner*) extravagant.

flam/e [fleɪm] *n* flamme *f*; **to go up in flames** s'enflammer; – *vi* **to f. (up)** (*of fire, house*) flamber. ◆**—ing** *a* **1** (*sun*) flamboyant. **2** (*damn*) *Fam* fichu.

flamingo [flə'mɪŋgəʊ] *n* (*pl* **-os** *or* **-oes**) (*bird*) flamant *m*.

flammable ['flæməb(ə)l] *a* inflammable.

flan [flæn] *n* tarte *f*.

flank [flæŋk] *n* flanc *m*; – *vt* flanquer (**with** de).

flannel ['flænəl] *n* (*cloth*) flanelle *f*; **(face) f.** gant *m* de toilette, carré-éponge *m*. ◆**flanne'lette** *n* pilou *m*, finette *f*.

flap [flæp] **1** *vi* (**-pp-**) (*of wings, sail, shutter etc*) battre; – *vt* **to f. its wings** (*of bird*) battre des ailes; – *n* battement *m*. **2** *n* (*of pocket, envelope*) rabat *m*; (*of table*) abattant *m*; (*of door*) battant *m*.

flare [fleər] *n* (*light*) éclat *m*; *Mil* fusée *f* éclairante; (*for runway*) balise *f*; – *vi* (*blaze*) flamber; (*shine*) briller; **to f. up** (*of fire*) s'enflammer; (*of region*) *Fig* s'embraser; (*of war*) éclater; (*get angry*) s'emporter. ◆**f.-up** *n* (*of violence, fire*) flambée *f*; (*of region*) embrasement *m*. ◆**flared** *a* (*skirt*) évasé; (*trousers*) à pattes d'éléphant.

flash [flæʃ] *n* (*of light*) éclat *m*; (*of anger, genius*) éclair *m*; *Phot* flash *m*; **f. of lightning** éclair *m*; **news f.** flash *m*; **in a f.** en un clin d'œil; – *vi* (*shine*) briller; (*on and off*) clignoter; **to f. past** (*rush*) *Fig* passer comme un éclair; – *vt* (*aim*) diriger (**on, at** sur); (*a light*) projeter; (*a glance*) jeter; **to f. (around)** (*flaunt*) étaler; **to f. one's headlights** faire un appel de phares. ◆**flashback** *n* retour *m* en arrière. ◆**flashlight** *n* lampe *f* électrique *or* de poche; *Phot* flash *m*.

flashy ['flæʃɪ] *a* (**-ier, -iest**) *a* voyant, tape-à-l'œil *inv*.

flask [flɑːsk] *n* thermos® *m or f inv*; *Ch* flacon *m*; (*phial*) fiole *f*.

flat¹ [flæt] *a* (**flatter, flattest**) plat; (*tyre, battery*) à plat; (*nose*) aplati; (*beer*) éventé; (*refusal*) net; (*rate, fare*) fixe; (*voice*) *Mus* faux; (*razed to the ground*) rasé; **to put sth (down) f.** mettre qch à plat; **f. (on one's face)** à plat ventre; **to fall f.** *Fig* tomber à plat; **to be f.-footed** avoir les pieds plats; – *adv* (*to say*) carrément; (*to sing*) faux; **f. broke** *Fam* complètement fauché; **in two minutes f.** en deux minutes pile; **f. out** (*to work*) d'arrache-pied; (*to run*) à toute vitesse; – *n* (*of hand*) plat *m*; (*puncture*) *Aut* crevaison *f*; *Mus* bémol *m*. ◆**—ly** *adv* (*to deny etc*) catégoriquement. ◆**—ness** *n* (*of surface*) égalité *f*. ◆**flatten** *vt* (*crops*) coucher; (*town*) raser; **to f. (out)** (*metal etc*) aplatir.

flat² [flæt] *n* (*rooms*) appartement *m*.

flatter ['flætər] *vt* flatter; (*of clothes*) avantager (*qn*). ◆**—ing** *a* flatteur; (*clothes*) avantageux. ◆**—er** *n* flatteur, -euse *mf*. ◆**flattery** *n* flatterie *f*.

flatulence ['flætjʊləns] *n* **to have f.** avoir des gaz.

flaunt [flɔːnt] *vt* (*show off*) faire étalage de; (*defy*) *Am* narguer, défier.

flautist ['flɔːtɪst] *n* flûtiste *mf*.

flavour ['fleɪvər] *n* (*taste*) goût *m*, saveur *f*; (*of ice cream, sweet etc*) parfum *m*; – *vt* (*food*) assaisonner; (*sauce*) relever; (*ice cream etc*) parfumer (**with** à). ◆**—ing** *n* assaisonnement *m*; (*in cake*) parfum *m*.

flaw [flɔː] *n* défaut *m*. ◆**flawed** *a* imparfait. ◆**flawless** *a* parfait.

flax [flæks] *n* lin *m*. ◆**flaxen** *a* de lin.

flay [fleɪ] *vt* (*animal*) écorcher; (*criticize*) *Fig* éreinter.

flea [fliː] *n* puce *f*; **f. market** marché *m* aux puces. ◆**fleapit** *n Fam* cinéma *m* miteux.

fleck [flek] *n* (*mark*) petite tache *f*.

fledgling ['fledʒlɪŋ] *n* (*novice*) blanc-bec *m*.

flee [fliː] *vi* (*pt & pp* **fled**) fuir, s'enfuir, se sauver; – *vt* (*place*) s'enfuir de; (*danger etc*) fuir.

fleece [fliːs] **1** *n* (*sheep's coat*) toison *f*. **2** *vt* (*rob*) voler.

fleet [fliːt] *n* (*of ships*) flotte *f*; **a f. of cars** un parc automobile.

fleeting ['fliːtɪŋ] *a* (*visit, moment*) bref; (*beauty*) éphémère.

Flemish ['flemɪʃ] *a* flamand; – *n* (*language*) flamand *m*.

flesh [fleʃ] *n* chair *f*; **her (own) f. and blood** la chair de sa chair; **in the f.** en chair et en os; **f. wound** blessure *f* superficielle. ◆**fleshy** *a* (**-ier, -iest**) charnu.

flew [fluː] *see* **fly**[2].

flex [fleks] **1** *vt* (*limb*) fléchir; (*muscle*) faire jouer, bander. **2** *n* (*wire*) fil *m* (souple); (*for telephone*) cordon *m*.

flexible ['fleksɪb(ə)l] *a* flexible, souple. ◆**flexi'bility** *n* flexibilité *f*.

flick [flɪk] *vt* donner un petit coup à; **to f. off** (*remove*) enlever (d'une chiquenaude); – *vi* **to f. over** *or* **through** (*pages*) feuilleter; – *n* petit coup *m*; (*with finger*) chiquenaude *f*; **f. knife** couteau *m* à cran d'arrêt.

flicker ['flɪkər] *vi* (*of flame, light*) vaciller; (*of needle*) osciller; – *n* vacillement *m*; **f. of light** lueur *f*.

flier ['flaɪər] *n* **1** (*person*) aviateur, -trice *mf*. **2** (*handbill*) *Am* prospectus *m*, *Pol* tract *m*.

flies [flaɪz] *npl* (*on trousers*) braguette *f*.

flight [flaɪt] *n* **1** (*of bird, aircraft etc*) vol *m*; (*of bullet*) trajectoire *f*; (*of imagination*) élan *m*; (*floor, storey*) étage *m*; **f. of stairs** escalier *m*; **f. deck** cabine *f* de pilotage. **2** (*fleeing*) fuite *f* (**from** de); **to take f.** prendre la fuite.

flighty ['flaɪtɪ] *a* (**-ier, -iest**) inconstant, volage.

flimsy ['flɪmzɪ] *a* (**-ier, -iest**) (*cloth, structure etc*) (trop) léger *or* mince; (*excuse*) mince, frivole.

flinch [flɪntʃ] *vi* (*with pain*) tressaillir; **to f. from** (*duty etc*) se dérober à; **without flinching** (*complaining*) sans broncher.

fling [flɪŋ] **1** *vt* (*pt & pp* **flung**) jeter, lancer; **to f. open** (*door etc*) ouvrir brutalement. **2** *n* **to have one's** *or* **a f.** (*indulge oneself*) s'en donner à cœur joie.

flint [flɪnt] *n* silex *m*; (*for cigarette lighter*) pierre *f*.

flip [flɪp] **1** *vt* (**-pp-**) (*with finger*) donner une chiquenaude à; – *vi* **to f. through** (*book etc*) feuilleter; – *n* chiquenaude *f*; **the f. side** (*of record*) la face deux. **2** *a* (*cheeky*) *Am Fam* effronté.

flip-flops ['flɪpflɒps] *npl* tongs *fpl*.

flippant ['flɪpənt] *a* irrévérencieux; (*offhand*) désinvolte.

flipper ['flɪpər] *n* (*of seal*) nageoire *f*; (*of swimmer*) palme *f*.

flipping ['flɪpɪŋ] *a Fam* sacré; – *adv Fam* sacrément, bougrement.

flirt [flɜːt] *vi* flirter (**with** avec); – *n* flirteur, -euse *mf*. ◆**flir'tation** *n* flirt *m*. ◆**flir'tatious** *a* flirteur.

flit [flɪt] *vi* (**-tt-**) (*fly*) voltiger; **to f. in and out** (*of person*) *Fig* entrer et sortir (rapidement).

float [fləʊt] *n Fishing* flotteur *m*; (*in parade*) char *m*; – *vi* flotter (**on** sur); **to f. down the river** descendre la rivière; – *vt* (*boat, currency*) faire flotter; (*loan*) *Com* émettre. ◆**—ing** *a* (*wood, debt etc*) flottant; (*population*) instable; (*voters*) indécis.

flock [flɒk] *n* (*of sheep etc*) troupeau *m*; (*of birds*) volée *f*; *Rel Hum* ouailles *fpl*; (*of tourists etc*) foule *f*; – *vi* venir en foule; **to f. round s.o.** s'attrouper autour de qn.

floe [fləʊ] *n* (**ice**) **f.** banquise *f*.

flog [flɒg] *vt* (**-gg-**) **1** (*beat*) flageller. **2** (*sell*) *Sl* vendre. ◆**flogging** *n* flagellation *f*.

flood [flʌd] *n* inondation *f*; (*of letters, tears etc*) *Fig* flot *m*, déluge *m*, torrent *m*; – *vt* (*field etc*) inonder (**with** de); (*river*) faire déborder; **to f. (out)** (*house*) inonder; – *vi* (*of building*) être inondé; (*of river*) déborder; (*of people, money*) affluer; **to f. into** (*of tourists etc*) envahir. ◆**—ing** *n* inondation *f*. ◆**floodgate** *n* (*in water*) vanne *f*.

floodlight ['flʌdlaɪt] *n* projecteur *m*; – *vt* (*pt & pp* **floodlit**) illuminer; **floodlit match** *Sp* (match *m* en) nocturne *m*.

floor [flɔːr] **1** *n* (*ground*) sol *m*; (*wooden etc in building*) plancher *m*; (*storey*) étage *m*; **(dance) f.** piste *f* (de danse); **on the f.** par terre; **first f.** premier étage *m*; (*ground floor*) *Am* rez-de-chaussée *m inv*; **f. polish** encaustique *f*; **f. show** spectacle *m* (de cabaret). **2** *vt* (*knock down*) terrasser; (*puzzle*) stupéfier. ◆**floorboard** *n* planche *f*.

flop [flɒp] **1** *vi* (**-pp-**) **to f. down** (*collapse*) s'effondrer; **to f. about** s'agiter mollement. **2** *vi* (**-pp-**) *Fam* échouer; (*of play, film etc*) faire un four; – *n Fam* échec *m*, fiasco *m*; *Th Cin* four *m*.

floppy ['flɒpɪ] *a* (**-ier, -iest**) (*soft*) mou; (*clothes*) (trop) large; (*ears*) pendant; **f. disk** (*of computer*) disquette *f*.

flora ['flɔːrə] *n* (*plants*) flore *f*. ◆**floral** *a* floral; (*material*) à fleurs.

florid ['flɒrɪd] *a* (*style*) fleuri; (*complexion*) rougeaud, fleuri.

florist ['flɒrɪst] *n* fleuriste *mf*.

floss [flɒs] *n* (**dental**) **f.** fil *m* (de soie) dentaire.

flotilla [flə'tɪlə] *n Nau* flottille *f*.

flounce [flaʊns] *n* (*frill on dress etc*) volant *m*.

flounder ['flaʊndər] **1** *vi* (*in water etc*) patauger (avec effort), se débattre; (*in speech*) hésiter, patauger. **2** *n* (*fish*) carrelet *m*.

flour ['flaʊər] *n* farine *f*.

flourish ['flʌrɪʃ] **1** *vi* (*of person, business, plant etc*) prospérer; (*of the arts*) fleurir. **2** *vt* (*wave*) brandir. **3** *n* (*decoration*) fioriture *f*; *Mus* fanfare *f*. ◆**—ing** *a* prospère, florissant.

flout [flaʊt] *vt* narguer, braver.

flow [fləʊ] *vi* couler; (*of current*) *El* circuler; (*of hair, clothes*) flotter; (*of traffic*) s'écouler; **to f. in** (*of people, money*) affluer; **to f. back** refluer; **to f. into the sea** se jeter dans la mer; – *n* (*of river*) courant *m*; (*of tide*) flux *m*; (*of blood*) & *El* circulation *f*; (*of traffic, liquid*) écoulement *m*; (*of words*) *Fig* flot *m*. ◆**—ing** *a* (*movement*) gracieux; (*style*) coulant; (*beard*) flottant.

flower ['flaʊər] *n* fleur *f*; **f. bed** plate-bande *f*; **f. shop** (boutique *f* de) fleuriste *mf*; **f. show** floralies *fpl*; – *vi* fleurir. ◆**—ed** *a* (*dress*) à fleurs. ◆**—ing** *n* floraison *f*; – *a* (*in bloom*) en fleurs; (*with flowers*) à fleurs. ◆**flowery** *a* (*style etc*) fleuri; (*material*) à fleurs.

flown [fləʊn] *see* **fly** [2].

flu [fluː] *n* (*influenza*) *Fam* grippe *f*.

fluctuate ['flʌktʃʊeɪt] *vi* varier. ◆**fluctu'ation(s)** *n*(*pl*) (*in prices etc*) fluctuations *fpl* (**in** de).

flue [fluː] *n* (*of chimney*) conduit *m*.

fluent ['fluːənt] *a* (*style*) aisé; **to be f., be a f. speaker** s'exprimer avec facilité; **he's f. in Russian, his Russian is f.** il parle couramment le russe. ◆**fluency** *n* facilité *f*. ◆**fluently** *adv* avec facilité; (*to speak*) *Ling* couramment.

fluff [flʌf] **1** *n* (*down*) duvet *m*; (*of material*) peluche(s) *f*(*pl*); (*on floor*) moutons *mpl*. **2** *vt* (*bungle*) *Fam* rater. ◆**fluffy** *a* (**-ier, -iest**) (*bird etc*) duveteux; (*material*) pelucheux; (*toy*) en peluche; (*hair*) bouffant.

fluid ['fluːɪd] *a* fluide; (*plans*) flexible, non arrêté; – *n* fluide *m*, liquide *m*.

fluke [fluːk] *n Fam* coup *m* de chance; **by a f.** par raccroc.

flummox ['flʌməks] *vt Fam* désorienter, dérouter.

flung [flʌŋ] *see* **fling 1**.

flunk [flʌŋk] *vi* (*in exam*) *Am Fam* être collé; – *vt Am Fam* (*pupil*) coller; (*exam*) être collé à; (*school*) laisser tomber.

flunk(e)y ['flʌŋkɪ] *n Pej* larbin *m*.

fluorescent [flʊə'res(ə)nt] *a* fluorescent.

fluoride ['flʊəraɪd] *n* (*in water, toothpaste*) fluor *m*.

flurry ['flʌrɪ] *n* **1** (*of activity*) poussée *f*. **2** (*of snow*) rafale *f*.

flush [flʌʃ] **1** *n* (*of blood*) flux *m*; (*blush*) rougeur *f*; (*of youth, beauty*) éclat *m*; (*of victory*) ivresse *f*; – *vi* (*blush*) rougir. **2** *vt* **to f. (out)** (*clean*) nettoyer à grande eau; **to f. the pan** *or* **the toilet** tirer la chasse d'eau; **to f. s.o. out** (*chase away*) faire sortir qn (**from** de). **3** *a* (*level*) de niveau (**with** de); **f. (with money)** *Fam* bourré de fric. ◆**—ed** *a* (*cheeks etc*) rouge; **f. with** (*success*) ivre de.

fluster ['flʌstər] *vt* énerver; **to get flustered** s'énerver.

flute [fluːt] *n* flûte *f*. ◆**flutist** *n Am* flûtiste *mf*.

flutter ['flʌtər] **1** *vi* voltiger; (*of wing*) battre; (*of flag*) flotter (mollement); (*of heart*) palpiter; **to f. about** (*of person*) papillonner; – *vt* **to f. its wings** battre des ailes. **2** *n* **to have a f.** (*bet*) *Fam* parier.

flux [flʌks] *n* changement *m* continuel.

fly [1] [flaɪ] *n* (*insect*) mouche *f*; **f. swatter** (*instrument*) tapette *f*. ◆**flypaper** *n* papier *m* tue-mouches.

fly [2] [flaɪ] *vi* (*pt* **flew**, *pp* **flown**) (*of bird, aircraft etc*) voler; (*of passenger*) aller en avion; (*of time*) passer vite; (*of flag*) flotter; (*flee*) fuir; **to f. away** *or* **off** s'envoler; **to f. out** *Av* partir en avion; (*from room*) sortir à toute vitesse; **I must f.!** il faut que je file!; **to f. at s.o.** (*attack*) sauter sur qn; – *vt* (*aircraft*) piloter; (*passengers*) transporter (par avion); (*airline*) voyager par; (*flag*) arborer; (*kite*) faire voler; **to f. the French flag** battre pavillon français; **to f. across** *or* **over** survoler. ◆**—ing** *n* (*flight*) vol *m*; (*air travel*) aviation *f*; **to like f.** aimer l'avion; – *a* (*personnel, saucer etc*) volant; (*visit*) éclair *inv*; **with f. colours** (*to succeed*) haut la main; **a f. start** un très bon départ; **f. time** (*length*) *Av* durée *f* du vol; **ten hours'**/*etc* **f. time** dix heures/*etc* de vol. ◆**—er** *n* = **flier**. ◆**flyby** *n Av Am* défilé *m* aérien. ◆**fly-by-night** *a* (*firm*) véreux. ◆**flyover** *n* (*bridge*) toboggan *m*. ◆**flypast** *n Av* défilé *m* aérien.

fly [3] [flaɪ] *n* (*on trousers*) braguette *f*.

foal [fəʊl] *n* poulain *m*.

foam [fəʊm] *n* (*on sea, mouth*) écume *f*; (*on beer*) mousse *f*; **f. rubber** caoutchouc *m* mousse; **f. (rubber) mattress**/*etc* matelas *m*/*etc* mousse; – *vi* (*of sea, mouth*) écumer; (*of beer, soap*) mousser.

fob [fɒb] *vt* (**-bb-**) **to f. sth off on s.o., f. s.o. off with sth,** refiler qch à qn.
focal ['fəʊk(ə)l] *a* focal; **f. point** point *m* central. ◆**focus** *n* foyer *m*; (*of attention, interest*) centre *m*; **in f.** au point; – *vt Phot* mettre au point; (*light*) faire converger; (*efforts, attention*) concentrer (**on** sur); – *vi* (*converge*) converger (**on** sur); **to f. (one's eyes) on** fixer les yeux sur; **to f. on** (*direct one's attention to*) se concentrer sur.
fodder ['fɒdər] *n* fourrage *m*.
foe [fəʊ] *n* ennemi, -ie *mf*.
foetus ['fiːtəs] *n* fœtus *m*.
fog [fɒg] *n* brouillard *m*, brume *f*; – *vt* (**-gg-**) (*issue*) *Fig* embrouiller. ◆**fogbound** *a* bloqué par le brouillard. ◆**foghorn** *n* corne *f* de brume; (*voice*) *Pej* voix *f* tonitruante. ◆**foglamp** *n* (phare *m*) anti-brouillard *m*. ◆**foggy** *a* (**-ier, -iest**) (*day*) de brouillard; **it's f.** il fait du brouillard; **f. weather** brouillard *m*; **she hasn't the foggiest (idea)** *Fam* elle n'en a pas la moindre idée.
fog(e)y ['fəʊgɪ] *n* **old f.** vieille baderne *f*.
foible ['fɔɪb(ə)l] *n* petit défaut *m*.
foil [fɔɪl] **1** *n* feuille *f* de métal; *Culin* papier *m* alu(minium). **2** *n* (*contrasting person*) repoussoir *m*. **3** *vt* (*plans etc*) déjouer.
foist [fɔɪst] *vt* **to f. sth on s.o.** (*fob off*) refiler qch à qn; **to f. oneself on s.o.** s'imposer à qn.
fold[1] [fəʊld] *n* pli *m*; – *vt* plier; (*wrap*) envelopper (**in** dans); **to f. away** *or* **down** *or* **up** plier; **to f. back** *or* **over** replier; **to f. one's arms** (se) croiser les bras; – *vi* (*of chair etc*) se plier; (*of business*) *Fam* s'écrouler; **to f. away** *or* **down** *or* **up** (*of chair etc*) se plier; **to f. back** *or* **over** (*of blanket etc*) se replier. ◆**—ing** *a* (*chair etc*) pliant. ◆**—er** *n* (*file holder*) chemise *f*; (*pamphlet*) dépliant *m*.
fold[2] [fəʊld] *n* (*for sheep*) parc *m* à moutons; *Rel Fig* bercail *m*.
-fold [fəʊld] *suffix* **tenfold** *a* par dix; – *adv* dix fois.
foliage ['fəʊlɪɪdʒ] *n* feuillage *m*.
folk [fəʊk] **1** *n* gens *mpl or fpl*; *pl* gens *mpl or fpl*; (*parents*) *Fam* parents *mpl*; **hello folks!** *Fam* salut tout le monde!; **old f. like it** les vieux l'apprécient. **2** *a* (*dance etc*) folklorique; **f. music** (*contemporary*) (musique *f*) folk *m*. ◆**folklore** *n* folklore *m*.
follow ['fɒləʊ] *vt* suivre; (*career*) poursuivre; **followed by** suivi de; **to f. suit** *Fig* en faire autant; **to f. s.o. around** suivre qn partout; **to f. through** (*idea etc*) poursuivre jusqu'au bout; **to f. up** (*suggestion, case*) suivre; (*advantage*) exploiter; (*letter*) donner suite à; (*remark*) faire suivre (**with** de); – *vi* **to f. (on)** suivre; **it follows that** il s'ensuit que; **that doesn't f.** ce n'est pas logique. ◆**—ing 1** *a* suivant; – *prep* à la suite de. **2** *n* (*supporters*) partisans *mpl*; **to have a large f.** avoir de nombreux partisans; (*of serial, fashion*) être très suivi. ◆**—er** *n* partisan *m*. ◆**follow-up** *n* suite *f*; (*letter*) rappel *m*.
folly ['fɒlɪ] *n* folie *f*, sottise *f*.
foment [fəʊ'ment] *vt* (*revolt etc*) fomenter.
fond [fɒnd] *a* (**-er, -est**) (*loving*) tendre, affectueux; (*doting*) indulgent; (*wish, ambition*) naïf; **to be (very) f. of** aimer (beaucoup). ◆**—ly** *adv* tendrement. ◆**—ness** *n* (*for things*) prédilection *f* (**for** pour); (*for people*) affection *f* (**for** pour).
fondle ['fɒnd(ə)l] *vt* caresser.
food [fuːd] *n* nourriture *f*; (*particular substance*) aliment *m*; (*cooking*) cuisine *f*; (*for cats, pigs*) pâtée *f*; (*for plants*) engrais *m*; *pl* (*foodstuffs*) aliments *mpl*; – *a* (*needs etc*) alimentaire; **a fast f. shop** un fast-food; **f. poisoning** intoxication *f* alimentaire; **f. value** valeur *f* nutritive. ◆**foodstuffs** *npl* denrées *fpl or* produits *mpl* alimentaires.
fool [fuːl] *n* imbécile *mf*, idiot, -ote *mf*; **(you) silly f.!** espèce d'imbécile!; **to make a f. of** (*ridicule*) ridiculiser; (*trick*) duper; **to be f. enough to do** être assez stupide pour faire; **to play the f.** faire l'imbécile; – *vt* (*trick*) duper; – *vi* **to f. (about** *or* **around)** faire l'imbécile; (*waste time*) perdre son temps; **to f. around** (*make love*) *Am Fam* faire l'amour (**with** avec). ◆**foolish** *a* bête, idiot. ◆**foolishly** *adv* bêtement. ◆**foolishness** *n* bêtise *f*, sottise *f*. ◆**foolproof** *a* (*scheme etc*) infaillible.
foolhardy ['fuːlhɑːdɪ] *a* téméraire. ◆**foolhardiness** *n* témérité *f*.
foot[1], *pl* **feet** [fʊt, fiːt] *n* pied *m*; (*of animal*) patte *f*; (*measure*) pied *m* (= *30,48 cm*); **at the f. of** (*page, stairs*) au bas de; (*table*) au bout de; **on f.** à pied; **on one's feet** (*standing*) debout; (*recovered*) *Med* sur pied; **f. brake** *Aut* frein *m* au plancher; **f.-and-mouth disease** fièvre *f* aphteuse. ◆**footbridge** *n* passerelle *f*. ◆**foothills** *npl* contreforts *mpl*. ◆**foothold** *n* prise *f* (de pied); *Fig* position *f*; **to gain a f.** prendre pied. ◆**footlights** *npl Th* rampe *f*. ◆**footloose** *a* libre de toute attache. ◆**footman** *n* (*pl* **-men**) valet *m* de pied. ◆**footmark** *n* empreinte *f* (de pied). ◆**footnote** *n* note *f* au bas de la page; *Fig*

post-scriptum *m*. ◆**footpath** *n* sentier *m*; (*at roadside*) chemin *m* (piétonnier). ◆**footstep** *n* pas *m*; **to follow in s.o.'s footsteps** suivre les traces de qn. ◆**footwear** *n* chaussures *fpl*.

foot² [fʊt] *vt* (*bill*) payer.

football ['fʊtbɔːl] *n* (*game*) football *m*; (*ball*) ballon *m*. ◆**footballer** *n* joueur, -euse *mf* de football.

footing ['fʊtɪŋ] *n* prise *f* (de pied); *Fig* position *f*; **on a war f.** sur le pied de guerre; **on an equal f.** sur un pied d'égalité.

for [fɒr, *unstressed* fər] **1** *prep* pour; (*in exchange for*) contre; (*for a distance of*) pendant; (*in spite of*) malgré; **f. you/me/***etc* pour toi/moi/*etc*; **what f.?** pourquoi?; **what's it f.?** ça sert à quoi?; **f. example** par exemple; **f. love** par amour; **f. sale** à vendre; **to swim f.** (*towards*) nager vers; **a train f.** un train à destination de *or* en direction de; **the road f. London** la route (en direction) de Londres; **fit f. eating** bon à manger; **eager f.** avide de; **to look f.** chercher; **to come f. dinner** venir dîner; **to sell f. £7** vendre sept livres; **what's the Russian f. 'book'?** comment dit-on 'livre' en russe?; **but f. her** sans elle; **he was away f. a month** (*throughout*) il a été absent pendant un mois; **he won't be back f. a month** il ne sera pas de retour avant un mois; **he's been here f. a month** (*he's still here*) il est ici depuis un mois; **I haven't seen him f. ten years** voilà dix ans que je ne l'ai vu; **it's easy f. her to do it** il lui est facile de le faire; **it's f. you to say** c'est à toi de dire; **f. that to be done** pour que ça soit fait. **2** *conj* (*because*) car.

forage ['fɒrɪdʒ] *vt* **to f. (about)** fourrager (**for** pour trouver).

foray ['fɒreɪ] *n* incursion *f*.

forbearance [fɔːˈbeərəns] *n* patience *f*.

forbid [fəˈbɪd] *vt* (*pt* **forbad(e)**, *pp* **forbidden**, *pres p* **forbidding**) interdire, défendre (**s.o. to do** à qn de faire); **to f. s.o. sth** interdire *or* défendre qch à qn. ◆**forbidden** *a* (*fruit etc*) défendu; **she is f. to leave** il lui est interdit de partir. ◆**forbidding** *a* menaçant, sinistre.

force [fɔːs] *n* force *f*; **the (armed) forces** *Mil* les forces armées; **by (sheer) f.** de force; **in f.** (*rule*) en vigueur; (*in great numbers*) en grand nombre, en force; – *vt* contraindre, forcer (**to do** à faire); (*impose*) imposer (**on** à); (*push*) pousser; (*lock*) forcer; (*confession*) arracher (**from** à); **to f. back** (*enemy etc*) faire reculer; (*repress*) refouler; **to f. down** (*aircraft*) forcer à atterrir; **to f. out** faire sortir de force. ◆**forced** *a* forcé (**to do** de faire); **a f. smile** un sourire forcé. ◆**force-feed** *vt* (*pt & pp* **f.-fed**) nourrir de force. ◆**forceful** *a* énergique, puissant. ◆**forcefully** *adv* avec force, énergiquement. ◆**forcible** *a* de force; (*forceful*) énergique. ◆**forcibly** *adv* (*by force*) de force.

forceps ['fɔːseps] *n* forceps *m*.

ford [fɔːd] *n* gué *m*; – *vt* (*river etc*) passer à gué.

fore [fɔːr] *n* **to come to the f.** se mettre en évidence.

forearm ['fɔːrɑːm] *n* avant-bras *m inv*.

forebod/e [fɔːˈbəʊd] *vt* (*be a warning of*) présager. ◆**—ing** *n* (*feeling*) pressentiment *m*.

forecast ['fɔːkɑːst] *vt* (*pt & pp* **forecast**) prévoir; – *n* prévision *f*; *Met* prévisions *fpl*; *Sp* pronostic *m*.

forecourt ['fɔːkɔːt] *n* avant-cour *f*; (*of filling station*) aire *f* (de service), devant *m*.

forefathers ['fɔːfɑːðəz] *npl* aïeux *mpl*.

forefinger ['fɔːfɪŋgər] *n* index *m*.

forefront ['fɔːfrʌnt] *n* **in the f. of** au premier rang de.

forego [fɔːˈgəʊ] *vt* (*pp* **foregone**) renoncer à. ◆**'foregone** *a* **it's a f. conclusion** c'est couru d'avance.

foregoing [fɔːˈgəʊɪŋ] *a* précédent.

foreground ['fɔːgraʊnd] *n* premier plan *m*.

forehead ['fɒrɪd, 'fɔːhed] *n* (*brow*) front *m*.

foreign ['fɒrən] *a* étranger; (*trade*) extérieur; (*travel, correspondent*) à l'étranger; (*produce*) de l'étranger; **F. Minister** ministre *m* des Affaires étrangères. ◆**foreigner** *n* étranger, -ère *mf*.

foreman ['fɔːmən] *n* (*pl* **-men**) (*worker*) contremaître *m*; (*of jury*) président *m*.

foremost ['fɔːməʊst] **1** *a* principal. **2** *adv* **first and f.** tout d'abord.

forensic [fəˈrensɪk] *a* (*medicine*) légal; (*laboratory*) médico-légal.

forerunner ['fɔːrʌnər] *n* précurseur *m*.

foresee [fɔːˈsiː] *vt* (*pt* **foresaw**, *pp* **foreseen**) prévoir. ◆**—able** *a* prévisible.

foreshadow [fɔːˈʃædəʊ] *vt* présager.

foresight ['fɔːsaɪt] *n* prévoyance *f*.

forest ['fɒrɪst] *n* forêt *f*. ◆**forester** *n* (garde *m*) forestier *m*.

forestall [fɔːˈstɔːl] *vt* devancer.

foretaste ['fɔːteɪst] *n* avant-goût *m*.

foretell [fɔːˈtel] *vt* (*pt & pp* **foretold**) prédire.

forethought ['fɔːθɔːt] *n* prévoyance *f*.

forever [fəˈrevər] *adv* (*for always*) pour toujours; (*continually*) sans cesse.

forewarn [fɔːˈwɔːn] *vt* avertir.

foreword ['fɔːwɜːd] *n* avant-propos *m inv.*
forfeit ['fɔːfɪt] *vt* (*lose*) perdre; – *n* (*penalty*) peine *f*; (*in game*) gage *m*.
forg/e [fɔːdʒ] **1** *vt* (*signature, money*) contrefaire; (*document*) falsifier. **2** *vt* (*friendship, bond*) forger. **3** *vi* **to f. ahead** (*progress*) aller de l'avant. **4** *vt* (*metal*) forger; – *n* forge *f*. ◆**—er** *n* (*of banknotes etc*) faussaire *m*. ◆**forgery** *n* faux *m*, contrefaçon *f*.
forget [fə'get] *vt* (*pt* **forgot**, *pp* **forgotten**, *pres p* **forgetting**) oublier (**to do** de faire); **f. it!** *Fam* (*when thanked*) pas de quoi!; (*it doesn't matter*) peu importe!; **to f. oneself** s'oublier; – *vi* oublier; **to f. about** oublier. ◆**f.-me-not** *n Bot* myosotis *m*. ◆**forgetful** *a* **to be f. (of)** oublier, être oublieux (de). ◆**forgetfulness** *n* manque *m* de mémoire; (*carelessness*) négligence *f*; **in a moment of f.** dans un moment d'oubli.
forgiv/e [fə'gɪv] *vt* (*pt* **forgave**, *pp* **forgiven**) pardonner (**s.o. sth** qch à qn). ◆**—ing** *a* indulgent. ◆**forgiveness** *n* pardon *m*; (*compassion*) clémence *f*.
forgo [fɔː'gəʊ] *vt* (*pp* **forgone**) renoncer à.
fork [fɔːk] **1** *n* (*for eating*) fourchette *f*; (*for garden etc*) fourche *f*. **2** *vi* (*of road*) bifurquer; **to f. left** (*in vehicle*) prendre à gauche; – *n* bifurcation *f*, fourche *f*. **3** *vt* **to f. out** (*money*) *Fam* allonger; – *vi* **to f. out** (*pay*) *Fam* casquer. ◆**—ed** *a* fourchu. ◆**forklift truck** *n* chariot *m* élévateur.
forlorn [fə'lɔːn] *a* (*forsaken*) abandonné; (*unhappy*) triste, affligé.
form [fɔːm] *n* (*shape, type, style*) forme *f*; (*document*) formulaire *m*; *Sch* classe *f*; **it's good f.** c'est ce qui se fait; **in the f. of** en forme de; **a f. of speech** une façon de parler; **on f., in good f.** en (pleine) forme; – *vt* (*group, character etc*) former; (*clay*) façonner; (*habit*) contracter; (*an opinion*) se former; (*constitute*) constituer, former; **to f. part of** faire partie de; – *vi* (*appear*) se former. ◆**for'mation** *n* formation *f*. ◆**formative** *a* formateur.
formal ['fɔːm(ə)l] *a* (*person, tone etc*) cérémonieux; (*stuffy*) *Pej* compassé; (*official*) officiel; (*in due form*) en bonne et due forme; (*denial, structure, logic*) formel; (*resemblance*) extérieur; **f. dress** tenue *f or* habit *m* de cérémonie; **f. education** éducation *f* scolaire. ◆**for'mality** *n* cérémonie *f*; (*requirement*) formalité *f*. ◆**formally** *adv* (*to declare etc*) officiellement; **f. dressed** en tenue de cérémonie.
format ['fɔːmæt] *n* format *m*.
former ['fɔːmər] **1** *a* (*previous*) ancien; (*situation*) antérieur; **her f. husband** son ex-mari *m*; **in f. days** autrefois. **2** *a* (*of two*) premier; – *pron* **the f.** celui-là, celle-là, le premier, la première. ◆**—ly** *adv* autrefois.
formidable ['fɔːmɪdəb(ə)l] *a* effroyable, terrible.
formula ['fɔːmjʊlə] *n* **1** (*pl* **-as** *or* **-ae** [-iː]) formule *f*. **2** (*pl* **-as**) (*baby's feed*) *Am* mélange *m* lacté. ◆**formulate** *vt* formuler. ◆**formu'lation** *n* formulation *f*.
forsake [fə'seɪk] *vt* (*pt* **forsook**, *pp* **forsaken**) abandonner.
fort [fɔːt] *n Hist Mil* fort *m*; **to hold the f.** (*in s.o.'s absence*) *Fam* prendre la relève.
forte ['fɔːteɪ, *Am* fɔːt] *n* (*strong point*) fort *m*.
forth [fɔːθ] *adv* en avant; **from this day f.** désormais; **and so f.** et ainsi de suite.
forthcoming [fɔːθ'kʌmɪŋ] *a* **1** (*event*) à venir; (*book, film*) qui va sortir; **my f. book** mon prochain livre. **2** (*available*) disponible. **3** (*open*) communicatif; (*helpful*) serviable.
forthright ['fɔːθraɪt] *a* direct, franc.
forthwith [fɔːθ'wɪð] *adv* sur-le-champ.
fortieth ['fɔːtɪəθ] *a* & *n* quarantième (*mf*).
fortify ['fɔːtɪfaɪ] *vt* (*strengthen*) fortifier; **to f. s.o.** (*of food, drink*) réconforter qn, remonter qn. ◆**fortifi'cation** *n* fortification *f*.
fortitude ['fɔːtɪtjuːd] *n* courage *m* (moral).
fortnight ['fɔːtnaɪt] *n* quinze jours *mpl*, quinzaine *f*. ◆**—ly** *adv* bimensuel; – *adv* tous les quinze jours.
fortress ['fɔːtrɪs] *n* forteresse *f*.
fortuitous [fɔː'tjuːɪtəs] *a* fortuit.
fortunate ['fɔːtʃənɪt] *a* (*choice, event etc*) heureux; **to be f.** (*of person*) avoir de la chance; **it's f. (for her) that** c'est heureux (pour elle) que. ◆**—ly** *adv* heureusement.
fortune ['fɔːtʃuːn] *n* (*wealth*) fortune *f*; (*luck*) chance *f*; (*chance*) sort *m*, hasard *m*, fortune *f*; **to have the good f. to** avoir la chance *or* le bonheur de; **to tell s.o.'s f.** dire la bonne aventure à qn; **to make one's f.** faire fortune. ◆**f.-teller** *n* diseur, -euse *mf* de bonne aventure.
forty ['fɔːtɪ] *a* & *n* quarante (*m*).
forum ['fɔːrəm] *n* forum *m*.
forward ['fɔːwəd] *adv* **forward(s)** en avant; **to go f.** avancer; **from this time f.** désormais; – *a* (*movement*) en avant; (*gears*) *Aut* avant *inv*; (*child*) *Fig* précoce; (*pert*) effronté; – *n Fb* avant *m*; – *vt* (*letter*) faire suivre; (*goods*) expédier. ◆**—ness** *n* précocité *f*; effronterie *f*. ◆**forward-looking** *a* tourné vers l'avenir.
fossil ['fɒs(ə)l] *n* & *a* fossile (*m*).

foster ['fɒstər] **1** *vt* encourager; (*hope*) nourrir. **2** *vt* (*child*) élever; – *a* (*child, family*) adoptif.
fought [fɔːt] *see* **fight.**
foul [faʊl] **1** *a* (**-er, -est**) infect; (*air*) vicié; (*breath*) fétide; (*language*) grossier; (*action, place*) immonde; **to be f.-mouthed** avoir un langage grossier. **2** *n Sp* coup *m* irrégulier; *Fb* faute *f*; – *a* **f. play** *Sp* jeu *m* irrégulier; *Jur* acte *m* criminel. **3** *vt* **to f. (up)** salir; (*air*) vicier; (*drain*) encrasser; **to f. up** (*life, plans*) *Fam* gâcher. ◆**f.-up** *n* (*in system*) *Fam* raté *m*.
found[1] [faʊnd] *see* **find.**
found[2] [faʊnd] *vt* (*town, opinion etc*) fonder (**on** sur). ◆**—er**[1] *n* fondateur, -trice *mf*. ◆**foun'dation** *n* fondation *f*; (*basis*) *Fig* base *f*, fondement *m*; **without f.** sans fondement; **f. cream** fond *m* de teint.
founder[2] ['faʊndər] *vi* (*of ship*) sombrer.
foundry ['faʊndrɪ] *n* fonderie *f*.
fountain ['faʊntɪn] *n* fontaine *f*; **f. pen** stylo(-plume) *m*.
four [fɔːr] *a* & *n* quatre (*m*); **on all fours** à quatre pattes; **the Big F.** *Pol* les quatre Grands; **f.-letter word** = mot *m* de cinq lettres. ◆**fourfold** *a* quadruple; – *adv* au quadruple. ◆**foursome** *n* deux couples *mpl*. ◆**four'teen** *a* & *n* quatorze (*m*). ◆**fourth** *a* & *n* quatrième (*mf*).
fowl [faʊl] *n* (*hens*) volaille *f*; **a f.** une volaille.
fox [fɒks] **1** *n* renard *m*. **2** *vt* (*puzzle*) mystifier; (*trick*) tromper. ◆**foxy** *a* (*sly*) rusé, futé.
foxglove ['fɒksglʌv] *n Bot* digitale *f*.
foyer ['fɔɪeɪ] *n Th* foyer *m*; (*in hotel*) hall *m*.
fraction ['frækʃ(ə)n] *n* fraction *f*. ◆**fractionally** *adv* un tout petit peu.
fractious ['frækʃəs] *a* grincheux.
fracture ['fræktʃər] *n* fracture *f*; – *vt* fracturer; **to f. one's leg/***etc* se fracturer la jambe/*etc*; – *vi* se fracturer.
fragile ['frædʒaɪl, *Am* 'frædʒ(ə)l] *a* fragile. ◆**fra'gility** *n* fragilité *f*.
fragment ['frægmənt] *n* fragment *m*, morceau *m*. ◆**frag'mented** *a*, ◆**fragmentary** *a* fragmentaire.
fragrant ['freɪgrənt] *a* parfumé. ◆**fragrance** *n* parfum *m*.
frail [freɪl] *a* (**-er, -est**) (*person*) frêle, fragile; (*hope, health*) fragile. ◆**frailty** *n* fragilité *f*.
frame [freɪm] **1** *n* (*of person, building*) charpente *f*; (*of picture, bicycle*) cadre *m*; (*of window, car*) châssis *m*; (*of spectacles*) monture *f*; **f. of mind** humeur *f*; – *vt* (*picture*) encadrer; (*proposals etc*) *Fig* formuler. **2** *vt* **to f. s.o.** *Fam* monter un coup contre qn. ◆**f.-up** *n Fam* coup *m* monté. ◆**framework** *n* structure *f*; **(with)in the f. of** (*context*) dans le cadre de.
franc [fræŋk] *n* franc *m*.
France [frɑːns] *n* France *f*.
franchise ['fræntʃaɪz] *n* **1** *Pol* droit *m* de vote. **2** (*right to sell product*) *Com* franchise *f*.
Franco- ['fræŋkəʊ] *pref* franco-.
frank [fræŋk] **1** *a* (**-er, -est**) (*honest*) franc. **2** *vt* (*letter*) affranchir. ◆**—ly** *adv* franchement. ◆**—ness** *n* franchise *f*.
frankfurter ['fræŋkfɜːtər] *n* saucisse *f* de Francfort.
frantic ['fræntɪk] *a* (*activity, shout*) frénétique; (*rush, desire*) effréné; (*person*) hors de soi; **f. with joy** fou de joie. ◆**frantically** *adv* comme un fou.
fraternal [frə'tɜːn(ə)l] *a* fraternel. ◆**fraternity** *n* (*bond*) fraternité *f*; (*society*) & *Univ Am* confrérie *f*. ◆**fraternize** ['frætənaɪz] *vi* fraterniser (**with** avec).
fraud [frɔːd] *n* **1** *Jur* fraude *f*. **2** (*person*) imposteur *m*. ◆**fraudulent** *a* frauduleux.
fraught [frɔːt] *a* **f. with** plein de, chargé de; **to be f.** (*of situation*) être tendu; (*of person*) *Fam* être contrarié.
fray [freɪ] **1** *vt* (*garment*) effilocher; (*rope*) user; – *vi* s'effilocher; s'user. **2** *n* (*fight*) rixe *f*. ◆**—ed** *a* (*nerves*) *Fig* tendu.
freak [friːk] *n* (*person*) phénomène *m*, monstre *m*; **a jazz/***etc* **f.** *Fam* un(e) fana de jazz/*etc*; – *a* (*result, weather etc*) anormal. ◆**freakish** *a* anormal.
freckle ['frek(ə)l] *n* tache *f* de rousseur. ◆**freckled** *a* couvert de taches de rousseur.
free [friː] *a* (**freer, freest**) (*at liberty, not occupied*) libre; (*gratis*) gratuit; (*lavish*) généreux (**with** de); **to get f.** se libérer; **f. to do** libre de faire; **to let s.o. go f.** relâcher qn; **f. of charge** gratuit; **f. of** (*without*) sans; **f. of s.o.** (*rid of*) débarrassé de qn; **to have a f. hand** *Fig* avoir carte blanche (**to do** pour faire); **f. and easy** décontracté; **f. trade** libre-échange *m*; **f. speech** liberté *f* d'expression; **f. kick** *Fb* coup *m* franc; **f.-range egg** œuf *m* de ferme; – *adv* **f. (of charge)** gratuitement; – *vt* (*pt* & *pp* **freed**) (*prisoner etc*) libérer; (*trapped person, road*) dégager; (*country*) affranchir, libérer; (*untie*) détacher. ◆**Freefone**® *Tel* = numéro *m* vert. ◆**free-for-'all** *n* mêlée *f* générale. ◆**freehold** *n* propriété *f* foncière libre. ◆**freelance** *a* indépendant; – *n* collaborateur, -trice *mf* indépen-

dant(e). ◆**freeloader** *n* (*sponger*) *Am* parasite *m.* ◆**Freemason** *n* franc-maçon *m.* ◆**Freemasonry** *n* franc-maçonnerie *f.* ◆**freestyle** *n Swimming* nage *f* libre. ◆**free'thinker** *n* libre penseur, -euse *mf.* ◆**freeway** *n Am* autoroute *f.*

freedom ['friːdəm] *n* liberté *f*; **f. from** (*worry, responsibility*) absence *f* de.

freely ['friːlɪ] *adv* (*to speak, circulate etc*) librement; (*to give*) libéralement.

freez/e [friːz] *vi* (*pt* **froze**, *pp* **frozen**) geler; (*of smile*) *Fig* se figer; *Culin* se congeler; **to f. to death** mourir de froid; **to f. up** *or* **over** geler; (*of windscreen*) se givrer; – *vt Culin* congeler, surgeler; (*credits, river*) geler; (*prices, wages*) bloquer; **frozen food** surgelés *mpl*; – *n Met* gel *m*; (*of prices etc*) blocage *m.* ◆**—ing** *a* (*weather etc*) glacial; (*hands, person*) gelé; **it's f.** on gèle; – *n* **below f.** au-dessous de zéro. ◆**—er** *n* (*deep-freeze*) congélateur *m*; (*in fridge*) freezer *m.*

freight [freɪt] *n* (*goods, price*) fret *m*; (*transport*) transport *m*; **f. train** *Am* train *m* de marchandises; – *vt* (*ship*) affréter. ◆**—er** *n* (*ship*) cargo *m.*

French [frentʃ] *a* français; (*teacher*) de français; (*embassy*) de France; **F. fries** *Am* frites *fpl*; **the F.** les Français *mpl*; – *n* (*language*) français *m.* ◆**Frenchman** *n* (*pl* **-men**) Français *m.* ◆**French-speaking** *a* francophone. ◆**Frenchwoman** *n* (*pl* **-women**) Française *f.*

frenzy ['frenzɪ] *n* frénésie *f.* ◆**frenzied** *a* (*shouts etc*) frénétique; (*person*) effréné; (*attack*) violent.

frequent ['friːkwənt] *a* fréquent; **f. visitor** habitué, -ée *mf* (**to** de); – [frɪ'kwent] *vt* fréquenter. ◆**frequency** *n* fréquence *f.* ◆**frequently** *adv* fréquemment.

fresco ['freskəʊ] *n* (*pl* **-oes** *or* **-os**) fresque *f.*

fresh [freʃ] **1** *a* (**-er, -est**) frais; (*new*) nouveau; (*impudent*) *Fam* culotté; **to get some f. air** prendre le frais; **f. water** eau *f* douce. **2** *adv* **f. from** fraîchement arrivé de; **f. out of, f. from** (*university*) frais émoulu de. ◆**freshen 1** *vi* (*of wind*) fraîchir. **2** *vi* **to f. up** faire un brin de toilette; – *vt* **to f. up** (*house etc*) retaper; **to f. s.o. up** (*of bath*) rafraîchir qn. ◆**freshener** *n* **air f.** désodorisant *m.* ◆**freshman** *n* (*pl* **-men**) étudiant, -ante *mf* de première année. ◆**freshness** *n* fraîcheur *f*; (*cheek*) *Fam* culot *m.*

fret [fret] *vi* (**-tt-**) (*worry*) se faire du souci, s'en faire; (*of baby*) pleurer. ◆**fretful** *a* (*baby etc*) grognon.

friar ['fraɪər] *n* frère *m*, moine *m.*

friction ['frɪkʃ(ə)n] *n* friction *f.*

Friday ['fraɪdɪ] *n* vendredi *m.*

fridge [frɪdʒ] *n Fam* frigo *m.*

fried [fraɪd] *pt & pp of* **fry 1**; – *a* (*fish etc*) frit; **f. egg** œuf *m* sur le plat. ◆**frier** *n* (*pan*) friteuse *f.*

friend [frend] *n* ami, -ie *mf*; (*from school, work*) camarade *mf*; **to be friends with** être ami avec; **to make friends** se lier (**with** avec). ◆**friendly** *a* (**-ier, -iest**) amical; (*child, animal*) gentil, affectueux; (*kind*) gentil; **some f. advice** un conseil d'ami; **to be f. with** être ami avec. ◆**friendship** *n* amitié *f.*

frieze [friːz] *n Archit* frise *f.*

frigate ['frɪgət] *n* (*ship*) frégate *f.*

fright [fraɪt] *n* peur *f*; (*person, hat etc*) *Fig Fam* horreur *f*; **to have a f.** avoir peur; **to give s.o. a f.** faire peur à qn. ◆**frighten** *vt* effrayer, faire peur à; **to f. away** *or* **off** (*animal*) effaroucher; (*person*) chasser. ◆**frightened** *a* effrayé; **to be f.** avoir peur (**of** de). ◆**frightening** *a* effrayant. ◆**frightful** *a* affreux. ◆**frightfully** *adv* (*ugly, late*) affreusement; (*kind, glad*) terriblement.

frigid ['frɪdʒɪd] *a* (*air, greeting etc*) froid; *Psy* frigide.

frill [frɪl] *n Tex* volant *m*; *pl* (*fuss*) *Fig* manières *fpl*, chichis *mpl*; (*useless embellishments*) fioritures *fpl*, superflu *m*; **no frills** (*spartan*) spartiate.

fringe [frɪndʒ] **1** *n* (*of hair, clothes etc*) frange *f.* **2** *n* (*of forest*) lisière *f*; **on the fringe(s) of society** en marge de la société; – *a* (*group, theatre*) marginal; **f. benefits** avantages *mpl* divers.

frisk [frɪsk] **1** *vt* (*search*) fouiller (au corps). **2** *vi* **to f. (about)** gambader. ◆**frisky** *a* (**-ier, -iest**) *a* vif.

fritter ['frɪtər] **1** *vt* **to f. away** (*waste*) gaspiller. **2** *n Culin* beignet *m.*

frivolous ['frɪvələs] *a* frivole. ◆**fri'volity** *n* frivolité *f.*

frizzy ['frɪzɪ] *a* (*hair*) crépu.

fro [frəʊ] *adv* **to go to and f.** aller et venir.

frock [frɒk] *n* (*dress*) robe *f*; (*of monk*) froc *m.*

frog [frɒg] *n* grenouille *f*; **a f. in one's throat** *Fig* un chat dans la gorge. ◆**frogman** *n* (*pl* **-men**) homme-grenouille *m.*

frolic ['frɒlɪk] *vi* (*pt & pp* **frolicked**) **to f. (about)** gambader; – *npl* (*capers*) ébats *mpl*; (*pranks*) gamineries *fpl.*

from [frɒm, *unstressed* frəm] *prep* **1** de; **a letter f.** une lettre de; **to suffer f.** souffrir de;

where are you f.? d'où êtes-vous?; **a train f.** un train en provenance de; **to be ten metres (away) f. the house** être à dix mètres de la maison. **2** (*time onwards*) à partir de, dès, depuis; **f. today (on), as f. today** à partir d'aujourd'hui, dès aujourd'hui; **f. her childhood** dès *or* depuis son enfance. **3** (*numbers, prices onwards*) à partir de; **f. five francs** à partir de cinq francs. **4** (*away from*) à; **to take/hide/borrow f.** prendre/cacher/emprunter à. **5** (*out of*) dans; sur; **to take f.** (*box*) prendre dans; (*table*) prendre sur; **to drink f. a cup**/*etc* boire dans une tasse/*etc*; **to drink (straight) f. the bottle** boire à (même) la bouteille. **6** (*according to*) d'après; **f. what I saw** d'après ce que j'ai vu. **7** (*cause*) par; **f. conviction/habit/***etc*. par conviction/habitude/*etc*. **8** (*on the part of, on behalf of*) de la part de; **tell her f. me** dis-lui de ma part.

front [frʌnt] *n* (*of garment, building*) devant *m*; (*of boat, car*) avant *m*; (*of crowd*) premier rang *m*; (*of book*) début *m*; *Mil Pol Met* front *m*; (*beach*) front *m* de mer; (*appearance*) *Fig* façade *f*; **in f. (of)** devant; **in f.** (*ahead*) en avant; *Sp* en tête; **in the f.** (*of vehicle*) à l'avant; (*of house*) devant; – *a* (*tooth etc*) de devant; (*part, wheel, car seat*) avant *inv*; (*row, page*) premier; (*view*) de face; **f. door** porte *f* d'entrée; **f. line** *Mil* front *m*; **f. room** (*lounge*) salon *m*; **f. runner** *Fig* favori, -ite *mf*; **f.-wheel drive** (*on vehicle*) traction *f* avant; – *vi* **to f. on to** (*of windows etc*) donner sur. ◆**frontage** *n* façade *f*. ◆**frontal** *a* (*attack*) de front.

frontier ['frʌntɪər] *n* frontière *f*; – *a* (*town, post*) frontière *inv*.

frost [frɒst] *n* gel *m*, gelée *f*; (*frozen drops on glass, grass etc*) gelée *f* blanche, givre *m*; – *vi* **to f. up** (*of windscreen etc*) se givrer. ◆**frostbite** *n* gelure *f*. ◆**frostbitten** *a* gelé. ◆**frosty** *a* (**-ier, -iest**) glacial; (*window*) givré; **it's f.** il gèle.

frosted ['frɒstɪd] *a* (*glass*) dépoli.

frosting ['frɒstɪŋ] *n* (*icing*) *Culin* glaçage *m*.

froth [frɒθ] *n* mousse *f*; – *vi*. mousser. ◆**frothy** *a* (**-ier, -iest**) (*beer etc*) mousseux.

frown [fraʊn] *n* froncement *m* de sourcils; – *vi* froncer les sourcils; **to f. (up)on** *Fig* désapprouver.

froze, frozen [frəʊz, 'frəʊz(ə)n] *see* **freeze.**

frugal ['fruːg(ə)l] *a* (*meal*) frugal; (*thrifty*) parcimonieux. ◆**—ly** *adv* parcimonieusement.

fruit [fruːt] *n* fruit *m*; **(some) f.** (*one item*) un fruit; (*more than one*) des fruits; – *a* (*basket*) à fruits; (*drink*) aux fruits; (*salad*) de fruits; **f. tree** arbre *m* fruitier. ◆**fruitcake** *n* cake *m*. ◆**fruiterer** *n* fruitier, -ière *mf*. ◆**fruitful** *a* (*meeting, career etc*) fructueux, fécond. ◆**fruitless** *a* stérile. ◆**fruity** *a* (**-ier, -iest**) *a* fruité, de fruit; (*joke*) *Fig Fam* corsé.

fruition [fruː'ɪʃ(ə)n] *n* **to come to f.** se réaliser.

frumpish ['frʌmpɪʃ] *a*, **frumpy** ['frʌmpɪ] *a* *Fam* (mal) fagoté.

frustrat/e [frʌ'streɪt] *vt* (*person*) frustrer; (*plans*) faire échouer. ◆**—ed** *a* (*mentally, sexually*) frustré; (*effort*) vain. ◆**—ing** *a* irritant. ◆**fru'stration** *n* frustration *f*; (*disappointment*) déception *f*.

fry [fraɪ] **1** *vt* (faire) frire; – *vi* frire. **2** *n* **small f.** menu fretin *m*. ◆**—ing** *n* friture *f*; **f. pan** poêle *f* (à frire). ◆**—er** *n* (*pan*) friteuse *f*.

ft *abbr* (*measure*) = **foot, feet.**

fuddled ['fʌd(ə)ld] *a* (*drunk*) gris; (*confused*) embrouillé.

fuddy-duddy ['fʌdɪdʌdɪ] *n* **he's an old f.-duddy** *Fam* il est vieux jeu.

fudge [fʌdʒ] **1** *n* (*sweet*) caramel *m* mou. **2** *vt* **to f. the issue** refuser d'aborder le problème.

fuel [fjʊəl] *n* combustible *m*; *Aut* carburant *m*; **f. (oil)** mazout *m*; – *vt* (**-ll-**, *Am* **-l-**) (*stove*) alimenter; (*ship*) ravitailler (en combustible); (*s.o.'s anger etc*) attiser.

fugitive ['fjuːdʒɪtɪv] *n* fugitif, -ive *mf*.

fugue [fjuːg] *n* *Mus* fugue *f*.

fulfil, *Am* **fulfill** [fʊl'fɪl] *vt* (**-ll-**) (*ambition, dream*) accomplir, réaliser; (*condition, duty*) remplir; (*desire*) satisfaire; **to f. oneself** s'épanouir. ◆**fulfilling** *a* satisfaisant. ◆**fulfilment** *n*, *Am* ◆**fulfillment** *n* accomplissement *m*, réalisation *f*; (*feeling*) satisfaction *f*.

full [fʊl] *a* (**-er, -est**) plein (**of** de); (*bus, theatre, meal*) complet; (*life, day*) (bien) rempli; (*skirt*) ample; (*hour*) entier; (*member*) à part entière; **the f. price** le prix fort; **to pay (the) f. fare** payer plein tarif; **to be f. (up)** (*of person*) *Culin* n'avoir plus faim; (*of hotel*) être complet; **the f. facts** tous les faits; **at f. speed** à toute vitesse; **f. name** (*on form*) nom et prénom; **f. stop** *Gram* point *m*; – *adv* **to know f. well** savoir fort bien; **f. in the face** (*to hit etc*) en pleine figure; – *n* **in f.** (*text*) intégral; (*to publish, read*) intégralement; (*to write one's name*) en toutes lettres; **to the f.** (*completely*) tout à fait. ◆**fullness** *n* (*of details*) abondance *f*; (*of dress*) ampleur *f*. ◆**fully** *adv* entièrement; (*at least*) au moins.

full-back ['fʊlbæk] *n Fb* arrière *m*. ◆**f.-'grown** *a* adulte; (*foetus*) arrivé à terme. ◆**f.-'length** *a* (*film*) de long métrage; (*portrait*) en pied; (*dress*) long. ◆**f.-'scale** *a* (*model etc*) grandeur nature *inv*; (*operation etc*) *Fig* de grande envergure. ◆**f.-'sized** *a* (*model*) grandeur nature *inv*. ◆**f.-'time** *a* & *adv* à plein temps.

fully-fledged, *Am* **full-fledged** [fʊl(ɪ)'fledʒd] *a* (*engineer etc*) diplômé; (*member*) à part entière. ◆**f.-formed** *a* (*baby etc*) formé. ◆**f.-grown** *a* = **full-grown.**

fulsome ['fʊlsəm] *a* (*praise etc*) excessif.

fumble ['fʌmb(ə)l] *vi* **to f. (about)** (*grope*) tâtonner; (*search*) fouiller (**for** pour trouver); **to f. (about) with** tripoter.

fume [fjuːm] *vi* (*give off fumes*) fumer; (*of person*) *Fig* rager; – *npl* émanations *fpl*; (*from car exhaust*) gaz *m inv*.

fumigate ['fjuːmɪgeɪt] *vt* désinfecter (par fumigation).

fun [fʌn] *n* amusement *m*; **to be (good) f.** être très amusant; **to have (some) f.** s'amuser; **to make f. of, poke f. at** se moquer de; **for f., for the f. of it** pour le plaisir.

function ['fʌŋkʃ(ə)n] **1** *n* (*role, duty*) & *Math* fonction *f*; (*meeting*) réunion *f*; (*ceremony*) cérémonie *f* (publique). **2** *vi* (*work*) fonctionner. ◆**functional** *a* fonctionnel.

fund [fʌnd] *n* (*for pension, relief etc*) *Fin* caisse *f*; (*of knowledge etc*) *Fig* fond *m*; *pl* (*money resources*) fonds *mpl*; (*for special purpose*) crédits *mpl*; – *vt* (*with money*) fournir des fonds *or* des crédits à.

fundamental [fʌndə'ment(ə)l] *a* fondamental; – *npl* principes *mpl* essentiels.

funeral ['fjuːnərəl] *n* enterrement *m*; (*grandiose*) funérailles *fpl*; – *a* (*service, march*) funèbre; (*expenses, parlour*) funéraire.

funfair ['fʌnfeər] *n* fête *f* foraine; (*larger*) parc *m* d'attractions.

fungus, *pl* **-gi** ['fʌŋgəs, -gaɪ] *n Bot* champignon *m*; (*mould*) moisissure *f*.

funicular [fjʊ'nɪkjʊlər] *n* funiculaire *m*.

funk [fʌŋk] *n* **to be in a f.** (*afraid*) *Fam* avoir la frousse; (*depressed, sulking*) *Am Fam* faire la gueule.

funnel ['fʌn(ə)l] *n* **1** (*of ship*) cheminée *f*. **2** (*tube for pouring*) entonnoir *m*.

funny ['fʌnɪ] *a* (**-ier, -iest**) (*amusing*) drôle; (*strange*) bizarre; **a f. idea** une drôle d'idée; **there's some f. business going on** il y a quelque chose de louche; **to feel f.** ne pas se sentir très bien. ◆**funnily** *adv* drôlement; bizarrement; **f. enough...** chose bizarre ....

fur [fɜːr] **1** *n* (*of animal*) poil *m*, pelage *m*; (*for wearing etc*) fourrure *f*. **2** *n* (*in kettle*) dépôt *m* (de tartre); – *vi* (**-rr-**) **to f. (up)** s'entartrer.

furious ['fjʊərɪəs] *a* (*violent, angry*) furieux (**with, at** contre); (*pace, speed*) fou. ◆**—ly** *adv* furieusement; (*to drive, rush*) à une allure folle.

furnace ['fɜːnɪs] *n* (*forge*) fourneau *m*; (*room etc*) *Fig* fournaise *f*.

furnish ['fɜːnɪʃ] *vt* **1** (*room*) meubler. **2** (*supply*) fournir (**s.o. with sth** qch à qn). ◆**—ings** *npl* ameublement *m*.

furniture ['fɜːnɪtʃər] *n* meubles *mpl*; **a piece of f.** un meuble.

furrier ['fʌrɪər] *n* fourreur *m*.

furrow ['fʌrəʊ] *n* (*on brow*) & *Agr* sillon *m*.

furry ['fɜːrɪ] *a* (*animal*) à poil; (*toy*) en peluche.

further ['fɜːðər] **1** *adv* & *a* = **farther. 2** *adv* (*more*) davantage, plus; (*besides*) en outre; – *a* (*additional*) supplémentaire; (*education*) post-scolaire; **f. details** de plus amples détails; **a f. case**/*etc* (*another*) un autre cas/*etc*; **without f. delay** sans plus attendre. **3** *vt* (*cause, research etc*) promouvoir. ◆**furthermore** *adv* en outre. ◆**furthest** *a* & *adv* = **farthest.**

furtive ['fɜːtɪv] *a* furtif.

fury ['fjʊərɪ] *n* (*violence, anger*) fureur *f*.

fuse [fjuːz] **1** *vti* (*melt*) *Tech* fondre; *Fig* fusionner. **2** *vt* **to f. the lights** *etc* faire sauter les plombs; – *vi* **the lights** *etc* **have fused** les plombs ont sauté; – *n* (*wire*) *El* fusible *m*, plomb *m*. **3** *n* (*of bomb*) amorce *f*. ◆**fused** *a* (*plug*) *El* avec fusible incorporé. ◆**fusion** *n* (*union*) & *Phys Biol* fusion *f*.

fuselage ['fjuːzəlɑːʒ] *n Av* fuselage *m*.

fuss [fʌs] *n* façons *fpl*, histoires *fpl*, chichis *mpl*; (*noise*) agitation *f*; **what a (lot of) f.!** quelle histoire!; **to kick up** *or* **make a f.** faire des histoires; **to make a f. of** être aux petits soins pour; – *vi* faire des chichis; (*worry*) se tracasser (**about** pour); (*rush about*) s'agiter; **to f. over s.o.** être aux petits soins pour qn. ◆**fusspot** *n*, *Am* ◆**fussbudget** *n Fam* enquiquineur, -euse *mf*. ◆**fussy** *a* (**-ier, -iest**) méticuleux; (*difficult*) difficile (**about** sur).

fusty ['fʌstɪ] *a* (**-ier, -iest**) (*smell*) de renfermé.

futile ['fjuːtaɪl, *Am* 'fjuːt(ə)l] *a* futile, vain. ◆**fu'tility** *n* futilité *f*.

future ['fjuːtʃər] *n* avenir *m*; *Gram* futur *m*; **in f.** (*from now on*) à l'avenir; **in the f.** (*one day*) un jour (futur); – *a* futur, à venir; (*date*) ultérieur.

fuzz [fʌz] *n* **1** (*down*) *Fam* duvet *m*. **2 the f.** (*police*) *Sl* les flics *mpl*. ◆**fuzzy** *a* (**-ier, -iest**) (*hair*) crépu; (*picture, idea*) flou.

G

G, g [dʒiː] *n* G, g *m*. ◆**G.-string** *n* (*cloth*) cache-sexe *m inv*.

gab [gæb] *n* **to have the gift of the g.** *Fam* avoir du bagou(t).

gabardine [gæbə'diːn] *n* (*material, coat*) gabardine *f*.

gabble ['gæb(ə)l] *vi* (*chatter*) jacasser; (*indistinctly*) bredouiller; – *n* baragouin *m*.

gable ['geɪb(ə)l] *n Archit* pignon *m*.

gad ['gæd] *vi* (**-dd-**) **to g. about** se balader, vadrouiller.

gadget ['gædʒɪt] *n* gadget *m*.

Gaelic ['geɪlɪk, 'gælɪk] *a* & *n* gaélique (*m*).

gaffe [gæf] *n* (*blunder*) gaffe *f*, bévue *f*.

gag [gæg] **1** *n* (*over mouth*) bâillon *m*; – *vt* (**-gg-**) (*victim, press etc*) bâillonner. **2** *n* (*joke*) plaisanterie *f*; *Cin Th* gag *m*. **3** *vi* (**-gg-**) (*choke*) *Am* s'étouffer (**on** avec).

gaggle ['gæg(ə)l] *n* (*of geese*) troupeau *m*.

gaiety ['geɪɪtɪ] *n* gaieté *f*; (*of colour*) éclat *m*. ◆**gaily** *adv* gaiement.

gain [geɪn] *vt* (*obtain, win*) gagner; (*objective*) atteindre; (*experience, reputation*) acquérir; (*popularity*) gagner en; **to g. speed/weight** prendre de la vitesse/du poids; – *vi* (*of watch*) avancer; **to g. in strength** gagner en force; **to g. on** (*catch up with*) rattraper; – *n* (*increase*) augmentation *f* (**in** de); (*profit*) *Com* bénéfice *m*, gain *m*; *Fig* avantage *m*. ◆**gainful** *a* profitable; (*employment*) rémunéré.

gainsay [geɪn'seɪ] *vt* (*pt* & *pp* **gainsaid** [-sed]) (*person*) contredire; (*facts*) nier.

gait [geɪt] *n* (*walk*) démarche *f*.

gala ['gɑːlə, 'geɪlə] *n* gala *m*, fête *f*; **swimming g.** concours *m* de natation.

galaxy ['gæləksɪ] *n* galaxie *f*.

gale [geɪl] *n* grand vent *m*, rafale *f* (de vent).

gall [gɔːl] **1** *n Med* bile *f*; (*bitterness*) *Fig* fiel *m*; (*cheek*) *Fam* effronterie *f*; **g. bladder** vésicule *f* biliaire. **2** *vt* (*vex*) blesser, froisser.

gallant ['gælənt] *a* (*brave*) courageux; (*splendid*) magnifique; (*chivalrous*) galant. ◆**gallantry** *n* (*bravery*) courage *m*.

galleon ['gælɪən] *n* (*ship*) *Hist* galion *m*.

gallery ['gælərɪ] *n* (*room etc*) galerie *f*; (*for public, press*) tribune *f*; **art g.** (*private*) galerie *f* d'art; (*public*) musée *m* d'art.

galley ['gælɪ] *n* (*ship*) *Hist* galère *f*; (*kitchen*) *Nau Av* cuisine *f*.

Gallic ['gælɪk] *a* (*French*) français. ◆**gallicism** *n* (*word etc*) gallicisme *m*.

gallivant ['gælɪvænt] *vi* **to g. (about)** *Fam* courir, vadrouiller.

gallon ['gælən] *n* gallon *m* (*Br* = *4,5 litres, Am* = *3,8 litres*).

gallop ['gæləp] *n* galop *m*; – *vi* galoper; **to g. away** (*rush*) *Fig* partir au galop *or* en vitesse. ◆**—ing** *a* (*inflation etc*) *Fig* galopant.

gallows ['gæləʊz] *npl* potence *f*.

gallstone ['gɔːlstəʊn] *n Med* calcul *m* biliaire.

galore [gə'lɔːr] *adv* à gogo, en abondance.

galoshes [gə'lɒʃɪz] *npl* (*shoes*) caoutchoucs *mpl*.

galvanize ['gælvənaɪz] *vt* (*metal*) & *Fig* galvaniser.

gambit ['gæmbɪt] *n* **opening g.** *Fig* manœuvre *f* stratégique.

gambl/e ['gæmb(ə)l] *vi* jouer (**on** sur, **with** avec); **to g. on** (*count on*) miser sur; – *vt* (*wager*) jouer; **to g. (away)** (*lose*) perdre (au jeu); – *n* (*bet*) & *Fig* coup *m* risqué. ◆**—ing** *n* jeu *m*. ◆**—er** *n* joueur, -euse *mf*.

game [geɪm] **1** *n* jeu *m*; (*of football, cricket etc*) match *m*; (*of tennis, chess, cards*) partie *f*; **to have a g. of** jouer un match de; faire une partie de; **games** *Sch* le sport; **games teacher** professeur *m* d'éducation physique. **2** *n* (*animals, birds*) gibier *m*; **to be fair g. for** *Fig* être une proie idéale pour. **3** *a* (*brave*) courageux; **g. for** (*willing*) prêt à. **4** *a* (*leg*) estropié; **to have a g. leg** être boiteux. ◆**gamekeeper** *n* garde-chasse *m*.

gammon ['gæmən] *n* (*ham*) jambon *m* fumé.

gammy ['gæmɪ] *a Fam* = **game 4**.

gamut ['gæmət] *n Mus* & *Fig* gamme *f*.

gang [gæŋ] *n* bande *f*; (*of workers*) équipe *f*; (*of crooks*) gang *m*; – *vi* **to g. up on** *or*

against se liguer contre. ◆**gangster** *n* gangster *m*.
gangling ['gæŋglɪŋ] *a* dégingandé.
gangrene ['gæŋgriːn] *n* gangrène *f*.
gangway ['gæŋweɪ] *n* passage *m*; (*in train*) couloir *m*; (*in bus, cinema, theatre*) allée *f*; (*footbridge*) *Av Nau* passerelle *f*; **g.!** dégagez!
gaol [dʒeɪl] *n* & *vt* = **jail**.
gap [gæp] *n* (*empty space*) trou *m*, vide *m*; (*breach*) trou *m*; (*in time*) intervalle *m*; (*in knowledge*) lacune *f*; **the g. between** (*divergence*) l'écart *m* entre.
gap/e [geɪp] *vi* (*stare*) rester *or* être bouche bée; **to g. at** regarder bouche bée. ◆**—ing** *a* (*chasm, wound*) béant.
garage ['gærɑː(d)ʒ, 'gærɪdʒ, *Am* gə'rɑːʒ] *n* garage *m*; – *vt* mettre au garage.
garb [gɑːb] *n* (*clothes*) costume *m*.
garbage ['gɑːbɪdʒ] *n* ordures *fpl*; **g. can** *Am* poubelle *f*; **g. collector** *or* **man** *Am* éboueur *m*; **g. truck** *Am* camion-benne *m*.
garble ['gɑːb(ə)l] *vt* (*words etc*) déformer, embrouiller.
garden ['gɑːd(ə)n] *n* jardin *m*; **the gardens** (*park*) le parc; **g. centre** (*store*) jardinerie *f*; (*nursery*) pépinière *f*; **g. party** garden-party *f*; **g. produce** produits *mpl* maraîchers; – *vi* **to be gardening** jardiner. ◆**—ing** *n* jardinage *m*. ◆**—er** *n* jardinier, -ière *mf*.
gargle ['gɑːg(ə)l] *vi* se gargariser; – *n* gargarisme *m*.
gargoyle ['gɑːgɔɪl] *n Archit* gargouille *f*.
garish ['geərɪʃ, *Am* 'gærɪʃ] *a* voyant, criard.
garland ['gɑːlənd] *n* guirlande *f*.
garlic ['gɑːlɪk] *n* ail *m*; **g. sausage** saucisson *m* à l'ail.
garment ['gɑːmənt] *n* vêtement *m*.
garnish ['gɑːnɪʃ] *vt* garnir (**with** de); – *n* garniture *f*.
garret ['gærət] *n* mansarde *f*.
garrison ['gærɪsən] *n Mil* garnison *f*.
garrulous ['gærələs] *a* (*talkative*) loquace.
garter ['gɑːtər] *n* (*round leg*) jarretière *f*; (*attached to belt*) *Am* jarretelle *f*; (*for men*) fixe-chaussette *m*.
gas [gæs] **1** *n* gaz *m inv*; (*gasoline*) *Am* essence *f*; *Med Fam* anesthésie *f* au masque; – *a* (*meter, mask, chamber*) à gaz; (*pipe*) de gaz; (*industry*) du gaz; (*heating*) au gaz; **g. fire** *or* **heater** appareil *m* de chauffage à gaz; **g. station** *Am* poste *m* d'essence; **g. stove** (*portable*) réchaud *m* à gaz; (*large*) cuisinière *f* à gaz; – *vt* (**-ss-**) (*poison*) asphyxier; *Mil* gazer. **2** *vi* (**-ss-**) (*talk*) *Fam* bavarder; – *n* **for a g.** (*fun*) *Am Fam* pour rire. ◆**gasbag** *n Fam* commère *f*. ◆**gasman** *n* (*pl* **-men**) employé *m* du gaz. ◆**gasoline** *n Am* essence *f*. ◆**gasworks** *n* usine *f* à gaz.
gash [gæʃ] *n* entaille *f*; – *vt* entailler.
gasp [gɑːsp] **1** *vi* **to g. (for breath)** haleter; – *n* halètement *m*. **2** *vi* **to g. with** *or* **in surprise/***etc* avoir le souffle coupé de surprise/*etc*; – *vt* (*say gasping*) hoqueter; – *n* **a g. of surprise/***etc* un hoquet de surprise/*etc*.
gassy ['gæsɪ] *a* (**-ier, -iest**) (*drink*) gazeux.
gastric ['gæstrɪk] *a* (*juices, ulcer*) gastrique. ◆**ga'stronomy** *n* gastronomie *f*.
gate [geɪt] *n* (*of castle, airport etc*) porte *f*; (*at level crossing, field etc*) barrière *f*; (*metal*) grille *f*; (*in Paris Metro*) portillon *m*. ◆**gateway** *n* **the g. to success/***etc* le chemin du succès/*etc*.
gâteau, *pl* **-eaux** ['gætəʊ, -əʊz] *n Culin* gros gâteau *m* à la crème.
gatecrash ['geɪtkræʃ] *vti* **to g. (a party)** s'inviter de force (à une réception).
gather ['gæðər] *vt* (*people, objects*) rassembler; (*pick up*) ramasser; (*flowers*) cueillir; (*information*) recueillir; (*understand*) comprendre; (*skirt, material*) froncer; **I g. that . . .** (*infer*) je crois comprendre que . . . ; **to g. speed** prendre de la vitesse; **to g. in** (*crops, harvest*) rentrer; (*essays, exam papers*) ramasser; **to g. up** (*strength*) rassembler; (*papers*) ramasser; – *vi* (*of people*) se rassembler, s'assembler, s'amasser; (*of clouds*) se former; (*of dust*) s'accumuler; **to g. round** s'approcher; **to g. round s.o.** entourer qn. ◆**—ing** *n* (*group*) réunion *f*.
gaudy ['gɔːdɪ] *a* (**-ier, -iest**) voyant, criard.
gauge [geɪdʒ] *n* (*instrument*) jauge *f*, indicateur *m*; *Rail* écartement *m*; **to be a g. of sth** *Fig* permettre de jauger qch; – *vt* (*measure*) mesurer; (*estimate*) évaluer, jauger.
gaunt [gɔːnt] *a* (*thin*) décharné.
gauntlet ['gɔːntlɪt] *n* gant *m*; **to run the g. of** *Fig* essuyer (le feu de).
gauze [gɔːz] *n* (*fabric*) gaze *f*.
gave [geɪv] *see* **give**.
gawk [gɔːk] *vi* **to g. (at)** regarder bouche bée.
gawp [gɔːp] *vi* = **gawk**.
gay [geɪ] *a* (**-er, -est**) **1** (*cheerful*) gai, joyeux; (*colour*) vif, gai. **2** *Fam* homo(sexuel), gay *inv*.
gaze [geɪz] *n* regard *m* (fixe); – *vi* regarder; **to g. at** regarder (fixement).
gazelle [gə'zel] *n* (*animal*) gazelle *f*.
gazette [gə'zet] *n* journal *m* officiel.

GB [dʒiːˈbiː] *abbr* (*Great Britain*) Grande-Bretagne *f*.
GCSE [dʒiːsiːesˈiː] *abbr* (*General Certificate of Secondary Education*) = baccalauréat *m*.
gear [gɪər] **1** *n* matériel *m*, équipement *m*; (*belongings*) affaires *fpl*; (*clothes*) *Fam* vêtements *mpl* (à la mode); (*toothed wheels*) *Tech* engrenage *m*; (*speed*) *Aut* vitesse *f*; **in g.** *Aut* en prise; **not in g.** *Aut* au point mort; **g. lever,** *Am* **g. shift** levier *m* de (changement de) vitesse. **2** *vt* (*adapt*) adapter (**to** à); **geared (up) to do** prêt à faire; **to g. oneself up for** se préparer pour. ◆**gearbox** *n* boîte *f* de vitesses.
gee! [dʒiː] *int Am Fam* ça alors!
geese [giːs] *see* **goose.**
geezer [ˈgiːzər] *n Hum Sl* type *m*.
Geiger counter [ˈgaɪgəkaʊntər] *n* compteur *m* Geiger.
gel [dʒel] *n* (*substance*) gel *m*.
gelatin(e) [ˈdʒelətiːn, *Am* -tən] *n* gélatine *f*.
gelignite [ˈdʒelɪgnaɪt] *n* dynamite *f* (au nitrate de soude).
gem [dʒem] *n* pierre *f* précieuse; (*person or thing of value*) *Fig* perle *f*; (*error*) *Iron* perle *f*.
Gemini [ˈdʒemɪnaɪ] *n* (*sign*) les Gémeaux *mpl*.
gen [dʒen] *n* (*information*) *Sl* coordonnées *fpl*; – *vi* (**-nn-**) **to g. up on** *Sl* se rancarder sur.
gender [ˈdʒendər] *n Gram* genre *m*; (*of person*) sexe *m*.
gene [dʒiːn] *n Biol* gène *m*.
genealogy [dʒiːnɪˈælədʒɪ] *n* généalogie *f*.
general [ˈdʒenərəl] **1** *a* général; **in g.** en général; **the g. public** le (grand) public; **for g. use** à l'usage du public; **a g. favourite** aimé *or* apprécié de tous; **g. delivery** *Am* poste *f* restante; **to be g.** (*widespread*) être très répandu. **2** *n* (*officer*) *Mil* général *m*. ◆**geneˈrality** *n* généralité *f*. ◆**generaliˈzation** *n* généralisation *f*. ◆**generalize** *vti* généraliser. ◆**generally** *adv* généralement; **g. speaking** en général, généralement parlant.
generate [ˈdʒenəreɪt] *vt* (*heat*) produire; (*fear, hope etc*) & *Ling* engendrer. ◆**geneˈration** *n* génération *f*; **the g. of** (*heat*) la production de; **g. gap** conflit *m* des générations. ◆**generator** *n El* groupe *m* électrogène, génératrice *f*.
generous [ˈdʒenərəs] *a* généreux (**with** de); (*helping, meal etc*) copieux. ◆**geneˈrosity** *n* générosité *f*. ◆**generously** *adv* généreusement; (*to serve s.o.*) copieusement.
genesis [ˈdʒenəsɪs] *n* genèse *f*.
genetic [dʒɪˈnetɪk] *a* génétique. ◆**genetics** *n* génétique *f*.
Geneva [dʒɪˈniːvə] *n* Genève *m or f*.
genial [ˈdʒiːnɪəl] *a* (*kind*) affable; (*cheerful*) jovial.
genie [ˈdʒiːnɪ] *n* (*goblin*) génie *m*.
genital [ˈdʒenɪt(ə)l] *a* génital; – *npl* organes *mpl* génitaux.
genius [ˈdʒiːnɪəs] *n* (*ability, person*) génie *m*; **to have a g. for doing/for sth** avoir le génie pour faire/de qch.
genocide [ˈdʒenəsaɪd] *n* génocide *m*.
gent [dʒent] *n Fam* monsieur *m*; **gents' shoes** *Com* chaussures *fpl* pour hommes; **the gents** *Fam* les toilettes *fpl* (pour hommes).
genteel [dʒenˈtiːl] *a Iron* distingué.
gentle [ˈdʒent(ə)l] *a* (**-er, -est**) (*person, sound, slope etc*) doux; (*hint, reminder*) discret; (*touch*) léger; (*pace*) mesuré; (*exercise, progress*) modéré; (*birth*) noble. ◆**gentleman** *n* (*pl* **-men**) monsieur *m*; (*well-bred*) gentleman *m*, monsieur *m* bien élevé. ◆**gentlemanly** *a* distingué, bien élevé. ◆**gentleness** *n* douceur *f*. ◆**gently** *adv* doucement; (*to remind*) discrètement; (*smoothly*) en douceur.
genuine [ˈdʒenjʊɪn] *a* (*authentic*) véritable, authentique; (*sincere*) sincère, vrai. ◆**—ly** *adv* authentiquement; sincèrement. ◆**—ness** *n* authenticité *f*; sincérité *f*.
geography [dʒɪˈɒgrəfɪ] *n* géographie *f*. ◆**geoˈgraphical** *a* géographique.
geology [dʒɪˈɒlədʒɪ] *n* géologie *f*. ◆**geoˈlogical** *a* géologique. ◆**geologist** *n* géologue *mf*.
geometry [dʒɪˈɒmɪtrɪ] *n* géométrie *f*. ◆**geoˈmetric(al)** *a* géométrique.
geranium [dʒɪˈreɪnɪəm] *n Bot* géranium *m*.
geriatric [dʒerɪˈætrɪk] *a* (*hospital*) du troisième âge; **g. ward** service *m* de gériatrie.
germ [dʒɜːm] *n Biol* & *Fig* germe *m*; *Med* microbe *m*; **g. warfare** guerre *f* bactériologique.
German [ˈdʒɜːmən] *a* & *n* allemand, -ande (*mf*); **G. measles** *Med* rubéole *f*; **G. shepherd** (*dog*) *Am* berger *m* allemand; – *n* (*language*) allemand *m*. ◆**Gerˈmanic** *a* germanique.
Germany [ˈdʒɜːmənɪ] *n* Allemagne *f*; **West G.** Allemagne de l'Ouest.
germinate [ˈdʒɜːmɪneɪt] *vi Bot* & *Fig* germer.
gestation [dʒeˈsteɪʃ(ə)n] *n* gestation *f*.
gesture [ˈdʒestʃər] *n* geste *m*; – *vi* **to g. to**

s.o. **to do** faire signe à qn de faire. ◆**ge'sticulate** *vi* gesticuler.

get [get] **1** *vt* (*pt & pp* **got,** *pp Am* **gotten,** *pres p* **getting)** (*obtain*) obtenir, avoir; (*find*) trouver; (*buy*) acheter, prendre; (*receive*) recevoir, avoir; (*catch*) attraper, prendre; (*seize*) prendre, saisir; (*fetch*) aller chercher (*qn, qch*); (*put*) mettre; (*derive*) tirer (**from** de); (*understand*) comprendre, saisir; (*prepare*) préparer; (*lead*) mener; (*target*) atteindre, avoir; (*reputation*) se faire; (*annoy*) *Fam* ennuyer; **I have got,** *Am* **I have gotten** j'ai; **to g. s.o. to do sth** faire faire qch à qn; **to g. sth built/***etc* faire construire/*etc* qch; **to g. things going** *or* **started** faire démarrer les choses. **2** *vi* (*go*) aller; (*arrive*) arriver (**to** à); (*become*) devenir, se faire; **to g. caught/run over/***etc* se faire prendre/écraser/*etc*; **to g. married** se marier; **to g. dressed/washed** s'habiller/se laver; **where have you got** *or Am* **gotten to?** où en es-tu?; **you've got to stay** (*must*) tu dois rester; **to g. to do** (*succeed in doing*) parvenir à faire; **to g. working** se mettre à travailler. ■ **to g. about** *or* **(a)round** *vi* se déplacer; (*of news*) circuler; **to g. across** *vt* (*road*) traverser; (*person*) faire traverser; (*message*) communiquer; – *vi* traverser; (*of speaker*) se faire comprendre (**to** de); **to g. across to s.o. that** faire comprendre à qn que; **to g. along** *vi* (*leave*) se sauver; (*manage*) se débrouiller; (*progress*) avancer; (*be on good terms*) s'entendre (**with** avec); **to g. at** *vt* (*reach*) parvenir à, atteindre; (*taunt*) s'en prendre à; **what is he getting at?** où veut-il en venir?; **to g. away** *vi* (*leave*) partir, s'en aller; (*escape*) s'échapper; **there's no getting away from it** il faut le reconnaître, c'est comme ça. ◆**getaway** *n* (*escape*) fuite *f*; **to g. back** *vt* (*recover*) récupérer; (*replace*) remettre; – *vi* (*return*) revenir, retourner; **to g. back at, g. one's own back at** (*punish*) se venger de; **g. back!** (*move back*) reculez!; **to g. by** *vi* (*pass*) passer; (*manage*) se débrouiller; **to g. down** *vi* (*go down*) descendre (**from** de); – *vt* (*bring down*) descendre (**from** de); (*write*) noter; (*depress*) *Fam* déprimer; **to g. down to** (*task, work*) se mettre à; **to g. in** *vt* (*bicycle, washing etc*) rentrer; (*buy*) acheter; (*summon*) faire venir; **to g. in a car/***etc* monter dans une voiture/*etc*; – *vi* (*enter*) entrer; (*come home*) rentrer; (*enter vehicle or train*) monter; (*of plane, train*) arriver; (*of candidate*) *Pol* être élu; **to g. into** *vt* entrer dans; (*vehicle, train*) monter dans; (*habit*) prendre; **to g. into bed/a rage** se mettre au lit/en colère; **to g. into trouble** avoir des ennuis; **to g. off** *vi* (*leave*) partir; (*from vehicle or train*) descendre (**from** de); (*escape*) s'en tirer; (*finish work*) sortir; (*be acquitted*) *Jur* être acquitté; – *vt* (*remove*) enlever; (*despatch*) expédier; *Jur* faire acquitter (*qn*); **to g. off (from) a chair** se lever d'une chaise; **to g. off doing** *Fam* se dispenser de faire; **to g. on** *vt* (*shoes, clothes*) mettre; (*bus, train*) monter dans; – *vi* (*progress*) marcher, avancer; (*continue*) continuer; (*succeed*) réussir; (*enter bus or train*) monter; (*be on good terms*) s'entendre (**with** avec); **how are you getting on?** comment ça va?; **to g. on to s.o.** (*telephone*) toucher qn, contacter qn; **to g. on with** (*task*) continuer; **to g. out** *vi* sortir; (*from vehicle or train*) descendre (**from, of** de); **to g. out of** (*obligation*) échapper à; (*trouble*) se tirer de; (*habit*) perdre; – *vt* (*remove*) enlever; (*bring out*) sortir (*qch*), faire sortir (*qn*); **to g. over** *vt* (*road*) traverser; (*obstacle*) surmonter; (*fence*) franchir; (*illness*) se remettre de; (*surprise*) revenir de; (*ideas*) communiquer; **let's g. it over with** finissons-en; – *vi* (*cross*) traverser; **to g. round** *vt* (*obstacle*) contourner; (*person*) entortiller; – *vi* **to g. round to doing** en venir à faire; **to g. through** *vi* (*pass*) passer; (*finish*) finir; (*pass exam*) être reçu; **to g. through to s.o.** se faire comprendre de qn; (*on the telephone*) contacter qn; – *vt* (*hole etc*) passer par; (*task, meal*) venir à bout de; (*exam*) être reçu à; **g. me through to your boss** (*on the telephone*) passe-moi ton patron; **to g. together** *vi* (*of people*) se rassembler. ◆**g.-together** *n* réunion *f*; **to g. up** *vi* (*rise*) se lever (**from** de); **to g. up to** (*in book*) en arriver à; (*mischief, trouble etc*) faire; – *vt* (*ladder, stairs etc*) monter; (*party, group*) organiser; **to g. sth up** (*bring up*) monter qch. ◆**g.-up** *n* (*clothes*) *Fam* accoutrement *m*.

geyser ['gi:zər] *n* **1** (*water heater*) chauffe-eau *m inv*. **2** *Geol* geyser *m*.

Ghana ['gɑ:nə] *n* Ghana *m*.

ghastly ['gɑ:stlɪ] *a* **(-ier, -iest)** (*pale*) blême, pâle; (*horrible*) affreux.

gherkin ['gɜ:kɪn] *n* cornichon *m*.

ghetto ['getəʊ] *n* (*pl* **-os**) ghetto *m*.

ghost [gəʊst] *n* fantôme *m*; **not the g. of a chance** pas l'ombre d'une chance; – *a* (*story*) de fantômes; (*ship*) fantôme; (*town*) mort. ◆**—ly** *a* spectral.

ghoulish ['gu:lɪʃ] *a* morbide.

giant ['dʒaɪənt] *n* géant *m*; – *a* géant, gigantesque; (*steps*) de géant; (*packet etc*) *Com* géant.
gibberish ['dʒɪbərɪʃ] *n* baragouin *m*.
gibe [dʒaɪb] *vi* railler; **to g. at** railler; – *n* raillerie *f*.
giblets ['dʒɪblɪts] *npl* (*of fowl*) abats *mpl*.
giddy ['gɪdɪ] *a* (**-ier, -iest**) (*heights*) vertigineux; **to feel g.** avoir le vertige; **to make g.** donner le vertige à. ◆**giddiness** *n* vertige *m*.
gift ['gɪft] *n* cadeau *m*; (*talent*) & *Jur* don *m*; **g. voucher** chèque-cadeau *m*. ◆**gifted** *a* doué (**with** de, **for** pour). ◆**giftwrapped** *a* en paquet-cadeau.
gig [gɪg] *n Mus Fam* engagement *m*, séance *f*.
gigantic [dʒaɪ'gæntɪk] *a* gigantesque.
giggle ['gɪg(ə)l] *vi* rire (sottement); – *n* petit rire *m* sot; **to have the giggles** avoir le fou rire.
gild [gɪld] *vt* dorer. ◆**gilt** *a* doré; – *n* dorure *f*.
gills [gɪlz] *npl* (*of fish*) ouïes *fpl*.
gimmick ['gɪmɪk] *n* (*trick, object*) truc *m*.
gin [dʒɪn] *n* (*drink*) gin *m*.
ginger ['dʒɪndʒər] **1** *a* (*hair*) roux. **2** *n Bot Culin* gingembre *m*; **g. beer** boisson *f* gazeuse au gingembre. ◆**gingerbread** *n* pain *m* d'épice.
gingerly ['dʒɪndʒəlɪ] *adv* avec précaution.
gipsy ['dʒɪpsɪ] *n* bohémien, -ienne *mf*; (*Central European*) Tsigane *mf*; – *a* (*music*) tsigane.
giraffe [dʒɪ'rɑːf, dʒɪ'ræf] *n* girafe *f*.
girder ['gɜːdər] *n* (*metal beam*) poutre *f*.
girdle ['gɜːd(ə)l] *n* (*belt*) ceinture *f*; (*corset*) gaine *f*.
girl ['gɜːl] *n* (jeune) fille *f*; (*daughter*) fille *f*; (*servant*) bonne *f*; (*sweetheart*) *Fam* petite amie *f*; **English g.** jeune Anglaise *f*; **g. guide** éclaireuse *f*. ◆**girlfriend** *n* amie *f*; (*of boy*) petite amie *f*. ◆**girlish** *a* de (jeune) fille.
girth [gɜːθ] *n* (*measure*) circonférence *f*; (*of waist*) tour *m*.
gist [dʒɪst] *n* **to get the g. of** comprendre l'essentiel de.
give [gɪv] *vt* (*pt* **gave**, *pp* **given**) donner (**to** à); (*help, support*) prêter; (*gesture, pleasure*) faire; (*a sigh*) pousser; (*a look*) jeter; (*a blow*) porter; **g. me York 234** passez-moi le 234 à York; **she doesn't g. a damn** *Fam* elle s'en fiche; **to g. way** (*yield, break*) céder (**to** à); (*collapse*) s'effondrer; *Aut* céder la priorité (**to** à); – *n* (*in fabric etc*) élasticité *f*. ■ **to g. away** *vt* (*prize*) distribuer; (*money*) donner; (*facts*) révéler; (*betray*) trahir (*qn*); **to g. back** *vt* (*return*) rendre; **to g. in** *vi* (*surrender*) céder (**to** à); – *vt* (*hand in*) remettre; **to g. off** *vt* (*smell, heat*) dégager; **to g. out** *vt* distribuer; – *vi* (*of supplies, patience*) s'épuiser; (*of engine*) rendre l'âme; **to g. over** *vt* (*devote*) donner, consacrer (**to** à); **to g. oneself over to** s'adonner à; – *vi* **g. over!** (*stop*) *Fam* arrête!; **to g. up** *vi* abandonner, renoncer; – *vt* abandonner, renoncer à; (*seat*) céder (**to** à); (*prisoner*) livrer (**to** à); (*patient*) condamner; **to g. up smoking** cesser de fumer. ◆**given** *a* (*fixed*) donné; **to be g. to doing** (*prone to do*) avoir l'habitude de faire; **g. your age** (*in view of*) étant donné votre âge; **g. that** étant donné que. ◆**giver** *n* donateur, -trice *mf*.
glacier ['glæsɪər, *Am* 'gleɪʃər] *n* glacier *m*.
glad [glæd] *a* (*person*) content (**of, about** de). ◆**gladden** *vt* réjouir. ◆**gladly** *adv* (*willingly*) volontiers.
glade [gleɪd] *n* clairière *f*.
gladiolus, *pl* **-i** [glædɪ'əʊləs, -aɪ] *n Bot* glaïeul *m*.
glamour ['glæmər] *n* (*charm*) enchantement *m*; (*splendour*) éclat *m*. ◆**glamorize** *vt* montrer sous un jour séduisant. ◆**glamorous** *a* séduisant.
glance [glɑːns] **1** *n* coup *m* d'œil; – *vi* jeter un coup d'œil (**at** à, sur). **2** *vt* **to g. off sth** (*of bullet*) ricocher sur qch.
gland [glænd] *n* glande *f*. ◆**glandular** *a* **g. fever** *Med* mononucléose *f* infectieuse.
glar/e [gleər] **1** *vi* **to g. at s.o.** foudroyer qn (du regard); – *n* regard *m* furieux. **2** *vi* (*of sun*) briller d'un éclat aveuglant; – *n* éclat *m* aveuglant. ◆**—ing** *a* (*sun*) aveuglant; (*eyes*) furieux; (*injustice*) flagrant; **a g. mistake** une faute grossière.
glass [glɑːs] *n* verre *m*; (*mirror*) miroir *m*, glace *f*; *pl* (*spectacles*) lunettes *fpl*; **a pane of g.** une vitre, un carreau; – *a* (*door*) vitré; (*industry*) du verre. ◆**glassful** *n* (plein) verre *m*.
glaze [gleɪz] *vt* (*door*) vitrer; (*pottery*) vernisser; (*paper*) glacer; – *n* (*on pottery*) vernis *m*; (*on paper*) glacé *m*. ◆**glazier** *n* vitrier *m*.
gleam [gliːm] *n* lueur *f*; – *vi* (re)luire.
glean [gliːn] *vt* (*grain, information etc*) glaner.
glee [gliː] *n* joie *f*. ◆**gleeful** *a* joyeux.
glen [glen] *n* vallon *m*.
glib [glɪb] *a* (*person*) qui a la parole facile; (*speech*) facile, peu sincère. ◆**—ly** *adv* (*to say*) peu sincèrement.
glid/e [glaɪd] *vi* glisser; (*of vehicle*) avancer

silencieusement; (*of aircraft, bird*) planer. ◆**—ing** *n Av Sp* vol *m* à voile. ◆**—er** *n Av* planeur *m*.
glimmer ['glɪmər] *vi* luire (faiblement); – *n* (*light, of hope etc*) (faible) lueur *f*.
glimpse [glɪmps] *n* aperçu *m*; **to catch** *or* **get a g. of** entrevoir.
glint [glɪnt] *vi* (*shine with flashes*) briller; – *n* éclair *m*; (*in eye*) étincelle *f*.
glisten ['glɪs(ə)n] *vi* (*of wet surface*) briller; (*of water*) miroiter.
glitter ['glɪtər] *vi* scintiller, briller; – *n* scintillement *m*.
gloat [gləʊt] *vi* jubiler (**over** à la vue de).
globe [gləʊb] *n* globe *m*. ◆**global** *a* (*comprehensive*) global; (*universal*) universel, mondial.
gloom [gluːm] *n* (*darkness*) obscurité *f*; (*sadness*) *Fig* tristesse *f*. ◆**gloomy** *a* (**-ier, -iest**) (*dark, dismal*) sombre, triste; (*sad*) *Fig* triste; (*pessimistic*) pessimiste.
glory ['glɔːrɪ] *n* gloire *f*; **in all one's g.** *Fig* dans toute sa splendeur; **to be in one's g.** (*very happy*) *Fam* être à son affaire; – *vi* **to g. in** se glorifier de. ◆**glorify** *vt* (*praise*) glorifier; **it's a glorified barn**/*etc* ce n'est guère plus qu'une grange/*etc*. ◆**glorious** *a* (*full of glory*) glorieux; (*splendid, enjoyable*) magnifique.
gloss [glɒs] **1** *n* (*shine*) brillant *m*; **g. paint** peinture *f* brillante; **g. finish** brillant *m*. **2** *n* (*note*) glose *f*, commentaire *m*. **3** *vt* **to g. over** (*minimize*) glisser sur; (*conceal*) dissimuler. ◆**glossy** *a* (**-ier, -iest**) brillant; (*paper*) glacé; (*magazine*) de luxe.
glossary ['glɒsərɪ] *n* glossaire *m*.
glove [glʌv] *n* gant *m*; **g. compartment** *Aut* (*shelf*) vide-poches *m inv*; (*enclosed*) boîte *f* à gants. ◆**gloved** *a* **a g. hand** une main gantée.
glow [gləʊ] *vi* (*of sky, fire*) rougeoyer; (*of lamp*) luire; (*of eyes, person*) *Fig* rayonner (**with** de); – *n* rougeoiement *m*; (*of colour*) éclat *m*; (*of lamp*) lueur *f*. ◆**—ing** *a* (*account, terms etc*) très favorable, enthousiaste. ◆**glow-worm** *n* ver *m* luisant.
glucose ['gluːkəʊs] *n* glucose *m*.
glue [gluː] *n* colle *f*; – *vt* coller (**to, on** à). ◆**glued** *a* **g. to** (*eyes*) *Fam* fixés *or* rivés sur; **to be g. to** (*television*) *Fam* être cloué devant.
glum [glʌm] *a* (**glummer, glummest**) triste.
glut [glʌt] *vt* (**-tt-**) (*overfill*) rassasier; (*market*) *Com* surcharger (**with** de); – *n* (*of produce, oil etc*) *Com* surplus *m* (**of** de).
glutton ['glʌt(ə)n] *n* glouton, -onne *mf*; **g. for work** bourreau *m* de travail; **g. for punishment** masochiste *mf*. ◆**gluttony** *n* gloutonnerie *f*.
glycerin(e) ['glɪsərɪːn] *n* glycérine *f*.
GMT [dʒiːem'tiː] *abbr* (*Greenwich Mean Time*) GMT.
gnarled [nɑːld] *a* noueux.
gnash [næʃ] *vt* **to g. one's teeth** grincer des dents.
gnat [næt] *n* (*insect*) cousin *m*.
gnaw [nɔː] *vti* **to g. (at)** ronger.
gnome [nəʊm] *n* (*little man*) gnome *m*.
go [gəʊ] **1** *vi* (*3rd person sing pres t* **goes;** *pt* **went;** *pp* **gone;** *pres p* **going**) aller (**to** à, **from** de); (*depart*) partir, s'en aller; (*disappear*) disparaître; (*be sold*) se vendre; (*function*) marcher, fonctionner; (*progress*) aller, marcher; (*become*) devenir; (*be*) être; (*of time*) passer; (*of hearing, strength*) baisser; (*of rope*) céder; (*of fuse*) sauter; (*of material*) s'user; **to go well/badly** (*of event*) se passer bien/mal; **she's going to do** (*is about to, intends to*) elle va faire; **it's all gone** (*finished*) il n'y en a plus; **to go and get** (*fetch*) aller chercher; **to go and see** aller voir; **to go riding/sailing/on a trip/***etc* faire du cheval/de la voile/un voyage/*etc*; **to let go of** lâcher; **to go to** (*doctor, lawyer etc*) aller voir; **to get things going** faire démarrer les choses; **is there any beer going?** (*available*) y a-t-il de la bière?; **it goes to show that ...** ça sert à montrer que ... ; **two hours**/*etc* **to go** (*still left*) encore deux heures/*etc*. **2** *n* (*pl* **goes**) (*energy*) dynamisme *m*; (*attempt*) coup *m*; **to have a go at (doing) sth** essayer (de faire) qch; **at one go** d'un seul coup; **on the go** en mouvement, actif; **to make a go of** (*make a success of*) réussir. ■ **to go about** *or* **(a)round** *vi* se déplacer; (*of news, rumour*) circuler; **to go about** *vt* (*one's duties etc*) s'occuper de; **to know how to go about it** savoir s'y prendre; **to go across** *vt* traverser; – *vi* (*cross*) traverser; (*go*) aller (**to** à); **to go across to s.o.('s)** faire un saut chez qn; **to go after** *vt* (*follow*) suivre; (*job*) viser; **to go against** *vt* (*of result*) être défavorable à; (*s.o.'s wishes*) aller contre; (*harm*) nuire à; **to go ahead** *vi* aller de l'avant; **to go ahead with** (*plan etc*) poursuivre; **go ahead!** allez-y! ◆**go-ahead** *a* dynamique; – *n* **to get the go-ahead** avoir le feu vert; **to go along** *vi* aller, avancer; **to go along with** (*agree*) être d'accord avec; **to go away** *vi* partir, s'en aller; **to go back** *vi* retourner, revenir; (*in time*) remonter; (*retreat, step back*) reculer; **to go back on** (*promise*) revenir sur; **to go by** *vi* passer; – *vt* (*act according to*) se

fonder sur; (*judge from*) juger d'après; (*instruction*) suivre; **to go down** *vi* descendre; (*fall down*) tomber; (*of ship*) couler; (*of sun*) se coucher; (*of storm*) s'apaiser; (*of temperature, price etc*) baisser; (*of tyre*) se dégonfler; **to go down well** (*of speech etc*) être bien reçu; **to go down with** (*illness*) attraper; – *vt* **to go down the stairs/street** descendre l'escalier/la rue; **to go for** *vt* (*fetch*) aller chercher; (*attack*) attaquer; (*like*) *Fam* aimer beaucoup; **to go forward(s)** *vi* avancer; **to go in** *vi* (r)entrer; (*of sun*) se cacher; **to go in for** (*exam*) se présenter à; (*hobby, sport*) faire; (*career*) entrer dans; (*like*) *Fam* aimer beaucoup; – *vt* **to go in a room/***etc* entrer dans une pièce/*etc*; **to go into** *vt* (*room etc*) entrer dans; (*question*) examiner; **to go off** *vi* (*leave*) partir; (*go bad*) se gâter; (*of effect*) passer; (*of alarm*) se déclencher; (*of event*) se passer; – *vt* (*one's food*) perdre le goût de; **to go on** *vi* continuer (**doing** à faire); (*travel*) poursuivre sa route; (*happen*) se passer; (*last*) durer; (*of time*) passer; **to go on at** (*nag*) *Fam* s'en prendre à; **to go on about** *Fam* parler sans cesse de; **to go out** *vi* sortir; (*of light, fire*) s'éteindre; (*of tide*) descendre; (*of newspaper, product*) être distribué (**to** à); (*depart*) partir; **to go out to work** travailler (au dehors); **to go over** *vi* (*go*) aller (**to** à); (*cross over*) traverser; (*to enemy*) passer (**to** à); **to go over to s.o.('s)** faire un saut chez qn; – *vt* examiner; (*speech*) revoir; (*in one's mind*) repasser; (*touch up*) retoucher; (*overhaul*) réviser (*véhicule, montre*); **to go round** *vi* (*turn*) tourner; (*make a detour*) faire le tour; (*be sufficient*) suffire; **to go round to s.o.('s)** passer chez qn, faire un saut chez qn; **enough to go round** assez pour tout le monde; – *vt* **to go round a corner** tourner un coin; **to go through** *vi* passer; (*of deal*) être conclu; – *vt* (*undergo, endure*) subir; (*examine*) examiner; (*search*) fouiller; (*spend*) dépenser; (*wear out*) user; (*perform*) accomplir; **to go through with** (*carry out*) réaliser, aller jusqu'au bout de; **to go under** *vi* (*of ship, person, firm*) couler; **to go up** *vi* monter; (*explode*) sauter; – *vt* **to go up the stairs/street** monter l'escalier/la rue; **to go without** *vi* se passer de.

goad [gəʊd] *n* aiguillon *m*; – *vt* **to g. (on)** aiguillonner.

goal [gəʊl] *n* but *m*. ◆**goalkeeper** *n Fb* gardien *m* de but, goal *m*. ◆**goalpost** *n Fb* poteau *m* de but.

goat [gəʊt] *n* chèvre *f*; **to get s.o.'s g.** *Fam* énerver qn. ◆**goa'tee** *n* (*beard*) barbiche *f*.

gobble ['gɒb(ə)l] *vt* **to g. (up)** engloutir, engouffrer.

go-between ['gəʊbɪtwiːn] *n* intermédiaire *mf*.

goblet ['gɒblɪt] *n* verre *m* à pied.

goblin ['gɒblɪn] *n* (*evil spirit*) lutin *m*.

god [gɒd] *n* dieu *m*; **G.** Dieu *m*; **the gods** *Th Fam* le poulailler. ◆**g.-fearing** *a* croyant. ◆**g.-forsaken** *a* (*place*) perdu, misérable. ◆**goddess** *n* déesse *f*. ◆**godly** *a* dévot.

godchild ['gɒdtʃaɪld] *n* (*pl* **-children**) filleul, -eule *mf*. ◆**goddaughter** *n* filleule *f*. ◆**godfather** *n* parrain *m*. ◆**godmother** *n* marraine *f*. ◆**godson** *n* filleul *m*.

goddam(n) ['gɒdæm] *a Am Fam* foutu.

godsend ['gɒdsend] *n* aubaine *f*.

goes [gəʊz] *see* **go 1.**

goggle ['gɒg(ə)l] **1** *vi* **to g. at** regarder en roulant de gros yeux. **2** *npl* (*spectacles*) lunettes *fpl* (protectrices). ◆**g.-'eyed** *a* aux yeux saillants.

going ['gəʊɪŋ] **1** *n* (*departure*) départ *m*; (*speed*) allure *f*; (*conditions*) conditions *fpl*; **it's hard g.** c'est difficile. **2** *a* **the g. price** le prix pratiqué (**for** pour); **a g. concern** une entreprise qui marche bien. ◆**goings-'on** *npl Pej* activités *fpl*.

go-kart ['gəʊkɑːt] *n Sp* kart *m*.

gold [gəʊld] *n* or *m*; – *a* (*watch etc*) en or; (*coin, dust*) d'or. ◆**golden** *a* (*made of gold*) d'or; (*in colour*) doré, d'or; (*opportunity*) excellent. ◆**goldmine** *n* mine *f* d'or. ◆**gold-'plated** *a* plaqué or. ◆**goldsmith** *n* orfèvre *m*.

goldfinch ['gəʊldfɪntʃ] *n* (*bird*) chardonneret *m*.

goldfish ['gəʊldfɪʃ] *n* poisson *m* rouge.

golf [gɒlf] *n* golf *m*. ◆**golfer** *n* golfeur, -euse *mf*.

golly! ['gɒlɪ] *int* **(by) g.!** *Fam* mince (alors)!

gondola ['gɒndələ] *n* (*boat*) gondole *f*. ◆**gondo'lier** *n* gondolier *m*.

gone [gɒn] see **go 1;** – *a* **it's g. two** *Fam* il est plus de deux heures. ◆**goner** *n* **to be a g.** *Sl* être fichu.

gong [gɒŋ] *n* gong *m*.

good [gʊd] *a* (**better, best**) bon; (*kind*) gentil; (*weather*) beau; (*pleasant*) bon, agréable; (*well-behaved*) sage; **be g. enough to . . .** ayez la gentillesse de . . . ; **my g. friend** mon cher ami; **a g. chap** *or* **fellow** un brave type; **g. and strong** bien fort; **a g. (long) walk** une bonne promenade; **very g.!** (*all right*) très bien!; **that's g. of you** c'est gentil de ta part; **to feel g.** se sentir bien;

that isn't g. enough (*bad*) ça ne va pas; (*not sufficient*) ça ne suffit pas; **it's g. for us** ça nous fait du bien; **g. at** (*French etc*) *Sch* bon *or* fort en; **to be g. with** (*children*) savoir s'y prendre avec; **it's a g. thing (that)...** heureusement que...; **a g. many, a g. deal (of)** beaucoup (de); **as g. as** (*almost*) pratiquement; **g. afternoon, g. morning** bonjour; (*on leaving someone*) au revoir; **g. evening** bonsoir; **g. night** bonsoir; (*before going to bed*) bonne nuit; **to make g.** *vi* (*succeed*) réussir; – *vt* (*loss*) compenser; (*damage*) réparer; **G. Friday** Vendredi *m* Saint; – *n* (*virtue*) bien *m*; **for her g.** pour son bien; **there's some g. in him** il a du bon; **it's no g. crying/shouting/***etc* ça ne sert à rien de pleurer/crier/*etc*; **that's no g.** (*worthless*) ça ne vaut rien; (*bad*) ça ne va pas; **what's the g.?** à quoi bon?; **for g.** (*to leave, give up etc*) pour de bon. ◆**g.-for-nothing** *a* & *n* propre à rien (*mf*). ◆**g.-'humoured** *a* de bonne humeur. ◆**g.-'looking** *a* beau. ◆**goodness** *n* bonté *f*; **my g.!** mon Dieu! ◆**good'will** *n* bonne volonté *f*; (*zeal*) zèle *m*.

goodbye [gʊd'baɪ] *int* & *n* au revoir (*m inv*).

goodly ['gʊdlɪ] *a* (*size, number*) grand.

goods [gʊdz] *npl* marchandises *fpl*; (*articles for sale*) articles *mpl*.

gooey ['guːɪ] *a Fam* gluant, poisseux.

goof [guːf] *vi* **to g. (up)** (*blunder*) *Am* faire une gaffe.

goon [guːn] *n Fam* idiot, -ote *mf*.

goose, *pl* **geese** [guːs, giːs] *n* oie *f*; **g. pimples** *or* **bumps** chair *f* de poule. ◆**gooseflesh** *n* chair *f* de poule.

gooseberry ['gʊzbərɪ, *Am* 'guːsbərɪ] *n* groseille *f* à maquereau.

gorge [gɔːdʒ] **1** *n* (*ravine*) gorge *f*. **2** *vt* (*food*) engloutir; **to g. oneself** s'empiffrer (**on** de).

gorgeous ['gɔːdʒəs] *a* magnifique.

gorilla [gə'rɪlə] *n* gorille *m*.

gormless ['gɔːmləs] *a Fam* stupide.

gorse [gɔːs] *n inv* ajonc(s) *m*(*pl*).

gory ['gɔːrɪ] *a* (**-ier, -iest**) (*bloody*) sanglant; (*details*) *Fig* horrible.

gosh! [gɒʃ] *int Fam* mince (alors)!

go-slow [gəʊ'sləʊ] *n* (*strike*) grève *f* perlée.

gospel ['gɒspəl] *n* évangile *m*.

gossip ['gɒsɪp] *n* (*talk*) bavardage(s) *m*(*pl*); (*malicious*) cancan(s) *m*(*pl*); (*person*) commère *f*; **g. column** *Journ* échos *mpl*; – *vi* bavarder; (*maliciously*) cancaner. ◆**—ing** *a*, ◆**gossipy** *a* bavard, cancanier.

got, *Am* **gotten** [gɒt, 'gɒt(ə)n] *see* **get**.

Gothic ['gɒθɪk] *a* & *n* gothique (*m*).

gouge [gaʊdʒ] *vt* **to g. out** (*eye*) crever.

goulash ['guːlæʃ] *n Culin* goulasch *f*.

gourmet ['gʊəmeɪ] *n* gourmet *m*.

gout [gaʊt] *n Med* goutte *f*.

govern ['gʌvən] *vt* (*rule*) gouverner; (*city*) administrer; (*business*) gérer; (*emotion*) maîtriser, gouverner; (*influence*) déterminer; – *vi Pol* gouverner; **governing body** conseil *m* d'administration. ◆**governess** *n* gouvernante *f*. ◆**government** *n* gouvernement *m*; (*local*) administration *f*; – *a* (*department, policy etc*) gouvernemental; (*loan*) d'État. ◆**govern'mental** *a* gouvernemental. ◆**governor** *n* gouverneur *m*; (*of school*) administrateur, -trice *mf*; (*of prison*) directeur, -trice *mf*.

gown [gaʊn] *n* (*dress*) robe *f*; (*of judge, lecturer*) toge *f*.

GP [dʒiː'piː] *n abbr* (*general practitioner*) (médecin *m*) généraliste *m*.

GPO [dʒiːpiː'əʊ] *abbr* (*General Post Office*) = PTT *fpl*.

grab [græb] *vt* (**-bb-**) **to g. (hold of)** saisir, agripper; **to g. sth from s.o.** arracher qch à qn.

grace [greɪs] **1** *n* (*charm, goodwill etc*) *Rel* grâce *f*; (*extension of time*) délai *m* de grâce; **to say g.** dire le bénédicité. **2** *vt* (*adorn*) orner; (*honour*) honorer (**with** de). ◆**graceful** *a* gracieux. ◆**gracious** *a* (*kind*) aimable, gracieux (**to** envers); (*elegant*) élégant; **good g.!** *Fam* bonté divine!

gradation [grə'deɪʃ(ə)n, *Am* greɪ'deɪʃ(ə)n] *n* gradation *f*.

grade [greɪd] *n* catégorie *f*; *Mil Math* grade *m*; (*of milk*) qualité *f*; (*of eggs*) calibre *m*; (*level*) niveau *m*; (*mark*) *Sch Univ* note *f*; (*class*) *Am Sch* classe *f*; **g. school** *Am* école *f* primaire; **g. crossing** *Am* passage *m* à niveau; – *vt* (*classify*) classer; (*colours etc*) graduer; (*paper*) *Sch Univ* noter.

gradient ['greɪdɪənt] *n* (*slope*) inclinaison *f*.

gradual ['grædʒʊəl] *a* progressif, graduel; (*slope*) doux. ◆**—ly** *adv* progressivement, peu à peu.

graduat/e ['grædʒʊeɪt] *vi Univ* obtenir son diplôme; *Am Sch* obtenir son baccalauréat; **to g. from** sortir de; – *vt* (*mark with degrees*) graduer; – ['grædʒʊət] *n* diplômé, -ée *mf*, licencié, -ée *mf*. ◆**—ed** *a* (*tube etc*) gradué; **to be g.** *Am Sch Univ* = **to graduate** *vi*. ◆**gradu'ation** *n Univ* remise *f* des diplômes.

graffiti [grə'fiːtɪ] *npl* graffiti *mpl*.

graft [grɑːft] *n Med Bot* greffe *f*; – *vt* greffer (**on to** à).

grain [greɪn] *n* (*seed, particle*) grain *m*;

(*seeds*) grain(s) *m(pl)*; (*in cloth*) fil *m*; (*in wood*) fibre *f*; (*in leather, paper*) grain *m*; (*of truth*) *Fig* once *f*.

gram(me) [græm] *n* gramme *m*.

grammar ['græmər] *n* grammaire *f*; **g. school** lycée *m*. ◆**gra'mmatical** *a* grammatical.

gramophone ['græməfəʊn] *n* phonographe *m*.

granary ['grænərɪ] *n Agr* grenier *m*; **g. loaf** pain *m* complet.

grand [grænd] **1** *a* (**-er, -est**) magnifique, grand; (*style*) grandiose; (*concert, duke*) grand; (*piano*) à queue; (*wonderful*) *Fam* magnifique. **2** *n inv Am Sl* mille dollars *mpl*; *Br Sl* mille livres *fpl*. ◆**grandeur** ['grændʒər] *n* magnificence *f*; (*of person, country*) grandeur *f*.

grandchild ['græntʃaɪld] *n* (*pl* **-children**) petit(e)-enfant *mf*. ◆**grand(d)ad** *n Fam* pépé *m*, papi *m*. ◆**granddaughter** *n* petite-fille *f*. ◆**grandfather** *n* grand-père *m*. ◆**grandmother** *n* grand-mère *f*. ◆**grandparents** *npl* grands-parents *mpl*. ◆**grandson** *n* petit-fils *m*.

grandstand ['grændstænd] *n Sp* tribune *f*.

grange [greɪndʒ] *n* (*house*) manoir *m*.

granite ['grænɪt] *n* granit(e) *m*.

granny ['grænɪ] *n Fam* mamie *f*.

grant [grɑːnt] **1** *vt* accorder (**to** à); (*request*) accéder à; (*prayer*) exaucer; (*admit*) admettre (**that** que); **to take for granted** (*event*) considérer comme allant de soi; (*person*) considérer comme faisant partie du décor; **I take (it) for granted that . . .** je présume que . . . . **2** *n* subvention *f*, allocation *f*; *Univ* bourse *f*.

granule ['grænjuːl] *n* granule *m*. ◆**granulated** *a* **g. sugar** sucre *m* cristallisé.

grape [greɪp] *n* grain *m* de raisin; *pl* le raisin, les raisins *mpl*; **to eat grapes** manger du raisin *or* des raisins; **g. harvest** vendange *f*. ◆**grapefruit** *n* pamplemousse *m*. ◆**grapevine** *n* **on the g.** *Fig* par le téléphone arabe.

graph [græf, grɑːf] *n* graphique *m*, courbe *f*; **g. paper** papier *m* millimétré.

graphic ['græfɪk] *a* graphique; (*description*) *Fig* explicite, vivant. ◆**graphically** *adv* (*to describe*) explicitement.

grapple ['græp(ə)l] *vi* **to g. with** (*person, problem etc*) se colleter avec.

grasp [grɑːsp] *vt* (*seize, understand*) saisir; – *n* (*firm hold*) prise *f*; (*understanding*) compréhension *f*; (*knowledge*) connaissance *f*; **to have a strong g.** (*strength of hand*) avoir de la poigne; **within s.o.'s g.** (*reach*) à la portée de qn. ◆**—ing** *a* (*greedy*) rapace.

grass [grɑːs] *n* herbe *f*; (*lawn*) gazon *m*; **the g. roots** *Pol* la base. ◆**grasshopper** *n* sauterelle *f*. ◆**grassland** *n* prairie *f*. ◆**grassy** *a* herbeux.

grat/e [greɪt] **1** *n* (*for fireplace*) grille *f* de foyer. **2** *vt Culin* râper. **3** *vi* (*of sound*) grincer (**on** sur); **to g. on the ears** écorcher les oreilles; **to g. on s.o.'s nerves** taper sur les nerfs de qn. ◆**—ing 1** *a* (*sound*) grinçant; *Fig* irritant. **2** *n* (*bars*) grille *f*. ◆**—er** *n Culin* râpe *f*.

grateful ['greɪtfʊl] *a* reconnaissant (**to** à, **for** de); (*words, letter*) de remerciement; (*friend, attitude*) plein de reconnaissance; **I'm g. (to you) for your help** je vous suis reconnaissant de votre aide; **I'd be g. if you'd be quieter** j'aimerais bien que tu fasses moins de bruit; **g. thanks** mes sincères remerciements. ◆**—ly** *adv* avec reconnaissance.

gratif/y ['grætɪfaɪ] *vt* (*whim*) satisfaire; **to g. s.o.** faire plaisir à qn. ◆**—ied** *a* très content (**with** *or* **at sth** de qch, **to do** de faire). ◆**—ying** *a* très satisfaisant; **it's g. to . . .** ça fait plaisir de . . . . ◆**gratifi'cation** *n* satisfaction *f*.

gratis ['grætɪs, 'greɪtɪs] *adv* gratis.

gratitude ['grætɪtjuːd] *n* reconnaissance *f*, gratitude *f* (**for** de).

gratuitous [grə'tjuːɪtəs] *a* (*act etc*) gratuit.

gratuity [grə'tjuːɪtɪ] *n* (*tip*) pourboire *m*.

grave[1] [greɪv] *n* tombe *f*; **g. digger** fossoyeur *m*. ◆**gravestone** *n* pierre *f* tombale. ◆**graveyard** *n* cimetière *m*; **auto g.** *Am Fam* cimetière *m* de voitures.

grave[2] [greɪv] *a* (**-er, -est**) (*serious*) grave. ◆**—ly** *adv* gravement; (*concerned, displeased*) extrêmement.

gravel ['græv(ə)l] *n* gravier *m*.

gravitate ['grævɪteɪt] *vi* **to g. towards** (*be drawn towards*) être attiré vers; (*move towards*) se diriger vers. ◆**gravi'tation** *n* gravitation *f*.

gravity ['grævɪtɪ] *n* **1** (*seriousness*) gravité *f*. **2** *Phys* pesanteur *f*, gravité *f*.

gravy ['greɪvɪ] *n* jus *m* de viande.

gray [greɪ] *Am* = **grey**.

graze [greɪz] **1** *vi* (*of cattle*) paître. **2** *vt* (*scrape*) écorcher; (*touch lightly*) frôler, effleurer; – *n* (*wound*) écorchure *f*.

grease [griːs] *n* graisse *f*; – *vt* graisser. ◆**greaseproof** *a* & *n* **g. (paper)** papier *m* sulfurisé. ◆**greasy** *a* (**-ier, -iest**) graisseux; (*hair*) gras; (*road*) glissant.

great [greɪt] *a* (**-er, -est**) grand; (*effort, heat,* *parcel*) gros, grand; (*excellent*) magnifique, merveilleux; **g. at** (*English, tennis etc*) doué pour; **a g. deal** *or* **number (of), a g. many** beaucoup (de); **a g. opinion of** une haute opinion de; **a very g. age** un âge très avancé; **the greatest team/***etc* (*best*) la meilleure équipe/*etc*; **Greater London** le grand Londres. ◆**g.-'grandfather** *n* arrière-grand-père *m*. ◆**g.-'grandmother** *n* arrière-grand-mère *f*. ◆**greatly** *adv* (*much*) beaucoup; (*very*) très, bien; **I g. prefer** je préfère de beaucoup. ◆**greatness** *n* (*in size, importance*) grandeur *f*; (*in degree*) intensité *f*.

Great Britain [greɪt'brɪt(ə)n] *n* Grande-Bretagne *f*.

Greece [griːs] *n* Grèce *f*. ◆**Greek** *a* grec; – *n* Grec *m*, Greque *f*; (*language*) grec *m*.

greed [griːd] *n* avidité *f* (**for** de); (*for food*) gourmandise *f*. ◆**greed/y** *a* (**-ier, -iest**) avide (**for** de); (*for food*) glouton, gourmand. ◆**—ily** *adv* avidement; (*to eat*) gloutonnement. ◆**—iness** *n* = **greed.**

green [griːn] *a* (**-er, -est**) vert; (*pale*) blême, vert; (*immature*) *Fig* inexpérimenté, naïf; **to turn** *or* **go g.** verdir; **the g. belt** (*land*) la ceinture verte; **the g. light** *Fig* le (feu) vert; **to have g. fingers** *or Am* **a g. thumb** avoir la main verte; **g. with envy** *Fig* vert de jalousie; – *n* (*colour*) vert *m*; (*lawn*) pelouse *f*; (*village square*) place *f* gazonnée; *pl Culin* légumes *mpl* verts. ◆**greenery** *n* (*plants, leaves*) verdure *f*. ◆**greenfly** *n* puceron *m* (des plantes). ◆**greengrocer** *n* marchand, -ande *mf* de légumes. ◆**greenhouse** *n* serre *f*. ◆**greenish** *a* verdâtre. ◆**greenness** *n* (*colour*) vert *m*; (*greenery*) verdure *f*.

greengage ['griːngeɪdʒ] *n* (*plum*) reine-claude *f*.

Greenland ['griːnlənd] *n* Groenland *m*.

greet [griːt] *vt* saluer, accueillir; **to g. s.o.** (*of sight*) s'offrir aux regards de qn. ◆**—ing** *n* salutation *f*; (*welcome*) accueil *m*; *pl* (*for birthday, festival*) vœux *mpl*; **send my greetings to . . .** envoie mon bon souvenir à . . . ; **greetings card** carte *f* de vœux.

gregarious [grɪ'geərɪəs] *a* (*person*) sociable; (*instinct*) grégaire.

gremlin ['gremlɪn] *n Fam* petit diable *m*.

grenade [grə'neɪd] *n* (*bomb*) grenade *f*.

grew [gruː] *see* **grow**.

grey [greɪ] *a* (**-er, -est**) gris; (*outlook*) *Fig* sombre; **to be going g.** grisonner; – *vi* **to be greying** être grisonnant. ◆**g.-'haired** *a* aux cheveux gris. ◆**greyhound** *n* lévrier *m*. ◆**greyish** *a* grisâtre.

grid [grɪd] *n* (*grating*) grille *f*; (*system*) *El* réseau *m*; *Culin* gril *m*. ◆**gridiron** *n Culin* gril *m*.

griddle ['grɪd(ə)l] *n* (*on stove*) plaque *f* à griller.

grief [griːf] *n* chagrin *m*, douleur *f*; **to come to g.** avoir des ennuis; (*of driver, pilot etc*) avoir un accident; (*of plan*) échouer; **good g.!** ciel!, bon sang!

grieve [griːv] *vt* peiner, affliger; – *vi* s'affliger (**over** de); **to g. for s.o.** pleurer qn. ◆**grievance** *n* grief *m*; *pl* (*complaints*) doléances *fpl*.

grievous ['griːvəs] *a* (*serious*) très grave.

grill [grɪl] **1** *n* (*utensil*) gril *m*; (*dish*) grillade *f*; – *vti* griller. **2** *vt* (*question*) *Fam* cuisiner.

grille [grɪl] *n* (*metal bars*) grille *f*; **(radiator) g.** *Aut* calandre *f*.

grim [grɪm] *a* (**grimmer, grimmest**) sinistre; (*face*) sévère; (*truth*) brutal; (*bad*) *Fam* (plutôt) affreux; **a g. determination** une volonté inflexible. ◆**—ly** *adv* (*to look at*) sévèrement.

grimace ['grɪməs] *n* grimace *f*; – *vi* grimacer.

grime [graɪm] *n* saleté *f*. ◆**grimy** *a* (**-ier, -iest**) sale.

grin [grɪn] *vi* (**-nn-**) avoir un large sourire; (*with pain*) avoir un rictus; – *n* large sourire *m*; rictus *m*.

grind [graɪnd] **1** *vt* (*pt* & *pp* **ground**) moudre; (*blade, tool*) aiguiser; (*handle*) tourner; (*oppress*) *Fig* écraser; **to g. one's teeth** grincer des dents; – *vi* **to g. to a halt** s'arrêter (progressivement). **2** *n Fam* corvée *f*, travail *m* long et monotone. ◆**—ing** *a* **g. poverty** la misère noire. ◆**—er** *n* **coffee g.** moulin *m* à café.

grip [grɪp] *vt* (**-pp-**) (*seize*) saisir; (*hold*) tenir serré; (*of story*) *Fig* empoigner (*qn*); **to g. the road** (*of tyres*) adhérer à la route; – *vi* (*of brakes*) mordre; – *n* (*hold*) prise *f*; (*hand clasp*) poigne *f*; **get a g. on yourself!** secoue-toi!; **to get to grips with** (*problem*) s'attaquer à; **in the g. of** en proie à. ◆**gripping** *a* (*book, film etc*) prenant.

gripe [graɪp] *vi* (*complain*) *Sl* rouspéter.

grisly ['grɪzlɪ] *a* (*gruesome*) horrible.

gristle ['grɪs(ə)l] *n Culin* cartilage *m*.

grit [grɪt] **1** *n* (*sand*) sable *m*; (*gravel*) gravillon *m*; – *vt* (**-tt-**) (*road*) sabler. **2** *n* (*pluck*) *Fam* cran *m*. **3** *vt* (**-tt-**) **to g. one's teeth** serrer les dents.

grizzle ['grɪz(ə)l] *vi Fam* pleurnicher. ◆**grizzly** *a* **1** (*child*) *Fam* pleurnicheur. **2** (*bear*) gris.

groan [grəʊn] *vi* (*with pain*) gémir;

(*complain*) grogner, gémir; – *n* gémissement *m*; grognement *m*.

grocer ['grəʊsər] *n* épicier, -ière *mf*; **grocer's (shop)** épicerie *f*. ◆**grocery** *n* (*shop*) épicerie *f*; *pl* (*food*) épicerie *f*.

grog [grɒg] *n* (*drink*) grog *m*.

groggy ['grɒgɪ] *a* (**-ier, -iest**) (*weak*) faible; (*shaky on one's feet*) pas solide sur les jambes.

groin [grɔɪn] *n Anat* aine *f*.

groom [gruːm] **1** *n* (*bridegroom*) marié *m*. **2** *n* (*for horses*) lad *m*; – *vt* (*horse*) panser; **to g. s.o. for** (*job*) *Fig* préparer qn pour; **well groomed** (*person*) très soigné.

groove [gruːv] *n* (*for sliding door etc*) rainure *f*; (*in record*) sillon *m*.

grope [grəʊp] *vi* **to g. (about)** tâtonner; **to g. for** chercher à tâtons.

gross [grəʊs] **1** *a* (**-er, -est**) (*coarse*) grossier; (*error*) gros, grossier; (*injustice*) flagrant. **2** *a* (*weight, income*) *Com* brut; – *vt* faire une recette brute de. **3** *n* (*number*) grosse *f*. ◆**—ly** *adv* grossièrement; (*very*) énormément, extrêmement.

grotesque [grəʊ'tesk] *a* (*ludicrous, strange*) grotesque; (*frightening*) monstrueux.

grotto ['grɒtəʊ] *n* (*pl* **-oes** *or* **-os**) grotte *f*.

grotty ['grɒtɪ] *a* (**-ier, -iest**) *Fam* affreux, moche.

ground[1] [graʊnd] **1** *n* terre *f*, sol *m*; (*area for camping, football etc*) & *Fig* terrain *m*; (*estate*) terres *fpl*; (*earth*) *El Am* terre *f*, masse *f*; (*background*) fond *m*; *pl* (*reasons*) raisons *fpl*, motifs *mpl*; (*gardens*) parc *m*; **on the g.** (*lying etc*) par terre; **to lose g.** perdre du terrain; **g. floor** rez-de-chaussée *m inv*; **g. frost** gelée *f* blanche. **2** *vt* (*aircraft*) bloquer *or* retenir au sol. ◆**—ing** *n* connaissances *fpl* (de fond) (**in** en). ◆**groundless** *a* sans fondement. ◆**groundnut** *n* arachide *f*. ◆**groundsheet** *n* tapis *m* de sol. ◆**groundswell** *n* lame *f* de fond. ◆**groundwork** *n* préparation *f*.

ground[2] [graʊnd] *see* **grind 1**; – *a* (*coffee*) moulu; – *npl* **(coffee) grounds** marc *m* (de café).

group [gruːp] *n* groupe *m*; – *vt* **to g. (together)** grouper; – *vi* se grouper. ◆**—ing** *n* (*group*) groupe *m*.

grouse [graʊs] **1** *n inv* (*bird*) coq *m* de bruyère. **2** *vi* (*complain*) *Fam* rouspéter.

grove [grəʊv] *n* bocage *m*.

grovel ['grɒv(ə)l] *vi* (**-ll-**, *Am* **-l-**) *Pej* ramper, s'aplatir (**to s.o.** devant qn).

grow [grəʊ] *vi* (*pt* **grew**, *pp* **grown**) (*of person*) grandir; (*of plant, hair*) pousser; (*increase*) augmenter, grandir, croître; (*expand*) s'agrandir; **to g. fat(ter)** grossir; **to g. to like** finir par aimer; **to g. into** devenir; **to g. on s.o.** (*of book, music etc*) plaire progressivement à qn; **to g. out of** (*one's clothes*) devenir trop grand pour; (*a habit*) perdre; **to g. up** devenir adulte; **when I g. up** quand je serai grand; – *vt* (*plant, crops*) cultiver, faire pousser; (*beard, hair*) laisser pousser. ◆**—ing** *a* (*child*) qui grandit; (*number*) grandissant. ◆**grown** *a* (*full-grown*) adulte. ◆**grown-up** *n* grande personne *f*, adulte *mf*; – *a* (*ideas etc*) d'adulte. ◆**grower** *n* (*person*) cultivateur, -trice *mf*.

growl [graʊl] *vi* grogner (**at** contre); – *n* grognement *m*.

growth [grəʊθ] *n* croissance *f*; (*increase*) augmentation *f* (**in** de); (*of hair*) pousse *f*; (*beard*) barbe *f*; *Med* tumeur *f* (**on** à).

grub [grʌb] *n* (*food*) *Fam* bouffe *f*.

grubby ['grʌbɪ] *a* (**-ier, -iest**) sale.

grudg/e [grʌdʒ] **1** *vt* (*give*) donner à contrecœur; (*reproach*) reprocher (**s.o. sth** qch à qn); **to g. doing** faire à contrecœur. **2** *n* rancune *f*; **to have a g. against** en vouloir à. ◆**—ing** *a* peu généreux. ◆**—ingly** *adv* (*to give etc*) à contrecœur.

gruelling, *Am* **grueling** ['grʊəlɪŋ] *a* (*day, detail etc*) éprouvant, atroce.

gruesome ['gruːsəm] *a* horrible.

gruff [grʌf] *a* (**-er, -est**) (*voice, person*) bourru.

grumble ['grʌmb(ə)l] *vi* (*complain*) grogner (**about, at** contre), se plaindre (**about, at** de).

grumpy ['grʌmpɪ] *a* (**-ier, -iest**) grincheux.

grunt [grʌnt] *vti* grogner; – *n* grognement *m*.

guarantee [gærən'tiː] *n* garantie *f*; – *vt* garantir (**against** contre); (*vouch for*) se porter garant de; **to g. (s.o.) that** certifier *or* garantir (à qn) que. ◆**guarantor** *n* garant, -ante *mf*.

guard [gɑːd] *n* (*vigilance, group of soldiers etc*) garde *f*; (*individual person*) garde *m*; *Rail* chef *m* de train; **to keep a g. on** surveiller; **under g.** sous surveillance; **on one's g.** sur ses gardes; **to catch s.o. off his g.** prendre qn au dépourvu; **on g. (duty)** de garde; **to stand g.** monter la garde; – *vt* (*protect*) protéger (**against** contre); (*watch over*) surveiller, garder; – *vi* **to g. against** (*protect oneself*) se prémunir contre; (*prevent*) empêcher; **to g. against doing** se garder de faire. ◆**—ed** *a* (*cautious*) prudent.

◆**guardian** *n* gardien, -ienne *mf*; (*of child*) *Jur* tuteur, -trice *mf*.

guerrilla [gəˈrɪlə] *n* (*person*) guérillero *m*; **g. warfare** guérilla *f*.

guess [ges] *n* conjecture *f*; (*intuition*) intuition *f*; (*estimate*) estimation *f*; **to make a g.** (essayer de) deviner; **an educated** *or* **informed g.** une conjecture fondée; **at a g.** au jugé, à vue de nez; – *vt* deviner (**that** que); (*estimate*) estimer; (*suppose*) *Am* supposer (**that** que); (*think*) *Am* croire (**that** que); – *vi* deviner; **I g. (so)** *Am* je suppose; je crois. ◆**guesswork** *n* hypothèse *f*; **by g.** au jugé.

guest [gest] *n* invité, -ée *mf*; (*in hotel*) client, -ente *mf*; (*at meal*) convive *mf*; – *a* (*speaker, singer etc*) invité. ◆**guesthouse** *n* pension *f* de famille. ◆**guestroom** *n* chambre *f* d'ami.

guffaw [gəˈfɔː] *vi* rire bruyamment.

guidance [ˈgaɪdəns] *n* (*advice*) conseils *mpl*.

guid/e [gaɪd] *n* (*person, book etc*) guide *m*; (*indication*) indication *f*; **(girl) g.** éclaireuse *f*; **g. dog** chien *m* d'aveugle; **g. book** guide *m*; – *vt* (*lead*) guider. ◆**—ed** *a* (*missile, rocket*) téléguidé; **g. tour** visite *f* guidée. ◆**—ing** *a* (*principle*) directeur. ◆**guidelines** *npl* lignes *fpl* directrices, indications *fpl* à suivre.

guild [gɪld] *n* association *f*; *Hist* corporation *f*.

guile [gaɪl] *n* (*deceit*) ruse *f*.

guillotine [ˈgɪlətiːn] *n* guillotine *f*; (*for paper*) massicot *m*.

guilt [gɪlt] *n* culpabilité *f*. ◆**guilty** *a* (**-ier, -iest**) coupable; **g. person** coupable *mf*; **to find s.o. g.** déclarer qn coupable.

guinea pig [ˈgɪnɪpɪg] *n* (*animal*) & *Fig* cobaye *m*.

guise [gaɪz] *n* **under the g. of** sous l'apparence de.

guitar [gɪˈtɑːr] *n* guitare *f*. ◆**guitarist** *n* guitariste *mf*.

gulf [gʌlf] *n* (*in sea*) golfe *m*; (*chasm*) gouffre *m*; **a g. between** *Fig* un abîme entre.

gull [gʌl] *n* (*bird*) mouette *f*.

gullet [ˈgʌlɪt] *n* gosier *m*.

gullible [ˈgʌlɪb(ə)l] *a* crédule.

gully [ˈgʌlɪ] *n* (*valley*) ravine *f*; (*drain*) rigole *f*.

gulp [gʌlp] **1** *vt* **to g. (down)** avaler (vite); – *n* (*of drink*) gorgée *f*, lampée *f*; **in** *or* **at one g.** d'une seule gorgée. **2** *vi* (*with emotion*) avoir la gorge serrée; – *n* serrement *m* de gorge.

gum[1] [gʌm] *n Anat* gencive *f*. ◆**gumboil** *n* abcès *m* (dentaire).

gum[2] [gʌm] **1** *n* (*glue from tree*) gomme *f*; (*any glue*) colle *f*; – *vt* (**-mm-**) coller. **2** *n* (*for chewing*) chewing-gum *m*.

gumption [ˈgʌmpʃ(ə)n] *n Fam* (*courage*) initiative *f*; (*commonsense*) jugeote *f*.

gun [gʌn] *n* pistolet *m*, revolver *m*; (*cannon*) canon *m*; – *vt* (**-nn-**) **to g. down** abattre. ◆**gunfight** *n* échange *m* de coups de feu. ◆**gunfire** *n* coups *mpl* de feu; *Mil* tir *m* d'artillerie. ◆**gunman** *n* (*pl* **-men**) bandit *m* armé. ◆**gunner** *n Mil* artilleur *m*. ◆**gunpoint** *n* **at g.** sous la menace d'un pistolet *or* d'une arme. ◆**gunpowder** *n* poudre *f* à canon. ◆**gunshot** *n* coup *m* de feu; **g. wound** blessure *f* par balle.

gurgle [ˈgɜːg(ə)l] *vi* (*of water*) glouglouter; – *n* glouglou *m*.

guru [ˈgʊruː] *n* (*leader*) *Fam* gourou *m*.

gush [gʌʃ] *vi* jaillir (**out of** de); – *n* jaillissement *m*.

gust [gʌst] *n* (*of smoke*) bouffée *f*; **g. (of wind)** rafale *f* (de vent). ◆**gusty** *a* (**-ier, -iest**) (*weather*) venteux; (*day*) de vent.

gusto [ˈgʌstəʊ] *n* **with g.** avec entrain.

gut [gʌt] **1** *n Anat* intestin *m*; (*catgut*) boyau *m*; *pl Fam* (*innards*) ventre *m*, tripes *fpl*; (*pluck*) cran *m*, tripes *fpl*; **he hates your guts** *Fam* il ne peut pas te sentir. **2** *vt* (**-tt-**) (*of fire*) dévaster.

gutter [ˈgʌtər] *n* (*on roof*) gouttière *f*; (*in street*) caniveau *m*.

guttural [ˈgʌtərəl] *a* guttural.

guy [gaɪ] *n* (*fellow*) *Fam* type *m*.

guzzle [ˈgʌz(ə)l] *vi* (*eat*) bâfrer; – *vt* (*eat*) engloutir; (*drink*) siffler.

gym [dʒɪm] *n* gym(nastique) *f*; (*gymnasium*) gymnase *m*; **g. shoes** tennis *fpl*. ◆**gymˈnasium** *n* gymnase *m*. ◆**gymnast** *n* gymnaste *mf*. ◆**gymˈnastics** *n* gymnastique *f*.

gynaecology, *Am* **gynecology** [gaɪnɪˈkɒlədʒɪ] *n* gynécologie *f*. ◆**gynaecologist** *n*, *Am* ◆**gynecologist** *n* gynécologue *mf*.

gypsy [ˈdʒɪpsɪ] = **gipsy**.

gyrate [dʒaɪˈreɪt] *vi* tournoyer.

H

H, h [eɪtʃ] *n* H, h *m*; **H bomb** bombe *f* H.

haberdasher ['hæbədæʃər] *n* mercier, -ière *mf*; (*men's outfitter*) *Am* chemisier *m*. ◆**haberdashery** *n* mercerie *f*; *Am* chemiserie *f*.

habit ['hæbɪt] *n* **1** habitude *f*; **to be in/get into the h. of doing** avoir/prendre l'habitude de faire; **to make a h. of doing** avoir pour habitude de faire. **2** (*addiction*) *Med* accoutumance *f*; **a h.-forming drug** une drogue qui crée une accoutumance. **3** (*costume*) *Rel* habit *m*. ◆**ha'bitual** *a* habituel; (*smoker, drinker etc*) invétéré. ◆**ha'bitually** *adv* habituellement.

habitable ['hæbɪtəb(ə)l] *a* habitable. ◆**habitat** *n* (*of animal, plant*) habitat *m*. ◆**habi'tation** *n* habitation *f*; **fit for h.** habitable.

hack [hæk] **1** *vt* (*cut*) tailler, hacher. **2** *n* (*old horse*) rosse *f*; (*hired*) cheval *m* de louage; **h. (writer)** *Pej* écrivaillon *m*.

hackney ['hæknɪ] *a* **h. carriage** *Hist* fiacre *m*.

hackneyed ['hæknɪd] *a* (*saying*) rebattu, banal.

had [hæd] *see* **have**.

haddock ['hædək] *n* (*fish*) aiglefin *m*; **smoked h.** haddock *m*.

haemorrhage ['hemərɪdʒ] *n* *Med* hémorragie *f*.

haemorrhoids ['hemərɔɪdz] *npl* hémorroïdes *fpl*.

hag [hæg] *n* (*woman*) *Pej* (vieille) sorcière *f*.

haggard ['hægəd] *a* (*person, face*) hâve, émacié.

haggl/e ['hæg(ə)l] *vi* marchander; **to h. over** (*thing*) marchander; (*price*) débattre, discuter. ◆**—ing** *n* marchandage *m*.

Hague (The) [ðə'heɪg] *n* La Haye.

ha-ha! [hɑː'hɑː] *int* (*laughter*) ha, ha!

hail[1] [heɪl] *n* *Met & Fig* grêle *f*; – *v imp* *Met* grêler; **it's hailing** il grêle. ◆**hailstone** *n* grêlon *m*.

hail[2] [heɪl] **1** *vt* (*greet*) saluer; (*taxi*) héler. **2** *vi* **to h. from** (*of person*) être originaire de; (*of ship etc*) être en provenance de.

hair [heər] *n* (*on head*) cheveux *mpl*; (*on body, of animal*) poils *mpl*; **a h.** (*on head*) un cheveu; (*on body, of animal*) un poil; **by a hair's breadth** de justesse; **long-/red-/*etc* haired** aux cheveux longs/roux/*etc*; **h. cream** brillantine *f*; **h. dryer** sèche-cheveux *m inv*; **h. spray** (bombe *f* de) laque *f*. ◆**hairbrush** *n* brosse *f* à cheveux. ◆**haircut** *n* coupe *f* de cheveux; **to have a h.** se faire couper les cheveux. ◆**hairdo** *n* (*pl* **-dos**) *Fam* coiffure *f*. ◆**hairdresser** *n* coiffeur, -euse *mf*. ◆**hairgrip** *n* pince *f* à cheveux. ◆**hairnet** *n* résille *f*. ◆**hairpiece** *n* postiche *m*. ◆**hairpin** *n* épingle *f* à cheveux; **h. bend** *Aut* virage *m* en épingle à cheveux. ◆**hair-raising** *a* à faire dresser les cheveux sur la tête. ◆**hair-splitting** *n* ergotage *m*. ◆**hairstyle** *n* coiffure *f*.

hairy ['heərɪ] *a* (**-ier, -iest**) (*person, animal, body*) poilu; (*unpleasant, frightening*) *Fam* effroyable.

hake [heɪk] *n* (*fish*) colin *m*.

hale [heɪl] *a* **h. and hearty** vigoureux.

half [hɑːf] *n* (*pl* **halves**) moitié *f*, demi, -ie *mf*; (*of match*) *Sp* mi-temps *f*; **h. (of) the apple/*etc*** la moitié de la pomme/*etc*; **ten and a h.** dix et demi; **ten and a h. weeks** dix semaines et demie; **to cut in h.** couper en deux; **to go halves with** partager les frais avec; – *a* demi; **h. a day, a h.-day** une demi-journée; **at h. price** à moitié prix; **h. man h. beast** mi-homme mi-bête; **h. sleeves** manches *fpl* mi-longues; – *adv* (*dressed, full etc*) à demi, à moitié; (*almost*) presque; **h. asleep** à moitié endormi; **h. past one** une heure et demie; **he isn't h. lazy/*etc*** *Fam* il est rudement paresseux/*etc*; **h. as much as** moitié moins que; **h. as much again** moitié plus.

half-back ['hɑːfbæk] *n* *Fb* demi *m*. ◆**h.-'baked** *a* (*idea*) *Fam* à la manque, à la noix. ◆**h.-breed** *n*, ◆**h.-caste** *n* *Pej* métis, -isse *mf*. ◆**h.-(a-)'dozen** *n* demi-douzaine *f*. ◆**h.-'hearted** *a* (*person, manner*) peu enthousiaste; (*effort*) timide. ◆**h.-'hour** *n* demi-heure *f*. ◆**h.-light** *n* demi-jour *m*. ◆**h.-'mast** *n* **at h.-mast** (*flag*) en berne. ◆**h.-'open** *a* entrouvert. ◆**h.-'term** *n* *Sch* petites vacances *fpl*, congé *m* de demi-trimestre. ◆**h.-'time** *n* *Sp* mi-temps *f*. ◆**half'way** *adv* (*between places*) à mi-chemin (**between** entre); **to fill/*etc* h.** remplir/*etc* à moitié; **h. through**

(*book*) à la moitié de. ◆**h.-wit** *n*, ◆**h.-'witted** *a* imbécile (*mf*).
halibut ['hælɪbət] *n* (*fish*) flétan *m*.
hall [hɔːl] *n* (*room*) salle *f*; (*house entrance*) entrée *f*, vestibule *m*; (*of hotel*) hall *m*; (*mansion*) manoir *m*; (*for meals*) *Univ* réfectoire *m*; **h. of residence** *Univ* pavillon *m* universitaire; **halls of residence** cité *f* universitaire; **lecture h.** *Univ* amphithéâtre *m*. ◆**hallmark** *n* (*on silver or gold*) poinçon *m*; *Fig* sceau *m*. ◆**hallstand** *n* portemanteau *m*. ◆**hallway** *n* entrée *f*, vestibule *m*.
hallelujah [hælɪ'luːjə] *n* & *int* alléluia (*m*).
hallo! [hə'ləʊ] *int* (*greeting*) bonjour!; *Tel* allô!; (*surprise*) tiens!
hallow ['hæləʊ] *vt* sanctifier.
Hallowe'en [hæləʊ'iːn] *n* la veille de la Toussaint.
hallucination [həluːsɪ'neɪʃ(ə)n] *n* hallucination *f*.
halo ['heɪləʊ] *n* (*pl* **-oes** *or* **-os**) auréole *f*, halo *m*.
halt [hɔːlt] *n* halte *f*; **to call a h. to** mettre fin à; **to come to a h.** s'arrêter; – *vi* faire halte; – *int Mil* halte! ◆**—ing** *a* (*voice*) hésitant.
halve [hɑːv] *vt* (*time, expense*) réduire de moitié; (*cake, number etc*) diviser en deux.
ham [hæm] *n* **1** jambon *m*; **h. and eggs** œufs *mpl* au jambon. **2** (*actor*) *Th Pej* cabotin, -ine *mf*. ◆**h.-'fisted** *a Fam* maladroit.
hamburger ['hæmbɜːgər] *n* hamburger *m*.
hamlet ['hæmlɪt] *n* hameau *m*.
hammer ['hæmər] *n* marteau *m*; – *vt* (*metal, table*) marteler; (*nail*) enfoncer (**into** dans); (*defeat*) *Fam* battre à plate(s) couture(s); (*criticize*) *Fam* démolir; **to h. out** (*agreement*) mettre au point; – *vi* frapper (au marteau). ◆**—ing** *n* (*defeat*) *Fam* raclée *f*, défaite *f*.
hammock ['hæmək] *n* hamac *m*.
hamper ['hæmpər] **1** *vt* gêner. **2** *n* (*basket*) panier *m*; (*laundry basket*) *Am* panier *m* à linge.
hamster ['hæmstər] *n* hamster *m*.
hand[1] [hænd] **1** *n* main *f*; **to hold in one's h.** tenir à la main; **by h.** (*to deliver etc*) à la main; **at** *or* **to h.** (*within reach*) sous la main, à portée de la main; **(close) at h.** (*person etc*) tout près; (*day etc*) proche; **in h.** (*situation*) bien en main; (*matter*) en question; (*money*) disponible; **on h.** (*ready for use*) disponible; **to have s.o. on one's hands** *Fig* avoir qn sur les bras; **on the right h.** du côté droit (**of** de); **on the one h.** . . . d'une part . . . ; **on the other h.** . . . d'autre part . . . ; **hands up!** (*in attack*) haut les mains!; *Sch* levez la main!; **hands off!** pas touche!, bas les pattes!; **my hands are full** *Fig* je suis très occupé; **to give s.o. a (helping) h.** donner un coup de main à qn; **to get out of h.** (*of person*) devenir impossible; (*of situation*) devenir incontrôlable; **h. in h.** la main dans la main; **h. in h. with** (*together with*) *Fig* de pair avec; **at first h.** de première main; **to win hands down** gagner haut la main; – *a* (*luggage etc*) à main. **2** *n* (*worker*) ouvrier, -ière *mf*; (*of clock*) aiguille *f*; *Cards* jeu *m*; (*writing*) écriture *f*. ◆**handbag** *n* sac *m* à main. ◆**handbook** *n* (*manual*) manuel *m*; (*guide*) guide *m*. ◆**handbrake** *n* frein *m* à main. ◆**handbrush** *n* balayette *f*. ◆**handcuff** *vt* passer les menottes à. ◆**handcuffs** *npl* menottes *fpl*. ◆**hand'made** *a* fait à la main. ◆**hand'picked** *a Fig* trié sur le volet. ◆**handrail** *n* (*on stairs*) rampe *f*. ◆**handshake** *n* poignée *f* de main. ◆**handwriting** *n* écriture *f*. ◆**hand'written** *a* écrit à la main.
hand[2] [hænd] *vt* (*give*) donner (**to** à); **to h. down** (*bring down*) descendre; (*knowledge, heirloom*) transmettre (**to** à); **to h. in** remettre; **to h. out** distribuer; **to h. over** remettre; (*power*) transmettre; **to h. round** (*cakes*) passer. ◆**handout** *n* (*leaflet*) prospectus *m*; (*money*) aumône *f*.
handful ['hændfʊl] *n* (*bunch, group*) poignée *f*; **(quite) a h.** (*difficult*) *Fig* difficile.
handicap ['hændɪkæp] *n* (*disadvantage*) & *Sp* handicap *m*; – *vt* (**-pp-**) handicaper. ◆**handicapped** *a* (*disabled*) handicapé.
handicraft ['hændɪkrɑːft] *n* artisanat *m* d'art. ◆**handiwork** *n* artisanat *m* d'art; (*action*) *Fig* ouvrage *m*.
handkerchief ['hæŋkətʃɪf] *n* (*pl* **-fs**) mouchoir *m*; (*for neck*) foulard *m*.
handle ['hænd(ə)l] **1** *n* (*of door*) poignée *f*; (*of knife*) manche *m*; (*of bucket*) anse *f*; (*of saucepan*) queue *f*; (*of pump*) bras *m*. **2** *vt* (*manipulate*) manier; (*touch*) toucher à; (*ship, vehicle*) manœuvrer; (*deal with*) s'occuper de; (*difficult child etc*) s'y prendre avec; – *vi* **to h. well** (*of machine*) être facile à manier.
handlebars ['hænd(ə)lbɑːz] *npl* guidon *m*.
handsome ['hænsəm] *a* (*person, building etc*) beau; (*gift*) généreux; (*profit, sum*) considérable. ◆**—ly** *adv* (*generously*) généreusement.
handy ['hændɪ] *a* (**-ier, -iest**) (*convenient, practical*) commode, pratique; (*skilful*) habile (**at doing** à faire); (*useful*) utile; (*near*) proche, accessible; **to come in h.** se

révéler utile; **to keep h.** avoir sous la main. ◆**handyman** *n* (*pl* **-men**) (*DIY enthusiast*) bricoleur *m.*

hang[1] [hæŋ] **1** *vt* (*pt & pp* **hung**) suspendre (**on, from** à); (*on hook*) accrocher (**on, from** à), suspendre; (*wallpaper*) poser; (*let dangle*) laisser pendre (**from, out of** de); **to h. with** (*decorate with*) orner de; **to h. out** (*washing*) étendre; (*flag*) arborer; **to h. up** (*picture etc*) accrocher; – *vi* (*dangle*) pendre; (*of threat*) planer; (*of fog, smoke*) flotter; **to h. about** (*loiter*) traîner, rôder; (*wait*) *Fam* attendre; **to h. down** (*dangle*) pendre; (*of hair*) tomber; **to h. on** (*hold out*) résister; (*wait*) *Fam* attendre; **to h. on to** (*cling to*) ne pas lâcher; (*keep*) garder; **to h. out** (*of tongue, shirt*) pendre; (*live*) *Sl* crécher; **to h. together** (*of facts*) se tenir; (*of plan*) tenir debout; **to h. up** *Tel* raccrocher. **2** *n* **to get the h. of sth** *Fam* arriver à comprendre qch; **to get the h. of doing** *Fam* trouver le truc pour faire. ◆**—ing**[1] *n* suspension *f*; – *a* suspendu (**from** à); (*leg, arm*) pendant; **h. on** (*wall*) accroché à. ◆**hang-glider** *n* delta-plane® *m.* ◆**hang-gliding** *n* vol *m* libre. ◆**hangnail** *n* petites peaux *fpl.* ◆**hangover** *n Fam* gueule *f* de bois. ◆**hangup** *n Fam* complexe *m.*

hang[2] [hæŋ] *vt* (*pt & pp* **hanged**) (*criminal*) pendre (**for** pour); – *vi* (*of criminal*) être pendu. ◆**—ing**[2] *n Jur* pendaison *f.* ◆**hangman** *n* (*pl* **-men**) bourreau *m.*

hangar ['hæŋər] *n Av* hangar *m.*

hanger ['hæŋər] *n* **(coat) h.** cintre *m.* ◆**hanger-'on** *n* (*pl* **hangers-on**) (*person*) *Pej* parasite *m.*

hanker ['hæŋkər] *vi* **to h. after** *or* **for** avoir envie de. ◆**—ing** *n* (forte) envie *f*, (vif) désir *m.*

hankie, hanky ['hæŋkɪ] *n Fam* mouchoir *m.*

hanky-panky [hæŋkɪ'pæŋkɪ] *n inv Fam* (*deceit*) manigances *fpl*, magouilles *fpl*; (*sexual behaviour*) papouilles *fpl*, pelotage *m.*

haphazard [hæp'hæzəd] *a* au hasard, au petit bonheur; (*selection, arrangement*) aléatoire. ◆**—ly** *adv* au hasard.

hapless ['hæplɪs] *a Lit* infortuné.

happen ['hæpən] *vi* arriver, se passer, se produire; **to h. to s.o./sth** arriver à qn/qch; **it (so) happens that I know, I h. to know** il se trouve que je le sais; **do you h. to have . . . ?** est-ce que par hasard vous avez . . . ?; **whatever happens** quoi qu'il arrive. ◆**—ing** *n* événement *m.*

happy ['hæpɪ] *a* (**-ier, -iest**) heureux (**to do** de faire, **about sth** de qch); **I'm not (too** *or* **very) h. about (doing) it** ça ne me plaît pas beaucoup (de le faire); **H. New Year!** bonne année!; **H. Christmas!** joyeux Noël! ◆**h.-go-'lucky** *a* insouciant. ◆**happily** *adv* (*contentedly*) tranquillement; (*joyously*) joyeusement; (*fortunately*) heureusement. ◆**happiness** *n* bonheur *m.*

harass ['hærəs, *Am* hə'ræs] *vt* harceler. ◆**—ment** *n* harcèlement *m.*

harbour ['hɑːbər] **1** *n* port *m.* **2** *vt* (*shelter*) héberger; (*criminal*) cacher, abriter; (*fear, secret*) nourrir.

hard [hɑːd] *a* (**-er, -est**) (*not soft, severe*) dur; (*difficult*) difficile, dur; (*study*) assidu; (*fact*) brutal; (*drink*) alcoolisé; (*water*) calcaire; **h. drinker/worker** gros buveur *m*/travailleur *m*; **a h. frost** une forte gelée; **to be h. on** *or* **to s.o.** être dur avec qn; **to find it h. to sleep**/*etc* avoir du mal à dormir/*etc*; **h. labour** *Jur* travaux *mpl* forcés; **h. cash** espèces *fpl*; **h. core** (*group*) noyau *m*; **h. of hearing** malentendant; **h. up** (*broke*) *Fam* fauché; **to be h. up for** manquer de; – *adv* (**-er, -est**) (*to work*) dur; (*to pull*) fort; (*to hit, freeze*) dur, fort; (*to study*) assidûment; (*to think*) sérieusement; (*to rain*) à verse; (*badly*) mal; **h. by** tout près; **h. done by** traité injustement.

hard-and-fast [hɑːdən(d)'fɑːst] *a* (*rule*) strict. ◆**'hardback** *n* livre *m* relié. ◆**'hardboard** *n* Isorel® *m.* ◆**hard-'boiled** *a* (*egg*) dur. ◆**hard-'core** *a* (*rigid*) *Pej* inflexible. ◆**hard'headed** *a* réaliste. ◆**hard'wearing** *a* résistant. ◆**hard-'working** *a* travailleur.

harden ['hɑːd(ə)n] *vti* durcir; **to h. oneself to** s'endurcir à. ◆**—ed** *a* (*criminal*) endurci.

hardly ['hɑːdlɪ] *adv* à peine; **he h. talks** il parle à peine, il ne parle guère; **h. ever** presque jamais.

hardness ['hɑːdnɪs] *n* dureté *f.*

hardship ['hɑːdʃɪp] *n* (*ordeal*) épreuve(s) *f*(*pl*); (*deprivation*) privation(s) *f*(*pl*).

hardware ['hɑːdweər] *n inv* quincaillerie *f*; (*of computer*) & *Mil* matériel *m.*

hardy ['hɑːdɪ] *a* (**-ier, -iest**) (*person, plant*) résistant.

hare [heər] *n* lièvre *m.* ◆**h.-brained** *a* (*person*) écervelé; (*scheme*) insensé.

harem [hɑː'riːm] *n* harem *m.*

hark [hɑːk] *vi Lit* écouter; **to h. back to** (*subject etc*) *Fam* revenir sur.

harm [hɑːm] *n* (*hurt*) mal *m*; (*prejudice*) tort *m*; **he means (us) no h.** il ne nous veut pas de mal; **she'll come to no h.** il ne lui arrivera rien; – *vt* (*hurt*) faire du mal à; (*prejudice*)

nuire à, faire du tort à; (*object*) endommager, abîmer. ◆**harmful** *a* nuisible. ◆**harmless** *a* (*person, treatment*) inoffensif; (*hobby, act*) innocent; (*gas, fumes etc*) qui n'est pas nuisible, inoffensif.
harmonica [hɑːˈmɒnɪkə] *n* harmonica *m*.
harmony [ˈhɑːmənɪ] *n* harmonie *f*. ◆**harˈmonic** *a* & *n Mus* harmonique (*m*). ◆**harˈmonious** *a* harmonieux. ◆**harˈmonium** *n Mus* harmonium *m*. ◆**harmonize** *vt* harmoniser; – *vi* s'harmoniser.
harness [ˈhɑːnɪs] *n* (*for horse, baby*) harnais *m*; – *vt* (*horse*) harnacher; (*energy etc*) *Fig* exploiter.
harp [hɑːp] **1** *n Mus* harpe *f*. **2** *vt* **to h. on (about) sth** *Fam* rabâcher qch. ◆**harpist** *n* harpiste *mf*.
harpoon [hɑːˈpuːn] *n* harpon *m*; – *vt* (*whale*) harponner.
harpsichord [ˈhɑːpsɪkɔːd] *n Mus* clavecin *m*.
harrowing [ˈhærəʊɪŋ] *a* (*tale, memory*) poignant; (*cry, sight*) déchirant.
harsh [hɑːʃ] *a* (**-er, -est**) (*severe*) dur, sévère; (*sound, taste*) âpre; (*surface*) rugueux; (*fabric*) rêche. ◆**—ly** *adv* durement, sévèrement. ◆**—ness** *n* dureté *f*, sévérité *f*; âpreté *f*; rugosité *f*.
harvest [ˈhɑːvɪst] *n* moisson *f*, récolte *f*; (*of people, objects*) *Fig* ribambelle *f*; – *vt* moissonner, récolter.
has [hæz] *see* **have**. ◆**has-been** *n Fam* personne *f* finie.
hash [hæʃ] **1** *n Culin* hachis *m*; – *vt* **to h. (up)** hacher. **2** *n* (*mess*) *Fam* gâchis *m*. **3** *n* (*hashish*) *Sl* hasch *m*, H *m*.
hashish [ˈhæʃiːʃ] *n* haschisch *m*.
hassle [ˈhæs(ə)l] *n Fam* (*trouble*) histoires *fpl*; (*bother*) mal *m*, peine *f*.
haste [heɪst] *n* hâte *f*; **in h.** à la hâte; **to make h.** se hâter. ◆**hasten** *vi* se hâter (**to do** de faire); – *vt* hâter. ◆**hasty** *a* (**-ier, -iest**) (*sudden*) précipité; (*visit*) rapide; (*decision, work*) hâtif. ◆**hastily** *adv* (*quickly*) en hâte; (*too quickly*) hâtivement.
hat [hæt] *n* chapeau *m*; **that's old h.** *Fam* (*old-fashioned*) c'est vieux jeu; (*stale*) c'est vieux comme les rues; **to score** *or* **get a h. trick** *Sp* réussir trois coups consécutifs.
hatch [hætʃ] **1** *vi* (*of chick, egg*) éclore; – *vt* faire éclore; (*plot*) *Fig* tramer. **2** *n* (*in kitchen wall*) passe-plats *m inv*.
hatchback [ˈhætʃbæk] *n* (*door*) hayon *m*; (*car*) trois-portes *f inv*, cinq-portes *f inv*.
hatchet [ˈhætʃɪt] *n* hachette *f*.
hate [heɪt] *vt* détester, haïr; **to h. doing** *or* **to do** détester faire; **I h. to say it** ça me gêne de le dire; – *n* haine *f*; **pet h.** *Fam* bête *f* noire. ◆**hateful** *a* haïssable. ◆**hatred** *n* haine *f*.
haughty [ˈhɔːtɪ] *a* (**-ier, -iest**) hautain. ◆**haughtily** *adv* avec hauteur.
haul [hɔːl] **1** *vt* (*pull*) tirer, traîner; (*goods*) camionner. **2** *n* (*fish*) prise *f*; (*of thief*) butin *m*; **a long h.** (*trip*) un long voyage. ◆**haulage** *n* camionnage *m*. ◆**hauler** *n Am*, ◆**haulier** *n* transporteur *m* routier.
haunt [hɔːnt] **1** *vt* hanter. **2** *n* endroit *m* favori; (*of criminal*) repaire *m*. ◆**—ing** *a* (*music, memory*) obsédant.
have [hæv] **1** (*3rd person sing pres t* **has**; *pt* & *pp* **had**; *pres p* **having**) *vt* avoir; (*get*) recevoir, avoir; (*meal, shower etc*) prendre; **he has got, he has** il a; **to h. a walk/dream/***etc* faire une promenade/un rêve/*etc*; **to h. a drink** prendre *or* boire un verre; **to h. a wash** se laver; **to h. a holiday** (*spend*) passer des vacances; **will you h. . . . ?** (*a cake, some tea etc*) est-ce que tu veux . . . ?; **to let s.o. h. sth** donner qch à qn; **to h. it from s.o. that** tenir de qn que; **he had me by the hair** il me tenait par les cheveux; **I won't h. this** (*allow*) je ne tolérerai pas ça; **you've had it!** *Fam* tu es fichu!; **to h. on** (*clothes*) porter; **to have sth on** (*be busy*) être pris; **to h. s.o. over** inviter qn chez soi. **2** *v aux* avoir; (*with monter, sortir etc* & *pronominal verbs*) être; **to h. decided/been** avoir décidé/été; **to h. gone** être allé; **to h. cut oneself** s'être coupé; **I've just done it** je viens de le faire; **to h. to do** (*must*) devoir faire; **I've got to go, I h. to go** je dois partir, je suis obligé de partir, il faut que je parte; **I don't h. to go** je ne suis pas obligé de partir; **to h. sth done** (*get sth done*) faire faire qch; **he's had his suitcase brought up** il a fait monter sa valise; **I've had my car stolen** on m'a volé mon auto; **she's had her hair cut** elle s'est fait couper les cheveux; **I've been doing it for months** je le fais depuis des mois; **haven't I?, hasn't she?** *etc* n'est-ce pas?; **no I haven't!** non!; **yes I h.!** si!; **after he had eaten, he left** après avoir mangé, il partit. **3** *npl* **the haves and (the) have-nots** les riches *mpl* et les pauvres *mpl*.
haven [ˈheɪv(ə)n] *n* refuge *m*, havre *m*.
haversack [ˈhævəsæk] *n* (*shoulder bag*) musette *f*.
havoc [ˈhævək] *n* ravages *mpl*.
hawk [hɔːk] **1** *n* (*bird*) & *Pol* faucon *m*. **2** *vt* (*goods*) colporter. ◆**—er** *n* colporteur, -euse *mf*.
hawthorn [ˈhɔːθɔːn] *n* aubépine *f*.

hay [heɪ] *n* foin *m*; **h. fever** rhume *m* des foins. ◆**haystack** *n* meule *f* de foin.
haywire ['heɪwaɪər] *a* **to go h.** (*of machine*) se détraquer; (*of scheme, plan*) mal tourner.
hazard ['hæzəd] *n* risque *m*; **health h.** risque *m* pour la santé; **it's a fire h.** ça risque de provoquer un incendie; – *vt* (*guess, remark etc*) hasarder, risquer. ◆**hazardous** *a* hasardeux.
haze [heɪz] *n* brume *f*; **in a h.** (*person*) *Fig* dans le brouillard. ◆**hazy** *a* (**-ier, -iest**) (*weather*) brumeux; (*sun*) voilé; (*photo, idea*) flou; **I'm h. about my plans** je ne suis pas sûr de mes projets.
hazel ['heɪz(ə)l] *n* (*bush*) noisetier *m*; – *a* (*eyes*) noisette *inv*. ◆**hazelnut** *n* noisette *f*.
he [hiː] *pron* il; (*stressed*) lui; **he wants** il veut; **he's a happy man** c'est un homme heureux; **if I were he** si j'étais lui; **he and I** lui et moi; – *n* mâle *m*; **he-bear** ours *m* mâle.
head [hed] **1** *n* (*of person, hammer etc*) tête *f*; (*of page*) haut *m*; (*of bed*) chevet *m*, tête *f*; (*of arrow*) pointe *f*; (*of beer*) mousse *f*; (*leader*) chef *m*; (*subject heading*) rubrique *f*; **h. of hair** chevelure *f*; **h. cold** rhume *m* de cerveau; **it didn't enter my h.** ça ne m'est pas venu à l'esprit (**that** que); **to take it into one's h. to do** se mettre en tête de faire; **the h.** *Sch* = **the headmaster**; = **the headmistress; to shout one's h. off** *Fam* crier à tue-tête; **to have a good h. for business** avoir le sens des affaires; **at the h. of** (*in charge of*) à la tête de; **at the h. of the table** au haut bout de la table; **at the h. of the list** en tête de liste; **it's above my h.** ça me dépasse; **to keep one's h.** garder son sang-froid; **to go off one's h.** devenir fou; **it's coming to a h.** (*of situation*) ça devient critique; **heads or tails?** pile ou face?; **per h., a h.** (*each*) par personne. **2** *a* principal; (*gardener*) en chef; **h. waiter** maître *m* d'hôtel; **a h. start** une grosse avance. **3** *vt* (*group, firm*) être à la tête de; (*list, poll*) être en tête de; (*vehicle*) diriger (**towards** vers); **to h. the ball** *Fb* faire une tête; **to h. off** (*person*) détourner de son chemin; (*prevent*) empêcher; **to be headed for** *Am* = **to h. for**; – *vi* **to h. for, be heading for** (*place*) se diriger vers; (*ruin etc*) *Fig* aller à. ◆**—ed** *a* (*paper*) à en-tête. ◆**—ing** *n* (*of chapter, page etc*) titre *m*; (*of subject*) rubrique *f*; (*printed on letter etc*) en-tête *m*. ◆**—er** *n Fb* coup *m* de tête.
headache ['hedeɪk] *n* mal *m* de tête; (*difficulty, person*) *Fig* problème *m*. ◆**headdress** *n* (*ornamental*) coiffe *f*. ◆**headlamp** *n*, ◆**headlight** *n Aut* phare *m*. ◆**headline** *n* (*of newspaper*) manchette *f*; *pl* (gros) titres *mpl*; *Rad TV* (grands) titres *mpl*. ◆**headlong** *adv* (*to fall*) la tête la première; (*to rush*) tête baissée. ◆**head'master** *n Sch* directeur *m*; (*of lycée*) proviseur *m*. ◆**head'mistress** *n Sch* directrice *f*; (*of lycée*) proviseur *m*. ◆**head-'on** *adv* & *a* (*to collide, collision*) de plein fouet. ◆**headphones** *npl* casque *m* (à écouteurs). ◆**headquarters** *npl Com Pol* siège *m* (central); *Mil* quartier *m* général. ◆**headrest** *n* appuie-tête *m inv*. ◆**headscarf** *n* (*pl* **-scarves**) foulard *m*. ◆**headstrong** *a* têtu. ◆**headway** *n* progrès *mpl*.
heady ['hedɪ] *a* (**-ier, -iest**) (*wine etc*) capiteux; (*action, speech*) emporté.
heal [hiːl] *vi* **to h. (up)** (*of wound*) se cicatriser; – *vt* (*wound*) cicatriser, guérir; (*person, sorrow*) guérir. ◆**—er** *n* guérisseur, -euse *mf*.
health [helθ] *n* santé *f*; **h. food** aliment *m* naturel; **h. food shop** *or Am* **store** magasin *m* diététique; **h. resort** station *f* climatique; **the H. Service** = la Sécurité Sociale. ◆**healthful** *a* (*climate*) sain. ◆**healthy** *a* (**-ier, -iest**) (*person*) en bonne santé, sain; (*food, attitude etc*) sain; (*appetite*) bon, robuste.
heap [hiːp] *n* tas *m*; **heaps of** *Fam* des tas de; **to have heaps of time** *Fam* avoir largement le temps; – *vt* entasser, empiler; **to h. on s.o.** (*gifts, praise*) couvrir qn de; (*work*) accabler qn de. ◆**—ed** *a* **h. spoonful** grosse cuillerée *f*. ◆**—ing** *a* **h. spoonful** *Am* grosse cuillerée *f*.
hear [hɪər] *vt* (*pt & pp* **heard** [hɜːd]) entendre; (*listen to*) écouter; (*learn*) apprendre (**that** que); **I heard him coming** je l'ai entendu venir; **to h. it said that** entendre dire que; **have you heard the news?** connais-tu la nouvelle?; **I've heard that . . .** on m'a dit que . . . , j'ai appris que . . . ; **to h. out** écouter jusqu'au bout; **h., h.!** bravo!; – *vi* entendre; (*get news*) recevoir *or* avoir des nouvelles (**from** de); **I've heard of** *or* **about him** j'ai entendu parler de lui; **she wouldn't h. of it** elle ne voulait pas en entendre parler; **I wouldn't h. of it!** pas question! ◆**—ing** *n* (*sense*) ouïe *f*; *Jur* audition *f*; **h. aid** appareil *m* auditif. ◆**hearsay** *n* ouï-dire *m inv*.
hearse [hɜːs] *n* corbillard *m*.
heart [hɑːt] *n* cœur *m*; *pl Cards* cœur *m*; **(off) by h.** par cœur; **to lose h.** perdre courage; **to one's h.'s content** tout son

saoul *or* content; **at h.** au fond; **his h. is set on it** il le veut à tout prix, il y tient; **his h. is set on doing it** il veut le faire à tout prix, il tient à le faire; **h. disease** maladie *f* de cœur; **h. attack** crise *f* cardiaque. ◆**heartache** *n* chagrin *m*. ◆**heartbeat** *n* battement *m* de cœur. ◆**heartbreaking** *a* navrant. ◆**heartbroken** *a* navré, au cœur brisé. ◆**heartburn** *n Med* brûlures *fpl* d'estomac. ◆**heartthrob** *n* (*man*) *Fam* idole *f*.

hearten ['hɑːt(ə)n] *vt* encourager. ◆**–ing** *a* encourageant.

hearth [hɑːθ] *n* foyer *m*.

hearty ['hɑːtɪ] *a* (**-ier, -iest**) (*meal, appetite*) gros. ◆**heartily** *adv* (*to eat*) avec appétit; (*to laugh*) de tout son cœur; (*absolutely*) absolument.

heat [hiːt] **1** *n* chaleur *f*; (*of oven*) température *f*; (*heating*) chauffage *m*; **in the h. of** (*argument etc*) dans le feu de; (*the day*) au plus chaud de; **at low h., on a low h.** *Culin* à feu doux; **h. wave** vague *f* de chaleur; – *vti* **to h. (up)** chauffer. **2** *n* (*in race, competition*) éliminatoire *f*; **it was a dead h.** ils sont arrivés ex aequo. ◆**–ed** *a* (*swimming pool*) chauffé; (*argument*) passionné. ◆**–edly** *adv* avec passion. ◆**–ing** *n* chauffage *m*. ◆**–er** *n* radiateur *m*, appareil *m* de chauffage; **water h.** chauffe-eau *m inv*.

heath [hiːθ] *n* (*place, land*) lande *f*.

heathen ['hiːð(ə)n] *a* & *n* païen, -enne (*mf*).

heather ['heðər] *n* (*plant*) bruyère *f*.

heave [hiːv] *vt* (*lift*) soulever; (*pull*) tirer; (*drag*) traîner; (*throw*) *Fam* lancer; (*a sigh*) pousser; – *vi* (*of stomach, chest*) se soulever; (*retch*) *Fam* avoir des haut-le-cœur; – *n* (*effort*) effort *m* (*pour soulever etc*).

heaven ['hev(ə)n] *n* ciel *m*, paradis *m*; **h. knows when** *Fam* Dieu sait quand; **good heavens!** *Fam* mon Dieu!; **it was h.** *Fam* c'était divin. ◆**–ly** *a* céleste; (*pleasing*) *Fam* divin.

heavy ['hevɪ] *a* (**-ier, -iest**) lourd; (*weight etc*) lourd, pesant; (*work, cold etc*) gros; (*blow*) violent; (*concentration, rain*) fort; (*traffic*) dense; (*smoker, drinker*) grand; (*film, text*) difficile; **a h. day** une journée chargée; **h. casualties** de nombreuses victimes; **to be h. on petrol** *or Am* **gas** *Aut* consommer beaucoup; **it's h. going** c'est difficile. ◆**heavily** *adv* (*to walk, tax etc*) lourdement; (*to breathe*) péniblement; (*to smoke, drink*) beaucoup; (*underlined*) fortement; (*involved*) très; **to rain h.** pleuvoir à verse. ◆**heaviness** *n* pesanteur *f*, lourdeur *f*. ◆**heavyweight** *n Boxing* poids *m* lourd; *Fig* personnage *m* important.

Hebrew ['hiːbruː] *a* hébreu (*m only*), hébraïque; – *n* (*language*) hébreu *m*.

heck [hek] *int Fam* zut!; – *n* = **hell** *in expressions*.

heckl/e ['hek(ə)l] *vt* interpeller, interrompre. ◆**–ing** *n* interpellations *fpl*. ◆**–er** *n* interpellateur, -trice *mf*.

hectic ['hektɪk] *a* (*activity*) fiévreux; (*period*) très agité; (*trip*) mouvementé; **h. life** vie *f* trépidante.

hedge [hedʒ] **1** *n Bot* haie *f*. **2** *vi* (*answer evasively*) ne pas se mouiller, éviter de se compromettre. ◆**hedgerow** *n Bot* haie *f*.

hedgehog ['hedʒhɒg] *n* (*animal*) hérisson *m*.

heed [hiːd] *vt* faire attention à; – *n* **to pay h. to** faire attention à. ◆**–less** *a* **h. of** (*danger etc*) inattentif à.

heel [hiːl] *n* **1** talon *m*; **down at h.,** *Am* **down at the heels** (*shabby*) miteux; **h. bar** cordonnerie *f* express; (*on sign*) 'talon minute'. **2** (*person*) *Am Fam* salaud *m*.

hefty ['heftɪ] *a* (**-ier, -iest**) (*large, heavy*) gros; (*person*) costaud.

heifer ['hefər] *n* (*cow*) génisse *f*.

height [haɪt] *n* hauteur *f*; (*of person*) taille *f*; (*of mountain*) altitude *f*; **the h. of** (*glory, success, fame*) le sommet de, l'apogée *m* de; (*folly, pain*) le comble de; **at the h. of** (*summer, storm*) au cœur de. ◆**heighten** *vt* (*raise*) rehausser; (*tension, interest*) *Fig* augmenter.

heinous ['heɪnəs] *a* (*crime etc*) atroce.

heir [eər] *n* héritier *m*. ◆**heiress** *n* héritière *f*. ◆**heirloom** *n* héritage *m*, bijou *m or* meuble *m* de famille.

heist [haɪst] *n Am Sl* hold-up *m inv*.

held [held] *see* **hold**.

helicopter ['helɪkɒptər] *n* hélicoptère *m*. ◆**heliport** *n* héliport *m*.

hell [hel] *n* enfer *m*; **a h. of a lot** (*very much*) *Fam* énormément, vachement; **a h. of a lot of** (*very many, very much*) *Fam* énormément de; **a h. of a nice guy** *Fam* un type super; **what the h. are you doing?** *Fam* qu'est-ce que tu fous?; **to h. with him** *Fam* qu'il aille se faire voir; **h.!** *Fam* zut!; **to be h.-bent on** *Fam* être acharné à. ◆**hellish** *a* diabolique.

hello! [hə'ləʊ] *int* = **hallo.**

helm [helm] *n Nau* barre *f*.

helmet ['helmɪt] *n* casque *m*.

help [help] *n* aide *f*, secours *m*; (*cleaning woman*) femme *f* de ménage; (*office or shop workers*) employés, -ées *mfpl*; **with the h. of**

(*stick etc*) à l'aide de; **to cry** *or* **shout for h.** crier au secours; **h.!** au secours!; – *vt* aider (**do, to do** à faire); **to h. s.o. to soup**/*etc* (*serve*) servir du potage/*etc* à qn; **to h. out** aider; **to h. up** aider à monter; **to h. oneself** se servir (**to** de); **I can't h. laughing**/*etc* je ne peux m'empêcher de rire/*etc*; **he can't h. being blind**/*etc* ce n'est pas sa faute s'il est aveugle/*etc*; **it can't be helped** on n'y peut rien; – *vi* **to h. (out)** aider. ◆**—ing** *n* (*serving*) portion *f*. ◆**—er** *n* assistant, -ante *mf*. ◆**helpful** *a* (*useful*) utile; (*obliging*) serviable. ◆**helpless** *a* (*powerless*) impuissant; (*baby*) désarmé; (*disabled*) impotent. ◆**helplessly** *adv* (*to struggle*) en vain.

helter-skelter [heltə'skeltər] **1** *adv* à la débandade. **2** *n* (*slide*) toboggan *m*.

hem [hem] *n* ourlet *m*; – *vt* (**-mm-**) (*garment*) ourler; **to h. in** *Fig* enfermer, cerner.

hemisphere ['hemɪsfɪər] *n* hémisphère *m*.

hemorrhage ['hemərɪdʒ] *n Med* hémorragie *f*.

hemorrhoids ['hemərɔɪdz] *npl* hémorroïdes *fpl*.

hemp [hemp] *n* chanvre *m*.

hen [hen] *n* poule *f*; **h. bird** oiseau *m* femelle. ◆**henpecked** *a* (*husband*) harcelé *or* dominé par sa femme.

hence [hens] *adv* **1** (*therefore*) d'où. **2** (*from now*) **ten years**/*etc* **h.** d'ici dix ans/*etc*. ◆**henceforth** *adv* désormais.

henchman ['hentʃmən] *n* (*pl* **-men**) *Pej* acolyte *m*.

hepatitis [hepə'taɪtɪs] *n* hépatite *f*.

her [hɜːr] **1** *pron* la, l'; (*after prep etc*) elle; **(to) h.** (*indirect*) lui; **I see h.** je la vois; **I saw h.** je l'ai vue; **I give (to) h.** je lui donne; **with h.** avec elle. **2** *poss a* son, sa, *pl* ses.

herald ['herəld] *vt* annoncer.

heraldry ['herəldrɪ] *n* héraldique *f*.

herb [hɜːb, *Am* ɜːb] *n* herbe *f*; *pl Culin* fines herbes *fpl*. ◆**herbal** *a* **h. tea** infusion *f* (d'herbes).

Hercules ['hɜːkjʊliːz] *n* (*strong man*) hercule *m*.

herd [hɜːd] *n* troupeau *m*; – *vti* **to h. together** (se) rassembler (en troupeau).

here [hɪər] **1** *adv* ici; (*then*) alors; **h. is, h. are** voici; **h. he is** le voici; **h. she is** la voici; **this man h.** cet homme-ci; **I won't be h. tomorrow** je ne serai pas là demain; **h. and there** çà et là; **h. you are!** (*take this*) tenez!; **h.'s to you!** (*toast*) à la tienne! **2** *int* (*calling s.o.'s attention*) holà!, écoutez!; (*giving s.o. sth*) tenez! ◆**herea'bouts** *adv* par ici. ◆**here'after** *adv* après; (*in book*) ci-après. ◆**here'by** *adv* (*to declare*) par le présent acte. ◆**here'with** *adv* (*with letter*) *Com* ci-joint.

heredity [hɪ'redɪtɪ] *n* hérédité *f*. ◆**hereditary** *a* héréditaire.

heresy ['herəsɪ] *n* hérésie *f*. ◆**heretic** *n* hérétique *mf*. ◆**he'retical** *a* hérétique.

heritage ['herɪtɪdʒ] *n* héritage *m*.

hermetically [hɜː'metɪklɪ] *adv* hermétiquement.

hermit ['hɜːmɪt] *n* solitaire *mf*, ermite *m*.

hernia ['hɜːnɪə] *n Med* hernie *f*.

hero ['hɪərəʊ] *n* (*pl* **-oes**) héros *m*. ◆**he'roic** *a* héroïque. ◆**he'roics** *npl Pej* grandiloquence *f*. ◆**heroine** ['herəʊɪn] *n* héroïne *f*. ◆**heroism** ['herəʊɪz(ə)m] *n* héroïsme *m*.

heroin ['herəʊɪn] *n* (*drug*) héroïne *f*.

heron ['herən] *n* (*bird*) héron *m*.

herring ['herɪŋ] *n* hareng *m*; **a red h.** *Fig* une diversion.

hers [hɜːz] *poss pron* le sien, la sienne, *pl* les sien(ne)s; **this hat is h.** ce chapeau est à elle *or* est le sien; **a friend of h.** une amie à elle. ◆**her'self** *pron* elle-même; (*reflexive*) se, s'; (*after prep*) elle; **she cut h.** elle s'est coupée; **she thinks of h.** elle pense à elle.

hesitate ['hezɪteɪt] *vi* hésiter (**over, about** sur; **to do** à faire). ◆**hesitant** *a* hésitant. ◆**hesitantly** *adv* avec hésitation. ◆**hesi'tation** *n* hésitation *f*.

hessian ['hesɪən] *n* toile *f* de jute.

heterogeneous [het(ə)rəʊ'dʒiːnɪəs] *a* hétérogène.

het up [het'ʌp] *a Fam* énervé.

hew [hjuː] *vt* (*pp* **hewn** *or* **hewed**) tailler.

hexagon ['heksəgən] *n* hexagone *m*. ◆**hex'agonal** *a* hexagonal.

hey! [heɪ] *int* hé!, holà!

heyday ['heɪdeɪ] *n* (*of person*) apogée *m*, zénith *m*; (*of thing*) âge *m* d'or.

hi! [haɪ] *int Am Fam* salut!

hiatus [haɪ'eɪtəs] *n* (*gap*) hiatus *m*.

hibernate ['haɪbəneɪt] *vi* hiberner. ◆**hiber'nation** *n* hibernation *f*.

hiccough, hiccup ['hɪkʌp] *n* hoquet *m*; **(the) hiccoughs, (the) hiccups** le hoquet; – *vi* hoqueter.

hick [hɪk] *n* (*peasant*) *Am Sl Pej* plouc *mf*.

hide[1] [haɪd] *vt* (*pt* **hid**, *pp* **hidden**) cacher, dissimuler (**from** à); – *vi* **to h. (away** *or* **out)** se cacher (**from** de). ◆**h.-and-'seek** *n* cache-cache *m inv*. ◆**h.-out** *n* cachette *f*. ◆**hiding** *n* **1 to go into h.** se cacher; **h. place** cachette *f*. **2 a good h.** (*thrashing*) *Fam* une bonne volée *or* correction.

hide[2] [haɪd] *n* (*skin*) peau *f*.

hideous ['hɪdɪəs] *a* horrible; (*person, sight, crime*) hideux. ◆**—ly** *adv* (*badly, very*) horriblement.

hierarchy ['haɪərɑːkɪ] *n* hiérarchie *f*.

hi-fi ['haɪfaɪ] *n* hi-fi *f inv*; (*system*) chaîne *f* hi-fi; – *a* hi-fi *inv*.

high [haɪ] *a* (**-er, -est**) haut; (*speed*) grand; (*price*) élevé; (*fever*) fort, gros; (*colour, complexion*) vif; (*idea, number*) grand, élevé; (*meat, game*) faisandé; (*on drugs*) *Fam* défoncé; **to be five metres h.** être haut de cinq mètres, avoir cinq mètres de haut; **it is h. time that** il est grand temps que (+ *sub*); **h. jump** *Sp* saut *m* en hauteur; **h. noon** plein midi *m*; **h. priest** grand prêtre *m*; **h. school** *Am* = collège *m* d'enseignement secondaire; **h. spirits** entrain *m*; **h. spot** (*of visit, day*) point *m* culminant; (*of show*) clou *m*; **h. street** grand-rue *f*; **h. summer** le cœur de l'été; **h. table** table *f* d'honneur; **h. and mighty** arrogant; **to leave s.o. h. and dry** *Fam* laisser qn en plan; – *adv* **h. (up)** (*to fly, throw etc*) haut; **to aim h.** viser haut; – *n* **on h.** en haut; **a new h., an all-time h.** (*peak*) *Fig* un nouveau record. ◆**—er** *a* supérieur (**than** à). ◆**—ly** *adv* hautement, fortement; (*interesting*) très; (*paid*) très bien; (*to recommend*) chaudement; **to speak h. of** dire beaucoup de bien de; **h. strung** nerveux. ◆**—ness** *n* **H.** (*title*) Altesse *f*.

highbrow ['haɪbraʊ] *a* & *n* intellectuel, -elle (*mf*).

high-chair ['haɪtʃeər] *n* chaise *f* haute. ◆**h.-'class** *a* (*service*) de premier ordre; (*building*) de luxe; (*person*) raffiné. ◆**h.-'flown** *a* (*language*) ampoulé. ◆**h.-'handed** *a* tyrannique. ◆**h.-'minded** *a* à l'âme noble. ◆**h.-'pitched** *a* (*sound*) aigu. ◆**h.-'powered** *a* (*person*) très dynamique. ◆**h.-rise** *a* **h.-rise flats** tour *f*. ◆**h.-'speed** *a* ultra-rapide. ◆**h.-'strung** *a Am* nerveux. ◆**h.-'up** *a* (*person*) haut placé.

highlands ['haɪləndz] *npl* régions *fpl* montagneuses.

highlight ['haɪlaɪt] *n* (*of visit, day*) point *m* culminant; (*of show*) clou *m*; (*in hair*) reflet *m*; – *vt* souligner.

highroad ['haɪrəʊd] *n* grand-route *f*.

highway ['haɪweɪ] *n* grande route *f*; *Am* autoroute *f*; **public h.** voie *f* publique; **h. code** code *m* de la route.

hijack ['haɪdʒæk] *vt* (*aircraft, vehicle*) détourner; – *n* détournement *m*. ◆**—ing** *n* (*air piracy*) piraterie *f* aérienne; (*hijack*) détournement *m*. ◆**—er** *n Av* pirate *m* de l'air.

hik/e [haɪk] **1** *n* excursion *f* à pied; – *vi* marcher à pied. **2** *vt* (*price*) *Am Fam* augmenter; – *n Am Fam* hausse *f*. ◆**—er** *n* excursionniste *mf*.

hilarious [hɪ'leərɪəs] *a* (*funny*) désopilant.

hill [hɪl] *n* colline *f*; (*small*) coteau *m*; (*slope*) pente *f*. ◆**hillbilly** *n Am Fam* péquenaud, -aude *mf*. ◆**hillside** *n* coteau *m*; **on the h.** à flanc de coteau. ◆**hilly** *a* (**-ier, -iest**) accidenté.

hilt [hɪlt] *n* (*of sword*) poignée *f*; **to the h.** *Fig* au maximum.

him [hɪm] *pron* le, l'; (*after prep etc*) lui; **(to) h.** (*indirect*) lui; **I see h.** je le vois; **I saw h.** je l'ai vu; **I give (to) h.** je lui donne; **with h.** avec lui. ◆**him'self** *pron* lui-même; (*reflexive*) se, s'; (*after prep*) lui; **he cut h.** il s'est coupé; **he thinks of h.** il pense à lui.

hind [haɪnd] *a* de derrière, postérieur. ◆**hindquarters** *npl* arrière-train *m*.

hinder ['hɪndər] *vt* (*obstruct*) gêner; (*prevent*) empêcher (**from doing** de faire). ◆**hindrance** *n* gêne *f*.

hindsight ['haɪndsaɪt] *n* **with h.** rétrospectivement.

Hindu ['hɪnduː] *a* & *n* hindou, -oue (*mf*).

hing/e [hɪndʒ] **1** *n* (*of box, stamp*) charnière *f*; (*of door*) gond *m*, charnière *f*. **2** *vi* **to h. on** (*depend on*) dépendre de. ◆**—ed** *a* à charnière(s).

hint [hɪnt] *n* indication *f*; (*insinuation*) allusion *f*; (*trace*) trace *f*; *pl* (*advice*) conseils *mpl*; **to drop a h.** faire une allusion; – *vt* laisser entendre (**that** que); – *vi* **to h. at** faire allusion à.

hip [hɪp] *n Anat* hanche *f*.

hippie ['hɪpɪ] *n* hippie *mf*.

hippopotamus [hɪpə'pɒtəməs] *n* hippopotame *m*.

hire ['haɪər] *vt* (*vehicle etc*) louer; (*person*) engager; **to h. out** donner en location, louer; – *n* location *f*; (*of boat, horse*) louage *m*; **for h.** à louer; **on h.** en location; **h. purchase** vente *f* à crédit, location-vente *f*; **on h. purchase** à crédit.

his [hɪz] **1** *poss a* son, sa, *pl* ses. **2** *poss pron* le sien, la sienne, *pl* les sien(ne)s; **this hat is h.** ce chapeau est à lui *or* est le sien; **a friend of h.** un ami à lui.

Hispanic [hɪs'pænɪk] *a* & *n Am* hispano-américain, -aine (*mf*).

hiss [hɪs] *vti* siffler; – *n* sifflement *m*; *pl Th* sifflets *mpl*. ◆**—ing** *n* sifflement(s) *m*(*pl*).

history ['hɪstərɪ] *n* (*study, events*) histoire *f*; **it will make h.** *or* **go down in h.** ça va faire date; **your medical h.** vos antécédents médicaux. ◆**hi'storian** *n* historien, -ienne *mf.* ◆**hi'storic(al)** *a* historique.

histrionic [hɪstrɪ'ɒnɪk] *a Pej* théâtral; – *npl* attitudes *fpl* théâtrales.

hit [hɪt] *vti* (*pt & pp* **hit,** *pres p* **hitting**) (*strike*) frapper; (*knock against*) & *Aut* heurter; (*reach*) atteindre; (*affect*) toucher, affecter; (*find*) trouver, rencontrer; **to h. the headlines** *Fam* faire les gros titres; **to h. back** rendre coup pour coup; (*verbally, militarily etc*) riposter; **to h. it off** *Fam* s'entendre bien (**with** avec); **to h. out (at)** *Fam* attaquer; **to h. (up)on** (*find*) tomber sur; – *n* (*blow*) coup *m*; (*success*) coup *m* réussi; *Th* succès *m*; **h. (song)** chanson *f* à succès; **to make a h. with** *Fam* avoir un succès avec; **h.-and-run driver** chauffard *m* (*qui prend la fuite*). ◆**h.-or-'miss** *a* (*chancy, random*) aléatoire.

hitch [hɪtʃ] **1** *n* (*snag*) anicroche *f,* os *m,* problème *m.* **2** *vt* (*fasten*) accrocher (**to** à). **3** *vti* **to h. (a lift** *or* **a ride)** *Fam* faire du stop (**to** jusqu'à). ◆**hitchhike** *vi* faire de l'auto-stop (**to** jusqu'à). ◆**hitchhiking** *n* auto-stop *m.* ◆**hitchhiker** *n* auto-stoppeur, -euse *mf.*

hitherto [hɪðə'tuː] *adv* jusqu'ici.

hive [haɪv] **1** *n* ruche *f.* **2** *vt* **to h. off** (*industry*) dénationaliser.

hoard [hɔːd] *n* réserve *f*; (*of money*) trésor *m*; – *vt* amasser. ◆**—ing** *n* (*fence*) panneau *m* d'affichage.

hoarfrost ['hɔːfrɒst] *n* givre *m.*

hoarse [hɔːs] *a* (**-er, -est**) (*person, voice*) enroué. ◆**—ness** *n* enrouement *m.*

hoax [həʊks] *n* canular *m*; – *vt* faire un canular à, mystifier.

hob [hɒb] *n* (*on stove*) plaque *f* chauffante.

hobble ['hɒb(ə)l] *vi* (*walk*) clopiner.

hobby ['hɒbɪ] *n* passe-temps *m inv*; **my h.** mon passe-temps favori. ◆**hobbyhorse** *n* (*favourite subject*) dada *m.*

hobnob ['hɒbnɒb] *vi* (**-bb-**) **to h. with** frayer avec.

hobo ['həʊbəʊ] *n* (*pl* **-oes** *or* **-os**) *Am* vagabond *m.*

hock [hɒk] *vt* (*pawn*) *Fam* mettre au clou; – *n* **in h.** *Fam* au clou.

hockey ['hɒkɪ] *n* hockey *m*; **ice h.** hockey sur glace.

hocus-pocus [həʊkəs'pəʊkəs] *n* (*talk*) charabia *m*; (*deception*) tromperie *f.*

hodgepodge ['hɒdʒpɒdʒ] *n* fatras *m.*

hoe [həʊ] *n* binette *f,* houe *f*; – *vt* biner.

hog [hɒg] **1** *n* (*pig*) cochon *m,* porc *m*; **road h.** *Fig* chauffard *m.* **2** *n* **to go the whole h.** *Fam* aller jusqu'au bout. **3** *vt* (**-gg-**) *Fam* monopoliser, garder pour soi.

hoist [hɔɪst] *vt* hisser; – *n Tech* palan *m.*

hold [həʊld] *n* (*grip*) prise *f*; (*of ship*) cale *f*; (*of aircraft*) soute *f*; **to get h. of** (*grab*) saisir; (*contact*) joindre; (*find*) trouver; **to get a h. of oneself** se maîtriser; – *vt* (*pt & pp* **held**) tenir; (*breath, interest, heat, attention*) retenir; (*a post*) occuper; (*a record*) détenir; (*weight*) supporter; (*possess*) posséder; (*contain*) contenir; (*maintain, believe*) maintenir (**that** que); (*ceremony, mass*) célébrer; (*keep*) garder; **to h. hands** se tenir par la main; **to h. one's own** se débrouiller; (*of sick person*) se maintenir; **h. the line!** *Tel* ne quittez pas!; **h. it!** (*stay still*) ne bouge pas!; **to be held** (*of event*) avoir lieu; **to h. back** (*crowd, tears*) contenir; (*hide*) cacher (**from** à); **to h. down** (*job*) occuper, (*keep*) garder; (*person on ground*) maintenir au sol; **to h. in** (*stomach*) rentrer; **to h. off** (*enemy*) tenir à distance; **to h. on** (*keep in place*) tenir en place (*son chapeau etc*); **to h. out** (*offer*) offrir; (*arm*) étendre; **to h. over** (*postpone*) remettre; **to h. together** (*nation, group*) assurer l'union de; **to h. up** (*raise*) lever; (*support*) soutenir; (*delay*) retarder; (*bank*) attaquer (à main armée); – *vi* (*of nail, rope*) tenir; (*of weather*) se maintenir; **to h. (good)** (*of argument*) valoir (**for** pour); **to h. forth** (*talk*) *Pej* disserter; **if the rain holds off** s'il ne pleut pas; **to h. on** (*endure*) tenir bon; (*wait*) attendre; **h. on!** *Tel* ne quittez pas!; **to h. onto** (*cling to*) tenir bien; (*keep*) garder; **h. on (tight)!** tenez bon!; **to h. out** (*resist*) résister; (*last*) durer. ◆**holdall** *n* (*bag*) fourre-tout *m inv.* ◆**holdup** *n* (*attack*) hold-up *m inv*; (*traffic jam*) bouchon *m*; (*delay*) retard *m.*

holder ['həʊldər] *n* (*of post, passport*) titulaire *mf*; (*of record, card*) détenteur, -trice *mf*; (*container*) support *m.*

holdings ['həʊldɪŋz] *npl Fin* possessions *fpl.*

hole [həʊl] *n* trou *m*; (*town etc*) *Fam* bled *m,* trou *m*; (*room*) *Fam* baraque *f*; – *vt* trouer; – *vi* **to h. up** (*hide*) *Fam* se terrer.

holiday ['hɒlɪdeɪ] *n* (*rest*) vacances *fpl*; **holiday(s)** (*from work, school etc*) vacances *fpl*; **a h.** (*day off*) un congé; **a (public** *or* **bank) h.,** *Am* **a legal h.** un jour férié; **on h.** en vacances; **holidays with pay** congés *mpl* payés; – *a* (*camp, clothes etc*) de vacances; **in h. mood** d'humeur folâtre. ◆**holidaymaker** *n* vacancier, -ière *mf.*

holiness ['həʊlɪnəs] *n* sainteté *f.*

Holland ['hɒlənd] *n* Hollande *f.*

hollow ['hɒləʊ] *a* creux; (*victory*) faux; (*promise*) vain; – *n* creux *m*; – *vt* **to h. out** creuser.
holly ['hɒlɪ] *n* houx *m*.
holocaust ['hɒləkɔːst] *n* (*massacre*) holocauste *m*.
holster ['həʊlstər] *n* étui *m* de revolver.
holy ['həʊlɪ] *a* (**-ier, -iest**) saint; (*bread, water*) bénit; (*ground*) sacré.
homage ['hɒmɪdʒ] *n* hommage *m*.
home[1] [həʊm] *n* maison *f*; (*country*) pays *m* (natal); (*for soldiers*) foyer *m*; **(at) h.** à la maison, chez soi; **to feel at h.** se sentir à l'aise; **to play at h.** *Fb* jouer à domicile; **far from h.** loin de chez soi; **a broken h.** un foyer désuni; **a good h.** une bonne famille; **to make one's h. in** s'installer à *or* en; **my h. is here** j'habite ici; – *adv* à la maison, chez soi; **to go** *or* **come h.** rentrer; **to be h.** être rentré; **to drive h.** ramener (*qn*) (en voiture); (*nail*) enfoncer; **to bring sth h. to s.o.** *Fig* faire voir qch à qn; – *a* (*life, pleasures etc*) de famille; *Pol* national; (*cooking, help*) familial; (*visit, match*) à domicile; **h. economics** économie *f* domestique; **h. town** (*birth place*) ville *f* natale; **h. rule** *Pol* autonomie *f*; **H. Office** = ministère *m* de l'Intérieur; **H. Secretary** = ministre *m* de l'Intérieur. ◆**homecoming** *n* retour *m* au foyer. ◆**home'grown** *a Bot* du jardin; *Pol* du pays. ◆**homeland** *n* patrie *f*. ◆**homeloving** *a* casanier. ◆**home'made** *a* (fait à la) maison *inv*. ◆**homework** *n Sch* devoir(s) *m*(*pl*).
home[2] [həʊm] *vi* **to h. in on** se diriger automatiquement sur.
homeless ['həʊmlɪs] *a* sans abri; – *n* **the h.** les sans-abri *m inv*.
homely ['həʊmlɪ] *a* (**-ier, -iest**) (*simple*) simple; (*comfortable*) accueillant; (*ugly*) *Am* laid.
homesick ['həʊmsɪk] *a* nostalgique; **to be h.** avoir le mal du pays. ◆**—ness** *n* nostalgie *f*, mal *m* du pays.
homeward ['həʊmwəd] *a* (*trip*) de retour; – *adv* **h. bound** sur le chemin de retour.
homey ['həʊmɪ] *a* (**-ier, -iest**) *Am Fam* accueillant.
homicide ['hɒmɪsaɪd] *n* homicide *m*.
homily ['hɒmɪlɪ] *n* homélie *f*.
homogeneous [həʊmə'dʒiːnɪəs] *a* homogène.
homosexual [həʊmə'sekʃʊəl] *a* & *n* homosexuel, -elle (*mf*). ◆**homosexu'ality** *n* homosexualité *f*.
honest ['ɒnɪst] *a* honnête; (*frank*) franc (**with** avec); (*profit, money*) honnêtement gagné; **the h. truth** la pure vérité; **to be (quite) h.** . . . pour être franc. . . . ◆**honesty** *n* honnêteté *f*; franchise *f*; (*of report, text*) exactitude *f*.
honey ['hʌnɪ] *n* miel *m*; (*person*) *Fam* chéri, -ie *mf*. ◆**honeycomb** *n* rayon *m* de miel. ◆**honeymoon** *n* (*occasion*) lune *f* de miel; (*trip*) voyage *m* de noces. ◆**honeysuckle** *n Bot* chèvrefeuille *f*.
honk [hɒŋk] *vi Aut* klaxonner; – *n* coup *m* de klaxon®.
honour ['ɒnər] *n* honneur *m*; **in h. of** en l'honneur de; **an honours degree** *Univ* = une licence; – *vt* honorer (**with** de). ◆**honorary** *a* (*member*) honoraire; (*title*) honorifique. ◆**honourable** *a* honorable.
hood [hʊd] *n* **1** capuchon *m*; (*mask of robber*) cagoule *f*; (*soft car or pram roof*) capote *f*; (*bonnet*) *Aut Am* capot *m*; (*above stove*) hotte *f*. **2** (*hoodlum*) *Am Sl* gangster *m*. ◆**hooded** *a* (*person*) encapuchonné; (*coat*) à capuchon.
hoodlum ['huːdləm] *n Fam* (*hooligan*) voyou *m*; (*gangster*) gangster *m*.
hoodwink ['hʊdwɪŋk] *vt* tromper, duper.
hoof, *pl* **-fs, -ves** [huːf, -fs, -vz] (*Am* [hʊf, -fs, huːvz]) *n* sabot *m*.
hoo-ha ['huːhɑː] *n Fam* tumulte *m*.
hook [hʊk] *n* crochet *m*; (*on clothes*) agrafe *f*; *Fishing* hameçon *m*; **off the h.** (*phone*) décroché; **to let** *or* **get s.o. off the h.** tirer qn d'affaire; – *vt* **to h. (on** *or* **up)** accrocher (**to** à). ◆**—ed** *a* (*nose, beak*) recourbé, crochu; (*end, object*) recourbé; **h. on** *Fam* (*chess etc*) enragé de; (*person*) entiché de; **to be h. on drugs** *Fam* ne plus pouvoir se passer de la drogue. ◆**—er** *n Am Sl* prostituée *f*.
hook(e)y ['hʊkɪ] *n* **to play h.** *Am Fam* faire l'école buissonnière.
hooligan ['huːlɪgən] *n* vandale *m*, voyou *m*. ◆**hooliganism** *n* vandalisme *m*.
hoop [huːp] *n* cerceau *m*; (*of barrel*) cercle *m*.
hoot [huːt] **1** *vi Aut* klaxonner; (*of train*) siffler; (*of owl*) hululer; – *n Aut* coup *m* de klaxon®. **2** *vti* (*jeer*) huer; – *n* huée *f*. ◆**—er** *n Aut* klaxon® *m*; (*of factory*) sirène *f*.
hoover® ['huːvər] *n* aspirateur *m*; – *vt Fam* passer à l'aspirateur.
hop [hɒp] *vi* (**-pp-**) (*of person*) sauter (à cloche-pied); (*of animal*) sauter; (*of bird*) sautiller; **h. in!** (*in car*) montez!; **to h. on a bus** monter dans un autobus; **to h. on a plane** attraper un vol; – *vt* **h. it!** *Fam* fiche le camp!; – *n* (*leap*) saut *m*; *Av* étape *f*.
hope [həʊp] *n* espoir *m*, espérance *f*; – *vi*

espérer; **to h. for** (*desire*) espérer; (*expect*) attendre; **I h. so/not** j'espère que oui/non; – *vt* espérer (**to do** faire, **that** que). ◆**hopeful** *a* (*person*) optimiste, plein d'espoir; (*promising*) prometteur; (*encouraging*) encourageant; **to be h. that** avoir bon espoir que. ◆**hopefully** *adv* avec optimisme; (*one hopes*) on espère (que). ◆**hopeless** *a* désespéré, sans espoir; (*useless, bad*) nul; (*liar*) invétéré. ◆**hopelessly** *adv* sans espoir; (*extremely*) complètement; (*in love*) éperdument.

hops [hɒps] *npl Bot* houblon *m*.

hopscotch ['hɒpskɒtʃ] *n* (*game*) marelle *f*.

horde [hɔːd] *n* horde *f*, foule *f*.

horizon [hə'raɪz(ə)n] *n* horizon *m*; **on the h.** à l'horizon.

horizontal [hɒrɪ'zɒnt(ə)l] *a* horizontal. ◆**—ly** *adv* horizontalement.

hormone ['hɔːməʊn] *n* hormone *f*.

horn [hɔːn] **1** *n* (*of animal*) corne *f*; *Mus* cor *m*; *Aut* klaxon® *m*. **2** *vi* **to h. in** *Am Fam* dire son mot, interrompre.

hornet ['hɔːnɪt] *n* (*insect*) frelon *m*.

horoscope ['hɒrəskəʊp] *n* horoscope *m*.

horror ['hɒrər] *n* horreur *f*; **(little) h.** (*child*) *Fam* petit monstre *m*; – *a* (*film etc*) d'épouvante, d'horreur. ◆**ho'rrendous** *a* horrible. ◆**horrible** *a* horrible, affreux. ◆**horribly** *adv* horriblement. ◆**horrid** *a* horrible; (*child*) épouvantable, méchant. ◆**ho'rrific** *a* horrible, horrifiant. ◆**horrify** *vt* horrifier.

hors-d'œuvre [ɔː'dɜːv] *n* hors-d'œuvre *m inv*.

horse [hɔːs] *n* **1** cheval *m*; **to go h. riding** faire du cheval; **h. show** concours *m* hippique. **2 h. chestnut** marron *m* (d'Inde). ◆**horseback** *n* **on h.** à cheval. ◆**horseman** *n* (*pl* **-men**) cavalier *m*. ◆**horseplay** *n* jeux *mpl* brutaux. ◆**horsepower** *n* cheval *m* (vapeur). ◆**horseracing** *n* courses *fpl*. ◆**horseradish** *n* radis *m* noir, raifort *m*. ◆**horseshoe** *n* fer *m* à cheval. ◆**horsewoman** *n* (*pl* **-women**) cavalière *f*.

horticulture ['hɔːtɪkʌltʃər] *n* horticulture *f*. ◆**horti'cultural** *a* horticole.

hose [həʊz] *n* (*tube*) tuyau *m*; – *vt* (*garden etc*) arroser. ◆**hosepipe** *n* tuyau *m*.

hosiery ['həʊzɪərɪ, *Am* 'həʊʒərɪ] *n* bonneterie *f*.

hospice ['hɒspɪs] *n* (*for dying people*) hospice *m* (pour incurables).

hospitable [hɒ'spɪtəb(ə)l] *a* hospitalier. ◆**hospitably** *adv* avec hospitalité. ◆**hospi'tality** *n* hospitalité *f*.

hospital ['hɒspɪt(ə)l] *n* hôpital *m*; **in h.**, *Am* **in the h.** à l'hôpital; – *a* (*bed etc*) d'hôpital; (*staff, services*) hospitalier. ◆**hospitalize** *vt* hospitaliser.

host [həʊst] *n* **1** (*man who receives guests*) hôte *m*. **2 a h. of** (*many*) une foule de. **3** *Rel* hostie *f*. ◆**hostess** *n* (*in house, aircraft, nightclub*) hôtesse *f*.

hostage ['hɒstɪdʒ] *n* otage *m*; **to take s.o. h.** prendre qn en otage.

hostel ['hɒst(ə)l] *n* foyer *m*; **youth h.** auberge *f* de jeunesse.

hostile ['hɒstaɪl, *Am* 'hɒst(ə)l] *a* hostile (**to, towards** à). ◆**ho'stility** *n* hostilité *f* (**to, towards** envers); *pl Mil* hostilités *fpl*.

hot[1] [hɒt] *a* (**hotter, hottest**) chaud; (*spice*) fort; (*temperament*) passionné; (*news*) *Fam* dernier; (*favourite*) *Sp* grand; **to be** *or* **feel h.** avoir chaud; **it's h.** il fait chaud; **not so h. at** (*good at*) *Fam* pas très calé en; **not so h.** (*bad*) *Fam* pas fameux; **h. dog** (*sausage*) hot-dog *m*. ◆**hotbed** *n Pej* foyer *m* (**of** de). ◆**hot-'blooded** *a* ardent. ◆**hothead** *n* tête *f* brûlée. ◆**hot'headed** *a* impétueux. ◆**hothouse** *n* serre *f* (chaude). ◆**hotplate** *n* chauffe-plats *m inv*; (*on stove*) plaque *f* chauffante. ◆**hot-'tempered** *a* emporté. ◆**hot-'water bottle** *n* bouillotte *f*.

hot[2] [hɒt] *vi* (**-tt-**) **to h. up** (*increase*) s'intensifier; (*become dangerous or excited*) chauffer.

hotchpotch ['hɒtʃpɒtʃ] *n* fatras *m*.

hotel [həʊ'tel] *n* hôtel *m*; – *a* (*industry*) hôtelier. ◆**hotelier** [həʊ'telɪeɪ] *n* hôtelier, -ière *mf*.

hotly ['hɒtlɪ] *adv* passionnément.

hound [haʊnd] **1** *n* (*dog*) chien *m* courant. **2** *vt* (*pursue*) poursuivre avec acharnement; (*worry*) harceler.

hour ['aʊər] *n* heure *f*; **half an h., a half-h.** une demi-heure; **a quarter of an h.** un quart d'heure; **paid ten francs an h.** payé dix francs (de) l'heure; **ten miles an h.** dix miles à l'heure; **open all hours** ouvert à toute heure; **h. hand** (*of watch, clock*) petite aiguille *f*. ◆**—ly** *a* (*rate, pay*) horaire; **an h. bus/train/***etc* un bus/train/*etc* toutes les heures; – *adv* toutes les heures; **h. paid, paid h.** payé à l'heure.

house[1], *pl* **-ses** [haʊs, -zɪz] *n* maison *f*; (*audience*) *Th* salle *f*, auditoire *m*; (*performance*) *Th* séance *f*; **the H.** *Pol* la Chambre; **the Houses of Parliament** le Parlement; **at** *or* **to my h.** chez moi; **on the h.** (*free of charge*) aux frais de la maison; **h. prices** prix *mpl* immobiliers. ◆**housebound** *a* confiné chez soi. ◆**house-**

breaking *n Jur* cambriolage *m.* ◆**house-broken** *a* (*dog etc*) *Am* propre. ◆**household** *n* ménage *m,* maison *f,* famille *f*; **h. duties** soins *mpl* du ménage; **a h. name** un nom très connu. ◆**householder** *n* (*owner*) propriétaire *mf*; (*family head*) chef *m* de famille. ◆**housekeeper** *n* (*employee*) gouvernante *f*; (*housewife*) ménagère *f.* ◆**housekeeping** *n* ménage *m.* ◆**houseman** *n* (*pl* **-men**) interne *mf* (des hôpitaux). ◆**houseproud** *a* qui s'occupe méticuleusement de sa maison. ◆**housetrained** *a* (*dog etc*) propre. ◆**housewarming** *n* & *a* **to have a h.-warming (party)** pendre la crémaillère. ◆**housewife** *n* (*pl* **-wives**) ménagère *f.* ◆**housework** *n* (travaux *mpl* de) ménage *m.*

hous/e[2] [haʊz] *vt* loger; (*of building*) abriter; **it is housed in** (*kept*) on le garde dans. ◆**—ing** *n* logement *m*; (*houses*) logements *mpl*; – *a* (*crisis etc*) du logement.

hovel ['hɒv(ə)l] *n* (*slum*) taudis *m.*

hover ['hɒvər] *vi* (*of bird, aircraft, danger etc*) planer; (*of person*) rôder, traîner. ◆**hovercraft** *n* aéroglisseur *m.*

how [haʊ] *adv* comment; **h.'s that?, h. so?, h. come?** *Fam* comment ça?; **h. kind!** comme c'est gentil!; **h. do you do?** (*greeting*) bonjour; **h. long/high is . . . ?** quelle est la longueur/hauteur de . . . ?; **h. much?, h. many?** combien?; **h. much time/***etc***?** combien de temps/*etc*?; **h. many apples/***etc***?** combien de pommes/*etc*?; **h. about a walk?** si on faisait une promenade?; **h. about some coffee?** (si on prenait) du café?; **h. about me?** et moi?

howdy! ['haʊdɪ] *int Am Fam* salut!

however [haʊ'evər] **1** *adv* **h. big he may be** quelque *or* si grand qu'il soit; **h. she may do it** de quelque manière qu'elle le fasse; **h. that may be** quoi qu'il en soit. **2** *conj* cependant.

howl [haʊl] *vi* hurler; (*of baby*) brailler; (*of wind*) mugir; – *n* hurlement *m*; braillement *m*; mugissement *m*; (*of laughter*) éclat *m.*

howler ['haʊlər] *n* (*mistake*) *Fam* gaffe *f.*

HP [eɪtʃ'piː] *abbr* = **hire purchase.**

hp *abbr* (*horsepower*) CV.

HQ [eɪtʃ'kjuː] *abbr* = **headquarters.**

hub [hʌb] *n* (*of wheel*) moyeu *m*; *Fig* centre *m.* ◆**hubcap** *n Aut* enjoliveur *m.*

hubbub ['hʌbʌb] *n* vacarme *m.*

huckleberry ['hʌk(ə)lbərɪ] *n Bot Am* myrtille *f.*

huddle ['hʌd(ə)l] *vi* **to h. (together)** se blottir (les uns contre les autres).

hue [hjuː] *n* (*colour*) teinte *f.*

huff [hʌf] *n* **in a h.** (*offended*) *Fam* fâché.

hug [hʌg] *vt* (**-gg-**) (*person*) serrer dans ses bras, étreindre; **to h. the kerb/coast** (*stay near*) serrer le trottoir/la côte; – *n* (*embrace*) étreinte *f.*

huge [hjuːdʒ] *a* énorme. ◆**—ly** *adv* énormément. ◆**—ness** *n* énormité *f.*

hulk [hʌlk] *n* (*person*) lourdaud, -aude *mf.*

hull [hʌl] *n* (*of ship*) coque *f.*

hullabaloo [hʌləbə'luː] *n Fam* (*noise*) vacarme *m*; (*fuss*) histoire(s) *f*(*pl*).

hullo! [hʌ'ləʊ] *int* = **hallo.**

hum [hʌm] *vi* (**-mm-**) (*of insect*) bourdonner; (*of person*) fredonner; (*of top, radio*) ronfler; (*of engine*) vrombir; – *vt* (*tune*) fredonner; – *n* (*of insect*) bourdonnement *m.*

human ['hjuːmən] *a* humain; **h. being** être *m* humain; – *npl* humains *mpl.* ◆**hu'mane** *a* (*kind*) humain. ◆**hu'manely** *adv* humainement. ◆**humani'tarian** *a* & *n* humanitaire (*mf*). ◆**hu'manity** *n* (*human beings, kindness*) humanité *f.* ◆**humanly** *adv* (*possible etc*) humainement.

humble ['hʌmb(ə)l] *a* humble; – *vt* humilier. ◆**humbly** *adv* humblement.

humbug ['hʌmbʌg] *n* (*talk*) fumisterie *f*; (*person*) fumiste *mf.*

humdrum ['hʌmdrʌm] *a* monotone.

humid ['hjuːmɪd] *a* humide. ◆**hu'midify** *vt* humidifier. ◆**hu'midity** *n* humidité *f.*

humiliate [hjuː'mɪlɪeɪt] *vt* humilier. ◆**humili'ation** *n* humiliation *f.* ◆**humility** *n* humilité *f.*

humour ['hjuːmər] **1** *n* (*fun*) humour *m*; (*temper*) humeur *f*; **to have a sense of h.** avoir le sens de l'humour; **in a good h.** de bonne humeur. **2** *vt* **to h. s.o.** faire plaisir à qn, ménager qn. ◆**humorist** *n* humoriste *mf.* ◆**humorous** *a* (*book etc*) humoristique; (*person*) plein d'humour. ◆**humorously** *adv* avec humour.

hump [hʌmp] **1** *n* (*lump, mound*) bosse *f*; – *vt* (*one's back*) voûter. **2** *n* **to have the h.** *Fam* (*depression*) avoir le cafard; (*bad temper*) être en rogne. ◆**humpback** *a* **h. bridge** *Aut* pont *m* en dos d'âne.

hunch [hʌntʃ] **1** *vt* (*one's shoulders*) voûter. **2** *n* (*idea*) *Fam* intuition *f,* idée *f.* ◆**hunchback** *n* bossu, -ue *mf.*

hundred ['hʌndrəd] *a* & *n* cent (*m*); **a h. pages** cent pages; **two h. pages** deux cents pages; **hundreds of** des centaines de.

◆**hundredfold** *a* centuple; – *adv* au centuple. ◆**hundredth** *a* & *n* centième (*mf*). ◆**hundredweight** *n* 112 livres (= *50,8 kg*); *Am* 100 livres (= *45,3 kg*).
hung [hʌŋ] *see* **hang**¹.
Hungary ['hʌŋgərɪ] *n* Hongrie *f*. ◆**Hun'garian** *a* & *n* hongrois, -oise (*mf*); – *n* (*language*) hongrois *m*.
hunger ['hʌŋgər] *n* faim *f*. ◆**hungry** *a* (-**ier**, -**iest**) **to be** *or* **feel h.** avoir faim; **to go h.** souffrir de la faim; **to make h.** donner faim à; **h. for** (*news etc*) avide de. ◆**hungrily** *adv* avidement.
hunk [hʌŋk] *n* (gros) morceau *m*.
hunt [hʌnt] *n Sp* chasse *f*; (*search*) recherche *f* (**for** de); – *vt Sp* chasser; (*pursue*) poursuivre; (*seek*) chercher; **to h. down** (*fugitive etc*) traquer; **to h. out** (*information etc*) dénicher; – *vi Sp* chasser; **to h. for sth** (re)chercher qch. ◆**—ing** *n Sp* chasse *f*. ◆**—er** *n* (*person*) chasseur *m*.
hurdle ['hɜːd(ə)l] *n* (*fence*) *Sp* haie *f*; *Fig* obstacle *m*.
hurl [hɜːl] *vt* (*throw*) jeter, lancer; (*abuse*) lancer; **to h. oneself at s.o.** se ruer sur qn.
hurly-burly ['hɜːlɪbɜːlɪ] *n* tumulte *m*.
hurray! [hʊ'reɪ] *int* hourra!
hurricane ['hʌrɪkən, *Am* 'hʌrɪkeɪn] *n* ouragan *m*.
hurry ['hʌrɪ] *n* hâte *f*; **in a h.** à la hâte, en hâte; **to be in a h.** être pressé; **to be in a h. to do** avoir hâte de faire; **there's no h.** rien ne presse; – *vi* se dépêcher, se presser (**to do** de faire); **to h. out** sortir à la hâte; **to h. along** *or* **on** *or* **up** se dépêcher; – *vt* (*person*) bousculer, presser; (*pace*) presser; **to h. one's meal** manger à toute vitesse; **to h. s.o. out** faire sortir qn à la hâte. ◆**hurried** *a* (*steps, decision etc*) précipité; (*travail*) fait à la hâte; (*visit*) éclair *inv*; **to be h.** (*in a hurry*) être pressé.
hurt [hɜːt] *vt* (*pt* & *pp* **hurt**) (*physically*) faire du mal à, blesser; (*emotionally*) faire de la peine à; (*offend*) blesser; (*prejudice, damage*) nuire à; **to h. s.o.'s feelings** blesser qn; **his arm hurts (him)** son bras lui fait mal; – *vi* faire mal; – *n* mal *m*; – *a* (*injured*) blessé. ◆**hurtful** *a* (*remark*) blessant.
hurtle ['hɜːt(ə)l] *vi* **to h. along** aller à toute vitesse; **to h. down** dégringoler.
husband ['hʌzbənd] *n* mari *m*.
hush [hʌʃ] *int* chut!; – *n* silence *m*; – *vt* (*person*) faire taire; (*baby*) calmer; **to h. up** (*scandal*) *Fig* étouffer. ◆**—ed** *a* (*voice*) étouffé; (*silence*) profond. ◆**hush-hush** *a Fam* ultra-secret.
husk [hʌsk] *n* (*of rice, grain*) enveloppe *f*.
husky ['hʌskɪ] *a* (-**ier**, -**iest**) (*voice*) enroué, voilé.
hussy ['hʌsɪ] *n Pej* friponne *f*, coquine *f*.
hustings ['hʌstɪŋz] *npl* campagne *f* électorale, élections *fpl*.
hustle ['hʌs(ə)l] **1** *vt* (*shove, rush*) bousculer (*qn*); – *vi* (*work busily*) *Am* se démener (**to get sth** pour avoir qch). **2** *n* **h. and bustle** agitation *f*, activité *f*, tourbillon *m*.
hut [hʌt] *n* cabane *f*, hutte *f*.
hutch [hʌtʃ] *n* (*for rabbit*) clapier *m*.
hyacinth ['haɪəsɪnθ] *n* jacinthe *f*.
hybrid ['haɪbrɪd] *a* & *n* hybride (*m*).
hydrangea [haɪ'dreɪndʒə] *n* (*shrub*) hortensia *m*.
hydrant ['haɪdrənt] *n* (**fire**) **h.** bouche *f* d'incendie.
hydraulic [haɪ'drɔːlɪk] *a* hydraulique.
hydroelectric [haɪdrəʊɪ'lektrɪk] *a* hydroélectrique.
hydrogen ['haɪdrədʒən] *n Ch* hydrogène *m*.
hyena [haɪ'iːnə] *n* (*animal*) hyène *f*.
hygiene ['haɪdʒiːn] *n* hygiène *f*. ◆**hy'gienic** *a* hygiénique.
hymn [hɪm] *n Rel* cantique *m*, hymne *m*.
hyper- ['haɪpər] *pref* hyper-.
hypermarket ['haɪpəmɑːkɪt] *n* hypermarché *m*.
hyphen ['haɪf(ə)n] *n* trait *m* d'union. ◆**hyphenat/e** *vt* mettre un trait d'union à. ◆**—ed** *a* (*word*) à trait d'union.
hypnosis [hɪp'nəʊsɪs] *n* hypnose *f*. ◆**hypnotic** *a* hypnotique. ◆**'hypnotism** *n* hypnotisme *m*. ◆**'hypnotist** *n* hypnotiseur *m*. ◆**'hypnotize** *vt* hypnotiser.
hypochondriac [haɪpə'kɒndrɪæk] *n* malade *mf* imaginaire.
hypocrisy [hɪ'pɒkrɪsɪ] *n* hypocrisie *f*. ◆**'hypocrite** *n* hypocrite *mf*. ◆**hypo'critical** *a* hypocrite.
hypodermic [haɪpə'dɜːmɪk] *a* hypodermique.
hypothesis, *pl* **-eses** [haɪ'pɒθɪsɪs, -ɪsiːz] *n* hypothèse *f*. ◆**hypo'thetical** *a* hypothétique.
hysteria [hɪ'stɪərɪə] *n* hystérie *f*. ◆**hysterical** *a* hystérique; (*funny*) *Fam* désopilant; **to be** *or* **become h.** (*wildly upset*) avoir une crise de nerfs. ◆**hysterically** *adv* (*to cry*) sans pouvoir s'arrêter; **to laugh h.** rire aux larmes. ◆**hysterics** *npl* (*tears etc*) crise *f* de nerfs; (*laughter*) crise *f* de rire.

I

I, i [aɪ] *n* I, i *m*.

I [aɪ] *pron* je, j'; (*stressed*) moi; **I want** je veux; **she and I** elle et moi.

ic/e¹ [aɪs] *n* glace *f*; (*on road*) verglas *m*; **i. (cream)** glace *f*; **black i.** (*on road*) verglas *m*; **i. cube** glaçon *m*; – *vi* **to i. (over)** (*of lake*) geler; (*of windscreen*) givrer. ◆**—ed** *a* (*tea*) glacé. ◆**iceberg** *n* iceberg *m* ◆**icebox** *n* (*box*) & *Fig* glacière *f*; *Am* réfrigérateur *m*. ◆**ice-'cold** *a* glacial; (*drink*) glacé. ◆**ice-skating** *n* patinage *m* (sur glace). ◆**icicle** *n* glaçon *m*.

ic/e² [aɪs] *vt* (*cake*) glacer. ◆**—ing** *n* (*on cake etc*) glaçage *m*.

Iceland ['aɪslənd] *n* Islande *f*. ◆**Ice'landic** *a* islandais.

icon ['aɪkɒn] *n Rel* icône *f*.

icy ['aɪsɪ] *a* (**-ier, -iest**) (*water, hands, room*) glacé; (*manner, weather*) glacial; (*road etc*) verglacé.

idea [aɪ'dɪə] *n* idée *f* (**of** de); **I have an i. that . . .** j'ai l'impression que . . . ; **that's my i. of rest** c'est ce que j'appelle du repos; **that's the i.!** *Fam* c'est ça!; **not the slightest** *or* **foggiest i.** pas la moindre idée.

ideal [aɪ'dɪəl] *a* idéal; – *n* (*aspiration*) idéal *m*; *pl* (*spiritual etc*) idéal *m*. ◆**idealism** *n* idéalisme *m*. ◆**idealist** *n* idéaliste *mf*. ◆**idea'listic** *a* idéaliste. ◆**idealize** *vt* idéaliser. ◆**ideally** *adv* idéalement; **i. we should stay** l'idéal, ce serait de rester *or* que nous restions.

identical [aɪ'dentɪk(ə)l] *a* identique (**to, with** à). ◆**identifi'cation** *n* identification *f*; **I have (some) i.** j'ai une pièce d'identité. ◆**identify** *vt* identifier; **to i. (oneself) with** s'identifier avec. ◆**identikit** *n* portrait-robot *m*. ◆**identity** *n* identité *f*; **i. card** carte *f* d'identité.

ideology [aɪdɪ'ɒlədʒɪ] *n* idéologie *f*. ◆**ideo'logical** *a* idéologique.

idiom ['ɪdɪəm] *n* expression *f* idiomatique; (*language*) idiome *m*. ◆**idio'matic** *a* idiomatique.

idiosyncrasy [ɪdɪə'sɪŋkrəsɪ] *n* particularité *f*.

idiot ['ɪdɪət] *n* idiot, -ote *mf*. ◆**idiocy** *n* idiotie *f*. ◆**idi'otic** *a* idiot, bête. ◆**idi'otically** *adv* idiotement.

idle ['aɪd(ə)l] *a* (*unoccupied*) désœuvré, oisif; (*lazy*) paresseux; (*unemployed*) en chômage; (*moment*) de loisir; (*machine*) au repos; (*promise*) vain; (*pleasure, question*) futile; (*rumour*) sans fondement; – *vi* (*laze about*) paresser; (*of machine, engine*) tourner au ralenti; – *vt* **to i. away** (*time*) gaspiller. ◆**—ness** *n* oisiveté *f*; (*laziness*) paresse *f*. ◆**idler** *n* paresseux, -euse *mf*. ◆**idly** *adv* paresseusement; (*to suggest, say*) négligemment.

idol ['aɪd(ə)l] *n* idole *f*. ◆**idolize** *vt* idolâtrer.

idyllic [aɪ'dɪlɪk] *a* idyllique.

i.e. [aɪ'iː] *abbr* (*id est*) c'est-à-dire.

if [ɪf] *conj* si; **if he comes** s'il vient; **even if** même si; **if so** dans ce cas, si c'est le cas; **if not for pleasure** sinon pour le plaisir; **if only I were rich** si seulement j'étais riche; **if only to look** ne serait-ce que pour regarder; **as if** comme si; **as if nothing had happened** comme si de rien n'était; **as if to say** comme pour dire; **if necessary** s'il le faut.

igloo ['ɪgluː] *n* igloo *m*.

ignite [ɪg'naɪt] *vt* mettre le feu à; – *vi* prendre feu. ◆**ignition** *n Aut* allumage *m*; **to switch on the i.** mettre le contact.

ignominious [ɪgnə'mɪnɪəs] *a* déshonorant, ignominieux.

ignoramus [ɪgnə'reɪməs] *n* ignare *mf*.

ignorance ['ɪgnərəns] *n* ignorance *f* (**of** de). ◆**ignorant** *a* ignorant (**of** de). ◆**ignorantly** *adv* par ignorance.

ignore [ɪg'nɔːr] *vt* ne prêter aucune attention à, ne tenir aucun compte de; (*duty*) méconnaître; (*pretend not to recognize*) faire semblant de ne pas reconnaître.

ilk [ɪlk] *n* **of that i.** (*kind*) de cet acabit.

ill [ɪl] *a* (*sick*) malade; (*bad*) mauvais; **i. will** malveillance *f*; – *npl* (*misfortunes*) maux *mpl*, malheurs *mpl*; – *adv* mal; **to speak i. of** dire du mal de. ◆**ill-ad'vised** *a* malavisé, peu judicieux. ◆**ill-'fated** *a* malheureux. ◆**ill-'gotten** *a* mal acquis. ◆**ill-in'formed** *a* mal renseigné. ◆**ill-'mannered** *a* mal élevé. ◆**ill-'natured** *a* (*mean, unkind*) désagréable. ◆**ill-'timed** *a* inopportun. ◆**ill-'treat** *vt* maltraiter.

illegal [ɪ'liːg(ə)l] *a* illégal. ◆**ille'gality** *n* illégalité *f*.

illegible [ɪ'ledʒəb(ə)l] *a* illisible.

illegitimate [ɪlɪ'dʒɪtɪmət] *a* (*child, claim*) illégitime. ◆**illegitimacy** *n* illégitimité *f.*
illicit [ɪ'lɪsɪt] *a* illicite.
illiterate [ɪ'lɪtərət] *a* & *n* illettré, -ée (*mf*), analphabète (*mf*). ◆**illiteracy** *n* analphabétisme *m.*
illness ['ɪlnɪs] *n* maladie *f.*
illogical [ɪ'lɒdʒɪk(ə)l] *a* illogique.
illuminate [ɪ'luːmɪneɪt] *vt* (*street, question etc*) éclairer; (*monument etc for special occasion*) illuminer. ◆**illumi'nation** *n* éclairage *m*; illumination *f.*
illusion [ɪ'luːʒ(ə)n] *n* illusion *f* (**about** sur); **I'm not under any i.** je ne me fais aucune illusion (**about** sur, quant à). ◆**illusive** *a*, ◆**illusory** *a* illusoire.
illustrate ['ɪləstreɪt] *vt* (*with pictures, examples*) illustrer (**with** de). ◆**illu'stration** *n* illustration *f.* ◆**i'llustrative** *a* (*example*) explicatif.
illustrious [ɪ'lʌstrɪəs] *a* illustre.
image ['ɪmɪdʒ] *n* image *f*; **(public) i.** (*of firm etc*) image *f* de marque; **he's the (living** *or* **spitting** *or* **very) i. of his brother** c'est (tout) le portrait de son frère. ◆**imagery** *n* images *fpl.*
imagin/e [ɪ'mædʒɪn] *vt* (*picture to oneself*) (s')imaginer, se figurer (**that** que); (*suppose*) imaginer (**that** que); **i. that...** imaginez que...; **you're imagining (things)!** tu te fais des illusions! ◆**—ings** *npl* (*dreams*) imaginations *fpl.* ◆**—able** *a* imaginable; **the worst thing i.** le pire que l'on puisse imaginer. ◆**imaginary** *a* imaginaire. ◆**imagi'nation** *n* imagination *f.* ◆**imaginative** *a* plein d'imagination, imaginatif.
imbalance [ɪm'bæləns] *n* déséquilibre *m.*
imbecile ['ɪmbəsiːl, *Am* 'ɪmbəs(ə)l] *a* & *n* imbécile (*mf*). ◆**imbe'cility** *n* imbécillité *f.*
imbibe [ɪm'baɪb] *vt* absorber.
imbued [ɪm'bjuːd] *a* **i. with** (*ideas*) imprégné de; (*feelings*) pénétré de, imbu de.
imitate ['ɪmɪteɪt] *vt* imiter. ◆**imi'tation** *n* imitation *f*; – *a* (*jewels*) artificiel; **i. leather** imitation *f* cuir. ◆**imitative** *a* imitateur. ◆**imitator** *n* imitateur, -trice *mf.*
immaculate [ɪ'mækjʊlət] *a* (*person, appearance, shirt etc*) impeccable.
immaterial [ɪmə'tɪərɪəl] *a* peu important (**to** pour).
immature [ɪmə'tʃʊər] *a* (*fruit*) vert; (*animal*) jeune; (*person*) qui manque de maturité.
immeasurable [ɪ'meʒərəb(ə)l] *a* incommensurable.
immediate [ɪ'miːdɪət] *a* immédiat. ◆**immediacy** *n* caractère *m* immédiat. ◆**immediately** *adv* (*at once*) tout de suite, immédiatement; (*to concern, affect*) directement; – *conj* (*as soon as*) dès que.
immense [ɪ'mens] *a* immense. ◆**immensely** *adv* (*rich etc*) immensément; **to enjoy oneself i.** s'amuser énormément. ◆**immensity** *n* immensité *f.*
immerse [ɪ'mɜːs] *vt* plonger, immerger; **immersed in work** plongé dans le travail. ◆**immersion** *n* immersion *f*; **i. heater** chauffe-eau *m inv* électrique.
immigrate ['ɪmɪgreɪt] *vi* immigrer. ◆**immigrant** *n* immigrant, -ante *mf*; (*long-established*) immigré, -ée *mf*; – *a* immigré. ◆**immi'gration** *n* immigration *f.*
imminent ['ɪmɪnənt] *a* imminent. ◆**imminence** *n* imminence *f.*
immobile [ɪ'məʊbaɪl, *Am* ɪ'məʊb(ə)l] *a* immobile. ◆**immo'bility** *n* immobilité *f.* ◆**immobilize** *vt* immobiliser.
immoderate [ɪ'mɒdərət] *a* immodéré.
immodest [ɪ'mɒdɪst] *a* impudique.
immoral [ɪ'mɒrəl] *a* immoral. ◆**immo'rality** *n* immoralité *f.*
immortal [ɪ'mɔːt(ə)l] *a* immortel. ◆**immor'tality** *n* immortalité *f.* ◆**immortalize** *vt* immortaliser.
immune [ɪ'mjuːn] *a Med & Fig* immunisé (**to, from** contre). ◆**immunity** *n* immunité *f.* ◆**'immunize** *vt* immuniser (**against** contre).
immutable [ɪ'mjuːtəb(ə)l] *a* immuable.
imp [ɪmp] *n* diablotin *m*, lutin *m.*
impact ['ɪmpækt] *n* impact *m* (**on** sur).
impair [ɪm'peər] *vt* détériorer; (*hearing, health*) abîmer.
impale [ɪm'peɪl] *vt* empaler.
impart [ɪm'pɑːt] *vt* communiquer (**to** à).
impartial [ɪm'pɑːʃ(ə)l] *a* impartial. ◆**imparti'ality** *n* impartialité *f.*
impassable [ɪm'pɑːsəb(ə)l] *a* (*road*) impraticable; (*river*) infranchissable.
impasse ['æmpɑːs, *Am* 'ɪmpæs] *n* (*situation*) impasse *f.*
impassioned [ɪm'pæʃ(ə)nd] *a* (*speech etc*) enflammé, passionné.
impassive [ɪm'pæsɪv] *a* impassible. ◆**—ness** *n* impassibilité *f.*
impatient [ɪm'peɪʃ(ə)nt] *a* impatient (**to do** de faire); **i. of** *or* **with** intolérant à l'égard de. ◆**impatience** *n* impatience *f.* ◆**impatiently** *adv* impatiemment.
impeccab/le [ɪm'pekəb(ə)l] *a* impeccable. ◆**—ly** *adv* impeccablement.

impecunious [ɪmpɪ'kjuːnɪəs] *a Hum* sans le sou, impécunieux.
impede [ɪm'piːd] *vt* (*hamper*) gêner; **to i. s.o. from doing** (*prevent*) empêcher qn de faire.
impediment [ɪm'pedɪmənt] *n* obstacle *m*; (*of speech*) défaut *m* d'élocution.
impel [ɪm'pel] *vt* (**-ll-**) (*drive*) pousser; (*force*) obliger (**to do** à faire).
impending [ɪm'pendɪŋ] *a* imminent.
impenetrable [ɪm'penɪtrəb(ə)l] *a* (*forest, mystery etc*) impénétrable.
imperative [ɪm'perətɪv] *a* (*need, tone*) impérieux; (*necessary*) essentiel; **it is i. that you come** il faut absolument que *or* il est indispensable que tu viennes; – *n Gram* impératif *m*.
imperceptible [ɪmpə'septəb(ə)l] *a* imperceptible (**to** à).
imperfect [ɪm'pɜːfɪkt] **1** *a* imparfait; (*goods*) défectueux. **2** *n* (*tense*) *Gram* imparfait *m*. ◆**imper'fection** *n* imperfection *f*.
imperial [ɪm'pɪərɪəl] *a* impérial; (*majestic*) majestueux; (*measure*) *Br* légal. ◆**imperialism** *n* impérialisme *m*.
imperil [ɪm'perɪl] *vt* (**-ll-**, *Am* **-l-**) mettre en péril.
imperious [ɪm'pɪərɪəs] *a* impérieux.
impersonal [ɪm'pɜːsən(ə)l] *a* impersonnel.
impersonate [ɪm'pɜːsəneɪt] *vt* (*mimic*) imiter; (*pretend to be*) se faire passer pour. ◆**imperso'nation** *n* imitation *f*. ◆**impersonator** *n* imitateur, -trice *mf*.
impertinent [ɪm'pɜːtɪnənt] *a* impertinent (**to** envers). ◆**impertinence** *n* impertinence *f*. ◆**impertinently** *adv* avec impertinence.
impervious [ɪm'pɜːvɪəs] *a* imperméable (**to** à).
impetuous [ɪm'petjʊəs] *a* impétueux. ◆**impetu'osity** *n* impétuosité *f*.
impetus ['ɪmpɪtəs] *n* impulsion *f*.
impinge [ɪm'pɪndʒ] *vi* **to i. on** (*affect*) affecter; (*encroach on*) empiéter sur.
impish ['ɪmpɪʃ] *a* (*naughty*) espiègle.
implacable [ɪm'plækəb(ə)l] *a* implacable.
implant [ɪm'plɑːnt] *vt* (*ideas*) inculquer (**in** à).
implement[1] ['ɪmplɪmənt] *n* (*tool*) instrument *m*; (*utensil*) *Culin* ustensile *m*; *pl Agr* matériel *m*.
implement[2] ['ɪmplɪment] *vt* (*carry out*) mettre en œuvre, exécuter. ◆**implemen'tation** *n* mise *f* en œuvre, exécution *f*.
implicate ['ɪmplɪkeɪt] *vt* impliquer (**in** dans). ◆**impli'cation** *n* (*consequence, involvement*) implication *f*; (*innuendo*) insinuation *f*; (*impact*) portée *f*; **by i.** implicitement.
implicit [ɪm'plɪsɪt] *a* (*implied*) implicite; (*belief, obedience etc*) absolu. ◆**—ly** *adv* implicitement.
implore [ɪm'plɔːr] *vt* implorer (**s.o. to do** qn de faire).
imply [ɪm'plaɪ] *vt* (*assume*) impliquer, supposer (**that** que); (*suggest*) laisser entendre (**that** que); (*insinuate*) *Pej* insinuer (**that** que). ◆**implied** *a* implicite.
impolite [ɪmpə'laɪt] *a* impoli. ◆**—ness** *n* impolitesse *f*.
import 1 [ɪm'pɔːt] *vt* (*goods etc*) importer (**from** de); – ['ɪmpɔːt] *n* (*object, action*) importation *f*. **2** ['ɪmpɔːt] *n* (*meaning*) sens *m*. ◆**im'porter** *n* importateur, -trice *mf*.
importance [ɪm'pɔːtəns] *n* importance *f*; **to be of i.** avoir de l'importance; **of no i.** sans importance. ◆**important** *a* (*significant*) important. ◆**importantly** *adv* **more i.** ce qui est plus important.
impose [ɪm'pəʊz] *vt* imposer (**on** à); (*fine, punishment*) infliger (**on** à); **to i. (oneself) on s.o.** s'imposer à qn; – *vi* s'imposer. ◆**impo'sition** *n* imposition *f* (**of** de); (*inconvenience*) dérangement *m*.
impossible [ɪm'pɒsəb(ə)l] *a* impossible (**to do** à faire); **it is i. (for us) to do** il (nous) est impossible de faire; **it is i. that** il est impossible que (+ *sub*); **to make it i. for s.o. to do** mettre qn dans l'impossibilité de faire; – *n* **to do the i.** faire l'impossible. ◆**impossi'bility** *n* impossibilité *f*. ◆**impossibly** *adv* (*late, hard*) incroyablement.
impostor [ɪm'pɒstər] *n* imposteur *m*.
impotent ['ɪmpətənt] *a Med* impuissant. ◆**impotence** *n Med* impuissance *f*.
impound [ɪm'paʊnd] *vt* (*of police*) saisir, confisquer; (*vehicle*) emmener à la fourrière.
impoverish [ɪm'pɒvərɪʃ] *vt* appauvrir.
impracticable [ɪm'præktɪkəb(ə)l] *a* irréalisable, impraticable.
impractical [ɪm'præktɪk(ə)l] *a* peu réaliste.
imprecise [ɪmprɪ'saɪs] *a* imprécis.
impregnable [ɪm'pregnəb(ə)l] *a Mil* imprenable; (*argument*) *Fig* inattaquable.
impregnate ['ɪmpregneɪt] *vt* (*imbue*) imprégner (**with** de); (*fertilize*) féconder.
impresario [ɪmprɪ'sɑːrɪəʊ] *n* (*pl* **-os**) impresario *m*.
impress [ɪm'pres] *vt* impressionner (*qn*); (*mark*) imprimer; **to i. sth on s.o.** faire comprendre qch à qn. ◆**impression** *n* impression *f*; **to be under** *or* **have the i. that** avoir l'impression que; **to make a good i. on s.o.** faire une bonne impression à qn. ◆**impressionable** *a* (*person*) impression-

nable; (*age*) où l'on est impressionnable. ◆**impressive** *a* impressionnant.

imprint [ɪm'prɪnt] *vt* imprimer; – ['ɪmprɪnt] *n* empreinte *f*.

imprison [ɪm'prɪz(ə)n] *vt* emprisonner. ◆**—ment** *n* emprisonnement *m*; **life i.** la prison à vie.

improbable [ɪm'prɒbəb(ə)l] *a* improbable; (*story, excuse*) invraisemblable. ◆**impro'bability** *n* improbabilité *f*; invraisemblance *f*.

impromptu [ɪm'prɒmptjuː] *a* & *adv* impromptu.

improper [ɪm'prɒpər] *a* (*indecent*) inconvenant, indécent; (*wrong*) incorrect. ◆**impropriety** [ɪmprə'praɪətɪ] *n* inconvenance *f*; (*wrong use*) *Ling* impropriété *f*.

improve [ɪm'pruːv] *vt* améliorer; (*mind*) cultiver, développer; **to i. one's English** se perfectionner en anglais; **to i. s.o.'s looks** embellir qn; **to i. oneself** se cultiver; – *vi* s'améliorer; (*of business*) aller de mieux en mieux, reprendre; **to i. on** (*do better than*) faire mieux que. ◆**—ment** *n* amélioration *f*; (*of mind*) développement *m*; (*progress*) progrès *m*(*pl*); **there has been some** *or* **an i.** il y a du mieux.

improvise ['ɪmprəvaɪz] *vti* improviser. ◆**improvi'sation** *n* improvisation *f*.

impudent ['ɪmpjʊdənt] *a* impudent. ◆**impudence** *n* impudence *f*.

impulse ['ɪmpʌls] *n* impulsion *f*; **on i.** sur un coup de tête. ◆**im'pulsive** *a* (*person, act*) impulsif, irréfléchi; (*remark*) irréfléchi. ◆**im'pulsively** *adv* de manière impulsive.

impunity [ɪm'pjuːnɪtɪ] *n* **with i.** impunément.

impure [ɪm'pjʊər] *a* impur. ◆**impurity** *n* impureté *f*.

in [ɪn] *prep* **1** dans; **in the box/the school/***etc* dans la boîte/l'école/*etc*; **in an hour('s time)** dans une heure; **in so far as** dans la mesure où. **2** à; **in school** à l'école; **in the garden** dans le jardin, au jardin; **in Paris** à Paris; **in the USA** aux USA; **in Portugal** au Portugal; **in fashion** à la mode; **in pencil** au crayon; **in my opinion** à mon avis. **3** en; **in summer/secret/French** en été/secret/français; **in Spain** en Espagne; **in May** en mai, au mois de mai; **in season** en saison; **in an hour** (*during the period of an hour*) en une heure; **in doing** en faisant; **dressed in black** habillé en noir; **in all** en tout. **4** de; **in a soft voice** d'une voix douce; **the best in the class** le meilleur de la classe. **5 in the rain** sous la pluie; **in the morning** le matin; **he hasn't done it in years** ça fait des années qu'il ne l'a pas fait; **in an hour** (*at the end of an hour*) au bout d'une heure; **one in ten** un sur dix; **in thousands** par milliers; **in here** ici; **in there** là-dedans. **6** *adv* **to be in** (*home*) être là, être à la maison; (*of train*) être arrivé; (*in fashion*) être en vogue; (*in season*) être en saison; (*in power*) *Pol* être au pouvoir; **day in day out** jour après jour; **in on** (*a secret*) au courant de; **we're in for some rain/trouble/***etc* on va avoir de la pluie/des ennuis/*etc*; **it's the in thing** *Fam* c'est dans le vent. **7** *npl* **the ins and outs of** les moindres détails de.

inability [ɪnə'bɪlɪtɪ] *n* incapacité *f* (**to do** de faire).

inaccessible [ɪnək'sesəb(ə)l] *a* inaccessible.

inaccurate [ɪn'ækjʊrət] *a* inexact. ◆**inaccuracy** *n* inexactitude *f*.

inaction [ɪn'ækʃ(ə)n] *n* inaction *f*.

inactive [ɪn'æktɪv] *a* inactif; (*mind*) inerte. ◆**inac'tivity** *n* inactivité *f*, inaction *f*.

inadequate [ɪn'ædɪkwət] *a* (*quantity*) insuffisant; (*person*) pas à la hauteur, insuffisant; (*work*) médiocre. ◆**inadequacy** *n* insuffisance *f*. ◆**inadequately** *adv* insuffisamment.

inadmissible [ɪnəd'mɪsəb(ə)l] *a* inadmissible.

inadvertently [ɪnəd'vɜːtəntlɪ] *adv* par inadvertance.

inadvisable [ɪnəd'vaɪzəb(ə)l] *a* (*action*) à déconseiller; **it is i. to** il est déconseillé de.

inane [ɪ'neɪn] *a* (*absurd*) inepte.

inanimate [ɪn'ænɪmət] *a* inanimé.

inappropriate [ɪnə'prəʊprɪət] *a* (*unsuitable*) peu approprié, inadéquat; (*untimely*) inopportun.

inarticulate [ɪnɑː'tɪkjʊlət] *a* (*person*) incapable de s'exprimer; (*sound*) inarticulé.

inasmuch as [ɪnəz'mʌtʃəz] *adv* (*because*) vu que; (*to the extent that*) en ce sens que.

inattentive [ɪnə'tentɪv] *a* inattentif (**to** à).

inaudible [ɪn'ɔːdəb(ə)l] *a* inaudible.

inaugural [ɪ'nɔːgjʊrəl] *a* inaugural. ◆**inaugurate** *vt* (*policy, building*) inaugurer; (*official*) installer (dans ses fonctions). ◆**inaugu'ration** *n* inauguration *f*; investiture *f*.

inauspicious [ɪnɔː'spɪʃəs] *a* peu propice.

inborn [ɪn'bɔːn] *a* inné.

inbred [ɪn'bred] *a* (*quality etc*) inné.

Inc *abbr* (*Incorporated*) *Am Com* SA, SARL.

incalculable [ɪn'kælkjʊləb(ə)l] *a* incalculable.

incandescent [ɪnkæn'des(ə)nt] *a* incandescent.

incapable [ɪn'keɪpəb(ə)l] *a* incapable (**of**

doing de faire); **i. of** (*pity etc*) inaccessible à.
incapacitate [ınkə'pæsıteıt] *vt Med* rendre incapable (*de travailler etc*). ◆**incapacity** *n* (*inability*) *Med* incapacité *f*.
incarcerate [ın'kɑːsəreıt] *vt* incarcérer. ◆**incarce'ration** *n* incarcération *f*.
incarnate [ın'kɑːnət] *a* incarné; – [ın'kɑːneıt] *vt* incarner. ◆**incar'nation** *n* incarnation *f*.
incendiary [ın'sendıərı] *a* (*bomb*) incendiaire.
incense 1 [ın'sens] *vt* mettre en colère. **2** ['ınsens] *n* (*substance*) encens *m*.
incentive [ın'sentıv] *n* encouragement *m*, motivation *f*; **to give s.o. an i. to work**/*etc* encourager qn à travailler/*etc*.
inception [ın'sepʃ(ə)n] *n* début *m*.
incessant [ın'ses(ə)nt] *a* incessant. ◆**—ly** *adv* sans cesse.
incest ['ınsest] *n* inceste *m*. ◆**in'cestuous** *a* incestueux.
inch [ıntʃ] *n* pouce *m* (*= 2,54 cm*); (*loosely*) *Fig* centimètre *m*; **within an i. of** (*success*) à deux doigts de; **i. by i.** petit à petit; – *vti* **to i. (one's way) forward** avancer petit à petit.
incidence ['ınsıdəns] *n* fréquence *f*.
incident ['ınsıdənt] *n* incident *m*; (*in book, film etc*) épisode *m*.
incidental [ınsı'dent(ə)l] *a* accessoire, secondaire; (*music*) de fond; **i. expenses** frais *mpl* accessoires. ◆**—ly** *adv* accessoirement; (*by the way*) à propos.
incinerate [ın'sınəreıt] *vt* (*refuse, leaves etc*) incinérer. ◆**incinerator** *n* incinérateur *m*.
incipient [ın'sıpıənt] *a* naissant.
incision [ın'sıʒ(ə)n] *n* incision *f*.
incisive [ın'saısıv] *a* incisif.
incisor [ın'saızər] *n* (*tooth*) incisive *f*.
incite [ın'saıt] *vt* inciter (**to do** à faire). ◆**—ment** *n* incitation *f* (**to do** à faire).
incline 1 [ın'klaın] *vt* (*tilt, bend*) incliner; **to i. s.o. to do** incliner qn à faire; **to be inclined to do** (*feel a wish to*) être enclin à faire; (*tend to*) avoir tendance à faire; – *vi* **to i.** *or* **be inclined towards** (*indulgence etc*) incliner à. **2** ['ınklaın] *n* (*slope*) inclinaison *f*. ◆**incli'nation** *n* inclination *f*; **to have no i. to do** n'avoir aucune envie de faire.
includ/e [ın'kluːd] *vt* (*contain*) comprendre, englober; (*refer to*) s'appliquer à; **my invitation includes you** mon invitation s'adresse aussi à vous; **to be included** être compris; (*on list*) être inclus. ◆**—ing** *prep* y compris; **i. service** service *m* compris. ◆**inclusion** *n* inclusion *f*. ◆**inclusive** *a* inclus; **from the fourth to the tenth of May i.** du quatre jusqu'au dix mai inclus(ivement); **to be i. of** comprendre; **i. charge** prix *m* global.
incognito [ınkɒg'niːtəʊ] *adv* incognito.
incoherent [ınkəʊ'hıərənt] *a* incohérent. ◆**—ly** *adv* sans cohérence.
income ['ıŋkʌm] *n* revenu *m*; **private i.** rentes *fpl*; **i. tax** impôt *m* sur le revenu.
incoming ['ınkʌmıŋ] *a* (*tenant, president*) nouveau; **i. tide** marée *f* montante; **i. calls** *Tel* appels *mpl* de l'extérieur.
incommunicado [ınkəmjuːnı'kɑːdəʊ] *a* (tenu) au secret.
incomparable [ın'kɒmpərəb(ə)l] *a* incomparable.
incompatible [ınkəm'pætəb(ə)l] *a* incompatible (**with** avec). ◆**incompati'bility** *n* incompatibilité *f*.
incompetent [ın'kɒmpıtənt] *a* incompétent. ◆**incompetence** *n* incompétence *f*.
incomplete [ınkəm'pliːt] *a* incomplet.
incomprehensible [ınkɒmprı'hensəb(ə)l] *a* incompréhensible.
inconceivable [ınkən'siːvəb(ə)l] *a* inconcevable.
inconclusive [ınkən'kluːsıv] *a* peu concluant.
incongruous [ın'kɒŋgrʊəs] *a* (*building, colours*) qui jure(nt) (**with** avec); (*remark, attitude*) incongru; (*absurd*) absurde.
inconsequential [ınkɒnsı'kwenʃ(ə)l] *a* sans importance.
inconsiderate [ınkən'sıdərət] *a* (*action, remark*) irréfléchi, inconsidéré; **to be i.** (*of person*) manquer d'égards (**towards** envers).
inconsistent [ınkən'sıstənt] *a* inconséquent, incohérent; (*reports etc at variance*) contradictoire; **i. with** incompatible avec. ◆**inconsistency** *n* inconséquence *f*, incohérence *f*.
inconsolable [ınkən'səʊləb(ə)l] *a* inconsolable.
inconspicuous [ınkən'spıkjʊəs] *a* peu en évidence, qui passe inaperçu. ◆**—ly** *adv* discrètement.
incontinent [ın'kɒntınənt] *a* incontinent.
inconvenient [ınkən'viːnıənt] *a* (*room, situation*) incommode; (*time*) inopportun; **it's i. (for me) to . . .** ça me dérange de . . .; **that's very i.** c'est très gênant. ◆**inconvenience** *n* (*bother*) dérangement *m*; (*disadvantage*) inconvénient *m*; – *vt* déranger, gêner.
incorporate [ın'kɔːpəreıt] *vt* (*introduce*) incorporer (**into** dans); (*contain*) contenir;

incorporated society *Am* société *f* anonyme, société *f* à responsabilité limitée.
incorrect [ɪnkə'rekt] *a* incorrect, inexact; **you're i.** vous avez tort.
incorrigible [ɪn'kɒrɪdʒəb(ə)l] *a* incorrigible.
incorruptible [ɪnkə'rʌptəb(ə)l] *a* incorruptible.
increas/e [ɪn'kriːs] *vi* augmenter; (*of effort, noise*) s'intensifier; **to i. in weight** prendre du poids; – *vt* augmenter; intensifier; – ['ɪnkriːs] *n* augmentation *f* (**in, of** de); intensification *f* (**in, of** de); **on the i.** en hausse. ◆**—ing** *a* (*amount etc*) croissant. ◆**—ingly** *adv* de plus en plus.
incredib/le [ɪn'kredəb(ə)l] *a* incroyable. ◆**—ly** *adv* incroyablement.
incredulous [ɪn'kredjʊləs] *a* incrédule. ◆**incre'dulity** *n* incrédulité *f*.
increment ['ɪŋkrəmənt]] *n* augmentation *f*.
incriminat/e [ɪn'krɪmɪneɪt] *vt* incriminer. ◆**—ing** *a* compromettant.
incubate ['ɪŋkjʊbeɪt] *vt* (*eggs*) couver. ◆**incu'bation** *n* incubation *f*. ◆**incubator** *n* (*for baby, eggs*) couveuse *f*.
inculcate ['ɪnkʌlkeɪt] *vt* inculquer (**in** à).
incumbent [ɪn'kʌmbənt] *a* **it is i. upon him** *or* **her to** il lui incombe de; – *n Rel Pol* titulaire *mf*.
incur [ɪn'kɜːr] *vt* (**-rr-**) (*debt*) contracter; (*expenses*) faire; (*criticism, danger*) s'attirer.
incurable [ɪn'kjʊərəb(ə)l] *a* incurable.
incursion [ɪn'kɜːʃ(ə)n] *n* incursion *f* (**into** dans).
indebted [ɪn'detɪd] *a* **i. to s.o. for sth/for doing sth** redevable à qn de qch/d'avoir fait qch. ◆**—ness** *n* dette *f*.
indecent [ɪn'diːs(ə)nt] *a* (*offensive*) indécent; (*unsuitable*) peu approprié. ◆**indecency** *n* indécence *f*; (*crime*) *Jur* outrage *m* à la pudeur. ◆**indecently** *adv* indécemment.
indecisive [ɪndɪ'saɪsɪv] *a* (*person, answer*) indécis. ◆**indecision** *n*, ◆**indecisiveness** *n* indécision *f*.
indeed [ɪn'diːd] *adv* en effet; **very good**/*etc* **i.** vraiment très bon/*etc*; **yes i.!** bien sûr!; **thank you very much i.!** merci mille fois!
indefensible [ɪndɪ'fensəb(ə)l] *a* indéfendable.
indefinable [ɪndɪ'faɪnəb(ə)l] *a* indéfinissable.
indefinite [ɪn'defɪnət] *a* (*feeling, duration etc*) indéfini; (*plan*) mal déterminé. ◆**—ly** *adv* indéfiniment.
indelible [ɪn'deləb(ə)l] *a* (*ink, memory*) indélébile; **i. pencil** crayon *m* à marquer.
indelicate [ɪn'delɪkət] *a* (*coarse*) indélicat.
indemnify [ɪn'demnɪfaɪ] *vt* indemniser (**for** de). ◆**indemnity** *n* indemnité *f*.
indented [ɪn'dentɪd] *a* (*edge*) dentelé, découpé; (*line*) *Typ* renfoncé. ◆**inden'tation** *n* dentelure *f*, découpure *f*; *Typ* renfoncement *m*.
independent [ɪndɪ'pendənt] *a* indépendant (**of** de); (*opinions, reports*) de sources différentes. ◆**independence** *n* indépendance *f*. ◆**independently** *adv* de façon indépendante; **i. of** indépendamment de.
indescribable [ɪndɪ'skraɪbəb(ə)l] *a* indescriptible.
indestructible [ɪndɪ'strʌktəb(ə)l] *a* indestructible.
indeterminate [ɪndɪ'tɜːmɪnət] *a* indéterminé.
index ['ɪndeks] *n* (*in book etc*) index *m*; (*in library*) catalogue *m*; (*number, sign*) indice *m*; **i. card** fiche *f*; **i. finger** index *m*; – *vt* (*classify*) classer. ◆**i.-'linked** *a Econ* indexé (**to** sur).
India ['ɪndɪə] *n* Inde *f*. ◆**Indian** *a* & *n* indien, -ienne (*mf*).
indicate ['ɪndɪkeɪt] *vt* indiquer (**that** que); **I was indicating right** *Aut* j'avais mis mon clignotant droit. ◆**indi'cation** *n* (*sign*) indice *m*, indication *f*; (*idea*) idée *f*. ◆**in'dicative** *a* indicatif (**of** de); – *n* (*mood*) *Gram* indicatif *m*. ◆**indicator** *n* (*instrument*) indicateur *m*; (*sign*) indication *f* (**of** de); *Aut* clignotant *m*; (*display board*) tableau *m* (indicateur).
indict [ɪn'daɪt] *vt* inculper (**for** de). ◆**—ment** *n* inculpation *f*.
Indies ['ɪndɪz] *npl* **the West I.** les Antilles *fpl*.
indifferent [ɪn'dɪf(ə)rənt] *a* indifférent (**to** à); (*mediocre*) *Pej* médiocre. ◆**indifference** *n* indifférence *f* (**to** à). ◆**indifferently** *adv* indifféremment.
indigenous [ɪn'dɪdʒɪnəs] *a* indigène.
indigestion [ɪndɪ'dʒestʃ(ə)n] *n* dyspepsie *f*; (**an attack of**) **i.** une indigestion, une crise de foie. ◆**indigestible** *a* indigeste.
indignant [ɪn'dɪgnənt] *a* indigné (**at** de, **with** contre); **to become i.** s'indigner. ◆**indignantly** *adv* avec indignation. ◆**indig'nation** *n* indignation *f*.
indignity [ɪn'dɪgnɪtɪ] *n* indignité *f*.
indigo ['ɪndɪgəʊ] *n* & *a* (*colour*) indigo *m* & *a inv*.
indirect [ɪndaɪ'rekt] *a* indirect. ◆**—ly** *adv* indirectement.
indiscreet [ɪndɪ'skriːt] *a* indiscret. ◆**indiscretion** *n* indiscrétion *f*.
indiscriminate [ɪndɪ'skrɪmɪnət] *a* (*person*)

qui manque de discernement; (*random*) fait, donné *etc* au hasard. ◆**—ly** *adv* (*at random*) au hasard; (*without discrimination*) sans discernement.

indispensable [ɪndɪ'spensəb(ə)l] *a* indispensable (**to** à).

indisposed [ɪndɪ'spəʊzd] *a* (*unwell*) indisposé. ◆**indispo'sition** *n* indisposition *f*.

indisputable [ɪndɪ'spjuːtəb(ə)l] *a* incontestable.

indistinct [ɪndɪ'stɪŋkt] *a* indistinct.

indistinguishable [ɪndɪ'stɪŋgwɪʃəb(ə)l] *a* indifférenciable (**from** de).

individual [ɪndɪ'vɪdʒʊəl] *a* individuel; (*unusual, striking*) singulier, particulier; – *n* (*person*) individu *m*. ◆**individualist** *n* individualiste *mf*. ◆**individua'listic** *a* individualiste. ◆**individu'ality** *n* (*distinctiveness*) individualité *f*. ◆**individually** *adv* (*separately*) individuellement; (*unusually*) de façon (très) personnelle.

indivisible [ɪndɪ'vɪzəb(ə)l] *a* indivisible.

Indo-China [ɪndəʊ'tʃaɪnə] *n* Indochine *f*.

indoctrinate [ɪn'dɒktrɪneɪt] *vt Pej* endoctriner. ◆**indoctri'nation** *n* endoctrinement *m*.

indolent ['ɪndələnt] *a* indolent. ◆**indolence** *n* indolence *f*.

indomitable [ɪn'dɒmɪtəb(ə)l] *a* (*will, energy*) indomptable.

Indonesia [ɪndəʊ'niːʒə] *n* Indonésie *f*.

indoor ['ɪndɔːr] *a* (*games, shoes etc*) d'intérieur; (*swimming pool etc*) couvert. ◆**in'doors** *adv* à l'intérieur; **to go** *or* **come i.** rentrer.

induce [ɪn'djuːs] *vt* (*persuade*) persuader (**to do** de faire); (*cause*) provoquer; **to i. labour** *Med* déclencher le travail. ◆**—ment** *n* encouragement *m* (**to do** à faire).

indulge [ɪn'dʌldʒ] *vt* (*s.o.'s desires*) satisfaire; (*child etc*) gâter, tout passer à; **to i. oneself** se gâter; – *vi* **to i. in** (*action*) s'adonner à; (*ice cream etc*) se permettre. ◆**indulgence** *n* indulgence *f*. ◆**indulgent** *a* indulgent (**to** envers, **with** avec).

industrial [ɪn'dʌstrɪəl] *a* industriel; (*conflict, legislation*) du travail; **i. action** action *f* revendicative; **i. park** *Am* complexe *m* industriel. ◆**industrialist** *n* industriel, -ielle *mf*. ◆**industrialized** *a* industrialisé.

industrious [ɪn'dʌstrɪəs] *a* travailleur.

industry ['ɪndəstrɪ] *n* industrie *f*; (*hard work*) application *f*.

inedible [ɪn'edəb(ə)l] *a* immangeable.

ineffective [ɪnɪ'fektɪv] *a* (*measure etc*) sans effet, inefficace; (*person*) incapable. ◆**—ness** *n* inefficacité *f*.

ineffectual [ɪnɪ'fektʃʊəl] *a* (*measure etc*) inefficace; (*person*) incompétent.

inefficient [ɪnɪ'fɪʃ(ə)nt] *a* (*person, measure etc*) inefficace; (*machine*) peu performant. ◆**inefficiency** *n* inefficacité *f*.

ineligible [ɪn'elɪdʒəb(ə)l] *a* (*candidate*) inéligible; **to be i. for** ne pas avoir droit à.

inept [ɪ'nept] *a* (*foolish*) inepte; (*unskilled*) peu habile (**at sth** à qch); (*incompetent*) incapable, inapte. ◆**ineptitude** *n* (*incapacity*) inaptitude *f*.

inequality [ɪnɪ'kwɒlətɪ] *n* inégalité *f*.

inert [ɪ'nɜːt] *a* inerte. ◆**inertia** [ɪ'nɜːʃə] *n* inertie *f*.

inescapable [ɪnɪ'skeɪpəb(ə)l] *a* inéluctable.

inevitable [ɪn'evɪtəb(ə)l] *a* inévitable. ◆**inevitably** *adv* inévitablement.

inexcusable [ɪnɪk'skjuːzəb(ə)l] *a* inexcusable.

inexhaustible [ɪnɪg'zɔːstəb(ə)l] *a* inépuisable.

inexorable [ɪn'eksərəb(ə)l] *a* inexorable.

inexpensive [ɪnɪk'spensɪv] *a* bon marché *inv*.

inexperience [ɪnɪk'spɪərɪəns] *n* inexpérience *f*. ◆**inexperienced** *a* inexpérimenté.

inexplicable [ɪnɪk'splɪkəb(ə)l] *a* inexplicable.

inexpressible [ɪnɪk'spresəb(ə)l] *a* inexprimable.

inextricable [ɪnɪk'strɪkəb(ə)l] *a* inextricable.

infallible [ɪn'fæləb(ə)l] *a* infaillible. ◆**infalli'bility** *n* infaillibilité *f*.

infamous ['ɪnfəməs] *a* (*evil*) infâme. ◆**infamy** *n* infamie *f*.

infant ['ɪnfənt] *n* (*child*) petit(e) enfant *mf*; (*baby*) nourrisson *m*; **i. school** classes *fpl* préparatoires. ◆**infancy** *n* petite enfance *f*; **to be in its i.** (*of art, technique etc*) en être à ses premiers balbutiements. ◆**infantile** *a* (*illness, reaction etc*) infantile.

infantry ['ɪnfəntrɪ] *n* infanterie *f*.

infatuated [ɪn'fætʃʊeɪtɪd] *a* amoureux; **i. with** (*person*) amoureux de, engoué de; (*sport etc*) engoué de. ◆**infatu'ation** *n* engouement *m* (**for, with** pour).

infect [ɪn'fekt] *vt* (*contaminate*) *Med* infecter; **to become infected** s'infecter; **to i. s.o. with sth** communiquer qch à qn. ◆**infection** *n* infection *f*. ◆**infectious** *a* (*disease*) infectieux, contagieux; (*person, laughter etc*) contagieux.

infer [ɪn'fɜːr] *vt* (**-rr-**) déduire (**from** de, **that** que). ◆**'inference** *n* déduction *f*, conclusion *f*.

inferior [ɪn'fɪərɪər] *a* inférieur (**to** à); (*goods, work*) de qualité inférieure; – *n* (*person*) *Pej* inférieur, -eure *mf*. ◆**inferi'ority** *n* infériorité *f*.

infernal [ɪn'fɜːn(ə)l] *a* infernal. ◆**—ly** *adv Fam* épouvantablement.

inferno [ɪn'fɜːnəʊ] *n* (*pl* **-os**) (*blaze*) brasier *m*, incendie *m*; (*hell*) enfer *m*.

infertile [ɪn'fɜːtaɪl, *Am* ɪn'fɜːt(ə)l] *a* (*person, land*) stérile.

infest [ɪn'fest] *vt* infester (**with** de).

infidelity [ɪnfɪ'delɪtɪ] *n* infidélité *f*.

infighting ['ɪnfaɪtɪŋ] *n* (*within group*) luttes *fpl* intestines.

infiltrate ['ɪnfɪltreɪt] *vi* s'infiltrer (**into** dans); – *vt* (*group etc*) s'infiltrer dans. ◆**infil'tration** *n* infiltration *f*; *Pol* noyautage *m*.

infinite ['ɪnfɪnɪt] *a* & *n* infini (*m*). ◆**infinitely** *adv* infiniment. ◆**in'finity** *n Math Phot* infini *m*; **to i.** *Math* à l'infini.

infinitive [ɪn'fɪnɪtɪv] *n Gram* infinitif *m*.

infirm [ɪn'fɜːm] *a* infirme. ◆**infirmary** *n* (*sickbay*) infirmerie *f*; (*hospital*) hôpital *m*. ◆**infirmity** *n* (*disability*) infirmité *f*.

inflame [ɪn'fleɪm] *vt* enflammer. ◆**inflammable** *a* inflammable. ◆**infla'mmation** *n Med* inflammation *f*. ◆**inflammatory** *a* (*remark*) incendiaire.

inflate [ɪn'fleɪt] *vt* (*tyre, prices etc*) gonfler. ◆**inflatable** *a* gonflable. ◆**inflation** *n Econ* inflation *f*. ◆**inflationary** *a Econ* inflationniste.

inflection [ɪn'flekʃ(ə)n] *n Gram* flexion *f*; (*of voice*) inflexion *f*.

inflexible [ɪn'fleksəb(ə)l] *a* inflexible.

inflexion [ɪn'flekʃ(ə)n] *n* = **inflection.**

inflict [ɪn'flɪkt] *vt* infliger (**on** à); (*wound*) occasionner (**on** à).

influence ['ɪnflʊəns] *n* influence *f*; **under the i. of** (*anger, drugs*) sous l'effet de; **under the i. of drink** *or* **alcohol** *Jur* en état d'ébriété; – *vt* influencer. ◆**influ'ential** *a* influent.

influenza [ɪnflʊ'enzə] *n Med* grippe *f*.

influx ['ɪnflʌks] *n* flot *m*, afflux *m*.

info ['ɪnfəʊ] *n Sl* tuyaux *mpl*, renseignements *mpl* (**on** sur).

inform [ɪn'fɔːm] *vt* informer (**of** de, **that** que); – *vi* **to i. on** dénoncer. ◆**—ed** *a* informé; **to keep s.o. i. of** tenir qn au courant de. ◆**informant** *n* informateur, -trice *mf*. ◆**informative** *a* instructif. ◆**informer** *n* **(police) i.** indicateur, -trice *mf*.

informal [ɪn'fɔːm(ə)l] *a* (*without fuss*) simple, sans façon; (*occasion*) dénué de formalité; (*tone, expression*) familier; (*announcement*) officieux; (*meeting*) non-officiel. ◆**infor'mality** *n* simplicité *f*; (*of tone etc*) familiarité *f*. ◆**informally** *adv* (*without fuss*) sans cérémonie; (*to meet*) officieusement; (*to dress*) simplement.

information [ɪnfə'meɪʃ(ə)n] *n* (*facts*) renseignements *mpl* (**about, on** sur); (*knowledge*) & *Math* information *f*; **a piece of i.** un renseignement, une information; **to get some i.** se renseigner.

infrared [ɪnfrə'red] *a* infrarouge.

infrequent [ɪn'friːkwənt] *a* peu fréquent.

infringe [ɪn'frɪndʒ] *vt* (*rule*) contrevenir à; – *vi* **to i. upon** (*encroach on*) empiéter sur. ◆**—ment** *n* infraction *f* (**of** à).

infuriat/e [ɪn'fjʊərɪeɪt] *vt* exaspérer. ◆**—ing** *a* exaspérant.

infuse [ɪn'fjuːz] *vt* (*tea*) (faire) infuser. ◆**infusion** *n* infusion *f*.

ingenious [ɪn'dʒiːnɪəs] *a* ingénieux. ◆**inge'nuity** *n* ingéniosité *f*.

ingot ['ɪŋgət] *n* lingot *m*.

ingrained [ɪn'greɪnd] *a* (*prejudice*) enraciné; **i. dirt** crasse *f*.

ingratiat/e [ɪn'greɪʃɪeɪt] *vt* **to i. oneself with** s'insinuer dans les bonnes grâces de. ◆**—ing** *a* (*person, smile*) insinuant.

ingratitude [ɪn'grætɪtjuːd] *n* ingratitude *f*.

ingredient [ɪn'griːdɪənt] *n* ingrédient *m*.

ingrown [ɪn'grəʊn] *a* (*nail*) incarné.

inhabit [ɪn'hæbɪt] *vt* habiter. ◆**—able** *a* habitable. ◆**inhabitant** *n* habitant, -ante *mf*.

inhale [ɪn'heɪl] *vt* aspirer; **to i. the smoke** (*of smoker*) avaler la fumée. ◆**inha'lation** *n* inhalation *f*. ◆**inhaler** *n Med* inhalateur *m*.

inherent [ɪn'hɪərənt] *a* inhérent (**in** à). ◆**—ly** *adv* intrinsèquement, en soi.

inherit [ɪn'herɪt] *vt* hériter (de); (*title*) succéder à. ◆**inheritance** *n* héritage *m*; (*process*) *Jur* succession *f*; (*cultural*) patrimoine *m*.

inhibit [ɪn'hɪbɪt] *vt* (*hinder*) gêner; (*control*) maîtriser; (*prevent*) empêcher (**from** de); **to be inhibited** être inhibé, avoir des inhibitions. ◆**inhi'bition** *n* inhibition *f*.

inhospitable [ɪnhɒ'spɪtəb(ə)l] *a* inhospitalier.

inhuman [ɪn'hjuːmən] *a* (*not human, cruel*) inhumain. ◆**inhu'mane** *a* (*not kind*) inhumain. ◆**inhu'manity** *n* brutalité *f*, cruauté *f*.

inimitable [ɪ'nɪmɪtəb(ə)l] *a* inimitable.

iniquitous [ɪ'nɪkwɪtəs] *a* inique. ◆**iniquity** *n* iniquité *f*.

initial [ɪ'nɪʃ(ə)l] *a* initial, premier; – *n* (*letter*) initiale *f*; (*signature*) paraphe *m*; –

vt (-ll-, *Am* -l-) parapher. ◆—**ly** *adv* initialement, au début.
initiate [ɪ'nɪʃɪeɪt] *vt* (*reforms*) amorcer; (*schemes*) inaugurer; **to i. s.o. into** initier qn à; **the initiated** les initiés *mpl*. ◆**initi'ation** *n* amorce *f*; inauguration *f*; initiation *f*. ◆**initiator** *n* initiateur, -trice *mf*.
initiative [ɪ'nɪʃətɪv] *n* initiative *f*.
inject [ɪn'dʒekt] *vt* injecter (**into** à); (*new life etc*) *Fig* insuffler (**into** à). ◆**injection** *n* *Med* injection *f*, piqûre *f*.
injunction [ɪn'dʒʌŋkʃ(ə)n] *n* *Jur* ordonnance *f*.
injur/e ['ɪndʒər] *vt* (*physically*) blesser; (*prejudice, damage*) nuire à; (*one's chances*) compromettre; **to i. one's foot**/*etc* se blesser au pied/*etc*. ◆—**ed** *a* blessé; – *n* **the i.** les blessés *mpl*. ◆**injury** *n* (*to flesh*) blessure *f*; (*fracture*) fracture *f*; (*sprain*) foulure *f*; (*bruise*) contusion *f*; (*wrong*) *Fig* préjudice *m*.
injurious [ɪn'dʒʊərɪəs] *a* préjudiciable (**to** à).
injustice [ɪn'dʒʌstɪs] *n* injustice *f*.
ink [ɪŋk] *n* encre *f*; **Indian i.** encre *f* de Chine. ◆**inkpot** *n*, ◆**inkwell** *n* encrier *m*. ◆**inky** *a* couvert d'encre.
inkling ['ɪŋklɪŋ] *n* (petite) idée *f*; **to have some** *or* **an i. of sth** soupçonner qch, avoir une (petite) idée de qch.
inlaid [ɪn'leɪd] *a* (*marble etc*) incrusté (**with** de); (*wood*) marqueté.
inland ['ɪnlənd, 'ɪnlænd] *a* intérieur; **the I. Revenue** le fisc; – [ɪn'lænd] *adv* à l'intérieur (*des terres*).
in-laws ['ɪnlɔːz] *npl* belle-famille *f*.
inlet ['ɪnlet] *n* (*of sea*) crique *f*; **i. pipe** tuyau *m* d'arrivée.
inmate ['ɪnmeɪt] *n* résident, -ente *mf*; (*of asylum*) interné, -ée *mf*; (*of prison*) détenu, -ue *mf*.
inmost ['ɪnməʊst] *a* le plus profond.
inn [ɪn] *n* auberge *f*. ◆**innkeeper** *n* aubergiste *mf*.
innards ['ɪnədz] *npl* *Fam* entrailles *fpl*.
innate [ɪ'neɪt] *a* inné.
inner ['ɪnər] *a* intérieur; (*ear*) interne; (*feelings*) intime, profond; **the i. city** le cœur de la ville; **an i. circle** (*group of people*) un cercle restreint; **the i. circle** le saint des saints; **i. tube** (*of tyre*) chambre *f* à air. ◆**innermost** *a* le plus profond.
inning ['ɪnɪŋ] *n* *Baseball* tour *m* de batte. ◆**innings** *n inv* *Cricket* tour *m* de batte; **a good i.** *Fig* une vie longue.
innocent ['ɪnəs(ə)nt] *a* innocent. ◆**innocence** *n* innocence *f*. ◆**innocently** *adv* innocemment.
innocuous [ɪ'nɒkjʊəs] *a* inoffensif.
innovate ['ɪnəveɪt] *vi* innover. ◆**inno'vation** *n* innovation *f*. ◆**innovator** *n* innovateur, -trice *mf*.
innuendo [ɪnjʊ'endəʊ] *n* (*pl* **-oes** *or* **-os**) insinuation *f*.
innumerable [ɪ'njuːmərəb(ə)l] *a* innombrable.
inoculate [ɪ'nɒkjʊleɪt] *vt* vacciner (**against** contre). ◆**inocu'lation** *n* inoculation *f*.
inoffensive [ɪnə'fensɪv] *a* inoffensif.
inoperative [ɪn'ɒpərətɪv] *a* (*without effect*) inopérant.
inopportune [ɪn'ɒpətjuːn] *a* inopportun.
inordinate [ɪ'nɔːdɪnət] *a* excessif. ◆—**ly** *adv* excessivement.
in-patient ['ɪnpeɪʃ(ə)nt] *n* malade *mf* hospitalisé(e).
input ['ɪnpʊt] *n* (*computer operation*) entrée *f*; (*data*) données *fpl*; (*current*) *El* énergie *f*.
inquest ['ɪnkwest] *n* enquête *f*.
inquir/e [ɪn'kwaɪər] *vi* se renseigner (**about** sur); **to i. after** s'informer de; **to i. into** examiner, faire une enquête sur; – *vt* demander; **to i. how to get to** demander le chemin de. ◆—**ing** *a* (*mind, look*) curieux. ◆**inquiry** *n* (*question*) question *f*; (*request for information*) demande *f* de renseignements; (*information*) renseignements *mpl*; *Jur* enquête *f*; **to make inquiries** demander des renseignements; (*of police*) enquêter.
inquisitive [ɪn'kwɪzɪtɪv] *a* curieux. ◆**inquisitively** *adv* avec curiosité. ◆**inqui'sition** *n* (*inquiry*) & *Rel* inquisition *f*.
inroads ['ɪnrəʊdz] *npl* (*attacks*) incursions *fpl* (**into** dans); **to make i. into** (*start on*) *Fig* entamer.
insane [ɪn'seɪn] *a* fou, dément. ◆**insanely** *adv* comme un fou. ◆**insanity** *n* folie *f*, démence *f*.
insanitary [ɪn'sænɪt(ə)rɪ] *a* insalubre.
insatiable [ɪn'seɪʃəb(ə)l] *a* insatiable.
inscribe [ɪn'skraɪb] *vt* inscrire; (*book*) dédicacer (**to** à). ◆**inscription** *n* inscription *f*; dédicace *f*.
inscrutable [ɪn'skruːtəb(ə)l] *a* impénétrable.
insect ['ɪnsekt] *n* insecte *m*; – *a* (*powder, spray*) insecticide; **i. repellant** crème *f* anti-insecte. ◆**in'secticide** *n* insecticide *m*.
insecure [ɪnsɪ'kjʊər] *a* (*not fixed*) peu solide; (*furniture, ladder*) branlant, bancal; (*window*) mal fermé; (*uncertain*) incertain;

(*unsafe*) peu sûr; (*person*) qui manque d'assurance. ◆**insecurity** *n* (*of person, situation*) insécurité *f*.

insemination [ɪnsemɪ'neɪʃ(ə)n] *n Med* insémination *f*.

insensible [ɪn'sensəb(ə)l] *a Med* inconscient.

insensitive [ɪn'sensɪtɪv] *a* insensible (**to** à). ◆**insensi'tivity** *n* insensibilité *f*.

inseparable [ɪn'sep(ə)rəb(ə)l] *a* inséparable (**from** de).

insert [ɪn'sɜːt] *vt* insérer (**in, into** dans). ◆**insertion** *n* insertion *f*.

inshore ['ɪnʃɔːr] *a* côtier.

inside [ɪn'saɪd] *adv* dedans, à l'intérieur; **come i.!** entrez!; – *prep* à l'intérieur de, dans; (*time*) en moins de; – *n* dedans *m*, intérieur *m*; *pl* (*stomach*) *Fam* ventre *m*; **on the i.** à l'intérieur (**of** de); **i. out** (*coat, socks etc*) à l'envers; (*to know, study etc*) à fond; **to turn everything i. out** *Fig* tout chambouler; – *a* intérieur; (*information*) obtenu à la source; **the i. lane** *Aut* la voie de gauche, *Am* la voie de droite.

insidious [ɪn'sɪdɪəs] *a* insidieux.

insight ['ɪnsaɪt] *n* perspicacité *f*; **to give an i. into** (*s.o.'s character*) permettre de comprendre, éclairer; (*question*) donner un aperçu de.

insignia [ɪn'sɪgnɪə] *npl* (*of important person*) insignes *mpl*.

insignificant [ɪnsɪg'nɪfɪkənt] *a* insignifiant. ◆**insignificance** *n* insignifiance *f*.

insincere [ɪnsɪn'sɪər] *a* peu sincère. ◆**insincerity** *n* manque *m* de sincérité.

insinuate [ɪn'sɪnjʊeɪt] *vt* **1** *Pej* insinuer (**that** que). **2 to i. oneself into** s'insinuer dans. ◆**insinu'ation** *n* insinuation *f*.

insipid [ɪn'sɪpɪd] *a* insipide.

insist [ɪn'sɪst] *vi* insister (**on doing** pour faire); **to i. on sth** (*demand*) exiger qch; (*assert*) affirmer qch; – *vt* (*order*) insister (**that** pour que); (*declare firmly*) affirmer (**that** que); **I i. that you come** *or* **on your coming** j'insiste pour que tu viennes. ◆**insistence** *n* insistance *f*; **her i. on seeing me** l'insistance qu'elle met à vouloir me voir. ◆**insistent** *a* insistant; **I was i. (about it)** j'ai été pressant. ◆**insistently** *adv* avec insistance.

insolent ['ɪnsələnt] *a* insolent. ◆**insolence** *n* insolence *f*. ◆**insolently** *adv* insolemment.

insoluble [ɪn'sɒljʊb(ə)l] *a* insoluble.

insolvent [ɪn'sɒlvənt] *a Fin* insolvable.

insomnia [ɪn'sɒmnɪə] *n* insomnie *f*. ◆**insomniac** *n* insomniaque *mf*.

insomuch as [ɪnsəʊ'mʌtʃəz] *adv* = **inasmuch as**.

inspect [ɪn'spekt] *vt* inspecter; (*tickets*) contrôler; (*troops*) passer en revue. ◆**inspection** *n* inspection *f*; contrôle *m*; revue *f*. ◆**inspector** *n* inspecteur, -trice *mf*; (*on bus*) contrôleur, -euse *mf*.

inspir/e [ɪn'spaɪər] *vt* inspirer (**s.o. with sth** qch à qn); **to be inspired to do** avoir l'inspiration de faire. ◆**—ed** *a* inspiré. ◆**—ing** *a* qui inspire. ◆**inspi'ration** *n* inspiration *f*; (*person*) source *f* d'inspiration.

instability [ɪnstə'bɪlɪtɪ] *n* instabilité *f*.

install [ɪn'stɔːl] *vt* installer. ◆**insta'llation** *n* installation *f*.

instalment [ɪn'stɔːlmənt] (*Am* **installment**) *n* (*of money*) acompte *m*, versement *m* (partiel); (*of serial*) épisode *m*; (*of publication*) fascicule *m*; **to buy on the i. plan** *Am* acheter à crédit.

instance ['ɪnstəns] *n* (*example*) exemple *m*; (*case*) cas *m*; (*occasion*) circonstance *f*; **for i.** par exemple; **in the first i.** en premier lieu.

instant ['ɪnstənt] *a* immédiat; **i. coffee** café *m* soluble *or* instantané, nescafé® *m*; **of the 3rd i.** (*in letter*) *Com* du 3 courant; – *n* (*moment*) instant *m*; **this (very) i.** (*at once*) à l'instant; **the i. that** (*as soon as*) dès que. ◆**instan'taneous** *a* instantané. ◆**instantly** *adv* immédiatement.

instead [ɪn'sted] *adv* (*as alternative*) au lieu de cela, plutôt; **i. of** au lieu de; **i. of s.o.** à la place de qn; **i. (of him** *or* **her)** à sa place.

instep ['ɪnstep] *n* (*of foot*) cou-de-pied *m*; (*of shoe*) cambrure *f*.

instigate ['ɪnstɪgeɪt] *vt* provoquer. ◆**insti'gation** *n* instigation *f*. ◆**instigator** *n* instigateur, -trice *mf*.

instil [ɪn'stɪl] *vt* (**-ll-**) (*idea*) inculquer (**into** à); (*courage*) insuffler (**into** à).

instinct ['ɪnstɪŋkt] *n* instinct *m*; **by i.** d'instinct. ◆**in'stinctive** *a* instinctif. ◆**in'stinctively** *adv* instinctivement.

institute ['ɪnstɪtjuːt] **1** *vt* (*rule, practice*) instituer; (*inquiry, proceedings*) *Jur* entamer, intenter. **2** *n* institut *m*. ◆**insti'tution** *n* (*custom, private or charitable organization etc*) institution *f*; (*school, hospital*) établissement *m*; (*home*) *Med* asile *m*. ◆**insti'tutional** *a* institutionnel.

instruct [ɪn'strʌkt] *vt* (*teach*) enseigner (**s.o. in sth** qch à qn); **to i. s.o. about sth** (*inform*) instruire qn de qch; **to i. s.o. to do** (*order*) charger qn de faire. ◆**instruction** *n* (*teaching*) instruction *f*; *pl* (*orders*) instructions *fpl*; **instructions (for use)** mode *m*

d'emploi. ◆**instructive** *a* instructif. ◆**instructor** *n* professeur *m*; *Sp* moniteur, -trice *mf*; *Mil* instructeur *m*; *Univ Am* maître-assistant, -ante *mf*; **driving i.** moniteur, -trice *mf* de conduite.
instrument ['ɪnstrʊmənt] *n* instrument *m*. ◆**instru'mental** *a Mus* instrumental; **to be i. in sth/in doing sth** contribuer à qch/à faire qch. ◆**instru'mentalist** *n Mus* instrumentaliste *mf*. ◆**instrumen'tation** *n Mus* orchestration *f*.
insubordinate [ɪnsə'bɔɪdɪnət] *a* indiscipliné. ◆**insubordi'nation** *n* indiscipline *f*.
insubstantial [ɪnsəb'stænʃ(ə)l] *a* (*argument, evidence*) peu solide.
insufferable [ɪn'sʌfərəb(ə)l] *a* intolérable.
insufficient [ɪnsə'fɪʃənt] *a* insuffisant. ◆**—ly** *adv* insuffisamment.
insular ['ɪnsjʊlər] *a* (*climate*) insulaire; (*views*) *Pej* étroit, borné.
insulate ['ɪnsjʊleɪt] *vt* (*against cold etc*) & *El* isoler; (*against sound*) insonoriser; **to i. s.o. from** *Fig* protéger qn de; **insulating tape** chatterton *m*. ◆**insu'lation** *n* isolation *f*; insonorisation *f*; (*material*) isolant *m*.
insulin ['ɪnsjʊlɪn] *n Med* insuline *f*.
insult [ɪn'sʌlt] *vt* insulter; – ['ɪnsʌlt] *n* insulte *f* (**to** à).
insuperable [ɪn'suːpərəb(ə)l] *a* insurmontable.
insure [ɪn'ʃʊər] *vt* **1** (*protect against damage etc*) assurer (**against** contre). **2** *Am* = **ensure.** ◆**insurance** *n* assurance *f*; **i. company** compagnie *f* d'assurances; **i. policy** police *f* d'assurance.
insurgent [ɪn'sɜːdʒənt] *a* & *n* insurgé, -ée (*mf*).
insurmountable [ɪnsə'maʊntəb(ə)l] *a* insurmontable.
insurrection [ɪnsə'rekʃ(ə)n] *n* insurrection *f*.
intact [ɪn'tækt] *a* intact.
intake ['ɪnteɪk] *n* (*of food*) consommation *f*; *Sch Univ* admissions *fpl*; *Tech* admission *f*.
intangible [ɪn'tændʒəb(ə)l] *a* intangible.
integral ['ɪntɪgrəl] *a* intégral; **to be an i. part of** faire partie intégrante de.
integrate ['ɪntɪgreɪt] *vt* intégrer (**into** dans); – *vi* s'intégrer (**into** dans); **(racially) integrated** (*school etc*) *Am* où se pratique la déségrégation raciale. ◆**integration** *n* intégration *f*; **(racial) i.** déségrégation *f* raciale.
integrity [ɪn'tegrɪtɪ] *n* intégrité *f*.
intellect ['ɪntɪlekt] *n* (*faculty*) intellect *m*, intelligence *f*; (*cleverness, person*) intelligence *f*. ◆**inte'llectual** *a* & *n* intellectuel, -elle (*mf*).
intelligence [ɪn'telɪdʒəns] *n* intelligence *f*; *Mil* renseignements *mpl*. ◆**intelligent** *a* intelligent. ◆**intelligently** *adv* intelligemment. ◆**intelli'gentsia** *n* intelligentsia *f*.
intelligible [ɪn'telɪdʒəb(ə)l] *a* intelligible. ◆**intelligi'bility** *n* intelligibilité *f*.
intemperance [ɪn'tempərəns] *n* intempérance *f*.
intend [ɪn'tend] *vt* (*gift, remark etc*) destiner (**for** à); **to i. to do** avoir l'intention de faire; **I i. you to stay** mon intention est que vous restiez. ◆**—ed** *a* (*deliberate*) intentionnel, voulu; (*planned*) projeté; **i. to be** (*meant*) destiné à être. ◆**intention** *n* intention *f* (**of doing** de faire). ◆**intentional** *a* intentionnel; **it wasn't i.** ce n'était pas fait exprès. ◆**intentionally** *adv* intentionnellement, exprès.
intense [ɪn'tens] *a* intense; (*interest*) vif; (*person*) passionné. ◆**intensely** *adv* intensément; *Fig* extrêmement. ◆**intensifi'cation** *n* intensification *f*. ◆**intensify** *vt* intensifier; – *vi* s'intensifier. ◆**intensity** *n* intensité *f*. ◆**intensive** *a* intensif; **in i. care** *Med* en réanimation.
intent [ɪn'tent] **1** *a* (*look*) attentif; **i. on** (*task*) absorbé par; **i. on doing** résolu à faire. **2** *n* intention *f*; **to all intents and purposes** en fait, essentiellement.
inter [ɪn'tɜːr] *vt* (**-rr-**) enterrer.
inter- ['ɪntə(r)] *pref* inter-.
interact [ɪntə'rækt] *vi* (*of ideas etc*) être interdépendants; (*of people*) agir conjointement; *Ch* interagir. ◆**interaction** *n* interaction *f*.
intercede [ɪntə'siːd] *vi* intercéder (**with** auprès de).
intercept [ɪntə'sept] *vt* intercepter. ◆**interception** *n* interception *f*.
interchange ['ɪntətʃeɪndʒ] *n Aut* échangeur *m*. ◆**inter'changeable** *a* interchangeable.
intercom ['ɪntəkɒm] *n* interphone *m*.
interconnect/ed [ɪntəkə'nektɪd] *a* (*facts etc*) liés. ◆**—ing** *a* **i. rooms** pièces *fpl* communicantes.
intercontinental [ɪntəkɒntɪ'nent(ə)l] *a* intercontinental.
intercourse ['ɪntəkɔːs] *n* (*sexual, social*) rapports *mpl*.
interdependent [ɪntədɪ'pendənt] *a* interdépendant; (*parts of machine*) solidaire.
interest ['ɪnt(ə)rɪst, 'ɪntrəst] *n* intérêt *m*; *Fin* intérêts *mpl*; **an i. in** (*stake*) *Com* des intérêts dans; **his** *or* **her i. is** (*hobby etc*) ce qui

l'intéresse c'est; **to take an i. in** s'intéresser à; **to be of i. to s.o.** intéresser qn; – *vt* intéresser. ◆**—ed** *a* (*involved*) intéressé; (*look*) d'intérêt; **to seem i.** sembler intéressé (**in** par); **to be i. in sth/s.o.** s'intéresser à qch/qn; **I'm i. in doing** ça m'intéresse de faire; **are you i.?** ça vous intéresse? ◆**—ing** *a* intéressant. ◆**—ingly** *adv* **i. (enough), she . . .** curieusement, elle . . . .

interface ['ɪntəfeɪs] *n Tech* interface *f.*

interfer/e [ɪntə'fɪər] *vi* se mêler des affaires d'autrui; **to i. in** s'ingérer dans; **to i. with** (*upset*) déranger; (*touch*) toucher (à). ◆**—ing** *a* (*person*) importun. ◆**interference** *n* ingérence *f*; *Rad* parasites *mpl.*

interim ['ɪntərɪm] *n* intérim *m*; **in the i.** pendant l'intérim; – *a* (*measure etc*) provisoire; (*post*) intérimaire.

interior [ɪn'tɪərɪər] *a* intérieur; – *n* intérieur *m*; **Department of the I.** *Am* ministère *m* de l'Intérieur.

interjection [ɪntə'dʒekʃ(ə)n] *n* interjection *f.*

interlock [ɪntə'lɒk] *vi Tech* s'emboîter.

interloper ['ɪntələʊpər] *n* intrus, -use *mf.*

interlude ['ɪntəluːd] *n* intervalle *m*; *Th* intermède *m*; *Mus TV* interlude *m.*

intermarry [ɪntə'mærɪ] *vi* se marier (entre eux). ◆**intermarriage** *n* mariage *m* (*entre personnes de races etc différentes*).

intermediary [ɪntə'miːdɪərɪ] *a* & *n* intermédiare (*mf*).

intermediate [ɪntə'miːdɪət] *a* intermédiaire; (*course*) *Sch* moyen.

interminable [ɪn'tɜːmɪnəb(ə)l] *a* interminable.

intermingle [ɪntə'mɪŋg(ə)l] *vi* se mélanger.

intermission [ɪntə'mɪʃ(ə)n] *n Cin Th* entracte *m.*

intermittent [ɪntə'mɪtənt] *a* intermittent. ◆**—ly** *adv* par intermittence.

intern 1 [ɪn'tɜːn] *vt Pol* interner. **2** ['ɪntɜːn] *n Med Am* interne *mf* (des hôpitaux). ◆**inter'nee** *n* interné, -ée *mf.* ◆**in'ternment** *n Pol* internement *m.*

internal [ɪn'tɜːn(ə)l] *a* interne; (*policy, flight*) intérieur; **i. combustion engine** moteur *m* à explosion; **the I. Revenue Service** *Am* le fisc. ◆**—ly** *adv* intérieurement.

international [ɪntə'næʃ(ə)nəl] *a* international; (*fame, reputation*) mondial; – *n* (*match*) rencontre *f* internationale; (*player*) international *m.* ◆**—ly** *adv* (*renowned etc*) mondialement.

interplanetary [ɪntə'plænɪt(ə)rɪ] *a* interplanétaire.

interplay ['ɪntəpleɪ] *n* interaction *f*, jeu *m.*

interpolate [ɪn'tɜːpəleɪt] *vt* interpoler.

interpret [ɪn'tɜːprɪt] *vt* interpréter; – *vi Ling* faire l'interprète. ◆**interpre'tation** *n* interprétation *f.* ◆**interpreter** *n* interprète *mf.*

interrelated [ɪntərɪ'leɪtɪd] *a* en corrélation. ◆**interrelation** *n* corrélation *f.*

interrogate [ɪn'terəgeɪt] *vt* (*question closely*) interroger. ◆**interro'gation** *n* interrogation *f*; *Jur* interrogatoire *m.* ◆**interrogator** *n* (*questioner*) interrogateur, -trice *mf.*

interrogative [ɪntə'rɒgətɪv] *a* & *n Gram* interrogatif (*m*).

interrupt [ɪntə'rʌpt] *vt* interrompre. ◆**interruption** *n* interruption *f.*

intersect [ɪntə'sekt] *vt* couper; – *vi* s'entrecouper, se couper. ◆**intersection** *n* (*crossroads*) croisement *m*; (*of lines etc*) intersection *f.*

intersperse [ɪntə'spɜːs] *vt* parsemer (**with** de).

intertwine [ɪntə'twaɪn] *vt* entrelacer.

interval ['ɪntəv(ə)l] *n* intervalle *m*; *Th* entracte *m*; **at intervals** (*time*) de temps à autre; (*space*) par intervalles; **bright intervals** *Met* éclaircies *fpl.*

intervene [ɪntə'viːn] *vi* intervenir; (*of event*) survenir; **ten years intervened** dix années s'écoulèrent; **if nothing intervenes** s'il n'arrive rien entre-temps. ◆**intervention** *n* intervention *f.*

interview ['ɪntəvjuː] *n* entrevue *f*, entretien *m* (**with** avec); *Journ TV* interview *f*; **to call for (an) i.** convoquer; – *vt* avoir une entrevue avec; *Journ TV* interviewer. ◆**—er** *n Journ TV* interviewer *m*; *Com Pol* enquêteur, -euse *mf.*

intestine [ɪn'testɪn] *n* intestin *m.*

intimate¹ ['ɪntɪmət] *a* intime; (*friendship*) profond; (*knowledge, analysis*) approfondi. ◆**intimacy** *n* intimité *f.* ◆**intimately** *adv* intimement.

intimate² ['ɪntɪmeɪt] *vt* (*hint*) suggérer (**that** que). ◆**inti'mation** *n* (*announcement*) annonce *f*; (*hint*) suggestion *f*; (*sign*) indication *f.*

intimidate [ɪn'tɪmɪdeɪt] *vt* intimider. ◆**intimi'dation** *n* intimidation *f.*

into ['ɪntuː, *unstressed* 'ɪntə] *prep* **1** dans; **to put i.** mettre dans; **to go i.** (*room, detail*) entrer dans. **2** en; **to translate i.** traduire en; **to change i.** transformer *or* changer en; **to go i. town** aller en ville; **i. pieces** (*to break etc*) en morceaux. **3 to be i. yoga**/*etc Fam* être à fond dans le yoga/*etc.*

intolerable [ɪn'tɒlərəb(ə)l] *a* intolérabl

(**that** que (+ *sub*)). ◆**intolerably** *adv* insupportablement. ◆**intolerance** *n* intolérance *f*. ◆**intolerant** *a* intolérant (**of** de). ◆**intolerantly** *adv* avec intolérance.

intonation [ɪntə'neɪʃ(ə)n] *n Ling* intonation *f*.

intoxicate [ɪn'tɒksɪkeɪt] *vt* enivrer. ◆**intoxicated** *a* ivre. ◆**intoxi'cation** *n* ivresse *f*.

intra- ['ɪntrə] *pref* intra-.

intransigent [ɪn'trænsɪdʒənt] *a* intransigeant. ◆**intransigence** *n* intransigeance *f*.

intransitive [ɪn'trænsɪtɪv] *a & n Gram* intransitif (*m*).

intravenous [ɪntrə'viːnəs] *a Med* intraveineux.

intrepid [ɪn'trepɪd] *a* intrépide.

intricate ['ɪntrɪkət] *a* complexe, compliqué. ◆**intricacy** *n* complexité *f*. ◆**intricately** *adv* de façon complexe.

intrigu/e 1 [ɪn'triːg] *vt* (*interest*) intriguer; **I'm intrigued to know . . .** je suis curieux de savoir . . . . **2** ['ɪntriːg] *n* (*plot*) intrigue *f*. ◆**—ing** *a* (*news etc*) curieux.

intrinsic [ɪn'trɪnsɪk] *a* intrinsèque. ◆**intrinsically** *adv* intrinsèquement.

introduce [ɪntrə'djuːs] *vt* (*insert, bring in*) introduire (**into** dans); (*programme, subject*) présenter; **to i. s.o. to s.o.** présenter qn à qn; **to i. s.o. to Dickens/geography/***etc* faire découvrir Dickens/la géographie/*etc* à qn. ◆**introduction** *n* introduction *f*; présentation *f*; (*book title*) initiation *f*; **her i. to** (*life abroad etc*) son premier contact avec. ◆**introductory** *a* (*words*) d'introduction; (*speech*) de présentation; (*course*) d'initiation.

introspective [ɪntrə'spektɪv] *a* introspectif. ◆**introspection** *n* introspection *f*.

introvert ['ɪntrəvɜːt] *n* introverti, -ie *mf*.

intrude [ɪn'truːd] *vi* (*of person*) s'imposer (**on s.o.** à qn), déranger (**on s.o.** qn); **to i. on** (*s.o.'s time etc*) abuser de. ◆**intruder** *n* intrus, -use *mf*. ◆**intrusion** *n* intrusion *f* (**into** dans); **forgive my i.** pardonnez-moi de vous avoir dérangé.

intuition [ɪntjuː'ɪʃ(ə)n] *n* intuition *f*. ◆**in'tuitive** *a* intuitif.

inundate ['ɪnʌndeɪt] *vt* inonder (**with** de); **inundated with work** submergé de travail. ◆**inun'dation** *n* inondation *f*.

invad/e [ɪn'veɪd] *vt* envahir; (*privacy*) violer. ◆**—er** *n* envahisseur, -euse *mf*.

invalid¹ ['ɪnvəlɪd] *a & n* malade (*mf*); (*through injury*) infirme (*mf*); **i. car** voiture *f* d'infirme.

invalid² [ɪn'vælɪd] *a* non valable. ◆**invalidate** *vt* invalider, annuler.

invaluable [ɪn'væljʊəb(ə)l] *a* (*help etc*) inestimable.

invariab/le [ɪn'veərɪəb(ə)l] *a* invariable. ◆**—ly** *adv* invariablement.

invasion [ɪn'veɪʒ(ə)n] *n* invasion *f*; **i. of s.o.'s privacy** intrusion *f* dans la vie privée de qn.

invective [ɪn'vektɪv] *n* invective *f*.

inveigh [ɪn'veɪ] *vi* **to i. against** invectiver contre.

inveigle [ɪn'veɪg(ə)l] *vt* **to i. s.o. into doing** amener qn à faire par la ruse.

invent [ɪn'vent] *vt* inventer. ◆**invention** *n* invention *f*. ◆**inventive** *a* inventif. ◆**inventiveness** *n* esprit *m* d'invention. ◆**inventor** *n* inventeur, -trice *mf*.

inventory ['ɪnvənt(ə)rɪ] *n* inventaire *m*.

inverse [ɪn'vɜːs] *a & n Math* inverse (*m*).

invert [ɪn'vɜːt] *vt* intervertir; **inverted commas** guillemets *mpl*. ◆**inversion** *n* interversion *f*; *Gram Anat etc* inversion *f*.

invest [ɪn'vest] *vt* (*funds*) investir (**in** dans); (*money*) placer, investir; (*time, effort*) consacrer (**in** à); **to i. s.o. with** (*endow*) investir qn de; – *vi* **to i. in** (*project*) placer son argent dans; (*firm*) investir dans; (*house, radio etc*) *Fig* se payer. ◆**investiture** *n* (*of bishop etc*) investiture *f*. ◆**investment** *n* investissement *m*, placement *m*. ◆**investor** *n* (*shareholder*) actionnaire *mf*; (*saver*) épargnant, -ante *mf*.

investigate [ɪn'vestɪgeɪt] *vt* (*examine*) examiner, étudier; (*crime*) enquêter sur. ◆**investi'gation** *n* examen *m*, étude *f*; (*by police*) enquête *f* (**of** sur); (*inquiry*) enquête *f*, investigation *f*. ◆**investigator** *n* (*detective*) enquêteur, -euse *mf*.

inveterate [ɪn'vetərət] *a* invétéré.

invidious [ɪn'vɪdɪəs] *a* qui suscite la jalousie; (*hurtful*) blessant; (*odious*) odieux.

invigilate [ɪn'vɪdʒɪleɪt] *vi* être de surveillance (*à un examen*). ◆**invigilator** *n* surveillant, -ante *mf*.

invigorat/e [ɪn'vɪgəreɪt] *vt* revigorer. ◆**—ing** *a* stimulant.

invincible [ɪn'vɪnsəb(ə)l] *a* invincible.

invisible [ɪn'vɪzəb(ə)l] *a* invisible; **i. ink** encre *f* sympathique.

invit/e [ɪn'vaɪt] *vt* inviter (**to do** à faire); (*ask for*) demander; (*lead to, give occasion for*) appeler; (*trouble*) chercher; **to i. out** inviter (à sortir); **to i. over** inviter (à venir); – ['ɪnvaɪt] *n Fam* invitation *f*. ◆**—ing** *a* engageant, invitant; (*food*) appétissant. ◆**invi'tation** *n* invitation *f*.

invoice ['ɪnvɔɪs] *n* facture *f*; – *vt* facturer.

invoke [ɪn'vəʊk] *vt* invoquer.

involuntar/y [ɪn'vɒləntərɪ] *a* involontaire. ◆**—ily** *adv* involontairement.

involv/e [ɪn'vɒlv] *vt* (*include*) mêler (*qn*) (**in** à), impliquer (*qn*) (**in** dans); (*associate*) associer (*qn*) (**in** à); (*entail*) entraîner; **to i. oneself, get involved** (*commit oneself*) s'engager (**in** dans); **to i. s.o. in expense** entraîner qn à des dépenses; **the job involves going abroad** le poste nécessite des déplacements à l'étranger. ◆**—ed** *a* (*complicated*) compliqué; **the factors/***etc* **i.** (*at stake*) les facteurs/*etc* en jeu; **the person i.** la personne en question; **i. with s.o.** mêlé aux affaires de qn; **personally i.** concerné; **emotionally i. with** amoureux de; **to become i.** (*of police*) intervenir. ◆**—ement** *n* participation *f* (**in** à), implication *f* (**in** dans); (*commitment*) engagement *m* (**in** dans); (*problem*) difficulté *f*; **emotional i.** liaison *f*.

invulnerable [ɪn'vʌln(ə)rəb(ə)l] *a* invulnérable.

inward ['ɪnwəd] *a* & *adv* (*movement, to move*) vers l'intérieur; – *a* (*inner*) intérieur. ◆**i.-looking** *a* replié sur soi. ◆**inwardly** *adv* (*inside*) à l'intérieur; (*to laugh, curse etc*) intérieurement. ◆**inwards** *adv* vers l'intérieur.

iodine ['aɪədiːn, *Am* 'aɪədaɪn] *n Med* teinture *f* d'iode.

iota [aɪ'əʊtə] *n* (*of truth etc*) grain *m*; (*in text*) iota *m*.

IOU [aɪəʊ'juː] *n abbr* (*I owe you*) reconnaissance *f* de dette.

IQ [aɪ'kjuː] *n abbr* (*intelligence quotient*) QI *m inv*.

Iran [ɪ'rɑːn] *n* Iran *m*. ◆**Iranian** [ɪ'reɪnɪən] *a* & *n* iranien, -ienne (*mf*).

Iraq [ɪ'rɑːk] *n* Irak *m*. ◆**Iraqi** *a* & *n* irakien, -ienne (*mf*).

irascible [ɪ'ræsəb(ə)l] *a* irascible.

ire ['aɪər] *n Lit* courroux *m*. ◆**i'rate** *a* furieux.

Ireland ['aɪələnd] *n* Irlande *f*. ◆**Irish** *a* irlandais; – *n* (*language*) irlandais *m*. ◆**Irishman** *n* (*pl* **-men**) Irlandais *m*. ◆**Irishwoman** *n* (*pl* **-women**) Irlandaise *f*.

iris ['aɪərɪs] *n Anat Bot* iris *m*.

irk [ɜːk] *vt* ennuyer. ◆**irksome** *a* ennuyeux.

iron ['aɪən] *n* fer *m*; (*for clothes*) fer *m* (à repasser); **old i., scrap i.** ferraille *f*; **i. and steel industry** sidérurgie *f*; **the I. Curtain** *Pol* le rideau de fer; – *vt* (*clothes*) repasser; **to i. out** (*difficulties*) *Fig* aplanir. ◆**—ing** *n* repassage *m*; **i. board** planche *f* à repasser. ◆**ironmonger** *n* quincaillier *m*. ◆**ironmongery** *n* quincaillerie *f*. ◆**ironwork** *n* ferronnerie *f*.

irony ['aɪərənɪ] *n* ironie *f*. ◆**i'ronic(al)** *a* ironique.

irradiate [ɪ'reɪdɪeɪt] *vt* irradier.

irrational [ɪ'ræʃən(ə)l] *a* (*act*) irrationnel; (*fear*) irraisonné; (*person*) peu rationnel, illogique.

irreconcilable [ɪrekən'saɪləb(ə)l] *a* irréconciliable, inconciliable; (*views, laws etc*) inconciliable.

irrefutable [ɪrɪ'fjuːtəb(ə)l] *a* irréfutable.

irregular [ɪ'regjʊlər] *a* irrégulier. ◆**irregu'larity** *n* irrégularité *f*.

irrelevant [ɪ'reləvənt] *a* (*remark*) non pertinent; (*course*) peu utile; **i. to** sans rapport avec; **that's i.** ça n'a rien à voir. ◆**irrelevance** *n* manque *m* de rapport.

irreparable [ɪ'rep(ə)rəb(ə)l] *a* (*harm, loss*) irréparable.

irreplaceable [ɪrɪ'pleɪsəb(ə)l] *a* irremplaçable.

irrepressible [ɪrɪ'presəb(ə)l] *a* (*laughter etc*) irrépressible.

irresistible [ɪrɪ'zɪstəb(ə)l] *a* (*person, charm etc*) irrésistible.

irresolute [ɪ'rezəluːt] *a* irrésolu, indécis.

irrespective of [ɪrɪ'spektɪvəv] *prep* sans tenir compte de.

irresponsible [ɪrɪ'spɒnsəb(ə)l] *a* (*act*) irréfléchi; (*person*) irresponsable.

irretrievable [ɪrɪ'triːvəb(ə)l] *a* irréparable.

irreverent [ɪ'revərənt] *a* irrévérencieux.

irreversible [ɪrɪ'vɜːsəb(ə)l] *a* (*process*) irréversible; (*decision*) irrévocable.

irrevocable [ɪ'revəkəb(ə)l] *a* irrévocable.

irrigate ['ɪrɪgeɪt] *vt* irriguer. ◆**irri'gation** *n* irrigation *f*.

irritat/e ['ɪrɪteɪt] *vt* irriter. ◆**—ing** *a* irritant. ◆**irritable** *a* (*easily annoyed*) irritable. ◆**irritant** *n* irritant *m*. ◆**irri'tation** *n* (*anger*) & *Med* irritation *f*.

is [ɪz] *see* **be**.

Islam ['ɪzlɑːm] *n* islam *m*. ◆**Islamic** [ɪz'læmɪk] *a* islamique.

island ['aɪlənd] *n* île *f*; **traffic i.** refuge *m*; – *a* insulaire. ◆**islander** *n* insulaire *mf*. ◆**isle** [aɪl] *n* île *f*; **the British Isles** les îles Britanniques.

isolate ['aɪsəleɪt] *vt* isoler (**from** de). ◆**isolated** *a* (*remote, unique*) isolé. ◆**iso'lation** *n* isolement *m*; **in i.** isolément.

Israel ['ɪzreɪl] *n* Israël *m*. ◆**Is'raeli** *a* & *n* israélien, -ienne (*mf*).

issue ['ɪʃuː] *vt* (*book etc*) publier; (*an order*) donner; (*tickets*) distribuer; (*passport*) délivrer; (*stamps, banknotes*) émettre;

(*warning*) lancer; (*supply*) fournir (**with** de, **to** à); – *vi* **to i. from** (*of smell*) se dégager de; (*stem from*) provenir de; – *n* (*matter*) question *f*; (*problem*) problème *m*; (*outcome*) résultat *m*; (*of text*) publication *f*; (*of stamps etc*) émission *f*; (*newspaper*) numéro *m*; **at i.** (*at stake*) en cause; **to make an i. of** faire toute une affaire de.

isthmus ['ɪsməs] *n Geog* isthme *m*.

it [ɪt] *pron* **1** (*subject*) il, elle; (*object*) le, la, l'; **(to) it** (*indirect object*) lui; **it bites** (*dog*) il mord; **I've done it** je l'ai fait. **2** (*impersonal*) il; **it's snowing** il neige; **it's hot** il fait chaud. **3** (*non specific*) ce, cela, ça; **it's good** c'est bon; **it was pleasant** c'était agréable; **who is it?** qui est-ce?; **that's it!** (*I agree*) c'est ça!; (*it's done*) ça y est!; **to consider it wise to do** juger prudent de faire; **it was Paul who . . .** c'est Paul qui . . . ; **she's got it in her to succeed** elle est capable de réussir; **to have it in for s.o.** en vouloir à qn. **4 of it, from it, about it** en; **in it, to it, at it** y; **on it** dessus; **under it** dessous.

italic [ɪ'tælɪk] *a Typ* italique; – *npl* italique *m*.

Italy ['ɪtəlɪ] *n* Italie *f*. ◆**I'talian** *a* & *n* italien, -ienne (*mf*); – *n* (*language*) italien *m*.

itch [ɪtʃ] *n* démangeaison(s) *f*(*pl*); **to have an i. to do** avoir une envie folle de faire; – *vi* démanger; **his arm itches** son bras le *or* lui démange; **I'm itching to do** *Fig* ça me démange de faire. ◆**—ing** *n* démangeaison(s) *f*(*pl*). ◆**itchy** *a* **an i. hand** une main qui me démange.

item ['aɪtəm] *n Com Journ* article *m*; (*matter*) question *f*; (*on entertainment programme*) numéro *m*; **a news i.** une information. ◆**itemize** *vt* détailler.

itinerant [aɪ'tɪnərənt] *a* (*musician, actor*) ambulant; (*judge, preacher*) itinérant.

itinerary [aɪ'tɪnərərɪ] *n* itinéraire *m*.

its [ɪts] *poss a* son, sa, *pl* ses. ◆**it'self** *pron* lui-même, elle-même; (*reflexive*) se, s'; **goodness i.** la bonté même; **by i.** tout seul.

IUD [aɪjuː'diː] *n abbr* (*intrauterine device*) stérilet *m*.

ivory ['aɪvərɪ] *n* ivoire *m*.

ivy ['aɪvɪ] *n* lierre *m*.

J

J, j [dʒeɪ] *n* J, j *m*.

jab [dʒæb] *vt* (**-bb-**) (*thrust*) enfoncer (**into** dans); (*prick*) piquer (*qn*) (**with sth** du bout de qch); – *n* coup *m* (sec); (*injection*) *Med Fam* piqûre *f*.

jabber ['dʒæbər] *vi* bavarder, jaser; – *vt* bredouiller. ◆**—ing** *n* bavardage *m*.

jack [dʒæk] **1** *n Aut* cric *m*; – *vt* **to j. up** soulever (*avec un cric*); (*price*) *Fig* augmenter. **2** *n Cards* valet *m*. **3** *vt* **to j. (in)** (*job etc*) *Fam* plaquer. **4** *n* **j. of all trades** homme *m* à tout faire. ◆**j.-in-the-box** *n* diable *m* (à ressort).

jackal ['dʒæk(ə)l] *n* (*animal*) chacal *m*.

jackass ['dʒækæs] *n* (*fool*) idiot, -ote *mf*.

jackdaw ['dʒækdɔː] *n* (*bird*) choucas *m*.

jacket ['dʒækɪt] *n* (*short coat*) veste *f*; (*of man's suit*) veston *m*; (*of woman*) veste *f*, jaquette *f*; (*bulletproof*) gilet *m*; **(dust) j.** (*of book*) jaquette *f*; **in their jackets** (*potatoes*) en robe des champs.

jack-knife ['dʒæknaɪf] **1** *n* couteau *m* de poche. **2** *vi* (*of lorry, truck*) se mettre en travers de la route.

jackpot ['dʒækpɒt] *n* gros lot *m*.

jacks [dʒæks] *npl* (jeu *m* d')osselets *mpl*.

jacuzzi [dʒə'kuːzɪ] *n* (*bath, pool*) jacousi *m*.

jade [dʒeɪd] *n* **1** (*stone*) jade *m*. **2** (*horse*) rosse *f*, canasson *m*.

jaded ['dʒeɪdɪd] *a* blasé.

jagged ['dʒægɪd] *a* déchiqueté.

jaguar ['dʒægjʊər] *n* (*animal*) jaguar *m*.

jail [dʒeɪl] *n* prison *f*; – *vt* emprisonner (**for theft**/*etc* pour vol/*etc*); **to j. for life** condamner à perpétuité. ◆**jailbreak** *n* évasion *f* (de prison). ◆**jailer** *n* geôlier, -ière *mf*.

jalopy [dʒə'lɒpɪ] *n* (*car*) *Fam* vieux tacot *m*.

jam[1] [dʒæm] *n Culin* confiture *f*. ◆**jamjar** *n* pot *m* à confiture.

jam[2] [dʒæm] **1** *n* **(traffic) j.** embouteillage *m*; **in a j.** (*trouble*) *Fig Fam* dans le pétrin. **2** *vt* (**-mm-**) (*squeeze, make stuck*) coincer, bloquer; (*gun*) enrayer; (*street, corridor etc*) encombrer; (*building*) envahir; *Rad* brouiller; **to j. sth into** (*pack, cram*) (en)tasser qch dans; (*thrust, put*) enfoncer *or* fourrer qch dans; **to j. on** (*brakes*) bloquer; – *vi* (*get stuck*) se coincer, se bloquer; (*of gun*) s'enrayer; **to j. into** (*of crowd*) s'entasser dans. ◆**jammed** *a* (*machine etc*) coincé, bloqué; (*street etc*) encombré. ◆**jam-'packed** *a* (*hall etc*) bourré de monde.

Jamaica [dʒə'meɪkə] *n* Jamaïque *f*.

jangl/e ['dʒæŋg(ə)l] *vi* cliqueter; – *n* cliquetis *m*. ◆**—ing** *a* (*noise*) discordant.

janitor ['dʒænɪtər] *n* concierge *m*.

January ['dʒænjʊərɪ] *n* janvier *m*.

Japan [dʒə'pæn] *n* Japon *m*. ◆**Japa'nese** *a* & *n* japonais, -aise (*mf*); – *n* (*language*) japonais *m*.

jar [dʒɑːr] **1** *n* (*vessel*) pot *m*; (*large, glass*) bocal *m*. **2** *n* (*jolt*) choc *m*; – *vt* (**-rr-**) (*shake*) ébranler. **3** *vi* (**-rr-**) (*of noise*) grincer; (*of note*) *Mus* détonner; (*of colours, words*) jurer (**with** avec); **to j. on** (*s.o.'s nerves*) porter sur; (*s.o.'s ears*) écorcher. ◆**jarring** *a* (*note*) discordant.

jargon ['dʒɑːgən] *n* jargon *m*.

jasmine ['dʒæzmɪn] *n Bot* jasmin *m*.

jaundice ['dʒɔːndɪs] *n Med* jaunisse *f*. ◆**jaundiced** *a* (*bitter*) *Fig* aigri; **to take a j. view of** voir d'un mauvais œil.

jaunt [dʒɔːnt] *n* (*journey*) balade *f*.

jaunt/y ['dʒɔːntɪ] *a* (**-ier, -iest**) (*carefree*) insouciant; (*cheerful, lively*) allègre; (*hat etc*) coquet, chic. ◆**—ily** *adv* avec insouciance; allègrement.

javelin ['dʒævlɪn] *n* javelot *m*.

jaw [dʒɔː] **1** *n Anat* mâchoire *f*. **2** *vi* (*talk*) *Pej Fam* papoter; – *n* **to have a j.** *Pej Fam* tailler une bavette.

jay [dʒeɪ] *n* (*bird*) geai *m*.

jaywalker ['dʒeɪwɔːkər] *n* piéton *m* imprudent.

jazz [dʒæz] *n* jazz *m*; – *vt* **to j. up** *Fam* (*music*) jazzifier; (*enliven*) animer; (*clothes, room*) égayer.

jealous ['dʒeləs] *a* jaloux (**of** de). ◆**jealousy** *n* jalousie *f*.

jeans [dʒiːnz] *npl* (blue-)jean *m*.

jeep [dʒiːp] *n* jeep *f*.

jeer [dʒɪər] *vti* **to j. (at)** (*mock*) railler; (*boo*) huer; – *n* raillerie *f*; *pl* (*boos*) huées *fpl*. ◆**—ing** *a* railleur; – *n* railleries *fpl*; (*of crowd*) huées *fpl*.

jell [dʒel] *vi* (*of ideas etc*) *Fam* prendre tournure.

jello® ['dʒeləʊ] *n inv Culin Am* gelée *f*. ◆**jellied** *a Culin* en gelée. ◆**jelly** *n Culin* gelée *f*. ◆**jellyfish** *n* méduse *f*.

jeopardy ['dʒepədɪ] *n* danger *m*, péril *m*. ◆**jeopardize** *vt* mettre en danger *or* en péril.

jerk [dʒɜːk] **1** *vt* donner une secousse à (*pour tirer, pousser etc*); – *n* secousse *f*, saccade *f*. **2** *n* (*person*) *Pej Fam* pauvre type *m*; (*stupid*) **j.** crétin, -ine *mf*. ◆**jerk/y** *a* (**-ier, -iest**) **1** saccadé. **2** (*stupid*) *Am Fam* stupide, bête. ◆**—ily** *adv* par saccades.

jersey ['dʒɜːzɪ] *n* (*cloth*) jersey *m*; (*garment* & *Fb* maillot *m*.

Jersey ['dʒɜːzɪ] *n* Jersey *f*.

jest [dʒest] *n* plaisanterie *f*; **in j.** pour rire; – *vi* plaisanter. ◆**—er** *n Hist* bouffon *m*.

Jesus ['dʒiːzəs] *n* Jésus *m*; **J. Chris** Jésus-Christ *m*.

jet [dʒet] **1** *n* (*of liquid, steam etc*) jet *m*. **2** *n* *Av* avion *m* à réaction; – *a* (*engine*) à réac tion; **j. lag** fatigue *f* (due au décalag horaire). ◆**jet-lagged** *a Fam* qui souffr du décalage horaire.

jet-black [dʒet'blæk] *a* noir comme (du jais, (noir) de jais.

jettison ['dʒetɪs(ə)n] *vt Nau* jeter à la mer (*fuel*) *Av* larguer; *Fig* abandonner.

jetty ['dʒetɪ] *n* jetée *f*; (*landing-place*) embar cadère *m*.

Jew [dʒuː] *n* (*man*) Juif *m*; (*woman*) Juive *f* ◆**Jewess** *n* Juive *f*. ◆**Jewish** *a* juif.

jewel ['dʒuːəl] *n* bijou *m*; (*in watch*) rubis *m* ◆**jewelled** *a* orné de bijoux. ◆**jeweller** bijoutier, -ière *mf*. ◆**jewellery** *n*, *An* ◆**jewelry** *n* bijoux *mpl*.

jib [dʒɪb] *vi* (**-bb-**) regimber (**at** devant); **to j at doing** se refuser à faire.

jibe [dʒaɪb] *vi* & *n* = **gibe.**

jiffy ['dʒɪfɪ] *n Fam* instant *m*.

jig [dʒɪg] *n* (*dance, music*) gigue *f*.

jigsaw ['dʒɪgsɔː] *n* **j. (puzzle)** puzzle *m*.

jilt [dʒɪlt] *vt* (*lover*) laisser tomber.

jingle ['dʒɪŋg(ə)l] *vi* (*of keys, bell etc*) tinter – *vt* faire tinter; – *n* tintement *m*.

jinx [dʒɪŋks] *n* (*person, objec* porte-malheur *m inv*; (*spell, curse* (mauvais) sort *m*, poisse *f*.

jitters ['dʒɪtəz] *npl* **to have the j.** *Fam* avoir l frousse. ◆**jittery** *a* **to be j.** *Fam* avoir l frousse.

job [dʒɒb] *n* (*task*) travail *m*; (*post*) poste *n* situation *f*; (*crime*) *Fam* coup *m*; **to have j. doing** *or* **to do** (*much trouble*) avoir du m à faire; **to have the j. of doing** (*unpleasar task*) être obligé de faire; (*for a living et* être chargé de faire; **it's a good j. (that)** *Fa* heureusement que; **that's just the j.** *Fa* c'est juste ce qu'il faut; **out of a j.** a chômage. ◆**jobcentre** *n* agence *f* natic nale pour l'emploi. ◆**jobless** *a* a chômage.

jockey ['dʒɒkɪ] *n* jockey *m*; – *vi* **to j. f** (*position, job*) manœuvrer pour obtenir.

jocular ['dʒɒkjʊlər] *a* jovial, amusant.

jog [dʒɒg] **1** *n* (*jolt*) secousse *f*; (*nudge*) cou *m* de coude; – *vt* (**-gg-**) (*shake*) secouer; (*elbow*) pousser; (*memory*) *Fig* rafraîchir. **2** *vi* (**-gg-**) **to j. along** (*of vehicle*) cahoter; (*of work*) aller tant bien que mal; (*of person*) faire son petit bonhomme de chemin. **3** *vi* (**-gg-**) *Sp* faire du jogging. ◆**jogging** *n Sp* jogging *m*.

john [dʒɒn] *n* (*toilet*) *Am Sl* cabinets *mpl*.

join [dʒɔɪn] **1** *vt* (*unite*) joindre, réunir; (*link*) relier; (*wires, pipes*) raccorder; **to j. s.o.** (*catch up with, meet*) rejoindre qn; (*associate oneself with, go with*) se joindre à qn (**in doing** pour faire); **to j. the sea** (*of river*) rejoindre la mer; **to j. hands** se donner la main; **to j. together** *or* **up** (*objects*) joindre; – *vi* (*of roads, rivers etc*) se rejoindre; **to j. (together** *or* **up)** (*of objects*) se joindre (**with** à); **to j. in** participer; **to j. in a game** prendre part à un jeu; – *n* raccord *m*, joint *m*. **2** *vt* (*become a member of*) s'inscrire à (*club, parti*); (*army*) s'engager dans; (*queue, line*) se mettre à; – *vi* (*become a member*) devenir membre; **to j. up** *Mil* s'engager.

joiner ['dʒɔɪnər] *n* menuisier *m*.

joint [dʒɔɪnt] **1** *n Anat* articulation *f*; *Culin* rôti *m*; *Tech* joint *m*; **out of j.** *Med* démis. **2** *n* (*nightclub etc*) *Sl* boîte *f*. **3** *a* (*account, statement etc*) commun; (*effort*) conjugué; **j. author** coauteur *m*. ◆**—ly** *adv* conjointement.

jok/e [dʒəʊk] *n* plaisanterie *f*; (*trick*) tour *m*; **it's no j.** (*it's unpleasant*) ce n'est pas drôle (**doing** de faire); – *vi* plaisanter (**about** sur). ◆**—er** *n* plaisantin *m*; (*fellow*) *Fam* type *m*; *Cards* joker *m*. ◆**—ingly** *adv* en plaisantant.

jolly ['dʒɒlɪ] **1** *a* (**-ier, -iest**) (*happy*) gai; (*drunk*) *Fam* éméché. **2** *adv* (*very*) *Fam* rudement. ◆**jollifi'cation** *n* (*merry-making*) réjouissances *fpl*. ◆**jollity** *n* jovialité *f*; (*merry-making*) réjouissances *fpl*.

jolt [dʒɒlt] *vt* **to j. s.o.** (*of vehicle*) cahoter qn; (*shake*) *Fig* secouer qn; – *vi* **to j. (along)** (*of vehicle*) cahoter; – *n* cahot *m*, secousse *f*; (*shock*) *Fig* secousse *f*.

Jordan ['dʒɔːd(ə)n] *n* Jordanie *f*.

jostle ['dʒɒs(ə)l] *vt* (*push*) bousculer; – *vi* (*push each other*) se bousculer (**for** pour obtenir); **don't j.!** ne bousculez pas!

jot [dʒɒt] *vt* (**-tt-**) **to j. down** noter. ◆**jotter** *n* (*notepad*) bloc-notes *m*.

journal ['dʒɜːn(ə)l] *n* (*periodical*) revue *f*, journal *m*. ◆**journa'lese** *n* jargon *m* journalistique. ◆**journalism** *n* journalisme *m*. ◆**journalist** *n* journaliste *mf*.

journey ['dʒɜːnɪ] *n* (*trip*) voyage *m*; (*distance*) trajet *m*; **to go on a j.** partir en voyage; – *vi* voyager.

jovial ['dʒəʊvɪəl] *a* jovial.

joy [dʒɔɪ] *n* joie *f*; *pl* (*of countryside, motherhood etc*) plaisirs *mpl* (**of** de). ◆**joyful** *a*. ◆**joyous** *a* joyeux. ◆**joyride** *n* virée *f* (*dans une voiture volée*).

joystick ['dʒɔɪstɪk] *n* (*of aircraft, computer*) manche *m* à balai.

JP [dʒeɪ'piː] *abbr* = **Justice of the Peace.**

jubilant ['dʒuːbɪlənt] *a* **to be j.** jubiler. ◆**jubi'lation** *n* jubilation *f*.

jubilee ['dʒuːbɪliː] *n* **(golden) j.** jubilé *m*.

Judaism ['dʒuːdeɪɪz(ə)m] *n* judaïsme *m*.

judder ['dʒʌdər] *vi* (*shake*) vibrer; – *n* vibration *f*.

judg/e [dʒʌdʒ] *n* juge *m*; – *vti* juger; **judging by** à en juger par. ◆**—(e)ment** *n* jugement *m*.

judicial [dʒuː'dɪʃ(ə)l] *a* judiciaire. ◆**judiciary** *n* magistrature *f*. ◆**judicious** *a* judicieux.

judo ['dʒuːdəʊ] *n* judo *m*.

jug [dʒʌg] *n* cruche *f*; (*for milk*) pot *m*.

juggernaut ['dʒʌgənɔːt] *n* (*truck*) poids *m* lourd, mastodonte *m*.

juggl/e ['dʒʌg(ə)l] *vi* jongler; – *vt* jongler avec. ◆**—er** *n* jongleur, -euse *mf*.

Jugoslavia [juːgəʊ'slɑːvɪə] *n* Yougoslavie *f*. ◆**Jugoslav** *a* & *n* yougoslave (*mf*).

juice [dʒuːs] *n* jus *m*; (*in stomach*) suc *m*. ◆**juicy** *a* (**-ier, -iest**) (*fruit*) juteux; (*meat*) succulent; (*story*) *Fig* savoureux.

jukebox ['dʒuːkbɒks] *n* juke-box *m*.

July [dʒuː'laɪ] *n* juillet *m*.

jumble ['dʒʌmb(ə)l] *vt* **to j. (up)** (*objects, facts etc*) brouiller, mélanger; – *n* fouillis *m*; **j. sale** (*used clothes etc*) vente *f* de charité.

jumbo ['dʒʌmbəʊ] *a* géant; – *a* & *n* (*pl* **-os**) **j. (jet)** jumbo-jet *m*, gros-porteur *m*.

jump [dʒʌmp] *n* (*leap*) saut *m*, bond *m*; (*start*) sursaut *m*; (*increase*) hausse *f*; – *vi* sauter (**at** sur); (*start*) sursauter; (*of price, heart*) faire un bond; **to j. about** sautiller; **to j. across sth** traverser qch d'un bond; **to j. to conclusions** tirer des conclusions hâtives; **j. in** *or* **on!** *Aut* montez!; **to j. on** (*bus*) sauter dans; **to j. off** *or* **out** sauter; **to j. off sth, j. out of sth** sauter de qch; **to j. out of the window** sauter par la fenêtre; **to j. up** se lever d'un bond; – *vt* sauter; **to j. the lights** *Aut* griller un feu rouge; **to j. the rails** (*of train*) dérailler; **to j. the queue** resquiller.

jumper ['dʒʌmpər] *n* pull(-over) *m*; (*dress*) *Am* robe *f* chasuble.

jumpy ['dʒʌmpɪ] *a* (**-ier, -iest**) nerveux.

junction ['dʒʌŋkʃ(ə)n] *n* (*joining*) jonction *f*; (*crossroads*) carrefour *m*.
juncture ['dʒʌŋktʃər] *n* **at this j.** (*critical point in time*) en ce moment même.
June [dʒuːn] *n* juin *m*.
jungle ['dʒʌŋg(ə)l] *n* jungle *f*.
junior ['dʒuːnɪər] *a* (*younger*) plus jeune; (*in rank, status etc*) subalterne; (*teacher, doctor*) jeune; **to be j. to s.o., be s.o.'s j.** être plus jeune que qn; (*in rank, status*) être au-dessous de qn; **Smith j.** Smith fils *or* junior; **j. school** école *f* primaire; **j. high school** *Am* = collège *m* d'enseignement secondaire; – *n* cadet, -ette *mf*; *Sch* petit, -ite *mf*, petit(e) élève *mf*; *Sp* junior *mf*, cadet, -ette *mf*.
junk [dʒʌŋk] **1** *n* (*objects*) bric-à-brac *m inv*; (*metal*) ferraille *f*; (*goods*) *Pej* camelote *f*; (*film, book etc*) *Pej* idiotie *f*; (*nonsense*) idioties *fpl*; **j. shop** (boutique *f* de) brocanteur *m*. **2** *vt* (*get rid of*) *Am Fam* balancer.
junkie ['dʒʌŋkɪ] *n Fam* drogué, -ée *mf*.
junta ['dʒʌntə] *n Pol* junte *f*.
jurisdiction [dʒʊərɪs'dɪkʃ(ə)n] *n* juridiction *f*.
jury ['dʒʊərɪ] *n* (*in competition*) & *Jur* jury *m*. ◆**juror** *n Jur* juré *m*.
just [dʒʌst] **1** *adv* (*exactly, slightly*) juste; (*only*) juste, seulement; (*simply*) (tout) simplement; **it's j. as I thought** c'est bien ce que je pensais; **j. at that time** à cet instant même; **she has/had j. left** elle vient/venait de partir; **I've j. come from** j'arrive de; **I'm j. coming!** j'arrive!; **he'll (only) j. catch the bus** il aura son bus de justesse; **he j. missed it** il l'a manqué de peu; **j. as big/light/***etc* tout aussi grand/léger/*etc* (**as** que); **j. listen!** écoute donc!; **j. a moment!** un instant!; **j. over ten** un peu plus de dix; **j. one** un(e) seul(e) (**of** de); **j. about** (*approximately*) à peu près; (*almost*) presque; **j. about to do** sur le point de faire. **2** *a* (*fair*) juste (**to** envers). ◆**—ly** *adv* avec justice. ◆**—ness** *n* (*of cause etc*) justice *f*.
justice ['dʒʌstɪs] *n* justice *f*; (*judge*) juge *m*; **to do j. to** (*meal*) faire honneur à; **it doesn't do you j.** (*hat, photo*) cela ne vous avantage pas; (*attitude*) cela ne vous fait pas honneur; **J. of the Peace** juge *m* de paix.
justify ['dʒʌstɪfaɪ] *vt* justifier; **to be justified in doing** (*have right*) être en droit de faire; (*have reason*) avoir toutes les bonnes raisons de faire. ◆**justi'fiable** *a* justifiable. ◆**justi'fiably** *adv* légitimement. ◆**justifi'cation** *n* justification *f*.
jut [dʒʌt] *vi* (**-tt-**) **to j. out** faire saillie; **to j. out over sth** (*overhang*) surplomber qch.
jute [dʒuːt] *n* (*fibre*) jute *m*.
juvenile ['dʒuːvənaɪl] *n* adolescent, -ente *mf*; – *a* (*court, book etc*) pour enfants; (*delinquent*) jeune; (*behaviour*) *Pej* puéril.
juxtapose [dʒʌkstə'pəʊz] *vt* juxtaposer. ◆**juxtapo'sition** *n* juxtaposition *f*.

K

K, k [keɪ] *n* K, k *m*.
kaleidoscope [kə'laɪdəskəʊp] *n* kaléidoscope *m*.
kangaroo [kæŋgə'ruː] *n* kangourou *m*.
kaput [kə'pʊt] *a* (*broken, ruined*) *Sl* fichu.
karate [kə'rɑːtɪ] *n Sp* karaté *m*.
keel [kiːl] *n Nau* quille *f*; – *vi* **to k. over** (*of boat*) chavirer.
keen [kiːn] *a* (*edge, appetite*) aiguisé; (*interest, feeling*) vif; (*mind*) pénétrant; (*wind*) coupant, piquant; (*enthusiastic*) enthousiaste; **a k. sportsman** un passionné de sport; **to be k. to do** *or* **on doing** tenir (beaucoup) à faire; **to be k. on** (*music, sport etc*) être passionné de; **he is k. on her/the idea** elle/l'idée lui plaît beaucoup. ◆**—ly** *adv* (*to work etc*) avec enthousiasme; (*to feel, interest*) vivement. ◆**—ness** *n* enthousiasme *m*; (*of mind*) pénétration *f*; (*of interest*) intensité *f*; **k. to do** empressement *m* à faire.
keep[1] [kiːp] *vt* (*pt & pp* **kept**) garder; (*shop, car*) avoir; (*diary, promise*) tenir; (*family*) entretenir; (*rule*) observer, respecter; (*feast day*) célébrer; (*birthday*) fêter; (*detain, delay*) retenir; (*put*) mettre; **to k. (on) doing** (*continue*) continuer à faire; **to k. clean** tenir *or* garder propre; **to k. from** (*conceal*) cacher à; **to k. s.o. from doing** (*prevent*) empêcher qn de faire; **to k. s.o. waiting/working** faire attendre/travailler qn; **to k. sth going** (*engine, machine*) laisser qch en marche; **to k. s.o. in whisky/***etc* fournir qn en whisky/*etc*; **to k. an appointment** se rendre à un rendez-vous; **to k. back** (*withhold, delay*) retenir; (*conceal*) cacher (**from**

à); **to k. down** (*control*) maîtriser; (*restrict*) limiter; (*costs, price*) maintenir bas; **to k. in** empêcher de sortir; (*pupil*) *Sch* consigner; **to k. off** *or* **away** (*person*) éloigner (**from** de); **'k. off the grass'** 'ne pas marcher sur les pelouses'; **k. your hands off!** n'y touche(z) pas!; **to k. on** (*hat, employee*) garder; **to k. out** empêcher d'entrer; **to k. up** (*continue, maintain*) continuer (**doing sth** à faire qch); (*road, building*) entretenir; – *vi* (*continue*) continuer; (*remain*) rester; (*of food*) se garder, se conserver; (*wait*) attendre; **how is he keeping?** comment va-t-il?; **to k. still** rester *or* se tenir tranquille; **to k. from doing** (*refrain*) s'abstenir de faire; **to k. going** (*continue*) continuer; **to k. at it** (*keep doing it*) continuer à le faire; **to k. away** *or* **off** *or* **back** ne pas s'approcher (**from** de); **if the rain keeps off** s'il ne pleut pas; **to k. on at s.o.** harceler qn; **to k. out** rester en dehors (**of** de); **to k. to** (*subject, path*) ne pas s'écarter de; (*room*) garder; **to k. to the left** tenir la gauche; **to k. to oneself** se tenir à l'écart; **to k. up** (*continue*) continuer; (*follow*) suivre; **to k. up with s.o** (*follow*) suivre qn; (*in quality of work etc*) se maintenir à la hauteur de qn; – *n* (*food*) subsistance *f*; **to have one's k.** être logé et nourri; **for keeps** *Fam* pour toujours. ◆**—ing** *n* (*care*) garde *f*; **in k. with** en rapport avec. ◆**—er** *n* gardien, -ienne *mf*.

keep[2] [kiːp] *n* (*tower*) *Hist* donjon *m*.

keepsake ['kiːpseɪk] *n* (*object*) souvenir *m*.

keg [keg] *n* tonnelet *m*.

kennel ['ken(ə)l] *n* niche *f*; (*for boarding*) chenil *m*.

Kenya ['kiːnjə, 'kenjə] *n* Kenya *m*.

kept [kept] *see* **keep**[1]; – *a* **well** *or* **nicely k.** (*house etc*) bien tenu.

kerb [kɜːb] *n* bord *m* du trottoir.

kernel ['kɜːn(ə)l] *n* (*of nut*) amande *f*.

kerosene ['kerəsiːn] *n* (*aviation fuel*) kérosène *m*; (*paraffin*) *Am* pétrole *m* (lampant).

ketchup ['ketʃəp] *n* (*sauce*) ketchup *m*.

kettle ['ket(ə)l] *n* bouilloire *f*; **the k. is boiling** l'eau bout.

key [kiː] *n* clef *f*, clé *f*; (*of piano, typewriter, computer*) touche *f*; – *a* (*industry, post etc*) clef (*f inv*), clé (*f inv*); **k. man** pivot *m*; **k. ring** porte-clefs *m inv*. ◆**keyboard** *n* clavier *m*. ◆**keyhole** *n* trou *m* de (la) serrure. ◆**keynote** *n* (*of speech*) note *f* dominante. ◆**keystone** *n* (*of policy etc*) & *Archit* clef *f* de voûte.

keyed [kiːd] *a* **to be k. up** avoir les nerfs tendus.

khaki ['kɑːkɪ] *a* & *n* kaki *a inv* & *m*.

kibbutz [kɪ'bʊts] *n* kibboutz *m*.

kick [kɪk] *n* coup *m* de pied; (*of horse*) ruade *f*; **to get a k. out of doing** (*thrill*) *Fam* prendre un malin plaisir à faire; **for kicks** *Pej Fam* pour le plaisir; – *vt* donner un coup de pied à; (*of horse*) lancer une ruade à; **to k. back** (*ball*) renvoyer (*du pied*); **to k. down** *or* **in** démolir à coups de pied; **to k. out** (*eject*) *Fam* flanquer dehors; **to k. up** (*fuss, row*) *Fam* faire; – *vi* donner des coups de pied; (*of horse*) ruer; **to k. off** *Fb* donner le coup d'envoi; (*start*) *Fig* démarrer. ◆**k.-off** *n Fb* coup *m* d'envoi.

kid [kɪd] **1** *n* (*goat*) chevreau *m*. **2** *n* (*child*) *Fam* gosse *mf*; **his** *or* **her k. brother** *Am Fam* son petit frère. **3** *vti* (**-dd-**) (*joke, tease*) *Fam* blaguer; **to k. oneself** se faire des illusions.

kidnap ['kɪdnæp] *vt* (**-pp-**) kidnapper. ◆**kidnapping** *n* enlèvement *m*. ◆**kidnapper** *n* kidnappeur, -euse *mf*.

kidney ['kɪdnɪ] *n Anat* rein *m*; *Culin* rognon *m*; **on a k. machine** sous rein artificiel; **k. bean** haricot *m* rouge.

kill [kɪl] *vt* tuer; (*bill*) *Pol* repousser, faire échouer; (*chances*) détruire; (*rumour*) étouffer; (*story*) *Fam* supprimer; (*engine*) *Fam* arrêter; **my feet are killing me** *Fam* je ne sens plus mes pieds, j'ai les pieds en compote; **to k. off** (*person etc*) & *Fig* détruire; – *vi* tuer; – *n* mise *f* à mort; (*prey*) animaux *mpl* tués. ◆**—ing 1** *n* (*of person*) meurtre *m*; (*of group*) massacre *m*; (*of animal*) mise *f* à mort; **to make a k.** *Fin* réussir un beau coup. **2** *a* (*tiring*) *Fam* tuant. ◆**—er** *n* tueur, -euse *mf*. ◆**killjoy** *n* rabat-joie *m inv*.

kiln [kɪln] *n* (*for pottery*) four *m*.

kilo ['kiːləʊ] *n* (*pl* **-os**) kilo *m*. ◆**kilogramme** ['kɪləʊgræm] *n* kilogramme *m*.

kilometre [kɪ'lɒmɪtər] *n* kilomètre *m*.

kilowatt ['kɪləʊwɒt] *n* kilowatt *m*.

kilt [kɪlt] *n* kilt *m*.

kimono [kɪ'məʊnəʊ] *n* (*pl* **-os**) kimono *m*.

kin [kɪn] *n* (*relatives*) parents *mpl*; **one's next of k.** son plus proche parent.

kind [kaɪnd] **1** *n* (*sort, type*) genre *m*; **a k. of** une sorte *or* une espèce de; **to pay in k.** payer en nature; **what k. of drink/***etc* **is it?** qu'est-ce que c'est comme boisson/*etc*?; **that's the k. of man he is** il est comme ça; **nothing of the k.!** absolument pas!; **k. of worried/sad/***etc* (*somewhat*) plutôt inquiet/triste/*etc*; **k. of fascinated** (*as if*) *Fam* comme fasciné; **in a k. of way** d'une certaine façon; **it's the only one of its k., it's one of a k.** c'est unique en son genre; **we are**

two of a k. nous nous ressemblons. **2** *a* (**-er, -est**) (*helpful, pleasant*) gentil (**to** avec, pour), bon (**to** pour); **that's k. of you** c'est gentil *or* aimable à vous. ◆**k.-'hearted** *a* qui a bon cœur. ◆**kindly** *adv* avec bonté; **k. wait**/*etc* ayez la bonté d'attendre/*etc*; **not to take k. to sth** ne pas apprécier qch; – *a* (*person*) bienveillant. ◆**kindness** *n* bonté *f*, gentillesse *f*.

kindergarten ['kɪndəgɑːt(ə)n] *n* jardin *m* d'enfants.

kindle ['kɪnd(ə)l] *vt* allumer; – *vi* s'allumer.

kindred ['kɪndrɪd] *n* (*relationship*) parenté *f*; (*relatives*) parents *mpl*; **k. spirit** semblable *mf*, âme *f* sœur.

king [kɪŋ] *n* roi *m*. ◆**k.-size(d)** *a* géant; (*cigarette*) long. ◆**kingdom** *n* royaume *m*; **animal/plant k.** règne *m* animal/végétal. ◆**kingly** *a* royal.

kingfisher ['kɪŋfɪʃər] *n* (*bird*) martin-pêcheur *m*.

kink [kɪŋk] *n* (*in rope*) entortillement *m*.

kinky ['kɪŋkɪ] *a* (**-ier, -iest**) (*person*) *Psy Pej* vicieux; (*clothes etc*) bizarre.

kinship ['kɪnʃɪp] *n* parenté *f*.

kiosk ['kiːɒsk] *n* kiosque *m*; **(telephone) k.** cabine *f* (téléphonique).

kip [kɪp] *vi* (**-pp-**) (*sleep*) *Sl* roupiller.

kipper ['kɪpər] *n* (*herring*) kipper *m*.

kiss [kɪs] *n* baiser *m*, bise *f*; **the k. of life** *Med* le bouche-à-bouche; – *vt* (*person*) embrasser; **to k. s.o.'s hand** baiser la main de qn; – *vi* s'embrasser.

kit [kɪt] *n* équipement *m*, matériel *m*; (*set of articles*) trousse *f*; **gym k.** (*belongings*) affaires *fpl* de gym; **tool k.** trousse *f* à outils; **(do-it-yourself) k.** kit *m*; **in k. form** en kit; **k. bag** sac *m* (*de soldat etc*); – *vt* (**-tt-**) **to k. out** équiper (**with** de).

kitchen ['kɪtʃɪn] *n* cuisine *f*; **k. cabinet** buffet *m* de cuisine; **k. garden** jardin *m* potager; **k. sink** évier *m*. ◆**kitche'nette** *n* kitchenette *f*, coin-cuisine *m*.

kite [kaɪt] *n* (*toy*) cerf-volant *m*.

kith [kɪθ] *n* **k. and kin** amis *mpl* et parents *mpl*.

kitten ['kɪt(ə)n] *n* chaton *m*, petit chat *m*.

kitty ['kɪtɪ] *n* (*fund*) cagnotte *f*.

km *abbr* (*kilometre*) km.

knack [næk] *n* (*skill*) coup *m* (de main), truc *m* (**of doing** pour faire); **to have a** *or* **the k. of doing** (*aptitude, tendency*) avoir le don de faire.

knackered ['nækəd] *a* (*tired*) *Sl* vanné.

knapsack ['næpsæk] *n* sac *m* à dos.

knead [niːd] *vt* (*dough*) pétrir.

knee [niː] *n* genou *m*; **to go down on one's knees** se mettre à genoux; **k. pad** *Sp* genouillère *f*. ◆**kneecap** *n Anat* rotule *f*. ◆**knees-up** *n Sl* soirée *f* dansante, sauterie *f*.

kneel [niːl] *vi* (*pt & pp* **knelt** *or* **kneeled**) **to k. (down)** s'agenouiller; **to be kneeling (down)** être à genoux.

knell [nel] *n* glas *m*.

knew [njuː] *see* **know**.

knickers ['nɪkəz] *npl* (*woman's undergarment*) culotte *f*, slip *m*.

knick-knack ['nɪknæk] *n* babiole *f*.

knife [naɪf] *n* (*pl* **knives**) couteau *m*; (*penknife*) canif *m*; – *vt* poignarder.

knight [naɪt] *n Hist & Br Pol* chevalier *m*; *Chess* cavalier *m*; – *vt* (*of monarch*) *Br Pol* faire (*qn*) chevalier. ◆**knighthood** *n* titre *m* de chevalier.

knit [nɪt] *vt* (**-tt-**) tricoter; **to k. together** *Fig* souder; **to k. one's brow** froncer les sourcils; – *vi* tricoter; **to k. (together)** (*of bones*) se souder. ◆**knitting** *n* tricot *m*; **k. needle** aiguille *f* à tricoter. ◆**knitwear** *n* tricots *mpl*.

knob [nɒb] *n* (*on door etc*) bouton *m*; (*on stick*) pommeau *m*; (*of butter*) noix *f*.

knock [nɒk] *vt* (*strike*) frapper; (*collide with*) heurter; (*criticize*) *Fam* critiquer; **to k. one's head on** se cogner la tête contre; **to k. senseless** (*stun*) assommer; **to k. to the ground** jeter à terre; **to k. about** (*ill-treat*) malmener; **to k. back** (*drink, glass etc*) *Fam* s'envoyer (derrière la cravate), siffler; **to k. down** (*vase, pedestrian etc*) renverser; (*house, tree, wall etc*) abattre; (*price*) baisser, casser; **to k. in** (*nail*) enfoncer; **to k. off** (*person, object*) faire tomber (**from** de); (*do quickly*) *Fam* expédier; (*steal*) *Fam* piquer; **to k. £5 off (the price)** baisser le prix de cinq livres, faire cinq livres sur le prix; **to k. out** (*stun*) assommer; (*beat in competition*) éliminer; **to k. oneself out** (*tire*) *Fam* s'esquinter (**doing** à faire); **to k. over** (*pedestrian, vase etc*) renverser; **to k. up** (*meal*) *Fam* préparer à la hâte; – *vi* (*strike*) frapper; **to k. against** *or* **into** (*bump into*) heurter; **to k. about** (*travel*) *Fam* bourlinguer; (*lie around, stand around*) traîner; **to k. off** (*stop work*) *Fam* s'arrêter de travailler; – *n* (*blow*) coup *m*; (*collision*) heurt *m*; **there's a k. at the door** quelqu'un frappe; **I heard a k.** j'ai entendu frapper. ◆**knockdown** *a* **k. price** prix *m* imbattable. ◆**knock-'kneed** *a* cagneux. ◆**knock-out** *n Boxing* knock-out *m*; **to be a k.-out** (*of person, film etc*) *Fam* être formidable.

knocker ['nɒkər] *n* (*for door*) marteau *m*.

knot [nɒt] **1** *n* (*in rope etc*) nœud *m*; – *vt* (**-tt-**) nouer. **2** *n* (*unit of speed*) *Nau* nœud *m*. ◆**knotty** *a* (**-ier, -iest**) (*wood etc*) noueux; (*problem*) *Fig* épineux.

know [nəʊ] *vt* (*pt* **knew**, *pp* **known**) (*facts, language etc*) savoir; (*person, place etc*) connaître; (*recognize*) reconnaître (**by** à); **to k. that** savoir que; **to k. how to do** savoir faire; **for all I k.** (autant) que je sache; **I'll let you k.** je te le ferai savoir; **I'll have you k. that . . .** sachez que . . . ; **to k. (a lot) about** (*person, event*) en savoir long sur; (*cars, sewing etc*) s'y connaître en; **I've never known him to complain** je ne l'ai jamais vu se plaindre; **to get to k. (about) sth** apprendre qch; **to get to k. s.o.** (*meet*) faire la connaissance de qn; – *vi* savoir; **I k.** je (le) sais; **I wouldn't k., I k. nothing about it** je n'en sais rien; **I k. about that** je sais ça, je suis au courant; **to k. of** (*have heard of*) avoir entendu parler de; **do you k. of?** (*a good tailor etc*) connais-tu?; **you (should) k. better than to do that** tu es trop intelligent pour faire ça; **you should have known better** tu aurais dû réfléchir; – *n* **in the k.** *Fam* au courant. ◆**—ing** *a* (*smile, look*) entendu. ◆**—ingly** *adv* (*consciously*) sciemment. ◆**known** *a* connu; **a k. expert** un expert reconnu; **well k.** (bien) connu (**that** que); **she is k. to be . . .** on sait qu'elle est . . . . ◆**know-all** *n*, *Am* ◆**know-it-all** *n* je-sais-tout *mf inv*. ◆**know-how** *n* (*skill*) compétence *f* (**to do** pour faire), savoir-faire *m inv*.

knowledge ['nɒlɪdʒ] *n* connaissance *f* (**of** de); (*learning*) connaissances *fpl*, savoir *m*; **to (the best of) my k.** à ma connaissance; **without the k. of** à l'insu de; **to have no k. of** ignorer; **general k.** culture *f* générale. ◆**knowledgeable** *a* bien informé (**about** sur).

knuckle ['nʌk(ə)l] **1** *n* articulation *f* du doigt. **2** *vi* **to k. down to** (*task*) *Fam* s'atteler à; **to k. under** céder.

Koran [kə'rɑːn] *n Rel* Coran *m*.

kosher ['kəʊʃər] *a Rel* kascher *inv*.

kowtow [kaʊ'taʊ] *vi* se prosterner (**to** devant).

kudos ['kjuːdɒs] *n* (*glory*) gloire *f*.

L

L, l [el] L, l *m*.

lab [læb] *n Fam* labo *m*. ◆**laboratory** [lə'bɒrət(ə)rɪ, *Am* 'læbrətɔrɪ] *n* laboratoire *m*; **language l.** laboratoire *m* de langues.

label ['leɪb(ə)l] *n* étiquette *f*; – *vt* (**-ll-**, *Am* **-l-**) (*goods, person*) étiqueter (**as** comme).

laborious [lə'bɔːrɪəs] *a* laborieux.

labour ['leɪbər] *n* (*work, childbirth*) travail *m*; (*workers*) main-d'œuvre *f*; **L.** *Br Pol* les travaillistes *mpl*; **in l.** *Med* au travail; – *a* (*market, situation*) du travail; (*conflict, dispute*) ouvrier; (*relations*) ouvriers-patronat *inv*; **l. force** main-d'œuvre *f*; **l. union** *Am* syndicat *m*; – *vi* (*toil*) peiner; – *vt* **to l. a point** insister sur un point. ◆**—ed** *a* (*style*) laborieux. ◆**—er** *n* (*on roads etc*) manœuvre *m*; *Agr* ouvrier *m* agricole.

laburnum [lə'bɜːnəm] *n Bot* cytise *f*.

labyrinth ['læbɪrɪnθ] *n* labyrinthe *m*.

lace [leɪs] **1** *n* (*cloth*) dentelle *f*. **2** *n* (*of shoe*) lacet *m*; – *vt* **to l. (up)** (*tie up*) lacer. **3** *vt* (*drink*) additionner, arroser (**with** de).

lacerate ['læsəreɪt] *vt* (*flesh etc*) lacérer.

lack [læk] *n* manque *m*; **for l. of** à défaut de; – *vt* manquer de; – *vi* **to be lacking** manquer (**in, for** de).

lackey ['lækɪ] *n Hist & Fig* laquais *m*.

laconic [lə'kɒnɪk] *a* laconique.

lacquer ['lækər] *n* laque *f*; – *vt* laquer.

lad [læd] *n* gars *m*, garçon *m*; **when I was a l.** quand j'étais gosse.

ladder ['lædər] *n* échelle *f*; (*in stocking*) maille *f* filée; – *vti* (*stocking*) filer.

laden ['leɪd(ə)n] *a* chargé (**with** de).

ladle ['leɪd(ə)l] *n* louche *f*.

lady ['leɪdɪ] *n* dame *f*; **a young l.** une jeune fille; (*married*) une jeune femme; **the l. of the house** la maîtresse de maison; **Ladies and Gentlemen!** Mesdames, Mesdemoiselles, Messieurs!; **l. doctor** femme *f* médecin; **l. friend** amie *f*; **ladies' room** *Fig* toilettes *fpl*. ◆**l.-in-'waiting** *n* (*pl* **ladies-in-waiting**) dame *f* d'honneur. ◆**ladybird** *n*, *Am* ◆**ladybug** *n* coccinelle *f*. ◆**ladylike** *a* (*manner*) distingué; **she's (very) l.** elle est très grande dame.

lag [læg] **1** *vi* (**-gg-**) **to l. behind** (*in progress, work*) avoir du retard; (*dawdle*) traîner; **to l. behind s.o.** avoir du retard sur qn; – *n* time **l.** (*between events*) décalage *m*; (*between countries*) décalage *m* horaire. **2** *vt* (**-gg-**) (*pipe*) calorifuger.

lager ['lɑːgər] *n* bière *f* blonde.

lagoon [lə'guːn] *n* lagune *f*; (*small, coral*) lagon *m*.

laid [leɪd] *see* **lay**². ◆**l.-'back** *a Fam* relax.

lain [leɪn] *see* **lie**¹.

lair [leər] *n* tanière *f*.

laity ['leɪɪtɪ] *n* **the l.** les laïcs *mpl*.

lake [leɪk] *n* lac *m*.

lamb [læm] *n* agneau *m*. ◆**lambswool** *n* laine *f* d'agneau.

lame [leɪm] *a* (**-er, -est**) (*person, argument*) boiteux; (*excuse*) piètre; **to be l.** boiter. ◆**—ness** *n Med* claudication *f*; (*of excuse*) *Fig* faiblesse *f*.

lament [lə'ment] *n* lamentation *f*; – *vt* **to l. (over)** se lamenter sur. ◆**lamentable** *a* lamentable. ◆**lamen'tation** *n* lamentation *f*.

laminated ['læmɪneɪtɪd] *a* (*metal*) laminé.

lamp [læmp] *n* lampe *f*; (*bulb*) ampoule *f*; *Aut* feu *m*. ◆**lamppost** *n* réverbère *m*. ◆**lampshade** *n* abat-jour *m inv*.

lance [lɑːns] **1** *n* (*weapon*) lance *f*. **2** *vt Med* inciser.

land [lænd] **1** *n* terre *f*; (*country*) pays *m*; **(plot of) l.** terrain *m*; **on dry l.** sur la terre ferme; **no man's l.** *Mil & Fig* no man's land *m inv*; – *a* (*flora, transport etc*) terrestre; (*reform, law*) agraire; (*owner, tax*) foncier. **2** *vi* (*of aircraft*) atterrir, se poser; (*of ship*) mouiller, relâcher; (*of passengers*) débarquer; (*of bomb etc*) (re)tomber; **to l. up** (*end up*) se retrouver; – *vt* (*passengers, cargo*) débarquer; (*aircraft*) poser; (*blow*) *Fig* flanquer (**on** à); (*job, prize etc*) *Fam* décrocher; **to l. s.o. in trouble** *Fam* mettre qn dans le pétrin; **to be landed with** *Fam* (*person*) avoir sur les bras; (*fine*) ramasser, écoper de. ◆**—ed** *a* (*owning land*) terrien. ◆**—ing** *n* **1** *Av* atterrissage *m*; *Nau* débarquement *m*; **forced l.** atterrissage *m* forcé; **l. stage** débarcadère *m*. **2** *n* (*at top of stairs*) palier *m*; (*floor*) étage *m*. ◆**landlady** *n* logeuse *f*, propriétaire *f*. ◆**landlocked** *a* sans accès à la mer. ◆**landlord** *n* propriétaire *m*; (*of pub*) patron *m*. ◆**landmark** *n* point *m* de repère. ◆**landslide** *n Geol* glissement *m* de terrain, éboulement *m*; *Pol* raz-de-marée *m inv* électoral.

landscape ['lændskeɪp] *n* paysage *m*.

lane [leɪn] *n* (*in country*) chemin *m*; (*in town*) ruelle *f*; (*division of road*) voie *f*; (*line of traffic*) file *f*; *Av Nau Sp* couloir *m*; **bus l.** couloir *m* (*réservé aux autobus*).

language ['læŋgwɪdʒ] *n* (*faculty, style*) langage *m*; (*national tongue*) langue *f*; **computer l.** langage *m* machine; – *a* (*laboratory*) de langues; (*teacher, studies*) de langue(s).

languid ['læŋgwɪd] *a* languissant. ◆**languish** *vi* languir (**for, after** après).

lank [læŋk] *a* (*hair*) plat et terne.

lanky ['læŋkɪ] *a* (**-ier, -iest**) dégingandé.

lantern ['læntən] *n* lanterne *f*; **Chinese l.** lampion *m*.

lap [læp] **1** *n* (*of person*) genoux *mpl*; **the l. of luxury** le plus grand luxe. **2** *n Sp* tour *m* (de piste). **3** *vt* (**-pp-**) **to l. up** (*drink*) laper; (*like very much*) *Fam* adorer; (*believe*) *Fam* gober; – *vi* (*of waves*) clapoter. **4** *vi* (**-pp-**) **to l. over** (*overlap*) se chevaucher.

lapel [lə'pel] *n* (*of jacket etc*) revers *m*.

lapse [læps] **1** *n* (*fault*) faute *f*; (*weakness*) défaillance *f*; **a l. of memory** un trou de mémoire; **a l. in behaviour** un écart de conduite; – *vi* (*err*) commettre une faute; **to l. into** retomber dans. **2** *n* (*interval*) intervalle *m*; **a l. of time** un intervalle (**between** entre). **3** *vi* (*expire*) se périmer, expirer; (*of subscription*) prendre fin.

larceny ['lɑːsənɪ] *n* vol *m* simple.

lard [lɑːd] *n* saindoux *m*.

larder ['lɑːdər] *n* (*cupboard*) garde-manger *m inv*.

large [lɑːdʒ] *a* (**-er, -est**) (*in size or extent*) grand; (*in volume, bulkiness*) gros; (*quantity*) grand, important; **to become** *or* **grow** *or* **get l.** grossir, grandir; **to a l. extent** en grande mesure; **at l.** (*of prisoner, animal*) en liberté; (*as a whole*) en général; **by and l.** dans l'ensemble, généralement. ◆**l.-scale** *a* (*reform*) (fait) sur une grande échelle. ◆**largely** *adv* (*to a great extent*) en grande mesure. ◆**largeness** *n* grandeur *f*; grosseur *f*.

largesse [lɑː'ʒes] *n* largesse *f*.

lark [lɑːk] **1** *n* (*bird*) alouette *f*. **2** *n* (*joke*) *Fam* rigolade *f*, blague *f*; – *vi* **to l. about** *Fam* s'amuser.

larva, *pl* **-vae** ['lɑːvə, -viː] *n* (*of insect*) larve *f*.

larynx ['lærɪŋks] *n Anat* larynx *m*. ◆**laryn'gitis** *n Med* laryngite *f*.

lascivious [lə'sɪvɪəs] *a* lascif.

laser ['leɪzər] *n* laser *m*.

lash¹ [læʃ] *n* (*with whip*) coup *m* de fouet; – *vt* (*strike*) fouetter; (*tie*) attacher (**to** à); **the dog lashed its tail** le chien donna un coup de queue; – *vi* **to l. out** (*spend wildly*) *Fam* claquer son argent; **to l. out at** envoyer des coups à; (*abuse*) *Fig* invectiver; (*criticize*) *Fig* fustiger. ◆**—ings** *npl* **l. of** *Culin Fam* des masses de, une montagne de.

lash[2] [læʃ] *n* (*eyelash*) cil *m*.

lass [læs] *n* jeune fille *f*.

lassitude ['læsɪtjuːd] *n* lassitude *f*.

lasso [læ'suː] *n* (*pl* **-os**) lasso *m*; – *vt* attraper au lasso.

last[1] [lɑːst] *a* dernier; **the l. ten lines** les dix dernières lignes; **l. but one** avant-dernier; **l. night** (*evening*) hier soir; (*during night*) cette nuit; **the day before l.** avant-hier; – *adv* (*lastly*) en dernier lieu, enfin; (*on the last occasion*) (pour) la dernière fois; **to leave l.** sortir le dernier *or* en dernier; – *n* (*person, object*) dernier, -ière *mf*; (*end*) fin *f*; **the l. of the beer**/*etc* (*remainder*) le reste de la bière/*etc*; **at (long) l.** enfin. ◆**l.-ditch** *a* désespéré. ◆**l.-minute** *a* de dernière minute. ◆**lastly** *adv* en dernier lieu, enfin.

last[2] [lɑːst] *vi* durer; **to l. (out)** (*endure, resist*) tenir; (*of money, supplies*) durer; **it lasted me ten years** ça m'a duré *or* fait dix ans. ◆**—ing** *a* durable.

latch [lætʃ] **1** *n* loquet *m*; **the door is on the l.** la porte n'est pas fermée à clef. **2** *vi* **to l. on to** *Fam* (*grab*) s'accrocher à; (*understand*) saisir.

late[1] [leɪt] *a* (**-er, -est**) (*not on time*) en retard (**for** à); (*former*) ancien; (*meal, fruit, season, hour*) tardif; (*stage*) avancé; (*edition*) dernier; **to be l.** (*of person, train etc*) être en retard, avoir du retard; **to be l. (in) coming** arriver en retard; **he's an hour l.** il a une heure de retard; **to make s.o. l.** mettre qn en retard; **it's l.** il est tard; **Easter**/*etc* **is l.** Pâques/*etc* est tard; **in l. June**/*etc* fin juin/*etc*; **a later edition**/*etc* (*more recent*) une édition/*etc* plus récente; **the latest edition**/*etc* (*last*) la dernière édition/*etc*; **in later life** plus tard dans la vie; **to take a later train** prendre un train plus tard; **at a later date** à une date ultérieure; **the latest date** la date limite; **at the latest** au plus tard; **of l.** dernièrement; – *adv* (*in the day, season etc*) tard; (*not on time*) en retard; **it's getting l.** il se fait tard; **later (on)** plus tard; **not** *or* **no later than** pas plus tard que. ◆**latecomer** *n* retardataire *mf*. ◆**lately** *adv* dernièrement. ◆**lateness** *n* (*of person, train etc*) retard *m*; **constant l.** des retards continuels; **the l. of the hour** l'heure tardive.

late[2] [leɪt] *a* **the l. Mr Smith**/*etc* (*deceased*) feu Monsieur Smith/*etc*; **our l. friend** notre regretté ami.

latent ['leɪtənt] *a* latent.

lateral ['lætərəl] *a* latéral.

lathe [leɪð] *n Tech* tour *m*.

lather ['lɑːðər] *n* mousse *f*; – *vt* savonner; – *vi* mousser.

Latin ['lætɪn] *a* latin; **L. America** Amérique *f* latine; **L. American** d'Amérique latine; – *n* (*person*) Latin, -ine *mf*; (*language*) latin *m*.

latitude ['lætɪtjuːd] *n Geog & Fig* latitude *f*.

latrines [lə'triːnz] *npl* latrines *fpl*.

latter ['lætər] *a* (*later, last-named*) dernier; (*second*) deuxième; – *n* dernier, -ière *mf*; second, -onde *mf*. ◆**—ly** *adv* dernièrement; (*late in life*) sur le tard.

lattice ['lætɪs] *n* treillis *m*.

laudable ['lɔːdəb(ə)l] *a* louable.

laugh [lɑːf] *n* rire *m*; **to have a good l.** bien rire; – *vi* rire (**at, about** de); **to l. to oneself** rire en soi-même; – *vt* **to l. off** tourner en plaisanterie. ◆**—ing** *a* riant; **it's no l. matter** il n'y a pas de quoi rire; **to be the l.-stock of** être la risée de. ◆**—able** *a* ridicule. ◆**laughter** *n* rire(s) *m*(*pl*); **to roar with l.** rire aux éclats.

launch [lɔːntʃ] **1** *n* (*motor boat*) vedette *f*; (*pleasure boat*) bateau *m* de plaisance. **2** *vt* (*rocket, boat, fashion etc*) lancer; – *vi* **to l. (out) into** (*begin*) se lancer dans; – *n* lancement *m*. ◆**—ing** *n* lancement *m*.

launder ['lɔːndər] *vt* (*clothes*) blanchir; (*money from drugs etc*) *Fig* blanchir. ◆**—ing** *n* blanchissage *m*. ◆**launde'rette** *n*, *Am* ◆**laundromat** *n* laverie *f* automatique. ◆**laundry** *n* (*place*) blanchisserie *f*; (*clothes*) linge *m*.

laurel ['lɒrəl] *n Bot* laurier *m*.

lava ['lɑːvə] *n Geol* lave *f*.

lavatory ['lævətrɪ] *n* cabinets *mpl*.

lavender ['lævɪndər] *n* lavande *f*.

lavish ['lævɪʃ] *a* prodigue (**with** de); (*helping, meal*) généreux; (*decor, house etc*) somptueux; (*expenditure*) excessif; – *vt* prodiguer (**sth on s.o.** qch à qn). ◆**—ly** *adv* (*to give*) généreusement; (*to furnish*) somptueusement.

law [lɔː] *n* (*rule, rules*) loi *f*; (*study, profession, system*) droit *m*; **court of l., l. court** cour *f* de justice; **l. and order** l'ordre public. ◆**l.-abiding** *a* respectueux des lois. ◆**lawful** *a* (*action*) légal; (*child, wife etc*) légitime. ◆**lawfully** *adv* légalement. ◆**lawless** *a* (*country*) anarchique. ◆**lawlessness** *n* anarchie *f*. ◆**lawsuit** *n* procès *m*.

lawn [lɔːn] *n* pelouse *f*, gazon *m*; **l. mower** tondeuse *f* (à gazon); **l. tennis** tennis *m* (sur gazon).

lawyer ['lɔːjər] *n* (*in court*) avocat *m*; (*author,* *legal expert*) juriste *m*; (*for wills, sales*) notaire *m*.

lax [læks] *a* (*person*) négligent; (*discipline, behaviour*) relâché; **to be l. in doing** faire avec négligence. ◆**laxity** *n*, ◆**laxness** *n* négligence *f*; relâchement *m*.

laxative ['læksətɪv] *n* & *a Med* laxatif (*m*).

lay[1] [leɪ] *a* (*non-religious*) laïque; (*non-specialized*) d'un profane; **l. person** profane *mf*. ◆**layman** *n* (*pl* **-men**) (*non-specialist*) profane *mf*.

lay[2] [leɪ] (*pt* & *pp* **laid**) **1** *vt* (*put down, place*) poser; (*table*) mettre; (*blanket*) étendre (**over** sur); (*trap*) tendre; (*money*) miser (**on** sur); (*accusation*) porter; (*ghost*) exorciser; **to l. a bet** parier; **to l. bare** mettre à nu; **to l. waste** ravager; **to l. s.o. open to** exposer qn à; **to l. one's hands on** mettre la main sur; **to l. a hand** *or* **a finger on s.o.** lever la main sur qn; **to l. down** poser; (*arms*) déposer; (*condition*) (im)poser; **to l. down the law** faire la loi (**to** à); **to l. s.o. off** (*worker*) licencier qn; **to l. on** (*install*) mettre, installer; (*supply*) fournir; **to l. it on (thick)** *Fam* y aller un peu fort; **to l. out** (*garden*) dessiner; (*house*) concevoir; (*prepare*) préparer; (*display*) disposer; (*money*) *Fam* dépenser (**on** pour); **to be laid up** (*in bed*) *Med* être alité; – *vi* **to l. into** *Fam* attaquer; **to l. off** (*stop*) *Fam* arrêter; **to l. off s.o.** (*leave alone*) *Fam* laisser qn tranquille; **l. off!** (*don't touch*) *Fam* pas touche!; **to l. out** *Fam* payer. **2** *vt* (*egg*) pondre; – *vi* (*of bird etc*) pondre. ◆**layabout** *n Fam* fainéant, -ante *mf*. ◆**lay-by** *n* (*pl* **-bys**) *Aut* aire *f* de stationnement *or* de repos. ◆**lay-off** *n* (*of worker*) licenciement *m*. **layout** *n* disposition *f*; *Typ* mise *f* en pages. ◆**lay-over** *n Am* halte *f*.

lay[3] [leɪ] *see* **lie**[1].

layer ['leɪər] *n* couche *f*.

laze [leɪz] *vi* **to l. (about** *or* **around)** paresser. ◆**lazy** *a* (**-ier, -iest**) (*person etc*) paresseux; (*holiday*) passé à ne rien faire. ◆**lazybones** *n Fam* paresseux, -euse *mf*.

lb *abbr* (*libra*) = **pound** (*weight*).

lead[1] [liːd] *vt* (*pt* & *pp* **led**) (*conduct*) mener, conduire (**to** à); (*team, government etc*) diriger; (*regiment*) commander; (*life*) mener; **to l. s.o. in/out/***etc* faire entrer/sortir/*etc* qn; **to l. s.o. to do** (*induce*) amener qn à faire; **to l. the way** montrer le chemin; **to l. the world** tenir le premier rang mondial; **easily led** influençable; **to l. away** *or* **off** emmener; **to l. back** ramener; **to l. on** (*tease*) faire marcher; – *vi* (*of street etc*) mener, conduire (**to** à); (*in match*) mener; (*in race*) être en tête; (*go ahead*) aller devant; **to l. to** (*result in*) aboutir à; (*cause*) causer, amener; **to l. up to** (*of street*) conduire à, mener à; (*precede*) précéder; (*approach gradually*) en venir à; – *n* (*distance or time ahead*) *Sp* avance *f* (**over** sur); (*example*) exemple *m*, initiative *f*; (*clue*) piste *f*, indice *m*; (*star part*) *Th* rôle *m* principal; (*leash*) laisse *f*; (*wire*) *El* fil *m*; **to take the l.** *Sp* prendre la tête; **to be in the l.** (*in race*) être en tête; (*in match*) mener. ◆**leading** *a* (*main*) principal; (*important*) important; (*front*) de tête; **the l. author** l'auteur principal *or* le plus important; **a l. figure** un personnage marquant; **the l. lady** *Cin* la vedette féminine; **l. article** *Journ* éditorial *m*. ◆**leader** *n* chef *m*; *Pol* dirigeant, -ante *mf*; (*of strike, riot*) meneur, -euse *mf*; (*guide*) guide *m*; (*article*) *Journ* éditorial *m*. ◆**leadership** *n* direction *f*; (*qualities*) qualités *fpl* de chef; (*leaders*) *Pol* dirigeants *mpl*.

lead[2] [led] *n* (*metal*) plomb *m*; (*of pencil*) mine *f*; **l. pencil** crayon *m* à mine de plomb. ◆**leaden** *a* (*sky*) de plomb.

leaf [liːf] **1** *n* (*pl* **leaves**) *Bot* feuille *f*; (*of book*) feuillet *m*; (*of table*) rallonge *f*. **2** *vi* **to l. through** (*book*) feuilleter. ◆**leaflet** *n* prospectus *m*; (*containing instructions*) notice *f*. ◆**leafy** *a* (**-ier, -iest**) (*tree*) feuillu.

league [liːg] *n* **1** (*alliance*) ligue *f*; *Sp* championnat *m*; **in l. with** *Pej* de connivence avec. **2** (*measure*) *Hist* lieue *f*.

leak [liːk] *n* (*in pipe, information etc*) fuite *f*; (*in boat*) voie *f* d'eau; – *vi* (*of liquid, pipe, tap etc*) fuir; (*of ship*) faire eau; **to l. out** (*of information*) *Fig* être divulgué; – *vt* (*liquid*) répandre; (*information*) *Fig* divulguer. ◆**—age** *n* fuite *f*; (*amount lost*) perte *f*. ◆**leaky** *a* (**-ier, -iest**) *a* (*kettle etc*) qui fuit.

lean[1] [liːn] *a* (**-er, -est**) (*thin*) maigre; (*year*) difficile. ◆**—ness** *n* maigreur *f*.

lean[2] [liːn] *vi* (*pt* & *pp* **leaned** *or* **leant** [lent]) (*of object*) pencher; (*of person*) se pencher; **to l. against/on** (*of person*) s'appuyer contre/sur; **to l. back against** s'adosser à; **to l. on s.o.** (*influence*) *Fam* faire pression sur qn (**to do** pour faire); **to l. forward** *or* **over** (*of person*) se pencher (en avant); **to l. over** (*of object*) pencher; – *vt* appuyer (**against** contre); **to l. one's head on/out of** pencher la tête sur/par. ◆**—ing 1** *a* penché; **l. against** (*resting*) appuyé contre. **2** *npl* tendances *fpl* (**towards** à). ◆**lean-to** *n* (*pl* **-tos**) (*building*) appentis *m*.

leap [liːp] *n* (*jump*) bond *m*, saut *m*; (*change, increase etc*) *Fig* bond *m*; **l. year** année *f* bissextile; **in leaps and bounds** à pas de géant; – *vi* (*pt & pp* **leaped** *or* **leapt** [lept]) bondir, sauter; (*of flames*) jaillir; (*of profits*) faire un bond; **to l. to one's feet, l. up** se lever d'un bond. ◆**leapfrog** *n* saute-mouton *m inv*.

learn [lɜːn] *vt* (*pt & pp* **learned** *or* **learnt**) apprendre (**that** que); **to l. (how) to do** apprendre à faire; – *vi* apprendre; **to l. about** (*study*) étudier; (*hear about*) apprendre. ◆**—ed** [-ɪd] *a* savant. ◆**—ing** *n* érudition *f*, savoir *m*; (*of language*) apprentissage *m* (**of** de). ◆**—er** *n* débutant, -ante *mf*.

lease [liːs] *n Jur* bail *m*; **a new l. of life** *or Am* **on life** un regain de vie, une nouvelle vie; – *vt* (*house etc*) louer à bail. ◆**leasehold** *n* propriété *f* louée à bail.

leash [liːʃ] *n* laisse *f*; **on a l.** en laisse.

least [liːst] *a* **the l.** (*smallest amount of*) le moins de; (*slightest*) le *or* la moindre; **he has (the) l. talent** il a le moins de talent (**of all** de tous); **the l. effort/noise/***etc* le moindre effort/bruit/*etc*; – *n* **the l.** le moins; **at l.** (*with quantity*) au moins; **at l. that's what she says** du moins c'est ce qu'elle dit; **not in the l.** pas du tout; – *adv* (*to work, eat etc*) le moins; (*with adjective*) le *or* la moins; **l. of all** (*especially not*) surtout pas.

leather ['leðər] *n* cuir *m*; **(wash) l.** peau *f* de chamois.

leave [liːv] **1** *n* (*holiday*) congé *m*; (*consent*) & *Mil* permission *f*; **l. of absence** congé *m* exceptionnel; **to take (one's) l. of** prendre congé de. **2** *vt* (*pt & pp* **left**) (*allow to remain, forget*) laisser; (*depart from*) quitter; (*room*) sortir de, quitter; **to l. the table** sortir de table; **to l. s.o. in charge of s.o./sth** laisser à qn la garde de qn/qch; **to l. sth with s.o.** (*entrust, give*) laisser qch à qn; **to be left (over)** rester; **there's no hope/bread/***etc* **left** il ne reste plus d'espoir/de pain/*etc*; **l. it to me!** laisse-moi faire!; **I'll l. it (up) to you** je m'en remets à toi; **to l. go (of)** (*release*) lâcher; **to l. behind** laisser; (*surpass*) dépasser; (*in race*) *Sp* distancer; **to l. off** (*lid*) ne pas (re)mettre; **to l. off doing** (*stop*) *Fam* arrêter de faire; **to l. on** (*hat, gloves*) garder; **to l. out** (*forget*) omettre; (*exclude*) exclure; – *vi* (*depart*) partir (**from** de, **for** pour); **to l. off** (*stop*) *Fam* s'arrêter. ◆**leavings** *npl* restes *mpl*.

Lebanon ['lebənən] *n* Liban *m*. ◆**Lebanese** *a & n* libanais, -aise (*mf*).

lecher ['letʃər] *n* débauché *m*. ◆**lecherous** *a* lubrique, luxurieux.

lectern ['lektən] *n* (*for giving speeches*) pupitre *m*; *Rel* lutrin *m*.

lecture ['lektʃər] **1** *n* (*public speech*) conférence *f*; (*as part of series*) *Univ* cours *m* (magistral); – *vi* faire une conférence *or* un cours; **I l. in chemistry** je suis professeur de chimie. **2** *vt* (*scold*) *Fig* faire la morale à, sermonner; – *n* (*scolding*) sermon *m*. ◆**lecturer** *n* conférencier, -ière *mf*; *Univ* enseignant, -ante *mf*. ◆**lectureship** *n* poste *m* à l'université.

led [led] *see* **lead**[1].

ledge [ledʒ] *n* rebord *m*; (*on mountain*) saillie *f*.

ledger ['ledʒər] *n Com* registre *m*, grand livre *m*.

leech [liːtʃ] *n* (*worm, person*) sangsue *f*.

leek [liːk] *n* poireau *m*.

leer [lɪər] *vi* **to l. (at)** lorgner; – *n* regard *m* sournois.

leeway ['liːweɪ] *n* (*freedom*) liberté *f* d'action; (*safety margin*) marge *f* de sécurité.

left[1] [left] *see* **leave 2**; – *a* **l. luggage office** consigne *f*. ◆**leftovers** *npl* restes *mpl*.

left[2] [left] *a* (*side, hand etc*) gauche; – *adv* à gauche; – *n* gauche *f*; **on** *or* **to the l.** à gauche (**of** de). ◆**l.-hand** *a* à *or* de gauche; **on the l.-hand side** à gauche (**of** de). ◆**l.-'handed** *a* (*person*) gaucher. ◆**l.-wing** *a Pol* de gauche. ◆**leftist** *n & a Pol* gauchiste (*mf*).

leg [leg] *n* jambe *f*; (*of bird, dog etc*) patte *f*; (*of lamb*) *Culin* gigot *m*; (*of chicken*) *Culin* cuisse *f*; (*of table*) pied *m*; (*of journey*) étape *f*; **to pull s.o.'s l.** (*make fun of*) mettre qn en boîte; **on its last legs** (*machine etc*) *Fam* prêt à claquer; **to be on one's last legs** *Fam* avoir un pied dans la tombe. ◆**l.-room** *n* place *f* pour les jambes. ◆**leggy** *a* (**-ier, -iest**) (*person*) aux longues jambes, tout en jambes.

legacy ['legəsɪ] *n Jur & Fig* legs *m*.

legal ['liːg(ə)l] *a* (*lawful*) légal; (*mind, affairs, adviser*) juridique; (*aid, error*) judiciaire; **l. expert** juriste *m*; **l. proceedings** procès *m*. ◆**le'gality** *n* légalité *f*. ◆**legalize** *vt* légaliser. ◆**legally** *adv* légalement.

legation [lɪ'geɪʃ(ə)n] *n Pol* légation *f*.

legend ['ledʒənd] *n* (*story, inscription etc*) légende *f*. ◆**legendary** *a* légendaire.

leggings ['legɪŋz] *npl* jambières *fpl*.

legible ['ledʒəb(ə)l] *a* lisible. ◆**legi'bility** *n* lisibilité *f*. ◆**legibly** *adv* lisiblement.

legion ['liːdʒən] *n Mil & Fig* légion *f*.

legislate ['ledʒɪsleɪt] *vi* légiférer. ◆**legis-**

'**lation** *n* (*laws*) législation *f*; (*action*) élaboration *f* des lois; **(piece of) l.** loi *f*. ◆**legislative** *a* législatif.
legitimate [lɪ'dʒɪtɪmət] *a* (*reason, child etc*) légitime. ◆**legitimacy** *n* légitimité *f*.
legless ['legləs] *a* (*drunk*) *Fam* (complètement) bourré.
leisure ['leʒər, *Am* 'liːʒər] *n* **l. (time)** loisirs *mpl*; **l. activities** loisirs *mpl*; **moment of l.** moment *m* de loisir; **at (one's) l.** à tête reposée. ◆**—ly** *a* (*walk, occupation*) peu fatigant; (*meal, life*) calme; **at a l. pace, in a l. way** sans se presser.
lemon ['lemən] *n* citron *m*; **l. drink, l. squash** citronnade *f*; **l. tea** thé *m* au citron. ◆**lemo'nade** *n* (*fizzy*) limonade *f*; (*still*) *Am* citronnade *f*.
lend [lend] *vt* (*pt & pp* **lent**) prêter (**to** à); (*charm, colour etc*) *Fig* donner (**to** à); **to l. credence to** ajouter foi à. ◆**—ing** *n* prêt *m*. ◆**—er** *n* prêteur, -euse *mf*.
length [leŋθ] *n* longueur *f*; (*section of pipe etc*) morceau *m*; (*of road*) tronçon *m*; (*of cloth*) métrage *m*; (*of horse, swimming pool*) *Sp* longueur *f*; (*duration*) durée *f*; **l. of time** temps *m*; **at l.** (*at last*) enfin; **at (great) l.** (*in detail*) dans le détail; (*for a long time*) longuement; **to go to great lengths** se donner beaucoup de mal (**to do** pour faire). ◆**lengthen** *vt* allonger; (*in time*) prolonger. ◆**lengthwise** *adv* dans le sens de la longueur. ◆**lengthy** *a* (**-ier, -iest**) long.
lenient ['liːnɪənt] *a* indulgent (**to** envers). ◆**leniency** *n* indulgence *f*. ◆**leniently** *adv* avec indulgence.
lens [lenz] *n* lentille *f*; (*in spectacles*) verre *m*; *Phot* objectif *m*.
Lent [lent] *n Rel* Carême *m*.
lentil ['lent(ə)l] *n Bot Culin* lentille *f*.
leopard ['lepəd] *n* léopard *m*.
leotard ['liːətɑːd] *n* collant *m* (*de danse*).
leper ['lepər] *n* lépreux, -euse *mf*. ◆**leprosy** *n* lèpre *f*.
lesbian ['lezbɪən] *n & a* lesbienne (*f*).
lesion ['liːʒ(ə)n] *n Med* lésion *f*.
less [les] *a & n* moins (de) (**than** que); **l. time/***etc* moins de temps/*etc*; **she has l. (than you)** elle en a moins (que toi); **l. than a kilo/ten/***etc* (*with quantity, number*) moins d'un kilo/de dix/*etc*; – *adv* (*to sleep, know etc*) moins (**than** que); **l. (often)** moins souvent; **l. and l.** de moins en moins; **one l.** un(e) de moins; – *prep* moins; **l. six francs** moins six francs. ◆**lessen** *vti* diminuer. ◆**lessening** *n* diminution *f*. ◆**lesser** *a* moindre; – *n* **the l. of** le *or* la moindre de.
-less [ləs] *suffix* sans; **childless** sans enfants.
lesson ['les(ə)n] *n* leçon *f*; **an English l.** une leçon *or* un cours d'anglais; **I have lessons now** j'ai cours maintenant.
lest [lest] *conj Lit* de peur que (+ ne + *sub*).
let[1] [let] **1** *vt* (*pt & pp* **let**, *pres p* **letting**) (*allow*) laisser (**s.o. do** qn faire); **to l. s.o. have sth** donner qch à qn; **to l. away** (*allow to leave*) laisser partir; **to l. down** (*lower*) baisser; (*hair*) dénouer; (*dress*) rallonger; (*tyre*) dégonfler; **to l. s.o. down** (*disappoint*) décevoir qn; **don't l. me down** je compte sur toi; **the car l. me down** la voiture est tombée en panne. ◆**letdown** *n* déception *f*; **to l. in** (*person, dog*) faire entrer; (*noise, light*) laisser entrer; **to l. in the clutch** *Aut* embrayer; **to l. s.o. in on** *Fig* mettre qn au courant de; **to l. oneself in for** (*expense*) se laisser entraîner à; (*trouble*) s'attirer; **to l. off** (*bomb*) faire éclater; (*firework, gun*) faire partir; **to l. s.o. off** laisser partir qn; (*not punish*) ne pas punir qn; (*clear*) *Jur* disculper qn; **to be l. off with** (*a fine etc*) s'en tirer avec; **to l. s.o. off doing** dispenser qn de faire; **to l. on that** *Fam* (*admit*) avouer que; (*reveal*) dire que; **to l. out** faire *or* laisser sortir; (*prisoner*) relâcher; (*cry, secret*) laisser échapper; (*skirt*) élargir; **to l. s.o. out (of the house)** ouvrir la porte à qn; **to l. out the clutch** *Aut* débrayer; – *vi* **not to l. on** *Fam* ne rien dire, garder la bouche cousue; **to l. up** (*of rain, person etc*) s'arrêter. ◆**letup** *n* arrêt *m*, répit *m*. **2** *v aux* **l. us eat/go/***etc*, **l.'s eat/go/***etc* mangeons/partons/*etc*; **l.'s go for a stroll** allons nous promener; **l. him come** qu'il vienne.
let[2] [let] *vt* (*pt & pp* **let**, *pres p* **letting**) **to l. (off** *or* **out)** (*house, room etc*) louer. ◆**letting** *n* (*renting*) location *f*.
lethal ['liːθ(ə)l] *a* mortel; (*weapon*) meurtrier.
lethargy ['leθədʒɪ] *n* léthargie *f*. ◆**le'thargic** *a* léthargique.
letter ['letər] *n* (*missive, character*) lettre *f*; **man of letters** homme *m* de lettres; **l. bomb** lettre *f* piégée; **l. writer** correspondant, -ante *mf*. ◆**letterbox** *n* boîte *f* aux *or* à lettres. ◆**letterhead** *n* en-tête *m*. ◆**lettering** *n* (*letters*) lettres *fpl*; (*on tomb*) inscription *f*.
lettuce ['letɪs] *n* laitue *f*, salade *f*.
leuk(a)emia [luː'kiːmɪə] *n* leucémie *f*.
level ['lev(ə)l] **1** *n* niveau *m*; **on the l.** (*speed*) en palier; – *a* (*surface*) plat, uni; (*object on surface*) horizontal; (*spoonful*) ras; (*equal in score*) à égalité (**with** avec); (*in height*) au

même niveau, à la même hauteur (**with** que); **l. crossing** *Rail* passage *m* à niveau; – *vt* (**-ll-**, *Am* **-l-**) (*surface, differences*) niveler, aplanir; (*plane down*) raboter; (*building*) raser; (*gun*) braquer; (*accusation*) lancer (**at** contre); – *vi* **to l. off** *or* **out** (*stabilize*) *Fig* se stabiliser. **2** *n* **on the l.** *Fam* (*honest*) honnête, franc; (*frankly*) honnêtement, franchement; – *vi* (**-ll-**, *Am* **-l-**) **to l. with** *Fam* être franc avec. ◆**l.-'headed** *a* équilibré.

lever ['liːvər, *Am* 'levər] *n* levier *m*. ◆**leverage** *n* (*power*) influence *f*.

levity ['levɪtɪ] *n* légèreté *f*.

levy ['levɪ] *vt* (*tax, troops*) lever; – *n* (*tax*) impôt *m*.

lewd [luːd] *a* (**-er, -est**) obscène.

liable ['laɪəb(ə)l] *a* **l. to** (*dizziness etc*) sujet à; (*fine, tax*) passible de; **he's l. to do** il est susceptible de faire, il pourrait faire; **l. for** (*responsible*) responsable de. ◆**lia'bility** *n* responsabilité *f* (**for** de); (*disadvantage*) handicap *m*; *pl* (*debts*) dettes *fpl*.

liaise [lɪ'eɪz] *vi* travailler en liaison (**with** avec). ◆**liaison** *n* (*association*) & *Mil* liaison *f*.

liar ['laɪər] *n* menteur, -euse *mf*.

libel ['laɪb(ə)l] *vt* (**-ll-**, *Am* **-l-**) diffamer (par écrit); – *n* diffamation *f*.

liberal ['lɪbərəl] *a* (*open-minded*) & *Pol* libéral; (*generous*) généreux (**with** de); – *n* *Pol* libéral, -ale *mf*. ◆**liberalism** *n* libéralisme *m*.

liberate ['lɪbəreɪt] *vt* libérer. ◆**libe'ration** *n* libération *f*. ◆**liberator** *n* libérateur, -trice *mf*.

liberty ['lɪbətɪ] *n* liberté *f*; **at l. to do** libre de faire; **what a l.!** (*cheek*) *Fam* quel culot!; **to take liberties with s.o.** se permettre des familiarités avec qn.

Libra ['liːbrə] *n* (*sign*) la Balance.

library ['laɪbrərɪ] *n* bibliothèque *f*. ◆**li'brarian** *n* bibliothécaire *mf*.

libretto [lɪ'bretəʊ] *n* (*pl* **-os**) *Mus* livret *m*.

Libya ['lɪbjə] *n* Libye *f*. ◆**Libyan** *a* & *n* libyen, -enne (*mf*).

lice [laɪs] *see* **louse**.

licence, *Am* **license** ['laɪsəns] *n* **1** permis *m*, autorisation *f*; (*for driving*) permis *m*; *Com* licence *f*; **pilot's l.** brevet *m* de pilote; **l. fee** *Rad TV* redevance *f*; **l. plate/number** *Aut* plaque *f*/numéro *m* d'immatriculation. **2** (*freedom*) licence *f*.

license ['laɪsəns] *vt* accorder une licence à, autoriser; **licensed premises** établissement *m* qui a une licence de débit de boissons.

licit ['lɪsɪt] *a* licite.

lick [lɪk] *vt* lécher; (*defeat*) *Fam* écraser; (*beat physically*) *Fam* rosser; **to be licked** (*by problem etc*) *Fam* être dépassé; – *n* coup *m* de langue; **a l. of paint** un coup de peinture. ◆**—ing** *n* *Fam* (*defeat*) déculottée *f*; (*beating*) rossée *f*.

licorice ['lɪkərɪʃ, -rɪs] *n* *Am* réglisse *f*.

lid [lɪd] *n* **1** (*of box etc*) couvercle *m*. **2** (*of eye*) paupière *f*.

lido ['liːdəʊ] *n* (*pl* **-os**) piscine *f* (découverte).

lie[1] [laɪ] *vi* (*pt* **lay**, *pp* **lain**, *pres p* **lying**) (*in flat position*) s'allonger, s'étendre; (*remain*) rester; (*be*) être; (*in grave*) reposer; **to be lying** (*on the grass etc*) être allongé *or* étendu; **he lay asleep** il dormait; **here lies** (*on tomb*) ci-gît; **the problem lies in** le problème réside dans; **to l. heavy on** (*of meal etc*) & *Fig* peser sur; **to l. low** (*hide*) se cacher; (*be inconspicuous*) se faire tout petit; **to l. about** *or* **around** (*of objects, person*) traîner; **to l. down, to have a l.-down** s'allonger, se coucher; **lying down** (*resting*) allongé, couché; **to l. in, to have a l.-in** *Fam* faire la grasse matinée.

lie[2] [laɪ] *vi* (*pt* & *pp* **lied**, *pres p* **lying**) (*tell lies*) mentir; – *n* mensonge *m*; **to give the l. to** (*show as untrue*) démentir.

lieu [luː] *n* **in l. of** au lieu de.

lieutenant [lef'tenənt, *Am* luː'tenənt] *n* lieutenant *m*.

life [laɪf] *n* (*pl* **lives**) vie *f*; (*of battery, machine*) durée *f* (de vie); **to come to l.** (*of street, party etc*) s'animer; **at your time of l.** à ton âge; **loss of l.** perte *f* en vies humaines; **true to l.** conforme à la réalité; **to take one's (own) l.** se donner la mort; **bird l.** les oiseaux *mpl*; – *a* (*cycle, style*) de vie; (*belt, raft*) de sauvetage; (*force*) vital; **l. annuity** rente *f* viagère; **l. blood** *Fig* âme *f*; **l. insurance** assurance-vie *f*; **l. jacket** gilet *m* de sauvetage; **l. peer** pair *m* à vie. ◆**lifeboat** *n* canot *m* de sauvetage. ◆**lifebuoy** *n* bouée *f* de sauvetage. ◆**lifeguard** *n* maître-nageur *m* sauveteur. ◆**lifeless** *a* sans vie. ◆**lifelike** *a* qui semble vivant. ◆**lifelong** *a* de toute sa vie; (*friend*) de toujours. ◆**lifesaving** *n* sauvetage *m*. ◆**lifesize(d)** *a* grandeur nature *inv*. ◆**lifetime** *n* vie *f*; *Fig* éternité *f*; **in my l.** de mon vivant; **a once-in-a-l. experience**/*etc* l'expérience/*etc* de votre vie.

lift [lɪft] *vt* lever; (*sth heavy*) (sou)lever; (*ban, siege*) *Fig* lever; (*idea etc*) *Fig* voler, prendre (**from** à); **to l. down** *or* **off** (*take down*) descendre (**from** de); **to l. out** (*take out*) sortir; **to l. up** (*arm, eyes*) lever; (*object*) (sou)lever; – *vi* (*of fog*) se lever; **to l. off** (*of space vehicle*) décoller; – *n* (*elevator*) ascenseur *m*; **to give s.o. a l.** emmener *or* accompagner qn (en voiture) (**to** à). ◆**l.-off** *n Av* décollage *m*.

ligament ['lɪgəmənt] *n* ligament *m*.

light[1] [laɪt] **1** *n* lumière *f*; (*daylight*) jour *m*, lumière *f*; (*on vehicle*) feu *m*, (*headlight*) phare *m*; **by the l. of** à la lumière de; **in the l. of** (*considering*) à la lumière de; **in that l.** *Fig* sous ce jour *or* cet éclairage; **against the l.** à contre-jour; **to bring to l.** mettre en lumière; **to come to l.** être découvert; **to throw l. on** (*matter*) éclaircir; **do you have a l.?** (*for cigarette*) est-ce que vous avez du feu?; **to set l. to** mettre le feu à; **leading l.** (*person*) *Fig* phare *m*, sommité *f*, lumière *f*; **l. bulb** ampoule *f* (électrique); – *vt* (*pt & pp* **lit** *or* **lighted**) (*candle etc*) allumer; (*match*) gratter; **to l. (up)** (*room*) éclairer; – *vi* **to l. up** (*of window*) s'allumer. **2** *a* (*bright, not dark*) clair; **a l. green jacket** une veste vert clair. ◆**—ing** *n El* éclairage *m*; **the l. of** (*candle etc*) l'allumage *m* de. ◆**lighten**[1] *vt* (*light up*) éclairer; (*colour, hair*) éclaircir. ◆**lighter** *n* (*for cigarettes etc*) briquet *m*; *Culin* allume-gaz *m inv*. ◆**lighthouse** *n* phare *m*. ◆**lightness**[1] *n* clarté *f*.

light[2] [laɪt] *a* (*in weight, quantity, strength etc*) léger; (*task*) facile; **l. rain** pluie *f* fine; **to travel l.** voyager avec peu de bagages. ◆**l.-'fingered** *a* chapardeur. ◆**l.-'headed** *a* (*giddy, foolish*) étourdi. ◆**l.-'hearted** *a* gai. ◆**lighten**[2] *vt* (*a load*) alléger. ◆**lightly** *adv* légèrement. ◆**lightness**[2] *n* légèreté *f*.

light[3] [laɪt] *vi* (*pt & pp* **lit** *or* **lighted**) **to l. upon** trouver par hasard.

lightning ['laɪtnɪŋ] *n Met* (*light*) éclair *m*; (*charge*) foudre *f*; **(flash of) l.** éclair *m*; – *a* (*speed*) foudroyant; (*visit*) éclair *inv*; **l. conductor** paratonnerre *m*.

lightweight ['laɪtweɪt] *a* (*cloth etc*) léger; (*not serious*) pas sérieux, léger.

like[1] [laɪk] *a* (*alike*) semblable, pareil; – *prep* comme; **l. this** comme ça; **what's he l.?** (*physically, as character*) comment est-il?; **to be** *or* **look l.** ressembler à; **what was the book l.?** comment as-tu trouvé le livre?; **I have one l. it** j'en ai un pareil; – *adv* **nothing l. as big**/*etc* loin d'être aussi grand/*etc*; – *conj* (*as*) *Fam* comme; **it's l. I say** c'est comme je vous le dis; – *n* **. . . and the l.** . . . et ainsi de suite; **the l. of which we shan't see again** comme on n'en reverra plus; **the likes of you** des gens de ton acabit.

lik/e[2] [laɪk] *vt* aimer (bien) (**to do, doing** faire); **I l. him** je l'aime bien, il me plaît; **she likes it here** elle se plaît ici; **to l. best** préférer; **I'd l. to come** (*want*) je voudrais (bien) *or* j'aimerais (bien) venir; **I'd l. a kilo of apples** je voudrais un kilo de pommes; **would you l. a cigar?** voulez-vous un cigare?; **if you l.** si vous voulez; **(how) would you l. to come?** ça te plairait *or* te dirait de venir?; – *npl* **one's likes** nos goûts *mpl*. ◆**—ing** *n* **a l. for** (*person*) de la sympathie pour; (*thing*) du goût pour; **to my l.** à mon goût. ◆**likeable** *a* sympathique.

likely ['laɪklɪ] *a* (**-ier, -iest**) (*event, result etc*) probable; (*excuse*) vraisemblable; (*place*) propice; (*candidate*) prometteur; **a l. excuse!** *Iron* belle excuse!; **it's l. (that) she'll come** il est probable qu'elle viendra; **he's l. to come** il viendra probablement; **he's not l. to come** il ne risque pas de venir; – *adv* **very l.** très probablement; **not l.!** pas question! ◆**likelihood** *n* probabilité *f*; **there's little l. that** il y a peu de chances que (+ *sub*).

liken ['laɪkən] *vt* comparer (**to** à).

likeness ['laɪknɪs] *n* ressemblance *f*; **a family l.** un air de famille; **it's a good l.** c'est très ressemblant.

likewise ['laɪkwaɪz] *adv* (*similarly*) de même, pareillement.

lilac ['laɪlək] *n* lilas *m*; – *a* (*colour*) lilas *inv*.

Lilo® ['laɪləʊ] *n* (*pl* **-os**) matelas *m* pneumatique.

lilt [lɪlt] *n Mus* cadence *f*.

lily ['lɪlɪ] *n* lis *m*, lys *m*; **l. of the valley** muguet *m*.

limb [lɪm] *n Anat* membre *m*; **to be out on a l.** *Fig* être le seul de son opinion.

limber ['lɪmbər] *vi* **to l. up** faire des exercices d'assouplissement.

limbo (in) [ɪn'lɪmbəʊ] *adv* (*uncertain, waiting*) dans l'expectative.

lime [laɪm] *n* **1** (*tree*) tilleul *m*. **2** (*substance*) chaux *f*. **3** (*fruit*) lime *f*, citron *m* vert; **l. juice** jus *m* de citron vert.

limelight ['laɪmlaɪt] *n* **in the l.** (*glare of publicity*) en vedette.

limit ['lɪmɪt] *n* limite *f*; (*restriction*) limitation *f* (**of** de); **that's the l.!** *Fam* c'est le comble!; **within limits** dans une certaine limite; – *vt* limiter (**to** à); **to l. oneself to doing** se borner à faire. ◆**—ed** *a* (*restricted*) limité; (*mind*) borné; (*edition*) à tirage limité; **l. company** *Com* société *f* à responsabilité limitée; **(public) l. company** (*with shareholders*) société *f* anonyme; **to a**

l. degree jusqu'à un certain point. ◆**limi'tation** *n* limitation *f.* ◆**limitless** *a* illimité.

limousine [lɪmə'ziːn] *n* (*car*) limousine *f*; (*airport etc shuttle*) *Am* voiture-navette *f*.

limp [lɪmp] **1** *vi* (*of person*) boiter; (*of vehicle etc*) *Fig* avancer tant bien que mal; – *n* **to have a l.** boiter. **2** *a* (**-er, -est**) (*soft*) mou; (*flabby*) flasque; (*person, hat*) avachi.

limpid ['lɪmpɪd] *a* (*liquid*) *Lit* limpide.

linchpin ['lɪntʃpɪn] *n* (*person*) pivot *m*.

linctus ['lɪŋktəs] *n Med* sirop *m* (contre la toux).

line[1] [laɪn] *n* ligne *f*; (*stroke*) trait *m*, ligne *f*; (*of poem*) vers *m*; (*wrinkle*) ride *f*; (*track*) voie *f*; (*rope*) corde *f*; (*row*) rangée *f*, ligne *f*; (*of vehicles*) file *f*; (*queue*) *Am* file *f*, queue *f*; (*family*) lignée *f*; (*business*) métier *m*, rayon *m*; (*article*) *Com* article *m*; **one's lines** (*of actor*) son texte *m*; **on the l.** *Tel* (*speaking*) au téléphone; (*at other end of line*) au bout du fil; **to be on the l.** (*at risk*) être en danger; **hold the l.!** *Tel* ne quittez pas!; **the hot l.** *Tel* le téléphone rouge; **to stand in l.** *Am* faire la queue; **to step** *or* **get out of l.** *Fig* refuser de se conformer; (*misbehave*) faire une incartade; **out of l. with** (*ideas etc*) en désaccord avec; **in l. with** conforme à; **he's in l. for** (*promotion etc*) il doit recevoir; **to take a hard l.** adopter une attitude ferme; **along the same lines** (*to work, think*) de la même façon; **sth along those lines** qch dans ce genre-là; **to drop a l.** *Fam* envoyer un mot (**to** à); **where do we draw the l.?** où fixer les limites?; – *vt* (*paper*) régler; (*face*) rider; **to l. the street** (*of trees*) border la rue; (*of people*) faire la haie le long de la rue; **to l. up** (*children, objects*) aligner; (*arrange*) organiser; (*get ready*) préparer; **to have sth lined up** (*in mind*) avoir qch en vue; – *vi* **to l. up** s'aligner; (*queue*) *Am* faire la queue. ◆**l.-up** *n* (*row*) file *f*; *Pol* front *m*; *TV* programme(s) *m(pl)*.

line[2] [laɪn] *vt* (*clothes*) doubler; (*pockets*) *Fig* se remplir. ◆**lining** *n* (*of clothes*) doublure *f*; (*of brakes*) garniture *f*.

lineage ['lɪnɪɪdʒ] *n* lignée *f*.

linear ['lɪnɪər] *a* linéaire.

linen ['lɪnɪn] *n* (*sheets etc*) linge *m*; (*material*) (toile *f* de) lin *m*, fil *m*.

liner ['laɪnər] *n* **1** (*ship*) paquebot *m*. **2 (dust)bin l.** sac *m* poubelle.

linesman ['laɪnzmən] *n* (*pl* **-men**) *Fb etc* juge *m* de touche.

linger ['lɪŋgər] *vi* **to l. (on)** (*of person*) s'attarder; (*of smell, memory*) persister; (*of doubt*) subsister. ◆**—ing** *a* (*death*) lent.

lingo ['lɪŋgəʊ] *n* (*pl* **-os**) *Hum Fam* jargon *m*.

linguist ['lɪŋgwɪst] *n* linguiste *mf*. ◆**lin'guistic** *a* linguistique. ◆**lin'guistics** *n* linguistique *f*.

liniment ['lɪnɪmənt] *n* onguent *m*, pommade *f*.

link [lɪŋk] *vt* (*connect*) relier (**to** à); (*relate, associate*) lier (**to** à); **to l. up** *Tel* relier; – *vi* **to l. up** (*of roads*) se rejoindre; – *n* (*connection*) lien *m*; (*of chain*) maillon *m*; (*by road, rail*) liaison *f*. ◆**l.-up** *n TV Rad* liaison *f*; (*of spacecraft*) jonction *f*.

lino ['laɪnəʊ] *n* (*pl* **-os**) lino *m*. ◆**linoleum** [lɪ'nəʊlɪəm] *n* linoléum *m*.

linseed ['lɪnsiːd] *n* **l. oil** huile *f* de lin.

lint [lɪnt] *n Med* tissu *m* ouaté; (*fluff*) peluche(s) *f(pl)*.

lion ['laɪən] *n* lion *m*; **l. cub** lionceau *m*. ◆**lioness** *n* lionne *f*.

lip [lɪp] *n Anat* lèvre *f*; (*rim*) bord *m*; (*cheek*) *Sl* culot *m*. ◆**l.-read** *vi* (*pt & pp* **-read** [red]) lire sur les lèvres. ◆**lipstick** *n* (*material*) rouge *m* à lèvres; (*stick*) tube *m* de rouge.

liqueur [lɪ'kjʊər] *n* liqueur *f*.

liquid ['lɪkwɪd] *n & a* liquide (*m*). ◆**liquefy** *vt* liquéfier; – *vi* se liquéfier. ◆**liquidizer** *n Culin* (*for fruit juices*) centrifugeuse *f*; (*for purées etc*) robot *m*, moulinette® *f*.

liquidate ['lɪkwɪdeɪt] *vt* (*debt, person*) liquider. ◆**liqui'dation** *n* liquidation *f*.

liquor ['lɪkər] *n* alcool *m*, spiritueux *m*; **l. store** *Am* magasin *m* de vins et de spiritueux.

liquorice ['lɪkərɪʃ, -rɪs] *n* réglisse *f*.

lira, *pl* **lire** ['lɪərə, 'lɪəreɪ] *n* (*currency*) lire *f*.

lisp [lɪsp] *vi* zézayer; – *n* **to have a l.** zézayer.

list [lɪst] **1** *n* liste *f*; – *vt* (*one's possessions etc*) faire la liste de; (*names*) mettre sur la liste; (*enumerate*) énumérer; (*catalogue*) cataloguer. **2** *vi* (*of ship*) gîter. ◆**—ed** *a* (*monument etc*) classé.

listen ['lɪsən] *vi* écouter; **to l. to** écouter; **to l. (out) for** (*telephone, person etc*) tendre l'oreille pour, guetter; **to l. in (to)** *Rad* écouter. ◆**—ing** *n* écoute *f* (**to** de). ◆**—er** *n Rad* auditeur, -trice *mf*; **to be a good l.** (*pay attention*) savoir écouter.

listless ['lɪstləs] *a* apathique, indolent. ◆**—ness** *n* apathie *f*.

lit [lɪt] *see* **light**[1] **1**.

litany ['lɪtənɪ] *n Rel* litanies *fpl*.

literal ['lɪtərəl] *a* littéral; (*not exaggerated*) réel. ◆**—ly** *adv* littéralement; (*really*) réellement; **he took it l.** il l'a pris au pied de la lettre.

literate ['lɪtərət] *a* qui sait lire et écrire;

highly l. (*person*) très instruit. ◆**literacy** *n* capacité *f* de lire et d'écrire; (*of country*) degré *m* d'alphabétisation.

literature ['lɪt(ə)rɪtʃər] *n* littérature *f*; (*pamphlets etc*) documentation *f*. ◆**literary** *a* littéraire.

lithe [laɪð] *a* agile, souple.

litigation [lɪtɪ'geɪʃ(ə)n] *n Jur* litige *m*.

litre ['liːtər] *n* litre *m*.

litter ['lɪtər] **1** *n* (*rubbish*) détritus *m*; (*papers*) papiers *mpl*; (*bedding for animals*) litière *f*; (*confusion*) *Fig* fouillis *m*; **l. basket** *or* **bin** boîte *f* à ordures; – *vt* **to l. (with papers** *or* **rubbish)** (*street etc*) laisser traîner des papiers *or* des détritus dans; **a street littered with** une rue jonchée de. **2** *n* (*young animals*) portée *f*.

little ['lɪt(ə)l] **1** *a* (*small*) petit; **the l. ones** les petits. **2** *a* & *n* (*not much*) peu (de); **l. time/money/***etc* peu de temps/d'argent/*etc*; **I've l. left** il m'en reste peu; **she eats l.** elle mange peu; **to have l. to say** avoir peu de chose à dire; **as l. as possible** le moins possible; **a l. money/time/***etc* (*some*) un peu d'argent/de temps/*etc*; **I have a l.** (*some*) j'en ai un peu; **the l. that I have** le peu que j'ai; – *adv* (*somewhat, rather*) peu; **a l. heavy/***etc* un peu lourd/*etc*; **to work/***etc* **a l.** travailler/*etc* un peu; **it's l. better** (*hardly*) ce n'est guère mieux; **l. by l.** peu à peu.

liturgy ['lɪtədʒɪ] *n* liturgie *f*.

live¹ [lɪv] *vi* vivre; (*reside*) habiter, vivre; **where do you l.?** où habitez-vous?; **to l. in Paris** habiter (à) Paris; **to l. off** *or* **on** (*eat*) vivre de; (*sponge on*) *Pej* vivre aux crochets *or* aux dépens de (*qn*); **to l. on** (*of memory etc*) survivre, se perpétuer; **to l. through** (*experience*) vivre; (*survive*) survivre à; **to l. up to** (*one's principles*) vivre selon; (*s.o.'s expectations*) se montrer à la hauteur de; – *vt* (*life*) vivre, mener; (*one's faith etc*) vivre pleinement; **to l. down** faire oublier (avec le temps); **to l. it up** *Fam* mener la grande vie.

live² [laɪv] **1** *a* (*alive, lively*) vivant; (*coal*) ardent; (*bomb*) non explosé; (*ammunition*) réel, de combat; (*wire*) *El* sous tension; (*switch*) *El* mal isolé; (*plugged in*) *El* branché; **a real l. king/***etc* un roi/*etc* en chair et en os. **2** *a* & *adv Rad TV* en direct; **a l. broadcast** une émission en direct; **a l. audience** le *or* un public; **a l. recording** un enregistrement public.

livelihood ['laɪvlɪhʊd] *n* moyens *mpl* de subsistance; **my l.** mon gagne-pain; **to earn one's** *or* **a l.** gagner sa vie.

livel/y ['laɪvlɪ] *a* (**-ier, -iest**) (*person, style*) vif, vivant; (*street, story*) vivant; (*interest, mind, colour*) vif; (*day*) movementé; (*forceful*) vigoureux; (*conversation, discussion*) animé. ◆**—iness** *n* vivacité *f*.

liven ['laɪv(ə)n] *vt* **to l. up** (*person*) égayer; (*party*) animer; – *vi* **to l. up** (*of person, party*) s'animer.

liver ['lɪvər] *n* foie *m*.

livery ['lɪvərɪ] *n* (*uniform*) livrée *f*.

livestock ['laɪvstɒk] *n* bétail *m*.

livid ['lɪvɪd] *a* (*blue-grey*) livide; (*angry*) *Fig* furieux; **l. with cold** blême de froid.

living ['lɪvɪŋ] **1** *a* (*alive*) vivant; **not a l. soul** (*nobody*) personne, pas âme qui vive; **within l. memory** de mémoire d'homme; **l. or dead** mort ou vif; **the l.** les vivants *mpl*. **2** *n* (*livelihood*) vie *f*; **to make a** *or* **one's l.** gagner sa vie; **to work for a l.** travailler pour vivre; **the cost of l.** le coût de la vie; – *a* (*standard, conditions*) de vie; (*wage*) qui permet de vivre; **l. room** salle *f* de séjour.

lizard ['lɪzəd] *n* lézard *m*.

llama ['lɑːmə] *n* (*animal*) lama *m*.

load [ləʊd] *n* (*object carried, burden*) charge *f*; (*freight*) chargement *m*, charge *f*; (*strain, weight*) poids *m*; **a l. of, loads of** (*people, money etc*) *Fam* un tas de, énormément de; **to take a l. off s.o.'s mind** ôter un grand poids à qn; – *vt* charger; **to l. down** *or* **up** charger (**with** de); – *vi* **to l. (up)** charger la voiture, le navire *etc*. ◆**—ed** *a* (*gun, vehicle etc*) chargé; (*dice*) pipé; (*rich*) *Fam* plein aux as; **a l. question** une question piège; **l. (down) with** (*debts*) accablé de.

loaf [ləʊf] **1** *n* (*pl* **loaves**) pain *m*; **French l.** baguette *f*. **2** *vi* **to l. (about)** fainéanter. ◆**—er** *n* fainéant, -ante *mf*.

loam [ləʊm] *n* (*soil*) terreau *m*.

loan [ləʊn] *n* (*money lent*) prêt *m*; (*money borrowed*) emprunt *m*; **on l. from** prêté par; **(out) on l.** (*book*) sorti; **may I have the l. of . . . ?** puis-je emprunter . . . ?; – *vt* (*lend*) prêter (**to** à).

loath [ləʊθ] *a* **l. to do** *Lit* peu disposé à faire.

loath/e [ləʊð] *vt* détester (**doing** faire). ◆**—ing** *n* dégoût *m*. ◆**loathsome** *a* détestable.

lobby ['lɒbɪ] **1** *n* (*of hotel*) vestibule *m*, hall *m*; *Th* foyer *m*. **2** *n Pol* groupe *m* de pression, lobby *m*; – *vt* faire pression sur.

lobe [ləʊb] *n Anat* lobe *m*.

lobster ['lɒbstər] *n* homard *m*; (*spiny*) langouste *f*.

local ['ləʊk(ə)l] *a* local; (*of the neighbourhood*) du *or* de quartier; (*regional*) du pays; **are you l.?** êtes-vous du coin *or* d'ici?; **the doctor is l.** le médecin est tout près d'ici; **a l. phone call** (*within town*) une communication urbaine; – *n* (*pub*) *Fam* bistrot *m* du coin, pub *m*; **she's a l.** elle est du coin; **the locals** (*people*) les gens du coin. ◆**lo'cality** *n* (*neighbourhood*) environs *mpl*; (*region*) région *f*; (*place*) lieu *m*; (*site*) emplacement *m*. ◆**localize** *vt* (*confine*) localiser. ◆**locally** *adv* dans les environs, dans le coin; (*around here*) par ici; (*in precise place*) localement.

locate [ləʊ'keɪt] *vt* (*find*) repérer; (*pain, noise, leak*) localiser; (*situate*) situer; (*build*) construire. ◆**location** *n* (*site*) emplacement *m*; (*act*) repérage *m*; localisation *f*; **on l.** *Cin* en extérieur.

lock [lɒk] **1** *vt* **to l. (up)** fermer à clef; **to l. the wheels** *Aut* bloquer les roues; **to l. s.o. in** enfermer qn; **to l. s.o. in sth** enfermer qn dans qch; **to l. s.o. out** (*accidentally*) enfermer qn dehors; **to l. away** *or* **up** (*prisoner*) enfermer; (*jewels etc*) mettre sous clef, enfermer; – *vi* **to l. (up)** fermer à clef; – *n* (*on door, chest etc*) serrure *f*; (*of gun*) cran *m* de sûreté; (*turning circle*) *Aut* rayon *m* de braquage; **(anti-theft) l.** *Aut* antivol *m*; **under l. and key** sous clef. **2** *n* (*on canal*) écluse *f*. **3** *n* (*of hair*) mèche *f*. ◆**locker** *n* casier *m*; (*for luggage*) *Rail* casier *m* de consigne automatique; (*for clothes*) vestiaire *m* (métallique); **l. room** *Sp Am* vestiaire *m*. ◆**lockout** *n* (*industrial*) lock-out *m inv*. ◆**locksmith** *n* serrurier *m*.

locket ['lɒkɪt] *n* (*jewel*) médaillon *m*.

loco ['ləʊkəʊ] *a Sl* cinglé, fou.

locomotion [ləʊkə'məʊʃ(ə)n] *n* locomotion *f*. ◆**locomotive** *n* locomotive *f*.

locum ['ləʊkəm] *n* (*doctor*) remplaçant, -ante *mf*.

locust ['ləʊkəst] *n* criquet *m*, sauterelle *f*.

lodg/e [lɒdʒ] **1** *vt* (*person*) loger; (*valuables*) déposer (**with** chez); **to l. a complaint** porter plainte; – *vi* (*of bullet*) se loger (**in** dans); **to be lodging** (*accommodated*) être logé (**with** chez). **2** *n* (*house*) pavillon *m* de gardien *or* de chasse; (*of porter*) loge *f*. ◆**—ing** *n* (*accommodation*) logement *m*; *pl* (*flat*) logement *m*; (*room*) chambre *f*; **in lodgings** en meublé. ◆**—er** *n* (*room and meals*) pensionnaire *mf*; (*room only*) locataire *mf*.

loft [lɒft] *n* (*attic*) grenier *m*.

loft/y ['lɒftɪ] *a* (**-ier, -iest**) (*high, noble*) élevé; (*haughty*) hautain. ◆**—iness** *n* hauteur *f*.

log [lɒg] **1** *n* (*tree trunk*) rondin *m*; (*for fire*) bûche *f*, rondin *m*; **l. fire** feu *m* de bois. **2** *vt* (**-gg-**) (*facts*) noter; **to l. (up)** (*distance*) faire, couvrir. ◆**logbook** *n Nau Av* journal *m* de bord.

logarithm ['lɒgərɪðəm] *n* logarithme *m*.

loggerheads (at) [æt'lɒgəhedz] *adv* en désaccord (**with** avec).

logic ['lɒdʒɪk] *n* logique *f*. ◆**logical** *a* logique. ◆**logically** *adv* logiquement.

logistics [lə'dʒɪstɪks] *n* logistique *f*.

logo ['ləʊgəʊ] *n* (*pl* **-os**) logo *m*.

loin [lɔɪn] *n* (*meat*) filet *m*.

loins [lɔɪnz] *npl Anat* reins *mpl*.

loiter ['lɔɪtər] *vi* traîner.

loll [lɒl] *vi* (*in armchair etc*) se prélasser.

lollipop ['lɒlɪpɒp] *n* (*sweet on stick*) sucette *f*; (*ice on stick*) esquimau *m*. ◆**lolly** *n Fam* sucette *f*; (*money*) *Sl* fric *m*; **(ice) l.** *Fam* esquimau *m*.

London ['lʌndən] *n* Londres *m or f*; – *a* (*taxi etc*) londonien. ◆**Londoner** *n* Londonien, -ienne *mf*.

lone [ləʊn] *a* solitaire; **l. wolf** *Fig* solitaire *mf*. ◆**loneliness** *n* solitude *f*. ◆**lonely** *a* (**-ier, -iest**) (*road, house, life etc*) solitaire; (*person*) seul, solitaire. ◆**loner** *n* solitaire *mf*. ◆**lonesome** *a* solitaire.

long[1] [lɒŋ] **1** *a* (**-er, -est**) long; **to be ten metres l.** être long de dix mètres, avoir dix mètres de long; **to be six weeks l.** durer six semaines; **how l. is . . .** quelle est la longueur de . . . ?; (*time*) quelle est la durée de . . . ?; **a l. time** longtemps; **in the l. run** à la longue; **a l. face** une grimace; **a l. memory** une bonne mémoire; **l. jump** *Sp* saut *m* en longueur. **2** *adv* (*a long time*) longtemps; **l. before** longtemps avant; **has he been here l.?** il y a longtemps qu'il est ici?, il est ici depuis longtemps?; **how l. (ago)?** (il y a) combien de temps?; **not l. ago** il y a peu de temps; **before l.** sous *or* avant peu; **no longer** ne plus; **she no longer swims** elle ne nage plus; **a bit longer** (*to wait etc*) encore un peu; **I won't be l.** je n'en ai pas pour longtemps; **at the longest** (tout) au plus; **all summer l.** tout l'été; **l. live the queen/***etc* vive la reine/*etc*; **as l. as, so l. as** (*provided that*) pourvu que (+ *sub*); **as l. as I live** tant que je vivrai.

long[2] [lɒŋ] *vi* **to l. for sth** avoir très envie de qch; **to l. for s.o.** languir après qn; **to l. to do** avoir très envie de faire. ◆**—ing** *n* désir *m*, envie *f*.

long-distance [lɒŋ'dɪstəns] *a* (*race*) de fond; (*phone call*) interurbain; (*flight*) long-courrier. ◆**long-drawn-'out** *a* interminable. ◆**long'haired** *a* aux cheveux longs. ◆**'longhand** *n* écriture *f* normale. ◆**long-'playing** *a* **l.-playing record** 33 tours *m inv*. ◆**'long-range** *a* (*forecast*) à long terme. ◆**long'sighted** *a Med* presbyte. ◆**long'standing** *a* de longue date. ◆**long'suffering** *a* très patient. ◆**long-'term** *a* à long terme. ◆**long-'winded** *a* (*speech, speaker*) verbeux.

longevity [lɒn'dʒevɪtɪ] *n* longévité *f*.

longitude ['lɒndʒɪtjuːd] *n* longitude *f*.

longways ['lɒŋweɪz] *adv* en longueur.

loo [luː] *n* (*toilet*) *Fam* cabinets *mpl*.

look [lʊk] *n* regard *m*; (*appearance*) air *m*, allure *f*; **(good) looks** la beauté, un beau physique; **to have a l. (at)** jeter un coup d'œil (à), regarder; **to have a l. (for)** chercher; **to have a l. (a)round** regarder; (*walk*) faire un tour; **let me have a l.** fais voir; **I like the l. of him** il me fait bonne impression, il me plaît; – *vti* regarder; **to l. s.o. in the face** regarder qn dans les yeux; **to l. tired/happy/***etc* (*seem*) sembler *or* avoir l'air fatigué/heureux/*etc*; **to l. pretty/ugly** (*be*) être joli/laid; **to l. one's age** faire son âge; **l. here!** dites donc!; **you l. like** *or* **as if you're tired** tu as l'air fatigué, on dirait que tu es fatigué; **it looks like** *or* **as if she won't leave** elle n'a pas l'air de vouloir partir; **it looks like it!** c'est probable; **to l. like a child** avoir l'air d'un enfant; **to l. like an apple** avoir l'air d'être une pomme; **you l. like my brother** (*resemble*) tu ressembles à mon frère; **it looks like rain (to me)** il me semble *or* on dirait qu'il va pleuvoir; **what does he l. like?** (*describe him*) comment est-il?; **to l. well** *or* **good** (*of person*) avoir bonne mine; **you l. good in that hat/***etc* ce chapeau/*etc* te va très bien; **that looks bad** (*action etc*) ça fait mauvais effet. ■ **to l. after** *vt* (*deal with*) s'occuper de; (*patient, hair*) soigner; (*keep safely*) garder (**for s.o.** pour qn); **to l. after oneself** (*keep healthy*) faire bien attention à soi; **I can l. after myself** (*cope*) je suis assez grand pour me débrouiller; **to l. around** *vt* (*visit*) visiter; – *vi* (*have a look*) regarder; (*walk round*) faire un tour; **to l. at** *vt* regarder; (*consider*) considérer, voir; (*check*) vérifier; **to l. away** *vi* détourner les yeux; **to l. back** *vi* regarder derrière soi; (*in time*) regarder en arrière; **to l. down** *vi* baisser les yeux; (*from height*) regarder en bas; **to l. down on** (*consider scornfully*) mépriser, regarder de haut; **to l. for** *vt* (*seek*) chercher; **to l. forward to** *vt* (*event*) attendre avec impatience; **to l. in** *vi* regarder (à l'intérieur); **to l. in on s.o.** *Fam* passer voir qn; **to l. into** *vt* (*examine*) examiner; (*find out about*) se renseigner sur; **to l. on** *vi* regarder; – *vt* (*consider*) considérer; **to l. out** *vi* (*be careful*) faire attention **(for** à); **to l. out for** (*seek*) chercher; (*watch*) guetter; **to l. (out) on to** (*of window, house etc*) donner sur; **to l. over** *or* **through** *vt* (*examine fully*) examiner, regarder de près; (*briefly*) parcourir; (*region, town*) parcourir, visiter; **to l. round** *vt* (*visit*) visiter; – *vi* (*have a look*) regarder; (*walk round*) faire un tour; (*look back*) se retourner; **to l. round for** (*seek*) chercher; **to l. up** *vi* (*of person*) lever les yeux; (*into the air or sky*) regarder en l'air; (*improve*) s'améliorer; **to l. up to s.o.** *Fig* respecter qn; – *vt* (*word*) chercher; **to l. s.o. up** (*visit*) passer voir qn. ◆**-looking** *suffix* **pleasant-/tired-/***etc* **l.** à l'air agréable/fatigué/*etc*. ◆**looking-glass** *n* glace *f*, miroir *m*.

lookout ['lʊkaʊt] *n* (*soldier*) guetteur *m*; (*sailor*) vigie *f*; **l. (post)** poste *m* de guet; (*on ship*) vigie *f*; **to be on the l.** faire le guet; **to be on the l. for** guetter.

loom [luːm] **1** *vi* **to l. (up)** (*of mountain etc*) apparaître indistinctement; *Fig* paraître imminent. **2** *n Tex* métier *m* à tisser.

loony ['luːnɪ] *n & a Sl* imbécile (*mf*).

loop [luːp] *n* (*in river etc*) & *Av* boucle *f*; (*contraceptive device*) stérilet *m*; – *vt* **to l. the loop** *Av* boucler la boucle. ◆**loophole** *n* (*in rules*) point *m* faible, lacune *f*; (*way out*) échappatoire *f*.

loose [luːs] *a* **(-er, -est)** (*screw, belt, knot*) desserré; (*tooth, stone*) branlant; (*page*) détaché; (*animal*) libre, (*set loose*) lâché; (*clothes*) flottant; (*hair*) dénoué; (*flesh*) flasque; (*wording, translation*) approximatif, vague; (*link*) vague; (*discipline*) relâché; (*articles*) *Com* en vrac; (*cheese, tea etc*) *Com* au poids; (*woman*) *Pej* facile; **l. change** petite monnaie *f*; **l. covers** housses *fpl*; **l. living** vie *f* dissolue; **to get l.** (*of dog, page*) se détacher; **to set** *or* **turn l.** (*dog etc*) libérer, lâcher; **he's at a l. end** *or Am* **at l. ends** il ne sait pas trop quoi faire; – *n* **on the l.** (*prisoner etc*) en liberté; – *vt* (*animal*) lâcher. ◆**loosely** *adv* (*to hang*) lâchement; (*to hold, tie*) sans serrer; (*to translate*) librement; (*to link*) vaguement. ◆**loosen** *vt* (*knot, belt, screw*) desserrer; (*rope*) détendre; (*grip*) relâcher; – *vi* **to l. up** *Sp* faire des exercices d'assouplissement. ◆**looseness** *n* (*of screw, machine parts*) jeu *m*.

loot [luːt] *n* butin *m*; (*money*) *Sl* fric *m*; – *vt* piller. ◆**—ing** *n* pillage *m*. ◆**—er** *n* pillard, -arde *mf*.

lop [lɒp] *vt* **(-pp-) to l. (off)** couper.

lop-sided [lɒp'saɪdɪd] *a* (*crooked*) de travers; **to walk l.-sided** (*limp*) se déhancher.

loquacious [ləʊ'kweɪʃəs] *a* loquace.

lord [lɔːd] *n* seigneur *m*; (*title*) *Br* lord *m*; **good L.!** *Fam* bon sang!; **oh L.!** *Fam* mince!; **the House of Lords** *Pol* la Chambre des Lords; – *vt* **to l. it over s.o.** *Fam* dominer qn. ◆**lordly** *a* digne d'un grand seigneur; (*arrogant*) hautain. ◆**lordship** *n* **Your L.** (*to judge*) Monsieur le juge.

lore [lɔːr] *n* traditions *fpl*.

lorry ['lɒrɪ] *n* camion *m*; (*heavy*) poids *m* lourd; **l. driver** camionneur *m*; **long-distance l. driver** routier *m*.

los/e [luːz] *vt* (*pt* & *pp* **lost**) perdre; **to get lost** (*of person*) se perdre; **the ticket/***etc* **got lost** on a perdu le billet/*etc*; **get lost!** *Fam* fiche le camp!; **to l. s.o. sth** faire perdre qch à qn; **to l. interest in** se désintéresser de; **I've lost my bearings** je suis désorienté; **the clock loses six minutes a day** la pendule retarde de six minutes par jour; **to l. one's life** trouver la mort (**in** dans); – *vi* perdre; **to l. out** être perdant; **to l. to** *Sp* être battu par. ◆**—ing** *a* perdant; **a l. battle** *Fig* une bataille perdue d'avance. ◆**—er** *n* perdant, -ante *mf*; (*failure in life*) *Fam* paumé, -ée *mf*; **to be a good l.** être bon *or* beau joueur.

loss [lɒs] *n* perte *f*; **at a l.** (*confused*) perplexe; **to sell at a l.** *Com* vendre à perte; **at a l. to do** incapable de faire. ◆**lost** *a* perdu; **l. property,** *Am* **l. and found** objets *mpl* trouvés.

lot [lɒt] *n* **1** (*destiny*) sort *m*; (*batch, land*) lot *m*; **to draw lots** tirer au sort; **parking l.** *Am* parking *m*; **a bad l.** (*person*) *Fam* un mauvais sujet. **2 the l.** (*everything*) (le) tout; **the l. of you** vous tous; **a l. of, lots of** beaucoup de; **a l.** beaucoup; **quite a l.** pas mal (**of** de); **such a l.** tellement (**of** de), tant (**of** de); **what a l. of flowers/water/***etc*! que de fleurs/d'eau/*etc*!; **what a l.!** quelle quantité!; **what a l. of flowers/***etc* **you have!** que vous avez (beaucoup) de fleurs/*etc*!

lotion ['ləʊʃ(ə)n] *n* lotion *f*.

lottery ['lɒtərɪ] *n* loterie *f*.

lotto ['lɒtəʊ] *n* (*game*) loto *m*.

loud [laʊd] *a* (**-er, -est**) bruyant; (*voice, radio*) fort; (*noise, cry*) grand; (*gaudy*) voyant; – *adv* (*to shout etc*) fort; **out l.** tout haut. ◆**—ly** *adv* (*to speak, laugh etc*) bruyamment, fort; (*to shout*) fort. ◆**—ness** *n* (*of voice etc*) force *f*; (*noise*) bruit *m*. ◆**loud'haller** *n* mégaphone *m*. ◆**loudmouth** *n* (*person*) *Fam* grande gueule *f*. ◆**loud'speaker** *n* haut-parleur *m*; (*of hi-fi unit*) enceinte *f*.

lounge [laʊndʒ] **1** *n* salon *m*; **l. suit** complet *m* veston. **2** *vi* (*loll*) se prélasser; **to l. about** (*idle*) paresser; (*stroll*) flâner.

louse, *pl* **lice** [laʊs, laɪs] **1** *n* (*insect*) pou *m*. **2** *n* (*person*) *Pej Sl* salaud *m*. **3** *vt* **to l. up** (*mess up*) *Sl* gâcher.

lousy ['laʊzɪ] *a* (**-ier, -iest**) (*bad*) *Fam* infect; **l. with** (*crammed, loaded*) *Sl* bourré de.

lout [laʊt] *n* rustre *m*. ◆**loutish** *a* (*attitude*) de rustre.

lov/e [lʌv] *n* amour *m*; *Tennis* zéro *m*; **in l.** amoureux (**with** de); **they're in l.** ils s'aiment; **art is his** *or* **her l.** l'art est sa passion; **yes, my l.** oui mon amour; – *vt* aimer; (*like very much*) adorer, aimer (beaucoup) (**to do, doing** faire); **give him** *or* **her my l.** (*greeting*) dis-lui bien des choses de ma part; **l. affair** liaison *f* (amoureuse). ◆**—ing** *a* affectueux, aimant. ◆**—able** *a* adorable. ◆**—er** *n* (*man*) amant *m*; (*woman*) maîtresse *f*; **a l. of** (*art, music etc*) un amateur de; **a nature l.** un amoureux de la nature. ◆**lovesick** *a* amoureux.

lovely ['lʌvlɪ] *a* (**-ier, -iest**) (*pleasing*) agréable, bon; (*excellent*) excellent; (*pretty*) joli; (*charming*) charmant; (*kind*) gentil; **the weather's l.** il fait beau; **l. to see you!** je suis ravi de te voir; **l. and hot/dry/***etc* bien chaud/sec/*etc*.

low¹ [ləʊ] *a* (**-er, -est**) bas; (*speed, income, intelligence*) faible; (*opinion, quality*) mauvais; **she's l. on** (*money etc*) elle n'a plus beaucoup de; **to feel l.** (*depressed*) être déprimé; **in a l. voice** à voix basse; **lower** inférieur; – *adv* (**-er, -est**) bas; **to turn (down) l.** mettre plus bas; **to run l.** (*of supplies*) s'épuiser; – *n Met* dépression *f*; **to reach a new l.** *or* **an all-time l.** (*of prices etc*) atteindre leur niveau le plus bas. ◆**low-'calorie** *a* (*diet*) (à) basses calories. ◆**low-'cost** *a* bon marché *inv*. ◆**low-cut** *a* décolleté. ◆**low-down** *a* méprisable. ◆**lowdown** *n* (*facts*) *Fam* tuyaux *mpl*. ◆**low-'fat** *a* (*milk*) écrémé; (*cheese*) de régime. ◆**low-'key** *a* (*discreet*) discret. ◆**lowland(s)** *n* plaine *f*. ◆**low-level** *a* bas. ◆**low-paid** *a* mal payé. ◆**low-'salt** *a* (*food*) à faible teneur en sel.

low² [ləʊ] *vi* (*of cattle*) meugler.

lower ['ləʊər] *vt* baisser; **to l. s.o./sth** (*by rope*) descendre qn/qch; **to l. oneself** *Fig* s'abaisser. ◆**—ing** *n* (*drop*) baisse *f*.

lowly ['ləʊlɪ] *a* (**-ier, -iest**) humble.

loyal ['lɔɪəl] *a* loyal (**to** envers), fidèle (**to** à). ◆**loyalty** *n* loyauté *f*, fidélité *f*.

lozenge ['lɒzɪndʒ] *n* (*sweet*) *Med* pastille *f*; (*shape*) *Geom* losange *m*.

LP [el'piː] *abbr* = **long-playing record.**

L-plates ['elpleɪts] *npl Aut* plaques *fpl* d'apprenti conducteur.
Ltd *abbr* (*Limited*) *Com* SARL.
lubricate ['luːbrɪkeɪt] *vt* lubrifier; *Aut* graisser. ◆**lubricant** *n* lubrifiant *m.* ◆**lubri'cation** *n Aut* graissage *m.*
lucid ['luːsɪd] *a* lucide. ◆**lu'cidity** *n* lucidité *f.*
luck [lʌk] *n* (*chance*) chance *f*; (*good fortune*) (bonne) chance *f*, bonheur *m*; (*fate*) hasard *m*, fortune *f*; **bad l.** malchance *f*, malheur *m*; **hard l.!, tough l.!** pas de chance!; **worse l.** (*unfortunately*) malheureusement. ◆**luckily** *adv* heureusement. ◆**lucky** *a* (**-ier, -iest**) (*person*) chanceux, heureux; (*guess, event*) heureux; **to be l.** (*of person*) avoir de la chance (**to do** de faire); **I've had a l. day** j'ai eu de la chance aujourd'hui; **l. charm** porte-bonheur *m inv*; **l. number**/*etc* chiffre *m*/*etc* porte-bonheur; **how l.!** quelle chance!
lucrative ['luːkrətɪv] *a* lucratif.
ludicrous ['luːdɪkrəs] *a* ridicule.
ludo ['luːdəʊ] *n* jeu *m* des petits chevaux.
lug [lʌg] *vt* (**-gg-**) (*pull*) traîner; **to l. around** trimbaler.
luggage ['lʌgɪdʒ] *n* bagages *mpl.*
lugubrious [luː'guːbrɪəs] *a* lugubre.
lukewarm ['luːkwɔːm] *a* tiède.
lull [lʌl] **1** *n* arrêt *m*; (*in storm*) accalmie *f.* **2** *vt* (**-ll-**) apaiser; **to l. to sleep** endormir.
lullaby ['lʌləbaɪ] *n* berceuse *f.*
lumbago [lʌm'beɪgəʊ] *n* lumbago *m.*
lumber[1] ['lʌmbər] *n* (*timber*) bois *m* de charpente; (*junk*) bric-à-brac *m inv.* ◆**lumberjack** *n Am Can* bûcheron *m.* ◆**lumberjacket** *n* blouson *m.* ◆**lumber-room** *n* débarras *m.*
lumber[2] ['lʌmbər] *vt* **to l. s.o. with sth/s.o.** *Fam* coller qch/qn à qn; **he got lumbered with the chore** il s'est appuyé la corvée.
luminous ['luːmɪnəs] *a* (*dial etc*) lumineux.
lump [lʌmp] *n* morceau *m*; (*in soup*) grumeau *m*; (*bump*) bosse *f*; (*swelling*) *Med* grosseur *f*; **l. sum** somme *f* forfaitaire; – *vt* **to l. together** réunir; *Fig Pej* mettre dans le même sac. ◆**lumpy** *a* (**-ier, -iest**) (*soup etc*) grumeleux; (*surface*) bosselé.
lunar ['luːnər] *a* lunaire.
lunatic ['luːnətɪk] *a* fou, dément; – *n* fou *m*, folle *f.* ◆**lunacy** *n* folie *f*, démence *f.*
lunch [lʌntʃ] *n* déjeuner *m*; **to have l.** déjeuner; **l. break, l. hour, l. time** heure *f* du déjeuner; – *vi* déjeuner (**on, off** de). ◆**luncheon** *n* déjeuner *m*; **l. meat** mortadelle *f*, saucisson *m*; **l. voucher** chèque-déjeuner *m.*
lung [lʌŋ] *n* poumon *m*; **l. cancer** cancer *m* du poumon.
lunge [lʌndʒ] *n* coup *m* en avant; – *vi* **to l. at s.o.** se ruer sur qn.
lurch [lɜːtʃ] **1** *vi* (*of person*) tituber; (*of ship*) faire une embardeé. **2** *n* **to leave s.o. in the l.** *Fam* laisser qn en plan, laisser tomber qn.
lure [lʊər] *vt* attirer (par la ruse) (**into** dans); – *n* (*attraction*) attrait *m.*
lurid ['lʊərɪd] *a* (*horrifying*) horrible, affreux; (*sensational*) à sensation; (*gaudy*) voyant; (*colour, sunset*) sanglant.
lurk [lɜːk] *vi* (*hide*) se cacher (**in** dans); (*prowl*) rôder; (*of suspicion, fear etc*) persister.
luscious ['lʌʃəs] *a* (*food etc*) appétissant.
lush [lʌʃ] **1** *a* (*vegetation*) luxuriant; (*wealthy*) *Fam* opulent. **2** *n Am Sl* ivrogne *mf.*
lust [lʌst] *n* (*for person, object*) convoitise *f* (**for** de); (*for power, knowledge*) soif *f* (**for** de); – *vi* **to l. after** (*object, person*) convoiter; (*power, knowledge*) avoir soif de.
lustre ['lʌstər] *n* (*gloss*) lustre *m.*
lusty [lʌstɪ] *a* (**-ier, -iest**) vigoureux.
lute [luːt] *n Mus* luth *m.*
Luxembourg ['lʌksəmbɜːg] *n* Luxembourg *m.*
luxuriant [lʌg'ʒʊərɪənt] *a* luxuriant. ◆**luxuriate** *vi* (*laze about*) paresser (**in bed**/*etc* au lit/*etc*).
luxury ['lʌkʃərɪ] *n* luxe *m*; – *a* (*goods, flat etc*) de luxe. ◆**luxurious** [lʌg'ʒʊərɪəs] *a* luxueux.
lying ['laɪɪŋ] *see* **lie**[1,2]; – *n* le mensonge; – *a* (*account*) mensonger; (*person*) menteur.
lynch [lɪntʃ] *vt* lyncher. ◆**—ing** *n* lynchage *m.*
lynx [lɪŋks] *n* (*animal*) lynx *m.*
lyre ['laɪər] *n Mus Hist* lyre *f.*
lyric ['lɪrɪk] *a* lyrique; – *npl* (*of song*) paroles *fpl.* ◆**lyrical** *a* (*effusive*) lyrique. ◆**lyricism** *n* lyrisme *m.*

M

M, m [em] *n* M, m *m.*
m *abbr* **1** (*metre*) mètre *m.* **2** (*mile*) mile *m.*
MA *abbr* = **Master of Arts.**
ma'am [mæm] *n* madame *f.*
mac [mæk] *n* (*raincoat*) *Fam* imper *m.*
macabre [mə'kɑːbrə] *a* macabre.
macaroni [mækə'rəʊnɪ] *n* macaroni(s) *m*(*pl*).
macaroon [mækə'ruːn] *n* (*cake*) macaron *m.*
mace [meɪs] *n* (*staff, rod*) masse *f.*
Machiavellian [mækɪə'velɪən] *a* machiavélique.
machination [mækɪ'neɪʃ(ə)n] *n* machination *f.*
machine [mə'ʃiːn] *n* (*apparatus, car, system etc*) machine *f.* ◆**machinegun** *n* mitrailleuse *f*; – *vt* (**-nn-**) mitrailler. ◆**machinery** *n* (*machines*) machines *fpl*; (*works*) mécanisme *m*; *Fig* rouages *mpl.* ◆**machinist** *n* (*on sewing machine*) piqueur, -euse *mf.*
macho ['mætʃəʊ] *n* (*pl* **-os**) macho *m*; – *a* (*attitude etc*) macho (*f inv*).
mackerel ['mækrəl] *n inv* (*fish*) maquereau *m.*
mackintosh ['mækɪntɒʃ] *n* imperméable *m.*
mad [mæd] *a* (**madder, maddest**) fou; (*dog*) enragé; (*bull*) furieux; **m. (at)** (*angry*) *Fam* furieux (contre); **to be m. (keen) on** *Fam* (*person*) être fou de; (*films etc*) se passionner *or* s'emballer pour; **to drive m.** rendre fou; (*irritate*) énerver; **he drove me m. to go** *Fam* il m'a cassé les pieds pour que j'y aille; **like m.** comme un fou. ◆**maddening** *a* exaspérant. ◆**madhouse** *n Fam* maison *f* de fous. ◆**madly** *adv* (*in love, to spend money etc*) follement; (*desperately*) désespérément. ◆**madman** *n* (*pl* **-men**) fou *m.* ◆**madness** *n* folie *f.*
Madagascar [mædə'gæskər] *n* Madagascar *f.*
madam ['mædəm] *n* (*married*) madame *f*; (*unmarried*) mademoiselle *f.*
made [meɪd] *see* **make.**
Madeira [mə'dɪərə] *n* (*wine*) madère *m.*
madonna [mə'dɒnə] *n Rel* madone *f.*
maestro ['maɪstrəʊ] *n* (*pl* **-os**) *Mus* maestro *m.*
Mafia ['mæfɪə] *n* maf(f)ia *f.*
magazine [mægə'ziːn] *n* (*periodical*) magazine *m*, revue *f*; (*of gun, camera*) magasin *m.*
maggot ['mægət] *n* ver *m*, asticot *m.* ◆**maggoty** *a* véreux.
magic ['mædʒɪk] *n* magie *f*; – *a* (*word, wand*) magique. ◆**magical** *a* (*evening etc*) magique. ◆**ma'gician** *n* magicien, -ienne *mf.*
magistrate ['mædʒɪstreɪt] *n* magistrat *m.*
magnanimous [mæg'nænɪməs] *a* magnanime.
magnate ['mægneɪt] *n* (*tycoon*) magnat *m.*
magnesium [mæg'niːzɪəm] *n* magnésium *m.*
magnet ['mægnɪt] *n* aimant *m.* ◆**mag'netic** *a* magnétique. ◆**magnetism** *n* magnétisme *m.* ◆**magnetize** *vt* magnétiser.
magnificent [mæg'nɪfɪsənt] *a* magnifique. ◆**magnificence** *n* magnificence *f.* ◆**magnificently** *adv* magnifiquement.
magnify ['mægnɪfaɪ] *vt* (*image*) & *Fig* grossir; (*sound*) amplifier; **magnifying glass** loupe *f.* ◆**magnifi'cation** *n* grossissement *m*; amplification *f.* ◆**magnitude** *n* ampleur *f.*
magnolia [mæg'nəʊlɪə] *n* (*tree*) magnolia *m.*
magpie ['mægpaɪ] *n* (*bird*) pie *f.*
mahogany [mə'hɒgənɪ] *n* acajou *m.*
maid [meɪd] *n* (*servant*) bonne *f*; **old m.** *Pej* vieille fille *f.* ◆**maiden** *n Old-fashioned* jeune fille *f*; – *a* (*speech etc*) premier; (*flight*) inaugural; **m. name** nom *m* de jeune fille. ◆**maidenly** *a* virginal.
mail [meɪl] *n* (*system*) poste *f*; (*letters*) courrier *m*; – *a* (*van, bag etc*) postal; **m. order** vente *f* par correspondance; – *vt* mettre à la poste; **mailing list** liste *f* d'adresses. ◆**mailbox** *n Am* boîte *f* à *or* aux lettres. ◆**mailman** *n* (*pl* **-men**) *Am* facteur *m.*
maim [meɪm] *vt* mutiler, estropier.
main [meɪn] **1** *a* principal; **the m. thing is to** . . . l'essentiel est de . . . ; **m. line** *Rail* grande ligne *f*; **m. road** grande route *f*; **in the m.** (*mostly*) en gros, dans l'ensemble. **2** *n* **water/gas m.** conduite *f* d'eau/de gaz; **the mains** *El* le secteur; **a mains radio** une radio secteur. ◆**—ly** *adv* principalement, surtout. ◆**mainland** *n* continent *m.* ◆**main-**

stay *n* (*of family etc*) soutien *m*; (*of organization, policy*) pilier *m*. ◆**mainstream** *n* tendance *f* dominante.

maintain [meɪn'teɪn] *vt* (*continue, assert*) maintenir (**that** que); (*vehicle, family etc*) entretenir; (*silence*) garder. ◆**maintenance** *n* (*of vehicle, road etc*) entretien *m*; (*of prices, order, position etc*) maintien *m*; (*alimony*) pension *f* alimentaire.

maisonette [meɪzə'net] *n* duplex *m*.

maize [meɪz] *n* (*cereal*) maïs *m*.

majesty ['mædʒəstɪ] *n* majesté *f*; **Your M.** (*title*) Votre Majesté. ◆**ma'jestic** *a* majestueux.

major ['meɪdʒər] **1** *a* (*main, great*) & *Mus* majeur; **a m. road** une grande route. **2** *n Mil* commandant *m*. **3** *n* (*subject*) *Univ Am* dominante *f*; – *vi* **to m. in** se spécialiser en. ◆**majo'rette** *n* (**drum**) **m.** majorette *f*.

Majorca [mə'jɔːkə] *n* Majorque *f*.

majority [mə'dʒɒrɪtɪ] *n* majorité *f* (**of** de); **in the** *or* **a m.** en majorité, majoritaire; **the m. of people** la plupart des gens; – *a* (*vote etc*) majoritaire.

make [meɪk] *vt* (*pt & pp* **made**) faire; (*tool, vehicle etc*) fabriquer; (*decision*) prendre; (*friends, wage*) se faire; (*points*) *Sp* marquer; (*destination*) arriver à; **to m. happy/tired/***etc* rendre heureux/fatigué/*etc*; **he made ten francs on it** *Com* ça lui a rapporté dix francs; **she made the train** (*did not miss*) elle a eu le train; **to m. s.o. do sth** faire faire qch à qn, obliger qn à faire qch; **to m. oneself heard** se faire entendre; **to m. oneself at home** se mettre à l'aise; **to m. ready** préparer; **to m. yellow** jaunir; **she made him her husband** elle en a fait son mari; **to m. do** (*manage*) se débrouiller (**with** avec); **to m. do with** (*be satisfied with*) se contenter de; **to m. it** (*arrive*) arriver; (*succeed*) réussir; (*say*) dire; **I m. it five o'clock** j'ai cinq heures; **what do you m. of it?** qu'en penses-tu?; **I can't m. anything of it** je n'y comprends rien; **to m. a living** gagner sa vie; **you're made (for life)** ton avenir est assuré; **to m. believe** (*pretend*) faire semblant (**that one is** d'être); (*n*) **it's m.-believe** (*story etc*) c'est pure invention; **to live in a world of m.-believe** se bercer d'illusions; – *vi* **to m. as if to** (*appear to*) faire mine de; **to m. for** (*go towards*) aller vers; – *n* (*brand*) marque *f*; **of French/***etc* **m.** de fabrication française/*etc*. ■ **to m. off** *vi* (*run away*) se sauver; **to m. out** *vt* (*see*) distinguer; (*understand*) comprendre; (*decipher*) déchiffrer; (*draw up*) faire (*chèque, liste*); (*claim*) prétendre (**that** que); **you made me out to be silly** tu m'as fait passer pour un idiot; – *vi* (*manage*) *Fam* se débrouiller; **to m. over** *vt* (*transfer*) céder; (*change*) transformer (**into** en); **to m. up** *vt* (*story*) inventer; (*put together*) faire (*collection, liste, lit etc*); (*prepare*) préparer; (*form*) former, composer; (*loss*) compenser; (*quantity*) compléter; (*quarrel*) régler; (*one's face*) maquiller; – *vi* (*of friends*) se réconcilier; **to m. up for** (*loss, damage, fault*) compenser; (*lost time, mistake*) rattraper. ◆**m.-up** *n* (*of object etc*) constitution *f*; (*of person*) caractère *m*; (*for face*) maquillage *m*. ◆**making** *n* (*manufacture*) fabrication *f*; (*of dress*) confection *f*; **history in the m.** l'histoire en train de se faire; **the makings of** les éléments *mpl* (essentiels) de; **to have the makings of a pianist/***etc* avoir l'étoffe d'un pianiste/*etc*. ◆**maker** *n Com* fabricant *m*. ◆**makeshift** *n* expédient *m*; – *a* (*arrangement etc*) de fortune, provisoire.

maladjusted [mælə'dʒʌstɪd] *a* inadapté.

malaise [mæ'leɪz] *n* malaise *m*.

malaria [mə'leərɪə] *n* malaria *f*.

Malaysia [mə'leɪzɪə] *n* Malaisie *f*.

male [meɪl] *a Biol Bot etc* mâle; (*clothes, sex*) masculin; – *n* (*man, animal*) mâle *m*.

malevolent [mə'levələnt] *a* malveillant. ◆**malevolence** *n* malveillance *f*.

malfunction [mæl'fʌŋkʃ(ə)n] *n* mauvais fonctionnement *m*; – *vi* fonctionner mal.

malice ['mælɪs] *n* méchanceté *f*; **to bear s.o. m.** vouloir du mal à qn. ◆**ma'licious** *a* malveillant. ◆**ma'liciously** *adv* avec malveillance.

malign [mə'laɪn] *vt* (*slander*) calomnier.

malignant [mə'lɪgnənt] *a* (*person etc*) malfaisant; **m. tumour** *Med* tumeur *f* maligne. ◆**malignancy** *n Med* malignité *f*.

malingerer [mə'lɪŋgərər] *n* (*pretending illness*) simulateur, -euse *mf*.

mall [mɔːl] *n* (**shopping**) **m.** (*covered*) galerie *f* marchande; (*street*) rue *f* piétonnière.

malleable ['mælɪəb(ə)l] *a* malléable.

mallet ['mælɪt] *n* (*tool*) maillet *m*.

malnutrition [mælnjuː'trɪʃ(ə)n] *n* malnutrition *f*, sous-alimentation *f*.

malpractice [mæl'præktɪs] *n Med Jur* faute *f* professionnelle.

malt [mɔːlt] *n* malt *m*.

Malta ['mɔːltə] *n* Malte *f*. ◆**Mal'tese** *a & n* maltais, -aise (*mf*).

mammal ['mæm(ə)l] *n* mammifère *m*.

mammoth ['mæməθ] *a* (*large*) immense; – *n* (*extinct animal*) mammouth *m*.

man [mæn] *n* (*pl* **men** [men]) homme *m*; (*player*) *Sp* joueur *m*; (*chess piece*) pièce *f*; **a golf m.** (*enthusiast*) un amateur de golf; **he's a Bristol m.** (*by birth*) il est de Bristol; **to be m. and wife** être mari et femme; **my old m.** *Fam* (*father*) mon père; (*husband*) mon homme; **yes old m.!** *Fam* oui mon vieux!; **the m. in the street** l'homme de la rue; – *vt* (**-nn-**) (*ship*) pourvoir d'un équipage; (*fortress*) armer; (*guns*) servir; (*be on duty at*) être de service à; **manned spacecraft** engin *m* spatial habité. ◆**manhood** *n* (*period*) âge *m* d'homme. ◆**manhunt** *n* chasse *f* à l'homme. ◆**manlike** *a* (*quality*) d'homme viril. ◆**manly** *a* (**-ier, -iest**) viril. ◆**man-'made** *a* artificiel; (*fibre*) synthétique. ◆**manservant** *n* (*pl* **menservants**) domestique *m*. ◆**man-to-'man** *a & adv* d'homme à homme.

manacle ['mænɪk(ə)l] *n* menotte *f*.

manag/e ['mænɪdʒ] *vt* (*run*) diriger; (*affairs etc*) *Com* gérer; (*handle*) manier; (*take*) *Fam* prendre; (*eat*) *Fam* manger; (*contribute*) *Fam* donner; **to m. to do** (*succeed*) réussir *or* arriver à faire; (*contrive*) se débrouiller pour faire; **I'll m. it** j'y arriverai; – *vi* (*succeed*) y arriver; (*make do*) se débrouiller (**with** avec); **to m. without sth** se passer de qch. ◆**—ing** *a* **m. director** directeur *m* général; **the m. director** le PDG. ◆**—eable** *a* (*parcel, person etc*) maniable; (*feasible*) faisable. ◆**—ement** *n* direction *f*; (*of property etc*) gestion *f*; (*executive staff*) cadres *mpl*. ◆**—er** *n* directeur *m*; (*of shop, café*) gérant *m*; (**business) m.** (*of actor, boxer etc*) manager *m*. ◆**manage'ress** *n* directrice *f*; gérante *f*. ◆**managerial** [mænə'dʒɪərɪəl] *a* directorial; **the m. class** *or* **staff** les cadres *mpl*.

mandarin ['mændərɪn] **1** *n* (*high-ranking official*) haut fonctionnaire *m*; (*in political party*) bonze *m*; (*in university*) *Pej* mandarin *m*. **2** *a & n* **m. (orange)** mandarine *f*.

mandate ['mændeɪt] *n* mandat *m*. ◆**mandatory** *a* obligatoire.

mane [meɪn] *n* crinière *f*.

maneuver [mə'nuːvər] *n & vti Am* = **manoeuvre.**

mangle ['mæŋg(ə)l] **1** *n* (*for wringing*) essoreuse *f*; – *vt* (*clothes*) essorer. **2** *vt* (*damage*) mutiler.

mango ['mæŋgəʊ] *n* (*pl* **-oes** *or* **-os**) (*fruit*) mangue *f*.

mangy ['meɪndʒɪ] *a* (*animal*) galeux.

manhandle [mæn'hænd(ə)l] *vt* maltraiter.

manhole ['mænhəʊl] *n* trou *m* d'homme; **m. cover** plaque *f* d'égout.

mania ['meɪnɪə] *n* manie *f*. ◆**maniac** *n* fou *m*, folle *f*; *Psy Med* maniaque *mf*; **sex m.** obsédé *m* sexuel.

manicure ['mænɪkjʊər] *n* soin *m* des mains; – *vt* (*person*) manucurer; (*s.o.'s nails*) faire. ◆**manicurist** *n* manucure *mf*.

manifest ['mænɪfest] **1** *a* (*plain*) manifeste. **2** *vt* (*show*) manifester.

manifesto [mænɪ'festəʊ] *n* (*pl* **-os** *or* **-oes**) *Pol* manifeste *m*.

manifold ['mænɪfəʊld] *a* multiple.

manipulate [mə'nɪpjʊleɪt] *vt* manœuvrer; (*facts, electors etc*) *Pej* manipuler. ◆**manipu'lation** *n* manœuvre *f*; *Pej* manipulation *f* (**of** de).

mankind [mæn'kaɪnd] *n* (*humanity*) le genre humain.

manner ['mænər] *n* (*way*) manière *f*; (*behaviour*) attitude *f*, comportement *m*; *pl* (*social habits*) manières *fpl*; **in this m.** (*like this*) de cette manière; **all m. of** toutes sortes de. ◆**mannered** *a* (*affected*) maniéré; **well-/bad-m.** bien/mal élevé. ◆**mannerism** *n Pej* tic *m*.

manoeuvre [mə'nuːvər] *n* manœuvre *f*; – *vti* manœuvrer. ◆**manoeuvra'bility** *n* (*of vehicle etc*) maniabilité *f*.

manor ['mænər] *n* **m. (house)** manoir *m*.

manpower ['mænpaʊər] *n* (*labour*) main-d'œuvre *f*; *Mil* effectifs *mpl*; (*effort*) force *f*.

mansion ['mænʃ(ə)n] *n* hôtel *m* particulier; (*in country*) manoir *m*.

manslaughter ['mænslɔːtər] *n Jur* homicide *m* involontaire.

mantelpiece ['mænt(ə)lpiːs] *n* (*shelf*) cheminée *f*.

mantle ['mænt(ə)l] *n* (*cloak*) cape *f*.

manual ['mænjʊəl] **1** *a* (*work etc*) manuel. **2** *n* (*book*) manuel *m*.

manufactur/e [mænjʊ'fæktʃər] *vt* fabriquer; – *n* fabrication *f*. ◆**—er** *n* fabricant, -ante *mf*.

manure [mə'njʊər] *n* fumier *m*, engrais *m*.

manuscript ['mænjʊskrɪpt] *n* manuscrit *m*.

many ['menɪ] *a & n* beaucoup (de); **m. things** beaucoup de choses; **m. came** beaucoup sont venus; **very m., a good** *or* **great m.** un très grand nombre (de); (**a good** *or* **great**) **m. of** un (très) grand nombre de; **m. of them** un grand nombre d'entre eux; **m. times, m. a time** bien des fois; **m. kinds** toutes sortes (**of** de); **how m.?** combien (de)?; **too m.** trop (de); **one too m.** un de trop; **there are too m. of them** ils sont trop nombreux; **so m.** tant (de); **as m. books/***etc*

as autant de livres/*etc* que; **as m. as** (*up to*) jusqu'à.
map [mæp] *n* (*of country etc*) carte *f*; (*plan*) plan *m*; – *vt* (**-pp-**) faire la carte *or* le plan de; **to m. out** (*road*) faire le tracé de; (*one's day etc*) *Fig* organiser.
maple ['meɪp(ə)l] *n* (*tree, wood*) érable *m*.
mar [mɑːr] *vt* (**-rr-**) gâter.
marathon ['mærəθən] *n* marathon *m*.
maraud [mə'rɔːd] *vi* piller. ◆**—ing** *a* pillard. ◆**—er** *n* pillard, -arde *mf*.
marble ['mɑːb(ə)l] *n* (*substance*) marbre *m*; (*toy ball*) bille *f*.
march [mɑːtʃ] *n* *Mil* marche *f*; – *vi* *Mil* marcher (au pas); **to m. in/out/***etc* *Fig* entrer/sortir/*etc* d'un pas décidé; **to m. past** défiler; – *vt* **to m. s.o. off** *or* **away** emmener qn. ◆**m.-past** *n* défilé *m*.
March [mɑːtʃ] *n* mars *m*.
mare [meər] *n* jument *f*.
margarine [mɑːdʒə'riːn] *n* margarine *f*.
margin ['mɑːdʒɪn] *n* (*of page etc*) marge *f*; **by a narrow m.** (*to win*) de justesse. ◆**marginal** *a* marginal; **m. seat** *Pol* siège *m* disputé. ◆**marginally** *adv* très légèrement.
marguerite [mɑːgə'riːt] *n* (*daisy*) marguerite *f*.
marigold ['mærɪgəʊld] *n* (*flower*) souci *m*.
marijuana [mærɪ'wɑːnə] *n* marijuana *f*.
marina [mə'riːnə] *n* marina *f*.
marinate ['mærɪneɪt] *vti* *Culin* mariner.
marine [mə'riːn] **1** *a* (*life, flora etc*) marin. **2** *n* (*soldier*) fusilier *m* marin, *Am* marine *m*.
marionette [mærɪə'net] *n* marionnette *f*.
marital ['mærɪt(ə)l] *a* matrimonial; (*relations*) conjugal; **m. status** situation *f* de famille.
maritime ['mærɪtaɪm] *a* (*province, climate etc*) maritime.
marjoram ['mɑːdʒərəm] *n* (*spice*) marjolaine *f*.
mark¹ [mɑːk] *n* (*symbol*) marque *f*; (*stain, trace*) trace *f*, tache *f*, marque *f*; (*token, sign*) *Fig* signe *m*; (*for exercise etc*) *Sch* note *f*; (*target*) but *m*; (*model*) *Tech* série *f*; **to make one's m.** *Fig* s'imposer; **up to the m.** (*person, work*) à la hauteur; – *vt* marquer; (*exam etc*) *Sch* corriger, noter; (*pay attention to*) faire attention à; **to m. time** *Mil* marquer le pas; *Fig* piétiner; **m. you . . . !** remarquez que . . . !; **to m. down** (*price*) baisser; **to m. off** (*separate*) séparer; (*on list*) cocher; **to m. out** (*area*) délimiter; **to m. s.o. out for** désigner qn pour; **to m. up** (*increase*) augmenter. ◆**—ed** *a* (*noticeable*) marqué. ◆**—edly** [-ɪdlɪ] *adv* visiblement. ◆**—ing(s)** *n*(*pl*) (*on animal etc*) marques *fpl*; (*on road*) signalisation *f* horizontale. ◆**—er** *n* (*flag etc*) marque *f*; (*pen*) feutre *m*, marqueur *m*.
mark² [mɑːk] *n* (*currency*) mark *m*.
market ['mɑːkɪt] *n* marché *m*; **on the open m.** en vente libre; **on the black m.** au marché noir; **the Common M.** le Marché commun; **m. value** valeur *f* marchande; **m. price** prix *m* courant; **m. gardener** maraîcher, -ère *mf*; – *vt* (*sell*) vendre; (*launch*) commercialiser. ◆**—ing** *n* marketing *m*, vente *f*. ◆**—able** *a* vendable.
marksman ['mɑːksmən] *n* (*pl* **-men**) tireur *m* d'élite.
marmalade ['mɑːməleɪd] *n* confiture *f* d'oranges.
maroon [mə'ruːn] *a* (*colour*) bordeaux *inv*.
marooned [mə'ruːnd] *a* abandonné; (*in snowstorm etc*) bloqué (**by** par).
marquee [mɑː'kiː] *n* (*for concerts, garden parties etc*) chapiteau *m*; (*awning*) *Am* marquise *f*.
marquis ['mɑːkwɪs] *n* marquis *m*.
marrow ['mærəʊ] *n* **1** (*of bone*) moelle *f*. **2** (*vegetable*) courge *f*.
marr/y ['mærɪ] *vt* épouser, se marier avec; **to m. (off)** (*of priest etc*) marier; – *vi* se marier. ◆**—ied** *a* marié; (*life, state*) conjugal; **m. name** nom *m* de femme mariée; **to get m.** se marier. ◆**marriage** *n* mariage *m*; **to be related by m. to** être parent par alliance de; – *a* (*bond*) conjugal; (*certificate*) de mariage; **m. bureau** agence *f* matrimoniale. ◆**marriageable** *a* en état de se marier.
marsh [mɑːʃ] *n* marais *m*, marécage *m*. ◆**marshland** *n* marécages *mpl*. ◆**marsh'mallow** *n* *Bot Culin* guimauve *f*.
marshal ['mɑːʃ(ə)l] **1** *n* (*in army*) maréchal *m*; (*in airforce*) général *m*; (*at public event*) membre *m* du service d'ordre; *Jur Am* shérif *m*. **2** *vt* (**-ll-**, *Am* **-l-**) (*gather*) rassembler; (*lead*) mener cérémonieusement.
martial ['mɑːʃ(ə)l] *a* martial; **m. law** loi *f* martiale.
Martian ['mɑːʃ(ə)n] *n* & *a* martien, -ienne (*mf*).
martyr ['mɑːtər] *n* martyr, -yre *mf*; – *vt* *Rel* martyriser. ◆**martyrdom** *n* martyre *m*.
marvel ['mɑːv(ə)l] *n* (*wonder*) merveille *f*; (*miracle*) miracle *m*; – *vi* (**-ll-**, *Am* **-l-**) s'émerveiller (**at** de); – *vt* **to m. that** s'étonner de ce que (+ *sub or indic*). ◆**marvellous** *a* merveilleux.
Marxism ['mɑːksɪz(ə)m] *n* marxisme *m*. ◆**Marxist** *a* & *n* marxiste (*mf*).

marzipan ['mɑːzɪpæn] *n* pâte *f* d'amandes.
mascara [mæ'skɑːrə] *n* mascara *m.*
mascot ['mæskɒt] *n* mascotte *f.*
masculine ['mæskjʊlɪn] *a* masculin. ◆**mascu'linity** *n* masculinité *f.*
mash [mæʃ] *n* (*for poultry etc*) pâtée *f*; (*potatoes*) *Culin* purée *f*; – *vt* **to m. (up)** (*crush*) & *Culin* écraser; **mashed potatoes** purée *f* (de pommes de terre).
mask [mɑːsk] *n* masque *m*; – *vt* (*cover, hide*) masquer (**from** à).
masochism ['mæsəkɪz(ə)m] *n* masochisme *m.* ◆**masochist** *n* masochiste *mf.* ◆**maso'chistic** *a* masochiste.
mason ['meɪs(ə)n] *n* maçon *m.* ◆**masonry** *n* maçonnerie *f.*
masquerade [mɑːskə'reɪd] *n* (*gathering, disguise*) mascarade *f*; – *vi* **to m. as** se faire passer pour.
mass[1] [mæs] *n* masse *f*; **a m. of** (*many*) une multitude de; (*pile*) un tas de, une masse de; **to be a m. of bruises** *Fam* être couvert de bleus; **masses of** *Fam* des masses de; **the masses** (*people*) les masses *fpl*; – *a* (*education*) des masses; (*culture, demonstration*) de masse; (*protests, departure*) en masse; (*production*) en série, en masse; (*hysteria*) collectif; **m. grave** fosse *f* commune; **m. media** mass media *mpl*; – *vi* (*of troops, people*) se masser. ◆**m.-pro'duce** *vt* fabriquer en série.
mass[2] [mæs] *n Rel* messe *f.*
massacre ['mæsəkər] *n* massacre *m*; – *vt* massacrer.
massage ['mæsɑːʒ] *n* massage *m*; – *vt* masser. ◆**ma'sseur** *n* masseur *m.* ◆**ma'sseuse** *n* masseuse *f.*
massive ['mæsɪv] *a* (*solid*) massif; (*huge*) énorme, considérable. ◆**—ly** *adv* (*to increase, reduce etc*) considérablement.
mast [mɑːst] *n Nau* mât *m*; *Rad TV* pylône *m.*
master ['mɑːstər] *n* maître *m*; (*in secondary school*) professeur *m*; **a m.'s degree** une maîtrise (**in** de); **M. of Arts/Science** (*person*) *Univ* Maître *m* ès lettres/sciences; **m. of ceremonies** (*presenter*) *Am* animateur, -trice *mf*; **m. card** carte *f* maîtresse; **m. stroke** coup *m* de maître; **m. key** passe-partout *m inv*; **old m.** (*painting*) tableau *m* de maître; **I'm my own m.** je ne dépends que de moi; – *vt* (*control*) maîtriser; (*subject, situation*) dominer; **she has mastered Latin** elle possède le latin. ◆**masterly** *a* magistral. ◆**mastery** *n* maîtrise *f* (**of** de).
mastermind ['mɑːstəmaɪnd] *n* (*person*) cerveau *m*; – *vt* organiser.
masterpiece ['mɑːstəpiːs] *n* chef-d'œuvre *m.*
mastic ['mæstɪk] *n* mastic *m* (silicone).
masturbate ['mæstəbeɪt] *vi* se masturber. ◆**mastur'bation** *n* masturbation *f.*
mat [mæt] **1** *n* tapis *m*, natte *f*; (*at door*) paillasson *m*; **(table) m.** (*of fabric*) napperon *m*; (*hard*) dessous-de-plat *m inv*; **(place) m.** set *m* (de table). **2** *a* (*paint, paper*) mat.
match[1] [mætʃ] *n* allumette *f*; **book of matches** pochette *f* d'allumettes. ◆**matchbox** *n* boîte *f* à allumettes. ◆**matchstick** *n* allumette *f.*
match[2] [mætʃ] *n* (*game*) *Sp* match *m*; (*equal*) égal, -ale *mf*; (*marriage*) mariage *m*; **to be a good m.** (*of colours, people etc*) être bien assortis; **he's a good m.** (*man to marry*) c'est un bon parti; – *vt* (*of clothes*) aller (bien) avec; **to m. (up to)** (*equal*) égaler; **to m. (up)** (*plates etc*) assortir; **to be well-matched** (*of colours, people etc*) être (bien) assortis, aller (bien) ensemble; – *vi* (*go with each other*) être assortis, aller (bien) ensemble. ◆**—ing** *a* (*dress etc*) assorti.
mate [meɪt] **1** *n* (*friend*) camarade *mf*; (*of animal*) mâle *m*, femelle *f*; **builder's/electrician's/***etc* **m.** aide-maçon/-électricien/*etc m.* **2** *vi* (*of animals*) s'accoupler (**with** avec). **3** *n Chess* mat *m*; – *vt* faire *or* mettre mat.
material [mə'tɪərɪəl] **1** *a* matériel; (*important*) important. **2** *n* (*substance*) matière *f*; (*cloth*) tissu *m*; (*for book*) matériaux *mpl*; **material(s)** (*equipment*) matériel *m*; **building material(s)** matériaux *mpl* de construction. ◆**materialism** *n* matérialisme *m.* ◆**materialist** *n* matérialiste *mf.* ◆**materia'listic** *a* matérialiste. ◆**materialize** *vi* se matérialiser. ◆**materially** *adv* matériellement; (*well-off etc*) sur le plan matériel.
maternal [mə'tɜːn(ə)l] *a* maternel. ◆**maternity** *n* maternité *f*; **m. hospital, m. unit** maternité *f*; – *a* (*clothes*) de grossesse; (*allowance, leave*) de maternité.
mathematical [mæθə'mætɪk(ə)l] *a* mathématique; **to have a m. brain** être doué pour les maths. ◆**mathema'tician** *n* mathématicien, -ienne *mf.* ◆**mathematics** *n* mathématiques *fpl.* ◆**maths** *n*, *Am* ◆**math** *n Fam* maths *fpl.*
matinée ['mætɪneɪ] *n Th* matinée *f.*

matriculation [mətrɪkjʊ'leɪʃ(ə)n] *n Univ* inscription *f*.

matrimony ['mætrɪmənɪ] *n* mariage *m*. ◆**matri'monial** *a* matrimonial.

matrix, *pl* -ices ['meɪtrɪks, -ɪsiːz] *n Tech* matrice *f*.

matron ['meɪtrən] *n Lit* mère *f* de famille, dame *f* âgée; (*nurse*) infirmière *f* (en) chef. ◆**matronly** *a* (*air etc*) de mère de famille; (*mature*) mûr; (*portly*) corpulent.

matt [mæt] *a* (*paint, paper*) mat.

matted ['mætɪd] *a* **m. hair** cheveux *mpl* emmêlés.

matter[1] ['mætər] *n* matière *f*; (*affair*) affaire *f*, question *f*; (*thing*) chose *f*; **no m.!** (*no importance*) peu importe!; **no m. what she does** quoi qu'elle fasse; **no m. where you go** où que tu ailles; **no m. who you are** qui que vous soyez; **no m. when** quel que soit le moment; **what's the m.?** qu'est-ce qu'il y a?; **what's the m. with you?** qu'est-ce que tu as?; **there's sth the m.** il y a qch qui ne va pas; **there's sth the m. with my leg** j'ai qch à la jambe; **there's nothing the m. with him** il n'a rien; – *vi* (*be important*) importer (**to** à); **it doesn't m. if/when/who/***etc* peu importe si/quand/qui/*etc*; **it doesn't m.!** ça ne fait rien!, peu importe! ◆**m.-of-'fact** *a* (*person, manner*) terre à terre; (*voice*) neutre.

matter[2] ['mætər] *n* (*pus*) *Med* pus *m*.

matting ['mætɪŋ] *n* (*material*) nattage *m*; **a piece of m., some m.** une natte.

mattress ['mætrəs] *n* matelas *m*.

mature [mə'tʃʊər] *a* mûr; (*cheese*) fait; – *vt* (*person, plan*) (faire) mûrir; – *vi* mûrir; (*of cheese*) se faire. ◆**maturity** *n* maturité *f*.

maul [mɔːl] *vt* (*of animal*) mutiler; (*of person*) *Fig* malmener.

mausoleum [mɔːsə'lɪəm] *n* mausolée *m*.

mauve [məʊv] *a* & *n* (*colour*) mauve (*m*).

maverick ['mævərɪk] *n* & *a Pol* dissident, -ente (*mf*).

mawkish ['mɔːkɪʃ] *a* d'une sensiblerie excessive, mièvre.

maxim ['mæksɪm] *n* maxime *f*.

maximum ['mæksɪməm] *n* (*pl* **-ima** [-ɪmə] *or* **-imums**) maximum *m*; – *a* maximum (*f inv*), maximal. ◆**maximize** *vt* porter au maximum.

may [meɪ] *v aux* (*pt* **might**) **1** (*possibility*) **he m. come** il peut arriver; **he might come** il pourrait arriver; **I m.** *or* **might be wrong** il se peut que je me trompe, je me trompe peut-être; **you m.** *or* **might have** tu aurais pu; **I m.** *or* **might have forgotten it** je l'ai peut-être oublié; **we m.** *or* **might as well go** nous ferions aussi bien de partir; **she fears I m.** *or* **might get lost** elle a peur que je ne me perde. **2** (*permission*) **m. I stay?** puis-je rester?; **m. I?** vous permettez?; **you m. go** tu peux partir. **3** (*wish*) **m. you be happy** (que tu) sois heureux. ◆**maybe** *adv* peut-être.

May [meɪ] *n* mai *m*.

mayhem ['meɪhem] *n* (*chaos*) pagaïe *f*; (*havoc*) ravages *mpl*.

mayonnaise [meɪə'neɪz] *n* mayonnaise *f*.

mayor [meər] *n* (*man, woman*) maire *m*. ◆**mayoress** *n* femme *f* du maire.

maze [meɪz] *n* labyrinthe *m*.

MC [em'siː] *abbr* = **master of ceremonies.**

me [miː] *pron* me, m'; (*after prep etc*) moi; **(to) me** (*indirect*) me, m'; **she knows me** elle me connaît; **he helps me** il m'aide; **he gives (to) me** il me donne; **with me** avec moi.

meadow ['medəʊ] *n* pré *m*, prairie *f*.

meagre ['miːgər] *a* maigre.

meal [miːl] *n* **1** (*food*) repas *m*. **2** (*flour*) farine *f*.

mealy-mouthed [miːlɪ'maʊðd] *a* mielleux.

mean[1] [miːn] *vt* (*pt* & *pp* **meant** [ment]) (*signify*) vouloir dire, signifier; (*destine*) destiner (**for** à); (*entail*) entraîner; (*represent*) représenter; (*refer to*) faire allusion à; **to m. to do** (*intend*) avoir l'intention de faire, vouloir faire; **I m. it, I m. what I say** je suis sérieux; **to m. sth to s.o.** (*matter*) avoir de l'importance pour qn; **it means sth to me** (*name, face*) ça me dit qch; **I didn't m. to!** je ne l'ai pas fait exprès!; **you were meant to come** vous étiez censé venir. ◆**—ing** *n* sens *m*, signification *f*. ◆**meaningful** *a* significatif. ◆**meaningless** *a* qui n'a pas de sens; (*absurd*) *Fig* insensé.

mean[2] [miːn] *a* (**-er, -est**) (*stingy*) avare, mesquin; (*petty*) mesquin; (*nasty*) méchant; (*inferior*) misérable. ◆**—ness** *n* (*greed*) avarice *f*; (*nastiness*) méchanceté *f*.

mean[3] [miːn] *a* (*distance*) moyen; – *n* (*middle position*) milieu *m*; (*average*) *Math* moyenne *f*; **the happy m.** le juste milieu.

meander [mɪ'ændər] *vi* (*of river*) faire des méandres.

means [miːnz] *n*(*pl*) (*method*) moyen(s) *m*(*pl*) (**to do, of doing** de faire); (*wealth*) moyens *mpl*; **by m. of** (*stick etc*) au moyen de; (*work, concentration*) à force de; **by all m.!** très certainement!; **by no m.** nullement; **independent** *or* **private m.** fortune *f* personnelle.

meant [ment] *see* **mean**[1].

meantime ['miːntaɪm] *adv* & *n* **(in the) m.** entre-temps. ◆**meanwhile** *adv* entretemps.

measles ['miːz(ə)lz] *n* rougeole *f*.
measly ['miːzlɪ] *a* (*contemptible*) *Fam* minable.
measur/e ['meʒər] *n* mesure *f*; (*ruler*) règle *f*; **made to m.** fait sur mesure; – *vt* mesurer; (*strength etc*) *Fig* estimer, mesurer; (*adjust, adapt*) adapter (**to** à); **to m. up** mesurer; – *vi* **to m. up to** être à la hauteur de. ◆**—ed** *a* (*careful*) mesuré. ◆**—ement** *n* (*of chest, waist etc*) tour *m*; *pl* (*dimensions*) mesures *fpl*; **your hip m.** ton tour de hanches.
meat [miːt] *n* viande *f*; (*of crab, lobster etc*) chair *f*; *Fig* substance *f*; **m. diet** régime *m* carné. ◆**meaty** *a* (**-ier, -iest**) (*fleshy*) charnu; (*flavour*) de viande; *Fig* substantiel.
mechanic [mɪ'kænɪk] *n* mécanicien, -ienne *mf*. ◆**mechanical** *a* mécanique; (*reply etc*) *Fig* machinal. ◆**mechanics** *n* (*science*) mécanique *f*; *pl* (*workings*) mécanisme *m*. ◆**'mechanism** *n* mécanisme *m*. ◆**'mechanize** *vt* mécaniser.
medal ['med(ə)l] *n* médaille *f*. ◆**me'dallion** *n* (*ornament, jewel*) médaillon *m*. ◆**medallist** *n* médaillé, -ée *mf*; **to be a gold/silver m.** *Sp* être médaille d'or/ d'argent.
meddle ['med(ə)l] *vi* (*interfere*) se mêler (**in** de); (*tamper*) toucher (**with** à). ◆**meddlesome** *a* qui se mêle de tout.
media ['miːdɪə] *npl* **1 the (mass) m.** les médias *mpl*. **2** *see* **medium 2**.
mediaeval [medɪ'iːv(ə)l] *a* médiéval.
median ['miːdɪən] *a* **m. strip** *Aut Am* bande *f* médiane.
mediate ['miːdɪeɪt] *vi* servir d'intermédiaire (**between** entre). ◆**medi'ation** *n* médiation *f*. ◆**mediator** *n* médiateur, -trice *mf*.
medical ['medɪk(ə)l] *a* médical; (*school, studies*) de médecine; (*student*) en médecine; – *n* (*in school, army*) visite *f* médicale; (*private*) examen *m* médical. ◆**medicated** *a* (*shampoo*) médical. ◆**medi'cation** *n* médicaments *mpl*. ◆**me'dicinal** *a* médicinal. ◆**medicine** *n* médecine *f*; (*substance*) médicament *m*; **m. cabinet, m. chest** pharmacie *f*.
medieval [medɪ'iːv(ə)l] *a* médiéval.
mediocre [miːdɪ'əʊkər] *a* médiocre. ◆**mediocrity** *n* médiocrité *f*.
meditate ['medɪteɪt] *vi* méditer (**on** sur). ◆**medi'tation** *n* méditation *f*. ◆**meditative** *a* méditatif.
Mediterranean [medɪtə'reɪnɪən] *a* méditerranéen; – *n* **the M.** la Méditerranée.
medium ['miːdɪəm] **1** *a* (*average, middle*) moyen. **2** *n* (*pl* **media** ['miːdɪə]) *Phys* véhicule *m*; *Biol* milieu *m*; (*for conveying data or publicity*) support *m*; **through the m. of** par l'intermédiaire de; **the happy m.** le juste milieu. **3** *n* (*person*) médium *m*. ◆**m.-sized** *a* moyen, de taille moyenne.
medley ['medlɪ] *n* mélange *m*; *Mus* pot-pourri *m*.
meek [miːk] *a* (**-er, -est**) doux.
meet [miːt] *vt* (*pt & pp* **met**) (*encounter*) rencontrer; (*see again, join*) retrouver; (*pass in street, road etc*) croiser; (*fetch*) (aller *or* venir) chercher; (*wait for*) attendre; (*debt, enemy, danger*) faire face à; (*need*) combler; (*be introduced to*) faire la connaissance de; **to arrange to m. s.o.** donner rendez-vous à qn; – *vi* (*of people, teams, rivers, looks*) se rencontrer; (*of people by arrangement*) se retrouver; (*be introduced*) se connaître; (*of society*) se réunir; (*of trains, vehicles*) se croiser; **to m. up with** rencontrer; (*by arrangement*) retrouver; **to m. up** se rencontrer; se retrouver; **to m. with** (*accident, problem*) avoir; (*loss, refusal*) essuyer; (*obstacle, difficulty*) rencontrer; **to m. with s.o.** *Am* rencontrer qn; retrouver qn; – *n* *Sp Am* réunion *f*; **to make a m. with** *Fam* donner rendez-vous à. ◆**—ing** *n* réunion *f*; (*large*) assemblée *f*; (*between two people*) rencontre *f*, (*prearranged*) rendez-vous *m inv*; **in a m.** en conférence.
megalomania [megələʊ'meɪnɪə] *n* mégalomanie *f*. ◆**megalomaniac** *n* mégalomane *mf*.
megaphone ['megəfəʊn] *n* porte-voix *m inv*.
melancholy ['melənkəlɪ] *n* mélancolie *f*; – *a* mélancolique.
mellow ['meləʊ] *a* (**-er, -est**) (*fruit*) mûr; (*colour, voice, wine*) moelleux; (*character*) mûri par l'expérience; – *vi* (*of person*) s'adoucir.
melodrama ['melədrɑːmə] *n* mélodrame *m*. ◆**melodra'matic** *a* mélodramatique.
melody ['melədɪ] *n* mélodie *f*. ◆**me'lodic** *a* mélodique. ◆**me'lodious** *a* mélodieux.
melon ['melən] *n* (*fruit*) melon *m*.
melt [melt] *vi* fondre; **to m. into** (*merge*) *Fig* se fondre dans; – *vt* (faire) fondre; **to m. down** (*metal object*) fondre; **melting point** point *m* de fusion; **melting pot** *Fig* creuset *m*.
member ['membər] *n* membre *m*; **M. of Parliament** député *m*. ◆**membership** *n* adhésion *f* (**of** à); (*number*) nombre *m* de(s) membres; (*members*) membres *mpl*; **m. (fee)** cotisation *f*.

membrane ['membreɪn] *n* membrane *f*.
memento [mə'mentəʊ] *n* (*pl* **-os** *or* **-oes**) (*object*) souvenir *m*.
memo ['meməʊ] *n* (*pl* **-os**) note *f*; **m. pad** bloc-notes *m*. ◆**memo'randum** *n* note *f*; *Pol Com* mémorandum *m*.
memoirs ['memwɑːz] *npl* (*essays*) mémoires *mpl*.
memory ['memərɪ] *n* mémoire *f*; (*recollection*) souvenir *m*; **to the** *or* **in m. of** à la mémoire de. ◆**memorable** *a* mémorable. ◆**me'morial** *a* (*plaque etc*) commémoratif; – *n* monument *m*, mémorial *m*. ◆**memorize** *vt* apprendre par cœur.
men [men] *see* **man.** ◆**menfolk** *n Fam* hommes *mpl*.
menac/e ['menɪs] *n* danger *m*; (*nuisance*) *Fam* plaie *f*; (*threat*) menace *f*; – *vt* menacer. ◆**—ingly** *adv* (*to say*) d'un ton menaçant; (*to do*) d'une manière menaçante.
menagerie [mɪ'nædʒərɪ] *n* ménagerie *f*.
mend [mend] *vt* (*repair*) réparer; (*clothes*) raccommoder; **to m. one's ways** se corriger, s'amender; – *n* raccommodage *m*; **to be on the m.** (*after illness*) aller mieux.
menial ['miːnɪəl] *a* inférieur.
meningitis [menɪn'dʒaɪtɪs] *n Med* méningite *f*.
menopause ['menəpɔːz] *n* ménopause *f*.
menstruation [menstrʊ'eɪʃ(ə)n] *n* menstruation *f*.
mental ['ment(ə)l] *a* mental; (*hospital*) psychiatrique; (*mad*) *Sl* fou; **m. strain** tension *f* nerveuse. ◆**men'tality** *n* mentalité *f*. ◆**mentally** *adv* mentalement; **he's m. handicapped** c'est un handicapé mental; **she's m. ill** c'est une malade mentale.
mention ['menʃ(ə)n] *vt* mentionner, faire mention de; **not to m . . . .** sans parler de . . . , sans compter . . . ; **don't m. it!** il n'y a pas de quoi!; **no savings/*etc* worth mentioning** pratiquement pas d'économies/*etc*; – *n* mention *f*.
mentor ['mentɔːr] *n* (*adviser*) mentor *m*.
menu ['menjuː] *n* menu *m*.
mercantile ['mɜːkəntaɪl] *a* (*activity etc*) commercial; (*ship*) marchand; (*nation*) commerçant.
mercenary ['mɜːsɪnərɪ] *a n* mercenaire (*m*).
merchandise ['mɜːtʃəndaɪz] *n* (*articles*) marchandises *fpl*; (*total stock*) marchandise *f*.
merchant ['mɜːtʃ(ə)nt] *n* (*trader*) *Fin* négociant, -ante *mf*; **(retail) m.** commerçant *m* (en détail); **wine m.** négociant, -ante *mf* en vins; (*shopkeeper*) marchand *m* de vins; – *a* (*vessel, navy*) marchand; (*seaman*) de la marine marchande; **m. bank** banque *f* de commerce.
mercury ['mɜːkjʊrɪ] *n* mercure *m*.
mercy ['mɜːsɪ] *n* pitié *f*; *Rel* miséricorde *f*; **to beg for m.** demander grâce; **at the m. of** à la merci de; **it's a m. that . . .** (*stroke of luck*) c'est une chance que . . . . ◆**merciful** *a* miséricordieux. ◆**mercifully** *adv* (*fortunately*) *Fam* heureusement. ◆**merciless** *a* impitoyable.
mere [mɪər] *a* simple; (*only*) ne . . . que; **she's a m. child** ce n'est qu'une enfant; **it's a m. kilometre** ça ne fait qu'un kilomètre; **by m. chance** par pur hasard; **the m. sight of her** *or* **him** sa seule vue. ◆**—ly** *adv* (tout) simplement.
merg/e [mɜːdʒ] *vi* (*blend*) se mêler (**with** à); (*of roads*) se (re)joindre; (*of firms*) *Com* fusionner; – *vt* (*unify*) *Pol* unifier; *Com* fusionner. ◆**—er** *n Com* fusion *f*.
meridian [mə'rɪdɪən] *n* méridien *m*.
meringue [mə'ræŋ] *n* (*cake*) meringue *f*.
merit ['merɪt] *n* mérite *m*; **on its merits** (*to consider sth etc*) objectivement; – *vt* mériter.
mermaid ['mɜːmeɪd] *n* (*woman*) sirène *f*.
merry ['merɪ] *a* (**-ier, -iest**) gai; (*drunk*) *Fam* éméché. ◆**m.-go-round** *n* (*at funfair etc*) manège *m*. ◆**m.-making** *n* réjouissances *fpl*. ◆**merrily** *adv* gaiement. ◆**merriment** *n* gaieté *f*, rires *mpl*.
mesh [meʃ] *n* (*of net etc*) maille *f*; (*fabric*) tissu *m* à mailles; (*of intrigue etc*) *Fig* réseau *m*; (*of circumstances*) *Fig* engrenage *m*; **wire m.** grillage *m*.
mesmerize ['mezməraɪz] *vt* hypnotiser.
mess[1] [mes] **1** *n* (*confusion*) désordre *m*, pagaïe *f*; (*muddle*) gâchis *m*; (*dirt*) saleté *f*; **in a m.** en désordre; (*trouble*) *Fam* dans le pétrin; (*pitiful state*) dans un triste état; **to make a m. of** (*spoil*) gâcher. **2** *vt* **to m. s.o. about** (*bother, treat badly*) *Fam* déranger qn, embêter qn; **to m. up** (*spoil*) gâcher; (*dirty*) salir; (*room*) mettre en désordre; – *vi* **to m. about** (*have fun, idle*) s'amuser; (*play the fool*) faire l'idiot; **to m. about with** (*fiddle with*) s'amuser avec. ◆**m.-up** *n* (*disorder*) *Fam* gâchis *m*. ◆**messy** *a* (**-ier, -iest**) (*untidy*) en désordre; (*dirty*) sale; (*confused*) *Fig* embrouillé, confus.
mess[2] [mes] *n Mil* mess *m inv*.
message ['mesɪdʒ] *n* message *m*. ◆**messenger** *n* messager, -ère *mf*; (*in office, hotel*) coursier, -ière *mf*.
Messiah [mɪ'saɪə] *n* Messie *m*.

Messrs ['mesəz] *npl* **M. Brown** Messieurs *or* MM Brown.
met [met] *see* **meet.**
metal ['met(ə)l] *n* métal *m.* ◆**me'tallic** *a* métallique; (*paint*) métallisé. ◆**metalwork** *n* (*objects*) ferronnerie *f*; (*study, craft*) travail *m* des métaux.
metamorphosis, *pl* **-oses** [metə'mɔːfəsɪs, -əsiːz] *n* métamorphose *f.*
metaphor ['metəfər] *n* métaphore *f.* ◆**meta'phorical** *a* métaphorique.
metaphysical [metə'fɪzɪk(ə)l] *a* métaphysique.
mete [miːt] *vt* **to m. out** (*justice*) rendre; (*punishment*) infliger.
meteor ['miːtɪər] *n* météore *m.* ◆**mete'oric** *a* **m. rise** *Fig* ascension *f* fulgurante. ◆**meteorite** *n* météorite *m.*
meteorological [miːtɪərə'lɒdʒɪk(ə)l] *a* météorologique. ◆**meteo'rology** *n* météorologie *f.*
meter ['miːtər] *n* (*device*) compteur *m*; **(parking) m.** parcmètre *m*; **m. maid** *Aut Fam* contractuelle *f.*
method ['meθəd] *n* méthode *f.* ◆**me'thodical** *a* méthodique.
Methodist ['meθədɪst] *a* & *n Rel* méthodiste (*mf*).
methylated ['meθɪleɪtɪd] *a* **m. spirit(s)** alcool *m* à brûler. ◆**meths** *n Fam* = **methylated spirits.**
meticulous [mɪ'tɪkjʊləs] *a* méticuleux. ◆**—ness** *n* soin *m* méticuleux.
metre ['miːtər] *n* mètre *m.* ◆**metric** ['metrɪk] *a* métrique.
metropolis [mə'trɒpəlɪs] *n* (*chief city*) métropole *f.* ◆**metro'politan** *a* métropolitain.
mettle ['met(ə)l] *n* courage *m,* fougue *f.*
mew [mjuː] *vi* (*of cat*) miauler.
mews [mjuːz] *n* (*street*) ruelle *f*; **m. flat** appartement *m* chic (*aménagé dans une ancienne écurie*).
Mexico ['meksɪkəʊ] *n* Mexique *m.* ◆**Mexican** *a* & *n* mexicain, -aine (*mf*).
mezzanine ['mezəniːn] *n* **m. (floor)** entresol *m.*
miaow [miː'aʊ] *vi* (*of cat*) miauler; – *n* miaulement *m*; – *int* miaou.
mice [maɪs] *see* **mouse.**
mickey ['mɪkɪ] *n* **to take the m. out of s.o.** *Sl* charrier qn.
micro- ['maɪkrəʊ] *pref* micro-.
microbe ['maɪkrəʊb] *n* microbe *m.*
microchip ['maɪkrəʊtʃɪp] *n* puce *f.*
microcosm ['maɪkrəʊkɒz(ə)m] *n* microcosme *m.*
microfilm ['maɪkrəʊfɪlm] *n* microfilm *m.*
microphone ['maɪkrəfəʊn] *n* microphone *m.*
microscope ['maɪkrəskəʊp] *n* microscope *m.* ◆**micro'scopic** *a* microscopique.
microwave ['maɪkrəʊweɪv] *n* micro-onde *f*; **m. oven** four *m* à micro-ondes.
mid [mɪd] *a* **(in) m.-June** (à) la mi-juin; **(in) m. morning** au milieu de la matinée; **in m. air** en plein ciel; **to be in one's m.-twenties** avoir environ vingt-cinq ans.
midday [mɪd'deɪ] *n* midi *m*; – *a* de midi.
middle ['mɪd(ə)l] *n* milieu *m*; (*waist*) *Fam* taille *f*; **(right) in the m. of** au (beau) milieu de; **in the m. of work** en plein travail; **in the m. of saying/working/***etc* en train de dire/travailler/*etc*; – *a* (*central*) du milieu; (*class, ear, quality*) moyen; (*name*) deuxième. ◆**m.-'aged** *a* d'un certain âge. ◆**m.-'class** *a* bourgeois. ◆**m.-of-the-'road** *a* (*politics, views*) modéré; (*music, tastes*) sage.
middling ['mɪdlɪŋ] *a* moyen, passable.
midge [mɪdʒ] *n* (*fly*) moucheron *m.*
midget ['mɪdʒɪt] *n* nain *m,* naine *f*; – *a* minuscule.
Midlands ['mɪdləndz] *npl* **the M.** les comtés *mpl* du centre de l'Angleterre.
midnight ['mɪdnaɪt] *n* minuit *f.*
midriff ['mɪdrɪf] *n Anat* diaphragme *m*; (*belly*) *Fam* ventre *m.*
midst [mɪdst] *n* **in the m. of** (*middle*) au milieu de; **in our/their m.** parmi nous/eux.
midsummer [mɪd'sʌmər] *n* milieu *m* de l'été; (*solstice*) solstice *m* d'été. ◆**midwinter** *n* milieu *m* de l'hiver; solstice *m* d'hiver.
midterm ['mɪdtɜːm] *a* **m. holidays** *Sch* petites vacances *fpl.*
midway [mɪd'weɪ] *a* & *adv* à mi-chemin.
midweek [mɪd'wiːk] *n* milieu *m* de la semaine.
midwife ['mɪdwaɪf] *n* (*pl* **-wives**) sage-femme *f.*
might [maɪt] **1** *see* **may. 2** *n* (*strength*) force *f.* ◆**mighty** *a* **(-ier, -iest)** puissant; (*ocean*) vaste; (*very great*) *Fam* sacré; – *adv* (*very*) *Fam* rudement.
migraine ['miːgreɪn, 'maɪgreɪn] *n Med* migraine *f.*
migrate [maɪ'greɪt] *vi* émigrer. ◆**'migrant** *a* & *n* **m. (worker)** migrant, -ante (*mf*). ◆**migration** *n* migration *f.*
mike [maɪk] *n Fam* micro *m.*
mild [maɪld] *a* **(-er, -est)** (*person, weather, taste etc*) doux; (*beer, punishment*) léger; (*medicine, illness*) bénin. ◆**—ly** *adv* douce-

ment; (*slightly*) légèrement; **to put it m.** pour ne pas dire plus. ◆**—ness** *n* douceur *f*; légèreté *f*; caractère *m* bénin.

mildew ['mɪldjuː] *n* (*on cheese etc*) moisissure *f*.

mile [maɪl] *n* mile *m*, mille *m* (= *1,6 km*); *pl* (*loosely*) = kilomètres *mpl*; **to walk for miles** marcher pendant des kilomètres; **miles better** (*much*) *Fam* bien mieux. ◆**mileage** *n* = kilométrage *m*; **m. (per gallon)** = consommation *f* aux cent kilomètres. ◆**milestone** *n* = borne *f* kilométrique; *Fig* jalon *m*.

militant ['mɪlɪtənt] *a* & *n* militant, -ante (*mf*). ◆**military** *a* militaire; – *n* **the m.** (*soldiers*) les militaires *mpl*; (*army*) l'armée *f*. ◆**militate** *vi* (*of arguments etc*) militer (**in favour of** pour).

militia [mə'lɪʃə] *n* milice *f*. ◆**militiaman** *n* (*pl* **-men**) milicien *m*.

milk [mɪlk] *n* lait *m*; **evaporated m.** lait *m* concentré; – *a* (*chocolate*) au lait; (*bottle, can*) à lait; (*diet*) lacté; (*produce*) laitier; **m. float** voiture *f* de laitier; **m. shake** milk-shake *m*; – *vt* (*cow*) traire; (*extract*) *Fig* soutirer (**s.o. of sth** qch à qn); (*exploit*) *Fig* exploiter. ◆**—ing** *n* traite *f*. ◆**milkman** *n* (*pl* **-men**) laitier *m*. ◆**milky** *a* (**-ier, -iest**) (*diet*) lacté; (*coffee, tea*) au lait; (*colour*) laiteux; **the M. Way** la Voie lactée.

mill [mɪl] **1** *n* moulin *m*; (*factory*) usine *f*; **cotton m.** filature *f* de coton; **paper m.** papeterie *f*; – *vt* (*grind*) moudre. **2** *vi* **to m. around** (*of crowd*) grouiller. ◆**miller** *n* meunier, -ière *mf*. ◆**millstone** *n* (*burden*) boulet *m* (**round one's neck** qu'on traîne).

millennium, *pl* **-nia** [mɪ'lenɪəm, -nɪə] *n* millénaire *m*.

millet ['mɪlɪt] *n Bot* millet *m*.

milli- [mɪlɪ] *pref* milli-.

millimetre ['mɪlɪmiːtər] *n* millimètre *m*.

million ['mɪljən] *n* million *m*; **a m. men/***etc* un million d'hommes/*etc*; **two m.** deux millions. ◆**millio'naire** *n* millionnaire *mf*. ◆**millionth** *a* & *n* millionième (*mf*).

mime [maɪm] *n* (*actor*) mime *mf*; (*art*) mime *m*; – *vti* mimer.

mimeograph® ['mɪmɪəgræf] *vt* polycopier.

mimic ['mɪmɪk] *vt* (**-ck-**) imiter; – *n* imitateur, -trice *mf*. ◆**mimicking** *n*, ◆**mimicry** *n* imitation *f*.

mimosa [mɪ'məʊzə] *n Bot* mimosa *m*.

minaret [mɪnə'ret] *n* (*of mosque*) minaret *m*.

mince [mɪns] *n* (*meat*) hachis *m* (de viande); *Am* = **mincemeat**; – *vt* hacher; **not to m. matters** *or* **one's words** ne pas mâcher ses mots. ◆**mincemeat** *n* (*dried fruit*) mélange *m* de fruits secs. ◆**mincer** *n* (*machine*) hachoir *m*.

mind [maɪnd] **1** *n* esprit *m*; (*sanity*) raison *f*; (*memory*) mémoire *f*; (*opinion*) avis *m*, idée *f*; (*thought*) pensée *f*; (*head*) tête *f*; **to change one's m.** changer d'avis; **to my m.** à mon avis; **in two minds** (*undecided*) irrésolu; **to make up one's m.** se décider; **to be on s.o.'s m.** (*worry*) préoccuper qn; **out of one's m.** (*mad*) fou; **to bring to m.** (*recall*) rappeler; **to bear** *or* **keep in m.** (*remember*) se souvenir de; **to have in m.** (*person, plan*) avoir en vue; **to have a good m. to do** avoir bien envie de faire. **2** *vti* (*heed*) faire attention à; (*look after*) garder, s'occuper de; (*noise, dirt etc*) être gêné par; (*one's language*) surveiller; **m. you don't fall** (*beware*) prends garde de ne pas tomber; **m. you do it** n'oublie pas de le faire; **do you m. if?** (*I smoke etc*) ça vous gêne si?; (*I leave, help etc*) ça ne vous fait rien si?; **I don't m. the sun** le soleil ne me gêne pas, je ne suis pas gêné par le soleil; **I don't m.** (*care*) ça m'est égal; **I wouldn't m. a cup of tea** (*would like*) j'aimerais bien une tasse de thé; **I m. that . . .** ça m'ennuie *or* me gêne que . . . ; **never m.!** (*it doesn't matter*) ça ne fait rien!, tant pis!; (*don't worry*) ne vous en faites pas!; **m. (out)!** (*watch out*) attention!; **m. you . . .** remarquez (que) . . . ; **m. your own business!, never you m.!** mêlez-vous de ce qui vous regarde! ◆**—ed** *suffix* **fair-m.** *a* impartial; **like-m.** *a* de même opinion. ◆**—er** *n* (*for children*) gardien, -ienne *mf*, (*nurse*) nourrice *f*; (*bodyguard*) *Fam* gorille *m*. ◆**mind-boggling** *a* stupéfiant, qui confond l'imagination. ◆**mindful** *a* **m. of sth/doing** attentif à qch/à faire. ◆**mindless** *a* stupide.

mine[1] [maɪn] *poss pron* le mien, la mienne, *pl* les mien(ne)s; **this hat is m.** ce chapeau est à moi *or* est le mien; **a friend of m.** un ami à moi.

min/e[2] [maɪn] **1** *n* (*for coal, gold etc*) & *Fig* mine *f*; – *vt* **to m. (for)** (*coal etc*) extraire. **2** *n* (*explosive*) mine *f*; – *vt* (*beach, bridge etc*) miner. ◆**—ing** *n* exploitation *f* minière; – *a* (*industry*) minier. ◆**—er** *n* mineur *m*.

mineral ['mɪnərəl] *a* & *n* minéral (*m*).

mingle ['mɪŋg(ə)l] *vi* se mêler (**with** à); **to m. with** (*socially*) fréquenter.

mingy ['mɪndʒɪ] *a* (**-ier, -iest**) (*mean*) *Fam* radin.

mini ['mɪnɪ] *pref* mini-.

miniature ['mɪnɪtʃər] *n* miniature *f*; – *a* (*train etc*) miniature *inv*; (*tiny*) minuscule.

minibus ['mɪnɪbʌs] *n* minibus *m*. ◆**minicab** *n* (radio-)taxi *m*.
minim ['mɪnɪm] *n Mus* blanche *f*.
minimum ['mɪnɪməm] *n* (*pl* **-ima** [-ɪmə] *or* **-imums**) minimum *m*; – *a* minimum (*f inv*), minimal. ◆**minimal** *a* minimal. ◆**minimize** *vt* minimiser.
minister ['mɪnɪstər] *n Pol Rel* ministre *m*. ◆**mini'sterial** *a* ministériel. ◆**ministry** *n* ministère *m*.
mink [mɪŋk] *n* (*animal, fur*) vison *m*.
minor ['maɪnər] *a* (*small*) *Jur Mus* mineur; (*detail, operation*) petit; – *n Jur* mineur, -eure *mf*.
Minorca [mɪ'nɔːkə] *n* Minorque *f*.
minority [maɪ'nɒrɪtɪ] *n* minorité *f*; **in the** *or* **a m.** en minorité, minoritaire; – *a* minoritaire.
mint [mɪnt] **1** *n* (*place*) Hôtel *m* de la Monnaie; **a m. (of money)** *Fig* une petite fortune; – *vt* (*money*) frapper; – *a* (*stamp*) neuf; **in m. condition** à l'état neuf. **2** *n Bot Culin* menthe *f*; (*sweet*) pastille *f* de menthe; – *a* à la menthe.
minus ['maɪnəs] *prep Math* moins; (*without*) *Fam* sans; **it's m. ten (degrees)** il fait moins dix (degrés); – *n* **m. (sign)** (signe *m*) moins *m*.
minute[1] ['mɪnɪt] **1** *n* minute *f*; **this (very) m.** (*now*) à la minute; **any m. (now)** d'une minute à l'autre; **m. hand** (*of clock*) grande aiguille *f*. **2** *npl* (*of meeting*) procès-verbal *m*.
minute[2] [maɪ'njuːt] *a* (*tiny*) minuscule; (*careful, exact*) minutieux.
minx [mɪŋks] *n* (*girl*) *Pej* diablesse *f*, chipie *f*.
miracle ['mɪrək(ə)l] *n* miracle *m*. ◆**mi'raculous** *a* miraculeux.
mirage ['mɪrɑːʒ] *n* mirage *m*.
mire [maɪər] *n Lit* fange *f*.
mirror ['mɪrər] *n* miroir *m*, glace *f*; *Fig* miroir *m*; **(rear view) m.** *Aut* rétroviseur *m*; – *vt* refléter.
mirth [mɜːθ] *n Lit* gaieté *f*, hilarité *f*.
misadventure [mɪsəd'ventʃər] *n* mésaventure *f*.
misanthropist [mɪ'zænθrəpɪst] *n* misanthrope *mf*.
misapprehend [mɪsæprɪ'hend] *vt* mal comprendre. ◆**misapprehension** *n* malentendu *m*.
misappropriate [mɪsə'prəʊprɪeɪt] *vt* (*money*) détourner.
misbehave [mɪsbɪ'heɪv] *vi* se conduire mal; (*of child*) faire des sottises.
miscalculate [mɪs'kælkjʊleɪt] *vt* mal calculer; – *vi Fig* se tromper. ◆**miscalcu'lation** *n* erreur *f* de calcul.
miscarriage [mɪs'kærɪdʒ] *n* **to have a m.** *Med* faire une fausse couche; **m. of justice** erreur *f* judiciaire. ◆**miscarry** *vi Med* faire une fausse couche; (*of plan*) *Fig* échouer.
miscellaneous [mɪsɪ'leɪnɪəs] *a* divers.
mischief ['mɪstʃɪf] *n* espièglerie *f*; (*maliciousness*) méchanceté *f*; **to get into m.** faire des bêtises; **full of m. = mischievous; to make m. for** (*trouble*) créer des ennuis à; **to do s.o. a m.** (*harm*) faire mal à qn; **a little m.** (*child*) un petit démon. ◆**mischievous** *a* (*playful, naughty*) espiègle, malicieux; (*malicious*) méchant.
misconception [mɪskən'sepʃ(ə)n] *n* idée *f* fausse.
misconduct [mɪs'kɒndʌkt] *n* mauvaise conduite *f*; *Com* mauvaise gestion *f*.
misconstrue [mɪskən'struː] *vt* mal interpréter.
misdeed [mɪs'diːd] *n* méfait *m*.
misdemeanor [mɪsdɪ'miːnər] *n Jur* délit *m*.
misdirect [mɪsdɪ'rekt] *vt* (*letter*) mal adresser; (*energies*) mal diriger; (*person*) mal renseigner.
miser ['maɪzər] *n* avare *mf*. ◆**—ly** *a* avare.
misery ['mɪzərɪ] *n* (*suffering*) souffrances *fpl*; (*sadness*) tristesse *f*; (*sad person*) *Fam* grincheux, -euse *mf*; *pl* (*troubles*) misères *fpl*; **his life is a m.** il est malheureux. ◆**miserable** *a* (*wretched*) misérable; (*unhappy*) malheureux; (*awful*) affreux; (*derisory*) dérisoire. ◆**miserably** *adv* misérablement; (*to fail*) lamentablement.
misfire [mɪs'faɪər] *vi* (*of engine*) avoir des ratés; (*of plan*) *Fig* rater.
misfit ['mɪsfɪt] *n Pej* inadapté, -ée *mf*.
misfortune [mɪs'fɔːtʃuːn] *n* malheur *m*, infortune *f*.
misgivings [mɪs'gɪvɪŋz] *npl* (*doubts*) doutes *mpl*; (*fears*) craintes *fpl*.
misguided [mɪs'gaɪdɪd] *a* (*action etc*) imprudent; **to be m.** (*of person*) se tromper.
mishandle [mɪs'hænd(ə)l] *vt* (*affair, situation*) traiter avec maladresse; (*person*) s'y prendre mal avec.
mishap ['mɪshæp] *n* (*accident*) mésaventure *f*; (*hitch*) contretemps *m*.
misinform [mɪsɪn'fɔːm] *vt* mal renseigner.
misinterpret [mɪsɪn'tɜːprɪt] *vt* mal interpréter.
misjudge [mɪs'dʒʌdʒ] *vt* (*person, distance etc*) mal juger.
mislay [mɪs'leɪ] *vt* (*pt & pp* **mislaid**) égarer.
mislead [mɪs'liːd] *vt* (*pt & pp* **misled**) tromper. ◆**—ing** *a* trompeur.

mismanage [mɪs'mænɪdʒ] *vt* mal administrer. ◆**—ment** *n* mauvaise administration *f*.

misnomer [mɪs'nəʊmər] *n* (*name*) nom *m or* terme *m* impropre.

misogynist [mɪ'sɒdʒɪnɪst] *n* misogyne *mf*.

misplac/e [mɪs'pleɪs] *vt* (*trust etc*) mal placer; (*lose*) égarer. ◆**—ed** *a* (*remark etc*) déplacé.

misprint ['mɪsprɪnt] *n* faute *f* d'impression, coquille *f*.

mispronounce [mɪsprə'naʊns] *vt* mal prononcer.

misquote [mɪs'kwəʊt] *vt* citer inexactement.

misrepresent [mɪsreprɪ'zent] *vt* présenter sous un faux jour.

miss[1] [mɪs] *vt* (*train, target, opportunity etc*) manquer, rater; (*not see*) ne pas voir; (*not understand*) ne pas comprendre; (*one's youth, deceased person etc*) regretter; (*sth just lost*) remarquer l'absence de; **he misses Paris/her** Paris/elle lui manque; **I m. you** tu me manques; **don't m. seeing this play** (*don't fail to*) ne manque pas de voir cette pièce; **to m. out** (*omit*) sauter; – *vi* manquer, rater; **to m. out** (*lose a chance*) rater l'occasion; **to m. out on** (*opportunity etc*) rater, laisser passer; – *n* coup *m* manqué; **that was** *or* **we had a near m.** on l'a échappé belle; **I'll give it a m.** *Fam* (*not go*) je n'y irai pas; (*not take or drink or eat*) je n'en prendrai pas. ◆**—ing** *a* (*absent*) absent; (*in war, after disaster*) disparu; (*object*) manquant; **there are two cups/students m.** il manque deux tasses/deux étudiants.

miss[2] [mɪs] *n* mademoiselle *f*; **Miss Brown** Mademoiselle *or* Mlle Brown.

misshapen [mɪs'ʃeɪp(ə)n] *a* difforme.

missile ['mɪsaɪl, *Am* 'mɪs(ə)l] *n* (*rocket*) *Mil* missile *m*; (*object thrown*) projectile *m*.

mission ['mɪʃ(ə)n] *n* mission *f*. ◆**missionary** *n* missionnaire *m*.

missive ['mɪsɪv] *n* (*letter*) missive *f*.

misspell [mɪs'spel] *vt* (*pt & pp* **-ed** *or* **misspelt**) mal écrire.

mist [mɪst] *n* (*fog*) brume *f*; (*on glass*) buée *f*; – *vi* **to m. over** *or* **up** s'embuer.

mistake [mɪ'steɪk] *n* erreur *f*, faute *f*; **to make a m.** se tromper, faire (une) erreur; **by m.** par erreur; – *vt* (*pt* **mistook,** *pp* **mistaken**) (*meaning, intention etc*) se tromper sur; **to m. the date/place/***etc* se tromper de date/de lieu/*etc*; **you can't m., there's no mistaking** (*his face, my car etc*) il est impossible de ne pas reconnaître; **to m. s.o./sth for** prendre qn/qch pour. ◆**mistaken** *a* (*idea etc*) erroné; **to be m.** se tromper. ◆**mistakenly** *adv* par erreur.

mister ['mɪstər] *n Fam* monsieur *m*.

mistletoe ['mɪs(ə)ltəʊ] *n Bot* gui *m*.

mistreat [mɪs'triːt] *vt* maltraiter.

mistress ['mɪstrɪs] *n* maîtresse *f*; (*in secondary school*) professeur *m*.

mistrust [mɪs'trʌst] *n* méfiance *f*; – *vt* se méfier de. ◆**mistrustful** *a* méfiant.

misty ['mɪstɪ] *a* (**-ier, -iest**) (*foggy*) brumeux; (*glass*) embué.

misunderstand [mɪsʌndə'stænd] *vt* (*pt & pp* **-stood**) mal comprendre. ◆**misunderstanding** *n* (*disagreement*) malentendu *m*; (*mistake*) erreur *f*. ◆**misunderstood** *a* (*person*) incompris.

misuse [mɪs'juːz] *vt* (*word, tool*) mal employer; (*power etc*) abuser de; – [mɪs'juːs] *n* (*of word*) emploi *m* abusif; (*of tool*) usage *m* abusif; (*of power etc*) abus *m*.

mite [maɪt] *n* **1** (*insect*) mite *f*. **2 (poor) m.** (*child*) (pauvre) petit, -ite *mf*. **3 a m.** (*somewhat*) *Fam* un petit peu.

mitigate ['mɪtɪgeɪt] *vt* atténuer.

mitt(en) [mɪt, 'mɪt(ə)n] *n* (*glove*) moufle *f*.

mix [mɪks] *vt* mélanger, mêler; (*cement, cake*) préparer; (*salad*) remuer; **to m. up** mélanger; (*perplex*) embrouiller (*qn*); (*confuse, mistake*) confondre (**with** avec); **to be mixed up with s.o.** (*involved*) être mêlé aux affaires de qn; **to m. up in** (*involve*) mêler à; – *vi* se mêler; (*of colours*) s'allier; **to m. with** (*socially*) fréquenter; **she doesn't m. (in)** elle n'est pas sociable; – *n* (*mixture*) mélange *m*. ◆**—ed** *a* (*school, marriage*) mixte; (*society*) mêlé; (*feelings*) mitigés, mêlés; (*results*) divers; (*nuts, chocolates etc*) assortis; **to be (all) m. up** (*of person*) être désorienté; (*of facts, account etc*) être embrouillé. ◆**—ing** *n* mélange *m*. ◆**—er** *n Culin El* mixe(u)r *m*; (*for mortar*) *Tech* malaxeur *m*; **to be a good m.** (*of person*) être sociable. ◆**mixture** *n* mélange *m*; (*for cough*) sirop *m*. ◆**mix-up** *n Fam* confusion *f*.

mm *abbr* (*millimetre*) mm.

moan [məʊn] *vi* (*groan*) gémir; (*complain*) se plaindre (**to** à, **about** de, **that** que); – *n* gémissement *m*; plainte *f*.

moat [məʊt] *n* douve(s) *f*(*pl*).

mob [mɒb] *n* (*crowd*) cohue *f*, foule *f*; (*gang*) bande *f*; **the m.** (*masses*) la populace; (*Mafia*) *Am Sl* la mafia; – *vt* (**-bb-**) assiéger. ◆**mobster** *n Am Sl* gangster *m*.

mobile ['məʊbaɪl, *Am* 'məʊb(ə)l] *a* mobile; (*having a car etc*) *Fam* motorisé; **m. home**

mobil-home *m*; **m. library** bibliobus *m*; – *n* (*Am* ['məʊbiːl]) (*ornament*) mobile *m*. ◆**mo'bility** *n* mobilité *f*. ◆**mobili'zation** *n* mobilisation *f*. ◆**mobilize** *vti* mobiliser.

moccasin ['mɒkəsɪn] *n* (*shoe*) mocassin *m*.

mocha ['məʊkə] *n* (*coffee*) moka *m*.

mock [mɒk] **1** *vt* se moquer de; (*mimic*) singer; – *vi* se moquer (**at** de). **2** *a* (*false*) simulé; (*exam*) blanc. ◆**—ing** *n* moquerie *f*; – *a* moqueur. ◆**mockery** *n* (*act*) moquerie *f*; (*parody*) parodie *f*; **to make a m. of** tourner en ridicule.

mock-up ['mɒkʌp] *n* (*model*) maquette *f*.

mod cons [mɒd'kɒnz] *abbr Fam* = **modern conveniences.**

mode [məʊd] *n* (*manner, way*) mode *m*; (*fashion, vogue*) mode *f*.

model ['mɒd(ə)l] *n* (*example, person etc*) modèle *m*; **(fashion) m.** mannequin *m*; **(scale) m.** modèle *m* (réduit); – *a* (*behaviour, factory etc*) modèle; (*car, plane*) modèle réduit *inv*; **m. railway** train *n* miniature; – *vt* modeler (**on** sur); (*hats*) présenter (les modèles de); – *vi* (*for fashion*) être mannequin; (*pose for artist*) poser. ◆**modelling** *n* (*of statues etc*) modelage *m*.

moderate[1] ['mɒdərət] *a* modéré; (*in speech*) mesuré; (*result*) passable; – *n Pol* modéré, -ée *mf*. ◆**—ly** *adv* (*in moderation*) modérément; (*averagely*) moyennement.

moderate[2] ['mɒdəreɪt] *vt* (*diminish, tone down*) modérer. ◆**mode'ration** *n* modération *f*; **in m.** avec modération.

modern ['mɒd(ə)n] *a* moderne; **m. languages** langues *fpl* vivantes; **m. conveniences** tout le confort moderne. ◆**modernism** *n* modernisme *m*. ◆**moderni'zation** *n* modernisation *f*. ◆**modernize** *vt* moderniser.

modest ['mɒdɪst] *a* modeste. ◆**modesty** *n* (*quality*) modestie *f*; (*moderation*) modération *f*; (*of salary etc*) modicité *f*.

modicum ['mɒdɪkəm] *n* **a m. of** un soupçon de, un petit peu de.

modify ['mɒdɪfaɪ] *vt* (*alter*) modifier; (*tone down*) modérer. ◆**modifi'cation** *n* modification *f*.

modulate ['mɒdjʊleɪt] *vt* moduler. ◆**modu'lation** *n* modulation *f*.

module ['mɒdjuːl] *n* module *m*.

mogul ['məʊg(ə)l] *n* magnat *m*, manitou *m*.

mohair ['məʊheər] *n* mohair *m*.

moist [mɔɪst] *a* (**-er, -est**) humide; (*clammy, sticky*) moite. ◆**moisten** *vt* humecter. ◆**moisture** *n* humidité *f*; (*on glass*) buée *f*. ◆**moisturiz/e** *vt* (*skin*) hydrater. ◆**—er** *n* (*cream*) crème *f* hydratante.

molar ['məʊlər] *n* (*tooth*) molaire *f*.

molasses [mə'læsɪz] *n* (*treacle*) *Am* mélasse *f*.

mold [məʊld] *Am* = **mould.**

mole [məʊl] *n* **1** (*on skin*) grain *m* de beauté. **2** (*animal, spy*) taupe *f*.

molecule ['mɒlɪkjuːl] *n* molécule *f*.

molest [mə'lest] *vt* (*annoy*) importuner; (*child, woman*) *Jur* attenter à la pudeur de.

mollusc ['mɒləsk] *n* mollusque *m*.

mollycoddle ['mɒlɪkɒd(ə)l] *vt* dorloter.

molt [məʊlt] *Am* = **moult.**

molten ['məʊlt(ə)n] *a* (*metal*) en fusion.

mom [mɒm] *n Am Fam* maman *f*.

moment ['məʊmənt] *n* moment *m*, instant *m*; **this (very) m.** (*now*) à l'instant, **the m. she leaves** dès qu'elle partira; **any m. (now)** d'un moment *or* d'un instant à l'autre. ◆**momentarily** (*Am* [məʊmən'terɪlɪ]) *adv* (*temporarily*) momentanément; (*soon*) *Am* tout à l'heure. ◆**momentary** *a* momentané.

momentous [məʊ'mentəs] *a* important.

momentum [məʊ'mentəm] *n* (*speed*) élan *m*; **to gather** *or* **gain m.** (*of ideas etc*) *Fig* gagner du terrain.

mommy ['mɒmɪ] *n Am Fam* maman *f*.

Monaco ['mɒnəkəʊ] *n* Monaco *f*.

monarch ['mɒnək] *n* monarque *m*. ◆**monarchy** *n* monarchie *f*.

monastery ['mɒnəst(ə)rɪ] *n* monastère *m*.

Monday ['mʌndɪ] *n* lundi *m*.

monetary ['mʌnɪt(ə)rɪ] *a* monétaire.

money ['mʌnɪ] *n* argent *m*; **paper m.** papier-monnaie *m*, billets *mpl*; **to get one's m.'s worth** en avoir pour son argent; **he gets** *or* **earns good m.** il gagne bien (sa vie); **to be in the m.** *Fam* rouler sur l'or; **m. order** mandat *m*. ◆**moneybags** *n Pej Fam* richard, -arde *mf*. ◆**moneybox** *n* tirelire *f*. ◆**moneychanger** *n* changeur *m*. ◆**moneylender** *n* prêteur, -euse *mf* sur gages. ◆**moneymaking** *a* lucratif. ◆**money-spinner** *n* (*source of wealth*) *Fam* mine *f* d'or.

mongol ['mɒŋg(ə)l] *n & a Med* mongolien, -ienne (*mf*).

mongrel ['mʌŋgrəl] *n* (*dog*) bâtard *m*.

monitor ['mɒnɪtər] **1** *n* (*pupil*) chef *m* de classe. **2** *n* (*screen*) *Tech* moniteur *m*. **3** *vt* (*a broadcast*) *Rad* écouter; (*check*) *Fig* contrôler.

monk [mʌŋk] *n* moine *m*, religieux *m*.

monkey ['mʌŋkɪ] *n* singe *m*; **little m.** (*child*) *Fam* polisson, -onne *mf*; **m. business** *Fam* singeries *fpl*; – *vi* **to m. about** *Fam* faire l'idiot.

mono ['mɒnəʊ] *a* (*record etc*) mono *inv*.

mono- ['mɒnəʊ] *pref* mono-.

monocle ['mɒnək(ə)l] *n* monocle *m*.

monogram ['mɒnəgræm] *n* monogramme *m*.

monologue ['mɒnəlɒg] *n* monologue *m*.

monopoly [mə'nɒpəlɪ] *n* monopole *m*. ◆**monopolize** *vt* monopoliser.

monosyllable ['mɒnəsɪləb(ə)l] *n* monosyllabe *m*. ◆**monosy'llabic** *a* monosyllabique.

monotone ['mɒnətəʊn] *n* **in a m.** sur un ton monocorde.

monotony [mə'nɒtənɪ] *n* monotonie *f*. ◆**monotonous** *a* monotone.

monsoon [mɒn'suːn] *n* (*wind, rain*) mousson *f*.

monster ['mɒnstər] *n* monstre *m*. ◆**mon'strosity** *n* (*horror*) monstruosité *f*. ◆**monstrous** *a* (*abominable, enormous*) monstrueux.

month [mʌnθ] *n* mois *m*. ◆**monthly** *a* mensuel; **m. payment** mensualité *f*; – *n* (*periodical*) mensuel *m*; – *adv* (*every month*) mensuellement.

Montreal [mɒntrɪ'ɔːl] *n* Montréal *m or f*.

monument ['mɒnjʊmənt] *n* monument *m*. ◆**monu'mental** *a* monumental; **m. mason** marbrier *m*.

moo [muː] *vi* meugler; – *n* meuglement *m*.

mooch [muːtʃ] **1** *vi* **to m. around** *Fam* flâner. **2** *vt* **to m. sth off s.o.** (*cadge*) *Am Sl* taper qch à qn.

mood [muːd] *n* (*of person*) humeur *f*; (*of country*) état *m* d'esprit; *Gram* mode *m*; **in a good/bad m.** de bonne/mauvaise humeur; **to be in the m. to do** *or* **for doing** être d'humeur à faire, avoir envie de faire. ◆**moody** *a* (**-ier, -iest**) (*changeable*) d'humeur changeante; (*bad-tempered*) de mauvaise humeur.

moon [muːn] *n* lune *f*; **once in a blue m.** (*rarely*) *Fam* tous les trente-six du mois; **over the m.** (*delighted*) *Fam* ravi (**about** de). ◆**moonlight 1** *n* clair *m* de lune. **2** *vi Fam* travailler au noir. ◆**moonshine** *n* (*talk*) *Fam* balivernes *fpl*.

moor [mʊər] **1** *vt Nau* amarrer; – *vi* mouiller. **2** *n* (*open land*) lande *f*. ◆**–ings** *npl Nau* (*ropes etc*) amarres *fpl*; (*place*) mouillage *m*.

moose [muːs] *n inv* (*animal*) orignac *m*, élan *m*.

moot [muːt] **1** *a* (*point*) discutable. **2** *vt* (*question*) soulever, suggérer.

mop [mɒp] **1** *n* balai *m* (à laver), balai *m* éponge; **dish m.** lavette *f*; **m. of hair** tignasse *f*. **2** *vt* (**-pp-**) **to m. (up)** (*wipe*) essuyer; **to m. one's brow** s'essuyer le front.

mope [məʊp] *vi* **to m. (about)** être déprimé, avoir le cafard.

moped ['məʊped] *n* cyclomoteur *m*, mobylette® *f*.

moral ['mɒrəl] *a* moral; – *n* (*of story etc*) morale *f*; *pl* (*standards*) moralité *f*, morale *f*. ◆**morale** [mə'rɑːl, *Am* mə'ræl] *n* moral *m*. ◆**moralist** *n* moraliste *mf*. ◆**mo'rality** *n* (*morals*) moralité *f*. ◆**moralize** *vi* moraliser. ◆**morally** *adv* moralement.

morass [mə'ræs] *n* (*land*) marais *m*; (*mess*) *Fig* bourbier *m*.

moratorium [mɒrə'tɔːrɪəm] *n* moratoire *m*.

morbid ['mɔːbɪd] *a* morbide.

more [mɔːr] *a* & *n* plus (de) (**than** que); (*other*) d'autres; **m. cars**/*etc* plus de voitures/*etc*; **he has m. (than you)** il en a plus (que toi); **a few m. months** encore quelques mois, quelques mois de plus; **(some) m. tea**/*etc* encore du thé/*etc*; **(some) m. details** d'autres détails; **m. than a kilo/ten**/*etc* (*with quantity, number*) plus d'un kilo/de dix/*etc*; – *adv* (*tired, rapidly etc*) plus (**than** que); **m. and m.** de plus en plus; **m. or less** plus ou moins; **the m. he shouts the m. hoarse he gets** plus il crie plus il s'enroue; **she hasn't any m.** elle n'en a plus. ◆**mo'reover** *adv* de plus, d'ailleurs.

moreish ['mɔːrɪʃ] *a Fam* qui a un goût de revenez-y.

mores ['mɔːreɪz] *npl* mœurs *fpl*.

morgue [mɔːg] *n* (*mortuary*) morgue *f*.

moribund ['mɒrɪbʌnd] *a* moribond.

morning ['mɔːnɪŋ] *n* matin *m*; (*duration of morning*) matinée *f*; **in the m.** (*every morning*) le matin; (*during the morning*) pendant la matinée; (*tomorrow*) demain matin; **at seven in the m.** à sept heures du matin; **every Tuesday m.** tous les mardis matin; **in the early m.** au petit matin; – *a* du matin, matinal. ◆**mornings** *adv Am* le matin.

Morocco [mə'rɒkəʊ] *n* Maroc *m*. ◆**Moroccan** *a* & *n* marocain, -aine (*mf*).

moron ['mɔːrɒn] *n* crétin, -ine *mf*.

morose [mə'rəʊs] *a* morose.

morphine ['mɔːfiːn] *n* morphine *f*.

Morse [mɔːs] *n* & *a* **M. (code)** morse *m*.

morsel ['mɔːs(ə)l] *n* (*of food*) petite bouchée *f*.

mortal ['mɔːt(ə)l] *a* & *n* mortel, -elle (*mf*). ◆**mor'tality** *n* (*death rate*) mortalité *f*.

mortar ['mɔːtər] *n* mortier *m*.

mortgage ['mɔːgɪdʒ] *n* prêt-logement *m*; – *vt* (*house, future*) hypothéquer.
mortician [mɔː'tɪʃ(ə)n] *n Am* entrepreneur *m* de pompes funèbres.
mortify ['mɔːtɪfaɪ] *vt* mortifier.
mortuary ['mɔːtʃʊərɪ] *n* morgue *f*.
mosaic [məʊ'zeɪɪk] *n* mosaïque *f*.
Moscow ['mɒskəʊ, *Am* 'mɒskaʊ] *n* Moscou *m or f*.
Moses ['məʊzɪz] *a* **M. basket** couffin *m*.
Moslem ['mɒzlɪm] *a* & *n* musulman, -ane (*mf*).
mosque [mɒsk] *n* mosquée *f*.
mosquito [mɒ'skiːtəʊ] *n* (*pl* **-oes**) moustique *m*; **m. net** moustiquaire *f*.
moss [mɒs] *n Bot* mousse *f*. ◆**mossy** *a* moussu.
most [məʊst] *a* & *n* **the m.** (*greatest in amount etc*) le plus (de); **I have (the) m. books** j'ai le plus de livres; **I have (the) m.** j'en ai le plus; **m. (of the) books/***etc* la plupart des livres/*etc*; **m. of the cake/***etc* la plus grande partie du gâteau/*etc*; **m. of them** la plupart d'entre eux; **m. of it** la plus grande partie; **at (the very) m.** tout au plus; **to make the m. of** profiter (au maximum) de; – *adv* (le) plus; (*very*) fort, très; **the m. beautiful** le plus beau, la plus belle (**in, of** de); **to talk (the) m.** parler le plus; **m. of all** (*especially*) surtout. ◆**—ly** *adv* surtout, pour la plupart.
motel [məʊ'tel] *n* motel *m*.
moth [mɒθ] *n* papillon *m* de nuit; **(clothes) m.** mite *f*. ◆**m.-eaten** *a* mité. ◆**mothball** *n* boule *f* de naphtaline.
mother ['mʌðər] *n* mère *f*; **M.'s Day** la fête des Mères; **m. tongue** langue *f* maternelle; – *vt* (*care for*) materner. ◆**motherhood** *n* maternité *f*. ◆**motherly** *a* maternel.
mother-in-law ['mʌðərɪnlɔː] *n* (*pl* **mothers-in-law**) belle-mère *f*. ◆**m.-of-pearl** *n* (*substance*) nacre *f*. ◆**m.-to-'be** *n* (*pl* **mothers-to-be**) future mère *f*.
motion ['məʊʃ(ə)n] *n* mouvement *m*; *Pol* motion *f*; **m. picture** film *m*; – *vti* **to m. (to) s.o. to do** faire signe à qn de faire. ◆**—less** *a* immobile.
motive ['məʊtɪv] *n* motif *m* (**for, of** de); *Jur* mobile *m* (**for** de). ◆**motivate** *vt* (*person, decision etc*) motiver. ◆**moti'vation** *n* motivation *f*; (*incentive*) encouragement *m*.
motley ['mɒtlɪ] *a* (*coloured*) bigarré; (*collection*) hétéroclite.
motor ['məʊtər] *n* (*engine*) moteur *m*; (*car*) *Fam* auto *f*; – *a* (*industry, vehicle etc*) automobile; (*accident*) d'auto; **m. boat** canot *m* automobile; **m. mechanic** mécanicien-auto *m*; **m. mower** tondeuse *f* à moteur; – *vi* (*drive*) rouler en auto. ◆**—ing** *n Sp* automobilisme *m*; **school of m.** auto-école *f*. ◆**motorbike** *n Fam* moto *f*. ◆**motorcade** *n* cortège *m* (officiel) (*de voitures*). ◆**motorcar** *n* automobile *f*. ◆**motorcycle** *n* moto *f*, motocyclette *f*. ◆**motorcyclist** *n* motocycliste *mf*. ◆**motorist** *n* automobiliste *mf*. ◆**motorized** *a* motorisé. ◆**motorway** *n* autoroute *f*.
mottled ['mɒt(ə)ld] *a* tacheté.
motto ['mɒtəʊ] *n* (*pl* **-oes**) devise *f*.
mould [məʊld] **1** *n* (*shape*) moule *m*; – *vt* (*clay etc*) mouler; (*statue, character*) modeler. **2** *n* (*growth, mildew*) moisissure *f*. ◆**mouldy** *a* (**-ier, -iest**) moisi; **to go m.** moisir.
moult [məʊlt] *vi* muer. ◆**—ing** *n* mue *f*.
mound [maʊnd] *n* (*of earth*) tertre *m*; (*pile*) *Fig* monceau *m*.
mount [maʊnt] **1** *n* (*mountain*) *Lit* mont *m*. **2** *n* (*horse*) monture *f*; (*frame for photo or slide*) cadre *m*; (*stamp hinge*) charnière *f*; – *vt* (*horse, hill, jewel, photo, demonstration etc*) monter; (*ladder, tree etc*) monter sur, grimper à; (*stamp*) coller (dans un album); – *vi* **to m. (up)** (*on horse*) se mettre en selle. **3** *vi* (*increase*) monter; **to m. up** (*add up*) chiffrer (**to** à); (*accumulate*) s'accumuler.
mountain ['maʊntɪn] *n* montagne *f*; – *a* (*people, life*) montagnard. ◆**mountai'neer** *n* alpiniste *mf*. ◆**mountai'neering** *n* alpinisme *m*. ◆**mountainous** *a* montagneux.
mourn [mɔːn] *vti* **to m. (for)** pleurer. ◆**—ing** *n* deuil *m*; **in m.** en deuil. ◆**—er** *n* parent, -ente *mf or* ami, -ie *mf* du défunt *or* de la défunte. ◆**mournful** *a* triste.
mouse, *pl* mice [maʊs, maɪs] *n* souris *f*. ◆**mousetrap** *n* souricière *f*.
mousse [muːs] *n Culin* mousse *f*.
moustache [mə'stɑːʃ, *Am* 'mʌstæʃ] *n* moustache *f*.
mousy ['maʊsɪ] *a* (**-ier, -iest**) (*hair*) *Pej* châtain terne; (*shy*) *Fig* timide.
mouth [maʊθ] *n* (*pl* **-s** [maʊðz]) bouche *f*; (*of dog, lion etc*) gueule *f*; (*of river*) embouchure *f*; (*of cave, harbour*) entrée *f*; – [maʊð] *vt Pej* dire. ◆**mouthful** *n* (*of food*) bouchée *f*; (*of liquid*) gorgée *f*. ◆**mouthorgan** *n* harmonica *m*. ◆**mouthpiece** *n Mus* embouchure *f*; (*spokesman*) *Fig* porte-parole *m inv*. ◆**mouthwash** *n* bain *m* de bouche. ◆**mouth-watering** *a* appétissant.
mov/e [muːv] *n* mouvement *m*; (*change of*

house etc) déménagement *m*; (*change of job*) changement *m* d'emploi; (*transfer of employee*) mutation *f*; (*in game*) coup *m*, (*one's turn*) tour *m*; (*act*) *Fig* démarche *f*; (*step*) pas *m*; (*attempt*) tentative *f*; **to make a m.** (*leave*) se préparer à partir; (*act*) *Fig* passer à l'action; **to get a m. on** *Fam* se dépêcher; **on the m.** en marche; – *vt* déplacer, remuer, bouger; (*arm, leg*) remuer; (*crowd*) faire partir; (*put*) mettre; (*transport*) transporter; (*piece in game*) jouer; (*propose*) *Pol* proposer; **to m. s.o.** (*incite*) pousser qn (**to do** à faire); (*emotionally*) émouvoir qn; (*transfer in job*) muter qn; **to m. house** déménager; **to m. sth back** reculer qch; **to m. sth down** descendre qch; **to m. sth forward** avancer qch; **to m. sth over** pousser qch; – *vi* bouger, remuer; (*go*) aller (**to** à); (*pass*) passer (**to** à); (*leave*) partir; (*change seats*) changer de place; (*progress*) avancer; (*act*) agir; (*play*) jouer; **to m. (out)** (*of house etc*) déménager; **to m. to** (*a new region etc*) aller habiter; **to m. about** se déplacer; (*fidget*) remuer; **to m. along** *or* **forward** *or* **on** avancer; **to m. away** *or* **off** (*go away*) s'éloigner; **to m. back** (*withdraw*) reculer; (*return*) retourner; **to m. in** (*to house*) emménager; **to m. into** (*house*) emménager dans; **m. on!** circulez!; **to m. over** *or* **up** se pousser. ◆**—ing** *a* en mouvement; (*part*) *Tech* mobile; (*stairs*) mécanique; (*touching*) émouvant. ◆**mov(e)able** *a* mobile. ◆**movement** *n* (*action, group etc*) & *Mus* mouvement *m*.

movie ['muːvɪ] *n Fam* film *m*; **the movies** (*cinema*) le cinéma; **m. camera** caméra *f*. ◆**moviegoer** *n* cinéphile *mf*.

mow [məʊ] *vt* (*pp* **mown** *or* **mowed**) (*field*) faucher; **to m. the lawn** tondre le gazon; **to m. down** (*kill etc*) *Fig* faucher. ◆**—er** *n* **(lawn) m.** tondeuse *f* (à gazon).

MP [em'piː] *n abbr* (*Member of Parliament*) député *m*.

Mrs ['mɪsɪz] *n* (*married woman*) **Mrs Brown** Madame *or* Mme Brown.

Ms [mɪz] *n* (*married or unmarried woman*) **Ms Brown** Madame *or* Mme Brown.

MSc, *Am* **MS** *abbr* = **Master of Science.**

much [mʌtʃ] *a* & *n* beaucoup (de); **not m. time/money/***etc* pas beaucoup de temps/d'argent/*etc*; **not m.** pas beaucoup; **m. of** (*a good deal of*) une bonne partie de; **as m. as** (*to do, know etc*) autant que; **as m. wine/***etc* **as** autant de vin/*etc* que; **as m. as you like** autant que tu veux; **twice as m.** deux fois plus (de); **how m.?** combien (de)?; **too m.** trop (de); **so m.** tant (de), tellement (de); **I know/I shall do this m.** je sais/je ferai ceci (du moins); **this m. wine** ça de vin; **it's not m. of a garden** ce n'est pas merveilleux comme jardin; **m. the same** presque le même; – *adv* **very m.** beaucoup; **not (very) m.** pas beaucoup; **she doesn't say very m.** elle ne dit pas grand-chose.

muck [mʌk] **1** *n* (*manure*) fumier *m*; (*filth*) *Fig* saleté *f*. **2** *vi* **to m. about** *Fam* (*have fun, idle*) s'amuser; (*play the fool*) faire l'idiot; **to m. about with** *Fam* (*fiddle with*) s'amuser avec; (*alter*) changer (*texte etc*); **to m. in** (*join in*) *Fam* participer, contribuer; – *vt* **to m. s.o. about** *Fam* embêter qn, déranger qn; **to m. up** (*spoil*) *Fam* gâcher, ruiner. ◆**m.-up** *n Fam* gâchis *m*. ◆**mucky** *a* **(-ier, -iest)** sale.

mucus ['mjuːkəs] *n* mucosités *fpl*.

mud [mʌd] *n* boue *f*. ◆**muddy** *a* **(-ier, -iest)** (*water*) boueux; (*hands etc*) couvert de boue. ◆**mudguard** *n* garde-boue *m inv*.

muddle ['mʌd(ə)l] *n* (*mess*) désordre *m*; (*mix-up*) confusion *f*; **in a m.** (*room etc*) sens dessus dessous, en désordre; (*person*) désorienté; (*mind, ideas*) embrouillé; – *vt* (*person, facts etc*) embrouiller; (*papers*) mélanger; – *vi* **to m. through** *Fam* se débrouiller tant bien que mal.

muff [mʌf] *n* (*for hands*) manchon *m*.

muffin ['mʌfɪn] *n* petit pain *m* brioché.

muffl/e ['mʌf(ə)l] *vt* (*noise*) assourdir. ◆**—ed** *a* (*noise*) sourd. ◆**—er** *n* (*scarf*) cache-col *m inv*; *Aut Am* silencieux *m*.

mug [mʌg] **1** *n* grande tasse *f*; (*of metal or plastic*) gobelet *m*; **(beer) m.** chope *f*. **2** *n* (*face*) *Sl* gueule *f*; **m. shot** *Pej* photo *f* (d'identité). **3** *n* (*fool*) *Fam* niais, -aise *mf*. **4** *vt* **(-gg-)** (*attack*) agresser. ◆**mugger** *n* agresseur *m*. ◆**mugging** *n* agression *f*.

muggy ['mʌgɪ] *a* **(-ier, -iest)** (*weather*) lourd.

mulberry ['mʌlbərɪ] *n* (*fruit*) mûre *f*.

mule [mjuːl] *n* (*male*) mulet *m*; (*female*) mule *f*.

mull [mʌl] **1** *vt* (*wine*) chauffer. **2** *vi* **to m. over** (*think over*) ruminer.

mullet ['mʌlɪt] *n* (*fish*) mulet *m*; **(red) m.** rouget *m*.

multi- ['mʌltɪ] *pref* multi-.

multicoloured ['mʌltɪkʌləd] *a* multicolore.

multifarious [mʌltɪ'feərɪəs] *a* divers.

multimillionaire [mʌltɪmɪljə'neər] *n* milliardaire *mf*.

multinational [mʌltɪ'naeʃ(ə)nəl] *n* multinationale *f*.

multiple ['mʌltɪp(ə)l] *a* multiple; – *n Math* multiple *m.* ◆**multipli'cation** *n* multiplication *f.* ◆**multi'plicity** *n* multiplicité *f.* ◆**multiply** *vt* multiplier; – *vi* (*reproduce*) se multiplier.
multistorey [mʌltɪ'stɔːrɪ] (*Am* **multistoried**) *a* à étages.
multitude ['mʌltɪtjuːd] *n* multitude *f.*
mum [mʌm] **1** *n Fam* maman *f.* **2** *a* **to keep m.** garder le silence.
mumble ['mʌmb(ə)l] *vti* marmotter.
mumbo-jumbo [mʌmbəʊ'dʒʌmbəʊ] *n* (*words*) charabia *m.*
mummy ['mʌmɪ] *n* **1** *Fam* maman *f.* **2** (*body*) momie *f.*
mumps [mʌmps] *n* oreillons *mpl.*
munch [mʌntʃ] *vti* (*chew*) mastiquer; **to m. (on)** (*eat*) *Fam* bouffer.
mundane [mʌn'deɪn] *a* banal.
municipal [mjuː'nɪsɪp(ə)l] *a* municipal. ◆**munici'pality** *n* municipalité *f.*
munitions [mjuː'nɪʃ(ə)nz] *npl* munitions *fpl.*
mural ['mjʊərəl] *a* mural; – *n* fresque *f,* peinture *f* murale.
murder ['mɜːdər] *n* meurtre *m,* assassinat *m;* **it's m.** (*dreadful*) *Fam* c'est affreux; – *vt* (*kill*) assassiner; (*spoil*) *Fig* massacrer. ◆**—er** *n* meurtrier, -ière *mf,* assassin *m.* ◆**murderous** *a* meurtrier.
murky ['mɜːkɪ] *a* (**-ier, -iest**) obscur; (*water, business, past*) trouble; (*weather*) nuageux.
murmur ['mɜːmər] *n* murmure *m;* (*of traffic*) bourdonnement *m;* – *vti* murmurer.
muscle ['mʌs(ə)l] *n* muscle *m;* – *vi* **to m. in on** (*group*) *Sl* s'introduire par la force à. ◆**muscular** *a* (*tissue etc*) musculaire; (*brawny*) musclé.
muse [mjuːz] *vi* méditer (**on** sur).
museum [mjuː'zɪəm] *n* musée *m.*
mush [mʌʃ] *n* (*soft mass*) bouillie *f; Fig* sentimentalité *f.* ◆**mushy** *a* (**-ier, -iest**) (*food etc*) en bouillie; *Fig* sentimental.
mushroom ['mʌʃrʊm] **1** *n* champignon *m.* **2** *vi* (*grow*) pousser comme des champignons; (*spread*) se multiplier.
music ['mjuːzɪk] *n* musique *f;* **m. centre** chaîne *f* stéréo compacte; **m. critic** critique *m* musical; **m. hall** music-hall *m;* **m. lover** mélomane *mf;* **canned m.** musique *f* (de fond) enregistrée. ◆**musical** *a* musical; (*instrument*) de musique; **to be (very) m.** être (très) musicien; – *n* (*film, play*) comédie *f* musicale. ◆**mu'sician** *n* musicien, -ienne *mf.*
musk [mʌsk] *n* (*scent*) musc *m.*
Muslim ['mʊzlɪm] *a* & *n* musulman, -ane (*mf*).
muslin ['mʌzlɪn] *n* (*cotton*) mousseline *f.*
mussel ['mʌs(ə)l] *n* (*mollusc*) moule *f.*
must [mʌst] *v aux* **1** (*necessity*) **you m. obey** tu dois obéir, il faut que tu obéisses. **2** (*certainty*) **she m. be clever** elle doit être intelligente; **I m. have seen it** j'ai dû le voir; – *n* **this is a m.** ceci est (absolument) indispensable.
mustache ['mʌstæʃ] *n Am* moustache *f.*
mustard ['mʌstəd] *n* moutarde *f.*
muster ['mʌstər] *vt* (*gather*) rassembler; (*sum*) réunir; – *vi* se rassembler.
musty ['mʌstɪ] *a* (**-ier, -iest**) (*smell*) de moisi; **it smells m., it's m.** ça sent le moisi.
mutation [mjuː'teɪʃ(ə)n] *n Biol* mutation *f.*
mut/e [mjuːt] *a* (*silent*) & *Gram* muet; – *vt* (*sound, colour*) assourdir. ◆**—ed** *a* (*criticism*) voilé.
mutilate ['mjuːtɪleɪt] *vt* mutiler. ◆**muti'lation** *n* mutilation *f.*
mutiny ['mjuːtɪnɪ] *n* mutinerie *f;* – *vi* se mutiner. ◆**mutinous** *a* (*troops*) mutiné.
mutter ['mʌtər] *vti* marmonner.
mutton ['mʌt(ə)n] *n* (*meat*) mouton *m.*
mutual ['mjuːtʃʊəl] *a* (*help, love etc*) mutuel, réciproque; (*common, shared*) commun; **m. fund** *Fin Am* fonds *m* commun de placement. ◆**—ly** *adv* mutuellement.
muzzle ['mʌz(ə)l] *n* (*snout*) museau *m;* (*device*) muselière *f;* (*of gun*) gueule *f;* – *vt* (*animal, press etc*) museler.
my [maɪ] *poss a* mon, ma, *pl* mes. ◆**my'self** *pron* moi-même; (*reflexive*) me, m'; (*after prep*) moi; **I wash m.** je me lave; **I think of m.** je pense à moi.
mystery ['mɪstərɪ] *n* mystère *m.* ◆**my'sterious** *a* mystérieux.
mystic ['mɪstɪk] *a* & *n* mystique (*mf*). ◆**mystical** *a* mystique. ◆**mysticism** *n* mysticisme *m.* ◆**my'stique** *n* (*mystery, power*) mystique *f* (**of** de).
mystify ['mɪstɪfaɪ] *vt* (*bewilder*) laisser perplexe; (*fool*) mystifier. ◆**mystifi'cation** *n* (*bewilderment*) perplexité *f.*
myth [mɪθ] *n* mythe *m.* ◆**mythical** *a* mythique. ◆**mytho'logical** *a* mythologique. ◆**my'thology** *n* mythologie *f.*

N

N, n [en] *n* N, n *m*; **the nth time** la énième fois.
nab [næb] *vt* (**-bb-**) (*catch, arrest*) *Fam* épingler.
nag [næg] *vti* (**-gg-**) (*criticize*) critiquer; **to n. (at) s.o.** (*pester*) harceler *or* embêter qn (**to do** pour qu'il fasse). ◆**nagging** *a* (*doubt, headache*) qui subsiste; – *n* critiques *fpl.*
nail [neɪl] **1** *n* (*of finger, toe*) ongle *m*; – *a* (*polish, file etc*) à ongles. **2** *n* (*metal*) clou *m*; – *vt* clouer; **to n. s.o.** (*nab*) *Fam* épingler qn; **to n. down** (*lid etc*) clouer.
naïve [naɪ'iːv] *a* naïf. ◆**naïveté** *n* naïveté *f.*
naked ['neɪkɪd] *a* (*person*) (tout) nu; (*eye, flame*) nu; **to see with the n. eye** voir à l'œil nu. ◆**—ness** *n* nudité *f.*
name [neɪm] *n* nom *m*; (*reputation*) *Fig* réputation *f*; **my n. is . . .** je m'appelle . . . ; **in the n. of** au nom de; **to put one's n. down for** (*school, course*) s'inscrire à; (*job, house*) demander, faire une demande pour avoir; **to call s.o. names** injurier qn; **first n., given n.** prénom *m*; **last n.** nom *m* de famille; **a good/bad n.** *Fig* une bonne/mauvaise réputation; **n. plate** plaque *f*; – *vt* nommer; (*ship, street*) baptiser; (*designate*) désigner, nommer; (*date, price*) fixer; **he was named after** *or Am* **for . . .** il a reçu le nom de . . . . ◆**—less** *a* sans nom, anonyme. ◆**—ly** *adv* (*that is*) à savoir. ◆**namesake** *n* (*person*) homonyme *m.*
nanny ['nænɪ] *n* nurse *f*, bonne *f* d'enfants; (*grandmother*) *Fam* mamie *f.*
nanny-goat ['nænɪgəʊt] *n* chèvre *f.*
nap [næp] *n* (*sleep*) petit somme *m*; **to have** *or* **take a n.** faire un petit somme; (*after lunch*) faire la sieste; – *vi* (**-pp-**) **to be napping** sommeiller; **to catch napping** *Fig* prendre au dépourvu.
nape [neɪp] *n* **n. (of the neck)** nuque *f.*
napkin ['næpkɪn] *n* (*at table*) serviette *f*; (*for baby*) couche *f.* ◆**nappy** *n* (*for baby*) couche *f.* ◆**nappy-liner** *n* protège-couche *m.*
narcotic [nɑː'kɒtɪk] *a* & *n* narcotique (*m*).
narrate [nə'reɪt] *vt* raconter. ◆**narration** *n*, ◆**'narrative** *n* (*story*) récit *m*, narration *f*; (*art, act*) narration *f.* ◆**narrator** *n* narrateur, -trice *mf.*
narrow ['nærəʊ] *a* (**-er, -est**) étroit; (*majority*) faible, petit; – *vi* (*of path*) se rétrécir; **to n. down** (*of choice etc*) se limiter (**to** à); – *vt* **to n. (down)** (*limit*) limiter. ◆**—ly** *adv* (*to miss etc*) de justesse; (*strictly*) strictement; **he n. escaped** *or* **missed being killed**/*etc* il a failli être tué/*etc.* ◆**—ness** *n* étroitesse *f.*
narow-minded [nærəʊ'maɪndɪd] *a* borné. ◆**—ness** *n* étroitesse *f* (d'esprit).
nasal ['neɪz(ə)l] *a* nasal; (*voice*) nasillard.
nasty ['nɑːstɪ] *a* (**-ier, -iest**) (*bad*) mauvais, vilain; (*spiteful*) méchant, désagréable (**to, towards** avec); **a n. mess** *or* **muddle** un gâchis. ◆**nastily** *adv* (*to act*) méchamment; (*to rain*) horriblement. ◆**nastiness** *n* (*malice*) méchanceté *f*; **the n. of the weather/taste**/*etc* le mauvais temps/goût/*etc.*
nation ['neɪʃ(ə)n] *n* nation *f*; **the United Nations** les Nations Unies. ◆**n.-wide** *a* & *adv* dans le pays (tout) entier. ◆**national** *a* national; **n. anthem** hymne *m* national; **N. Health Service** = Sécurité *f* Sociale; **n. insurance** = assurances *fpl* sociales; – *n* (*citizen*) ressortissant, -ante *mf.* ◆**nationalist** *n* nationaliste *mf.* ◆**nationa'listic** *a* *Pej* nationaliste. ◆**natio'nality** *n* nationalité *f.* ◆**nationalize** *vt* nationaliser. ◆**nationally** *adv* (*to travel, be known etc*) dans le pays (tout) entier.
native ['neɪtɪv] *a* (*country*) natal; (*habits, costume*) du pays; (*tribe, plant*) indigène; (*charm, ability*) inné; **n. language** langue *f* maternelle; **to be an English n. speaker** parler l'anglais comme langue maternelle; – *n* (*person*) autochtone *mf*; (*non-European in colony*) indigène *mf*; **to be a n. of** être originaire *or* natif de.
nativity [nə'tɪvɪtɪ] *n Rel* nativité *f.*
NATO ['neɪtəʊ] *n abbr* (*North Atlantic Treaty Organization*) OTAN *f.*
natter ['nætər] *vi Fam* bavarder; – *n Fam* **to have a n.** bavarder.
natural ['nætʃ(ə)rəl] *a* naturel; (*actor, gardener etc*) né; – *n* **to be a n. for** (*job etc*) *Fam* être celui qu'il faut pour, être fait pour. ◆**naturalist** *n* naturaliste *mf.* ◆**naturally** *adv* (*as normal, of course*) naturellement; (*by nature*) de nature; (*with naturalness*) avec naturel. ◆**naturalness** *n* naturel *m.*

naturalize ['nætʃ(ə)rəlaɪz] *vt* (*person*) *Pol* naturaliser. ◆**naturali'zation** *n* naturalisation *f*.

nature ['neɪtʃər] *n* (*natural world, basic quality*) nature *f*; (*disposition*) naturel *m*; **by n.** de nature; **n. study** sciences *fpl* naturelles.

naught [nɔːt] *n* **1** *Math* zéro *m*. **2** (*nothing*) *Lit* rien *m*.

naught/y ['nɔːtɪ] *a* (**-ier, -iest**) (*child*) vilain, malicieux; (*joke, story*) osé, grivois. ◆**—ily** *adv* (*to behave*) mal; (*to say*) avec malice. ◆**—iness** *n* mauvaise conduite *f*.

nausea ['nɔːzɪə] *n* nausée *f*. ◆**nauseate** *vt* écœurer. ◆**nauseous** *a* (*smell etc*) nauséabond; **to feel n.** *Am* (*sick*) avoir envie de vomir; (*disgusted*) *Fig* être écœuré.

nautical ['nɔːtɪk(ə)l] *a* nautique.

naval ['neɪv(ə)l] *a* naval; (*power, hospital*) maritime; (*officer*) de marine.

nave [neɪv] *n* (*of church*) nef *f*.

navel ['neɪv(ə)l] *n Anat* nombril *m*.

navigate ['nævɪgeɪt] *vi* naviguer; – *vt* (*boat*) diriger, piloter; (*river*) naviguer sur. ◆**navigable** *a* (*river*) navigable; (*seaworthy*) en état de naviguer. ◆**navi'gation** *n* navigation *f*. ◆**navigator** *n Av* navigateur *m*.

navvy ['nævɪ] *n* (*labourer*) terrassier *m*.

navy ['neɪvɪ] *n* marine *f*; – *a* **n. (blue)** bleu marine *inv*.

Nazi ['nɑːtsɪ] *a* & *n Pol Hist* nazi, -ie (*mf*).

near [nɪər] *adv* (**-er, -est**) près; **quite n., n. at hand** tout près; **to draw n.** (s')approcher (**to** de); (*of date*) approcher; **n. to** près de; **to come n. to being killed/***etc* faillir être tué/*etc*; **n. enough** (*more or less*) *Fam* plus ou moins; – *prep* (**-er, -est**) **n. (to)** près de; **n. the bed** près du lit; **to be n. (to) victory/death** frôler la victoire/la mort; **n. the end** vers la fin; **to come n. s.o.** s'approcher de qn; – *a* (**-er, -est**) proche; (*likeness*) fidèle; **the nearest hospital** l'hôpital le plus proche; **the nearest way** la route la plus directe; **in the n. future** dans un avenir proche; **to the nearest franc** (*to calculate*) à un franc près; (*to round up or down*) au franc supérieur *or* inférieur; **n. side** *Aut* côté *m* gauche, *Am* côté *m* droit; – *vt* (*approach*) approcher de; **nearing completion** près d'être achevé. ◆**near'by** *adv* tout près; – ['nɪəbaɪ] *a* proche. ◆**nearness** *n* (*in space, time*) proximité *f*.

nearly ['nɪəlɪ] *adv* presque; **she (very) n. fell** elle a failli tomber; **not n. as clever/***etc* **as** loin d'être aussi intelligent/*etc* que.

neat [niːt] *a* (**-er, -est**) (*clothes, work*) soigné, propre, net; (*room*) ordonné, bien rangé; (*style*) élégant; (*pretty*) *Fam* joli, beau; (*pleasant*) *Fam* agréable; **to drink one's whisky/***etc* **n.** prendre son whisky/*etc* sec. ◆**—ly** *adv* avec soin; (*skilfully*) habilement. ◆**—ness** *n* netteté *f*; (*of room*) ordre *m*.

necessary ['nesɪs(ə)rɪ] *a* nécessaire; **it's n. to do** il est nécessaire de faire, il faut faire; **to make it n. for s.o. to do** mettre qn dans la nécessité de faire; **to do what's n.** *or* **the n.** *Fam* faire le nécessaire (**for** pour); – *npl* **the necessaries** (*food etc*) l'indispensable *m*. ◆**nece'ssarily** *adv* nécessairement.

necessity [nɪ'sesɪtɪ] *n* (*obligation, need*) nécessité *f*; (*poverty*) indigence *f*; **there's no n. for you to do that** tu n'es pas obligé de faire cela; **of n.** nécessairement; **to be a n.** être indispensable; **the (bare) necessities** le (strict) nécessaire. ◆**necessitate** *vt* nécessiter.

neck[1] [nek] *n Anat* cou *m*; (*of dress, horse*) encolure *f*; (*of bottle*) col *m*; **low n.** (*of dress*) décolleté *m*; **n. and n.** *Sp* à égalité. ◆**necklace** *n* collier *m*. ◆**neckline** *n* encolure *f*. ◆**necktie** *n* cravate *f*.

neck[2] [nek] *vi* (*kiss etc*) *Fam* se peloter.

nectarine ['nektəriːn] *n* (*fruit*) nectarine *f*, brugnon *m*.

née [neɪ] *adv* **n. Dupont** née Dupont.

need [niːd] **1** *n* (*necessity, want, poverty*) besoin *m*; **in n.** dans le besoin; **to be in n. of** avoir besoin de; **there's no n. (for you) to do** tu n'as pas besoin de faire; **if n. be** si besoin est, s'il le faut; – *vt* avoir besoin de; **you n. it** tu en as besoin, il te le faut; **it needs an army to do, an army is needed to do** il faut une armée pour faire; **this sport needs patience** ce sport demande de la patience; **her hair needs cutting** il faut qu'elle se fasse couper les cheveux. **2** *v aux* **n. he wait?** est-il obligé d'attendre?, a-t-il besoin d'attendre?; **I needn't have rushed** ce n'était pas la peine de me presser; **I n. hardly say that . . .** je n'ai guère besoin de dire que . . . . ◆**needless** *a* inutile. ◆**needlessly** *adv* inutilement. ◆**needy** *a* (**-ier, -iest**) *a* nécessiteux.

needle ['niːd(ə)l] **1** *n* aiguille *f*; (*of record player*) saphir *m*. **2** *vt* (*irritate*) *Fam* agacer. ◆**needlework** *n* couture *f*, travaux *mpl* d'aiguille; (*object*) ouvrage *m*.

negate [nɪ'geɪt] *vt* (*nullify*) annuler; (*deny*) nier. ◆**negation** *n* (*denial*) & *Gram* négation *f*.

negative ['negətɪv] *a* négatif; – *n Phot* négatif *m*; (*word*) *Gram* négation *f*; (*form*)

Gram forme *f* négative; **to answer in the n.** répondre par la négative.

neglect [nɪ'glekt] *vt* (*person, health, work etc*) négliger; (*garden, car etc*) ne pas s'occuper de; (*duty*) manquer à; (*rule*) désobéir à, méconnaître; **to n. to do** négliger de faire; – *n* (*of person*) manque *m* de soins (**of** envers); (*of rule*) désobéissance *f* (**of** à); (*of duty*) manquement *m* (**of** à); (*carelessness*) négligence *f*; **in a state of n.** (*garden, house etc*) mal tenu. ◆**neglected** *a* (*appearance, person*) négligé; (*garden, house etc*) mal tenu; **to feel n.** sentir qu'on vous néglige. ◆**neglectful** *a* négligent; **to be n. of** négliger.

negligent ['neglɪdʒənt] *a* négligent. ◆**negligence** *n* négligence *f*. ◆**negligently** *adv* négligemment.

negligible ['neglɪdʒəb(ə)l] *a* négligeable.

negotiate [nɪ'gəʊʃɪeɪt] **1** *vti Fin Pol* négocier. **2** *vt* (*fence, obstacle*) franchir; (*bend*) *Aut* négocier. ◆**negotiable** *a Fin* négociable. ◆**negoti'ation** *n* négociation *f*; **in n. with** en pourparlers avec. ◆**negotiator** *n* négociateur, -trice *mf*.

Negro ['niːgrəʊ] *n* (*pl* **-oes**) (*man*) Noir *m*; (*woman*) Noire *f*; – *a* noir; (*art, sculpture etc*) nègre. ◆**Negress** *n* Noire *f*.

neigh [neɪ] *vi* (*of horse*) hennir; – *n* hennissement *m*.

neighbour ['neɪbər] *n* voisin, -ine *mf*. ◆**neighbourhood** *n* (*neighbours*) voisinage *m*; (*district*) quartier *m*, voisinage *m*; (*region*) région *f*; **in the n. of ten pounds** dans les dix livres. ◆**neighbouring** *a* avoisinant. ◆**neighbourly** *a* (*feeling etc*) de bon voisinage, amical; **they're n. (people)** ils sont bons voisins.

neither ['naɪðər, *Am* 'niːðər] *adv* ni; **n. . . . nor** ni . . . ni; **n. you nor me** ni toi ni moi; **he n. sings nor dances** il ne chante ni ne danse; – *conj* (*not either*) (ne) . . . non plus; **n. shall I go** je n'y irai pas non plus; **n. do I, n. can I** *etc* (ni) moi non plus; – *a* **n. boy (came)** aucun des deux garçons (n'est venu); **on n. side** ni d'un côté ni de l'autre; – *pron* **n. (of them)** ni l'un(e) ni l'autre, aucun(e) (des deux).

neo- ['niːəʊ] *pref* néo-.

neon ['niːɒn] *n* (*gas*) néon *m*; – *a* (*lighting etc*) au néon.

nephew ['nevjuː, 'nefjuː] *n* neveu *m*.

nepotism ['nepətɪz(ə)m] *n* népotisme *m*.

nerve [nɜːv] *n* nerf *m*; (*courage*) *Fig* courage *m* (**to do** de faire); (*confidence*) assurance *f*; (*calm*) sang-froid *m*; (*cheek*) *Fam* culot *m* (**to do** de faire); **you get on my nerves** *Fam* tu me portes *or* me tapes sur les nerfs; **to have (an attack of) nerves** (*fear, anxiety*) avoir le trac; **a bundle** *or* **mass** *or* **bag of nerves** (*person*) *Fam* un paquet de nerfs; **to have bad nerves** être nerveux; – *a* (*cell, centre*) nerveux. ◆**n.-racking** *a* éprouvant pour les nerfs. ◆**nervous** *a* (*tense*) & *Anat* nerveux; (*worried*) inquiet (**about** de); **to be** *or* **feel n.** (*ill-at-ease*) se sentir mal à l'aise; (*before exam etc*) avoir le trac. ◆**nervously** *adv* nerveusement; (*worriedly*) avec inquiétude. ◆**nervousness** *n* nervosité *f*; (*fear*) trac *m*. ◆**nervy** *a* (**-ier, -iest**) *Fam* (*anxious*) nerveux; (*brash*) *Am* culotté.

nest [nest] *n* nid *m*; **n. egg** (*money saved*) pécule *m*; **n. of tables** table *f* gigogne; – *vi* (*of bird*) (se) nicher.

nestle ['nes(ə)l] *vi* se pelotonner (**up to** contre); **a village nestling in** (*forest, valley etc*) un village niché dans.

net [net] **1** *n* filet *m*; **n. curtain** voilage *m*; – *vt* (**-tt-**) (*fish*) prendre au filet. **2** *a* (*profit, weight etc*) net *inv*; – *vt* (**-tt-**) (*of person, firm etc*) gagner net; **this venture netted him or her . . .** cette entreprise lui a rapporté . . . . ◆**netting** *n* (*nets*) filets *mpl*; (*mesh*) mailles *fpl*; (*fabric*) voile *m*; **(wire) n.** treillis *m*.

Netherlands (the) [ðə'neðələndz] *npl* les Pays-Bas *mpl*.

nettle ['net(ə)l] *n Bot* ortie *f*.

network ['netwɜːk] *n* réseau *m*.

neurosis, *pl* **-oses** [njʊə'rəʊsɪs, -əʊsiːz] *n* névrose *f*. ◆**neurotic** *a* & *n* névrosé, -ée (*mf*).

neuter ['njuːtər] **1** *a* & *n Gram* neutre (*m*). **2** *vt* (*cat etc*) châtrer.

neutral ['njuːtrəl] *a* neutre; (*policy*) de neutralité; – *n El* neutre *m*; **in n. (gear)** *Aut* au point mort. ◆**neu'trality** *n* neutralité *f*. ◆**neutralize** *vt* neutraliser.

never ['nevər] *adv* **1** (*not ever*) (ne) . . . jamais; **she n. lies** elle ne ment jamais; **n. in (all) my life** jamais de ma vie; **n. again** plus jamais. **2** (*certainly not*) *Fam* **I n. did it** je ne l'ai pas fait. ◆**n.-'ending** *a* interminable.

nevertheless [nevəðə'les] *adv* néanmoins, quand même.

new [njuː] *a* (**-er, -est**) nouveau; (*brand-new*) neuf; **to be n. to** (*job*) être nouveau dans; (*city*) être un nouveau-venu dans, être fraîchement installé dans; **a n. boy** *Sch* un nouveau; **what's n.?** *Fam* quoi de neuf?; **a n. glass/pen/***etc* (*different*) un autre verre/stylo/*etc*; **to break n. ground** innover; **n. look** style *m* nouveau; **as good as**

n. comme neuf; **a n.-laid egg** un œuf du jour; **a n.-born baby** un nouveau-né, une nouveau-née. ◆**newcomer** *n* nouveau-venu *m,* nouvelle-venue *f.* ◆**new-'fangled** *a Pej* moderne. ◆**new-found** *a* nouveau. ◆**newly** *adv* (*recently*) nouvellement, fraîchement; **the n.-weds** les nouveaux mariés. ◆**newness** *n* (*condition*) état *m* neuf; (*novelty*) nouveauté *f.*

news [njuːz] *n* nouvelle(s) *f(pl)*; *Journ Rad TV* informations *fpl,* actualités *fpl*; **sports/***etc* **n.** (*newspaper column*) chronique *f or* rubrique *f* sportive/*etc*; **a piece of n., some n.** une nouvelle; *Journ Rad TV* une information; **n. headlines** titres *mpl* de l'actualité; **n. flash** flash *m.* ◆**newsagent** *n* marchand, -ande *mf* de journaux. ◆**newsboy** *n* vendeur *m* de journaux. ◆**newscaster** *n* présentateur, -trice *mf.* ◆**newsletter** *n* (*of club, group etc*) bulletin *m.* ◆**newspaper** *n* journal *m.* ◆**newsreader** *n* présentateur, -trice *mf.* ◆**newsreel** *n Cin* actualités *fpl.* ◆**newsworthy** *a* digne de faire l'objet d'un reportage. ◆**newsy** *a* (**-ier, -iest**) *Fam* plein de nouvelles.

newt [njuːt] *n* (*animal*) triton *m.*

New Zealand [njuːˈziːlənd] *n* Nouvelle-Zélande *f*; – *a* néo-zélandais. ◆**New Zealander** *n* Néo-Zélandais, -aise *mf.*

next [nekst] *a* prochain; (*room, house*) d'à-côté, voisin; (*following*) suivant; **n. month** (*in the future*) le mois prochain; **he returned the n. month** (*in the past*) il revint le mois suivant; **the n. day** le lendemain; **the n. morning** le lendemain matin; **within the n. ten days** d'ici (à) dix jours, dans un délai de dix jours; **(by) this time n. week** d'ici (à) la semaine prochaine; **from one year to the n.** d'une année à l'autre; **you're n.** c'est ton tour; **n. (please)!** (au) suivant!; **the n. thing to do is . . .** ce qu'il faut faire ensuite c'est . . . ; **the n. size (up)** la taille au-dessus; **to live/***etc* **n. door** habiter/*etc* à côté (**to** de); **n.-door neighbour/room** voisin *m*/pièce *f* d'à-côté; – *n* (*in series etc*) suivant, -ante *mf*; – *adv* (*afterwards*) ensuite, après; (*now*) maintenant; **when you come n.** la prochaine fois que tu viendras; **the n. best solution** la seconde solution; – *prep* **n. to** (*beside*) à côté de; **n. to nothing** presque rien.

NHS [eneɪtʃˈes] *abbr* = **National Health Service.**

nib [nɪb] *n* (*of pen*) plume *f,* bec *m.*

nibble [ˈnɪb(ə)l] *vti* (*eat*) grignoter; (*bite*) mordiller.

nice [naɪs] *a* (**-er, -est**) (*pleasant*) agréable; (*charming*) charmant, gentil; (*good*) bon; (*fine*) beau; (*pretty*) joli; (*kind*) gentil (**to** avec); (*respectable*) bien *inv*; (*subtle*) délicat; **it's n. here** c'est bien ici; **n. and easy/warm/***etc* (*very*) bien facile/chaud/*etc.* ◆**n.-'looking** *a* beau, joli. ◆**nicely** *adv* agréablement; (*kindly*) gentiment; (*well*) bien. ◆**niceties** [ˈnaɪsətɪz] *npl* (*pleasant things*) agréments *mpl*; (*subtleties*) subtilités *fpl.*

niche [niːʃ, nɪtʃ] *n* **1** (*recess*) niche *f.* **2** (*job*) (bonne) situation *f*; (*direction*) voie *f*; **to make a n. for oneself** faire son trou.

nick [nɪk] **1** *n* (*on skin, wood*) entaille *f*; (*in blade, crockery*) brèche *f.* **2** *n* (*prison*) *Sl* taule *f*; – *vt* (*steal, arrest*) *Sl* piquer. **3** *n* **in the n. of time** juste à temps; **in good n.** *Sl* en bon état.

nickel [ˈnɪk(ə)l] *n* (*metal*) nickel *m*; (*coin*) *Am* pièce *f* de cinq cents.

nickname [ˈnɪkneɪm] *n* (*informal name*) surnom *m*; (*short form*) diminutif *m*; – *vt* surnommer.

nicotine [ˈnɪkətiːn] *n* nicotine *f.*

niece [niːs] *n* nièce *f.*

nifty [ˈnɪftɪ] *a* (**-ier, -iest**) (*stylish*) chic *inv*; (*skilful*) habile; (*fast*) rapide.

Nigeria [naɪˈdʒɪərɪə] *n* Nigéria *m or f.* ◆**Nigerian** *a* & *n* nigérian, -ane (*mf*).

niggardly [ˈnɪgədlɪ] *a* (*person*) avare; (*amount*) mesquin.

niggling [ˈnɪglɪŋ] *a* (*trifling*) insignifiant; (*irksome*) irritant; (*doubt*) persistant.

night [naɪt] *n* nuit *f*; (*evening*) soir *m*; *Th* soirée *f*; **last n.** (*evening*) hier soir; (*night*) la nuit dernière; **to have an early/late n.** se coucher tôt/tard; **to have a good n.** (*sleep well*) bien dormir; **first n.** *Th* première *f*; – *a* (*work etc*) de nuit; (*life*) nocturne; **n. school** cours *mpl* du soir; **n. watchman** veilleur *m* de nuit. ◆**nightcap** *n* (*drink*) boisson *f* (*alcoolisée ou chaude prise avant de se coucher*). ◆**nightclub** *n* boîte *f* de nuit. ◆**nightdress** *n,* ◆**nightgown** *n, Fam* ◆**nightie** *n* (*woman's*) chemise *f* de nuit. ◆**nightfall** *n* **at n.** à la tombée de la nuit. ◆**nightlight** *n* veilleuse *f.* ◆**nighttime** *n* nuit *f.*

nightingale [ˈnaɪtɪŋgeɪl] *n* rossignol *m.*

nightly [ˈnaɪtlɪ] *adv* chaque nuit *or* soir; – *a* de chaque nuit *or* soir.

nil [nɪl] *n* (*nothing*) & *Sp* zéro *m*; **the risk/result/***etc* **is n.** le risque/résultat/*etc* est nul.

nimble [ˈnɪmb(ə)l] *a* (**-er, -est**) agile.

nincompoop ['nɪŋkəmpuːp] *n Fam* imbécile *mf*.

nine [naɪn] *a & n* neuf (*m*). ◆**nine'teen** *a & n* dix-neuf (*m*). ◆**nine'teenth** *a & n* dix-neuvième (*mf*). ◆**ninetieth** *a & n* quatre-vingt-dixième (*mf*). ◆**ninety** *a & n* quatre-vingt-dix (*m*). ◆**ninth** *a & n* neuvième (*mf*); **a n.** un neuvième.

nip [nɪp] **1** *vt* (**-pp-**) (*pinch, bite*) pincer; **to n. in the bud** *Fig* étouffer dans l'œuf; – *n* pinçon *m*; **there's a n. in the air** ça pince. **2** *vi* (**-pp-**) (*dash*) *Fam* **to n. round to s.o.** courir *or* faire un saut chez qn; **to n. in/out** entrer/sortir un instant.

nipper ['nɪpər] *n* (*child*) *Fam* gosse *mf*.

nipple ['nɪp(ə)l] *n* bout *m* de sein, mamelon *m*; (*teat on bottle*) *Am* tétine *f*.

nippy ['nɪpɪ] *a* **1** (**-ier, -iest**) (*chilly*) frais; **it's n.** (*weather*) ça pince. **2 to be n. (about it)** (*quick*) *Fam* faire vite.

nit [nɪt] *n* **1** (*fool*) *Fam* idiot, -ote *mf*. **2** (*of louse*) lente *f*. ◆**nitwit** *n* (*fool*) *Fam* idiot, -ote *mf*.

nitrogen ['naɪtrədʒən] *n* azote *m*.

nitty-gritty [nɪtɪ'grɪtɪ] *n* **to get down to the n.-gritty** *Fam* en venir au fond du problème.

no [nəʊ] *adv & n* non (*m inv*); **no!** non!; **no more than ten/a kilo/***etc* pas plus de dix/d'un kilo/*etc*; **no more time/***etc* plus de temps/*etc*; **I have no more time** je n'ai plus de temps; **no more than you** pas plus que vous; **you can do no better** tu ne peux pas faire mieux; **the noes** *Pol* les non; – *a* aucun(e); pas de; **I've (got)** *or* **I have no idea** je n'ai aucune idée; **no child came** aucun enfant n'est venu; **I've (got)** *or* **I have no time/***etc* je n'ai pas de temps/*etc*; **of no importance/value/***etc* sans importance/valeur/*etc*; **with no gloves/***etc* **on** sans gants/*etc*; **there's no knowing . . .** impossible de savoir . . . ; **'no smoking'** 'défense de fumer'; **no way!** *Am Fam* pas question!; **no one = nobody.**

noble ['nəʊb(ə)l] *a* (**-er, -est**) noble; (*building*) majestueux. ◆**nobleman** *n* (*pl* **-men**) noble *m*. ◆**noblewoman** *n* (*pl* **-women**) noble *f*. ◆**no'bility** *n* (*character, class*) noblesse *f*.

[illegible]ody ['nəʊbɒdɪ] *pron* (ne) . . . personne; **[illegible]me** personne n'est venu; **he knows n.** il [illegible]nnaît personne; **n.!** personne!; – *n* **a** [illegible] nullité.

[illegible]al [nɒk'tɜːn(ə)l] *a* nocturne.

[illegible]] 1 *vti* (**-dd-**) **to n. (one's head)** [illegible] tête, faire un signe de tête; – *n* inclination *f or* signe *m* de tête. **2** *vi* (**-dd-**) **to n. off** (*go to sleep*) s'assoupir.

noise [nɔɪz] *n* bruit *m*; (*of bell, drum*) son *m*; **to make a n.** faire du bruit. ◆**noisily** *adv* bruyamment. ◆**noisy** *a* (**-ier, -iest**) (*person, street etc*) bruyant.

nomad ['nəʊmæd] *n* nomade *mf*. ◆**no'madic** *a* nomade.

nominal ['nɒmɪn(ə)l] *a* (*value, fee etc*) nominal; (*head, ruler*) de nom.

nominate ['nɒmɪneɪt] *vt Pol* désigner, proposer (**for** comme candidat à); (*appoint*) désigner, nommer. ◆**nomi'nation** *n* désignation *f or* proposition *f* de candidat; (*appointment*) nomination *f*. ◆**nomi'nee** *n* (*candidate*) candidat *m*.

non- [nɒn] *pref* non-.

nonchalant ['nɒnʃələnt] *a* nonchalant.

noncommissioned [nɒnkə'mɪʃ(ə)nd] *a* **n. officer** *Mil* sous-officier *m*.

non-committal [nɒnkə'mɪt(ə)l] *a* (*answer, person*) évasif.

nonconformist [nɒnkən'fɔːmɪst] *a & n* non-conformiste (*mf*).

nondescript ['nɒndɪskrɪpt] *a* indéfinissable; *Pej* médiocre.

none [nʌn] *pron* aucun(e) *mf*; (*in filling a form*) néant; **n. of them** aucun d'eux; **she has n. (at all)** elle n'en a pas (du tout); **n. (at all) came** pas un(e) seul(e) n'est venu(e); **n. can tell** personne ne peut le dire; **n. of the cake/***etc* pas une seule partie du gâteau/*etc*; **n. of the trees/***etc* aucun arbre/*etc*, aucun des arbres/*etc*; **n. of it** *or* **this** rien (de ceci); – *adv* **n. too hot/***etc* pas tellement chaud/*etc*; **he's n. the happier/wiser/***etc* il n'en est pas plus heureux/sage/*etc*; **n. the less** néanmoins. ◆**nonethe'less** *adv* néanmoins.

nonentity [nɒ'nentɪtɪ] *n* (*person*) nullité *f*.

non-existent [nɒnɪg'zɪstənt] *a* inexistant.

non-fiction [nɒn'fɪkʃ(ə)n] *n* littérature *f* non-romanesque; (*in library*) ouvrages *mpl* généraux.

non-flammable [nɒn'flæməb(ə)l] *a* ininflammable.

nonplus [nɒn'plʌs] *vt* (**-ss-**) dérouter.

nonsense ['nɒnsəns] *n* absurdités *fpl*; **that's n.** c'est absurde. ◆**non'sensical** *a* absurde.

non-smoker [nɒn'sməʊkər] *n* (*person*) non-fumeur, -euse *mf*; (*compartment*) *Rail* compartiment *m* non-fumeurs.

non-stick [nɒn'stɪk] *a* (*pan*) anti-adhésif, qui n'attache pas.

non-stop [nɒn'stɒp] *a* sans arrêt; (*train,

flight) direct; – *adv* (*to work etc*) sans arrêt; (*to fly*) sans escale.
noodles ['nuːd(ə)lz] *npl* nouilles *fpl*; (*in soup*) vermicelle(s) *m*(*pl*).
nook [nʊk] *n* coin *m*; **in every n. and cranny** dans tous les coins (et recoins).
noon [nuːn] *n* midi *m*; **at n.** à midi; – *a* (*sun etc*) de midi.
noose [nuːs] *n* (*loop*) nœud *m* coulant; (*of hangman*) corde *f*.
nor [nɔːr] *conj* ni; **neither you n. me** ni toi ni moi; **she neither drinks n. smokes** elle ne fume ni ne boit; **n. do I, n. can I** *etc* (ni) moi non plus; **n. will I (go)** je n'y irai pas non plus.
norm [nɔːm] *n* norme *f*.
normal ['nɔːm(ə)l] *a* normal; – *n* **above n.** au-dessus de la normale. ◆**nor'mality** *n* normalité *f*. ◆**normalize** *vt* normaliser. ◆**normally** *adv* normalement.
Norman ['nɔːmən] *a* normand.
north [nɔːθ] *n* nord *m*; – *a* (*coast*) nord *inv*; (*wind*) du nord; **to be n. of** être au nord de; **N. America/Africa** Amérique *f*/Afrique *f* du Nord; **N. American** *a* & *n* nord-américain, -aine (*mf*); – *ad* au nord, vers le nord. ◆**northbound** *a* (*carriageway*) nord *inv*; (*traffic*) en direction du nord. ◆**north-'east** *n* & *a* nord-est *m* & *a inv*. ◆**northerly** *a* (*point*) nord *inv*; (*direction, wind*) du nord. ◆**northern** *a* (*coast*) nord *inv*; (*town*) du nord; **N. France** le Nord de la France; **N. Europe** Europe *f* du Nord; **N. Ireland** Irlande *f* du Nord. ◆**northerner** *n* habitant, -ante *mf* du Nord. ◆**northward(s)** *a* & *adv* vers le nord. ◆**north-'west** *n* & *a* nord-ouest *m* & *a inv*.
Norway ['nɔːweɪ] *n* Norvège *f*. ◆**Nor'wegian** *a* & *n* norvégien, -ienne (*mf*); – *n* (*language*) norvégien *m*.
nose [nəʊz] *n* nez *m*; **her n. is bleeding** elle saigne du nez; **to turn one's n. up** *Fig* faire le dégoûté (**at** devant); – *vi* **to n. about** (*pry*) *Fam* fouiner. ◆**nosebleed** *n* saignement *m* de nez. ◆**nosedive** *n* *Av* piqué *m*; (*in prices*) chute *f*.
nos(e)y ['nəʊzɪ] *a* (**-ier, -iest**) fouineur, indiscret; **n. parker** fouineur, -euse *mf*.
nosh [nɒʃ] *vi* *Fam* (*eat heavily*) bouffer; (*nibble*) grignoter (entre les repas); – *n* (*food*) *Fam* bouffe *f*.
nostalgia [nɒ'stældʒɪə] *n* nostalgie *f*. ◆**nostalgic** *a* nostalgique.
nostril ['nɒstr(ə)l] *n* (*of person*) narine *f*; (*of horse*) naseau *m*.
not [nɒt] *adv* **1** (ne) . . . pas; **he's n. there, he isn't there** il n'est pas là; **n. yet** pas encore; **why n.?** pourquoi pas?; **n. one reply**/*etc* pas une seule réponse/*etc*; **n. at all** pas du tout; (*after 'thank you'*) je vous en prie. **2** non; **I think/hope n.** je pense/j'espère que non; **n. guilty** non coupable; **isn't she?, don't you?** *etc* non?
notable ['nəʊtəb(ə)l] *a* (*remarkable*) notable; – *n* (*person*) notable *m*. ◆**notably** *adv* (*noticeably*) notablement; (*particularly*) notamment.
notary ['nəʊtərɪ] *n* notaire *m*.
notation [nəʊ'teɪʃ(ə)n] *n* notation *f*.
notch [nɒtʃ] **1** *n* (*in wood etc*) entaille *f*, encoche *f*; (*in belt, wheel*) cran *m*. **2** *vt* **to n. up** (*a score*) marquer; (*a victory*) enregistrer.
note [nəʊt] *n* (*written comment, tone etc*) & *Mus* note *f*; (*summary, preface*) notice *f*; (*banknote*) billet *m*; (*piano key*) touche *f*; (*message, letter*) petit mot *m*; **to take (a) n. of, make a n. of** prendre note de; **of n.** (*athlete, actor etc*) éminent; – *vt* (*take note of*) noter; (*notice*) remarquer, noter; **to n. down** noter. ◆**notebook** *n* carnet *m*; *Sch* cahier *m*; (*pad*) bloc-notes *m*. ◆**notepad** *n* bloc-notes *m*. ◆**notepaper** *n* papier *m* à lettres.
noted ['nəʊtɪd] *a* (*author etc*) éminent; **to be n. for** être connu pour.
noteworthy ['nəʊtwɜːðɪ] *a* notable.
nothing ['nʌθɪŋ] *pron* (ne) . . . rien; **he knows n.** il ne sait rien; **n. to do/eat**/*etc* rien à faire/manger/*etc*; **n. big**/*etc* rien de grand/*etc*; **n. much** pas grand-chose; **I've got n. to do with it** je n'y suis pour rien; **I can do n. (about it)** je n'y peux rien; **to come to n.** (*of effort etc*) ne rien donner; **there's n. like it** il n'y a rien de tel; **for n.** (*in vain, free of charge*) pour rien; – *adv* **to look n. like s.o.** ne ressembler nullement à qn; **n. like as large**/*etc* loin d'être aussi grand/*etc*; – *n* **a (mere) n.** (*person*) une nullité; (*thing*) un rien. ◆**—ness** *n* (*void*) néant *m*.
notice ['nəʊtɪs] *n* (*notification*) avis *m*; *Journ* annonce *f*; (*sign*) pancarte *f*, écriteau *m*; (*poster*) affiche *f*; (*review of film etc*) critique *f*; (*attention*) attention *f*; (*knowledge*) connaissance *f*; **(advance) n.** (*of departure etc*) préavis *m*; **n. (to quit), n. (of dismissal)** congé *m*; **to give (in) one's n** (*resignation*) donner sa démission; **to giv s.o. n. of** (*inform of*) avertir qn de; **to ta n.** faire attention (**of** à); **to bring sth to s. n.** porter qch à la connaissance de qn; **u further n.** jusqu'à nouvel ordre; **at short**

bref délai; **n. board** tableau *m* d'affichage; – *vt* (*perceive*) remarquer (*qn*); (*fact, trick, danger*) s'apercevoir de, remarquer; **I n. that** je m'aperçois que. ◆**—able** *a* visible, perceptible; **that's n.** ça se voit; **she's n.** elle se fait remarquer.

notify ['nəʊtɪfaɪ] *vt* (*inform*) aviser (**s.o. of sth** qn de qch); (*announce*) notifier (**to** à). ◆**notifi'cation** *n* annonce *f*, avis *m*.

notion ['nəʊʃ(ə)n] **1** *n* (*thought*) idée *f*; (*awareness*) notion *f*; **some n. of** (*knowledge*) quelques notions de. **2** *npl* (*sewing articles*) *Am* mercerie *f*.

notorious [nəʊ'tɔːrɪəs] *a* (*event, person etc*) tristement célèbre; (*stupidity, criminal*) notoire. ◆**notoriety** [-ə'raɪətɪ] *n* (triste) notoriété *f*.

notwithstanding [nɒtwɪð'stændɪŋ] *prep* malgré; – *adv* tout de même.

nougat ['nuːgɑː, 'nʌgət] *n* nougat *m*.

nought [nɔːt] *n Math* zéro *m*.

noun [naʊn] *n Gram* nom *m*.

nourish ['nʌrɪʃ] *vt* nourrir. ◆**—ing** *a* nourrissant. ◆**—ment** *n* nourriture *f*.

novel ['nɒv(ə)l] **1** *n Liter* roman *m*. **2** *a* (*new*) nouveau, original. ◆**novelist** *n* romancier, -ière *mf*. ◆**novelty** *n* (*newness, object, idea*) nouveauté *f*.

November [nəʊ'vembər] *n* novembre *m*.

novice ['nɒvɪs] *n* novice *mf* (**at** en).

now [naʊ] *adv* maintenant; **just n., right n.** en ce moment; **I saw her just n.** je l'ai vue à l'instant; **for n.** pour le moment; **even n.** encore maintenant; **from n. on** désormais, à partir de maintenant; **until n., up to n.** jusqu'ici; **before n.** avant; **n. and then** de temps à autre; **n. hot, n. cold** tantôt chaud, tantôt froid; **n. (then)!** bon!, alors!; (*telling s.o. off*) allons!; **n. it happened that** . . . or il advint que . . . ; – *conj* **n. (that)** maintenant que. ◆**nowadays** *adv* aujourd'hui, de nos jours.

noway ['nəʊweɪ] *adv Am* nullement.

owhere ['nəʊweər] *adv* nulle part; **n. else** ulle part ailleurs; **it's n. I know** ce n'est s un endroit que je connais; **n. near the** **se** loin de la maison; **n. near enough** d'être assez.

e ['nɒz(ə)l] *n* (*of hose*) jet *m*, lance *f* (à (*of syringe, tube*) embout *m*.

θ] *a* nième.

['njuːɑːns] *n* (*of meaning, colour etc*)

n (*of problem*) cœur *m*.

juːklɪər] *a* nucléaire; **n. scientist** *mf* du nucléaire, atomiste *mf*.

nucleus, *pl* **-clei** ['njuːklɪəs, -klɪaɪ] *n* noyau *m*.

nude [njuːd] *a* nu; – *n* (*female or male figure*) nu *m*; **in the n.** (tout) nu. ◆**nudism** *n* nudisme *m*, naturisme *m*. ◆**nudist** *n* nudiste *mf*, naturiste *mf*; – *a* (*camp*) de nudistes, de naturistes. ◆**nudity** *n* nudité *f*.

nudge [nʌdʒ] *vt* pousser du coude; – *n* coup *m* de coude.

nugget ['nʌgɪt] *n* (*of gold etc*) pépite *f*.

nuisance ['njuːs(ə)ns] *n* (*annoyance*) embêtement *m*; (*person*) peste *f*; **that's a n.** c'est embêtant; **he's being a n., he's making a n. of himself** il nous embête, il m'embête *etc*.

null [nʌl] *a* **n. (and void)** nul (et non avenu). ◆**nullify** *vt* infirmer.

numb [nʌm] *a* (*stiff*) engourdi; *Fig* paralysé; – *vt* engourdir; *Fig* paralyser.

number ['nʌmbər] *n* nombre *m*; (*of page, house, newspaper etc*) numéro *m*; **a dance/song n.** un numéro de danse/de chant; **a/any n. of** un certain/grand nombre de; **n. plate** (*of vehicle*) plaque *f* d'immatriculation; – *vt* (*page etc*) numéroter; (*include, count*) compter; **they n. eight** ils sont au nombre de huit. ◆**—ing** *n* numérotage *m*.

numeral ['njuːm(ə)rəl] *n* chiffre *m*; – *a* numéral. ◆**nu'merical** *a* numérique. ◆**numerous** *a* nombreux.

numerate ['njuːm(ə)rət] *a* (*person*) qui sait compter.

nun [nʌn] *n* religieuse *f*.

nurs/e [nɜːs] **1** *n* infirmière *f*; (*nanny*) nurse *f*; **(male) n.** infirmier *m*. **2** *vt* (*look after*) soigner; (*cradle*) bercer; (*suckle*) nourrir; (*a grudge etc*) *Fig* nourrir; (*support, encourage*) *Fig* épauler (*qn*). ◆**—ing** *a* (*mother*) qui allaite; **the n. staff** le personnel infirmier; – *n* (*care*) soins *mpl*; (*job*) profession *f* d'infirmière *or* d'infirmier; **n. home** clinique *f*. ◆**nursemaid** *n* bonne *f* d'enfants.

nursery ['nɜːsərɪ] *n* (*room*) chambre *f* d'enfants; (*for plants, trees*) pépinière *f*; **(day) n.** (*school etc*) crèche *f*, garderie *f*; **n. rhyme** chanson *f* enfantine; **n. school** école *f* maternelle.

nurture ['nɜːtʃər] *vt* (*educate*) éduquer.

nut[1] [nʌt] *n* (*fruit*) fruit *m* à coque; (*walnut*) noix *f*; (*hazelnut*) noisette *f*; (*peanut*) cacah(o)uète *f*; **Brazil/cashew n.** noix *f* du Brésil/de cajou. ◆**nutcracker(s)** *n*(*pl*) casse-noix *m inv*. ◆**nutshell** *n* coquille *f* de noix; **in a n.** *Fig* en un mot.

nut[2] [nʌt] *n* **1** (*for bolt*) *Tech* écrou *m*. **2**

(*head*) *Sl* caboche *f*. **3** (*person*) *Sl* cinglé, -ée *mf*; **to be nuts** *Sl* être cinglé. ◆**nutcase** *n* cinglé, -ée *mf*. ◆**nutty** *a* (**-ier, -iest**) *Sl* cinglé.

nutmeg ['nʌtmeg] *n* muscade *f*.

nutritious [njuː'trɪʃəs] *a* nutritif. ◆**'nutrient** *n* élément *m* nutritif. ◆**nutrition** *n* nutrition *f*.

nylon ['naɪlɒn] *n* nylon *m*; *pl* (*stockings*) bas *mpl* nylon.

nymph [nɪmf] *n* nymphe *f*. ◆**nympho'maniac** *n* *Pej* nymphomane *f*.

O

O, o [əʊ] *n* O, o *m*.

oaf [əʊf] *n* rustre *m*. ◆**oafish** *a* (*behaviour*) de rustre.

oak [əʊk] *n* (*tree, wood*) chêne *m*.

OAP [əʊeɪ'piː] *n abbr* (*old age pensioner*) retraité, -ée *mf*.

oar [ɔːr] *n* aviron *m*, rame *f*.

oasis, *pl* **oases** [əʊ'eɪsɪs, əʊ'eɪsiːz] *n* oasis *f*.

oath [əʊθ] *n* (*pl* **-s** [əʊðz]) (*promise*) serment *m*; (*profanity*) juron *m*; **to take an o. to do** faire le serment de faire.

oats [əʊts] *npl* avoine *f*. ◆**oatmeal** *n* flocons *mpl* d'avoine.

obedient [ə'biːdɪənt] *a* obéissant. ◆**obedience** *n* obéissance *f* (**to** à). ◆**obediently** *adv* docilement.

obelisk ['ɒbəlɪsk] *n* (*monument*) obélisque *m*.

obese [əʊ'biːs] *a* obèse. ◆**obesity** *n* obésité *f*.

obey [ə'beɪ] *vt* obéir à; **to be obeyed** être obéi; – *vi* obéir.

obituary [ə'bɪtʃʊərɪ] *n* nécrologie *f*.

object[1] ['ɒbdʒɪkt] *n* (*thing*) objet *m*; (*aim*) but *m*, objet *m*; *Gram* complément *m* (d'objet); **with the o. of** dans le but de; **that's no o.** (*no problem*) ça ne pose pas de problème; **price no o.** prix *m* indifférent.

object[2] [əb'dʒekt] *vi* **to o. to sth/s.o.** désapprouver qch/qn; **I o. to you(r) doing that** ça me gêne que tu fasses ça; **I o.!** je proteste!; **she didn't o. when . . .** elle n'a fait aucune objection quand . . . ; – *vt* **to o. that** objecter que. ◆**objection** *n* objection *f*; **I've got no o.** ça ne me gêne pas, je n'y vois pas d'objection *or* d'inconvénient. ◆**objectionable** *a* très désagréable. ◆**objector** *n* opposant, -ante *mf* (**to** à); **conscientious o.** objecteur *m* de conscience.

objective [əb'dʒektɪv] **1** *a* (*opinion etc*) objectif. **2** *n* (*aim, target*) objectif *m*. ◆**objectively** *adv* objectivement. ◆**objec'tivity** *n* objectivité *f*.

obligate ['ɒblɪgeɪt] *vt* contraindre (**to do** à faire). ◆**obli'gation** *n* obligation *f*; (*debt*) dette *f*; **under an o. to do** dans l'obligation de faire; **under an o. to s.o.** redevable à qn (**for** de). ◆**o'bligatory** *a* (*compulsory*) obligatoire; (*imposed by custom*) de rigueur.

oblig/e [ə'blaɪdʒ] *vt* **1** (*compel*) obliger (**s.o. to do** qn à faire); **obliged to do** obligé de faire. **2** (*help*) rendre service à, faire plaisir à; **obliged to s.o.** reconnaissant à qn (**for** de); **much obliged!** merci infiniment! ◆**—ing** *a* (*kind*) obligeant. ◆**—ingly** *adv* obligeamment.

oblique [ə'bliːk] *a* oblique; (*reference*) *Fig* indirect.

obliterate [ə'blɪtəreɪt] *vt* effacer. ◆**oblite'ration** *n* effacement *m*.

oblivion [ə'blɪvɪən] *n* oubli *m*. ◆**oblivious** *a* inconscient (**to, of** de).

oblong ['ɒblɒŋ] *a* (*elongated*) oblong; (*rectangular*) rectangulaire; – *n* rectangle *m*.

obnoxious [əb'nɒkʃəs] *a* odieux; (*smell*) nauséabond.

oboe ['əʊbəʊ] *n Mus* hautbois *m*.

obscene [əb'siːn] *a* obscène. ◆**obscenity** *n* obscénité *f*.

obscure [əb'skjʊər] *a* (*reason, word, actor, life etc*) obscur; – *vt* (*hide*) cacher; (*confuse*) embrouiller, obscurcir. ◆**obscurely** *adv* obscurément. ◆**obscurity** *n* obscurité *f*.

obsequious [əb'siːkwɪəs] *a* obséquieux.

observe [əb'zɜːv] *vt* (*notice, watch, respect*) observer; (*say*) (faire) remarquer (**that** que); **to o. the speed limit** respecter la limitation de vitesse. ◆**observance** *n* (*of rule etc*) observation *f*. ◆**observant** *a* observateur. ◆**obser'vation** *n* (*observing, remark*) observation *f*; (*by police*) surveillance *f*; **under o.** (*hospital patient*) en observation. ◆**observatory** *n* observatoire *m*. ◆**observer** *n* observateur, -trice *mf*.

obsess [əb'ses] *vt* obséder. ◆**obsession** *n* obsession *f*; **to have an o. with** *or* **about** avoir l'obsession de. ◆**obsessive** *a* (*memory, idea*) obsédant; (*fear*) obsessif; (*neurotic*) *Psy* obsessionnel; **to be o. about** avoir l'obsession de.

obsolete ['ɒbsəliːt] *a* (*out of date, superseded*) désuet, dépassé; (*ticket*) périmé; (*machinery*) archaïque. ◆**obso'lescent** *a* quelque peu désuet; (*word*) vieilli.

obstacle ['ɒbstək(ə)l] *n* obstacle *m*.

obstetrics [əb'stetrɪks] *n Med* obstétrique *f*. ◆**obste'trician** *n* médecin *m* accoucheur.

obstinate ['ɒbstɪnət] *a* (*person, resistance etc*) obstiné, opiniâtre; (*disease, pain*) rebelle, opiniâtre. ◆**obstinacy** *n* obstination *f*. ◆**obstinately** *adv* obstinément.

obstreperous [əb'strepərəs] *a* turbulent.

obstruct [əb'strʌkt] *vt* (*block*) boucher; (*hinder*) entraver; (*traffic*) entraver, bloquer. ◆**obstruction** *n* (*act, state*) & *Med Pol Sp* obstruction *f*; (*obstacle*) obstacle *m*; (*in pipe*) bouchon *m*; (*traffic jam*) embouteillage *m*. ◆**obstructive** *a* **to be o.** faire de l'obstruction.

obtain [əb'teɪn] **1** *vt* obtenir. **2** *vi* (*of practice etc*) avoir cours. ◆**—able** *a* (*available*) disponible; (*on sale*) en vente.

obtrusive [əb'truːsɪv] *a* (*person*) importun; (*building etc*) trop en évidence.

obtuse [əb'tjuːs] *a* (*angle, mind*) obtus.

obviate ['ɒbvɪeɪt] *vt* (*necessity*) éviter.

obvious ['ɒbvɪəs] *a* évident; **he's the o. man to see** c'est évidemment l'homme qu'il faut voir. ◆**—ly** *adv* (*evidently, of course*) évidemment; (*conspicuously*) visiblement.

occasion [ə'keɪʒ(ə)n] **1** *n* (*time, opportunity*) occasion *f*; (*event, ceremony*) événement *m*; **on the o. of** à l'occasion de; **on o.** à l'occasion; **on several occasions** à plusieurs reprises *or* occasions. **2** *n* (*cause*) raison *f*, occasion *f*; – *vt* occasionner. ◆**occasional** *a* (*event*) qui a lieu de temps en temps; (*rain, showers*) intermittent; **she drinks the o. whisky** elle boit un whisky de temps en temps. ◆**occasionally** *adv* de temps en temps; **very o.** très peu souvent, rarement.

occult [ə'kʌlt] *a* occulte.

occupy ['ɒkjʊpaɪ] *vt* (*house, time, space, post etc*) occuper; **to keep oneself occupied** s'occuper (**doing** à faire). ◆**occupant** *n* (*inhabitant*) occupant, -ante *mf*. ◆**occu'pation** *n* (*activity*) occupation *f*; (*job*) emploi *m*; (*trade*) métier *m*; (*profession*) profession *f*; **the o. of** (*action*) l'occupation *f* de; **fit for o.** (*house*) habitable. ◆**occu'pational** *a* (*hazard*) du métier; (*disease*) du travail. ◆**occupier** *n* (*of house*) occupant, -ante *mf*; *Mil* occupant *m*.

occur [ə'kɜːr] *vi* (**-rr-**) (*happen*) avoir lieu; (*be found*) se rencontrer; (*arise*) se présenter; **it occurs to me that . . .** il me vient à l'esprit que . . . ; **the idea occurred to her to . . .** l'idée lui est venue de . . . . ◆**occurrence** [ə'kʌrəns] *n* (*event*) événement *m*; (*existence*) existence *f*; (*of word*) *Ling* occurrence *f*.

ocean ['əʊʃ(ə)n] *n* océan *m*. ◆**oce'anic** *a* océanique.

o'clock [ə'klɒk] *adv* **(it's) three o'c.**/*etc* (il est) trois heures/*etc*.

octagon ['ɒktəgən] *n* octogone *m*. ◆**oc'tagonal** *a* octogonal.

octave ['ɒktɪv, 'ɒkteɪv] *n Mus* octave *f*.

October [ɒk'təʊbər] *n* octobre *m*.

octogenarian [ɒktəʊdʒɪ'neərɪən] *n* octogénaire *mf*.

octopus ['ɒktəpəs] *n* pieuvre *f*.

odd [ɒd] *a* **1** (*strange*) bizarre, curieux; **an o. size** une taille peu courante. **2** (*number*) impair. **3** (*left over*) **I have an o. penny** il me reste un penny; **a few o. stamps** quelques timbres (qui restent); **the o. man out, the o. one out** l'exception *f*; **sixty o.** soixante et quelques; **an o. glove/book/***etc* un gant/livre/*etc* dépareillé. **4** (*occasional*) qu'on fait, voit *etc* de temps en temps; **to find the o. mistake** trouver de temps en temps une (petite) erreur; **at o. moments** de temps en temps; **o. jobs** (*around house*) menus travaux *mpl*; **o. job man** homme *m* à tout faire. ◆**oddity** *n* (*person*) personne *f* bizarre; (*object*) curiosité *f*; *pl* (*of language, situation*) bizarreries *fpl*. ◆**oddly** *adv* bizarrement; **o. (enough), he was . . .** chose curieuse, il était . . . . ◆**oddment** *n Com* fin *f* de série. ◆**oddness** *n* bizarrerie *f*.

odds [ɒdz] *npl* **1** (*in betting*) cote *f*; (*chances*) chances *fpl*; **we have heavy o. against us** nous avons très peu de chances de réussir. **2 it makes no o.** (*no difference*) *Fam* ça ne fait rien. **3 at o.** (*in disagreement*) en désaccord (**with** avec). **4 o. and ends** des petites choses.

ode [əʊd] *n* (*poem*) ode *f*.

odious ['əʊdɪəs] *a* détestable, odieux.

odour ['əʊdər] *n* odeur *f*. ◆**—less** *a* inodore.

oecumenical [iːkjuː'menɪk(ə)l] *a Rel* œcuménique.

of [əv, *stressed* ɒv] *prep* de; **of the table** de la table; **of the boy** du garçon; **of the boys** des garçons; **of a book** d'un livre; **of it, of them** en; **she has a lot of it** *or* **of them** elle en a beaucoup; **a friend of his** un ami à lui; **there are ten of us** nous sommes dix; **that's nice of you** c'est gentil de ta part; **of no value/interest/***etc* sans valeur/intérêt/*etc*; **of late** ces derniers temps; **a man of fifty** un homme de cinquante ans; **the fifth of June** le cinq juin.

off [ɒf] **1** *adv* (*absent*) absent, parti; (*light, gas, radio etc*) éteint, fermé; (*tap*) fermé; (*switched off at mains*) coupé; (*detached*) détaché; (*removed*) enlevé; (*cancelled*) annulé; (*not fit to eat or drink*) mauvais; (*milk, meat*) tourné; **2 km o.** à 2 km (d'ici *or* de là), éloigné de 2 km; **to be** *ou* **go o.** (*leave*) partir; **where are you o. to?** où vas-tu?; **he has his hat o.** il a enlevé son chapeau; **with his, my** *etc* **gloves o.** sans gants; **a day o.** (*holiday*) un jour de congé; **I'm o. today, I have today o.** j'ai congé aujourd'hui; **the strike's o.** il n'y aura pas de grève, la grève est annulée; **5% o.** une réduction de 5%; **on and o., o. and on** (*sometimes*) de temps à autre; **to be better o.** (*wealthier, in a better position*) être mieux. **2** *prep* (*from*) de; (*distant*) éloigné de; **to fall/***etc* **o. the wall/ladder/***etc* tomber/*etc* du mur/de l'échelle/*etc*; **to get o. the bus/***etc* descendre du bus/*etc*; **to take sth o. the table/***etc* prendre qch sur la table/*etc*; **to eat o. a plate** manger dans une assiette; **to keep** *or* **stay o. the grass** ne pas marcher sur les pelouses; **she's o. her food** elle ne mange plus rien; **o. Dover/***etc* *Nau* au large de Douvres/*etc*; **o. limits** interdit; **the o. side** *Aut* le côté droit, *Am* le côté gauche. ◆**off'beat** *a* excentrique. ◆**off-'colour** *a* (*ill*) patraque; (*indecent*) scabreux. ◆**off'hand** *a* désinvolte; – *adv* impromptu. ◆**off'handedness** *n* désinvolture *f*. ◆**off-licence** *n* magasin *m* de vins et de spiritueux. ◆**off-'load** *vt* (*vehicle etc*) décharger; **to o.-load sth onto s.o.** (*task etc*) se décharger de qch sur qn. ◆**off-'peak** *a* (*crowds, traffic*) aux heures creuses; (*rate, price*) heures creuses *inv*; **o.-peak hours** heures *fpl* creuses. ◆**off-putting** *a Fam* rebutant. ◆**off'side** *a* **to be o.** *Fb* être hors jeu. ◆**off'stage** *a & adv* dans les coulisses. ◆**off-'white** *a* blanc cassé *inv*.

offal ['ɒf(ə)l] *n Culin* abats *mpl*.

offence [ə'fens] *n Jur* délit *m*; **to take o.** s'offenser (**at** de); **to give o.** offenser.

offend [ə'fend] *vt* froisser, offenser; (*eye*) *Fig* choquer; **to be offended (at)** se froisser (de), s'offenser (de). ◆**—ing** *a* (*object, remark*) incriminé. ◆**offender** *n Jur* délinquant, -ante *mf*; (*habitual*) récidiviste *mf*.

offensive [ə'fensɪv] **1** *a* (*unpleasant*) choquant, repoussant; (*insulting*) insultant, offensant; (*weapon*) offensif. **2** *n Mil* offensive *f*.

offer ['ɒfər] *n* offre *f*; **on (special) o.** *Com* en promotion, en réclame; **o. of marriage** demande *f* en mariage; – *vt* offrir; (*opinion, remark*) proposer; **to o. to do** offrir *or* proposer de faire. ◆**—ing** *n* (*gift*) offrande *f*; (*act*) offre *f*; **peace o.** cadeau *m* de réconciliation.

office ['ɒfɪs] *n* **1** bureau *m*; (*of doctor*) *Am* cabinet *m*; (*of lawyer*) étude *f*; **head o.** siège *m* central; **o. block** immeuble *m* de bureaux; **o. worker** employé, -ée *mf* de bureau. **2** (*post*) fonction *f*; (*duty*) fonctions *fpl*; **to be in o.** (*of party etc*) *Pol* être au pouvoir. **3 one's good offices** (*help*) ses bons offices *mpl*.

officer ['ɒfɪsər] *n* (*in army, navy etc*) officier *m*; (*of company*) *Com* directeur, -trice *mf*; **(police) o.** agent *m* (de police).

official [ə'fɪʃ(ə)l] *a* officiel; (*uniform*) réglementaire; – *n* (*person of authority*) officiel *m*; (*civil servant*) fonctionnaire *mf*; (*employee*) employé, -ée *mf*. ◆**officialdom** *n* bureaucratie *f*. ◆**officially** *adv* officiellement. ◆**officiate** *vi* faire fonction d'officiel (**at** à); (*preside*) présider; *Rel* officier.

officious [ə'fɪʃəs] *a Pej* empressé.

offing ['ɒfɪŋ] *n* **in the o.** en perspective.

offset ['ɒfset, ɒf'set] *vt* (*pt & pp* **offset,** *pres p* **offsetting**) (*compensate for*) compenser; (*s.o.'s beauty etc by contrast*) faire ressortir.

offshoot ['ɒfʃuːt] *n* (*of firm*) ramification *f*; (*consequence*) conséquence *f*.

offspring ['ɒfsprɪŋ] *n* progéniture *f*.

often ['ɒf(t)ən] *adv* souvent; **how o.?** combien de fois?; **how o. do they run?** (*trains, buses etc*) il y en a tous les combien?; **once too o.** une fois de trop; **every so o.** de temps en temps.

ogle ['əʊg(ə)l] *vt Pej* reluquer.

ogre ['əʊgər] *n* ogre *m*.

oh! [əʊ] *int* oh!, ah!; (*pain*) aïe!; **oh yes?** ah oui?, ah bon?

oil [ɔɪl] *n* (*for machine, in cooking etc*) huile *f*; (*mineral*) pétrole *m*; (*fuel oil*) mazout *m*; **to paint in oils** faire de la peinture à l'huile; – *a* (*industry, product*) pétrolier; (*painting, paints*) à l'huile; **o. lamp** lampe *f* à pétrole *or* à huile; **o. change** *Aut* vidange *f*; – *vt* graisser, huiler. ◆**oilcan** *n* burette *f*. ◆**oilfield** *n* gisement *m* pétrolifère. ◆**oil-fired** *a* au mazout. ◆**oilskin(s)** *n(pl)* (*garment*) ciré *m*. ◆**oily** *a* (**-ier, -iest**) (*substance, skin*) huileux; (*hands*) graisseux; (*food*) gras.

ointment ['ɔɪntmənt] *n* pommade *f*.

OK [əʊ'keɪ] *int* (*approval, exasperation*) ça va!; (*agreement*) d'accord!, entendu!, OK!; – *a* (*satisfactory*) bien *inv*; (*unharmed*) sain et sauf; (*undamaged*) intact; (*without worries*) tranquille; **it's OK now** (*fixed*) ça marche maintenant; **I'm OK** (*healthy*) je vais bien; – *adv* (*to work etc*) bien; – *vt* (*pt & pp* **OKed,** *pres p* **OKing**) approuver.

okay [əʊ'keɪ] = OK.

old [əʊld] *a* (**-er, -est**) vieux; (*former*) ancien; **how o. is he?** quel âge a-t-il?; **he's ten years o.** il a dix ans, il est âgé de dix ans; **he's older than** il est plus âgé que; **an older son** un fils aîné; **the oldest son** le fils aîné; **o. enough to do** assez grand pour faire; **o. enough to marry/vote** en âge de se marier/de voter; **an o. man** un vieillard, un vieil homme; **an o. woman** une vieille (femme); **to get** *or* **grow old(er)** vieillir; **o. age** vieillesse *f*; **the O. Testament** l'Ancien Testament; **the O. World** l'Ancien Monde; **any o. how** *Fam* n'importe comment; – *n* **the o.** (*people*) les vieux *mpl*. ◆**o.-'fashioned** *a* (*customs etc*) d'autrefois; (*idea, attitude*) *Pej* vieux jeu *inv*; (*person*) de la vieille école, *Pej* vieux jeu *inv*. ◆**o.-'timer** *n* (*old man*) *Fam* vieillard *m*.

olden ['əʊld(ə)n] *a* **in o. days** jadis.

olive ['ɒlɪv] *n* (*fruit*) olive *f*; – *a* **o. (green)** (vert) olive *inv*; **o. oil** huile *f* d'olive; **o. tree** olivier *m*.

Olympic [ə'lɪmpɪk] *a* olympique.

ombudsman ['ɒmbʊdzmən] *n* (*pl* **-men**) *Pol* médiateur *m*.

omelet(te) ['ɒmlɪt] *n* omelette *f*; **cheese/***etc* **o.** omelette au fromage/*etc*.

omen ['əʊmən] *n* augure *m*. ◆**ominous** *a* de mauvais augure; (*tone*) menaçant; (*noise*) sinistre.

omit [əʊ'mɪt] *vt* (**-tt-**) omettre (**to do** de faire). ◆**omission** *n* omission *f*.

omni- ['ɒmnɪ] *prep* omni-. ◆**om'nipotent** *a* omnipotent.

on [ɒn] *prep* **1** (*position*) sur; **on the chair** sur la chaise; **to put on (to)** mettre sur; **to look out on to** donner sur. **2** (*concerning, about*) sur; **an article on** un article sur; **to speak** *or* **talk on Dickens/***etc* parler sur Dickens/*etc*. **3** (*manner, means*) à; **on foot** à pied; **on the blackboard** au tableau; **on the radio** à la radio; **on the train/plane/***etc* dans le train/avion/*etc*; **on holiday,** *Am* **on vacation** en vacances; **to be on** (*course*) suivre; (*project*) travailler à; (*salary*) toucher; (*team, committee*) être membre de, faire partie de; **to keep** *or* **stay on** (*road, path etc*) suivre; **it's on me!** (*I'll pay*) *Fam* c'est moi qui paie! **4** (*time*) **on Monday** lundi; **on Mondays** le lundi; **on May 3rd** le 3 mai; **on the evening of May 3rd** le 3 mai au soir; **on my arrival** à mon arrivée. **5** (+ *present participle*) en; **on learning that . . .** en apprenant que . . . ; **on seeing this** en voyant ceci. **6** *adv* (*ahead*) en avant; (*in progress*) en cours; (*started*) commencé; (*lid, brake*) mis; (*light, radio*) allumé; (*gas, tap*) ouvert; (*machine*) en marche; **on (and on)** sans cesse; **to play/***etc* **on** continuer à jouer/*etc*; **she has her hat on** elle a mis *or* elle porte son chapeau; **he has sth/nothing on** il est habillé/tout nu; **I've got sth on** (*I'm busy*) je suis pris; **the strike's on** la grève aura lieu; **what's on?** *TV* qu'y a-t-il à la télé?; *Cin Th* qu'est-ce qu'on joue?; **there's a film on** on passe un film; **to be on at s.o.** (*pester*) *Fam* être après qn; **I've been on to him** *Tel* je l'ai eu au bout du fil; **to be on to s.o.** (*of police etc*) être sur la piste de qn; **from then on** à partir de là. ◆**on-coming** *a* (*vehicle*) qui vient en sens inverse. ◆**on-going** *a* (*project*) en cours.

once [wʌns] *adv* (*on one occasion*) une fois; (*formerly*) autrefois; **o. a month/***etc* une fois par mois/*etc*; **o. again, o. more** encore une fois; **at o.** (*immediately*) tout de suite; **all at o.** (*suddenly*) tout à coup; (*at the same time*) à la fois; **o. and for all** une fois pour toutes; – *conj* une fois que. ◆**o.-over** *n* **to give sth the o.-over** (*quick look*) *Fam* regarder qch d'un coup d'œil.

one [wʌn] *a* **1** un, une; **o. man** un homme; **o. woman** une femme; **twenty-o.** vingt-et-un. **2** (*sole*) seul; **my o. (and only) aim** mon seul (et unique) but. **3** (*same*) même; **in the o. bus** dans le même bus; – *pron* **1** un, une; **do you want o.?** en veux-tu (un)?; **he's o. of us** il est des nôtres; **o. of them** l'un d'eux, l'une d'elles; **a big/small/***etc* **o.** un grand/petit/*etc*; **this book is o. that I've read** ce livre est parmi ceux que j'ai lus; **she's o.** (*a teacher, gardener etc*) elle l'est; **this o.** celui-ci, celle-ci; **that o.** celui-là, celle-là; **the o. who** *or* **which** celui *or* celle qui; **it's Paul's o.** *Fam* c'est celui de Paul; **it's my o.** *Fam* c'est à moi; **another o.** un(e) autre; **I for o.** pour ma part. **2** (*impersonal*) on; **o. knows** on sait; **it helps o.** ça nous *or* vous aide; **one's**

family sa famille. ◆**one-'armed** *a* (*person*) manchot. ◆**one-'eyed** *a* borgne. ◆**one-'off** *a, Am* **one-of-a-'kind** *a Fam* unique, exceptionnel. ◆**one-'sided** *a* (*judgement etc*) partial; (*contest*) inégal; (*decision*) unilatéral. ◆**one-time** *a* (*former*) ancien. ◆**one-'way** *a* (*street*) à sens unique; (*traffic*) en sens unique; (*ticket*) *Am* simple.

oneself [wʌn'self] *pron* soi-même; (*reflexive*) se, s'; **to cut o.** se couper.

onion ['ʌnjən] *n* oignon *m*.

onlooker ['ɒnlʊkər] *n* spectateur, -trice *mf*.

only ['əʊnlɪ] *a* seul; **the o. house**/*etc* la seule maison/*etc*; **the o. one** le seul, la seule; **an o. son** un fils unique; – *adv* seulement, ne . . . que; **I o. have ten, I have ten o.** je n'en ai que dix, j'en ai dix seulement; **if o.** si seulement; **not o.** non seulement; **I have o. just seen it** je viens tout juste de le voir; **o. he knows** lui seul le sait; – *conj* (*but*) *Fam* seulement; **o. I can't** seulement je ne peux pas.

onset ['ɒnset] *n* (*of disease*) début *m*; (*of old age*) approche *m*.

onslaught ['ɒnslɔːt] *n* attaque *f*.

onto ['ɒntuː] *prep* = **on to.**

onus ['əʊnəs] *n inv* **the o. is on you**/*etc* c'est votre/*etc* responsabilité (**to do** de faire).

onward(s) ['ɒnwəd(z)] *adv* en avant; **from that time o.** à partir de là.

onyx ['ɒnɪks] *n* (*precious stone*) onyx *m*.

ooze [uːz] *vi* **to o. (out)** suinter; – *vt* (*blood etc*) laisser couler.

opal ['əʊp(ə)l] *n* (*precious stone*) opale *f*.

opaque [əʊ'peɪk] *a* opaque; (*unclear*) *Fig* obscur.

open ['əʊpən] *a* ouvert; (*site, view, road*) dégagé; (*car*) décapoté, découvert; (*meeting*) public; (*competition*) ouvert à tous; (*post*) vacant; (*attempt, envy*) manifeste; (*question*) non résolu; (*result*) indécis; (*ticket*) *Av* open *inv*; **wide o.** grand ouvert; **in the o. air** en plein air; **in (the) o. country** en rase campagne; **the o. spaces** les grands espaces; **it's o. to doubt** c'est douteux; **o. to** (*criticism, attack*) exposé à; (*ideas, suggestions*) ouvert à; **I've got an o. mind on it** je n'ai pas d'opinion arrêtée là-dessus; **to leave o.** (*date*) ne pas préciser; – *n* **(out) in the o.** (*outside*) en plein air; **to sleep (out) in the o.** dormir à la belle étoile; **to bring (out) into the o.** (*reveal*) divulguer; – *vt* ouvrir; (*conversation*) entamer; (*legs*) écarter; **to o. out** *or* **up** ouvrir; – *vi* (*of flower, eyes etc*) s'ouvrir; (*of shop, office etc*) ouvrir; (*of play*) débuter; (*of film*) sortir; **the door opens** (*is opened*) la porte s'ouvre; (*can open*) la porte ouvre; **to o. on to** (*of window etc*) donner sur; **to o. out** *or* **up** s'ouvrir; **to o. out** (*widen*) s'élargir; **to o. up** (*open a or the door*) ouvrir. ◆**—ing** *n* ouverture *f*; (*of flower*) éclosion *f*; (*career prospect, trade outlet*) débouché *m*; – *a* (*time, speech*) d'ouverture; **o. night** *Th* première *f*. ◆**—ly** *adv* (*not secretly, frankly*) ouvertement; (*publicly*) publiquement. ◆**—ness** *n* (*frankness*) franchise *f*; **o. of mind** ouverture *f* d'esprit.

open-air [əʊpən'eər] *a* (*pool etc*) en plein air. ◆**o.-'heart** *a* (*operation*) *Med* à cœur ouvert. ◆**o.-'necked** *a* (*shirt*) sans cravate. ◆**o.-'plan** *a Archit* sans cloisons.

opera ['ɒprə] *n* opéra *m*; **o. glasses** jumelles *fpl* de théâtre. ◆**ope'ratic** *a* d'opéra. ◆**ope'retta** *n* opérette *f*.

operat/e ['ɒpəreɪt] **1** *vi* (*of machine etc*) fonctionner; (*proceed*) opérer; – *vt* faire fonctionner; (*business*) gérer. **2** *vi* (*of surgeon*) opérer (**on s.o.** qn, **for** de). ◆**—ing** *a* **o. costs** frais *mpl* d'exploitation; **o. theatre,** *Am* **o. room** *Med* salle *f* d'opération; **o. wing** *Med* bloc *m* opératoire. ◆**ope'ration** *n* (*working*) fonctionnement *m*; *Med Mil Math etc* opération *f*; **in o.** (*machine*) en service; (*plan*) *Fig* en vigueur. ◆**ope'rational** *a* opérationnel. ◆**operative** *a Med* opératoire; (*law, measure etc*) en vigueur; – *n* ouvrier, -ière *mf*. ◆**operator** *n Tel* standardiste *mf*; (*on machine*) opérateur, -trice *mf*; (*criminal*) escroc *m*; **tour o.** organisateur, -trice *mf* de voyages, voyagiste *m*.

opinion [ə'pɪnjən] *n* opinion *f*, avis *m*; **in my o.** à mon avis. ◆**opinionated** *a* dogmatique.

opium ['əʊpɪəm] *n* opium *m*.

opponent [ə'pəʊnənt] *n* adversaire *mf*.

opportune ['ɒpətjuːn] *a* opportun. ◆**oppor'tunism** *n* opportunisme *m*.

opportunity [ɒpə'tjuːnɪtɪ] *n* occasion *f* (**to do** de faire); *pl* (*prospects*) perspectives *fpl*; **equal opportunities** des chances *fpl* égales.

oppos/e [ə'pəʊz] *vt* (*person, measure etc*) s'opposer à; (*law, motion*) *Pol* faire opposition à. ◆**—ed** *a* opposé (**to** à); **as o. to** par opposition à. ◆**—ing** *a* (*team, interests*) opposé. ◆**oppo'sition** *n* opposition *f* (**to** à); **the o.** (*rival camp*) *Fam* l'adversaire *m*.

opposite ['ɒpəzɪt] *a* (*side etc*) opposé; (*house*) d'en face; **one's o. number** (*counterpart*) son homologue *mf*; – *adv* (*to sit etc*) en face; – *prep* **o. (to)** en face de; – *n* **the o.** le contraire, l'opposé *m*.

oppress [ə'pres] *vt* (*tyrannize*) opprimer; (*of heat, anguish*) oppresser; **the oppressed** les opprimés *mpl*. ◆**oppression** *n* oppression *f*. ◆**oppressive** *a* (*ruler etc*) oppressif; (*heat*) oppressant; (*régime*) tyrannique. ◆**oppressor** *n* oppresseur *m*.

opt [ɒpt] *vi* **to o. for** opter pour; **to o. to do** choisir de faire; **to o. out** *Fam* refuser de participer (**of** à). ◆**option** *n* option *f*; (*subject*) *Sch* matière *f* à option; **she has no o.** elle n'a pas le choix. ◆**optional** *a* facultatif; **o. extra** (*on car etc*) option *f*, accessoire *m* en option.

optical ['ɒptɪk(ə)l] *a* (*glass*) optique; (*illusion, instrument etc*) d'optique. ◆**op'tician** *n* opticien, -ienne *mf*.

optimism ['ɒptɪmiz(ə)m] *n* optimisme *m*. ◆**optimist** *n* optimiste *mf*. ◆**opti'mistic** *a* optimiste. ◆**opti'mistically** *adv* avec optimisme.

optimum ['ɒptɪməm] *a* & *n* optimum (*m*); **the o. temperature** la température optimum. ◆**optimal** *a* optimal.

opulent ['ɒpjʊlənt] *a* opulent. ◆**opulence** *n* opulence *f*.

or [ɔːr] *conj* ou; **one or two** un ou deux; **he doesn't drink or smoke** il ne boit ni ne fume; **ten or so** environ dix.

oracle ['ɒrək(ə)l] *n* oracle *m*.

oral ['ɔːrəl] *a* oral; – *n* (*examination*) *Sch* oral *m*.

orange ['ɒrɪndʒ] **1** *n* (*fruit*) orange *f*; – *a* (*drink*) à l'orange; **o. tree** oranger *m*. **2** *a* & *n* (*colour*) orange *a* & *m inv*. ◆**orangeade** *n* orangeade *f*.

orang-outang [ɔːræŋuː'tæŋ] *n* orang-outan(g) *m*.

oration [ɔː'reɪʃ(ə)n] *n* **funeral o.** oraison *f* funèbre.

oratory ['ɒrətərɪ] *n* (*words*) *Pej* rhétorique *f*.

orbit ['ɔːbɪt] *n* (*of planet etc*) & *Fig* orbite *f*; – *vt* (*sun etc*) graviter autour de.

orchard ['ɔːtʃəd] *n* verger *m*.

orchestra ['ɔːkɪstrə] *n* (*classical*) orchestre *m*. ◆**or'chestral** *a* (*music*) orchestral; (*concert*) symphonique. ◆**orchestrate** *vt* (*organize*) & *Mus* orchestrer.

orchid ['ɔːkɪd] *n* orchidée *f*.

ordain [ɔː'deɪn] *vt* (*priest*) ordonner; **to o. that** décréter que.

ordeal [ɔː'diːl] *n* épreuve *f*, supplice *m*.

order ['ɔːdər] *n* (*command, structure, association etc*) ordre *m*; (*purchase*) *Com* commande *f*; **in o.** (*drawer, room etc*) en ordre; (*passport etc*) en règle; **in (numerical) o.** dans l'ordre numérique; **in working o.** en état de marche; **in o. of age** par ordre d'âge; **in o. to do** pour faire; **in o. that** pour que (+ *sub*); **it's in o. to smoke**/*etc* (*allowed*) il est permis de fumer/*etc*; **out of o.** (*machine*) en panne; (*telephone*) en dérangement; **to make** *or* **place an o.** *Com* passer une commande; **on o.** *Com* commandé; **money o.** mandat *m*; **postal o.** mandat *m* postal; – *vt* (*command*) ordonner (**s.o. to do** à qn de faire); (*meal, goods etc*) commander; (*taxi*) appeler; **to o. s.o. around** commander qn, régenter qn; – *vi* (*in café etc*) commander. ◆**—ly 1** *a* (*tidy*) ordonné; (*mind*) méthodique; (*crowd*) discipliné. **2** *n Mil* planton *m*; (*in hospital*) garçon *m* de salle.

ordinal ['ɔːdɪnəl] *a* (*number*) ordinal.

ordinary ['ɔːd(ə)nrɪ] *a* (*usual*) ordinaire; (*average*) moyen; (*mediocre*) médiocre, ordinaire; **an o. individual** un simple particulier; **in o. use** d'usage courant; **in the o. course of events** en temps normal; **in the o. way** normalement; **it's out of the o.** ça sort de l'ordinaire.

ordination [ɔːdɪ'neɪʃ(ə)n] *n Rel* ordination *f*.

ordnance ['ɔːdnəns] *n* (*guns*) *Mil* artillerie *f*.

ore [ɔːr] *n* minerai *m*.

organ ['ɔːgən] *n* **1** *Anat* & *Fig* organe *m*. **2** *Mus* orgue *m*, orgues *fpl*; **barrel o.** orgue *m* de Barbarie. ◆**organist** *n* organiste *mf*.

organic [ɔː'gænɪk] *a* organique. ◆**'organism** *n* organisme *m*.

organization [ɔːgənaɪ'zeɪʃ(ə)n] *n* (*arrangement, association*) organisation *f*.

organiz/e ['ɔːgənaɪz] *vt* organiser. ◆**—ed** *a* (*mind, group etc*) organisé. ◆**—er** *n* organisateur, -trice *mf*.

orgasm ['ɔːgæz(ə)m] *n* orgasme *m*.

orgy ['ɔːdʒɪ] *n* orgie *f*.

orient ['ɔːrɪənt] *vt Am* = **orientate**. ◆**orientate** *vt* orienter.

Orient ['ɔːrɪənt] *n* **the O.** l'Orient *m*. ◆**ori'ental** *a* & *n* oriental, -ale (*mf*).

orifice ['ɒrɪfɪs] *n* orifice *m*.

origin ['ɒrɪdʒɪn] *n* origine *f*.

original [ə'rɪdʒɪn(ə)l] *a* (*first*) premier, originel, primitif; (*novel, unusual*) original; (*sin*) originel; (*copy, version*) original; – *n* (*document etc*) original *m*. ◆**origi'nality** *n* originalité *f*. ◆**originally** *adv* (*at first*) à l'origine; (*in a novel way*) originalement; **she comes o. from** elle est originaire de. ◆**originate** *vi* (*begin*) prendre naissance (**in** dans); **to o. from** (*of idea etc*) émaner de; (*of person*) être originaire de; – *vt* être l'auteur de. ◆**originator** *n* auteur *m* (**of** de).

ornament ['ɔːnəmənt] *n* (*decoration*) ornement *m*; *pl* (*vases etc*) bibelots *mpl*. ◆**orna'mental** *a* ornemental. ◆**ornamen'tation** *n* ornementation *f*. ◆**or'nate** *a* (*style etc*) (très) orné. ◆**or'nately** *adv* (*decorated etc*) de façon surchargée, à outrance.

orphan ['ɔːf(ə)n] *n* orphelin, -ine *mf*; – *a* orphelin. ◆**orphaned** *a* orphelin; **he was o. by the accident** l'accident l'a rendu orphelin. ◆**orphanage** *n* orphelinat *m*.

orthodox ['ɔːθədɒks] *a* orthodoxe. ◆**orthodoxy** *n* orthodoxie *f*.

orthop(a)edics [ɔːθə'piːdɪks] *n* orthopédie *f*.

Oscar ['ɒskər] *n Cin* oscar *m*.

oscillate ['ɒsɪleɪt] *vi* osciller.

ostensibly [ɒ'stensɪblɪ] *adv* apparemment, en apparence.

ostentation [ɒsten'teɪʃ(ə)n] *n* ostentation *f*. ◆**ostentatious** *a* plein d'ostentation, prétentieux.

ostracism ['ɒstrəsɪz(ə)m] *n* ostracisme *m*. ◆**ostracize** *vt* proscrire, frapper d'ostracisme.

ostrich ['ɒstrɪtʃ] *n* autruche *f*.

other ['ʌðər] *a* autre; **o. people** d'autres; **the o. one** l'autre *mf*; **I have no o. gloves than these** je n'ai pas d'autres gants que ceux-ci; – *pron* autre; **(some) others** d'autres; **some do, others don't** les uns le font, les autres ne le font pas; **none o. than, no o. than** nul autre que; – *adv* **o. than** autrement que. ◆**otherwise** *adv* autrement; – *a* (*different*) (tout) autre.

otter ['ɒtər] *n* loutre *f*.

ouch! [aʊtʃ] *int* aïe!, ouille!

ought [ɔːt] *v aux* **1** (*obligation, desirability*) **you o. to leave** tu devrais partir; **I o. to have done it** j'aurais dû le faire; **he said he o. to stay** il a dit qu'il devait rester. **2** (*probability*) **it o. to be ready** ça devrait être prêt.

ounce [aʊns] *n* (*measure*) & *Fig* once *f* (= *28,35 g*).

our [aʊər] *poss a* notre, *pl* nos. ◆**ours** *pron* le nôtre, la nôtre, *pl* les nôtres; **this book is o.** ce livre est à nous *or* est le nôtre; **a friend of o.** un ami à nous. ◆**our'selves** *pron* nous-mêmes; (*reflexive & after prep etc*) nous; **we wash o.** nous nous lavons.

oust [aʊst] *vt* évincer (**from** de).

out [aʊt] *adv* (*outside*) dehors; (*not at home etc*) sorti; (*light, fire*) éteint; (*news, secret*) connu, révélé; (*flower*) ouvert; (*book*) publié, sorti; (*finished*) fini; **to be** *or* **go o. a lot** sortir beaucoup; **he's o. in Italy** il est (parti) en Italie; **o. there** là-bas; **to have a day o.** sortir pour la journée; **5 km o.** *Nau* à 5 km du rivage; **the sun's o.** il fait (du) soleil; **the tide's o.** la marée est basse; **you're o.** (*wrong*) tu t'es trompé; (*in game etc*) tu es éliminé (**of** de); **the trip** *or* **journey o.** l'aller *m*; **to be o. to win** être résolu à gagner; – *prep* **o. of** (*outside*) en dehors de; (*danger, breath, reach, water*) hors de; (*without*) sans; **o. of pity/love/***etc* par pitié/amour/*etc*; **to look/jump/***etc* **o. of** (*window etc*) regarder/sauter/*etc* par; **to drink/take/copy o. of** boire/prendre/copier dans; **made o. of** (*wood etc*) fait en; **to make sth o. of a box/rag/***etc* faire qch avec une boîte/un chiffon/*etc*; **a page o. of** une page de; **she's o. of town** elle n'est pas en ville; **5 km o. of** (*away from*) à 5 km de; **four o. of five** quatre sur cinq; **o. of the blue** de manière inattendue; **to feel o. of it** *or* **of things** se sentir hors du coup. ◆**'out-and-out** *a* (*cheat, liar etc*) achevé; (*believer*) à tout crin. ◆**o.-of-'date** *a* (*expired*) périmé; (*old-fashioned*) démodé. ◆**o.-of-'doors** *adv* dehors. ◆**o.-of-the-'way** *a* (*place*) écarté.

outbid [aʊt'bɪd] *vt* (*pt & pp* **outbid**, *pres p* **outbidding**) **to o. s.o.** (sur)enchérir sur qn.

outboard ['aʊtbɔːd] *a* **o. motor** *Nau* moteur *m* hors-bord *inv*.

outbreak ['aʊtbreɪk] *n* (*of war*) début *m*; (*of violence, pimples*) éruption *f*; (*of fever*) accès *m*; (*of hostilities*) ouverture *f*.

outbuilding ['aʊtbɪldɪŋ] *n* (*of mansion, farm*) dépendance *f*.

outburst ['aʊtbɜːst] *n* (*of anger, joy*) explosion *f*; (*of violence*) flambée *f*; (*of laughter*) éclat *m*.

outcast ['aʊtkɑːst] *n* **(social) o.** paria *m*.

outcome ['aʊtkʌm] *n* résultat *m*, issue *f*.

outcry ['aʊtkraɪ] *n* tollé *m*.

outdated [aʊt'deɪtɪd] *a* démodé.

outdistance [aʊt'dɪstəns] *vt* distancer.

outdo [aʊt'duː] *vt* (*pt* **outdid**, *pp* **outdone**) surpasser (**in** en).

outdoor ['aʊtdɔːr] *a* (*game*) de plein air; (*pool, life*) en plein air; **o. clothes** tenue *f* pour sortir. ◆**out'doors** *adv* dehors.

outer ['aʊtər] *a* extérieur; **o. space** l'espace *m* (cosmique); **the o. suburbs** la grande banlieue.

outfit ['aʊtfɪt] *n* équipement *m*; (*kit*) trousse *f*; (*toy*) panoplie *f* (*de pompier, cow-boy etc*); (*clothes*) costume *m*; (*for woman*) toilette *f*; (*group, gang*) *Fam* bande *f*; (*firm*) *Fam* boîte *f*; **sports/ski o.** tenue *f* de sport/de ski. ◆**outfitter** *n* chemisier *m*.

outgoing ['aʊtgəʊɪŋ] **1** *a* (*minister etc*)

sortant; (*mail, ship*) en partance. **2** *a* (*sociable*) liant, ouvert. **3** *npl* (*expenses*) dépenses *fpl*.
outgrow [aʊt'grəʊ] *vt* (*pt* **outgrew,** *pp* **outgrown**) (*clothes*) devenir trop grand pour; (*habit*) perdre (en grandissant); **to o. s.o.** (*grow more than*) grandir plus vite que qn.
outhouse ['aʊthaʊs] *n* (*of mansion, farm*) dépendance *f*; (*lavatory*) *Am* cabinets *mpl* extérieurs.
outing ['aʊtɪŋ] *n* sortie *f*, excursion *f*.
outlandish [aʊt'lændɪʃ] *a* (*weird*) bizarre; (*barbaric*) barbare.
outlast [aʊt'lɑːst] *vt* durer plus longtemps que; (*survive*) survivre à.
outlaw ['aʊtlɔː] *n* hors-la-loi *m inv*; – *vt* (*ban*) proscrire.
outlay ['aʊtleɪ] *n* (*money*) dépense(s) *f(pl)*.
outlet ['aʊtlet] *n* (*for liquid, of tunnel etc*) sortie *f*; *El* prise *f* de courant; (*market for goods*) *Com* débouché *m*; (*for feelings, energy*) moyen *m* d'exprimer, exutoire *m*; **retail o.** *Com* point *m* de vente, magasin *m*.
outline ['aʊtlaɪn] *n* (*shape*) contour *m*, profil *m*; **(rough) o.** (*of article, plan etc*) esquisse *f*; **the broad** *or* **general** *or* **main outline(s)** (*chief features*) les grandes lignes; – *vt* (*plan, situation*) décrire à grands traits, esquisser; (*book, speech*) résumer; **to be outlined against** (*of tree etc*) se profiler sur.
outlive [aʊt'lɪv] *vt* survivre à.
outlook ['aʊtlʊk] *n inv* (*for future*) perspective(s) *f(pl)*; (*point of view*) perspective *f* (**on** sur), attitude *f* (**on** à l'égard de); *Met* prévisions *fpl*.
outlying ['aʊtlaɪɪŋ] *a* (*remote*) isolé; (*neighbourhood*) périphérique.
outmoded [aʊt'məʊdɪd] *a* démodé.
outnumber [aʊt'nʌmbər] *vt* être plus nombreux que.
outpatient ['aʊtpeɪʃ(ə)nt] *n* malade *mf* en consultation externe.
outpost ['aʊtpəʊst] *n* avant-poste *m*.
output ['aʊtpʊt] *n* rendement *m*, production *f*; (*computer process*) sortie *f*; (*computer data*) donnée(s) *f(pl)* de sortie.
outrage ['aʊtreɪdʒ] *n* atrocité *f*, crime *m*; (*indignity*) indignité *f*; (*scandal*) scandale *m*; (*indignation*) indignation *f*; **bomb o.** attentat *m* à la bombe; – *vt* (*morals*) outrager; **outraged by sth** indigné de qch. ◆**out'rageous** *a* (*atrocious*) atroce; (*shocking*) scandaleux; (*dress, hat etc*) grotesque.
outright [aʊt'raɪt] *adv* (*completely*) complètement; (*to say, tell*) franchement; (*to be killed*) sur le coup; **to buy o.** (*for cash*) acheter au comptant; – ['aʊtraɪt] *a* (*complete*) complet; (*lie, folly*) pur; (*refusal, rejection etc*) catégorique, net; (*winner*) incontesté.
outset ['aʊtset] *n* **at the o.** au début; **from the o.** dès le départ.
outside [aʊt'saɪd] *adv* (au) dehors, à l'extérieur; **to go o.** sortir; – *prep* à l'extérieur de, en dehors de; (*beyond*) *Fig* en dehors de; **o. my room** *or* **door** à la porte de ma chambre; – *n* extérieur *m*, dehors *m*; – ['aʊtsaɪd] *a* extérieur; (*bus or train seat etc*) côté couloir *inv*; (*maximum*) *Fig* maximum; **the o. lane** *Aut* la voie de droite, *Am* la voie de gauche; **an o. chance** une faible chance. ◆**out'sider** *n* (*stranger*) étranger, -ère *mf*; *Sp* outsider *m*.
outsize ['aʊtsaɪz] *a* (*clothes*) grande taille *inv*.
outskirts ['aʊtskɜːts] *npl* banlieue *f*.
outsmart [aʊt'smɑːt] *vt* être plus malin que.
outspoken [aʊt'spəʊk(ə)n] *a* (*frank*) franc.
outstanding [aʊt'stændɪŋ] *a* remarquable, exceptionnel; (*problem, business*) non réglé, en suspens; (*debt*) impayé; **work o.** travail *m* à faire.
outstay [aʊt'steɪ] *vt* **to o. one's welcome** abuser de l'hospitalité de son hôte, s'incruster.
outstretched [aʊt'stretʃt] *a* (*arm*) tendu.
outstrip [aʊt'strɪp] *vt* (**-pp-**) devancer.
outward ['aʊtwəd] *a* (*look, movement*) vers l'extérieur; (*sign, appearance*) extérieur; **o. journey** *or* **trip** aller *m*. ◆**outward(s)** *adv* vers l'extérieur.
outweigh [aʊt'weɪ] *vt* (*be more important than*) l'emporter sur.
outwit [aʊt'wɪt] *vt* (**-tt-**) être plus malin que.
oval ['əʊv(ə)l] *a* & *n* ovale (*m*).
ovary ['əʊvərɪ] *n* *Anat* ovaire *m*.
ovation [əʊ'veɪʃ(ə)n] *n* **(standing) o.** ovation *f*.
oven ['ʌv(ə)n] *n* four *m*; (*hot place*) *Fig* fournaise *f*; **o. glove** gant *m* isolant.
over ['əʊvər] *prep* (*on*) sur; (*above*) au-dessus de; (*on the other side of*) de l'autre côté de; **bridge o. the river** pont *m* sur le fleuve; **to jump/look/***etc* **o. sth** sauter/regarder/*etc* par-dessus qch; **to fall o. the balcony/***etc* tomber du balcon/*etc*; **she fell o. it** elle en est tombée; **o. it** (*on*) dessus; (*above*) au-dessus; (*to jump etc*) par-dessus; **to criticize/***etc* **o. sth** (*about*) critiquer/*etc* à propos de qch; **an advantage o.** un avantage sur *or* par rapport à; **o. the radio** (*on*) à la radio; **o. the phone** au télé-

phone; **o. the holidays** (*during*) pendant les vacances; **o. ten days** (*more than*) plus de dix jours; **men o. sixty** les hommes de plus de soixante ans; **o. and above** en plus de; **he's o. his flu** (*recovered from*) il est remis de sa grippe; **all o. Spain** (*everywhere in*) dans toute l'Espagne, partout en Espagne; **all o. the carpet** (*everywhere on*) partout sur le tapis; – *adv* (*above*) (par-)dessus; (*finished*) fini; (*danger*) passé; (*again*) encore; (*too*) trop; **jump o.!** sautez par-dessus!; **o. here** ici; **o. there** là-bas; **to be** *or* **come** *or* **go o.** (*visit*) passer; **he's o. in Italy** il est (parti) en Italie; **she's o. from Paris** elle est venue de Paris; **all o.** (*everywhere*) partout; **wet all o.** tout mouillé; **it's (all) o.!** (*finished*) c'est fini!; **she's o.** (*fallen*) elle est tombée; **a kilo or o.** (*more*) un kilo ou plus; **I have ten o.** (*left*) il m'en reste dix; **there's some bread o.** il reste du pain; **o. and o. (again)** (*often*) à plusieurs reprises; **to start all o. (again)** recommencer à zéro; **o. pleased**/*etc* trop content/*etc*. ◆**o.-a'bundant** *a* surabondant. ◆**o.-de'veloped** *a* trop développé. ◆**o.-fa'miliar** *a* trop familier. ◆**o.-in'dulge** *vt* (*one's desires etc*) céder trop facilement à; (*person*) trop gâter. ◆**o.-sub'scribed** *a* (*course*) ayant trop d'inscrits.

overall 1 [əʊvər'ɔːl] *a* (*measurement, length, etc*) total; (*result, effort etc*) global; – *adv* globalement. **2** ['əʊvərɔːl] *n* blouse *f* (de travail); *pl* bleus *mpl* de travail.

overawe [əʊvər'ɔː] *vt* intimider.

overbalance [əʊvə'bæləns] *vi* basculer.

overbearing [əʊvə'beərɪŋ] *a* autoritaire.

overboard ['əʊvəbɔːd] *adv* à la mer.

overburden [əʊvə'bɜːd(ə)n] *vt* surcharger.

overcast [əʊvə'kɑːst] *a* (*sky*) couvert.

overcharge [əʊvə'tʃɑːdʒ] *vt* **to o. s.o. for sth** faire payer qch trop cher à qn.

overcoat ['əʊvəkəʊt] *n* pardessus *m*.

overcome [əʊvə'kʌm] *vt* (*pt* **overcame**, *pp* **overcome**) (*enemy, shyness etc*) vaincre; (*disgust, problem*) surmonter; **to be o. by** (*fatigue, grief*) être accablé par; (*fumes, temptation*) succomber à; **he was o. by emotion** l'émotion eut raison de lui.

overcrowded [əʊvə'kraʊdɪd] *a* (*house, country*) surpeuplé; (*bus, train*) bondé. ◆**overcrowding** *n* surpeuplement *m*.

overdo [əʊvə'duː] *vt* (*pt* **overdid**, *pp* **overdone**) exagérer; *Culin* cuire trop; **to o. it** (*exaggerate*) exagérer; (*work too much*) se surmener; *Iron* se fatiguer.

overdose ['əʊvədəʊs] *n* overdose *f*, dose *f* excessive (*de barbituriques etc*).

overdraft ['əʊvədrɑːft] *n Fin* découvert *m*. ◆**over'draw** *vt* (*pt* **overdrew**, *pp* **overdrawn**) (*account*) mettre à découvert.

overdress [əʊvə'dres] *vi* s'habiller avec trop de recherche.

overdue [əʊvə'djuː] *a* (*train etc*) en retard; (*debt*) arriéré; (*apology, thanks*) tardif.

overeat [əʊvər'iːt] *vi* manger trop.

overestimate [əʊvər'estɪmeɪt] *vt* surestimer.

overexcited [əʊvərɪk'saɪtɪd] *a* surexcité.

overfeed [əʊvə'fiːd] *vt* (*pt & pp* **overfed**) suralimenter.

overflow 1 ['əʊvəfləʊ] *n* (*outlet*) trop-plein *m*; (*of people, objects*) *Fig* excédent *m*. **2** [əʊvə'fləʊ] *vi* déborder (**with** de); **to be overflowing with** (*of town, shop, house etc*) regorger de (*visiteurs, livres etc*).

overgrown [əʊvə'grəʊn] *a* envahi par la végétation; **o. with** (*weeds etc*) envahi par; **you're an o. schoolgirl** *Fig Pej* tu as la mentalité d'une écolière.

overhang [əʊvə'hæŋ] *vi* (*pt & pp* **overhung**) faire saillie; – *vt* surplomber.

overhaul [əʊvə'hɔːl] *vt* (*vehicle, doctrine etc*) réviser; – ['əʊvəhɔːl] *n* révision *f*.

overhead [əʊvə'hed] *adv* au-dessus; – ['əʊvəhed] **1** *a* (*railway etc*) aérien. **2** *npl* (*expenses*) frais *mpl* généraux.

overhear [əʊvə'hɪər] *vt* (*pt & pp* **overheard**) surprendre, entendre.

overheat [əʊvə'hiːt] *vt* surchauffer; – *vi* (*of engine*) chauffer.

overjoyed [əʊvə'dʒɔɪd] *a* ravi, enchanté.

overland ['əʊvəlænd] *a & adv* par voie de terre.

overlap [əʊvə'læp] *vi* (**-pp-**) se chevaucher; – *vt* chevaucher; – ['əʊvəlæp] *n* chevauchement *m*.

overleaf [əʊvə'liːf] *adv* au verso.

overload [əʊvə'ləʊd] *vt* surcharger.

overlook [əʊvə'lʊk] *vt* **1** (*not notice*) ne pas remarquer; (*forget*) oublier; (*disregard, ignore*) passer sur. **2** (*of window, house etc*) donner sur; (*of tower, fort*) dominer.

overly ['əʊvəlɪ] *adv* excessivement.

overmuch [əʊvə'mʌtʃ] *adv* trop, excessivement.

overnight [əʊvə'naɪt] *adv* (*during the night*) (pendant) la nuit; (*all night*) toute la nuit; (*suddenly*) *Fig* du jour au lendemain; **to stay o.** passer la nuit; – ['əʊvənaɪt] *a* (*stay*) d'une nuit; (*clothes*) pour une nuit; (*trip*) de nuit.

overpass ['əʊvəpæs] *n* (*bridge*) *Am* toboggan *m*.

overpopulated [əʊvəˈpɒpjʊleɪtɪd] *a* surpeuplé.
overpower [əʊvəˈpaʊər] *vt* (*physically*) maîtriser; (*defeat*) vaincre; *Fig* accabler. ◆**—ing** *a* (*charm etc*) irrésistible; (*heat etc*) accablant.
overrat/e [əʊvəˈreɪt] *vt* surestimer. ◆**—ed** *a* surfait.
overreach [əʊvəˈriːtʃ] *vt* **to o. oneself** trop entreprendre.
overreact [əʊvərɪˈækt] *vi* réagir excessivement.
overrid/e [əʊvəˈraɪd] *vt* (*pt* **overrode,** *pp* **overridden**) (*invalidate*) annuler; (*take no notice of*) passer outre à; (*be more important than*) l'emporter sur. ◆**—ing** *a* (*passion*) prédominant; (*importance*) primordial.
overrule [əʊvəˈruːl] *vt* (*reject*) rejeter.
overrun [əʊvəˈrʌn] *vt* (*pt* **overran,** *pp* **overrun,** *pres p* **overrunning**) **1** (*invade*) envahir. **2** (*go beyond*) aller au-delà de.
overseas [əʊvəˈsiːz] *adv* (*Africa etc*) outre-mer; (*abroad*) à l'étranger; – [ˈəʊvəsiːz] *a* (*visitor, market etc*) d'outre-mer; étranger; (*trade*) extérieur.
overse/e [əʊvəˈsiː] *vt* (*pt* **oversaw,** *pp* **overseen**) surveiller. ◆**—er** [ˈəʊvəsiːər] *n* (*foreman*) contremaître *m.*
overshadow [əʊvəˈʃædəʊ] *vt* (*make less important*) éclipser; (*make gloomy*) assombrir.
overshoot [əʊvəˈʃuːt] *vt* (*pt & pp* **overshot**) (*of aircraft*) & *Fig* dépasser.
oversight [ˈəʊvəsaɪt] *n* omission *f,* oubli *m;* (*mistake*) erreur *f.*
oversimplify [əʊvəˈsɪmplɪfaɪ] *vti* trop simplifier.
oversize(d) [ˈəʊvəsaɪz(d)] *a* trop grand.
oversleep [əʊvəˈsliːp] *vi* (*pt & pp* **overslept**) dormir trop longtemps, oublier de se réveiller.
overspend [əʊvəˈspend] *vi* dépenser trop.
overstaffed [əʊvəˈstɑːft] *a* au personnel pléthorique.
overstay [əʊvəˈsteɪ] *vt* **to o. one's welcome** abuser de l'hospitalité de son hôte, s'incruster.
overstep [əʊvəˈstep] *vt* (**-pp-**) dépasser.
overt [ˈəʊvɜːt] *a* manifeste.
overtake [əʊvəˈteɪk] *vt* (*pt* **overtook,** *pp* **overtaken**) dépasser; (*vehicle*) doubler, dépasser; **overtaken by** (*nightfall, storm*) surpris par; – *vi Aut* doubler, dépasser.
overtax [əʊvəˈtæks] *vt* **1** (*strength*) excéder; (*brain*) fatiguer. **2** (*taxpayer*) surimposer.
overthrow [əʊvəˈθrəʊ] *vt* (*pt* **overthrew,** *pp* **overthrown**) *Pol* renverser; – [ˈəʊvəθrəʊ] *n* renversement *m.*
overtime [ˈəʊvətaɪm] *n* heures *fpl* supplémentaires; – *adv* **to work o.** faire des heures supplémentaires.
overtones [ˈəʊvətəʊnz] *npl Fig* note *f,* nuance *f* (**of** de).
overture [ˈəʊvətjʊər] *n Mus & Fig* ouverture *f.*
overturn [əʊvəˈtɜːn] *vt* (*chair, table etc*) renverser; (*car, boat*) retourner; (*decision etc*) *Fig* annuler; – *vi* (*of car, boat*) se retourner.
overweight [əʊvəˈweɪt] *a* **to be o.** (*of suitcase etc*) peser trop; (*of person*) avoir des kilos en trop.
overwhelm [əʊvəˈwelm] *vt* (*of feelings, heat etc*) accabler; (*defeat*) écraser; (*amaze*) bouleverser. ◆**—ed** *a* (*overjoyed*) ravi (**by, with** de); **o. with** (*grief, work etc*) accablé de; (*offers*) submergé par; **o. by** (*kindness, gift etc*) vivement touché par. ◆**—ing** *a* (*heat, grief etc*) accablant; (*majority*) écrasant; (*desire*) irrésistible; (*impression*) dominant. ◆**—ingly** *adv* (*to vote, reject etc*) en masse; (*utterly*) carrément.
overwork [əʊvəˈwɜːk] *n* surmenage *m;* – *vi* se surmener; – *vt* surmener.
overwrought [əʊvəˈrɔːt] *a* (*tense*) tendu.
owe [əʊ] *vt* devoir (**to** à); **I'll o. it (to) you, I'll o. you (for) it** (*money*) je te le devrai; **to o. it to oneself to do** se devoir de faire. ◆**owing 1** *a* (*money etc*) dû, qu'on doit. **2** *prep* **o. to** à cause de.
owl [aʊl] *n* hibou *m.*
own [əʊn] **1** *a* propre; **my o. house** ma propre maison; – *pron* **it's my (very) o.** c'est à moi (tout seul); **a house of his o.** sa propre maison, sa maison à lui; **(all) on one's o.** (*alone*) tout seul; **to get one's o. back** prendre sa revanche (**on** sur, **for** de); **to come into one's o.** (*fulfil oneself*) s'épanouir. **2** *vt* (*possess*) posséder; **who owns this ball/***etc*? à qui appartient cette balle/*etc*? **3** *vi* **to o. up** (*confess*) avouer; **to o. up to sth** avouer qch. ◆**owner** *n* propriétaire *mf.* ◆**ownership** *n* possession *f;* **home o.** accession *f* à la propriété; **public o.** *Econ* nationalisation *f.*
ox, *pl* **oxen** [ɒks, ˈɒks(ə)n] *n* bœuf *m.*
oxide [ˈɒksaɪd] *n Ch* oxide *m.* ◆**oxidize** *vi* s'oxyder; – *vt* oxyder.
oxygen [ˈɒksɪdʒ(ə)n] *n* oxygène *m;* – *a* (*mask, tent*) à oxygène.
oyster [ˈɔɪstər] *n* huître *f.*

P

P, p [piː] *n* P, p *m.*

p [piː] *abbr* = **penny, pence.**

pa [pɑː] *n* (*father*) *Fam* papa *m.*

pace [peɪs] *n* (*speed*) pas *m,* allure *f*; (*measure*) pas *m*; **to keep p. with** (*follow*) suivre; (*in work, progress*) se maintenir à la hauteur de; – *vi* **to p. up and down** faire les cent pas; – *vt* (*room etc*) arpenter. ◆**pacemaker** *n* (*device*) stimulateur *m* cardiaque.

Pacific [pəˈsɪfɪk] *a* (*coast etc*) pacifique; – *n* **the P.** le Pacifique.

pacify [ˈpæsɪfaɪ] *vt* (*country*) pacifier; (*calm, soothe*) apaiser. ◆**pacifier** *n* (*dummy*) *Am* sucette *f,* tétine *f.* ◆**pacifist** *n* & *a* pacifiste (*mf*).

pack [pæk] **1** *n* (*bundle, packet*) paquet *m*; (*bale*) balle *f*; (*of animal*) charge *f*; (*rucksack*) sac *m* (à dos); *Mil* paquetage *m*; (*of hounds, wolves*) meute *f*; (*of runners*) *Sp* peloton *m*; (*of thieves*) bande *f*; (*of cards*) jeu *m*; (*of lies*) tissu *m.* **2** *vt* (*fill*) remplir (**with** de); (*excessively*) bourrer; (*suitcase*) faire; (*object into box etc*) emballer; (*object into suitcase*) mettre dans sa valise; (*make into package*) empaqueter; **to p. into** (*cram*) entasser dans; (*put*) mettre dans; **to p. away** (*tidy away*) ranger; **to p. (down)** (*compress, crush*) tasser; **to p. off** (*person*) *Fam* expédier; **to p. up** (*put into box*) emballer; (*put into case*) mettre dans sa valise; (*give up*) *Fam* laisser tomber; – *vi* (*fill one's bags*) faire ses valises; **to p. into** (*of people*) s'entasser dans; **to p. in** *or* **up** (*of machine, vehicle*) *Fam* tomber en panne; **to p. up** (*stop*) *Fam* s'arrêter; (*leave*) plier bagage. ◆**—ed** *a* (*bus, cinema etc*) bourré; **p. lunch** panier-repas *m*; **p. out** (*crowded*) *Fam* bourré. ◆**—ing** *n* (*material, action*) emballage *m*; **p. case** caisse *f* d'emballage.

packag/e [ˈpækɪdʒ] *n* paquet *m*; (*computer programs*) progiciel *m*; **p. deal** *Com* contrat *m* global, train *m* de propositions; **p. tour** voyage *m* organisé; – *vt* emballer, empaqueter. ◆**—ing** *n* (*material, action*) emballage *m.*

packet [ˈpækɪt] *n* paquet *m*; (*of sweets*) sachet *m,* paquet *m*; **to make/cost a p.** *Fam* faire/coûter beaucoup d'argent.

pact [pækt] *n* pacte *m.*

pad [pæd] *n* (*wad, plug*) tampon *m*; (*for writing, notes etc*) bloc *m*; (*on leg*) *Sp* jambière *f*; (*on knee*) *Sp* genouillère *f*; (*room*) *Sl* piaule *f*; **launch(ing) p.** rampe *f* de lancement; **ink(ing) p.** tampon *m* encreur; – *vt* (**-dd-**) (*stuff*) rembourrer, matelasser; **to p. out** (*speech, text*) délayer. ◆**padding** *n* rembourrage *m*; (*of speech, text*) délayage *m.*

paddle [ˈpæd(ə)l] **1** *vi* (*splash about*) barboter; (*dip one's feet*) se mouiller les pieds; – *n* **to have a (little) p.** se mouiller les pieds. **2** *n* (*pole*) pagaie *f*; **p. boat, p. steamer** bateau *m* à roues; – *vt* **to p. a canoe** pagayer.

paddock [ˈpædək] *n* enclos *m*; (*at racecourse*) paddock *m.*

paddy [ˈpædɪ] *n* **p. (field)** rizière *f.*

padlock [ˈpædlɒk] *n* (*on door etc*) cadenas *m*; (*on bicycle, moped*) antivol *m*; – *vt* (*door etc*) cadenasser.

p(a)ediatrician [piːdɪəˈtrɪʃ(ə)n] *n Med* pédiatre *mf.*

pagan [ˈpeɪgən] *a* & *n* païen, -enne (*mf*). ◆**paganism** *n* paganisme *m.*

page [peɪdʒ] **1** *n* (*of book etc*) page *f.* **2** *n* **p. (boy)** (*in hotel etc*) chasseur *m*; (*at court*) *Hist* page *m*; – *vt* **to p. s.o.** faire appeler qn.

pageant [ˈpædʒənt] *n* grand spectacle *m* historique. ◆**pageantry** *n* pompe *f,* apparat *m.*

pagoda [pəˈgəʊdə] *n* pagode *f.*

paid [peɪd] *see* **pay;** – *a* (*assassin etc*) à gages; **to put p. to** (*hopes, plans*) anéantir; **to put p. to s.o.** (*ruin*) couler qn.

pail [peɪl] *n* seau *m.*

pain [peɪn] *n* (*physical*) douleur *f*; (*grief*) peine *f*; *pl* (*efforts*) efforts *mpl*; **to have a p. in one's arm** avoir mal *or* une douleur au bras; **to be in p.** souffrir; **to go to** *or* **take (great) pains to do** (*exert oneself*) se donner du mal à faire; **to go to** *or* **take (great) pains not to do** (*be careful*) prendre bien soin de ne pas faire; **to be a p. (in the neck)** (*of person*) *Fam* être casse-pieds; – *vt* (*grieve*) peiner. ◆**p.-killer** *n* analgésique *m,* calmant *m.* ◆**painful** *a* (*illness, operation*) douloureux; (*arm, leg*) qui fait mal, douloureux; (*distressing*) douloureux, pénible; (*difficult*) pénible; (*bad*) *Fam* affreux. ◆**painless** *a* sans douleur; (*illness, operation*) indolore; (*easy*) *Fam* facile. ◆**painstaking** *a* (*person*) soigneux; (*work*) soigné.

paint [peɪnt] *n* peinture *f*; *pl* (*in box, tube*) couleurs *fpl*; – *vt* (*colour, describe*) peindre; **to p. blue**/*etc* peindre en bleu/*etc*; – *vi* peindre. ◆**—ing** *n* (*activity*) peinture *f*; (*picture*) tableau *m*, peinture *f*. ◆**—er** *n* peintre *m*. ◆**paintbrush** *n* pinceau *m*. ◆**paintwork** *n* peinture(s) *f*(*pl*).

pair [peər] *n* paire *f*; (*man and woman*) couple *m*; **a p. of shorts** un short; **the p. of you** *Fam* vous deux; – *vi* **to p. off** (*of people*) former un couple; – *vt* (*marry*) marier.

pajama(s) [pə'dʒɑːmə(z)] *a* & *npl Am* = **pyjama(s).**

Pakistan [pɑːkɪ'stɑːn] *n* Pakistan *m*. ◆**Pakistani** *a* & *n* pakistanais, -aise (*mf*).

pal [pæl] *n Fam* copain *m*, copine *f*; – *vi* (**-ll-**) **to p. up** devenir copains; **to p. up with** devenir copain avec.

palace ['pælɪs] *n* (*building*) palais *m*. ◆**palatial** [pə'leɪʃ(ə)l] *a* comme un palais.

palatable ['pælətəb(ə)l] *a* (*food*) agréable; (*fact, idea etc*) acceptable.

palate ['pælɪt] *n Anat* palais *m*.

palaver [pə'lɑːvər] *n Fam* (*fuss*) histoire(s) *f*(*pl*); (*talk*) palabres *mpl*.

pale [peɪl] *a* (**-er, -est**) (*face, colour etc*) pâle; **p. ale** bière *f* blonde; – *vi* pâlir. ◆**—ness** *n* pâleur *f*.

palette ['pælɪt] *n* (*of artist*) palette *f*.

paling ['peɪlɪŋ] *n* (*fence*) palissade *f*.

pall [pɔːl] **1** *vi* devenir insipide *or* ennuyeux (**on** pour). **2** *n* (*of smoke*) voile *m*.

pallbearer ['pɔːlbeərər] *n* personne *f* qui aide à porter un cercueil.

pallid ['pælɪd] *a* pâle. ◆**pallor** *n* pâleur *f*.

pally ['pælɪ] *a* (**-ier, -iest**) *Fam* copain *am*, copine *af* (**with** avec).

palm [pɑːm] **1** *n* (*of hand*) paume *f*. **2** *n* (*symbol*) palme *f*; **p. (tree)** palmier *m*; **p. (leaf)** palme *f*; **P. Sunday** les Rameaux *mpl*. **3** *vt Fam* **to p. sth off** (*pass off*) refiler qch (**on** à), coller qch (**on** à); **to p. s.o. off on s.o.** coller qn à qn.

palmist ['pɑːmɪst] *n* chiromancien, -ienne *mf*. ◆**palmistry** *n* chiromancie *f*.

palpable ['pælpəb(ə)l] *a* (*obvious*) manifeste.

palpitate ['pælpɪteɪt] *vi* (*of heart*) palpiter. ◆**palpi'tation** *n* palpitation *f*.

paltry ['pɔːltrɪ] *a* (**-ier, -iest**) misérable, dérisoire.

pamper ['pæmpər] *vt* dorloter.

pamphlet ['pæmflɪt] *n* brochure *f*.

pan [pæn] **1** *n* casserole *f*; (*for frying*) poêle *f* (à frire); (*of lavatory*) cuvette *f*. **2** *vt* (**-nn-**) (*criticize*) *Fam* éreinter. **3** *vi* (**-nn-**) **to p. out** (*succeed*) aboutir.

Pan- [pæn] *pref* pan-.

panacea [pænə'sɪə] *n* panacée *f*.

panache [pə'næʃ] *n* (*showy manner*) panache *m*.

pancake ['pænkeɪk] *n* crêpe *f*.

pancreas ['pæŋkrɪəs] *n Anat* pancréas *m*.

panda ['pændə] *n* (*animal*) panda *m*; **P. car** = voiture *f* pie *inv* (de la police).

pandemonium [pændɪ'məʊnɪəm] *n* (*chaos*) chaos *m*; (*uproar*) tumulte *m*; (*place*) bazar *m*.

pander ['pændər] *vi* **to p. to** (*tastes, fashion etc*) sacrifier à; **to p. to s.o.** *or* **to s.o.'s desires** se plier aux désirs de qn.

pane [peɪn] *n* vitre *f*, carreau *m*.

panel ['pæn(ə)l] *n* **1** (*of door etc*) panneau *m*; **(control) p.** *Tech El* console *f*; **(instrument) p.** *Av Aut* tableau *m* de bord. **2** (*of judges*) jury *m*; (*of experts*) groupe *m*; (*of candidates*) équipe *f*; **a p. of guests** des invités; **a p. game** *TV Rad* un jeu par équipes. ◆**panelled** *a* (*room etc*) lambrissé. ◆**panelling** *n* lambris *m*. ◆**panellist** *n TV Rad* (*guest*) invité, -ée *mf*; (*expert*) expert *m*; (*candidate*) candidat, -ate *mf*.

pangs [pæŋz] *npl* **p. of conscience** remords *mpl* (de conscience); **p. of hunger/death** les affres *fpl* de la faim/de la mort.

panic ['pænɪk] *n* panique *f*; **to get into a p.** paniquer; – *vi* (**-ck-**) s'affoler, paniquer. ◆**p.-stricken** *a* affolé. ◆**panicky** (*person*) *a Fam* qui s'affole facilement; **to get p.** s'affoler.

panorama [pænə'rɑːmə] *n* panorama *m*. ◆**panoramic** *a* panoramique.

pansy ['pænzɪ] *n Bot* pensée *f*.

pant [pænt] *vi* (*gasp*) haleter.

panther ['pænθər] *n* (*animal*) panthère *f*.

panties ['pæntɪz] *npl* (*female underwear*) slip *m*.

pantomime ['pæntəmaɪm] *n* (*show*) spectacle *m* de Noël.

pantry ['pæntrɪ] *n* (*larder*) garde-manger *m inv*; (*storeroom in hotel etc*) office *m or f*.

pants [pænts] *npl* (*male underwear*) slip *m*; (*loose, long*) caleçon *m*; (*female underwear*) slip *m*; (*trousers*) *Am* pantalon *m*.

pantyhose ['pæntɪhəʊz] *n* (*tights*) *Am* collant(s) *m*(*pl*).

papacy ['peɪpəsɪ] *n* papauté *f*. ◆**papal** *a* papal.

paper ['peɪpər] *n* papier *m*; (*newspaper*) journal *m*; (*wallpaper*) papier *m* peint;

(*exam*) épreuve *f* (écrite); (*student's exercise*) *Sch* copie *f*; (*learned article*) exposé *m*, communication *f*; **brown p.** papier *m* d'emballage; **to put down on p.** mettre par écrit; – *a* (*bag etc*) en papier; (*cup, plate*) en carton; **p. clip** trombone *m*; **p. knife** coupe-papier *m inv*; **p. mill** papeterie *f*; **p. shop** marchand *m* de journaux; – *vt* (*room, wall*) tapisser. ◆**paperback** *n* (*book*) livre *m* de poche. ◆**paperboy** *n* livreur *m* de journaux. ◆**paperweight** *n* presse-papiers *m inv*. ◆**paperwork** *n Com* écritures *fpl*; (*red tape*) *Pej* paperasserie *f*.

paprika ['pæprɪkə] *n* paprika *m*.

par [pɑːr] *n* **on a p.** au même niveau (**with** que); **below p.** (*unwell*) *Fam* pas en forme.

para- ['pærə] *pref* para-.

parable ['pærəb(ə)l] *n* (*story*) parabole *f*.

parachute ['pærəʃuːt] *n* parachute *f*; **to drop by p.** (*men, supplies*) parachuter; – *vi* descendre en parachute; – *vt* parachuter. ◆**parachutist** *n* parachutiste *mf*.

parade [pə'reɪd] **1** *n Mil* (*ceremony*) parade *f*; (*procession*) défilé *m*; **fashion p.** défilé *m* de mode *or* de mannequins; **p. ground** *Mil* terrain *m* de manœuvres; **to make a p. of** faire étalage de; – *vi Mil* défiler; **to p. about** (*walk about*) se balader; – *vt* faire étalage de. **2** *n* (*street*) avenue *f*.

paradise ['pærədaɪs] *n* paradis *m*.

paradox ['pærədɒks] *n* paradoxe *m*. ◆**para'doxically** *adv* paradoxalement.

paraffin ['pærəfɪn] *n* pétrole *m* (lampant); (*wax*) *Am* paraffine *f*; **p. lamp** lampe *f* à pétrole.

paragon ['pærəg(ə)n] *n* **p. of virtue** modèle *m* de vertu.

paragraph ['pærəgrɑːf] *n* paragraphe *m*; **'new p.'** 'à la ligne'.

parakeet ['pærəkiːt] *n* perruche *f*.

parallel ['pærəlel] *a* (*comparable*) & *Math* parallèle (**with, to** à); **to run p. to** *or* **with** être parallèle à; – *n* (*comparison*) & *Geog* parallèle *m*; (*line*) *Math* parallèle *f*; – *vt* être semblable à.

paralysis [pə'ræləsɪs] *n* paralysie *f*. ◆**'paralyse** *vt* (*Am* **-lyze**) paralyser. ◆**para'lytic** *a* & *n* paralytique (*mf*).

parameter [pə'ræmɪtər] *n* paramètre *m*.

paramount ['pærəmaʊnt] *a* **of p. importance** de la plus haute importance.

paranoia [pærə'nɔɪə] *n* paranoïa *f*. ◆**'paranoid** *a* & *n* paranoïaque (*mf*).

parapet ['pærəpɪt] *n* parapet *m*.

paraphernalia [pærəfə'neɪlɪə] *n* attirail *m*.

paraphrase ['pærəfreɪz] *n* paraphrase *f*; – *vt* paraphraser.

parasite ['pærəsaɪt] *n* (*person, organism*) parasite *m*.

parasol ['pærəsɒl] *n* (*over table, on beach*) parasol *m*; (*lady's*) ombrelle *f*.

paratrooper ['pærətruːpər] *n Mil* parachutiste *m*. ◆**paratroops** *npl Mil* parachutistes *mpl*.

parboil [pɑː'bɔɪl] *vt Culin* faire bouillir à demi.

parcel ['pɑːs(ə)l] **1** *n* colis *m*, paquet *m*; **to be part and p. of** faire partie intégrante de. **2** *vt* (**-ll-**, *Am* **-l-**) **to p. out** (*divide*) partager; **to p. up** faire un paquet de.

parch [pɑːtʃ] *vt* dessécher; **to be parched** (*thirsty*) être assoiffé; **to make parched** (*thirsty*) donner très soif à.

parchment ['pɑːtʃmənt] *n* parchemin *m*.

pardon ['pɑːd(ə)n] *n* pardon *m*; *Jur* grâce *f*; **general p.** amnistie *f*; **I beg your p.** (*apologize*) je vous prie de m'excuser; (*not hearing*) vous dites?; **p.?** (*not hearing*) comment?; **p. (me)!** (*sorry*) pardon!; – *vt* pardonner (**s.o. for sth** qch à qn); **to p. s.o.** pardonner (à) qn; *Jur* gracier qn.

pare [peər] *vt* (*trim*) rogner; (*peel*) éplucher; **to p. down** *Fig* réduire, rogner.

parent ['peərənt] *n* père *m*, mère *f*; **one's parents** ses parent *mpl*, son père et sa mère; **p. firm, p. company** *Com* maison *f* mère. ◆**parentage** *n* (*origin*) origine *f*. ◆**pa'rental** *a* des parents, parental. ◆**parenthood** *n* paternité *f*, maternité *f*.

parenthesis, *pl* **-eses** [pə'renθəsɪs, -əsiːz] *n* parenthèse *f*.

Paris ['pærɪs] *n* Paris *m or f*. ◆**Parisian** [pə'rɪzɪən, *Am* pə'riːʒən] *a* & *n* parisien, -ienne (*mf*).

parish ['pærɪʃ] *n Rel* paroisse *f*; (*civil*) commune *f*; – *a* (*church, register*) paroissial; **p. council** conseil *m* municipal. ◆**pa'rishioner** *n* paroissien, -ienne *mf*.

parity ['pærɪtɪ] *n* parité *f*.

park [pɑːk] **1** *n* (*garden*) parc *m*. **2** *vt* (*vehicle*) garer; (*put*) *Fam* mettre, poser; – *vi Aut* se garer; (*remain parked*) stationner. ◆**—ing** *n* stationnement *m*; **'no p.'** 'défense de stationner'; **p. bay** aire *f* de stationnement; **p. lot** *Am* parking *m*; **p. meter** parcmètre *m*; **p. place** endroit *m* pour se garer; **p. ticket** contravention *f*.

parka ['pɑːkə] *n* (*coat*) parka *m*.

parkway ['pɑːkweɪ] *n Am* avenue *f*.

parliament ['pɑːləmənt] *n* parlement *m*; **P.** *Br* Parlement *m*. ◆**parlia'mentary** *a* parlementaire. ◆**parliamen'tarian** *n* parlementaire *mf* (expérimenté(e)).

parlour ['pɑːlər] *n* (*in mansion*) (petit) salon

m; **ice-cream p.** *Am* salon de glaces; **p. game** jeu *m* de société.

parochial [pə'rəʊkɪəl] *a* (*mentality, quarrel*) *Pej* de clocher; (*person*) *Pej* provincial, borné; *Rel* paroissial.

parody ['pærədɪ] *n* parodie *f*; – *vt* parodier.

parole [pə'rəʊl] *n* **on p.** *Jur* en liberté conditionnelle.

parquet ['pɑːkeɪ] *n* **p. (floor)** parquet *m*.

parrot ['pærət] *n* perroquet *m*; **p. fashion** *Pej* comme un perroquet.

parry ['pærɪ] *vt* (*blow*) parer; (*question*) éluder; – *n Sp* parade *f*.

parsimonious [pɑːsɪ'məʊnɪəs] *a* parcimonieux. ◆**—ly** *adv* avec parcimonie.

parsley ['pɑːslɪ] *n* persil *m*.

parsnip ['pɑːsnɪp] *n* panais *m*.

parson ['pɑːs(ə)n] *n* pasteur *m*; **p.'s nose** (*of chicken*) croupion *m*.

part [pɑːt] **1** *n* partie *f*; (*of machine*) pièce *f*; (*of periodical*) livraison *f*; (*of serial*) épisode *m*; (*in play, film, activity*) rôle *m*; (*division*) *Culin* mesure *f*; (*in hair*) *Am* raie *f*; **to take p.** participer (**in** à); **to take s.o.'s p.** (*side*) prendre parti pour qn; **in p.** en partie; **for the most p.** dans l'ensemble; **to be a p. of** faire partie de; **on the p. of** (*on behalf of*) de la part de; **for my p.** pour ma part; **in these parts** dans ces parages; **p. exchange** reprise *f*; **to take in p. exchange** reprendre; **p. owner** copropriétaire *mf*; **p. payment** paiement *m* partiel; – *adv* en partie; **p. American** en partie américain. **2** *vt* (*separate*) séparer; (*crowd*) diviser; **to p. one's hair** se faire une raie; **to p. company with** (*leave*) quitter; – *vi* (*of friends etc*) se quitter; (*of married couple*) se séparer; **to p. with** (*get rid of*) se séparer de. ◆**—ing 1** *n* séparation *f*; – *a* (*gift, words*) d'adieu. **2** *n* (*in hair*) raie *f*.

partake [pɑː'teɪk] *vi* (*pt* **partook,** *pp* **partaken) to p. in** participer à; **to p. of** (*meal, food*) prendre, manger.

partial ['pɑːʃəl] *a* partiel; (*biased*) partial (**towards** envers); **to be p. to** (*fond of*) *Fam* avoir un faible pour. ◆**parti'ality** *n* (*bias*) partialité *f*; (*liking*) prédilection *f*.

participate [pɑː'tɪsɪpeɪt] *vi* participer (**in** à). ◆**participant** *n* participant, -ante *mf*. ◆**partici'pation** *n* participation *f*.

participle [pɑː'tɪsɪp(ə)l] *n* participe *m*.

particle ['pɑːtɪk(ə)l] *n* (*of atom, dust, name*) particule *f*; (*of truth*) grain *m*.

particular [pə'tɪkjʊlər] **1** *a* (*specific, special*) particulier; (*fastidious, fussy*) difficile (**about** sur); (*meticulous*) méticuleux; **this p. book** ce livre-ci en particulier; **in p.** en particulier; **to be p. about** faire très attention à. **2** *n* (*detail*) détail *m*; **s.o.'s particulars** le nom et l'adresse de qn; (*description*) le signalement de qn. ◆**—ly** *adv* particulièrement.

partisan [pɑːtɪ'zæn, *Am* 'pɑːtɪz(ə)n] *n* partisan *m*.

partition [pɑː'tɪʃ(ə)n] **1** *n* (*of room*) cloison *f*; – *vt* **to p. off** cloisonner. **2** *n* (*of country*) *Pol* partition *f*, partage *m*; – *vt Pol* partager.

partly ['pɑːtlɪ] *adv* en partie; **p. English p. French** moitié anglais moitié français.

partner ['pɑːtnər] *n Com* associé, -ée *mf*; (*lover, spouse*) & *Sp Pol* partenaire *mf*; (*of racing driver etc*) coéquipier, -ière *mf*; **(dancing) p.** cavalier, -ière *mf*. ◆**partnership** *n* association *f*; **to take into p.** prendre comme associé(e); **in p. with** en association avec.

partridge ['pɑːtrɪdʒ] *n* perdrix *f*.

part-time [pɑːt'taɪm] *a* & *adv* à temps partiel; (*half-time*) à mi-temps.

party ['pɑːtɪ] *n* **1** (*group*) groupe *m*; *Pol* parti *m*; (*in contract, lawsuit*) *Jur* partie *f*; *Mil* détachement *m*; *Tel* correspondant, -ante *mf*; **rescue p.** équipe *f* de sauveteurs *or* de secours; **third p.** *Jur* tiers *m*; **innocent p.** innocent, -ente *mf*; **to be (a) p. to** (*crime*) être complice de; **p. line** *Tel* ligne *f* partagée; *Pol* ligne *f* du parti; **p. ticket** billet *m* collectif. **2** (*gathering*) réception *f*; (*informal*) surprise-partie *f*; (*for birthday*) fête *f*; **cocktail p.** cocktail *m*; **dinner p.** dîner *m*; **tea p.** thé *m*.

pass [pɑːs] **1** *n* (*entry permit*) laissez-passer *m inv*; (*free ticket*) *Th* billet *m* de faveur; (*season ticket*) carte *f* d'abonnement; (*over mountains*) *Geog* col *m*; *Fb etc* passe *f*; (*in exam*) mention *f* passable (**in French**/*etc* en français/*etc*); **to make a p. at** faire des avances à; **p. mark** (*in exam*) moyenne *f*, barre *f* d'admissibilité; **p. key** passe-partout *m inv*. **2** *vi* (*go, come, disappear*) passer (**to** à, **through** par); (*overtake*) *Aut* dépasser; (*in exam*) être reçu (**in French**/*etc* en français/*etc*); (*take place*) se passer; **that'll p.** (*be acceptable*) ça ira; **he can p. for thirty** on lui donnerait trente ans; **to p. along** *or* **through** passer; **to p. away** *or* **on** (*die*) mourir; **to p. by** passer (à côté); **to p. off** (*happen*) se passer; **to p. on to** (*move on to*) passer à; **to p. out** (*faint*) s'évanouir; – *vt* (*move, spend, give etc*) passer (**to** à); (*go past*) passer devant (*immeuble etc*); (*vehicle*) dépasser; (*exam*) être reçu à; (*candidate*) recevoir; (*judgement, opinion*) prononcer (**on** sur); (*remark*) faire; (*allow*) autoriser; (*bill, law*) *Pol* voter; **to p. (by) s.o.** (*in street*) croiser qn; **to p. by** (*building*) passer devant; **to p. oneself off as** se faire passer pour; **to p. sth off on** (*fob off on*) refiler qch à; **to p. on** (*message, title, illness etc*) transmettre (to à); **to p. out** *or* **round** (*hand out*) distribuer; **to p. over** (*ignore*) passer sur, oublier; **to p. round** (*cigarettes, sweets etc*) faire passer; **to p. up** (*chance etc*) laisser passer. ◆**—ing** *a* (*vehicle etc*) qui passe; (*beauty*) passager; – *n* (*of visitor, vehicle etc*) passage *m*; (*of time*) écoulement *m*; (*death*) disparition *f*.

passable ['pɑːsəb(ə)l] *a* (*not bad*) passable; (*road*) praticable; (*river*) franchissable.

passage ['pæsɪdʒ] *n* (*passing, way through, of text, of speech etc*) passage *m*; (*of time*) écoulement *m*; (*corridor*) couloir *m*; *Nau* traversée *f*, passage *m*. ◆**passageway** *n* (*way through*) passage *m*; (*corridor*) couloir *m*.

passbook ['pɑːsbʊk] *n* livret *m* de caisse d'épargne.

passenger ['pæsɪndʒər] *n* passager, -ère *mf*; *Rail* voyageur, -euse *mf*.

passer-by [pɑːsə'baɪ] *n* (*pl* **passers-by**) passant, -ante *mf*.

passion ['pæʃ(ə)n] *n* passion *f*; **to have a p. for** (*cars etc*) avoir la passion de, adorer. ◆**passionate** *a* passionné. ◆**passionately** *adv* passionnément.

passive ['pæsɪv] *a* (*not active*) passif; – *n* *Gram* passif *m*. ◆**—ness** *n* passivité *f*.

Passover ['pɑːsəʊvər] *n* *Rel* Pâque *f*.

passport ['pɑːspɔːt] *n* passeport *m*.

password ['pɑːswɜːd] *n* mot *m* de passe.

past [pɑːst] **1** *n* (*time, history*) passé *m*; **in the p.** (*formerly*) dans le temps; **it's a thing of the p.** ça n'existe plus; – *a* (*gone by*) passé; (*former*) ancien; **these p. months** ces derniers mois; **that's all p.** c'est du passé; **in the p. tense** *Gram* au passé. **2** *prep* (*in front of*) devant; (*after*) après; (*further than*) plus loin que; (*too old for*) *Fig* trop vieux pour; **p. four o'clock** quatre heures passées, plus de quatre heures; **to be p. fifty** avoir cinquante ans passés; **it's p. belief** c'est incroyable; **I wouldn't put it p. him** ça ne m'étonnerait pas de lui, il en est bien capable; – *adv* devant; **to go p.** passer.

pasta ['pæstə] *n* *Culin* pâtes *fpl* (alimentaires).

paste [peɪst] **1** *n* (*of meat*) pâté *m*; (*of anchovy etc*) beurre *m*; (*dough*) pâte *f*. **2** *n* (*glue*) colle *f* (blanche); – *vt* coller; **to p. up** (*notice etc*) afficher.

pastel ['pæstəl, *Am* pæ'stel] *n* pastel *m*; – *a* (*shade*) pastel *inv*; (*drawing*) au pastel.

pasteurized ['pæstəraɪzd] *a* (*milk*) pasteurisé.

pastiche [pæ'stiːʃ] *n* pastiche *m*.

pastille ['pæstɪl, *Am* pæ'stiːl] *n* pastille *f*.

pastime ['pɑːstaɪm] *n* passe-temps *m inv*.

pastor ['pɑːstər] *n* *Rel* pasteur *m*. ◆**pastoral** *a* pastoral.

pastry ['peɪstrɪ] *n* (*dough*) pâte *f*; (*cake*) pâtisserie *f*; **puff p.** pâte *f* feuilletée. ◆**pastrycook** *n* pâtissier, -ière *mf*.

pasture ['pɑːstʃər] *n* pâturage *m*.

pasty 1 ['peɪstɪ] *a* (**-ier, -iest**) (*complexion*) terreux. **2** ['pæstɪ] *n* *Culin* petit pâté *m* (en croûte).

pat [pæt] **1** *vt* (**-tt-**) (*cheek, table etc*) tapoter; (*animal*) caresser; – *n* petite tape; caresse *f*. **2** *adv* **to answer p.** avoir la réponse toute prête; **to know sth off p.** savoir qch sur le bout du doigt.

patch [pætʃ] *n* (*for clothes*) pièce *f*; (*over eye*) bandeau *m*; (*for bicycle tyre*) rustine® *f*; (*of colour*) tache *f*; (*of sky*) morceau *m*; (*of fog*) nappe *f*; (*of ice*) plaque *f*; **a cabbage/*etc* p.** un carré de choux/*etc*; **a bad p.** *Fig* une mauvaise passe; **not to be a p. on** (*not as good as*) *Fam* ne pas arriver à la cheville de; – *vt* **to p. (up)** (*clothing*) rapiécer; **to p. up** (*quarrel*) régler; (*marriage*) replâtrer. ◆**patchwork** *n* patchwork *m*. ◆**patchy** *a* (**-ier, -iest**) inégal.

patent 1 ['peɪtənt] *a* patent, manifeste; **p. leather** cuir *m* verni. **2** ['peɪtənt, 'pætənt] *n* brevet *m* (d'invention); – *vt* (faire) breveter. ◆**—ly** *adv* manifestement.

paternal [pə'tɜːn(ə)l] *a* paternel. ◆**paternity** *n* paternité *f*.

path [pɑːθ] *n* (*pl* **-s** [pɑːðz]) sentier *m*, chemin *m*; (*in park*) allée *f*; (*of river*) cours *m*; (*of bullet, planet*) trajectoire *f*. ◆**pathway** *n* sentier *m*, chemin *m*.

pathetic [pə'θetɪk] *a* pitoyable.

pathology [pə'θɒlədʒɪ] *n* pathologie *f*. ◆**patho'logical** *a* pathologique.

pathos ['peɪθɒs] *n* pathétique *m*.

patient ['peɪʃ(ə)nt] **1** *a* patient. **2** *n* (*in hospital*) malade *mf*, patient, -ente *mf*; (*on doctor's or dentist's list*) patient, -ente *mf*. ◆**patience** *n* patience *f*; **to have p.** prendre patience; **to lose p.** perdre patience; **I have no p. with him** il m'impatiente; **to play p.** *Cards* faire des réussites. ◆**patiently** *adv* patiemment.

patio ['pætɪəʊ] *n* (*pl* **-os**) patio *m*.

patriarch ['peɪtrɪɑːk] *n* patriarche *m*.

patriot ['pætrɪət, 'peɪtrɪət] *n* patriote *mf.* ◆**patri'otic** *a* (*views, speech etc*) patriotique; (*person*) patriote. ◆**patriotism** *n* patriotisme *m.*

patrol [pə'trəʊl] *n* patrouille *f*; **p. boat** patrouilleur *m*; **police p. car** voiture *f* de police; **p. wagon** *Am* fourgon *m* cellulaire; – *vi* (**-ll-**) patrouiller; – *vt* patrouiller dans. ◆**patrolman** *n* (*pl* **-men**) *Am* agent *m* de police; (*repair man*) *Aut* dépanneur *m.*

patron ['peɪtrən] *n* (*of artist*) protecteur, -trice *mf*; (*customer*) *Com* client, -ente *mf*; (*of cinema, theatre*) habitué, -ée *mf*; **p. saint** patron, -onne *mf.* ◆**patronage** *n* (*support*) patronage *m*; (*of the arts*) protection *f*; (*custom*) *Com* clientèle *f.* ◆**patroniz/e** ['pætrənaɪz, *Am* 'peɪtrənaɪz] *vt* **1** *Com* accorder sa clientèle à. **2** (*person*) *Pej* traiter avec condescendance. ◆**—ing** *a* condescendant.

patter ['pætər] **1** *n* (*of footsteps*) petit bruit *m*; (*of rain, hail*) crépitement *m*; – *vi* (*of rain, hail*) crépiter, tambouriner. **2** *n* (*talk*) baratin *m.*

pattern ['pæt(ə)n] *n* dessin *m,* motif *m*; (*paper model for garment*) patron *m*; (*fabric sample*) échantillon *m*; *Fig* modèle *m*; (*plan*) plan *m*; (*method*) formule *f*; (*of a crime*) scénario *m.* ◆**patterned** *a* (*dress, cloth*) à motifs.

paucity ['pɔːsɪtɪ] *n* pénurie *f.*

paunch [pɔːntʃ] *n* panse *f,* bedon *m.* ◆**paunchy** *a* (**-ier, -iest**) bedonnant.

pauper ['pɔːpər] *n* pauvre *mf,* indigent, -ente *mf.*

pause [pɔːz] *n* pause *f*; (*in conversation*) silence *m*; – *vi* (*stop*) faire une pause; (*hesitate*) hésiter.

pav/e [peɪv] *vt* paver; **to p. the way for** *Fig* ouvrir la voie à. ◆**—ing** *n* (*surface*) pavage *m,* dallage *m*; **p. stone** pavé *m.* ◆**pavement** *n* trottoir *m*; (*roadway*) *Am* chaussée *f*; (*stone*) pavé *m.*

pavilion [pə'vɪljən] *n* (*building*) pavillon *m.*

paw [pɔː] **1** *n* patte *f*; – *vt* (*of animal*) donner des coups de patte à. **2** *vt* (*touch improperly*) tripoter.

pawn [pɔːn] **1** *n Chess* pion *m.* **2** *vt* mettre en gage; – *n* **in p.** en gage. ◆**pawnbroker** *n* prêteur, -euse *mf* sur gages. ◆**pawnshop** *n* mont-de-piété *m.*

pay [peɪ] *n* salaire *m*; (*of workman*) paie *f,* salaire *m*; *Mil* solde *f,* paie *f*; **p. phone** téléphone *m* public; **p. day** jour *m* de paie; **p. slip** bulletin *m or* fiche *f* de paie; – *vt* (*pt & pp* **paid**) (*person, sum*) payer; (*deposit*) verser; (*yield*) *Com* rapporter; (*compliment, attention, visit*) faire; **to p. s.o. to do** *or* **for doing** payer qn pour faire; **to p. s.o. for sth** payer qch à qn; **to p. money into one's account** *or* **the bank** verser de l'argent sur son compte; **it pays (one) to be cautious** on a intérêt à être prudent; **to p. homage** *or* **tribute to** rendre hommage à; **to p. back** (*creditor, loan etc*) rembourser; **I'll p. you back for this!** je te revaudrai ça!; **to p. in** (*cheque*) verser (**to one's account** sur son compte); **to p. off** (*debt, creditor etc*) rembourser; (*in instalments*) rembourser par acomptes; (*staff, worker*) licencier; **to p. off an old score** *or* **a grudge** *Fig* régler un vieux compte; **to p. out** (*spend*) dépenser; **to p. up** payer; – *vi* payer; **to p. for sth** payer qch; **to p. a lot (for)** payer cher; **to p. off** (*be successful*) être payant; **to p. up** payer. ◆**—ing** *a* (*guest*) payant; (*profitable*) rentable. ◆**—able** *a* (*due*) payable; **a cheque p. to** un chèque à l'ordre de. ◆**—ment** *n* paiement *m*; (*of deposit*) versement *m*; (*reward*) récompense *f*; **on p. of 20 francs** moyennant 20 francs. ◆**payoff** *n Fam* (*reward*) récompense *f*; (*revenge*) règlement *m* de comptes. ◆**payroll** *n* **to be on the p. of** (*firm, factory*) être employé par; **to have twenty workers on the p.** employer vingt ouvriers.

pea [piː] *n* pois *m*; **garden** *or* **green peas** petits pois *mpl*; **p. soup** soupe *f* aux pois.

peace [piːs] *n* paix *f*; **p. of mind** tranquillité *f* d'esprit; **in p.** en paix; **at p.** en paix (**with** avec); **to have (some) p. and quiet** avoir la paix; **to disturb the p.** troubler l'ordre public; **to hold one's p.** garder le silence. ◆**p.-keeping** *a* (*force*) de maintien de la paix; (*measure*) de pacification. ◆**p.-loving** *a* pacifique. ◆**peaceable** *a* paisible, pacifique. ◆**peaceful** *a* paisible, calme; (*coexistence, purpose, demonstration*) pacifique. ◆**peacefulness** *n* paix *f.*

peach [piːtʃ] *n* (*fruit*) pêche *f*; (*tree*) pêcher *m*; – *a* (*colour*) pêche *inv.*

peacock ['piːkɒk] *n* paon *m.*

peak [piːk] *n* (*mountain top*) sommet *m*; (*mountain itself*) pic *m*; (*of cap*) visière *f*; (*of fame etc*) *Fig* sommet *m,* apogée *m*; **the traffic has reached** *or* **is at its p.** la circulation est à son maximum; – *a* (*hours, period*) de pointe; (*demand, production*) maximum; – *vi* (*of sales etc*) atteindre son maximum. ◆**peaked** *a* **p. cap** casquette *f.*

peaky ['piːkɪ] *a* (**-ier, -iest**) *Fam* (*ill*) patraque; (*pale*) pâlot.

peal [piːl] **1** *n* (*of laughter*) éclat *m*; (*of thun-*

der) roulement *m*. **2** *n* **p. of bells** carillon *m*; – *vi* **to p. (out)** (*of bells*) carillonner.
peanut ['piːnʌt] *n* cacah(o)uète *f*; (*plant*) arachide *f*; **to earn/***etc* **peanuts** (*little money*) *Fam* gagner/*etc* des clopinettes.
pear [peər] *n* poire *f*; **p. tree** poirier *m*.
pearl [pɜːl] *n* perle *f*; (*mother-of-pearl*) nacre *f*. ◆**pearly** *a* (**-ier, -iest**) (*colour*) nacré.
peasant ['pezənt] *n* & *a* paysan, -anne (*mf*).
peashooter ['piːʃuːtər] *n* sarbacane *f*.
peat [piːt] *n* tourbe *f*.
pebble ['peb(ə)l] *n* (*stone*) caillou *m*; (*on beach*) galet *m*. ◆**pebbly** *a* (*beach*) (couvert) de galets.
pecan ['piːkæn] *n* (*nut*) *Am* pacane *f*.
peck [pek] *vti* **to p. (at)** (*of bird*) picorer (*du pain etc*); (*person*) *Fig* donner un coup de bec à; **to p. at one's food** (*of person*) manger du bout des dents; – *n* coup *m* de bec; (*kiss*) *Fam* bécot *m*.
peckish ['pekɪʃ] *a* **to be p.** (*hungry*) *Fam* avoir un petit creux.
peculiar [pɪ'kjuːlɪər] *a* (*strange*) bizarre; (*characteristic, special*) particulier (**to** à). ◆**peculi'arity** *n* (*feature*) particularité *f*; (*oddity*) bizarrerie *f*. ◆**peculiarly** *adv* bizarrement; (*specially*) particulièrement.
pedal ['ped(ə)l] *n* pédale *f*; **p. boat** pédalo *m*; – *vi* (**-ll-**, *Am* **-l-**) pédaler; – *vt* (*bicycle etc*) actionner les pédales de. ◆**pedalbin** *n* poubelle *f* à pédale.
pedant ['pedənt] *n* pédant, -ante *mf*. ◆**pe'dantic** *a* pédant. ◆**pedantry** *n* pédantisme *m*.
peddl/e ['ped(ə)l] *vt* colporter; (*drugs*) faire le trafic de; – *vi* faire du colportage. ◆**—er** *n Am* (*door-to-door*) colporteur, -euse *mf*; (*in street*) camelot *m*; **drug p.** revendeur, -euse *mf* de drogues.
pedestal ['pedɪst(ə)l] *n Archit* & *Fig* piédestal *m*.
pedestrian [pə'destrɪən] **1** *n* piéton *m*; **p. crossing** passage *m* pour piétons; **p. precinct** zone *f* piétonnière. **2** *a* (*speech, style*) prosaïque. ◆**pedestrianize** *vt* (*street etc*) rendre piétonnier.
pedigree ['pedɪgriː] *n* (*of dog, horse etc*) pedigree *m*; (*of person*) ascendance *f*; – *a* (*dog, horse etc*) de race.
pedlar ['pedlər] *n* (*door-to-door*) colporteur, -euse *mf*; (*in street*) camelot *m*.
pee [piː] *n* **to go for a p.** *Fam* faire pipi.
peek [piːk] *n* coup *m* d'œil (furtif); – *vi* jeter un coup d'œil (furtif) (**at** à).
peel [piːl] *n* (*of vegetable, fruit*) pelure(s) *f(pl)*, épluchure(s) *f(pl)*; (*of orange skin*) écorce *f*; (*in food, drink*) zeste *m*; **a piece of p.** une pelure, une épluchure; – *vt* (*fruit, vegetable*) peler, éplucher; **to keep one's eyes peeled** *Fam* être vigilant; **to p. off** (*label etc*) décoller; – *vi* (*of sunburnt skin*) peler; (*of paint*) s'écailler; **to p. easily** (*of fruit*) se peler facilement. ◆**—ings** *npl* pelures *fpl*, épluchures *fpl*. ◆**—er** *n* (*knife etc*) éplucheur *m*.
peep [piːp] **1** *n* coup *m* d'œil (furtif); – *vi* **to p. (at)** regarder furtivement; **to p. out** se montrer; **peeping Tom** voyeur, -euse *mf*. **2** *vi* (*of bird*) pépier. ◆**peephole** *n* judas *m*.
peer [pɪər] **1** *n* (*equal*) pair *m*, égal, -ale *mf*; (*noble*) pair *m*. **2** *vi* **to p. (at)** regarder attentivement (*comme pour mieux voir*); **to p. into** (*darkness*) scruter. ◆**peerage** *n* (*rank*) pairie *f*.
peeved [piːvd] *a Fam* irrité.
peevish ['piːvɪʃ] *a* grincheux, irritable.
peg [peg] **1** *n* (*wooden*) *Tech* cheville *f*; (*metal*) *Tech* fiche *f*; (*for tent*) piquet *m*; (*for clothes*) pince *f* (à linge); (*for coat, hat etc*) patère *f*; **to buy off the p.** acheter en prêt-à-porter. **2** *vt* (**-gg-**) (*prices*) stabiliser.
pejorative [pɪ'dʒɒrətɪv] *a* péjoratif.
pekin(g)ese [piːkɪ'niːz] *n* (*dog*) pékinois *m*.
pelican ['pelɪk(ə)n] *n* (*bird*) pélican *m*.
pellet ['pelɪt] *n* (*of paper etc*) boulette *f*; (*for gun*) (grain *m* de) plomb *m*.
pelt [pelt] **1** *n* (*skin*) peau *f*; (*fur*) fourrure *f*. **2** *vt* **to p. s.o. with** (*stones etc*) bombarder qn de. **3** *vi* **it's pelting (down)** (*raining*) il pleut à verse. **4** *vi* **to p. along** (*run, dash*) *Fam* foncer, courir.
pelvis [pelvɪs] *n Anat* bassin *m*.
pen [pen] **1** *n* (*dipped in ink*) porte-plume *m inv*; (*fountain pen*) stylo *m* (à encre *or* à plume); (*ballpoint*) stylo *m* à bille, stylo(-)bille *m*; **to live by one's p.** *Fig* vivre de sa plume; **p. friend, p. pal** correspondant, -ante *mf*; **p. name** pseudonyme *m*; **p. nib** (bec *m* de) plume *f*; **p. pusher** *Pej* gratte-papier *m inv*; – *vt* (**-nn-**) (*write*) écrire. **2** *n* (*enclosure for baby or sheep or cattle*) parc *m*.
penal ['piːn(ə)l] *a* (*law, code etc*) pénal; (*colony*) pénitentiaire. ◆**penalize** *vt Sp Jur* pénaliser (**for** pour); (*handicap*) désavantager.
penalty ['pen(ə)ltɪ] *n Jur* peine *f*; (*fine*) amende *f*; *Sp* pénalisation *f*; *Fb* penalty *m*; *Rugby* pénalité *f*; **to pay the p.** *Fig* subir les conséquences.
penance ['penəns] *n* pénitence *f*.
pence [pens] *see* **penny**.
pencil ['pens(ə)l] *n* crayon *m*; **in p.** au crayon; **p. box** plumier *m*; **p. sharpener**

taille-crayon(s) *m inv*; – *vt* (**-ll-**, *Am* **-l-**) crayonner; **to p. in** *Fig* noter provisoirement.

pendant ['pendənt] *n* pendentif *m*; (*on earring, chandelier*) pendeloque *f*.

pending ['pendɪŋ] **1** *a* (*matter*) en suspens. **2** *prep* (*until*) en attendant.

pendulum ['pendjʊləm] *n* (*of clock*) balancier *m*, pendule *m*; *Fig* pendule *m*.

penetrat/e ['penɪtreɪt] *vt* (*substance, mystery etc*) percer; (*plan, secret etc*) découvrir; – *vti* **to p. (into)** (*forest, group etc*) pénétrer dans. ◆**—ing** *a* (*mind, cold etc*) pénétrant. ◆**pene'tration** *n* pénétration *f*.

penguin ['peŋgwɪn] *n* manchot *m*, pingouin *m*.

penicillin [penɪ'sɪlɪn] *n* pénicilline *f*.

peninsula [pə'nɪnsjʊlə] *n* presqu'île *f*, péninsule *f*. ◆**pensinsular** *a* péninsulaire.

penis ['piːnɪs] *n* pénis *m*.

penitent ['penɪtənt] *a* & *n* pénitent, -ente (*mf*). ◆**penitence** *n* pénitence *f*.

penitentiary [penɪ'tenʃərɪ] *n Am* prison *f* (centrale).

penknife ['pennaɪf] *n* (*pl* **-knives**) canif *m*.

pennant ['penənt] *n* (*flag*) flamme *f*, banderole *f*.

penny ['penɪ] *n* **1** (*pl* **pennies**) (*coin*) penny *m*; *Am Can* cent *m*; **I don't have a p.** *Fig* je n'ai pas le sou. **2** (*pl* **pence** [pens]) (*value, currency*) penny *m*. ◆**p.-pinching** *a* (*miserly*) *Fam* avare. ◆**penniless** *a* sans le sou.

pension ['penʃ(ə)n] *n* pension *f*; **retirement p.** (pension *f* de) retraite *f*; (*private*) retraite *f* complémentaire; – *vt* **to p. off** mettre à la retraite. ◆**—able** *a* (*age*) de la retraite; (*job*) qui donne droit à une retraite. ◆**—er** *n* pensionné, -ée *mf*; **(old age) p.** retraité, -ée *mf*.

pensive ['pensɪv] *a* pensif.

pentagon ['pentəgən] *n* **the P.** *Am Pol* le Pentagone.

pentathlon [pen'tæθlən] *n Sp* pentathlon *m*.

Pentecost ['pentɪkɒst] *n* (*Whitsun*) *Am* Pentecôte *f*.

penthouse ['penthaʊs] *n* appartement *m* de luxe (*construit sur le toit d'un immeuble*).

pent-up [pent'ʌp] *a* (*feelings*) refoulé.

penultimate [pɪ'nʌltɪmət] *a* avant-dernier.

peony ['pɪənɪ] *n Bot* pivoine *f*.

people ['piːp(ə)l] *npl* (*in general*) gens *mpl or fpl*; (*specific persons*) personnes *fpl*; (*of region, town*) habitants *mpl*, gens *mpl or fpl*; **the p.** (*citizens*) *Pol* le peuple; **old p.** les personnes *fpl* âgées; **old people's home** hospice *m* de vieillards; (*private*) maison *f* de retraite; **two p.** deux personnes; **English p.** les Anglais *mpl*, le peuple angiais; **a lot of p.** beaucoup de monde *or* de gens; **p. think that . . .** on pense que . . . ; – *n* (*nation*) peuple *m*; – *vt* (*populate*) peupler (**with** de).

pep [pep] *n* entrain *m*; **p. talk** *Fam* petit laïus d'encouragement; – *vt* (**-pp-**) **to p. up** (*perk up*) ragaillardir.

pepper ['pepər] *n* poivre *m*; (*vegetable*) poivron *m*; – *vt* poivrer. ◆**peppercorn** *n* grain *m* de poivre. ◆**peppermint** *n* (*plant*) menthe *f* poivrée; (*sweet*) pastille *f* de menthe. ◆**peppery** *a Culin* poivré.

per [pɜːr] *prep* par; **p. annum** par an; **p. head, p. person** par personne; **p. cent** pour cent; **50 pence p. kilo** 50 pence le kilo; **40 km p. hour** 40 km à l'heure. ◆**per'centage** *n* pourcentage *m*.

perceive [pə'siːv] *vt* (*see, hear*) percevoir; (*notice*) remarquer (**that** que). ◆**perceptible** *a* perceptible. ◆**perception** *n* perception *f* (**of** de); (*intuition*) intuition *f*. ◆**perceptive** *a* (*person*) perspicace; (*study, remark*) pénétrant.

perch [pɜːtʃ] **1** *n* perchoir *m*; – *vi* (*of bird*) (se) percher; (*of person*) *Fig* se percher, se jucher; – *vt* (*put*) percher. **2** *n* (*fish*) perche *f*.

percolate ['pɜːkəleɪt] *vi* (*of liquid*) filtrer, passer (**through** par); – *vt* (*coffee*) faire dans une cafetière; **percolated coffee** du vrai café. ◆**percolator** *n* cafetière *f*; (*in café or restaurant*) percolateur *m*.

percussion [pə'kʌʃ(ə)n] *n Mus* percussion *f*.

peremptory [pə'remptərɪ] *a* péremptoire.

perennial [pə'renɪəl] **1** *a* (*complaint, subject etc*) perpétuel. **2** *a* (*plant*) vivace; – *n* plante *f* vivace.

perfect ['pɜːfɪkt] *a* parfait; – *a* & *n* **p. (tense)** *Gram* parfait *m*; – [pə'fekt] *vt* (*book, piece of work etc*) parachever, parfaire; (*process, technique*) mettre au point; (*one's French etc*) parfaire ses connaissances en. ◆**per'fection** *n* perfection *f*; (*act*) parachèvement *m* (**of** de); mise *f* au point (**of** de); **to p.** à la perfection. ◆**per'fectionist** *n* perfectionniste *mf*. ◆**'perfectly** *adv* parfaitement.

perfidious [pə'fɪdɪəs] *a Lit* perfide.

perforate ['pɜːfəreɪt] *vt* perforer. ◆**perfo'ration** *n* perforation *f*.

perform [pə'fɔːm] *vt* (*task, miracle*) accomplir; (*a function, one's duty*) remplir; (*rite*) célébrer; (*operation*) *Med* pratiquer (**on**

sur); (*a play, symphony*) jouer; (*sonata*) interpréter; – *vi* (*play*) jouer; (*sing*) chanter; (*dance*) danser; (*of circus animal*) faire un numéro; (*function*) fonctionner; (*behave*) se comporter; **you performed very well!** tu as très bien fait! ◆**—ing** *a* (*animal*) savant. ◆**performance** *n* **1** (*show*) *Th* représentation *f*, séance *f*; *Cin Mus* séance *f*. **2** (*of athlete, machine etc*) performance *f*; (*of actor, musician etc*) interprétation *f*; (*circus act*) numéro *m*; (*fuss*) *Fam* histoire(s) *f*(*pl*); **the p. of one's duties** l'exercice *m* de ses fonctions. ◆**performer** *n* interprète *mf* (**of** de); (*entertainer*) artiste *mf*.

perfume ['pɜːfjuːm] *n* parfum *m*; – [pə'fjuːm] *vt* parfumer.

perfunctory [pə'fʌŋktərɪ] *a* (*action*) superficiel; (*smile etc*) de commande.

perhaps [pə'hæps] *adv* peut-être; **p. not** peut-être que non.

peril ['perɪl] *n* péril *m*, danger *m*; **at your p.** à vos risques et péril. ◆**perilous** *a* périlleux.

perimeter [pə'rɪmɪtər] *n* périmètre *m*.

period ['pɪərɪəd] **1** *n* (*length of time, moment in time*) période *f*; (*historical*) époque *f*; (*time limit*) délai *m*; (*lesson*) *Sch* leçon *f*; (*full stop*) *Gram* point *m*; **in the p. of a month** en l'espace d'un mois; **I refuse, p.!** *Am* je refuse, un point c'est tout!; – *a* (*furniture etc*) d'époque; (*costume*) de l'époque. **2** *n* (*menstruation*) règles *fpl*. ◆**peri'odic** *a* périodique. ◆**peri'odical** *n* (*magazine*) périodique *m*. ◆**peri'odically** *adv* périodiquement.

periphery [pə'rɪfərɪ] *n* périphérie *f*. ◆**peripheral** *a* (*question*) sans rapport direct (**to** avec); (*interest*) accessoire; (*neighbourhood*) périphérique.

periscope ['perɪskəʊp] *n* périscope *m*.

perish ['perɪʃ] *vi* (*die*) périr; (*of food, substance*) se détériorer; **to be perished** *or* **perishing** (*of person*) *Fam* être frigorifié. ◆**—ing** *a* (*cold, weather*) *Fam* glacial. ◆**—able** *a* (*food*) périssable; – *npl* denrées *fpl* périssables.

perjure ['pɜːdʒər] *vt* **to p. oneself** se parjurer. ◆**perjurer** *n* (*person*) parjure *mf*. ◆**perjury** *n* parjure *m*; **to commit p.** se parjurer.

perk [pɜːk] **1** *vi* **to p. up** (*buck up*) se ragaillardir; – *vt* **to p. s.o. up** remonter qn, ragaillardir qn. **2** *n* (*advantage*) avantage *m*; (*extra profit*) à-côté *m*. ◆**perky** *a* (**-ier, -iest**) (*cheerful*) guilleret, plein d'entrain.

perm [pɜːm] *n* (*of hair*) permanente *f*; – *vt* **to have one's hair permed** se faire faire une permanente.

permanent ['pɜːmənənt] *a* permanent; (*address*) fixe; **she's p. here** elle est ici à titre permanent. ◆**permanence** *n* permanence *f*. ◆**permanently** *adv* à titre permanent.

permeate ['pɜːmɪeɪt] *vt* (*of ideas etc*) se répandre dans; **to p. (through)** (*of liquid etc*) pénétrer. ◆**permeable** *a* perméable.

permit [pə'mɪt] *vt* (**-tt-**) permettre (**s.o. to do** à qn de faire); **weather permitting** si le temps le permet; – ['pɜːmɪt] *n* (*licence*) permis *m*; (*entrance pass*) laissez-passer *m inv*. ◆**per'missible** *a* permis. ◆**per'mission** *n* permission *f*, autorisation *f* (**to do** de faire); **to ask (for)/give p.** demander/donner la permission. ◆**per'missive** *a* (trop) tolérant, laxiste. ◆**per'missiveness** *n* laxisme *m*.

permutation [pɜːmjʊ'teɪʃ(ə)n] *n* permutation *f*.

pernicious [pə'nɪʃəs] *a* (*harmful*) & *Med* pernicieux.

pernickety [pə'nɪkətɪ] *a Fam* (*precise*) pointilleux; (*demanding*) difficile (**about** sur).

peroxide [pə'rɒksaɪd] *n* (*bleach*) eau *f* oxygénée; – *a* (*hair, blond*) oxygéné.

perpendicular [pɜːpən'dɪkjʊlər] *a* & *n* perpendiculaire (*f*).

perpetrate ['pɜːpɪtreɪt] *vt* (*crime*) perpétrer. ◆**perpetrator** *n* auteur *m*.

perpetual [pə'petʃʊəl] *a* perpétuel. ◆**perpetually** *adv* perpétuellement. ◆**perpetuate** *vt* perpétuer. ◆**perpetuity** [pɜːpɪ'tjuːɪtɪ] *n* perpétuité *f*.

perplex [pə'pleks] *vt* rendre perplexe, dérouter. ◆**—ed** *a* perplexe. ◆**—ing** *a* déroutant. ◆**perplexity** *n* perplexité *f*; (*complexity*) complexité *f*.

persecute ['pɜːsɪkjuːt] *vt* persécuter. ◆**perse'cution** *n* persécution *f*.

persever/e [pɜːsɪ'vɪər] *vi* persévérer (**in** dans). ◆**—ing** *a* (*persistent*) persévérant. ◆**perseverance** *n* persévérance *f*.

Persian ['pɜːʃ(ə)n, 'pɜːʒ(ə)n] *a* (*language, cat, carpet*) persan; – *n* (*language*) persan *m*.

persist [pə'sɪst] *vi* persister (**in doing** à faire, **in sth** dans qch). ◆**persistence** *n* persistance *f*. ◆**persistent** *a* (*fever, smell etc*) persistant; (*person*) obstiné; (*attempts, noise etc*) continuel. ◆**persistently** *adv* (*stubbornly*) obstinément; (*continually*) continuellement.

person ['pɜːs(ə)n] *n* personne *f*; **in p.** en personne; **a p. to p. call** *Tel* une communication avec préavis. ◆**personable** *a* avenant, qui présente bien.

personal ['pɜːsən(ə)l] *a* personnel; (*application*) en personne; (*hygiene, friend*) intime; (*life*) privé; (*indiscreet*) indiscret; **p. assistant, p. secretary** secrétaire *m* particulier, secrétaire *f* particulière. ◆**perso'nality** *n* (*character, famous person*) personnalité *f*; **a television p.** une vedette de la télévision. ◆**personalize** *vt* personnaliser. ◆**personally** *adv* personnellement; (*in person*) en personne.

personify [pə'sɒnɪfaɪ] *vt* personnifier. ◆**personifi'cation** *n* personnification *f*.

personnel [pɜːsə'nel] *n* (*staff*) personnel *m*; (*department*) service *m* du personnel.

perspective [pə'spektɪv] *n* (*artistic & viewpoint*) perspective *f*; **in (its true) p.** *Fig* sous son vrai jour.

perspire [pə'spaɪər] *vi* transpirer. ◆**perspi'ration** *n* transpiration *f*, sueur *f*.

persuade [pə'sweɪd] *vt* persuader (**s.o. to do** qn de faire). ◆**persuasion** *n* persuasion *f*; *Rel* religion *f*. ◆**persuasive** *a* (*person, argument etc*) persuasif. ◆**persuasively** *adv* de façon persuasive.

pert [pɜːt] *a* (*impertinent*) impertinent; (*lively*) gai, plein d'entrain; (*hat etc*) coquet, chic. ◆**—ly** *adv* avec impertinence.

pertain [pə'teɪn] *vi* **to p. to** (*relate*) se rapporter à; (*belong*) appartenir à.

pertinent ['pɜːtɪnənt] *a* pertinent. ◆**—ly** *adv* pertinemment.

perturb [pə'tɜːb] *vt* troubler, perturber.

Peru [pə'ruː] *n* Pérou *m*. ◆**Peruvian** *a & n* péruvien, -ienne (*mf*).

peruse [pə'ruːz] *vt* lire (attentivement); (*skim through*) parcourir. ◆**perusal** *n* lecture *f*.

pervade [pə'veɪd] *vt* se répandre dans. ◆**pervasive** *a* qui se répand partout, envahissant.

perverse [pə'vɜːs] *a* (*awkward*) contrariant; (*obstinate*) entêté; (*wicked*) pervers. ◆**perversion** *n* perversion *f*; (*of justice, truth*) travestissement *m*. ◆**perversity** *n* esprit *m* de contradiction; (*obstinacy*) entêtement *m*; (*wickedness*) perversité *f*.

pervert [pə'vɜːt] *vt* pervertir; (*mind*) corrompre; (*justice, truth*) travestir; – ['pɜːvɜːt] *n* perverti, -ie *mf*.

pesky ['peskɪ] *a* (**-ier, -iest**) (*troublesome*) *Am Fam* embêtant.

pessimism ['pesɪmɪz(ə)m] *n* pessimisme *m*. ◆**pessimist** *n* pessimiste *mf*. ◆**pessi'mistic** *a* pessimiste. ◆**pessi'mistically** *adv* avec pessimisme.

pest [pest] *n* animal *m or* insecte *m* nuisible; (*person*) *Fam* casse-pieds *mf inv*, peste *f*. ◆**pesticide** *n* pesticide *m*.

pester ['pestər] *vt* (*harass*) harceler (**with questions** de questions); **to p. s.o. to do sth/for sth** harceler *or* tarabuster qn pour qu'il fasse qch/jusqu'à ce qu'il donne qch.

pet [pet] **1** *n* animal *m* (domestique); (*favourite person*) chouchou, -oute *mf*; **yes (my) p.** *Fam* oui mon chou; **to have *or* keep a p.** avoir un animal chez soi; – *a* (*dog etc*) domestique; (*tiger etc*) apprivoisé; (*favourite*) favori; **p. shop** magasin *m* d'animaux; **p. hate** bête *f* noire; **p. name** petit nom *m* (d'amitié); **p. subject** dada *m*. **2** *vt* (**-tt-**) (*fondle*) caresser; (*sexually*) *Fam* peloter; – *vi Fam* se peloter.

petal ['pet(ə)l] *n* pétale *m*.

peter ['piːtər] *vi* **to p. out** (*run out*) s'épuiser; (*dry up*) se tarir; (*die out*) mourir; (*disappear*) disparaître.

petite [pə'tiːt] *a* (*woman*) petite et mince, menue.

petition [pə'tɪʃ(ə)n] *n* (*signatures*) pétition *f*; (*request*) *Jur* requête *f*; **p. for divorce** demande *f* en divorce; – *vt* adresser une pétition *or* une requête à (**for sth** pour demander qch).

petrify ['petrɪfaɪ] *vt* (*frighten*) pétrifier de terreur.

petrol ['petrəl] *n* essence *f*; **I've run out of p.** je suis tombé en panne d'essence; **p. engine** moteur *m* à essence; **p. station** poste *m* d'essence, station-service *f*.

petroleum [pə'trəʊlɪəm] *n* pétrole *m*.

petticoat ['petɪkəʊt] *n* jupon *m*.

petty ['petɪ] *a* (**-ier, -iest**) (*small*) petit; (*trivial*) insignifiant, menu, petit; (*mean*) mesquin; **p. cash** *Com* petite caisse *f*, menue monnaie *f*. ◆**pettiness** *n* petitesse *f*; insignifiance *f*; mesquinerie *f*.

petulant ['petjʊlənt] *a* irritable. ◆**petulance** *n* irritabilité *f*.

petunia [pɪ'tjuːnɪə] *n Bot* pétunia *m*.

pew [pjuː] *n* banc *m* d'église; **take a p.!** *Hum* assieds-toi!

pewter ['pjuːtər] *n* étain *m*.

phallic ['fælɪk] *a* phallique.

phantom ['fæntəm] *n* fantôme *m*.

pharmacy ['fɑːməsɪ] *n* pharmacie *f*. ◆**pharmaceutical** [-'sjuːtɪk(ə)l] *a* pharmaceutique. ◆**pharmacist** *n* pharmacien, -ienne *mf*.

pharynx ['færɪŋks] *n Anat* pharynx *m*. ◆**pharyn'gitis** *n Med* pharyngite *f*.

phase [feɪz] *n* (*stage*) phase *f*; – *vt* **to p.**

in/out introduire/supprimer progressivement. ◆**phased** *a* (*changes etc*) progressif.
PhD [piːeɪtʃ'diː] *n abbr* (*Doctor of Philosophy*) (*degree*) *Univ* doctorat *m*.
pheasant ['fezənt] *n* (*bird*) faisan *m*.
phenomenon, *pl* **-ena** [fɪ'nɒmɪnən, -ɪnə] *n* phénomène *m*. ◆**phenomenal** *a* phénoménal.
phew! [fjuː] *int* (*relief*) ouf!
philanderer [fɪ'lændərər] *n* coureur *m* de jupons.
philanthropist [fɪ'lænθrəpɪst] *n* philanthrope *mf*. ◆**philan'thropic** *a* philanthropique.
philately [fɪ'lætəlɪ] *n* philatélie. ◆**phila'telic** *a* philatélique. ◆**philatelist** *n* philatéliste *mf*.
philharmonic [fɪlə'mɒnɪk] *a* philharmonique.
Philippines ['fɪlɪpiːnz] *npl* **the P.** les Philippines *fpl*.
philistine ['fɪlɪstaɪn] *n* béotien, -ienne *mf*, philistin *m*.
philosophy [fɪ'lɒsəfɪ] *n* philosophie *f*. ◆**philosopher** *n* philosophe *mf*. ◆**philo'sophical** *a* philosophique; (*stoical, resigned*) *Fig* philosophe. ◆**philo'sophically** *adv* (*to say etc*) avec philosophie. ◆**philosophize** *vi* philosopher.
phlegm [flem] *n Med* glaires *fpl*; (*calmness*) *Fig* flegme *m*. ◆**phleg'matic** *a* flegmatique.
phobia ['fəʊbɪə] *n* phobie *f*.
phone [fəʊn] *n* téléphone *m*; **on the p.** (*speaking here*) au téléphone; (*at other end*) au bout du fil; **to be on the p.** (*as subscriber*) avoir le téléphone; **p. call** coup *m* de fil *or* de téléphone; **to make a p. call** téléphoner (**to** à); **p. book** annuaire *m*; **p. box, p. booth** cabine *f* téléphonique; **p. number** numéro *m* de téléphone; – *vt* (*message*) téléphoner (**to** à); **to p. s.o. (up)** téléphoner à qn; – *vi* **to p. (up)** téléphoner; **to p. back** rappeler. ◆**phonecard** *n* télécarte *f*.
phonetic [fə'netɪk] *a* phonétique. ◆**phonetics** *n* (*science*) phonétique *f*.
phoney ['fəʊnɪ] *a* (**-ier, -iest**) *Fam* (*jewels, writer etc*) faux; (*attack, firm*) bidon *inv*; (*attitude*) fumiste; – *n Fam* (*impostor*) imposteur *m*; (*joker, shirker*) fumiste *mf*; **it's a p.** (*jewel, coin etc*) c'est du faux.
phonograph ['fəʊnəgræf] *n Am* électrophone *m*.
phosphate ['fɒsfeɪt] *n Ch* phosphate *m*.
phosphorus ['fɒsfərəs] *n Ch* phosphore *m*.
photo ['fəʊtəʊ] *n* (*pl* **-os**) photo *f*; **to have one's p. taken** se faire photographier. ◆**photocopier** *n* (*machine*) photocopieur *m*. ◆**photocopy** *n* photocopie *f*; – *vt* photocopier. ◆**photo'genic** *a* photogénique. ◆**photograph** *n* photographie *f*; – *vt* photographier; – *vi* **to p. well** être photogénique. ◆**photographer** [fə'tɒgrəfər] *n* photographe *mf*. ◆**photo'graphic** *a* photographique. ◆**photography** [fə'tɒgrəfɪ] *n* (*activity*) photographie *f*. ◆**photostat**® = **photocopy**.
phras/e [freɪz] *n* (*saying*) expression *f*; (*idiom*) & *Gram* locution *f*; – *vt* (*express*) exprimer; (*letter*) rédiger. ◆**—ing** *n* (*wording*) termes *mpl*. ◆**phrasebook** *n* (*for tourists*) manuel *m* de conversation.
physical ['fɪzɪk(ə)l] *a* physique; (*object, world*) matériel; **p. examination** *Med* examen *m* médical; **p. education, p. training** éducation *f* physique. ◆**physically** *adv* physiquement; **p. impossible** matériellement impossible.
physician [fɪ'zɪʃ(ə)n] *n* médecin *m*.
physics ['fɪzɪks] *n* (*science*) physique *f*. ◆**physicist** *n* physicien, -ienne *mf*.
physiology [fɪzɪ'ɒlədʒɪ] *n* physiologie *f*. ◆**physio'logical** *a* physiologique.
physiotherapy [fɪzɪəʊ'θerəpɪ] *n* kinésithérapie *f*. ◆**physiotherapist** *n* kinésithérapeute *mf*.
physique [fɪ'ziːk] *n* (*appearance*) physique *m*; (*constitution*) constitution *f*.
piano [pɪ'ænəʊ] *n* (*pl* **-os**) piano *m*. ◆**'pianist** *n* pianiste *mf*.
piazza [pɪ'ætsə] *n* (*square*) place *f*; (*covered*) passage *m* couvert.
picayune [pɪkə'juːn] *a* (*petty*) *Am Fam* mesquin.
pick [pɪk] *n* (*choice*) choix *m*; **the p. of** (*best*) le meilleur de; **the p. of the bunch** le dessus du panier; **to take one's p.** faire son choix, choisir; – *vt* (*choose*) choisir; (*flower, fruit etc*) cueillir; (*hole*) faire (**in** dans); (*lock*) crocheter; **to p. one's nose** se mettre les doigts dans le nez; **to p. one's teeth** se curer les dents; **to p. a fight** chercher la bagarre (**with** avec); **to p. holes in** *Fig* relever les défauts de; **to p. (off)** (*remove*) enlever; **to p. out** (*choose*) choisir; (*identify*) reconnaître, distinguer; **to p. up** (*sth dropped*) ramasser; (*fallen person or chair*) relever; (*person into air, weight*) soulever; (*cold, money*) *Fig* ramasser; (*habit, accent, speed*) prendre; (*fetch, collect*) (passer) prendre; (*find*) trouver; (*baby*) prendre dans ses bras; (*programme etc*) *Rad* capter; (*survivor*) recueillir; (*arrest*) arrêter, ramasser; (*learn*) apprendre; – *vi* **to p. and choose** choisir

avec soin; **to p. on** (*nag*) harceler; (*blame*) accuser; **why p. on me?** pourquoi moi?; **to p. up** (*improve*) s'améliorer; (*of business, trade*) reprendre; *Med* aller mieux; (*resume*) continuer. ◆**–ing 1** *n* (*choosing*) choix *m* (**of** de); (*of flower, fruit etc*) cueillette *f*. **2** *npl* (*leftovers*) restes *mpl*; *Com* profits *mpl*. ◆**pick-me-up** *n* (*drink*) *Fam* remontant *m*. ◆**pick-up** *n* (*of record player*) (bras *m* de) pick-up *m*; (*person*) *Pej Fam* partenaire *mf* de rencontre; **p.-up (truck)** pick-up *m*.

pick(axe) (*Am* **(-ax)**) ['pɪk(æks)] *n* (*tool*) pioche *f*; **ice pick** pic *m* à glace.

picket ['pɪkɪt] **1** *n* (*striker*) gréviste *mf*; **p. (line)** piquet *m* (de grève); – *vt* (*factory*) installer des piquets de grève aux portes de. **2** *n* (*stake*) piquet *m*.

pickle ['pɪk(ə)l] **1** *n* (*brine*) saumure *f*; (*vinegar*) vinaigre *m*; *pl* (*vegetables*) pickles *mpl*; *Am* concombres *mpl*, cornichons *mpl*; – *vt* mariner. **2** *n* **in a p.** (*trouble*) *Fam* dans le pétrin.

pickpocket ['pɪkpɒkɪt] *n* (*thief*) pickpocket *m*.

picky ['pɪkɪ] *a* (**-ier, -iest**) (*choosey*) *Am* difficile.

picnic ['pɪknɪk] *n* pique-nique *m*; – *vi* (**-ck-**) pique-niquer.

pictorial [pɪk'tɔːrɪəl] *a* (*in pictures*) en images; (*periodical*) illustré.

picture ['pɪktʃər] **1** *n* image *f*; (*painting*) tableau *m*, peinture *f*; (*drawing*) dessin *m*; (*photo*) photo *f*; (*film*) film *m*; (*scene*) *Fig* tableau *m*; **the pictures** *Cin* le cinéma; **to put s.o. in the p.** *Fig* mettre qn au courant; **p. frame** cadre *m*. **2** *vt* (*imagine*) s'imaginer (**that** que); (*remember*) revoir; (*depict*) décrire.

picturesque [pɪktʃə'resk] *a* pittoresque.

piddling ['pɪdlɪŋ] *a Pej* dérisoire.

pidgin ['pɪdʒɪn] *n* **p. (English)** pidgin *m*.

pie [paɪ] *n* (*of meat, vegetable*) tourte *f*; (*of fruit*) tarte *f*, tourte *f*; (*compact filling*) pâté *m* en croûte; **cottage p.** hachis *m* Parmentier.

piebald ['paɪbɔːld] *a* pie *inv*.

piece [piːs] *n* morceau *m*; (*of bread, paper, chocolate, etc*) bout *m*, morceau *m*; (*of fabric, machine, game, artillery*) pièce *f*; (*coin*) pièce *f*; **bits and pieces** des petites choses; **in pieces** en morceaux, en pièces; **to smash to pieces** briser en morceaux; **to take to pieces** (*machine etc*) démonter; **to come to pieces** se démonter; **to go to pieces** (*of person*) *Fig* craquer; **a p. of luck/news/***etc* une chance/nouvelle/*etc*; **in one p.** (*object*) intact; (*person*) indemne; – *vt* **to p. together** (*facts*) reconstituer; (*one's life*) refaire. ◆**piecemeal** *adv* petit à petit; – *a* (*unsystematic*) peu méthodique. ◆**piecework** *n* travail *m* à la tâche *or* à la pièce.

pier [pɪər] *n* (*promenade*) jetée *f*; (*for landing*) appontement *m*.

pierc/e [pɪəs] *vt* percer; (*of cold, sword, bullet*) transpercer (*qn*). ◆**–ing** *a* (*voice, look etc*) perçant; (*wind etc*) glacial.

piety ['paɪətɪ] *n* piété *f*.

piffling ['pɪflɪŋ] *a Fam* insignifiant.

pig [pɪg] *n* cochon *m*, porc *m*; (*evil person*) *Pej* cochon *m*; (*glutton*) *Pej* goinfre *m*. ◆**piggish** *a Pej* (*dirty*) sale; (*greedy*) goinfre. ◆**piggy** *a* (*greedy*) *Fam* goinfre. ◆**piggybank** *n* tirelire *f* (*en forme de cochon*).

pigeon ['pɪdʒɪn] *n* pigeon *m*. ◆**pigeonhole** *n* casier *m*; – *vt* classer; (*shelve*) mettre en suspens.

piggyback ['pɪgɪbæk] *n* **to give s.o. a p.** porter qn sur le dos.

pigheaded [pɪg'hedɪd] *a* obstiné.

pigment ['pɪgmənt] *n* pigment *m*. ◆**pigmen'tation** *n* pigmentation *f*.

pigsty ['pɪgstaɪ] *n* porcherie *f*.

pigtail ['pɪgteɪl] *n* (*hair*) natte *f*.

pike [paɪk] *n* **1** (*fish*) brochet *m*. **2** (*weapon*) pique *f*.

pilchard ['pɪltʃəd] *n* pilchard *m*, sardine *f*.

pile[1] [paɪl] *n* pile *f*; (*fortune*) *Fam* fortune *f*; **piles of, a p. of** *Fam* beaucoup de, un tas de; – *vt* **to p. (up)** (*stack up*) empiler; – *vi* **to p. into** (*of people*) s'entasser dans; **to p. up** (*accumulate*) s'accumuler, s'amonceler. ◆**p.-up** *n Aut* collision *f* en chaîne carambolage *m*.

pile[2] [paɪl] *n* (*of carpet*) poils *mpl*.

piles [paɪlz] *npl Med* hémorroïdes *fpl*.

pilfer ['pɪlfər] *vt* (*steal*) chaparder (**from s.o.** à qn). ◆**–ing** *n*, ◆**–age** *n* chapardage *m*.

pilgrim ['pɪlgrɪm] *n* pèlerin *m*. ◆**pilgrimage** *n* pèlerinage *m*.

pill [pɪl] *n* pilule *f*; **to be on the p.** (*of woman*) prendre la pilule; **to go on/off the p.** se mettre à/arrêter la pilule.

pillage ['pɪlɪdʒ] *vti* piller; – *n* pillage *m*.

pillar ['pɪlər] *n* pilier *m*; (*of smoke*) *Fig* colonne *f*. ◆**p.-box** *n* boîte *f* à *or* aux lettres (*située sur le trottoir*).

pillion ['pɪljən] *adv* **to ride p.** (*on motorbike*) monter derrière.

pillory ['pɪlərɪ] *vt* (*ridicule, scorn*) mettre au pilori.

pillow ['pɪləʊ] *n* oreiller *m*. ◆**pillowcase** *n*, ◆**pillowslip** *n* taie *f* d'oreiller.

pilot ['paɪlət] **1** *n* (*of aircraft, ship*) pilote *m*; – *vt* piloter; – *a* **p. light** (*on appliance*) voyant *m*. **2** *a* (*experimental*) (-)pilote; **p. scheme** projet(-)pilote *m*.

pimento [pɪ'mentəʊ] *n* (*pl* **-os**) piment *m*.

pimp [pɪmp] *n* souteneur *m*.

pimple ['pɪmp(ə)l] *n* bouton *m*. ◆**pimply** *a* (**-ier, iest**) boutonneux.

pin [pɪn] *n* épingle *f*; (*drawing pin*) punaise *f*; *Tech* goupille *f*, fiche *f*; **to have pins and needles** *Med Fam* avoir des fourmis (**in** dans); **p. money** argent *m* de poche; – *vt* (**-nn-**) **to p. (on)** (*attach*) épingler (**to** sur, à); (*to wall*) punaiser (**to, on** à); **to p. one's hopes on** mettre tous ses espoirs dans; **to p. on (to) s.o.** (*crime, action*) accuser qn de; **to p. down** (*immobilize*) immobiliser; (*fix*) fixer; (*enemy*) clouer; **to p. s.o. down** *Fig* forcer qn à préciser ses idées; **to p. up** (*notice*) afficher. ◆**pincushion** *n* pelote *f* (à épingles). ◆**pinhead** *n* tête *f* d'épingle.

pinafore ['pɪnəfɔːr] *n* (*apron*) tablier *m*; (*dress*) robe *f* chasuble.

pinball ['pɪnbɔːl] *a* **p. machine** flipper *m*.

pincers ['pɪnsəz] *npl* tenailles *fpl*.

pinch [pɪntʃ] **1** *n* (*mark*) pinçon *m*; (*of salt*) pincée *f*; **to give s.o. a p.** pincer qn; **at a p.**, *Am* **in a p.** (*if necessary*) au besoin; **to feel the p.** *Fig* souffrir (*du manque d'argent etc*); – *vt* pincer; – *vi* (*of shoes*) faire mal. **2** *vt* *Fam* (*steal*) piquer (**from** à); (*arrest*) pincer.

pine [paɪn] **1** *n* (*tree, wood*) pin *m*; **p. forest** pinède *f*. **2** *vi* **to p. for** désirer vivement (retrouver), languir après; **to p. away** dépérir.

pineapple ['paɪnæp(ə)l] *n* ananas *m*.

ping [pɪŋ] *n* bruit *m* métallique. ◆**pinger** *n* (*on appliance*) signal *m* sonore.

ping-pong ['pɪŋpɒŋ] *n* ping-pong *m*.

pink [pɪŋk] *a* & *n* (*colour*) rose (*m*).

pinkie ['pɪŋkɪ] *n* *Am* petit doigt *m*.

pinnacle ['pɪnək(ə)l] *n* (*highest point*) *Fig* apogée *m*.

pinpoint ['pɪnpɔɪnt] *vt* (*locate*) repérer; (*define*) définir.

pinstripe ['pɪnstraɪp] *a* (*suit*) rayé.

pint [paɪnt] *n* pinte *f* (*Br = 0,57 litre, Am = 0,47 litre*); **a p. of beer** = un demi.

pinup ['pɪnʌp] *n* (*girl*) pin-up *f inv*.

pioneer [paɪə'nɪər] *n* pionnier, -ière *mf*; – *vt* (*research, study*) entreprendre pour la première fois.

pious ['paɪəs] *a* (*person, deed*) pieux.

pip [pɪp] **1** *n* (*of fruit*) pépin *m*. **2** *n* (*on uniform*) *Mil* galon *m*, sardine *f*. **3** *npl* **the pips** (*sound*) *Tel* le bip-bip.

pip/e [paɪp] **1** *n* tuyau *m*; (*of smoker*) pipe *f*; (*instrument*) *Mus* pipeau *m*; **the pipes** (*bagpipes*) *Mus* la cornemuse; **(peace) p.** calumet *m* de la paix; **to smoke a p.** fumer la pipe; **p. cleaner** cure-pipe *m*; **p. dream** chimère *f*; – *vt* (*water etc*) transporter par tuyaux *or* par canalisation; **piped music** musique *f* (de fond) enregistrée. **2** *vi* **to p. down** (*shut up*) *Fam* la boucler, se taire. ◆**—ing** *n* (*system of pipes*) canalisations *fpl*, tuyaux *mpl*; **length of p.** tuyau *m*; – *adv* **it's p. hot** (*soup etc*) c'est très chaud. ◆**pipeline** *n* pipeline *m*; **it's in the p.** *Fig* c'est en route.

pirate ['paɪərət] *n* pirate *m*; – *a* (*radio, ship*) pirate. ◆**piracy** *n* piraterie *f*. ◆**pirated** *a* (*book, record etc*) pirate.

Pisces ['paɪsiːz] *npl* (*sign*) les Poissons *mpl*.

pistachio [pɪ'stæʃɪəʊ] *n* (*pl* **-os**) (*fruit, flavour*) pistache *f*.

pistol ['pɪstəl] *n* pistolet *m*.

piston ['pɪst(ə)n] *n* *Aut* piston *m*.

pit [pɪt] **1** *n* (*hole*) trou *m*; (*mine*) mine *f*; (*quarry*) carrière *f*; (*of stomach*) creux *m*; *Th* orchestre *m*; *Sp Aut* stand *m* de ravitaillement. **2** *vt* (**-tt-**) **to p. oneself** *or* **one's wits against** se mesurer à. **3** *n* (*stone of fruit*) *Am* noyau *m*. ◆**pitted** *a* **1** (*face*) grêlé; **p. with rust** piqué de rouille. **2** (*fruit*) *Am* dénoyauté.

pitch[1] [pɪtʃ] **1** *n* *Sp* terrain *m*; (*in market*) place *f*. **2** *n* (*degree*) degré *m*; (*of voice*) hauteur *f*; *Mus* ton *m*. **3** *vt* (*ball*) lancer; (*camp*) établir; (*tent*) dresser; **a pitched battle** *Mil* une bataille rangée; *Fig* une belle bagarre. **4** *vi* (*of ship*) tanguer. **5** *vi* **to p. in** (*cooperate*) *Fam* se mettre de la partie; **to p. into s.o.** attaquer qn.

pitch[2] [pɪtʃ] *n* (*tar*) poix *f*. ◆**p.-'black** *a*, ◆**p.-'dark** *a* noir comme dans un four.

pitcher ['pɪtʃər] *n* cruche *f*, broc *m*.

pitchfork ['pɪtʃfɔːk] *n* fourche *f* (à foin).

pitfall ['pɪtfɔːl] *n* (*trap*) piège *m*.

pith [pɪθ] *n* (*of orange*) peau *f* blanche; (*essence*) *Fig* moelle *f*. ◆**pithy** *a* (**-ier, -iest**) (*remark etc*) piquant et concis.

pitiful ['pɪtɪfəl] *a* pitoyable. ◆**pitiless** *a* impitoyable.

pittance ['pɪtəns] *n* (*income*) revenu *m* *or* salaire *m* misérable; (*sum*) somme *f* dérisoire.

pitter-patter ['pɪtəpætər] *n* = **patter 1.**

pity ['pɪtɪ] *n* pitié *f*; **(what) a p.!** (quel) dommage!; **it's a p.** c'est dommage (**that**

que (+ *sub*), **to do** de faire); **to have** *or* **take p. on** avoir pitié de; – *vt* plaindre.
pivot ['pɪvət] *n* pivot *m*; – *vi* pivoter.
pixie ['pɪksɪ] *n* (*fairy*) lutin *m*.
pizza ['piːtsə] *n* pizza *f*.
placard ['plækɑːd] *n* (*notice*) affiche *f*.
placate [plə'keɪt, *Am* 'pleɪkeɪt] *vt* calmer.
place [pleɪs] *n* endroit *m*; (*specific*) lieu *m*; (*house*) maison *f*; (*premises*) locaux *mpl*; (*seat, position, rank*) place *f*; **in the first p.** (*firstly*) en premier lieu; **to take p.** (*happen*) avoir lieu; **p. of work** lieu *m* de travail; **market p.** (*square*) place *f* du marché; **at my p., to my p.** *Fam* chez moi; **some p.** (*somewhere*) *Am* quelque part; **no p.** (*nowhere*) *Am* nulle part; **all over the p.** partout; **to lose one's p.** perdre sa place; (*in book etc*) perdre sa page; **p. setting** couvert *m*; **to lay three places** (*at the table*) mettre trois couverts; **to take the p. of** remplacer; **in p. of** à la place de; **out of p.** (*remark, object*) déplacé; (*person*) dépaysé; **p. mat** set *m* (de table); – *vt* (*put, situate, invest*) & *Sp* placer; (*an order*) *Com* passer (**with s.o.** à qn); (*remember*) se rappeler; (*identify*) reconnaître. ◆**placing** *n* (*of money*) placement *m*.
placid ['plæsɪd] *a* placide.
plagiarize ['pleɪdʒəraɪz] *vt* plagier. ◆**plagiarism** *n* plagiat *m*.
plague [pleɪg] **1** *n* (*disease*) peste *f*; (*nuisance*) *Fam* plaie *f*. **2** *vt* (*harass, pester*) harceler (**with** de).
plaice [pleɪs] *n* (*fish*) carrelet *m*, plie *f*.
plaid [plæd] *n* (*fabric*) tissu *m* écossais.
plain¹ [pleɪn] **1** *a* (**-er, -est**) (*clear, obvious*) clair; (*outspoken*) franc; (*simple*) simple; (*not patterned*) uni; (*woman, man*) sans beauté; (*sheer*) pur; **in p. clothes** en civil; **to make it p. to s.o. that** faire comprendre à qn que; **p. speaking** franc-parler *m*; – *adv* (*tired etc*) tout bonnement. ◆**—ly** *adv* clairement; franchement. ◆**—ness** *n* clarté *f*; simplicité *f*; manque *m* de beauté.
plain² [pleɪn] *n* *Geog* plaine *f*.
plaintiff ['pleɪntɪf] *n* *Jur* plaignant, -ante *mf*.
plait [plæt] *n* tresse *f*, natte *f*; – *vt* tresser, natter.
plan [plæn] *n* projet *m*; (*elaborate*) plan *m*; (*of house, book etc*) & *Pol Econ* plan *m*; **the best p. would be to . . .** le mieux serait de . . . ; **according to p.** comme prévu; **to have no plans** (*be free*) n'avoir rien de prévu; **to change one's plans** (*decide differently*) changer d'idée; **master p.** stratégie *f* d'ensemble; – *vt* (**-nn-**) (*envisage, decide on*) prévoir, projeter; (*organize*) organiser; (*prepare*) préparer; (*design*) concevoir; *Econ* planifier; **to p. to do** (*intend*) avoir l'intention de faire; **as planned** comme prévu; – *vi* faire des projets; **to p. for** (*rain, disaster*) prévoir. ◆**planning** *n* *Econ* planification *f*; (*industrial, commercial*) planning *m*; **family p.** planning *m* familial; **town p.** urbanisme *m*. ◆**planner** *n* **town p.** urbaniste *mf*.
plane [pleɪn] *n* **1** (*aircraft*) avion *m*. **2** *Carp* rabot *m*. **3** (*tree*) platane *m*. **4** (*level*) & *Fig* plan *m*.
planet ['plænɪt] *n* planète *f*. ◆**plane'tarium** *n* planétarium *m*. ◆**planetary** *a* planétaire.
plank [plæŋk] *n* planche *f*.
plant [plɑːnt] **1** *n* plante *f*; **house p.** plante d'appartement; – *vt* planter (**with** en, de); (*bomb*) *Fig* (dé)poser; **to p. sth on s.o.** (*hide*) cacher qch sur qn. **2** *n* (*machinery*) matériel *m*; (*fixtures*) installation *f*; (*factory*) usine *f*. ◆**plan'tation** *n* (*land, trees etc*) plantation *f*.
plaque [plæk] *n* **1** (*commemorative plate*) plaque *f*. **2** (*on teeth*) plaque *f* dentaire.
plasma ['plæzmə] *n* *Med* plasma *m*.
plaster ['plɑːstər] *n* (*substance*) plâtre *m*; (**sticking**) **p.** sparadrap *m*; **p. of Paris** plâtre *m* à mouler; **in p.** *Med* dans le plâtre; **p. cast** *Med* plâtre *m*; – *vt* plâtrer; **to p. down** (*hair*) plaquer; **to p. with** (*cover*) couvrir de. ◆**—er** *n* plâtrier *m*.
plastic ['plæstɪk] *a* (*substance, art*) plastique; (*object*) en plastique; **p. explosive** plastic *m*; **p. surgery** chirurgie *f* esthétique; – *n* plastique *m*, matière *f* plastique.
plasticine® ['plæstɪsiːn] *n* pâte *f* à modeler.
plate [pleɪt] *n* (*dish*) assiette *f*; (*metal sheet on door, on vehicle etc*) plaque *f*; (*book illustration*) gravure *f*; (*dental*) dentier *m*; **gold/silver p.** vaisselle *f* d'or/d'argent; **a lot on one's p.** (*work*) *Fig* du pain sur la planche; **p. glass** verre *m* à vitre; – *vt* (*jewellery, metal*) plaquer (**with** de). ◆**plateful** *n* assiettée *f*, assiette *f*.
plateau ['plætəʊ] *n* *Geog* (*pl* **-s** *or* **-x**) plateau *m*.
platform ['plætfɔːm] *n* estrade *f*; (*for speaker*) tribune *f*; (*on bus*) & *Pol* plate-forme *f*; *Rail* quai *m*; **p. shoes** chaussures *fpl* à semelles compensées.
platinum ['plætɪnəm] *n* (*metal*) platine *m*; – *a* **p.** *or* **p.-blond(e) hair** cheveux *mpl* platinés.
platitude ['plætɪtjuːd] *n* platitude *f*.
platonic [plə'tɒnɪk] *a* (*love etc*) platonique.
platoon [plə'tuːn] *n* *Mil* section *f*.

platter ['plætər] *n Culin* plat *m*.
plaudits ['plɔːdɪts] *npl* applaudissements *mpl*.
plausible ['plɔːzəb(ə)l] *a* (*argument etc*) plausible; (*speaker etc*) convaincant.
play [pleɪ] *n* (*amusement, looseness*) jeu *m*; *Th* pièce *f* (de théâtre), spectacle *m*; **a p. on words** un jeu de mots; **to come into p.** entrer en jeu; **to call into p.** faire entrer en jeu; – *vt* (*card, part, tune etc*) jouer; (*game*) jouer à; (*instrument*) jouer de; (*match*) disputer (**with** avec); (*team, opponent*) jouer contre; (*record*) passer; (*radio*) faire marcher; **to p. ball with** *Fig* coopérer avec; **to p. the fool** faire l'idiot; **to p. a part in doing/in sth** contribuer à faire/à qch; **to p. it cool** *Fam* garder son sang-froid; **to p. back** (*tape*) réécouter; **to p. down** minimiser; **to p. s.o. up** *Fam* (*of bad back etc*) tracasser qn; (*of child etc*) faire enrager qn; **played out** *Fam* (*tired*) épuisé; (*idea, method*) périmé, vieux jeu *inv*; – *vi* jouer (**with** avec, **at** à); (*of record player, tape recorder*) marcher; **what are you playing at?** *Fam* qu'est-ce que tu fais?; **to p. about** *or* **around** jouer, s'amuser; **to p. on** (*piano etc*) jouer de; (*s.o.'s emotions etc*) jouer sur; **to p. up** (*of child, machine etc*) *Fam* faire des siennes; **to p. up to s.o.** faire de la lèche à qn. ◆**—ing** *n* jeu *m*; **p. card** carte *f* à jouer; **p. field** terrain *m* de jeu. ◆**—er** *n Sp* joueur, -euse *mf*; *Th* acteur *m*, actrice *f*; **clarinette/***etc* **p.** joueur, -euse *mf* de clarinette/*etc*; **cassette p.** lecteur *m* de cassettes.
play-act ['pleɪækt] *vi* jouer la comédie. ◆**playboy** *n* playboy *m*. ◆**playgoer** *n* amateur *m* de théâtre. ◆**playground** *n Sch* cour *f* de récréation. ◆**playgroup** *n* = **playschool**. ◆**playmate** *n* camarade *mf*. ◆**playpen** *n* parc *m* (pour enfants). ◆**playroom** *n* (*in house*) salle *f* de jeux. ◆**playschool** *n* garderie *f* (d'enfants). ◆**plaything** *n* (*person*) *Fig* jouet *m*. ◆**playtime** *n Sch* récréation *f*. ◆**playwright** *n* dramaturge *mf*.
playful ['pleɪfəl] *a* enjoué; (*child*) joueur. ◆**—ly** *adv* (*to say*) en badinant. ◆**—ness** *n* enjouement *m*.
plc [piːel'siː] *abbr* (*public limited company*) SA.
plea [pliː] *n* (*request*) appel *m*; (*excuse*) excuse *f*; **to make a p. of guilty** *Jur* plaider coupable. ◆**plead** *vi Jur* plaider; **to p. with s.o. to do** implorer qn de faire; **to p. for** (*help etc*) implorer; – *vt Jur* plaider; (*as excuse*) alléguer. ◆**pleading** *n* (*requests*) prières *fpl*.
pleasant ['plezənt] *a* agréable; (*polite*) aimable. ◆**—ly** *adv* agréablement. ◆**—ness** *n* (*charm*) charme *m*; (*of person*) amabilité *f*. ◆**pleasantries** *npl* (*jokes*) plaisanteries *fpl*; (*polite remarks*) civilités *fpl*.
pleas/e [pliːz] *adv* s'il vous plaît, s'il te plaît; **p. sit down** asseyez-vous, je vous prie; **p. do!** bien sûr!, je vous en prie!; **'no smoking p.'** 'prière de ne pas fumer'; – *vt* plaire à; (*satisfy*) contenter; **hard to p.** difficile (à contenter), exigeant; **p. yourself!** comme tu veux!; – *vi* plaire; **do as you p.** fais comme tu veux; **as much** *or* **as many as you p.** autant qu'il vous plaira. ◆**—ed** *a* content (**with** de, **that** que (+ *sub*), **to do** de faire); **p. to meet you!** enchanté!; **I'd be p. to!** avec plaisir! ◆**—ing** *a* agréable, plaisant.
pleasure ['pleʒər] *n* plaisir *m*; **p. boat** bateau *m* de plaisance. ◆**pleasurable** *a* très agréable.
pleat [pliːt] *n* (*fold*) pli *m*; – *vt* plisser.
plebiscite ['plebɪsɪt, -saɪt] *n* plébiscite *m*.
pledge [pledʒ] **1** *n* (*promise*) promesse *f*, engagement *m* (**to do** de faire); – *vt* promettre (**to do** de faire). **2** *n* (*token, object*) gage *m*; – *vt* (*pawn*) engager.
plenty ['plentɪ] *n* abondance *f*; **in p.** en abondance; **p. of** beaucoup de; **that's p.** (*enough*) c'est assez, ça suffit. ◆**plentiful** *a* abondant.
plethora ['pleθərə] *n* pléthore *f*.
pleurisy ['plʊərɪsɪ] *n Med* pleurésie *f*.
pliable ['plaɪəb(ə)l] *a* souple.
pliers ['plaɪəz] *npl* (*tool*) pince(s) *f*(*pl*).
plight [plaɪt] *n* (*crisis*) situation *f* critique; (**sorry**) **p.** triste situation *f*.
plimsoll ['plɪmsəʊl] *n* chaussure *f* de tennis, tennis *f*.
plinth [plɪnθ] *n* socle *m*.
plod [plɒd] *vi* (**-dd-**) **to p. (along)** avancer *or* travailler laborieusement; **to p. through** (*book*) lire laborieusement. ◆**plodding** *a* (*slow*) lent; (*step*) pesant. ◆**plodder** *n* (*steady worker*) bûcheur, -euse *mf*.
plonk [plɒŋk] **1** *int* (*splash*) plouf! **2** *vt* **to p. (down)** (*drop*) *Fam* poser (bruyamment). **3** *n* (*wine*) *Pej Sl* pinard *m*.
plot [plɒt] **1** *n* (*conspiracy*) complot *m* (**against** contre); *Cin Th Liter* intrigue *f*; – *vti* (**-tt-**) comploter (**to do** de faire). **2** *n* **p. (of land)** terrain *m*; (*patch in garden*) carré *m* de terre; **building p.** terrain *m* à bâtir. **3** *vt* (**-tt-**) **to p. (out)** déterminer; (*graph, diagram*) tracer; (*one's position*) relever. ◆**plotting** *n* (*conspiracies*) complots *mpl*.
plough [plaʊ] *n* charrue *f*; – *vt* labourer; **to**

p. back into (*money*) *Fig* réinvestir dans; – *vi* labourer; **to p. into** (*crash into*) percuter; **to p. through** (*snow etc*) avancer péniblement dans; (*fence, wall*) défoncer. ◆**ploughman** *n* (*pl* **-men**) laboureur *m*; **p.'s lunch** *Culin* assiette *f* composée (*de crudités et fromage*).

plow [plaʊ] *Am* = **plough.**

ploy [plɔɪ] *n* stratagème *m*.

pluck [plʌk] **1** *n* courage *m*; – *vt* **to p. up courage** s'armer de courage. **2** *vt* (*fowl*) plumer; (*eyebrows*) épiler; (*string*) *Mus* pincer; (*flower*) cueillir. ◆**plucky** *a* (**-ier, -iest**) courageux.

plug [plʌg] **1** *n* (*of cotton wool, wood etc*) tampon *m*, bouchon *m*; (*for sink etc drainage*) bonde *f*; – *vt* (**-gg-**) **to p. (up)** (*stop up*) boucher. **2** *n El* fiche *f*, prise *f* (mâle); – *vt* (**-gg-**) **to p. in** brancher. **3** *n Aut* bougie *f*. **4** *n* (*publicity*) *Fam* battage *m* publicitaire; – *vt* (**-gg-**) *Fam* faire du battage publicitaire pour. **5** *vi* (**-gg-**) **to p. away** (*work*) *Fam* bosser (**at** à). ◆**plughole** *n* trou *m* (du lavabo *etc*), vidange *f*.

plum [plʌm] *n* prune *f*; **a p. job** *Fam* un travail en or, un bon fromage.

plumage ['pluːmɪdʒ] *n* plumage *m*.

plumb [plʌm] **1** *vt* (*probe, understand*) sonder. **2** *adv* (*crazy etc*) *Am Fam* complètement; **p. in the middle** en plein milieu.

plumber ['plʌmər] *n* plombier *m*. ◆**plumbing** *n* plomberie *f*.

plume [pluːm] *n* (*feather*) plume *f*; (*on hat etc*) plumet *m*; **a p. of smoke** un panache de fumée.

plummet ['plʌmɪt] *vi* (*of aircraft etc*) plonger; (*of prices*) dégringoler.

plump [plʌmp] **1** *a* (**-er, -est**) (*person*) grassouillet; (*arm, chicken*) dodu; (*cushion, cheek*) rebondi. **2** *vi* **to p. for** (*choose*) se décider pour, choisir. ◆**—ness** *n* rondeur *f*.

plunder ['plʌndər] *vt* piller; – *n* (*act*) pillage *m*; (*goods*) butin *m*.

plung/e [plʌndʒ] *vt* (*thrust*) plonger (**into** dans); – *vi* (*dive*) plonger (**into** dans); (*fall*) tomber (**from** de); (*rush*) se lancer; – *n* (*dive*) plongeon *m*; (*fall*) chute *f*; **to take the p.** *Fig* se jeter à l'eau. ◆**—ing** *a* (*neckline*) plongeant. ◆**—er** *n* ventouse *f* (*pour déboucher un tuyau*), débouchoir *m*.

plural ['plʊərəl] *a* (*form*) pluriel; (*noun*) au pluriel; – *n* pluriel *m*; **in the p.** au pluriel.

plus [plʌs] *prep* plus; – *a* (*factor etc*) & *El* positif; **twenty p.** vingt et quelques; – *n* **p.** (**sign**) *Math* (signe *m*) plus *m*; **it's a p.** c'est un (avantage en) plus.

plush [plʌʃ] *a* (**-er, -est**) (*splendid*) somptueux.

plutonium [pluː'təʊnɪəm] *n* plutonium *m*.

ply [plaɪ] **1** *vt* (*trade*) exercer; (*oar, tool*) *Lit* manier. **2** *vi* **to p. between** (*travel*) faire la navette entre. **3** *vt* **to p. s.o. with** (*whisky etc*) faire boire continuellement à qn; (*questions*) bombarder qn de.

p.m. [piː'em] *adv* (*afternoon*) de l'après-midi; (*evening*) du soir.

PM [piː'em] *n abbr* (*Prime Minister*) Premier ministre *m*.

pneumatic [njuː'mætɪk] *a* **p. drill** marteau-piqueur *m*, marteau *m* pneumatique.

pneumonia [njuː'məʊnɪə] *n* pneumonie *f*.

poach [pəʊtʃ] **1** *vt* (*egg*) pocher. **2** *vi* (*hunt, steal*) braconner; – *vt* (*employee from rival firm*) débaucher, piquer. ◆**—ing** *n* braconnage *m*. ◆**—er** *n* **1** (*person*) braconnier *m*. **2** (**egg**) **p.** pocheuse *f*.

PO Box [piːəʊ'bɒks] *abbr* (*Post Office Box*) BP.

pocket ['pɒkɪt] *n* poche *f*; (*area*) *Fig* petite zone *f*; (*of resistance*) poche *f*, îlot *m*; **I'm $5 out of p.** j'ai perdu 5 dollars; – *a* (*money, book etc*) de poche; – *vt* (*gain, steal*) empocher. ◆**pocketbook** *n* (*notebook*) carnet *m*; (*woman's handbag*) *Am* sac *m* à main. ◆**pocketful** *n* **a p. of** une pleine poche de.

pockmarked ['pɒkmɑːkt] *a* (*face*) grêlé.

pod [pɒd] *n* cosse *f*.

podgy ['pɒdʒɪ] *a* (**-ier, -iest**) (*arm etc*) dodu; (*person*) rondelet.

podium ['pəʊdɪəm] *n* podium *m*.

poem ['pəʊɪm] *n* poème *m*. ◆**poet** *n* poète *m*. ◆**po'etic** *a* poétique. ◆**poetry** *n* poésie *f*.

poignant ['pɔɪnjənt] *a* poignant.

point [pɔɪnt] **1** *n* (*of knife etc*) pointe *f*; *pl Rail* aiguillage *m*; (**power**) **p.** *El* prise *f* (de courant). **2** *n* (*dot, position, question, degree, score etc*) point *m*; (*decimal*) virgule *f*; (*meaning*) *Fig* sens *m*; (*importance*) intérêt *m*; (*remark*) remarque *f*; **p. of view** point *m* de vue; **at this p. in time** en ce moment; **on the p. of doing** sur le point de faire; **what's the p.?** à quoi bon? (**of waiting**/*etc* attendre/*etc*); **there's no p. (in) staying**/*etc* ça ne sert à rien de rester/*etc*; **that's not the p.** il ne s'agit pas de ça; **it's beside the p.** c'est à côté de la question; **to the p.** (*relevant*) pertinent; **get to the p.!** au fait!; **to make a p. of doing** prendre garde de faire; **his good**

points ses qualités *fpl*; **his bad points** ses défauts *mpl*. **3** *vt* (*aim*) pointer (**at** sur); (*vehicle*) tourner (**towards** vers); **to p. the way** indiquer le chemin (**to** à); *Fig* montrer la voie (**to** à); **to p. one's finger at** indiquer du doit, pointer son doigt vers; **to p. out** (*show*) indiquer; (*mention*) signaler (**that** que); – *vi* **to p. (at** *or* **to s.o.)** indiquer (qn) du doigt; **to p. to, be pointing to** (*show*) indiquer; **to p. east** indiquer l'est; **to be pointing** (*of vehicle*) être tourné (**towards** vers); (*of gun*) être braqué (**at** sur). ◆**—ed** *a* pointu; (*beard*) en pointe; (*remark, criticism*) *Fig* pertinent; (*incisive*) mordant. ◆**—edly** *adv* (*to the point*) avec pertinence; (*incisively*) d'un ton mordant. ◆**—er** *n* (*on dial etc*) index *m*; (*advice*) conseil *m*; (*clue*) indice *m*; **to be a p. to** (*possible solution etc*) laisser entrevoir. ◆**—less** *a* inutile, futile. ◆**—lessly** *adv* inutilement.

point-blank [pɔɪnt'blæŋk] *adv* & *a* (*to shoot, a shot*) à bout portant; (*to refuse, a refusal*) *Fig* (tout) net; (*to request, a request*) de but en blanc.

pois/e [pɔɪz] *n* (*balance*) équilibre *m*; (*of body*) port *m*; (*grace*) grâce *f*; (*confidence*) assurance *f*, calme *m*; – *vt* tenir en équilibre. ◆**—ed** *a* en équilibre; (*hanging*) suspendu; (*composed*) calme; **p. to attack**/*etc* (*ready*) prêt à attaquer/*etc*.

poison ['pɔɪz(ə)n] *n* poison *m*; (*of snake*) venin *m*; **p. gas** gaz *m* toxique; – *vt* empoisonner; **to p. s.o.'s mind** corrompre qn. ◆**poisoning** *n* empoisonnement *m*. ◆**poisonous** *a* (*fumes, substance*) toxique; (*snake*) venimeux; (*plant*) vénéneux.

pok/e [pəʊk] *vt* (*push*) pousser (*avec un bâton etc*); (*touch*) toucher; (*fire*) tisonner; **to p. sth into** (*put, thrust*) fourrer *or* enfoncer qch dans; **to p. one's finger at** pointer son doigt vers; **to p. one's nose into** fourrer le nez dans; **to p. a hole in** faire un trou dans; **to p. one's head out of the window** passer la tête par la fenêtre; **to p. out s.o.'s eye** crever un œil à qn; – *vi* pousser; **to p. about** *or* **around in** fouiner dans; – *n* (*jab*) (petit) coup *m*; (*shove*) poussée *f*, coup *m*. ◆**—er** *n* **1** (*for fire*) tisonnier *m*. **2** *Cards* poker *m*.

poky ['pəʊkɪ] *a* (**-ier, -iest**) (*small*) exigu et misérable, rikiki; (*slow*) *Am* lent.

Poland ['pəʊlənd] *n* Pologne *f*. ◆**Pole** *n* Polonais, -aise *mf*.

polarize ['pəʊləraɪz] *vt* polariser.

pole [pəʊl] *n* **1** (*rod*) perche *f*; (*fixed*) poteau *m*; (*for flag*) mât *m*. **2** *Geog* pôle *m*; **North/South P.** pôle Nord/Sud. ◆**polar** *a* polaire; **p. bear** ours *m* blanc.

polemic [pə'lemɪk] *n* polémique *f*. ◆**polemical** *a* polémique.

police [pə'liːs] *n* police *f*; **more** *or* **extra p.** des renforts *mpl* de police; – *a* (*inquiry etc*) de la police; (*state, dog*) policier; **p. cadet** agent *m* de police stagiaire; **p. car** voiture *f* de police; **p. force** police *f*; – *vt* (*city etc*) maintenir l'ordre *or* la paix dans; (*frontier*) contrôler. ◆**policeman** *n* (*pl* **-men**) agent *m* de police. ◆**policewoman** *n* (*pl* **-women**) femme-agent *f*.

policy ['pɒlɪsɪ] *n* **1** *Pol Econ etc* politique *f*; (*individual course of action*) règle *f*, façon *f* d'agir; *pl* (*ways of governing*) *Pol* politique *f*; **matter of p.** question *f* de principe. **2** **(insurance) p.** police *f* (d'assurance); **p. holder** assuré, -ée *mf*.

polio(myelitis) ['pəʊlɪəʊ(maɪə'laɪtɪs)] *n* polio(myélite) *f*; **p. victim** polio *mf*.

polish ['pɒlɪʃ] *vt* (*floor, table, shoes etc*) cirer; (*metal*) astiquer; (*rough surface*) polir; (*manners*) *Fig* raffiner; (*style*) *Fig* polir; **to p. up** (*one's French etc*) travailler; **to p. off** (*food, work etc*) *Fam* liquider, finir (en vitesse); – *n* (*for shoes*) cirage *m*; (*for floor, furniture*) cire *f*; (*shine*) vernis *m*; *Fig* raffinement *m*; **(nail) p.** vernis *m* (à ongles); **to give sth a p.** faire briller qch.

Polish ['pəʊlɪʃ] *a* polonais; – *n* (*language*) polonais *m*.

polite [pə'laɪt] *a* (**-er, -est**) poli (**to, with** avec); **in p. society** dans la bonne société. ◆**—ly** *adv* poliment. ◆**—ness** *n* politesse *f*.

political [pə'lɪtɪk(ə)l] *a* politique. ◆**poli'tician** *n* homme *m* or femme *f* politique. ◆**politicize** *vt* politiser. ◆**'politics** *n* politique *f*.

polka ['pɒlkə, *Am* 'pəʊlkə] *n* (*dance*) polka *f*; **p. dot** pois *m*.

poll [pəʊl] *n* (*voting*) scrutin *m*, élection *f*; (*vote*) vote *m*; (*turnout*) participation *f* électorale; (*list*) liste *f* électorale; **to go to the polls** aller aux urnes; **(opinion) p.** sondage *m* (d'opinion); **50% of the p.** 50% des votants; – *vt* (*votes*) obtenir; (*people*) sonder l'opinion de. ◆**—ing** *n* (*election*) élections *fpl*; **p. booth** isoloir *m*; **p. station** bureau *m* de vote.

pollen ['pɒlən] *n* pollen *m*.

pollute [pə'luːt] *vt* polluer. ◆**pollutant** *n* polluant *m*. ◆**pollution** *n* pollution *f*.

polo ['pəʊləʊ] *n Sp* polo *m*; **p. neck** (*sweater, neckline*) col *m* roulé.

polyester [pɒlɪ'estər] *n* polyester *m*.

Polynesia [pɒlɪ'niːʒə] *n* Polynésie *f*.
polytechnic [pɒlɪ'teknɪk] *n* institut *m* universitaire de technologie.
polythene ['pɒlɪθiːn] *n* polyéthylène *m*; **p. bag** sac *m* en plastique.
pomegranate ['pɒmɪgrænɪt] *n* (*fruit*) grenade *f*.
pomp [pɒmp] *n* pompe *f*. ◆**pom'posity** *n* emphase *f*, solennité *f*. ◆**pompous** *a* pompeux.
pompon ['pɒmpɒn] *n* (*ornament*) pompon *m*.
pond [pɒnd] *n* étang *m*; (*stagnant*) mare *f*; (*artificial*) bassin *m*.
ponder ['pɒndər] *vt* **to p. (over)** réfléchir à; – *vi* réfléchir.
ponderous ['pɒndərəs] *a* (*heavy, slow*) pesant.
pong [pɒŋ] *n Sl* mauvaise odeur *f*; – *vi* (*stink*) *Sl* schlinguer.
pontificate [pɒn'tɪfɪkeɪt] *vi* (*speak*) *Pej* pontifier (**about** sur).
pony ['pəʊnɪ] *n* poney *m*. ◆**ponytail** *n* (*hair*) queue *f* de cheval.
poodle ['puːd(ə)l] *n* caniche *m*.
poof [pʊf] *n* (*homosexual*) *Pej Sl* pédé *m*.
pooh! [puː] *int* bah!; (*bad smell*) ça pue!
pooh-pooh [puː'puː] *vt* (*scorn*) dédaigner; (*dismiss*) se moquer de.
pool [puːl] **1** *n* (*puddle*) flaque *f*; (*of blood*) mare *f*; (*pond*) étang *m*; (*for swimming*) piscine *f*. **2** *n* (*of experience, talent*) réservoir *m*; (*of advisers etc*) équipe *f*; (*of typists*) *Com* pool *m*; (*kitty*) cagnotte *f*; **(football) pools** prognostics *mpl* (*sur les matchs de football*); – *vt* (*share*) mettre en commun; (*combine*) unir. **3** *n Sp* billard *m* américain.
pooped [puːpt] *a* (*exhausted*) *Am Fam* vanné, crevé.
poor [pʊər] *a* (**-er, -est**) (*not rich, deserving pity*) pauvre; (*bad*) mauvais; (*inferior*) médiocre; (*meagre*) maigre; (*weak*) faible; **p. thing!** le *or* la pauvre!; – *n* **the p.** les pauvres *mpl*. ◆**—ly 1** *adv* (*badly*) mal; (*clothed, furnished*) pauvrement. **2** *a* (*ill*) malade.
pop[1] [pɒp] **1** *int* pan! – *n* (*noise*) bruit *m* sec; **to go p.** faire pan; (*of champagne bottle*) faire pop; – *vt* (**-pp-**) (*balloon etc*) crever; (*bottle top, button*) faire sauter; – *vi* (*burst*) crever; (*come off*) sauter; (*of ears*) se déboucher. **2** *vt* (*put*) *Fam* mettre; – *vi Fam* **to p. in** (*go in*) entrer (en passant); **to p. off** (*leave*) partir; **to p. out** sortir (un instant); **to p. over** *or* **round** faire un saut (**to** chez); **to p. up** (*of person*) surgir, réapparaître; (*of question etc*) surgir. ◆**p.-'eyed** *a* aux yeux exorbités. ◆**p.-up book** *n* livre *m* en relief.
pop[2] [pɒp] **1** *n* (*music*) pop *m*; – *a* (*concert, singer etc*) pop *inv*. **2** *n* (*father*) *Am Fam* papa *m*. **3** *n* **(soda) p.** (*drink*) *Am* soda *m*.
popcorn ['pɒpkɔːn] *n* pop-corn *m*.
pope [pəʊp] *n* pape *m*; **p.'s nose** (*of chicken*) croupion *m*.
poplar ['pɒplər] *n* (*tree, wood*) peuplier *m*.
poppy ['pɒpɪ] *n* (*cultivated*) pavot *m*; (*red, wild*) coquelicot *m*.
poppycock ['pɒpɪkɒk] *n Fam* fadaises *fpl*.
popsicle® ['pɒpsɪk(ə)l] *n* (*ice lolly*) *Am* esquimau *m*.
popular ['pɒpjʊlər] *a* (*person, song, vote, science etc*) populaire; (*fashionable*) à la mode; **to be p. with** plaire beaucoup à. ◆**popu'larity** *n* popularité *f* (**with** auprès de). ◆**popularize** *vt* populariser; (*science, knowledge*) vulgariser. ◆**popularly** *adv* communément.
populat/e ['pɒpjʊleɪt] *vt* peupler. ◆**—ed** *a* peuplé (**with** de). ◆**popu'lation** *n* population *f*. ◆**populous** *a* (*crowded*) populeux.
porcelain ['pɔːsəlɪn] *n* porcelaine *f*.
porch [pɔːtʃ] *n* porche *m*; (*veranda*) *Am* véranda *f*.
porcupine ['pɔːkjʊpaɪn] *n* (*animal*) porc-épic *m*.
pore [pɔːr] **1** *n* (*of skin*) pore *m*. **2** *vi* **to p. over** (*book, question etc*) étudier de près. ◆**porous** *a* poreux.
pork [pɔːk] *n* (*meat*) porc *m*; **p. butcher** charcutier, -ière *mf*.
pornography [pɔː'nɒgrəfɪ] *n* (*Fam* **porn**) pornographie *f*. ◆**porno'graphic** *a* pornographique, porno (*f inv*).
porpoise ['pɔːpəs] *n* (*sea animal*) marsouin *m*.
porridge ['pɒrɪdʒ] *n* porridge *m*; **p. oats** flocons *mpl* d'avoine.
port [pɔːt] **1** *n* (*harbour*) port *m*; **p. of call** escale *f*; – *a* (*authorities, installations etc*) portuaire. **2** *n* **p. (side)** (*left*) *Nau Av* bâbord *m*; – *a* de bâbord. **3** *n* (*wine*) porto *m*.
portable ['pɔːtəb(ə)l] *a* portatif, portable.
portal ['pɔːt(ə)l] *n* portail *m*.
porter ['pɔːtər] *n* (*for luggage*) porteur *m*; (*doorman*) portier *m*; (*caretaker*) concierge *m*, (*of public building*) gardien, -ienne *mf*.
portfolio [pɔːt'fəʊlɪəʊ] *n* (*pl* **-os**) *Com Pol* portefeuille *m*.
porthole ['pɔːthəʊl] *n Nau Av* hublot *m*.
portico ['pɔːtɪkəʊ] *n* (*pl* **-oes** *or* **-os**) *Archit* portique *m*; (*of house*) porche *m*.
portion ['pɔːʃ(ə)n] *n* (*share, helping*) portion

f; (*of train, book etc*) partie *f*; – *vt* **to p. out** répartir.

portly ['pɔːtlɪ] *a* (**-ier, -iest**) corpulent.

portrait ['pɔːtrɪt, 'pɔːtreɪt] *n* portrait *m*; **p. painter** portraitiste *mf*.

portray [pɔː'treɪ] *vt* (*describe*) représenter. ◆**portrayal** *n* portrait *m*, représentation *f*.

Portugal ['pɔːtjʊg(ə)l] *n* Portugal. ◆**Portu'guese** *a* & *n inv* portugais, -aise (*mf*); – *n* (*language*) portugais *m*.

pose [pəʊz] **1** *n* (*in art or photography*) & *Fig* pose *f*; – *vi* (*of model etc*) poser (**for** pour); **to p. as a lawyer/***etc* se faire passer pour un avocat/*etc*. **2** *vt* (*question*) poser. ◆**poser** *n* **1** (*question*) *Fam* colle *f*. **2** = **poseur.** ◆**poseur** [-'zɜːr] *n Pej* poseur, -euse *mf*.

posh [pɒʃ] *a Pej Fam* (*smart*) chic *inv*; (*snobbish*) snob (*f inv*).

position [pə'zɪʃ(ə)n] *n* (*place, posture, opinion etc*) position *f*; (*of building, town*) emplacement *m*, position *f*; (*job, circumstances*) situation *f*; (*customer window in bank etc*) guichet *m*; **in a p. to do** en mesure *or* en position de faire; **in a good p. to do** bien placé pour faire; **in p.** en place, en position; – *vt* (*camera, machine etc*) mettre en position; (*put*) placer.

positive ['pɒzɪtɪv] *a* positif; (*order*) catégorique; (*progress, change*) réel; (*tone*) assuré; (*sure*) sûr, certain (**of** de, **that** que); **a p. genius** *Fam* un vrai génie. ◆**—ly** *adv* (*for certain*) & *El* positivement; (*undeniably*) indéniablement; (*completely*) complètement; (*categorically*) catégoriquement.

possess [pə'zes] *vt* posséder. ◆**possession** *n* possession *f*; **in p. of** en possession de; **to take p. of** prendre possession de. ◆**possessive** *a* (*adjective, person etc*) possessif; – *n Gram* possessif *m*. ◆**possessor** *n* possesseur *m*.

possible ['pɒsəb(ə)l] *a* possible (**to do** à faire); **it is p. (for us) to do it** il (nous) est possible de le faire; **it is p. that** il est possible que (+ *sub*); **as far as p.** dans la mesure du possible; **if p.** si possible; **as much** *or* **as many as p.** autant que possible; – *n* (*person, object*) *Fam* choix *m* possible. ◆**possi'bility** *n* possibilité; **some p. of** quelques chances *fpl* de; **there's some p. that** il est (tout juste) possible que (+ *sub*); **she has possibilities** elle promet; **it's a distinct p.** c'est bien possible. ◆**possibly** *adv* **1** (*with can, could etc*) **if you p. can** si cela t'est possible; **to do all one p. can** faire tout son possible (**to do** pour faire); **he cannot p. stay** il ne peut absolument pas rester. **2** (*perhaps*) peut-être.

post[1] [pəʊst] *n* (*postal system*) poste *f*; (*letters*) courrier *m*; **by p.** par la poste; **to catch/miss the p.** avoir/manquer la levée; – *a* (*bag, code etc*) postal; **p. office** (bureau *m* de) poste *f*; **P. Office** (*administration*) (service *m* des) postes *fpl*; – *vt* (*put in postbox*) poster, mettre à la poste; (*send*) envoyer; **to keep s.o. posted** *Fig* tenir qn au courant. ◆**postage** *n* tarif *m* (postal), tarifs *mpl* (postaux) (**to** pour); **p. stamp** timbre-poste *m*. ◆**postal** *a* (*district etc*) postal; (*inquiries*) par la poste; (*clerk*) des postes; (*vote*) par correspondance. ◆**postbox** *n* boîte *f* à *or* aux lettres. ◆**postcard** *n* carte *f* postale. ◆**postcode** *n* code *m* postal. ◆**post-'free** *adv*, ◆**post'paid** *adv* franco.

post[2] [pəʊst] *n* (*job, place*) & *Mil* poste *m*; – *vt* (*sentry, guard*) poster; (*employee*) affecter (**to** à). ◆**—ing** *n* (*appointment*) affectation *f*.

post[3] [pəʊst] *n* (*pole*) poteau *m*; (*of bed, door*) montant *m*; **finishing** *or* **winning p.** *Sp* poteau *m* d'arrivée; – *vt* **to p. (up)** (*notice etc*) afficher.

post- [pəʊst] *pref* post-; **p.-1800** après 1800.

postdate [pəʊst'deɪt] *vt* postdater.

poster ['pəʊstər] *n* affiche *f*; (*for decoration*) poster *m*.

posterior [pɒ'stɪərɪər] *n* (*buttocks*) *Hum* postérieur *m*.

posterity [pɒ'sterɪtɪ] *n* postérité *f*.

postgraduate [pəʊst'grædʒʊət] *a* (*studies etc*) *Univ* de troisième cycle; – *n* étudiant, -ante *mf* de troisième cycle.

posthumous ['pɒstjʊməs] *a* posthume. ◆**—ly** *adv* à titre posthume.

postman ['pəʊstmən] *n* (*pl* **-men**) facteur *m*. ◆**postmark** *n* cachet *m* de la poste; – *vt* oblitérer. ◆**postmaster** *n* receveur *m* (des postes).

post-mortem [pəʊst'mɔːtəm] *n* **p.-mortem (examination)** autopsie *f* (**on** de).

postpone [pəʊ'spəʊn] *vt* remettre (**for** de), renvoyer (à plus tard). ◆**—ment** *n* remise *f*, renvoi *m*.

postscript ['pəʊstskrɪpt] *n* post-scriptum *m inv*.

postulate ['pɒstjʊleɪt] *vt* postuler.

posture ['pɒstʃər] *n* posture *f*; *Fig* attitude *f*; – *vi* (*for effect*) *Pej* poser.

postwar ['pəʊstwɔːr] *a* d'après-guerre.

posy ['pəʊzɪ] *n* petit bouquet *m* (de fleurs).

pot [pɒt] **1** *n* pot *m*; (*for cooking*) marmite *f*; **pots and pans** casseroles *fpl*; **jam p.** pot *m* à confiture; **to take p. luck** tenter sa chance; (*with food*) manger à la fortune du pot; **to go to p.** *Fam* aller à la ruine; **gone to p.** (*person, plans etc*) *Fam* fichu; – *vt* (**-tt-**) mettre en pot. **2** *n* (*marijuana*) *Sl* marie-jeanne *f*; (*hashish*) *Sl* haschisch *m*. ◆**potted** *a* **1** (*plant*) en pot; (*jam, meat*) en bocaux. **2** (*version etc*) abrégé, condensé.

potato [pə'teɪtəʊ] *n* (*pl* **-oes**) pomme *f* de terre; **p. peeler** (*knife*) couteau *m* à éplucher, éplucheur *m*; **p. crisps,** *Am* **p. chips** pommes *fpl* chips.

potbelly ['pɒtbelɪ] *n* bedaine *f*. ◆**potbellied** *a* ventru.

potent ['pəʊtənt] *a* puissant; (*drink*) fort; (*man*) viril. ◆**potency** *n* puissance *f*; (*of man*) virilité *f*.

potential [pə'tenʃ(ə)l] *a* (*danger, resources*) potentiel; (*client, sales*) éventuel; (*leader, hero etc*) en puissance; – *n* potentiel *m*; *Fig* (perspectives *fpl* d')avenir *m*; **to have p.** avoir de l'avenir. ◆**potenti'ality** *n* potentialité *f*; *pl Fig* (perspectives *fpl* d')avenir *m*. ◆**potentially** *adv* potentiellement.

pothole ['pɒthəʊl] *n* (*in road*) nid *m* de poules; (*in rock*) gouffre *m*; (*cave*) caverne *f*. ◆**potholing** *n* spéléologie *f*.

potion ['pəʊʃ(ə)n] *n* breuvage *m* magique; *Med* potion *f*.

potshot ['pɒtʃɒt] *n* **to take a p.** faire un carton (**at** sur).

potter ['pɒtər] **1** *n* (*person*) potier *m*. **2** *vi* **to p. (about)** bricoler. ◆**pottery** *n* (*art*) poterie *f*; (*objects*) poteries *fpl*; **a piece of p.** une poterie.

potty ['pɒtɪ] *a* **1** (**-ier, -iest**) (*mad*) *Fam* toqué. **2** *n* pot *m* (de bébé).

pouch [paʊtʃ] *n* petit sac *m*; (*of kangaroo, under eyes*) poche *f*; (*for tobacco*) blague *f*.

pouf(fe) [puːf] *n* (*seat*) pouf *m*.

poultice ['pəʊltɪs] *n Med* cataplasme *m*.

poultry ['pəʊltrɪ] *n* volaille *f*. ◆**poulterer** *n* volailler *m*.

pounce [paʊns] *vi* (*leap*) bondir, sauter (**on** sur); **to p. on** (*idea*) *Fig* sauter sur; – *n* bond *m*.

pound [paʊnd] **1** *n* (*weight*) livre *f* (= *453,6 grammes*); **p. (sterling)** livre *f* (sterling). **2** *n* (*for cars, dogs*) fourrière *f*. **3** *vt* (*spices, nuts etc*) piler; (*meat*) attendrir; (*bombard*) *Mil* pilonner; **to p. (on)** (*thump*) *Fig* taper sur, marteler; (*of sea*) battre; – *vi* (*of heart*) battre à tout rompre; (*walk heavily*) marcher à pas pesants.

pour [pɔːr] *vt* (*liquid*) verser; (*wax*) couler; **to p. money into** investir beaucoup d'argent dans; **to p. away** *or* **off** (*empty*) vider; **to p. out** verser; (*empty*) vider; (*feelings*) épancher (to devant); – *vi* **to p. (out)** (*of liquid*) couler *or* sortir à flots; **to p. in** (*of liquid, sunshine*) entrer à flots; (*of people, money*) *Fig* affluer; **to p. out** (*of people*) sortir en masse (**from** de); (*of smoke*) s'échapper (**from** de); **it's pouring (down)** il pleut à verse; **pouring rain** pluie *f* torrentielle.

pout [paʊt] *vti* **to p. (one's lips)** faire la moue; – *n* moue *f*.

poverty ['pɒvətɪ] *n* pauvreté *f*; **(grinding** *or* **extreme) p.** misère *f*. ◆**p.-stricken** *a* (*person*) indigent; (*conditions*) misérable.

powder ['paʊdər] *n* poudre *f*; **p. keg** (*place*) *Fig* poudrière *f*; **p. puff** houppette *f*; **p. room** toilettes *fpl* (*pour dames*); – *vt* (*hair, skin*) poudrer; **to p. one's face** *or* **nose** se poudrer. ◆**—ed** *a* (*milk, eggs*) en poudre. ◆**powdery** *a* (*snow*) poudreux; (*face*) couvert de poudre.

power ['paʊər] *n* (*ability, authority*) pouvoir *m*; (*strength, nation*) & *Math Tech* puissance *f*; (*energy*) *Phys Tech* énergie *f*; (*current*) *El* courant *m*; **he's a p. within the firm** c'est un homme de poids au sein de l'entreprise; **in p.** *Pol* au pouvoir; **in one's p.** en son pouvoir; **the p. of speech** la faculté de la parole; **p. cut** coupure *f* de courant; **p. station,** *Am* **p. plant** *El* centrale *f* (électrique); – *vt* **to be powered by** être actionné *or* propulsé par; (*gas, oil etc*) fonctionnant à. ◆**powerful** *a* puissant. ◆**powerfully** *adv* puissamment. ◆**powerless** *a* impuissant (**to do** à faire).

practicable ['præktɪkəb(ə)l] *a* (*project, road etc*) praticable.

practical ['præktɪk(ə)l] *a* (*knowledge, person, tool etc*) pratique; **p. joke** farce *f*. ◆**practi'cality** *n* (*of scheme etc*) aspect *m* pratique; (*of person*) sens *m* pratique; (*detail*) détail *m* pratique.

practically ['præktɪk(ə)lɪ] *adv* (*almost*) pratiquement.

practice ['præktɪs] *n* (*exercise, proceeding*) pratique *f*; (*habit*) habitude *f*; *Sp* entraînement *m*; (*rehearsal*) répétition *f*; (*of profession*) exercice *m* (**of** de); (*clients*) clientèle *f*; **to put into p.** mettre en pratique; **in p.** (*in reality*) en pratique; **to be in p.** (*have skill etc*) être en forme; (*of doctor, lawyer*) exercer; **to be in general p.** (*of doctor*) faire de la médecine générale; **to be out of p.** avoir perdu la pratique. ◆**practis/e** *vt* (*put into practice*) pratiquer; (*medicine, law etc*) exercer; (*flute,* *piano etc*) s'exercer à; (*language*) (s'exercer à) parler (**on** avec); (*work at*) travailler; (*do*) faire; – *vi Mus Sp* s'exercer; (*of doctor, lawyer*) exercer; – *n Am* = **practice**. ◆**—ed** *a* (*experienced*) chevronné; (*ear, eye*) exercé. ◆**—ing** *a Rel* pratiquant; (*doctor, lawyer*) exerçant.

practitioner [præk'tɪʃ(ə)nər] *n* praticien, -ienne *mf*; **general p.** (médecin *m*) généraliste *m*.

pragmatic [præg'mætɪk] *a* pragmatique.

prairie(s) ['preərɪ(z)] *n*(*pl*) (*in North America*) Prairies *fpl*.

praise [preɪz] *vt* louer (**for sth** de qch); **to p. s.o. for doing** *or* **having done** louer qn d'avoir fait; – *n* louange(s) *f*(*pl*), éloge(s) *m*(*pl*), **in p. of** à la louange de. ◆**praiseworthy** *a* digne d'éloges.

pram [præm] *n* landau *m*, voiture *f* d'enfant.

prance [prɑːns] *vi* **to p. about** (*of dancer etc*) caracoler; (*strut*) se pavaner; (*go about*) *Fam* se balader.

prank [præŋk] *n* (*trick*) farce *f*, tour *m*; (*escape*) frasque *f*.

prattle ['præt(ə)l] *vi* jacasser.

prawn [prɔːn] *n* crevette *f* (rose), bouquet *m*.

pray [preɪ] *vt Lit* prier (**that** que (+ *sub*), **s.o. to do** qn de faire); – *vi Rel* prier; **to p. (to God) for sth** prier Dieu pour qu'il nous accorde qch. ◆**prayer** [preər] *n* prière *f*.

pre- [priː] *pref* **p.-1800** avant 1800.

preach [priːtʃ] *vti* prêcher; (*sermon*) faire; **to p. to s.o.** *Rel & Fig* prêcher qn. ◆**—ing** *n* prédication *f*. ◆**—er** *n* prédicateur *m*.

preamble [priː'æmb(ə)l] *n* préambule *m*.

prearrange [priːə'reɪndʒ] *vt* arranger à l'avance.

precarious [prɪ'keərɪəs] *a* précaire.

precaution [prɪ'kɔːʃ(ə)n] *n* précaution *f* (**of doing** de faire); **as a p.** par précaution.

preced/e [prɪ'siːd] *vti* précéder; **to p. sth by sth** faire précéder qch de qch. ◆**—ing** *a* précédent.

precedence ['presɪdəns] *n* (*in rank*) préséance *f*; (*importance*) priorité *f*; **to take p. over** avoir la préséance sur; avoir la priorité sur. ◆**precedent** *n* précédent *m*.

precept ['priːsept] *n* précept *m*.

precinct ['priːsɪŋkt] *n* (*of convent etc*) enceinte *f*; (*boundary*) limite *f*; (*of town*) *Am Pol* circonscription *f*; (*for shopping*) zone *f* (piétonnière).

precious ['preʃəs] **1** *a* précieux; **her p. little bike** *Iron* son cher petit vélo. **2** *adv* **p. few, p. little** *Fam* très peu (de).

precipice ['presɪpɪs] *n* (*sheer face*) *Geog* à-pic *m inv*; (*chasm*) *Fig* précipice *m*.

precipitate [prɪ'sɪpɪteɪt] *vt* (*hasten, throw*) & *Ch* précipiter; (*trouble, reaction etc*) provoquer, déclencher. ◆**precipi'tation** *n* (*haste*) & *Ch* précipitation *f*; (*rainfall*) précipitations *fpl*.

précis ['preɪsiː, *pl* 'preɪsiːz] *n inv* précis *m*.

precise [prɪ'saɪs] *a* précis; (*person*) minutieux. ◆**—ly** *adv* (*accurately, exactly*) précisément; **at 3 o'clock p.** à 3 heures précises; **p. nothing** absolument rien. ◆**precision** *n* précision *f*.

preclude [prɪ'kluːd] *vt* (*prevent*) empêcher (**from doing** de faire); (*possibility*) exclure.

precocious [prɪ'kəʊʃəs] *a* (*child etc*) précoce. ◆**—ness** *n* précocité *f*.

preconceived [priːkən'siːvd] *a* préconçu. ◆**preconception** *n* préconception *f*.

precondition [priːkən'dɪʃ(ə)n] *n* préalable *m*.

precursor [priː'kɜːsər] *n* précurseur *m*.

predate [priː'deɪt] *vt* (*precede*) précéder; (*cheque etc*) antidater.

predator ['predətər] *n* (*animal*) prédateur *m*. ◆**predatory** *a* (*animal, person*) rapace.

predecessor ['priːdɪsesər] *n* prédécesseur *m*.

predicament [prɪ'dɪkəmənt] *n* situation *f* fâcheuse.

predict [prɪ'dɪkt] *vt* prédire. ◆**predictable** *a* prévisible. ◆**prediction** *n* prédiction *f*.

predispose [priːdɪ'spəʊz] *vt* prédisposer (**to do** à faire). ◆**predispo'sition** *n* prédisposition *f*.

predominant [prɪ'dɒmɪnənt] *a* prédominant. ◆**predominance** *n* prédominance *f*. ◆**predominantly** *adv* (*almost all*) pour la plupart, en majorité. ◆**predominate** *vi* prédominer (**over** sur).

preeminent [priː'emɪnənt] *a* prééminent.

preempt [priː'empt] *vt* (*decision, plans etc*) devancer.

preen [priːn] *vt* (*feathers*) lisser; **she's preening herself** *Fig* elle se bichonne.

prefab ['priːfæb] *n Fam* maison *f* préfabriquée. ◆**pre'fabricate** *vt* préfabriquer.

preface ['prefɪs] *n* préface *f*; – *vt* (*speech etc*) faire précéder (**with** de).

prefect ['priːfekt] *n Sch* élève *mf* chargé(e) de la discipline; (*French official*) préfet *m*.

prefer [prɪ'fɜːr] *vt* (**-rr-**) préférer (**to** à), aimer mieux (**to** que); **to p. to do** préférer faire, aimer mieux faire; **to p. charges** *Jur* porter plainte (**against** contre). ◆**'preferable** *a* préférable (**to** à). ◆**'preferably** *adv* de préférence. ◆**'preference** *n* préférence *f* (**for** pour); **in p. to** de préférence à. ◆**prefe'rential** *a* préférentiel.

prefix ['priːfɪks] *n* préfixe *m.*
pregnant ['pregnənt] *a* (*woman*) enceinte; (*animal*) pleine; **five months p.** enceinte de cinq mois. ◆**pregnancy** *n* (*of woman*) grossesse *f.*
prehistoric [priːhɪ'stɒrɪk] *a* préhistorique.
prejudge [priː'dʒʌdʒ] *vt* (*question*) préjuger de; (*person*) juger d'avance.
prejudic/e ['predʒədɪs] *n* (*bias*) préjugé *m*, parti *m* pris; (*attitude*) préjugés *mpl*; *Jur* préjudice *m*; – *vt* (*person*) prévenir (**against** contre); (*success, chances etc*) porter préjudice à, nuire à. ◆**—ed** *a* (*idea*) partial; **she's p.** elle a des préjugés *or* un préjugé (**against** contre); (*on an issue*) elle est de parti pris. ◆**preju'dicial** *a Jur* préjudiciable.
preliminary [prɪ'lɪmɪnərɪ] *a* (*initial*) initial; (*speech, inquiry, exam*) préliminaire; – *npl* préliminaires *mpl.*
prelude ['preljuːd] *n* prélude *m*; – *vt* préluder à.
premarital [priː'mærɪt(ə)l] *a* avant le mariage.
premature ['premətʃʊər, *Am* priːmə'tʃʊər] *a* prématuré. ◆**—ly** *adv* prématurément; (*born*) avant terme.
premeditate [priː'medɪteɪt] *vt* préméditer. ◆**premedi'tation** *n* préméditation *f.*
premier ['premɪər, *Am* prɪ'mɪər] *n* Premier ministre *m.*
première ['premɪeər, *Am* prɪ'mjeər] *n Th Cin* première *f.*
premise ['premɪs] *n Phil* prémisse *f.*
premises ['premɪsɪz] *npl* locaux *mpl*; **on the p.** sur les lieux; **off the p.** hors des lieux.
premium ['priːmɪəm] *n Fin* prime *f*; **(insurance) p.** prime *f* (d'assurance); **to be at a p.** (*rare*) être (une) denrée rare, faire prime; **p. bond** bon *m* à lots.
premonition [premə'nɪʃ(ə)n, *Am* priːmə'nɪʃ(ə)n] *n* prémonition *f*, pressentiment *m.*
prenatal [priː'neɪt(ə)l] *a Am* prénatal.
preoccupy [priː'ɒkjʊpaɪ] *vt* (*worry*) préoccuper (**with** de). ◆**preoccu'pation** *n* préoccupation *f*; **a p. with** (*money etc*) une obsession de.
prep [prep] *a* **p. school** école *f* primaire privée; *Am* école *f* secondaire privée; – *n* (*homework*) *Sch* devoirs *mpl.*
prepaid [priː'peɪd] *a* (*reply*) payé.
prepar/e [prɪ'peər] *vt* préparer (**sth for s.o.** qch à qn, **s.o. for sth** qn à qch); **to p. to do** se préparer à faire; – *vi* **to p. for** (*journey, occasion*) faire des préparatifs pour; (*get dressed up for*) se préparer pour; (*exam*) préparer. ◆**—ed** *a* (*ready*) prêt, disposé (**to do** à faire); **to be p. for** (*expect*) s'attendre à. ◆**prepa'ration** *n* préparation *f*; *pl* préparatifs *mpl* (**for** de). ◆**pre'paratory** *a* préparatoire; **p. school = prep school.**
preposition [prepə'zɪʃ(ə)n] *n* préposition *f.*
prepossessing [priːpə'zesɪŋ] *a* avenant, sympathique.
preposterous [prɪ'pɒstərəs] *a* absurde.
prerecorded [priːrɪ'kɔːdɪd] *a* (*message etc*) enregistré à l'avance; **p. broadcast** *Rad TV* émission *f* en différé.
prerequisite [priː'rekwɪzɪt] *n* (condition *f*) préalable *m.*
prerogative [prɪ'rɒgətɪv] *n* prérogative *f.*
Presbyterian [prezbɪ'tɪərɪən] *a & n Rel* presbytérien, -ienne (*mf*).
preschool ['priːskuːl] *a* (*age etc*) préscolaire.
prescrib/e [prɪ'skraɪb] *vt* prescrire. ◆**—ed** *a* (*textbook*) (inscrit) au programme. ◆**prescription** *n* (*order*) prescription *f*; *Med* ordonnance *f*; **on p.** sur ordonnance.
presence ['prezəns] *n* présence *f*; **in the p. of** en présence de; **p. of mind** présence *f* d'esprit.
present[1] ['prezənt] **1** *a* (*not absent*) présent (**at** à, **in** dans); **those p.** les personnes présentes. **2** *a* (*year, state etc*) présent, actuel; (*being considered*) présent; (*job, house etc*) actuel; – *n* (*time*) présent *m*; **for the p.** pour le moment; **at p.** à présent. **3** *n* (*gift*) cadeau *m.* ◆**—ly** *adv* (*soon*) tout à l'heure; (*now*) à présent. ◆**present-'day** *a* actuel.
present[2] [prɪ'zent] *vt* (*show, introduce, compere etc*) présenter (**to** à); (*concert etc*) donner; (*proof*) fournir; **to p. s.o. with** (*gift*) offrir à qn; (*prize*) remettre à qn. ◆**—able** *a* présentable. ◆**—er** *n* présentateur, -trice *mf.* ◆**presen'tation** *n* présentation *f*; (*of prize*) remise *f.*
preserve [prɪ'zɜːv] **1** *vt* (*keep, maintain*) conserver; (*fruit etc*) *Culin* mettre en conserve; **to p. from** (*protect*) préserver de. **2** *n* (*sphere*) domaine *m.* **3** *n & npl* (*fruit etc*) *Culin* confiture *f.* ◆**preser'vation** *n* conservation *f.* ◆**preservative** *n* (*in food*) agent *m* de conservation. ◆**preserver** *n* **life p.** *Am* gilet *m* de sauvetage.
preside [prɪ'zaɪd] *vi* présider; **to p. over** *or* **at** (*meeting*) présider.
president ['prezɪdənt] *n* président, -ente *mf.* ◆**presidency** *n* présidence *f.* ◆**presi'dential** *a* présidentiel.
press[1] [pres] **1** *n* (*newspapers*) presse *f*; (*printing firm*) imprimerie *f*; **(printing) p.** presse *f*; – *a* (*conference etc*) de presse. **2** *n*

(*machine for trousers, gluing etc*) presse *f*; (*for making wine*) pressoir *m*.

press² [pres] *vt* (*button, doorbell etc*) appuyer sur; (*tube, lemon, creditor*) presser; (*hand*) serrer; (*clothes*) repasser; (*demand, insist on*) insister sur; (*claim*) renouveler; **to p. s.o. to do** (*urge*) presser qn de faire; **to p. down** (*button etc*) appuyer sur; **to p. charges** *Jur* engager des poursuites (**against** contre); – *vi* (*with finger*) appuyer (**on** sur); (*of weight*) faire pression (**on** sur); (*of time*) presser; **to p. for sth** faire des démarches pour obtenir qch; (*insist*) insister pour obtenir qch; **to p. on** (*continue*) continuer (**with sth** qch); – *n* **to give sth a p.** (*trousers etc*) repasser qch. ♦**—ed** *a* **(hard) p.** (*busy*) débordé; **to be hard p.** (*in difficulties*) être en difficultés; **to be (hard) p. for** (*time, money*) être à court de. ♦**—ing 1** *a* (*urgent*) pressant. **2** *n* (*ironing*) repassage *m*.

pressgang ['presgæŋ] *vt* **to p. s.o.** faire pression sur qn (**into doing** pour qu'il fasse). ♦**press-stud** *n* (bouton-)pression *m*. ♦**press-up** *n Sp* pompe *f*.

pressure ['preʃər] *n* pression *f*; **the p. of work** le surmenage; **p. cooker** cocotte-minute *f*; **p. group** groupe *m* de pression; **under p.** (*duress*) sous la contrainte; (*hurriedly, forcibly*) sous pression; – *vt* **to p. s.o.** faire pression sur qn (**into doing** pour qu'il fasse). ♦**pressurize** *vt Av* pressuriser; **to p. s.o.** faire pression sur qn (**into doing** pour qu'il fasse).

prestige [pre'stiːʒ] *n* prestige *m*. ♦**prestigious** [pre'stɪdʒəs, *Am* -'stiːdʒəs] *a* prestigieux.

presume [prɪ'zjuːm] *vt* (*suppose*) présumer (**that** que); **to p. to do** se permettre de faire. ♦**presumably** *adv* (*you'll come etc*) je présume que. ♦**presumption** *n* (*supposition, bold attitude*) présomption *f*. ♦**presumptuous** *a* présomptueux.

presuppose [priːsə'pəʊz] *vt* présupposer (**that** que).

pretence [prɪ'tens] *n* feinte *f*; (*claim, affectation*) prétention *f*; (*pretext*) prétexte *m*; **to make a p. of sth/of doing** feindre qch/de faire; **on** *or* **under false pretences** sous des prétextes fallacieux. ♦**pretend** *vt* (*make believe*) faire semblant (**to do** de faire, **that** que); (*claim, maintain*) prétendre (**to do** faire, **that** que); – *vi* faire semblant; **to p. to** (*throne, title*) prétendre à.

pretension [prɪ'tenʃ(ə)n] *n* (*claim, vanity*) prétention *f*. ♦**pre'tentious** *a* prétentieux.

pretext ['priːtekst] *n* prétexte *m*; **on the p. of/that** sous prétexte de/que.

pretty ['prɪtɪ] **1** *a* (**-ier, -iest**) joli. **2** *adv Fam* (*rather, quite*) assez; **p. well, p. much, p. nearly** (*almost*) pratiquement, à peu de chose près.

prevail [prɪ'veɪl] *vi* (*be prevalent*) prédominer; (*win*) prévaloir (**against** contre); **to p. (up)on s.o.** (*persuade*) persuader qn (**to do** de faire). ♦**—ing** *a* (*most common*) courant; (*most important*) prédominant; (*situation*) actuel; (*wind*) dominant.

prevalent ['prevələnt] *a* courant, répandu. ♦**prevalence** *n* fréquence *f*; (*predominance*) prédominance *f*.

prevaricate [prɪ'værɪkeɪt] *vi* user de faux-fuyants.

prevent [prɪ'vent] *vt* empêcher (**from doing** de faire). ♦**preventable** *a* évitable. ♦**prevention** *n* prévention *f*. ♦**preventive** *a* préventif.

preview ['priːvjuː] *n* (*of film, painting*) avant-première *f*; (*survey*) *Fig* aperçu *m*.

previous ['priːvɪəs] *a* précédent, antérieur; (*experience*) préalable; **she's had a p. job** elle a déjà eu un emploi; **p. to** avant. ♦**—ly** *adv* avant, précédemment.

prewar ['priːwɔːr] *a* d'avant-guerre.

prey [preɪ] *n* proie *f*; **to be (a) p. to** être en proie à; **bird of p.** rapace *m*, oiseau *m* de proie; – *vi* **to p. on** faire sa proie de; **to p. on s.o.** *or* **s.o.'s mind** *Fig* tracasser qn.

price [praɪs] *n* (*of object, success etc*) prix *m*; **to pay a high p. for sth** payer cher qch; *Fig* payer chèrement qch; **he wouldn't do it at any p.** il ne le ferait à aucun prix; – *a* (*control, war, rise etc*) des prix; **p. list** tarif *m*; – *vt* mettre un prix à; **it's priced at £5** ça coûte cinq livres. ♦**priceless** *a* (*jewel, help etc*) inestimable; (*amusing*) *Fam* impayable. ♦**pricey** *a* (**-ier, -iest**) *Fam* coûteux.

prick [prɪk] *vt* piquer (**with** avec); (*burst*) crever; **to p. up one's ears** dresser l'oreille; – *n* (*act, mark, pain*) piqûre *f*.

prickle ['prɪk(ə)l] *n* (*of animal*) piquant *m*; (*of plant*) épine *f*, piquant *m*. ♦**prickly** *a* (**-ier, -iest**) (*plant*) épineux; (*animal*) hérissé; (*subject*) *Fig* épineux; (*person*) *Fig* irritable.

pride [praɪd] *n* (*satisfaction*) fierté *f*; (*self-esteem*) amour-propre *m*, orgueil *m*; (*arrogance*) orgueil *m*; **to take p. in** (*person, work etc*) être fier de; (*look after*) prendre soin de; **to take p. in doing** mettre (toute) sa fierté à faire; **to be s.o.'s p. and joy** être la fierté de qn; **to have p. of place** avoir la place d'honneur; – *vt* **to p. oneself on** s'enorgueillir de.

priest [priːst] *n* prêtre *m*. ◆**priesthood** *n* (*function*) sacerdoce *m*. ◆**priestly** *a* sacerdotal.

prig [prɪg] *n* hypocrite *mf*, pharisien, -ienne *mf*. ◆**priggish** *a* hypocrite, suffisant.

prim [prɪm] *a* (**primmer, primmest**) **p. (and proper)** (*affected*) guindé; (*seemly*) convenable; (*neat*) impeccable.

primacy ['praɪməsɪ] *n* primauté *f*.

primary ['praɪmərɪ] *a Sch Pol Geol etc* primaire; (*main, basic*) principal, premier; **of p. importance** de première importance; – *n* (*election*) *Am* primaire *f*. ◆**primarily** [*Am* praɪ'merɪlɪ] *adv* essentiellement.

prime [praɪm] **1** *a* (*reason etc*) principal; (*importance*) primordial; (*quality, number*) premier; (*meat*) de premier choix; (*example, condition*) excellent, parfait; **P. Minister** Premier ministre *m*. **2** *n* **the p. of life** la force de l'âge. **3** *vt* (*gun, pump*) amorcer; (*surface*) apprêter. ◆**primer** *n* **1** (*book*) *Sch* premier livre *m*. **2** (*paint*) apprêt *m*.

primeval [praɪ'miːv(ə)l] *a* primitif.

primitive ['prɪmɪtɪv] *a* (*art, society, conditions etc*) primitif. ◆**—ly** *adv* (*to live*) dans des conditions primitives.

primrose ['prɪmrəʊz] *n Bot* primevère *f* (jaune).

prince [prɪns] *n* prince *m*. ◆**princely** *a* princier. ◆**prin'cess** *n* princesse *f*. ◆**princi'pality** *n* principauté *f*.

principal ['prɪnsɪp(ə)l] **1** *a* (*main*) principal. **2** *n* (*of school*) directeur, -trice *mf*. ◆**—ly** *adv* principalement.

principle ['prɪnsɪp(ə)l] *n* principe *m*; **in p.** en principe; **on p.** par principe.

print [prɪnt] *n* (*of finger, foot etc*) empreinte *f*; (*letters*) caractères *mpl*; (*engraving*) estampe *f*, gravure *f*; (*fabric, textile design*) imprimé *m*; *Phot* épreuve *f*; (*ink*) encre *m*; **in p.** (*book*) disponible (en librairie); **out of p.** (*book*) épuisé; – *vt Typ* imprimer; *Phot* tirer; (*write*) écrire en caractères d'imprimerie; **to p. 100 copies of** (*book etc*) tirer à 100 exemplaires; **to p. out** (*of computer*) imprimer. ◆**—ed** *a* imprimé; **p. matter** *or* **papers** imprimés *mpl*; **to have a book p.** publier un livre. ◆**—ing** *n* (*action*) *Typ* impression *f*; (*technique, art*) *Typ* imprimerie *f*; *Phot* tirage *m*; **p. press** *Typ* presse *f*. ◆**—able** *a* **not p.** (*word etc*) *Fig* obscène. ◆**—er** *n* (*person*) imprimeur *m*; (*of computer*) imprimante *f*. ◆**print-out** *n* (*of computer*) sortie *f* sur imprimante.

prior ['praɪər] *a* précédent, antérieur; (*experience*) préalable; **p. to sth/to doing** avant qch/de faire.

priority [praɪ'ɒrɪtɪ] *n* priorité *f* (**over** sur).

priory ['praɪərɪ] *n Rel* prieuré *m*.

prise [praɪz] *vt* **to p. open/off** (*box, lid*) ouvrir/enlever (en faisant levier).

prism ['prɪz(ə)m] *n* prisme *m*.

prison ['prɪz(ə)n] *n* prison *f*; **in p.** en prison; – *a* (*system, life etc*) pénitentiaire; (*camp*) de prisonniers; **p. officer** gardien, -ienne *mf* de prison. ◆**prisoner** *n* prisonnier, -ière *mf*; **to take s.o. p.** faire qn prisonnier.

prissy ['prɪsɪ] *a* (**-ier, -iest**) bégueule.

pristine ['prɪstiːn] *a* (*condition*) parfait; (*primitive*) primitif.

privacy ['praɪvəsɪ, 'prɪvəsɪ] *n* intimité *f*, solitude *f*; (*quiet place*) coin *m* retiré; (*secrecy*) secret *m*; **to give s.o. some p.** laisser qn seul. ◆**private 1** *a* privé; (*lesson, car etc*) particulier; (*confidential*) confidentiel; (*personal*) personnel; (*wedding etc*) intime; **a p. citizen** un simple particulier; **p. detective, p. investigator,** *Fam* **p. eye** détective *m* privé; **p. parts** parties *fpl* génitales; **p. place** coin *m* retiré; **p. tutor** précepteur *m*; **to be a very p. person** aimer la solitude; – *n* **in p.** (*not publicly*) en privé; (*ceremony*) dans l'intimité. **2** *n Mil* (simple) soldat *m*. ◆**privately** *adv* en privé; (*inwardly*) intérieurement; (*personally*) à titre personnel; (*to marry, dine etc*) dans l'intimité; **p. owned** appartenant à un particulier.

privet ['prɪvɪt] *n* (*bush*) troène *m*.

privilege ['prɪvɪlɪdʒ] *n* privilège *m*. ◆**privileged** *a* privilégié; **to be p. to do** avoir le privilège de faire.

privy ['prɪvɪ] *a* **p. to** (*knowledge etc*) au courant de.

prize[1] [praɪz] *n* prix *m*; (*in lottery*) lot *m*; **the first p.** (*in lottery*) le gros lot; – *a* (*essay, animal etc*) primé; **a p. fool**/*etc Fig Hum* un parfait idiot/*etc*. ◆**p.-giving** *n* distribution *f* des prix. ◆**p.-winner** *n* lauréat, -ate *mf*; (*in lottery*) gagnant, -ante *mf*. ◆**p.-winning** *a* (*essay, animal etc*) primé; (*ticket*) gagnant.

priz/e[2] [praɪz] *vt* (*value*) priser. ◆**—ed** *a* (*possession etc*) précieux.

prize[3] [praɪz] *vt* = **prise**.

pro [prəʊ] *n* (*professional*) *Fam* pro *mf*.

pro- [prəʊ] *pref* pro-.

probable ['prɒbəb(ə)l] *a* probable (**that** que); (*plausible*) vraisemblable. ◆**proba'bility** *n* probabilité *f*; **in all p.** selon toute probabilité. ◆**probably** *adv* probablement, vraisemblablement.

probation [prə'beɪʃ(ə)n] *n* **on p.** *Jur* en

liberté surveillée, sous contrôle judiciaire; (*in job*) à l'essai; **p. officer** responsable *mf* des délinquants mis en liberté surveillée. ◆**probationary** *a* (*period*) d'essai, *Jur* de liberté surveillée.

prob/e [prəʊb] *n* (*device*) sonde *f*; *Journ* enquête *f* (**into** dans); – *vt* (*investigate*) & *Med* sonder; (*examine*) examiner; – *vi* (*investigate*) faire des recherches; *Pej* fouiner; **to p. into** (*origins etc*) sonder. ◆**—ing** *a* (*question etc*) pénétrant.

problem ['prɒbləm] *n* problème *m*; **he's got a drug/a drink p.** c'est un drogué/un alcoolique; **you've got a smoking p.** tu fumes beaucoup trop; **no p.!** *Am Fam* pas de problème!; **to have a p. doing** avoir du mal à faire; – *a* (*child*) difficile, caractériel. ◆**proble'matic** *a* problématique; **it's p. whether** il est douteux que (+ *sub*).

procedure [prə'siːdʒər] *n* procédure *f*.

proceed [prə'siːd] *vi* (*go*) avancer, aller; (*act*) procéder; (*continue*) continuer; (*of debate*) se poursuivre; **to p. to** (*next question etc*) passer à; **to p. with** (*task etc*) continuer; **to p. to do** (*start*) se mettre à faire. ◆**—ing** *n* (*course of action*) procédé *m*; *pl* (*events*) événements *mpl*; (*meeting*) séance *f*; (*discussions*) débats *mpl*; (*minutes*) actes *mpl*; **to take (legal) proceedings** intenter un procès (**against** contre).

proceeds ['prəʊsiːdz] *npl* (*profits*) produit *m*, bénéfices *mpl*.

process ['prəʊses] **1** *n* (*operation, action*) processus *m*; (*method*) procédé *m* (**for** *or* **of doing** pour faire); **in p.** (*work etc*) en cours; **in the p. of doing** en train de faire. **2** *vt* (*food, data etc*) traiter; (*examine*) examiner; *Phot* développer; **processed cheese** fromage *m* fondu. ◆**—ing** *n* traitement *m*; *Phot* développement *m*; **data** *or* **information p.** informatique *f*. ◆**processor** *n* (*in computer*) processeur *m*; **food p.** robot *m* (ménager); **word p.** machine *f* de traitement de texte.

procession [prə'seʃ(ə)n] *n* cortège *m*, défilé *m*.

proclaim [prə'kleɪm] *vt* proclamer (**that** que); **to p. king** proclamer roi. ◆**procla'mation** *n* proclamation *f*.

procrastinate [prə'kræstɪneɪt] *vi* temporiser, tergiverser.

procreate ['prəʊkrɪeɪt] *vt* procréer. ◆**procre'ation** *n* procréation *f*.

procure [prə'kjʊər] *vt* obtenir; **to p. sth (for oneself)** se procurer qch; **to p. sth for s.o.** procurer qch à qn.

prod [prɒd] *vti* (**-dd-**) **to p. (at)** pousser (*du coude, avec un bâton etc*); **to p. s.o. into doing** *Fig* pousser qn à faire; – *n* (petit) coup *m*; (*shove*) poussée *f*.

prodigal ['prɒdɪg(ə)l] *a* (*son etc*) prodigue.

prodigious [prə'dɪdʒəs] *a* prodigieux.

prodigy ['prɒdɪdʒɪ] *n* prodige *m*; **infant p., child p.** enfant *mf* prodige.

produce [prə'djuːs] *vt* (*manufacture, yield etc*) produire; (*bring out, show*) sortir (*pistolet, mouchoir etc*); (*passport, proof*) présenter; (*profit*) rapporter; (*cause*) provoquer, produire; (*publish*) publier; (*play*) *Th TV* mettre en scène; (*film*) *Cin* produire; *Rad* réaliser; (*baby*) donner naissance à; **oil-producing country** pays *m* producteur de pétrole; – *vi* (*of factory etc*) produire; – ['prɒdjuːs] *n* (*agricultural etc*) produits *mpl*. ◆**pro'ducer** *n* (*of goods*) & *Cin* producteur, -trice *mf*; *Th TV* metteur *m* en scène; *Rad* réalisateur, -trice *mf*.

product ['prɒdʌkt] *n* produit *m*.

production [prə'dʌkʃ(ə)n] *n* production *f*; *Th TV* mise *f* en scène; *Rad* réalisation *f*; **to work on the p. line** travailler à la chaîne. ◆**productive** *a* (*land, meeting, efforts*) productif. ◆**produc'tivity** *n* productivité *f*.

profane [prə'feɪn] *a* (*sacrilegious*) sacrilège; (*secular*) profane; – *vt* (*dishonour*) profaner. ◆**profanities** *npl* (*oaths*) blasphèmes *mpl*.

profess [prə'fes] *vt* professer; **to p. to be** prétendre être. ◆**—ed** *a* (*anarchist etc*) déclaré.

profession [prə'feʃ(ə)n] *n* profession *f*; **by p.** de profession. ◆**professional** *a* professionnel; (*man, woman*) qui exerce une profession libérale; (*army*) de métier; (*diplomat*) de carrière; (*piece of work*) de professionnel; – *n* professionnel, -elle *mf*; (*executive, lawyer etc*) membre *m* des professions libérales. ◆**professionalism** *n* professionnalisme *m*. ◆**professionally** *adv* professionnellement; (*to perform, play*) en professionnel; (*to meet s.o.*) dans le cadre de son travail.

professor [prə'fesər] *n Univ* professeur *m* (titulaire d'une chaire). ◆**profe'ssorial** *a* professoral.

proffer ['prɒfər] *vt* offrir.

proficient [prə'fɪʃ(ə)nt] *a* compétent (**in** en). ◆**proficiency** *n* compétence *f*.

profile ['prəʊfaɪl] *n* (*of person, object*) profil *m*; **in p.** de profil; **to keep a low p.** *Fig* garder un profil bas. ◆**profiled** *a* **to be p. against** se profiler sur.

profit ['prɒfɪt] *n* profit *m*, bénéfice *m*; **to sell**

at a p. vendre à profit; **p. margin** marge *f* bénéficiaire; **p. motive** recherche *f* du profit; – *vi* **to p. by** *or* **from** tirer profit de. ◆**p.-making** *a* à but lucratif. ◆**profita'bility** *n Com* rentabilité *f*. ◆**profitable** *a Com* rentable; (*worthwhile*) *Fig* rentable, profitable. ◆**profitably** *adv* avec profit. ◆**profi'teer** *n Pej* profiteur, -euse *mf*; – *vi Pej* faire des profits malhonnêtes.

profound [prə'faʊnd] *a* (*silence, remark etc*) profond. ◆**profoundly** *adv* profondément. ◆**profundity** *n* profondeur *f*.

profuse [prə'fjuːs] *a* abondant; **p. in** (*praise etc*) prodigue de. ◆**profusely** *adv* (*to flow, grow*) à profusion; (*to bleed*) abondamment; (*to thank*) avec effusion; **to apologize p.** se répandre en excuses. ◆**profusion** *n* profusion *f*; **in p.** à profusion.

progeny ['prɒdʒɪnɪ] *n* progéniture *f*.

program[1] ['prəʊgræm] *n* (*of computer*) programme *m*; – *vt* (**-mm-**) (*computer*) programmer. ◆**programming** *n* programmation *f*. ◆**programmer** *n* (**computer) p.** programmeur, -euse *mf*.

programme, *Am* **program**[2] ['prəʊgræm] *n* programme *m*; (*broadcast*) emission *f*; – *vt* (*arrange*) programmer.

progress ['prəʊgres] *n* progrès *m(pl)*; **to make (good) p.** faire des progrès; (*in walking, driving etc*) bien avancer; **in p.** en cours; – [prə'gres] *vi* (*advance, improve*) progresser; (*of story, meeting*) se dérouler. ◆**pro'gression** *n* progression *f*. ◆**pro'gressive** *a* (*gradual*) progressif; (*party*) *Pol* progressiste; (*firm, ideas*) moderniste. ◆**pro'gressively** *adv* progressivement.

prohibit [prə'hɪbɪt] *vt* interdire (**s.o. from doing** à qn de faire); **we're prohibited from leaving/***etc* il nous est interdit de partir/*etc*. ◆**prohi'bition** *n* prohibition *f*. ◆**prohibitive** *a* (*price, measure etc*) prohibitif.

project 1 ['prɒdʒekt] *n* (*plan*) projet *m* (**for sth** pour qch; **to do, for doing** pour faire); (*undertaking*) entreprise *f*; (*study*) étude *f*; **(housing) p.** (*for workers*) *Am* cité *f* (ouvrière). **2** [prə'dʒekt] *vt* (*throw, show etc*) projeter; – *vi* (*jut out*) faire saillie. ◆**—ed** *a* (*planned*) prévu. ◆**pro'jection** *n* projection *f*; (*projecting object*) saillie *f*. ◆**pro'jectionist** *n Cin* projectionniste *mf*. ◆**pro'jector** *n Cin* projecteur *m*.

proletarian [prəʊlə'teərɪən] *n* prolétaire *mf*; – *a* (*class*) prolétarien; (*outlook*) de prolétaire. ◆**proletariat** *n* prolétariat *m*.

proliferate [prə'lɪfəreɪt] *vi* proliférer. ◆**prolife'ration** *n* prolifération *f*.

prolific [prə'lɪfɪk] *a* prolifique.

prologue ['prəʊlɒg] *n* prologue *m* (**to** de, à).

prolong [prə'lɒŋ] *vt* prolonger.

promenade [prɒmə'nɑːd] *n* (*place, walk*) promenade *f*; (*gallery*) *Th* promenoir *m*.

prominent ['prɒmɪnənt] *a* (*nose*) proéminent; (*chin, tooth*) saillant; (*striking*) *Fig* frappant, remarquable; (*role*) majeur; (*politician*) marquant; (*conspicuous*) (bien) en vue. ◆**prominence** *n* (*importance*) importance *f*. ◆**prominently** *adv* (*displayed, placed*) bien en vue.

promiscuous [prə'mɪskjʊəs] *a* (*person*) de mœurs faciles; (*behaviour*) immoral. ◆**promi'scuity** *n* liberté *f* de mœurs; immoralité *f*.

promis/e ['prɒmɪs] *n* promesse *f*; **to show great p., be full of p.** (*hope*) être très prometteur; – *vt* promettre (**s.o. sth, sth to s.o.** qch à qn; **to do** de faire; **that** que); – *vi* **I p.!** je te le promets!; **p.?** promis? ◆**—ing** *a* (*start etc*) prometteur; (*person*) qui promet; **that looks p.** ça s'annonce bien.

promote [prə'məʊt] *vt* (*product, research*) promouvoir; (*good health, awareness*) favoriser; **to p. s.o.** promouvoir qn (**to** à); **promoted (to) manager/general/***etc* promu directeur/général/*etc*. ◆**promoter** *n Sp* organisateur, -trice *mf*; (*instigator*) promoteur, -trice *mf*. ◆**promotion** *n* (*of person*) avancement *m*, promotion *f*; (*of sales, research etc*) promotion *f*.

prompt [prɒmpt] **1** *a* (*speedy*) rapide; (*punctual*) à l'heure, ponctuel; **p. to act** prompt à agir; – *adv* **at 8 o'clock p.** à 8 heures pile. **2** *vt* (*urge*) inciter, pousser (**to do** à faire); (*cause*) provoquer. **3** *vt* (*person*) *Th* souffler (son rôle) à. ◆**—ing** *n* (*urging*) incitation *f*. ◆**—er** *n Th* souffleur, -euse *mf*. ◆**—ness** *n* rapidité *f*; (*readiness to act*) promptitude *f*.

prone [prəʊn] *a* **1 p. to sth** (*liable*) prédisposé à qch; **to be p. to do** avoir tendance à faire. **2** (*lying flat*) sur le ventre.

prong [prɒŋ] *n* (*of fork*) dent *f*.

pronoun ['prəʊnaʊn] *n Gram* pronom *m*. ◆**pro'nominal** *a* pronominal.

pronounce [prə'naʊns] *vt* (*articulate, declare*) prononcer; – *vi* (*articulate*) prononcer; (*give judgment*) se prononcer (**on** sur). ◆**pronouncement** *n* déclaration *f*. ◆**pronunci'ation** *n* prononciation *f*.

pronto ['prɒntəʊ] *adv* (*at once*) *Fam* illico.

proof [pruːf] **1** *n* (*evidence*) preuve *f*; (*of book, photo*) épreuve *f*; (*of drink*) teneur *f* en alcool. **2** *a* **p. against** (*material*) à l'épreuve de (*feu, acide etc*). ◆**proofreader** *n Typ* correcteur, -trice *mf*.

prop [prɒp] **1** *n Archit* support *m*, étai *m*; (*for clothes line*) perche *f*; (*person*) *Fig* soutien *m*; – *vt* (**-pp-**) **to p. up** (*ladder etc*) appuyer (**against** contre); (*one's head*) caler; (*wall*) étayer; (*help*) *Fig* soutenir. **2** *n* **prop(s)** *Th* accessoire(s) *m*(*pl*).

propaganda [prɒpə'gændə] *n* propagande *f*. ◆**propagandist** *n* propagandiste *mf*.

propagate ['prɒpəgeɪt] *vt* propager; – *vi* se propager.

propel [prə'pel] *vt* (**-ll-**) (*drive, hurl*) propulser. ◆**propeller** *n Av Nau* hélice *f*.

propensity [prə'pensɪtɪ] *n* propension *f* (**for sth** à qch, **to do** à faire).

proper ['prɒpər] *a* (*suitable, seemly*) convenable; (*correct*) correct; (*right*) bon; (*real, downright*) véritable; (*noun, meaning*) propre; **in the p. way** comme il faut; **the village**/*etc* **p.** le village/*etc* proprement dit. ◆**—ly** *adv* comme il faut, convenablement, correctement; (*completely*) *Fam* vraiment; **very p.** (*quite rightly*) à juste titre.

property ['prɒpətɪ] **1** *n* (*building etc*) propriété *f*; (*possessions*) biens *mpl*, propriété *f*; – *a* (*crisis, market etc*) immobilier; (*owner, tax*) foncier. **2** *n* (*of substance etc*) propriété *f*. ◆**propertied** *a* possédant.

prophecy ['prɒfɪsɪ] *n* prophétie *f*. ◆**prophesy** [-ɪsaɪ] *vti* prophétiser; **to p. that** prédire que.

prophet ['prɒfɪt] *n* prophète *m*. ◆**pro'phetic** *a* prophétique.

proponent [prə'pəʊnənt] *n* (*of cause etc*) défenseur *m*, partisan, -ane *mf*.

proportion [prə'pɔːʃ(ə)n] *n* (*ratio*) proportion *f*; (*portion*) partie *f*; (*amount*) pourcentage *m*; *pl* (*size*) proportions *fpl*; **in p.** en proportion (**to** de); **out of p.** hors de proportion (**to** avec); – *vt* proportionner (**to** à); **well** *or* **nicely proportioned** bien proportionné. ◆**proportional** *a*, ◆**proportionate** *a* proportionnel (**to** à).

propose [prə'pəʊz] *vt* (*suggest*) proposer (**to** à, **that** que (+ *sub*)); **to p. to do, p. doing** (*intend*) se proposer de faire; – *vi* faire une demande (en mariage) (**to** à). ◆**proposal** *n* proposition *f*; (*of marriage*) demande *f* (en mariage). ◆**propo'sition** *n* proposition *f*; (*matter*) *Fig* affaire *f*.

propound [prə'paʊnd] *vt* proposer.

proprietor [prə'praɪətər] *n* propriétaire *mf*. ◆**proprietary** *a* (*article*) *Com* de marque déposée; **p. name** marque *f* déposée.

propriety [prə'praɪətɪ] *n* (*behaviour*) bienséance *f*; (*of conduct, remark*) justesse *f*.

propulsion [prə'pʌlʃ(ə)n] *n* propulsion *f*.

pros [prəʊz] *npl* **the p. and cons** le pour et le contre.

prosaic [prəʊ'zeɪɪk] *a* prosaïque.

proscribe [prəʊ'skraɪb] *vt* proscrire.

prose [prəʊz] *n* prose *f*; (*translation*) *Sch* thème *m*.

prosecute ['prɒsɪkjuːt] *vt* poursuivre (en justice) (**for stealing**/*etc* pour vol/*etc*). ◆**prose'cution** *n Jur* poursuites *fpl*; **the p.** (*lawyers*) = le ministère public. ◆**prosecutor** *n* (**public**) **p.** *Jur* procureur *m*.

prospect[1] ['prɒspekt] *n* (*idea, outlook*) perspective *f* (**of doing** de faire); (*possibility*) possibilité *f* (**of sth** de qch); (**future**) **prospects** perspectives *fpl* d'avenir; **it has prospects** c'est prometteur; **she has prospects** elle a de l'avenir. ◆**pro'spective** *a* (*possible*) éventuel; (*future*) futur.

prospect[2] [prə'spekt] *vt* (*land*) prospecter; – *vi* **to p. for** (*gold etc*) chercher. ◆**—ing** *n* prospection *f*. ◆**prospector** *n* prospecteur, -trice *mf*.

prospectus [prə'spektəs] *n* (*publicity leaflet*) prospectus *m*; *Univ* guide *m* (de l'étudiant).

prosper ['prɒspər] *vi* prospérer. ◆**pro'sperity** *n* prospérité *f*. ◆**prosperous** *a* (*thriving*) prospère; (*wealthy*) riche, prospère.

prostate ['prɒsteɪt] *n* **p. (gland)** *Anat* prostate *f*.

prostitute ['prɒstɪtjuːt] *n* (*woman*) prostituée *f*; – *vt* prostituer. ◆**prosti'tution** *n* prostitution *f*.

prostrate ['prɒstreɪt] *a* (*prone*) sur le ventre; (*worshipper*) prosterné; (*submissive*) soumis; (*exhausted*) prostré; – [prɒ'streɪt] *vt* **to p. oneself** se prosterner (**before** devant).

protagonist [prəʊ'tægənɪst] *n* protagoniste *mf*.

protect [prə'tekt] *vt* protéger (**from** de, **against** contre); (*interests*) sauvegarder. ◆**protection** *n* protection *f*. ◆**protective** *a* (*tone etc*) & *Econ* protecteur; (*screen, clothes etc*) de protection. ◆**protector** *n* protecteur, -trice *mf*.

protein ['prəʊtiːn] *n* protéine *f*.

protest ['prəʊtest] *n* protestation *f* (**against** contre); **under p.** contre son gré; – [prə'test] *vt* protester (**that** que); (*one's innocence*) protester de; – *vi* protester (**against** contre); (*in the streets etc*) *Pol* contester. ◆**—er** *n Pol* contestataire *mf*.

Protestant ['prɒtɪstənt] *a* & *n* protestant,

-ante (*mf*). ◆**Protestantism** *n* protestantisme *m*.
protocol ['prəʊtəkɒl] *n* protocole *m*.
prototype ['prəʊtəʊtaɪp] *n* prototype *m*.
protract [prə'trækt] *vt* prolonger.
protractor [prə'træktər] *n* (*instrument*) *Geom* rapporteur *m*.
protrud/e [prə'truːd] *vi* dépasser; (*of balcony, cliff etc*) faire saillie; (*of tooth*) avancer. ◆**—ing** *a* saillant; (*of tooth*) qui avance.
proud [praʊd] *a* (**-er, -est**) (*honoured, pleased*) fier (**of** de, **to do** de faire); (*arrogant*) orgueilleux. ◆**—ly** *adv* fièrement; orgueilleusement.
prove [pruːv] *vt* prouver (**that** que); **to p. oneself** faire ses preuves; – *vi* **to p. (to be) difficult**/*etc* s'avérer difficile/*etc*. ◆**proven** *a* (*method etc*) éprouvé.
proverb ['prɒvɜːb] *n* proverbe *m*. ◆**pro'verbial** *a* proverbial.
provid/e [prə'vaɪd] *vt* (*supply*) fournir (**s.o. with sth** qch à qn); (*give*) donner, offrir (**to** à); **to p. s.o. with** (*equip*) pourvoir qn de; **to p. that** *Jur* stipuler que; – *vi* **to p. for s.o.** (*s.o.'s needs*) pourvoir aux besoins de qn; (*s.o.'s future*) assurer l'avenir de qn; **to p. for sth** (*make allowance for*) prévoir qch. ◆**—ed** *conj* **p. (that)** pourvu que (+ *sub*). ◆**—ing** *conj* **p. (that)** pourvu que (+ *sub*).
providence ['prɒvɪdəns] *n* providence *f*.
provident ['prɒvɪdənt] *a* (*society*) de prévoyance; (*person*) prévoyant.
province ['prɒvɪns] *n* province *f*; *Fig* domaine *m*, compétence *f*; **the provinces** la province; **in the provinces** en province. ◆**pro'vincial** *a* & *n* provincial, -ale (*mf*).
provision [prə'vɪʒ(ə)n] *n* (*supply*) provision *f*; (*clause*) disposition *f*; **the p. of** (*supplying*) la fourniture de; **to make p. for** = **to provide for**.
provisional [prə'vɪʒən(ə)l] *a* provisoire. ◆**—ly** *adv* provisoirement.
proviso [prə'vaɪzəʊ] *n* (*pl* **-os**) stipulation *f*.
provok/e [prə'vəʊk] *vt* (*rouse, challenge*) provoquer (**to do, into doing** à faire); (*annoy*) agacer; (*cause*) provoquer (*accident, réaction etc*). ◆**—ing** *a* (*annoying*) agaçant. ◆**provo'cation** *n* provocation *f*. ◆**provocative** *a* (*person, remark etc*) provocant; (*thought-provoking*) qui donne à penser.
prow [praʊ] *n Nau* proue *f*.
prowess ['praʊes] *n* (*bravery*) courage *m*; (*skill*) talent *m*.
prowl [praʊl] *vi* **to p. (around)** rôder; – *n* **to be on the p.** rôder. ◆**—er** *n* rôdeur, -euse *mf*.
proximity [prɒk'sɪmɪtɪ] *n* proximité *f*.
proxy ['prɒksɪ] *n* **by p.** par procuration.
prude [pruːd] *n* prude *f*. ◆**prudery** *n* pruderie *f*. ◆**prudish** *a* prude.
prudent ['pruːdənt] *a* prudent. ◆**prudence** *n* prudence *f*. ◆**prudently** *adv* prudemment.
prun/e [pruːn] **1** *n* (*dried plum*) pruneau *m*. **2** *vt* (*cut*) *Bot* tailler, élaguer; (*speech etc*) *Fig* élaguer. ◆**—ing** *n Bot* taille *f*.
pry [praɪ] **1** *vi* être indiscret; **to p. into** (*meddle*) se mêler de; (*s.o.'s reasons etc*) chercher à découvrir. **2** *vt* **to p. open** *Am* forcer (en faisant levier). ◆**—ing** *a* indiscret.
PS [piː'es] *abbr* (*postscript*) P.-S.
psalm [sɑːm] *n* psaume *m*.
pseud [sjuːd] *n Fam* bêcheur, -euse *mf*.
pseudo- ['sjuːdəʊ] *pref* pseudo-.
pseudonym ['sjuːdənɪm] *n* pseudonyme *m*.
psychiatry [saɪ'kaɪətrɪ] *n* psychiatrie *f*. ◆**psychi'atric** *a* psychiatrique. ◆**psychiatrist** *n* psychiatre *mf*.
psychic ['saɪkɪk] *a* (méta)psychique; **I'm not p.** *Fam* je ne suis pas devin; – *n* (*person*) médium *m*.
psycho- ['saɪkəʊ] *pref* psycho-. ◆**psycho-a'nalysis** *n* psychanalyse *f*. ◆**psycho-'analyst** *n* psychanalyste *mf*.
psychology [saɪ'kɒlədʒɪ] *n* psychologie *f*. ◆**psycho'logical** *a* psychologique. ◆**psychologist** *n* psychologue *mf*.
psychopath ['saɪkəʊpæθ] *n* psychopathe *mf*.
psychosis, *pl* **-oses** [saɪ'kəʊsɪs, -əʊsiːz] *n* psychose *f*.
PTO [piːtiː'əʊ] *abbr* (*please turn over*) TSVP.
pub [pʌb] *n* pub *m*.
puberty ['pjuːbətɪ] *n* puberté *f*.
public ['pʌblɪk] *a* public; (*baths, library*) municipal; **to make a p. protest** protester publiquement; **in the p. eye** très en vue; **p. building** édifice *m* public; **p. company** société *f* par actions; **p. corporation** société *f* nationalisée; **p. figure** personnalité *f* connue; **p. house** pub *m*; **p. life** les affaires *fpl* publiques; **to be p.-spirited** avoir le sens civique; – *n* public *m*; **in p.** en public; **a member of the p.** un simple particulier; **the sporting**/*etc* **p.** les amateurs *mpl* de sport/*etc*. ◆**—ly** *adv* publiquement; **p. owned** (*nationalized*) *Com* nationalisé.
publican ['pʌblɪk(ə)n] *n* patron, -onne *mf* d'un pub.

publication [pʌblɪ'keɪʃ(ə)n] *n* (*publishing, book etc*) publication *f*.

publicity [pʌb'lɪsɪtɪ] *n* publicité *f*. ◆**'publicize** *vt* rendre public; (*advertise*) *Com* faire de la publicité pour.

publish ['pʌblɪʃ] *vt* publier; (*book*) éditer, publier; **to p. s.o.** éditer qn; **'published weekly'** 'paraît toutes les semaines'. ◆**—ing** *n* publication *f* (**of** de); (*profession*) édition *f*. ◆**—er** *n* éditeur, -trice *mf*.

puck [pʌk] *n* (*in ice hockey*) palet *m*.

pucker ['pʌkər] *vt* **to p. (up)** (*brow, lips*) plisser; – *vi* **to p. (up)** se plisser.

pudding ['pʊdɪŋ] *n* dessert *m*, gâteau *m*; **(plum) p.** pudding *m*; **rice p.** riz *m* au lait.

puddle ['pʌd(ə)l] *n* flaque *f* (d'eau).

pudgy ['pʌdʒɪ] *a* (**-ier, -iest**) = **podgy**.

puerile ['pjʊəraɪl] *a* puérile.

puff [pʌf] *n* (*of smoke*) bouffée *f*; (*of wind, air*) bouffée *f*, souffle *m*; **to have run out of p.** *Fam* être à bout de souffle; – *vi* (*blow, pant*) souffler; **to p. at** (*cigar*) tirer sur; – *vt* (*smoke etc*) souffler (**into** dans); **to p. out** (*cheeks etc*) gonfler. ◆**puffy** *a* (**-ier, -iest**) (*swollen*) gonflé.

puke [pjuːk] *vi* (*vomit*) *Sl* dégueuler.

pukka ['pʌkə] *a Fam* authentique.

pull [pʊl] *n* (*attraction*) attraction *f*; (*force*) force *f*; (*influence*) influence *f*; **to give sth a p.** tirer qch; – *vt* (*draw, tug*) tirer; (*tooth*) arracher; (*stopper*) enlever; (*trigger*) appuyer sur; (*muscle*) se claquer; **to p. apart** *or* **to bits** *or* **to pieces** mettre en pièces; **to p. a face** faire la moue; **to (get s.o. to) p. strings** *Fig* se faire pistonner; – *vi* (*tug*) tirer; (*go, move*) aller; **to p. at** *or* **on** tirer (sur). ■ **to p. along** *vt* (*drag*) traîner (**to** jusqu'à); **to p. away** *vt* (*move*) éloigner; (*snatch*) arracher (**from** à); – *vi Aut* démarrer; **to p. away from** s'éloigner de; **to p. back** *vi* (*withdraw*) *Mil* se retirer; – *vt* retirer; (*curtains*) ouvrir; **to p. down** *vt* (*lower*) baisser; (*knock down*) faire tomber; (*demolish*) démolir, abattre; **to p. in** *vt* (*rope*) ramener; (*drag into room etc*) faire entrer; (*stomach*) rentrer; (*crowd*) attirer; – *vi* (*arrive*) *Aut* arriver; (*stop*) *Aut* se garer; **to p. into the station** (*of train*) entrer en gare; **to p. off** *vt* enlever; (*plan, deal*) *Fig* mener à bien; **to p. it off** *Fig* réussir son coup; **to p. on** *vt* (*boots etc*) mettre; **to p. out** *vt* (*extract*) arracher (**from** à); (*remove*) enlever (**from** de); (*from pocket, bag etc*) tirer, sortir (**from** de); (*troops*) retirer; – *vi* (*depart*) *Aut* démarrer; (*move out*) *Aut* déboîter; **to p. out from** (*negotiations etc*) se retirer de; **to p. over** *vt* (*drag*) traîner (**to** jusqu'à); (*knock down*) faire tomber; – *vi Aut* se ranger (sur le côté); **to p. round** *vi Med* se remettre; **to p. through** *vi* s'en tirer; **to p. oneself together** *vt* se ressaisir; **to p. up** *vt* (*socks, bucket etc*) remonter; (*haul up*) hisser; (*uproot*) arracher; (*stop*) arrêter; – *vi Aut* s'arrêter. ◆**p.-up** *n Sp* traction *f*.

pulley ['pʊlɪ] *n* poulie *f*.

pullout ['pʊlaʊt] *n* (*in newspaper etc*) supplément *m* détachable.

pullover ['pʊləʊvər] *n* pull(-over) *m*.

pulp [pʌlp] *n* (*of fruit etc*) pulpe *f*; (*for paper*) pâte *f* à papier; **in a p.** *Fig* en bouillie.

pulpit ['pʊlpɪt] *n Rel* chaire *f*.

pulsate [pʌl'seɪt] *vi* produire des pulsations, battre. ◆**pulsation** *n* (*heartbeat etc*) pulsation *f*.

pulse [pʌls] *n Med* pouls *m*.

pulverize ['pʌlvəraɪz] *vt* (*grind, defeat*) pulvériser.

pumice ['pʌmɪs] *n* **p. (stone)** pierre *f* ponce.

pump [pʌmp] **1** *n* pompe *f*; **(petrol) p. attendant** pompiste *mf*; – *vt* pomper; (*blood*) *Med* faire circuler; (*money*) *Fig* injecter (**into** dans); **to p. s.o. (for information)** tirer les vers du nez à qn; **to p. in** refouler (*à l'aide d'une pompe*); **to p. out** pomper (**of** de); **to p. air into, p. up** (*tyre*) gonfler; – *vi* pomper; (*of heart*) battre. **2** *n* (*for dancing*) escarpin *m*; (*plimsoll*) tennis *f*.

pumpkin ['pʌmpkɪn] *n* potiron *m*.

pun [pʌn] *n* calembour *m*.

punch[1] [pʌntʃ] *n* (*blow*) coup *m* de poing; (*force*) *Fig* punch *m*; **to pack a p.** *Boxing & Fig* avoir du punch; **p. line** (*of joke*) astuce *f* finale; – *vt* (*person*) donner un coup de poing à; (*ball etc*) frapper d'un coup de poing. ◆**p.-up** *n Fam* bagarre *f*.

punch[2] [pʌntʃ] **1** *n* (*for tickets*) poinçonneuse *f*; (*for paper*) perforeuse *f*; **p. card** carte *f* perforée; – *vt* (*ticket*) poinçonner, (*with date*) composter; (*card, paper*) perforer; **to p. a hole in** faire un trou dans. **2** *n* (*drink*) punch *m*.

punctilious [pʌŋk'tɪlɪəs] *a* pointilleux.

punctual ['pʌŋktʃʊəl] *a* (*arriving on time*) à l'heure; (*regularly on time*) ponctuel, exact. ◆**punctu'ality** *n* ponctualité *f*, exactitude *f*. ◆**punctually** *adv* à l'heure; (*habitually*) ponctuellement.

punctuate ['pʌŋktʃʊeɪt] *vt* ponctuer (**with** de). ◆**punctu'ation** *n* ponctuation *f*; **p. mark** signe *m* de ponctuation.

puncture ['pʌŋktʃər] *n* (*in tyre*) crevaison *f*;

to have a p. crever; – *vt* (*burst*) crever; (*pierce*) piquer; – *vi* (*of tyre*) crever.
pundit ['pʌndɪt] *n* expert *m*, ponte *m*.
pungent ['pʌndʒənt] *a* âcre, piquant. ◆**pungency** *n* âcreté *f*.
punish ['pʌnɪʃ] *vt* punir (**for sth** de qch, **for doing** *or* **having done** pour avoir fait); (*treat roughly*) *Fig* malmener. ◆**—ing** *n* punition *f*; – *a* (*tiring*) éreintant. ◆**—able** *a* punissable (**by** de). ◆**—ment** *n* punition *f*, châtiment *m*; **capital p.** peine *f* capitale; **to take a (lot of) p.** (*damage*) *Fig* en encaisser.
punitive ['pjuːnɪtɪv] *a* (*measure etc*) punitif.
punk [pʌŋk] **1** *n* (*music*) punk *m*; (*fan*) punk *mf*; – *a* punk *inv*. **2** *n* (*hoodlum*) *Am Fam* voyou *m*.
punt [pʌnt] **1** *n* barque *f* (à fond plat). **2** *vi* (*bet*) *Fam* parier. ◆**—ing** *n* canotage *m*. ◆**—er** *n* **1** (*gambler*) parieur, -euse *mf*. **2** (*customer*) *Sl* client, -ente *mf*.
puny ['pjuːnɪ] *a* (**-ier, -iest**) (*sickly*) chétif; (*small*) petit; (*effort*) faible.
pup ['pʌp] *n* (*dog*) chiot *m*.
pupil ['pjuːp(ə)l] *n* **1** (*person*) élève *mf*. **2** (*of eye*) pupille *f*.
puppet ['pʌpɪt] *n* marionnette *f*; – *a* (*government, leader*) fantoche.
puppy ['pʌpɪ] *n* (*dog*) chiot *m*.
purchas/e ['pɜːtʃɪs] *n* (*bought article, buying*) achat *m*; – *vt* acheter (**from s.o.** à qn, **for s.o.** à *or* pour qn). ◆**—er** *n* acheteur, -euse *mf*.
pure [pjʊər] *a* (**-er, -est**) pur. ◆**purely** *adv* purement. ◆**purifi'cation** *n* purification *f*. ◆**purify** *vt* purifier. ◆**purity** *n* pureté *f*.
purée ['pjʊəreɪ] *n* purée *f*.
purgatory ['pɜːgətrɪ] *n* purgatoire *m*.
purge [pɜːdʒ] *n Pol Med* purge *f*; – *vt* (*rid*) purger (**of** de); (*group*) *Pol* épurer.
purist ['pjʊərɪst] *n* puriste *mf*.
puritan ['pjʊərɪt(ə)n] *n* & *a* puritain, -aine (*mf*). ◆**puri'tanical** *a* puritain.
purl [pɜːl] *n* (*knitting stitch*) maille *f* à l'envers.
purple ['pɜːp(ə)l] *a* & *n* violet (*m*); **to go p.** (*with anger*) devenir pourpre; (*with shame*) devenir cramoisi.
purport [pɜː'pɔːt] *vt* **to p. to be** (*claim*) prétendre être.
purpose ['pɜːpəs] *n* **1** (*aim*) but *m*; **for this p.** dans ce but; **on p.** exprès; **to no p.** inutilement; **to serve no p.** ne servir à rien; **for (the) purposes of** pour les besoins de. **2** (*determination, willpower*) résolution *f*; **to have a sense of p.** être résolu. ◆**p.-'built** *a* construit spécialement. ◆**purposeful** *a* (*determined*) résolu. ◆**purposefully** *adv* dans un but précis; (*resolutely*) résolument. ◆**purposely** *adv* exprès.
purr [pɜːr] *vi* ronronner; – *n* ronron(nement) *m*.
purse [pɜːs] **1** *n* (*for coins*) porte-monnaie *m inv*; (*handbag*) *Am* sac *m* à main. **2** *vt* **to p. one's lips** pincer les lèvres.
purser ['pɜːsər] *n Nau* commissaire *m* du bord.
pursue [pə'sjuː] *vt* (*chase, hound, seek, continue*) poursuivre; (*fame, pleasure*) rechercher; (*course of action*) suivre. ◆**pursuer** *n* poursuivant, -ante *mf*. ◆**pursuit** *n* (*of person, glory etc*) poursuite *f*; (*activity, pastime*) occupation *f*; **to go in p. of** se mettre à la poursuite de.
purveyor [pə'veɪər] *n Com* fournisseur *m*.
pus [pʌs] *n* pus *m*.
push [pʊʃ] *n* (*shove*) poussée *f*; (*energy*) *Fig* dynamisme *m*; (*help*) coup *m* de pouce; (*campaign*) campagne *f*; **to give s.o./sth a p.** pousser qn/qch; **to give s.o. the p.** (*dismiss*) *Fam* flanquer qn à la porte; – *vt* pousser (**to, as far as** jusqu'à); (*product*) *Com* pousser la vente de; (*drugs*) *Fam* revendre; **to p. (down)** (*button*) appuyer sur; (*lever*) abaisser; **to p. (forward)** (*views etc*) mettre en avant; **to p. sth into/between** (*thrust*) enfoncer *or* fourrer qch dans/entre; **to p. s.o. into doing** (*urge*) pousser qn à faire; **to p. sth off the table** faire tomber qch de la table (en le poussant); **to p. s.o. off a cliff** pousser qn du haut d'une falaise; **to be pushing forty**/*etc Fam* friser la quarantaine/*etc*; – *vi* pousser; **to p. for** faire pression pour obtenir. ■ **to p. about** *or* **around** *vt* (*bully*) *Fam* marcher sur les pieds à; **to p. aside** *vt* (*person, objection etc*) écarter; **to p. away** *or* **back** *vt* repousser; (*curtains*) ouvrir; **to p. in** *vi* (*in queue*) *Fam* resquiller; **to p. off** *vi* (*leave*) *Fam* filer; **p. off!** *Fam* fiche le camp!; **to p. on** *vi* continuer (**with sth** qch); (*in journey*) poursuivre sa route; **to p. over** *vt* (*topple*) renverser; **to p. through** *vt* (*law*) faire adopter; – *vti* **to p. (one's way) through** se frayer un chemin (**a crowd**/*etc* à travers une foule/*etc*); **to p. up** *vt* (*lever etc*) relever; (*increase*) *Fam* augmenter, relever. ◆**pushed** *a* **to be p. (for time)** (*rushed, busy*) être très bousculé. ◆**pusher** *n* (*of drugs*) revendeur, -euse *mf* (de drogue).
pushbike ['pʊʃbaɪk] *n Fam* vélo *m*. ◆**push-button** *n* poussoir *m*; – *a* (*radio etc*) à poussoir. ◆**pushchair** *n* poussette *f* (pliante). ◆**pushover** *n* **to be a p.** (*easy*)

Fam être facile, être du gâteau. ◆**push-up** *n Sp Am* pompe *f*.

pushy ['pʊʃɪ] *a* (**-ier, -iest**) *Pej* entreprenant; (*in job*) arriviste.

puss(y) ['pʊs(ɪ)] *n* (*cat*) minet *m*, minou *m*.

put [pʊt] *vt* (*pt & pp* **put,** *pres p* **putting**) mettre; (*savings, money*) placer (**into** dans); (*pressure, mark*) faire (**on** sur); (*problem, argument*) présenter (**to** à); (*question*) poser (**to** à); (*say*) dire; (*estimate*) évaluer (**at** à); **to p. it bluntly** pour parler franc. ■ **to p. across** *vt* (*idea etc*) communiquer (**to** à); **to p. away** *vt* (*in its place*) ranger (*livre, voiture etc*); **to p. s.o. away** (*criminal*) mettre qn en prison; (*insane person*) enfermer qn; **to p. back** *vt* remettre; (*receiver*) *Tel* raccrocher; (*progress, clock*) retarder; **to p. by** *vt* (*money*) mettre de côté; **to p. down** *vt* (*on floor, table etc*) poser; (*passenger*) déposer; (*deposit*) *Fin* verser; (*revolt*) réprimer; (*write down*) inscrire; (*assign*) attribuer (**to** à); (*kill*) faire piquer (*chien etc*); **to p. forward** *vt* (*argument, clock, meeting*) avancer; (*opinion*) exprimer; (*candidate*) proposer (**for** à); **to p. in** *vt* (*insert*) introduire; (*add*) ajouter; (*present*) présenter; (*request, application*) faire; (*enrol*) inscrire (**for** à); (*spend*) passer (*une heure etc*) (**doing** à faire); – *vi* **to p. in for** (*job etc*) faire une demande de; **to p. in at** (*of ship etc*) faire escale à; **to p. off** *vt* (*postpone*) renvoyer (à plus tard); (*passenger*) déposer; (*gas, radio*) fermer; (*dismay*) déconcerter; **to p. s.o. off** (*dissuade*) dissuader qn (**doing** de faire); **to p. s.o. off** (*disgust*) dégoûter qn (**sth** de qch); **to p. s.o. off doing** (*disgust*) ôter à qn l'envie de faire; **to p. on** *vt* (*clothes, shoe etc*) mettre; (*weight, accent*) prendre; (*film*) jouer; (*gas, radio*) mettre, allumer; (*record, cassette*) passer; (*clock*) avancer; **to p. s.o. on** (*tease*) *Am* faire marcher qn; **she p. me on to you** elle m'a donné votre adresse; **p. me on to him!** *Tel* passez-le-moi!; **to p. out** *vt* (*take outside*) sortir; (*arm, leg*) étendre; (*hand*) tendre; (*tongue*) tirer; (*gas, light*) éteindre, fermer; (*inconvenience*) déranger; (*upset*) déconcerter; (*issue*) publier; (*dislocate*) démettre; **to p. through** *vt Tel* passer (**to** à); **to p. together** *vt* (*assemble*) assembler; (*compose*) composer; (*prepare*) préparer; (*collection*) faire; **to p. up** *vi* (*lodge*) descendre (**at a hotel** dans un hôtel); **to p. up with** (*tolerate*) supporter; – *vt* (*lift*) lever; (*window*) remonter; (*tent, statue, barrier, ladder*) dresser; (*flag*) hisser; (*building*) construire; (*umbrella*) ouvrir; (*picture, poster*) mettre; (*price, sales, numbers*) augmenter; (*resistance, plea, suggestion*) offrir; (*candidate*) proposer (**for** à); (*guest*) loger; **p.-up job** *Fam* coup *m* monté. ◆**p.-you-up** *n* canapé-lit *m*, convertible *m*.

putrid ['pjuːtrɪd] *a* putride. ◆**putrify** *vi* se putréfier.

putt [pʌt] *n Golf* putt *m*. ◆**putting** *n Golf* putting *m*; **p. green** green *m*.

putter ['pʌtər] *vi* **to p. around** *Am* bricoler.

putty ['pʌtɪ] *n* (*pour fixer une vitre*) mastic *m*.

puzzl/e ['pʌz(ə)l] *n* mystère *m*, énigme *f*; (*game*) casse-tête *m inv*; (*jigsaw*) puzzle *m*; – *vt* laisser perplexe; **to p. out why/when/** *etc* essayer de comprendre pourquoi/quand/*etc*; – *vi* **to p. over** (*problem, event*) se creuser la tête sur. ◆**—ed** *a* perplexe. ◆**—ing** *a* mystérieux, surprenant.

PVC [piːviː'siː] *n* (*plastic*) PVC *m*.

pygmy ['pɪgmɪ] *n* pygmée *m*.

pyjama [pɪ'dʒɑːmə] *a* (*jacket etc*) de pyjama. ◆**pyjamas** *npl* pyjama *m*; **a pair of p.** un pyjama.

pylon ['paɪlən] *n* pylône *m*.

pyramid ['pɪrəmɪd] *n* pyramide *f*.

Pyrenees [pɪrə'niːz] *npl* **the P.** les Pyrénées *fpl*.

python ['paɪθən] *n* (*snake*) python *m*.

Q

Q, q [kjuː] *n* Q, q *m*.

quack [kwæk] **1** *n* (*of duck*) coin-coin *m inv*. **2** *a & n* **q. (doctor)** charlatan *m*.

quad(rangle) ['kwɒd(ræŋg(ə)l)] *n* (*of college*) cour *f*.

quadruped ['kwɒdrʊped] *n* quadrupède *m*.

quadruple [kwɒ'druːp(ə)l] *vt* quadrupler.

quadruplets [kwɒ'druːplɪts] (*Fam* **quads** [kwɒdz]) *npl* quadruplés, -ées *mfpl*.

quaff [kwɒf] *vt* (*drink*) avaler.

quagmire ['kwægmaɪər] *n* bourbier *m*.

quail [kweɪl] *n* (*bird*) caille *f*.

quaint [kweɪnt] *a* **(-er, -est)** (*picturesque*) pittoresque; (*antiquated*) vieillot; (*odd*) bizarre. ◆**—ness** *n* pittoresque *m*; caractère *m* vieillot; bizarrerie *f*.
quake [kweɪk] *vi* trembler (**with** de); – *n* *Fam* tremblement *m* de terre.
Quaker ['kweɪkər] *n* quaker, -eresse *mf*.
qualification [kwɒlɪfɪ'keɪʃ(ə)n] *n* **1** (*competence*) compétence *f* (**for** pour, **to do** pour faire); (*diploma*) diplôme *m*; *pl* (*requirements*) conditions *fpl* requises. **2** (*reservation*) réserve *f*.
qualify ['kwɒlɪfaɪ] **1** *vt* (*make competent*) & *Sp* qualifier (**for sth** pour qch, **to do** pour faire); – *vi* obtenir son diplôme (**as a doctor/***etc* de médecin/*etc*); *Sp* se qualifier (**for** pour); **to q. for** (*post*) remplir les conditions requises pour. **2** *vt* (*modify*) faire des réserves à; (*opinion*) nuancer; *Gram* qualifier. ◆**qualified** *a* (*able*) qualifié (**to do** pour faire); (*doctor etc*) diplômé; (*success*) limité; (*opinion*) nuancé; (*support*) conditionnel. ◆**qualifying** *a* (*exam*) d'entrée; **q. round** *Sp* (épreuve *f*) éliminatoire *f*.
quality ['kwɒlɪtɪ] *n* qualité *f*; – *a* (*product*) de qualité. ◆**qualitative** *a* qualitatif.
qualms [kwɑːmz] *npl* (*scruples*) scrupules *mpl*; (*anxieties*) inquiétudes *fpl*.
quandary ['kwɒndrɪ] *n* **in a q.** bien embarrassé; **to be in a q. about what to do** ne pas savoir quoi faire.
quantity ['kwɒntɪtɪ] *n* quantité *f*; **in q.** (*to purchase etc*) en grande(s) quantité(s). ◆**quantify** *vt* quantifier. ◆**quantitative** *a* quantitatif.
quarantine ['kwɒrəntiːn] *n* *Med* quarantaine *f*; – *vt* mettre en quarantaine.
quarrel ['kwɒrəl] *n* querelle *f*, dispute *f*; **to pick a q.** chercher querelle (**with s.o.** à qn); – *vi* (**-ll-**, *Am* **-l-**) se disputer, se quereller (**with** avec); **to q. with sth** trouver à redire à qch. ◆**quarrelling** *n*, *Am* ◆**quarreling** *n* (*quarrels*) querelles *fpl*. ◆**quarrelsome** *a* querelleur.
quarry ['kwɒrɪ] *n* **1** (*excavation*) carrière *f*. **2** (*prey*) proie *f*.
quart [kwɔːt] *n* litre *m* (*mesure approximative*) (*Br = 1,14 litres, Am = 0,95 litre*).
quarter ['kwɔːtər] **1** *n* quart *m*; (*of year*) trimestre *m*; (*money*) *Am Can* quart *m* de dollar; (*of moon, fruit*) quartier *m*; **to divide into quarters** diviser en quatre; **q. (of a) pound** quart *m* de livre; **a q. past nine,** *Am* **a q. after nine** neuf heures et *or* un quart; **a q. to nine** neuf heures moins le quart; **from all quarters** de toutes parts. **2** *n* (*district*) quartier *m*; *pl* (*circles*) milieux *mpl*; **(living) quarters** logement(s) *m(pl)*; *Mil* quartier(s) *m(pl)*; – *vt* (*troops*) *Mil* cantonner. ◆**—ly** *a* trimestriel; – *adv* trimestriellement; – *n* publication *f* trimestrielle.
quarterfinal [kwɔːtə'faɪn(ə)l] *n* *Sp* quart *m* de finale.
quartet(te) [kwɔː'tet] *n* *Mus* quatuor *m*; (*jazz*) **q.** quartette *m*.
quartz [kwɔːts] *n* quartz *m*; – *a* (*clock etc*) à quartz.
quash [kwɒʃ] *vt* (*rebellion etc*) réprimer; (*verdict*) *Jur* casser.
quaver ['kweɪvər] **1** *vi* chevroter; – *n* chevrotement *m*. **2** *n* *Mus* croche *f*.
quay [kiː] *n* *Nau* quai *m*. ◆**quayside** *n* **on the q.** sur les quais.
queas/y ['kwiːzɪ] *a* **(-ier, -iest) to feel** *or* **be q.** avoir mal au cœur. ◆**—iness** *n* mal *m* au cœur.
Quebec [kwɪ'bek] *n* le Québec.
queen [kwiːn] *n* reine *f*; *Chess Cards* dame *f*; **the q. mother** la reine mère.
queer ['kwɪər] *a* **(-er, -est)** (*odd*) bizarre; (*dubious*) louche; (*ill*) *Fam* patraque; – *n* (*homosexual*) *Pej Fam* pédé *m*.
quell [kwel] *vt* (*revolt etc*) réprimer.
quench [kwentʃ] *vt* (*fire*) éteindre; **to q. one's thirst** se désaltérer.
querulous ['kwerʊləs] *a* (*complaining*) grognon.
query ['kwɪərɪ] *n* question *f*; (*doubt*) doute *m*; – *vt* mettre en question.
quest [kwest] *n* quête *f* (**for** de); **in q. of** en quête de.
question ['kwestʃ(ə)n] *n* question *f*; **there's some q. of it** il en est question; **there's no q. of it, it's out of the q.** il n'en est pas question, c'est hors de question; **without q.** incontestable(ment); **in q.** en question, dont il s'agit; **q. mark** point *m* d'interrogation; **q. master** *TV Rad* animateur, -trice *mf*; – *vt* interroger (**about** sur); (*doubt*) mettre en question; **to q. whether** douter que (+ *sub*). ◆**—ing** *a* (*look etc*) interrogateur; – *n* interrogation *f*. ◆**—able** *a* douteux. ◆**questio'nnaire** *n* questionnaire *m*.
queue [kjuː] *n* (*of people*) queue *f*; (*of cars*) file *f*; **to stand in a q., form a q.** faire la queue; – *vi* **to q. (up)** faire la queue.
quibbl/e ['kwɪb(ə)l] *vi* ergoter, discuter (**over** sur). ◆**—ing** *n* ergotage *m*.
quiche [kiːʃ] *n* (*tart*) quiche *f*.
quick [kwɪk] **1** *a* **(-er, -est)** rapide; **q. to react** prompt à réagir; **to be q.** faire vite; **to have a q. shave/meal/***etc* se raser/manger/*etc* en

vitesse; **to be a q. worker** travailler vite; – *adv* (**-er, -est**) vite; **as q. as a flash** en un clin d'œil. **2** *n* **to cut to the q.** blesser au vif. ◆**q.-'tempered** *a* irascible. ◆**q.-'witted** *a* à l'esprit vif. ◆**quicken** *vt* accélérer; – *vi* s'accélérer. ◆**quickie** *n* (*drink*) *Fam* pot *m* (*pris en vitesse*). ◆**quickly** *adv* vite. ◆**quicksands** *npl* sables *mpl* mouvants.

quid [kwɪd] *n inv Fam* livre *f* (sterling).

quiet [kwaɪət] *a* (**-er, -est**) (*silent, still, peaceful*) tranquille, calme; (*machine, vehicle, temperament*) silencieux; (*gentle*) doux; (*voice*) bas, doux; (*sound*) léger, doux; (*private*) intime; (*colour*) discret; **to be** *or* **keep q.** (*shut up*) se taire; (*make no noise*) ne pas faire de bruit; **q.!** silence!; **to keep q. about sth, keep sth q.** ne pas parler de qch; **on the q.** (*secretly*) *Fam* en cachette; – *vt* = **quieten.** ◆**quieten** *vti* **to q. (down)** (se) calmer. ◆**quietly** *adv* tranquillement; (*gently, not loudly*) doucement; (*silently*) silencieusement; (*secretly*) en cachette; (*discreetly*) discrètement. ◆**quietness** *n* tranquillité *f*.

quill [kwɪl] *n* (*pen*) plume *f* (d'oie).

quilt [kwɪlt] *n* édredon *m*; **(continental) q.** couette *f*; – *vt* (*stitch*) piquer; (*pad*) matelasser.

quintessence [kwɪn'tesəns] *n* quintessence *f*.

quintet(te) [kwɪn'tet] *n* quintette *m*.

quintuplets [kwɪn'tjuːplɪts] (*Fam* **quins** [kwɪnz]) *npl* quintuplés, -ées *mfpl*.

quip [kwɪp] *n* (*remark*) boutade *f*; – *vi* (**-pp-**) faire des boutades; – *vt* dire sur le ton de la boutade.

quirk [kwɜːk] *n* bizarrerie *f*; (*of fate*) caprice *m*.

quit [kwɪt] *vt* (*pt & pp* **quit** *or* **quitted,** *pres p* **quitting**) (*leave*) quitter; **to q. doing** arrêter de faire; – *vi* (*give up*) abandonner; (*resign*) démissionner.

quite [kwaɪt] *adv* (*entirely*) tout à fait; (*really*) vraiment; (*rather*) assez; **q. another matter** une tout autre affaire *or* question; **q. a genius** un véritable génie; **q. good** (*not bad*) pas mal (du tout); **q. (so)!** exactement!; **I q. understand** je comprends très bien; **q. a lot** pas mal (**of** de); **q. a (long) time ago** il y a pas mal de temps.

quits [kwɪts] *a* quitte (**with** envers); **to call it q.** en rester là.

quiver ['kwɪvər] *vi* frémir (**with** de); (*of voice*) trembler, frémir; (*of flame*) vaciller, trembler.

quiz [kwɪz] *n* (*pl* **quizzes**) (*riddle*) devinette *f*; (*test*) test *m*; **q. (programme)** *TV Rad* jeu(-concours) *m*; – *vt* (**-zz-**) questionner. ◆**quizmaster** *n TV Rad* animateur, -trice *mf*.

quizzical ['kwɪzɪk(ə)l] *a* (*mocking*) narquois; (*perplexed*) perplexe.

quorum ['kwɔːrəm] *n* quorum *m*.

quota ['kwəʊtə] *n* quota *m*.

quote [kwəʊt] *vt* citer; (*reference number*) *Com* rappeler; (*price*) indiquer; (*price on Stock Exchange*) coter; – *vi* **to q. from** (*author, book*) citer; – *n Fam* = **quotation; in quotes** entre guillemets. ◆**quo'tation** *n* citation *f*; (*estimate*) *Com* devis *m*; (*on Stock Exchange*) cote *f*; **q. marks** guillemets *mpl*; **in q. marks** entre guillemets.

quotient ['kwəʊʃ(ə)nt] *n* quotient *m*.

R

R, r [ɑːr] *n* R, r *m*.

rabbi ['ræbaɪ] *n* rabbin *m*; **chief r.** grand rabbin.

rabbit ['ræbɪt] *n* lapin *m*.

rabble ['ræb(ə)l] *n* (*crowd*) cohue *f*; **the r.** *Pej* la populace.

rabies ['reɪbiːz] *n Med* rage *f*. ◆**rabid** ['ræbɪd] *a* (*dog*) enragé; (*person*) *Fig* fanatique.

raccoon [rə'kuːn] *n* (*animal*) raton *m* laveur.

rac/e¹ [reɪs] *n Sp & Fig* course *f*; – *vt* (*horse*) faire courir; (*engine*) emballer; **to r. (against** *or* **with) s.o.** faire une course avec qn; – *vi* (*run*) courir; (*of engine*) s'emballer; (*of pulse*) battre à tout rompre. ◆**—ing** *n* courses *fpl*; – *a* (*car, bicycle etc*) de course; **r. driver** coureur *m* automobile. ◆**racecourse** *n* champ *m* de courses. ◆**racegoer** *n* turfiste *mf*. ◆**racehorse** *n* cheval *m* de course. ◆**racetrack** *n* piste *f*; (*for horses*) *Am* champ *m* de courses.

race² [reɪs] *n* (*group*) race *f*; – *a* (*prejudice etc*) racial; **r. relations** rapports *mpl* entre les races. ◆**racial** *a* racial. ◆**racialism** *n* racisme *m*. ◆**racism** *n* racisme *m*. ◆**racist** *a* & *n* raciste (*mf*).

rack [ræk] **1** *n* (*shelf*) étagère *f*; (*for bottles etc*) casier *m*; (*for drying dishes*) égouttoir *m*; **(luggage) r.** (*on bicycle*) porte-bagages *m inv*; (*on bus, train etc*) filet *m* à bagages; **(roof) r.** (*of car*) galerie *f*. **2** *vt* **to r. one's brains** se creuser la cervelle. **3** *n* **to go to r. and ruin** (*of person*) aller à la ruine; (*of building*) tomber en ruine; (*of health*) se délabrer.

racket ['rækɪt] *n* **1** (*for tennis etc*) raquette *f*. **2** (*din*) vacarme *m*. **3** (*crime*) racket *m*; (*scheme*) combine *f*; **the drug(s) r.** le trafic *m* de (la) drogue. ◆**racke'teer** *n* racketteur *m*. ◆**racke'teering** *n* racket *m*.

racoon [rə'kuːn] *n* (*animal*) raton *m* laveur.

racy ['reɪsɪ] *a* (**-ier, -iest**) piquant; (*suggestive*) osé.

radar ['reɪdɑːr] *n* radar *m*; – *a* (*control, trap etc*) radar *inv*; **r. operator** radariste *mf*.

radiant ['reɪdɪənt] *a* (*person*) rayonnant (**with** de), radieux. ◆**radiance** *n* éclat *m*, rayonnement *m*. ◆**radiantly** *adv* (*to shine*) avec éclat; **r. happy** rayonnant de joie.

radiate ['reɪdɪeɪt] *vt* (*emit*) dégager; (*joy*) *Fig* rayonner de; – *vi* (*of heat, lines*) rayonner (**from** de). ◆**radia'tion** *n* (*of heat etc*) rayonnement *m* (**of** de); (*radioactivity*) *Phys* radiation *f*; (*rays*) irradiation *f*; **r. sickness** mal *m* des rayons.

radiator ['reɪdɪeɪtər] *n* radiateur *m*.

radical ['rædɪk(ə)l] *a* radical; – *n* (*person*) *Pol* radical, -ale *mf*.

radio ['reɪdɪəʊ] *n* (*pl* **-os**) radio *f*; **on the r.** à la radio; **car r.** autoradio *m*; **r. set** poste *m* (de) radio; **r. operator** radio *m*; **r. wave** onde *f* hertzienne; – *vt* (*message*) transmettre (par radio) (**to** à); **to r. s.o.** appeler qn par radio. ◆**r.-con'trolled** *a* radioguidé. ◆**radio'active** *a* radioactif. ◆**radioac'tivity** *n* radioactivité *f*.

radiographer [reɪdɪ'ɒgrəfər] *n* (*technician*) radiologue *mf*. ◆**radiography** *n* radiographie *f*. ◆**radiologist** *n* (*doctor*) radiologue *mf*. ◆**radiology** *n* radiologie *f*.

radish ['rædɪʃ] *n* radis *m*.

radius, *pl* **-dii** ['reɪdɪəs, -dɪaɪ] *n* (*of circle*) rayon *m*; **within a r. of** dans un rayon de.

RAF [ɑːreɪ'ef] *n abbr* (*Royal Air Force*) armée *f* de l'air (britannique).

raffia ['ræfɪə] *n* raphia *m*.

raffle ['ræf(ə)l] *n* tombola *f*.

raft [rɑːft] *n* (*boat*) radeau *m*.

rafter ['rɑːftər] *n* (*beam*) chevron *m*.

rag [ræg] *n* **1** (*old garment*) loque *f*, haillon *m*; (*for dusting etc*) chiffon *m*; **in rags** (*clothes*) en loques; (*person*) en haillons; **r.-and-bone man** chiffonnier *m*. **2** (*newspaper*) torchon *m*. **3** (*procession*) *Univ* carnaval *m* (*au profit d'œuvres de charité*). ◆**ragged** ['rægɪd] *a* (*clothes*) en loques; (*person*) en haillons; (*edge*) irrégulier. ◆**ragman** *n* (*pl* **-men**) chiffonnier *m*.

ragamuffin ['rægəmʌfɪn] *n* va-nu-pieds *m inv*.

rag/e [reɪdʒ] *n* rage *f*; (*of sea*) furie *f*; **to fly into a r.** se mettre en rage; **to be all the r.** (*of fashion etc*) faire fureur; – *vi* (*be angry*) rager; (*of storm, battle*) faire rage. ◆**—ing** *a* (*storm, fever*) violent; **a r. fire** un grand incendie; **in a r. temper** furieux.

raid [reɪd] *n Mil* raid *m*; (*by police*) descente *f*; (*by thieves*) hold-up *m*; **air r.** raid *m* aérien, attaque *f* aérienne; – *vt* faire un raid *or* une descente *or* un hold-up dans; *Av* attaquer; (*larder, fridge etc*) *Fam* dévaliser. ◆**raider** *n* (*criminal*) malfaiteur *m*; *pl Mil* commando *m*.

rail [reɪl] **1** *n* (*for train*) rail *m*; **by r.** (*to travel*) par le train; (*to send*) par chemin de fer; **to go off the rails** (*of train*) dérailler; – *a* ferroviaire; (*strike*) des cheminots. **2** *n* (*rod on balcony*) balustrade *f*; (*on stairs, for spotlight*) rampe *f*; (*for curtain*) tringle *f*; **(towel) r.** porte-serviettes *m inv*. ◆**railing** *n* (*of balcony*) balustrade *f*; *pl* (*fence*) grille *f*. ◆**railroad** *n Am* = **railway; r. track** voie *f* ferrée. ◆**railway** *n* (*system*) chemin *m* de fer; (*track*) voie *f* ferrée; – *a* (*ticket*) de chemin de fer; (*network*) ferroviaire; **r. line** (*route*) ligne *f* de chemin de fer; (*track*) voie *f* ferrée; **r. station** gare *f*. ◆**railwayman** *n* (*pl* **-men**) cheminot *m*.

rain [reɪn] *n* pluie *f*; **in the r.** sous la pluie; **I'll give you a r. check** (*for invitation*) *Am Fam* j'accepterai volontiers à une date ultérieure; – *vi* pleuvoir; **to r. (down)** (*of blows, bullets*) pleuvoir; **it's raining** il pleut. ◆**rainbow** *n* arc-en-ciel *m*. ◆**raincoat** *n* imper(méable) *m*. ◆**raindrop** *n* goutte *f* de pluie. ◆**rainfall** *n* (*shower*) chute *f* de pluie; (*amount*) précipitations *fpl*. ◆**rainstorm** *n* trombe *f* d'eau. ◆**rainwater** *n* eau *f* de pluie. ◆**rainy** *a* (**-ier, -iest**) pluvieux; **the r. season** la saison des pluies.

raise [reɪz] *vt* (*lift*) lever; (*sth heavy*) (sou)lever; (*child, animal, voice, statue*) élever; (*crops*) cultiver; (*salary, price*) augmenter, relever; (*temperature*) faire monter; (*question, protest*) soulever; (*taxes, blockade*) lever; **to r. a smile/a laugh** (*in others*) faire sourire/rire; **to r. s.o.'s hopes**

faire naître les espérances de qn; **to r. money** réunir des fonds; – *n* (*pay rise*) *Am* augmentation *f* (de salaire).

raisin ['reɪz(ə)n] *n* raison *m* sec.

rake [reɪk] *n* râteau *m*; – *vt* (*garden*) ratisser; (*search*) fouiller dans; **to r. (up)** (*leaves*) ramasser (avec un râteau); **to r. in** (*money*) *Fam* ramasser à la pelle; **to r. up** (*the past*) remuer. ◆**r.-off** *n Fam* pot-de-vin *m*, ristourne *f*.

rally ['rælɪ] *vt* (*unite, win over*) rallier (**to** à); (*one's strength*) *Fig* reprendre; – *vi* se rallier (**to** à); (*recover*) se remettre (**from** de); **to r. round** (*help*) venir en aide (**s.o.** à qn); – *n Mil* ralliement *m*; *Pol* rassemblement *m*; *Sp Aut* rallye *m*.

ram [ræm] **1** *n* (*animal*) bélier *m*. **2** *vt* (**-mm-**) (*ship*) heurter; (*vehicle*) emboutir; **to r. sth into** (*thrust*) enfoncer qch dans.

rambl/e ['ræmb(ə)l] **1** *n* (*hike*) randonnée *f*; – *vi* faire une randonnée *or* des randonnées. **2** *vi* **to r. on** (*talk*) *Pej* discourir. ◆**—ing 1** *a* (*house*) construit sans plan; (*spread out*) vaste; (*rose etc*) grimpant. **2** *a* (*speech*) décousu; – *npl* divagations *fpl*. ◆**—er** *n* promeneur, -euse *mf*.

ramification [ræmɪfɪ'keɪʃ(ə)n] *n* ramification *f*.

ramp [ræmp] *n* (*slope*) rampe *f*; (*in garage*) *Tech* pont *m* (de graissage); *Av* passerelle *f*; **'r.'** *Aut* 'dénivellation'.

rampage ['ræmpeɪdʒ] *n* **to go on the r.** (*of crowd*) se déchaîner; (*loot*) se livrer au pillage.

rampant ['ræmpənt] *a* **to be r.** (*of crime, disease etc*) sévir.

rampart ['ræmpɑːt] *n* rempart *m*.

ramshackle ['ræmʃæk(ə)l] *a* délabré.

ran [ræn] *see* **run**.

ranch [ræntʃ] *n Am* ranch *m*; **r. house** maison *f* genre bungalow (sur sous-sol).

rancid ['rænsɪd] *a* rance.

rancour ['ræŋkər] *n* rancœur *f*.

random ['rændəm] *n* **at r.** au hasard; – *a* (*choice*) fait au hasard; (*sample*) prélevé au hasard; (*pattern*) irrégulier.

randy ['rændɪ] *a* (**-ier, -iest**) *Fam* sensuel, lascif.

rang [ræŋ] *see* **ring**[2].

range [reɪndʒ] **1** *n* (*of gun, voice etc*) portée *f*; (*of aircraft, ship*) rayon *m* d'action; (*series*) gamme *f*; (*choice*) choix *m*; (*of prices*) éventail *m*; (*of voice*) *Mus* étendue *f*; (*of temperature*) variations *fpl*; (*sphere*) *Fig* champ *m*, étendue *f*; – *vi* (*vary*) varier; (*extend*) s'étendre; (*roam*) errer, rôder. **2** *n* (*of mountains*) chaîne *f*; (*grassland*) *Am* prairie *f*. **3** *n* (*stove*) *Am* cuisinière *f*. **4** *n* **(shooting** *or* **rifle) r.** (*at funfair*) stand *m* de tir; (*outdoors*) champ *m* de tir.

ranger ['reɪndʒər] *n* **(forest) r.** *Am* garde *m* forestier.

rank [ræŋk] **1** *n* (*position, class*) rang *m*; (*grade*) *Mil* grade *m*, rang *m*; **the r. and file** (*workers etc*) *Pol* la base; **the ranks** (*men in army, numbers*) les rangs *mpl* (**of** de); **taxi r.** station *f* de taxi; – *vti* **to r. among** compter parmi. **2** *a* (**-er, -est**) (*smell*) fétide; (*vegetation*) luxuriant; *Fig* absolu.

rankle ['ræŋk(ə)l] *vi* **it rankles (with me)** je l'ai sur le cœur.

ransack ['rænsæk] *vt* (*search*) fouiller; (*plunder*) saccager.

ransom ['ræns(ə)m] *n* rançon *f*; **to hold to r.** rançonner; – *vt* (*redeem*) racheter.

rant [rænt] *vi* **to r. (and rave)** tempêter (**at** contre).

rap [ræp] *n* petit coup *m* sec; – *vi* (**-pp-**) frapper (**at** à); – *vt* **to r. s.o. over the knuckles** taper sur les doigts de qn.

rapacious [rə'peɪʃəs] *a* (*greedy*) rapace.

rape [reɪp] *vt* violer; – *n* viol *m*. ◆**rapist** *n* violeur *m*.

rapid ['ræpɪd] **1** *a* rapide. **2** *n* & *npl* (*of river*) rapide(s) *m(pl)*. ◆**ra'pidity** *n* rapidité *f*. ◆**rapidly** *adv* rapidement.

rapport [ræ'pɔːr] *n* (*understanding*) rapport *m*.

rapt [ræpt] *a* (*attention*) profond.

rapture ['ræptʃər] *n* extase *f*; **to go into raptures** s'extasier (**about** sur). ◆**rapturous** *a* (*welcome, applause*) enthousiaste.

rare [reər] *a* (**-er, -est**) rare; (*meat*) *Culin* saignant; (*first-rate*) *Fam* fameux; **it's r. for her to do it** il est rare qu'elle le fasse. ◆**—ly** *adv* rarement. ◆**—ness** *n* rareté *f*. ◆**rarity** *n* (*quality, object*) rareté *f*.

rarefied ['reərɪfaɪd] *a* raréfié.

raring ['reərɪŋ] *a* **r. to start**/*etc* impatient de commencer/*etc*.

rascal ['rɑːsk(ə)l] *n* coquin, -ine *mf*. ◆**rascally** *a* (*child etc*) coquin; (*habit, trick etc*) de coquin.

rash [ræʃ] **1** *n Med* éruption *f*. **2** *a* (**-er, -est**) irréfléchi. ◆**—ly** *adv* sans réfléchir. ◆**—ness** *n* irréflexion *f*.

rasher ['ræʃər] *n* tranche *f* de lard.

rasp [rɑːsp] *n* (*file*) râpe *f*.

raspberry ['rɑːzbərɪ] *n* (*fruit*) framboise *f*; (*bush*) framboisier *m*.

rasping ['rɑːspɪŋ] *a* (*voice*) âpre.

rat [ræt] **1** *n* rat *m*; **r. poison** mort-aux-rats *f*; **the r. race** *Fig* la course au bifteck, la jungle. **2** *vi* (**-tt-**) **to r. on** (*desert*) lâcher;

(*denounce*) cafarder sur; (*promise etc*) manquer à.

rate [reɪt] **1** *n* (*percentage, level*) taux *m*; (*speed*) vitesse *f*; (*price*) tarif *m*; *pl* (*on housing*) impôts *mpl* locaux; **insurance rates** primes *fpl* d'assurance; **r. of flow** débit *m*; **postage** *or* **postal r.** tarif *m* postal; **at the r. of** à une vitesse de; (*amount*) à raison de; **at this r.** (*slow speed*) à ce train-là; **at any r.** en tout cas; **the success r.** (*chances*) les chances *fpl* de succès; (*candidates*) le pourcentage de reçus. **2** *vt* (*evaluate*) évaluer; (*regard*) considérer (**as** comme); (*deserve*) mériter; **to r. highly** apprécier (beaucoup); **to be highly rated** être très apprécié. ◆**rateable** *a* **r. value** valeur *f* locative nette. ◆**ratepayer** *n* contribuable *mf*.

rather ['rɑːðər] *adv* (*preferably, fairly*) plutôt; **I'd r. stay** j'aimerais mieux *or* je préférerais rester (**than** que); **I'd r. you came** je préférerais que vous veniez; **r. than leave**/*etc* plutôt que de partir/*etc*; **r. more tired**/*etc* un peu plus fatigué/*etc* (**than** que); **it's r. nice** c'est bien.

ratify ['rætɪfaɪ] *vt* ratifier. ◆**ratifi'cation** *n* ratification *f*.

rating ['reɪtɪŋ] *n* (*classification*) classement *m*; (*wage etc level*) indice *m*; **credit r.** *Fin* réputation *f* de solvabilité; **the ratings** *TV* l'indice *m* d'écoute.

ratio ['reɪʃɪəʊ] *n* (*pl* **-os**) proportion *f*.

ration ['ræʃ(ə)n, *Am* 'reɪʃ(ə)n] *n* ration *f*; *pl* (*food*) vivres *mpl*; – *vt* rationner; **I was rationed to . . .** ma ration était . . . .

rational ['ræʃən(ə)l] *a* (*method, thought etc*) rationnel; (*person*) raisonnable. ◆**rationalize** *vt* (*organize*) rationaliser; (*explain*) justifier. ◆**rationally** *adv* raisonnablement.

rattle ['ræt(ə)l] **1** *n* (*baby's toy*) hochet *m*; (*of sports fan*) crécelle *f*. **2** *n* petit bruit *m* (sec); cliquetis *m*; crépitement *m*; – *vi* faire du bruit; (*of bottles*) cliqueter; (*of gunfire*) crépiter; (*of window*) trembler; – *vt* (*shake*) agiter; (*window*) faire trembler; (*keys*) faire cliqueter. **3** *vt* **to r. s.o.** (*make nervous*) *Fam* ébranler qn; **to r. off** (*poem etc*) *Fam* débiter (à toute vitesse). ◆**rattlesnake** *n* serpent *m* à sonnette.

ratty ['rætɪ] *a* (**-ier, -iest**) **1** (*shabby*) *Am Fam* minable. **2 to get r.** (*annoyed*) *Fam* prendre la mouche.

raucous ['rɔːkəs] *a* rauque.

raunchy ['rɔːntʃɪ] *a* (**-ier, -iest**) (*joke etc*) *Am Fam* grivois.

ravage ['rævɪdʒ] *vt* ravager; – *npl* ravages *mpl*.

rav/e [reɪv] *vi* (*talk nonsense*) divaguer; (*rage*) tempêter (**at** contre); **to r. about** (*enthuse*) ne pas se tarir d'éloges sur; – *a* **r. review** *Fam* critique *f* dithyrambique. ◆**—ing** *a* **to be r. mad** être fou furieux; – *npl* (*wild talk*) divagations *fpl*.

raven ['reɪv(ə)n] *n* corbeau *m*.

ravenous ['rævənəs] *a* vorace; **I'm r.** *Fam* j'ai une faim de loup.

ravine [rə'viːn] *n* ravin *m*.

ravioli [rævɪ'əʊlɪ] *n* ravioli *mpl*.

ravish ['rævɪʃ] *vt* (*rape*) *Lit* violenter. ◆**—ing** *a* (*beautiful*) ravissant. ◆**—ingly** *adv* **r. beautiful** d'une beauté ravissante.

raw [rɔː] *a* (**-er, -est**) (*vegetable etc*) cru; (*sugar*) brut; (*immature*) inexpérimenté; (*wound*) à vif; (*skin*) écorché; (*weather*) rigoureux; **r. edge** bord *m* coupé; **r. material** matière *f* première; **to get a r. deal** *Fam* être mal traité.

Rawlplug® ['rɔːlplʌg] *n* cheville *f*, tampon *m*.

ray [reɪ] *n* (*of light, sun etc*) & *Phys* rayon *m*; (*of hope*) *Fig* lueur *f*.

raze [reɪz] *vt* **to r. (to the ground)** (*destroy*) raser.

razor ['reɪzər] *n* rasoir *m*.

re [riː] *prep Com* en référence à.

re- [riː] *pref* ré-, re-, r-.

reach [riːtʃ] *vt* (*place, aim etc*) atteindre, arriver à; (*gain access to*) accéder à; (*of letter*) parvenir à (*qn*); (*contact*) joindre (*qn*); **to r. s.o. (over) sth** (*hand over*) passer qch à qn; **to r. out** (*one's arm*) (é)tendre; – *vi* (*extend*) s'étendre (**to** à); (*of voice*) porter; **to r. (out)** (é)tendre le bras (**for** pour prendre); – *n* portée *f*; *Boxing* allonge *f*; **within r. of** à portée de; (*near*) à proximité de; **within easy r.** (*object*) à portée de main; (*shops*) facilement accessible.

react [rɪ'ækt] *vi* réagir. ◆**reaction** *n* réaction *f*. ◆**reactionary** *a* & *n* réactionnaire (*mf*).

reactor [rɪ'æktər] *n* réacteur *m*.

read [riːd] *vt* (*pt* & *pp* **read** [red]) lire; (*study*) *Univ* faire des études de; (*meter*) relever; (*of instrument*) indiquer; **to r. back** *or* **over** relire; **to r. out** lire (à haute voix); **to r. through** (*skim*) parcourir; **to r. up (on)** (*study*) étudier; – *vi* lire; **to r. well** (*of text*) se lire bien; **to r. to s.o.** faire la lecture à qn; **to r. about** (*s.o., sth*) lire qch sur; **to r. for** (*degree*) *Univ* préparer; – *n* **to have a r.** *Fam* faire un peu de lecture; **this book's a**

good r. *Fam* ce livre est agréable à lire. ◆**—ing** *n* lecture *f*; (*of meter*) relevé *m*; (*by instrument*) indication *f*; (*variant*) variante *f*; – *a* (*room*) de lecture; **r. matter** choses *fpl* à lire; **r. lamp** lampe *f* de bureau *or* de chevet. ◆**—able** *a* lisible. ◆**—er** *n* lecteur, -trice *mf*; (*book*) livre *m* de lecture. ◆**readership** *n* lecteurs *mpl*, public *m*.

readdress [riːə'dres] *vt* (*letter*) faire suivre.

readjust [riːə'dʒʌst] *vt* (*instrument*) régler; (*salary*) réajuster; – *vi* se réadapter (**to** à). ◆**—ment** *n* réglage *m*; réajustement *m*; réadaptation *f*.

readily ['redɪlɪ] *adv* (*willingly*) volontiers; (*easily*) facilement. ◆**readiness** *n* empressement *m* (**to do** à faire); **in r. for** prêt pour.

ready ['redɪ] *a* (**-ier, -iest**) prêt (**to do** à faire, **for sth** à *or* pour qch); (*quick*) *Fig* prompt (**to do** à faire); **to get sth r.** préparer qch; **to get r.** se préparer (**for sth** à qch, **to do** à faire); **r. cash, r. money** argent *m* liquide; – *n* **at the r.** tout prêt. ◆**r.-'cooked** *a* tout cuit. ◆**r.-'made** *a* tout fait; **r.-made clothes** prêt-à-porter *m inv*.

real [rɪəl] *a* vrai, véritable; (*life, world etc*) réel; **it's the r. thing** *Fam* c'est du vrai de vrai; **r. estate** *Am* immobilier *m*; – *adv Fam* vraiment; **r. stupid** vraiment bête; – *n* **for r.** *Fam* pour de vrai. ◆**realism** *n* réalisme *m*. ◆**realist** *n* réaliste *mf*. ◆**rea'listic** *a* réaliste. ◆**rea'listically** *adv* avec réalisme.

reality [rɪ'ælətɪ] *n* réalité *f*; **in r.** en réalité.

realize ['rɪəlaɪz] *vt* **1** (*know*) se rendre compte de, réaliser; (*understand*) comprendre (**that** que); **to r. that** (*know*) se rendre compte que. **2** (*carry out, convert into cash*) réaliser; (*price*) atteindre. ◆**reali'zation** *n* **1** (prise *f* de) conscience *f*. **2** (*of aim, assets*) réalisation *f*.

really ['rɪəlɪ] *adv* vraiment; **is it r. true?** est-ce bien vrai?

realm [relm] *n* (*kingdom*) royaume *m*; (*of dreams etc*) *Fig* monde *m*.

realtor ['rɪəltər] *n Am* agent *m* immobilier.

reap [riːp] *vt* (*field, crop*) moissonner; *Fig* récolter.

reappear [riːə'pɪər] *vi* réapparaître.

reappraisal [riːə'preɪz(ə)l] *n* réévaluation *f*.

rear [rɪər] **1** *n* (*back part*) arrière *m*; (*of column*) queue *f*; **in** *or* **at the r.** à l'arrière (**of** de); **from the r.** par derrière; – *a* arrière *inv*, de derrière; **r.-view mirror** rétroviseur *m*. **2** *vt* (*family, animals etc*) élever; (*one's head*) relever. **3** *vi* **to r. (up)** (*of horse*) se cabrer. ◆**rearguard** *n* arrière-garde *f*.

rearrange [riːə'reɪndʒ] *vt* réarranger.

reason ['riːz(ə)n] *n* (*cause, sense*) raison *f*; **the r. for/why** *or* **that . . .** la raison de/pour laquelle . . . ; **for no r.** sans raison; **that stands to r.** cela va sans dire, c'est logique; **within r.** avec modération; **to do everything within r. to . . .** faire tout ce qu'il est raisonnable de faire pour . . . ; **to have every r. to believe**/*etc* avoir tout lieu de croire/*etc*; – *vi* raisonner; **to r. with s.o.** raisonner qn; – *vt* **to r. that** calculer que. ◆**—ing** *n* raisonnement *m*. ◆**—able** *a* raisonnable. ◆**—ably** *adv* raisonnablement; (*fairly, rather*) assez; **r. fit** en assez bonne forme.

reassur/e [riːə'ʃʊər] *vt* rassurer. ◆**—ing** *a* rassurant. ◆**reassurance** *n* réconfort *m*.

reawaken [riːə'weɪk(ə)n] *vt* (*interest etc*) réveiller. ◆**—ing** *n* réveil *m*.

rebate ['riːbeɪt] *n* (*discount on purchase*) ristourne *f*; (*refund*) remboursement *m* (partiel).

rebel ['reb(ə)l] *a* & *n* rebelle (*mf*); – [rɪ'bel] *vi* (**-ll-**) se rebeller (**against** contre). ◆**re'bellion** *n* rébellion *f*. ◆**re'bellious** *a* rebelle.

rebirth ['riːbɜːθ] *n* renaissance *f*.

rebound [rɪ'baʊnd] *vi* (*of ball*) rebondir; (*of stone*) ricocher; (*of lies, action etc*) *Fig* retomber (**on** sur); – ['riːbaʊnd] *n* rebond *m*; ricochet *m*; **on the r.** (*to marry s.o. etc*) par dépit.

rebuff [rɪ'bʌf] *vt* repousser; – *n* rebuffade *f*.

rebuild [riː'bɪld] *vt* (*pt & pp* **rebuilt**) reconstruire.

rebuke [rɪ'bjuːk] *vt* réprimander; – *n* réprimande *f*.

rebuttal [rɪ'bʌt(ə)l] *n* réfutation *f*.

recalcitrant [rɪ'kælsɪtrənt] *a* récalcitrant.

recall [rɪ'kɔːl] *vt* (*call back*) rappeler; (*remember*) se rappeler (**that** que, **doing** avoir fait); **to r. sth to s.o.** rappeler qch à qn; – *n* rappel *m*; **beyond r.** irrévocable.

recant [rɪ'kænt] *vi* se rétracter.

recap [riː'kæp] *vti* (**-pp-**) récapituler; – *n* récapitulation *f*. ◆**reca'pitulate** *vti* récapituler. ◆**recapitu'lation** *n* récapitulation *f*.

recapture [riː'kæptʃər] *vt* (*prisoner etc*) reprendre; (*rediscover*) retrouver; (*recreate*) recréer; – *n* (*of prisoner*) arrestation *f*.

reced/e [rɪ'siːd] *vi* (*into the distance*) s'éloigner; (*of floods*) baisser. ◆**—ing** *a* (*forehead*) fuyant; **his hair(line) is r.** son front se dégarnit.

receipt [rɪ'siːt] *n* (*for payment*) reçu *m* (**for** de); (*for letter, parcel*) récépissé *m*, accusé *m* de réception; *pl* (*takings*) recettes *fpl*; **to acknowledge r.** accuser réception (**of** de); **on r. of** dès réception de.

receiv/e [rɪ'siːv] *vt* recevoir; (*stolen goods*) *Jur* receler. ◆**—ing** *n Jur* recel *m*. ◆**—er** *n Tel* combiné *m*; *Rad* récepteur *m*; (*of stolen goods*) *Jur* receleur, -euse *mf*; **to pick up** *or* **lift the r.** *Tel* décrocher.

recent ['riːsənt] *a* récent; **in r. months** ces mois-ci. ◆**—ly** *adv* récemment; **as r. as** pas plus tard que.

receptacle [rɪ'septək(ə)l] *n* récipient *m*.

reception [rɪ'sepʃ(ə)n] *n* (*receiving, welcome, party etc*) & *Rad* réception *f*; **r. desk** réception *f*; **r. room** salle *f* de séjour. ◆**receptionist** *n* réceptionniste *mf*. ◆**receptive** *a* réceptif (**to an idea**/*etc* à une idée/*etc*); **r. to s.o.** compréhensif envers qn.

recess [rɪ'ses, 'riːses] *n* **1** (*holiday*) vacances *fpl*; *Sch Am* récréation *f*. **2** (*alcove*) renfoncement *m*; (*nook*) & *Fig* recoin *m*.

recession [rɪ'seʃ(ə)n] *n Econ* récession *f*.

recharge [riː'tʃɑːdʒ] *vt* (*battery*) recharger.

recipe ['resɪpɪ] *n Culin* & *Fig* recette *f* (**for** de).

recipient [rɪ'sɪpɪənt] *n* (*of award, honour*) récipiendaire *m*.

reciprocal [rɪ'sɪprək(ə)l] *a* réciproque. ◆**reciprocate** *vt* (*compliment*) retourner; (*gesture*) faire à son tour; – *vi* (*do the same*) en faire autant.

recital [rɪ'saɪt(ə)l] *n Mus* récital *m*.

recite [rɪ'saɪt] *vt* (*poem etc*) réciter; (*list*) énumérer. ◆**reci'tation** *n* récitation *f*.

reckless ['rekləs] *a* (*rash*) imprudent. ◆**—ly** *adv* imprudemment.

reckon ['rek(ə)n] *vt* (*count*) compter; (*calculate*) calculer; (*consider*) considérer; (*think*) *Fam* penser (**that** que); – *vi* compter; calculer; **to r. with** (*take into account*) compter avec; (*deal with*) avoir affaire à; **to r. on/without** compter sur/sans; **to r. on doing** *Fam* compter *or* penser faire. ◆**—ing** *n* calcul(s) *m*(*pl*).

reclaim [rɪ'kleɪm] *vt* **1** (*land*) mettre en valeur; (*from sea*) assécher. **2** (*ask for back*) réclamer; (*luggage at airport*) récupérer.

reclin/e [rɪ'klaɪn] *vi* (*of person*) être allongé; (*of head*) être appuyé; – *vt* (*head*) appuyer (**on** sur). ◆**—ing** *a* (*seat*) à dossier inclinable *or* réglable.

recluse [rɪ'kluːs] *n* reclus, -use *mf*.

recognize ['rekəgnaɪz] *vt* reconnaître (**by** à, **that** que). ◆**recog'nition** *n* reconnaissance *f*; **to change beyond** *or* **out of all r.** devenir méconnaissable; **to gain r.** être reconnu. ◆**recognizable** *a* reconnaissable.

recoil [rɪ'kɔɪl] *vi* reculer (**from doing** à l'idée de faire).

recollect [rekə'lekt] *vt* se souvenir de; **to r. that** se souvenir que; – *vi* se souvenir. ◆**recollection** *n* souvenir *m*.

recommend [rekə'mend] *vt* (*praise, support, advise*) recommander (**to** à, **for** pour); **to r. s.o. to do** recommander à qn de faire. ◆**recommen'dation** *n* recommandation *f*.

recompense ['rekəmpens] *vt* (*reward*) récompenser; – *n* récompense *f*.

reconcile ['rekənsaɪl] *vt* (*person*) réconcilier (**with, to** avec); (*opinion*) concilier (**with** avec); **to r. oneself to sth** se résigner à qch. ◆**reconcili'ation** *n* réconciliation *f*.

reconditioned [riːkən'dɪʃ(ə)nd] *a* (*engine*) refait (à neuf).

reconnaissance [rɪ'kɒnɪsəns] *n Mil* reconnaissance *f*. ◆**reconnoitre** [rekə'nɔɪtər] *vt Mil* reconnaître.

reconsider [riːkən'sɪdər] *vt* reconsidérer; – *vi* revenir sur sa décision.

reconstruct [riːkən'strʌkt] *vt* (*crime*) reconstituer.

record **1** ['rekɔːd] *n* (*disc*) disque *m*; **r. library** discothèque *f*; **r. player** électrophone *m*. **2** *n Sp* & *Fig* record *m*; – *a* (*attendance, time etc*) record *inv*. **3** *n* (*report*) rapport *m*; (*register*) registre *m*; (*recording on tape etc*) enregistrement *m*; (*mention*) mention *f*; (*note*) note *f*; (*background*) antécédents *mpl*; (*case history*) dossier *m*; **(police) r.** casier *m* judiciaire; **(public) records** archives *fpl*; **to make** *or* **keep a r. of** noter; **on r.** (*fact, event*) attesté; **off the r.** à titre confidentiel; **their safety r.** leurs résultats *mpl* en matière de sécurité. **4** [rɪ'kɔːd] *vt* (*on tape etc, in register etc*) enregistrer; (*in diary*) noter; (*relate*) rapporter (**that** que); – *vi* (*on tape etc*) enregistrer. ◆**—ed** *a* enregistré; (*prerecorded*) *TV* en différé; (*fact*) attesté; **letter sent (by) r. delivery** = lettre *f* avec avis de réception. ◆**—ing** *n* enregistrement *m*. ◆**—er** *n Mus* flûte *f* à bec; **(tape) r.** magnétophone *m*.

recount **1** [rɪ'kaʊnt] *vt* (*relate*) raconter. **2** ['riːkaʊnt] *n Pol* nouveau dépouillement *m* du scrutin.

recoup [rɪ'kuːp] *vt* (*loss*) récupérer.

recourse ['riːkɔːs] *n* recours *m*; **to have r. to** avoir recours à.

recover [rɪ'kʌvər] **1** *vt* (*get back*) retrouver, récupérer. **2** *vi* (*from shock etc*) se remettre; (*get better*) *Med* se remettre (**from** de); (*of*

economy, country) se redresser; (*of currency*) remonter. ◆**recovery** *n* **1** *Econ* redressement *m.* **2 the r. of sth** (*getting back*) la récupération de qch.
recreate [riːkrɪ'eɪt] *vt* recréer.
recreation [rekrɪ'eɪʃ(ə)n] *n* récréation *f.* ◆**recreational** *a* (*activity etc*) de loisir.
recrimination [rɪkrɪmɪ'neɪʃ(ə)n] *n Jur* contre-accusation *f.*
recruit [rɪ'kruːt] *n* recrue *f*; – *vt* recruter; **to r. s.o. to do** (*persuade*) *Fig* embaucher qn pour faire. ◆**—ment** *n* recrutement *m.*
rectangle ['rektæŋg(ə)l] *n* rectangle *m.* ◆**rec'tangular** *a* rectangulaire.
rectify ['rektɪfaɪ] *vt* rectifier. ◆**rectifi'cation** *n* rectification *f.*
rector ['rektər] *n Rel* curé *m*; *Univ* président *m.*
recuperate [rɪ'kuːpəreɪt] *vi* récupérer (ses forces); – *vt* récupérer.
recur [rɪ'kɜːr] *vi* (**-rr-**) (*of theme*) revenir; (*of event*) se reproduire; (*of illness*) réapparaître. ◆**recurrence** [rɪ'kʌrəns] *n* répétition *f*; (*of illness*) réapparition *f.* ◆**recurrent** *a* fréquent.
recycle [riː'saɪk(ə)l] *vt* (*material*) recycler.
red [red] *a* (**redder, reddest**) rouge; (*hair*) roux; **to turn** *or* **go r.** rougir; **r. light** (*traffic light*) feu *m* rouge; **R. Cross** Croix-Rouge *f*; **R. Indian** Peau-Rouge *mf*; **r. tape** bureaucratie *f*; – *n* (*colour*) rouge *m*; **R.** (*person*) *Pol* rouge *mf*; **in the r.** (*firm, account*) en déficit; (*person*) à découvert. ◆**r.-'faced** *a Fig* rouge de confusion. ◆**r.-'handed** *adv* **caught r.-handed** pris en flagrant délit. ◆**r.-'hot** *a* brûlant. ◆**redden** *vti* rougir. ◆**reddish** *a* rougeâtre; (*hair*) carotte. ◆**redness** *n* rougeur *f*; (*of hair*) rousseur *f.*
redcurrant [red'kʌrənt] *n* groseille *f.*
redecorate [riː'dekəreɪt] *vt* (*room etc*) refaire; – *vi* refaire la peinture et les papiers.
redeem [rɪ'diːm] *vt* (*restore to favour, free, pay off*) racheter; (*convert into cash*) réaliser; **redeeming feature** point *m* favorable. ◆**redemption** *n* rachat *m*; réalisation *f*; *Rel* rédemption *f.*
redeploy [riːdɪ'plɔɪ] *vt* (*staff*) réorganiser; (*troops*) redéployer.
redhead ['redhed] *n* roux *m*, rousse *f.*
redirect [riːdaɪ'rekt] *vt* (*mail*) faire suivre.
redo [riː'duː] *vt* (*pt* **redid,** *pp* **redone**) refaire.
redress [rɪ'dres] *n* **to seek r.** demander réparation (**for** de).
reduce [rɪ'djuːs] *vt* réduire (**to** à, **by** de); (*temperature*) faire baisser; **at a reduced price** (*ticket*) à prix réduit; (*goods*) au rabais. ◆**reduction** *n* réduction *f*; (*of temperature*) baisse *f*; (*discount*) rabais *m.*
redundant [rɪ'dʌndənt] *a* (*not needed*) superflu, de trop; **to make r.** (*workers*) mettre en chômage, licencier. ◆**redundancy** *n* (*of workers*) licenciement *m*; **r. pay(ment)** indemnité *f* de licenciement.
re-echo [riː'ekəʊ] *vi* résonner; – *vt* (*sound*) répercuter; *Fig* répéter.
reed [riːd] *n* **1** *Bot* roseau *m.* **2** *Mus* anche *f*; – *a* (*instrument*) à anche.
re-educate [riː'edjʊkeɪt] *vt* (*criminal, limb*) rééduquer.
reef [riːf] *n* récif *m*, écueil *m.*
reek [riːk] *vi* puer; **to r. of** (*smell*) & *Fig* puer; – *n* puanteur *f.*
reel [riːl] **1** *n* (*of thread, film*) bobine *f*; (*film itself*) *Cin* bande *f*; (*of hose*) dévidoir *m*; (*for fishing line*) moulinet *m.* **2** *vi* (*stagger*) chanceler; (*of mind*) chavirer; (*of head*) tourner. **3** *vt* **to r. off** (*rattle off*) débiter (à toute vitesse).
re-elect [riːɪ'lekt] *vt* réélire.
re-entry [riː'entrɪ] *n* (*of spacecraft*) rentrée *f.*
re-establish [riːɪ'stæblɪʃ] *vt* rétablir.
ref [ref] *n Sp Fam* arbitre *m.*
refectory [rɪ'fektərɪ] *n* réfectoire *m.*
refer [rɪ'fɜːr] *vi* (**-rr-**) **to r. to** (*allude to*) faire allusion à; (*speak of*) parler de; (*apply to*) s'appliquer à; (*consult*) se reporter à; – *vt* **to r. sth to** (*submit*) soumettre qch à; **to r. s.o. to** (*office, article etc*) renvoyer qn à. ◆**refe'ree** *n Sp* arbitre *m*; (*for job etc*) répondant, -ante *mf*; – *vt Sp* arbitrer. ◆**'reference** *n* (*in book, recommendation*) référence *f*; (*allusion*) allusion *f* (**to** à); (*mention*) mention *f* (**to** de); (*connection*) rapport *m* (**to** avec); **in** *or* **with r. to** concernant; *Com* suite à; **terms of r.** (*of person, investigating body*) compétence *f*; (*of law*) étendue *f*; **r. book** livre *m* de référence.
referendum [refə'rendəm] *n* référendum *m.*
refill [riː'fɪl] *vt* remplir (à nouveau); (*lighter, pen etc*) recharger; – ['riːfɪl] *n* recharge *f*; **a r.** (*drink*) *Fam* un autre verre.
refine [rɪ'faɪn] *vt* (*oil, sugar, manners*) raffiner; (*metal, ore*) affiner; (*technique, machine*) perfectionner; – *vi* **to r. upon** raffiner sur. ◆**refinement** *n* (*of person*) raffinement *m*; (*of sugar, oil*) raffinage *m*; (*of technique*) perfectionnement *m*; *pl* (*improvements*) *Tech* améliorations *fpl.* ◆**refinery** *n* raffinerie *f.*
refit [riː'fɪt] *vt* (**-tt-**) (*ship*) remettre en état.
reflate [riː'fleɪt] *vt* (*economy*) relancer.

reflect [rɪ'flekt] **1** *vt* (*light*) & *Fig* refléter; (*of mirror*) réfléchir, refléter; **to r. sth on s.o.** (*credit, honour*) faire rejaillir qch sur qn; – *vi* **to r. on s.o., be reflected on s.o.** (*rebound*) rejaillir sur qn. **2** *vi* (*think*) réfléchir (**on** à); – *vt* **to r. that** penser que. ◆**reflection** *n* **1** (*thought, criticism*) réflexion (**on** sur); **on r.** tout bien réfléchi. **2** (*image*) & *Fig* reflet *m*; (*reflecting*) réflexion *f* (**of** de). ◆**reflector** *n* réflecteur *m*. ◆**reflexion** *n* = **reflection.** ◆**reflexive** *a* (*verb*) *Gram* réfléchi.

reflex ['riːfleks] *n* & *a* réflexe (*m*); **r. action** réflexe *m*.

refloat [riː'fləʊt] *vt* (*ship*) & *Com* renflouer.

reform [rɪ'fɔːm] *n* réforme *f*; – *vt* réformer; (*person, conduct*) corriger; – *vi* (*of person*) se réformer. ◆**—er** *n* réformateur, -trice *mf*.

refrain [rɪ'freɪn] **1** *vi* s'abstenir (**from doing** de faire). **2** *n Mus* & *Fig* refrain *m*.

refresh [rɪ'freʃ] *vt* (*of bath, drink*) rafraîchir; (*of sleep, rest*) délasser; **to r. oneself** (*drink*) se rafraîchir; **to r. one's memory** se rafraîchir la mémoire. ◆**—ing** *a* rafraîchissant; (*sleep*) réparateur; (*pleasant*) agréable; (*original*) nouveau. ◆**—er** *a* (*course*) de recyclage. ◆**—ments** *npl* (*drinks*) rafraîchissements *mpl*; (*snacks*) collation *f*.

refrigerate [rɪ'frɪdʒəreɪt] *vt* réfrigérer. ◆**refrigerator** *n* réfrigérateur *m*.

refuel [riː'fjʊəl] *vi* (**-ll-**, *Am* **-l-**) *Av* se ravitailler; – *vt Av* ravitailler.

refuge ['refjuːdʒ] *n* refuge *m*; **to take r.** se réfugier (**in** dans). ◆**refu'gee** *n* réfugié, -ée *mf*.

refund [rɪ'fʌnd] *vt* rembourser; – ['riːfʌnd] *n* remboursement *m*.

refurbish [riː'fɜːbɪʃ] *vt* remettre à neuf.

refuse[1] [rɪ'fjuːz] *vt* refuser (**s.o. sth** qch à qn, **to do** de faire); – *vi* refuser. ◆**refusal** *n* refus *m*.

refuse[2] ['refjuːs] *n* (*rubbish*) ordures *fpl*, détritus *m*; (*waste materials*) déchets *mpl*; **r. collector** éboueur *m*; **r. dump** dépôt *m* d'ordures.

refute [rɪ'fjuːt] *vt* réfuter.

regain [rɪ'geɪn] *vt* (*favour, lost ground*) regagner; (*strength*) récupérer, retrouver, reprendre; (*health, sight*) retrouver; (*consciousness*) reprendre.

regal ['riːg(ə)l] *a* royal, majestueux.

regalia [rɪ'geɪlɪə] *npl* insignes *mpl* (royaux).

regard [rɪ'gɑːd] *vt* (*consider*) considérer, regarder; (*concern*) regarder; **as regards** en ce qui concerne; – *n* considération *f* (**for** pour); **to have (a) great r. for** avoir de l'estime pour; **without r. to** sans égard pour; **with r. to** en ce qui concerne; **to give** *or* **send one's regards to** (*greetings*) faire ses hommages à. ◆**—ing** *prep* en ce qui concerne. ◆**—less 1** *a* **r. of** sans tenir compte de. **2** *adv* (*all the same*) *Fam* quand même.

regatta [rɪ'gætə] *n* régates *fpl*.

regency ['riːdʒənsɪ] *n* régence *f*.

regenerate [rɪ'dʒenəreɪt] *vt* régénérer.

reggae ['regeɪ] *n* (*music*) reggae *m*; – *a* (*group etc*) reggae *inv*.

régime [reɪ'ʒiːm] *n Pol* régime *m*.

regiment ['redʒɪmənt] *n* régiment *m*. ◆**regi'mental** *a* régimentaire, du régiment. ◆**regimen'tation** *n* discipline *f* excessive.

region ['riːdʒ(ə)n] *n* région *f*; **in the r. of** (*about*) *Fig* environ; **in the r. of £500** dans les 500 livres. ◆**regional** *a* régional.

register ['redʒɪstər] *n* registre *m*; *Sch* cahier *m* d'appel; **electoral r.** liste *f* électorale; – *vt* (*record, note*) enregistrer; (*birth, death*) déclarer; (*vehicle*) immatriculer; (*express*) exprimer; (*indicate*) indiquer; (*letter*) recommander; (*realize*) *Fam* réaliser; – *vi* (*enrol*) s'inscrire; (*in hotel*) signer le registre; **it hasn't registered (with me)** *Fam* je n'ai pas encore réalisé ça. ◆**—ed** *a* (*member*) inscrit; (*letter*) recommandé; **r. trademark** marque *f* déposée. ◆**regi'strar** *n* officier *m* de l'état civil; *Univ* secrétaire *m* général. ◆**regi'stration** *n* enregistrement *m*; (*enrolment*) inscription *f*; **r. (number)** *Aut* numéro *m* d'immatriculation; **r. document** *Aut* = carte *f* grise. ◆**registry** *a* & *n* **r. (office)** bureau *m* de l'état civil.

regress [rɪ'gres] *vi* régresser.

regret [rɪ'gret] *vt* (**-tt-**) regretter (**doing, to do** de faire; **that** que (+ *sub*)); **I r. to hear that . . .** je suis désolé d'apprendre que . . . ; – *n* regret *m*. ◆**regretfully** *adv* **r., I . . .** à mon grand regret, je . . . . ◆**regrettable** *a* regrettable (**that** que (+ *sub*)). ◆**regrettably** *adv* malheureusement; (*poor, ill etc*) fâcheusement.

regroup [riː'gruːp] *vi* se regrouper; – *vt* regrouper.

regular ['regjʊlər] *a* (*steady, even*) régulier; (*surface*) uni; (*usual*) habituel; (*price, size*) normal; (*reader, listener*) fidèle; (*staff*) permanent; (*fool, slave etc*) *Fam* vrai; **a r. guy** *Am Fam* un chic type; – *n* (*in bar etc*) habitué, -ée *mf*; *Mil* régulier *m*. ◆**regu'larity** *n* régularité *f*. ◆**regularly** *adv* régulièrement.

regulate ['regjʊleɪt] *vt* régler. ◆**regu-**

'lation 1 *n* (*rule*) règlement *m*; – *a* (*uniform etc*) réglementaire. **2** *n* (*regulating*) réglage *m*.

rehabilitate [riːhə'bɪlɪteɪt] *vt* (*in public esteem*) réhabiliter; (*wounded soldier etc*) réadapter.

rehash [riː'hæʃ] *vt* (*text*) *Pej* remanier; *Culin* réchauffer; – ['riːhæʃ] *n* **a r.** *Culin* & *Fig* du réchauffé.

rehearse [rɪ'hɜːs] *vt* *Th* répéter; (*prepare*) *Fig* préparer; – *vi* *Th* répéter. ◆**rehearsal** *n* *Th* répétition *f*.

reign [reɪn] *n* règne *m*; **in** *or* **during the r. of** sous le règne de; – *vi* régner (**over** sur).

reimburse [riːɪm'bɜːs] *vt* rembourser (**for** de). ◆**—ment** *n* remboursement *m*.

rein [reɪn] *n* **reins** rênes *fpl*; **to give free r. to** *Fig* donner libre cours à.

reindeer ['reɪndɪər] *n inv* renne *m*.

reinforce [riːɪn'fɔːs] *vt* renforcer (**with** de); **reinforced concrete** béton *m* armé. ◆**—ment** *n* renforcement *m* (**of** de); *pl Mil* renforts *mpl*.

reinstate [riːɪn'steɪt] *vt* réintégrer. ◆**—ment** *n* réintégration *f*.

reissue [riː'ɪʃjuː] *vt* (*book*) rééditer.

reiterate [riː'ɪtəreɪt] *vt* (*say again*) réitérer.

reject [rɪ'dʒekt] *vt* (*refuse to accept*) rejeter; (*as useless*) refuser; – ['riːdʒekt] *n* *Com* article *m* de rebut; – *a* (*article*) de deuxième choix; **r. shop** solderie *f*. ◆**re'jection** *n* rejet *m*; (*of candidate etc*) refus *m*.

rejoic/e [rɪ'dʒɔɪs] *vi* se réjouir (**over** *or* **at sth** de qch, **in doing** de faire). ◆**—ing(s)** *n*(*pl*) réjouissance(s) *f*(*pl*).

rejoin [rɪ'dʒɔɪn] **1** *vt* (*join up with*) rejoindre. **2** *vi* (*retort*) répliquer.

rejuvenate [rɪ'dʒuːvəneɪt] *vt* rajeunir.

rekindle [riː'kɪnd(ə)l] *vt* rallumer.

relapse [rɪ'læps] *n* *Med* rechute *f*; – *vi* *Med* rechuter; **to r. into** *Fig* retomber dans.

relat/e [rɪ'leɪt] **1** *vt* (*narrate*) raconter (**that** que); (*report*) rapporter (**that** que). **2** *vt* (*connect*) établir un rapport entre (*faits etc*); **to r. sth to** (*link*) rattacher qch à; – *vi* **to r. to** (*apply to*) se rapporter à; (*get on with*) communiquer *or* s'entendre avec. ◆**—ed** *a* (*linked*) lié (**to** à); (*languages, styles*) apparentés; **to be r. to** (*by family*) être parent de.

relation [rɪ'leɪʃ(ə)n] *n* (*relative*) parent, -ente *mf*; (*relationship*) rapport *m*, relation *f* (**between** entre, **with** avec); **what r. are you to him?** quel est ton lien de parenté avec lui?; **international**/*etc* **relations** relations *fpl* internationales/*etc*. ◆**relationship** *n* (*kinship*) lien(s) *m*(*pl*) de parenté; (*relations*) relations *fpl*, rapports *mpl*; (*connection*) rapport *m*; **in r. to** relativement à.

relative ['relətɪv] *n* (*person*) parent, -ente *mf*; – *a* relatif (**to** à); (*respective*) respectif; **r. to** (*compared to*) relativement à; **to be r. to** (*depend on*) être fonction de. ◆**relatively** *adv* relativement.

relax [rɪ'læks] **1** *vt* (*person, mind*) détendre; – *vi* se détendre; **r.!** (*calm down*) *Fam* du calme! **2** *vt* (*grip, pressure etc*) relâcher; (*restrictions, principles, control*) assouplir. ◆**—ed** *a* (*person, atmosphere*) décontracté, détendu. ◆**—ing** *a* (*bath etc*) délassant. ◆**rela'xation** *n* **1** (*rest, recreation*) détente *f*; (*of body*) décontraction *f*. **2** (*of grip etc*) relâchement *m*; (*of restrictions etc*) assouplissement *m*.

relay ['riːleɪ] *n* relais *m*; **r. race** course *f* de relais; – *vt* (*message etc*) *Rad* retransmettre, *Fig* transmettre (**to** à).

release [rɪ'liːs] *vt* (*free*) libérer (**from** de); (*bomb, s.o.'s hand*) lâcher; (*spring*) déclencher; (*brake*) desserrer; (*film, record*) sortir; (*news, facts*) publier; (*smoke, trapped person*) dégager; (*tension*) éliminer; – *n* libération *f*; (*of film, book*) sortie *f* (**of** de); (*record*) nouveau disque *m*; (*film*) nouveau film *m*; (*relief*) *Fig* délivrance *f*; *Psy* défoulement *m*; **press r.** communiqué *m* de presse; **to be on general r.** (*of film*) passer dans toutes les salles.

relegate ['relɪgeɪt] *vt* reléguer (**to** à).

relent [rɪ'lent] *vi* (*be swayed*) se laisser fléchir; (*change one's mind*) revenir sur sa décision. ◆**—less** *a* implacable.

relevant ['reləvənt] *a* (*apt*) pertinent (**to** à); (*fitting*) approprié; (*useful*) utile; (*significant*) important; **that's not r.** ça n'a rien à voir. ◆**relevance** *n* pertinence *f* (**to** à); (*significance*) intérêt *m*; (*connection*) rapport *m* (**to** avec).

reliable [rɪ'laɪəb(ə)l] *a* (*person, information, firm*) sérieux, sûr, fiable; (*machine*) fiable. ◆**relia'bility** *n* (*of person*) sérieux *m*, fiabilité *f*; (*of machine, information, firm*) fiabilité *f*. ◆**reliably** *adv* **to be r. informed that** apprendre de source sûre que.

reliance [rɪ'laɪəns] *n* (*trust*) confiance *f* (**on** en); (*dependence*) dépendance *f* (**on** de). ◆**reliant** *a* **to be r. on** (*dependent*) dépendre de; (*trusting*) avoir confiance en.

relic ['relɪk] *n* relique *f*; *pl* (*of the past*) vestiges *mpl*.

relief [rɪ'liːf] *n* (*from pain etc*) soulagement *m* (**from** à); (*help, supplies*) secours *m*; (*in art*) & *Geog* relief *m*; **tax r.** dégrèvement *m*; **to be on r.** *Am* recevoir l'aide sociale; – *a* (*train etc*) supplémentaire; (*work etc*) de secours; **r. road** route *f* de délestage. ◆**relieve** *vt* (*pain etc*) soulager; (*boredom*) dissiper; (*situation*) remédier à; (*take over from*) relayer (*qn*); (*help*) secourir, soulager; **to r. s.o. of** (*rid*) débarrasser qn de; **to r. s.o. of his post** relever qn de ses fonctions; **to r. congestion in** *Aut* décongestionner; **to r. oneself** (*go to the lavatory*) *Hum Fam* se soulager.

religion [rɪ'lɪdʒ(ə)n] *n* religion *f*. ◆**religious** *a* religieux; (*war, book*) de religion. ◆**religiously** *adv* religieusement.

relinquish [rɪ'lɪŋkwɪʃ] *vt* (*give up*) abandonner; (*let go*) lâcher.

relish ['relɪʃ] *n* (*liking, taste*) goût *m* (**for** pour); (*pleasure*) plaisir *m*; (*seasoning*) assaisonnement *m*; **to eat with r.** manger de bon appétit; – *vt* (*food etc*) savourer; (*like*) aimer (**doing** faire).

relocate [riːləʊ'keɪt] *vi* (*move to new place*) déménager; **to r. in** *or* **to** s'installer à.

reluctant [rɪ'lʌktənt] *a* (*greeting, gift, promise*) accordé à contrecœur; **to be r. to do** être peu disposé à faire; **a r. teacher/***etc* un professeur/*etc* malgré lui. ◆**reluctance** *n* répugnance *f* (**to do** à faire). ◆**reluctantly** *adv* à contrecœur.

rely [rɪ'laɪ] *vi* **to r. on** (*count on*) compter sur; (*be dependent upon*) dépendre de.

remain [rɪ'meɪn] **1** *vi* rester. **2** *npl* restes *mpl*; **mortal r.** dépouille *f* mortelle. ◆**—ing** *a* qui reste(nt). ◆**remainder** *n* **1** reste *m*; **the r.** (*remaining people*) les autres *mfpl*; **the r. of the girls** les autres filles. **2** (*book*) invendu *m* soldé.

remand [rɪ'mɑːnd] *vt* **to r. (in custody)** *Jur* placer en détention préventive; – *n* **on r.** en détention préventive.

remark [rɪ'mɑːk] *n* remarque *f*; – *vt* (faire) remarquer (**that** que); – *vi* **to r. on** faire des remarques sur. ◆**—able** *a* remarquable (**for** par). ◆**—ably** *adv* remarquablement.

remarry [riː'mærɪ] *vi* se remarier.

remedial [rɪ'miːdɪəl] *a* (*class*) *Sch* de rattrapage; (*measure*) de redressement; (*treatment*) *Med* thérapeutique.

remedy ['remɪdɪ] *vt* remédier à; – *n* remède *m* (**for** contre, à, de).

remember [rɪ'membər] *vt* se souvenir de, se rappeler; (*commemorate*) commémorer; **to r. that/doing** se rappeler que/d'avoir fait; **to r. to do** (*not forget to do*) penser à faire; **r. me to him** *or* **her!** rappelle-moi à son bon souvenir!; – *vi* se souvenir, se rappeler. ◆**remembrance** *n* (*memory*) souvenir *m*; **in r. of** en souvenir de.

remind [rɪ'maɪnd] *vt* rappeler (**s.o. of sth** qch à qn, **s.o. that** à qn que); **to r. s.o. to do** faire penser à qn à faire; **that** *or* **which reminds me!** à propos! ◆**—er** *n* (*of event & letter*) rappel *m*; (*note to do sth*) pense-bête *m*; **it's a r. (for him** *or* **her) that** . . . c'est pour lui rappeler que. . . .

reminisce [remɪ'nɪs] *vi* raconter *or* se rappeler ses souvenirs (**about** de). ◆**reminiscences** *npl* réminiscences *fpl*. ◆**reminiscent** *a* **r. of** qui rappelle.

remiss [rɪ'mɪs] *a* négligent.

remit [rɪ'mɪt] *vt* (**-tt-**) (*money*) envoyer. ◆**remission** *n* *Jur* remise *f* (de peine); *Med Rel* rémission *f*. ◆**remittance** *n* (*sum*) paiement *m*.

remnant ['remnənt] *n* (*remaining part*) reste *m*; (*trace*) vestige *m*; (*of fabric*) coupon *m*; (*oddment*) fin *f* de série.

remodel [riː'mɒd(ə)l] *vt* (**-ll-**, *Am* **-l-**) remodeler.

remonstrate ['remənstreɪt] *vi* **to r. with s.o.** faire des remontrances à qn.

remorse [rɪ'mɔːs] *n* remords *m*(*pl*) (**for** pour); **without r.** sans pitié. ◆**—less** *a* implacable. ◆**—lessly** *adv* (*to hit etc*) implacablement.

remote [rɪ'məʊt] *a* (**-er, -est**) **1** (*far-off*) lointain, éloigné; (*isolated*) isolé; (*aloof*) distant; **r. from** loin de; **r. control** télécommande *f*. **2** (*slight*) petit, vague; **not the remotest idea** pas la moindre idée. ◆**—ly** *adv* (*slightly*) vaguement, un peu; (*situated*) au loin; **not r. aware/***etc* nullement conscient/*etc*. ◆**—ness** *n* éloignement *m*; isolement *m*; *Fig* attitude *f* distante.

remould ['riːməʊld] *n* pneu *m* rechapé.

remove [rɪ'muːv] *vt* (*clothes, stain etc*) enlever (**from s.o.** à qn, **from sth** de qch); (*withdraw*) retirer; (*lead away*) emmener (**to** à); (*furniture*) déménager; (*obstacle, threat, word*) supprimer; (*fear, doubt*) dissiper; (*employee*) renvoyer; **(far) removed from** loin de. ◆**removable** *a* (*lining etc*) amovible. ◆**removal** *n* enlèvement *m*; déménagement *m*; suppression *f*; **r. man** déménageur *m*; **r. van** camion *m* de déménagement. ◆**remover** *n* (*for make-up*) démaquillant *m*; (*for nail polish*) dissolvant *m*; (*for paint*) décapant *m*; (*for stains*) détachant *m*.

remunerate [rɪ'mjuːnəreɪt] *vt* rémunérer. ◆**remune'ration** *n* rémunération *f*.

renaissance [rə'neɪsəns] *n* (*in art etc*) renaissance *f*.

rename [riː'neɪm] *vt* (*street etc*) rebaptiser.

render ['rendər] *vt* (*give, make*) rendre; *Mus*

interpréter; (*help*) prêter. ◆**—ing** *n Mus* interprétation *f*; (*translation*) traduction *f*.
rendez-vous ['rɒndɪvuː, *pl* -vuːz] *n inv* rendez-vous *m inv*.
renegade ['renɪgeɪd] *n* renégat, -ate *mf*.
reneg(u)e [rɪ'niːg] *vi* **to r. on** (*promise etc*) revenir sur.
renew [rɪ'njuː] *vt* renouveler; (*resume*) reprendre; (*library book*) renouveler le prêt de. ◆**—ed** *a* (*efforts*) renouvelés; (*attempt*) nouveau; **with r. vigour**/*etc* avec un regain de vigueur/*etc*. ◆**renewable** *a* renouvelable. ◆**renewal** *n* renouvellement *m*; (*resumption*) reprise *f*; (*of strength etc*) regain *m*.
renounce [rɪ'naʊns] *vt* (*give up*) renoncer à; (*disown*) renier.
renovate ['renəveɪt] *vt* (*house*) rénover, restaurer; (*painting*) restaurer. ◆**reno'vation** *n* rénovation *f*; restauration *f*.
renown [rɪ'naʊn] *n* renommée *f*. ◆**renowned** *a* renommé (**for** pour).
rent [rent] *n* loyer *m*; (*of television*) (prix *m* de) location *f*; **r. collector** encaisseur *m* de loyers; – *vt* louer; **to r. out** louer; – *vi* (*of house etc*) se louer. ◆**r.-'free** *adv* sans payer de loyer; – *a* gratuit. ◆**rental** *n* (*of television*) (prix *m* de) location *f*; (*of telephone*) abonnement *m*.
renunciation [rɪnʌnsɪ'eɪʃ(ə)n)] *n* (*giving up*) renonciation *f* (**of** à); (*disowning*) reniement *m* (**of** de).
reopen [riː'əʊpən] *vti* rouvrir. ◆**—ing** *n* réouverture *f*.
reorganize [riː'ɔːgənaɪz] *vt* réorganiser.
rep [rep] *n Fam* représentant, -ante *mf* de commerce.
repaid [riː'peɪd] *see* **repay**.
repair [rɪ'peər] *vt* réparer; – *n* réparation *f*; **beyond r.** irréparable; **in good/bad r.** en bon/mauvais état; **'road under r.'** *Aut* 'travaux'; **r. man** réparateur *m*; **r. woman** réparatrice *f*.
reparation [repə'reɪʃ(ə)n] *n* réparation *f* (**for** de); *pl Mil Hist* réparations *fpl*.
repartee [repɑː'tiː] *n* (*sharp reply*) repartie *f*.
repatriate [riː'pætrɪeɪt] *vt* rapatrier.
repay [riː'peɪ] *vt* (*pt & pp* **repaid**) (*pay back*) rembourser; (*kindness*) payer de retour; (*reward*) récompenser (**for** de). ◆**—ment** *n* remboursement *m*; récompense *f*.
repeal [rɪ'piːl] *vt* (*law*) abroger; – *n* abrogation *f*.
repeat [rɪ'piːt] *vt* répéter (**that** que); (*promise, threat*) réitérer; (*class*) *Sch* redoubler; **to r. oneself** *or* **itself** se répéter; – *vi* répéter; **to r. on s.o.** (*of food*) *Fam* revenir à qn; – *n TV Rad* rediffusion *f*; – *a* (*performance*) deuxième. ◆**—ed** *a* répété; (*efforts*) renouvelés. ◆**—edly** *adv* à maintes reprises.
repel [rɪ'pel] *vt* (**-ll-**) repousser. ◆**repellent** *a* repoussant; **insect r.** insectifuge *m*.
repent [rɪ'pent] *vi* se repentir (**of** de). ◆**repentance** *n* repentir *m*. ◆**repentant** *a* repentant.
repercussion [riːpə'kʌʃ(ə)n] *n* répercussion *f*.
repertoire ['repətwɑːr] *n Th & Fig* répertoire *m*. ◆**repertory** *n Th & Fig* répertoire *m*; **r. (theatre)** théâtre *m* de répertoire.
repetition [repɪ'tɪʃ(ə)n] *n* répétition *f*. ◆**repetitious** *a*, ◆**re'petitive** *a* (*speech etc*) répétitif.
replace [rɪ'pleɪs] *vt* (*take the place of*) remplacer (**by, with** par); (*put back*) remettre, replacer; (*receiver*) *Tel* raccrocher. ◆**—ment** *n* remplacement *m* (**of** de); (*person*) remplaçant, -ante *mf*; (*machine part*) pièce *f* de rechange.
replay ['riːpleɪ] *n Sp* match *m* rejoué; **(instant** *or* **action) r.** *TV* répétition *f* immédiate (au ralenti).
replenish [rɪ'plenɪʃ] *vt* (*refill*) remplir (de nouveau) (**with** de); (*renew*) renouveler.
replete [rɪ'pliːt] *a* **r. with** rempli de; **r. (with food)** rassasié.
replica ['replɪkə] *n* copie *f* exacte.
reply [rɪ'plaɪ] *vti* répondre; – *n* réponse *f*; **in r.** en réponse (**to** à).
report [rɪ'pɔːt] *n* (*account*) rapport *m*; (*of meeting*) compte rendu *m*; *Journ TV Rad* reportage *m*; *Pol* enquête *f*; *Sch Met* bulletin *m*; (*rumour*) rumeur *f*; (*of gun*) détonation *f*; – *vt* (*give account of*) rapporter, rendre compte de; (*announce*) annoncer (**that** que); (*notify*) signaler (**to** à); (*denounce*) dénoncer (**to** à); (*event*) *Journ* faire un reportage sur; – *vi* faire un rapport *or Journ* un reportage (**on** sur); (*go*) se présenter (**to** à, **to s.o.** chez qn, **for work** au travail). ◆**—ed** *a* (*speech*) *Gram* indirect; **it is r. that** on dit que; **r. missing** porté disparu. ◆**—edly** *adv* à ce qu'on dit. ◆**—ing** *n Journ* reportage *m*. ◆**—er** *n* reporter *m*.
repose [rɪ'pəʊz] *n Lit* repos *m*.
repossess [riːpə'zes] *vt Jur* reprendre possession de.
reprehensible [reprɪ'hensəb(ə)l] *a* répréhensible.
represent [reprɪ'zent] *vt* représenter. ◆**represen'tation** *n* représentation *f*; *pl* (*complaints*) remontrances *fpl*. ◆**repre-**

sentative *a* représentatif (**of** de); – *n* représentant, -ante *mf*; *Pol Am* député *m*.
repress [rɪ'pres] *vt* réprimer; (*feeling*) refouler. ◆**repressive** *a* répressif.
reprieve [rɪ'priːv] *n Jur* sursis *m*; *Fig* répit *m*, sursis *m*; – *vt* accorder un sursis *or Fig* un répit à.
reprimand ['reprɪmaːnd] *n* réprimande *f*; – *vt* réprimander.
reprint ['riːprɪnt] *n* (*reissue*) réimpression *f*; – *vt* réimprimer.
reprisal [rɪ'praɪz(ə)l] *n* **reprisals** représailles *fpl*; **in r. for** en représailles de.
reproach [rɪ'prəʊtʃ] *n* (*blame*) reproche *m*; (*shame*) honte *f*; **beyond r.** sans reproche; – *vt* reprocher (**s.o. for sth** qch à qn). ◆**reproachful** *a* réprobateur. ◆**reproachfully** *adv* d'un ton *or* d'un air réprobateur.
reproduce [riːprə'djuːs] *vt* reproduire; – *vi Biol Bot* se reproduire. ◆**reproduction** *n* (*of sound etc*) & *Biol Bot* reproduction *f*. ◆**reproductive** *a* reproducteur.
reptile ['reptaɪl] *n* reptile *m*.
republic [rɪ'pʌblɪk] *n* république *f*. ◆**republican** *a* & *n* républicain, -aine (*mf*).
repudiate [rɪ'pjuːdɪeɪt] *vt* (*offer*) repousser; (*accusation*) rejeter; (*spouse, idea*) répudier.
repugnant [rɪ'pʌgnənt] *a* répugnant; **he's r. to me** il me répugne. ◆**repugnance** *n* répugnance *f* (**for** pour).
repulse [rɪ'pʌls] *vt* repousser. ◆**repulsion** *n* répulsion *f*. ◆**repulsive** *a* repoussant.
reputable ['repjʊtəb(ə)l] *a* de bonne réputation. ◆**re'pute** *n* réputation *f*; **of r.** de bonne réputation. ◆**re'puted** *a* réputé (**to be** pour être). ◆**re'putedly** *adv* à ce qu'on dit.
reputation [repjʊ'teɪʃ(ə)n] *n* réputation *f*; **to have a r. for frankness/***etc* avoir la réputation d'être franc/*etc*.
request [rɪ'kwest] *n* demande *f* (**for** de); **on r.** sur demande; **on s.o.'s r.** à la demande de qn; **by popular r.** à la demande générale; **r. stop** (*for bus*) arrêt *m* facultatif; – *vt* demander (**from** *or* **of s.o.** à qn, **s.o. to do** à qn de faire).
requiem ['rekwɪəm] *n* requiem *m inv*.
requir/e [rɪ'kwaɪər] *vt* (*necessitate*) demander; (*demand*) exiger; (*of person*) avoir besoin de (*qch, qn*); (*staff*) rechercher; **to r. sth of s.o.** (*order*) exiger qch de qn; **to r. s.o. to do** exiger de qn qu'il fasse; (*ask*) demander à qn de faire; **if required** s'il le faut. ◆**—ed** *a* requis, exigé. ◆**—ement** *n* (*need*) exigence *f*; (*condition*) condition *f* (requise).
requisite ['rekwɪzɪt] **1** *a* nécessaire. **2** *n* (*for travel etc*) article *m*; **toilet requisites** articles *mpl or* nécessaire *m* de toilette.
requisition [rekwɪ'zɪʃ(ə)n] *vt* réquisitionner; – *n* réquisition *f*.
reroute [riː'ruːt] *vt* (*aircraft etc*) dérouter.
rerun ['riːrʌn] *n Cin* reprise *f*; *TV* rediffusion *f*.
resale ['riːseɪl] *n* revente *f*.
resat [riː'sæt] *see* **resit.**
rescind [rɪ'sɪnd] *vt Jur* annuler; (*law*) abroger.
rescu/e ['reskjuː] *vt* (*save*) sauver; (*set free*) délivrer (**from** de); – *n* (*action*) sauvetage *m* (**of** de); (*help, troops etc*) secours *mpl*; **to go/***etc* **to s.o.'s r.** aller/*etc* au secours de qn; **to the r.** à la rescousse; – *a* (*team, operation*) de sauvetage. ◆**—er** *n* sauveteur *m*.
research [rɪ'sɜːtʃ] *n* recherches *fpl* (**on, into** sur); **some r.** de la recherche; **a piece of r. (work)** un travail de recherche; – *vi* faire des recherches (**on, into** sur). ◆**—er** *n* chercheur, -euse *mf*.
resemble [rɪ'zemb(ə)l] *vt* ressembler à. ◆**resemblance** *n* ressemblance *f* (**to** avec).
resent [rɪ'zent] *vt* (*anger*) s'indigner de, ne pas aimer; (*bitterness*) éprouver de l'amertume à l'égard de; **I r. that** ça m'indigne. ◆**resentful** *a* **to be r.** éprouver de l'amertume. ◆**resentment** *n* amertume *f*, ressentiment *m*.
reserv/e [rɪ'zɜːv] **1** *vt* (*room, decision etc*) réserver; (*right*) se réserver; (*one's strength*) ménager; – *n* (*reticence*) réserve *f*. **2** *n* (*stock, land*) réserve *f*; **r. (player)** *Sp* remplaçant, -ante *mf*; **the r.** *Mil* la réserve; **the reserves** (*troops*) *Mil* les réserves *fpl*; **nature r.** réserve *f* naturelle; **in r.** en réserve; **r. tank** *Av Aut* réservoir *m* de secours. ◆**—ed** *a* (*person, room*) réservé. ◆**reser'vation** *n* **1** (*doubt etc*) réserve *f*; (*booking*) réservation *f*. **2** (*land*) *Am* réserve *f*; **central r.** (*on road*) terre-plein *m*.
reservoir ['rezəvwaːr] *n* réservoir *m*.
resettle [riː'set(ə)l] *vt* (*refugees*) implanter.
reshape [riː'ʃeɪp] *vt* (*industry etc*) réorganiser.
reshuffle [riː'ʃʌf(ə)l] *n* **(cabinet) r.** *Pol* remaniement *m* (ministériel); – *vt Pol* remanier.
reside [rɪ'zaɪd] *vi* résider. ◆**'residence** *n* (*home*) résidence *f*; (*of students*) foyer *m*; **in r.** (*doctor*) sur place; (*students on campus*) sur le campus, (*in halls of residence*)

rentrés. ◆**'resident** *n* habitant, -ante *mf*; (*of hotel*) pensionnaire *mf*; (*foreigner*) résident, -ente *mf*; – *a* résidant, qui habite sur place; (*population*) fixe; (*correspondent*) permanent; **to be r. in London** résider à Londres. ◆**resi'dential** *a* (*neighbourhood*) résidentiel.

residue ['rezɪdjuː] *n* résidu *m*. ◆**re'sidual** *a* résiduel.

resign [rɪ'zaɪn] *vt* (*right, claim*) abandonner; **to r. (from) one's job** démissionner; **to r. oneself to sth/to doing** se résigner à qch/à faire; – *vi* démissionner (**from** de). ◆**—ed** *a* résigné. ◆**resig'nation** *n* (*from job*) démission *f*; (*attitude*) résignation *f*.

resilient [rɪ'zɪlɪənt] *a* élastique; (*person*) *Fig* résistant. ◆**resilience** *n* élasticité *f*; *Fig* résistance *f*.

resin ['rezɪn] *n* résine *f*.

resist [rɪ'zɪst] *vt* (*attack etc*) résister à; **to r. doing sth** s'empêcher de faire qch; **she can't r. cakes** elle ne peut pas résister devant des gâteaux; **he can't r. her** (*indulgence*) il ne peut rien lui refuser; (*charm*) il ne peut pas résister à son charme; – *vi* résister. ◆**resistance** *n* résistance *f* (**to** à). ◆**resistant** *a* résistant (**to** à); **r. to** *Med* rebelle à.

resit [riː'sɪt] *vt* (*pt & pp* **resat**, *pres p* **resitting**) (*exam*) repasser.

resolute ['rezəluːt] *a* résolu. ◆**—ly** *adv* résolument. ◆**reso'lution** *n* résolution *f*.

resolv/e [rɪ'zɒlv] *vt* résoudre (**to do** de faire, **that** que); – *n* résolution *f*. ◆**—ed** *a* résolu (**to do** à faire).

resonant ['rezənənt] *a* (*voice*) résonnant; **to be r. with** résonner de. ◆**resonance** *n* résonance *f*.

resort [rɪ'zɔːt] **1** *n* (*recourse*) recours *m* (**to** à); **as a last r.** en dernier ressort; – *vi* **to r. to s.o.** avoir recours à qn; **to r. to doing** en venir à faire; **to r. to drink** se rabattre sur la boisson. **2** *n* (**holiday**) **r.** station *f* de vacances; **seaside/ski r.** station *f* balnéaire/de ski.

resound [rɪ'zaʊnd] *vi* résonner (**with** de); *Fig* avoir du retentissement. ◆**—ing** *a* (*success, noise*) retentissant.

resource [rɪ'sɔːs, rɪ'zɔːs] *n* (*expedient, recourse*) ressource *f*; *pl* (*wealth etc*) ressources *fpl*. ◆**resourceful** *a* (*person, scheme*) ingénieux. ◆**resourcefulness** *n* ingéniosité *f*, ressource *f*.

respect [rɪ'spekt] *n* respect *m* (**for** pour, de); (*aspect*) égard *m*; **in r. of, with r. to** en ce qui concerne; **with all due r.** sans vouloir vous vexer; – *vt* respecter. ◆**respecta'bility** *n* respectabilité *f*. ◆**respectable** *a* (*honourable, sizeable*) respectable; (*satisfying*) honnête; (*clothes, behaviour*) convenable. ◆**respectably** *adv* (*to dress etc*) convenablement; (*rather well*) passablement. ◆**respectful** *a* respectueux (**to** envers, **of** de). ◆**respectfully** *adv* respectueusement.

respective [rɪ'spektɪv] *a* respectif. ◆**—ly** *adv* respectivement.

respiration [respɪ'reɪʃ(ə)n] *n* respiration *f*.

respite ['respaɪt] *n* répit *m*.

respond [rɪ'spɒnd] *vi* répondre (**to** à); **to r. to treatment** *Med* réagir positivement au traitement. ◆**response** *n* réponse *f*; **in p. to** en réponse à.

responsible [rɪ'spɒnsəb(ə)l] *a* responsable (**for** de, **to s.o.** devant qn); (*job*) à responsabilités; **who's r. for ...?** qui est (le) responsable de ...? ◆**responsi'bility** *n* responsabilité *f*. ◆**responsibly** *adv* de façon responsable.

responsive [rɪ'spɒnsɪv] *a* (*reacting*) qui réagit bien; (*alert*) éveillé; (*attentive*) qui fait attention; **r. to** (*kindness*) sensible à; (*suggestion*) réceptif à. ◆**—ness** *n* (bonne) réaction *f*.

rest[1] [rest] *n* (*repose*) repos *m*; (*support*) support *m*; **to have** *or* **take a r.** se reposer; **to set** *or* **put s.o.'s mind at r.** tranquilliser qn; **to come to r.** (*of ball etc*) s'immobiliser; (*of bird, eyes*) se poser (**on** sur); **r. home** maison *f* de repos; **r. room** *Am* toilettes *fpl*; – *vi* (*relax*) se reposer; (*be buried*) reposer; **to r. on** (*of roof, argument*) reposer sur; **I won't r. till** je n'aurai de repos que (+ *sub*); **to be resting on** (*of hand etc*) être posé sur; **a resting place** un lieu de repos; – *vt* (*eyes etc*) reposer; (*horse etc*) laisser reposer; (*lean*) poser, appuyer (**on** sur); (*base*) fonder. ◆**restful** *a* reposant.

rest[2] [rest] *n* (*remainder*) reste *m* (**of** de); **the r.** (*others*) les autres *mfpl*; **the r. of the men/***etc* les autres hommes/*etc*; – *vi* (*remain*) **it rests with you to do** il vous incombe de faire; **r. assured** soyez assuré (**that** que).

restaurant ['restərɒnt] *n* restaurant *m*.

restitution [restɪ'tjuːʃ(ə)n] *n* (*for damage*) *Jur* réparation *f*; **to make r. of** restituer.

restive ['restɪv] *a* (*person, horse*) rétif.

restless ['restləs] *a* agité. ◆**—ly** *adv* avec agitation. ◆**—ness** *n* agitation *f*.

restore [rɪ'stɔːr] *vt* (*give back*) rendre (**to** à); (*order, right*) *Jur* rétablir; (*building, painting*) restaurer; (*to life or power*) ramener (*qn*) (**to** à).

restrain [rɪ'streɪn] *vt* (*person, emotions*) retenir, maîtriser; (*crowd*) contenir; (*limit*) limiter; **to r. s.o. from doing** retenir qn de faire; **to r. oneself** se maîtriser. ◆**—ed** *a* (*feelings*) contenu; (*tone*) mesuré. ◆**restraint** *n* (*moderation*) retenue *f*, mesure *f*; (*restriction*) contrainte *f*.

restrict [rɪ'strɪkt] *vt* limiter, restreindre (**to** à). ◆**—ed** *a* (*space, use*) restreint; (*sale*) contrôlé. ◆**restriction** *n* restriction *f*, limitation *f*. ◆**restrictive** *a* restrictif.

result [rɪ'zʌlt] *n* (*outcome, success*) résultat *m*; **as a r.** en conséquence; **as a r. of** par suite de; – *vi* résulter (**from** de); **to r. in** aboutir à.

resume [rɪ'zjuːm] *vti* (*begin or take again*) reprendre; **to r. doing** se remettre à faire. ◆**resumption** *n* reprise *f*.

résumé ['rezjʊmeɪ] *n* (*summary*) résumé *m*; *Am* curriculum vitae *m inv*.

resurface [riː'sɜːfɪs] *vt* (*road*) refaire le revêtement de.

resurgence [rɪ'sɜːdʒəns] *n* réapparition *f*.

resurrect [rezə'rekt] *vt* (*custom, hero*) *Pej* ressusciter. ◆**resurrection** *n* résurrection *f*.

resuscitate [rɪ'sʌsɪteɪt] *vt Med* réanimer.

retail ['riːteɪl] *n* (vente *f* au) détail *m*; – *a* (*price, shop etc*) de détail; – *vi* se vendre (au détail); – *vt* vendre (au détail), détailler; – *adv* (*to sell*) au détail. ◆**—er** *n* détaillant, -ante *mf*.

retain [rɪ'teɪn] *vt* (*hold back, remember*) retenir; (*freshness, hope etc*) conserver. ◆**retainer** *n* (*fee*) avance *f*, acompte *m*. ◆**retention** *n* (*memory*) mémoire *f*. ◆**retentive** *a* (*memory*) fidèle.

retaliate [rɪ'tælɪeɪt] *vi* riposter (**against s.o.** contre qn, **against an attack** à une attaque). ◆**retali'ation** *n* riposte *f*, représailles *fpl*; **in r. for** en représailles de.

retarded [rɪ'tɑːdɪd] *a* **(mentally) r.** arriéré.

retch [retʃ] *vi* avoir un *or* des haut-le-cœur.

rethink [riː'θɪŋk] *vt* (*pt & pp* **rethought**) repenser.

reticent ['retɪsənt] *a* réticent. ◆**reticence** *n* réticence *f*.

retina ['retɪnə] *n Anat* rétine *f*.

retir/e [rɪ'taɪər] **1** *vi* (*from work*) prendre sa retraite; – *vt* mettre à la retraite. **2** *vi* (*withdraw*) se retirer (**from** de, **to** à); (*go to bed*) aller se coucher. ◆**—ed** *a* (*having stopped working*) retraité. ◆**—ing** *a* **1** (*age*) de la retraite. **2** (*reserved*) réservé. ◆**retirement** *n* retraite *f*; **r. age** âge *m* de la retraite.

retort [rɪ'tɔːt] *vt* rétorquer; – *n* réplique *f*.

retrace [riː'treɪs] *vt* (*past event*) se remémorer, reconstituer; **to r. one's steps** revenir sur ses pas, rebrousser chemin.

retract [rɪ'trækt] *vt* (*statement etc*) rétracter; – *vi* (*of person*) se rétracter. ◆**retraction** *n* (*of statement*) rétractation *f*.

retrain [riː'treɪn] *vi* se recycler; – *vt* recycler. ◆**—ing** *n* recyclage *m*.

retread ['riːtred] *n* pneu *m* rechapé.

retreat [rɪ'triːt] *n* (*withdrawal*) retraite *f*; (*place*) refuge *m*; – *vi* se retirer (**from** de); *Mil* battre en retraite.

retrial [riː'traɪəl] *n Jur* nouveau procès *m*.

retribution [retrɪ'bjuːʃ(ə)n] *n* châtiment *m*.

retrieve [rɪ'triːv] *vt* (*recover*) récupérer; (*rescue*) sauver (**from** de); (*loss, error*) réparer; (*honour*) rétablir. ◆**retrieval** *n* récupération *f*; **information r.** recherche *f* documentaire. ◆**retriever** *n* (*dog*) chien *m* d'arrêt.

retro- ['retrəʊ] *pref* rétro-. ◆**retro'active** *a* rétroactif.

retrograde ['retrəgreɪd] *a* rétrograde.

retrospect ['retrəspekt] *n* **in r.** rétrospectivement. ◆**retro'spective** **1** *a* (*law, effect*) rétroactif. **2** *n* (*of film director, artist*) rétrospective *f*.

return [rɪ'tɜːn] *vi* (*come back*) revenir; (*go back*) retourner; (*go back home*) rentrer; **to r. to** (*subject*) revenir à; – *vt* (*give back*) rendre; (*put back*) remettre; (*bring back*) & *Fin* rapporter; (*send back*) renvoyer; (*greeting*) répondre à; (*candidate*) *Pol* élire; – *n* retour *m*; (*yield*) *Fin* rapport *m*; *pl* (*profits*) *Fin* bénéfices *mpl*; **the r. to school** la rentrée (des classes); **r. (ticket)** (billet *m* d')aller et retour *m*; **tax r.** déclaration *f* de revenus; **many happy returns (of the day)!** bon anniversaire!; **in r.** (*exchange*) en échange (**for** de); – *a* (*trip, flight etc*) (de) retour; **r. match** match *m* retour. ◆**—able** *a* (*bottle*) consigné.

reunion [riː'juːnɪən] *n* réunion *f*. ◆**reu'nite** *vt* réunir.

rev [rev] *n Aut Fam* tour *m*; **r. counter** compte-tours *m inv*; – *vt* (**-vv-**) **to r. (up)** (*engine*) *Fam* faire ronfler.

revamp [riː'væmp] *vt* (*method, play etc*) *Fam* remanier.

reveal [rɪ'viːl] *vt* (*make known*) révéler (**that** que); (*make visible*) laisser voir. ◆**—ing** *a* (*sign etc*) révélateur.

revel ['rev(ə)l] *vi* (**-ll-**) faire la fête; **to r. in sth** se délecter de qch. ◆**revelling** *n*, ◆**revelry** *n* festivités *fpl*. ◆**reveller** *n* noceur, -euse *mf*.

revenge [rɪ'vendʒ] *n* vengeance *f*; *Sp* revanche *f*; **to have** *or* **get one's r.** se venger

(**on s.o.** de qn, **on s.o. for sth** de qch sur qn); **in r.** pour se venger; – *vt* venger.
revenue ['revənjuː] *n* revenu *m*.
reverberate [rɪ'vɜːbəreɪt] *vi* (*of sound*) se répercuter.
revere [rɪ'vɪər] *vt* révérer. ◆**'reverence** *n* révérence *f*. ◆**'reverend** *a* (*father*) *Rel* révérend; – *n* **R. Smith** (*Anglican*) le révérend Smith; (*Catholic*) l'abbé *m* Smith; (*Jewish*) le rabbin Smith. ◆**'reverent** *a* respectueux.
reverse [rɪ'vɜːs] *a* contraire; (*order, image*) inverse; **r. side** (*of coin etc*) revers *m*; (*of paper*) verso *m*; – *n* contraire *m*; (*of coin, fabric etc*) revers *m*; (*of paper*) verso *m*; **in r. (gear)** *Aut* en marche arrière; – *vt* (*situation*) renverser; (*order, policy*) inverser; (*decision*) annuler; (*bucket etc*) retourner; **to r. the charges** *Tel* téléphoner en PCV; – *vti* **to r. (the car)** faire marche arrière; **to r. in/out** rentrer/sortir en marche arrière; **reversing light** phare *m* de recul. ◆**reversal** *n* renversement *m*; (*of policy, situation, opinion*) revirement *m*; (*of fortune*) revers *m*. ◆**reversible** *a* (*fabric etc*) réversible.
revert [rɪ'vɜːt] *vi* **to r. to** revenir à.
review [rɪ'vjuː] **1** *vt* (*troops, one's life*) passer en revue; (*situation*) réexaminer; (*book*) faire la critique de; – *n* revue *f*; (*of book*) critique *f*. **2** *n* (*magazine*) revue *f*. ◆**—er** *n* critique *m*.
revile [rɪ'vaɪl] *vt* injurier.
revise [rɪ'vaɪz] *vt* (*opinion, notes, text*) réviser; – *vi* (*for exam*) réviser (**for** pour). ◆**revision** *n* révision *f*.
revitalize [riː'vaɪt(ə)laɪz] *vt* revitaliser.
revive [rɪ'vaɪv] *vt* (*unconscious person, memory, conversation*) ranimer; (*dying person*) réanimer; (*custom, plan, fashion*) ressusciter; (*hope, interest*) faire renaître; – *vi* (*of unconscious person*) reprendre connaissance; (*of country, dying person*) ressusciter; (*of hope, interest*) renaître. ◆**revival** *n* (*of custom, business, play*) reprise *f*; (*of country*) essor *m*; (*of faith, fashion, theatre*) renouveau *m*.
revoke [rɪ'vəʊk] *vt* (*decision*) annuler; (*contract*) *Jur* révoquer.
revolt [rɪ'vəʊlt] *n* révolte *f*; – *vt* (*disgust*) révolter; – *vi* (*rebel*) se révolter (**against** contre). ◆**—ing** *a* dégoûtant; (*injustice*) révoltant.
revolution [revə'luːʃ(ə)n] *n* révolution *f*. ◆**revolutionary** *a* & *n* révolutionnaire (*mf*). ◆**revolutionize** *vt* révolutionner.
revolv/e [rɪ'vɒlv] *vi* tourner (**around** autour de). ◆**—ing** *a* **r. chair** fauteuil *m* pivotant; **r. door(s)** (porte *f* à) tambour *m*.
revolver [rɪ'vɒlvər] *n* revolver *m*.
revue [rɪ'vjuː] *n* (*satirical*) *Th* revue *f*.
revulsion [rɪ'vʌlʃ(ə)n] *n* **1** (*disgust*) dégoût *m*. **2** (*change*) revirement *m*.
reward [rɪ'wɔːd] *n* récompense *f* (**for** de); – *vt* récompenser (**s.o. for sth** qn de *or* pour qch). ◆**—ing** *a* qui (en) vaut la peine; (*satisfying*) satisfaisant; (*financially*) rémunérateur.
rewind [riː'waɪnd] *vt* (*pt* & *pp* **rewound**) (*tape*) réembobiner.
rewire [riː'waɪər] *vt* (*house*) refaire l'installation électrique de.
rewrite [riː'raɪt] *vt* (*pt* **rewrote**, *pp* **rewritten**) récrire; (*edit*) réécrire.
rhapsody ['ræpsədɪ] *n* rhapsodie *f*.
rhetoric ['retərɪk] *n* rhétorique *f*. ◆**rhe'torical** *a* (*question*) de pure forme.
rheumatism ['ruːmətɪz(ə)m] *n* *Med* rhumatisme *m*; **to have r.** avoir des rhumatismes. ◆**rheu'matic** *a* (*pain*) rhumatismal; (*person*) rhumatisant.
rhinoceros [raɪ'nɒsərəs] *n* rhinocéros *m*.
rhubarb ['ruːbɑːb] *n* rhubarbe *f*.
rhyme [raɪm] *n* rime *f*; (*poem*) vers *mpl*; – *vi* rimer.
rhythm ['rɪð(ə)m] *n* rythme *m*. ◆**rhythmic(al)** *a* rythmique.
rib [rɪb] *n* *Anat* côte *f*.
ribald ['rɪb(ə)ld] *a* *Lit* grivois.
ribbon ['rɪbən] *n* ruban *m*; **to tear to ribbons** mettre en lambeaux.
rice [raɪs] *n* riz *m*. ◆**ricefield** *n* rizière *f*.
rich [rɪtʃ] *a* (**-er, -est**) riche (**in** en); (*profits*) gros; – *n* **the r.** les riches *mpl*. ◆**riches** *npl* richesses *fpl*. ◆**richly** *adv* (*dressed, illustrated etc*) richement; (*deserved*) amplement. ◆**richness** *n* richesse *f*.
rick [rɪk] *vt* **to r. one's back** se tordre le dos.
rickety ['rɪkɪtɪ] *a* (*furniture*) branlant.
ricochet ['rɪkəʃeɪ] *vi* ricocher; – *n* ricochet *m*.
rid [rɪd] *vt* (*pt* & *pp* **rid**, *pres p* **ridding**) débarrasser (**of** de); **to get r. of, r. oneself of** se débarrasser de. ◆**riddance** *n* **good r.!** *Fam* bon débarras!
ridden ['rɪd(ə)n] *see* **ride**.
-ridden ['rɪd(ə)n] *suffix* **debt-r.** criblé de dettes; **disease-r.** en proie à la maladie.
riddle ['rɪd(ə)l] **1** *n* (*puzzle*) énigme *f*. **2** *vt* cribler (**with** de); **riddled with** (*bullets, holes, mistakes*) criblé de; (*criminals*) plein de; (*corruption*) en proie à.
rid/e [raɪd] *n* (*on bicycle, by car etc*) promenade *f*; (*distance*) trajet *m*; (*in taxi*) course

f; (*on merry-go-round*) tour *m*; **to go for a (car) r.** faire une promenade (en voiture); **to give s.o. a r.** *Aut* emmener qn en voiture; **to have a r. on** (*bicycle*) monter sur; **to take s.o. for a r.** (*deceive*) *Fam* mener qn en bateau; – *vi* (*pt* **rode**, *pp* **ridden**) aller (à bicyclette, à moto, à cheval *etc*) (**to** à); (*on horse*) *Sp* monter (à cheval); **to be riding in a car** être en voiture; **to r. up** (*of skirt*) remonter; – *vt* (*a particular horse*) monter; (*distance*) faire (à cheval *etc*); **to r. a horse** *or* **horses** (*go riding*) *Sp* monter à cheval; **I was riding (on) a bike/donkey** j'étais à bicyclette/à dos d'âne; **to know how to r. a bike** savoir faire de la bicyclette; **to r. a bike to** aller à bicylette à; **may I r. your bike?** puis-je monter sur ta bicyclette?; **to r. s.o.** (*annoy*) *Am Fam* harceler qn. ◆**—ing** *n* **(horse) r.** équitation *f*; **r. boots** bottes *fpl* de cheval. ◆**—er** *n* **1** (*on horse*) cavalier, -ière *mf*; (*cyclist*) cycliste *mf*. **2** (*to document*) *Jur* annexe *f*.

ridge [rɪdʒ] *n* (*of roof, mountain*) arête *f*, crête *f*.

ridicule ['rɪdɪkjuːl] *n* ridicule *m*; **to hold up to r.** tourner en ridicule; **object of r.** objet *m* de risée; – *vt* tourner en ridicule, ridiculiser. ◆**ri'diculous** *a* ridicule.

rife [raɪf] *a* (*widespread*) répandu.

riffraff ['rɪfræf] *n* racaille *f*.

rifle ['raɪf(ə)l] **1** *n* fusil *m*, carabine *f*. **2** *vt* (*drawers, pockets etc*) vider.

rift [rɪft] *n* (*crack*) fissure *f*; (*in party*) *Pol* scission *f*; (*disagreement*) désaccord *m*.

rig [rɪg] **1** *n* **(oil) r.** derrick *m*; (*at sea*) plate-forme *f* pétrolière. **2** *vt* **(-gg-)** (*result, election etc*) *Pej* truquer; **to r. up** (*equipment*) installer; (*meeting etc*) *Fam* arranger. **3** *vt* **(-gg-) to r. out** (*dress*) *Fam* habiller. ◆**r.-out** *n Fam* tenue *f*.

right[1] [raɪt] **1** *a* (*correct*) bon, exact, juste; (*fair*) juste; (*angle*) droit; **to be r.** (*of person*) avoir raison (**to do** de faire); **it's the r. road** c'est la bonne route, c'est bien la route; **the r. time** l'heure exacte; **the clock's r.** la pendule est à l'heure; **at the r. time** au bon moment; **he's the r. man** c'est l'homme qu'il faut; **the r. thing to do** la meilleure chose à faire; **it's not r. to steal** ce n'est pas bien de voler; **it doesn't look r.** ça ne va pas; **to put r.** (*error*) rectifier; (*fix*) arranger; **to put s.o. r.** (*inform*) éclairer qn, détromper qn; **r.!** bien!; **that's r.** c'est ça, c'est bien, c'est exact; – *adv* (*straight*) (tout) droit; (*completely*) tout à fait; (*correctly*) juste; (*well*) bien; **she did r.** elle a bien fait; **r. round** tout autour (**sth** de qch); **r. behind** juste derrière; **r. here** ici même; **r. away, r. now** tout de suite; **R. Honourable** *Pol* Très Honorable; – *n* **to be in the r.** avoir raison; **r. and wrong** le bien et le mal; – *vt* (*error, wrong, car*) redresser. **2 all r.** *a* (*satisfactory*) bien *inv*; (*unharmed*) sain et sauf; (*undamaged*) intact; (*without worries*) tranquille; **it's all r.** ça va; **it's all r. now** (*fixed*) ça marche maintenant; **I'm all r.** (*healthy*) je vais bien, ça va; – *adv* (*well*) bien; **all r.!, r. you are!** (*yes*) d'accord!; **I got your letter all r.** j'ai bien reçu ta lettre. ◆**rightly** *adv* bien, correctement; (*justifiably*) à juste titre; **r. or wrongly** à tort ou à raison.

right[2] [raɪt] *a* (*hand, side etc*) droit; – *adv* à droite; – *n* droite *f*; **on** *or* **to the r.** à droite (**of** de). ◆**r.-hand** *a* à *or* de droite; **on the r.-hand side** à droite (**of** de); **r.-hand man** bras *m* droit. ◆**r.-'handed** *a* (*person*) droitier. ◆**r.-wing** *a Pol* de droite.

right[3] [raɪt] *n* (*claim, entitlement*) droit *m* (**to do** de faire); **to have a r. to sth** avoir droit à qch; **he's famous in his own r.** il est lui-même célèbre; **r. of way** *Aut* priorité *f*; **human rights** les droits de l'homme.

righteous ['raɪtʃəs] *a* (*person*) vertueux; (*cause, indignation*) juste.

rightful ['raɪtfəl] *a* légitime. ◆**—ly** *adv* légitimement.

rigid ['rɪdʒɪd] *a* rigide. ◆**ri'gidity** *n* rigidité *f*. ◆**rigidly** *adv* (*opposed*) rigoureusement (**to** à).

rigmarole ['rɪgmərəʊl] *n* (*process*) procédure *f* compliquée.

rigour ['rɪgər] *n* rigueur *f*. ◆**rigorous** *a* rigoureux.

rile [raɪl] *vt* (*annoy*) *Fam* agacer.

rim [rɪm] *n* (*of cup etc*) bord *m*; (*of wheel*) jante *f*.

rind [raɪnd] *n* (*of cheese*) croûte *f*; (*of melon, lemon*) écorce *f*; (*of bacon*) couenne *f*.

ring[1] [rɪŋ] *n* anneau *m*; (*on finger*) anneau *m*, (*with stone*) bague *f*; (*of people, chairs*) cercle *m*; (*of smoke, for napkin*) rond *m*; (*gang*) bande *f*; (*at circus*) piste *f*; *Boxing* ring *m*; (*burner on stove*) brûleur *m*; **diamond r.** bague *f* de diamants; **to have rings under one's eyes** avoir les yeux cernés; **r. road** route *f* de ceinture; (*motorway*) périphérique *m*; – *vt* **to r. (round)** (*surround*) entourer (**with** de); (*item on list etc*) entourer d'un cercle. ◆**ringleader** *n Pej* (*of gang*) chef *m* de bande; (*of rebellion etc*) meneur, -euse *mf*.

ring[2] [rɪŋ] *n* (*sound*) sonnerie *f*; **there's a r.** on sonne; **to give s.o. a r.** (*phone call*) passer un coup de fil à qn; **a r. of** (*truth*) *Fig* l'accent *m* de; – *vi* (*pt* **rang**, *pp* **rung**) (*of bell, person etc*) sonner; (*of sound, words*) retentir; **to r. (up)** *Tel* téléphoner; **to r. back** *Tel* rappeler; **to r. for s.o.** sonner qn; **to r. off** *Tel* raccrocher; **to r. out** (*of bell*) sonner; (*of sound*) retentir; – *vt* sonner; **to r. s.o. (up)** *Tel* téléphoner à qn; **to r. s.o. back** *Tel* rappeler qn; **to r. the bell** sonner; **to r. the doorbell** sonner à la porte; **that rings a bell** *Fam* ça me rappelle quelque chose; **to r. in** (*the New Year*) carillonner. ◆**—ing** *a* **r. tone** *Tel* tonalité *f*; – *n* (*of bell*) sonnerie *f*; **a r. in one's ears** un bourdonnement dans les oreilles.

ringlet ['rɪŋlɪt] *n* (*curl*) anglaise *f*.

rink [rɪŋk] *n* (*ice-skating*) patinoire *f*; (*roller-skating*) skating *m*.

rinse [rɪns] *vt* rincer; **to r. one's hands** se passer les mains à l'eau; (*remove soap*) se rincer les mains; **to r. out** rincer; – *n* rinçage *m*; (*hair colouring*) shampooing *m* colorant; **to give sth a r.** rincer qch.

riot ['raɪət] *n* (*uprising*) émeute *f*; (*demonstration*) manifestation *f* violente; **a r. of colour** *Fig* une orgie de couleurs; **to run r.** (*of crowd*) se déchaîner; **the r. police** = les CRS *mpl*; – *vi* (*rise up*) faire une émeute; (*fight*) se bagarrer. ◆**—ing** *n* émeutes *fpl*; bagarres *fpl*. ◆**—er** *n* émeutier, -ière *mf*; (*demonstrator*) manifestant, -ante *mf* violent(e). ◆**riotous** *a* (*crowd etc*) tapageur; **r. living** vie *f* dissolue.

rip [rɪp] *vt* (**-pp-**) déchirer; **to r. off** *or* **out** arracher; **to r. off** *Fam* (*deceive*) rouler; (*steal*) *Am* voler; **to r. up** déchirer; – *vi* (*of fabric*) se déchirer; – *n* déchirure *f*; **it's a r.-off** *Fam* c'est du vol organisé.

ripe [raɪp] *a* (**-er, -est**) mûr; (*cheese*) fait. ◆**ripen** *vti* mûrir. ◆**ripeness** *n* maturité *f*.

ripple ['rɪp(ə)l] *n* (*on water*) ride *f*; (*of laughter*) *Fig* cascade *f*; – *vi* (*of water*) se rider.

ris/e [raɪz] *vi* (*pt* **rose**, *pp* **risen**) (*get up from chair or bed*) se lever; (*of temperature, balloon, price etc*) monter, s'élever; (*in society*) s'élever; (*of hope*) grandir; (*of sun, curtain, wind*) se lever; (*of dough*) lever; **to r. in price** augmenter de prix; **to r. to the surface** remonter à la surface; **the river rises in . . .** le fleuve prend sa source dans . . . ; **to r. (up)** (*rebel*) se soulever (**against** contre); **to r. to power** accéder au pouvoir; **to r. from the dead** ressusciter; – *n* (*of sun, curtain*) lever *m*; (*in pressure, price etc*) hausse *f* (**in** de); (*in river*) crue *f*; (*of leader*) *Fig* ascension *f*; (*of industry, technology*) essor *m*; (*to power*) accession *f*; (*slope in ground*) éminence *f*; (**pay**) **r.** augmentation *f* (de salaire); **to give r. to** donner lieu à. ◆**—ing** *n* (*of curtain*) lever *m*; (*of river*) crue *f*; (*revolt*) soulèvement *m*; – *a* (*sun*) levant; (*number*) croissant; (*tide*) montant; (*artist etc*) d'avenir; **the r. generation** la nouvelle génération; **r. prices** la hausse des prix. ◆**—er** *n* **early r.** lève-tôt *mf inv*; **late r.** lève-tard *mf inv*.

risk [rɪsk] *n* risque *m* (**of doing** de faire); **at r.** (*person*) en danger; (*job*) menacé; **at your own r.** à tes risques et périls; – *vt* (*one's life, an accident etc*) risquer; **she won't r. leaving** (*take the risk*) elle ne se risquera pas à partir; **let's r. it** risquons le coup. ◆**riskiness** *n* risques *mpl*. ◆**risky** *a* (**-ier, -iest**) (*full of risk*) risqué.

rissole ['rɪsəʊl] *n Culin* croquette *f*.

rite [raɪt] *n* rite *m*; **the last rites** *Rel* les derniers sacrements *mpl*. ◆**ritual** *a* & *n* rituel (*m*).

ritzy ['rɪtsɪ] *a* (**-ier, -iest**) *Fam* luxueux, classe *inv*.

rival ['raɪv(ə)l] *a* (*firm etc*) rival; (*forces, claim etc*) opposé; – *n* rival, -ale *mf*; – *vt* (**-ll-**, *Am* **-l-**) (*compete with*) rivaliser avec (**in** de); (*equal*) égaler (**in** en). ◆**rivalry** *n* rivalité *f* (**between** entre).

river ['rɪvər] *n* (*small*) rivière *f*; (*major, flowing into sea*) & *Fig* fleuve *m*; **the R. Thames** la Tamise; – *a* (*port etc*) fluvial; **r. bank** rive *f*. ◆**riverside** *a* & *n* (**by the**) **r.** au bord de l'eau.

rivet ['rɪvɪt] *n* (*pin*) rivet *m*; – *vt* riveter; (*eyes*) *Fig* fixer. ◆**—ing** *a* (*story etc*) fascinant.

Riviera [rɪvɪ'eərə] *n* **the (French) R.** la Côte d'Azur.

road [rəʊd] *n* route *f* (**to** qui va à); (*small*) chemin *m*; (*in town*) rue *f*; (*roadway*) chaussée *f*; (*path*) *Fig* voie *f*, chemin *m*, route *f* (**to** de); **the Paris r.** la route de Paris; **across** *or* **over the r.** (*building etc*) en face; **by r.** par la route; **get out of the r.!** ne reste pas sur la chaussée!; – *a* (*map, safety*) routier; (*accident*) de la route; (*sense*) de la conduite; **r. hog** *Fam* chauffard *m*; **r. sign** panneau *m* (routier *or* de signalisation); **r. works** travaux *mpl*. ◆**roadblock** *n* barrage *m* routier. ◆**roadside** *a* & *n* (**by the**) **r.** au bord de la route. ◆**roadway** *n* chaussée *f*. ◆**roadworthy** *a* (*vehicle*) en état de marche.

roam [rəʊm] *vt* parcourir; – *vi* errer, rôder; **to r. (about) the streets** (*of child etc*) traîner dans les rues.

roar [rɔːr] *vi* hurler; (*of lion, wind, engine*) rugir; (*of thunder*) gronder; **to r. with laughter** éclater de rire; **to r. past** (*of truck etc*) passer dans un bruit de tonnerre; – *vt* **to r. (out)** hurler; – *n* hurlement *m*; rugissement *m*; grondement *m*. ◆**—ing** *n* = **roar** *n*; – *a* **a r. fire** une belle flambée; **a r. success** un succès fou; **to do a r. trade** vendre beaucoup (**in** de).

roast [rəʊst] *vt* rôtir; (*coffee*) griller; – *vi* (*of meat*) rôtir; **we're roasting here** *Fam* on rôtit ici; – *n* (*meat*) rôti *m*; – *a* (*chicken etc*) rôti; **r. beef** rosbif *m*.

rob [rɒb] *vt* (**-bb-**) (*person*) voler; (*bank, house*) dévaliser; **to r. s.o. of sth** voler qch à qn; (*deprive*) priver qn de qch. ◆**robber** *n* voleur, -euse *mf*. ◆**robbery** *n* vol *m*; **it's daylight r.!** c'est du vol organisé; **armed r.** vol *m* à main armée.

robe [rəʊb] *n* (*of priest, judge etc*) robe *f*; (*dressing gown*) peignoir *m*.

robin ['rɒbɪn] *n* (*bird*) rouge-gorge *m*.

robot ['rəʊbɒt] *n* robot *m*.

robust [rəʊ'bʌst] *a* robuste.

rock[1] [rɒk] **1** *vt* (*baby, boat*) bercer, balancer; (*cradle, branch*) balancer; (*violently*) secouer; – *vi* (*sway*) se balancer; (*of building, ground*) trembler. **2** *n Mus* rock *m*. ◆**—ing** *a* (*horse, chair*) à bascule. ◆**rocky**[1] *a* (**-ier, -iest**) (*furniture etc*) branlant.

rock[2] [rɒk] *n* (*substance*) roche *f*; (*boulder, rock face*) rocher *m*; (*stone*) *Am* pierre *f*; **a stick of r.** (*sweet*) un bâton de sucre d'orge; **r. face** paroi *f* rocheuse; **on the rocks** (*whisky*) avec des glaçons; (*marriage*) en pleine débâcle. ◆**r.-'bottom** *n* point *m* le plus bas; – *a* (*prices*) les plus bas, très bas. ◆**r.-climbing** *n* varappe *f*. ◆**rockery** *n* (*in garden*) rocaille *f*. ◆**rocky**[2] *a* (**-ier, -iest**) (*road*) rocailleux; (*hill*) rocheux.

rocket ['rɒkɪt] *n* fusée *f*; – *vi* (*of prices*) *Fig* monter en flèche.

rod [rɒd] *n* (*wooden*) baguette *f*; (*metal*) tige *f*; (*of curtain*) tringle *f*; (*for fishing*) canne *f* à pêche.

rode [rəʊd] *see* **ride.**

rodent ['rəʊdənt] *n* (*animal*) rongeur *m*.

rodeo ['rəʊdɪəʊ] *n* (*pl* **-os**) *Am* rodéo *m*.

roe [rəʊ] *n* **1** (*eggs*) œufs *mpl* de poisson. **2 r. (deer)** chevreuil *m*.

rogue [rəʊg] *n* (*dishonest*) crapule *f*; (*mischievous*) coquin, -ine *mf*. ◆**roguish** *a* (*smile etc*) coquin.

role [rəʊl] *n* rôle *m*.

roll [rəʊl] *n* (*of paper, film etc*) rouleau *m*; (*of bread*) petit pain *m*; (*of fat, flesh*) bourrelet *m*; (*of drum, thunder*) roulement *m*; (*of ship*) roulis *m*; (*list*) liste *f*; **to have a r. call** faire l'appel; **r. neck** (*neckline, sweater*) col *m* roulé; – *vi* (*of ball, ship etc*) rouler; (*of person, animal*) se rouler; **to be rolling in money** *or* **in it** *Fam* rouler sur l'or; **r. on tonight!** *Fam* vivement ce soir!; **to r. in** *Fam* (*flow in*) affluer; (*of person*) s'amener; **to r. over** (*many times*) se rouler; (*once*) se retourner; **to r. up** (*arrive*) *Fam* s'amener; **to r. (up) into a ball** (*of animal*) se rouler en boule; – *vt* rouler; **to r. down** (*blind*) baisser; (*slope*) descendre (en roulant); **to r. on** (*paint, stocking*) mettre; **to r. out** (*dough*) étaler; **to r. up** (*map, cloth*) rouler; (*sleeve, trousers*) retrousser. ◆**—ing** *a* (*ground, gait*) onduleux; **r. pin** rouleau *m* à pâtisserie. ◆**—er** *n* (*for hair, painting etc*) rouleau *m*; **r. coaster** (*at funfair*) montagnes *fpl* russes. ◆**roller-skate** *n* patin *m* à roulettes; – *vi* faire du patin à roulettes.

rollicking ['rɒlɪkɪŋ] *a* joyeux (et bruyant).

roly-poly [rəʊlɪ'pəʊlɪ] *a Fam* grassouillet.

Roman ['rəʊmən] **1** *a* & *n* romain, -aine *mf*. **2 R. Catholic** *a* & *n* catholique (*mf*).

romance [rəʊ'mæns] **1** *n* (*story*) histoire *f or* roman *m* d'amour; (*love*) amour *m*; (*affair*) aventure *f* amoureuse; (*charm*) poésie *f*. **2** *a* **R. language** langue *f* romane. ◆**romantic** *a* (*of love, tenderness etc*) romantique; (*fanciful, imaginary*) romanesque; – *n* (*person*) romantique *mf*. ◆**romantically** *adv* (*to behave*) de façon romantique. ◆**romanticism** *n* romantisme *m*.

Romania [rəʊ'meɪnɪə] *n* Roumanie *f*. ◆**Romanian** *a* & *n* roumain, -aine *mf*; – *n* (*language*) roumain *m*.

romp [rɒmp] *vi* s'ébattre (bruyamment); **to r. through** (*exam*) *Fig* avoir les doigts dans le nez; – *n* ébats *mpl*.

rompers ['rɒmpəz] *npl* (*for baby*) barboteuse *f*.

roof [ruːf] *n* (*of building, vehicle*) toit *m*; (*of tunnel, cave*) plafond *m*; **r. of the mouth** voûte *f* du palais; **r. rack** (*of car*) galerie *f*. ◆**—ing** *n* toiture *f*. ◆**rooftop** *n* toit *m*.

rook [rʊk] *n* **1** (*bird*) corneille *f*. **2** *Chess* tour *f*.

rookie ['rʊkɪ] *n* (*new recruit*) *Mil Fam* bleu *m*.

room [ruːm, rʊm] *n* **1** (*in house etc*) pièce *f*; (*bedroom*) chambre *f*; (*large, public*) salle *f*; **one's rooms** son appartement *m*; **in rooms** en meublé; **men's r., ladies' r.** *Am* toilettes *fpl*. **2** (*space*) place *f* (**for** pour); **(some) r.** de la place; **there's r. for doubt** le doute est

permis; **no r. for doubt** aucun doute possible. ♦**rooming house** *n Am* maison *f* de rapport. ♦**roommate** *n* camarade *mf* de chambre. ♦**roomy** *a* (**-ier, -iest**) spacieux; (*clothes*) ample.
roost [ruːst] *vi* (*of bird*) percher; – *n* perchoir *m*.
rooster ['ruːstər] *n* coq *m*.
root [ruːt] **1** *n* (*of plant, person etc*) & *Math* racine *f*; *Fig* cause *f*, origine *f*; **to pull up by the root(s)** déraciner; **to take r.** (*of plant*) & *Fig* prendre racine; **to put down (new) roots** *Fig* s'enraciner; **r. cause** cause *f* première; – *vt* **to r. out** (*destroy*) extirper. **2** *vi* (*of plant cutting*) s'enraciner; **to r. about for** fouiller pour trouver. **3** *vi* **to r. for** (*cheer, support*) *Fam* encourager. ♦**—ed** *a* **deeply r.** bien enraciné (**in** dans); **r. to the spot** (*immobile*) cloué sur place. ♦**—less** *a* sans racines.
rope [rəʊp] *n* corde *f*; *Nau* cordage *m*; **to know the ropes** *Fam* être au courant; – *vt* (*tie*) lier; **to r. s.o. in** (*force to help*) *Fam* embrigader qn (**to do** pour faire); **to r. off** séparer (par une corde).
rop(e)y ['rəʊpɪ] *a* (**-ier, -iest**) *Fam* (*thing*) minable; (*person*) patraque.
rosary ['rəʊzərɪ] *n Rel* chapelet *m*.
rose[1] [rəʊz] *n* **1** (*flower*) rose *f*; (*colour*) rose *m*; **r. bush** rosier *m*. **2** (*of watering can*) pomme *f*. ♦**ro'sette** *n Sp* cocarde *f*; (*rose-shaped*) rosette *f*. ♦**rosy** *a* (**-ier, -iest**) (*pink*) rose; (*future*) *Fig* tout en rose.
rose[2] [rəʊz] *see* **rise**.
rosé ['rəʊzeɪ] *n* (*wine*) rosé *m*.
rosemary ['rəʊzmərɪ] *n Bot Culin* romarin *m*.
roster ['rɒstər] *n* (**duty**) **r.** liste *f* (de service).
rostrum ['rɒstrəm] *n* tribune *f*; *Sp* podium *m*.
rot [rɒt] *n* pourriture *f*; (*nonsense*) *Fam* inepties *fpl*; – *vti* (**-tt-**) **to r. (away)** pourrir.
rota ['rəʊtə] *n* liste *f* (de service).
rotate [rəʊ'teɪt] *vi* tourner; – *vt* faire tourner; (*crops*) alterner. ♦**'rotary** *a* rotatif; **r. airer** (*washing line*) séchoir *m* parapluie; – *n* (*roundabout*) *Aut Am* sens *m* giratoire. ♦**rotation** *n* rotation *f*; **in r.** à tour de rôle.
rote [rəʊt] *n* **by r.** machinalement.
rotten ['rɒt(ə)n] *a* (*decayed, corrupt*) pourri; (*bad*) *Fam* moche; (*filthy*) *Fam* sale; **to feel r.** (*ill*) être mal fichu. ♦**rottenness** *n* pourriture *f*. ♦**rotting** *a* (*meat, fruit etc*) qui pourrit.
rotund [rəʊ'tʌnd] *a* (*round*) rond; (*plump*) rondelet.
rouble ['ruːb(ə)l] *n* (*currency*) rouble *m*.
rouge [ruːʒ] *n* rouge *m* (à joues).
rough[1] [rʌf] *a* (**-er, -est**) (*surface, task, manners*) rude; (*ground*) inégal, accidenté; (*rocky*) rocailleux; (*plank, bark*) rugueux; (*sound*) âpre, rude; (*coarse*) grossier; (*brutal*) brutal; (*weather, neighbourhood*) mauvais; (*sea*) agité; (*justice*) sommaire; (*diamond*) brut; **a r. child** (*unruly*) un enfant dur; **to feel r.** (*ill*) *Fam* être mal fichu; **r. and ready** (*conditions, solution*) grossier (mais adéquat); – *adv* (*to sleep, live*) à la dure; (*to play*) brutalement; – *n* (*violent man*) *Fam* voyou *m*; – *vt* **to r. it** *Fam* vivre à la dure; **to r. up** (*hair*) ébouriffer; (*person*) *Fam* malmener. ♦**r.-and-'tumble** *n* (*fight*) mêlée *f*; (*of s.o.'s life*) remue-ménage *m inv*. ♦**roughen** *vt* rendre rude. ♦**roughly**[1] *adv* (*not gently*) rudement; (*coarsely*) grossièrement; (*brutally*) brutalement. ♦**roughness** *n* rudesse *f*; inégalité *f*; grossièreté *f*; brutalité *f*.
rough[2] [rʌf] *a* (**-er, -est**) (*calculation, figure, terms etc*) approximatif; **r. copy, r. draft** brouillon *m*; **r. paper** du papier brouillon; **r. guess, r. estimate** approximation *f*; **a r. plan** l'ébauche *f* d'un projet; – *vt* **to r. out** (*plan*) ébaucher. ♦**—ly**[2] *adv* (*approximately*) à peu (de choses) près.
roughage ['rʌfɪdʒ] *n* (*in food*) fibres *fpl* (alimentaires).
roulette [ruː'let] *n* roulette *f*.
round [raʊnd] **1** *adv* autour; **all r., right r.** tout autour; **to go r. to s.o.** passer chez qn; **to ask r.** inviter chez soi; **he'll be r.** il passera; **r. here** par ici; **the long way r.** le chemin le plus long; – *prep* autour de; **r. about** (*house etc*) autour de; (*approximately*) environ; **r. (about) midday** vers midi; **to go r.** (*world*) faire le tour de; (*corner*) tourner. **2** *a* (**-er, -est**) rond; **a r. trip** *Am* un (voyage) aller et retour. **3** *n* (*slice*) *Culin* tranche *f*; *Sp Pol* manche *f*; (*of golf*) partie *f*; *Boxing* round *m*; (*of talks*) série *f*; (*of drinks, visits*) tournée *f*; **one's round(s)** (*of milkman etc*) sa tournée; (*of doctor*) ses visites *fpl*; (*of policeman*) sa ronde; **delivery r.** livraisons *fpl*, tournée *f*; **r. of applause** salve *f* d'applaudissements; **r. of ammunition** cartouche *f*, balle *f*; – *vt* **to r. a corner** (*in car*) prendre un virage; **to r. off** (*finish*) terminer; **to r. up** (*gather*) rassembler; (*figure*) arrondir au chiffre supérieur. ♦**r.-'shouldered** *a* voûté, aux épaules rondes. ♦**rounded** *a* arrondi. ♦**rounders** *npl Sp sorte de baseball*. ♦**roundness** *n* rondeur *f*. ♦**roundup** *n* (*of criminals*) rafle *f*.

roundabout ['raʊndəbaʊt] **1** *a* indirect, détourné. **2** *n* (*at funfair*) manège *m*; (*junction*) *Aut* rond-point *m* (à sens giratoire).

rous/e [raʊz] *vt* éveiller; **roused (to anger)** en colère; **to r. to action** inciter à agir. ◆**—ing** *a* (*welcome*) enthousiaste; (*speech*) vibrant; (*music*) allègre.

rout [raʊt] *n* (*defeat*) déen déroute *f*; – *vt* mettre route.

route 1 [ruːt] *n* itinéraire *m*; (*of aircraft*) route *f*; **sea r.** route *f* maritime; **bus r.** ligne *f* d'autobus; – *vt* (*train etc*) fixer l'itinéraire de. **2** [raʊt] *n* (*delivery round*) *Am* tournée *f*.

routine [ruː'tiːn] *n* routine *f*; **one's daily r.** (*in office etc*) son travail journalier; **the daily r.** (*monotony*) le train-train quotidien; – *a* (*inquiry, work etc*) de routine; *Pej* routinier.

rov/e [rəʊv] *vi* errer; – *vt* parcourir. ◆**—ing** *a* (*life*) nomade; (*ambassador*) itinérant.

row¹ [rəʊ] **1** *n* (*line*) rang *m*, rangée *f*; (*of cars*) file *f*; **two days in a r.** deux jours de suite *or* d'affilée. **2** *vi* (*in boat*) ramer; – *vt* (*boat*) faire aller à la rame; (*person*) transporter en canot; – *n* **to go for a r.** canoter; **r. boat** *Am* bateau *m* à rames. ◆**—ing** *n* canotage *m*; *Sp* aviron *m*; **r. boat** bateau *m* à rames.

row² [raʊ] *n Fam* (*noise*) vacarme *m*; (*quarrel*) querelle *f*; – *vi Fam* se quereller (**with** avec).

rowdy ['raʊdɪ] *a* (**-ier, -iest**) chahuteur (et brutal); – *n* (*person*) *Fam* voyou *m*.

royal ['rɔɪəl] *a* royal; – *npl* **the royals** *Fam* la famille royale. ◆**royalist** *a* & *n* royaliste (*mf*). ◆**royally** *adv* (*to treat*) royalement. ◆**royalty 1** *n* (*persons*) personnages *mpl* royaux. **2** *npl* (*from book*) droits *mpl* d'auteur; (*on oil, from patent*) royalties *fpl*.

rub [rʌb] *vt* (**-bb-**) frotter; (*polish*) astiquer; **to r. shoulders with** *Fig* coudoyer, côtoyer; **to r. away** (*mark*) effacer; (*tears*) essuyer; **to r. down** (*person*) frictionner; (*wood, with sandpaper*) poncer; **to r. in** (*cream*) *Med* faire pénétrer (en massant); **to r. it in** *Pej Fam* retourner le couteau dans la plaie; **to r. off** *or* **out** (*mark*) effacer; **rubbing alcohol** *Am* alcool *m* à 90°; – *vi* frotter; **to r. off** (*of mark*) partir; (*of manners etc*) déteindre (**on s.o.** sur qn); – *n* (*massage*) friction *f*; **to give sth a r.** frotter qch; (*polish*) astiquer qch.

rubber ['rʌbər] *n* (*substance*) caoutchouc *m*; (*eraser*) gomme *f*; (*contraceptive*) *Am Sl* capote *f*; **r. stamp** tampon *m*. ◆**r.-'stamp** *vt Pej* approuver (sans discuter). ◆**rubbery** *a* caoutchouteux.

rubbish ['rʌbɪʃ] **1** *n* (*refuse*) ordures *fpl*, détritus *mpl*; (*waste*) déchets *mpl*; (*junk*) saleté(s) *f(pl)*; (*nonsense*) *Fig* absurdités *fpl*; **that's r.** (*absurd*) c'est absurde; (*worthless*) ça ne vaut rien; **r. bin** poubelle *f*; **r. dump** dépôt *m* d'ordures, décharge *f* (publique); (*in garden*) tas *m* d'ordures. **2** *vt* **to r. s.o./sth** (*criticize*) *Fam* dénigrer qn/qch. ◆**rubbishy** *a* (*book etc*) sans valeur; (*goods*) de mauvaise qualité.

rubble ['rʌb(ə)l] *n* décombres *mpl*.

ruble ['ruːb(ə)l] *n* (*currency*) rouble *m*.

ruby ['ruːbɪ] *n* (*gem*) rubis *m*.

rucksack ['rʌksæk] *n* sac *m* à dos.

ruckus ['rʌkəs] *n* (*uproar*) *Fam* chahut *m*.

rudder ['rʌdər] *n* gouvernail *m*.

ruddy [rʌdɪ] *a* (**-ier, -iest**) **1** (*complexion*) coloré. **2** (*bloody*) *Sl* fichu.

rude [ruːd] *a* (**-er, -est**) (*impolite*) impoli (**to** envers); (*coarse*) grossier; (*indecent*) indécent, obscène; (*shock*) violent. ◆**—ly** *adv* impoliment; grossièrement. ◆**—ness** *n* impolitesse *f*; grossièreté *f*.

rudiments ['ruːdɪmənts] *npl* rudiments *mpl*. ◆**rudi'mentary** *a* rudimentaire.

ruffian ['rʌfɪən] *n* voyou *m*.

ruffle ['rʌf(ə)l] **1** *vt* (*hair*) ébouriffer; (*water*) troubler; **to r. s.o.** (*offend*) froisser qn. **2** *n* (*frill*) ruche *f*.

rug [rʌg] *n* carpette *f*, petit tapis *m*; (*over knees*) plaid *m*; **(bedside) r.** descente *f* de lit.

rugby ['rʌgbɪ] *n* **r. (football)** rugby *m*. ◆**rugger** *n Fam* rugby *m*.

rugged ['rʌgɪd] *a* (*surface*) rugueux, rude; (*terrain, coast*) accidenté; (*person, features, manners*) rude; (*determination*) *Fig* farouche.

ruin ['ruːɪn] *n* (*destruction, rubble, building etc*) ruine *f*; **in ruins** (*building*) en ruine; – *vt* (*health, country, person etc*) ruiner; (*clothes*) abîmer; (*spoil*) gâter. ◆**—ed** *a* (*person, country etc*) ruiné; (*building*) en ruine. ◆**ruinous** *a* ruineux.

rul/e [ruːl] **1** *n* (*principle*) règle *f*; (*regulation*) règlement *m*; (*custom*) coutume *f*; (*authority*) autorité *f*; *Pol* gouvernement *m*; **against the rules** contraire à la règle; **as a (general) r.** en règle générale; **it's the** *or* **a r. that** il est de règle que (+ *sub*); – *vt* (*country*) *Pol* gouverner; (*decide*) *Jur Sp* décider (**that** que); **to r. s.o.** (*dominate*) mener qn; **to r. out** (*exclude*) exclure; – *vi* (*of monarch*) régner (**over** sur); (*of judge*) statuer (**against** contre, **on** sur). **2** *n* (*for measuring*) règle *f*. ◆**—ed** *a* (*paper*) réglé, ligné. ◆**—ing** *a* (*passion*) dominant;

(*class*) dirigeant; (*party*) *Pol* au pouvoir; – *n Jur Sp* décision *f.* ◆**ruler** *n* **1** (*of country*) *Pol* dirigeant, -ante *mf*; (*sovereign*) souverain, -aine *mf.* **2** (*measure*) règle *f.*

rum [rʌm] *n* rhum *m.*

Rumania [ruːˈmeɪnɪə] *see* **Romania.**

rumble [ˈrʌmb(ə)l] *vi* (*of train, thunder, gun*) gronder; (*of stomach*) gargouiller; – *n* grondement *m*; gargouillement *m.*

ruminate [ˈruːmɪneɪt] *vi* **to r. over** (*scheme etc*) ruminer.

rummage [ˈrʌmɪdʒ] *vi* **to r. (about)** farfouiller; **r. sale** (*used clothes etc*) *Am* vente *f* de charité.

rumour [ˈruːmər] *n* rumeur *f,* bruit *m.* ◆**rumoured** *a* **it is r. that** on dit que.

rump [rʌmp] *n* (*of horse*) croupe *f*; (*of fowl*) croupion *m*; **r. steak** rumsteck *m.*

rumple [ˈrʌmp(ə)l] *vt* (*clothes*) chiffonner.

run [rʌn] *n* (*running*) course *f*; (*outing*) tour *m*; (*journey*) parcours *m,* trajet *m*; (*series*) série *f*; (*period*) période *f*; *Cards* suite *f*; (*rush*) ruée *f* (**on** sur); (*trend*) tendance *f*; (*for skiing*) piste *f*; (*in cricket*) point *m*; **to go for a r.** courir, faire une course à pied; **on the r.** (*prisoner etc*) en fuite; **to have the r. of** (*house etc*) avoir à sa disposition; **in the long r.** avec le temps, à la longue; **the runs** *Med Fam* la diarrhée; – *vi* (*pt* **ran,** *pp* **run,** *pres p* **running**) courir; (*flee*) fuir; (*of curtain*) glisser; (*of river, nose, pen, tap*) couler; (*of colour in washing*) déteindre; (*of ink*) baver; (*melt*) fondre; (*of play, film*) se jouer; (*of contract*) être valide; (*last*) durer; (*pass*) passer; (*function*) marcher; (*tick over*) *Aut* tourner; (*of stocking*) filer; **to r. down/in/***etc* descendre/entrer/*etc* en courant; **to r. for president** être candidat à la présidence; **to r. with blood** ruisseler de sang; **to r. between** (*of bus*) faire le service entre; **to go running** *Sp* faire du jogging; **the road runs to . . .** la route va à . . . ; **the river runs into the sea** le fleuve se jette dans la mer; **it runs into a hundred pounds** ça va chercher dans les cent livres; **it runs in the family** ça tient de famille; – *vt* (*race, risk*) courir; (*horse*) faire courir; (*temperature, errand*) faire; (*blockade*) forcer; (*machine*) faire fonctionner; (*engine*) *Aut* faire tourner; (*drive*) *Aut* conduire; (*furniture, goods*) transporter (**to** à); (*business, country etc*) diriger; (*courses, events*) organiser; (*film, play*) présenter; (*house*) tenir; (*article*) publier (**on** sur); (*bath*) faire couler; **to r. one's hand over** passer la main sur; **to r. one's eye over** jeter un coup d'œil à *or* sur; **to r. its course** (*of illness etc*) suivre son cours; **to r. 5 km** *Sp* faire 5 km de course à pied; **to r. a car** avoir une voiture. ■ **to r. about** *vi* courir çà et là; (*gallivant*) se balader; **to r. across** *vt* (*meet*) tomber sur; **to r. along** *vi* **r. along!** filez!; **to r. away** *vi* (*flee*) s'enfuir, se sauver (**from** de); **to r. back** *vt* (*person*) *Aut* ramener (**to** à); **to r. down** *vt* (*pedestrian*) *Aut* renverser; (*belittle*) dénigrer; (*restrict*) limiter peu à peu. ◆**r.-ˈdown** *a* (*weak, tired*) *Med* à plat; (*district etc*) miteux; **to r. in** *vt* (*vehicle*) roder; **to r. s.o. in** (*of police*) *Fam* arrêter qn; **to r. into** *vt* (*meet*) tomber sur; (*crash into*) *Aut* percuter; **to r. into debt** s'endetter; **to r. off** *vt* (*print*) tirer; – *vi* (*flee*) s'enfuir; **to r. out** *vi* (*of stocks*) s'épuiser; (*of lease*) expirer; (*of time*) manquer; **to r. out of** (*time, money*) manquer de; **we've r. out of coffee** on n'a plus de café; – *vt* **to r. s.o. out of** (*chase*) chasser qn de; **to r. over** *vi* (*of liquid*) déborder; – *vt* (*kill pedestrian*) *Aut* écraser; (*knock down pedestrian*) *Aut* renverser; (*notes, text*) revoir; **to r. round** *vt* (*surround*) entourer; **to r. through** *vt* (*recap*) revoir; **to r. up** *vt* (*bill, debts*) laisser s'accumuler. ◆**r.-up** *n* **the r.-up to** (*elections etc*) la période qui précède. ◆**running** *n* course *f*; (*of machine*) fonctionnement *m*; (*of firm, country*) direction *f*; **to be in/out of the r.** être/ne plus être dans la course; – *a* (*commentary*) suivi; (*battle*) continuel; **r. water** eau *f* courante; **six days/***etc* **r.** six jours/*etc* de suite; **r. costs** (*of factory*) frais *mpl* d'exploitation; (*of car*) dépenses *fpl* courantes. ◆**runner** *n Sp etc* coureur *m*; **r. bean** haricot *m* (grimpant). ◆**runner-ˈup** *n Sp* second, -onde *mf.* ◆**runny** *a* (**-ier, -iest**) *a* liquide; (*nose*) qui coule.

runaway [ˈrʌnəweɪ] *n* fugitif, -ive *mf*; – *a* (*car, horse*) emballé; (*lorry*) fou; (*wedding*) clandestin; (*victory*) qu'on remporte haut la main; (*inflation*) galopant.

rung[1] [rʌŋ] *n* (*of ladder*) barreau *m.*

rung[2] [rʌŋ] *see* **ring**[2].

run-of-the-mill [rʌnəvðəˈmɪl] *a* ordinaire.

runway [ˈrʌnweɪ] *n Av* piste *f.*

rupture [ˈrʌptʃər] *n Med* hernie *f*; **the r. of** (*breaking*) la rupture de; – *vt* rompre; **to r. oneself** se donner une hernie.

rural [ˈrʊərəl] *a* rural.

ruse [ruːz] *n* (*trick*) ruse *f.*

rush[1] [rʌʃ] *vi* (*move fast, throw oneself*) se précipiter, se ruer (**at** sur, **towards** vers); (*of blood*) affluer (**to** à); (*hurry*) se dépêcher (**to do** de faire); (*of vehicle*) foncer; **to r. out** partir en vitesse; – *vt* (*attack*) *Mil* foncer sur; **to r. s.o.** bousculer qn; **to r. s.o. to hospital** transporter qn d'urgence à l'hôpital; **to r. (through) sth** (*job, meal, order etc*) faire, manger, envoyer *etc* qch en vitesse; **to be rushed into** (*decision, answer etc*) être forcé à prendre, donner *etc*; – *n* ruée *f* (**for** vers, **on** sur); (*confusion*) bousculade *f*; (*hurry*) hâte *f*; (*of orders*) avalanche *f*; **to be in a r.** être pressé (**to do** de faire); **to leave**/*etc* **in a r.** partir/*etc* en vitesse; **the gold r.** la ruée vers l'or; **the r. hour** l'heure *f* d'affluence; **a r. job** un travail d'urgence.

rush[2] [rʌʃ] *n* (*plant*) jonc *m*.

rusk [rʌsk] *n* biscotte *f*.

russet ['rʌsɪt] *a* roux, roussâtre.

Russia ['rʌʃə] *n* Russie *f*. ◆**Russian** *a* & *n* russe (*mf*); – *n* (*language*) russe *m*.

rust [rʌst] *n* rouille *f*; – *vi* (se) rouiller. ◆**rustproof** *a* inoxydable. ◆**rusty** *a* (**-ier, -iest**) (*metal, athlete, memory etc*) rouillé.

rustic ['rʌstɪk] *a* rustique.

rustle ['rʌs(ə)l] **1** *vi* (*of leaves*) bruire; (*of skirt*) froufrouter; – *n* bruissement *m*; frou-frou *m*. **2** *vt* **to r. up** *Fam* (*prepare*) préparer; (*find*) trouver.

rut [rʌt] *n* ornière *f*; **to be in a r.** *Fig* être encroûté.

rutabaga [ruːtə'beɪgə] *n* (*swede*) *Am* rutabaga *m*.

ruthless ['ruːθləs] *a* (*attack, person etc*) impitoyable, cruel; (*in taking decisions*) très ferme. ◆**—ness** *n* cruauté *f*.

rye [raɪ] *n* seigle *m*; **r. bread** pain *m* de

S

S, s [es] *n* S, s *m*.

Sabbath ['sæbəθ] *n* (*Jewish*) sabbat *m*; (*Christian*) dimanche *m*. ◆**sa'bbatical** *a* (*year etc*) *Univ* sabbatique.

sabotage ['sæbətɑːʒ] *n* sabotage *m*; – *vt* saboter. ◆**saboteur** [-'tɜːr] *n* saboteur, -euse *mf*.

sabre ['seɪbər] *n* (*sword*) sabre *m*.

saccharin ['sækərɪn] *n* saccharine *f*.

sachet ['sæʃeɪ] *n* (*of lavender etc*) sachet *m*; (*of shampoo*) dosette *f*.

sack [sæk] **1** *n* (*bag*) sac *m*. **2** *vt* (*dismiss*) *Fam* virer, renvoyer; – *n Fam* **to get the s.** se faire virer; **to give s.o. the s.** virer qn. **3** *vt* (*town etc*) saccager, mettre à sac. ◆**—ing** *n* **1** (*cloth*) toile *f* à sac. **2** (*dismissal*) *Fam* renvoi *m*.

sacrament ['sækrəmənt] *n Rel* sacrement *m*.

sacred ['seɪkrɪd] *a* (*holy*) sacré.

sacrifice ['sækrɪfaɪs] *n* sacrifice *m*; – *vt* sacrifier (**to** à, **for sth/s.o.** pour qch/qn).

sacrilege ['sækrɪlɪdʒ] *n* sacrilège *m*. ◆**sacri'legious** *a* sacrilège.

sacrosanct ['sækrəʊsæŋkt] *a Iron* sacro-saint.

sad [sæd] *a* (**sadder, saddest**) triste. ◆**sadden** *vt* attrister. ◆**sadly** *adv* tristement; (*unfortunately*) malheureusement; (*very*) très. ◆**sadness** *n* tristesse *f*.

saddle ['sæd(ə)l] *n* selle *f*; **to be in the s.** (*in control*) *Fig* tenir les rênes; – *vt* (*horse*) seller; **to s. s.o. with** (*chore, person*) *Fam* coller à qn.

sadism ['seɪdɪz(ə)m] *n* sadisme *m*. ◆**sadist** *n* sadique *mf*. ◆**sa'distic** *a* sadique.

sae [eseɪ'iː] *abbr* = **stamped addressed envelope.**

safari [sə'fɑːrɪ] *n* safari *m*; **to be** *or* **go on s.** faire un safari.

safe[1] [seɪf] *a* (**-er, -est**) (*person*) en sécurité; (*equipment, toy, animal*) sans danger; (*place, investment, method*) sûr; (*bridge, ladder*) solide; (*prudent*) prudent; (*winner*) assuré, garanti; **s. (and sound)** sain et sauf; **it's s. to go out** on peut sortir sans danger; **the safest thing (to do) is . . .** le plus sûr est de . . . ; **s. from** à l'abri de; **to be on the s. side** pour plus de sûreté; **in s. hands** en mains sûres; **s. journey!** bon voyage! ◆**s.-'conduct** *n* sauf-conduit *m*. ◆**safe-'keeping** *n* **for s.** à garder en sécurité. ◆**safely** *adv* (*without mishap*) sans accident; (*securely*) en sûreté; (*without risk*) sans risque, sans danger. ◆**safety** *n* sécurité *f*; (*solidity*) solidité *f*; (*salvation*) salut *m*; – *a* (*belt, device, screen, margin*) de sécurité; (*pin, razor, chain, valve*) de sûreté; **s. precaution** mesure *f* de sécurité.

safe[2] [seɪf] *n* (*for money etc*) coffre-fort *m*.

safeguard ['seɪfgɑːd] *n* sauvegarde *f* (**against** contre); – *vt* sauvegarder.

saffron ['sæfrən] *n* safran *m*.

sag [sæg] *vi* (**-gg-**) (*of roof, ground*) s'affaisser; (*of cheeks*) pendre; (*of prices, knees*) fléchir. ◆**sagging** *a* (*roof, breasts*) affaissé.

saga ['sɑːgə] *n Liter* saga *f*; (*bad sequence of events*) *Fig* feuilleton *m*.

sage [seɪdʒ] *n* **1** *Bot Culin* sauge *f*. **2** (*wise man*) sage *m*.

Sagittarius [sædʒɪ'teərɪəs] *n* (*sign*) le Sagittaire.

sago ['seɪgəʊ] *n* (*cereal*) sagou *m*.

Sahara [sə'hɑːrə] *n* **the S. (desert)** le Sahara.

said [sed] *see* **say**.

sail [seɪl] *vi* (*navigate*) naviguer; (*leave*) partir; *Sp* faire de la voile; (*glide*) *Fig* glisser; **to s. into port** entrer au port; **to s. round** (*world, island etc*) faire le tour de en bateau; **to s. through** (*exam etc*) *Fig* réussir haut la main; – *vt* (*boat*) piloter; (*seas*) parcourir; – *n* voile *f*; (*trip*) tour *m* en bateau; **to set s.** (*of boat*) partir (**for** à destination de). ◆**—ing** *n* navigation *f*; *Sp* voile *f*; (*departure*) départ *m*; (*crossing*) traversée *f*; **s. boat** voilier *m*. ◆**sailboard** *n* planche *f* (à voile). ◆**sailboat** *n Am* voilier *m*. ◆**sailor** *n* marin *m*, matelot *m*.

saint [seɪnt] *n* saint *m*, sainte *f*; **S. John** saint Jean; **s.'s day** *Rel* fête *f* (de saint). ◆**saintly** *a* (**-ier, -iest**) saint.

sake [seɪk] *n* **for my/your s.** pour moi/toi; **for your father's s.** pour (l'amour de) ton père; **(just) for the s. of eating/***etc* simplement pour manger/*etc*; **for heaven's** *or* **God's s.** pour l'amour de Dieu.

salacious [sə'leɪʃəs] *a* obscène.

salad ['sæləd] *n* (*dish of vegetables, fruit etc*) salade *f*; **s. bowl** saladier *m*; **s. cream** mayonnaise *f*; **s. dressing** vinaigrette *f*.

salamander ['sæləmændər] *n* (*lizard*) salamandre *f*.

salami [sə'lɑːmɪ] *n* salami *m*.

salary ['sælərɪ] *n* (*professional*) traitement *m*; (*wage*) salaire *m*. ◆**salaried** *a* (*person*) qui perçoit un traitement.

sale [seɪl] *n* vente *f*; **sale(s)** (*at reduced prices*) *Com* soldes *mpl*; **in a** *or* **the s.**, *Am* **on s.** (*cheaply*) en solde; **on s.** (*available*) en vente; **(up) for s.** à vendre; **to put up for s.** mettre en vente; **s. price** *Com* prix *m* de solde; **sales check** *or* **slip** *Am* reçu *m*. ◆**saleable** *a Com* vendable. ◆**salesclerk** *n Am* vendeur, -euse *mf*. ◆**salesman** *n* (*pl* **-men**) (*in shop*) vendeur *m*; **(travelling) s.** représentant *m* (de commerce). ◆**saleswoman** *n* (*pl* **-women**) vendeuse *f*; représentante *f* (de commerce).

salient ['seɪlɪənt] *a* (*point, fact*) marquant.

saliva [sə'laɪvə] *n* salive *f*. ◆**'salivate** *vi* saliver.

sallow ['sæləʊ] *a* (**-er, -est**) jaunâtre.

sally ['sælɪ] *n Mil* sortie *f*; – *vi* **to s. forth** *Fig* sortir allégrement.

salmon ['sæmən] *n* saumon *m*.

salmonella [sælmə'nelə] *n* (*poisoning*) salmonellose *f*.

salon ['sælɒn] *n* **beauty/hairdressing s.** salon *m* de beauté/de coiffure.

saloon [sə'luːn] *n Nau* salon *m*; (*car*) berline *f*; (*bar*) *Am* bar *m*; **s. bar** (*of pub*) salle *f* chic.

salt [sɔːlt] *n* sel *m*; **bath salts** sels *mpl* de bain; – *a* (*water, beef etc*) salé; (*mine*) de sel; **s. free** sans sel; – *vt* saler. ◆**saltcellar** *n*, *Am* ◆**saltshaker** *n* salière *f*. ◆**salty** *a* (**-ier, -iest**) *a* salé.

salubrious [sə'luːbrɪəs] *a* salubre.

salutary ['sæljʊtərɪ] *a* salutaire.

salute [sə'luːt] *n Mil* salut *m*; (*of guns*) salve *f*; – *vt* (*greet*) & *Mil* saluer; – *vi Mil* faire un salut.

salvage ['sælvɪdʒ] *n* sauvetage *m* (**of** de); récupération *f* (**of** de); (*saved goods*) objets *mpl* sauvés; – *vt* (*save*) sauver (**from** de); (*old iron etc to be used again*) récupérer.

salvation [sæl'veɪʃ(ə)n] *n* salut *m*.

same [seɪm] *a* même; **the (very) s. house as** (exactement) la même maison que; – *pron* **the s.** le même, la même; **the s. (thing)** la même chose; **it's all the s. to me** ça m'est égal; **all** *or* **just the s.** tout de même; **to do the s.** en faire autant. ◆**—ness** *n* identité *f*; *Pej* monotonie *f*.

sampl/e ['sɑːmp(ə)l] *n* échantillon *m*; (*of blood*) prélèvement *m*; – *vt* (*wine, cheese etc*) déguster, goûter; (*product, recipe etc*) essayer; (*army life etc*) goûter de. ◆**—ing** *n* (*of wine*) dégustation *f*.

sanatorium [sænə'tɔːrɪəm] *n* sanatorium *m*.

sanctify ['sæŋktɪfaɪ] *vt* sanctifier. ◆**sanctity** *n* sainteté *f*. ◆**sanctuary** *n Rel* sanctuaire *m*; (*refuge*) & *Pol* asile *m*; (*for animals*) réserve *f*.

sanctimonious [sæŋktɪ'məʊnɪəs] *a* (*person, manner*) tartuffe.

sanction ['sæŋkʃ(ə)n] *n* (*approval, punishment*) sanction *f*; – *vt* (*approve*) sanctionner.

sand [sænd] *n* sable *m*; **the sands** (*beach*) la plage; – *vt* (*road*) sabler; **to s. (down)** (*wood etc*) poncer. ◆**sandbag** *n* sac *m* de sable. ◆**sandcastle** *n* château *m* de sable. ◆**sander** *n* (*machine*) ponceuse *f*. ◆**sandpaper** *n* papier *m* de verre; – *vt* poncer. ◆**sandstone** *n* (*rock*) grès *m*. ◆**sandy** *a* **1** (**-ier, -iest**) (*beach*) de sable; (*road, ground*) sablonneux; (*water*) sableux. **2** (*hair*) blond roux *inv*.

sandal ['sænd(ə)l] *n* sandale *f*.

sandwich ['sænwɪdʒ] **1** *n* sandwich *m*; **cheese/*etc* s.** sandwich au fromage/*etc*. **2** *vt* **to s. (in)** (*fit in*) intercaler; **sandwiched in between** (*caught*) coincé entre.

sane [seɪn] *a* (**-er, -est**) (*person*) sain (d'esprit); (*idea, attitude*) raisonnable.

sang [sæŋ] *see* **sing**.

sanguine ['sæŋgwɪn] *a* (*hopeful*) optimiste.

sanitarium [sænɪ'teərɪəm] *n Am* sanatorium *m*.

sanitary ['sænɪtərɪ] *a* (*fittings, conditions*) sanitaire; (*clean*) hygiénique. ◆**sani'tation** *n* hygiène *f* (publique); (*plumbing etc*) installations *fpl* sanitaires.

sanity ['sænɪtɪ] *n* santé *f* mentale; (*reason*) raison *f*.

sank [sæŋk] *see* **sink** ².

Santa Claus ['sæntəklɔːz] *n* le père Noël.

sap [sæp] **1** *n Bot & Fig* sève *f*. **2** *vt* (**-pp-**) (*weaken*) miner (*énergie etc*).

sapphire ['sæfaɪər] *n* (*jewel, needle*) saphir *m*.

sarcasm ['sɑːkæz(ə)m] *n* sarcasme *m*. ◆**sar'castic** *a* sarcastique.

sardine [sɑː'diːn] *n* sardine *f*.

Sardinia [sɑː'dɪnɪə] *n* Sardaigne *f*.

sardonic [sɑː'dɒnɪk] *a* sardonique.

sash [sæʃ] *n* **1** (*on dress*) ceinture *f*; (*of mayor etc*) écharpe *f*. **2 s. window** fenêtre *f* à guillotine.

sat [sæt] *see* **sit**.

Satan ['seɪt(ə)n] *n* Satan *m*. ◆**sa'tanic** *a* satanique.

satchel ['sætʃ(ə)l] *n* cartable *m*.

satellite ['sætəlaɪt] *n* satellite *m*; **s. (country)** *Pol* pays *m* satellite.

satiate ['seɪʃɪeɪt] *vt* rassasier.

satin ['sætɪn] *n* satin *m*.

satire ['sætaɪər] *n* satire *f* (**on** contre). ◆**sa'tirical** *a* satirique. ◆**satirist** *n* écrivain *m* satirique. ◆**satirize** *vt* faire la satire de.

satisfaction [sætɪs'fækʃ(ə)n] *n* satisfaction *f*. ◆**satisfactory** *a* satisfaisant. ◆**'satisfy** *vt* satisfaire; (*persuade, convince*) persuader (**that** que); (*demand, condition*) satisfaire à; **to s. oneself as to/that** s'assurer de/que; **satisfied with** satisfait de; – *vi* donner satisfaction. ◆**'satisfying** *a* satisfaisant; (*food, meal*) substantiel.

satsuma [sæt'suːmə] *n* (*fruit*) mandarine *f*.

saturate ['sætʃəreɪt] *vt* (*fill*) saturer (**with** de); (*soak*) tremper. ◆**satu'ration** *n* saturation *f*.

Saturday ['sætədɪ] *n* samedi *m*.

sauce [sɔːs] *n* **1** sauce *f*; **tomato s.** sauce tomate; **s. boat** saucière *f*. **2** (*cheek*) *Fam* toupet *m*. ◆**saucy** *a* (**-ier, -iest**) (*cheeky*) impertinent; (*smart*) *Fam* coquet.

saucepan ['sɔːspən] *n* casserole *f*.

saucer ['sɔːsər] *n* soucoupe *f*.

Saudi Arabia [saʊdɪə'reɪbɪə, *Am* sɔːdɪə'reɪbɪə] *n* Arabie *f* Séoudite.

sauna ['sɔːnə] *n* sauna *m*.

saunter ['sɔːntər] *vi* flâner.

sausage ['sɒsɪdʒ] *n* (*cooked, for cooking*) saucisse *f*; (*precooked, dried*) saucisson *m*.

sauté ['səʊteɪ] *a Culin* sauté.

savage ['sævɪdʒ] *a* (*primitive*) sauvage; (*fierce*) féroce; (*brutal, cruel*) brutal, sauvage; – *n* (*brute*) sauvage *mf*; – *vt* (*of animal, critic etc*) attaquer (férocement). ◆**savagery** *n* (*cruelty*) sauvagerie *f*.

sav/e [seɪv] **1** *vt* sauver (**from** de); (*keep*) garder, réserver; (*money, time*) économiser, épargner; (*stamps*) collectionner; (*prevent*) empêcher (**from** de); (*problems, trouble*) éviter; **that will s. him** *or* **her (the bother of) going** ça lui évitera d'y aller; **to s. up** (*money*) économiser; – *vi* **to s. (up)** faire des économies (**for sth, to buy sth** pour (s')acheter qch); – *n Fb* arrêt *m*. **2** *prep* (*except*) sauf. ◆**—ing** *n* (*of time, money*) économie *f*, épargne *f* (**of** de); (*rescue*) sauvetage *m*; (*thrifty habit*) l'épargne *f*; *pl* (*money*) économies *fpl*; **savings bank** caisse *f* d'épargne. ◆**saviour** *n* sauveur *m*.

saveloy ['sævəlɔɪ] *n* cervelas *m*.

savour ['seɪvər] *n* (*taste, interest*) saveur *f*; – *vt* savourer. ◆**savoury** *a* (*tasty*) savoureux; (*not sweet*) *Culin* salé; **not very s.** (*neighbourhood*) *Fig* peu recommandable.

saw ¹ [sɔː] *n* scie *f*; – *vt* (*pt* **sawed**, *pp* **sawn** *or* **sawed**) scier; **to s. off** scier; **a sawn-off** *or Am* **sawed-off shotgun** un fusil à canon scié. ◆**sawdust** *n* sciure *f*. ◆**sawmill** *n* scierie *f*.

saw ² [sɔː] *see* **see** ¹.

saxophone ['sæksəfəʊn] *n* saxophone *m*.

say [seɪ] *vt* (*pt & pp* **said** [sed]) dire (**to** à, **that** que); (*prayer*) faire, dire; (*of dial etc*) marquer; **to s. again** répéter; **it is said that . . .** on dit que . . . ; **what do you s. to a walk?** que dirais-tu d'une promenade?; **(let's) s. tomorrow** disons demain; **to s. the least** c'est le moins que l'on puisse dire; **to s. nothing of . . .** sans parler de . . . ; **that's to s.** c'est-à-dire; – *vi* dire; **you don't s.!**

Fam sans blague!; **I s.!** dites donc!; **s.!** *Am Fam* dis donc!; – *n* **to have one's s.** dire ce que l'on a à dire, s'exprimer; **to have a lot of s.** avoir beaucoup d'influence; **to have no s.** ne pas avoir voix au chapitre (**in** pour). ◆**—ing** *n* proverbe *m*.

scab [skæb] *n* **1** *Med* croûte *f*. **2** (*blackleg*) *Fam* jaune *m*.

scaffold ['skæfəld] *n* échafaudage *m*; (*gallows*) échafaud *m*. ◆**—ing** *n* échafaudage *m*.

scald [skɔːld] *vt* (*burn, cleanse*) ébouillanter; (*sterilize*) stériliser; – *n* brûlure *f*.

scale [skeɪl] **1** *n* (*of map, wages etc*) échelle *f*; (*of numbers*) série *f*; *Mus* gamme *f*; **on a small/large s.** sur une petite/grande échelle; – *a* (*drawing*) à l'échelle; **s. model** modèle *m* réduit; – *vt* **to s. down** réduire (proportionnellement). **2** *n* (*on fish*) écaille *f*; (*dead skin*) *Med* squame *f*; (*on teeth*) tartre *m*; – *vt* (*teeth*) détartrer. **3** *vt* (*wall*) escalader.

scales [skeɪlz] *npl* (*for weighing*) balance *f*; **(bathroom) s.** pèse-personne *m*; **(baby) s.** pèse-bébé *m*.

scallion ['skæljən] *n* (*onion*) *Am* ciboule *f*.

scallop ['skɒləp] *n* coquille *f* Saint-Jacques.

scalp [skælp] *n Med* cuir *m* chevelu; – *vt* (*cut off too much hair from*) *Fig Hum* tondre (*qn*).

scalpel ['skælp(ə)l] *n* bistouri *m*, scalpel *m*.

scam [skæm] *n* (*swindle*) *Am Fam* escroquerie *f*.

scamp [skæmp] *n* coquin, -ine *mf*.

scamper ['skæmpər] *vi* **to s. off** *or* **away** détaler.

scampi ['skæmpɪ] *npl* gambas *fpl*.

scan [skæn] **1** *vt* (**-nn-**) (*look at briefly*) parcourir (des yeux); (*scrutinize*) scruter; (*poetry*) scander; (*of radar*) balayer. **2** *n* **to have a s.** (*of pregnant woman*) passer une échographie.

scandal ['skænd(ə)l] *n* (*disgrace*) scandale *m*; (*gossip*) médisances *fpl*; **to cause a s.** (*of film, book etc*) causer un scandale; (*of attitude, conduct*) faire (du) scandale. ◆**scandalize** *vt* scandaliser. ◆**scandalous** *a* scandaleux.

Scandinavia [skændɪ'neɪvɪə] *n* Scandinavie *f*. ◆**Scandinavian** *a* & *n* scandinave (*mf*).

scanner ['skænər] *n* (*device*) *Med* scanner *m*.

scant [skænt] *a* (*meal, amount*) insuffisant; **s. attention/regard** peu d'attention/de cas. ◆**scantily** *adv* insuffisamment; **s. dressed** à peine vêtu. ◆**scanty** *a* (**-ier, -iest**) insuffisant; (*bikini*) minuscule.

scapegoat ['skeɪpgəʊt] *n* bouc *m* émissaire.

scar [skɑːr] *n* cicatrice *f*; – *vt* (**-rr-**) marquer d'une cicatrice; *Fig* marquer.

scarce [skeəs] *a* (**-er, -est**) (*food, people, book etc*) rare; **to make oneself s.** se tenir à l'écart. ◆**scarcely** *adv* à peine. ◆**scarceness** *n*, ◆**scarcity** *n* (*shortage*) pénurie *f*; (*rarity*) rareté *f*.

scare [skeər] *n* peur *f*; **to give s.o. a s.** faire peur à qn; **bomb s.** alerte *f* à la bombe; – *vt* faire peur à; **to s. off** (*person*) faire fuir; (*animal*) effaroucher. ◆**scared** *a* effrayé; **to be s. (stiff)** avoir (très) peur. ◆**scarecrow** *n* épouvantail *m*. ◆**scaremonger** *n* alarmiste *mf*. ◆**scary** *a* (**-ier, -iest**) *Fam* qui fait peur.

scarf [skɑːf] *n* (*pl* **scarves**) (*long*) écharpe *f*; (*square, for women*) foulard *m*.

scarlet ['skɑːlət] *a* écarlate; **s. fever** scarlatine *f*.

scathing ['skeɪðɪŋ] *a* (*remark etc*) acerbe; **to be s. about** critiquer de façon acerbe.

scatter ['skætər] *vt* (*disperse*) disperser (*foule, nuages etc*); (*dot or throw about*) éparpiller; (*spread*) répandre; – *vi* (*of crowd*) se disperser. ◆**—ing** *n* **a s. of houses/***etc* quelques maisons/*etc* dispersées. ◆**scatterbrain** *n* écervelé, -ée *mf*. ◆**scatty** *a* (**-ier, -iest**) *Fam* écervelé, farfelu.

scaveng/e ['skævɪndʒ] *vi* fouiller dans les ordures (**for** pour trouver). ◆**—er** *n Pej* clochard, -arde *mf* (qui fait les poubelles).

scenario [sɪ'nɑːrɪəʊ] *n* (*pl* **-os**) *Cin & Fig* scénario *m*.

scene [siːn] *n* (*setting, fuss*) & *Th* scène *f*; (*of crime, accident etc*) lieu *m*; (*situation*) situation *f*; (*incident*) incident *m*; (*view*) vue *f*; **behind the scenes** *Th & Fig* dans les coulisses; **on the s.** sur les lieux; **to make** *or* **create a s.** faire une scène (à qn). ◆**scenery** *n* paysage *m*, décor *m*; *Th* décor(s) *m*(*pl*). ◆**scenic** *a* (*beauty etc*) pittoresque.

scent [sent] *n* (*fragrance, perfume*) parfum *m*; (*animal's track*) & *Fig* piste *f*; – *vt* parfumer (**with** de); (*smell, sense*) flairer.

sceptic ['skeptɪk] *a* & *n* sceptique (*mf*). ◆**sceptical** *a* sceptique. ◆**scepticism** *n* scepticisme *m*.

sceptre ['septər] *n* sceptre *m*.

schedul/e ['ʃedjuːl, *Am* 'skedjʊl] *n* (*of work etc*) programme *m*; (*timetable*) horaire *m*; (*list*) liste *f*; **to be behind s.** (*of person, train*) avoir du retard; **to be on s.** (*on time*) être à l'heure; (*up to date*) être à jour; **ahead of s.** en avance; **according to s.** comme prévu; –

vt (*plan*) prévoir; (*event*) fixer le programme *or* l'horaire de. ◆**—ed** *a* (*planned*) prévu; (*service, flight*) régulier; **she's s. to leave at 8** elle doit partir à 8 h.

schem/e [skiːm] *n* plan *m* (**to do** pour faire); (*idea*) idée *f*; (*dishonest trick*) combine *f*, manœuvre *f*; (*arrangement*) arrangement *m*; – *vi* manœuvrer. ◆**—ing** *a* intrigant; – *npl Pej* machinations *fpl*. ◆**—er** *n* intrigant, -ante *mf*.

schizophrenic [skɪtsəʊ'frenɪk] *a* & *n* schizophrène (*mf*).

scholar ['skɒlər] *n* érudit, -ite *mf*; (*specialist*) spécialiste *mf*; (*grant holder*) boursier, -ière *mf*. ◆**scholarly** *a* érudit. ◆**scholarship** *n* érudition *f*; (*grant*) bourse *f* (d'études). ◆**scho'lastic** *a* scolaire.

school [skuːl] *n* école *f*; (*teaching, lessons*) classe *f*; *Univ Am* faculté *f*; (*within university*) institut *m*, département *m*; **in** *or* **at s.** à l'école; **secondary s.**, *Am* **high s.** collège *m*, lycée *m*; **public s.** école *f* privée; *Am* école publique; **s. of motoring** auto-école *f*; **summer s.** cours *mpl* d'été *or* de vacances; – *a* (*year, equipment etc*) scolaire; (*hours*) de classe; **s. fees** frais *mpl* de scolarité. ◆**—ing** *n* (*learning*) instruction *f*; (*attendance*) scolarité *f*. ◆**schoolboy** *n* écolier *m*. ◆**schooldays** *npl* années *fpl* d'école. ◆**schoolgirl** *n* écolière *f*. ◆**schoolhouse** *n* école *f*. ◆**school-'leaver** *n* jeune *mf* qui a terminé ses études secondaires. ◆**schoolmaster** *n* (*primary*) instituteur *m*; (*secondary*) professeur *m*. ◆**schoolmate** *n* camarade *mf* de classe. ◆**schoolmistress** *n* institutrice *f*; professeur *m*. ◆**schoolteacher** *n* (*primary*) instituteur, -trice *mf*; (*secondary*) professeur *m*.

schooner ['skuːnər] *n Nau* goélette *f*.

science ['saɪəns] *n* science *f*; **to study s.** étudier les sciences; – *a* (*subject*) scientifique; (*teacher*) de sciences; **s. fiction** science-fiction *f*. ◆**scien'tific** *a* scientifique. ◆**scientist** *n* scientifique *mf*.

scintillating ['sɪntɪleɪtɪŋ] *a* (*conversation, wit*) brillant.

scissors ['sɪzəz] *npl* ciseaux *mpl*; **a pair of s.** une paire de ciseaux.

sclerosis [sklɪ'rəʊsɪs] *n Med* sclérose *f*; **multiple s.** sclérose en plaques.

scoff [skɒf] **1** *vt* **to s. at** se moquer de. **2** *vti* (*eat*) *Fam* bouffer.

scold [skəʊld] *vt* gronder, réprimander (**for doing** pour avoir fait). ◆**—ing** *n* réprimande *f*.

scone [skəʊn, skɒn] *n* petit pain *m* au lait.

scoop [skuːp] *n* (*shovel*) pelle *f* (à main); (*spoon-shaped*) *Culin* cuiller *f*; *Journ* exclusivité *f*; **at one s.** d'un seul coup; – *vt* (*prizes*) rafler; **to s. out** (*hollow out*) (é)vider; **to s. up** ramasser (avec une pelle *or* une cuiller).

scoot [skuːt] *vi* (*rush, leave*) *Fam* filer.

scooter ['skuːtər] *n* (*child's*) trottinette *f*; (*motorcycle*) scooter *m*.

scope [skəʊp] *n* (*range*) étendue *f*; (*of mind*) envergure *f*; (*competence*) compétence(s) *f*(*pl*); (*limits*) limites *fpl*; **s. for sth/for doing** (*opportunity*) des possibilités *fpl* de qch/de faire; **the s. of one's activity** le champ de ses activités.

scorch [skɔːtʃ] *vt* (*linen, grass etc*) roussir; – *n* **s. (mark)** brûlure *f* légère. ◆**—ing** *a* (*day*) torride; (*sun, sand*) brûlant. ◆**—er** *n Fam* journée *f* torride.

score[1] [skɔːr] *n Sp* score *m*; *Cards* marque *f*; *Mus* partition *f*; (*of film*) musique *f*; **a s. to settle** *Fig* un compte à régler; **on that s.** (*in that respect*) à cet égard; – *vt* (*point, goal*) marquer; (*exam mark*) avoir; (*success*) remporter; *Mus* orchestrer; – *vi* marquer un point *or* un but; (*keep score*) marquer les points. ◆**scoreboard** *n Sp* tableau *m* d'affichage. ◆**scorer** *n Sp* marqueur *m*.

score[2] [skɔːr] *n* (*twenty*) vingt; **a s. of** une vingtaine de; **scores of** *Fig* un grand nombre de.

score[3] [skɔːr] *vt* (*cut*) rayer; (*paper*) marquer.

scorn [skɔːn] *vt* mépriser; – *n* mépris *m*. ◆**scornful** *a* méprisant; **to be s. of** mépriser. ◆**scornfully** *adv* avec mépris.

Scorpio ['skɔːpɪəʊ] *n* (*sign*) le Scorpion.

scorpion ['skɔːpɪən] *n* scorpion *m*.

Scot [skɒt] *n* Écossais, -aise *mf*. ◆**Scotland** *n* Écosse *f*. ◆**Scotsman** *n* (*pl* **-men**) Écossais *m*. ◆**Scotswoman** *n* (*pl* **-women**) Écossaise *f*. ◆**Scottish** *a* écossais.

scotch [skɒtʃ] **1** *a* **s. tape**® *Am* scotch® *m*. **2** *vt* (*rumour*) étouffer; (*attempt*) faire échouer.

Scotch [skɒtʃ] *n* (*whisky*) scotch *m*.

scot-free [skɒt'friː] *adv* sans être puni.

scoundrel ['skaʊndr(ə)l] *n* vaurien *m*.

scour ['skaʊər] *vt* (*pan*) récurer; (*streets etc*) *Fig* parcourir (**for** à la recherche de). ◆**—er** *n* tampon *m* à récurer.

scourge [skɜːdʒ] *n* fléau *m*.

scout [skaʊt] **1** *n* (*soldier*) éclaireur *m*; **(boy) s.** scout *m*, éclaireur *m*; **girl s.** *Am* éclaireuse *f*; **s. camp** camp *m* scout. **2** *vi* **to**

s. round for (*look for*) chercher. ◆**—ing** *n* scoutisme *m*.

scowl [skaʊl] *vi* se renfrogner; **to s. at s.o.** regarder qn d'un air mauvais. ◆**—ing** *a* renfrogné.

scraggy ['skrægɪ] *a* (**-ier, -iest**) (*bony*) osseux, maigrichon; (*unkempt*) débraillé.

scram [skræm] *vi* (**-mm-**) *Fam* filer.

scramble ['skræmb(ə)l] **1** *vi* **to s. for** se ruer vers; **to s. up** (*climb*) grimper; **to s. through** traverser avec difficulté; – *n* ruée *f* (**for** vers). **2** *vt* (*egg, message*) brouiller.

scrap [skræp] **1** *n* (*piece*) petit morceau *m* (**of** de); (*of information, news*) fragment *m*; *pl* (*food*) restes *mpl*; **not a s. of** (*truth etc*) pas un brin de; **s. paper** (papier *m*) brouillon *m*. **2** *n* (*metal*) ferraille *f*; **to sell for s.** vendre à la casse; – *a* (*yard, heap*) de ferraille; **s. dealer, s. merchant** marchand *m* de ferraille; **s. iron** ferraille *f*; **on the s. heap** *Fig* au rebut; – *vt* (**-pp-**) envoyer à la ferraille; (*unwanted object, idea, plan*) *Fig* mettre au rancart. **3** *n* (*fight*) *Fam* bagarre *f*. ◆**scrapbook** *n* album *m* (*pour collages etc*).

scrap/e [skreɪp] *vt* racler, gratter; (*skin*) *Med* érafler; **to s. away** *or* **off** (*mud etc*) racler; **to s. together** (*money, people*) réunir (difficilement); – *vi* **to s. against** frotter contre; **to s. along** *Fig* se débrouiller; **to s. through** (*in exam*) réussir de justesse; – *n* raclement *m*; éraflure *f*; **to get into a s.** *Fam* s'attirer des ennuis. ◆**—ings** *npl* raclures *fpl*. ◆**—er** *n* racloir *m*.

scratch [skrætʃ] *n* (*mark, injury*) éraflure *f*; (*on glass*) rayure *f*; **to have a s.** (*scratch oneself*) *Fam* se gratter; **to start from s.** (re)partir de zéro; **to be/come up to s.** être/se montrer à la hauteur; – *vt* (*to relieve an itch*) gratter; (*skin, wall etc*) érafler; (*glass*) rayer; (*with claw*) griffer; (*one's name*) graver (**on** sur); – *vi* (*relieve an itch*) se gratter; (*of cat etc*) griffer; (*of pen*) gratter, accrocher.

scrawl [skrɔːl] *vt* gribouiller; – *n* gribouillis *m*.

scrawny ['skrɔːnɪ] *a* (**-ier, -iest**) (*bony*) osseux, maigrichon.

scream [skriːm] *vti* crier, hurler; **to s. at s.o.** crier après qn; **to s. with pain**/*etc* hurler de douleur/*etc*; – *n* cri *m* (perçant).

screech [skriːtʃ] *vi* crier, hurler; (*of brakes*) hurler; – *n* cri *m*; hurlement *m*.

screen [skriːn] **1** *n* écran *m*; *Fig* masque *m*; (**folding**) **s.** paravent *m*. **2** *vt* (*hide*) cacher (**from s.o.** à qn); (*protect*) protéger (**from** de); (*a film*) projeter; (*visitors, documents*) filtrer; (*for cancer etc*) *Med* faire subir un test de dépistage à (*qn*) (**for** pour). ◆**—ing** *n* (*of film*) projection *f*; (*selection*) tri *m*; (*medical examination*) (test *m* de) dépistage *m*. ◆**screenplay** *n Cin* scénario *m*.

screw [skruː] *n* vis *f*; – *vt* visser (**to** à); **to s. down** *or* **on** visser; **to s. off** dévisser; **to s. up** (*paper*) chiffonner; (*eyes*) plisser; (*mess up*) *Sl* gâcher; **to s. one's face up** grimacer. ◆**screwball** *n* & *a Am Fam* cinglé, -ée (*mf*). ◆**screwdriver** *n* tournevis *m*. ◆**screwy** *a* (**-ier, -iest**) (*idea, person etc*) farfelu.

scribble ['skrɪb(ə)l] *vti* griffonner; – *n* griffonnage *m*.

scribe [skraɪb] *n* scribe *m*.

scrimmage ['skrɪmɪdʒ] *n Fb Am* mêlée *f*.

script [skrɪpt] *n* (*of film*) scénario *m*; (*of play*) texte *m*; (*in exam*) copie *f*. ◆**scriptwriter** *n Cin* scénariste *mf*, dialoguiste *mf*; *TV Rad* dialoguiste *mf*.

Scripture ['skrɪptʃər] *n Rel* Écriture *f* (sainte).

scroll [skrəʊl] *n* rouleau *m* (de parchemin); (*book*) manuscrit *m*.

scrooge [skruːdʒ] *n* (*miser*) harpagon *m*.

scroung/e [skraʊndʒ] *vt* (*meal*) se faire payer (**off** *or* **from s.o.** par qn); (*steal*) piquer (**off** *or* **from s.o.** à qn); **to s. money off** *or* **from** taper; – *vi* vivre en parasite; (*beg*) quémander; **to s. around for** *Pej* chercher. ◆**—er** *n* parasite *m*.

scrub [skrʌb] **1** *vt* (**-bb-**) frotter, nettoyer (à la brosse); (*pan*) récurer; (*cancel*) *Fig* annuler; **to s. out** (*erase*) *Fig* effacer; – *vi* (*scrub floors*) frotter les planchers; **scrubbing brush** brosse *f* dure; – *n* **to give sth a s.** frotter qch; **s. brush** *Am* brosse *f* dure. **2** *n* (*land*) broussailles *fpl*.

scruff [skrʌf] *n* **1 by the s. of the neck** par la peau du cou. **2** (*person*) *Fam* individu *m* débraillé. ◆**scruffy** *a* (**-ier, -iest**) (*untidy*) négligé; (*dirty*) malpropre.

scrum [skrʌm] *n Rugby* mêlée *f*.

scrumptious ['skrʌmpʃəs] *a Fam* super bon, succulent.

scruple ['skruːp(ə)l] *n* scrupule *m*. ◆**scrupulous** *a* scrupuleux. ◆**scrupulously** *adv* (*conscientiously*) scrupuleusement; (*completely*) absolument.

scrutinize ['skruːtɪnaɪz] *vt* scruter. ◆**scrutiny** *n* examen *m* minutieux.

scuba ['skjuːbə, *Am* 'skuːbə] *n* scaphandre *m* autonome; **s. diving** la plongée sous-marine.

scuff [skʌf] *vt* **to s. (up)** (*scrape*) érafler.

scuffle ['skʌf(ə)l] *n* bagarre *f*.

scullery ['skʌlərɪ] *n* arrière-cuisine *f*.
sculpt [skʌlpt] *vti* sculpter. ◆**sculptor** *n* sculpteur *m*. ◆**sculpture** *n* (*art, object*) sculpture *f*; – *vti* sculpter.
scum [skʌm] *n* **1** (*on liquid*) écume *f*. **2** *Pej* (*people*) racaille *f*; (*person*) salaud *m*; **the s. of** (*society etc*) la lie de.
scupper ['skʌpər] *vt* (*plan*) *Fam* saboter.
scurf [skɜːf] *n* pellicules *fpl*.
scurrilous ['skʌrɪləs] *a* (*criticism, attack*) haineux, violent et grossier.
scurry ['skʌrɪ] *vi* (*rush*) se précipiter, courir; **to s. off** décamper.
scuttle ['skʌt(ə)l] **1** *vt* (*ship*) saborder. **2** *vi* **to s. off** filer.
scythe [saɪð] *n* faux *f*.
sea [siː] *n* mer *f*; **(out) at s.** en mer; **by s.** par mer; **by** *or* **beside the s.** au bord de la mer; **to be all at s.** *Fig* nager complètement; – *a* (*level, breeze*) de la mer; (*water, fish*) de mer; (*air, salt*) marin; (*battle, power*) naval; (*route*) maritime; **s. bed, s. floor** fond *m* de la mer; **s. lion** (*animal*) otarie *f*. ◆**seaboard** *n* littoral *m*. ◆**seafarer** *n* marin *m*. ◆**seafood** *n* fruits *mpl* de mer. ◆**seafront** *n* front *m* de mer. ◆**seagull** *n* mouette *f*. ◆**seaman** *n* (*pl* **-men**) marin *m*. ◆**seaplane** *n* hydravion *m*. ◆**seaport** *n* port *m* de mer. ◆**seashell** *n* coquillage *m*. ◆**seashore** *n* bord *m* de la mer. ◆**seasick** *a* **to be s.** avoir le mal de mer. ◆**seasickness** *n* mal *m* de mer. ◆**seaside** *n* bord *m* de la mer; – *a* (*town, holiday*) au bord de la mer. ◆**seaway** *n* route *f* maritime. ◆**seaweed** *n* algue(s) *f*(*pl*). ◆**seaworthy** *a* (*ship*) en état de naviguer.
seal [siːl] **1** *n* (*animal*) phoque *m*. **2** *n* (*mark, design*) sceau *m*; (*on letter*) cachet *m* (de cire); (*putty for sealing*) joint *m*; – *vt* (*document, container*) sceller; (*with wax*) cacheter; (*stick down*) coller; (*with putty*) boucher; (*s.o.'s fate*) *Fig* décider de; **to s. off** (*room etc*) interdire l'accès de; **to s. off a house/district** (*of police, troops*) boucler une maison/un quartier.
seam [siːm] *n* (*in cloth etc*) couture *f*; (*of coal, quartz etc*) veine *f*.
seamy ['siːmɪ] *a* (**-ier, -iest**) **the s. side** le côté peu reluisant (**of** de).
séance ['seɪɑ̃ns] *n* séance *f* de spiritisme.
search [sɜːtʃ] *n* (*quest*) recherche *f* (**for** de); (*of person, place*) fouille *f*; **in s. of** à la recherche de; **s. party** équipe *f* de secours; – *vt* (*person, place*) fouiller (**for** pour trouver); (*study*) examiner (*documents etc*); **to s. (through) one's papers/***etc* **for sth** chercher qch dans ses papiers/*etc*; – *vi* chercher; **to s. for sth** chercher qch. ◆**–ing** *a* (*look*) pénétrant; (*examination*) minutieux. ◆**searchlight** *n* projecteur *m*.
season ['siːz(ə)n] **1** *n* saison *f*; **the festive s.** la période des fêtes; **in the peak s., in (the) high s.** en pleine *or* haute saison; **in the low** *or* **off s.** en basse saison; **a Truffaut s.** *Cin* une rétrospective Truffaut; **s. ticket** carte *f* d'abonnement. **2** *vt* (*food*) assaisonner; **highly seasoned** (*dish*) relevé. ◆**–ed** *a* (*worker*) expérimenté; (*soldier*) aguerri. ◆**–ing** *n* *Culin* assaisonnement *m*. ◆**seasonable** *a* (*weather*) de saison. ◆**seasonal** *a* saisonnier.
seat [siːt] *n* (*for sitting, centre*) & *Pol* siège *m*; (*on train, bus*) banquette *f*; *Cin Th* fauteuil *m*; (*place*) place *f*; (*of trousers*) fond *m*; **to take** *or* **have a s.** s'asseoir; **in the hot s.** (*in difficult position*) *Fig* sur la sellette; **s. belt** ceinture *f* de sécurité; – *vt* (*at table*) placer (*qn*); (*on one's lap*) asseoir (*qn*); **the room seats 50** la salle a 50 places (assises); **be seated!** asseyez-vous! ◆**–ed** *a* (*sitting*) assis. ◆**–ing** *n* **s. (room)** (*seats*) places *fpl* assises; **the s. arrangements** la disposition des places; **s. capacity** nombre *m* de places assises. ◆**–er** *a* & *n* **two-s. (car)** voiture *f* à deux places.
secateurs [sekə'tɜːz] *npl* sécateur *m*.
secede [sɪ'siːd] *vi* faire sécession. ◆**secession** *n* sécession *f*.
secluded [sɪ'kluːdɪd] *a* (*remote*) isolé. ◆**seclusion** *n* solitude *f*.
second[1] ['sekənd] *a* deuxième, second; **every s. week** une semaine sur deux; **in s. (gear)** *Aut* en seconde; **s. to none** sans pareil; **s. in command** second *m*; *Mil* commandant *m* en second; – *adv* (*to say*) deuxièmement; **to come s.** *Sp* se classer deuxième; **the s. biggest** le deuxième en ordre de grandeur; **the s. richest country** le deuxième pays le plus riche; **my s. best** (*choice*) mon deuxième choix; – *n* (*person, object*) deuxième *mf*, second, -onde *mf*; **Louis the S.** Louis Deux; *pl* (*goods*) *Com* articles *mpl* de second choix; – *vt* (*motion*) appuyer. ◆**s.-'class** *a* (*product*) de qualité inférieure; (*ticket*) *Rail* de seconde (classe); (*mail*) non urgent. ◆**s.-'rate** *a* médiocre. ◆**secondly** *adv* deuxièmement.
second[2] ['sekənd] *n* (*unit of time*) seconde *f*; **s. hand** (*of clock, watch*) trotteuse *f*.
second[3] [sɪ'kɒnd] *vt* (*employee*) détacher (**to** à). ◆**–ment** *n* détachement *m*; **on s.** en (position de) détachement (**to** à).
secondary ['sekəndərɪ] *a* secondaire.
secondhand [sekənd'hænd] **1** *a* & *adv* (*not*

new) d'occasion. **2** *a* (*report, news*) de seconde main.

secret ['siːkrɪt] *a* secret; – *n* secret *m*; **in s.** en secret; **an open s.** le secret de Polichinelle. ◆**secrecy** *n* (*discretion, silence*) secret *m*; **in s.** en secret. ◆**secretive** *a* (*person*) cachottier; (*organization*) qui a le goût du secret; **to be s. about** faire un mystère de; (*organization*) être très discret sur. ◆**secretively** *adv* en catimini.

secretary ['sekrət(ə)rɪ] *n* secrétaire *mf*; **Foreign S.**, *Am* **S. of State** = ministre *m* des Affaires étrangères. ◆**secre'tarial** *a* (*work*) de secrétaire, de secrétariat; (*school*) de secrétariat. ◆**secre'tariat** *n* (*in international organization*) secrétariat *m*.

secrete [sɪ'kriːt] *vt Med Biol* sécréter. ◆**sec'retion** *n* sécrétion *f*.

sect [sekt] *n* secte *f*. ◆**sec'tarian** *a* & *n Pej* sectaire (*mf*).

section ['sekʃ(ə)n] *n* (*of road, book, wood etc*) section *f*; (*of town, country*) partie *f*; (*of machine, furniture*) élément *m*; (*department*) section *f*; (*in store*) rayon *m*; **the sports**/*etc* **s.** (*of newspaper*) la page des sports/*etc*; – *vt* **to s. off** (*separate*) séparer.

sector ['sektər] *n* secteur *m*.

secular ['sekjʊlər] *a* (*teaching etc*) laïque; (*music, art*) profane.

secure [sɪ'kjʊər] **1** *a* (*person, valuables*) en sûreté, en sécurité; (*in one's mind*) tranquille; (*place*) sûr; (*solid, firm*) solide; (*door, window*) bien fermé; (*certain*) assuré; **s. from** à l'abri de; **(emotionally) s.** sécurisé; – *vt* (*fasten*) attacher; (*window etc*) bien fermer; (*success, future etc*) assurer; **to s. against** protéger de. **2** *vt* (*obtain*) procurer (**sth for s.o.** qch à qn); **to s. sth (for oneself)** se procurer qch. ◆**securely** *adv* (*firmly*) solidement; (*safely*) en sûreté. ◆**security** *n* sécurité *f*; (*for loan, bail*) caution *f*; **s. firm** société *f* de surveillance; **s. guard** agent *m* de sécurité; (*transferring money*) convoyeur *m* de fonds.

sedan [sɪ'dæn] *n* (*saloon*) *Aut Am* berline *f*.

sedate [sɪ'deɪt] **1** *a* calme. **2** *vt* mettre sous calmants. ◆**sedation** *n* **under s.** sous calmants. ◆**'sedative** *n* calmant *m*.

sedentary ['sedəntərɪ] *a* sédentaire.

sediment ['sedɪmənt] *n* sédiment *m*.

sedition [sə'dɪʃ(ə)n] *n* sédition *f*. ◆**seditious** *a* séditieux.

seduce [sɪ'djuːs] *vt* séduire. ◆**seducer** *n* séducteur, -trice *mf*. ◆**seduction** *n* séduction *f*. ◆**seductive** *a* (*person, offer*) séduisant.

see[1] [siː] *vti* (*pt* **saw**, *pp* **seen**) voir; **we'll s.** on verra (bien); **I s.!** je vois!; **I can s. (clearly)** j'y vois clair; **I saw him run(ning)** je l'ai vu courir; **to s. reason** entendre raison; **to s. the joke** comprendre la plaisanterie; **s. who it is** va voir qui c'est; **s. you (later)!** à tout à l'heure!; **s. you (soon)!** à bientôt!; **to s. about** (*deal with*) s'occuper de; (*consider*) songer à; **to s. in the New Year** fêter la Nouvelle Année; **to s. s.o. off** accompagner qn (*à la gare etc*); **to s. s.o. out** raccompagner qn; **to s. through** (*task*) mener à bonne fin; **to s. s.o. through** (*be enough for*) suffire à qn; **to s. through s.o.** deviner le jeu de qn; **to s. to** (*deal with*) s'occuper de; (*mend*) réparer; **to s. (to it) that** (*attend*) veiller à ce que (+ *sub*); (*check*) s'assurer que; **to s. s.o. to** (*accompany*) raccompagner qn à. ◆**s.-through** *a* (*dress etc*) transparent.

see[2] [siː] *n* (*of bishop*) siège *m* (épiscopal).

seed [fɪd] *n Agr* graine *f*; (*in grape*) pépin *m*; (*source*) *Fig* germe; *Tennis* tête *f* de série; **seed(s)** (*for sowing*) *Agr* graines *fpl*; **to go to s.** (*of lettuce etc*) monter en graine. ◆**seedbed** *n Bot* semis *m*; (*of rebellion etc*) *Fig* foyer *m* (**of** de). ◆**seedling** *n* (*plant*) semis *m*.

seedy ['siːdɪ] *a* (**-ier, -iest**) miteux. ◆**seediness** *n* aspect *m* miteux.

seeing ['siːɪŋ] *conj* **s. (that)** vu que.

seek [siːk] *vt* (*pt* & *pp* **sought**) chercher (**to do** à faire); (*ask for*) demander (**from** à); **to s. (after)** rechercher; **to s. out** aller trouver.

seem [siːm] *vi* sembler (**to do** faire); **it seems that...** (*impression*) il semble que... (+ *sub or indic*); (*rumour*) il paraît que...; **it seems to me that...** il me semble que...; **we s. to know each other** il me semble qu'on se connaît; **I can't s. to do it** je n'arrive pas à le faire. ◆**—ing** *a* apparent. ◆**—ingly** *adv* apparemment.

seemly ['siːmlɪ] *a* convenable.

seen [siːn] *see* **see**[1].

seep [siːp] *vi* (*ooze*) suinter; **to s. into** s'infiltrer dans. ◆**—age** *n* suintement *m*; infiltration(s) *f*(*pl*) (**into** dans); (*leak*) fuite *f*.

seesaw ['siːsɔː] *n* (jeu *m* de) bascule *f*.

seethe [siːð] *vi* **to s. with anger** bouillir de colère; **to s. with people** grouiller de monde.

segment ['segmənt] *n* segment *m*; (*of orange*) quartier *m*.

segregate ['segrɪgeɪt] *vt* séparer; **(racially)**

segregated (*school*) où se pratique la ségrégation raciale. ◆**segre'gation** *n* ségrégation *f*.

seize [siːz] **1** *vt* saisir; (*power, land*) s'emparer de; – *vi* **to s. on** (*offer etc*) saisir. **2** *vi* **to s. up** (*of engine*) (se) gripper. ◆**seizure** [-ʒər] *n* (*of goods etc*) saisie *f*; *Mil* prise *f*; *Med* crise *f*.

seldom ['seldəm] *adv* rarement.

select [sɪ'lekt] *vt* choisir (**from** parmi); (*candidates, pupils etc*) & *Sp* sélectionner; – *a* (*chosen*) choisi; (*exclusive*) sélect, chic *inv*. ◆**selection** *n* sélection *f*. ◆**selective** *a* (*memory, recruitment etc*) sélectif; (*person*) qui opère un choix; (*choosey*) difficile.

self [self] *n* (*pl* **selves**) **the s.** *Phil* le moi; **he's back to his old s.** *Fam* il est redevenu lui-même. ◆**s.-a'ssurance** *n* assurance *f*. ◆**s.-a'ssured** *a* sûr de soi. ◆**s.-'catering** *a* où l'on fait la cuisine soi-même. ◆**s.-'centred** *a* égocentrique. ◆**s.-'cleaning** *a* (*oven*) autonettoyant. ◆**s.-con'fessed** *a* (*liar*) de son propre aveu. ◆**s.-'confident** *a* sûr de soi. ◆**s.-'conscious** *a* gêné. ◆**s.-'consciousness** *n* gêne *f*. ◆**s.-con'tained** *a* (*flat*) indépendant. ◆**s.-con'trol** *n* maîtrise *f* de soi. ◆**s.-de'feating** *a* qui a un effet contraire à celui qui est recherché. ◆**s.-de'fence** *n* *Jur* légitime défense *f*. ◆**s.-de'nial** *n* abnégation *f*. ◆**s.-determi'nation** *n* autodétermination *f*. ◆**s.-'discipline** *n* autodiscipline *f*. ◆**s.-em'ployed** *a* qui travaille à son compte. ◆**s.-es'teem** *n* amour-propre *m*. ◆**s.-'evident** *a* évident, qui va de soi. ◆**s.-ex'planatory** *a* qui tombe sous le sens, qui se passe d'explication. ◆**s.-'governing** *a* autonome. ◆**s.-im'portant** *a* suffisant. ◆**s.-in'dulgent** *a* qui ne se refuse rien. ◆**s.-'interest** *n* intérêt *m* (personnel). ◆**s.-o'pinionated** *a* entêté. ◆**s.-'pity** *n* **to feel s.-pity** s'apitoyer sur son propre sort. ◆**s.-'portrait** *n* autoportrait *m*. ◆**s.-po'ssessed** *a* assuré. ◆**s.-raising** *or* *Am* **s.-rising 'flour** *n* farine *f* à levure. ◆**s.-re'liant** *a* indépendant. ◆**s.-re'spect** *n* amour-propre *m*. ◆**s.-re'specting** *a* qui se respecte. ◆**s.-'righteous** *a* pharisaïque. ◆**s.-'sacrifice** *n* abnégation *f*. ◆**s.-'satisfied** *a* content de soi. ◆**s.-'service** *n* & *a* libre-service (*m inv*). ◆**s.-'styled** *a* soi-disant. ◆**s.-su'fficient** *a* indépendant, qui a son indépendance. ◆**s.-su'pporting** *a* financièrement indépendant. ◆**s.-'taught** *a* autodidacte.

selfish ['selfɪʃ] *a* égoïste; (*motive*) intéressé. ◆**selfless** *a* désintéressé. ◆**selfishness** *n* égoïsme *m*.

selfsame ['selfseɪm] *a* même.

sell [sel] *vt* (*pt* & *pp* **sold**) vendre; (*idea etc*) *Fig* faire accepter; **she sold me it for twenty pounds** elle me l'a vendu vingt livres; **to s. back** revendre; **to s. off** liquider; **to have** *or* **be sold out of** (*cheese etc*) n'avoir plus de; **this book is sold out** ce livre est épuisé; – *vi* se vendre; (*of idea etc*) *Fig* être accepté; **to s. up** vendre sa maison; *Com* vendre son affaire; **selling price** prix *m* de vente. ◆**seller** *n* vendeur, -euse *mf*. ◆**sellout** *n* **1** (*betrayal*) trahison *f*. **2 it was a s.** *Th Cin* tous les billets ont été vendus.

sellotape® ['seləteɪp] *n* scotch® *m*; – *vt* scotcher.

semantic [sɪ'mæntɪk] *a* sémantique. ◆**semantics** *n* sémantique *f*.

semaphore ['seməfɔːr] *n* (*device*) *Rail Nau* sémaphore *m*; (*system*) signaux *mpl* à bras.

semblance ['sembləns] *n* semblant *m*.

semen ['siːmən] *n* sperme *m*.

semester [sɪ'mestər] *n* *Univ* semestre *m*.

semi- ['semɪ] *pref* demi-, semi-. ◆**semiauto'matic** *a* semi-automatique. ◆**semibreve** [-briːv] *n* *Mus* ronde *f*. ◆**semicircle** *n* demi-cercle *m*. ◆**semi'circular** *a* semi-circulaire. ◆**semi'colon** *n* point-virgule *m*. ◆**semi-'conscious** *a* à demi conscient. ◆**semide'tached** *a* **s. house** maison *f* jumelle. ◆**semi'final** *n* *Sp* demi-finale *f*.

seminar ['semɪnɑːr] *n* *Univ* séminaire *m*.

seminary ['semɪnərɪ] *n* *Rel* séminaire *m*.

Semite ['siːmaɪt, *Am* 'semaɪt] *n* Sémite *mf*. ◆**Se'mitic** *a* sémite; (*language*) sémitique.

semolina [semə'liːnə] *n* semoule *f*.

senate ['senɪt] *n* *Pol* sénat *m*. ◆**senator** *n* *Pol* sénateur *m*.

send [send] *vt* (*pt* & *pp* **sent**) envoyer (**to** à); **to s. s.o. for sth/s.o.** envoyer qn chercher qch/qn; **to s. s.o. crazy** *or* **mad** rendre qn fou; **to s. s.o. packing** *Fam* envoyer promener qn; **to s. away** *or* **off** envoyer (**to** à); (*dismiss*) renvoyer; **to s. back** renvoyer; **to s. in** (*form*) envoyer; (*person*) faire entrer; **to s. on** (*letter, luggage*) faire suivre; **to s. out** (*invitation etc*) envoyer; (*heat*) émettre; (*from room etc*) faire sortir (*qn*); **to s. up** (*balloon, rocket*) lancer; (*price, luggage*) faire monter; (*mock*) *Fam* parodier; – *vi* **to s. away** *or* **off for** commander (par courrier); **to s. for** (*doctor etc*) faire venir, envoyer chercher; **to s. (out) for** (*meal, groceries*) envoyer chercher. ◆**s.-off** *n* **to give s.o. a s.-off** *Fam* faire des adieux chaleureux à qn. ◆**s.-up** *n Fam* parodie *f*. ◆**sender** *n* expéditeur, -trice *mf*.

senile ['siːnaɪl] *a* gâteux, sénile. ◆**se'nility** *n* gâtisme *m*, sénilité *f*.

senior ['siːnɪər] *a* (*older*) plus âgé; (*position, executive, rank*) supérieur; (*teacher, partner*) principal; **to be s. to s.o., be s.o.'s s.** être plus âgé que qn; (*in rank*) être au-dessus de qn; **Brown s.** Brown père; **s. citizen** personne *f* âgée; **s. year** *Sch Univ Am* dernière année *f*; – *n* aîné, -ée *mf*; *Sch* grand, -ande *mf*; *Sch Univ Am* étudiant, -ante *mf* de dernière année; *Sp* senior *mf*. ◆**seni'ority** *n* priorité *f* d'âge; (*in service*) ancienneté *f*; (*in rank*) supériorité *f*.

sensation [sen'seɪʃ(ə)n] *n* sensation *f*. ◆**sensational** *a* (*event*) qui fait sensation; (*newspaper, film*) à sensation; (*terrific*) *Fam* sensationnel.

sense [sens] *n* (*faculty, awareness, meaning*) sens *m*; **a s. of hearing** (le sens de) l'ouïe *f*; **to have (good) s.** avoir du bon sens; **a s. of** (*physical*) une sensation de (*chaleur etc*); (*mental*) un sentiment de (*honte etc*); **a s. of humour/direction** le sens de l'humour/de l'orientation; **a s. of time** la notion de l'heure; **to bring s.o. to his senses** ramener qn à la raison; **to make s.** (*of story, action etc*) avoir du sens; **to make s. of** comprendre; – *vt* sentir (intuitivement) (**that** que); (*have a forebdoing of*) pressentir. ◆**—less** *a* (*stupid, meaningless*) insensé; (*unconscious*) sans connaissance. ◆**—lessness** *n* stupidité *f*.

sensibility [sensɪ'bɪlətɪ] *n* sensibilité *f*; *pl* (*touchiness*) susceptibilité *f*.

sensible ['sensəb(ə)l] *a* (*wise*) raisonnable, sensé; (*clothes*) pratique.

sensitive ['sensɪtɪv] *a* (*responsive, painful*) sensible (**to** à); (*delicate*) délicat (*peau, question etc*); (*touchy*) susceptible (**about** à propos de). ◆**sensi'tivity** *n* sensibilité *f*; (*touchiness*) susceptibilité *f*.

sensory ['sensərɪ] *a* sensoriel.

sensual ['senʃʊəl] *a* (*bodily, sexual*) sensuel. ◆**sensu'ality** *n* sensualité *f*. ◆**sensuous** *a* (*pleasing, refined*) sensuel. ◆**sensuously** *adv* avec sensualité. ◆**sensuousness** *n* sensualité *f*.

sent [sent] *see* **send.**

sentence ['sentəns] **1** *n Gram* phrase *f*. **2** *n Jur* condamnation *f*; (*punishment*) peine *f*; **to pass s.** prononcer une condamnation (**on s.o.** contre qn); **to serve a s.** purger une peine; – *vt Jur* prononcer une condamnation contre; **to s. to** condamner à.

sentiment ['sentɪmənt] *n* sentiment *m*. ◆**senti'mental** *a* sentimental. ◆**sentimen'tality** *n* sentimentalité *f*.

sentry ['sentrɪ] *n* sentinelle *f*; **s. box** guérite *f*.

separate ['sepərət] *a* (*distinct*) séparé; (*independent*) indépendant; (*different*) différent; (*individual*) particulier; – ['sepəreɪt] *vt* séparer (**from** de); – *vi* se séparer (**from** de). ◆**'separately** *adv* séparément. ◆**sepa'ration** *n* séparation *f*.

separates ['sepərəts] *npl* (*garments*) coordonnés *mpl*.

September [sep'tembər] *n* septembre *m*.

septic ['septɪk] *a* (*wound*) infecté; **s. tank** fosse *f* septique.

sequel ['siːkw(ə)l] *n* suite *f*.

sequence ['siːkwəns] *n* (*order*) ordre *m*; (*series*) succession *f*; *Mus Cards* séquence *f*; **film s.** séquence de film; **in s.** dans l'ordre, successivement.

sequin ['siːkwɪn] *n* paillette *f*.

serenade [serə'neɪd] *n* sérénade *f*; – *vt* donner une *or* la sérénade à.

serene [sə'riːn] *a* serein. ◆**serenity** *n* sérénité *f*.

sergeant ['sɑːdʒənt] *n Mil* sergent *m*; (*in police force*) brigadier *m*.

serial ['sɪərɪəl] *n* (*story, film*) feuilleton *m*; **s. number** (*of banknote, TV set etc*) numéro de série. ◆**serialize** *vt* publier en feuilleton; *TV Rad* adapter en feuilleton.

series ['sɪəriːz] *n inv* série *f*; (*book collection*) collection *f*.

serious ['sɪərɪəs] *a* sérieux; (*illness, mistake, tone*) grave, sérieux; (*damage*) important. ◆**—ly** *adv* sérieusement; (*ill, damaged*) gravement; **to take s.** prendre au sérieux. ◆**—ness** *n* sérieux *m*; (*of illness etc*) gravité *f*; (*of damage*) importance *f*; **in all s.** sérieusement.

sermon ['sɜːmən] *n* sermon *m*.

serpent ['sɜːpənt] *n* serpent *m*.

serrated [sə'reɪtɪd] *a* (*knife*) à dents (de scie).

serum ['sɪərəm] *n* sérum *m*.

servant ['sɜːvənt] *n* (*in house etc*) domestique *mf*; (*person who serves*) serviteur *m*; **public s.** fonctionnaire *mf*.

serve [sɜːv] *vt* servir (**to s.o.** à qn, **s.o. with sth** qch à qn); (*of train, bus etc*) desservir (*un village, un quartier etc*); (*supply*) *El* alimenter; (*apprenticeship*) faire; (*summons*) *Jur* remettre (**on** à); **it serves its**

purpose ça fait l'affaire; **(it) serves you right!** *Fam* ça t'apprendra!; **to s. up** *or* **out** servir; – *vi* servir (**as** de); **to s. on** (*jury, committee*) être membre de; **to s. to show/***etc* servir à montrer/*etc*; – *n Tennis* service *m*.

servic/e ['sɜːvɪs] *n* (*serving*) & *Mil Rel Tennis* service *m*; (*machine or vehicle repair*) révision *f*; **to be of s. to** être utile à, rendre service à; **the (armed) services** les forces *fpl* armées; **s. (charge)** (*tip*) service *m*; **s. department** (*workshop*) atelier *m*; **s. area** (*on motorway*) aire *f* de service; **s. station** station-service *f*; – *vt* (*machine, vehicle*) réviser. ◆**—ing** *n Tech Aut* révision *f*. ◆**serviceable** *a* (*usable*) utilisable; (*useful*) commode; (*durable*) solide. ◆**serviceman** *n* (*pl* **-men**) *n* militaire *m*.

serviette [sɜːvɪ'et] *n* serviette *f* (de table).

servile ['sɜːvaɪl] *a* servile.

session ['seʃ(ə)n] *n* séance *f*; *Jur Pol* session *f*, séance *f*; *Univ* année *f* *or* trimestre *m* universitaire; *Univ Am* semestre *m* universitaire.

set [set] **1** *n* (*of keys, needles, tools*) jeu *m*; (*of stamps, numbers*) série *f*; (*of people*) groupe *m*; (*of facts*) & *Math* ensemble *m*; (*of books*) collection *f*; (*of plates*) service *m*; (*of tyres*) train *m*; (*kit*) trousse *f*; (*stage*) *Th Cin* plateau *m*; (*scenery*) *Th Cin* décor *m*, scène *f*; (*hairstyle*) mise *f* en plis; *Tennis* set *m*; **television s.** téléviseur *m*; **radio s.** poste *m* de radio; **tea s.** service *m* à thé; **chess s.** (*box*) jeu *m* d'échecs; **a s. of teeth** une rangée de dents, une denture; **the skiing/racing s.** le monde du ski/des courses. **2** *a* (*time etc*) fixe; (*lunch*) à prix fixe; (*book etc*) *Sch* au programme; (*speech*) préparé à l'avance; (*in one's habits*) régulier; (*situated*) situé; **s. phrase** expression *f* consacrée; **a s. purpose** un but déterminé; **the s. menu** le plat du jour; **dead s. against** absolument opposé à; **s. on doing** résolu à faire; **to be s. on sth** vouloir qch à tout prix; **all s.** (*ready*) prêt (**to do** pour faire); **to be s. back from** (*of house etc*) être en retrait de (*route etc*). **3** *vt* (*pt & pp* **set,** *pres p.* **setting**) (*put*) mettre, poser; (*date, limit etc*) fixer; (*record*) *Sp* établir; (*adjust*) *Tech* régler; (*arm etc in plaster*) *Med* plâtrer; (*task*) donner (**for s.o.** à qn); (*problem*) poser; (*diamond*) monter; (*precedent*) créer; **to have one's hair s.** se faire faire une mise en plis; **to s. (loose)** (*dog*) lâcher (**on** contre); **to s. s.o. (off) crying/***etc* faire pleurer/*etc* qn; **to s. back** (*in time*) retarder; (*cost*) *Fam* coûter; **to s. down** déposer; **to s. off** (*bomb*) faire exploser; (*activity, mechanism*) déclencher; (*complexion, beauty*) rehausser; **to s. out** (*display, explain*) exposer (**to** à); (*arrange*) disposer; **to s. up** (*furniture*) installer; (*statue, tent*) dresser; (*school*) fonder; (*government*) établir; (*business*) créer; (*inquiry*) ouvrir; **to s. s.o. up in business** lancer qn dans les affaires; – *vi* (*of sun*) se coucher; (*of jelly*) prendre; (*of bone*) *Med* se ressoudre; **to s. about** (*job*) se mettre à; **to s. about doing** se mettre à faire; **to s. in** (*start*) commencer; (*arise*) surgir; **to s. off** *or* **out** (*leave*) partir; **to s. out do do** entreprendre de faire; **to s. up in business** monter une affaire; **to s. upon** (*attack*) attaquer (*qn*). ◆**setting** *n* (*surroundings*) cadre *m*; (*of sun*) coucher *m*; (*of diamond*) monture *f*. ◆**setter** *n* chien *m* couchant.

setback ['setbæk] *n* revers *m*; *Med* rechute *f*.

setsquare ['setskweər] *n Math* équerre *f*.

settee [se'tiː] *n* canapé *m*.

settle ['set(ə)l] *vt* (*decide, arrange, pay*) régler; (*date*) fixer; (*place in position*) placer; (*person*) installer (*dans son lit etc*); (*nerves*) calmer; (*land*) coloniser; **let's s. things** arrangeons les choses; **that's (all) settled** (*decided*) c'est décidé; – *vi* (*live*) s'installer, s'établir; (*of dust*) se déposer; (*of bird*) se poser; (*of snow*) tenir; **to s. (down) into** (*armchair*) s'installer dans; (*job*) s'habituer à; **to s. (up) with s.o.** régler qn; **to s. for** se contenter de, accepter; **to s. down** (*in chair or house*) s'installer; (*of nerves*) se calmer; (*in one's lifestyle*) se ranger; (*marry*) se caser; **to s. down to** (*get used to*) s'habituer à; (*work, task*) se mettre à. ◆**settled** *a* (*weather, period*) stable; (*habits*) régulier. ◆**settlement** *n* (*of account etc*) règlement *m*; (*agreement*) accord *m*; (*colony*) colonie *f*. ◆**settler** *n* colon *m*.

set-to [set'tuː] *n* (*quarrel*) *Fam* prise *f* de bec.

setup ['setʌp] *n Fam* situation *f*.

seven ['sev(ə)n] *a & n* sept (*m*). ◆**seven'teen** *a & n* dix-sept (*m*). ◆**seven'teenth** *a & n* dix-septième (*mf*). ◆**seventh** *a & n* septième (*mf*). ◆**seventieth** *a & n* soixante-dixième (*mf*). ◆**seventy** *a & n* soixante-dix (*m*); **s.-one** soixante et onze.

sever ['sevər] *vt* sectionner, couper; (*relations*) *Fig* rompre. ◆**severing** *n*, ◆**severance** *n* (*of relations*) rupture *f*.

several ['sev(ə)rəl] *a & pron* plusieurs (**of** d'entre).

severe [sə'vɪər] *a* (*judge, tone etc*) sévère; (*winter, training*) rigoureux; (*test*) dur; (*injury*) grave; (*blow, pain*) violent; (*cold, frost*) intense; (*overwork*) excessif; **a s. cold** *Med* un gros rhume; **s. to** *or* **with s.o.** sévère envers qn. ◆**severely** *adv* sévèrement; (*wounded*) gravement. ◆**se'verity** *n* sévérité *f*; rigueur *f*; gravité *f*; violence *f*.

sew [səʊ] *vti* (*pt* **sewed,** *pp* **sewn** [səʊn] *or* **sewed**) coudre; **to s. on** (*button*) (re)coudre; **to s. up** (*tear*) (re)coudre. ◆**—ing** *n* couture *f*; **s. machine** machine *f* à coudre.

sewage ['suːɪdʒ] *n* eaux *fpl* usées *or* d'égout. ◆**sewer** *n* égout *m*.

sewn [səʊn] *see* **sew.**

sex [seks] *n* (*gender, sexuality*) sexe *m*; (*activity*) relations *fpl* sexuelles; **the opposite s.** l'autre sexe; **to have s. with** coucher avec; – *a* (*education, act etc*) sexuel; **s. maniac** obsédé, -ée *mf* sexuel(le). ◆**sexist** *a* & *n* sexiste (*mf*). ◆**sexual** *a* sexuel. ◆**sexu'ality** *n* sexualité *f*. ◆**sexy** *a* (**-ier, -iest**) (*book, garment, person*) sexy *inv*; (*aroused*) qui a envie (de faire l'amour).

sextet [sek'stet] *n* sextuor *m*.

sh! [ʃ] *int* chut!

shabby ['ʃæbɪ] *a* (**-ier, -iest**) (*town, room etc*) miteux; (*person*) pauvrement vêtu; (*mean*) *Fig* mesquin. ◆**shabbily** *adv* (*dressed*) pauvrement. ◆**shabbiness** *n* aspect *m* miteux; mesquinerie *f*.

shack [ʃæk] **1** *n* cabane *f*. **2** *vi* **to s. up with** *Pej Fam* se coller avec.

shackles ['ʃæk(ə)lz] *npl* chaînes *fpl*.

shade [ʃeɪd] *n* ombre *f*; (*of colour*) ton *m*, nuance *f*; (*of opinion, meaning*) nuance *f*; (*of lamp*) abat-jour *m inv*; (*blind*) store *m*; **in the s.** à l'ombre; **a s. faster/taller/***etc* (*slightly*) un rien plus vite/plus grand/*etc*; – *vt* (*of tree*) ombrager; (*protect*) abriter (**from** de); **to s. in** (*drawing*) ombrer. ◆**shady** *a* (**-ier, -iest**) (*place*) ombragé; (*person etc*) *Fig* louche.

shadow ['ʃædəʊ] **1** *n* ombre *f*. **2** *a* (*cabinet*) *Pol* fantôme. **3** *vt* **to s. s.o.** (*follow*) filer qn. ◆**shadowy** *a* (**-ier, -iest**) (*form etc*) obscur, vague.

shaft [ʃɑːft] *n* **1** (*of tool*) manche *m*; (*in machine*) arbre *m*; **s. of light** trait *m* de lumière. **2** (*of mine*) puits *m*; (*of lift*) cage *f*.

shaggy ['ʃægɪ] *a* (**-ier, -iest**) (*hair, beard*) broussailleux; (*dog etc*) à longs poils.

shake [ʃeɪk] *vt* (*pt* **shook,** *pp* **shaken**) (*move up and down*) secouer; (*bottle*) agiter; (*belief, resolution etc*) *Fig* ébranler; (*upset*) bouleverser, secouer; **to s. the windows** (*of shock*) ébranler les vitres; **to s. one's head** (*say no*) secouer la tête; **to s. hands with** serrer la main à; **we shook hands** nous nous sommes serré la main; **to s. off** (*dust etc*) secouer; (*cough, infection, pursuer*) *Fig* se débarrasser de; **to s. s.o. up** (*disturb, rouse*) secouer qn; **to s. sth out of sth** (*remove*) secouer qch de qch; **s. yourself out of it!** secoue-toi!; – *vi* trembler (**with** de); – *n* secousse *f*; **to give sth a s.** secouer qch; **with a s. of his** *or* **her head** en secouant la tête; **in two shakes** (*soon*) *Fam* dans une minute. ◆**s.-up** *n Fig* réorganisation *f*.

shaky [ʃeɪkɪ] *a* (**-ier, -iest**) (*trembling*) tremblant; (*ladder etc*) branlant; (*memory, health*) chancelant; (*on one's legs, in a language*) mal assuré.

shall [ʃæl, *unstressed* ʃəl] *v aux* **1** (*future*) **I s. come, I'll come** je viendrai; **we s. not come, we shan't come** nous ne viendrons pas. **2** (*question*) **s. I leave?** veux-tu que je parte?; **s. we leave?** on part? **3** (*order*) **he s. do it if I order it** il devra le faire si je l'ordonne.

shallot [ʃə'lɒt] *n* (*onion*) échalote *f*.

shallow ['ʃæləʊ] *a* (**-er, -est**) peu profond; *Fig Pej* superficiel; – *npl* (*of river*) bas-fond *m*. ◆**—ness** *n* manque *m* de profondeur; *Fig Pej* caractère *m* superficiel.

sham [ʃæm] *n* (*pretence*) comédie *f*, feinte *f*; (*person*) imposteur *m*; (*jewels*) imitation *f*; – *a* (*false*) faux; (*illness, emotion*) feint; – *vt* (**-mm-**) feindre.

shambles ['ʃæmb(ə)lz] *n* désordre *m*, pagaïe *f*; **to be a s.** être en pagaïe; **to make a s. of** gâcher.

shame [ʃeɪm] *n* (*feeling, disgrace*) honte *f*; **it's a s.** c'est dommage (**to do** de faire); **it's a s. (that)** c'est dommage que (+ *sub*); **what a s.!** (quel) dommage!; **to put to s.** faire honte à; – *vt* (*disgrace, make ashamed*) faire honte à. ◆**shamefaced** *a* honteux; (*bashful*) timide. ◆**shameful** *a* honteux. ◆**shamefully** *adv* honteusement. ◆**shameless** *a* (*brazen*) effronté; (*indecent*) impudique.

shammy ['ʃæmɪ] *n* **s. (leather)** *Fam* peau *f* de chamois.

shampoo [ʃæm'puː] *n* shampooing *m*; – *vt* (*carpet*) shampooiner; **to s. s.o.'s hair** faire un shampooing à qn.

shandy ['ʃændɪ] *n* (*beer*) panaché *m*.

shan't [ʃɑːnt] = **shall not.**

shanty[1] ['ʃæntɪ] *n* (*hut*) baraque *f*. ◆**shantytown** *n* bidonville *f*.

shanty[2] ['ʃæntɪ] *n* **sea s.** chanson *f* de marins.

shap/e [ʃeɪp] *n* forme *f*; **in (good) s.** (*fit*) en forme; **to be in good/bad s.** (*of vehicle,* *house etc*) être en bon/mauvais état; (*of business*) marcher bien/mal; **to take s.** prendre forme; **in the s. of a pear** en forme de poire; – *vt* (*fashion*) façonner (**into** en); (*one's life*) *Fig* déterminer; – *vi* **to s. up** (*of plans*) prendre (bonne) tournure, s'annoncer bien; (*of pupil, wrongdoer*) s'y mettre, s'appliquer; (*of patient*) faire des progrès. ◆**—ed** *suffix* **pear-s./***etc* en forme de poire/*etc.* ◆**shapeless** *a* informe. ◆**shapely** *a* (**-ier, -iest**) (*woman, legs*) bien tourné.

share [ʃeər] *n* part *f* (**of, in** de); (*in company*) *Fin* action *f*; **one's (fair) s. of** sa part de; **to do one's (fair) s.** fournir sa part d'efforts; **stocks and shares** *Fin* valeurs *fpl* (boursières); – *vt* (*meal, joy, opinion etc*) partager (**with** avec); (*characteristic*) avoir en commun; **to s. out** (*distribute*) partager; – *vi* **to s. (in)** partager. ◆**shareholder** *n Fin* actionnaire *mf.*

shark [ʃɑːk] *n* (*fish*) & *Fig* requin *m.*

sharp [ʃɑːp] **1** *a* (**-er, -est**) (*knife, blade etc*) tranchant; (*pointed*) pointu; (*point, voice*) aigu; (*pace, mind*) vif; (*pain*) aigu, vif; (*change, bend*) brusque; (*taste*) piquant; (*words, wind, tone*) âpre; (*eyesight, cry*) perçant; (*distinct*) net; (*lawyer etc*) *Pej* peu scrupuleux; **s. practice** *Pej* procédé(s) *m*(*pl*) malhonnête(s); – *adv* (*to stop*) net; **five o'clock/***etc* **s.** cinq heures/*etc* pile; **s. right/left** tout de suite à droite/à gauche. **2** *n Mus* dièse *m.* ◆**sharpen** *vt* (*knife*) aiguiser; (*pencil*) tailler. ◆**sharpener** *n* (*for pencils*) taille-crayon(s) *m inv*; (*for blades*) aiguisoir *m.* ◆**sharply** *adv* (*suddenly*) brusquement; (*harshly*) vivement; (*clearly*) nettement. ◆**sharpness** *n* (*of blade*) tranchant *m*; (*of picture*) netteté *f.* ◆**sharpshooter** *n* tireur *m* d'élite.

shatter ['ʃætər] *vt* (*smash*) fracasser; (*glass*) faire voler en éclats; (*career, health*) briser; (*person, hopes*) anéantir; – *vi* (*smash*) se fracasser; (*of glass*) voler en éclats. ◆**—ed** *a* (*exhausted*) anéanti. ◆**—ing** *a* (*defeat*) accablant; (*news, experience*) bouleversant.

shav/e [ʃeɪv] *vt* (*person, head*) raser; **to s. off one's beard/***etc* se raser la barbe/*etc*; – *vi* se raser; – *n* **to have a s.** se raser, se faire la barbe; **to have a close s.** *Fig Fam* l'échapper belle. ◆**—ing** *n* rasage *m*; (*strip of wood*) copeau *m*; **s. brush** blaireau *m*; **s. cream, s. foam** crème *f* à raser. ◆**shaven** *a* rasé (de près). ◆**shaver** *n* rasoir *m* électrique.

shawl [ʃɔːl] *n* châle *m.*

she [ʃiː] *pron* elle; **s. wants** elle veut; **she's a happy woman** c'est une femme heureuse; **if I were s.** si j'étais elle; – *n* femelle *f*; **s.-bear** ourse *f.*

sheaf [ʃiːf] *n* (*pl* **sheaves**) (*of corn*) gerbe *f.*

shear [ʃɪər] *vt* tondre; – *npl* cisaille(s) *f*(*pl*); **pruning shears** sécateur *m.* ◆**—ing** *n* tonte *f.*

sheath [ʃiːθ] *n* (*pl* **-s** [shiːðz]) (*container*) gaine *f*, fourreau *m*; (*contraceptive*) préservatif *m.*

shed [ʃed] **1** *n* (*in garden etc*) remise *f*; (*for goods or machines*) hangar *m.* **2** *vt* (*pt & pp* **shed,** *pres p* **shedding**) (*lose*) perdre; (*tears, warmth etc*) répandre; (*get rid of*) se défaire de; (*clothes*) enlever; **to s. light on** *Fig* éclairer.

sheen [ʃiːn] *n* lustre *m.*

sheep [ʃiːp] *n inv* mouton *m.* ◆**sheepdog** *n* chien *m* de berger. ◆**sheepskin** *n* peau *f* de mouton.

sheepish ['ʃiːpɪʃ] *a* penaud. ◆**—ly** *adv* d'un air penaud.

sheer [ʃɪər] **1** *a* (*luck, madness etc*) pur; (*impossibility etc*) absolu; **it's s. hard work** ça demande du travail; **by s. determination/hard work** à force de détermination/de travail. **2** *a* (*cliff*) à pic; – *adv* (*to rise*) à pic. **3** *a* (*fabric*) très fin.

sheet [ʃiːt] *n* (*on bed*) drap *m*; (*of paper, wood etc*) feuille *f*; (*of glass, ice*) plaque *f*; (*dust cover*) housse *f*; (*canvas*) bâche *f*; **s. metal** tôle *f.*

sheikh [ʃeɪk] *n* scheik *m*, cheik *m.*

shelf [ʃelf] *n* (*pl* **shelves**) rayon *m*, étagère *f*; (*in shop*) rayon *m*; (*on cliff*) saillie *f*; **to be (left) on the s.** (*not married*) *Fam* être toujours célibataire.

shell [ʃel] **1** *n* coquille *f*; (*of tortoise*) carapace *f*; (*seashell*) coquillage *m*; (*of peas*) cosse *f*; (*of building*) carcasse *f*; – *vt* (*peas*) écosser; (*nut, shrimp*) décortiquer. **2** *n* (*explosive*) *Mil* obus *m*; – *vt* (*town etc*) *Mil* bombarder. ◆**—ing** *n Mil* bombardement *m.* ◆**shellfish** *n inv Culin* (*oysters etc*) fruits *mpl* de mer.

shelter ['ʃeltər] *n* (*place, protection*) abri *m*; **to take s.** se mettre à l'abri (**from** de); **to seek s.** chercher un abri; – *vt* abriter (**from** de); (*criminal*) protéger; – *vi* s'abriter. ◆**—ed** *a* (*place*) abrité; (*life*) très protégé.

shelve [ʃelv] *vt* (*postpone*) laisser en suspens.

shelving ['ʃelvɪŋ] *n* (*shelves*) rayonnage(s) *m*(*pl*); **s. unit** (*set of shelves*) étagère *f.*

shepherd ['ʃepəd] **1** *n* berger *m*; **s.'s pie** hachis *m* Parmentier. **2** *vt* **to s. in** faire

entrer; **to s. s.o. around** piloter qn. ◆**shepherdess** *n* bergère *f*.
sherbet ['ʃɜːbət] *n* (*powder*) poudre *f* acidulée; (*water ice*) *Am* sorbet *m*.
sheriff ['ʃerɪf] *n Am* shérif *m*.
sherry ['ʃerɪ] *n* xérès *m*, sherry *m*.
shh! [ʃ] *int* chut!
shield [ʃiːld] *n* bouclier *m*; (*on coat of arms*) écu *m*; (*screen*) *Tech* écran *m*; – *vt* protéger (**from** de).
shift [ʃɪft] *n* (*change*) changement *m* (**of, in** de); (*period of work*) poste *m*; (*workers*) équipe *f*; **gear s.** *Aut Am* levier *m* de vitesse; **s. work** travail *m* en équipe; – *vt* (*move*) déplacer, bouger; (*limb*) bouger; (*employee*) muter (**to** à); (*scenery*) *Th* changer; (*blame*) rejeter (**on to** sur); **to s. places** changer de place; **to s. gear(s)** *Aut Am* changer de vitesse; – *vi* bouger; (*of heavy object*) se déplacer; (*of views*) changer; (*pass*) passer (**to** à); (*go*) aller (**to** à); **to s. to** (*new town*) déménager à; **to s. along** avancer; **to s. over** *or* **up** se pousser. ◆**—ing** *a* (*views*) changeant.
shiftless ['ʃɪftləs] *a* velléitaire, paresseux.
shifty ['ʃɪftɪ] *a* (**-ier, -iest**) (*sly*) sournois; (*dubious*) louche.
shilling ['ʃɪlɪŋ] *n* shilling *m*.
shilly-shally ['ʃɪlɪʃælɪ] *vi* hésiter, tergiverser.
shimmer ['ʃɪmər] *vi* chatoyer, miroiter; – *n* chatoiement *m*, miroitement *m*.
shin [ʃɪn] *n* tibia *m*; **s. pad** *n Sp* jambière *f*.
shindig ['ʃɪndɪg] *n Fam* réunion *f* bruyante.
shin/e [ʃaɪn] *vi* (*pt & pp* **shone** [ʃɒn, *Am* ʃəʊn]) briller; **to s. with** (*happiness etc*) rayonner de; – *vt* (*polish*) faire briller; **to s. a light** *or* **a torch** éclairer (**on sth** qch); – *n* éclat *m*; (*on shoes, cloth*) brillant *m*. ◆**—ing** *a* (*bright, polished*) brillant; **a shining example of** un bel exemple de. ◆**shiny** *a* (**-ier, -iest**) (*bright, polished*) brillant; (*clothes, through wear*) lustré.
shingle ['ʃɪŋg(ə)l] *n* (*on beach*) galets *mpl*; (*on roof*) bardeau *m*.
shingles ['ʃɪŋg(ə)lz] *n Med* zona *m*.
ship [ʃɪp] *n* navire *m*, bateau *m*; **by s.** en bateau; **s. owner** armateur *m*; – *vt* (**-pp-**) (*send*) expédier; (*transport*) transporter; (*load up*) embarquer (**on to** sur). ◆**shipping** *n* (*traffic*) navigation *f*; (*ships*) navires *mpl*; – *a* (*agent*) maritime; **s. line** compagnie *f* de navigation. ◆**shipbuilding** *n* construction *f* navale. ◆**shipmate** *n* camarade *m* de bord. ◆**shipment** *n* (*goods*) chargement *m*, cargaison *f*. ◆**shipshape** *a & adv* en ordre. ◆**shipwreck** *n* naufrage *m*. ◆**shipwrecked** *a* naufragé; **to be s.** faire naufrage. ◆**shipyard** *n* chantier *m* naval.
shirk [ʃɜːk] *vt* (*duty*) se dérober à; (*work*) éviter de faire; – *vi* tirer au flanc. ◆**—er** *n* tire-au-flanc *m inv*.
shirt [ʃɜːt] *n* chemise *f*; (*of woman*) chemisier *m*. ◆**shirtfront** *n* plastron *m*. ◆**shirtsleeves** *npl* **in (one's) s.** en bras de chemise.
shiver ['ʃɪvər] *vi* frissonner (**with** de); – *n* frisson *m*.
shoal [ʃəʊl] *n* (*of fish*) banc *m*.
shock [ʃɒk] *n* (*moral blow*) choc *m*; (*impact*) & *Med* choc *m*; (*of explosion*) secousse *f*; **(electric) s.** décharge *f* (électrique) (**from sth** en touchant qch); **a feeling of s.** un sentiment d'horreur; **suffering from s., in a state of s.** en état de choc; **to come as a s. to s.o.** stupéfier qn; – *a* (*tactics, wave*) de choc; (*effect, image etc*) -choc *inv*; **s. absorber** amortisseur *m*; – *vt* (*offend*) choquer; (*surprise*) stupéfier; (*disgust*) dégoûter. ◆**—ing** *a* affreux; (*outrageous*) scandaleux; (*indecent*) choquant. ◆**—ingly** *adv* affreusement. ◆**—er** *n* **to be a s.** *Fam* être affreux *or* horrible. ◆**shockproof** *a* résistant au choc.
shoddy ['ʃɒdɪ] *a* (**-ier, -iest**) (*goods etc*) de mauvaise qualité. ◆**shoddily** *adv* (*made, done*) mal.
shoe [ʃuː] *n* chaussure *f*, soulier *m*; (*for horse*) fer *m*; *Aut* sabot *m* (de frein); **in your shoes** *Fig* à ta place; **s. polish** cirage *m*; – *vt* (*pt & pp* **shod**) (*horse*) ferrer. ◆**shoehorn** *n* chausse-pied *m*. ◆**shoelace** *n* lacet *m*. ◆**shoemaker** *n* fabricant *m* de chaussures; (*cobbler*) cordonnier *m*. ◆**shoestring** *n* **on a s.** *Fig* avec peu d'argent (en poche).
shone [ʃɒn, *Am* ʃəʊn] *see* **shine.**
shoo [ʃuː] *vt* **to s. (away)** chasser; – *int* ouste!
shook [ʃʊk] *see* **shake.**
shoot[1] [ʃuːt] *vt* (*pt & pp* **shot**) (*kill*) tuer (d'un coup de feu), abattre; (*wound*) blesser (d'un coup de feu); (*execute*) fusiller; (*hunt*) chasser; (*gun*) tirer un coup de; (*bullet*) tirer; (*missile, glance, questions*) lancer (**at** à); (*film*) tourner; (*person*) *Phot* prendre; **to s. down** (*aircraft*) abattre; – *vi* (*with gun, bow etc*) tirer (**at** sur); **to s. ahead/off** avancer/partir à toute vitesse; **to s. up** (*grow*) pousser vite; (*rise, spurt*) jaillir; (*of price*) monter en flèche. ◆**—ing** *n* (*gunfire, execution*) fusillade *f*; (*shots*) coups *mpl* de feu; (*murder*) meurtre *m*; (*of*

film) tournage *m*; (*hunting*) chasse *f*. ◆**shoot-out** *n Fam* fusillade *f*.

shoot[2] [ʃuːt] *n* (*on plant*) pousse *f*.

shop [ʃɒp] **1** *n* magasin *m*; (*small*) boutique *f*; (*workshop*) atelier *m*; **at the baker's s.** à la boulangerie, chez le boulanger; **s. assistant** vendeur, -euse *mf*; **s. floor** (*workers*) ouvriers *mpl*; **s. steward** délégué, -ée *mf* syndical(e); **s. window** vitrine *f*; – *vi* (**-pp-**) faire ses courses (**at** chez); **to s. around** comparer les prix. **2** *vt* (**-pp-**) **to s. s.o.** *Fam* dénoncer qn (*à la police etc*). ◆**shopping** *n* (*goods*) achats *mpl*; **to go s.** faire des courses; **to do one's s.** faire ses courses; – *a* (*street, district*) commerçant; (*bag*) à provisions; **s. centre** centre *m* commercial. ◆**shopper** *n* (*buyer*) acheteur, -euse *mf*; (*customer*) client, -ente *mf*; (*bag*) sac *m* à provisions.

shopkeeper ['ʃɒpkiːpər] *n* commerçant, -ante *mf*. ◆**shoplifter** *n* voleur, -euse *mf* à l'étalage. ◆**shoplifting** *n* vol *m* à l'étalage. ◆**shopsoiled** *a*, *Am* ◆**shopworn** *a* abîmé.

shore [ʃɔːr] **1** *n* (*of sea, lake*) rivage *m*; (*coast*) côte *f*, bord *m* de (la) mer; (*beach*) plage *f*; **on s.** (*passenger*) *Nau* à terre. **2** *vt* **to s. up** (*prop up*) étayer.

shorn [ʃɔːn] *a* (*head*) tondu; **s. of** (*stripped of*) *Lit* dénué de.

short [ʃɔːt] *a* (**-er, -est**) court; (*person, distance*) petit; (*syllable*) bref; (*curt, impatient*) brusque; **a s. time** *or* **while ago** il y a peu de temps; **s. cut** raccourci *m*; **to be s. of money/time** être à court d'argent/de temps; **we're s. of ten men** il nous manque dix hommes; **money/time is s.** l'argent/le temps manque; **not far s. of** pas loin de; **s. of** (*except*) sauf; **to be s. for** (*of name*) être l'abréviation *or* le diminutif de; **in s.** bref; **s. circuit** *El* court-circuit *m*; **s. list** liste *f* de candidats choisis; – *adv* **to cut s.** (*visit etc*) abréger; (*person*) couper la parole à; **to go** *or* **get** *or* **run s. of** manquer de; **to get** *or* **run s.** manquer; **to stop s.** s'arrêter net; – *n El* court-circuit *m*; **(a pair of) shorts** un short. ◆**shorten** *vt* (*visit, line, dress etc*) raccourcir. ◆**shortly** *adv* (*soon*) bientôt; **s. after** peu après. ◆**shortness** *n* (*of person*) petitesse *f*; (*of hair, stick, legs*) manque *m* de longueur.

shortage ['ʃɔːtɪdʒ] *n* manque *m*, pénurie *f*; (*crisis*) crise *f*.

shortbread ['ʃɔːtbred] *n* sablé *m*. ◆**short-'change** *vt* (*buyer*) ne pas rendre juste à. ◆**short-'circuit** *vt El* & *Fig* court-circuiter. ◆**shortcoming** *n* défaut *m*. ◆**shortfall** *n* manque *m*. ◆**shorthand** *n* sténo *f*; **s. typist** sténodactylo *f*. ◆**short-'handed** *a* à court de personnel. ◆**short-'lived** *a* éphémère. ◆**short'sighted** *a* myope; *Fig* imprévoyant. ◆**short-'sightedness** *n* myopie *f*; imprévoyance *f*. ◆**short-'sleeved** *a* à manches courtes. ◆**short-'staffed** *a* à court de personnel. ◆**short-'term** *a* à court terme.

shortening ['ʃɔːt(ə)nɪŋ] *n Culin* matière *f* grasse.

shot [ʃɒt] *see* **shoot**[1]; – *n* coup *m*; (*bullet*) balle *f*; *Cin Phot* prise *f* de vues; (*injection*) *Med* piqûre *f*; **a good s.** (*person*) un bon tireur; **to have a s. at (doing) sth** essayer de faire qch; **a long s.** (*attempt*) un coup à tenter; **big s.** *Fam* gros bonnet *m*; **like a s.** (*at once*) tout de suite; **to be s. of** (*rid of*) *Fam* être débarrassé de. ◆**shotgun** *n* fusil *m* de chasse.

should [ʃʊd, *unstressed* ʃəd] *v aux* **1** (= *ought to*) **you s. do it** vous devriez le faire; **I s. have stayed** j'aurais dû rester; **that s. be Pauline** ça doit être Pauline. **2** (= *would*) **I s. like to** j'aimerais bien; **it's strange she s. say no** il est étrange qu'elle dise non. **3** (*possibility*) **if he s. come** s'il vient; **s. I be free** si je suis libre.

shoulder ['ʃəʊldər] **1** *n* épaule *f*; **to have round shoulders** avoir le dos voûté, être voûté; **(hard) s.** (*of motorway*) accotement *m* stabilisé; **s. bag** sac *m* à bandoulière; **s. blade** omoplate *f*; **s.-length hair** cheveux *mpl* mi-longs. **2** *vt* (*responsibility*) endosser, assumer.

shout [ʃaʊt] *n* cri *m*; **to give s.o. a s.** appeler qn; – *vi* **to s. (out)** crier; **to s. to** *or* **at s.o. to do** crier à qn de faire; **to s. at s.o.** (*scold*) crier après qn; – *vt* **to s. (out)** (*insult etc*) crier; **to s. down** (*speaker*) huer. ◆**—ing** *n* (*shouts*) cris *mpl*.

shove [ʃʌv] *n* poussée *f*; **to give a s. (to)** pousser; – *vt* pousser; (*put*) *Fam* fourrer; **to s. sth into** (*thrust*) enfoncer *or* fourrer qch dans; **to s. s.o. around** *Fam* régenter qn; – *vi* pousser; **to s. off** (*leave*) *Fam* ficher le camp, filer; **to s. over** (*move over*) *Fam* se pousser.

shovel ['ʃʌv(ə)l] *n* pelle *f*; – *vt* (**-ll-**, *Am* **-l-**) (*grain etc*) pelleter; **to s. up** *or* **away** (*remove*) enlever à la pelle; **to s. sth into** (*thrust*) *Fam* fourrer qch dans.

show [ʃəʊ] *n* (*of joy, force*) démonstration *f* (**of** de); (*semblance*) semblant *m* (**of** de); (*ostentation*) parade *f*; (*sight*) & *Th* spectacle *m*; (*performance*) *Cin* séance *f*; (*exhibition*) exposition *f*; **the Boat/Motor S.** le

Salon de la Navigation/de l'Automobile; **horse s.** concours *m* hippique; **to give a good s.** *Sp Mus Th* jouer bien; **good s.!** bravo!; **(just) for s.** pour l'effet; **on s.** (*painting etc*) exposé; **s. business** le monde du spectacle; **s. flat** appartement *m* témoin; – *vt* (*pt* **showed,** *pp* **shown**) montrer (**to** à, **that** que); (*exhibit*) exposer; (*film*) passer, donner; (*indicate*) indiquer, montrer; **to s. s.o. to the door** reconduire qn; **it (just) goes to s. that . . .** ça (dé)montre (bien) que . . . ; **I'll s. him** *or* **her!** *Fam* je lui apprendrai!; – *vi* (*be visible*) se voir; (*of film*) passer; **'now showing'** *Cin* 'à l'affiche' (**at** à). ■ **to s. (a)round** *vt* faire visiter; **he** *or* **she was shown (a)round the house** on lui a fait visiter la maison; **to s. in** *vt* faire entrer; **to s. off** *vt Pej* étaler; (*highlight*) faire valoir; – *vi Pej* crâner. ◆**s.-off** *n Pej* crâneur, -euse *mf*; **to s. out** *vt* (*visitor*) reconduire; **to s. up** *vt* (*fault*) faire ressortir; (*humiliate*) faire honte à; – *vi* ressortir (**against** sur); (*of error*) être visible; (*of person*) *Fam* arriver, s'amener. ◆**showing** *n* (*of film*) projection *f* (**of** de); (*performance*) *Cin* séance *f*; (*of team, player*) performance *f*.

showcase ['ʃəʊkeɪs] *n* vitrine *f*. ◆**showdown** *n* confrontation *f*, conflit *m*. ◆**showgirl** *n* (*in chorus etc*) girl *f*. ◆**showjumping** *n Sp* jumping *m*. ◆**showmanship** *n* art *m* de la mise en scène. ◆**showpiece** *n* modèle *m* du genre. ◆**showroom** *n* (*for cars etc*) salle *f* d'exposition.

shower ['ʃaʊər] *n* (*of rain*) averse *f*; (*of blows*) déluge *m*; (*bath*) douche *f*; (*party*) *Am* réception *f* (*pour la remise de cadeaux*); – *vt* **to s. s.o. with** (*gifts, abuse*) couvrir qn de. ◆**showery** *a* pluvieux.

shown [ʃəʊn] *see* **show.**

showy ['ʃəʊɪ] *a* (**-ier, -iest**) (*colour, hat*) voyant; (*person*) prétentieux.

shrank [ʃræŋk] *see* **shrink 1.**

shrapnel ['ʃræpn(ə)l] *n* éclats *mpl* d'obus.

shred [ʃred] *n* lambeau *m*; (*of truth*) *Fig* grain *m*; **not a s. of evidence** pas la moindre preuve; – *vt* (**-dd-**) mettre en lambeaux; (*cabbage, carrots*) râper. ◆**shredder** *n Culin* râpe *f*.

shrew [ʃruː] *n* (*woman*) *Pej* mégère *f*.

shrewd [ʃruːd] *a* (**-er, -est**) (*person, plan*) astucieux. ◆**—ly** *adv* astucieusement. ◆**—ness** *n* astuce *f*.

shriek [ʃriːk] *n* cri *m* (aigu); – *vti* crier; **to s. with pain/laughter** hurler de douleur/de rire.

shrift [ʃrɪft] *n* **to get short s.** être traité sans ménagement.

shrill [ʃrɪl] *a* (**-er, -est**) aigu, strident.

shrimp [ʃrɪmp] *n* crevette *f*; (*person*) *Pej* nabot, -ote *mf*; (*child*) *Pej* puce *f*.

shrine [ʃraɪn] *n* lieu *m* saint; (*tomb*) châsse *f*.

shrink [ʃrɪŋk] **1** *vi* (*pt* **shrank,** *pp* **shrunk** *or* **shrunken**) (*of clothes*) rétrécir; (*of aging person*) se tasser; (*of amount, audience etc*) diminuer; **to s. from** reculer devant (**doing** l'idée de faire); – *vt* rétrécir. **2** *n* (*person*) *Am Hum* psy(chiatre) *m*. ◆**—age** *n* rétrécissement *m*; diminution *f*.

shrivel ['ʃrɪv(ə)l] *vi* (**-ll-,** *Am* **-l-**) **to s. (up)** se ratatiner; – *vt* **to s. (up)** ratatiner.

shroud [ʃraʊd] *n* linceul *m*; (*of mystery*) *Fig* voile *m*; – *vt* **shrouded in mist** enseveli *or* enveloppé sous la brume; **shrouded in mystery** enveloppé de mystère.

Shrove Tuesday [ʃrəʊv'tjuːzdɪ] *n* Mardi *m* gras.

shrub [ʃrʌb] *n* arbrisseau *m*.

shrug [ʃrʌg] *vt* (**-gg-**) **to s. one's shoulders** hausser les épaules; **to s. off** (*dismiss*) écarter (dédaigneusement); – *n* haussement *m* d'épaules.

shrunk(en) ['ʃrʌŋk(ən)] *see* **shrink 1.**

shudder ['ʃʌdər] *vi* frémir (**with** de); (*of machine etc*) vibrer; – *n* frémissement *m*; vibration *f*.

shuffle ['ʃʌf(ə)l] **1** *vti* **to s. (one's feet)** traîner les pieds. **2** *vt* (*cards*) battre.

shun [ʃʌn] *vt* (**-nn-**) fuir, éviter; **to s. doing** éviter de faire.

shunt [ʃʌnt] *vt* (*train, conversation*) aiguiller (**on to** sur); **we were shunted (to and fro)** *Fam* on nous a baladés (**from office to office/***etc* de bureau en bureau/*etc*).

shush! [ʃʊʃ] *int* chut!

shut [ʃʌt] *vt* (*pt & pp* **shut,** *pp* **shutting**) fermer; **to s. one's finger in** (*door etc*) se prendre le doigt dans; **to s. away** *or* **in** (*lock away or in*) enfermer; **to s. down** fermer; **to s. off** fermer; (*engine*) arrêter; (*isolate*) isoler; **to s. out** (*light*) empêcher d'entrer; (*view*) boucher; (*exclude*) exclure (**of, from** de); **to s. s.o. out** (*lock out accidentally*) enfermer qn dehors; **to s. up** fermer; (*lock up*) enfermer (*personne, objet précieux etc*); (*silence*) *Fam* faire taire; – *vi* (*of door etc*) se fermer; (*of shop, museum etc*) fermer; **the door doesn't s.** la porte ne ferme pas; **to s. down** fermer (définitivement); **to s. up** (*be quiet*) *Fam* se taire. ◆**shutdown** *n* fermeture *f*.

shutter ['ʃʌtər] *n* volet *m*; (*of camera*) obturateur *m*.

shuttle ['ʃʌt(ə)l] *n* (*bus, spacecraft etc*) navette *f*; **s. service** navette; – *vi* faire la navette; – *vt* (*in vehicle etc*) transporter. ◆**shuttlecock** *n* (*in badminton*) volant *m*.
shy [ʃaɪ] *a* (-**er, -est**) timide; **to be s. of doing** avoir peur de faire; – *vi* **to s. away** reculer (**from s.o.** devant qn, **from doing** à l'idée de faire). ◆**—ness** *n* timidité *f*.
Siamese [saɪə'miːz] *a* siamois; **S. twins** frères *mpl* siamois, sœurs *fpl* siamoises.
sibling ['sɪblɪŋ] *n* frère *m*, sœur *f*.
Sicily ['sɪsɪlɪ] *n* Sicile *f*.
sick [sɪk] *a* (-**er, -est**) (*ill*) malade; (*mind*) malsain; (*humour*) noir; (*cruel*) sadique; **to be s.** (*vomit*) vomir; **to be off** *or* **away s., be on s. leave** être en congé de maladie; **to feel s.** avoir mal au cœur; **to be s. (and tired) of** *Fam* en avoir marre de; **he makes me s.** *Fam* il m'écœure; – *n* **the s.** les malades *mpl*; – *vi* (*vomit*) *Fam* vomir; – *vt* **to s. sth up** *Fam* vomir qch. ◆**sickbay** *n* infirmerie *f*. ◆**sickbed** *n* lit *m* de malade. ◆**sickly** *a* (-**ier, -iest**) maladif; (*pale, faint*) pâle; (*taste*) écœurant. ◆**sickness** *n* maladie *f*; (*vomiting*) vomissement(s) *m*(*pl*); **motion s.** *Aut* mal *m* de la route.
sicken ['sɪkən] **1** *vt* écœurer. **2** *vi* **to be sickening for** (*illness*) couver. ◆**—ing** *a* écœurant.
side [saɪd] *n* côté *m*; (*of hill, animal*) flanc *m*; (*of road, river*) bord *m*; (*of beef*) quartier *m*; (*of question*) aspect *m*; (*of character*) facette *f*, aspect *m*; *Sp* équipe *f*; *Pol* parti *m*; **the right s.** (*of fabric*) l'endroit *m*; **the wrong s.** (*of fabric*) l'envers *m*; **by the s. of** (*nearby*) à côté de; **at** *or* **by my s.** à côté de moi, à mes côtés; **s. by s.** l'un à côté de l'autre; **to move to one s.** s'écarter; **on this s.** de ce côté; **on the other s.** de l'autre côté; **the other s.** *TV Fam* l'autre chaîne *f*; **on the big**/*etc* **s.** *Fam* plutôt grand/*etc*; **to take sides with** se ranger du côté de; **on our s.** de notre côté, avec nous; **on the s.** *Fam* (*secretly*) en catimini; (*to make money*) en plus; – *a* (*lateral*) latéral; (*effect, issue*) secondaire; (*glance, view*) de côté; (*street*) transversal; – *vi* **to s. with** se ranger du côté de. ◆**-sided** *suffix* **ten-s.** à dix côtés. ◆**sideboard** **1** *n* buffet *m*. **2** *npl* (*hair*) pattes *fpl*. ◆**sideburns** *npl* (*hair*) *Am* pattes *fpl*. ◆**sidecar** *n* side-car *m*. ◆**sidekick** *n Fam* associé, -ée *mf*. ◆**sidelight** *n Aut* feu *m* de position. ◆**sideline** *n* activité *f* secondaire. ◆**sidesaddle** *adv* (*to ride*) en amazone. ◆**sidestep** *vt* (-**pp**-) éviter. ◆**sidetrack** *vt* **to get sidetracked** s'écarter du sujet. ◆**sidewalk** *n Am* trottoir *m*. ◆**sideways** *adv* & *a* de côté.
siding ['saɪdɪŋ] *n Rail* voie *f* de garage.
sidle ['saɪd(ə)l] *vi* **to s. up to s.o.** s'approcher furtivement de qn.
siege [siːdʒ] *n Mil* siège *m*.
siesta [sɪ'estə] *n* sieste *f*.
sieve [sɪv] *n* tamis *m*; (*for liquids*) *Culin* passoire *f*; – *vt* tamiser. ◆**sift** *vt* tamiser; **to s. out** (*truth*) *Fig* dégager; – *vi* **to s. through** (*papers etc*) examiner (à la loupe).
sigh [saɪ] *n* soupir *m*; – *vti* soupirer.
sight [saɪt] *n* vue *f*; (*spectacle*) spectacle *m*; (*on gun*) mire *f*; **to lose s. of** perdre de vue; **to catch s. of** apercevoir; **to come into s.** apparaître; **at first s.** à première vue; **by s.** de vue; **on** *or* **at s.** à vue; **in s.** (*target, end, date etc*) en vue; **keep out of s.!** ne te montre pas!; **he hates the s. of me** il ne peut pas me voir; **it's a lovely s.** c'est beau à voir; **the (tourist) sights** les attractions *fpl* touristiques; **to set one's sights on** (*job etc*) viser; **a s. longer**/*etc Fam* bien plus long/*etc*; – *vt* (*land*) apercevoir. ◆**—ed** *a* qui voit, clairvoyant. ◆**—ing** *n* **to make a s. of** voir. ◆**sightseer** *n* touriste *mf*. ◆**sightseeing** *n* tourisme *m*.
sightly ['saɪtlɪ] *a* **not very s.** laid.
sign [saɪn] **1** *n* signe *m*; (*notice*) panneau *m*; (*over shop, inn*) enseigne *f*; **no s. of** aucune trace de; **to use s. language** parler par signes. **2** *vt* (*put signature to*) signer; **to s. away** *or* **over** céder (**to** à); **to s. on** *or* **up** (*worker, soldier*) engager; – *vi* signer; **to s. for** (*letter*) signer le reçu de; **to s. in** signer le registre; **to s. off** dire au revoir; **to s. on** (*on the dole*) s'inscrire au chômage; **to s. on** *or* **up** (*of soldier, worker*) s'engager; (*for course*) s'inscrire. ◆**signpost** *n* poteau *m* indicateur; – *vt* flécher.
signal ['sɪgnəl] *n* signal *m*; **traffic signals** feux *mpl* de circulation; **s. box,** *Am* **s. tower** *Rail* poste *m* d'aiguillage; – *vt* (-**ll**-, *Am* -**l**-) (*message*) communiquer (**to** à); (*arrival etc*) signaler (**to** à); – *vi* faire des signaux; **to s. (to) s.o. to do** faire signe à qn de faire. ◆**signalman** *n* (*pl* -**men**) *Rail* aiguilleur *m*.
signature ['sɪgnətʃər] *n* signature *f*; **s. tune** indicatif *m* (musical). ◆**signatory** *n* signataire *mf*.
signet ring ['sɪgnɪtrɪŋ] *n* chevalière *f*.
significant [sɪg'nɪfɪkənt] *a* (*meaningful*) significatif; (*important, large*) important. ◆**significance** *n* (*meaning*) signification *f*; (*importance*) importance *f*. ◆**significantly** *adv* (*appreciably*) sensiblement; **s.,**

he . . . fait significatif, il . . . . ◆**'signify** *vt* (*mean*) signifier (**that** que); (*make known*) indiquer, signifier (**to** à).
silence ['saɪləns] *n* silence *m*; **in s.** en silence; – *vt* faire taire. ◆**silencer** *n* (*on car, gun*) silencieux *m*. ◆**silent** *a* silencieux; (*film, anger*) muet; **to keep** *or* **be s.** garder le silence (**about** sur). ◆**silently** *adv* silencieusement.
silhouette [sɪluː'et] *n* silhouette *f*. ◆**silhouetted** *a* **to be s. against** se profiler contre.
silicon ['sɪlɪkən] *n* silicium *m*; **s. chip** puce *f* de silicium. ◆**silicone** ['sɪlɪkən] *n* silicone *f*.
silk [sɪlk] *n* soie *f*. ◆**silky** *a* (**-ier, -iest**) soyeux.
sill [sɪl] *n* (*of window etc*) rebord *m*.
silly ['sɪlɪ] *a* (**-ier, -iest**) idiot, bête; **to do sth s.** faire une bêtise; **s. fool,** *Fam* **s. billy** idiot, -ote *mf*; – *adv* (*to act, behave*) bêtement.
silo ['saɪləʊ] *n* (*pl* **-os**) silo *m*.
silt [sɪlt] *n* vase *f*.
silver ['sɪlvər] *n* argent *m*; (*silverware*) argenterie *f*; **£5 in s.** 5 livres en pièces d'argent; – *a* (*spoon etc*) en argent, d'argent; (*hair, colour*) argenté; **s. jubilee** vingt-cinquième anniversaire *m* (*d'un événement*); **s. paper** papier *m* d'argent; **s. plate** argenterie *f*. ◆**s.-'plated** *a* plaqué argent. ◆**silversmith** *n* orfèvre *m*. ◆**silverware** *n* argenterie *f*. ◆**silvery** *a* (*colour*) argenté.
similar ['sɪmɪlər] *a* semblable (**to** à). ◆**simi'larity** *n* ressemblance *f* (**between** entre, **to** avec). ◆**similarly** *adv* de la même façon; (*likewise*) de même.
simile ['sɪmɪlɪ] *n* *Liter* comparaison *f*.
simmer ['sɪmər] *vi* *Culin* mijoter, cuire à feu doux; (*of water*) frémir; (*of revolt, hatred etc*) couver; **to s. with** (*rage*) bouillir de; **to s. down** (*calm down*) *Fam* se calmer; – *vt* faire cuire à feu doux; (*water*) laisser frémir.
simper ['sɪmpər] *vi* minauder.
simple ['sɪmp(ə)l] *a* (**-er, -est**) (*plain, uncomplicated, basic etc*) simple. ◆**s.-'minded** *a* simple d'esprit. ◆**s.-'mindedness** *n* simplicité *f* d'esprit. ◆**simpleton** *n* nigaud, -aude *mf*. ◆**sim'plicity** *n* simplicité *f*. ◆**simplifi'cation** *n* simplification *f*. ◆**simplify** *vt* simplifier. ◆**sim'plistic** *a* simpliste. ◆**simply** *adv* (*plainly, merely*) simplement; (*absolutely*) absolument.
simulate ['sɪmjʊleɪt] *vt* simuler.
simultaneous [sɪməl'teɪnɪəs, *Am* saɪməl'teɪnɪəs] *a* simultané. ◆**—ly** *adv* simultanément.
sin [sɪn] *n* péché *m*; – *vi* (**-nn-**) pécher.
since [sɪns] **1** *prep* (*in time*) depuis; **s. my departure** depuis mon départ; – *conj* depuis que; **s. she's been here** depuis qu'elle est ici; **it's a year s. I saw him** ça fait un an que je ne l'ai pas vu; – *adv* (**ever**) **s.** depuis. **2** *conj* (*because*) puisque.
sincere [sɪn'sɪər] *a* sincère. ◆**sincerely** *adv* sincèrement; **yours s.** (*in letter*) *Com* veuillez croire à mes sentiments dévoués. ◆**sin'cerity** *n* sincérité *f*.
sinew ['sɪnjuː] *n* *Anat* tendon *m*.
sinful ['sɪnfəl] *a* (*guilt-provoking*) coupable; (*shocking*) scandaleux; **he's s.** c'est un pécheur; **that's s.** c'est un péché.
sing [sɪŋ] *vti* (*pt* **sang,** *pp* **sung**) chanter; **to s. up** chanter plus fort. ◆**—ing** *n* (*of bird & musical technique*) chant *m*; (*way of singing*) façon *f* de chanter; – *a* (*lesson, teacher*) de chant. ◆**—er** *n* chanteur, -euse *mf*.
singe [sɪndʒ] *vt* (*cloth*) roussir; (*hair*) brûler; **to s. s.o.'s hair** (*at hairdresser's*) faire un brûlage à qn.
single [sɪŋg(ə)l] *a* (*only one*) seul; (*room, bed*) pour une personne; (*unmarried*) célibataire; **s. ticket** billet *m* simple; **every s. day** tous les jours sans exception; **s. party** *Pol* parti *m* unique; – *n* (*ticket*) aller *m* (simple); (*record*) 45 tours *m inv*; *pl Tennis* simples *mpl*; **singles bar** bar *m* pour célibataires; – *vt* **to s. out** (*choose*) choisir. ◆**s.-'breasted** *a* (*jacket*) droit. ◆**s.-'decker** *n* (*bus*) autobus *m* sans impériale. ◆**s.-'handed** *a* sans aide. ◆**s.-'minded** *a* (*person*) résolu, qui n'a qu'une idée en tête. ◆**singly** *adv* (*one by one*) un à un.
singlet ['sɪŋglɪt] *n* (*garment*) maillot *m* de corps.
singsong ['sɪŋsɒŋ] *n* **to get together for a s.** se réunir pour chanter.
singular ['sɪŋgjʊlər] **1** *a* (*unusual*) singulier. **2** *a Gram* (*form*) singulier; (*noun*) au singulier; – *n* *Gram* singulier *m*; **in the s.** au singulier.
sinister ['sɪnɪstər] *a* sinistre.
sink[1] [sɪŋk] *n* (*in kitchen*) évier *m*; (*washbasin*) lavabo *m*.
sink[2] [sɪŋk] *vi* (*pt* **sank,** *pp* **sunk**) (*of ship, person etc*) couler; (*of sun, price, water level*) baisser; (*collapse, subside*) s'affaisser; **to s. (down) into** (*mud etc*) s'enfoncer dans; (*armchair etc*) s'affaler dans; **to s. in** (*of ink etc*) pénétrer; (*of fact etc*) *Fam* rentrer

(dans le crâne); **has that sunk in?** *Fam* as-tu compris ça?; – *vt* (*ship*) couler; (*well*) creuser; **to s. into** (*thrust*) enfoncer dans; (*money*) *Com* investir dans; **a sinking feeling** un serrement de cœur.

sinner ['sɪnər] *n* pécheur *m*, pécheresse *f*.

sinuous ['sɪnjʊəs] *a* sinueux.

sinus [saɪnəs] *n Anat* sinus *m inv*.

sip [sɪp] *vi* (**-pp-**) boire à petites gorgées; – *n* (*mouthful*) petite gorgée *f*; (*drop*) goutte *f*.

siphon ['saɪfən] *n* siphon *m*; – *vt* **to s. off** (*petrol*) siphonner; (*money*) *Fig* détourner.

sir [sɜːr] *n* monsieur *m*; **S. Walter Raleigh** (*title*) sir Walter Raleigh.

siren ['saɪərən] *n* (*of factory etc*) sirène *f*.

sirloin ['sɜːlɔɪn] *n* (*steak*) faux-filet *m*; (*joint*) aloyau *m*.

sissy ['sɪsɪ] *n* (*boy, man*) *Fam* femmelette *f*.

sister ['sɪstər] *n* sœur *f*; (*nurse*) infirmière *f* en chef. ◆**s.-in-law** *n* (*pl* **sisters-in-law**) belle-sœur *f*. ◆**sisterly** *a* fraternel.

sit [sɪt] *vi* (*pp* & *pp* **sat,** *pres p* **sitting**) s'asseoir; (*for artist*) poser (**for** pour); (*remain*) rester; (*of assembly etc*) siéger, être en séance; **to be sitting** (*of person, cat etc*) être assis; (*of bird*) être perché; **she sat** *or* **was sitting reading** elle était assise à lire; **to s. around** (*do nothing*) ne rien faire; **to s. back** (*in chair*) se caler; (*rest*) se reposer; (*do nothing*) ne rien faire; **to s. down** s'asseoir; **s.-down strike** grève *f* sur le tas; **to s. in on** (*lecture etc*) assister à; **to s. on** (*jury etc*) être membre de; (*fact etc*) *Fam* garder pour soi; **to s. through** *or* **out** (*film etc*) rester jusqu'au bout de; **to s. up (straight)** s'asseoir (bien droit); **to s. up waiting for s.o.** (*at night*) ne pas se coucher en attendant qn; – *vt* **to s. s.o. (down)** asseoir qn; **to s. (for)** (*exam*) se présenter à; **to s. out** (*event, dance*) ne pas prendre part à. ◆**sitting** *n* séance *f*; (*for one's portrait*) séance *f* de pose; (*in restaurant*) service *m*; – *a* (*committee etc*) en séance; **s. duck** *Fam* victime *f* facile; **s. tenant** locataire *mf* en possession des lieux. ◆**sitting room** *n* salon *m*.

site [saɪt] *n* emplacement *m*; (*archaeological*) site *m*; **(building) s.** chantier *m*; **launching s.** aire *f* de lancement; – *vt* (*building*) placer.

sit-in ['sɪtɪn] *n Pol* sit-in *m inv*.

sitter ['sɪtər] *n* (*for child*) baby-sitter *mf*.

situate ['sɪtʃʊeɪt] *vt* situer; **to be situated** être situé. ◆**situ'ation** *n* situation *f*.

six [sɪks] *a* & *n* six (*m*). ◆**six'teen** *a* & *n* seize (*m*). ◆**six'teenth** *a* & *n* seizième (*mf*). ◆**sixth** *a* & *n* sixième (*mf*); **(lower) s. form** *Sch* = classe *f* de première; **(upper) s. form** *Sch* = classe *f* terminale; **a s.** (*fraction*) un sixième. ◆**sixtieth** *a* & *n* soixantième (*mf*). ◆**sixty** *a* & *n* soixante (*m*).

size [saɪz] **1** *n* (*of person, animal, garment etc*) taille *f*; (*measurements*) dimensions *fpl*; (*of egg, packet*) grosseur *f*; (*of book*) grandeur *f*, format *m*; (*of problem, town, damage*) importance *f*, étendue *f*; (*of sum*) montant *m*, importance *f*; (*of shoes, gloves*) pointure *f*; (*of shirt*) encolure *f*; **hip/chest s.** tour *m* de hanches/de poitrine; **it's the s. of** . . . c'est grand comme . . . . **2** *n* (*glue*) colle *f*. **3** *vt* **to s. up** (*person*) jauger; (*situation*) évaluer. ◆**sizeable** *a* assez grand *or* gros.

sizzl/e ['sɪz(ə)l] *vi* grésiller. ◆**—ing** *a* **s. (hot)** brûlant.

skat/e[1] [skeɪt] *n* patin *m*; – *vi* patiner. ◆**—ing** *n* patinage *m*; **to go s.** faire du patinage; **s. rink** (*ice*) patinoire *f*; (*roller*) skating *m*. ◆**skateboard** *n* skateboard *m*. ◆**skater** *n* patineur, -euse *mf*.

skate[2] [skeɪt] *n* (*fish*) raie *f*.

skedaddle [skɪ'dæd(ə)l] *vi Fam* déguerpir.

skein [skeɪn] *n* (*of yarn*) écheveau *m*.

skeleton ['skelɪt(ə)n] *n* squelette *m*; – *a* (*crew, staff*) (réduit au) minimum; **s. key** passe-partout *m inv*.

skeptic ['skeptɪk] *Am* = **sceptic.**

sketch [sketʃ] *n* (*drawing*) croquis *m*, esquisse *f*; *Th* sketch *m*; **a rough s. of** (*plan*) *Fig* une esquisse de; – *vt* **to s. (out)** (*view, idea etc*) esquisser; **to s. in** (*details*) ajouter; – *vi* faire un *or* des croquis. ◆**sketchy** *a* (**-ier, -iest**) incomplet, superficiel.

skew [skjuː] *n* **on the s.** de travers.

skewer ['skjʊər] *n* (*for meat etc*) broche *f*; (*for kebab*) brochette *f*.

ski [skiː] *n* (*pl* **skis**) ski *m*; **s. lift** télésiège *m*; **s. pants** fuseau *m*; **s. run** piste *f* de ski; **s. tow** téléski *m*; – *vi* (*pt* **skied** [skiːd], *pres p* **skiing**) faire du ski. ◆**—ing** *n Sp* ski *m*; – *a* (*school, clothes*) de ski. ◆**—er** *n* skieur, -euse *mf*.

skid [skɪd] **1** *vi* (**-dd-**) *Aut* déraper; **to s. into** déraper et heurter; – *n* dérapage *m*. **2** *a* **s. row** *Am* quartier *m* de clochards *or* de squats.

skill [skɪl] *n* habileté *f*, adresse *f* (**at** à); (*technique*) technique *f*; **one's skills** (*aptitudes*) ses compétences *fpl*. ◆**skilful** *a*, *Am* ◆**skillful** *a* habile (**at doing** à faire, **at sth** à qch). ◆**skilled** *a* habile (**at doing** à faire, **at sth** à qch); (*worker*) qualifié; (*work*) de spécialiste, de professionnel.

skillet ['skɪlɪt] *n Am* poêle *f* (à frire).

skim [skɪm] **1** *vt* (**-mm-**) (*milk*) écrémer;

(*soup*) écumer. **2** *vti* (**-mm-**) **to s. (over)** (*surface*) effleurer; **to s. through** (*book*) parcourir.
skimp [skɪmp] *vi* (*on fabric, food etc*) lésiner (**on** sur). ◆**skimpy** *a* (**-ier, -iest**) (*clothes*) étriqué; (*meal*) insuffisant.
skin [skɪn] *n* peau *f*; **he has thick s.** *Fig* c'est un dur; **s. diving** plongée *f* sous-marine; **s. test** cuti(-réaction) *f*; – *vt* (**-nn-**) (*animal*) écorcher; (*fruit*) peler. ◆**s.-'deep** *a* superficiel. ◆**s.-'tight** *a* moulant, collant.
skinflint ['skɪnflɪnt] *n* avare *mf*.
skinhead ['skɪnhed] *n* skinhead *m*, jeune voyou *m*.
skinny ['skɪnɪ] *a* (**-ier, -iest**) maigre.
skint [skɪnt] *a* (*penniless*) *Fam* fauché.
skip¹ [skɪp] **1** *vi* (**-pp-**) (*jump*) sauter; (*hop about*) sautiller; (*with rope*) sauter à la corde; **to s. off** (*leave*) *Fam* filer; **skipping rope** corde *f* à sauter; – *n* petit saut *m*. **2** *vt* (**-pp-**) (*omit, miss*) sauter; **to s. classes** sécher les cours; **s. it!** (*forget it*) *Fam* laisse tomber!
skip² [skɪp] *n* (*container for debris*) benne *f*.
skipper ['skɪpər] *n Nau Sp* capitaine *m*.
skirmish ['skɜːmɪʃ] *n* accrochage *m*.
skirt [skɜːt] **1** *n* jupe *f*. **2** *vt* **to s. round** contourner; **skirting board** (*on wall*) plinthe *f*.
skit [skɪt] *n Th* pièce *f* satirique; **a s. on** une parodie de.
skittle ['skɪt(ə)l] *n* quille *f*; *pl* (*game*) jeu *m* de quilles.
skiv/e [skaɪv] *vi* (*skirk*) *Fam* tirer au flanc; **to s. off** (*slip away*) *Fam* se défiler. ◆**—er** *n Fam* tire-au-flanc *m inv*.
skivvy ['skɪvɪ] *n Pej Fam* bonne *f* à tout faire, bon(n)iche *f*.
skulk [skʌlk] *vi* rôder (furtivement).
skull [skʌl] *n* crâne *m*. ◆**skullcap** *n* calotte *f*.
skunk [skʌŋk] *n* (*animal*) mouffette *f*; (*person*) *Pej* salaud *m*.
sky [skaɪ] *n* ciel *m*. ◆**skydiving** *n* parachutisme *m* (en chute libre). ◆**sky-'high** *a* (*prices*) exorbitant. ◆**skylight** *n* lucarne *f*. ◆**skyline** *n* (*outline of buildings*) ligne *f* d'horizon. ◆**skyrocket** *vi* (*of prices*) *Fam* monter en flèche. ◆**skyscraper** *n* gratte-ciel *m inv*.
slab [slæb] *n* (*of concrete etc*) bloc *m*; (*thin, flat*) plaque *f*; (*of chocolate*) tablette *f*, plaque *f*; (*paving stone*) dalle *f*.
slack [slæk] *a* (**-er, -est**) (*knot, spring*) lâche; (*discipline, security*) relâché, lâche; (*trade, grip*) faible, mou; (*negligent*) négligent; (*worker, student*) peu sérieux; **s. periods** (*weeks etc*) périodes *fpl* creuses; (*hours*) heures *fpl* creuses; **to be s.** (*of rope*) avoir du mou; – *vi* **to s. off** (*in effort*) se relâcher. ◆**slacken** *vi* **to s. (off)** (*in effort*) se relâcher; (*of production, speed, zeal*) diminuer; – *vt* **to s. (off)** (*rope*) relâcher; (*pace, effort*) ralentir. ◆**slacker** *n* (*person*) *Fam* flemmard, -arde *mf*. ◆**slackly** *adv* (*loosely*) lâchement. ◆**slackness** *n* négligence *f*; (*of discipline*) relâchement *m*; (*of rope*) mou *m*; *Com* stagnation *f*.
slacks [slæks] *npl* pantalon *m*.
slag [slæg] *n* (*immoral woman*) *Sl* salope *f*, traînée *f*.
slagheap ['slæghiːp] *n* terril *m*.
slake [sleɪk] *vt* (*thirst*) *Lit* étancher.
slalom ['slɑːləm] *n Sp* slalom *m*.
slam [slæm] **1** *vt* (**-mm-**) (*door, lid*) claquer; (*hit*) frapper violemment; **to s. (down)** (*put down*) poser violemment; **to s. on the brakes** écraser le frein, freiner à bloc; – *vi* (*of door*) claquer; – *n* claquement *m*. **2** *vt* (**-mm-**) (*criticize*) *Fam* critiquer (avec virulence).
slander ['slɑːndər] *n* diffamation *f*, calomnie *f*; – *vt* diffamer, calomnier.
slang [slæŋ] *n* argot *m*; – *a* (*word etc*) d'argot, argotique. ◆**slanging match** *n Fam* engueulade *f*.
slant [slɑːnt] *n* inclinaison *f*; (*point of view*) *Fig* angle *m* (**on** sur); (*bias*) *Fig* parti-pris *m*; **on a s.** penché; (*roof*) en pente; – *vi* (*of writing*) pencher; (*of roof*) être en pente; – *vt* (*writing*) faire pencher; (*news*) *Fig* présenter de façon partiale. ◆**—ed** *a*, ◆**—ing** *a* penché; (*roof*) en pente.
slap [slæp] **1** *n* tape *f*, claque *f*; (*on face*) gifle *f*; – *vt* (**-pp-**) donner une tape à; **to s. s.o.'s face** gifler qn; **to s. s.o.'s bottom** donner une fessée à qn. **2** *vt* (**-pp-**) (*put*) mettre, flanquer; **to s. on** (*apply*) appliquer à la va-vite; (*add*) ajouter. **3** *adv* **s. in the middle** *Fam* en plein milieu. ◆**slapdash** *a* (*person*) négligent; (*task*) fait à la va-vite; – *adv* à la va-vite. ◆**slaphappy** *a Fam* (*carefree*) insouciant; (*negligent*) négligent. ◆**slapstick** *a* & *n* **s. (comedy)** grosse farce *f*. ◆**slap-up 'meal** *n Fam* gueuleton *m*.
slash [slæʃ] **1** *vt* (*cut with blade etc*) entailler, taillader; (*sever*) trancher; – *n* entaille *f*, taillade *f*. **2** *vt* (*reduce*) réduire radicalement; (*prices*) *Com* écraser.
slat [slæt] *n* (*in blind*) lamelle *f*.
slate [sleɪt] **1** *n* ardoise *f*. **2** *vt* (*book etc*) *Fam* critiquer, démolir.
slaughter ['slɔːtər] *vt* (*people*) massacrer;

(*animal*) abattre; – *n* massacre *m*; abattage *m*. ◆**slaughterhouse** *n* abattoir *m*.

Slav [slɑːv] *a* & *n* slave (*mf*). ◆**Sla'vonic** *a* (*language*) slave.

slave [sleɪv] *n* esclave *mf*; **the s. trade** *Hist* la traite des noirs; **s. driver** *Fig Pej* négrier *m*; – *vi* **to s. (away)** se crever (au travail), bosser comme une bête; **to s. away doing** s'escrimer à faire. ◆**slavery** *n* esclavage *m*. ◆**slavish** *a* servile.

slaver ['slævər] *vi* (*dribble*) baver (**over** sur); – *n* bave *f*.

slay [sleɪ] *vt* (*pt* **slew**, *pp* **slain**) *Lit* tuer.

sleazy ['sliːzɪ] *a* (**-ier, -iest**) *Fam* sordide, immonde.

sledge [sledʒ] (*Am* **sled** [sled]) *n* luge *f*; (*horse-drawn*) traîneau *m*.

sledgehammer ['sledʒhæmər] *n* masse *f*.

sleek [sliːk] *a* (**-er, -est**) lisse, brillant; (*manner*) onctueux.

sleep [sliːp] *n* sommeil *m*; **to have a s., get some s.** dormir; **to send to s.** endormir; **to go** *or* **get to s.** s'endormir; **to go to s.** (*of arm, foot*) *Fam* s'engourdir; – *vi* (*pt* & *pp* **slept**) dormir; (*spend the night*) coucher; **s. tight** *or* **well!** dors bien!; **I'll s. on it** *Fig* je déciderai demain, la nuit portera conseil; – *vt* **this room sleeps six** on peut coucher *or* loger six personnes dans cette chambre; **to s. it off** *Fam*, **s. off a hangover** cuver son vin. ◆**—ing** *a* (*asleep*) endormi; **s. bag** sac *m* de couchage; **s. car** wagon-lit *m*; **s. pill** somnifère *m*; **s. quarters** chambre(s) *f*(*pl*), dortoir *m*. ◆**sleeper** *n* **1 to be a light/sound s.** avoir le sommeil léger/lourd. **2** *Rail* (*on track*) traverse *f*; (*berth*) couchette *f*; (*train*) train *m* couchettes. ◆**sleepiness** *n* torpeur *f*. ◆**sleepless** *a* (*hours*) sans sommeil; (*night*) d'insomnie. ◆**sleepwalker** *n* somnambule *mf*. ◆**sleepwalking** *n* somnambulisme *m*. ◆**sleepy** *a* (**-ier, -iest**) (*town, voice*) endormi; **to be s.** (*of person*) avoir sommeil.

sleet [sliːt] *n* neige *f* fondue; (*sheet of ice*) *Am* verglas *m*; – *vi* **it's sleeting** il tombe de la neige fondue.

sleeve [sliːv] *n* (*of shirt etc*) manche *f*; (*of record*) pochette *f*; **up one's s.** (*surprise, idea etc*) *Fig* en réserve; **long-/short-sleeved** à manches longues/courtes.

sleigh [sleɪ] *n* traîneau *m*.

sleight [slaɪt] *n* **s. of hand** prestidigitation *f*.

slender ['slendər] *a* (*person*) mince, svelte; (*neck, hand*) fin; (*feeble, small*) *Fig* faible.

slept [slept] *see* **sleep**.

sleuth [sluːθ] *n* (*detective*) *Hum* (fin) limier *m*.

slew [sluː] *n* **a s. of** *Am Fam* un tas de, une tapée de.

slice [slaɪs] *n* tranche *f*; (*portion*) *Fig* partie *f*, part *f*; – *vt* **to s. (up)** couper (en tranches); **to s. off** (*cut off*) couper.

slick [slɪk] **1** *a* (**-er, -est**) (*glib*) qui a la parole facile; (*manner*) mielleux; (*cunning*) astucieux; (*smooth, slippery*) lisse. **2** *n* **oil s.** nappe *f* de pétrole; (*large*) marée *f* noire.

slid/e [slaɪd] *n* (*act*) glissade *f*; (*in value etc*) *Fig* (légère) baisse *f*; (*in playground*) toboggan *m*; (*on ice*) glissoire *f*; (*for hair*) barrette *f*; *Phot* diapositive *f*; (*of microscope*) lamelle *f*, lame *f*; **s. rule** règle *f* à calcul; – *vi* (*pt* & *pp* **slid**) glisser; **to s. into** (*room etc*) se glisser dans; – *vt* (*letter etc*) glisser (**into** dans); (*table etc*) faire glisser. ◆**—ing** *a* (*door, panel*) à glissière; (*roof*) ouvrant; **s. scale** *Com* échelle *f* mobile

slight [slaɪt] **1** *a* (**-er, -est**) (*slim*) mince; (*frail*) frêle; (*intelligence*) faible; **the slightest thing** la moindre chose; **not in the slightest** pas le moins du monde. **2** *vt* (*offend*) offenser; (*ignore*) bouder; – *n* affront *m* (**on** à). ◆**—ly** *adv* légèrement, un peu; **s. built** fluet.

slim [slɪm] *a* (**slimmer, slimmest**) mince; – *vi* (**-mm-**) maigrir. ◆**slimming** *a* (*diet*) amaigrissant; (*food*) qui ne fait pas grossir. ◆**slimness** *n* minceur *f*.

slime [slaɪm] *n* boue *f* (visqueuse); (*of snail*) bave *f*. ◆**slimy** *a* (**-ier, -iest**) (*muddy*) boueux; (*sticky, smarmy*) visqueux.

sling [slɪŋ] **1** *n* (*weapon*) fronde *f*; (*toy*) lance-pierres *m inv*; (*for arm*) *Med* écharpe *f*; **in a s.** en écharpe. **2** *vt* (*pt* & *pp* **slung**) (*throw*) jeter, lancer; (*hang*) suspendre; **to s. away** *or* **out** (*throw out*) *Fam* balancer. ◆**slingshot** *n Am* lance-pierres *m inv*.

slip [slɪp] **1** *n* (*mistake*) erreur *f*; (*woman's undergarment*) combinaison *f*; (*of paper for filing*) fiche *f*; **a s. of paper** (*bit*) un bout de papier; **a s. (of the tongue)** un lapsus; **to give s.o. the s.** fausser compagnie à qn; **s. road** *Aut* bretelle *f*. **2** *vi* (**-pp-**) glisser; **to s. into** (*go, get*) se glisser dans; (*habit*) prendre; (*garment*) mettre; **to let s.** (*chance, oath, secret*) laisser échapper; **to s. through** (*crowd*) se faufiler parmi; **to s. along** *or* **over to** faire un saut chez; **to s. away** (*escape*) s'esquiver; **to s. back/in** retourner/entrer furtivement; **to s. out** sortir furtivement; (*pop out*) sortir (un instant); (*of secret*) s'éventer; **to s. past** (*guards*) passer sans être vu de; **to s. up** (*make a *mistake*) *Fam* gaffer; – *vt* (*slide*) glisser (**to** à, **into** dans); **it slipped his** *or* **her notice** ça lui a échappé; **it slipped his** *or* **her mind** ça lui est sorti de l'esprit; **to s. off** (*garment etc*) enlever; **to s. on** (*garment etc*) mettre. ◆**s.-up** *n Fam* gaffe *f*, erreur *f*.

slipcover ['slɪpkʌvər] *n Am* housse *f*.

slipper ['slɪpər] *n* pantoufle *f*.

slippery ['slɪpərɪ] *a* glissant.

slipshod ['slɪpʃɒd] *a* (*negligent*) négligent; (*slovenly*) négligé.

slit [slɪt] *n* (*opening*) fente *f*; (*cut*) coupure *f*; – *vt* (*pt & pp* **slit**, *pres p* **slitting**) (*cut*) couper; (*tear*) déchirer; **to s. open** (*sack*) éventrer.

slither ['slɪðər] *vi* glisser; (*of snake*) se couler.

sliver ['slɪvər] *n* (*of apple etc*) lichette *f*; (*of wood*) éclat *m*.

slob [slɒb] *n Fam* malotru *m*, goujat *m*.

slobber ['slɒbər] *vi* (*of dog etc*) baver (**over** sur); – *n* bave *f*.

slog [slɒg] **1** *n* **a (hard) s.** (*effort*) un gros effort; (*work*) un travail dur; – *vi* (**-gg-**) **to s. (away)** bosser, trimer. **2** *vt* (**-gg-**) (*hit*) donner un grand coup à.

slogan ['sləʊgən] *n* slogan *m*.

slop [slɒp] *n* **slops** eaux *fpl* sales; – *vi* (**-pp-**) **to s. (over)** (*spill*) se répandre; – *vt* répandre.

slop/e [sləʊp] *n* pente *f*; (*of mountain*) flanc *m*; (*slant*) inclinaison *f*; – *vi* être en pente; (*of handwriting*) pencher; **to s. down** descendre en pente. ◆**–ing** *a* en pente; (*handwriting*) penché.

sloppy ['slɒpɪ] *a* (**-ier, -iest**) (*work, appearance*) négligé; (*person*) négligent; (*mawkish*) sentimental; (*wet*) détrempé; (*watery*) liquide.

slosh [slɒʃ] *vt* (*pour*) *Fam* répandre. ◆**–ed** *a* (*drunk*) *Fam* bourré.

slot [slɒt] *n* (*slit*) fente *f*; (*groove*) rainure *f*; (*in programme*) *Rad TV* créneau *m*; **s. machine** (*vending*) distributeur *m* automatique; (*gambling*) machine *f* à sous; – *vt* (**-tt-**) (*insert*) insérer (**into** dans); – *vi* s'insérer (**into** dans).

sloth [sləʊθ] *n Lit* paresse *f*.

slouch [slaʊtʃ] **1** *vi* ne pas se tenir droit; (*have stoop*) avoir le dos voûté; (*in chair*) se vautrer (**in** dans); **slouching over** (*desk etc*) penché sur; – *n* mauvaise tenue *f*; **with a s.** (*to walk*) en se tenant mal; le dos voûté. **2** *n Fam* (*person*) lourdaud, -aude *mf*; (*lazy*) paresseux, -euse *mf*.

slovenly ['slʌvənlɪ] *a* négligé. ◆**slovenliness** *n* (*of dress*) négligé *m*; (*carelessness*) négligence *f*.

slow [sləʊ] *a* (**-er, -est**) lent; (*business*) calme; (*party, event*) ennuyeux; **at (a) s. speed** à vitesse réduite; **to be a s. walker** marcher lentement; **to be s.** (*of clock, watch*) retarder; **to be five minutes s.** retarder de cinq minutes; **to be s. to act** *or* **in acting** être lent à agir; **in s. motion** au ralenti; – *adv* lentement; – *vt* **to s. down** *or* **up** ralentir; (*delay*) retarder; – *vi* **to s. down** *or* **up** ralentir. ◆**–ly** *adv* lentement; (*bit by bit*) peu à peu. ◆**–ness** *n* lenteur *f*.

slowcoach ['sləʊkəʊtʃ] *n Fam* lambin, -ine *mf*. ◆**slow-down** *n* ralentissement *m*; **s.-down (strike)** *Am* grève *f* perlée. ◆**slow-'moving** *a* (*vehicle etc*) lent. ◆**slowpoke** *n Am Fam* lambin, -ine *mf*.

sludge [slʌdʒ] *n* gadoue *f*.

slue [sluː] *n Am Fam* = **slew**.

slug [slʌg] **1** *n* (*mollusc*) limace *f*. **2** *n* (*bullet*) *Am Sl* pruneau *m*. **3** *vt* (**-gg-**) (*hit*) *Am Fam* frapper; – *n* coup *m*, marron *m*.

sluggish ['slʌgɪʃ] *a* lent, mou.

sluice [sluːs] *n* **s. (gate)** vanne *f*.

slum [slʌm] *n* (*house*) taudis *m*; **the slums** les quartiers *mpl* pauvres; – *a* (*district*) pauvre; – *vt* (**-mm-**) **to s. it** *Fam* manger de la vache enragée. ◆**slummy** *a* (**-ier, -iest**) sordide, pauvre.

slumber ['slʌmbər] *n Lit* sommeil *m*.

slump [slʌmp] *n* baisse *f* soudaine (**in** de); (*in prices*) effrondement *m*; *Econ* crise *f*; – *vi* (*decrease*) baisser; (*of prices*) s'effondrer; **to s. into** (*armchair etc*) s'affaisser dans.

slung [slʌŋ] *see* **sling 2.**

slur [slɜːr] **1** *vt* (**-rr-**) prononcer indistinctement; **to s. one's words** manger ses mots. **2** *n* **to cast a s. on** (*reputation etc*) porter atteinte à. ◆**slurred** *a* (*speech*) indistinct.

slush [slʌʃ] *n* (*snow*) neige *f* fondue; (*mud*) gadoue *f*. ◆**slushy** *a* (**-ier, -iest**) (*road*) couvert de neige fondue.

slut [slʌt] *n Pej* (*immoral*) salope *f*, traînée *f*; (*untidy*) souillon *f*.

sly [slaɪ] *a* (**-er, -est**) (*deceitful*) sournois; (*crafty*) rusé; – *n* **on the s.** en cachette. ◆**–ly** *adv* sournoisement; (*in secret*) en cachette.

smack [smæk] **1** *n* claque *f*; gifle *f*; fessée *f*; – *vt* donner une claque à; **to s. s.o.'s face** gifler qn; **to s. s.o.('s bottom)** donner une fessée à qn. **2** *adv* **s. in the middle** *Fam* en plein milieu. **3** *vi* **to s. of** (*be suggestive of*) avoir des relents de. ◆**–ing** *n* fessée *f*.

small [smɔːl] *a* (**-er, -est**) petit; **in the s. hours** au petit matin; **s. talk** menus propos *mpl*; – *adv* (*to cut, chop*) menu; – *n* **the s. of the back** le creux *m* des reins. ◆**—ness** *n* petitesse *f*. ◆**smallholding** *n* petite ferme *f*. ◆**small-scale** *a Fig* peu important. ◆**small-time** *a* (*crook, dealer etc*) petit, sans grande envergure.

smallpox ['smɔːlpɒks] *n* petite vérole *f*.

smarmy ['smɑːmɪ] *a* (**-ier, -iest**) *Pej Fam* visqueux, obséquieux.

smart[1] [smɑːt] *a* (**-er, -est**) (*in appearance*) élégant; (*astute*) astucieux; (*clever*) intelligent; (*quick*) rapide; **s. aleck** *Fam* je-sais-tout *mf inv*. ◆**smarten** *vt* **to s. up** (*room etc*) embellir; – *vti* **to s. (oneself) up** (*make oneself spruce*) se faire beau, s'arranger. ◆**smartly** *adv* élégamment; (*quickly*) en vitesse; (*astutely*) astucieusement. ◆**smartness** *n* élégance *f*.

smart[2] [smɑːt] *vi* (*sting*) brûler, faire mal.

smash [smæʃ] *vt* (*break*) briser; (*shatter*) fracasser; (*enemy*) écraser; (*record*) pulvériser; **to s. s.o.'s face (in)** *Fam* casser la gueule à qn; **to s. down** *or* **in** (*door*) fracasser; **to s. up** (*car*) esquinter; (*room*) démolir; – *vi* se briser; **to s. into** (*of car*) se fracasser contre; – *n* (*noise*) fracas *m*; (*blow*) coup *m*; (*accident*) collision *f*; **s. hit** *Fam* succès *m* fou. ◆**s.-up** *n* collision *f*.

smashing ['smæʃɪŋ] *a* (*wonderful*) *Fam* formidable. ◆**smasher** *n* **to be a (real) s.** *Fam* être formidable.

smattering ['smætərɪŋ] *n* **a s. of** (*French etc*) quelques notions *fpl* de.

smear [smɪər] *vt* (*coat*) enduire (**with** de); (*stain*) tacher (**with** de); (*smudge*) faire une trace sur; – *n* (*mark*) trace *f*; (*stain*) tache *f*; *Med* frottis *m*; **a s. on** (*attack*) *Fig* une atteinte à; **s. campaign** campagne *f* de diffamation.

smell [smel] *n* odeur *f*; **(sense of) s.** odorat *m*; – *vt* (*pt & pp* **smelled** *or* **smelt**) sentir; (*of animal*) flairer; – *vi* (*stink*) sentir (mauvais); (*have smell*) avoir une odeur; **to s. of smoke**/*etc* sentir la fumée/*etc*; **smelling salts** sels *mpl*. ◆**smelly** *a* (**-ier, -iest**) **to be s.** sentir (mauvais).

smelt[1] [smelt] *see* **smell.**

smelt[2] [smelt] *vt* (*ore*) fondre; **smelting works** fonderie *f*.

smidgen ['smɪdʒən] *n* **a s.** (*a little*) *Am Fam* un brin (**of** de).

smil/e [smaɪl] *n* sourire *m*; – *vi* sourire (**at s.o.** à qn, **at sth** de qch). ◆**—ing** *a* souriant.

smirk [smɜːk] *n* (*smug*) sourire *m* suffisant; (*scornful*) sourire *m* goguenard.

smith [smɪθ] *n* (*blacksmith*) forgeron *m*.

smithereens [smɪðə'riːnz] *npl* **to smash to s.** briser en mille morceaux.

smitten ['smɪt(ə)n] *a* **s. with** *Hum* (*desire, remorse*) pris de; (*in love with*) épris de.

smock [smɒk] *n* blouse *f*.

smog [smɒg] *n* brouillard *m* épais, smog *m*.

smoke [sməʊk] *n* fumée *f*; **to have a s.** fumer une cigarette *etc*; – *vt* (*cigarette, salmon etc*) fumer; **to s. out** (*room etc*) enfumer; – *vi* fumer; **'no smoking'** 'défense de fumer'; **smoking compartment** *Rail* compartiment *m* fumeurs. ◆**smokeless** *a* **s. fuel** combustible *m* non polluant. ◆**smoker** *n* fumeur, -euse *mf*; *Rail* compartiment *m* fumeurs. ◆**smoky** *a* (**-ier, -iest**) (*air*) enfumé; (*wall*) noirci de fumée; **it's s. here** il y a de la fumée ici.

smooth [smuːð] *a* (**-er, -est**) (*surface, skin etc*) lisse; (*road*) à la surface égale; (*movement*) régulier, sans à-coups; (*flight*) agréable; (*cream, manners*) onctueux; (*person*) doucereux; (*sea*) calme; **the s. running** la bonne marche (**of** de); – *vt* **to s. down** *or* **out** lisser; **to s. out** *or* **over** (*problems etc*) *Fig* aplanir. ◆**—ly** *adv* (*to land, pass off*) en douceur. ◆**—ness** *n* aspect *m* lisse; (*of road*) surface *f* égale.

smother ['smʌðər] *vt* (*stifle*) étouffer; **to s. with** (*kisses etc*) *Fig* couvrir de.

smoulder ['sməʊldər] *vi* (*of fire, passion etc*) couver.

smudge [smʌdʒ] *n* tache *f*, bavure *f*; – *vt* (*paper etc*) faire des taches sur, salir.

smug [smʌg] *a* (**smugger, smuggest**) (*smile etc*) béat; (*person*) content de soi, suffisant. ◆**—ly** *adv* avec suffisance.

smuggl/e ['smʌg(ə)l] *vt* passer (en fraude); **smuggled goods** contrebande *f*. ◆**—ing** *n* contrebande *f*. ◆**—er** *n* contrebandier, -ière *mf*.

smut [smʌt] *n inv* (*obscenity*) saleté(s) *f*(*pl*). ◆**smutty** *a* (**-ier, -iest**) (*joke etc*) cochon.

snack [snæk] *n* casse-croûte *m inv*; **s. bar** snack(-bar) *m*.

snafu [snæ'fuː] *n Sl* embrouillamini *m*.

snag [snæg] *n* **1** (*hitch*) inconvénient *m*, os *m*. **2** (*in cloth*) accroc *m*.

snail [sneɪl] *n* escargot *m*; **at a s.'s pace** comme une tortue.

snake [sneɪk] *n* (*reptile*) serpent *m*; – *vi* (*of river*) serpenter.

snap [snæp] **1** *vt* (**-pp-**) casser (avec un bruit sec); (*fingers, whip*) faire claquer; **to s. up a bargain** sauter sur une occasion; – *vi* se casser net; (*of whip*) claquer; (*of person*) *Fig* parler sèchement (**at** à); **s. out of it!** *Fam* secoue-toi!; – *n* claquement *m*, bruit

m sec; *Phot* photo *f*; (*fastener*) *Am* bouton-pression *m*; **cold s.** *Met* coup *m* de froid. **2** *a* soudain, brusque; **to make a s. decision** décider sans réfléchir. **◆snapshot** *n* photo *f*, instantané *m*.
snappy ['snæpɪ] *a* (**-ier, -iest**) (*pace*) vif; **make it s.!** *Fam* dépêche-toi!
snare [sneər] *n* piège *m*.
snarl [snɑːl] *vi* gronder (en montrant les dents); – *n* grondement *m*. **◆s.-up** *n Aut Fam* embouteillage *m*.
snatch [snætʃ] *vt* saisir (*d'un geste vif*); (*some rest etc*) *Fig* (réussir à) prendre; **to s. sth from s.o.** arracher qch à qn; – *n* (*theft*) vol *m* (à l'arraché).
snatches ['snætʃɪz] *npl* (*bits*) fragments *mpl* (**of** de).
snazzy ['snæzɪ] *a* (**-ier, -iest**) *Fam* (*flashy*) tapageur; (*smart*) élégant.
sneak [sniːk] **1** *vi* **to s. in/out** entrer/sortir furtivement; **to s. off** s'esquiver; – *a* (*attack, visit*) furtif. **2** *n* (*telltale*) *Sch Fam* rapporteur, -euse *mf*; – *vi* **to s. on** *Sch Fam* dénoncer. **◆sneaking** *a* (*suspicion*) vague; (*desire*) secret. **◆sneaky** *a* (**-ier, -iest**) (*sly*) *Fam* sournois.
sneaker ['sniːkər] *n* (*shoe*) tennis *f*.
sneer [snɪər] *n* ricanement *m*; – *vi* ricaner; **to s. at** se moquer de.
sneeze [sniːz] *n* éternuement *m*; – *vi* éternuer.
snicker ['snɪkər] *n* & *vi Am* = **snigger.**
snide [snaɪd] *a* (*remark etc*) sarcastique.
sniff [snɪf] *n* reniflement *m*; – *vt* renifler; (*of dog*) flairer, renifler; **to s. out** (*bargain*) *Fig* renifler; – *vi* **to s. (at)** renifler. **◆sniffle** *vi* renifler; – *n* **a s., the sniffles** *Fam* un petit rhume.
snigger ['snɪgər] *n* (petit) ricanement *m*; – *vi* ricaner. **◆–ing** *n* ricanement(s) *m*(*pl*).
snip [snɪp] *n* (*piece*) petit bout *m* (coupé); (*bargain*) *Fam* bonne affaire *f*; **to make a s.** couper; – *vt* (**-pp-**) couper.
sniper ['snaɪpər] *n Mil* tireur *m* embusqué.
snippet ['snɪpɪt] *n* (*of conversation etc*) bribe *f*.
snivel ['snɪv(ə)l] *vi* (**-ll-**, *Am* **-l-**) pleurnicher. **◆snivelling** *a* pleurnicheur.
snob [snɒb] *n* snob *mf*. **◆snobbery** *n* snobisme *m*. **◆snobbish** *a* snob *inv*.
snook [snuːk] *n* **to cock a s.** faire un pied de nez (**at** à).
snooker ['snuːkər] *n* snooker *m*, *sorte de jeu de billard*.
snoop [snuːp] *vi* fourrer son nez partout; **to s. on s.o.** (*spy on*) espionner qn.
snooty ['snuːtɪ] *a* (**-ier, -iest**) *Fam* snob *inv*.
snooze [snuːz] *n* petit somme *m*; – *vi* faire un petit somme.
snor/e [snɔːr] *vi* ronfler; – *n* ronflement *m*. **◆–ing** *n* ronflements *mpl*.
snorkel ['snɔːk(ə)l] *n Sp Nau* tuba *m*.
snort [snɔːt] *vi* (*grunt*) grogner; (*sniff*) renifler; (*of horse*) renâcler; – *n* (*grunt*) grognement *m*.
snot [snɒt] *n Pej Fam* morve *f*. **◆snotty** *a* (**-ier, -iest**) *Fam* (*nose*) qui coule; (*child*) morveux. **◆snotty-nosed** *a Fam* morveux.
snout [snaʊt] *n* museau *m*.
snow [snəʊ] *n* neige *f*; – *vi* neiger; – *vt* **to be snowed in** être bloqué par la neige; **to be s. under with** (*work etc*) être submergé de. **◆snowball** *n* boule *f* de neige; – *vi* (*increase*) faire boule de neige. **◆snowbound** *a* bloqué par la neige. **◆snow-capped** *a* (*mountain*) enneigé. **◆snowdrift** *n* congère *f*. **◆snowdrop** *n Bot* perce-neige *m or f inv*. **◆snowfall** *n* chute *f* de neige. **◆snowflake** *n* flocon *m* de neige. **◆snowman** *n* (*pl* **-men**) bonhomme *m* de neige. **◆snowmobile** *n* motoneige *f*. **◆snowplough** *n*, *Am* **◆snowplow** *n* chasse-neige *m inv*. **◆snowstorm** *n* tempête *f* de neige. **◆snowy** *a* (**-ier, -iest**) (*weather, hills, day etc*) neigeux.
snub [snʌb] **1** *n* rebuffade *f*; – *vt* (**-bb-**) (*offer etc*) rejeter; **to s. s.o.** snober qn. **2** *a* (*nose*) retroussé.
snuff [snʌf] **1** *n* tabac *m* à priser. **2** *vt* **to s. (out)** (*candle*) moucher. **◆snuffbox** *n* tabatière *f*.
snuffle ['snʌf(ə)l] *vi* & *n* = **sniffle.**
snug [snʌg] *a* (**snugger, snuggest**) (*house etc*) confortable, douillet; (*garment*) bien ajusté; **we're s.** (*in chair etc*) on est bien; **s. in bed** bien au chaud dans son lit.
snuggle ['snʌg(ə)l] *vi* **to s. up to** se pelotonner contre.
so [səʊ] **1** *adv* (*to such a degree*) si, tellement (**that** que); (*thus*) ainsi, comme ça; **so that** (*purpose*) pour que (+ *sub*); (*result*) si bien que; **so as to do** pour faire; **I think so** je le pense, je pense que oui; **do so!** faites-le!; **if so** si oui; **is that so?** c'est vrai?; **so am I, so do I** *etc* moi aussi; **so much** (*to work etc*) tant, tellement (**that** que); **so much courage**/*etc* tant *or* tellement de courage/*etc* (**that** que); **so many** tant, tellement; **so many books**/*etc* tant *or* tellement de livres/*etc* (**that** que); **so very fast**/*etc* vraiment si vite/*etc*; **ten or so** environ dix; **so long!** *Fam* au revoir!; **and so on** et ainsi de

suite. **2** *conj* (*therefore*) donc; (*in that case*) alors; **so what?** et alors? ◆**So-and-so** *n* **Mr So-and-so** Monsieur Un tel. ◆**so-'called** *a* soi-disant *inv*. ◆**so-so** *a Fam* comme ci comme ça.

soak [səʊk] *vt* (*drench*) tremper; (*washing, food*) faire tremper; **to s. up** absorber; – *vi* (*of washing etc*) tremper; **to s. in** (*of liquid*) s'infiltrer; – *n* **to give sth a s.** faire tremper qch. ◆**—ed** *a* **s. (through)** trempé (jusqu'aux os). ◆**—ing** *a* & *adv* **s. (wet)** trempé; – *n* trempage *m*.

soap [səʊp] *n* savon *m*; **s. opera** téléroman *m*; **s. powder** lessive *f*; – *vt* savonner. ◆**soapflakes** *npl* savon *m* en paillettes. ◆**soapsuds** *npl* mousse *f* de savon. ◆**soapy** *a* (**-ier, -iest**) *a* savonneux.

soar [sɔɪr] *vi* (*of bird etc*) s'élever; (*of price*) monter (en flèche); (*of hope*) *Fig* grandir.

sob [sɒb] *n* sanglot *m*; – *vi* (**-bb-**) sangloter. ◆**sobbing** *n* (*sobs*) sanglots *mpl*.

sober ['səʊbər] **1** *a* **he's s.** (*not drunk*) il n'est pas ivre; – *vti* **to s. up** dessoûler. **2** *a* (*serious*) sérieux, sensé; (*meal, style*) sobre. ◆**—ly** *adv* sobrement.

soccer ['sɒkər] *n* football *m*.

sociable ['səʊʃəb(ə)l] *a* (*person*) sociable; (*evening*) amical. ◆**sociably** *adv* (*to act, reply*) aimablement.

social ['səʊʃəl] *a* social; (*life, gathering*) mondain; **s. club** foyer *m*; **s. science(s)** sciences *fpl* humaines; **s. security** (*aid*) aide *f* sociale; (*retirement pension*) *Am* pension *f* de retraite; **s. services** = sécurité *f* sociale; **s. worker** assistant *m* social; – *n* (*gathering*) réunion *f* (amicale). ◆**socialism** *n* socialisme *m*. ◆**socialist** *a* & *n* socialiste (*mf*). ◆**socialite** *n* mondain, -aine *mf*. ◆**socialize** *vi* (*mix*) se mêler aux autres; (*talk*) bavarder (**with** avec). ◆**socially** *adv* socialement; (*to meet s.o., behave*) en société.

society [sə'saɪətɪ] *n* (*community, club, companionship etc*) société *f*; *Univ Sch* club *m*; – *a* (*wedding etc*) mondain.

sociology [səʊsɪ'ɒlədʒɪ] *n* sociologie *f*. ◆**socio'logical** *a* sociologique. ◆**soci'ologist** *n* sociologue *mf*.

sock [sɒk] **1** *n* chaussette *f*. **2** *vt* (*hit*) *Sl* flanquer un marron à.

socket ['sɒkɪt] *n* (*of bone*) cavité *f*; (*of eye*) orbite *f*; (*power point*) *El* prise *f* de courant; (*of lamp*) douille *f*.

sod [sɒd] *n* (*turf*) *Am* gazon *m*.

soda ['səʊdə] *n* **1** *Ch* soude *f*; **washing s.** cristaux *mpl* de soude. **2** (*water*) eau *f* de Seltz; **s. (pop)** *Am* soda *m*.

sodden ['sɒd(ə)n] *a* (*ground*) détrempé.

sodium ['səʊdɪəm] *n Ch* sodium *m*.

sofa ['səʊfə] *n* canapé *m*, divan *m*; **s. bed** canapé-lit *m*.

soft [sɒft] *a* (**-er, -est**) (*smooth, gentle, supple*) doux; (*butter, ground, snow*) mou; (*wood, heart, paste, colour*) tendre; (*flabby*) flasque, mou; (*easy*) facile; (*indulgent*) indulgent; (*cowardly*) *Fam* poltron; (*stupid*) *Fam* ramolli; **it's too s.** (*radio etc*) ce n'est pas assez fort; **s. drink** boisson *f* non alcoolisée. ◆**s.-'boiled** *a* (*egg*) à la coque. ◆**soften** ['sɒf(ə)n] *vt* (*object*) ramollir; (*voice, pain, colour*) adoucir; – *vi* se ramollir; s'adoucir. ◆**softie** *n Fam* sentimental, -ale *mf*; (*weakling*) mauviette *f*. ◆**softly** *adv* doucement. ◆**softness** *n* douceur *f*; (*of butter, ground, snow*) mollesse *f*.

software ['sɒftweər] *n inv* (*of computer*) logiciel *m*.

soggy ['sɒgɪ] *a* (**-ier, -iest**) (*ground*) détrempé; (*biscuit, bread*) ramolli.

soil [sɔɪl] **1** *n* (*earth*) sol *m*, terre *f*. **2** *vt* (*dirty*) salir; – *vi* se salir.

solar ['səʊlər] *a* solaire.

sold [səʊld] *see* **sell**.

solder ['sɒldər, *Am* 'sɒdər] *vt* souder; – *n* soudure *f*.

soldier ['səʊldʒər] **1** *n* soldat *m*, militaire *m*. **2** *vi* **to s. on** persévérer.

sole [səʊl] **1** *n* (*of shoe*) semelle *f*; (*of foot*) plante *f*; – *vt* ressemeler. **2** *a* (*only*) seul, unique; (*rights, representative*) *Com* exclusif. **3** *n* (*fish*) sole *f*. ◆**—ly** *adv* uniquement; **you're s. to blame** tu es seul coupable.

solemn ['sɒləm] *a* (*formal*) solennel; (*serious*) grave. ◆**so'lemnity** *n* solennité *f*; gravité *f*. ◆**solemnly** *adv* (*to promise*) solennellement; (*to say*) gravement.

solicit [sə'lɪsɪt] *vt* (*seek*) solliciter; – *vi* (*of prostitute*) racoler. ◆**solicitor** *n* (*for wills etc*) notaire *m*.

solid ['sɒlɪd] *a* (*car, character, meal etc*) & *Ch* solide; (*wall, line, ball*) plein; (*gold, rock*) massif; (*crowd, mass*) compact; **frozen s.** entièrement gelé; **ten days s.** dix jours d'affilée; – *n Ch* solide *m*; *pl Culin* aliments *mpl* solides. ◆**so'lidify** *vi* se solidifier. ◆**so'lidity** *n* solidité *f*. ◆**solidly** *adv* (*built etc*) solidement; (*to support, vote*) en masse.

solidarity [sɒlɪ'dærətɪ] *n* solidarité *f* (**with** avec).

soliloquy [sə'lɪləkwɪ] *n* monologue *m*.

solitary ['sɒlɪtərɪ] *a* (*lonely, alone*) solitaire;

(*only*) seul; **s. confinement** *Jur* isolement *m* (cellulaire). ◆**solitude** *n* solitude *f*.
solo ['səʊləʊ] *n* (*pl* **-os**) *Mus* solo *m*; – *a* solo *inv*; – *adv Mus* en solo; (*to fly*) en solitaire. ◆**soloist** *n Mus* soliste *mf*.
solstice ['sɒlstɪs] *n* solstice *m*.
soluble ['sɒljʊb(ə)l] *a* (*substance, problem*) soluble.
solution [sə'luːʃ(ə)n] *n* (*to problem etc*) & *Ch* solution *f* (**to** de).
solv/e [sɒlv] *vt* (*problem etc*) résoudre. ◆**—able** *a* soluble.
solvent ['sɒlvənt] **1** *a* (*financially*) solvable. **2** *n Ch* (dis)solvant *m*. ◆**solvency** *n Fin* solvablité *f*.
sombre ['sɒmbər] *a* sombre, triste.
some [sʌm] *a* **1** (*amount, number*) **s. wine** du vin; **s. glue** de la colle; **s. water** de l'eau; **s. dogs** des chiens; **s. pretty flowers** de jolies fleurs. **2** (*unspecified*) un, une; **s. man (or other)** un homme (quelconque); **s. charm** (*a certain amount of*) un certain charme; **s. other way** quelque autre *or* un autre moyen; **that's s. book!** *Fam* ça, c'est un livre! **3** (*a few*) quelques, certains; (*a little*) un peu de; – *pron* **1** (*number*) quelques-un(e)s, certain(e)s (**of** de, d'entre). **2** (*a certain quantity*) en; **I want s.** j'en veux; **do you have s.?** en as-tu?; **s. of it is over** il en reste un peu *or* une partie; – *adv* (*about*) quelque; **s. ten years** quelque dix ans.
somebody ['sʌmbɒdɪ] *pron* = **someone**. ◆**someday** *adv* un jour. ◆**somehow** *adv* (*in some way*) d'une manière ou d'une autre; (*for some reason*) on ne sait pourquoi. ◆**someone** *pron* quelqu'un; **at s.'s house** chez qn; **s. small/***etc* quelqu'un de petit/*etc*. ◆**someplace** *adv Am* quelque part. ◆**something** *pron* quelque chose; **s. awful/***etc* quelque chose d'affreux/*etc*; **s. of a liar/***etc* un peu menteur/*etc*; – *adv* **she plays s. like . . .** elle joue un peu comme . . . ; **it was s. awful** c'était vraiment affreux. ◆**sometime 1** *adv* un jour; **s. in May/***etc* au cours du mois de mai/*etc*; **s. before his departure** avant son départ. **2** *a* (*former*) ancien. ◆**sometimes** *adv* quelquefois, parfois. ◆**somewhat** *adv* quelque peu, assez. ◆**somewhere** *adv* quelque part; **s. about fifteen** (*approximately*) environ quinze.
somersault ['sʌməsɔːlt] *n* culbute *f*; (*in air*) saut *m* périlleux; – *vi* faire la *or* une culbute.
son [sʌn] *n* fils *m*. ◆**s.-in-law** *n* (*pl* **sons-in-law**) beau-fils *m*, gendre *m*.
sonar ['səʊnɑːr] *n* sonar *m*.
sonata [sə'nɑːtə] *n Mus* sonate *f*.
song [sɒŋ] *n* chanson *f*; (*of bird*) chant *m*. ◆**songbook** *n* recueil *m* de chansons.
sonic ['sɒnɪk] *a* **s. boom** bang *m* (supersonique).
sonnet ['sɒnɪt] *n* (*poem*) sonnet *m*.
soon [suːn] *adv* (**-er, -est**) (*in a short time*) bientôt; (*quickly*) vite; (*early*) tôt; **s. after** peu après; **as s. as she leaves** aussitôt qu'elle partira; **no sooner had he spoken than** à peine avait-il parlé que; **I'd sooner leave** je préférerais partir; **I'd just as s. leave** j'aimerais autant partir; **sooner or later** tôt ou tard.
soot [sʊt] *n* suie *f*. ◆**sooty** *a* (**-ier, -iest**) couvert de suie.
sooth/e [suːð] *vt* (*pain, nerves*) calmer; *Fig* rassurer. ◆**—ing** *a* (*ointment, words*) calmant.
sophisticated [sə'fɪstɪkeɪtɪd] *a* (*person, taste*) raffiné; (*machine, method, beauty*) sophistiqué.
sophomore ['sɒfəmɔːr] *n Am* étudiant, -ante *mf* de seconde année.
soporific [sɒpə'rɪfɪk] *a* (*substance, speech etc*) soporifique.
sopping [sɒpɪŋ] *a* & *adv* **s. (wet)** trempé.
soppy ['sɒpɪ] *a* (**-ier, -iest**) *Fam* (*silly*) idiot, bête; (*sentimental*) sentimental.
soprano [sə'prɑːnəʊ] *n* (*pl* **-os**) *Mus* (*singer*) soprano *mf*; (*voice*) soprano *m*.
sorbet ['sɔːbeɪ] *n* (*water ice*) sorbet *m*.
sorcerer ['sɔːsərər] *n* sorcier *m*.
sordid ['sɔːdɪd] *a* (*act, street etc*) sordide.
sore [sɔːr] *a* (**-er, -est**) (*painful*) douloureux; (*angry*) *Am* fâché (**at** contre); **a s. point** *Fig* un sujet délicat; **she has a s. thumb** elle a mal au pouce; **he's still s.** *Med* il a encore mal; – *n Med* plaie *f*. ◆**—ly** *adv* (*tempted, regretted*) très; **s. needed** dont on a grand besoin. ◆**—ness** *n* (*pain*) douleur *f*.
sorrow ['sɒrəʊ] *n* chagrin *m*, peine *f*. ◆**sorrowful** *a* triste.
sorry ['sɒrɪ] *a* (**-ier, -iest**) (*sight, state etc*) triste; **to be s.** (*regret*) être désolé, regretter (**to do** de faire); **I'm s. she can't come** je regrette qu'elle ne puisse pas venir; **I'm s. about the delay** je m'excuse pour ce retard; **s.!** pardon!; **to say s.** demander pardon (**to** à); **to feel** *or* **be s. for** plaindre.
sort [sɔːt] **1** *n* genre *m*, espèce *f*, sorte *f*; **a s. of** une sorte *or* espèce de; **a good s.** (*person*) *Fam* un brave type; **s. of sad/***etc* plutôt triste/*etc*. **2** *vt* (*letters*) trier; **to s. out** (*classify, select*) trier; (*separate*) séparer (**from** de); (*arrange*) arranger; (*tidy*) ranger; (*problem*) régler; **to s. s.o. out** (*punish*) *Fam*

faire voir à qn; – *vi* **to s. through** (*letters etc*) trier; **sorting office** centre *m* de tri. ◆**—er** *n* (*person*) trieur, -euse *mf*.

soufflé ['suːfleɪ] *n Culin* soufflé *m*.

sought [sɔːt] *see* **seek.**

soul [səʊl] *n* âme *f*; **not a living s.** (*nobody*) personne, pas âme qui vive; **a good s.** *Fig* un brave type; **s. mate** âme *f* sœur. ◆**s.-destroying** *a* abrutissant. ◆**s.-searching** *n* examen *m* de conscience.

sound[1] [saʊnd] *n* son *m*; (*noise*) bruit *m*; **I don't like the s. of it** ça ne me plaît pas du tout; – *a* (*wave, film*) sonore; (*engineer*) du son; **s. archives** phonothèque *f*; **s. barrier** mur *m* du son; **s. effects** bruitage *m*; – *vt* (*bell, alarm etc*) sonner; (*bugle*) sonner de; (*letter*) *Gram* prononcer; **to s. one's horn** *Aut* klaxonner; – *vi* retentir, sonner; (*seem*) sembler; **to s. like** sembler être; (*resemble*) ressembler à; **it sounds like** *or* **as if** il semble que (+ *sub or indic*); **to s. off about** *Pej* (*boast*) se vanter de; (*complain*) rouspéter à propos de. ◆**soundproof** *a* insonorisé; – *vt* insonoriser. ◆**soundtrack** *n* (*of film etc*) bande *f* sonore.

sound[2] [saʊnd] *a* (**-er, -est**) (*healthy*) sain; (*sturdy, reliable*) solide; (*instinct*) sûr; (*advice*) sensé; (*beating, sense*) bon; – *adv* **s. asleep** profondément endormi. ◆**—ly** *adv* (*asleep*) profondément; (*reasoned*) solidement; (*beaten*) complètement. ◆**—ness** *n* (*of mind*) santé *f*; (*of argument*) solidité *f*.

sound[3] [saʊnd] *vt* (*test, measure*) sonder; **to s. s.o. out** sonder qn (**about** sur).

soup [suːp] *n* soupe *f*, potage *m*; **in the s.** (*in trouble*) *Fam* dans le pétrin.

sour ['saʊər] *a* (**-er, -est**) aigre; **to turn s.** (*of wine*) s'aigrir; (*of milk*) tourner; (*of friendship*) se détériorer; (*of conversation*) tourner au vinaigre; – *vi* (*of temper*) s'aigrir.

source [sɔːs] *n* (*origin*) source *f*; **s. of energy** source d'énergie.

south [saʊθ] *n* sud *m*; – *a* (*coast*) sud *inv*; (*wind*) du sud; **to be s. of** être au sud de; **S. America/Africa** Amérique *f*/Afrique *f* du Sud; **S. American** *a* & *n* sud-américain, -aine (*mf*); **S. African** *a* & *n* sud-africain, -aine (*mf*); – *adv* au sud, vers le sud. ◆**southbound** *a* (*carriageway*) sud *inv*; (*traffic*) en direction du sud. ◆**south-'east** *n* & *a* sud-est *m* & *a inv*. ◆**southerly** ['sʌðəlɪ] *a* (*point*) sud *inv*; (*direction, wind*) du sud. ◆**southern** ['sʌðən] *a* (*town*) du sud; (*coast*) sud *inv*; **S. Italy** le Sud de l'Italie; **S. Africa** Afrique *f* australe. ◆**southerner** ['sʌðənər] *n* habitant, -ante *mf* du Sud. ◆**southward(s)** *a* & *adv* vers le sud. ◆**south-'west** *n* & *a* sud-ouest *m* & *a inv*.

souvenir [suːvə'nɪər] *n* (*object*) souvenir *m*.

sovereign ['sɒvrɪn] *n* souverain, -aine *mf*; – *a* (*State, authority*) souverain; (*rights*) de souveraineté. ◆**sovereignty** *n* souveraineté *f*.

Soviet ['səʊvɪət] *a* soviétique; **the S. Union** l'Union *f* soviétique.

sow[1] [saʊ] *n* (*pig*) truie *f*.

sow[2] [səʊ] *vt* (*pt* **sowed**, *pp* **sowed** *or* **sown**) (*seeds, doubt etc*) semer; (*land*) ensemencer (**with** de).

soya ['sɔɪə] *n* **s. (bean)** graine *f* de soja. ◆**soybean** *n Am* graine *f* de soja.

sozzled ['sɒz(ə)ld] *a* (*drunk*) *Sl* bourré.

spa [spɑː] *n* (*town*) station *f* thermale; (*spring*) source *f* minérale.

space [speɪs] *n* (*gap, emptiness*) espace *m*; (*period*) période *f*; **blank s.** espace *m*, blanc *m*; **(outer) s.** l'espace (cosmique); **to take up s.** (*room*) prendre de la place; **in the s. of** en l'espace de; **s. heater** (*electric*) radiateur *m*; – *a* (*voyage etc*) spatial; – *vt* **to s. out** espacer; **double/single spacing** (*on typewriter*) double/simple interligne *m*. ◆**spaceman** *n* (*pl* **-men**) astronaute *m*. ◆**spaceship** *n*, ◆**spacecraft** *n inv* engin *m* spatial. ◆**spacesuit** *n* scaphandre *m* (de cosmonaute).

spacious ['speɪʃəs] *a* spacieux, grand. ◆**—ness** *n* grandeur *f*.

spade [speɪd] *n* **1** (*for garden*) bêche *f*; (*of child*) pelle *f*. **2** *Cards* pique *m*. ◆**spadework** *n Fig* travail *m* préparatoire; (*around problem or case*) débroussaillage *m*.

spaghetti [spə'getɪ] *n* spaghetti(s) *mpl*.

Spain [speɪn] *n* Espagne *f*.

span [spæn] *n* (*of arch*) portée *f*; (*of wings*) envergure *f*; (*of life*) *Fig* durée *f*; – *vt* (**-nn-**) (*of bridge etc*) enjamber (*rivière etc*); *Fig* couvrir, embrasser.

Spaniard ['spænjəd] *n* Espagnol, -ole *mf*. ◆**Spanish** *a* espagnol; – *n* (*language*) espagnol *m*. ◆**Spanish-A'merican** *a* hispano-américain.

spaniel ['spænjəl] *n* épagneul *m*.

spank [spæŋk] *vt* fesser, donner une fessée à; – *n* **to give s.o. a s.** fesser qn. ◆**—ing** *n* fessée *f*.

spanner ['spænər] *n* (*tool*) clé *f* (à écrous); **adjustable s.** clé *f* à molette.

spar/e[1] [speər] **1** *a* (*extra, surplus*) de *or* en

trop; (*clothes, tyre*) de rechange; (*wheel*) de secours; (*available*) disponible; (*bed, room*) d'ami; **s. time** loisirs *mpl*; – *n* **s. (part)** *Tech Aut* pièce *f* détachée. **2** *vt* (*do without*) se passer de; (*s.o.'s life*) épargner; (*efforts, s.o.'s feelings*) ménager; **to s. s.o.** (*not kill*) épargner qn; (*grief, details etc*) épargner à qn; (*time*) accorder à qn; (*money*) donner à qn; **I can't s. the time** je n'ai pas le temps; **five to s.** cinq de trop. ◆**—ing** *a* (*use*) modéré; **to be s. with** (*butter etc*) ménager.
spare[2] [speər] *a* (*lean*) maigre.
spark [spɑːk] **1** *n* étincelle *f*. **2** *vt* **to s. off** (*cause*) provoquer. ◆**spark(ing) plug** *n* *Aut* bougie *f*.
sparkl/e ['spɑːk(ə)l] *vi* étinceler, scintiller; – *n* éclat *m*. ◆**—ing** *a* (*wine, water*) pétillant.
sparrow ['spærəʊ] *n* moineau *m*.
sparse [spɑːs] *a* clairsemé. ◆**—ly** *adv* (*populated etc*) peu.
spartan ['spɑːtən] *a* spartiate, austère.
spasm ['spæzəm] *n* (*of muscle*) spasme *m*; (*of coughing etc*) *Fig* accès *m*. ◆**spas'modic** *a* (*pain etc*) spasmodique; *Fig* irrégulier.
spastic ['spæstɪk] *n* handicapé, -ée *mf* moteur.
spat [spæt] *see* **spit 1**.
spate [speɪt] *n* **a s. of** (*orders etc*) une avalanche de.
spatter ['spætər] *vt* (*clothes, person etc*) éclabousser (**with** de); – *vi* **to s. over s.o.** (*of mud etc*) éclabousser qn.
spatula ['spætjʊlə] *n* spatule *f*.
spawn [spɔːn] *n* (*of fish etc*) frai *m*; – *vi* frayer; – *vt* pondre; *Fig* engendrer.
speak [spiːk] *vi* (*pt* **spoke**, *pp* **spoken**) parler; (*formally, in assembly*) prendre la parole; **so to s.** pour ainsi dire; **that speaks for itself** c'est évident; **to s. well of** dire du bien de; **nothing to s. of** pas grand-chose; **Bob speaking** *Tel* Bob à l'appareil; **that's spoken for** c'est pris *or* réservé; **to s. out** *or* **up** (*boldly*) parler (franchement); **to s. up** (*more loudly*) parler plus fort; – *vt* (*language*) parler; (*say*) dire; **to s. one's mind** dire ce que l'on pense. ◆**—ing** *n* **public s.** art *m* oratoire; – *a* **to be on s. terms with** parler à; **English-/French-speaking** anglophone/francophone. ◆**—er** *n* (*public*) orateur *m*; (*in dialogue*) interlocuteur, -trice *mf*; (*loudspeaker*) *El* haut-parleur *m*; (*of hi-fi*) enceinte *f*; **to be a Spanish/a bad/***etc* **s.** parler espagnol/mal/*etc*.
spear [spɪər] *n* lance *f*. ◆**spearhead** *vt* (*attack*) être le fer de lance de; (*campaign*) mener.
spearmint ['spɪəmɪnt] *n* *Bot* menthe *f* (verte); – *a* à la menthe; (*chewing-gum*) mentholé.
spec [spek] *n* **on s.** (*as a gamble*) *Fam* à tout hasard.
special ['speʃ(ə)l] *a* spécial; (*care, attention*) (tout) particulier; (*measures*) *Pol* extraordinaire; (*favourite*) préféré; **by s. delivery** (*letter etc*) par exprès; – *n* **today's s.** (*in restaurant*) le plat du jour. ◆**specialist** *n* spécialiste *mf* (**in** de); – *a* (*dictionary, knowledge*) technique, spécialisé. ◆**speci'ality** *n* spécialité *f*. ◆**specialize** *vi* se spécialiser (**in** dans). ◆**specialized** *a* spécialisé. ◆**specially** *adv* (*specifically*) spécialement; (*on purpose*) (tout) spécialement. ◆**specialty** *n* *Am* spécialité *f*.
species ['spiːʃiːz] *n inv* espèce *f*.
specific [spə'sɪfɪk] *a* précis, explicite; *Phys Ch* spécifique. ◆**specifically** *adv* (*expressly*) expressément; (*exactly*) précisément.
specify ['spesɪfaɪ] *vt* spécifier (**that** que). ◆**specifi'cation** *n* spécification *f*; *pl* (*of car, machine etc*) caractéristiques *fpl*.
specimen ['spesɪmɪn] *n* (*example, person*) spécimen *m*; (*of blood*) prélèvement *m*; (*of urine*) échantillon *m*; **s. signature** spécimen *m* de signature; **s. copy** (*of book etc*) spécimen *m*.
specious ['spiːʃəs] *a* spécieux.
speck [spek] *n* (*stain*) petite tache *f*; (*of dust*) grain *m*; (*dot*) point *m*.
speckled ['spek(ə)ld] *a* tacheté.
specs [speks] *npl Fam* lunettes *fpl*.
spectacle ['spektək(ə)l] **1** *n* (*sight*) spectacle *m*. **2** *npl* (*glasses*) lunettes *fpl*. ◆**spec'tacular** *a* spectaculaire. ◆**spec'tator** *n* *Sp etc* spectateur, -trice *mf*.
spectre ['spektər] *n* (*menacing image*) spectre *m* (**of** de).
spectrum, *pl* **-tra** ['spektrəm, -trə] *n* *Phys* spectre *m*; (*range*) *Fig* gamme *f*.
speculate ['spekjʊleɪt] *vi* *Fin Phil* spéculer; **to s. about** (*s.o.'s motives etc*) s'interroger sur; – *vt* **to s. that** (*guess*) conjecturer que. ◆**specu'lation** *n* *Fin Phil* spéculation *f*; (*guessing*) conjectures *fpl* (**about** sur). ◆**speculator** *n* spéculateur, -trice *mf*. ◆**speculative** *a* *Fin Phil* spéculatif; **that's s.** (*guesswork*) c'est (très) hypothétique.
sped [sped] *see* **speed 1**.
speech [spiːtʃ] *n* (*talk, address*) & *Gram* discours *m* (**on** sur); (*faculty*) parole *f*;

(*diction*) élocution *f*; (*of group*) langage *m*; **a short s.** une allocution *f*; **freedom of s.** liberté *f* d'expression; **part of s.** *Gram* catégorie *f* grammaticale. ◆**—less** *a* muet (**with** de).

speed [spiːd] **1** *n* (*rate of movement*) vitesse *f*; (*swiftness*) rapidité *f*; **s. limit** *Aut* limitation *f* de vitesse; – *vt* (*pt & pp* **sped**) **to s. up** accélérer; – *vi* **to s. up** (*of person*) aller plus vite; (*of pace*) s'accélérer; **to s. past** passer à toute vitesse (**sth** devant qch). **2** *vi* (*pt & pp* **speeded**) (*drive too fast*) aller trop vite. ◆**—ing** *n Jur* excès *m* de vitesse. ◆**speedboat** *n* vedette *f*. ◆**spee'dometer** *n Aut* compteur *m* (de vitesse). ◆**speedway** *n Sp* piste *f* de vitesse pour motos; *Sp Aut Am* autodrome *m*.

speed/y ['spiːdɪ] *a* (**-ier, -iest**) rapide. ◆**—ily** *adv* rapidement.

spell[1] [spel] *n* (*magic*) charme *m*, sortilège *m*; (*curse*) sort *m*; *Fig* charme *m*; **under a s.** envoûté. ◆**spellbound** *a* (*audience etc*) captivé.

spell[2] [spel] *n* (*period*) (courte) période *f*; (*moment, while*) moment *m*; **s. of duty** tour *m* de service.

spell[3] [spel] *vt* (*pt & pp* **spelled** *or* **spelt**) (*write*) écrire; (*say aloud*) épeler; (*of letters*) former (*mot*); (*mean*) *Fig* signifier; **to be able to s.** savoir l'orthographe; **how is it spelt?** comment cela s'écrit-il?; **to s. out** (*aloud*) épeler; *Fig* expliquer très clairement. ◆**—ing** *n* orthographe *f*.

spend [spend] **1** *vt* (*pt & pp* **spent**) (*money*) dépenser (**on** pour); – *vi* dépenser. **2** *vt* (*pt & pp* **spent**) (*time, holiday etc*) passer (**on sth** sur qch, **doing** à faire); (*energy, care etc*) consacrer (**on sth** à qch, **doing** à faire). ◆**—ing** *n* dépenses *fpl*; – *a* (*money*) de poche. ◆**—er** *n* **to be a big s.** dépenser beaucoup. ◆**spendthrift** *n* **to be a s.** être dépensier.

spent [spent] *see* **spend**; – *a* (*used*) utilisé; (*energy*) épuisé.

sperm [spɜːm] *n* (*pl* **sperm** *or* **sperms**) sperme *m*.

spew [spjuː] *vt* vomir.

sphere [sfɪər] *n* (*of influence, action etc*) & *Geom Pol* sphère *f*; (*of music, poetry etc*) domaine *m*; **the social s.** le domaine social. ◆**spherical** ['sferɪk(ə)l] *a* sphérique.

sphinx [sfɪŋks] *n* sphinx *m*.

spice [spaɪs] *n Culin* épice *f*; (*interest etc*) *Fig* piment *m*; – *vt* épicer. ◆**spicy** *a* (**-ier, -iest**) épicé; (*story*) *Fig* pimenté.

spick-and-span [spɪkən'spæn] *a* (*clean*) impeccable.

spider ['spaɪdər] *n* araignée *f*.

spiel [ʃpiːl] *n Fam* baratin *m*.

spike [spaɪk] *n* (*of metal*) pointe *f*: – *vt* (*pierce*) transpercer. ◆**spiky** *a* (**-ier, -iest**) *a* garni de pointes.

spill [spɪl] *vt* (*pt & pp* **spilled** *or* **spilt**) (*liquid*) répandre, renverser (**on, over** sur); **to s. the beans** *Fam* vendre la mèche; – *vi* **to s. (out)** se répandre; **to s. over** déborder.

spin [spɪn] *n* (*motion*) tour *m*; (*car ride*) petit tour *m*; (*on washing machine*) essorage *m*; **s. dryer** essoreuse *f*; – *vt* (*pt & pp* **spun,** *pres p* **spinning**) (*web, yarn, wool etc*) filer (**into** en); (*wheel, top*) faire tourner; (*washing*) essorer; (*story*) *Fig* débiter; **to s. out** (*speech etc*) faire durer; – *vi* (*of spinner, spider*) filer; **to s. (round)** (*of dancer, top, planet etc*) tourner; (*of head, room*) *Fig* tourner; (*of vehicle*) faire un tête-à-queue. ◆**spinning** *n* (*by hand*) filage *m*; (*process*) *Tech* filature *f*; **s. top** toupie *f*; **s. wheel** rouet *m*. ◆**spin-'dry** *vt* essorer. ◆**spin-off** *n* avantage *m* inattendu; (*of process, book etc*) dérivé *m*.

spinach ['spɪnɪdʒ] *n* (*plant*) épinard *m*; (*leaves*) *Culin* épinards *mpl*.

spindle ['spɪnd(ə)l] *n Tex* fuseau *m*. ◆**spindly** *a* (**-ier, -iest**) (*legs, arms*) grêle.

spine [spaɪn] *n Anat* colonne *f* vertébrale; (*spike of animal or plant*) épine *f*. ◆**spinal** *a* (*column*) vertébral; **s. cord** moelle *f* épinière. ◆**spineless** *a Fig* mou, faible.

spinster ['spɪnstər] *n* célibataire *f*; *Pej* vieille fille *f*.

spiral ['spaɪərəl] **1** *n* spirale *f*; – *a* en spirale; (*staircase*) en colimaçon. **2** *vi* (**-ll-**, *Am* **-l-**) (*of prices*) monter en flèche.

spire ['spaɪər] *n* (*of church*) flèche *f*.

spirit ['spɪrɪt] **1** *n* (*soul, ghost etc*) esprit *m*; (*courage*) *Fig* courage *m*, vigueur *f*; *pl* (*drink*) alcool *m*, spiritueux *mpl*; **spirit(s)** (*morale*) moral *m*; *Ch* alcool *m*; **in good spirits** de bonne humeur; **the right s.** l'attitude *f* qu'il faut; – *a* (*lamp*) à alcool; **s. level** niveau *m* à bulle (d'air). **2** *vt* **to s. away** (*person*) faire disparaître mystérieusement; (*steal*) *Hum* subtiliser. ◆**—ed** *a* (*person, remark*) fougueux; (*campaign*) vigoureux.

spiritual ['spɪrɪtʃʊəl] *a Phil Rel* spirituel; – *n* (**Negro**) **s.** (negro-)spiritual *m*. ◆**spiritualism** *n* spiritisme *m*. ◆**spiritualist** *n* spirite *mf*.

spit [spɪt] **1** *n* crachat *m*; – *vi* (*pt & pp* **spat** *or* **spit,** *pres p* **spitting**) cracher; (*splutter*) *Fig* crépiter; – *vt* cracher; **to s. out** (re)cracher; **the spitting image of s.o.** le

portrait (tout craché) de qn. **2** *n* (*for meat*) broche *f*.
spite [spaɪt] **1** *n* **in s. of** malgré; **in s. of the fact that** (*although*) bien que (+ *sub*). **2** *n* (*dislike*) rancune *f*; – *vt* (*annoy*) contrarier. **◆spiteful** *a* méchant. **◆spitefully** *adv* méchamment.
spittle ['spɪt(ə)l] *n* salive *f*, crachat(s) *m*(*pl*).
splash [splæʃ] *vt* (*spatter*) éclabousser (**with** de, **over** sur); (*spill*) répandre; – *vi* (*of mud, ink etc*) faire des éclaboussures; (*of waves*) clapoter, déferler; **to s. over sth/s.o.** éclabousser qch/qn; **to s. (about)** (*in river, mud*) patauger; (*in bath*) barboter; **to s. out** (*spend money*) *Fam* claquer de l'argent; – *n* (*splashing*) éclaboussement *m*; (*of colour*) *Fig* tache *f*; **s. (mark)** éclaboussure *f*; **s.!** plouf!
spleen [spliːn] *n Anat* rate *f*.
splendid ['splendɪd] *a* (*wonderful, rich, beautiful*) splendide. **◆splendour** *n* splendeur *f*.
splint [splɪnt] *n Med* éclisse *f*.
splinter ['splɪntər] *n* (*of wood etc*) éclat *m*; (*in finger*) écharde *f*; **s. group** *Pol* groupe *m* dissident.
split [splɪt] *n* fente *f*; (*tear*) déchirure *f*; (*of couple*) rupture *f*; *Pol* scission *f*; **to do the splits** (*in gymnastics*) faire le grand écart; **one's s.** (*share*) *Fam* sa part; – *a* **a s. second** une fraction de seconde; – *vt* (*pt & pp* **split**, *pres p* **splitting**) (*break apart*) fendre; (*tear*) déchirer; **to s. (up)** (*group*) diviser; (*money, work*) partager (**between** entre); **to s. one's head open** s'ouvrir la tête; **to s. one's sides (laughing)** se tordre (de rire); **to s. hairs** *Fig* couper les cheveux en quatre; **s.-level apartment** duplex *m*; – *vi* se fendre; (*tear*) se déchirer; **to s. (up)** (*of group*) éclater; (*of couple*) rompre, se séparer; **to s. off** (*become loose*) se détacher (**from** de); **to s. up** (*of crowd*) se disperser. **◆splitting** *a* (*headache*) atroce. **◆split-up** *n* (*of couple*) rupture *f*.
splodge [splɒdʒ] *n*, **splotch** [splɒtʃ] *n* (*mark*) tache *f*.
splurge [splɜːdʒ] *vi* (*spend money*) *Fam* claquer de l'argent.
splutter ['splʌtər] *vi* (*of sparks, fat*) crépiter; (*stammer*) bredouiller.
spoil [spɔɪl] *vt* (*pt & pp* **spoilt** *or* **spoiled**) (*pamper, make unpleasant or less good*) gâter; (*damage, ruin*) abîmer; (*pleasure, life*) gâcher, gâter. **◆spoilsport** *n* rabat-joie *m inv*.
spoils [spɔɪlz] *npl* (*rewards*) butin *m*.
spoke¹ [spəʊk] *n* (*of wheel*) rayon *m*.
spoke² [spəʊk] *see* **speak**. **◆spoken** *see* **speak**; – *a* (*language etc*) parlé; **softly s.** (*person*) à la voix douce. **◆spokesman** *n* (*pl* **-men**) porte-parole *m inv* (**for, of** de).
sponge [spʌndʒ] **1** *n* éponge *f*; **s. bag** trousse *f* de toilette; **s. cake** gâteau *m* de Savoie; – *vt* **to s. down/off** laver/enlever à l'éponge. **2** *vi* **to s. off** *or* **on s.o.** *Fam* vivre aux crochets de qn; – *vt* **to s. sth off s.o.** *Fam* taper qn de qch. **◆sponger** *n Fam* parasite *m*. **◆spongy** *a* (**-ier, -iest**) spongieux.
sponsor ['spɒnsər] *n* (*of appeal, advertiser etc*) personne *f* assurant le patronage (**of** de); (*for membership*) parrain *m*, marraine *f*; *Jur* garant, -ante *mf*; *Sp* sponsor *m*; – *vt* (*appeal etc*) patronner; (*member, firm*) parrainer. **◆sponsorship** *n* patronage *m*; parrainage *m*.
spontaneous [spɒn'teɪnɪəs] *a* spontané. **◆spontaneity** [spɒntə'neɪətɪ] *n* spontanéité *f*. **◆spontaneously** *adv* spontanément.
spoof [spuːf] *n Fam* parodie *f* (**on** de).
spooky ['spuːkɪ] *a* (**-ier, -iest**) *Fam* qui donne le frisson.
spool [spuːl] *n* bobine *f*.
spoon [spuːn] *n* cuiller *f*. **◆spoonfeed** *vt* (*pt & pp* **spoonfed**) (*help*) *Fig* mâcher le travail à. **◆spoonful** *n* cuillerée *f*.
sporadic [spə'rædɪk] *a* sporadique; **s. fighting** échauffourées *fpl*. **◆sporadically** *adv* sporadiquement.
sport [spɔːt] **1** *n* sport *m*; **a (good) s.** (*person*) *Fam* un chic type; **to play s.** *or Am* **sports** faire du sport; **sports club** club *m* sportif; **sports car/jacket** voiture *f*/veste *f* de sport; **sports results** résultats *mpl* sportifs. **2** *vt* (*wear*) arborer. **◆—ing** *a* (*conduct, attitude, person etc*) sportif; **that's s. of you** *Fig* c'est chic de ta part. **◆sportsman** *n* (*pl* **-men**) sportif *m*. **◆sportsmanlike** *a* sportif. **◆sportsmanship** *n* sportivité *f*. **◆sportswear** *n* vêtements *mpl* de sport. **◆sportswoman** *n* (*pl* **-women**) sportive *f*. **◆sporty** *a* (**-ier, -iest**) sportif.
spot¹ [spɒt] *n* (*stain, mark*) tache *f*; (*dot*) point *m*; (*polka dot*) pois *m*; (*pimple*) bouton *m*; (*place*) endroit *m*, coin *m*; (*act*) *Th* numéro *m*; (*drop*) goutte *f*; **a s. of** (*bit*) *Fam* un peu de; **a soft s. for** un faible pour; **on the s.** sur place, sur les lieux; (*at once*) sur le coup; **in a (tight) s.** (*difficulty*) dans le pétrin; **(accident) black s.** *Aut* point *m* noir; **s. cash** argent *m* comptant; **s. check** contrôle *m* au hasard *or* l'improviste. **◆spotless** *a* (*clean*) impeccable. **◆spot-**

lessly *adv* s. clean impeccable. ◆**spotlight** *n* (*lamp*) *Th* projecteur *m*; (*for photography etc*) spot *m*; **in the s.** *Th* sous le feu des projecteurs. ◆**spot-'on** *a Fam* tout à fait exact. ◆**spotted** *a* (*fur*) tacheté; (*dress etc*) à pois; (*stained*) taché. ◆**spotty** *a* (**-ier, -iest**) **1** (*face etc*) boutonneux. **2** (*patchy*) *Am* inégal.

spot² [spɒt] *vt* (**-tt-**) (*notice*) apercevoir, remarquer.

spouse [spaʊs, spaʊz] *n* époux *m*, épouse *f*.

spout [spaʊt] **1** *n* (*of jug etc*) bec *m*; **up the s.** (*hope etc*) *Sl* fichu. **2** *vi* **to s. (out)** jaillir. **3** *vt* (*say*) *Pej* débiter.

sprain [spreɪn] *n* entorse *f*, foulure *f*; **to s. one's ankle/wrist** se fouler la cheville/le poignet.

sprang [spræŋ] *see* **spring¹**.

sprawl [sprɔːl] *vi* (*of town, person*) s'étaler; **to be sprawling** être étalé; – *n* **the urban s.** les banlieues *fpl* tentaculaires. ◆**—ing** *a* (*city*) tentaculaire.

spray [spreɪ] **1** *n* (*water drops*) (nuage *m* de) gouttelettes *fpl*; (*from sea*) embruns *mpl*; (*can, device*) bombe *f*, vaporisateur *m*; **hair s.** laque *f* à cheveux; – *vt* (*liquid, surface*) vaporiser; (*crops, plant*) arroser, traiter; (*car etc*) peindre à la bombe. **2** *n* (*of flowers*) petit bouquet *m*.

spread [spred] *vt* (*pt & pp* **spread**) (*stretch, open out*) étendre; (*legs, fingers*) écarter; (*strew*) répandre, étaler (**over** sur); (*paint, payment, cards, visits*) étaler; (*people*) disperser; (*fear, news*) répandre; (*illness*) propager; **to s. out** étendre; écarter; étaler; – *vi* (*of fire, town, fog*) s'étendre; (*of news, fear*) se répandre; **to s. out** (*of people*) se disperser; – *n* (*of fire, illness, ideas*) propagation *f*; (*of wealth*) répartition *f*; (*paste*) *Culin* pâte *f* (à tartiner); (*meal*) festin *m*; **cheese s.** fromage *m* à tartiner. ◆**s.-'eagled** *a* bras et jambes écartés.

spree [spriː] *n* **to go on a spending s.** faire des achats extravagants.

sprig [sprɪg] *n* (*branch of heather etc*) brin *m*; (*of parsley*) bouquet *m*.

sprightl/y ['spraɪtlɪ] *a* (**-ier, -iest**) alerte. ◆**—iness** *n* vivacité *f*.

spring¹ [sprɪŋ] *n* (*metal device*) ressort *m*; (*leap*) bond *m*; – *vi* (*pt* **sprang**, *pp* **sprung**) (*leap*) bondir; **to s. to mind** venir à l'esprit; **to s. into action** passer à l'action; **to s. from** (*stem from*) provenir de; **to s. up** (*appear*) surgir; – *vt* (*news*) annoncer brusquement (**on** à); (*surprise*) faire (**on** à); **to s. a leak** (*of boat*) commencer à faire eau. ◆**springboard** *n* tremplin *m*. ◆**springy** *a* (**-ier, -iest**) élastique.

spring² [sprɪŋ] *n* (*season*) printemps *m*; **in (the) s.** au printemps; **s. onion** ciboule *f*. ◆**s.-'cleaning** *n* nettoyage *m* de printemps. ◆**springlike** *a* printanier. ◆**springtime** *n* printemps *m*.

spring³ [sprɪŋ] *n* (*of water*) source *f*; **s. water** eau *f* de source.

sprinkl/e ['sprɪŋk(ə)l] *vt* (*sand etc*) répandre (**on, over** sur); **to s. with water, s. water on** asperger d'eau, arroser; **to s. with** (*sugar, salt, flour*) saupoudrer de. ◆**—ing** *n* **a s. of** (*a few*) quelques. ◆**—er** *n* (*in garden*) arroseur *m*.

sprint [sprɪnt] *n* *Sp* sprint *m*; – *vi* sprinter. ◆**—er** *n* sprinter *m*, sprinteuse *f*.

sprite [spraɪt] *n* (*fairy*) lutin *m*.

sprout [spraʊt] **1** *vi* (*of seed, bulb etc*) germer, pousser; **to s. up** (*grow*) pousser vite; (*appear*) surgir; – *vt* (*leaves*) pousser; (*beard*) *Fig* laisser pousser. **2** *n* **(Brussels) s.** chou *m* de Bruxelles.

spruce [spruːs] *a* (**-er, -est**) (*neat*) pimpant, net; – *vt* **to s. oneself up** se faire beau.

sprung [sprʌŋ] *see* **spring¹**; – *a* (*mattress, seat*) à ressorts.

spry [spraɪ] *a* (**spryer, spryest**) (*old person etc*) alerte.

spud [spʌd] *n* (*potato*) *Fam* patate *f*.

spun [spʌn] *see* **spin**.

spur [spɜːr] *n* (*of horse rider etc*) éperon *m*; (*stimulus*) *Fig* aiguillon *m*; **on the s. of the moment** sur un coup de tête; – *vt* (**-rr-**) **to s. (on)** (*urge on*) éperonner.

spurious ['spjʊərɪəs] *a* faux.

spurn [spɜːn] *vt* rejeter (avec mépris).

spurt [spɜːt] *vi* (*gush out*) jaillir; (*rush*) foncer; **to s. out** jaillir; – *n* jaillissement *m*; (*of energy*) sursaut *m*; **to put on a s.** (*rush*) foncer.

spy [spaɪ] *n* espion, -onne *mf*; – *a* (*story etc*) d'espionnage; **s. hole** (*peephole*) judas *m*; **s. ring** réseau *m* d'espionnage; – *vi* espionner; **to s. on s.o.** espionner qn; – *vt* (*notice*) *Lit* apercevoir. ◆**—ing** *n* espionnage *m*.

squabbl/e ['skwɒb(ə)l] *vi* se chamailler (**over** à propos de); – *n* chamaillerie *f*. ◆**—ing** *n* chamailleries *fpl*.

squad [skwɒd] *n* (*group*) & *Mil* escouade *f*; (*team*) *Sp* équipe *f*; **s. car** voiture *f* de police.

squadron ['skwɒdrən] *n* *Mil* escadron *m*; *Nau Av* escadrille *f*.

squalid ['skwɒlɪd] *a* sordide. ◆**squalor** *n* conditions *fpl* sordides.

squall [skwɔːl] *n* (*of wind*) rafale *f*.

squander ['skwɒndər] *vt* (*money, time etc*) gaspiller (**on** en).

square ['skweər] *n* carré *m*; (*on chessboard, graph paper*) case *f*; (*in town*) place *f*; (*drawing implement*) *Tech* équerre *f*; **to be back to s. one** repartir à zéro; – *a* carré; (*in order, settled*) *Fig* en ordre; (*honest*) honnête; (*meal*) solide; **(all) s.** (*quits*) quitte (**with** envers); – *vt* (*settle*) mettre en ordre, régler; (*arrange*) arranger; *Math* carrer; (*reconcile*) faire cadrer; – *vi* (*tally*) cadrer (**with** avec); **to s. up to** faire face à. ◆**—ly** *adv* (*honestly*) honnêtement; (*exactly*) tout à fait; **s. in the face** bien en face.

squash [skwɒʃ] **1** *vt* (*crush*) écraser; (*squeeze*) serrer; – *n* **lemon/orange s.** (*concentrated*) sirop *m* de citron/d'orange; (*diluted*) citronnade *f*/orangeade *f*. **2** *n* (*game*) squash *m*. **3** *n* (*vegetable*) *Am* courge *f*. ◆**squashy** *a* (**-ier, -iest**) (*soft*) mou.

squat [skwɒt] **1** *a* (*short and thick*) trapu. **2** *vi* (**-tt-**) **to s. (down)** s'accroupir. **3** *n* (*house*) squat *m*. ◆**squatting** *a* accroupi. ◆**squatter** *n* squatter *m*.

squawk [skwɔːk] *vi* pousser des cris rauques; – *n* cri *m* rauque.

squeak [skwiːk] *vi* (*of door*) grincer; (*of shoe*) craquer; (*of mouse*) faire couic; – *n* grincement *m*; craquement *m*; couic *m*. ◆**squeaky** *a* (**-ier, -iest**) (*door*) grinçant; (*shoe*) qui craque.

squeal [skwiːl] *vi* pousser des cris aigus; (*of tyres*) crisser; – *n* cri *m* aigu; crissement *m*. **2** *vi* **to s. on s.o.** (*inform on*) *Fam* balancer qn.

squeamish ['skwiːmɪʃ] *a* bien délicat, facilement dégoûté.

squeegee ['skwiːdʒiː] *n* raclette *f* (à vitres).

squeez/e [skwiːz] *vt* (*press*) presser; (*hand, arm*) serrer; **to s. sth out of s.o.** (*information*) soutirer qch à qn; **to s. sth into** faire rentrer qch dans; **to s. (out)** (*extract*) exprimer (**from** de); – *vi* **to s. through/into/***etc* (*force oneself*) se glisser par/dans/ *etc*; **to s. in** trouver un peu de place; – *n* pression *f*; **to give sth a s.** presser qch; **it's a tight s.** il y a peu de place; **credit s.** *Fin* restrictions *fpl* de crédit. ◆**—er** *n* **lemon s.** presse-citron *m inv*.

squelch [skweltʃ] **1** *vi* patauger (*en faisant floc-floc*). **2** *vt* (*silence*) *Fam* réduire au silence.

squid [skwɪd] *n* (*mollusc*) calmar *m*.

squiggle ['skwɪg(ə)l] *n* ligne *f* onduleuse, gribouillis *m*.

squint [skwɪnt] *n Med* strabisme *m*; **to have a s.** loucher; – *vi* loucher; (*in the sunlight etc*) plisser les yeux.

squire ['skwaɪər] *n* propriétaire *m* terrien.

squirm [skwɜːm] *vi* (*wriggle*) se tortiller; **to s. in pain** se tordre de douleur.

squirrel ['skwɪrəl, *Am* 'skwɜːrəl] *n* écureuil *m*.

squirt [skwɜːt] **1** *vt* (*liquid*) faire gicler; – *vi* gicler; – *n* giclée *f*, jet *m*. **2** *n* **little s.** (*person*) *Fam* petit morveux *m*.

stab [stæb] *vt* (**-bb-**) (*with knife etc*) poignarder; – *n* coup *m* (de couteau *or* de poignard). ◆**stabbing** *n* **there was a s.** quelqu'un a été poignardé; – *a* (*pain*) lancinant.

stable[1] ['steɪb(ə)l] *a* (**-er, -est**) stable; **mentally s.** (*person*) bien équilibré. ◆**sta'bility** *n* stabilité *f*; **mental s.** équilibre *m*. ◆**stabilize** *vt* stabiliser; – *vi* se stabiliser. ◆**stabilizer** *n* stabilisateur *m*.

stable[2] ['steɪb(ə)l] *n* écurie *f*; **s. boy** lad *m*.

stack [stæk] **1** *n* (*heap*) tas *m*; **stacks of** (*lots of*) *Fam* un *or* des tas de; – *vt* **to s. (up)** entasser. **2** *npl* (*in library*) réserve *f*.

stadium ['steɪdɪəm] *n Sp* stade *m*.

staff [stɑːf] **1** *n* personnel *m*; *Sch* professeurs *mpl*; *Mil* état-major *m*; **s. meeting** *Sch Univ* conseil *m* des professeurs; **s. room** *Sch Univ* salle *f* des professeurs; – *vt* pourvoir en personnel. **2** *n* (*stick*) *Lit* bâton *m*.

stag [stæg] *n* cerf *m*; **s. party** réunion *f* entre hommes.

stage[1] [steɪdʒ] *n* (*platform*) *Th* scène *f*; **the s.** (*profession*) le théâtre; **on s.** sur (la) scène; **s. door** entrée *f* des artistes; **s. fright** le trac; – *vt* (*play*) *Th* monter; *Fig* organiser, effectuer; **it was staged** (*not real*) c'était un coup monté. ◆**s.-hand** *n* machiniste *m*. ◆**s.-manager** *n* régisseur *m*.

stage[2] [steɪdʒ] *n* (*phase*) stade *m*, étape *f*; (*of journey*) étape *f*; (*of track, road*) section *f*; **in (easy) stages** par étapes; **at an early s.** au début.

stagecoach ['steɪdʒkəʊtʃ] *n Hist* diligence *f*.

stagger ['stægər] **1** *vi* (*reel*) chanceler. **2** *vt* (*holidays etc*) étaler, échelonner. **3** *vt* **to s. s.o.** (*shock, amaze*) stupéfier qn. ◆**—ing** *a* stupéfiant.

stagnant ['stægnənt] *a* stagnant. ◆**stag'nate** *vi* stagner. ◆**stag'nation** *n* stagnation *f*.

staid [steɪd] *a* posé, sérieux.

stain [steɪn] **1** *vt* (*mark, dirty*) tacher (**with**

de); – *n* tache *f*. **2** *vt* (*colour*) teinter (*du bois*); **stained glass window** vitrail *m*; – *n* (*colouring for wood*) teinture *f*. ◆**—less** *a* (*steel*) inoxydable; **s.-steel knife/***etc* couteau *m/etc* inoxydable.

stair [steər] *n* **a s.** (*step*) une marche; **the stairs** (*staircase*) l'escalier *m*; – *a* (*carpet etc*) d'escalier. ◆**staircase** *n*, ◆**stairway** *n* escalier *m*.

stake [steɪk] **1** *n* (*post*) pieu *m*; (*for plant*) tuteur *m*; *Hist* bûcher *m*; – *vt* **to s. (out)** (*land*) jalonner, délimiter; **to s. one's claim to** revendiquer. **2** *n* (*betting*) enjeu *m*; (*investment*) *Fin* investissement *m*; (*interest*) *Fin* intérêts *mpl*; **at s.** en jeu; – *vt* (*bet*) jouer (**on** sur).

stale [steɪl] *a* (**-er, -est**) (*food*) pas frais; (*bread*) rassis; (*beer*) éventé; (*air*) vicié; (*smell*) de renfermé; (*news*) *Fig* vieux; (*joke*) usé, vieux; (*artist*) manquant d'invention. ◆**—ness** *n* (*of food*) manque *m* de fraîcheur.

stalemate ['steɪlmeɪt] *n Chess* pat *m*; *Fig* impasse *f*.

stalk [stɔːk] **1** *n* (*of plant*) tige *f*, queue *f*; (*of fruit*) queue *f*. **2** *vt* (*animal, criminal*) traquer. **3** *vi* **to s. out** (*walk*) partir avec raideur *or* en marchant à grands pas.

stall [stɔːl] **1** *n* (*in market*) étal *m*, éventaire *m*; (*for newspapers, flowers*) kiosque *m*; (*in stable*) stalle *f*; **the stalls** *Cin* l'orchestre *m*. **2** *vti Aut* caler. **3** *vi* **to s. (for time)** chercher à gagner du temps.

stallion ['stæljən] *n* (*horse*) étalon *m*.

stalwart ['stɔːlwət] *a* (*suppporter*) brave, fidèle; – *n* (*follower*) fidèle *mf*.

stamina ['stæmɪnə] *n* vigueur *f*, résistance *f*.

stammer ['stæmər] *vti* bégayer; – *n* bégaiement *m*; **to have a s.** être bègue.

stamp [stæmp] **1** *n* (*for postage, implement*) timbre *m*; (*mark*) cachet *m*, timbre *m*; **the s. of** *Fig* la marque de; **men of your s.** les hommes de votre trempe; **s. collecting** philatélie *f*; – *vt* (*mark*) tamponner, timbrer; (*letter*) timbrer; (*metal*) estamper; **to s. sth on sth** (*affix*) apposer qch sur qch; **to s. out** (*rebellion, evil*) écraser; (*disease*) supprimer; **stamped addressed envelope** enveloppe *f* timbrée à votre adresse. **2** *vti* **to s. (one's feet)** taper *or* frapper des pieds; **stamping ground** *Fam* lieu *m* favori.

stampede [stæm'piːd] *n* fuite *f* précipitée; (*rush*) ruée *f*; – *vi* fuir en désordre; (*rush*) se ruer.

stance [stɑːns] *n* position *f*.

stand [stænd] *n* (*position*) position *f*; (*support*) support *m*; (*at exhibition*) stand *m*; (*for spectators*) *Sp* tribune *f*; **(witness) s.** *Jur Am* barre *f*; **to make a s., take one's s.** prendre position (**against** contre); **news/flower s.** (*in street*) kiosque *m* à journaux/à fleurs; **hat s.** porte-chapeaux *m inv*; **music s.** pupitre *m* à musique; – *vt* (*pt & pp* **stood**) (*pain, journey, person etc*) supporter; **to s. (up)** (*put straight*) mettre (debout); **to s. s.o. sth** (*pay for*) payer qch à qn; **to s. a chance** avoir une chance; **to s. s.o. up** *Fam* poser un lapin à qn; – *vi* être *or* se tenir (debout); (*rise*) se lever; (*remain*) rester (debout); (*be situated*) se trouver; (*be*) être; (*of object, argument*) reposer (**on** sur); **to leave to s.** (*liquid*) laisser reposer; **to s. to lose** risquer de perdre; **to s. around** (*in street etc*) traîner; **to s. aside** s'écarter; **to s. back** reculer; **to s. by** (*do nothing*) rester là (sans rien faire); (*be ready*) être prêt (à partir *or* à intervenir); (*one's opinion etc*) s'en tenir à; (*friend etc*) rester fidèle à; **to s. down** (*withdraw*) se désister; **to s. for** (*represent*) représenter; *Pol* être candidat à; (*put up with*) supporter; **to s. in for** (*replace*) remplacer; **to s. out** (*be visible or conspicuous*) ressortir (**against** sur); **to s. over s.o.** (*watch closely*) surveiller qn; **to s. up** (*rise*) se lever; **to s. up for** (*defend*) défendre; **to s. up to** (*resist*) résister à. ◆**—ing** *a* debout *inv*; (*committee, offer, army*) permanent; **s. room** places *fpl* debout; **s. joke** plaisanterie *f* classique; – *n* (*reputation*) réputation *f*; (*social, professional*) rang *m*; (*financial*) situation *f*; **of six years' s.** (*duration*) qui dure depuis six ans; **of long s.** de longue date. ◆**standby** *n* (*pl* **-bys**) **on s.** prêt à partir *or* à intervenir; – *a* (*battery etc*) de réserve; (*ticket*) *Av* sans garantie. ◆**stand-in** *n* remplaçant, -ante *mf* (**for** de); *Th* doublure *f* (**for** de).

standard ['stændəd] **1** *n* (*norm*) norme *f*, critère *m*; (*level*) niveau *m*; (*of weight, gold*) étalon *m*; *pl* (*morals*) principes *mpl*; **s. of living** niveau *m* de vie; **to be** *or* **come up to s.** (*of person*) être à la hauteur; (*of work etc*) être au niveau; – *a* (*average*) ordinaire, courant; (*model, size*) *Com* standard *inv*; (*weight*) étalon *inv*; (*dictionary, book*) classique; **s. lamp** lampadaire *m*. **2** *n* (*flag*) étendard *m*. ◆**standardize** *vt* standardiser.

stand-offish [stænd'ɒfɪʃ] *a* (*person*) distant, froid.

standpoint ['stændpɔɪnt] *n* point *m* de vue.

standstill ['stændstɪl] *n* **to bring to a s.** immobiliser; **to come to a s.** s'immobiliser;

at a s. immobile; (*industry, negotiations*) paralysé.

stank [stæŋk] *see* **stink.**

stanza ['stænzə] *n* strophe *f*.

stapl/e ['steɪp(ə)l] **1** *a* (*basic*) de base; **s. food** *or* **diet** nourriture *f* de base. **2** *n* (*for paper etc*) agrafe *f*; – *vt* agrafer. ◆**—er** *n* (*for paper etc*) agrafeuse *f*.

star [stɑːr] *n* étoile *f*; (*person*) *Cin* vedette *f*; **shooting s.** étoile *f* filante; **s. part** rôle *m* principal; **the Stars and Stripes, the S.-Spangled Banner** *Am* la bannière étoilée; **two-s. (petrol)** de l'ordinaire *m*; **four-s. (petrol)** du super; – *vi* (**-rr-**) (*of actor*) être la vedette (**in** de); – *vt* (*of film*) avoir pour vedette. ◆**stardom** *n* célébrité *f*. ◆**starfish** *n* étoile *f* de mer. ◆**starlit** *a* (*night*) étoilé.

starboard ['stɑːbəd] *n Nau Av* tribord *m*.

starch [stɑːtʃ] *n* (*for stiffening*) amidon *m*; *pl* (*foods*) féculents *mpl*; – *vt* amidonner. ◆**starchy** *a* (**-ier, -iest**) (*food*) féculent; (*formal*) *Fig* guindé.

stare [steər] *n* regard *m* (fixe); – *vi* **to s. at** fixer (du regard); – *vt* **to s. s.o. in the face** dévisager qn.

stark [stɑːk] *a* (**-er, -est**) (*place*) désolé; (*austere*) austère; (*fact, reality*) brutal; **the s. truth** la vérité toute nue; – *adv* **s. naked** complètement nu. ◆**starkers** *a Sl* complèment nu, à poil.

starling ['stɑːlɪŋ] *n* étourneau *m*.

starry ['stɒːrɪ] *a* (**-ier, -iest**) (*sky*) étoilé. ◆**s.-'eyed** *a* (*naïve*) ingénu, naïf.

start[1] [stɑːt] *n* commencement *m*, début *m*; (*of race*) départ *m*; (*lead*) *Sp & Fig* avance *f* (**on** sur); **to make a s.** commencer; **for a s.** pour commencer; **from the s.** dès le début; – *vt* commencer; (*bottle*) entamer, commencer; (*fashion*) lancer; **to s. a war** provoquer une guerre; **to s. a fire** (*in grate*) allumer un feu; (*accidentally*) provoquer un incendie; **to s. s.o. (off) on** (*career*) lancer qn dans; **to s. (up)** (*engine, vehicle*) mettre en marche; **to s. doing** *or* **to do** commencer *or* se mettre à faire; – *vi* commencer (**with sth** par qch, **by doing** par faire); **to s. on sth** commencer qch; **to s. (up)** commencer; (*of vehicle*) démarrer; **to s. (off** *or* **out)** (*leave*) partir (**for** pour); (*in job*) débuter; **to s. back** (*return*) repartir; **to s. with** (*firstly*) pour commencer. ◆**—ing** *n* (*point, line*) de départ; **s. post** *Sp* ligne *f* de départ; **s. from** à partir de. ◆**—er** *n* (*runner*) partant *m*; (*official*) *Sp* starter *m*; (*device*) *Aut* démarreur *m*; *pl Culin* hors-d'œuvre *m inv*; **for starters** (*first*) pour commencer.

start[2] [stɑːt] *vi* (*be startled, jump*) sursauter; – *n* sursaut *m*; **to give s.o. a s.** faire sursauter qn.

startle ['stɑːt(ə)l] *vt* (*make jump*) faire sursauter; (*alarm*) *Fig* alarmer; (*surprise*) surprendre.

starve [stɑːv] *vi* (*die*) mourir de faim; (*suffer*) souffrir de la faim; **I'm starving** *Fig* je meurs de faim; – *vt* (*kill*) laisser mourir de faim; (*make suffer*) faire souffrir de la faim; (*deprive*) *Fig* priver (**of** de). ◆**star'vation** *n* faim *f*; – *a* (*wage, ration*) de famine; **on a s. diet** à la diète.

stash [stæʃ] *vt* **to s. away** (*hide*) cacher; (*save up*) mettre de côté.

state[1] [steɪt] **1** *n* (*condition*) état *m*; (*pomp*) apparat *m*; **not in a (fit) s. to, in no (fit) s. to** hors d'état de; **to lie in s.** (*of body*) être exposé. **2** *n* **S.** (*nation etc*) État *m*; **the States** *Geog Fam* les États-Unis *mpl*; – *a* (*secret, document*) d'État; (*control, security*) de l'État; (*school, education*) public; **s. visit** voyage *m* officiel; **S. Department** *Pol Am* Département *m* d'État. ◆**stateless** *a* apatride; **s. person** apatride *mf*. ◆**state-'owned** *a* étatisé. ◆**statesman** *n* (*pl* **-men**) homme *m* d'État. ◆**statesmanship** *n* diplomatie *f*.

state[2] [steɪt] *vt* déclarer (**that** que); (*opinion*) formuler; (*problem*) exposer; (*time, date*) fixer. ◆**statement** *n* déclaration *f*; *Jur* déposition *f*; **bank s., s. of account** *Fin* relevé *m* de compte.

stately ['steɪtlɪ] *a* (**-ier, -iest**) majestueux; **s. home** château *m*.

static ['stætɪk] *a* statique; – *n* (*noise*) *Rad* parasites *mpl*.

station ['steɪʃ(ə)n] *n Rail* gare *f*; (*underground*) station *f*; (*position*) & *Mil* poste *m*; (*social*) rang *m*; **(police) s.** commissariat *m* *or* poste *m* (de police); **space/observation/radio/***etc* **s.** station *f* spatiale/d'observation/de radio/*etc*; **bus** *or* **coach s.** gare *f* routière; **s. wagon** *Aut Am* break *m*; – *vt* (*position*) placer, poster. ◆**stationmaster** *n Rail* chef *m* de gare.

stationary ['steɪʃən(ə)rɪ] *a* (*motionless*) stationnaire; (*vehicle*) à l'arrêt.

stationer ['steɪʃ(ə)nər] *n* papetier, -ière *mf*; **s.'s (shop)** papeterie *f*. ◆**stationery** *n* (*paper*) papier *m*; (*articles*) papeterie *f*.

statistic [stə'tɪstɪk] *n* (*fact*) statistique *f*; *pl* (*science*) la statistique. ◆**statistical** *a* statistique.

statue ['stætʃuː] *n* statue *f*. ◆**statu'esque** *a* (*beauty etc*) sculptural.

stature ['stætʃər] *n* stature *f*.

status ['steɪtəs] *n* (*position*) situation *f*; *Jur* statut *m*; (*prestige*) standing *m*, prestige *m*; **s. symbol** marque *f* de standing; **s. quo** statu quo *m inv*.

statute ['stætʃuːt] *n* (*law*) loi *f*; *pl* (*of club, institution*) statuts *mpl*. ◆**statutory** *a* (*right etc*) statutaire; **s. holiday** fête *f* légale.

staunch [stɔːntʃ] *a* (**-er, -est**) loyal, fidèle. ◆**—ly** *adv* loyalement.

stave [steɪv] **1** *vt* **to s. off** (*danger, disaster*) conjurer; (*hunger*) tromper. **2** *n Mus* portée *f*.

stay [steɪ] **1** *n* (*visit*) séjour *m*; – *vi* (*remain*) rester; (*reside*) loger; (*visit*) séjourner; **to s. put** ne pas bouger; **to s. with** (*plan, idea*) ne pas lâcher; **to s. away** (*keep one's distance*) ne pas s'approcher (**from** de); **to s. away from** (*school, meeting etc*) ne pas aller à; **to s. in** (*at home*) rester à la maison; (*of nail, tooth etc*) tenir; **to s. out** (*outside*) rester dehors; (*not come home*) ne pas rentrer; **to s. out of sth** (*not interfere in*) ne pas se mêler de qch; (*avoid*) éviter qch; **to s. up** (*at night*) ne pas se coucher; (*of fence etc*) tenir; **to s. up late** se coucher tard; **staying power** endurance *f*. **2** *vt* (*hunger*) tromper. ◆**s.-at-home** *n* & *a Pej* casanier, -ière (*mf*).

St Bernard [sənt'bɜːnəd, *Am* seɪntbə'nɑːd] *n* (*dog*) saint-bernard *m*.

stead [sted] *n* **to stand s.o. in good s.** être bien utile à qn; **in s.o.'s s.** à la place de qn.

steadfast ['stedfɑːst] *a* (*intention etc*) ferme.

steady ['stedɪ] *a* (**-ier, -iest**) (*firm, stable*) stable; (*hand*) sûr, assuré; (*progress, speed, demand*) régulier, constant; (*nerves*) solide; (*staid*) sérieux; **a s. boyfriend** un petit ami; **s. (on one's feet)** solide sur ses jambes; – *adv* **to go s. with** *Fam* sortir avec; – *vt* (*chair etc*) maintenir (en place); (*hand*) assurer; (*nerves*) calmer; (*wedge, prop up*) caler; **to s. oneself** (*stop oneself falling*) reprendre son aplomb. ◆**steadily** *adv* (*to walk*) d'un pas assuré; (*regularly*) régulièrement; (*gradually*) progressivement; (*continuously*) sans arrêt. ◆**steadiness** *n* stabilité *f*; régularité *f*.

steak [steɪk] *n* steak *m*, bifteck *m*. ◆**steakhouse** *n* grill(-room) *m*.

steal[1] [stiːl] *vti* (*pt* **stole**, *pp* **stolen**) voler (**from s.o.** à qn).

steal[2] [stiːl] *vi* (*pt* **stole**, *pp* **stolen**) **to s. in/out** entrer/sortir furtivement. ◆**stealth** [stelθ] *n* **by s.** furtivement. ◆**stealthy** *a* (**-ier, -iest**) furtif.

steam [stiːm] *n* vapeur *f*; (*on glass*) buée *f*; **to let off s.** (*unwind*) *Fam* se défouler, décompresser; **s. engine/iron** locomotive *f*/fer *m* à vapeur; – *vt Culin* cuire à la vapeur; **to get steamed up** (*of glass*) se couvrir de buée; *Fig Fam* s'énerver; – *vi* (*of kettle etc*) fumer; **to s. up** (*of glass*) se couvrir de buée. ◆**steamer** *n*, ◆**steamship** *n* (bateau *m* à) vapeur *m*; (*liner*) paquebot *m*. ◆**steamroller** *n* rouleau *m* compresseur. ◆**steamy** *a* (**-ier, -iest**) humide; (*window*) embué; (*love affair etc*) brûlant.

steel [stiːl] **1** *n* acier *m*; **s. industry** sidérurgie *f*. **2** *vt* **to s. oneself** s'endurcir (**against** contre). ◆**steelworks** *n* aciérie *f*.

steep [stiːp] **1** *a* (**-er, -est**) (*stairs, slope etc*) raide; (*hill*) escarpé; (*price*) *Fig* excessif. **2** *vt* (*soak*) tremper (**in** dans); **steeped in** *Fig* imprégné de. ◆**—ly** *adv* (*to rise*) en pente raide, (*of prices*) *Fig* excessivement.

steeple ['stiːp(ə)l] *n* clocher *m*.

steeplechase ['stiːp(ə)ltʃeɪs] *n* (*race*) steeple(-chase) *m*.

steer [stɪər] *vt* (*vehicle, person*) diriger, piloter; (*ship*) diriger, gouverner; – *vi* (*of person*) *Nau* tenir le gouvernail, gouverner; **to s. towards** faire route vers; **to s. clear of** éviter. ◆**—ing** *n Aut* direction *f*; **s. wheel** volant *m*.

stem [stem] **1** *n* (*of plant etc*) tige *f*; (*of glass*) pied *m*. **2** *vt* (**-mm-**) **to s. (the flow of)** (*stop*) arrêter, contenir. **3** *vi* (**-mm-**) **to s. from** provenir de.

stench [stentʃ] *n* puanteur *f*.

stencil ['stens(ə)l] *n* (*metal, plastic*) pochoir *m*; (*paper, for typing*) stencil *m*; – *vt* (**-ll-**, *Am* **-l-**) (*notes etc*) polycopier.

stenographer [stə'nɒgrəfər] *n Am* sténodactylo *f*.

step [step] *n* (*movement, sound*) pas *m*; (*stair*) marche *f*; (*on train, bus*) marchepied *m*; (*doorstep*) pas *m* de la porte; (*action*) *Fig* mesure *f*; **(flight of) steps** (*indoors*) escalier *m*; (*outdoors*) perron *m*; **(pair of) steps** (*ladder*) escabeau *m*; **s. by s.** pas à pas; **to keep in s.** marcher au pas; **in s. with** *Fig* en accord avec; – *vi* (**-pp-**) (*walk*) marcher (**on** sur); **s. this way!** (venez) par ici!; **to s. aside** s'écarter; **to s. back** reculer; **to s. down** descendre (**from** de); (*withdraw*) *Fig* se retirer; **to s. forward** faire un pas en avant; **to s. in** entrer; (*intervene*) *Fig* intervenir; **to s. into** (*car etc*) monter dans; **to s. off** (*chair etc*) descendre de; **to s. out of** (*car etc*) descendre de; **to s. over** (*obstacle*) enjamber; – *vt* **to s. up** (*increase*) augmenter, intensifier; (*speed up*) activer. **◆step-ladder** *n* escabeau *m*. **◆stepping-stone** *n* *Fig* tremplin *m* (**to** pour arriver à).

stepbrother ['stepbrʌðər] *n* demi-frère *m*. **◆stepdaughter** *n* belle-fille *f*. **◆stepfather** *n* beau-père *m*. **◆stepmother** *n* belle-mère *f*. **◆stepsister** *n* demi-sœur *f*. **◆stepson** *n* beau-fils *m*.

stereo ['sterɪəʊ] *n* (*pl* **-os**) (*sound*) stéréo(phonie) *f*; (*record player*) chaîne *f* (stéréo *inv*); – *a* (*record etc*) stéréo *inv*; (*broadcast*) en stéréo. **◆stereo'phonic** *a* stéréophonique.

stereotype ['sterɪətaɪp] *n* stéréotype *m*. **◆stereotyped** *a* stéréotypé.

sterile ['steraɪl, *Am* 'sterəl] *a* stérile. **◆ste'rility** *n* stérilité *f*. **◆sterili'zation** *n* stérilisation *f*. **◆sterilize** *vt* stériliser.

sterling ['stɜːlɪŋ] *n* (*currency*) livre(s) *f*(*pl*) sterling *inv*; – *a* (*pound*) sterling *inv*; (*silver*) fin; (*quality, person*) *Fig* sûr.

stern [stɜːn] **1** *a* (**-er, -est**) sévère. **2** *n* (*of ship*) arrière *m*.

stethoscope ['steθəskəʊp] *n* stéthoscope *m*.

stetson ['stetsən] *n* *Am* chapeau *m* à larges bords.

stevedore ['stiːvədɔːr] *n* docker *m*.

stew [stjuː] *n* ragoût *m*; **in a s.** *Fig* dans le pétrin; **s. pan, s. pot** cocotte *f*; – *vt* (*meat*) faire *or* cuire en ragoût; (*fruit*) faire cuire; **stewed fruit** compote *f*; – *vi* cuire. **◆—ing** *a* (*pears etc*) à cuire.

steward ['stjuːəd] *n* *Av Nau* steward *m*; (*in college, club etc*) intendant *m* (*préposé au ravitaillement*); **shop s.** délégué, -ée *mf* syndical(e). **◆stewar'dess** *n* *Av* hôtesse *f*.

stick¹ [stɪk] *n* (*piece of wood, chalk, dynamite*) bâton *m*; (*branch*) branche *f*; (*for walking*) canne *f*; **the sticks** *Pej Fam* la campagne, la cambrousse; **to give s.o. some s.** (*scold*) *Fam* engueuler qn.

stick² [stɪk] *vt* (*pt & pp* **stuck**) (*glue*) coller; (*put*) *Fam* mettre, planter; (*tolerate*) *Fam* supporter; **to s. sth into** (*thrust*) planter *or* enfoncer qch dans; **to s. down** (*envelope*) coller; (*put down*) *Fam* poser; **to s. on** (*stamp*) coller; (*hat etc*) mettre, planter; **to s. out** (*tongue*) tirer; (*head*) *Fam* sortir; **to s. it out** (*resist*) *Fam* tenir le coup; **to s. up** (*notice*) afficher; (*hand*) *Fam* lever; – *vi* coller, adhérer (**to** à); (*of food in pan*) attacher; (*remain*) *Fam* rester; (*of drawer etc*) être bloqué *or* coincé; **to s. by s.o.** rester fidèle à qn; **to s. to the facts** (*confine oneself to*) s'en tenir aux faits; **to s. around** *Fam* rester dans les parages; **to s. out** (*of petticoat etc*) dépasser; (*of tooth*) avancer; **to s. up for** (*defend*) défendre; **sticking plaster** sparadrap *m*. **◆sticker** *n* (*label*) autocollant *m*. **◆stick-on** *a* (*label*) adhésif. **◆stick-up** *n* *Fam* hold-up *m inv*.

stickler ['stɪklər] *n* **a s. for** (*rules, discipline, details*) intransigeant sur.

sticky ['stɪkɪ] *a* (**-ier, -iest**) collant, poisseux; (*label*) adhésif; (*problem*) *Fig* difficile.

stiff [stɪf] *a* (**-er, -est**) raide; (*joint, leg etc*) ankylosé; (*brush, paste*) dur; (*person*) *Fig* froid, guindé; (*difficult*) difficile; (*price*) élevé; (*whisky*) bien tassé; **to have a s. neck** avoir le torticolis; **to feel s.** être courbaturé; **to be bored s.** *Fam* s'ennuyer à mourir; **frozen s.** *Fam* complètement gelé. **◆stiffen** *vt* raidir; – *vi* se raidir. **◆stiffly** *adv* (*coldly*) *Fig* froidement. **◆stiffness** *n* raideur *f*; (*hardness*) dureté *f*.

stifle ['staɪf(ə)l] *vt* (*feeling, person etc*) étouffer; – *vi* **it's stifling** on étouffe.

stigma ['stɪgmə] *n* (*moral stain*) flétrissure *f*. **◆stigmatize** *vt* (*denounce*) stigmatiser.

stile [staɪl] *n* (*between fields etc*) échalier *m*.

stiletto [stɪ'letəʊ] *a* **s. heel** talon *m* aiguille.

still¹ [stɪl] *adv* encore, toujours; (*even*) encore; (*nevertheless*) tout de même; **better s., s. better** encore mieux.

still² [stɪl] *a* (**-er, -est**) (*motionless*) immobile; (*calm*) calme, tranquille; (*drink*) non gazeux; **to keep** *or* **lie** *or* **stand s.** rester tranquille; **s. life** nature *f* morte; – *n* (*of night*) silence *m*; *Cin* photo *f*. **◆stillborn** *a* mort-né. **◆stillness** *n* immobilité *f*; calme *m*.

still³ [stɪl] *n* (*for making alcohol*) alambic *m*.

stilt [stɪlt] *n* (*pole*) échasse *f*.

stilted ['stɪltɪd] *a* guindé.

stimulate ['stɪmjʊleɪt] *vt* stimuler. **◆stimulant** *n* *Med* stimulant *m*. **◆stimu'lation** *n* stimulation *f*. **◆stimulus,** *pl* **-li** [-laɪ] *n* (*encouragement*) stimulant *m*; (*physiological*) stimulus *m*.

sting [stɪŋ] *vt* (*pt & pp* **stung**) (*of insect, ointment, wind etc*) piquer; (*of remark*) *Fig* blesser; – *vi* piquer; – *n* piqûre *f*; (*insect's organ*) dard *m*. **◆—ing** *a* (*pain, remark*) cuisant.

sting/y ['stɪndʒɪ] *a* (**-ier, -iest**) avare, mesquin; **s. with** (*money, praise*) avare de; (*food, wine*) mesquin sur. **◆—iness** *n* avarice *f*.

stink [stɪŋk] *n* puanteur *f*; **to cause** *or* **make a s.** (*trouble*) *Fam* faire du foin; – *vi* (*pt* **stank** *or* **stunk,** *pp* **stunk**) puer; (*of book, film etc*)

Fam être infect; **to s. of smoke/***etc* empester la fumée/*etc*; – *vt* **to s. out** (*room etc*) empester. ◆**—ing** *a Fam* infect, sale. ◆**—er** *n Fam* (*person*) sale type *m*; (*question, task etc*) vacherie *f*.

stint [stɪnt] **1** *n* (*share*) part *f* de travail; (*period*) période *f* de travail. **2** *vi* **to s. on** lésiner sur.

stipend ['staɪpend] *n Rel* traitement *n*.

stipulate ['stɪpjʊleɪt] *vt* stipuler (**that** que). ◆**stipu'lation** *n* stipulation *f*.

stir [stɜːr] *n* agitation *f*; **to give sth a s.** remuer qch; **to cause a s.** *Fig* faire du bruit; – *vt* (**-rr-**) (*coffee, leaves etc*) remuer; (*excite*) *Fig* exciter; (*incite*) inciter (**to do** à faire); **to s. oneself** (*make an effort*) se secouer; **to s. up** (*trouble*) provoquer; (*memory*) réveiller; – *vi* remuer, bouger. ◆**stirring** *a* (*speech etc*) excitant, émouvant.

stirrup ['stɪrəp] *n* étrier *m*.

stitch [stɪtʃ] *n* point *m*; (*in knitting*) maille *f*; *Med* point *m* de suture; **a s. (in one's side)** (*pain*) un point de côté; **to be in stitches** *Fam* se tordre (de rire); – *vt* **to s. (up)** (*sew up*) coudre; *Med* suturer.

stoat [stəʊt] *n* (*animal*) hermine *f*.

stock [stɒk] *n* (*supply*) provision *f*, stock *m*, réserve *f*; (*of knowledge, jokes*) fonds *m*, mine *f*; *Fin* valeurs *fpl*, titres *mpl*; (*descent, family*) souche *f*; (*soup*) bouillon *m*; (*cattle*) bétail *m*; **the stocks** *Hist* le pilori; **in s.** (*goods*) en magasin, disponible; **out of s.** (*goods*) épuisé, non disponible; **to take s.** *Fig* faire le point (**of** de); **s. reply/size** réponse *f*/taille *f* courante; **s. phrase** expression *f* toute faite; **the S. Exchange** *or* **Market** la Bourse; – *vt* (*sell*) vendre; (*keep in store*) stocker; **to s. (up)** (*shop, larder*) approvisionner; **well-stocked** bien approvisionné; – *vi* **to s. up** s'approvisionner (**with** de, en). ◆**stockbroker** *n* agent *m* de change. ◆**stockcar** *n* stock-car *m*. ◆**stockholder** *n Fin* actionnaire *mf*. ◆**stockist** *n* dépositaire *mf*, stockiste *m*. ◆**stockpile** *vt* stocker, amasser. ◆**stockroom** *n* réserve *f*, magasin *m*. ◆**stocktaking** *n Com* inventaire *m*.

stocking ['stɒkɪŋ] *n* (*garment*) bas *m*.

stocky ['stɒkɪ] *a* (**-ier, -iest**) trapu.

stodge [stɒdʒ] *n* (*food*) *Fam* étouffe-chrétien *m inv*. ◆**stodgy** *a* (**-ier, -iest**) *Fam* lourd, indigeste; (*person, style*) compassé.

stoic ['stəʊɪk] *a* & *n* stoïque (*mf*). ◆**stoical** *a* stoïque. ◆**stoicism** *n* stoïcisme *m*.

stok/e [stəʊk] *vt* (*fire*) entretenir; (*engine*) chauffer. ◆**—er** *n Rail* chauffeur *m*.

stole[1] [stəʊl] *n* (*shawl*) étole *f*.

stole[2], **stolen** [stəʊl, 'stəʊl(ə)n] *see* **steal**[1,2].

stolid ['stɒlɪd] *a* (*manner, person*) impassible.

stomach ['stʌmək] **1** *n Anat* estomac *m*; (*abdomen*) ventre *m*; – *vt* (*put up with*) *Fig* supporter. ◆**stomachache** *n* mal *m* de ventre; **to have a s.** avoir mal au ventre.

stone [stəʊn] *n* pierre *f*; (*pebble*) caillou *m*; (*in fruit*) noyau *m*; (*in kidney*) *Med* calcul *m*; (*weight*) = 6,348 kg; **a stone's throw away** *Fig* à deux pas d'ici; – *vt* lancer des pierres sur, lapider; (*fruit*) dénoyauter. ◆**stonemason** *n* tailleur *m* de pierre, maçon *m*. ◆**stony** *a* **1** (**-ier, -iest**) (*path etc*) pierreux, caillouteux. **2 s. broke** (*penniless*) *Sl* fauché.

stone- [stəʊn] *pref* complètement. ◆**s.-'broke** *a Am Sl* fauché. ◆**s.-'cold** *a* complètement froid. ◆**s.-'dead** *a* raide mort. ◆**s.-'deaf** *a* sourd comme un pot.

stoned [stəʊnd] *a* (*high on drugs*) *Fam* camé.

stooge [stuːdʒ] *n* (*actor*) comparse *mf*; (*flunkey*) *Pej* larbin *m*; (*dupe*) *Pej* pigeon *m*.

stood [stʊd] *see* **stand.**

stool [stuːl] *n* tabouret *m*.

stoop [stuːp] **1** *n* **to have a s.** être voûté; – *vi* se baisser; **to s. to doing/to sth** *Fig* s'abaisser à faire/à qch. **2** *n* (*in front of house*) *Am* perron *m*.

stop [stɒp] *n* (*place, halt*) arrêt *m*, halte *f*; *Av Nau* escale *f*; *Gram* point *m*; **bus s.** arrêt *m* d'autobus; **to put a s. to** mettre fin à; **to bring to a s.** arrêter; **to come to a s.** s'arrêter; **without a s.** sans arrêt; **s. light** (*on vehicle*) stop *m*; **s. sign** (*road sign*) stop *m*; – *vt* (**-pp-**) arrêter; (*end*) mettre fin à; (*prevent*) empêcher (**from doing** de faire); (*cheque*) faire opposition à; **to s. up** (*sink, pipe, leak etc*) boucher; – *vi* s'arrêter; (*of pain, conversation etc*) cesser; (*stay*) rester; **to s. eating/***etc* s'arrêter de manger/*etc*; **to s. snowing/***etc* cesser de neiger/*etc*; **to s. by** passer (**s.o.'s** chez qn); **to s. off** *or* **over** (*on journey*) s'arrêter. ◆**stoppage** *n* arrêt *m*; (*in pay*) retenue *f*; (*in work*) arrêt *m* de travail; (*strike*) débrayage *m*; (*blockage*) obstruction *f*. ◆**stopper** *n* bouchon *m*.

stopcock ['stɒpkɒk] *n* robinet *m* d'arrêt. ◆**stopgap** *n* bouche-trou *m*; – *a* intérimaire. ◆**stopoff** *n*, ◆**stopover** *n* halte *f*. ◆**stopwatch** *n* chronomètre *m*.

store [stɔːr] *n* (*supply*) provision *f*; (*of information, jokes etc*) *Fig* fonds *m*; (*depot, warehouse*) entrepôt *m*; (*shop*) grand magasin *m*, *Am* magasin *m*; (*computer memory*) mémoire *f*; **to have sth in s. for s.o.** (*surprise*) réserver qch à qn; **to keep in s.** garder en réserve; **to set great s. by** attacher une grande importance à; – *vt* **to s. (up)** (*in warehouse etc*) emmagasiner; (*for future use*) mettre en réserve; **to s. (away)** (*furniture*) entreposer. ◆**storage** *n* emmagasinage *m*; (*for future use*) mise *f* en réserve; **s. space** *or* **room** espace *m* de rangement. ◆**storekeeper** *n* magasinier *m*; (*shopkeeper*) *Am* commerçant, -ante *mf*. ◆**storeroom** *n* réserve *f*.

storey ['stɔːrɪ] *n* étage *m*.

stork [stɔːk] *n* cigogne *f*.

storm [stɔːm] **1** *n* (*weather*) & *Fig* tempête *f*; (*thunderstorm*) orage *m*; **s. cloud** nuage *m* orageux. **2** *vt* (*attack*) *Mil* prendre d'assaut. **3** *vi* **to s. out** (*angrily*) sortir comme une furie. ◆**stormy** *a* (**-ier, -iest**) (*weather, meeting etc*) orageux; (*wind*) d'orage.

story ['stɔːrɪ] *n* **1** histoire *f*; (*newspaper article*) article *m*; **s. (line)** *Cin Th* intrigue *f*; **short s.** *Liter* nouvelle *f*, conte *m*; **fairy s.** conte *m* de fées. **2** (*storey*) *Am* étage *m*. ◆**storyteller** *n* conteur, -euse *mf*; (*liar*) *Fam* menteur, -euse *mf*.

stout [staʊt] **1** *a* (**-er, -est**) (*person*) gros, corpulent; (*stick, volume*) gros, épais; (*shoes*) solide. **2** *n* (*beer*) bière *f* brune. ◆**—ness** *n* corpulence *f*.

stove [stəʊv] *n* (*for cooking*) cuisinière *f*; (*solid fuel*) fourneau *m*; (*small*) réchaud *m*; (*for heating*) poêle *m*.

stow [stəʊ] **1** *vt* (*cargo*) arrimer; **to s. away** (*put away*) ranger. **2** *vi* **to s. away** *Nau* voyager clandestinement. ◆**stowaway** *n* *Nau* passager, -ère *mf* clandestin(e).

straddle ['stræd(ə)l] *vt* (*chair, fence*) se mettre *or* être à califourchon sur; (*step over, span*) enjamber; (*line in road*) *Aut* chevaucher.

straggl/e ['stræg(ə)l] *vi* (*stretch*) s'étendre (en désordre); (*trail*) traîner (en désordre); **to s. in** entrer par petits groupes. ◆**—er** *n* traînard, -arde *mf*.

straight [streɪt] *a* (**-er, -est**) droit; (*hair*) raide; (*route*) direct; (*tidy*) en ordre; (*frank*) franc; (*refusal*) net; (*actor, role*) sérieux; **I want to get this s.** comprenons-nous bien; **to keep a s. face** garder son sérieux; **to put** *or* **set s.** (*tidy*) ranger; – *n* **the s.** *Sp* la ligne droite; – *adv* (*to walk etc*) droit; (*directly*) tout droit, directement; (*to drink gin, whisky etc*) sec; **s. away** (*at once*) tout de suite; **s. out, s. off** sans hésiter; **s. opposite** juste en face; **s. ahead** *or* **on** (*to walk etc*) tout droit; **s. ahead** (*to look*) droit devant soi. ◆**straighta'way** *adv* tout de suite. ◆**straighten** *vt* **to s. (up)** redresser; (*tie, room*) arranger; **to s. things out** *Fig* arranger les choses. ◆**straight'forward** *a* (*frank*) franc; (*easy*) simple.

strain [streɪn] **1** *n* tension *f*; (*tiredness*) fatigue *f*; (*stress*) *Med* tension *f* nerveuse; (*effort*) effort *m*; – *vt* (*rope, wire*) tendre excessivement; (*muscle*) *Med* froisser; (*ankle, wrist*) fouler; (*eyes*) fatiguer; (*voice*) forcer; *Fig* mettre à l'épreuve; **to s. one's ears** (*to hear*) tendre l'oreille; **to s. oneself** (*hurt oneself*) se faire mal; (*tire oneself*) se fatiguer; – *vi* fournir un effort (**to do** pour faire). **2** *vt* (*soup etc*) passer; (*vegetables*) égoutter. **3** *n* (*breed*) lignée *f*; (*of virus*) souche *f*; (*streak*) tendance *f*. **4** *npl Mus* accents *mpl* (**of** de). ◆**—ed** *a* (*relations*) tendu; (*laugh*) forcé; (*ankle, wrist*) foulé. ◆**—er** *n* passoire *f*.

strait [streɪt] **1** *n* & *npl Geog* détroit *m*. **2** *npl* **in financial straits** dans l'embarras. ◆**straitjacket** *n* camisole *f* de force. ◆**strait'laced** *a* collet monté *inv*.

strand [strænd] *n* (*of wool etc*) brin *m*; (*of hair*) mèche *f*; (*of story*) *Fig* fil *m*.

stranded ['strændɪd] *a* (*person, vehicle*) en rade.

strange [streɪndʒ] *a* (**-er, -est**) (*odd*) étrange, bizarre; (*unknown*) inconnu; (*new*) nouveau; **to feel s.** (*in a new place*) se sentir dépaysé. ◆**strangely** *adv* étrangement; **s. (enough) she . . .** chose étrange, elle . . . . ◆**strangeness** *n* étrangeté *f*. ◆**stranger** *n* (*unknown*) inconnu, -ue *mf*; (*outsider*) étranger, -ère *mf*; **he's a s. here** il n'est pas d'ici; **she's a s. to me** elle m'est inconnue.

strangle ['stræŋg(ə)l] *vt* étrangler. ◆**strangler** *n* étrangleur, -euse *mf*. ◆**stranglehold** *n* emprise *f* totale (**on** sur).

strap [stræp] *n* courroie *f*, sangle *f*; (*on dress*) bretelle *f*; (*on watch*) bracelet *m*; (*on sandal*) lanière *f*; – *vt* (**-pp-**) **to s. (down** *or* **in)** attacher (avec une courroie).

strapping ['stræpɪŋ] *a* (*well-built*) robuste.

stratagem ['strætədʒəm] *n* stratagème *m*.

strategy ['strætədʒɪ] *n* stratégie *f*. ◆**stra'tegic** *a* stratégique.

stratum, *pl* **-ta** ['strɑːtəm, -tə] *n* couche *f*.

straw [strɔː] *n* paille *f*; **a (drinking) s.** une paille; **that's the last s.!** c'est le comble!

strawberry ['strɔːbərɪ] *n* fraise *f*; – *a*

(*flavour, ice cream*) à la fraise; (*jam*) de fraises; (*tart*) aux fraises.
stray [streɪ] *a* (*lost*) perdu; **a s. car/***etc* une voiture/*etc* isolée; **a few s. cars/***etc* quelques rares voitures/*etc*; – *n* animal *m* perdu; – *vi* s'égarer; **to s. from** (*subject, path*) s'écarter de.
streak [striːk] *n* (*line*) raie *f*; (*of light*) filet *m*; (*of colour*) strie *f*; (*trace*) *Fig* trace *f*; (*tendency*) tendance *f*; **grey/***etc* **streaks** (*in hair*) mèches *fpl* grises/*etc*; **a mad s.** une tendance à la folie; **my literary s.** ma fibre littéraire. ◆**streaked** *a* (*marked*) strié, zébré; (*stained*) taché (**with** de). ◆**streaky** *a* (**-ier, -iest**) strié; (*bacon*) pas trop maigre.
stream [striːm] *n* (*brook*) ruisseau *m*; (*current*) courant *m*; (*flow*) & *Fig* flot *m*; *Sch* classe *f* (de niveau); – *vi* ruisseler (**with** de); **to s. in** (*of sunlight, people etc*) *Fig* entrer à flots.
streamer ['striːmər] *n* (*paper*) serpentin *m*; (*banner*) banderole *f*.
streamlin/e ['striːmlaɪn] *vt* (*work, method etc*) rationaliser. ◆**—ed** *a* (*shape*) aérodynamique.
street [striːt] *n* rue *f*; **s. door** porte *f* d'entrée; **s. lamp, s. light** réverbère *m*; **s. map, s. plan** plan *m* des rues; **up my s.** *Fig Fam* dans mes cordes; **streets ahead** *Fam* très en avance (**of** sur). ◆**streetcar** *n* (*tram*) *Am* tramway *m*.
strength [streŋθ] *n* force *f*; (*health, energy*) forces *fpl*; (*of wood, fabric*) solidité *f*; **on the s. of** *Fig* en vertu de; **in full s.** au (grand) complet. ◆**strengthen** *vt* (*building, position etc*) renforcer, consolider; (*body, soul, limb*) fortifier.
strenuous ['strenjʊəs] *a* (*effort etc*) vigoureux, énergique; (*work*) ardu; (*active*) actif; (*tiring*) fatigant. ◆**—ly** *adv* énergiquement.
strep [strep] *a* **s. throat** *Med Am* angine *f*.
stress [stres] *n* (*pressure*) pression *f*; *Med Psy* tension *f* (nerveuse), stress *m*; (*emphasis*) & *Gram* accent *m*; *Tech* tension *f*; **under s.** *Med Psy* sous pression, stressé; – *vt* insister sur; (*word*) accentuer; **to s. that** souligner que. ◆**stressful** *a* stressant.
stretch [stretʃ] *vt* (*rope, neck*) tendre; (*shoe, rubber*) étirer; (*meaning*) *Fig* forcer; **to s. (out)** (*arm, leg*) étendre, allonger; **to s. (out) one's arm** (*reach out*) tendre le bras (**to take** pour prendre); **to s. one's legs** *Fig* se dégourdir les jambes; **to s. s.o.** *Fig* exiger un effort de qn; **to be (fully) stretched** (*of budget etc*) être tiré au maximum; **to s. out** (*visit*) prolonger; – *vi* (*of person, elastic*) s'étirer; (*of influence etc*) s'étendre; **to s. (out)** (*of rope, plain*) s'étendre; – *n* (*area, duration*) étendue *f*; (*of road*) tronçon *m*, partie *f*; (*route, trip*) trajet *m*; **at a s.** d'une (seule) traite; **ten/***etc* **hours at a s.** dix/*etc* heures d'affilée; **s. socks/***etc* chaussettes *fpl/etc* extensibles; **s. nylon** nylon *m* stretch *inv*. ◆**stretchmarks** *npl* (*on body*) vergetures *fpl*.
stretcher ['stretʃər] *n* brancard *m*.
strew [struː] *vt* (*pt* **strewed**, *pp* **strewed** *or* **strewn**) (*scatter*) répandre; **strewn with** (*covered*) jonché de.
stricken ['strɪk(ə)n] *a* **s. with** (*illness*) atteint de; (*panic*) frappé de.
strict [strɪkt] *a* (**-er, -est**) (*severe, absolute*) strict. ◆**—ly** *adv* strictement; **s. forbidden** formellement interdit. ◆**—ness** *n* sévérité *f*.
stride [straɪd] *n* (grand) pas *m*, enjambée *f*; **to make great strides** *Fig* faire de grands progrès; – *vi* (*pt* **strode**) **to s. across** *or* **over** enjamber; **to s. up and down a room** arpenter une pièce.
strident ['straɪdənt] *a* strident.
strife [straɪf] *n inv* conflit(s) *m*(*pl*).
strik/e [straɪk] **1** *n* (*attack*) *Mil* raid *m* (aérien); (*of oil etc*) découverte *f*; – *vt* (*pt & pp* **struck**) (*hit, impress*) frapper; (*collide with*) heurter; (*beat*) battre; (*a blow*) donner; (*a match*) frotter; (*gold, problem*) trouver; (*coin*) frapper; (*of clock*) sonner; **to s. a bargain** conclure un accord; **to s. a balance** trouver l'équilibre; **to s. (off)** (*from list*) rayer (**from** de); **to be struck off** (*of doctor*) être radié; **it strikes me as/that** il me semble être/que; **how did it s. you?** quelle impression ça t'a fait?; **to s. down** (*of illness etc*) terrasser (*qn*); **to s. up a friendship** lier amitié (**with** avec); – *vi* **to s. (at)** (*attack*) attaquer; **to s. back** (*retaliate*) riposter; **to s. out** donner des coups. **2** *n* (*of workers*) grève *f*; **to go (out) on s.** se mettre en grève (**for** pour obtenir, **against** pour protester contre); – *vi* (*pt & pp* **struck**) (*of workers*) faire grève. ◆**—ing** *a* (*impressive*) frappant. ◆**—ingly** *adv* (*beautiful etc*) extraordinairement. ◆**—er** *n* gréviste *mf*; *Fb* buteur *m*.
string [strɪŋ] *n* ficelle *f*; (*of anorak, apron*) cordon *m*; (*of violin, racket etc*) corde *f*; (*of pearls, beads*) rang *m*; (*of onions, insults*) chapelet *m*; (*of people, vehicles*) file *f*; (*of questions etc*) série *f*; **to pull strings** *Fig* faire jouer ses relations; – *a* (*instrument, quartet*) *Mus* à cordes; **s. bean** haricot *m* vert; – *vt* (*pt & pp* **strung**) (*beads*) enfiler; **to s. up**

(*hang up*) suspendre; – *vi* **to s. along (with)** *Fam* suivre. ◆**—ed** *a* (*instrument*) *Mus* à cordes. ◆**stringy** *a* (**-ier, -iest**) (*meat etc*) filandreux.

stringent ['strɪndʒ(ə)nt] *a* rigoureux. ◆**stringency** *n* rigueur *f*.

strip [strɪp] **1** *n* (*piece*) bande *f*; (*of water*) bras *m*; **(thin) s.** (*of metal etc*) lamelle *f*; **landing s.** piste *f or* terrain *m* d'atterrissage; **s. cartoon, comic s.** bande *f* dessinée. **2** *vt* (**-pp-**) (*undress*) déshabiller; (*bed*) défaire; (*deprive*) dépouiller (**of** de); **to s. (down)** (*machine*) démonter; **to s. off** (*remove*) enlever; – *vi* **to s. (off)** (*undress*) se déshabiller. ◆**stripper** *n* (*woman*) strip-teaseuse *f*; **(paint) s.** décapant *m*. ◆**strip'tease** *n* strip-tease *m*.

stripe [straɪp] *n* rayure *f*; *Mil* galon *m*. ◆**striped** *a* rayé (**with** de). ◆**stripy** *a* rayé.

strive [straɪv] *vi* (*pt* **strove**, *pp* **striven**) s'efforcer (**to do** de faire, **for** d'obtenir).

strode [strəʊd] *see* **stride.**

stroke [strəʊk] *n* (*movement*) coup *m*; (*of pen, genius*) trait *m*; (*of brush*) touche *f*; (*on clock*) coup *m*; (*caress*) caresse *f*; *Med* coup *m* de sang; (*swimming style*) nage *f*; **at a s.** d'un coup; **a s. of luck** un coup de chance; **you haven't done a s. (of work)** tu n'as rien fait; **heat s.** (*sunstroke*) insolation *f*; **four-s. engine** moteur *m* à quatre temps; – *vt* (*beard, cat etc*) caresser.

stroll [strəʊl] *n* promenade *f*; – *vi* se promener, flâner; **to s. in**/*etc* entrer/*etc* sans se presser. ◆**—ing** *a* (*musician etc*) ambulant.

stroller ['strəʊlər] *n* (*pushchair*) *Am* poussette *f*.

strong [strɒŋ] *a* (**-er, -est**) fort; (*shoes, nerves*) solide; (*interest*) vif; (*measures*) énergique; (*supporter*) ardent; **sixty s.** au nombre de soixante; – *adv* **to be going s.** aller toujours bien. ◆**—ly** *adv* (*to protest, defend*) énergiquement; (*to desire, advise, remind*) fortement; (*to feel*) profondément; **s. built** solide. ◆**strongarm** *a* brutal. ◆**strongbox** *n* coffre-fort *m*. ◆**stronghold** *n* bastion *m*. ◆**strong-'willed** *a* résolu.

strove [strəʊv] *see* **strive.**

struck [strʌk] *see* **strike 1,2.**

structure ['strʌktʃər] *n* structure *f*; (*of building*) armature *f*; (*building itself*) construction *f*. ◆**structural** *a* structural; (*fault*) *Archit* de construction.

struggle ['strʌg(ə)l] *n* (*fight*) lutte *f* (**to do** pour faire); (*effort*) effort *m*; **to put up a s.** résister; **to have a s. doing** *or* **to do** avoir du mal à faire; – *vi* (*fight*) lutter, se battre (**with** avec); (*resist*) résister; (*thrash about wildly*) se débattre; **to s. to do** (*try hard*) s'efforcer de faire; **to s. out of** sortir péniblement de; **to s. along** *or* **on** se débrouiller; **a struggling lawyer**/*etc* un avocat/*etc* qui a du mal à débuter.

strum [strʌm] *vt* (**-mm-**) (*guitar etc*) gratter de.

strung [strʌŋ] *see* **string;** – *a* **s. out** (*things, people*) espacés; (*washing*) étendu.

strut [strʌt] **1** *vi* (**-tt-**) **to s. (about** *or* **around)** se pavaner. **2** *n* (*support*) *Tech* étai *m*.

stub [stʌb] **1** *n* (*of pencil, cigarette etc*) bout *m*; (*counterfoil of cheque etc*) talon *m*; – *vt* (**-bb-**) **to s. out** (*cigarette*) écraser. **2** *vt* (**-bb-**) **to s. one's toe** se cogner le doigt de pied (**on, against** contre).

stubble ['stʌb(ə)l] *n* barbe *f* de plusieurs jours.

stubborn ['stʌbən] *a* (*person*) entêté, opiniâtre; (*cough, efforts, manner etc*) opiniâtre. ◆**—ly** *adv* opiniâtrement. ◆**—ness** *n* entêtement *m*; opiniâtreté *f*.

stubby ['stʌbɪ] *a* (**-ier, -iest**) (*finger etc*) gros et court, épais; (*person*) trapu.

stuck [stʌk] *see* **stick²;** – *a* (*caught, jammed*) coincé; **s. in bed/indoors** cloué au lit/chez soi; **to be s.** (*unable to do sth*) ne pas savoir quoi faire; **I'm s. (for an answer)** je ne sais que répondre; **to be s. with sth/s.o.** se farcir qch/qn. ◆**s.-'up** *a Fam* prétentieux, snob *inv*.

stud [stʌd] *n* **1** (*nail*) clou *m* (à grosse tête); (*for collar*) bouton *m* de col. **2** (*farm*) haras *m*; (*horses*) écurie *f*; (*stallion*) étalon *m*; (*virile man*) *Sl* mâle *m*. ◆**studded** *a* (*boots, tyres*) clouté; **s. with** (*covered*) *Fig* constellé de, parsemé de.

student ['stjuːdənt] *n Univ* étudiant, -ante *mf*; *Sch Am* élève *mf*; **music**/*etc* **s.** étudiant, -ante en musique/*etc*; – *a* (*life, protest*) étudiant; (*restaurant, residence, grant*) universitaire.

studio ['stjuːdɪəʊ] *n* (*pl* **-os**) (*of painter etc*) & *Cin TV* studio *m*; **s. flat** *or Am* **apartment** studio *m*.

studious ['stjuːdɪəs] *a* (*person*) studieux. ◆**—ly** *adv* (*carefully*) avec soin. ◆**—ness** *n* application *f*.

study ['stʌdɪ] *n* étude *f*; (*office*) bureau *m*; – *vt* (*learn, observe*) étudier; – *vi* étudier; **to s. to be a doctor**/*etc* faire des études pour devenir médecin/*etc*; **to s. for** (*exam*) préparer. ◆**studied** *a* (*deliberate*) étudié.

stuff [stʌf] **1** *n* (*thing*) truc *m*, chose *f*;

(*substance*) substance *f*; (*things*) trucs *mpl*, choses *fpl*; (*possessions*) affaires *fpl*; (*nonsense*) sottises *fpl*; **this s.'s good, it's good s.** c'est bon (ça). **2** *vt* (*chair, cushion etc*) rembourrer (**with** avec); (*animal*) empailler; (*cram, fill*) bourrer (**with** de); (*put, thrust*) fourrer (**into** dans); (*chicken etc*) *Culin* farcir; **to s. (up)** (*hole etc*) colmater; **my nose is stuffed (up)** j'ai le nez bouché. **◆—ing** *n* (*padding*) bourre *f*; *Culin* farce *f*.
stuffy ['stʌfɪ] *a* (**-ier, -iest**) (*room etc*) mal aéré; (*formal*) *Fig* compassé; (*old-fashioned*) vieux jeu *inv*; **it smells s.** ça sent le renfermé.
stumble ['stʌmb(ə)l] *vi* trébucher (**over** sur, **against** contre); **to s. across** *or* **on** (*find*) tomber sur; **stumbling block** pierre *f* d'achoppement.
stump [stʌmp] *n* (*of tree*) souche *f*; (*of limb*) moignon *m*; (*of pencil*) bout *m*; *Cricket* piquet *m*.
stumped ['stʌmpt] *a* **to be s. by sth** (*baffled*) ne pas savoir que penser de qch.
stun [stʌn] *vt* (**-nn-**) (*daze*) étourdir; (*animal*) assommer; (*amaze*) *Fig* stupéfier. **◆stunned** *a Fig* stupéfait (**by** par). **◆stunning** *a* (*blow*) étourdissant; (*news*) stupéfiant; (*terrific*) *Fam* sensationnel.
stung [stʌŋ] *see* **sting**.
stunk [stʌŋk] *see* **stink**.
stunt [stʌnt] **1** *n* (*feat*) tour *m* (de force); *Cin* cascade *f*; (*ruse, trick*) truc *m*; **s. man** *Cin* cascadeur *m*; **s. woman** *Cin* cascadeuse *f*. **2** *vt* (*growth*) retarder. **◆—ed** *a* (*person*) rabougri.
stupefy ['stjuːpɪfaɪ] *vt* (*of drink etc*) abrutir; (*amaze*) *Fig* stupéfier.
stupendous [stjuː'pendəs] *a* prodigieux.
stupid ['stjuːpɪd] *a* stupide, bête; **a s. thing** une sottise; **s. fool, s. idiot** idiot, -ote *mf*. **◆stu'pidity** *n* stupidité *f*. **◆stupidly** *adv* stupidement, bêtement.
stupor ['stjuːpər] *n* (*daze*) stupeur *f*.
sturdy ['stɜːdɪ] *a* (**-ier, -iest**) (*person, shoe etc*) robuste. **◆sturdiness** *n* robustesse *f*.
sturgeon ['stɜːdʒ(ə)n] *n* (*fish*) esturgeon *m*.
stutter ['stʌtər] *n* bégaiement *m*; **to have a s.** être bègue; – *vi* bégayer.
sty [staɪ] *n* (*pigsty*) porcherie *f*.
sty(e) [staɪ] *n* (*on eye*) orgelet *m*.
style [staɪl] *n* style *m*; (*fashion*) mode *f*; (*design of dress etc*) modèle *m*; (*of hair*) coiffure *f*; (*sort*) genre *m*; **to have s.** avoir de la classe; **in s.** (*in superior manner*) de la meilleure façon possible; (*to live, travel*) dans le luxe; – *vt* (*design*) créer; **he styles himself . . .** *Pej* il se fait appeler . . . ; **to s. s.o.'s hair** coiffer qn. **◆styling** *n* (*cutting of hair*) coupe *f*. **◆stylish** *a* chic, élégant. **◆stylishly** *adv* élégamment. **◆stylist** *n* (**hair**) **s.** coiffeur, -euse *mf*. **◆sty'listic** *a* de style, stylistique. **◆stylized** *a* stylisé.
stylus ['staɪləs] *n* (*of record player*) pointe *f* de lecture.
suave [swɑːv] *a* (**-er, -est**) (*urbane*) courtois; *Pej* doucereux.
sub- [sʌb] *pref* sous-, sub-.
subconscious [sʌb'kɒnʃəs] *a* & *n* subconscient (*m*). **◆—ly** *adv* inconsciemment.
subcontract [sʌbkən'trækt] *vt* sous-traiter. **◆subcontractor** *n* sous-traitant *m*.
subdivide [sʌbdɪ'vaɪd] *vt* subdiviser (**into** en). **◆subdivision** *n* subdivision *f*.
subdu/e [səb'djuː] *vt* (*country*) asservir; (*feelings*) maîtriser. **◆—ed** *a* (*light*) atténué; (*voice*) bas; (*reaction*) faible; (*person*) qui manque d'entrain.
subheading ['sʌbhedɪŋ] *n* sous-titre *m*.
subject[1] ['sʌbdʒɪkt] *n* **1** (*matter*) & *Gram* sujet *m*; *Sch Univ* matière *f*; **s. matter** (*topic*) sujet *m*; (*content*) contenu *m*. **2** (*citizen*) ressortissant, -ante *mf*; (*of monarch, monarchy*) sujet, -ette *mf*; (*person etc in experiment*) sujet *m*.
subject[2] ['sʌbdʒekt] *a* (*tribe etc*) soumis; **s. to** (*prone to*) sujet à (*maladie etc*); (*ruled by*) soumis à (*loi, règle etc*); (*conditional upon*) sous réserve de; **prices are s. to change** les prix peuvent être modifiés; – [səb'dʒekt] *vt* soumettre (**to** à); (*expose*) exposer (**to** à). **◆sub'jection** *n* soumission *f* (**to** à).
subjective [səb'dʒektɪv] *a* subjectif. **◆—ly** *adv* subjectivement. **◆subjec'tivity** *n* subjectivité *f*.
subjugate ['sʌbdʒʊgeɪt] *vt* subjuguer.
subjunctive [səb'dʒʌŋktɪv] *n Gram* subjonctif *m*.
sublet [sʌb'let] *vt* (*pt & pp* **sublet**, *pres p* **subletting**) sous-louer.
sublimate ['sʌblɪmeɪt] *vt Psy* sublimer.
sublime [sə'blaɪm] *a* sublime; (*indifference, stupidity*) suprême; – *n* sublime *m*.
submachine-gun [sʌbmə'ʃiːngʌn] *n* mitraillette *f*.
submarine ['sʌbməriːn] *n* sous-marin *m*.
submerge [səb'mɜːdʒ] *vt* (*flood, overwhelm*) submerger; (*immerse*) immerger (**in** dans); – *vi* (*of submarine*) s'immerger.
submit [səb'mɪt] *vt* (**-tt-**) soumettre (**to** à); **to s. that** *Jur* suggérer que; – *vi* se soumettre (**to** à). **◆submission** *n* soumission *f* (**to** à). **◆submissive** *a* soumis. **◆submissively** *adv* avec soumission.

subnormal [sʌb'nɔːm(ə)l] *a* au-dessous de la normale; (*mentally*) arriéré.
subordinate [sə'bɔːdɪnət] *a* subalterne; *Gram* subordonné; – *n* subordonné, -ée *mf*; – [sə'bɔːdɪneɪt] *vt* subordonner (**to** à). ♦**subordi'nation** *n* subordination *f* (**to** à).
subpoena [səb'piːnə] *vt Jur* citer; – *n Jur* citation *f*.
subscribe [səb'skraɪb] *vt* (*money*) donner (**to** à); – *vi* cotiser; **to s. to** (*take out subscription*) s'abonner à (*journal etc*); (*be a subscriber*) être abonné à (*journal etc*); (*fund, idea*) souscrire à. ♦**subscriber** *n Journ Tel* abonné, -ée *mf*. ♦**subscription** *n* (*to newspaper etc*) abonnement *m*; (*to fund, idea*) & *Fin* souscription *f*; (*to club etc*) cotisation *f*.
subsequent ['sʌbsɪkwənt] *a* postérieur (**to** à); **our s. problems** les problèmes que nous avons eus par la suite; **s. to** (*as a result of*) consécutif à. ♦**—ly** *adv* par la suite.
subservient [səb'sɜːvɪənt] *a* obséquieux; **to be s. to** (*a slave to*) être asservi à.
subside [səb'saɪd] *vi* (*of building, land*) s'affaisser; (*of wind, flood*) baisser. ♦**'subsidence** *n* affaissement *m*.
subsidiary [səb'sɪdɪərɪ] *a* accessoire; (*subject*) *Univ* secondaire; – *n* (*company*) *Com* filiale *f*.
subsidize ['sʌbsɪdaɪz] *vt* subventionner. ♦**subsidy** *n* subvention *f*.
subsist [səb'sɪst] *vi* (*of person, doubts etc*) subsister. ♦**subsistence** *n* subsistance *f*.
substance ['sʌbstəns] *n* substance *f*; (*firmness*) solidité *f*; **a man of s.** un homme riche. ♦**substantial** [səb'stænʃ(ə)l] *a* important, considérable; (*meal*) substantiel. ♦**sub'stantially** *adv* considérablement, beaucoup; **s. true**/*etc* (*to a great extent*) en grande partie vrai/*etc*; **s. different** très différent.
substandard [sʌb'stændəd] *a* de qualité inférieure.
substantiate [səb'stænʃɪeɪt] *vt* prouver, justifier.
substitute ['sʌbstɪtjuːt] *n* (*thing*) produit *m* de remplacement; (*person*) remplaçant, -ante *mf* (**for** de); **there's no s. for** . . . rien ne peut remplacer . . . ; – *vt* substituer (**for** à); – *vi* **to s. for** remplacer; (*deputize for in job*) se substituer à. ♦**substi'tution** *n* substitution *f*.
subtitle ['sʌbtaɪt(ə)l] *n* sous-titre *m*; – *vt* sous-titrer.
subtle ['sʌt(ə)l] *a* (**-er, -est**) subtil. ♦**subtlety** *n* subtilité *f*. ♦**subtly** *adv* subtilement.
subtotal [sʌb'təʊt(ə)l] *n* total *m* partiel, sous-total *m*.
subtract [səb'trækt] *vt* soustraire (**from** de). ♦**subtraction** *n* soustraction *f*.
suburb ['sʌbɜːb] *n* banlieue *f*; **the suburbs** la banlieue; **in the suburbs** en banlieue. ♦**su'burban** *a* (*train*) de banlieue; (*accent*) de la banlieue. ♦**su'burbia** *n* la banlieue.
subversive [səb'vɜːsɪv] *a* subversif. ♦**subversion** *n* subversion *f*. ♦**subvert** *vt* (*system etc*) bouleverser; (*person*) corrompre.
subway ['sʌbweɪ] *n* passage *m* souterrain; *Rail Am* métro *m*.
succeed [sək'siːd] **1** *vi* réussir (**in doing** à faire, **in sth** dans qch). **2** *vt* **to s. s.o.** (*follow*) succéder à qn; – *vi* **to s. to the throne** succéder à la couronne. ♦**—ing** *a* (*in past*) suivant; (*in future*) futur; (*consecutive*) consécutif.
success [sək'ses] *n* succès *m*, réussite *f*; **to make a s. of sth** réussir qch; **he was a s.** il a eu du succès; **his** *or* **her s. in the exam** sa réussite à l'examen; **s. story** réussite *f* complète *or* exemplaire. ♦**successful** *a* (*venture etc*) couronné de succès, réussi; (*outcome*) heureux; (*firm*) prospère; (*candidate in exam*) admis, reçu; (*in election*) élu; (*writer, film etc*) à succès; **to be s.** réussir (**in** dans, **in an exam** à un examen, **in doing** à faire). ♦**successfully** *adv* avec succès.
succession [sək'seʃ(ə)n] *n* succesion *f*; **in s.** successivement; **ten days in s.** dix jours consécutifs; **in rapid s.** coup sur coup. ♦**successive** *a* successif; **ten s. days** dix jours consécutifs. ♦**successor** *n* successeur *m* (**of, to** de).
succinct [sək'sɪŋkt] *a* succinct.
succulent ['sʌkjʊlənt] *a* succulent.
succumb [sə'kʌm] *vi* (*yield*) succomber (**to** à).
such [sʌtʃ] *a* tel; **s. a car**/*etc* une telle voiture/*etc*; **s. happiness**/*etc* (*so much*) tant *or* tellement de bonheur/*etc*; **there's no s. thing** ça n'existe pas; **I said no s. thing** je n'ai rien dit de tel; **s. as** comme, tel que; **s. and s.** tel ou tel; – *adv* (*so very*) si; (*in comparisons*) aussi; **s. a kind woman as you** une femme aussi gentille que vous; **s. long trips** de si longs voyages; **s. a large helping** une si grosse portion; – *pron* **happiness**/*etc* **as s.** le bonheur/*etc* en tant que tel; **s. was**

my idea telle était mon idée. ◆**suchlike** *n* . . . and s. *Fam* . . . et autres.

suck [sʌk] *vt* sucer; (*of baby*) téter (*lait, biberon etc*); **to s. (up)** (*with straw, pump*) aspirer; **to s. up** *or* **in** (*absorb*) absorber; – *vi* (*of baby*) téter; **to s. at** sucer. ◆**—er** *n* **1** (*fool*) *Fam* pigeon *m*, dupe *f*. **2** (*pad*) ventouse *f*.

suckle ['sʌk(ə)l] *vt* (*of woman*) allaiter; (*of baby*) téter.

suction ['sʌkʃ(ə)n] *n* succion *f*; **s. disc, s. pad** ventouse *f*.

Sudan [suː'dɑːn] *n* Soudan *m*.

sudden ['sʌd(ə)n] *a* soudain, subit; **all of a s.** tout à coup. ◆**—ly** *adv* subitement. ◆**—ness** *n* soudaineté *f*.

suds [sʌdz] *npl* mousse *f* de savon.

sue [suː] *vt* poursuivre (en justice); – *vi* engager des poursuites (judiciaires).

suede [sweɪd] *n* daim *m*; – *a* de daim.

suet ['suːɪt] *n* graisse *f* de rognon.

suffer ['sʌfər] *vi* souffrir (**from** de); **to s. from pimples/the flu** avoir des boutons/la grippe; **your work/***etc* **will s.** ton travail/*etc* s'en ressentira; – *vt* (*attack, loss etc*) subir; (*pain*) ressentir; (*tolerate*) souffrir. ◆**—ing** *n* souffrance(s) *f(pl)*. ◆**—er** *n Med* malade *mf*; (*from misfortune*) victime *f*.

suffice [sə'faɪs] *vi* suffire.

sufficient [sə'fɪʃ(ə)nt] *a* (*quantity, number*) suffisant; **s. money/***etc* (*enough*) suffisamment d'argent/*etc*; **to have s.** en avoir suffisamment. ◆**—ly** *adv* suffisamment.

suffix ['sʌfɪks] *n Gram* suffixe *m*.

suffocate ['sʌfəkeɪt] *vti* étouffer, suffoquer. ◆**suffo'cation** *n* (*of industry, mind etc*) & *Med* étouffement *m*, asphyxie *f*.

suffrage ['sʌfrɪdʒ] *n* (*right to vote*) *Pol* suffrage *m*.

suffused [sə'fjuːzd] *a* **s. with** (*light, tears*) baigné de.

sugar ['ʃʊgər] *n* sucre *m*; – *a* (*cane, tongs*) à sucre; (*industry*) sucrier; **s. bowl** sucrier *m*; – *vt* sucrer. ◆**sugary** *a* (*taste, tone*) sucré.

suggest [sə'dʒest] *vt* (*propose*) suggérer, proposer (**to** à, **that** que (+ *sub*)); (*evoke, imply*) suggérer; (*hint*) *Pej* insinuer. ◆**suggestion** *n* suggestion *f*, proposition *f*; (*evocation*) suggestion *f*; *Pej* insinuation *f*. ◆**suggestive** *a* suggestif; **to be s. of** suggérer.

suicide ['suːɪsaɪd] *n* suicide *m*; **to commit s.** se suicider. ◆**sui'cidal** *a* suicidaire.

suit [suːt] **1** *n* (*man's*) complet *m*, costume *m*; (*woman's*) tailleur *m*; (*of pilot, diver etc*) combinaison *f*. **2** *n* (*lawsuit*) *Jur* procès *m*. **3** *n Cards* couleur *f*. **4** *vt* (*satisfy, be appropriate to*) convenir à; (*of dress, colour etc*) aller (bien) à; (*adapt*) adapter (**to** à); **it suits me to stay** ça m'arrange de rester; **s. yourself!** comme tu voudras!; **suited to** (*made for*) fait pour; (*appropriate to*) approprié à; **well suited** (*couple etc*) bien assorti. ◆**suita'bility** *n* (*of remark etc*) à-propos *m*; (*of person*) aptitudes *fpl* (**for** pour); **I'm not sure of the s. of it** (*date etc*) je ne sais pas si ça convient. ◆**suitable** *a* qui convient (**for** à); (*dress, colour*) qui va (bien); (*example*) approprié; (*socially*) convenable. ◆**suitably** *adv* convenablement.

suitcase ['suːtkeɪs] *n* valise *f*.

suite [swiːt] *n* (*rooms*) suite *f*; (*furniture*) mobilier *m*; **bedroom s.** (*furniture*) chambre *f* à coucher.

suitor ['suːtər] *n* soupirant *m*.

sulfur ['sʌlfər] *n Am* soufre *m*.

sulk [sʌlk] *vi* bouder. ◆**sulky** *a* (**-ier, -iest**) boudeur.

sullen ['sʌlən] *a* maussade. ◆**—ly** *adv* d'un air maussade.

sully ['sʌlɪ] *vt Lit* souiller.

sulphur ['sʌlfər] *n* soufre *m*.

sultan ['sʌltən] *n* sultan *m*.

sultana [sʌl'tɑːnə] *n* raisin *m* de Smyrne.

sultry ['sʌltrɪ] *a* (**-ier, -iest**) (*heat*) étouffant; *Fig* sensuel.

sum [sʌm] **1** *n* (*amount, total*) somme *f*; *Math* calcul *m*; *pl* (*arithmetic*) le calcul; **s. total** résultat *m*. **2** *vt* (**-mm-**) **to s. up** (*facts etc*) récapituler, résumer; (*text*) résumer; (*situation*) évaluer; (*person*) jauger; – *vi* **to s. up** récapituler. ◆**summing-'up** *n* (*pl* **summings-up**) résumé *m*.

summarize ['sʌməraɪz] *vt* résumer. ◆**summary** *n* résumé *m*; – *a* (*brief*) sommaire.

summer ['sʌmər] *n* été *m*; **in (the) s.** en été; **Indian s.** été indien *or* de la Saint-Martin; – *a* d'été; **s. holidays** grandes vacances *fpl*. ◆**summerhouse** *n* pavillon *m* (de jardien). ◆**summertime** *n* été *m*; **in (the) s.** en été. ◆**summery** *a* (*weather etc*) estival; (*dress*) d'été.

summit ['sʌmɪt] *n* (*of mountain, power etc*) sommet *m*; **s. conference/meeting** *Pol* conférence *f*/rencontre *f* au sommet.

summon ['sʌmən] *vt* (*call*) appeler; (*meeting, s.o. to meeting*) convoquer (**to** à); **to s. s.o. to do** sommer qn de faire; **to s. up** (*courage, strength*) rassembler.

summons ['sʌmənz] *n Jur* assignation *f*; – *vt Jur* assigner.

sumptuous ['sʌmptʃʊəs] *a* somptueux. ◆**—ness** *n* somptuosité *f*.

sun [sʌn] *n* soleil *m*; **in the s.** au soleil; **the**

sun's shining il fait (du) soleil; – *a* (*cream, filter etc*) solaire; **s. lounge** solarium *m*; – *vt* (**-nn-**) **to s. oneself** se chauffer au soleil. ◆**sunbaked** *a* brûlé par le soleil. ◆**sunbathe** *vi* prendre un bain de soleil. ◆**sunbeam** *n* rayon *m* de soleil. ◆**sunburn** *n* (*tan*) bronzage *m*; *Med* coup *m* de soleil. ◆**sunburnt** *a* bronzé; *Med* brûlé par le soleil. ◆**sundial** *n* cadran *m* solaire. ◆**sundown** *n* coucher *m* du soleil. ◆**sundrenched** *a* brûlé par le soleil. ◆**sunflower** *n* tournesol *m*. ◆**sunglasses** *npl* lunettes *fpl* de soleil. ◆**sunlamp** *n* lampe *f* à rayons ultraviolets. ◆**sunlight** *n* (lumière *f* du) soleil *m*. ◆**sunlit** *a* ensoleillé. ◆**sunrise** *n* lever *m* du soleil. ◆**sunroof** *n Aut* toit *m* ouvrant. ◆**sunset** *n* coucher *m* du soleil. ◆**sunshade** *n* (*on table*) parasol *m*; (*portable*) ombrelle *f*. ◆**sunshine** *n* soleil *m*. ◆**sunstroke** *n* insolation *f*. ◆**suntan** *n* bronzage *m*; – *a* (*lotion, oil*) solaire. ◆**suntanned** *a* bronzé. ◆**sunup** *n Am* lever *m* du soleil.

sundae ['sʌndeɪ] *n* glace *f* aux fruits.

Sunday ['sʌndɪ] *n* dimanche *m*.

sundry ['sʌndrɪ] *a* divers; **all and s.** tout le monde; – *npl Com* articles *mpl* divers.

sung [sʌŋ] *see* **sing.**

sunk [sʌŋk] *see* **sink**[2]; – *a* **I'm s.** *Fam* je suis fichu. ◆**sunken** *a* (*rock etc*) submergé; (*eyes*) cave.

sunny ['sʌnɪ] *a* (**-ier, -iest**) ensoleillé; **it's s.** il fait (du) soleil; **s. period** *Met* éclaircie *f*.

super ['suːpər] *a Fam* sensationnel.

super- ['suːpər] *pref* super-.

superannuation [supərænjʊ'eɪʃ(ə)n] *n* (*amount*) cotisations *fpl* (pour la) retraite.

superb [suː'pɜːb] *a* superbe.

supercilious [suːpə'sɪlɪəs] *a* hautain.

superficial [suːpə'fɪʃ(ə)l] *a* superficiel. ◆**—ly** *adv* superficiellement.

superfluous [suː'pɜːflʊəs] *a* superflu.

superhuman [suːpə'hjuːmən] *a* surhumain.

superimpose [suːpərɪm'pəʊz] *vt* superposer (**on** à).

superintendent [suːpərɪn'tendənt] *n* directeur, -trice *mf*; **(police) s.** commissaire *m* (de police).

superior [su'pɪərɪər] *a* supérieur (**to** à); (*goods*) de qualité supérieure; – *n* (*person*) supérieur, -eure *mf*. ◆**superi'ority** *n* supériorité *f*.

superlative [suː'pɜːlətɪv] *a* sans pareil; – *a* & *n Gram* superlatif (*m*).

superman ['suːpəmæn] *n* (*pl* **-men**) surhomme *m*.

supermarket ['suːpəmɑːkɪt] *n* supermarché *m*.

supernatural [suːpə'nætʃ(ə)rəl] *a* & *n* surnaturel (*m*).

superpower ['suːpəpaʊər] *n Pol* superpuissance *f*.

supersede [suːpə'siːd] *vt* remplacer, supplanter.

supersonic [suːpə'sɒnɪk] *a* supersonique.

superstition [suːpə'stɪʃ(ə)n] *n* superstition *f*. ◆**superstitious** *a* superstitieux.

supertanker ['suːpətæŋkər] *n* pétrolier *m* géant.

supervise ['suːpəvaɪz] *vt* (*person, work*) surveiller; (*office, research*) diriger. ◆**super'vision** *n* surveillance *f*; direction *f*. ◆**supervisor** *n* surveillant, -ante *mf*; (*in office*) chef *m* de service; (*shop*) chef *m* de rayon. ◆**super'visory** *a* (*post*) de surveillant(e).

supper ['sʌpər] *n* dîner *m*; (*late-night*) souper *m*.

supple ['sʌp(ə)l] *a* souple. ◆**—ness** *n* souplesse *f*.

supplement ['sʌplɪmənt] *n* (*addition*) & *Journ* supplément *m* (**to** à); – ['sʌplɪment] *vt* compléter; **to s. one's income** arrondir ses fins de mois. ◆**supple'mentary** *a* supplémentaire.

supply [sə'plaɪ] *vt* (*provide*) fournir; (*feed*) alimenter (**with** en); (*equip*) équiper, pourvoir (**with** de); **to s. a need** subvenir à un besoin; **to s. s.o. with sth, s. sth to s.o.** (*facts etc*) fournir qch à qn; – *n* (*stock*) provision *f*, réserve *f*; (*equipment*) matériel *m*; **the s. of** (*act*) la fourniture de; **the s. of gas/electricity to** l'alimentation *f* en gaz/électricité de; **(food) supplies** vivres *mpl*; **(office) supplies** fournitures *fpl* (de bureau); **s. and demand** l'offre *f* et la demande; **to be in short s.** manquer; – *a* (*ship, train*) ravitailleur; **s. teacher** suppléant, -ante *mf*. ◆**—ing** *n* (*provision*) fourniture *f*; (*feeding*) alimentation *f*. ◆**supplier** *n Com* fournisseur *m*.

support [sə'pɔːt] *vt* (*bear weight of*) soutenir, supporter; (*help, encourage*) soutenir, appuyer; (*theory, idea*) appuyer; (*be in favour of*) être en faveur de; (*family, wife etc*) assurer la subsistance de; (*endure*) supporter; – *n* (*help, encouragement*) appui *m*, soutien *m*; *Tech* support *m*; **means of s.** moyens *mpl* de subsistance; **in s. of** en faveur de; (*evidence, theory*) à l'appui de. ◆**—ing** *a* (*role*) *Th Cin* secondaire; (*actor*) qui a un rôle secondaire. ◆**supporter** *n* partisan, -ane *mf*; *Fb* supporter *m*. ◆**supportive** *a* **to be s.** prêter son appui (**of, to** à).

suppos/e [sə'pəʊz] *vti* supposer (**that** que); **I'm supposed to work** *or* **be working** (*ought*) je suis censé travailler; **he's s. to be rich** on le dit riche; **I s. (so)** je pense; **I don't s. so, I s. not** je ne pense pas; **you're tired, I s.** vous êtes fatigué, je suppose; **s.** *or* **supposing we go** (*suggestion*) si nous partions; **s.** *or* **supposing (that) you're right** supposons que tu aies raison. ◆**—ed** *a* soi-disant. ◆**—edly** [-ɪdlɪ] *adv* soi-disant. ◆**suppo'sition** *n* supposition *f*.

suppository [sə'pɒzɪtərɪ] *n Med* suppositoire *m*.

suppress [sə'pres] *vt* (*put an end to*) supprimer; (*feelings*) réprimer; (*scandal, yawn etc*) étouffer. ◆**suppression** *n* suppression *f*; répression *f*. ◆**suppressor** *n El* dispositif *m* antiparasite.

supreme [suː'priːm] *a* suprême. ◆**supremacy** *n* suprématie *f* (**over** sur).

supremo [suː'priːməʊ] *n* (*pl* **-os**) *Fam* grand chef *m*.

surcharge ['sɜːtʃɑːdʒ] *n* (*extra charge*) supplément *m*; (*on stamp*) surcharge *f*; (*tax*) surtaxe *f*.

sure [ʃʊər] *a* (**-er, -est**) sûr (**of** de, **that** que); **she's s. to accept** il est sûr qu'elle acceptera; **it's s. to snow** il va sûrement neiger; **to make s. of** s'assurer de; **for s.** à coup sûr, pour sûr; **s.!**, *Fam* **s. thing!** bien sûr!; **s. enough** (*in effect*) en effet; **it s. is cold** *Am* il fait vraiment froid; **be s. to do it!** ne manquez pas de le faire! ◆**surefire** *a* infaillible. ◆**surely** *adv* (*certainly*) sûrement; **s. he didn't refuse?** (*I think, I hope*) il n'a tout de même pas refusé.

surety ['ʃʊərətɪ] *n* caution *f*.

surf [sɜːf] *n* (*foam*) ressac *m*. ◆**surfboard** *n* planche *f* (de surf). ◆**surfing** *n Sp* surf *m*.

surface ['sɜːfɪs] *n* surface *f*; **s. area** superficie *f*; **s. mail** courrier *m* par voie(s) de surface; **on the s.** (*to all appearances*) *Fig* en apparence; – *vt* (*road*) revêtir; – *vi* (*of swimmer etc*) remonter à la surface; (*of ideas, person etc*) *Fam* apparaître.

surfeit ['sɜːfɪt] *n* (*excess*) excès *m* (**of** de).

surge [sɜːdʒ] *n* (*of sea, enthusiasm*) vague *f*; (*rise*) montée *f*; – *vi* (*of crowd, hatred*) déferler; (*rise*) monter; **to s. forward** se lancer en avant.

surgeon ['sɜːdʒ(ə)n] *n* chirurgien *m*. ◆**surgery** *n* (*science*) chirurgie *f*; (*doctor's office*) cabinet *m*; (*sitting, period*) consultation *f*; **to undergo s.** subir une intervention. ◆**surgical** *a* chirurgical; (*appliance*) orthopédique; **s. spirit** alcool *m* à 90°.

surly ['sɜːlɪ] *a* (**-ier, -iest**) bourru. ◆**surliness** *n* air *m* bourru.

surmise [sə'maɪz] *vt* conjecturer (**that** que).

surmount [sə'maʊnt] *vt* (*overcome, be on top of*) surmonter.

surname ['sɜːneɪm] *n* nom *m* de famille.

surpass [sə'pɑːs] *vt* surpasser (**in** en).

surplus ['sɜːpləs] *n* surplus *m*; – *a* (*goods*) en surplus; **some s. material**/*etc* (*left over*) un surplus de tissu/*etc*; **s. stock** surplus *mpl*.

surpris/e [sə'praɪz] *n* surprise *f*; **to give s.o. a s.** faire une surprise à qn; **to take s.o. by s.** prendre qn au dépourvu; – *a* (*visit, result etc*) inattendu; – *vt* (*astonish*) étonner, surprendre; (*come upon*) surprendre. ◆**—ed** *a* surpris (**that** que (+ *sub*), **at sth** de qch, **at seeing**/*etc* de voir/*etc*); **I'm s. at his** *or* **her stupidity** sa bêtise m'étonne *or* me surprend. ◆**—ing** *a* surprenant. ◆**—ingly** *adv* étonnamment; **s. (enough) he . . .** chose étonnante, il . . . .

surrealistic [sərɪə'lɪstɪk] *a* (*strange*) *Fig* surréaliste.

surrender [sə'rendər] **1** *vi* (*give oneself up*) se rendre (**to** à); **to s. to** (*police*) se livrer à; – *n Mil* reddition *f*, capitulation *f*. **2** *vt* (*hand over*) remettre, rendre (**to** à); (*right, claim*) renoncer à.

surreptitious [sʌrəp'tɪʃəs] *a* subreptice.

surrogate ['sʌrəgət] *n* substitut *m*; **s. mother** mère *f* porteuse.

surround [sə'raʊnd] *vt* entourer (**with** de); *Mil* encercler; **surrounded by** entouré de. ◆**—ing** *a* environnant. ◆**—ings** *npl* environs *mpl*; (*setting*) cadre *m*.

surveillance [sɜː'veɪləns] *n* (*of prisoner etc*) surveillance *f*.

survey [sə'veɪ] *vt* (*look at*) regarder; (*review*) passer en revue; (*house etc*) inspecter; (*land*) arpenter; – ['sɜːveɪ] *n* (*investigation*) enquête *f*; (*of house etc*) inspection *f*; (*of opinion*) sondage *m*; **a (general) s. of** une vue générale de. ◆**sur'veying** *n* arpentage *m*. ◆**sur'veyor** *n* (arpenteur *m*) géomètre *m*; (*of house etc*) expert *m*.

survive [sə'vaɪv] *vi* (*of person, custom etc*) survivre; – *vt* survivre à. ◆**survival** *n* (*act*) survie *f*; (*relic*) vestige *m*. ◆**survivor** *n* survivant, -ante *mf*.

susceptible [sə'septəb(ə)l] *a* (*sensitive*) sensible (**to** à); **s. to colds**/*etc* (*prone to*) prédisposé aux rhumes/*etc*. ◆**suscepti'bility** *n* sensibilité *f*; prédisposition *f*; *pl* susceptibilité *f*.

suspect ['sʌspekt] *n* & *a* suspect, -ecte (*mf*); – [sə'spekt] *vt* soupçonner (**that** que, **of sth** de qch, **of doing** d'avoir fait); (*think questionable*) suspecter, douter de; **yes, I s.** oui, j'imagine.

suspend [sə'spend] *vt* **1** (*hang*) suspendre (**from** à). **2** (*stop, postpone, dismiss*) suspendre; (*passport etc*) retirer (provisoirement); (*pupil*) *Sch* renvoyer; **suspended sentence** *Jur* condamnation *f* avec sursis. ◆**suspender** *n* (*for stocking*) jarretelle *f*; *pl* (*braces*) *Am* bretelles *fpl*; **s. belt** porte-jarretelles *m inv*. ◆**suspension** *n* **1** (*stopping*) suspension *f*; (*of passport etc*) retrait *m* (provisoire). **2** (*of vehicle etc*) suspension *f*; **s. bridge** pont *m* suspendu.

suspense [sə'spens] *n* attente *f* (angoissée); (*in film, book etc*) suspense *m*; **in s.** (*person, matter*) en suspens.

suspicion [sə'spɪʃ(ə)n] *n* soupçon *m*; **to arouse s.** éveiller les soupçons; **with s.** (*distrust*) avec méfiance; **under s.** considéré comme suspect. ◆**suspicious** *a* (*person*) soupçonneux, méfiant; (*behaviour*) suspect; **s.(-looking)** (*suspect*) suspect; **to be s. of** *or* **about** (*distrust*) se méfier de. ◆**suspiciously** *adv* (*to behave etc*) d'une manière suspecte; (*to consider etc*) avec méfiance.

sustain [sə'steɪn] *vt* (*effort, theory*) soutenir; (*weight*) supporter; (*with food*) nourrir; (*life*) maintenir; (*damage, attack*) subir; (*injury*) recevoir. ◆**sustenance** *n* (*food*) nourriture *f*; (*quality*) valeur *f* nutritive.

swab [swɒb] *n* (*pad*) *Med* tampon *m*; (*specimen*) *Med* prélèvement *m*.

swagger ['swægər] *vi* (*walk*) parader; – *n* démarche *f* fanfaronne.

swallow ['swɒləʊ] **1** *vt* avaler; **to s. down** *or* **up** avaler; **to s. up** *Fig* engloutir; – *vi* avaler. **2** *n* (*bird*) hirondelle *f*.

swam [swæm] *see* **swim**.

swamp [swɒmp] *n* marais *m*, marécage *m*; – *vt* (*flood, overwhelm*) submerger (**with** de). ◆**swampy** *a* (**-ier, -iest**) marécageux.

swan [swɒn] *n* cygne *m*.

swank [swæŋk] *vi* (*show off*) *Fam* crâner, fanfaronner.

swap [swɒp] *n* échange *m*; *pl* (*stamps etc*) doubles *mpl*; – *vt* (**-pp-**) échanger (**for** contre); **to s. seats** changer de place; – *vi* échanger.

swarm [swɔːm] *n* (*of bees, people etc*) essaim *m*; – *vi* (*of streets, insects, people etc*) fourmiller (**with** de); **to s. in** (*of people*) entrer en foule.

swarthy ['swɔːðɪ] *a* (**-ier, -iest**) (*dark*) basané.

swastika ['swɒstɪkə] *n* (*Nazi emblem*) croix *f* gammée.

swat [swɒt] *vt* (**-tt-**) (*fly etc*) écraser.

sway [sweɪ] *vi* se balancer, osciller; – *vt* balancer; *Fig* influencer; – *n* balancement *m*; *Fig* influence *f*.

swear ['sweər] *vt* (*pt* **swore**, *pp* **sworn**) jurer (**to do** de faire, **that** que); **to s. an oath** prêter serment; **to s. s.o. to secrecy** faire jurer le silence à qn; **sworn enemies** ennemis *mpl* jurés; – *vi* (*take an oath*) jurer (**to sth** de qch); (*curse*) jurer, pester (**at** contre); **she swears by this lotion** elle ne jure que par cette lotion. ◆**swearword** *n* gros mot *m*, juron *m*.

sweat [swet] *n* sueur *f*; **s. shirt** sweat-shirt *m*; – *vi* (*of person, wall etc*) suer (**with** de); – *vt* **to s. out** (*cold*) *Med* se débarrasser de (*en transpirant*). ◆**sweater** *n* (*garment*) pull *m*. ◆**sweaty** *a* (**-ier, -iest**) (*shirt etc*) plein de sueur; (*hand*) moite; (*person*) (tout) en sueur, (tout) en nage.

swede [swiːd] *n* (*vegetable*) rutabaga *m*.

Swede [swiːd] *n* Suédois, -oise *mf*. ◆**Sweden** *n* Suède *f*. ◆**Swedish** *a* suédois; – *n* (*language*) suédois *m*.

sweep [swiːp] *n* coup *m* de balai; (*movement*) *Fig* (large) mouvement *m*; (*curve*) courbe *f*; **to make a clean s.** (*removal*) faire table rase (**of** de); (*victory*) remporter une victoire totale; – *vt* (*pt* & *pp* **swept**) (*with broom*) balayer; (*chimney*) ramoner; (*river*) draguer; **to s. away** *or* **out** *or* **up** balayer; **to s. away** *or* **along** (*carry off*) emporter; **to s. aside** (*dismiss*) écarter; – *vi* **to s. (up)** balayer; **to s. in** (*of person*) *Fig* entrer rapidement *or* majestueusement; **to s. through** (*of fear etc*) saisir (*groupe etc*); (*of disease etc*) ravager (*pays etc*). ◆**—ing** *a* (*gesture*) large; (*change*) radical; (*statement*) trop général. ◆**sweepstake** *n* (*lottery*) sweepstake *m*.

sweet [swiːt] *a* (**-er, -est**) (*not sour*) doux; (*agreeable*) agréable, doux; (*tea, coffee etc*) sucré; (*person, house, kitchen*) mignon, gentil; **to have a s. tooth** aimer les sucreries; **to be s.-smelling** sentir bon; **s. corn** maïs *m*; **s. pea** *Bot* pois *m* de senteur; **s. potato** patate *f* douce; **s. shop** confiserie *f*; **s. talk** *Fam* cajoleries *fpl*, douceurs *fpl*; – *n* (*candy*) bonbon *m*; (*dessert*) dessert *m*; **my s.!** (*darling*) mon ange! ◆**sweeten** *vt* (*tea etc*) sucrer; *Fig* adoucir. ◆**sweetener** *n* saccharine *f*. ◆**sweetie** *n* (*darling*) *Fam* chéri, -ie *mf*. ◆**sweetly** *adv* (*kindly*) genti-

ment; (*softly*) doucement. ◆**sweetness** *n* douceur *f*; (*taste*) goût *m* sucré.
sweetbread ['swiːtbred] *n* ris *m* de veau *or* d'agneau.
sweetheart ['swiːthɑːt] *n* (*lover*) ami, -ie *mf*; my s.! (*darling*) mon ange!
swell [swel] **1** *n* (*of sea*) houle *f*. **2** *a* (*very good*) *Am Fam* formidable. **3** *vi* (*pt* **swelled,** *pp* **swollen** *or* **swelled**) se gonfler; (*of river, numbers*) grossir; **to s. (up)** *Med* enfler, gonfler; – *vt* (*river, numbers*) grossir. ◆**—ing** *n Med* enflure *f*.
swelter ['sweltər] *vi* étouffer. ◆**—ing** *a* étouffant; **it's s.** on étouffe.
swept [swept] *see* **sweep.**
swerve [swɜːv] *vi* (*while running etc*) faire un écart; (*of vehicle*) faire une embardée.
swift [swɪft] **1** *a* (**-er, -est**) rapide; **s. to act** prompt à agir. **2** *n* (*bird*) martinet *m*. ◆**—ly** *adv* rapidement. ◆**—ness** *n* rapidité *f*.
swig [swɪg] *n* (*of beer etc*) lampée *f*.
swill [swɪl] *vt* **to s. (out** *or* **down)** laver (à grande eau).
swim [swɪm] *n* baignade *f*; **to go for a s.** se baigner, nager; – *vi* (*pt* **swam,** *pp* **swum,** *pres p* **swimming**) nager; *Sp* faire de la natation; (*of head, room*) *Fig* tourner; **to go swimming** aller nager; **to s. away** se sauver (à la nage); – *vt* (*river*) traverser à la nage; (*length, crawl etc*) nager. ◆**swimming** *n* natation *f*; **s. costume** maillot *m* de bain; **s. pool, s. baths** piscine *f*; **s. trunks** slip *m or* caleçon *m* de bain. ◆**swimmer** *n* nageur, -euse *mf*. ◆**swimsuit** *n* maillot *m* de bain.
swindl/e ['swɪnd(ə)l] *n* escroquerie *f*; – *vt* escroquer; **to s. s.o. out of money** escroquer de l'argent à qn. ◆**—er** *n* escroc *m*.
swine [swaɪn] *n inv* (*person*) *Pej* salaud *m*.
swing [swɪŋ] *n* (*seat*) balançoire *f*; (*movement*) balancement *m*; (*of pendulum*) oscillation *f*; (*in opinion*) revirement *m*; (*rhythm*) rythme *m*; **to be in full s.** battre son plein; **to be in the s. of things** *Fam* être dans le bain; **s. door** porte *f* de saloon; – *vi* (*pt & pp* **swung**) (*sway*) se balancer; (*of pendulum*) osciller; (*turn*) virer; **to s. round** (*turn suddenly*) virer, tourner; (*of person*) se retourner (vivement); (*of vehicle in collision etc*) faire un tête-à-queue; **to s. into action** passer à l'action; – *vt* (*arms etc*) balancer; (*axe*) brandir; (*influence*) *Fam* influencer; **to s. round** (*car etc*) faire tourner. ◆**—ing** *a Fam* (*trendy*) dans le vent; (*lively*) plein de vie; (*music*) entraînant.
swingeing ['swɪndʒɪŋ] *a* **s. cuts** des réductions *fpl* draconiennes.
swipe [swaɪp] *vt Fam* (*hit*) frapper dur; (*steal*) piquer (**from s.o.** à qn); – *n Fam* grand coup *m*.
swirl [swɜːl] *n* tourbillon *m*; – *vi* tourbillonner.
swish [swɪʃ] **1** *a* (*posh*) *Fam* rupin, chic. **2** *vi* (*of whip etc*) siffler; (*of fabric*) froufrouter; – *n* sifflement *m*; froufrou *m*.
Swiss [swɪs] *a* suisse; – *n inv* Suisse *m*, Suissesse *f*; **the S.** les Suisses *mpl*.
switch [swɪtʃ] *n El* bouton *m* (électrique), interrupteur *m*; (*change*) changement *m* (**in** de); (*reversal*) revirement *m* (**in** de); – *vt* (*money, employee etc*) transférer (**to** à); (*affection, support*) reporter (**to** sur, **from** de); (*exchange*) échanger (**for** contre); **to s. buses/***etc* changer de bus/*etc*; **to s. places** *or* **seats** changer de place; **to s. off** (*lamp, gas, radio etc*) éteindre; (*engine*) arrêter; **to s. itself off** (*of heating etc*) s'éteindre tout seul; **to s. on** (*lamp, gas, radio etc*) mettre, allumer; (*engine*) mettre en marche; – *vi* **to s. (over) to** passer à; **to s. off** (*switch off light, radio etc*) éteindre; **to s. on** (*switch on light, radio etc*) allumer. ◆**switchback** *n* (*at funfair*) montagnes *fpl* russes. ◆**switchblade** *n Am* couteau *m* à cran d'arrêt. ◆**switchboard** *n Tel* standard *m*; **s. operator** standardiste *mf*.
Switzerland ['swɪtsələnd] *n* Suisse *f*.
swivel ['swɪv(ə)l] *vi* (**-ll-,** *Am* **-l-**) **to s. (round)** (*of chair etc*) pivoter; – *a* **s. chair** fauteuil *m* pivotant.
swollen ['swəʊl(ə)n] *see* **swell 3;** – *a* (*leg etc*) enflé.
swoon [swuːn] *vi Lit* se pâmer.
swoop [swuːp] **1** *vi* **to s. (down) on** (*of bird*) fondre sur. **2** *n* (*of police*) descente *f*; – *vi* faire une descente (**on** dans).
swop [swɒp] *n, vt & vi* = **swap.**
sword [sɔːd] *n* épée *f*. ◆**swordfish** *n* espadon *m*.
swore, sworn [swɔːr, swɔːn] *see* **swear.**
swot [swɒt] *vti* (**-tt-**) **to s. (up)** (*study*) *Fam* potasser; **to s. (up) for** (*exam*), **to s. up on** (*subject*) *Fam* potasser; – *n Pej Fam* bûcheur, -euse *mf*.
swum [swʌm] *see* **swim.**
swung [swʌŋ] *see* **swing.**
sycamore ['sɪkəmɔːr] *n* (*maple*) sycomore *m*; (*plane*) *Am* platane *m*.
sycophant ['sɪkəfænt] *n* flagorneur, -euse *mf*.
syllable ['sɪləb(ə)l] *n* syllabe *f*.
syllabus ['sɪləbəs] *n Sch Univ* programme *m*.
symbol ['sɪmb(ə)l] *n* symbole *m*. ◆**sym-**

'bolic *a* symbolique. ◆**symbolism** *n* symbolisme *m*. ◆**symbolize** *vt* symboliser.

symmetry ['sɪmətrɪ] *n* symétrie *f*. ◆**sy'mmetrical** *a* symétrique.

sympathy ['sɪmpəθɪ] *n* (*pity*) compassion *f*; (*understanding*) compréhension *f*; (*condolences*) condoléances *fpl*; (*solidarity*) solidarité *f* (**for** avec); **to be in s. with** (*workers in dispute*) être du côté de; (*s.o.'s opinion etc*) comprendre, être en accord avec. ◆**sympa'thetic** *a* (*showing pity*) compatissant; (*understanding*) compréhensif; **s. to** (*favourable*) bien disposé à l'égard de. ◆**sympa'thetically** *adv* avec compassion; avec compréhension. ◆**sympathize** *vi* **I s. (with you)** (*pity*) je compatis (à votre sort); (*understanding*) je vous comprends. ◆**sympathizer** *n Pol* sympathisant, -ante *mf*.

symphony ['sɪmfənɪ] *n* symphonie *f*; – *a* (*orchestra, concert*) symphonique. ◆**sym'phonic** *a* symphonique.

symposium [sɪm'pəʊzɪəm] *n* symposium *m*.

symptom ['sɪmptəm] *n* symptôme *m*. ◆**sympto'matic** *a* symptomatique (**of** de).

synagogue ['sɪnəgɒg] *n* synagogue *f*.

synchronize ['sɪŋkrənaɪz] *vt* synchroniser.

syndicate ['sɪndɪkət] *n* (*of businessmen, criminals*) syndicat *m*.

syndrome ['sɪndrəʊm] *n Med & Fig* syndrome *m*.

synod ['sɪnəd] *n Rel* synode *m*.

synonym ['sɪnənɪm] *n* synonyme *m*. ◆**sy'nonymous** *a* synonyme (**with** de).

synopsis, *pl* **-opses** [sɪ'nɒpsɪs, -ɒpsiːz] *n* résumé *m*, synopsis *m*; (*of film*) synopsis *m*.

syntax ['sɪntæks] *n Gram* syntaxe *f*.

synthesis, *pl* **-theses** ['sɪnθəsɪs, -θəsiːz] *n* synthèse *f*.

synthetic [sɪn'θetɪk] *a* synthétique.

syphilis ['sɪfɪlɪs] *n* syphilis *f*.

Syria ['sɪrɪə] *n* Syrie *f*. ◆**Syrian** *a & n* syrien, -ienne (*mf*).

syringe [sɪ'rɪndʒ] *n* seringue *f*.

syrup ['sɪrəp] *n* sirop *m*; **(golden) s.** (*treacle*) mélasse *f* (raffinée). ◆**syrupy** *a* sirupeux.

system ['sɪstəm] *n* (*structure, plan, network etc*) & *Anat* système *m*; (*human body*) organisme *m*; (*order*) méthode *f*; **systems analyst** analyste-programmeur *mf*. ◆**syste'matic** *a* systématique. ◆**syste'matically** *adv* systématiquement.

T

T, t [tiː] *n* T, t *m*. ◆**T-junction** *n Aut* intersection *f* en T. ◆**T-shirt** *n* tee-shirt *m*, T-shirt *m*.

ta! [tɑː] *int Sl* merci!

tab [tæb] *n* (*label*) étiquette *f*; (*tongue*) patte *f*; (*loop*) attache *f*; (*bill*) *Am* addition *f*; **to keep tabs on** *Fam* surveiller (de près).

tabby ['tæbɪ] *a* **t. cat** chat, chatte *mf* tigré(e).

table[1] ['teɪb(ə)l] *n* **1** (*furniture*) table *f*; **bedside/card/operating t.** table de nuit/de jeu/d'opération; **to lay** *or* **set/clear the t.** mettre/débarrasser la table; **(sitting) at the t.** à table; **t. top** dessus *m* de table. **2** (*list*) table *f*; **t. of contents** table des matières. ◆**tablecloth** *n* nappe *f*. ◆**tablemat** *n* (*of fabric*) napperon *m*; (*hard*) dessous-de-plat *m inv*. ◆**tablespoon** *n* = cuiller *f* à soupe. ◆**tablespoonful** *n* = cuillerée *f* à soupe.

table[2] ['teɪb(ə)l] *vt* (*motion etc*) *Pol* présenter; (*postpone*) *Am* ajourner.

tablet ['tæblɪt] *n* **1** (*pill*) *Med* comprimé *m*. **2** (*inscribed stone*) plaque *f*.

tabloid ['tæblɔɪd] *n* (*newspaper*) quotidien *m* populaire.

taboo [tə'buː] *a & n* tabou (*m*).

tabulator ['tæbjʊleɪtər] *n* (*of typewriter*) tabulateur *m*.

tacit ['tæsɪt] *a* tacite. ◆**—ly** *adv* tacitement.

taciturn ['tæsɪtɜːn] *a* taciturne.

tack [tæk] **1** *n* (*nail*) semence *f*; (*thumbtack*) *Am* punaise *f*; **to get down to brass tacks** *Fig* en venir aux faits; – *vt* **to t. (down)** clouer. **2** *n* (*stitch*) *Tex* point *m* de bâti; – *vt* **to t. (down** *or* **on)** bâtir; **to t. on** (*add*) *Fig* (r)ajouter. **3** *vi* (*of ship*) louvoyer; – *n* (*course of action*) *Fig* voie *f*.

tackle ['tæk(ə)l] **1** *n* (*gear*) matériel *m*, équipement *m*. **2** *vt* (*task, problem etc*) s'attaquer à; (*thief etc*) saisir; *Sp* plaquer; – *n Sp* plaquage *m*.

tacky ['tækɪ] *a* (**-ier, -iest**) **1** (*wet, sticky*) collant, pas sec. **2** (*clothes, attitude etc*) *Am Fam* moche.

tact [tækt] *n* tact *m*. ◆**tactful** *a* (*remark etc*) plein de tact, diplomatique; **she's t.** elle a du tact. ◆**tactfully** *adv* avec tact. ◆**tactless** *a* qui manque de tact. ◆**tactlessly** *adv* sans tact.

tactic ['tæktɪk] *n* a t. une tactique; **tactics** la tactique. ◆**tactical** *a* tactique.

tactile ['tæktaɪl] *a* tactile.

tadpole ['tædpəʊl] *n* têtard *m*.

taffy ['tæfɪ] *n* (*toffee*) *Am* caramel *m* (*dur*).

tag [tæg] **1** *n* (*label*) étiquette *f*; (*end piece*) bout *m*; – *vt* (**-gg-**) **to t. on** (*add*) *Fam* rajouter (**to** à). **2** *vi* (**-gg-**) **to t. along** (*follow*) suivre.

Tahiti [tɑːˈhiːtɪ] *n* Tahiti *m*.

tail [teɪl] **1** *n* (*of animal*) queue *f*; (*of shirt*) pan *m*; *pl* (*outfit*) habit *m*, queue-de-pie *f*; **t. end** fin *f*, bout *m*; **heads or tails?** pile ou face? **2** *vt* (*follow*) suivre, filer. **3** *vi* **to t. off** (*lessen*) diminuer. ◆**tailback** *n* (*of traffic*) bouchon *m*. ◆**tailcoat** *n* queue-de-pie *f*. ◆**taillight** *n Aut Am* feu *m* arrière *inv*.

tailor ['teɪlər] *n* (*person*) tailleur *m*; – *vt* (*garment*) façonner; *Fig* adapter (**to, to suit** à). ◆**t.-'made** *a* fait sur mesure; **t.-made for** (*specially designed*) conçu pour; (*suited*) fait pour.

tainted ['teɪntɪd] *a* (*air*) pollué; (*food*) gâté; *Fig* souillé.

take [teɪk] *vt* (*pt* **took**, *pp* **taken**) prendre; (*choice*) faire; (*prize*) remporter; (*exam*) passer; (*contain*) contenir; *Math* soustraire (**from** de); (*tolerate*) supporter; (*bring*) apporter (*qch*) (**to** à), (*person*) amener (**to** à), (*person by car*) conduire (**to** à); (*escort*) accompagner (**to** à); (*lead away*) emmener; (*of road*) mener (*qn*); **to t. sth to s.o.** (ap)porter qch à qn; **to t. s.o. (out) to** (*theatre etc*) emmener qn à; **to t. sth with one** emporter qch; **to t. over** *or* **round** *or* **along** (*object*) apporter; (*person*) amener; **to t. s.o. home** (*on foot, by car etc*) ramener qn; **it takes an army/courage/***etc* (*requires*) il faut une armée/du courage/*etc* (**to do** pour faire); **I took an hour to do it** *or* **over it** j'ai mis une heure à le faire, ça m'a pris une heure pour le faire; **I t. it that** je présume que; – *n Cin* prise *f* de vue(s); – *vi* (*of fire*) prendre. ■ **to t. after** *vi* (*be like*) ressembler à; **to t. apart** *vt* (*machine*) démonter; **to t. away** *vt* (*thing*) emporter; (*person*) emmener; (*remove*) enlever (**from** à); *Math* soustraire (**from** de). ◆**t.-away** *a* (*meal*) à emporter; – *n* café *m or* restaurant *m* qui fait des plats à emporter; (*meal*) plat *m* à emporter; **to t. back** *vt* reprendre; (*return*) rapporter; (*statement*) retirer; **to t. down** *vt* (*object*) descendre; (*notes*) prendre; **to t. in** *vt* (*chair, car etc*) rentrer; (*orphan*) recueillir; (*skirt*) reprendre; (*include*) englober; (*distance*) couvrir; (*understand*) comprendre; (*deceive*) *Fam* rouler; **to t. off** *vt* (*remove*) enlever; (*train, bus*) supprimer; (*lead away*) emmener; (*mimic*) imiter; *Math* déduire (**from** de); – *vi* (*of aircraft*) décoller. ◆**takeoff** *n* (*of aircraft*) décollage *m*; **to t. on** *vt* (*work, employee, passenger, shape*) prendre; **to t. out** *vt* (*from pocket etc*) sortir; (*stain*) enlever; (*tooth*) arracher; (*licence, insurance*) prendre; **to t. it out on** *Fam* passer sa colère sur. ◆**t.-out** *a* & *n Am* = **t.-away; to t. over** *vt* (*be responsible for the running of*) prendre la direction de; (*overrun*) envahir; (*buy out*) *Com* racheter (*compagnie*); **to t. over s.o.'s job** remplacer qn; – *vi Mil Pol* prendre le pouvoir; (*relieve*) prendre la relève (**from** de); (*succeed*) prendre la succession (**from** de). ◆**t.-over** *n Com* rachat *m*; *Pol* prise *f* de pouvoir; **to t. round** *vt* (*distribute*) distribuer; (*visitor*) faire visiter; **to t. to** *vi* **to t. to doing** se mettre à faire; **I didn't t. to him/it** il/ça ne m'a pas plu; **to t. up** *vt* (*carry up*) monter; (*hem*) raccourcir; (*continue*) reprendre; (*occupy*) prendre; (*hobby*) se mettre à; – *vi* **to t. up with** se lier avec. ◆**taken** *a* (*seat*) pris; (*impressed*) impressionné (**with, by** par); **to be t. ill** tomber malade. ◆**taking** *n* (*capture*) *Mil* prise *f*; *pl* (*money*) *Com* recette *f*.

talcum ['tælkəm] *a* **t. powder** talc *m*.

tale [teɪl] *n* (*story*) conte *m*; (*account, report*) récit *m*; (*lie*) histoire *f*; **to tell tales** rapporter (**on** sur).

talent ['tælənt] *n* talent *m*; (*talented people*) talents *mpl*; **to have a t. for** avoir du talent pour. ◆**talented** *a* doué, talentueux.

talk [tɔːk] *n* (*words*) propos *mpl*; (*gossip*) bavardage(s) *m*(*pl*); (*conversation*) conversation *f* (**about** à propos de); (*interview*) entretien *m*; (*lecture*) exposé *m* (**on** sur); (*informal*) causerie *f* (**on** sur); *pl* (*negotiations*) pourparlers *mpl*; **to have a t. with** parler avec; **there's t. of** on parle de; – *vi* parler (**to** à; **with** avec; **about, of** de); (*chat*) bavarder; **to t. down to s.o.** parler à qn comme à un inférieur; – *vt* (*nonsense*) dire; **to t. politics** parler politique; **to t. s.o. into doing/out of doing** persuader qn de faire/de ne pas faire; **to t. over** discuter (de); **to t. s.o. round** persuader qn. ◆**—ing** *a* (*film*) parlant; **to give s.o. a talking-to** *Fam* passer un savon à qn. ◆**talkative** *a* bavard. ◆**talker** *n* causeur, -euse *mf*; **she's a good t.** elle parle bien.

tall [tɔːl] *a* (**-er, -est**) (*person*) grand; (*tree* *house etc*) haut; **how t. are you?** combien mesures-tu?; **a t. story** *Fig* une histoire invraisemblable *or* à dormir debout. ◆**tallboy** *n* grande commode *f*. ◆**tallness** *n* (*of person*) grande taille *f*; (*of building etc*) hauteur *f*.

tally ['tælɪ] *vi* correspondre (**with** à).

tambourine [tæmbə'riːn] *n* tambourin *m*.

tame [teɪm] *a* (**-er, -est**) (*animal, bird*) apprivoisé; (*person*) *Fig* docile; (*book, play*) fade. – *vt* (*animal, bird*) apprivoiser; (*lion, passion*) dompter.

tamper ['tæmpər] *vi* **to t. with** (*lock, car etc*) toucher à; (*text*) altérer.

tampon ['tæmpɒn] *n* tampon *m* hygiénique.

tan [tæn] **1** *n* (*suntan*) bronzage *m*; – *vti* (**-nn-**) bronzer. **2** *a* (*colour*) marron clair *inv*. **3** *vt* (**-nn-**) (*hide*) tanner.

tandem ['tændəm] *n* **1** (*bicycle*) tandem *m*. **2 in t.** (*to work etc*) en tandem.

tang [tæŋ] *n* (*taste*) saveur *f* piquante; (*smell*) odeur *f* piquante. ◆**tangy** *a* (**-ier, -iest**) piquant.

tangerine [tændʒə'riːn] *n* mandarine *f*.

tangible ['tændʒəb(ə)l] *a* tangible.

tangl/e ['tæŋg(ə)l] *n* enchevêtrement *m*; **to get into a t.** (*of rope*) s'enchevêtrer; (*of hair*) s'emmêler; (*of person*) *Fig* se mettre dans une situation pas possible. ◆**—ed** *a* enchevêtré; (*hair*) emmêlé; **to get t.** = **to get into a tangle.**

tank [tæŋk] *n* **1** (*for storage of water, fuel etc*) réservoir *m*; (*vat*) cuve *f*; **(fish) t.** aquarium *m*. **2** (*vehicle*) *Mil* char *m*, tank *m*.

tankard ['tæŋkəd] *n* (*beer mug*) chope *f*.

tanker ['tæŋkər] *n* (*truck*) *Aut* camion-citerne *m*; **(oil) t.** (*ship*) pétrolier *m*.

tantalizing ['tæntəlaɪzɪŋ] *a* (irrésistiblement) tentant. ◆**—ly** *adv* d'une manière tentante.

tantamount ['tæntəmaʊnt] *a* **it's t. to** cela équivaut à.

tantrum ['tæntrəm] *n* accès *m* de colère.

tap [tæp] **1** *n* (*for water*) robinet *m*; **on t.** *Fig* disponible. **2** *vti* (**-pp-**) frapper légèrement, tapoter; – *n* petit coup *m*; **t. dancing** claquettes *fpl*. **3** *vt* (**-pp-**) (*phone*) placer sur table d'écoute. **4** *vt* (**-pp-**) (*resources*) exploiter.

tape [teɪp] **1** *n* ruban *m*; **(sticky) t.** ruban adhésif; **t. measure** mètre *m* (à) ruban; – *vt* (*stick*) coller (*avec du ruban adhésif*). **2** *n* (*for sound recording*) bande *f* (magnétique); **(video) t.** bande (vidéo); **t. recorder** magnétophone *m*; – *vt* enregistrer.

taper ['teɪpər] **1** *vi* (*of fingers etc*) s'effiler; **to t. off** *Fig* diminuer. **2** *n* (*candle*) *Rel* cierge *m*. ◆**—ed** *a*, ◆**—ing** *a* (*fingers*) fuselé; (*trousers*) à bas étroits.

tapestry ['tæpəstrɪ] *n* tapisserie *f*.

tapioca [tæpɪ'əʊkə] *n* tapioca *m*.

tar [tɑːr] *n* goudron *m*; – *vt* (**-rr-**) goudronner.

tardy ['tɑːdɪ] *a* (**-ier, -iest**) (*belated*) tardif; (*slow*) lent.

target ['tɑːgɪt] *n* cible *f*; *Fig* objectif *m*; **t. date** date *f* fixée; – *vt* (*aim*) *Fig* destiner (**at** à); (*aim at*) *Fig* viser.

tariff ['tærɪf] *n* (*tax*) tarif *m* douanier; (*prices*) tarif *m*.

tarmac ['tɑːmæk] *n* macadam *m* (goudronné); (*runway*) piste *f*.

tarnish ['tɑːnɪʃ] *vt* ternir.

tarpaulin [tɑː'pɔːlɪn] *n* bâche *f* (goudronnée).

tarragon ['tærəgən] *n Bot Culin* estragon *m*.

tarry ['tærɪ] *vi* (*remain*) *Lit* rester.

tart [tɑːt] **1** *n* (*pie*) tarte *f*. **2** *a* (**-er, -est**) (*taste, remark*) aigre. **3** *n* (*prostitute*) *Pej Fam* poule *f*. **4** *vt* **to t. up** *Pej Fam* (*decorate*) embellir; (*dress*) attifer. ◆**—ness** *n* aigreur *f*.

tartan ['tɑːt(ə)n] *n* tartan *m*; – *a* écossais.

tartar ['tɑːtər] **1** *n* (*on teeth*) tartre *m*. **2** *a* **t. sauce** sauce *f* tartare.

task [tɑːsk] *n* tâche *f*; **to take to t.** prendre à partie; **t. force** *Mil* détachement *m* spécial; *Pol* commission *f* spéciale.

tassel ['tas(ə)l] *n* (*on clothes etc*) gland *m*.

taste [teɪst] *n* goût *m*; **to get a t. for** prendre goût à; **in good/bad t.** de bon/mauvais goût; **to have a t. of** goûter; goûter à; goûter de; – *vt* (*eat, enjoy*) goûter; (*try, sample*) goûter à; (*make out the taste of*) sentir (le goût de); (*experience*) goûter de; – *vi* **to t. of** *or* **like** avoir un goût de; **to t. delicious**/*etc* avoir un goût délicieux/*etc*; **how does it t.?** comment le trouves-tu?; – *a* **t. bud** papille *f* gustative. ◆**tasteful** *a* de bon goût. ◆**tastefully** *adv* avec goût. ◆**tasteless** *a* (*food etc*) sans goût; (*joke etc*) *Fig* de mauvais goût. ◆**tasty** *a* (**-ier, -iest**) savoureux.

tat [tæt] *see* **tit 2.**

ta-ta! [tæ'tɑː] *int Sl* au revoir!

tattered ['tætəd] *a* (*clothes*) en lambeaux; (*person*) déguenillé. ◆**tatters** *npl* **in t.** en lambeaux.

tattoo [tæ'tuː] **1** *n* (*pl* **-oos**) (*on body*) tatouage *m*; – *vt* tatouer. **2** *n* (*pl* **-oos**) *Mil* spectacle *m* militaire.

tatty ['tætɪ] *a* (**-ier, -iest**) (*clothes etc*) *Fam* miteux.

taught [tɔːt] *see* **teach.**

taunt [tɔːnt] *vt* railler; – *n* raillerie *f*. ◆**—ing** *a* railleur.
Taurus ['tɔːrəs] *n* (*sign*) le Taureau.
taut [tɔːt] *a* (*rope, person etc*) tendu.
tavern ['tævən] *n* taverne *f*.
tawdry ['tɔːdrɪ] *a* (**-ier, -iest**) *Pej* tape-à-l'œil *inv*.
tawny ['tɔːnɪ] *a* (*colour*) fauve; (*port*) ambré.
tax¹ [tæks] *n* taxe *f*, impôt *m*; **(income) t.** impôts *mpl* (sur le revenu); – *a* fiscal; **t. collector** percepteur *m*; **t. relief** dégrèvement *m* (d'impôt); – *vt* (*person, goods*) imposer. ◆**taxable** *a* imposable. ◆**tax'ation** *n* (*act*) imposition *f*; (*taxes*) impôts *mpl*. ◆**tax-free** *a* exempt d'impôts. ◆**taxman** *n* (*pl* **-men**) *Fam* percepteur *m*. ◆**taxpayer** *n* contribuable *mf*.
tax² [tæks] *vt* (*patience etc*) mettre à l'épreuve; (*tire*) fatiguer. ◆**—ing** *a* (*journey etc*) éprouvant.
taxi ['tæksɪ] **1** *n* taxi *m*; **t. cab** taxi *m*; **t. rank**, *Am* **t. stand** station *f* de taxis. **2** *vi* (*of aircraft*) rouler au sol.
tea [tiː] *n* thé *m*; (*snack*) goûter *m*; **high t.** goûter *m* (dînatoire); **to have t.** prendre le thé; (*afternoon snack*) goûter; **t. break** pause-thé *f*; **t. chest** caisse *f* (à thé); **t. cloth** (*for drying dishes*) torchon *m*; **t. set** service *m* à thé; **t. towel** torchon *m*. ◆**teabag** *n* sachet *m* de thé. ◆**teacup** *n* tasse *f* à thé. ◆**tealeaf** *n* (*pl* **-leaves**) feuille *f* de thé. ◆**teapot** *n* théière *f*. ◆**tearoom** *n* salon *m* de thé. ◆**teaspoon** *n* petite cuiller *f*. ◆**teaspoonful** *n* cuillerée *f* à café. ◆**teatime** *n* l'heure *f* du thé.
teach [tiːtʃ] *vt* (*pt & pp* **taught**) apprendre (**s.o. sth** qch à qn, **that** que); (*in school etc*) enseigner (**s.o. sth** qch à qn); **to t. s.o. (how) to do** apprendre à qn à faire; **to t. school** *Am* enseigner; **to t. oneself sth** apprendre qch tout seul; – *vi* enseigner. ◆**—ing** *n* enseignement *m*; – *a* (*staff*) enseignant; (*method, material*) pédagogique; **t. profession** enseignement *m*; (*teachers*) enseignants *mpl*; **t. qualification** diplôme *m* permettant d'enseigner. ◆**—er** *n* professeur *m*; (*in primary school*) instituteur, -trice *mf*.
teak [tiːk] *n* (*wood*) teck *m*.
team [tiːm] *n* *Sp* équipe *f*; (*of oxen*) attelage *m*; **t. mate** coéquipier, -ière *mf*; – *vi* **to t. up** faire équipe (**with** avec). ◆**teamster** *n* *Am* routier *m*. ◆**teamwork** *n* collaboration *f*.
tear¹ [teər] **1** *n* déchirure *f*; – *vt* (*pt* **tore**, *pp* **torn**) (*rip*) déchirer; (*snatch*) arracher (**from** s.o. à qn); **torn between** *Fig* tiraillé entre; **to t. down** (*house etc*) démolir; **to t. away** *or* **off** *or* **out** (*forcefully*) arracher; (*stub, receipt, stamp etc*) détacher; **to t. up** déchirer; – *vi* (*of cloth etc*) se déchirer. **2** *vi* (*pt* **tore**, *pp* **torn**) **to t. along** (*rush*) aller à toute vitesse.
tear² [tɪər] *n* larme *f*; **in tears** en larmes; **close to** *or* **near (to) tears** au bord des larmes. ◆**tearful** *a* (*eyes, voice*) larmoyant; (*person*) en larmes. ◆**tearfully** *adv* en pleurant. ◆**teargas** *n* gaz *m* lacrymogène.
tearaway ['teərəweɪ] *n* *Fam* petit voyou *m*.
teas/e [tiːz] *vt* taquiner; (*harshly*) tourmenter; – *n* (*person*) taquin, -ine *mf*. ◆**—ing** *a* (*remark etc*) taquin. ◆**—er** *n* **1** (*person*) taquin, -ine *mf*. **2** (*question*) *Fam* colle *f*.
teat [tiːt] *n* (*of bottle, animal*) tétine *f*.
technical ['teknɪk(ə)l] *a* technique. ◆**techni'cality** *n* (*detail*) détail *m* technique. ◆**technically** *adv* techniquement; *Fig* théoriquement. ◆**tech'nician** *n* technicien, -ienne *mf*. ◆**tech'nique** *n* technique *f*. ◆**technocrat** *n* technocrate *m*. ◆**techno'logical** *a* technologique. ◆**tech'nology** *n* technologie *f*.
teddy ['tedɪ] *n* **t. (bear)** ours *m* (en peluche).
tedious ['tiːdɪəs] *a* fastidieux. ◆**tediousness** *n*. ◆**tedium** *n* ennui *m*.
teem [tiːm] *vi* **1** (*swarm*) grouiller (**with** de). **2 to t. (with rain)** pleuvoir à torrents. ◆**—ing** *a* **1** (*crowd, street etc*) grouillant. **2 t. rain** pluie *f* torrentielle.
teenage ['tiːneɪdʒ] *a* (*person, behaviour*) adolescent; (*fashion*) pour adolescents. ◆**teenager** *n* adolescent, -ente *mf*. ◆**teens** *npl* **in one's t.** adolescent.
teeny (weeny) ['tiːnɪ('wiːnɪ)] *a* (*tiny*) *Fam* minuscule.
tee-shirt ['tiːʃɜːt] *n* tee-shirt *m*.
teeter ['tiːtər] *vi* chanceler.
teeth [tiːθ] *see* **tooth.** ◆**teeth/e** [tiːð] *vi* faire ses dents. ◆**—ing** *n* dentition *f*: **t. ring** anneau *m* de dentition; **t. troubles** *Fig* difficultés *fpl* de mise en route.
teetotal [tiː'təʊt(ə)l] *a*, ◆**teetotaller** *n* (personne *f*) qui ne boit pas d'alcool.
tele- ['telɪ] *pref* télé-.
telecommunications [telɪkəmjuːnɪ'keɪʃ(ə)nz] *npl* télécommunications *fpl*.
telegram ['telɪgræm] *n* télégramme *m*.
telegraph ['telɪgrɑːf] *n* télégraphe *m*; – *a* (*wire etc*) télégraphique; **t. pole** poteau *m* télégraphique.
telepathy [tə'lepəθɪ] *n* télépathie *f*.
telephone ['telɪfəʊn] *n* téléphone *m*; **on the t.** (*speaking*) au téléphone; – *a* (*call, line etc*) téléphonique; (*directory*) du télé-

phone; (*number*) de téléphone; **t. booth, t. box** cabine *f* téléphonique; – *vi* téléphoner; – *vt* (*message*) téléphoner (**to** à); **to t. s.o.** téléphoner à qn. ◆**te'lephonist** *n* téléphoniste *mf*.

teleprinter ['telɪprɪntər] *n* téléscripteur *m*.

telescope ['telɪskəʊp] *n* télescope *m*. ◆**tele'scopic** *a* (*pictures, aerial, umbrella*) télescopique.

teletypewriter [telɪ'taɪpraɪtər] *n Am* téléscripteur *m*.

televise ['telɪvaɪz] *vt* téléviser. ◆**tele'vision** *n* télévision *f*; **on (the) t.** à la télévision; **to watch (the) t.** regarder la télévision; – *a* (*programme etc*) de télévision; (*serial, report*) télévisé.

telex ['teleks] *n* (*service, message*) télex *m*; – *vt* envoyer par télex.

tell [tel] *vt* (*pt & pp* **told**) dire (**s.o. sth** qch à qn, **that** que); (*story*) raconter; (*future*) prédire; (*distinguish*) distinguer (**from** de); (*know*) savoir; **to t. s.o. to do** dire à qn de faire; **to know how to t. the time** savoir lire l'heure; **to t. the difference** voir la différence (**between** entre); **to t. off** (*scold*) *Fam* gronder; – *vi* dire; (*have an effect*) avoir un effet; (*know*) savoir; **to t. of** *or* **about sth** parler de qch; **to t. on s.o.** *Fam* rapporter sur qn. ◆**—ing** *a* (*smile etc*) révélateur; (*blow*) efficace. ◆**telltale** *n Fam* rapporteur, -euse *mf*.

teller ['telər] *n* (**bank**) **t.** caissier, -ière *mf*.

telly ['telɪ] *n Fam* télé *f*.

temerity [tə'merɪtɪ] *n* témérité *f*.

temp [temp] *n* (*secretary etc*) *Fam* intérimaire *mf*.

temper ['tempər] **1** *n* (*mood, nature*) humeur *f*; (*anger*) colère *f*; **to lose one's t.** se mettre en colère; **in a bad t.** de mauvaise humeur; **to have a (bad** *or* **an awful) t.** avoir un caractère de cochon. **2** *vt* (*steel*) tremper; *Fig* tempérer.

temperament ['temp(ə)rəmənt] *n* tempérament *m*. ◆**tempera'mental** *a* (*person, machine etc*) capricieux; (*inborn*) inné.

temperance ['temp(ə)rəns] *n* (*in drink*) tempérance *f*.

temperate ['tempərət] *a* (*climate etc*) tempéré.

temperature ['temp(ə)rətʃər] *n* température *f*; **to have a t.** *Med* avoir *or* faire de la température.

tempest ['tempɪst] *n Lit* tempête *f*. ◆**tem'pestuous** *a* (*meeting etc*) orageux.

template ['templət] *n* (*of plastic, metal etc*) *Tex* patron *m*; *Math* trace-courbes *m inv*.

temple ['temp(ə)l] *n* **1** *Rel* temple *m*. **2** *Anat* tempe *f*.

tempo ['tempəʊ] *n* (*pl* **-os**) tempo *m*.

temporal ['temp(ə)rəl] *a* temporel.

temporary ['temp(ə)rərɪ] *a* provisoire; (*job, worker*) temporaire; (*secretary*) intérimaire.

tempt [tempt] *vt* tenter; **tempted to do** tenté de faire; **to t. s.o. to do** persuader qn de faire. ◆**—ing** *a* tentant. ◆**—ingly** *adv* d'une manière tentante. ◆**temp'tation** *n* tentation *f*.

ten [ten] *a & n* dix (*m*). ◆**tenfold** *a* **t. increase** augmentation *f* par dix; – *adv* **to increase t.** (se) multiplier par dix.

tenable ['tenəb(ə)l] *a* (*argument*) défendable; (*post*) qui peut etre occupé.

tenacious [tə'neɪʃəs] *a* tenace. ◆**tenacity** *n* ténacité *f*.

tenant ['tenənt] *n* locataire *nmf*. ◆**tenancy** *n* (*lease*) location *f*; (*period*) occupation *f*.

tend [tend] **1** *vt* (*look after*) s'occuper de. **2** *vi* **to t. to do** avoir tendance à faire; **to t. towards** incliner vers. ◆**tendency** *n* tendance *f* (**to do** à faire).

tendentious [ten'denʃəs] *a Pej* tendancieux.

tender¹ ['tendər] *a* (*delicate, soft, loving*) tendre; (*painful, sore*) sensible. ◆**—ly** *adv* tendrement. ◆**—ness** *n* tendresse *f*; (*soreness*) sensibilité *f*; (*of meat*) tendreté *f*.

tender² ['tendər] **1** *vt* (*offer*) offrir; **to t. one's resignation** donner sa démission. **2** *n* **to be legal t.** (*of money*) avoir cours. **3** *n* (*for services etc*) *Com* soumission *f* (**for** pour)

tendon ['tendən] *n Anat* tendon *m*.

tenement ['tenəmənt] *n* immeuble *m* (de rapport) (*Am dans un quartier pauvre*).

tenet ['tenɪt] *n* principe *m*.

tenner ['tenər] *n Fam* billet *m* de dix livres.

tennis ['tenɪs] *n* tennis *m*; **table t.** tennis de table; **t. court** court *m* (de tennis), tennis *m*.

tenor ['tenər] *n* **1** (*sense, course*) sens *m* général. **2** *Mus* ténor *m*.

tenpin ['tenpɪn] *a* **t. bowling** bowling *m*. ◆**tenpins** *n Am* bowling *m*.

tense [tens] **1** *a* (**-er, -est**) (*person, muscle, situation*) tendu; – *vt* tendre, crisper; – *vi* **to t. (up)** (*of person, face*) se crisper. **2** *n Gram* temps *m*. ◆**tenseness** *n* tension *f*. ◆**tension** *n* tension *f*.

tent [tent] *n* tente *f*.

tentacle ['tentək(ə)l] *n* tentacule *m*.

tentative ['tentətɪv] *a* (*not definite*) provisoire; (*hesitant*) timide. ◆**—ly** *adv* provisoirement; timidement.

tenterhooks ['tentəhʊks] *npl* **on t.** (*anxious*) sur des charbons ardents.

tenth [tenθ] *a* & *n* dixième (*mf*); **a t.** un dixième.
tenuous ['tenjʊəs] *a* (*link, suspicion etc*) ténu.
tenure ['tenjər] *n* (*in job*) période *f* de jouissance; (*job security*) *Am* titularisation *f*.
tepid ['tepɪd] *a* (*liquid*) & *Fig* tiède.
term [tɜːm] *n* (*word, limit*) terme *m*; (*period*) période *f*; *Sch Univ* trimestre *m*; (*semester*) *Am* semestre *m*; *pl* (*conditions*) conditions *fpl*; (*prices*) *Com* prix *mpl*; **t. (of office)** *Pol* mandat *m*; **easy terms** *Fin* facilités *fpl* de paiement; **on good/bad terms** en bons/mauvais termes (**with s.o.** avec qn); **to be on close terms** être intime (**with** avec); **in terms of** (*speaking of*) sur le plan de; **in real terms** dans la pratique; **to come to terms with** (*person*) tomber d'accord avec; (*situation etc*) *Fig* faire face à; **in the long/short t.** à long/court terme; **at (full) t.** (*baby*) à terme; – *vt* (*name, call*) appeler.
terminal ['tɜːmɪn(ə)l] **1** *n* (*of computer*) terminal *m*; *El* borne *f*; **(air) t.** aérogare *f*; **(oil) t.** terminal *m* (pétrolier). **2** *a* (*patient, illness*) incurable; (*stage*) terminal. ◆**—ly** *adv* **t. ill** (*patient*) incurable.
terminate ['tɜːmɪneɪt] *vt* mettre fin à; (*contract*) résilier; (*pregnancy*) interrompre; – *vi* se terminer. ◆**termi'nation** *n* fin *f*; résiliation *f*; interruption *f*.
terminology [tɜːmɪ'nɒlədʒɪ] *n* terminologie *f*.
terminus ['tɜːmɪnəs] *n* terminus *m*.
termite ['tɜːmaɪt] *n* (*insect*) termite *m*.
terrace ['terɪs] *n* terrace *f*; (*houses*) maisons *fpl* en bande; **the terraces** *Sp* les gradins *mpl*. ◆**terraced** *a* **t. house** maison *f* attenante aux maisons voisines.
terracota [terə'kɒtə] *n* terre *f* cuite.
terrain [tə'reɪn] *n* *Mil Geol* terrain *m*.
terrestrial [tə'restrɪəl] *a* terrestre.
terrible ['terəb(ə)l] *a* affreux, terrible. ◆**terribly** *adv* (*badly*) affreusement; (*very*) terriblement.
terrier ['terɪər] *n* (*dog*) terrier *m*.
terrific [tə'rɪfɪk] *a* *Fam* (*extreme*) terrible; (*excellent*) formidable, terrible. ◆**terrifically** *adv* *Fam* (*extremely*) terriblement; (*extremely well*) terriblement bien.
terrify ['terɪfaɪ] *vt* terrifier; **to be terrified of** avoir très peur de. ◆**—ing** *a* terrifiant. ◆**—ingly** *adv* épouvantablement.
territory ['terɪtərɪ] *n* territoire *m*. ◆**terri'torial** *a* territorial.
terror ['terər] *n* terreur *f*; (*child*) *Fam* polisson, -onne *mf*. ◆**terrorism** *n* terrorisme *m*. ◆**terrorist** *n* & *a* terroriste (*mf*). ◆**terrorize** *vt* terroriser.
terry(cloth) ['terɪ(klɒθ)] *n* tissu-éponge *m*.
terse [tɜːs] *a* laconique.
tertiary ['tɜːʃərɪ] *a* tertiaire.
Terylene® ['terəliːn] *n* tergal® *m*.
test [test] *vt* (*try*) essayer; (*examine*) examiner; (*analyse*) analyser; (*product, intelligence*) tester; (*pupil*) *Sch* faire subir une interrogation à; (*nerves, courage etc*) *Fig* éprouver; – *n* (*trial*) test *m*, essai *m*; examen *m*; analyse *f*; *Sch* interrogation *f*, test *m*; (*of courage etc*) *Fig* épreuve *f*; **driving t.** (examen *m* du) permis *m* de conduire; – *a* (*pilot, flight*) d'essai; **t. case** *Jur* affaire-test *f*; **t. match** *Sp* match *m* international; **t. tube** éprouvette *f*; **t. tube baby** bébé *m* éprouvette.
testament ['testəmənt] *n* testament *m*; (*proof, tribute*) témoignage *m*; **Old/New T.** *Rel* Ancien/Nouveau Testament.
testicle ['testɪk(ə)l] *n* *Anat* testicule *m*.
testify ['testɪfaɪ] *vi* *Jur* témoigner (**against** contre); **to t. to sth** (*of person, event etc*) témoigner de qch; – *vt* **to t. that** *Jur* témoigner que. ◆**testi'monial** *n* références *fpl*, recommandation *f*. ◆**testimony** *n* témoignage *m*.
testy ['testɪ] *a* (**-ier, -iest**) irritable.
tetanus ['tetənəs] *n* *Med* tétanos *m*.
tête-à-tête [teɪtɑː'teɪt] *n* tête-à-tête *m inv*.
tether ['teðər] **1** *vt* (*fasten*) attacher. **2** *n* **at the end of one's t.** à bout de nerfs.
text [tekst] *n* texte *m*. ◆**textbook** *n* manuel *m*.
textile ['tekstaɪl] *a* & *n* textile (*m*).
texture ['tekstʃər] *n* (*of fabric, cake etc*) texture *f*; (*of paper, wood*) grain *m*.
Thames [temz] *n* **the T.** la Tamise *f*.
than [ðən, *stressed* ðæn] *conj* **1** que; **happier t.** plus heureux que; **he has more t. you** il en a plus que toi; **fewer oranges t. plums** moins d'oranges que de prunes. **2** (*with numbers*) de; **more t. six** plus de six.
thank [θæŋk] *vt* remercier (**for sth** de qch, **for doing** d'avoir fait); **t. you** merci (**for sth** pour *or* de qch, **for doing** d'avoir fait); **no, t. you** (non) merci; **t. God, t. heavens, t. goodness** Dieu merci; – *npl* remerciements *mpl*; **thanks to** (*because of*) grâce à; **(many) thanks!** merci (beaucoup)! ◆**thankful** *a* reconnaissant (**for** de); **t. that** bien heureux que (+ *sub*). ◆**thankfully** *adv* (*gratefully*) avec reconnaissance; (*happily*) heureusement. ◆**thankless** *a* ingrat. ◆**Thanks'giving** *n* **T. (day)** (*holiday*) *Am* jour *m* d'action de grâce(s).

that [ðət, *stressed* ðæt] **1** *conj* que; **to say t.** dire que. **2** *rel pron* (*subject*) qui; (*object*) que; **the boy t. left** le garçon qui est parti; **the book t. I read** le livre que j'ai lu; **the carpet t. I put it on** (*with prep*) le tapis sur lequel je l'ai mis; **the house t. she told me about** la maison dont elle m'a parlé; **the day/morning t. she arrived** le jour/matin où elle est arrivée. **3** *dem a* (*pl see* **those**) ce, cet (*before vowel or mute h*), cette; (*opposed to 'this'*) . . . + -là; **t. day** ce jour; ce jour-là; **t. man** cet homme; cet homme-là; **t. girl** cette fille; cette fille-là. **4** *dem pron* (*pl see* **those**) ça, cela; ce; **t. (one)** celui-là *m*, celle-là *f*; **give me t.** donne moi ça *or* cela; **I prefer t. (one)** je préfère celui-là; **before t.** avant ça *or* cela; **t.'s right** c'est juste; **who's t.?** qui est-ce?; **t.'s the house** c'est la maison; (*pointing*) voilà la maison; **what do you mean by t.?** qu'entends-tu par là; **t. is (to say)** . . . c'est-à-dire . . . . **5** *adv* (*so*) *Fam* si; **not t. good** pas si bon; **t. high** (*pointing*) haut comme ça; **t. much** (*to cost, earn etc*) (au)tant que ça.

thatch [θætʃ] *n* chaume *m*. ◆**thatched** *a* (*roof*) de chaume; **t. cottage** chaumière *f*.

thaw [θɔː] *n* dégel *m*; – *vi* dégeler; (*of snow*) fondre; **it's thawing** *Met* ça dégèle; **to t. (out)** (*of person*) *Fig* se dégeler; – *vt* (*ice*) dégeler, faire fondre; (*food*) faire dégeler; (*snow*) faire fondre.

the [ðə, *before vowel* ðɪ, *stressed* ðiː] *def art* le, l', la, *pl* les; **t. roof** le toit; **t. man** l'homme; **t. moon** la lune; **t. orange** l'orange; **t. boxes** les boîtes; **the smallest** le plus petit; **of t., from t.** du, de l', de la, *pl* des; **to t., at t.** au, à l', à la, *pl* aux; **Elizabeth t. Second** Élisabeth deux; **all t. better** d'autant mieux.

theatre ['θɪətər] *n* (*place, art*) & *Mil* théâtre *m*. ◆**theatregoer** *n* amateur *m* de théâtre. ◆**the'atrical** *a* théâtral; **t. company** troupe *f* de théâtre.

theft [θeft] *n* vol *m*.

their [ðeər] *poss a* leur, *pl* leurs; **t. house** leur maison *f*. ◆**theirs** [ðeəz] *poss pron* le leur, la leur, *pl* les leurs; **this book is t.** ce livre est à eux *or* est le leur; **a friend of t.** un ami à eux.

them [ðəm, *stressed* ðem] *pron* les; (*after prep etc*) eux *mpl*, elles *fpl*; **(to) t.** (*indirect*) leur; **I see t.** je les vois; **I give (to) t.** je leur donne; **with t.** avec eux, avec elles; **ten of t.** dix d'entre eux, dix d'entre elles; **all of t.** tous, toutes. ◆**them'selves** *pron* eux-mêmes *mpl*, elles-mêmes *fpl*; (*reflexive*) se, s'; (*after prep etc*) eux *mpl*, elles *fpl*; **they wash t.** ils se lavent, elles se lavent; **they think of t.** ils pensent à eux, elles pensent à elles.

theme [θiːm] *n* thème *m*; **t. song** *or* **tune** *Cin TV* chanson *f* principale.

then [ðen] **1** *adv* (*at that time*) alors, à ce moment-là; (*next*) ensuite, puis; **from t. on** dès lors; **before t.** avant cela; **until t.** jusque-là, jusqu'alors; – *a* **the t. mayor/***etc* le maire/*etc* d'alors. **2** *conj* (*therefore*) donc, alors.

theology [θɪ'ɒlədʒɪ] *n* théologie *f*. ◆**theo'logical** *a* théologique. ◆**theo'logian** *n* théologien *m*.

theorem ['θɪərəm] *n* théorème *m*.

theory ['θɪərɪ] *n* théorie *f*; **in t.** en théorie. ◆**theo'retical** *a* théorique. ◆**theo'retically** *adv* théoriquement. ◆**theorist** *n* théoricien, -ienne *mf*.

therapy ['θerəpɪ] *n* thérapeutique *f*. ◆**thera'peutic** *a* thérapeutique.

there [ðeər] *adv* là; **(down** *or* **over) t.** là-bas; **on t.** là-dessus; **she'll be t.** elle sera là, elle y sera; **t. is, t. are** il y a; (*pointing*) voilà; **t. he is** le voilà; **t. she is** la voilà; **t. they are** les voilà; **that man t.** cet homme-là; **t. (you are)!** (*take this*) tenez!; **t., (t.,) don't cry!** allons, allons, ne pleure pas! ◆**therea'bout(s)** *adv* par là; (*in amount*) à peu près. ◆**there'after** *adv* après cela. ◆**thereby** *adv* de ce fait. ◆**therefore** *adv* donc. ◆**thereu'pon** *adv* sur ce.

thermal ['θɜːm(ə)l] *a* (*energy, unit*) thermique; (*springs*) thermal; (*underwear*) tribo-électrique, en thermolactyl®.

thermometer [θə'mɒmɪtər] *n* thermomètre *m*.

thermonuclear [θɜːməʊ'njuːklɪər] *a* thermonucléaire.

Thermos® ['θɜːməs] *n* **T. (flask)** thermos® *m or f*.

thermostat ['θɜːməstæt] *n* thermostat *m*.

thesaurus [θɪ'sɔːrəs] *n* dictionnaire *m* de synonymes.

these [ðiːz] **1** *dem a* (*sing see* **this**) ces; (*opposed to 'those'*) . . . + -ci; **t. men** ces hommes; ces hommes-ci. **2** *dem pron* (*sing see* **this**) **t. (ones)** ceux-ci *mpl*, celles-ci *fpl*; **t. are my friends** ce sont mes amis.

thesis, *pl* **theses** ['θiːsɪs, 'θiːsiːz] *n* thèse *f*.

they [ðeɪ] *pron* **1** ils *mpl*, elles *fpl*; (*stressed*) eux *mpl*, elles *fpl*; **t. go** ils vont, elles vont; **t. are doctors** ce sont des médecins. **2** (*people in general*) on; **t. say** on dit.

thick [θɪk] *a* (**-er, -est**) épais; (*stupid*) *Fam* lourd; **to be t.** (*of friends*) *Fam* être très liés; – *adv* (*to grow*) dru; (*to spread*) en couche épaisse; – *n* **in the t. of** (*battle etc*) au plus

gros de. ◆**thicken** *vt* épaissir; – *vi* s'épaissir. ◆**thickly** *adv* (*to grow, fall*) dru; (*to spread*) en couche épaisse; (*populated, wooded*) très. ◆**thickness** *n* épaisseur *f*.
thicket ['θɪkɪt] *n* (*trees*) fourré *m*.
thickset [θɪk'set] *a* (*person*) trapu. ◆**thick-skinned** *a* (*person*) dur, peu sensible.
thief [θiːf] *n* (*pl* **thieves**) voleur, -euse *mf*. ◆**thiev/e** *vti* voler. ◆**—ing** *a* voleur; – *n* vol *m*.
thigh [θaɪ] *n* cuisse *f*. ◆**thighbone** *n* fémur *m*.
thimble ['θɪmb(ə)l] *n* dé *m* (à coudre).
thin [θɪn] *a* (**thinner, thinnest**) (*slice, paper etc*) mince; (*person, leg*) maigre, mince; (*soup*) peu épais; (*hair, audience*) clairsemé; (*powder*) fin; (*excuse, profit*) *Fig* maigre, mince; – *adv* (*to spread*) en couche mince; – *vt* (**-nn-**) **to t. (down)** (*paint etc*) délayer; – *vi* **to t. out** (*of crowd, mist*) s'éclaircir. ◆**—ly** *adv* (*to spread*) en couche mince; (*populated, wooded*) peu; (*disguised*) à peine. ◆**—ness** *n* minceur *f*; maigreur *f*.
thing [θɪŋ] *n* chose *f*; **one's things** (*belongings, clothes*) ses affaires *fpl*; **it's a funny t.** c'est drôle; **poor little t.!** pauvre petit!; **that's (just) the t.** voilà (exactement) ce qu'il faut; **how are things?, *Fam* how's things?** comment (ça) va?; **I'll think things over** j'y réfléchirai; **for one t. . . . , and for another t.** d'abord . . . et ensuite; **tea things** (*set*) service *m* à thé; (*dishes*) vaisselle *f*. ◆**thingummy** *n Fam* truc *m*, machin *m*.
think [θɪŋk] *vi* (*pt & pp* **thought**) penser (**about, of** à); **to t. (carefully)** réfléchir (**about, of** à); **to t. of doing** penser *or* songer à faire; **to t. highly of, t. a lot of** penser beaucoup de bien de; **she doesn't t. much of it** ça ne lui dit pas grand-chose; **to t. better of it** se raviser; **I can't t. of it** je n'arrive pas à m'en souvenir; – *vt* penser (**that** que); **I t. so** je pense *or* crois que oui; **what do you t. of him?** que penses-tu de lui?; **I thought it difficult** je l'ai trouvé difficile; **to t. out** *or* **through** (*reply etc*) réfléchir sérieusement à, peser; **to t. over** réfléchir à; **to t. up** (*invent*) inventer, avoir l'idée de; – *n* **to have a t.** *Fam* réfléchir (**about** à); – *a* **t. tank** comité *m* d'experts. ◆**—ing** *a* (*person*) intelligent; – *n* (*opinion*) opinion *f*; **to my t.** à mon avis. ◆**—er** *n* penseur, -euse *mf*.
thin-skinned [θɪn'skɪnd] *a* (*person*) susceptible.
third [θɜːd] *a* troisième; **t. person** *or* **party** tiers *m*; **t.-party insurance** assurance *f* au tiers; **T. World** Tiers-Monde *m*; – *n* troisième *mf*; **a t.** (*fraction*) un tiers; – *adv* (*in race*) troisième. ◆**—ly** *adv* troisièmement.
third-class [θɜːd'klɑːs] *a* de troisième classe. ◆**t.-rate** *a* (très) inférieur.
thirst [θɜːst] *n* soif *f* (**for** de). ◆**thirsty** *a* (**-ier, -iest**) *a* **to be** *or* **feel t.** avoir soif; **to make t.** donner soif à; **t. for** (*power etc*) *Fig* assoiffé de.
thirteen [θɜː'tiːn] *a* & *n* treize (*m*). ◆**thirteenth** *a* & *n* treizième (*mf*). ◆**'thirtieth** *a* & *n* trentième (*mf*). ◆**'thirty** *a* & *n* trente (*m*).
this [ðɪs] **1** *dem a* (*pl see* **these**) ce, cet (*before vowel or mute h*), cette; (*opposed to 'that'*) . . . + -ci; **t. book** ce livre; ce livre-ci; **t. man** cet homme; cet homme-ci; **t. photo** cette photo; cette photo-ci. **2** *dem pron* (*pl see* **these**) ceci; ce; **t. (one)** celui-ci *m*, celle-ci *f*; **give me t.** donne-moi ceci; **I prefer t. (one)** je préfère celui-ci; **before t.** avant ceci; **who's t.?** qui est-ce?; **t. is Paul** c'est Paul; **t. is the house** voici la maison. **3** *adv* (*so*) *Fam* si; **t. high** (*pointing*) haut comme ceci; **t. far** (*until now*) jusqu'ici.
thistle ['θɪs(ə)l] *n* chardon *m*.
thorn [θɔːn] *n* épine *f*. ◆**thorny** *a* (**-ier, -iest**) (*bush, problem etc*) épineux.
thorough ['θʌrə] *a* (*painstaking, careful*) minutieux, consciencieux; (*knowledge, examination*) approfondi; (*rogue, liar*) fieffé; (*disaster*) complet; **to give sth a t. washing** laver qch à fond. ◆**—ly** *adv* (*completely*) tout à fait; (*painstakingly*) avec minutie; (*to know, clean, wash*) à fond. ◆**—ness** *n* minutie *f*; (*depth*) profondeur *f*.
thoroughbred ['θʌrəbred] *n* (*horse*) pur-sang *m inv*.
thoroughfare ['θʌrəfeər] *n* (*street*) rue *f*; **'no t.'** 'passage interdit'.
those [ðəʊz] **1** *dem a* (*sing see* **that**) ces; (*opposed to 'these'*) . . . + -là; **t. men** ces hommes; ces hommes-là. **2** *dem pron* (*sing see* **that**) **t. (ones)** ceux-là *mpl*, celles-là *fpl*; **t. are my friends** ce sont mes amis.
though [ðəʊ] **1** *conj* (**even**) **t.** bien que (+ *sub*); **as t.** comme si; **strange t. it may seem** si étrange que cela puisse paraître. **2** *adv* (*nevertheless*) cependant, quand même.
thought [θɔːt] *see* **think**; – *n* pensée *f*; (*idea*) idée *f*, pensée *f*; **(careful) t.** réflexion *f*; **without (a) t. for** sans penser à; **to have second thoughts** changer d'avis; **on second thoughts, *Am* on second t.** à la réflexion. ◆**thoughtful** *a* (*pensive*) pensif; (*serious*) sérieux; (*considerate, kind*) gentil, préve-

nant. ◆**thoughtfully** *adv* (*considerately*) gentiment. ◆**thoughtfulness** *n* gentillesse *f*, prévenance *f*. ◆**thoughtless** *a* (*towards others*) désinvolte; (*careless*) étourdi. ◆**thoughtlessly** *adv* (*carelessly*) étourdiment; (*inconsiderately*) avec désinvolture.

thousand ['θaʊzənd] *a* & *n* mille *a* & *m inv*; **a t. pages** mille pages; **two t. pages** deux mille pages; **thousands of** des milliers de.

thrash [θræʃ] **1** *vt* **to t. s.o.** rouer qn de coups; (*defeat*) écraser qn; **to t. out** (*plan etc*) élaborer (à force de discussions). **2** *vi* **to t. about** (*struggle*) se débattre. ◆**—ing** *n* (*beating*) correction *f*.

thread [θred] *n* (*yarn*) & *Fig* fil *m*; (*of screw*) pas *m*; – *vt* (*needle, beads*) enfiler; **to t. one's way** *Fig* se faufiler (**through the crowd**/*etc* parmi la foule/*etc*). ◆**threadbare** *a* élimé, râpé.

threat [θret] *n* menace *f* (**to** à). ◆**threaten** *vi* menacer; – *vt* menacer (**to do** de faire, **with sth** de qch). ◆**threatening** *a* menaçant. ◆**threateningly** *adv* (*to say*) d'un ton menaçant.

three [θriː] *a* & *n* trois (*m*); **t.-piece suite** canapé *m* et deux fauteuils. ◆**threefold** *a* triple; – *adv* **to increase t.** tripler. ◆**three-'wheeler** *n* (*tricycle*) tricycle *m*; (*car*) voiture *f* à trois roues.

thresh [θreʃ] *vt Agr* battre.

threshold ['θreʃhəʊld] *n* seuil *m*.

threw [θruː] *see* **throw**.

thrift [θrɪft] *n* (*virtue*) économie *f*. ◆**thrifty** *a* (**-ier, -iest**) économe.

thrill [θrɪl] *n* émotion *f*, frisson *m*; **to get a t. out of doing** prendre plaisir à faire; – *vt* (*delight*) réjouir; (*excite*) faire frissonner. ◆**—ed** *a* ravi (**with sth** de qch, **to do** de faire). ◆**—ing** *a* passionnant. ◆**—er** *n* film *m or* roman *m* à suspense.

thriv/e [θraɪv] *vi* (*of business, person, plant etc*) prospérer; **he** *or* **she thrives on hard work** le travail lui profite. ◆**—ing** *a* prospère, florissant.

throat [θrəʊt] *n* gorge *f*; **to have a sore t.** avoir mal à la gorge. ◆**throaty** *a* (*voice*) rauque; (*person*) à la voix rauque.

throb [θrɒb] *vi* (**-bb-**) (*of heart*) palpiter; (*of engine*) vrombir; *Fig* vibrer; **my finger is throbbing** mon doigt me fait des élancements; – *n* palpitation *f*; vrombissement *m*; élancement *m*.

throes [θrəʊz] *npl* **in the t. of** au milieu de; (*illness, crisis*) en proie à; **in the t. of doing** en train de faire.

thrombosis [θrɒm'bəʊsɪs] *n* (*coronary*) *Med* infarctus *m*.

throne [θrəʊn] *n* trône *m*.

throng [θrɒŋ] *n* foule *f*; – *vi* (*rush*) affluer; – *vt* (*street, station etc*) se presser dans; **thronged with people** noir de monde.

throttle ['θrɒt(ə)l] **1** *n Aut* accélérateur *m*. **2** *vt* (*strangle*) étrangler.

through [θruː] *prep* (*place*) à travers; (*time*) pendant; (*means*) par; (*thanks to*) grâce à; **to go** *or* **get t.** (*forest etc*) traverser; (*hole etc*) passer par; **t. the window/door** par la fenêtre/porte; **to speak t. one's nose** parler du nez; **Tuesday t. Saturday** *Am* de mardi à samedi; – *adv* à travers; **to go t.** (*cross*) traverser; (*pass*) passer; **to let t.** laisser passer; **all** *or* **right t.** (*to the end*) jusqu'au bout; **French t. and t.** français jusqu'au bout des ongles; **to be t.** (*finished*) *Am Fam* avoir fini; **we're t.** *Am Fam* c'est fini entre nous; **I'm t. with the book** *Am Fam* je n'ai plus besoin du livre; **t. to** *or* **till** jusqu'à; **I'll put you t. (to him)** *Tel* je vous le passe; – *a* (*train, traffic, ticket*) direct; **'no t. road'** (*no exit*) 'voie sans issue'. ◆**through'out** *prep* **t. the neighbourhood**/*etc* dans tout le quartier/*etc*; **t. the day**/*etc* (*time*) pendant toute la journée/*etc*; – *adv* (*everywhere*) partout; (*all the time*) tout le temps. ◆**throughway** *n Am* autoroute *f*.

throw [θrəʊ] *n* (*of stone etc*) jet *m*; *Sp* lancer *m*; (*of dice*) coup *m*; (*turn*) tour *m*; – *vt* (*pt* **threw**, *pp* **thrown**) jeter (**to, at** à); (*stone, ball*) lancer, jeter; (*hurl*) projeter; (*of horse*) désarçonner (*qn*); (*party, reception*) donner; (*baffle*) *Fam* dérouter; **to t. away** (*discard*) jeter; (*ruin, waste*) *Fig* gâcher; **to t. back** (*ball*) renvoyer (**to** à); (*one's head*) rejeter en arrière; **to t. in** (*include as extra*) *Fam* donner en prime; **to t. off** (*get rid of*) se débarrasser de; **to t. out** (*discard*) jeter; (*suggestion*) repousser; (*expel*) mettre (*qn*) à la porte; (*distort*) fausser (*calcul etc*); **to t. over** abandonner; **to t. up** (*job*) *Fam* laisser tomber; – *vi* **to t. up** (*vomit*) *Sl* dégobiller. ◆**throwaway** *a* (*disposable*) à jeter, jetable.

thrush [θrʌʃ] *n* (*bird*) grive *f*.

thrust [θrʌst] *n* (*push*) poussée *f*; (*stab*) coup *m*; (*of argument*) poids *m*; (*dynamism*) allant *m*; – *vt* (*pt* & *pp* **thrust**) (*push*) pousser; (*put*) mettre (**into** dans); **to t. sth into sth** (*stick, knife, pin*) enfoncer qch dans qch; **to t. sth/s.o. upon s.o.** *Fig* imposer qch/qn à qn.

thud [θʌd] *n* bruit *m* sourd.

thug [θʌg] *n* voyou *m*.

thumb [θʌm] *n* pouce *m*; **with a t. index** (*book*) à onglets; – *vt* **to t. (through)** (*book etc*) feuilleter; **to t. a lift** *or* **a ride** *Fam* faire du stop. ◆**thumbtack** *n Am* punaise *f*.
thump [θʌmp] *vt* (*person*) frapper, cogner sur; (*table*) taper sur; **to t. one's head** (*on door etc*) se cogner la tête (**on** contre); – *vi* frapper, cogner (**on** sur); (*of heart*) battre à grands coups; – *n* (grand) coup *m*; (*noise*) bruit *m* sourd. ◆**—ing** *a* (*huge, great*) *Fam* énorme.
thunder ['θʌndər] *n* tonnerre *m*; – *vi* (*of weather, person, guns*) tonner; **it's thundering** *Met* il tonne; **to t. past** passer (vite) dans un bruit de tonnerre. ◆**thunderbolt** *n* (*event*) *Fig* coup *m* de tonnerre. ◆**thunderclap** *n* coup *m* de tonnerre. ◆**thunderstorm** *n* orage *m*. ◆**thunderstruck** *a* abasourdi.
Thursday ['θɜːzdɪ] *n* jeudi *m*.
thus [ðʌs] *adv* ainsi.
thwart [θwɔːt] *vt* (*plan, person*) contrecarrer.
thyme [taɪm] *n Bot Culin* thym *m*.
thyroid ['θaɪrɔɪd] *a* & *n Anat* thyroïde (*f*).
tiara [tɪ'ɑːrə] *n* (*of woman*) diadème *m*.
tic [tɪk] *n* (*in face, limbs*) tic *m*.
tick [tɪk] **1** *n* (*of clock*) tic-tac *m*; – *vi* faire tic-tac; **to t. over** (*of engine, factory, business*) tourner au ralenti. **2** *n* (*on list*) coche *f*, trait *m*; – *vt* **to t. (off)** cocher; **to t. off** (*reprimand*) *Fam* passer un savon à. **3** *n* (*moment*) *Fam* instant *m*. **4** *n* (*insect*) tique *f*. **5** *adv* **on t.** (*on credit*) *Fam* à crédit. ◆**—ing** *n* (*of clock*) tic-tac *m*; **to give s.o. a t.-off** *Fam* passer un savon à qn.
ticket ['tɪkɪt] *n* billet *m*; (*for tube, bus, cloakroom*) ticket *m*; (*for library*) carte *f*; (*fine*) *Aut Fam* contravention *f*, contredanse *f*; *Pol Am* liste *f*; **(price) t.** étiquette *f*; **t. collector** contrôleur, -euse *mf*; **t. holder** personne *f* munie d'un billet; **t. office** guichet *m*.
tickle ['tɪk(ə)l] *vt* chatouiller; (*amuse*) *Fig* amuser; – *n* chatouillement *m*. ◆**ticklish** *a* (*person*) chatouilleux; (*fabric*) qui chatouille; (*problem*) *Fig* délicat.
tidbit ['tɪdbɪt] *n* (*food*) *Am* bon morceau *m*.
tiddlywinks ['tɪdlɪwɪŋks] *n* jeu *m* de puce.
tide [taɪd] **1** *n* marée *f*; **against the t.** *Nau & Fig* à contre-courant; **the rising t. of discontent** le mécontentement grandissant. **2** *vt* **to t. s.o. over** (*help out*) dépanner qn. ◆**tidal** *a* (*river*) qui a une marée; **t. wave** raz-de-marée *m inv*; (*in public opinion etc*) *Fig* vague *f* de fond. ◆**tidemark** *n Fig Hum* ligne *f* de crasse.
tidings ['taɪdɪŋz] *npl Lit* nouvelles *fpl*.
tidy ['taɪdɪ] *a* (**-ier, -iest**) (*place, toys etc*) bien rangé; (*clothes, looks*) soigné; (*methodical*) ordonné; (*amount, sum*) *Fam* joli, bon; **to make t.** ranger; – *vt* **to t. (up** *or* **away)** ranger; **to t. oneself (up)** s'arranger; **to t. out** (*cupbaord etc*) vider; – *vi* **to t. up** ranger. ◆**tidily** *adv* avec soin. ◆**tidiness** *n* (bon) ordre *m*; (*care*) soin *m*.
tie [taɪ] *n* (*string, strap etc*) & *Fig* lien *m*, attache *f*; (*necktie*) cravate *f*; (*sleeper*) *Rail Am* traverse *f*; *Sp* égalité *f* de points; (*match*) match *m* nul; – *vt* (*fasten*) attacher, lier (**to** à); (*a knot*) faire (**in** à); (*shoe*) lacer; (*link*) lier (**to** à); **to t. down** attacher; **to t. s.o. down to** (*date, place etc*) obliger qn à accepter; **to t. up** attacher; (*money*) *Fig* immobiliser; **to be tied up** (*linked*) être lié (**with** avec); (*busy*) *Fam* être occupé; – *vi Sp* finir à égalité de points; *Fb* faire match nul; (*in race*) être ex aequo; **to t. in with** (*tally with*) se rapporter à. ◆**t.-up** *n* (*link*) lien *m*; (*traffic jam*) *Am Fam* bouchon *m*.
tier [tɪər] *n* (*seats*) *Sp Th* gradin *m*; (*of cake*) étage *m*.
tiff [tɪf] *n* petite querelle *f*.
tiger ['taɪgər] *n* tigre *m*. ◆**tigress** *n* tigresse *f*.
tight [taɪt] *a* (**-er, -est**) (*rope etc*) raide; (*closely-fitting clothing*) ajusté, (*fitting too closely*) (trop) étroit, (trop) serré; (*drawer, lid*) dur; (*control*) strict; (*schedule, credit*) serré; (*drunk*) *Fam* gris; (*with money*) *Fam* avare; **a t. spot** *or* **corner** *Fam* une situation difficile; **it's a t. squeeze** il y a juste la place; – *adv* (*to hold, shut, sleep*) bien; (*to squeeze*) fort; **to sit t.** ne pas bouger. ◆**tighten** *vt* **to t. (up)** (*rope*) tendre; (*bolt etc*) (res)serrer; (*security*) *Fig* renforcer; – *vi* **to t. up on** se montrer plus strict à l'égard de. ◆**tightly** *adv* (*to hold*) bien; (*to squeeze*) fort; **t. knit** (*close*) très uni. ◆**tightness** *n* (*of garment*) étroitesse *f*; (*of control*) rigueur *f*; (*of rope*) tension *f*.
tight-fitting [taɪt'fɪtɪŋ] *a* (*garment*) ajusté. ◆**tightfisted** *a* avare. ◆**'tightrope** *n* corde *f* raide. ◆**'tightwad** *n* (*miser*) *Am Fam* grippe-sou *m*.
tights [taɪts] *npl* (*garment*) collant *m*; (*for dancer etc*) justaucorps *m*.
til/e [taɪl] *n* (*on roof*) tuile *f*; (*on wall or floor*) carreau *m*; – *vt* (*wall, floor*) carreler. ◆**—ed** *a* (*roof*) de tuiles; (*wall, floor*) carrelé.
till [tɪl] **1** *prep & conj* = **until. 2** *n* (*for money*) caisse *f* (enregistreuse). **3** *vt* (*land*) *Agr* cultiver.

tilt [tɪlt] *vti* pencher; – *n* inclinaison *f*; **(at) full t.** à toute vitesse.
timber ['tɪmbər] *n* bois *m* (de construction); (*trees*) arbres *mpl*; – *a* de *or* en bois. **◆timberyard** *n* entrepôt *m* de bois.
time [taɪm] *n* temps *m*; (*point in time*) moment *m*; (*epoch*) époque *f*; (*on clock*) heure *f*; (*occasion*) fois *f*; *Mus* mesure *f*; **in (the course of) t., with (the passage of) t.** avec le temps; **some of the t.** (*not always*) une partie du temps; **most of the t.** la plupart du temps; **in a year's t.** dans un an; **a long t.** longtemps; **a short t.** peu de temps, un petit moment; **full-t.** à plein temps; **part-t.** à temps partiel; **to have a good** *or* **a nice t.** (*fun*) s'amuser (bien); **to have a hard t. doing** avoir du mal à faire; **t. off** du temps libre; **in no t. (at all)** en un rien de temps; **(just) in t.** (*to arrive*) à temps (**for sth** pour qch, **to do** pour faire); **in my t.** (*formerly*) de mon temps; **from t. to t.** de temps en temps; **what t. is it?** quelle heure est-il?; **the right** *or* **exact t.** l'heure *f* exacte; **on t.** à l'heure; **at the same t.** en même temps (**as** que); (*simultaneously*) à la fois; **for the t. being** pour le moment; **at the t.** à ce moment-là; **at the present t.** à l'heure actuelle; **at times** par moments, parfois; **at one t.** à un moment donné; **this t. tomorrow** demain à cette heure-ci; **(the) next t. you come** la prochaine fois que tu viendras; **(the) last t.** la dernière fois; **one at a t.** un à un; **t. and again** maintes fois; **ten times ten** dix fois dix; **t. bomb** bombe *f* à retardement; **t. lag** décalage *m*; **t. limit** délai *m*; **t. zone** fuseau *m* horaire; – *vt* (*sportsman, worker etc*) chronométrer; (*programme, operation*) minuter; (*choose the time of*) choisir le moment de; (*to plan*) prévoir. **◆timing** *n* chronométrage *m*; minutage *m*; (*judgement of artist etc*) rythme *m*; **the t. of** (*time*) le moment choisi pour. **◆time-consuming** *a* qui prend du temps. **◆time-honoured** *a* consacré (par l'usage).
timeless ['taɪmləs] *a* éternel.
timely ['taɪmlɪ] *a* à propos. **◆timeliness** *n* à-propos *m*.
timer ['taɪmər] *n Culin* minuteur *m*, compte-minutes *m inv*; (*sand-filled*) sablier *m*; (*on machine*) minuteur *m*; (*to control lighting*) minuterie *f*.
timetable ['taɪmteɪb(ə)l] *n* horaire *m*; (*in school*) emploi *m* du temps.
timid ['tɪmɪd] *a* (*shy*) timide; (*fearful*) timoré. **◆—ly** *adv* timidement.
tin [tɪn] *n* étain *m*; (*tinplate*) fer-blanc *m*; (*can*) boîte *f*; (*for baking*) moule *m*; **t. can** boîte *f* (en fer-blanc); **t. opener** ouvre-boîtes *m inv*; **t. soldier** soldat *m* de plomb. **◆tinfoil** *n* papier *m* d'aluminium, papier alu. **◆tinned** *a* en boîte. **◆tinplate** *n* fer-blanc *m*.
tinge [tɪndʒ] *n* teinte *f*. **◆tinged** *a* **t. with** (*pink etc*) teinté de; (*jealousy etc*) *Fig* empreint de.
tingle ['tɪŋg(ə)l] *vi* picoter; **it's tingling** ça me picote. **◆tingly** *a* (*feeling*) de picotement.
tinker ['tɪŋkər] *vi* **to t. (about) with** bricoler.
tinkle ['tɪŋk(ə)l] *vi* tinter; – *n* tintement *m*; **to give s.o. a t.** (*phone s.o.*) *Fam* passer un coup de fil à qn.
tinny ['tɪnɪ] *a* **(-ier, -iest)** (*sound*) métallique; (*vehicle, machine*) de mauvaise qualité.
tinsel ['tɪns(ə)l] *n* clinquant *m*, guirlandes *fpl* de Noël.
tint [tɪnt] *n* teinte *f*; (*for hair*) shampooing *m* colorant; – *vt* (*paper, glass*) teinter.
tiny ['taɪnɪ] *a* **(-ier, -iest)** tout petit.
tip [tɪp] **1** *n* (*end*) bout *m*; (*pointed*) pointe *f*. **2** *n* (*money*) pourboire *m*; – *vt* **(-pp-)** donner un pourboire à. **3** *n* (*advice*) conseil *m*; (*information*) & *Sp* tuyau *m*; **to get a t.-off** se faire tuyauter; – *vt* **(-pp-) to t. a horse/***etc* donner un cheval/*etc* gagnant; **to t. off** (*police*) prévenir. **4** *n* (*for rubbish*) décharge *f*; – *vt* **(-pp-) to t. (up** *or* **over)** (*tilt*) incliner, pencher; (*overturn*) faire basculer; **to t. (out)** (*liquid, load*) déverser (**into** dans); – *vi* **to t. (up** *or* **over)** (*tilt*) pencher; (*overturn*) basculer.
tipped [tɪpt] *a* **t. cigarette** cigarette *f* (à bout) filtre.
tipple ['tɪp(ə)l] *vi* (*drink*) *Fam* picoler.
tipsy ['tɪpsɪ] *a* **(-ier, -iest)** (*drunk*) gai, pompette.
tiptoe ['tɪptəʊ] *n* **on t.** sur la pointe des pieds; – *vi* marcher sur la pointe des pieds.
tiptop ['tɪptɒp] *a Fam* excellent.
tirade [taɪ'reɪd] *n* diatribe *f*.
tir/e[1] ['taɪər] *vt* fatiguer; **to t. out** (*exhaust*) épuiser; – *vi* se fatiguer. **◆—ed** *a* fatigué; **to be t. of sth/s.o./doing** en avoir assez de qch/de qn/de faire; **to get t. of doing** se lasser de faire. **◆—ing** *a* fatigant. **◆tiredness** *n* fatigue *f*. **◆tireless** *a* infatigable. **◆tiresome** *a* ennuyeux.
tire[2] ['taɪər] *n Am* pneu *m*.
tissue ['tɪʃuː] *n Biol* tissu *m*; (*handkerchief*) mouchoir *m* en papier, kleenex® *m*; **t. (paper)** papier *m* de soie.
tit [tɪt] *n* **1** (*bird*) mésange *f*. **2 to give t. for tat** rendre coup pour coup.
titbit ['tɪtbɪt] *n* (*food*) bon morceau *m*.

titillate ['tɪtɪleɪt] *vt* exciter.
titl/e ['taɪt(ə)l] *n* (*name, claim*) & *Sp* titre *m*; **t. deed** titre *m* de propriété; **t. role** *Th Cin* rôle *m* principal; – *vt* (*film*) intituler, titrer. ◆**—ed** *a* (*person*) titré.
titter ['tɪtər] *vi* rire bêtement.
tittle-tattle ['tɪt(ə)ltæt(ə)l] *n Fam* commérages *mpl*.
to [tə, *stressed* tuː] **1** *prep* à; (*towards*) vers; (*of feelings, attitude*) envers; (*right up to*) jusqu'à; (*of*) de; **give it to him** *or* **her** donne-le-lui; **to town** en ville; **to France** en France; **to Portugal** au Portugal; **to the butcher('s)/***etc* chez le boucher/*etc*; **the road to** la route de; **the train to** le train pour; **well-disposed to** bien disposé envers; **kind to** gentil envers *or* avec *or* pour; **from bad to worse** de mal en pis; **ten to one** (*proportion*) dix contre un; **it's ten (minutes) to one** il est une heure moins dix; **one person to a room** une personne par chambre; **to say/to remember/***etc* (*with inf*) dire/se souvenir/*etc*; **she tried to** elle a essayé; **wife/***etc***-to-be** future femme *f*/*etc*. **2** *adv* **to push to** (*door*) fermer; **to go** *or* **walk to and fro** aller et venir. ◆**to-do** [tə'duː] *n* (*fuss*) *Fam* histoire *f*.
toad [təʊd] *n* crapaud *m*.
toadstool ['təʊdstuːl] *n* champignon *m* (vénéneux).
toast [təʊst] **1** *n Culin* pain *m* grillé, toast *m*; – *vt* (*bread*) (faire) griller. **2** *n* (*drink*) toast *m*; – *vt* (*person*) porter un toast à; (*success, event*) arroser. ◆**toaster** *n* grille-pain *m inv*.
tobacco [tə'bækəʊ] *n* (*pl* **-os**) tabac *m*. ◆**tobacconist** *n* buraliste *mf*; **t., tobacconist's (shop)** (bureau *m* de) tabac *m*.
toboggan [tə'bɒgən] *n* luge *f*, toboggan *m*.
today [tə'deɪ] *adv* & *n* aujourd'hui (*m*).
toddle ['tɒd(ə)l] *vi* **to t. off** (*leave*) *Hum Fam* se sauver.
toddler ['tɒdlər] *n* petit(e) enfant *mf*.
toddy ['tɒdɪ] *n* **(hot) t.** grog *m*.
toe [təʊ] **1** *n* orteil *m*; **on one's toes** *Fig* vigilant. **2** *vt* **to t. the line** se conformer; **to t. the party line** respecter la ligne du parti. ◆**toenail** *n* ongle *m* du pied.
toffee ['tɒfɪ] *n* (*sweet*) caramel *m* (*dur*); **t. apple** pomme *f* d'amour.
together [tə'geðər] *adv* ensemble; (*at the same time*) en même temps; **t. with** avec. ◆**—ness** *n* (*of group*) camaraderie *f*; (*of husband and wife*) intimité *f*.
togs [tɒgz] *npl* (*clothes*) *Sl* nippes *fpl*.
toil [tɔɪl] *n* labeur *m*; – *vi* travailler dur.
toilet ['tɔɪlɪt] *n* (*room*) toilettes *fpl*, cabinets *mpl*; (*bowl, seat*) cuvette *f or* siège *m* des cabinets; **to go to the t.** aller aux toilettes; – *a* (*articles*) de toilette; **t. paper** papier *m* hygiénique; **t. roll** rouleau *m* de papier hygiénique; **t. water** (*perfume*) eau *f* de toilette. ◆**toiletries** *npl* articles *mpl* de toilette.
token ['təʊkən] *n* (*symbol, sign*) témoignage *m*; (*metal disc*) jeton *m*; (*voucher*) bon *m*; **gift t.** chèque-cadeau *m*; **book t.** chèque-livre *m*; **record t.** chèque-disque *m*; – *a* symbolique.
told [təʊld] *see* **tell;** – *adv* **all t.** (*taken together*) en tout.
tolerable ['tɒlərəb(ə)l] *a* (*bearable*) tolérable; (*fairly good*) passable. ◆**tolerably** *adv* (*fairly, fairly well*) passablement. ◆**tolerance** *n* tolérance *f*. ◆**tolerant** *a* tolérant (**of** à l'égard de). ◆**tolerantly** *adv* avec tolérance. ◆**tolerate** *vt* tolérer.
toll [təʊl] **1** *n* péage *m*; – *a* (*road*) à péage. **2** *n* **the death t.** le nombre de morts, le bilan en vies humaines; **to take a heavy t.** (*of accident etc*) faire beaucoup de victimes. **3** *vi* (*of bell*) sonner. ◆**tollfree** *a* **t. number** *Tel Am* numéro *m* vert.
tomato [tə'mɑːtəʊ, *Am* tə'meɪtəʊ] *n* (*pl* **-oes**) tomate *f*.
tomb [tuːm] *n* tombeau *m*. ◆**tombstone** *n* pierre *f* tombale.
tomboy ['tɒmbɔɪ] *n* (*girl*) garçon *m* manqué.
tomcat ['tɒmkæt] *n* matou *m*.
tome [təʊm] *n* (*book*) tome *m*.
tomfoolery [tɒm'fuːlərɪ] *n* niaiserie(s) *f*(*pl*).
tomorrow [tə'mɒrəʊ] *adv* & *n* demain (*m*); **t. morning/evening** demain matin/soir; **the day after t.** après-demain.
ton [tʌn] *n* tonne *f* (*Br* = *1016 kg, Am* = *907 kg*); **metric t.** tonne *f* (= *1000 kg*); **tons of** (*lots of*) *Fam* des tonnes de.
tone [təʊn] *n* ton *m*; (*of radio, telephone*) tonalité *f*; **in that t.** sur ce ton; **to set the t.** donner le ton; **she's t.-deaf** elle n'a pas d'oreille; – *vt* **to t. down** atténuer; **to t. up** (*muscles, skin*) tonifier; – *vi* **to t. in** s'harmoniser (**with** avec).
tongs [tɒŋz] *npl* pinces *fpl*; (*for sugar*) pince *f*; **(curling) t.** fer *m* à friser.
tongue [tʌŋ] *n* langue *f*; **t. in cheek** ironique(ment). ◆**t.-tied** *a* muet (et gêné).
tonic ['tɒnɪk] *a* & *n* tonique (*m*); **gin and t.** gin-tonic *m*.
tonight [tə'naɪt] *adv* & *n* (*this evening*) ce soir (*m*); (*during the night*) cette nuit (*f*).
tonne [tʌn] *n* (*metric*) tonne *f*. ◆**tonnage** *n* tonnage *m*.
tonsil ['tɒns(ə)l] *n* amygdale *f*. ◆**tonsil'l-**

lectomy *n* opération *f* des amygdales. ◆**tonsillitis** [tɒnsə'laɪtəs] *n* **to have t.** avoir une angine.

too [tuː] *adv* **1** (*excessively*) trop; **t. tired to play** trop fatigué pour jouer; **t. hard to solve** trop difficile à résoudre; **it's only t. true** ce n'est que trop vrai. **2** (*also*) aussi; (*moreover*) en plus.

took [tʊk] *see* **take.**

tool [tuːl] *n* outil *m*; **t. bag, t. kit** trousse *f* à outils.

toot [tuːt] *vti* **to t. (the horn)** *Aut* klaxonner.

tooth, *pl* **teeth** [tuːθ, tiːθ] *n* dent *f*; **front t.** dent de devant; **back t.** molaire *f*; **milk/wisdom t.** dent de lait/de sagesse; **t. decay** carie *f* dentaire; **to have a sweet t.** aimer les sucreries; **long in the t.** (*old*) *Hum* chenu, vieux. ◆**toothache** *n* mal *m* de dents. ◆**toothbrush** *n* brosse *f* à dents. ◆**toothcomb** *n* peigne *m* fin. ◆**toothpaste** *n* dentifrice *m*. ◆**toothpick** *n* cure-dent *m*.

top[1] [tɒp] *n* (*of mountain, tower, tree*) sommet *m*; (*of wall, dress, ladder, page*) haut *m*; (*of box, table, surface*) dessus *m*; (*of list*) tête *f*; (*of water*) surface *f*; (*of car*) toit *m*; (*of bottle, tube*) bouchon *m*; (*bottle cap*) capsule *f*; (*of saucepan*) couvercle *m*; (*of pen*) capuchon *m*; **pyjama t.** veste *f* de pyjama; **(at the) t. of the class** le premier de la classe; **on t. of** sur; (*in addition to*) *Fig* en plus de; **on t.** (*in bus etc*) en haut; **from t. to bottom** de fond en comble; **the big t.** (*circus*) le chapiteau; – *a* (*drawer, shelf*) du haut, premier; (*step, layer, storey*) dernier; (*upper*) supérieur; (*in rank, exam*) premier; (*chief*) principal; (*best*) meilleur; (*great, distinguished*) éminent; (*maximum*) maximum; **in t. gear** *Aut* en quatrième vitesse; **at t. speed** à toute vitesse; **t. hat** (chapeau *m*) haut-de-forme *m*. ◆**t.-'flight** *a Fam* excellent. ◆**t.-'heavy** *a* trop lourd du haut. ◆**t.-level** *a* (*talks etc*) au sommet. ◆**t.-'notch** *a Fam* excellent. ◆**t.-'ranking** *a* (*official*) haut placé. ◆**t.-'secret** *a* ultra-secret.

top[2] [tɒp] *vt* (**-pp-**) (*exceed*) dépasser; **to t. up** (*glass etc*) remplir (de nouveau); (*coffee, oil etc*) rajouter; **and to t. it all . . .** et pour comble . . . ; **topped with** *Culin* nappé de.

top[3] [tɒp] *n* (*toy*) toupie *f*.

topaz ['təʊpæz] *n* (*gem*) topaze *f*.

topic ['tɒpɪk] *n* sujet *m*. ◆**topical** *a* d'actualité. ◆**topi'cality** *n* actualité *f*.

topless ['tɒpləs] *a* (*woman*) aux seins nus.

topography [tə'pɒgrəfɪ] *n* topographie *f*.

topple ['tɒp(ə)l] *vi* **to t. (over)** tomber; – *vt* **to t. (over)** faire tomber.

topsy-turvy [tɒpsɪ'tɜːvɪ] *a* & *adv* sens dessus dessous.

torch [tɔːtʃ] *n* (*burning*) torche *f*, flambeau *m*; (*electric*) lampe *f* électrique. ◆**torchlight** *n* & *a* **by t.** à la lumière des flambeaux; **t. procession** retraite *f* aux flambeaux.

tore [tɔːr] *see* **tear**[1].

torment [tɔː'ment] *vt* (*make suffer*) tourmenter; (*annoy*) agacer; – ['tɔːment] *n* tourment *m*.

tornado [tɔː'neɪdəʊ] *n* (*pl* **-oes**) tornade *f*.

torpedo [tɔː'piːdəʊ] *n* (*pl* **-oes**) torpille *f*; **t. boat** torpilleur *m*; – *vt* torpiller.

torrent ['tɒrənt] *n* torrent *m*. ◆**torrential** [tə'renʃ(ə)l] *a* torrentiel.

torrid ['tɒrɪd] *a* (*love affair etc*) brûlant, passionné; (*climate, weather*) torride.

torso ['tɔːsəʊ] *n* (*pl* **-os**) torse *m*.

tortoise ['tɔːtəs] *n* tortue *f*. ◆**tortoiseshell** *a* (*comb etc*) en écaille; (*spectacles*) à monture d'écaille.

tortuous ['tɔːtʃʊəs] *a* tortueux.

tortur/e ['tɔːtʃər] *n* torture *f*; – *vt* torturer. ◆**—er** *n* tortionnaire *m*.

Tory ['tɔːrɪ] *n* tory *m*; – *a* tory *inv*.

toss [tɒs] *vt* (*throw*) jeter, lancer (**to** à); **to t. s.o. (about)** (*of boat, vehicle*) ballotter qn, faire tressauter qn; **to t. a coin** jouer à pile ou à face; **to t. back** (*one's head*) rejeter en arrière; – *vi* **to t. (about), t. and turn** (*in one's sleep etc*) se tourner et se retourner; **we'll t. (up) for it, we'll t. up** on va jouer à pile ou à face; – *n* **with a t. of the head** d'un mouvement brusque de la tête. ◆**t.-up** *n* **it's a t.-up whether he leaves or stays** *Sl* il y a autant de chances pour qu'il parte ou pour qu'il reste.

tot [tɒt] **1** *n* **(tiny) t.** petit(e) enfant *mf*. **2** *vt* (**-tt-**) **to t. up** (*total*) *Fam* additionner.

total ['təʊt(ə)l] *a* total; **the t. sales** le total des ventes; – *n* total *m*; **in t.** au total; – *vt* (**-ll-**, *Am* **-l-**) (*of debt, invoice*) s'élever à; **to t. (up)** (*find the total of*) totaliser; **that totals $9** ça fait neuf dollars en tout. ◆**—ly** *adv* totalement.

totalitarian [təʊtælɪ'teərɪən] *a Pol* totalitaire.

tote [təʊt] **1** *n Sp Fam* pari *m* mutuel. **2** *vt* (*gun*) porter.

totter ['tɒtər] *vi* chanceler.

touch [tʌtʃ] *n* (*contact*) contact *m*, toucher *m*; (*sense*) toucher *m*; (*of painter*) & *Fb Rugby* touche *f*; **a t. of** (*small amount*) un petit peu de, un soupçon de; **the finishing**

touches la dernière touche; **in t. with** (*person*) en contact avec; (*events*) au courant de; **to be out of t. with** ne plus être en contact avec; (*events*) ne plus être au courant de; **to get in t.** se mettre en contact (**with** avec); **we lost t.** on s'est perdu de vue; – *vt* toucher; (*lay a finger on, tamper with, eat*) toucher à; (*move emotionally*) toucher; (*equal*) *Fig* égaler; **to t. up** retoucher; **I don't t. the stuff** (*beer etc*) je n'en bois jamais; – *vi* (*of lines, ends etc*) se toucher; **don't t.!** n'y *or* ne touche pas!; **he's always touching** c'est un touche-à-tout; **to t. down** (*of aircraft*) atterrir; **to t. on** (*subject*) toucher à. ◆**—ed** *a* (*emotionally*) touché (**by** de); (*crazy*) *Fam* cinglé. ◆**—ing** *a* (*story etc*) touchant. ◆**touch-and-'go** *a* (*uncertain*) *Fam* douteux. ◆**touchdown** *n* *Av* atterrissage *m*. ◆**touchline** *n* *Fb Rugby* (ligne *f* de) touche *f*.

touchy ['tʌtʃɪ] *a* (**-ier, -iest**) (*sensitive*) susceptible (**about** à propos de).

tough [tʌf] *a* (**-er, -est**) (*hard*) dur; (*meat, businessman*) coriace; (*sturdy*) solide; (*strong*) fort; (*relentless*) acharné; (*difficult*) difficile, dur; **t. guy** dur *m*; **t. luck!** *Fam* pas de chance!, quelle déveine!; – *n* (*tough guy*) *Fam* dur *m*. ◆**toughen** *vt* (*body, person*) endurcir; (*reinforce*) renforcer. ◆**toughness** *n* dureté *f*; solidité *f*; force *f*.

toupee ['tuːpeɪ] *n* postiche *m*.

tour [tʊər] *n* (*journey*) voyage *m*; (*visit*) visite *f*; (*by artist, team etc*) tournée *f*; (*on bicycle, on foot*) randonnée *f*; **on t.** en voyage; en tournée; **a t. of** (*France*) un voyage en; une tournée en; une randonnée en; – *vt* visiter; (*of artist etc*) être en tournée en *or* dans *etc*. ◆**—ing** *n* tourisme *m*; **to go t.** faire du tourisme. ◆**tourism** *n* tourisme *m*. ◆**tourist** *n* touriste *mf*; – *a* touristique; (*class*) touriste *inv*; **t. office** syndicat *m* d'initiative. ◆**touristy** *a* *Pej Fam* (trop) touristique.

tournament ['tʊənəmənt] *n* *Sp* & *Hist* tournoi *m*.

tousled ['taʊz(ə)ld] *a* (*hair*) ébouriffé.

tout [taʊt] *vi* racoler; **to t. for** (*customers*) racoler; – *n* racoleur, -euse *mf*; **ticket t.** revendeur, -euse *mf* (en fraude) de billets.

tow [təʊ] *vt* (*car, boat*) remorquer; (*caravan, trailer*) tracter; **to t. away** (*vehicle*) *Jur* emmener à la fourrière; – *n* **'on t.'** 'en remorque'; **t. truck** (*breakdown lorry*) *Am* dépanneuse *f*. ◆**towpath** *n* chemin *m* de halage. ◆**towrope** *n* (câble *m* de) remorque *f*.

toward(s) [tə'wɔːd(z), *Am* tɔːd(z)] *prep* vers; (*of feelings*) envers; **money t.** de l'argent pour (acheter).

towel ['taʊəl] *n* serviette *f* (de toilette); (*for dishes*) torchon *m*; **t. rail** porte-serviettes *m inv*. ◆**towelling** *n*, *Am* ◆**toweling** *n* tissu-éponge *m*; **(kitchen) t.** *Am* essuie-tout *m inv*.

tower ['taʊər] *n* tour *f*; **t. block** tour *f*, immeuble *m*; **ivory t.** *Fig* tour *f* d'ivoire; – *vi* **to t. above** *or* **over** dominer. ◆**—ing** *a* très haut.

town [taʊn] *n* ville *f*; **in t., (in)to t.** en ville; **out of t.** en province; **country t.** bourg *m*; **t. centre** centre-ville *m*; **t. clerk** secrétaire *mf* de mairie; **t. council** conseil *m* municipal; **t. hall** mairie *f*; **t. planner** urbaniste *mf*; **t. planning** urbanisme *m*. ◆**township** *n* (*in South Africa*) commune *f* (noire).

toxic ['tɒksɪk] *a* toxique. ◆**toxin** *n* toxine *f*.

toy [tɔɪ] *n* jouet *m*; **soft t.** (jouet *m* en) peluche *f*; – *a* (*gun*) d'enfant; (*house, car, train*) miniature; – *vi* **to t. with** jouer avec. ◆**toyshop** *n* magasin *m* de jouets.

trac/e [treɪs] *n* trace *f* (**of** de); **to vanish** *or* **disappear without (a) t.** disparaître sans laisser de traces; – *vt* (*draw*) tracer; (*with tracing paper*) (dé)calquer; (*locate*) retrouver (la trace de), dépister; (*follow*) suivre (la piste de) (**to** à); (*relate*) retracer; **to t. (back) to** (*one's family*) faire remonter jusqu'à. ◆**—ing** *n* (*drawing*) calque *m*; **t. paper** papier-calque *m inv*.

track [træk] *n* trace *f*; (*of bullet, rocket*) trajectoire *f*; (*of person, animal, tape recorder*) & *Sp* piste *f*; (*of record*) plage *f*; *Rail* voie *f*; (*path*) piste *f*, chemin *m*; *Sch Am* classe *f* (de niveau); **to keep t. of** suivre; **to lose t. of** (*friend*) perdre de vue; (*argument*) perdre le fil de; **to make tracks** *Fam* se sauver; **the right t.** la bonne voie *or* piste; **t. event** *Sp* épreuve *f* sur piste; **t. record** (*of person, firm etc*) *Fig* antécédents *mpl*; – *vt* **to t. (down)** (*locate*) retrouver, dépister; (*pursue*) traquer. ◆**—er** *a* **t. dog** chien *m* policier. ◆**tracksuit** *n* *Sp* survêtement *m*.

tract [trækt] *n* (*stretch of land*) étendue *f*.

traction ['trækʃ(ə)n] *n* *Tech* traction *f*.

tractor ['træktər] *n* tracteur *m*.

trade [treɪd] *n* commerce *m*; (*job*) métier *m*; (*exchange*) échange *m*; – *a* (*fair, balance, route*) commercial; (*price*) de (demi-)gros; (*secret*) de fabrication; (*barrier*) douanier; **t. union** syndicat *m*; **t. unionist** syndicaliste *mf*; – *vi* faire du commerce (**with** avec); **to t. in** (*sugar etc*) faire le commerce de; – *vt* (*exchange*) échanger (**for** contre); **to t. sth in** (*old article*) faire reprendre qch. ◆**t.-in** *n*

Com reprise *f*. ◆**t.-off** *n* échange *m*. ◆**trading** *n* commerce *m*; – *a* (*activity, port etc*) commercial; (*nation*) commerçant; **t. estate** zone *f* industrielle. ◆**trader** *n* commerçant, -ante *mf*; **(street) t.** vendeur, -euse *mf* de rue. ◆**tradesman** *n* (*pl* **-men**) commerçant *m*.

trademark ['treɪdmɑːk] *n* marque *f* de fabrique; **(registered) t.** marque déposée.

tradition [trə'dɪʃ(ə)n] *n* tradition *f*. ◆**tra'ditional** *a* traditionnel. ◆**traditionally** *adv* traditionnellement.

traffic ['træfɪk] **1** *n* (*on road*) circulation *f*; *Av Nau Rail* trafic *m*; **busy** *or* **heavy t.** beaucoup de circulation; **heavy t.** (*vehicles*) poids *mpl* lourds; **t. circle** *Am* rond-point *m*; **t. cone** cône *m* de chantier; **t. jam** embouteillage *m*; **t. lights** feux *mpl* (de signalisation); (*when red*) feu *m* rouge; **t. sign** panneau *m* de signalisation. **2** *n* (*trade*) *Pej* trafic *m* (**in** de); – *vi* (**-ck-**) trafiquer (**in** de). ◆**trafficker** *n Pej* trafiquant, -ante *mf*.

tragedy ['trædʒədɪ] *n Th & Fig* tragédie *f*. ◆**tragic** *a* tragique. ◆**tragically** *adv* tragiquement.

trail [treɪl] *n* (*of powder, smoke, blood etc*) traînée *f*; (*track*) piste *f*, trace *f*; (*path*) sentier *m*; **in its t.** (*wake*) dans son sillage; – *vt* (*drag*) traîner; (*caravan*) tracter; (*follow*) suivre (la piste de); – *vi* (*on the ground etc*) traîner; (*of plant*) ramper; **to t. behind** (*lag behind*) traîner. ◆**—er** *n* **1** *Aut* remorque *f*; *Am* caravane *f*. **2** *Cin* bande *f* annonce.

train [treɪn] **1** *n* (*engine, transport, game*) train *m*; (*underground*) rame *f*; (*procession*) *Fig* file *f*; (*of events*) suite *f*; (*of dress*) traîne *f*; **my t. of thought** le fil de ma pensée; **t. set** train *m* électrique. **2** *vt* (*teach, develop*) former (**to do** à faire); *Sp* entraîner; (*animal, child*) dresser (**to do** à faire); (*ear*) exercer; **to t. oneself to do** s'entraîner à faire; **to t. sth on** (*aim*) braquer qch sur; – *vi* recevoir une formation (**as a doctor**/*etc* de médecin/*etc*); *Sp* s'entraîner. ◆**—ed** *a* (*having professional skill*) qualifié; (*nurse etc*) diplômé; (*animal*) dressé; (*ear*) exercé. ◆**—ing** *n* formation *f*; *Sp* entraînement *m*; (*of animal*) dressage *m*; **to be in t.** *Sp* s'entraîner; **(teachers') t. college** école *f* normale. ◆**trai'nee** *n* & *a* stagiaire (*mf*). ◆**trainer** *n* (*of athlete, racehorse*) entraîneur *m*; (*of dog, lion etc*) dresseur *m*; (*running shoe*) jogging *m*, chaussure *f* de sport.

traipse [treɪps] *vi Fam* (*tiredly*) traîner les pieds; **to t. (about)** (*wander*) se balader.

trait [treɪt] *n* (*of character*) trait *m*.

traitor ['treɪtər] *n* traître *m*.

trajectory [trə'dʒektərɪ] *n* trajectoire *f*.

tram [træm] *n* tram(way) *m*.

tramp [træmp] **1** *n* (*vagrant*) clochard, -arde *mf*; (*woman*) *Pej Am* traînée *f*. **2** *vi* (*walk*) marcher d'un pas lourd; (*hike*) marcher à pied; – *vt* (*streets etc*) parcourir; – *n* (*sound*) pas lourds *mpl*; (*hike*) randonnée *f*.

trample ['træmp(ə)l] *vti* **to t. sth (underfoot), t. on sth** piétiner qch.

trampoline [træmpə'liːn] *n* trampoline *m*.

trance [trɑːns] *n* **in a t.** (*mystic*) en transe.

tranquil ['træŋkwɪl] *a* tranquille. ◆**tran'quillity** *n* tranquillité *f*. ◆**tranquillizer** *n Med* tranquillisant *m*.

trans- [træns, trænz] *pref* trans-.

transact [træn'zækt] *vt* (*business*) traiter. ◆**transaction** *n* (*in bank etc*) opération *f*; (*on Stock Market*) transaction *f*; **the t. of** (*business*) la conduite de.

transatlantic [trænzət'læntɪk] *a* transatlantique.

transcend [træn'send] *vt* transcender. ◆**transcendent** *a* transcendant.

transcribe [træn'skraɪb] *vt* transcrire. ◆**'transcript** *n* (*document*) transcription *f*. ◆**transcription** *n* transcription *f*.

transfer [træns'fɜːr] *vt* (**-rr-**) (*person, goods etc*) transférer (**to** à); (*power*) *Pol* faire passer (**to** à); **to t. the charges** téléphoner en PCV; – *vi* être transféré (**to** à); – ['trænsfɜːr] *n* transfert *m* (**to** à); (*of power*) *Pol* passation *f*; (*image*) décalcomanie *f*; **bank** *or* **credit t.** virement *m* (bancaire). ◆**trans'ferable** *a* **not t.** (*on ticket*) strictement personnel.

transform [træns'fɔːm] *vt* transformer (**into** en). ◆**transfor'mation** *n* transformation *f*. ◆**transformer** *n El* transformateur *m*.

transfusion [træns'fjuːʒ(ə)n] *n* **(blood) t.** transfusion *f* (sanguine).

transient ['trænzɪənt] *a* (*ephemeral*) transitoire.

transistor [træn'zɪstər] *n* (*device*) transistor *m*; **t. (radio)** transistor *m*.

transit ['trænzɪt] *n* transit *m*; **in t.** en transit.

transition [træn'zɪʃ(ə)n] *n* transition *f*. ◆**transitional** *a* de transition, transitoire.

transitive ['trænsɪtɪv] *a Gram* transitif.

transitory ['trænzɪtərɪ] *a* transitoire.

translate [træns'leɪt] *vt* traduire (**from** de, **into** en). ◆**translation** *n* traduction *f*; (*into mother tongue*) *Sch* version *f*; (*from mother tongue*) *Sch* thème *m*. ◆**translator** *n* traducteur, -trice *mf*.

transmit [trænz'mɪt] *vt* (**-tt-**) (*send, pass*)

transmettre; – *vti* (*broadcast*) émettre. ◆**transmission** *n* transmission *f*; (*broadcast*) émission *f*. ◆**transmitter** *n Rad TV* émetteur *m*.

transparent [træns'pærənt] *a* transparent. ◆**transparency** *n* transparence *f*; (*slide*) *Phot* diapositive *f*.

transpire [træn'spaɪər] *vi* (*of secret etc*) s'ébruiter; (*happen*) *Fam* arriver; **it transpired that . . .** il s'est avéré que . . . .

transplant [træns'plɑːnt] *vt* (*plant*) transplanter; (*organ*) *Med* greffer, transplanter; – ['trænsplɑːnt] *n Med* greffe *f*, transplantation *f*.

transport [træn'spɔːt] *vt* transporter; – ['trænspɔːt] *n* transport *m*; **public t.** les transports en commun; **do you have t.?** es-tu motorisé?; **t. café** routier *m*. ◆**transpor'tation** *n* transport *m*.

transpose [træns'pəʊz] *vt* transposer.

transvestite [trænz'vestaɪt] *n* travesti *m*.

trap [træp] *n* piège *m*; (*mouth*) *Pej Sl* gueule *f*; **t. door** trappe *f*; – *vt* (**-pp-**) (*snare*) prendre (au piège); (*jam, corner*) coincer, bloquer; (*cut off by snow etc*) bloquer (**by** par); **to t. one's finger** se coincer le doigt. ◆**trapper** *n* (*hunter*) trappeur *m*.

trapeze [trə'piːz] *n* (*in circus*) trapèze *m*; **t. artist** trapéziste *mf*.

trappings ['træpɪŋz] *npl* signes *mpl* extérieurs.

trash [træʃ] *n* (*nonsense*) sottises *fpl*; (*junk*) saleté(s) *f*(*pl*); (*waste*) *Am* ordures *fpl*; (*riffraff*) *Am* racaille *f*. ◆**trashcan** *n Am* poubelle *f*. ◆**trashy** *a* (**-ier, -iest**) (*book etc*) moche, sans valeur; (*goods*) de camelote.

trauma ['trɔːmə, 'traʊmə] *n* (*shock*) traumatisme *m*. ◆**trau'matic** *a* traumatisant. ◆**traumatize** *vt* traumatiser.

travel ['trævəl] *vi* (**-ll-**, *Am* **-l-**) voyager; (*move*) aller, se déplacer; – *vt* (*country, distance, road*) parcourir; – *n* & *npl* voyages *mpl*; **on one's travels** en voyage; – *a* (*agency, book*) de voyages; **t. brochure** dépliant *m* touristique. ◆**travelled** *a* **to be well** *or* **widely t.** avoir beaucoup voyagé. ◆**travelling** *n* voyages *mpl*; – *a* (*bag etc*) de voyage; (*expenses*) de déplacement; (*circus, musician*) ambulant. ◆**traveller** *n* voyageur, -euse *mf*; **traveller's cheque,** *Am* **traveler's check** chèque *m* de voyage. ◆**travelogue** *n*, *Am* ◆**travelog** *n* (*book*) récit *m* de voyages. ◆**travelsickness** *n* (*in car*) mal *m* de la route; (*in aircraft*) mal *m* de l'air.

travesty ['trævəstɪ] *n* parodie *f*.

travolator ['trævəleɪtər] *n* trottoir *m* roulant.

trawler ['trɔːlər] *n* (*ship*) chalutier *m*.

tray [treɪ] *n* plateau *m*; (*for office correspondence etc*) corbeille *f*.

treacherous ['tretʃ(ə)rəs] *a* (*person, action, road, journey etc*) traître. ◆**treacherously** *adv* traîtreusement; (*dangerously*) dangereusement. ◆**treachery** *n* traîtrise *f*.

treacle ['triːk(ə)l] *n* mélasse *f*.

tread [tred] *vi* (*pt* **trod,** *pp* **trodden**) (*walk*) marcher (**on** sur); (*proceed*) *Fig* avancer; – *vt* (*path*) parcourir; (*soil*) *Fig* fouler; **to t. sth into a carpet** étaler qch (avec les pieds) sur un tapis; – *n* (*step*) pas *m*; (*of tyre*) chape *f*. ◆**treadmill** *n Pej Fig* routine *f*.

treason ['triːz(ə)n] *n* trahison *f*.

treasure ['treʒər] *n* trésor *m*; **a real t.** (*person*) *Fig* une vraie perle; **t. hunt** chasse *f* au trésor; – *vt* (*value*) tenir à, priser; (*keep*) conserver (précieusement). ◆**treasurer** *n* trésorier, -ière *mf*. ◆**Treasury** *n* **the T.** *Pol* = le ministère des Finances.

treat [triːt] **1** *vt* (*person, product etc*) & *Med* traiter; (*consider*) considérer (**as** comme); **to t. with care** prendre soin de; **to t. s.o. to sth** offrir qch à qn. **2** *n* (*pleasure*) plaisir *m* (spécial); (*present*) cadeau-surprise *m*; (*meal*) régal *m*; **it was a t. (for me) to do it** ça m'a fait plaisir de le faire. ◆**treatment** *n* (*behaviour*) & *Med* traitement *m*; **his t. of her** la façon dont il la traite; **rough t.** mauvais traitements *mpl*.

treatise ['triːtɪz] *n* (*book*) traité *m* (**on** de).

treaty ['triːtɪ] *n Pol* traité *m*.

treble ['treb(ə)l] *a* triple; – *vti* tripler; – *n* le triple; **it's t. the price** c'est le triple du prix.

tree [triː] *n* arbre *m*; **Christmas t.** sapin *m* de Noël; **family t.** arbre *m* généalogique. ◆**t.-lined** *a* bordé d'arbres. ◆**t.-top** *n* cime *f* (d'un arbre). ◆**t.-trunk** *n* tronc *m* d'arbre.

trek [trek] *vi* (**-kk-**) cheminer *or* voyager (péniblement); *Sp* marcher à pied; (*go*) *Fam* traîner; – *n* voyage *m* (pénible); *Sp* randonnée *f*; (*distance*) *Fam* tirée *f*.

trellis ['trelɪs] *n* treillage *m*.

tremble ['tremb(ə)l] *vi* trembler (**with** de). ◆**tremor** *n* tremblement *m*; **(earth) t.** secousse *f* (sismique).

tremendous [trə'mendəs] *a* (*huge*) énorme; (*dreadful*) terrible; (*wonderful*) formidable, terrible. ◆**—ly** *adv* terriblement.

trench [trentʃ] *n* tranchée *f*.

trend [trend] *n* tendance *f* (**towards** à); **the t.** (*fashion*) la mode; **to set a** *or* **the t.** donner le ton, lancer une *or* la mode. ◆**trendy** *a* (**-ier, -iest**) (*person, clothes, topic etc*) *Fam* à la mode, dans le vent.

trepidation [trepɪ'deɪʃ(ə)n] *n* inquiétude *f*.

trespass ['trespəs] *vi* s'introduire sans autorisation (**on, upon** dans); **'no trespassing'** 'entrée interdite'.

tresses ['tresɪz] *npl Lit* chevelure *f*.

trestle ['tres(ə)l] *n* tréteau *m*.

trial ['traɪəl] *n Jur* procès *m*; (*test*) essai *m*; (*ordeal*) épreuve *f*; **t. of strength** épreuve de force; **to go** *or* **be on t., stand t.** passer en jugement; **to put s.o. on t.** juger qn; **by t. and error** par tâtonnements; – *a* (*period, flight etc*) d'essai; (*offer*) à l'essai; **t. run** (*of new product etc*) période *f* d'essai.

triangle ['traɪæŋg(ə)l] *n* triangle *m*; (*setsquare*) *Math Am* équerre *f*. ◆**tri'angular** *a* triangulaire.

tribe [traɪb] *n* tribu *f*. ◆**tribal** *a* tribal.

tribulations [trɪbjʊ'leɪʃ(ə)nz] *npl* **(trials and) t.** tribulations *fpl*.

tribunal [traɪ'bjuːn(ə)l] *n* commission *f*, tribunal *m*; *Mil* tribunal *m*.

tributary ['trɪbjʊtərɪ] *n* affluent *m*.

tribute ['trɪbjuːt] *n* hommage *m*, tribut *m*; **to pay t. to** rendre hommage à.

trick [trɪk] *n* (*joke, deception & of conjurer etc*) tour *m*; (*ruse*) astuce *f*; (*habit*) manie *f*; **to play a t. on s.o.** jouer un tour à qn; **card t.** tour *m* de cartes; **that will do the t.** *Fam* ça fera l'affaire; **t. photo** photo *f* truquée; **t. question** question-piège *f*; – *vt* (*deceive*) tromper, attraper; **to t. s.o. into doing sth** amener qn à faire qch par la ruse. ◆**trickery** *n* ruse *f*. ◆**tricky** *a* (**-ier, -iest**) (*problem etc*) difficile, délicat; (*person*) rusé.

trickle ['trɪk(ə)l] *n* (*of liquid*) filet *m*; **a t. of** (*letters, people etc*) *Fig* un petit nombre de; – *vi* (*flow*) dégouliner, couler (lentement); **to t. in** (*of letters, people etc*) *Fig* arriver en petit nombre.

tricycle ['traɪsɪk(ə)l] *n* tricycle *m*.

trier ['traɪər] *n* **to be a t.** être persévérant.

trifl/e ['traɪf(ə)l] *n* (*article, money*) bagatelle *f*; (*dessert*) diplomate *m*; – *adv* **a t. small/too much/***etc* un tantinet petit/trop/*etc*; – *vi* **to t. with** (*s.o.'s feelings*) jouer avec; (*person*) plaisanter avec. ◆**—ing** *a* insignifiant.

trigger ['trɪgər] *n* (*of gun*) gâchette *f*; – *vt* **to t. (off)** (*start, cause*) déclencher.

trilogy ['trɪlədʒɪ] *n* trilogie *f*.

trim [trɪm] **1** *a* (**trimmer, trimmest**) (*neat*) soigné, net; (*slim*) svelte; – *n* **in t.** (*fit*) en (bonne) forme. **2** *n* (*cut*) légère coupe *f*; (*haircut*) coupe *f* de rafraîchissement; **to have a t.** se faire rafraîchir les cheveux; – *vt* (**-mm-**) couper (légèrement); (*finger nail, edge*) rogner; (*hair*) rafraîchir. **3** *n* (*on garment*) garniture *f*; (*on car*) garnitures *fpl*; – *vt* (**-mm-**) **to t. with** (*lace etc*) orner de. ◆**trimmings** *npl* garniture(s) *f(pl)*; (*extras*) *Fig* accessoires *mpl*.

Trinity ['trɪnɪtɪ] *n* **the T.** (*union*) *Rel* la Trinité.

trinket ['trɪŋkɪt] *n* colifichet *m*.

trio ['trɪəʊ] *n* (*pl* **-os**) (*group*) & *Mus* trio *m*.

trip [trɪp] **1** *n* (*journey*) voyage *m*; (*outing*) excursion *f*; **to take a t. to** (*cinema, shops etc*) aller à. **2** *n* (*stumble*) faux pas *m*; – *vi* (**-pp-**) **to t. (over** *or* **up)** trébucher; **to t. over sth** trébucher contre qch; – *vt* **to t. s.o. up** faire trébucher qn. **3** *vi* (**-pp-**) (*walk gently*) marcher d'un pas léger. ◆**tripper** *n* **day t.** excursionniste *mf*.

tripe [traɪp] *n Culin* tripes *fpl*; (*nonsense*) *Fam* bêtises *fpl*.

triple ['trɪp(ə)l] *a* triple; – *vti* tripler. ◆**triplets** *npl* (*children*) triplés, -ées *mfpl*.

triplicate ['trɪplɪkət] *n* **in t.** en trois exemplaires.

tripod ['traɪpɒd] *n* trépied *m*.

trite [traɪt] *a* banal. ◆**—ness** *n* banalité *f*.

triumph ['traɪʌmf] *n* triomphe *m* (**over** sur); – *vi* triompher (**over** de). ◆**tri'umphal** *a* triomphal. ◆**tri'umphant** *a* (*team, army, gesture*) triomphant; (*success, welcome, return*) triomphal. ◆**tri'umphantly** *adv* triomphalement.

trivia ['trɪvɪə] *npl* vétilles *fpl*. ◆**trivial** *a* (*unimportant*) insignifiant; (*trite*) banal. ◆**trivi'ality** *n* insignifiance *f*; banalité *f*; *pl* banalités *fpl*.

trod, trodden [trɒd, 'trɒd(ə)n] *see* **tread**.

trolley ['trɒlɪ] *n* (*for luggage*) chariot *m*; (*for shopping*) poussette *f* (de marché); (*in supermarket*) caddie® *m*; (*trolleybus*) trolley *m*; **(tea) t.** table *f* roulante; (*for tea urn*) chariot *m*; **t. (car)** *Am* tramway *m*. ◆**trolleybus** *n* trolleybus *m*.

trombone [trɒm'bəʊn] *n Mus* trombone *m*.

troop [truːp] *n* bande *f*; *Mil* troupe *f*; **the troops** (*army, soldiers*) les troupes, la troupe; – *vi* **to t. in/out/***etc* entrer/sortir/*etc* en masse. ◆**—ing** *n* **t. the colour** le salut du drapeau. ◆**—er** *n* **(state) t.** *Am* membre *m* de la police montée.

trophy ['trəʊfɪ] *n* trophée *m*.

tropic ['trɒpɪk] *n* tropique *m*. ◆**tropical** *a* tropical.

trot [trɒt] *n* (*of horse*) trot *m*; **on the t.** (*one after another*) *Fam* de suite; – *vi* (**-tt-**) trotter; **to t. off** *or* **along** (*leave*) *Hum Fam* se sauver; – *vt* **to t. out** (*say*) *Fam* débiter.

troubl/e ['trʌb(ə)l] *n* (*difficulty*) ennui(s) *m(pl)*; (*bother, effort*) peine *f*, mal *m*; **trouble(s)** (*social unrest etc*) & *Med* troubles *mpl*; **to be in t.** avoir des ennuis; **to get into t.** s'attirer des ennuis (**with** avec); **the t. (with you) is . . .** l'ennui (avec toi) c'est que . . . ; **to go to the t. of doing, take the t. to do** se donner la peine *or* le mal de faire; **I didn't put her to any t.** je ne l'ai pas dérangée; **to find the t.** trouver le problème; **a spot of t.** un petit problème; **a t. spot** *Pol* un point chaud; – *vt* (*inconvenience*) déranger, ennuyer; (*worry, annoy*) ennuyer; (*hurt*) faire mal à; (*grieve*) peiner; **to t. to do** se donner la peine de faire; – *vi* **to t. (oneself)** se déranger. ◆**—ed** *a* (*worried*) inquiet; (*period*) agité. ◆**trouble-free** *a* (*machine, vehicle*) qui ne tombe jamais en panne, fiable. ◆**troublemaker** *n* fauteur *m* de troubles. ◆**troubleshooter** *n Tech* dépanneur *m*, expert *m*; *Pol* conciliateur, -trice *mf*.

troublesome ['trʌb(ə)ls(ə)m] *a* ennuyeux, gênant; (*leg etc*) qui fait mal.

trough [trɒf] *n* (*for drinking*) abreuvoir *m*; (*for feeding*) auge *f*; **t. of low pressure** *Met* dépression *f*.

trounce [traʊns] *vt* (*defeat*) écraser.

troupe [truːp] *n Th* troupe *f*.

trousers ['traʊzəz] *npl* pantalon *m*; **a pair of t., some t.** un pantalon; **(short) t.** culottes *fpl* courtes.

trousseau ['truːsəʊ] *n* (*of bride*) trousseau *m*.

trout [traʊt] *n* truite *f*.

trowel ['traʊəl] *n* (*for cement or plaster*) truelle *f*; (*for plants*) déplantoir *m*.

truant ['truːənt] *n* (*pupil, shirker*) absentéiste *mf*; **to play t.** faire l'école buissonnière. ◆**truancy** *n Sch* absentéisme *m* scolaire.

truce [truːs] *n Mil* trêve *f*.

truck [trʌk] *n* **1** (*lorry*) camion *m*; *Rail* wagon *m* plat; **t. driver** camionneur *m*; (*long-distance*) routier *m*; **t. stop** (*restaurant*) routier *m*. **2 t. farmer** *Am* maraîcher, -ère *mf*. ◆**trucker** *n Am* (*haulier*) transporteur *m* routier; (*driver*) camionneur *m*, routier *m*.

truculent ['trʌkjʊlənt] *a* agressif.

trudge [trʌdʒ] *vi* marcher d'un pas pesant.

true [truː] *a* (**-er, -est**) vrai; (*accurate*) exact; (*genuine*) vrai, véritable; **t. to** (*person, promise etc*) fidèle à; **t. to life** conforme à la réalité; **to come t.** se réaliser; **to hold t.** (*of argument etc*) valoir (**for** pour); **too t.!** *Fam* ah, ça oui! ◆**truly** *adv* vraiment; (*faithfully*) fidèlement; **well and t.** bel et bien.

truffle ['trʌf(ə)l] *n* (*mushroom*) truffe *f*.

truism ['truːɪz(ə)m] *n* lapalissade *f*.

trump [trʌmp] **1** *n Cards* atout *m*; **t. card** (*advantage*) *Fig* atout *m*. **2** *vt* **to t. up** (*charge, reason*) inventer.

trumpet ['trʌmpɪt] *n* trompette *f*; **t. player** trompettiste *mf*.

truncate [trʌŋ'keɪt] *vt* tronquer.

truncheon ['trʌntʃ(ə)n] *n* matraque *f*.

trundle ['trʌnd(ə)l] *vti* **to t. along** rouler bruyamment.

trunk [trʌŋk] *n* (*of tree, body*) tronc *m*; (*of elephant*) trompe *f*; (*case*) malle *f*; (*of vehicle*) *Am* coffre *m*; *pl* (*for swimming*) slip *m or* caleçon *m* de bain; **t. call** *Tel* communication *f* interurbaine; **t. road** route *f* nationale.

truss [trʌs] *vt* **to t. (up)** (*prisoner*) ligoter.

trust [trʌst] *n* (*faith*) confiance *f* (**in** en); (*group*) *Fin* trust *m*; *Jur* fidéicommis *m*; **to take on t.** accepter de confiance; – *vt* (*person, judgement*) avoir confiance en, se fier à; (*instinct, promise*) se fier à; **to t. s.o. with sth, t. sth to s.o.** confier qch à qn; **to t. s.o. to do** (*rely on, expect*) compter sur qn pour faire; **I t. that** (*hope*) j'espère que; – *vi* **to t. in s.o.** se fier à qn; **to t. to luck** *or* **chance** se fier au hasard. ◆**—ed** *a* (*friend, method etc*) éprouvé. ◆**—ing** *a* confiant. ◆**trus'tee** *n* (*of school*) administrateur -trice *mf*. ◆**trustworthy** *a* sûr, digne de confiance.

truth [truːθ] *n* (*pl* **-s** [truːðz]) vérité *f*; **there's some t. in . . .** il y a du vrai dans . . . . ◆**truthful** *a* (*statement etc*) véridique, vrai; (*person*) sincère. ◆**truthfully** *adv* sincèrement.

try [traɪ] **1** *vt* essayer (**to do, doing** de faire); (*s.o.'s patience etc*) mettre à l'épreuve; **to t. one's hand at** s'essayer à; **to t. one's luck** tenter sa chance; **to t. (out)** (*car, method etc*) essayer; (*employee etc*) mettre à l'essai; **to t. on** (*clothes, shoes*) essayer; – *vi* essayer (**for sth** d'obtenir qch); **to t. hard** faire un gros effort; **t. and come!** essaie de venir!; – *n* (*attempt*) & *Rugby* essai *m*; **to have a t.** essayer; **at (the) first t.** du premier coup. **2** *vt* (*person*) *Jur* juger (**for theft**/*etc* pour vol/*etc*). ◆**—ing** *a* pénible, éprouvant.

tsar [zɑːr] *n* tsar *m*.

tub [tʌb] *n* (*for washing clothes etc*) baquet *m*; (*bath*) baignoire *f*; (*for ice cream etc*) pot *m*.

tuba ['tjuːbə] *n Mus* tuba *m*.

tubby ['tʌbɪ] *a* (**-ier, -iest**) *Fam* dodu.

tube [tjuːb] *n* tube *m*; *Rail Fam* métro *m*; (*of tyre*) chambre *f* à air. ◆**tubing** *n* (*tubes*) tubes *mpl*. ◆**tubular** *a* tubulaire.

tuberculosis [tjuːbɜːkjʊ'ləʊsɪs] *n* tuberculose *f*.

tuck [tʌk] **1** *n* (*fold in garment*) rempli *m*; – *vt* (*put*) mettre; **to t. away** ranger; (*hide*) cacher; **to t. in** (*shirt*) rentrer; (*person in bed, a blanket*) border; **to t. up** (*skirt*) remonter. **2** *vi* **to t. in** (*eat*) *Fam* manger; **to t. into** (*meal*) *Fam* attaquer; – *n* **t. shop** *Sch* boutique *f* à provisions.

Tuesday ['tjuːzdɪ] *n* mardi *m*.

tuft [tʌft] *n* (*of hair, grass*) touffe *f*.

tug [tʌg] **1** *vt* (**-gg-**) (*pull*) tirer; – *vi* tirer (**at, on** sur); – *n* **to give sth a t.** tirer (sur) qch. **2** *n* (*boat*) remorqueur *m*.

tuition [tjuː'ɪʃ(ə)n] *n* (*teaching*) enseignement *m*; (*lessons*) leçons *fpl*; (*fee*) frais *mpl* de scolarité.

tulip ['tjuːlɪp] *n* tulipe *f*.

tumble ['tʌmb(ə)l] *vi* **to t. (over)** (*fall*) dégringoler; (*backwards*) tomber à la renverse; **to t. to sth** (*understand*) *Sl* réaliser qch; – *n* (*fall*) dégringolade *f*; **t. drier** sèche-linge *m inv*.

tumbledown ['tʌmb(ə)ldaʊn] *a* délabré.

tumbler ['tʌmblər] *n* (*drinking glass*) gobelet *m*.

tummy ['tʌmɪ] *n Fam* ventre *m*.

tumour ['tjuːmər] *n* tumeur *f*.

tumult ['tjuːmʌlt] *n* tumulte *m*. ◆**tu'multuous** *a* tumultueux.

tuna ['tjuːnə] *n* **t. (fish)** thon *m*.

tun/e [tjuːn] *n* (*melody*) air *m*; **to be** *or* **sing in t./out of t.** chanter juste/faux; **in t.** (*instrument*) accordé; **out of t.** (*instrument*) désaccordé; **in t. with** (*harmony*) *Fig* en accord avec; **to the t. of £50** d'un montant de 50 livres, dans les 50 livres; – *vt* **to t. (up)** *Mus* accorder; *Aut* régler; – *vi* **to t. in (to)** *Rad TV* se mettre à l'écoute (de), écouter. ◆**—ing** *n Aut* réglage *m*; **t. fork** *Mus* diapason *m*. ◆**tuneful** *a* mélodieux.

tunic ['tjuːnɪk] *n* tunique *f*.

Tunisia [tjuː'nɪzɪə] *n* Tunisie *f*. ◆**Tunisian** *a* & *n* tunisien, -ienne (*mf*).

tunnel ['tʌn(ə)l] *n* tunnel *m*; (*in mine*) galerie *f*; – *vi* (**-ll-**, *Am* **-l-**) percer un tunnel (**into** dans).

turban ['tɜːbən] *n* turban *m*.

turbine ['tɜːbaɪn, *Am* 'tɜːbɪn] *n* turbine *f*.

turbulence ['tɜːbjʊləns] *n Phys Av* turbulences *fpl*.

turbulent ['tɜːbjʊlənt] *a* (*person etc*) turbulent.

tureen [tjʊ'riːn, tə'riːn] *n* **(soup) t.** soupière *f*.

turf [tɜːf] **1** *n* (*grass*) gazon *m*; **the t.** *Sp* le turf; **t. accountant** bookmaker *m*. **2** *vt* **to t. out** (*get rid of*) *Fam* jeter dehors.

turgid ['tɜːdʒɪd] *a* (*style, language*) boursouflé.

turkey ['tɜːkɪ] *n* dindon *m*, dinde *f*; (*as food*) dinde *f*.

Turkey ['tɜːkɪ] *n* Turquie *f*. ◆**Turk** *n* Turc *m*, Turque *f*. ◆**Turkish** *a* turc; **T. delight** (*sweet*) loukoum *m*; – *n* (*language*) turc *m*.

turmoil ['tɜːmɔɪl] *n* confusion *f*, trouble *m*; **in t.** en ébullition.

turn [tɜːn] *n* (*movement, action & in game etc*) tour *m*; (*in road*) tournant *m*; (*of events, mind*) tournure *f*; *Med* crise *f*; *Psy* choc *m*; (*act*) *Th* numéro *m*; **t. of phrase** tour *m or* tournure *f* (de phrase); **to take turns** se relayer; **in t.** à tour de rôle; **by turns** tour à tour; **in (one's) t.** à son tour; **it's your t. to play** c'est à toi de jouer; **to do s.o. a good t.** rendre service à qn; **the t. of the century** le début du siècle; – *vt* tourner; (*mechanically*) faire tourner; (*mattress, pancake*) retourner; **to turn s.o./sth into** (*change*) changer *or* transformer qn/qch en; **to t. sth red/yellow** rougir/jaunir qch; **to t. sth on s.o.** (*aim*) braquer qch sur qn; **she's turned twenty** elle a vingt ans passés; **it's turned seven** il est sept heures passées; **it turns my stomach** cela me soulève le cœur; – *vi* (*of wheel, driver etc*) tourner; (*turn head or body*) se (re)tourner (**towards** vers); (*become*) devenir; **to t. to** (*question, adviser etc*) se tourner vers; **to t. against** se retourner contre; **to t. into** (*change*) se changer *or* se transformer en. ■ **to t. around** *vi* (*of person*) se retourner; **to t. away** *vt* (*avert*) détourner (**from** de); (*refuse*) renvoyer (*qn*); – *vi* (*stop facing*) détourner les yeux, se détourner; **to t. back** *vt* (*bed sheet, corner of page*) replier; (*person*) renvoyer; (*clock*) reculer (**to** jusqu'à); – *vi* (*return*) retourner (sur ses pas); **to t. down** *vt* (*fold down*) rabattre; (*gas, radio etc*) baisser; (*refuse*) refuser (*qn, offre etc*); **to t. in** *vt* (*hand in*) rendre (**to** à); (*prisoner etc*) *Fam* livrer (à la police); – *vi* (*go to bed*) *Fam* se coucher; **to t. off** *vt* (*light, radio etc*) éteindre; (*tap*) fermer; (*machine*) arrêter; – *vi* (*in vehicle*) tourner; **to t. on** *vt* (*light, radio etc*) mettre, allumer; (*tap*) ouvrir; (*machine*) mettre en marche; **to t. s.o. on** (*sexually*) *Fam* exciter qn; – *vi* **to t. on s.o.** (*attack*) attaquer qn; **to t. out** *vt* (*light*) éteindre; (*contents of box etc*) vider (**from** de); (*produce*) produire; – *vi* (*of crowds*) venir; (*happen*) se passer; **it turns out that** il s'avère que; **she turned out to be . . .** elle s'est révélée être . . . ; **to t. over** *vt* (*page*) tourner; – *vi* (*of vehicle, person etc*) se retourner; (*of car engine*) tourner au ralenti; **to t. round** *vt* (*head, object*) tourner; (*vehicle*) faire faire demi-tour à; – *vi* (*of person*) se retourner; **to t. up** *vt* (*radio, light etc*) mettre plus fort; (*collar*) remonter; (*unearth, find*) déterrer; **a turned-up nose** un nez retroussé; – *vi* (*arrive*) arriver; (*be found*) être (re)trouvé. ◆**turning** *n* (*street*) petite rue *f*; (*bend in road*) tournant *m*; **t. circle** *Aut* rayon *m* de braquage; **t. point** (*in time*) tournant *m*. ◆**turner** *n* (*workman*) tourneur *m*.

turncoat ['tɜːnkəʊt] *n* renégat, -ate *mf*. ◆**turn-off** *n* (*in road*) embranchement *m*. ◆**turnout** *n* (*people*) assistance *f*; (*at polls*) participation *f*. ◆**turnover** *n* (*money*) *Com* chiffre *m* d'affaires; (*of stock*) *Com* rotation *f*; **staff t.** (*starting and leaving*) la rotation du personnel; **apple t.** chausson *m* (aux pommes). ◆**turnup** *n* (*on trousers*) revers *m*.

turnip ['tɜːnɪp] *n* navet *m*.

turnpike ['tɜːnpaɪk] *n* *Am* autoroute *f* à péage.

turnstile ['tɜːnstaɪl] *n* (*gate*) tourniquet *m*.

turntable ['tɜːnteɪb(ə)l] *n* (*of record player*) platine *f*.

turpentine ['tɜːpəntaɪn] (*Fam* **turps** [tɜːps]) *n* térébenthine *f*.

turquoise ['tɜːkwɔɪz] *a* turquoise *inv*.

turret ['tʌrɪt] *n* tourelle *f*.

turtle ['tɜːt(ə)l] *n* tortue *f* de mer; *Am* tortue *f*. ◆**turtleneck** *a* (*sweater*) à col roulé; – *n* col *m* roulé.

tusk [tʌsk] *n* (*of elephant*) défense *f*.

tussle ['tʌs(ə)l] *n* bagarre *f*.

tutor ['tjuːtər] *n* précepteur, -trice *mf*; *Univ* directeur, -trice *mf* d'études; *Univ Am* assistant, -ante *mf*; – *vt* donner des cours particuliers à. ◆**tu'torial** *n* *Univ* travaux *mpl* dirigés.

tut-tut! [tʌt'tʌt] *int* allons donc!

tuxedo [tʌk'siːdəʊ] *n* (*pl* **-os**) *Am* smoking *m*.

TV [tiː'viː] *n* télé *f*.

twaddle ['twɒd(ə)l] *n* fadaises *fpl*.

twang [twæŋ] *n* son *m* vibrant; **(nasal) t.** nasillement *m*; – *vi* (*of wire etc*) vibrer.

twee [twiː] *a* (*fussy*) maniéré.

tweed [twiːd] *n* tweed *m*.

tweezers ['twiːzəz] *npl* pince *f* (à épiler).

twelve [twelv] *a* & *n* douze (*m*). ◆**twelfth** *a* & *n* douzième (*mf*).

twenty ['twentɪ] *a* & *n* vingt (*m*). ◆**twentieth** *a* & *n* vingtième (*mf*).

twerp [twɜːp] *n* *Sl* crétin, -ine *mf*.

twice [twaɪs] *adv* deux fois; **t. as heavy**/*etc* deux fois plus lourd/*etc*; **t. a month**/*etc*, **t. monthly**/*etc* deux fois par mois/*etc*.

twiddle ['twɪd(ə)l] *vti* **to t. (with) sth** (*pencil, knob etc*) tripoter qch; **to t. one's thumbs** se tourner les pouces.

twig [twɪg] **1** *n* (*of branch*) brindille *f*. **2** *vti* (**-gg-**) (*understand*) *Sl* piger.

twilight ['twaɪlaɪt] *n* crépuscule *m*; – *a* crépusculaire.

twin [twɪn] *n* jumeau *m*, jumelle *f*; **identical t.** vrai jumeau; **t. brother** frère *m* jumeau; **t. beds** lits *mpl* jumeaux; **t. town** ville *f* jumelée; – *vt* (**-nn-**) (*town*) jumeler. ◆**twinning** *n* jumelage *m*.

twine [twaɪn] **1** *n* (*string*) ficelle *f*. **2** *vi* (*twist*) s'enlacer (**round** autour de).

twinge [twɪndʒ] *n* **a t. (of pain)** un élancement; **a t. of remorse** un pincement de remords.

twinkle ['twɪŋk(ə)l] *vi* (*of star*) scintiller; (*of eye*) pétiller; – *n* scintillement *m*; pétillement *m*.

twirl [twɜːl] *vi* tournoyer; – *vt* faire tournoyer; (*moustache*) tortiller.

twist [twɪst] *vt* (*wine, arm etc*) tordre; (*roll round*) enrouler; (*weave together*) entortiller; (*knob*) tourner; (*truth etc*) *Fig* déformer; **to t. s.o.'s arm** *Fig* forcer la main à qn; – *vi* (*wind*) s'entortiller (**round sth** autour de qch); (*of road, river*) serpenter; – *n* torsion *f*; (*turn*) tour *m*; (*in rope*) entortillement *m*; (*bend in road*) tournant *m*; (*in story*) coup *m* de théâtre; (*in event*) tournure *f*; (*of lemon*) zeste *m*; **a road full of twists** une route qui fait des zigzags. ◆**—ed** *a* (*ankle, wire, mind*) tordu. ◆**—er** *n* **tongue t.** mot *m* *or* expression *f* imprononçable.

twit [twɪt] *n* *Fam* idiot, -ote *mf*.

twitch [twɪtʃ] **1** *n* (*nervous*) tic *m*; – *vi* (*of person*) avoir un tic; (*of muscle*) se convulser. **2** *n* (*jerk*) secousse *f*.

twitter ['twɪtər] *vi* (*of bird*) pépier.

two [tuː] *a* & *n* deux (*m*). ◆**t.-cycle** *n* *Am* = **t.-stroke**. ◆**t.-'faced** *a* *Fig* hypocrite. ◆**t.-'legged** *a* bipède. ◆**t.-piece** *n* (*garment*) deux-pièces *m inv*. ◆**t.-'seater** *n* *Aut* voiture *f* à deux places. ◆**t.-stroke** *n* **t.-stroke (engine)** deux-temps *m inv*. ◆**t.-way** *a* (*traffic*) dans les deux sens; **t.-way radio** émetteur-récepteur *m*.

twofold ['tuːfəʊld] *a* double; – *adv* **to increase t.** doubler.
twosome ['tuːsəm] *n* couple *m*.
tycoon [taɪ'kuːn] *n* magnat *m*.
type[1] [taɪp] *n* **1** (*example, person*) type *m*; (*sort*) genre *m*, sorte *f*, type *m*; **blood t.** groupe *m* sanguin. **2** (*print*) *Typ* caractères *mpl*; **in large t.** en gros caractères. ◆**typesetter** *n* compositeur, trice *mf*.
typ/e[2] [taɪp] *vti* (*write*) taper (à la machine). ◆**—ing** *n* dactylo(graphie) *f*; **a page of t.** une page dactylographiée; **t. error** faute *f* de frappe. ◆**typewriter** *n* machine *f* à écrire. ◆**typewritten** *a* dactylographié. ◆**typist** *n* dactylo *f*.
typhoid ['taɪfɔɪd] *n* **t. (fever)** *Med* typhoïde *f*.
typhoon [taɪ'fuːn] *n Met* typhon *m*.
typical ['tɪpɪk(ə)l] *a* typique (**of** de); (*customary*) habituel; **that's t. (of him)!** c'est bien lui! ◆**typically** *adv* typiquement; (*as usual*) comme d'habitude. ◆**typify** *vt* être typique de; (*symbolize*) représenter.
tyranny ['tɪrənɪ] *n* tyrannie *f*. ◆**ty'rannical** *a* tyrannique. ◆**tyrant** ['taɪərənt] *n* tyran *m*.
tyre ['taɪər] *n* pneu *m*.

U

U, u [juː] *n* U, u *m*. ◆**U-turn** *n Aut* demi-tour *m*; *Fig Pej* volte-face *f inv*.
ubiquitous [juː'bɪkwɪtəs] *a* omniprésent.
udder ['ʌdər] *n* (*of cow etc*) pis *m*.
ugh! [ɜː(h)] *int* pouah!
ugly ['ʌglɪ] *a* (**-ier, -iest**) laid, vilain. ◆**ugliness** *n* laideur *f*.
UK [juː'keɪ] *abbr* = **United Kingdom.**
ulcer ['ʌlsər] *n* ulcère *m*.
ulterior [ʌl'tɪərɪər] *a* **u. motive** arrière-pensée *f*.
ultimate ['ʌltɪmət] *a* (*final, last*) ultime; (*definitive*) définitif; (*basic*) fondamental; (*authority*) suprême. ◆**—ly** *adv* (*finally*) à la fin; (*fundamentally*) en fin de compte; (*subsequently*) à une date ultérieure.
ultimatum [ʌltɪ'meɪtəm] *n* ultimatum *m*.
ultra- ['ʌltrə] *pref* ultra-.
ultramodern [ʌltrə'mɒdən] *a* ultramoderne.
ultraviolet [ʌltrə'vaɪələt] *a* ultraviolet.
umbilical [ʌm'bɪlɪk(ə)l] *a* **u. cord** cordon *m* ombilical.
umbrage ['ʌmbrɪdʒ] *n* **to take u.** se froisser (at de).
umbrella [ʌm'brelə] *n* parapluie *m*; **u. stand** porte-parapluies *m inv*.
umpire ['ʌmpaɪər] *n Sp* arbitre *m*; – *vt* arbitrer.
umpteen [ʌmp'tiːn] *a* (*many*) *Fam* je ne sais combien de. ◆**umpteenth** *a Fam* énième.
un- [ʌn] *pref* in-, peu, non, sans.
UN [juː'en] *abbr* = **United Nations.**
unabashed [ʌnə'bæʃt] *a* nullement déconcerté.
unabated [ʌnə'beɪtɪd] *a* aussi fort qu'avant.
unable [ʌn'eɪb(ə)l] *a* **to be u. to do** être incapable de faire; **he's u. to swim** il ne sait pas nager.
unabridged [ʌnə'brɪdʒd] *a* intégral.
unacceptable [ʌnək'septəb(ə)l] *a* inacceptable.
unaccompanied [ʌnə'kʌmpənɪd] *a* (*person*) non accompagné; (*singing*) sans accompagnement.
unaccountab/le [ʌnə'kaʊntəb(ə)l] *a* inexplicable. ◆**—ly** *adv* inexplicablement.
unaccounted [ʌnə'kaʊntɪd] *a* **to be (still) u. for** rester introuvable.
unaccustomed [ʌnə'kʌstəmd] *a* inaccoutumé; **to be u. to sth/to doing** ne pas être habitué à qch/à faire.
unadulterated [ʌnə'dʌltəreɪtɪd] *a* pur.
unaided [ʌn'eɪdɪd] *a* sans aide.
unanimity [juːnə'nɪmɪtɪ] *n* unanimité *f*. ◆**u'nanimous** *a* unanime. ◆**u'nanimously** *adv* à l'unanimité.
unappetizing [ʌn'æpɪtaɪzɪŋ] *a* peu appétissant.
unapproachable [ʌnə'prəʊtʃəb(ə)l] *a* (*person*) inabordable.
unarmed [ʌn'ɑːmd] *a* (*person*) non armé; (*combat*) à mains nues.
unashamed [ʌnə'ʃeɪmd] *a* éhonté; **she's u. about it** elle n'en a pas honte. ◆**—ly** [-ɪdlɪ] *adv* sans vergogne.
unassailable [ʌnə'seɪləb(ə)l] *a* (*argument, reputation*) inattaquable.
unassuming [ʌnə'sjuːmɪŋ] *a* modeste.
unattached [ʌnə'tætʃt] *a* (*independent, not married*) libre.
unattainable [ʌnə'teɪnəb(ə)l] *a* (*goal, aim*) inaccessible.

unattended [ʌnə'tendɪd] *a* sans surveillance.
unattractive [ʌnə'træktɪv] *a* (*idea, appearance etc*) peu attrayant; (*character*) peu sympathique; (*ugly*) laid.
unauthorized [ʌn'ɔːθəraɪzd] *a* non autorisé.
unavailable [ʌnə'veɪləb(ə)l] *a* (*person, funds*) indisponible; (*article*) *Com* épuisé.
unavoidab/le [ʌnə'vɔɪdəb(ə)l] *a* inévitable. ◆**—ly** *adv* inévitablement; (*delayed*) pour une raison indépendante de sa volonté.
unaware [ʌnə'weər] *a* **to be u. of** ignorer; **to be u. that** ignorer que. ◆**unawares** *adv* **to catch s.o. u.** prendre qn au dépourvu.
unbalanced [ʌn'bælənst] *a* (*mind, person*) déséquilibré.
unbearab/le [ʌn'beərəb(ə)l] *a* insupportable. ◆**—ly** *adv* insupportablement.
unbeatable [ʌn'biːtəb(ə)l] *a* imbattable. ◆**unbeaten** *a* (*player*) invaincu; (*record*) non battu.
unbeknown(st) [ʌnbɪ'nəʊn(st)] *a* **u. to** à l'insu de.
unbelievable [ʌnbɪ'liːvəb(ə)l] *a* incroyable. ◆**unbelieving** *a* incrédule.
unbend [ʌn'bend] *vi* (*pt* & *pp* **unbent**) (*relax*) se détendre. ◆**—ing** *a* inflexible.
unbias(s)ed [ʌn'baɪəst] *a* impartial.
unblock [ʌn'blɒk] *vt* (*sink etc*) déboucher.
unborn [ʌn'bɔːn] *a* (*child*) à naître.
unbounded [ʌn'baʊndɪd] *a* illimité.
unbreakable [ʌn'breɪkəb(ə)l] *a* incassable. ◆**unbroken** *a* (*continuous*) continu; (*intact*) intact; (*record*) non battu.
unbridled [ʌn'braɪd(ə)ld] *a Fig* débridé.
unburden [ʌn'bɜːd(ə)n] *vt* **to u. oneself** *Fig* s'épancher (**to** auprès de, avec).
unbutton [ʌn'bʌt(ə)n] *vt* déboutonner.
uncalled-for [ʌn'kɔːldfɔːr] *a* déplacé, injustifié.
uncanny [ʌn'kænɪ] *a* (**-ier, -iest**) étrange, mystérieux.
unceasing [ʌn'siːsɪŋ] *a* incessant. ◆**—ly** *adv* sans cesse.
unceremoniously [ʌnserɪ'məʊnɪəslɪ] *adv* (*to treat*) sans ménagement; (*to show out*) brusquement.
uncertain [ʌn'sɜːt(ə)n] *a* incertain (**about, of** de); **it's** *or* **he's u. whether** *or* **that** il n'est pas certain que (+ *sub*). ◆**uncertainty** *n* incertitude *f*.
unchanged [ʌn'tʃeɪndʒd] *a* inchangé. ◆**unchanging** *a* immuable.
uncharitable [ʌn'tʃærɪtəb(ə)l] *a* peu charitable.
unchecked [ʌn'tʃekt] *adv* sans opposition.
uncivil [ʌn'sɪv(ə)l] *a* impoli, incivil.
uncivilized [ʌn'sɪvɪlaɪzd] *a* barbare.
uncle ['ʌŋk(ə)l] *n* oncle *m*.
unclear [ʌn'klɪər] *a* (*meaning*) qui n'est pas clair; (*result*) incertain; **it's u. whether** . . . on ne sait pas très bien si . . . .
uncomfortable [ʌn'kʌmftəb(ə)l] *a* (*house, chair etc*) inconfortable; (*heat, experience*) désagréable; (*feeling*) troublant; **she is** *or* **feels u.** (*uneasy*) elle est mal à l'aise.
uncommon [ʌn'kɒmən] *a* rare. ◆**—ly** *adv* (*very*) extraordinairement; **not u.** (*fairly often*) assez souvent.
uncommunicative [ʌnkə'mjuːnɪkətɪv] *a* peu communicatif.
uncomplicated [ʌn'kɒmplɪkeɪtɪd] *a* simple.
uncompromising [ʌn'kɒmprəmaɪzɪŋ] *a* intransigeant.
unconcerned [ʌnkən'sɜːnd] *a* (*not anxious*) imperturbable; (*indifferent*) indifférent (**by, with** à).
unconditional [ʌnkən'dɪʃ(ə)nəl] *a* inconditionnel; (*surrender*) sans condition.
unconfirmed [ʌnkən'fɜːmd] *a* non confirmé.
uncongenial [ʌnkən'dʒiːnɪəl] *a* peu agréable; (*person*) antipathique.
unconnected [ʌnkə'nektɪd] *a* (*events, facts etc*) sans rapport (**with** avec).
unconscious [ʌn'kɒnʃəs] *a Med* sans connaissance; (*desire*) inconscient; **u. of** (*unaware of*) inconscient de; – *n Psy* inconscient *m*. ◆**—ly** *adv* inconsciemment.
uncontrollable [ʌnkən'trəʊləb(ə)l] *a* (*emotion, laughter*) irrépressible.
unconventional [ʌnkən'venʃ(ə)nəl] *a* peu conventionnel.
unconvinced [ʌnkən'vɪnst] *a* **to be** *or* **remain u.** ne pas être convaincu (**of** de). ◆**unconvincing** *a* peu convaincant.
uncooperative [ʌnkəʊ'ɒp(ə)rətɪv] *a* peu coopératif.
uncork [ʌn'kɔːk] *vt* (*bottle*) déboucher.
uncouple [ʌn'kʌp(ə)l] *vt* (*carriages*) *Rail* dételer.
uncouth [ʌn'kuːθ] *a* grossier.
uncover [ʌn'kʌvər] *vt* (*saucepan, conspiracy etc*) découvrir.
unctuous ['ʌŋktʃʊəs] *a* (*insincere*) onctueux.
uncut [ʌn'kʌt] *a* (*film, play*) intégral; (*diamond*) brut.
undamaged [ʌn'dæmɪdʒd] *a* (*goods*) en bon état.
undaunted [ʌn'dɔːntɪd] *a* nullement découragé.
undecided [ʌndɪ'saɪdɪd] *a* (*person*) indécis

(about sur); **I'm u. whether to do it or not** je n'ai pas décidé si je le ferai ou non.
undefeated [ʌndɪ'fiːtɪd] *a* invaincu.
undeniable [ʌndɪ'naɪəb(ə)l] *a* incontestable.
under ['ʌndər] *prep* sous; (*less than*) moins de; (*according to*) selon; **children u. nine** les enfants de moins de *or* enfants au-dessous de neuf ans; **u. the circumstances** dans les circonstances; **u. there** là-dessous; **u. it** dessous; **u. (the command of) s.o.** sous les ordres de qn; **u. age** mineur; **u. discussion/repair** en discussion/réparation; **u. way** (*in progress*) en cours; (*on the way*) en route; **to be u. the impression that** avoir l'impression que; – *adv* au-dessous.
under- ['ʌndər] *pref* sous-.
undercarriage ['ʌndəkærɪdʒ] *n* (*of aircraft*) train *m* d'atterrissage.
undercharge [ʌndə'tʃɑːdʒ] *vt* **I undercharged him (for it)** je ne (le) lui ai pas fait payer assez.
underclothes ['ʌndəkləʊðz] *npl* sous-vêtements *mpl.*
undercoat ['ʌndəkəʊt] *n* (*of paint*) couche *f* de fond.
undercooked [ʌndə'kʊkt] *a* pas assez cuit.
undercover [ʌndə'kʌvər] *a* (*agent, operation*) secret.
undercurrent ['ʌndəkʌrənt] *n* (*in sea*) courant *m* (sous-marin); **an u. of** *Fig* un courant profond de.
undercut [ʌndə'kʌt] *vt* (*pt & pp* **undercut**, *pres p* **undercutting**) *Com* vendre moins cher que.
underdeveloped [ʌndədɪ'veləpt] *a* (*country*) sous-développé.
underdog ['ʌndədɒg] *n* (*politically, socially*) opprimé, -ée *mf*; (*likely loser*) perdant, -ante *mf* probable.
underdone [ʌndə'dʌn] *a Culin* pas assez cuit; (*steak*) saignant.
underestimate [ʌndər'estɪmeɪt] *vt* sous-estimer.
underfed [ʌndə'fed] *a* sous-alimenté.
underfoot [ʌndə'fʊt] *adv* sous les pieds.
undergo [ʌndə'gəʊ] *vt* (*pt* **underwent**, *pp* **undergone**) subir.
undergraduate [ʌndə'grædʒʊət] *n* étudiant, -ante *mf* (qui prépare la licence).
underground ['ʌndəgraʊnd] *a* souterrain; (*secret*) *Fig* clandestin; – *n Rail* métro *m*; (*organization*) *Pol* résistance *f*; – [ʌndə'graʊnd] *adv* sous terre; **to go u.** (*of fugitive etc*) *Fig* passer dans la clandestinité.
undergrowth ['ʌndəgrəʊθ] *n* sous-bois *m inv.*
underhand [ʌndə'hænd] *a* (*dishonest*) sournois.
underlie [ʌndə'laɪ] *vt* (*pt* **underlay**, *pp* **underlain**, *pres p* **underlying**) sous-tendre. ◆**underlying** *a* (*basic*) fondamental; (*hidden*) profond.
underline [ʌndə'laɪn] *vt* (*text, idea etc*) souligner.
undermanned [ʌndə'mænd] *a* (*office etc*) à court de personnel.
undermine [ʌndə'maɪn] *vt* (*building, strength, society etc*) miner, saper.
underneath [ʌndə'niːθ] *prep* sous; – *adv* (en) dessous; **the book u.** le livre d'en dessous; – *n* dessous *m.*
undernourished [ʌndə'nʌrɪʃt] *a* sous-alimenté.
underpants ['ʌndəpænts] *npl* (*male underwear*) slip *m*; (*loose, long*) caleçon *m.*
underpass ['ʌndəpɑːs] *n* (*for cars or pedestrians*) passage *m* souterrain.
underpay [ʌndə'peɪ] *vt* sous-payer. ◆**underpaid** *a* sous-payé.
underpriced [ʌndə'praɪst] *a* **it's u.** le prix est trop bas, c'est bradé.
underprivileged [ʌndə'prɪvɪlɪdʒd] *a* défavorisé.
underrate [ʌndə'reɪt] *vt* sous-estimer.
undershirt ['ʌndəʃɜːt] *n Am* tricot *m or* maillot *m* de corps.
underside ['ʌndəsaɪd] *n* dessous *m.*
undersigned ['ʌndəsaɪnd] *a* soussigné; **I the u.** je soussigné(e).
undersized [ʌndə'saɪzd] *a* trop petit.
underskirt ['ʌndəskɜːt] *n* jupon *m.*
understaffed [ʌndə'stɑːft] *a* à court de personnel.
understand [ʌndə'stænd] *vti* (*pt & pp* **understood**) comprendre; **I u. that** (*hear*) je crois comprendre que, il paraît que; **I've been given to u. that** on m'a fait comprendre que. ◆**—ing** *n* (*act, faculty*) compréhension *f*; (*agreement*) accord *m*, entente *f*; (*sympathy*) entente *f*; **on the u. that** à condition que (+ *sub*); – *a* (*person*) compréhensif. ◆**understood** *a* (*agreed*) entendu; (*implied*) sous-entendu. ◆**understandable** *a* compréhensible. ◆**understandably** *adv* naturellement.
understatement ['ʌndəsteɪtmənt] *n* euphémisme *m.*
understudy ['ʌndəstʌdɪ] *n Th* doublure *f.*
undertak/e [ʌndə'teɪk] *vt* (*pt* **undertook**, *pp* **undertaken**) (*task*) entreprendre; (*responsibility*) assumer; **to u. to do** se charger de faire. ◆**—ing** *n* (*task*) entreprise *f*; (*prom-*

ise) promesse *f*; **to give an u.** promettre (**that** que).
undertaker ['ʌndəteɪkər] *n* entrepreneur *m* de pompes funèbres.
undertone ['ʌndətəʊn] *n* **in an u.** à mi-voix; **an u. of** (*criticism, sadness etc*) *Fig* une note de.
undervalue [ʌndə'væljuː] *vt* sous-évaluer; **it's undervalued at ten pounds** ça vaut plus que dix livres.
underwater [ʌndə'wɔːtər] *a* sous-marin; – *adv* sous l'eau.
underwear ['ʌndəweər] *n* sous-vêtements *mpl*.
underweight [ʌndə'weɪt] *a* (*person*) qui ne pèse pas assez; (*goods*) d'un poids insuffisant.
underworld ['ʌndəwɜːld] *n* **the u.** (*criminals*) le milieu, la pègre.
undesirable [ʌndɪ'zaɪərəb(ə)l] *a* peu souhaitable (**that** que (+ *sub*)); (*person*) indésirable; – *n* (*person*) indésirable *mf*.
undetected [ʌndɪ'tektɪd] *a* non découvert; **to go u.** passer inaperçu.
undies ['ʌndɪz] *npl* (*female underwear*) *Fam* dessous *mpl*.
undignified [ʌn'dɪgnɪfaɪd] *a* qui manque de dignité.
undisciplined [ʌn'dɪsɪplɪnd] *a* indiscipliné.
undiscovered [ʌndɪ'skʌvəd] *a* **to remain u.** ne pas être découvert.
undisputed [ʌndɪ'spjuːtɪd] *a* incontesté.
undistinguished [ʌndɪ'stɪŋgwɪʃt] *a* médiocre.
undivided [ʌndɪ'vaɪdɪd] *a* **my u. attention** toute mon attention.
undo [ʌn'duː] *vt* (*pt* **undid**, *pp* **undone**) défaire; (*bound person, hands*) détacher, délier; (*a wrong*) réparer. ◆**—ing** *n* (*downfall*) perte *f*, ruine *f*. ◆**undone** *a* **to leave u.** (*work etc*) ne pas faire; **to come u.** (*of knot etc*) se défaire.
undoubted [ʌn'daʊtɪd] *a* indubitable. ◆**—ly** *adv* indubitablement.
undreamt-of [ʌn'dremtɒv] *a* insoupçonné.
undress [ʌn'dres] *vi* se déshabiller; – *vt* déshabiller; **to get undressed** se déshabiller.
undue [ʌn'djuː] *a* excessif. ◆**unduly** *adv* excessivement.
undulating ['ʌndjʊleɪtɪŋ] *a* (*movement*) onduleux; (*countryside*) vallonné.
undying [ʌn'daɪɪŋ] *a* éternel.
unearned [ʌn'ɜːnd] *a* **u. income** rentes *fpl*.
unearth [ʌn'ɜːθ] *vt* (*from ground*) déterrer; (*discover*) *Fig* dénicher, déterrer.
unearthly [ʌn'ɜːθlɪ] *a* sinistre, mystérieux; **u. hour** *Fam* heure *f* indue.
uneasy [ʌn'iːzɪ] *a* (*peace, situation*) précaire; (*silence*) gêné; **to be** *or* **feel u.** (*ill at ease*) être mal à l'aise, être gêné; (*worried*) être inquiet.
uneconomic(al) [ʌniːkə'nɒmɪk((ə)l)] *a* peu économique.
uneducated [ʌn'edʒʊkeɪtɪd] *a* (*person*) inculte; (*accent*) populaire.
unemployed [ʌnɪm'plɔɪd] *a* sans travail, en chômage; – *n* **the u.** les chômeurs *mpl*. ◆**unemployment** *n* chômage *m*.
unending [ʌn'endɪŋ] *a* interminable.
unenthusiastic [ʌnɪnθjuːzɪ'æstɪk] *a* peu enthousiaste.
unenviable [ʌn'envɪəb(ə)l] *a* peu enviable.
unequal [ʌn'iːkwəl] *a* inégal; **to be u. to** (*task*) ne pas être à la hauteur de. ◆**unequalled** *a* (*incomparable*) inégalé.
unequivocal [ʌnɪ'kwɪvək(ə)l] *a* sans équivoque.
unerring [ʌn'ɜːrɪŋ] *a* infaillible.
unethical [ʌn'eθɪk(ə)l] *a* immoral.
uneven [ʌn'iːv(ə)n] *a* inégal.
uneventful [ʌnɪ'ventfəl] *a* (*journey, life etc*) sans histoires.
unexceptionable [ʌnɪk'sepʃ(ə)nəb(ə)l] *a* irréprochable.
unexpected [ʌnɪk'spektɪd] *a* inattendu. ◆**—ly** *adv* à l'improviste; (*suddenly*) subitement; (*unusually*) exceptionnellement.
unexplained [ʌnɪk'spleɪnd] *a* inexpliqué.
unfailing [ʌn'feɪlɪŋ] *a* (*optimism, courage, support etc*) inébranlable; (*supply*) inépuisable.
unfair [ʌn'feər] *a* injuste (**to s.o.** envers qn); (*competition*) déloyal. ◆**—ly** *adv* injustement. ◆**—ness** *n* injustice *f*.
unfaithful [ʌn'feɪθfəl] *a* infidèle (**to** à).
unfamiliar [ʌnfə'mɪlɪər] *a* inconnu, peu familier; **to be u. with** ne pas connaître.
unfashionable [ʌn'fæʃ(ə)nəb(ə)l] *a* (*subject etc*) démodé; (*district etc*) peu chic *inv*, ringard; **it's u. to do** il n'est pas de bon ton de faire.
unfasten [ʌn'fɑːs(ə)n] *vt* défaire.
unfavourable [ʌn'feɪv(ə)rəb(ə)l] *a* défavorable.
unfeeling [ʌn'fiːlɪŋ] *a* insensible.
unfinished [ʌn'fɪnɪʃt] *a* inachevé; **to have some u. business** avoir une affaire à régler.
unfit [ʌn'fɪt] *a* (*unwell*) mal fichu; (*unsuited*) inapte (**for sth** à qch, **to do** à faire); (*unworthy*) indigne (**for sth** de qch, **to do** de faire);

to be u. to do (*incapable*) ne pas être en état de faire.

unflagging [ʌn'flægɪŋ] *a* (*zeal*) inlassable; (*interest*) soutenu.

unflappable [ʌn'flæpəb(ə)l] *a Fam* imperturbable.

unflattering [ʌn'flæt(ə)rɪŋ] *a* peu flatteur.

unflinching [ʌn'flɪntʃɪŋ] *a* (*fearless*) intrépide.

unfold [ʌn'fəʊld] *vt* déplier; (*wings*) déployer; (*ideas, plan*) *Fig* exposer; – *vi* (*of story, view*) se dérouler.

unforeseeable [ʌnfɔː'siːəb(ə)l] *a* imprévisible. ◆**unforeseen** *a* imprévu.

unforgettable [ʌnfə'getəb(ə)l] *a* inoubliable.

unforgivable [ʌnfə'gɪvəb(ə)l] *a* impardonnable.

unfortunate [ʌn'fɔːtʃ(ə)nət] *a* malheureux; (*event*) fâcheux; **you were u.** tu n'as pas eu de chance. ◆**—ly** *adv* malheureusement.

unfounded [ʌn'faʊndɪd] *a* (*rumour etc*) sans fondement.

unfriendly [ʌn'frendlɪ] *a* peu amical, froid. ◆**unfriendliness** *n* froideur *f*.

unfulfilled [ʌnfʊl'fɪld] *a* (*desire*) insatisfait; (*plan*) non réalisé; (*condition*) non rempli.

unfurl [ʌn'fɜːl] *vt* (*flag etc*) déployer.

unfurnished [ʌn'fɜːnɪʃt] *a* non meublé.

ungainly [ʌn'geɪnlɪ] *a* (*clumsy*) gauche.

ungodly [ʌn'gɒdlɪ] *a* impie; **u. hour** *Fam* heure *f* indue.

ungrammatical [ʌngrə'mætɪk(ə)l] *a* non grammatical.

ungrateful [ʌn'greɪtfəl] *a* ingrat.

unguarded [ʌn'gɑːdɪd] *a* **in an u. moment** dans un moment d'inattention.

unhappy [ʌn'hæpɪ] *a* (**-ier, -iest**) (*sad*) malheureux, triste; (*worried*) inquiet; **u. with** (*not pleased*) mécontent de; **he's u. about doing it** ça le dérange de le faire. ◆**unhappily** *adv* (*unfortunately*) malheureusement. ◆**unhappiness** *n* tristesse *f*.

unharmed [ʌn'hɑːmd] *a* indemne, sain et sauf.

unhealthy [ʌn'helθɪ] *a* (**-ier, -iest**) (*person*) en mauvaise santé; (*climate, place, job*) malsain; (*lungs*) malade.

unheard-of [ʌn'hɜːdɒv] *a* (*unprecedented*) inouï.

unheeded [ʌn'hiːdɪd] *a* **it went u.** on n'en a pas tenu compte.

unhelpful [ʌn'helpfəl] *a* (*person*) peu obligeant *or* serviable; (*advice*) peu utile.

unhinge [ʌn'hɪndʒ] *vt* (*person, mind*) déséquilibrer.

unholy [ʌn'həʊlɪ] *a* (**-ier, -iest**) impie; (*din*) *Fam* de tous les diables.

unhook [ʌn'hʊk] *vt* (*picture, curtain*) décrocher; (*dress*) dégrafer.

unhoped-for [ʌn'həʊptfɔːr] *a* inespéré.

unhurried [ʌn'hʌrɪd] *a* (*movement*) lent; (*stroll, journey*) fait sans hâte.

unhurt [ʌn'hɜːt] *a* indemne, sain et sauf.

unhygienic [ʌnhaɪ'dʒiːnɪk] *a* pas très hygiénique.

unicorn ['juːnɪkɔːn] *n* licorne *f*.

uniform ['juːnɪfɔːm] **1** *n* uniforme *m*. **2** *a* (*regular*) uniforme; (*temperature*) constant. ◆**uniformed** *a* en uniforme. ◆**uni'formity** *n* uniformité *f*. ◆**uniformly** *adv* uniformément.

unify ['juːnɪfaɪ] *vt* unifier. ◆**unifi'cation** *n* unification *f*.

unilateral [juːnɪ'læt(ə)rəl] *a* unilatéral.

unimaginable [ʌnɪ'mædʒɪnəb(ə)l] *a* inimaginable. ◆**unimaginative** *a* (*person, plan etc*) qui manque d'imagination.

unimpaired [ʌnɪm'peəd] *a* intact.

unimportant [ʌnɪm'pɔːtənt] *a* peu important.

uninhabitable [ʌnɪn'hæbɪtəb(ə)l] *a* inhabitable. ◆**uninhabited** *a* inhabité.

uninhibited [ʌnɪn'hɪbɪtɪd] *a* (*person*) sans complexes.

uninitiated [ʌnɪ'nɪʃɪeɪtɪd] *n* **the u.** les profanes *mpl*, les non-initiés.

uninjured [ʌn'ɪndʒəd] *a* indemne.

uninspiring [ʌnɪn'spaɪərɪŋ] *a* (*subject etc*) pas très inspirant.

unintelligible [ʌnɪn'telɪdʒəb(ə)l] *a* inintelligible.

unintentional [ʌnɪn'tenʃ(ə)nəl] *a* involontaire.

uninterested [ʌn'ɪntrɪstɪd] *a* indifférent (**in** à). ◆**uninteresting** *a* (*book etc*) inintéressant; (*person*) fastidieux.

uninterrupted [ʌnɪntə'rʌptɪd] *a* ininterrompu.

uninvited [ʌnɪn'vaɪtɪd] *a* (*to arrive*) sans invitation. ◆**uninviting** *a* peu attrayant.

union ['juːnɪən] *n* union *f*; (*trade union*) syndicat *m*; – *a* syndical; **(trade) u. member** syndiqué, -ée *mf*; **U. Jack** drapeau *m* britannique. ◆**unionist** *n* **trade u.** syndicaliste *mf*. ◆**unionize** *vt* syndiquer.

unique [juː'niːk] *a* unique. ◆**—ly** *adv* exceptionnellement.

unisex ['juːnɪseks] *a* (*clothes etc*) unisexe *inv*.

unison ['juːnɪs(ə)n] *n* **in u.** à l'unisson (**with** de).

unit ['juːnɪt] *n* unité *f*; (*of furniture etc*) élément *m*; (*system*) bloc *m*; (*group, team*)

groupe *m*; **u. trust** *Fin* fonds *m* commun de placement.
unite [juː'naɪt] *vt* unir; (*country, party*) unifier; **United Kingdom** Royaume-Uni *m*; **United Nations** (Organisation *f* des) Nations unies *fpl*; **United States (of America)** États-Unis *mpl* (d'Amérique); – *vi* s'unir. ◆**unity** *n* (*cohesion*) unité *f*; (*harmony*) *Fig* harmonie *f*.
universal [juːnɪ'vɜːs(ə)l] *a* universel. ◆**—ly** *adv* universellement.
universe ['juːnɪvɜːs] *n* univers *m*.
university [juːnɪ'vɜːsɪtɪ] *n* université *f*; **at u.** à l'université; – *a* universitaire; (*student, teacher*) d'université.
unjust [ʌn'dʒʌst] *a* injuste.
unjustified [ʌn'dʒʌstɪfaɪd] *a* injustifié.
unkempt [ʌn'kempt] *a* (*appearance*) négligé; (*hair*) mal peigné.
unkind [ʌn'kaɪnd] *a* peu aimable (**to s.o.** avec qn); (*nasty*) méchant (**to s.o.** avec qn). ◆**—ly** *adv* méchamment.
unknowingly [ʌn'nəʊɪŋlɪ] *adv* inconsciemment.
unknown [ʌn'nəʊn] *a* inconnu; **u. to me, he'd left** il était parti, ce que j'ignorais; – *n* (*person*) inconnu, -ue *mf*; **the u.** *Phil* l'inconnu *m*; **u. (quantity)** *Math & Fig* inconnue *f*.
unlawful [ʌn'lɔːfəl] *a* illégal.
unleaded [ʌn'ledɪd] *a* (*gasoline*) *Am* sans plomb.
unleash [ʌn'liːʃ] *vt* (*force etc*) déchaîner.
unless [ʌn'les] *conj* à moins que; **u. she comes** à moins qu'elle ne vienne; **u. you work harder, you'll fail** à moins de travailler plus dur, vous échouerez.
unlike [ʌn'laɪk] *a* différent; – *prep* **u. me, she** ... à la différence de moi *or* contrairement à moi, elle ... ; **he's very u. his father** il n'est pas du tout comme son père; **that's u. him** ça ne lui ressemble pas.
unlikely [ʌn'laɪklɪ] *a* improbable; (*implausible*) invraisemblable; **she's u. to win** il est peu probable qu'elle gagne. ◆**unlikelihood** *n* improbabilité *f*.
unlimited [ʌn'lɪmɪtɪd] *a* illimité.
unlisted [ʌn'lɪstɪd] *a* (*phone number*) *Am* qui ne figure pas à l'annuaire.
unload [ʌn'ləʊd] *vt* décharger.
unlock [ʌn'lɒk] *vt* ouvrir (*avec une clef*).
unlucky [ʌn'lʌkɪ] *a* (**-ier, -iest**) (*person*) malchanceux; (*colour, number etc*) qui porte malheur; **you're u.** tu n'as pas de chance. ◆**unluckily** *adv* malheureusement.
unmade [ʌn'meɪd] *a* (*bed*) défait.
unmanageable [ʌn'mænɪdʒəb(ə)l] *a* (*child*) difficile; (*hair*) difficile à coiffer; (*packet, size*) peu maniable.
unmanned [ʌn'mænd] *a* (*ship*) sans équipage; (*spacecraft*) inhabité.
unmarked [ʌn'mɑːkt] *a* (*not blemished*) sans marque; **u. police car** voiture *f* banalisée.
unmarried [ʌn'mærɪd] *a* célibataire.
unmask [ʌn'mɑːsk] *vt* démasquer.
unmentionable [ʌn'menʃ(ə)nəb(ə)l] *a* dont il ne faut pas parler; (*unpleasant*) innommable.
unmercifully [ʌn'mɜːsɪf(ə)lɪ] *adv* sans pitié.
unmistakable [ʌnmɪ'steɪkəb(ə)l] *a* (*obvious*) indubitable; (*face, voice etc*) facilement reconnaissable.
unmitigated [ʌn'mɪtɪgeɪtɪd] *a* (*disaster*) absolu; (*folly*) pur.
unmoved [ʌn'muːvd] *a* **to be u.** (*feel no emotion*) ne pas être ému (**by** par); (*be unconcerned*) être indifférent (**by** à).
unnatural [ʌn'nætʃ(ə)rəl] *a* (*not normal*) pas naturel; (*crime*) contre nature; (*affected*) qui manque de naturel. ◆**—ly** *adv* **not u.** naturellement.
unnecessary [ʌn'nesəs(ə)rɪ] *a* inutile; (*superfluous*) superflu.
unnerve [ʌn'nɜːv] *vt* désarçonner, déconcerter.
unnoticed [ʌn'nəʊtɪst] *a* inaperçu.
unobstructed [ʌnəb'strʌktɪd] *a* (*road, view*) dégagé.
unobtainable [ʌnəb'teɪnəb(ə)l] *a* impossible à obtenir.
unobtrusive [ʌnəb'truːsɪv] *a* discret.
unoccupied [ʌn'ɒkjʊpaɪd] *a* (*person, house*) inoccupé; (*seat*) libre.
unofficial [ʌnə'fɪʃ(ə)l] *a* officieux; (*visit*) privé; (*strike*) sauvage. ◆**—ly** *adv* à titre officieux.
unorthodox [ʌn'ɔːθədɒks] *a* peu orthodoxe.
unpack [ʌn'pæk] *vt* (*case*) défaire; (*goods, belongings, contents*) déballer; **to u. a comb/***etc* **from** sortir un peigne/*etc* de; – *vi* défaire sa valise; (*take out goods*) déballer.
unpaid [ʌn'peɪd] *a* (*bill, sum*) impayé; (*work, worker*) bénévole; (*leave*) non payé.
unpalatable [ʌn'pælətəb(ə)l] *a* désagréable, déplaisant.
unparalleled [ʌn'pærəleld] *a* sans égal.
unperturbed [ʌnpə'tɜːbd] *a* nullement déconcerté.
unplanned [ʌn'plænd] *a* (*visit, baby etc*) imprévu.
unpleasant [ʌn'plezənt] *a* désagréable (**to s.o.** avec qn). ◆**—ness** *n* caractère *m*

désagréable (**of** de); (*quarrel*) petite querelle *f*.
unplug [ʌn'plʌg] *vt* (**-gg-**) *El* débrancher; (*unblock*) déboucher.
unpopular [ʌn'pɒpjʊlər] *a* impopulaire; **to be u. with** ne pas plaire à.
unprecedented [ʌn'presɪdentɪd] *a* sans précédent.
unpredictable [ʌnprɪ'dɪktəb(ə)l] *a* imprévisible; (*weather*) indécis.
unprepared [ʌnprɪ'peəd] *a* non préparé; (*speech*) improvisé; **to be u. for** (*not expect*) ne pas s'attendre à.
unprepossessing [ʌnpriːpə'zesɪŋ] *a* peu avenant.
unpretentious [ʌnprɪ'tenʃəs] *a* sans prétention.
unprincipled [ʌn'prɪnsɪp(ə)ld] *a* sans scrupules.
unprofessional [ʌnprə'feʃ(ə)nəl] *a* (*unethical*) contraire aux règles de sa profession.
unpublished [ʌn'pʌblɪʃt] *a* (*text, writer*) inédit.
unpunished [ʌn'pʌnɪʃt] *a* **to go u.** rester impuni.
unqualified [ʌn'kwɒlɪfaɪd] *a* **1** (*teacher etc*) non diplômé; **he's u. to do** il n'est pas qualifié pour faire. **2** (*support*) sans réserve; (*success, rogue*) parfait.
unquestionab/le [ʌn'kwestʃ(ə)nəb(ə)l] *a* incontestable. ◆**—ly** *adv* incontestablement.
unravel [ʌn'ræv(ə)l] *vt* (**-ll-**, *Am* **-l-**) (*threads etc*) démêler; (*mystery*) *Fig* éclaircir.
unreal [ʌn'rɪəl] *a* irréel. ◆**unrea'listic** *a* peu réaliste.
unreasonable [ʌn'riːz(ə)nəb(ə)l] *a* qui n'est pas raisonnable; (*price*) excessif.
unrecognizable [ʌnrekəg'naɪzəb(ə)l] *a* méconnaissable.
unrelated [ʌnrɪ'leɪtɪd] *a* (*facts etc*) sans rapport (**to** avec); **we're u.** il n'y a aucun lien de parenté entre nous.
unrelenting [ʌnrɪ'lentɪŋ] *a* (*person*) implacable; (*effort*) acharné.
unreliable [ʌnrɪ'laɪəb(ə)l] *a* (*person*) peu sérieux, peu sûr; (*machine*) peu fiable.
unrelieved [ʌnrɪ'liːvd] *a* (*constant*) constant; (*colour*) uniforme.
unremarkable [ʌnrɪ'mɑːkəb(ə)l] *a* médiocre.
unrepeatable [ʌnrɪ'piːtəb(ə)l] *a* (*offer*) unique.
unrepentant [ʌnrɪ'pentənt] *a* impénitent.
unreservedly [ʌnrɪ'zɜːvɪdlɪ] *adv* sans réserve.
unrest [ʌn'rest] *n* troubles *mpl*, agitation *f*.
unrestricted [ʌnrɪ'strɪktɪd] *a* illimité; (*access*) libre.
unrewarding [ʌnrɪ'wɔːdɪŋ] *a* ingrat; (*financially*) peu rémunérateur.
unripe [ʌn'raɪp] *a* (*fruit*) vert, pas mûr.
unroll [ʌn'rəʊl] *vt* dérouler; – *vi* se dérouler.
unruffled [ʌn'rʌf(ə)ld] *a* (*person*) calme.
unruly [ʌn'ruːlɪ] *a* (**-ier, -iest**) indiscipliné.
unsafe [ʌn'seɪf] *a* (*place, machine etc*) dangereux; (*person*) en danger.
unsaid [ʌn'sed] *a* **to leave sth u.** passer qch sous silence.
unsaleable [ʌn'seɪləb(ə)l] *a* invendable.
unsatisfactory [ʌnsætɪs'fækt(ə)rɪ] *a* peu satisfaisant. ◆**un'satisfied** *a* insatisfait; **u. with** peu satisfait de.
unsavoury [ʌn'seɪv(ə)rɪ] *a* (*person, place etc*) répugnant.
unscathed [ʌn'skeɪðd] *a* indemne.
unscrew [ʌn'skruː] *vt* dévisser.
unscrupulous [ʌn'skruːpjʊləs] *a* (*person, act*) peu scrupuleux.
unseemly [ʌn'siːmlɪ] *a* inconvenant.
unseen [ʌn'siːn] **1** *a* inaperçu. **2** *n* (*translation*) *Sch* version *f*.
unselfish [ʌn'selfɪʃ] *a* (*person, motive etc*) désintéressé.
unsettl/e [ʌn'set(ə)l] *vt* (*person*) troubler. ◆**—ed** *a* (*weather, situation*) instable; (*in one's mind*) troublé; (*in a job*) mal à l'aise.
unshakeable [ʌn'ʃeɪkəb(ə)l] *a* (*person, faith*) inébranlable.
unshaven [ʌn'ʃeɪv(ə)n] *a* pas rasé.
unsightly [ʌn'saɪtlɪ] *a* laid, disgracieux.
unskilled [ʌn'skɪld] *a* inexpert; (*work*) de manœuvre; **u. worker** manœuvre *m*, ouvrier, -ière *mf* non qualifié(e).
unsociable [ʌn'səʊʃəb(ə)l] *a* insociable.
unsocial [ʌn'səʊʃəl] *a* **to work u. hours** travailler en dehors des heures de bureau.
unsolved [ʌn'sɒlvd] *a* (*problem*) non résolu; (*mystery*) inexpliqué; (*crime*) dont l'auteur n'est pas connu.
unsophisticated [ʌnsə'fɪstɪkeɪtɪd] *a* simple.
unsound [ʌn'saʊnd] *a* (*construction etc*) peu solide; (*method*) peu sûr; (*decision*) peu judicieux; **he is of u. mind** il n'a pas toute sa raison.
unspeakable [ʌn'spiːkəb(ə)l] *a* (*horrible*) innommable.
unspecified [ʌn'spesɪfaɪd] *a* indéterminé.
unsporting [ʌn'spɔːtɪŋ] *a* déloyal.
unstable [ʌn'steɪb(ə)l] *a* instable.
unsteady [ʌn'stedɪ] *a* (*hand, voice, step etc*) mal assuré; (*table, ladder etc*) instable. ◆**unsteadily** *adv* (*to walk*) d'un pas mal assuré.

unstinting [ʌn'stɪntɪŋ] *a* (*generosity*) sans bornes.
unstoppable [ʌn'stɒpəb(ə)l] *a* qu'on ne peut (pas) arrêter.
unstuck [ʌn'stʌk] *a* **to come u.** (*of stamp etc*) se décoller; (*fail*) *Fam* se planter.
unsuccessful [ʌnsək'sesfəl] *a* (*attempt etc*) infructueux; (*outcome, candidate*) malheureux; (*application*) non retenu; **to be u.** ne pas réussir (**in doing** à faire); (*of book, artist*) ne pas avoir de succès. ◆**—ly** *adv* en vain, sans succès.
unsuitable [ʌn'suːtəb(ə)l] *a* qui ne convient pas (**for** à); (*example*) peu approprié; (*manners, clothes*) peu convenable. ◆**unsuited** *a* **u. to** impropre à; **they're u.** ils ne sont pas compatibles.
unsure [ʌn'ʃʊər] *a* incertain (**of, about** de).
unsuspecting [ʌnsə'spektɪŋ] *a* qui ne se doute de rien.
unswerving [ʌn'swɜːvɪŋ] *a* (*loyalty etc*) inébranlable.
unsympathetic [ʌnsɪmpə'θetɪk] *a* incompréhensif; **u. to** indifférent à.
untangle [ʌn'tæŋg(ə)l] *vt* (*rope etc*) démêler.
untapped [ʌn'tæpt] *a* inexploité.
untenable [ʌn'tenəb(ə)l] *a* (*position*) intenable.
unthinkable [ʌn'θɪŋkəb(ə)l] *a* impensable. inconcevable.
untidy [ʌn'taɪdɪ] *a* (**-ier, -iest**) (*appearance, hair*) peu soigné; (*room*) en désordre; (*unmethodical*) désordonné. ◆**untidily** *adv* sans soin.
untie [ʌn'taɪ] *vt* (*person, hands*) détacher; (*knot, parcel*) défaire.
until [ʌn'tɪl] *prep* jusqu'à; **u. then** jusque-là; **not u. tomorrow**/*etc* (*in the future*) pas avant demain/*etc*; **I didn't come u. Monday** (*in the past*) je ne suis venu que lundi; – *conj* **u. she comes** jusqu'à ce qu'elle vienne, en attendant qu'elle vienne; **do nothing u. I come** (*before*) ne fais rien avant que j'arrive.
untimely [ʌn'taɪmlɪ] *a* inopportun; (*death*) prématuré.
untiring [ʌn'taɪ(ə)rɪŋ] *a* infatigable.
untold [ʌn'təʊld] *a* (*quantity, wealth*) incalculable.
untoward [ʌntə'wɔːd] *a* malencontreux.
untranslatable [ʌntræn'leɪtəb(ə)l] *a* intraduisible.
untroubled [ʌn'trʌb(ə)ld] *a* (*calm*) calme.
untrue [ʌn'truː] *a* faux. ◆**untruth** *n* contre-vérité *f*. ◆**untruthful** *a* (*person*) menteur; (*statement*) mensonger.
unused 1 [ʌn'juːzd] *a* (*new*) neuf; (*not in use*) inutilisé. **2** [ʌn'juːst] *a* **u. to sth/to doing** peu habitué à qch/à faire.
unusual [ʌn'juːʒʊəl] *a* exceptionnel, rare; (*strange*) étrange. ◆**—ly** *adv* exceptionnellement.
unveil [ʌn'veɪl] *vt* dévoiler. ◆**—ing** *n* (*ceremony*) inauguration *f*.
unwanted [ʌn'wɒntɪd] *a* (*useless*) superflu, dont on n'a pas besoin; (*child*) non désiré.
unwarranted [ʌn'wɒrəntɪd] *a* injustifié.
unwavering [ʌn'weɪv(ə)rɪŋ] *a* (*belief etc*) inébranlable.
unwelcome [ʌn'welkəm] *a* (*news, fact*) fâcheux; (*gift, visit*) inopportun; (*person*) importun.
unwell [ʌn'wel] *a* indisposé.
unwieldy [ʌn'wiːldɪ] *a* (*package etc*) encombrant.
unwilling [ʌn'wɪlɪŋ] *a* **he's u. to do** il ne veut pas faire, il est peu disposé à faire. ◆**—ly** *adv* à contrecœur.
unwind [ʌn'waɪnd] **1** *vt* (*thread etc*) dérouler; – *vi* se dérouler. **2** *vi* (*relax*) *Fam* décompresser.
unwise [ʌn'waɪz] *a* imprudent. ◆**—ly** *adv* imprudemment.
unwitting [ʌn'wɪtɪŋ] *a* involontaire. ◆**—ly** *adv* involontairement.
unworkable [ʌn'wɜːkəb(ə)l] *a* (*idea etc*) impraticable.
unworthy [ʌn'wɜːðɪ] *a* indigne (**of** de).
unwrap [ʌn'ræp] *vt* (**-pp-**) ouvrir, défaire.
unwritten [ʌn'rɪt(ə)n] *a* (*agreement*) verbal, tacite.
unyielding [ʌn'jiːldɪŋ] *a* (*person*) inflexible.
unzip [ʌn'zɪp] *vt* (**-pp-**) ouvrir (la fermeture éclair® de).
up [ʌp] *adv* en haut; (*in the air*) en l'air; (*of sun, hand*) levé; (*out of bed*) levé, debout; (*of road*) en travaux; (*of building*) construit; (*finished*) fini; **to come** *or* **go up** monter; **to be up** (*of price, level etc*) être monté (**by** de); **up there** là-haut; **up above** au-dessus; **up on** (*roof etc*) sur; **further** *or* **higher up** plus haut; **up to** (*as far as*) jusqu'à; (*task*) *Fig* à la hauteur de; **to be up to doing** (*capable*) être de taille à faire; (*in a position to*) être à même de faire; **it's up to you to do it** c'est à toi de le faire; **it's up to you** ça dépend de toi; **where are you up to?** (*in book etc*) où en es-tu?; **what are you up to?** *Fam* que fais-tu?; **what's up?** (*what's the matter?*) *Fam* qu'est-ce qu'il y a?; **time's up** c'est l'heure; **halfway up** (*on hill etc*) à mi-chemin; **to walk up and down** marcher de long en large; **to be well up in** (*versed in*) *Fam* s'y connaître en; **to be up against**

(*confront*) être confronté à; **up (with) the workers/***etc*! *Fam* vive(nt) les travailleurs/*etc*!; – *prep* (*a hill*) en haut de; (*a tree*) dans; (*a ladder*) sur; **to go up** (*hill, stairs*) monter; **to live up the street** habiter plus loin dans la rue; – *npl* **to have ups and downs** avoir des hauts et des bas; – *vt* (**-pp-**) (*increase*) *Fam* augmenter. ◆**up-and-'coming** *a* plein d'avenir. ◆**upbeat** *a* (*cheerful*) *Am Fam* optimiste. ◆**upbringing** *n* éducation *f*. ◆**upcoming** *a Am* imminent. ◆**up'date** *vt* mettre à jour. ◆**up'grade** *vt* (*job*) revaloriser; (*person*) promouvoir. ◆**up'hill 1** *adv* **to go u.** monter. **2** ['ʌphɪl] *a* (*struggle, task*) pénible. ◆**up'hold** *vt* (*pt & pp* **upheld**) maintenir. ◆**upkeep** *n* entretien *m*. ◆**uplift** [ʌp'lɪft] *vt* élever; – ['ʌplɪft] *n* élévation *f* spirituelle. ◆**upmarket** *a Com* haut de gamme. ◆**upright 1** *a & adv* (*erect*) droit; – *n* (*post*) montant *m*. **2** *a* (*honest*) droit. ◆**uprising** *n* insurrection *f*. ◆**up'root** *vt* (*plant, person*) déraciner. ◆**upside 'down** *adv* à l'envers; **to turn u. down** (*room, plans etc*) *Fig* chambouler. ◆**up'stairs** *adv* en haut; **to go u.** monter (l'escalier); – ['ʌpsteəz] *a* (*people, room*) du dessus. ◆**up'stream** *adv* en amont. ◆**upsurge** *n* (*of interest*) recrudescence *f*; (*of anger*) accès *m*. ◆**uptake** *n* **to be quick on the u.** comprendre vite. ◆**up'tight** *a Fam* (*tense*) crispé; (*angry*) en colère. ◆**up-to-'date** *a* moderne; (*information*) à jour; (*well-informed*) au courant (**on** de). ◆**upturn** *n* (*improvement*) amélioration *f* (**in** de); (*rise*) hausse *f* (**in** de). ◆**up'turned** *a* (*nose*) retroussé. ◆**upward** *a* (*movement*) ascendant; (*path*) qui monte; (*trend*) à la hausse. ◆**upwards** *adv* vers le haut; **from five francs u.** à partir de cinq francs; **u. of fifty** cinquante et plus.

upheaval [ʌp'hiːv(ə)l] *n* bouleversement *m*.

upholster [ʌp'həʊlstər] *vt* (*pad*) rembourrer; (*cover*) recouvrir. ◆**upholsterer** *n* tapissier *m*. ◆**upholstery** *n* (*activity*) réfection *f* de sièges; (*in car*) sièges *mpl*.

upon [ə'pɒn] *prep* sur.

upper ['ʌpər] **1** *a* supérieur; **u. class** aristocratie *f*; **to have/get the u. hand** avoir/prendre le dessus. **2** *n* (*of shoe*) empeigne *f*, dessus *m*. ◆**u.-'class** *a* aristocratique. ◆**uppermost** *a* (*highest*) le plus haut; **to be u.** (*on top*) être en dessus.

uproar ['ʌprɔːr] *n* tumulte *m*.

upset [ʌp'set] *vt* (*pt & pp* **upset,** *pres p* **upsetting**) (*knock over*) renverser; (*plans, stomach, routine etc*) déranger; **to u. s.o.** (*grieve*) peiner qn; (*offend*) vexer qn; (*annoy*) contrarier qn; – *a* vexé; contrarié; (*stomach*) dérangé; – ['ʌpset] *n* (*in plans etc*) dérangement *m* (**in** de); (*grief*) peine *f*; **to have a stomach u.** avoir l'estomac dérangé.

upshot ['ʌpʃɒt] *n* résultat *m*.

upstart ['ʌpstɑːt] *n Pej* parvenu, -ue *mf*.

uranium [jʊ'reɪnɪəm] *n* uranium *m*.

urban ['ɜːbən] *a* urbain.

urbane [ɜː'beɪn] *a* courtois, urbain.

urchin ['ɜːtʃɪn] *n* polisson, -onne *mf*.

urge [ɜːdʒ] *vt* **to u. s.o. to do** (*advise*) conseiller vivement à qn de faire; **to u. on** (*person, team*) encourager; – *n* forte envie *f*, besoin *m*.

urgency ['ɜːdʒənsɪ] *n* urgence *f*; (*of request, tone*) insistance *f*. ◆**urgent** *a* urgent, pressant; (*tone*) insistant; (*letter*) urgent. ◆**urgently** *adv* d'urgence; (*insistently*) avec insistance.

urinal [jʊ'raɪn(ə)l] *n* urinoir *m*.

urine ['jʊ(ə)rɪn] *n* urine *f*. ◆**urinate** *vi* uriner.

urn [ɜːn] *n* urne *f*; (*for coffee or tea*) fontaine *f*.

us [əs, *stressed* ʌs] *pron* nous; **(to) us** (*indirect*) nous; **she sees us** elle nous voit; **he gives (to) us** il nous donne; **with us** avec nous; **all of us** nous tous; **let's** *or* **let us eat!** mangeons!

US [juː'es] *abbr* = **United States.**

USA [juːes'eɪ] *abbr* = **United States of America.**

usage ['juːsɪdʒ] *n* (*custom*) & *Ling* usage *m*.

use [juːs] *n* usage *m*, emploi *m*; (*way of using*) emploi *m*; **to have the u. of** avoir l'usage de; **to make u. of** se servir de; **in u.** en usage; **out of u.** hors d'usage; **ready for u.** prêt à l'emploi; **to be of u.** servir, être utile; **it's no u. crying/***etc* ça ne sert à rien de pleurer/*etc*; **what's the u. of worrying/***etc*? à quoi bon s'inquiéter/*etc*?, à quoi ça sert de s'inquiéter/*etc*?; **I have no u. for it** je n'en ai pas l'usage, qu'est-ce que je ferais de ça?; **he's no u.** (*hopeless*) il est nul; – [juːz] *vt* se servir de, utiliser, employer (**as** comme; **to do, for doing** pour faire); **it's used to do** *or* **for doing** ça sert à faire; **it's used as** ça sert de; **I u. it to clean** je m'en sers pour nettoyer, ça me sert à nettoyer; **to u. (up)** (*fuel etc*) consommer; (*supplies*) épuiser; (*money*) dépenser. ◆**used 1** [juːzd] *a* (*second-hand*) d'occasion; (*stamp*) oblitéré. **2** [juːst] *v aux* **I u. to do** avant, je faisais; – *a* **u. to sth/to doing** (*accustomed*) habitué à qch/à faire; **to get u. to** s'habituer à. ◆**useful** ['juːsfəl] *a* utile; **to**

come in u. être utile; **to make oneself u.** se rendre utile. ◆**usefulness** *n* utilité *f.* ◆**useless** ['juːsləs] *a* inutile; (*unusable*) inutilisable; (*person*) nul, incompétent. ◆**user** ['juːzər] *n* (*of road, dictionary etc*) usager *m*; (*of machine*) utilisateur, -trice *mf.*

usher ['ʌʃər] *n* (*in church or theatre*) placeur *m*; (*in law court*) huissier *m*; – *vt* **to u. in** faire entrer; (*period etc*) *Fig* inaugurer. ◆**ushe'rette** *n Cin* ouvreuse *f.*

USSR [juːeses'ɑːr] *n abbr* (*Union of Soviet Socialist Republics*) URSS *f.*

usual ['juːʒʊəl] *a* habituel, normal; **as u.** comme d'habitude; **it's her u. practice** c'est son habitude; – *n* **the u.** (*food, excuse etc*) *Fam* la même chose que d'habitude. ◆**—ly** *adv* d'habitude.

usurer ['juːʒərər] *n* usurier, -ière *mf.*

usurp [juː'zɜːp] *vt* usurper.

utensil [juː'tens(ə)l] *n* ustensile *m.*

uterus ['juːt(ə)rəs] *n Anat* utérus *m.*

utilitarian [juːtɪlɪ'teərɪən] *a* utilitaire. ◆**u'tility** *n* **(public) u.** service *m* public; – *a* (*goods vehicle*) utilitaire.

utilize ['juːtɪlaɪz] *vt* utiliser. ◆**utili'zation** *n* utilisation *f.*

utmost ['ʌtməʊst] *a* **the u. ease**/*etc* (*greatest*) la plus grande facilité/*etc*; **the u. danger/limit**/*etc* (*extreme*) un danger/une limite/*etc* extrême; – *n* **to do one's u.** faire tout son possible (**to do** pour faire).

utopia [juː'təʊpɪə] *n* (*perfect state*) utopie *f.* ◆**utopian** *a* utopique.

utter ['ʌtər] **1** *a* complet, total; (*folly*) pur; (*idiot*) parfait; **it's u. nonsense** c'est complètement absurde. **2** *vt* (*say, express*) proférer; (*a cry, sigh*) pousser. ◆**utterance** *n* (*remark etc*) déclaration *f*; **to give u. to** exprimer. ◆**utterly** *adv* complètement.

V

V, v [viː] *n* V, v *m.* ◆**V.-neck(ed)** *a* (*pullover etc*) à col en V.

vacant ['veɪkənt] *a* (*post*) vacant; (*room, seat*) libre; (*look*) vague, dans le vide. ◆**vacancy** *n* (*post*) poste *m* vacant; (*room*) chambre *f* disponible; **'no vacancies'** (*in hotel*) 'complet'. ◆**vacantly** *adv* **to gaze v.** regarder dans le vide.

vacate [və'keɪt, *Am* 'veɪkeɪt] *vt* quitter.

vacation [veɪ'keɪʃ(ə)n] *n Am* vacances *fpl*; **on v.** en vacances. ◆**—er** *n Am* vacancier, -ière *mf.*

vaccinate ['væksɪneɪt] *vt* vacciner. ◆**vacci'nation** *n* vaccination *f.* ◆**vaccine** [-iːn] *n* vaccin *m.*

vacillate ['væsɪleɪt] *vi* (*hesitate*) hésiter.

vacuum ['vækjʊ(ə)m] *n* vide *m*; **v. cleaner** aspirateur *m*; **v. flask** thermos® *m or f*; – *vt* (*carpet etc*) passer à l'aspirateur. ◆**v.-packed** *a* emballé sous vide.

vagabond ['vægəbɒnd] *n* vagabond, -onde *mf.*

vagary ['veɪgərɪ] *n* caprice *m.*

vagina [və'dʒaɪnə] *n* vagin *m.*

vagrant ['veɪgrənt] *n Jur* vagabond, -onde *mf.*

vague [veɪg] *a* (**-er, -est**) vague; (*memory, outline, photo*) flou; **the vaguest idea** la moindre idée; **he was v. (about it)** il est resté vague. ◆**—ly** *adv* vaguement.

vain [veɪn] *a* (**-er, -est**) **1** (*attempt, hope*) vain; **in v.** en vain; **his *or* her efforts were in v.** ses efforts ont été inutiles. **2** (*conceited*) vaniteux. ◆**—ly** *adv* (*in vain*) vainement.

valentine ['væləntaɪn] *n* (*card*) carte *f* de la Saint-Valentin.

valet ['vælɪt, 'væleɪ] *n* valet *m* de chambre.

valiant ['væljənt] *a* courageux. ◆**valour** *n* bravoure *f.*

valid ['vælɪd] *a* (*ticket, motive etc*) valable. ◆**validate** *vt* valider. ◆**va'lidity** *n* validité *f*; (*of argument*) justesse *f.*

valley ['vælɪ] *n* vallée *f.*

valuable ['væljʊəb(ə)l] *a* (*object*) de (grande) valeur; (*help, time etc*) *Fig* précieux; – *npl* objets *mpl* de valeur.

value ['væljuː] *n* valeur *f*; **to be of great/little v.** (*of object*) valoir cher/peu (cher); **it's good v.** c'est très avantageux; **v. added tax** taxe *f* à la valeur ajoutée; – *vt* (*appraise*) évaluer; (*appreciate*) attacher de la valeur à. ◆**valu'ation** *n* évaluation *f*; (*by expert*) expertise *f.* ◆**valuer** *n* expert *m.*

valve [vælv] *n* (*of machine*) soupape *f*; (*in radio*) lampe *f*; (*of tyre*) valve *f*; (*of heart*) valvule *f.*

vampire ['væmpaɪər] *n* vampire *m.*

van [væn] *n* (*small*) camionnette *f*; (*large*) camion *m*; *Rail* fourgon *m.*

vandal ['vænd(ə)l] *n* vandale *mf.* ◆**vandal-**

ism *n* vandalisme *m*. ◆**vandalize** *vt* saccager, détériorer.
vanguard ['vængɑːd] *n* (*of army, progress etc*) avant-garde *f*.
vanilla [və'nɪlə] *n* vanille *f*; – *a* (*ice cream*) à la vanille.
vanish ['vænɪʃ] *vi* disparaître.
vanity ['vænɪtɪ] *n* vanité *f*; **v. case** vanity *m inv*.
vanquish ['væŋkwɪʃ] *vt* vaincre.
vantage point ['vɑːntɪdʒpɔɪnt] *n* (*place, point of view*) (bon) point *m* de vue.
vapour ['veɪpər] *n* vapeur *f*; (*on glass*) buée *f*.
variable ['veərɪəb(ə)l] *a* variable. ◆**variance** *n* **at v.** en désaccord (**with** avec). ◆**variant** *a* différent; – *n* variante *f*. ◆**vari'ation** *n* variation *f*.
varicose ['værɪkəʊs] *a* **v. veins** varices *fpl*.
variety [və'raɪətɪ] *n* **1** (*diversity*) variété *f*; **a v. of opinions/reasons/***etc* (*many*) diverses opinions/raisons/*etc*; **a v. of** (*articles*) *Com* une gamme de. **2** *Th* variétés *fpl*; **v. show** spectacle *m* de variétés.
various ['veərɪəs] *a* divers. ◆**—ly** *adv* diversement.
varnish ['vɑːnɪʃ] *vt* vernir; – *n* vernis *m*.
vary ['veərɪ] *vti* varier (**from** de). ◆**varied** *a* varié. ◆**varying** *a* variable.
vase [vɑːz, *Am* veɪs] *n* vase *m*.
Vaseline® ['væsəliːn] *n* vaseline *f*.
vast [vɑːst] *a* vaste, immense. ◆**—ly** *adv* (*very*) infiniment, extrêmement. ◆**—ness** *n* immensité *f*.
vat [væt] *n* cuve *f*.
VAT [viːeɪ'tiː, væt] *n abbr* (*value added tax*) TVA *f*.
Vatican ['vætɪkən] *n* Vatican *m*.
vaudeville ['vɔːdəvɪl] *n Th Am* variétés *fpl*.
vault [vɔːlt] **1** *n* (*cellar*) cave *f*; (*tomb*) caveau *m*; (*in bank*) chambre *f* forte, coffres *mpl*; (*roof*) voûte *f*. **2** *vti* (*jump*) sauter.
veal [viːl] *n* (*meat*) veau *m*.
veer [vɪər] *vi* (*of wind*) tourner; (*of car, road*) virer; **to v. off the road** quitter la route.
vegan ['viːgən] *n* végétaliste *mf*.
vegetable ['vedʒtəb(ə)l] *n* légume *m*; – *a* (*kingdom, oil*) végétal; **v. garden** (jardin *m*) potager *m*. ◆**vege'tarian** *a* & *n* végétarien, -ienne (*mf*). ◆**vege'tation** *n* végétation *f*.
vegetate ['vedʒɪteɪt] *vi* (*of person*) *Pej* végéter.
vehement ['viəmənt] *a* (*feeling, speech*) véhément; (*attack*) violent. ◆**—ly** *adv* avec véhémence; violemment.
vehicle ['viːɪk(ə)l] *n* véhicule *m*; **heavy goods v.** (*lorry*) poids *m* lourd.
veil [veɪl] *n* (*covering*) & *Fig* voile *m*; – *vt* (*face, truth etc*) voiler.
vein [veɪn] *n* (*in body or rock*) veine *f*; (*in leaf*) nervure *f*; (*mood*) *Fig* esprit *m*.
vellum ['veləm] *n* (*paper, skin*) vélin *m*.
velocity [və'lɒsɪtɪ] *n* vélocité *f*.
velvet ['velvɪt] *n* velours *m*; – *a* de velours. ◆**velvety** *a* velouté.
vendetta [ven'detə] *n* vendetta *f*.
vending machine ['vendɪŋməʃiːn] *n* distributeur *m* automatique.
vendor ['vendər] *n* vendeur, -euse *mf*.
veneer [və'nɪər] *n* (*wood*) placage *m*; (*appearance*) *Fig* vernis *m*.
venerable ['ven(ə)rəb(ə)l] *a* vénérable. ◆**venerate** *vt* vénérer.
venereal [və'nɪərɪəl] *a* (*disease etc*) vénérien.
venetian [və'niːʃ(ə)n] *a* **v. blind** store *m* vénitien.
vengeance ['vendʒəns] *n* vengeance *f*; **with a v.** (*to work, study etc*) furieusement; (*to rain, catch up etc*) pour de bon.
venison ['venɪs(ə)n] *n* venaison *f*.
venom ['venəm] *n* (*substance*) & *Fig* venin *m*. ◆**venomous** *a* (*speech, snake etc*) venimeux.
vent [vent] **1** *n* (*hole*) orifice *m*; (*for air*) bouche *f* d'aération; (*in jacket*) fente *f*. **2** *n* **to give v. to** (*feeling etc*) donner libre cours à; – *vt* (*anger*) décharger (**on** sur).
ventilate ['ventɪleɪt] *vt* ventiler. ◆**venti'lation** *n* ventilation *f*. ◆**ventilator** *n* (*in wall etc*) ventilateur *m*.
ventriloquist [ven'trɪləkwɪst] *n* ventriloque *mf*.
venture ['ventʃər] *n* entreprise *f* (risquée); **my v. into** mon incursion *f* dans; – *vt* (*opinion, fortune*) hasarder; **to v. to do** (*dare*) oser faire; – *vi* s'aventurer, se risquer (**into** dans).
venue ['venjuː] *n* lieu *m* de rencontre *or* de rendez-vous.
veranda(h) [və'rændə] *n* véranda *f*.
verb [vɜːb] *n* verbe *m*. ◆**verbal** *a* (*promise, skill etc*) verbal. ◆**verbatim** [vɜː'beɪtɪm] *a* & *adv* mot pour mot.
verbose [vɜː'bəʊs] *a* (*wordy*) verbeux.
verdict ['vɜːdɪkt] *n* verdict *m*.
verdigris ['vɜːdɪgrɪs] *n* vert-de-gris *m inv*.
verge [vɜːdʒ] *n* (*of road*) accotement *m*, bord *m*; **on the v. of** *Fig* (*ruin, tears etc*) au bord de; (*discovery*) à la veille de; **on the v. of doing** sur le point de faire; – *vi* **to v. on** friser, frôler; (*of colour*) tirer sur.
verger ['vɜːdʒər] *n Rel* bedeau *m*.

verify ['verɪfaɪ] *vt* vérifier. ◆**verifi'cation** *n* vérification *f*.
veritable ['verɪtəb(ə)l] *a* véritable.
vermicelli [vɜːmɪ'selɪ] *n Culin* vermicelle(s) *m(pl)*.
vermin ['vɜːmɪn] *n* (*animals*) animaux *mpl* nuisibles; (*insects, people*) vermine *f*.
vermouth ['vɜːməθ] *n* vermouth *m*.
vernacular [və'nækjʊlər] *n* (*of region*) dialecte *m*.
versatile ['vɜːsətaɪl, *Am* 'vɜːsət(ə)l] *a* (*mind*) souple; (*material, tool, computer*) polyvalent; **he's v.** il a des talents variés, il est polyvalent. ◆**versa'tility** *n* souplesse *f*; **his v.** la variété de ses talents.
verse [vɜːs] *n* (*stanza*) strophe *f*; (*poetry*) vers *mpl*; (*of Bible*) verset *m*.
versed [vɜːst] *a* **(well) v. in** versé dans.
version ['vɜːʃ(ə)n] *n* version *f*.
versus ['vɜːsəs] *prep* contre.
vertebra, *pl* **-ae** ['vɜːtɪbrə, -iː] *n* vertèbre *f*.
vertical ['vɜːtɪk(ə)l] *a* vertical; – *n* verticale *f*. ◆**—ly** *adv* verticalement.
vertigo ['vɜːtɪgəʊ] *n* (*fear of falling*) vertige *m*.
verve [vɜːv] *n* fougue *f*.
very ['verɪ] **1** *adv* très; **I'm v. hot** j'ai très chaud; **v. much** beaucoup; **the v. first** le tout premier; **at the v. least/most** tout au moins/plus; **at the v. latest** au plus tard. **2** *a* (*actual*) même; **his** *or* **her v. brother** son frère même; **at the v. end** (*of play etc*) tout à la fin; **to the v. end** jusqu'au bout.
vespers ['vespəz] *npl Rel* vêpres *fpl*.
vessel ['ves(ə)l] *n Anat Bot Nau* vaisseau *m*; (*receptacle*) récipient *m*.
vest [vest] *n* tricot *m or* maillot *m* de corps; (*woman's*) chemise *f* (américaine); (*waistcoat*) *Am* gilet *m*.
vested ['vestɪd] *a* **v. interests** *Com* droits *mpl* acquis; **she's got a v. interest in** *Fig* elle est directement intéressée dans.
vestige ['vestɪdʒ] *n* vestige *m*; **not a v. of truth/good sense** pas un grain de vérité/de bon sens.
vestry ['vestrɪ] *n* sacristie *f*.
vet [vet] **1** *n* vétérinaire *mf*. **2** *vt* (**-tt-**) (*document*) examiner de près; (*candidate*) se renseigner à fond sur. ◆**veteri'narian** *n Am* vétérinaire *mf*. ◆**veterinary** *a* vétérinaire; **v. surgeon** vétérinaire *mf*.
veteran ['vet(ə)rən] *n* vétéran *m*; **(war) v.** ancien combattant *m*; – *a* **v. golfer/***etc* golfeur/*etc* expérimenté.
veto ['viːtəʊ] *n* (*pl* **-oes**) (*refusal*) veto *m inv*; (*power*) droit *m* de veto; – *vt* mettre *or* opposer son veto à.
vex [veks] *vt* contrarier, fâcher; **vexed question** question *f* controversée.
via ['vaɪə] *prep* via, par.
viable ['vaɪəb(ə)l] *a* (*baby, firm, plan etc*) viable. ◆**via'bility** *n* viabilité *f*.
viaduct ['vaɪədʌkt] *n* viaduc *m*.
vibrate [vaɪ'breɪt] *vi* vibrer. ◆**'vibrant** *a* vibrant. ◆**vibration** *n* vibration *f*. ◆**vibrator** *n* vibromasseur *m*.
vicar ['vɪkər] *n* (*in Church of England*) pasteur *m*. ◆**vicarage** *n* presbytère *m*.
vicarious [vɪ'keərɪəs] *a* (*emotion*) ressenti indirectement. ◆**—ly** *adv* (*to experience*) indirectement.
vice [vaɪs] *n* **1** (*depravity*) vice *m*; (*fault*) défaut *m*; **v. squad** brigade *f* des mœurs. **2** (*tool*) étau *m*.
vice- [vaɪs] *pref* vice-. ◆**v.-'chancellor** *n Univ* président *m*.
vice versa [vaɪs(ɪ)'vɜːsə] *adv* vice versa.
vicinity [və'sɪnɪtɪ] *n* environs *mpl*; **in the v. of** (*place, amount*) aux environs de.
vicious ['vɪʃəs] *a* (*spiteful*) méchant; (*violent*) brutal; **v. circle** cercle *m* vicieux. ◆**—ly** *adv* méchamment; brutalement. ◆**—ness** *n* méchanceté *f*; brutalité *f*.
vicissitudes [vɪ'sɪsɪtjuːdz] *npl* vicissitudes *fpl*.
victim ['vɪktɪm] *n* victime *f*; **to be the v. of** être victime de. ◆**victimize** *vt* persécuter. ◆**victimi'zation** *n* persécution *f*.
Victorian [vɪk'tɔːrɪən] *a* & *n* victorien, -ienne (*mf*).
victory ['vɪktərɪ] *n* victoire *f*. ◆**victor** *n* vainqueur *m*. ◆**vic'torious** *a* victorieux.
video ['vɪdɪəʊ] *a* vidéo *inv*; – *n* **v. (cassette)** vidéocassette *f*; **v. (recorder)** magnétoscope *m*; **on v.** sur cassette; **to make a v. of** faire une cassette de; – *vt* (*programme etc*) enregistrer au magnétoscope. ◆**videotape** *n* bande *f* vidéo.
vie [vaɪ] *vi* (*pres p* **vying**) rivaliser (**with** avec).
Vietnam [vjet'næm, *Am* -'nɑːm] *n* Viêt-nam *m*. ◆**Vietna'mese** *a* & *n* vietnamien, -ienne (*mf*).
view [vjuː] *n* vue *f*; **to come into v.** apparaître; **in full v. of everyone** à la vue de tous; **in my v.** (*opinion*) à mon avis; **on v.** (*exhibit*) exposé; **in v. of** (*considering*) étant donné (**the fact that** que); **with a v. to doing** afin de faire; – *vt* (*regard*) considérer; (*house*) visiter. ◆**—er** *n* **1** *TV* téléspectateur, -trice *mf*. **2** (*for slides*) visionneuse *f*. ◆**viewfinder** *n Phot* viseur *m*. ◆**viewpoint** *n* point *m* de vue.

vigil ['vɪdʒɪl] *n* veille *f*; (*over sick person or corpse*) veillée *f*.
vigilant ['vɪdʒɪlənt] *a* vigilant. ◆**vigilance** *n* vigilance *f*.
vigilante [vɪdʒɪ'læntɪ] *n Pej* membre *m* d'une milice privée.
vigour ['vɪgər] *n* vigueur *f*. ◆**vigorous** *a* (*person, speech etc*) vigoureux.
vile [vaɪl] *a* (**-er, -est**) (*base*) infâme, vil; (*unpleasant*) abominable.
vilify ['vɪlɪfaɪ] *vt* diffamer
villa ['vɪlə] *n* (*in country*) grande maison *f* de campagne.
village ['vɪlɪdʒ] *n* village *m*. ◆**villager** *n* villageois, -oise *mf*.
villain ['vɪlən] *n* scélérat, -ate *mf*; (*in story or play*) traître *m*. ◆**villainy** *n* infamie *f*.
vindicate ['vɪndɪkeɪt] *vt* justifier. ◆**vindi'cation** *n* justification *f*.
vindictive [vɪn'dɪktɪv] *a* vindicatif, rancunier.
vine [vaɪn] *n* (*grapevine*) vigne *f*; **v. grower** viticulteur *m*. ◆**vineyard** ['vɪnjəd] *n* vignoble *m*.
vinegar ['vɪnɪgər] *n* vinaigre *m*.
vintage ['vɪntɪdʒ] **1** *n* (*year*) année *f*. **2** *a* (*wine*) de grand cru; (*car*) d'époque; (*film*) classique; (*good*) *Fig* bon; **v. Shaw**/*etc* du meilleur Shaw/*etc*.
vinyl ['vaɪn(ə)l] *n* vinyle *m*.
viola [vɪ'əʊlə] *n* (*instrument*) *Mus* alto *m*.
violate ['vaɪəleɪt] *vt* violer. ◆**vio'lation** *n* violation *f*.
violence ['vaɪələns] *n* violence *f*. ◆**violent** *a* violent; **a v. dislike** une aversion vive. ◆**violently** *adv* violemment; **to be v. sick** (*vomit*) vomir.
violet ['vaɪələt] **1** *a* & *n* (*colour*) violet (*m*). **2** *n* (*plant*) violette *f*.
violin [vaɪə'lɪn] *n* violon *m*; – *a* (*concerto etc*) pour violon. ◆**violinist** *n* violoniste *mf*.
VIP [viːaɪ'piː] *n abbr* (*very important person*) personnage *m* de marque.
viper ['vaɪpər] *n* vipère *f*.
virgin ['vɜːdʒɪn] *n* vierge *f*; **to be a v.** (*of woman, man*) être vierge; – *a* (*woman, snow etc*) vierge. ◆**vir'ginity** *n* virginité *f*.
Virgo ['vɜːgəʊ] *n* (*sign*) la Vierge.
virile ['vɪraɪl, *Am* 'vɪrəl] *a* viril. ◆**vi'rility** *n* virilité *f*.
virtual ['vɜːtʃʊəl] *a* **it was a v. failure**/*etc* ce fut en fait un échec/*etc*. ◆**—ly** *adv* (*in fact*) en fait; (*almost*) pratiquement.
virtue ['vɜːtʃuː] *n* **1** (*goodness, chastity*) vertu *f*; (*advantage*) mérite *m*, avantage *m*. **2 by** or **in v. of** en raison de. ◆**virtuous** *a* vertueux.
virtuoso, *pl* **-si** [vɜːtʃʊ'əʊsəʊ, -siː] *n* virtuose *mf*. ◆**virtuosity** [-'ɒsɪtɪ] *n* virtuosité *f*.
virulent ['vɪrʊlənt] *a* virulent. ◆**virulence** *n* virulence *f*.
virus ['vaɪ(ə)rəs] *n* virus *m*.
visa ['viːzə] *n* visa *m*.
vis-à-vis [viːzə'viː] *prep* vis-à-vis de.
viscount ['vaɪkaʊnt] *n* vicomte *m*. ◆**viscountess** *n* vicomtesse *f*.
viscous ['vɪskəs] *a* visqueux.
vise [vaɪs] *n* (*tool*) *Am* étau *m*.
visible ['vɪzəb(ə)l] *a* visible. ◆**visi'bility** *n* visibilité *f*. ◆**visibly** *adv* visiblement.
vision ['vɪʒ(ə)n] *n* vision *f*; **a man/a woman of v.** *Fig* un homme/une femme qui voit loin. ◆**visionary** *a* & *n* visionnaire (*mf*).
visit ['vɪzɪt] *n* (*call, tour*) visite *f*; (*stay*) séjour *m*; – *vt* (*place*) visiter; **to visit s.o.** (*call on*) rendre visite à qn; (*stay with*) faire un séjour chez qn; – *vi* être en visite (*Am* **with** chez). ◆**—ing** *a* (*card, hours*) de visite. ◆**visitor** *n* visiteur, -euse *mf*; (*guest*) invité, -ée *mf*; (*in hotel*) client, -ente *mf*.
visor ['vaɪzər] *n* (*of helmet*) visière *f*.
vista ['vɪstə] *n* (*view of place etc*) vue *f*; (*of future*) *Fig* perspective *f*.
visual ['vɪʒʊəl] *a* visuel; **v. aid** (*in teaching*) support *m* visuel. ◆**visualize** *vt* (*imagine*) se représenter; (*foresee*) envisager.
vital ['vaɪt(ə)l] *a* vital; **of v. importance** d'importance capitale; **v. statistics** (*of woman*) *Fam* mensurations *fpl*. ◆**—ly** *adv* extrêmement.
vitality [vaɪ'tælɪtɪ] *n* vitalité *f*.
vitamin ['vɪtəmɪn, *Am* 'vaɪtəmɪn] *n* vitamine *f*.
vitriol ['vɪtrɪəl] *n Ch Fig* vitriol *m*. ◆**vitri'olic** *a* (*attack, speech etc*) au vitriol.
vivacious [vɪ'veɪʃəs] *a* plein d'entrain.
vivid ['vɪvɪd] *a* (*imagination, recollection etc*) vif; (*description*) vivant. ◆**—ly** *adv* (*to describe*) de façon vivante; **to remember sth v.** avoir un vif souvenir de qch.
vivisection [vɪvɪ'sekʃ(ə)n] *n* vivisection *f*.
vocabulary [və'kæbjʊlərɪ] *n* vocabulaire *m*.
vocal ['vəʊk(ə)l] *a* (*cords, music*) vocal; (*outspoken, noisy, critical*) qui se fait entendre. ◆**vocalist** *n* chanteur, -euse *mf*.
vocation [vəʊ'keɪʃ(ə)n] *n* vocation *f*. ◆**vocational** *a* professionnel.
vociferous [və'sɪf(ə)rəs] *a* bruyant.
vodka ['vɒdkə] *n* vodka *f*.
vogue [vəʊg] *n* vogue *f*; **in v.** en vogue.
voice [vɔɪs] *n* voix *f*; **at the top of one's v.** à

[illegible] [illegible]g, *opinion etc*) for- [illegible] [illegible]de *m*; – *a* **v. of** (*lacking in*) [illegible] **2** *a* (*not valid*) *Jur* nul.
[illegible] [illegible]ɒlətaɪl, *Am* 'vɒlət(ə)l] *a* (*person*) v[illegible]e, changeant; (*situation*) explosif.
volcano [vɒl'keɪnəʊ] *n* (*pl* **-oes**) volcan *m*. ◆**volcanic** [-'kænɪk] *a* volcanique.
volition [və'lɪʃ(ə)n] *n* **of one's own v.** de son propre gré.
volley ['vɒlɪ] *n* (*of blows*) volée *f*; (*gunfire*) salve *f*; (*of insults*) *Fig* bordée *f*. ◆**volleyball** *n Sp* volley(-ball) *m*.
volt [vəʊlt] *n El* volt *m*. ◆**voltage** *n* voltage *m*.
volume ['vɒljuːm] *n* (*book, capacity, loudness*) volume *m*. ◆**voluminous** [və'luːmɪnəs] *a* volumineux.
voluntary ['vɒlənt(ə)rɪ] *a* volontaire; (*unpaid*) bénévole. ◆**voluntarily** [*Am* vɒlən'terɪlɪ] *adv* volontairement; bénévolement. ◆**volun'teer** *n* volontaire *mf*; – *vi* se proposer (**for sth** pour qch, **to do** pour faire); *Mil* s'engager comme volontaire (**for** dans); – *vt* offrir (spontanément).
voluptuous [və'lʌptʃʊəs] *a* voluptueux, sensuel.
vomit ['vɒmɪt] *vti* vomir; – *n* (*matter*) vomi *m*.
voracious [və'reɪʃəs] *a* (*appetite, reader etc*) vorace.
vot/e [vəʊt] *n* vote *m*; (*right to vote*) droit *m* de vote; **to win votes** gagner des voix; **v. of censure** *or* **no confidence** motion *f* de censure; **v. of thanks** discours *m* de remerciement; – *vt* (*bill, funds etc*) voter; (*person*) élire; – *vi* voter; **to v. Conservative** voter conservateur *or* pour les conservateurs. ◆**—ing** *n* vote *m* (**of** de); (*polling*) scrutin *m*. ◆**—er** *n Pol* électeur, -trice *mf*.
vouch [vaʊtʃ] *vi* **to v. for** répondre de.
voucher ['vaʊtʃər] *n* (*for meals etc*) bon *m*, chèque *m*.
vow [vaʊ] *n* vœu *m*; – *vt* (*obedience etc*) jurer (**to** à); **to v. to do** jurer de faire, faire le vœu de faire.
vowel ['vaʊəl] *n* voyelle *f*.
voyage ['vɔɪɪdʒ] *n* voyage *m* (par mer).
vulgar ['vʌlgər] *a* vulgaire. ◆**vul'garity** *n* vulgarité *f*.
vulnerable ['vʌln(ə)rəb(ə)l] *a* vulnérable. ◆**vulnera'bility** *n* vulnérabilité *f*.
vulture ['vʌltʃər] *n* vautour *m*.

W

W, w ['dʌb(ə)ljuː] *n* W, w *m*.
wacky ['wækɪ] *a* (**-ier, -iest**) *Am Fam* farfelu.
wad [wɒd] *n* (*of banknotes, papers etc*) liasse *f*; (*of cotton wool, cloth*) tampon *m*.
waddle ['wɒd(ə)l] *vi* se dandiner.
wade [weɪd] *vi* **to w. through** (*mud, water etc*) patauger dans; (*book etc*) *Fig* venir péniblement à bout de; **I'm wading through this book** j'avance péniblement dans ce livre.
wafer ['weɪfər] *n* (*biscuit*) gaufrette *f*; *Rel* hostie *f*.
waffle ['wɒf(ə)l] **1** *n* (*talk*) *Fam* verbiage *m*, blabla *m*; – *vi Fam* parler pour ne rien dire, blablater. **2** *n* (*cake*) gaufre *f*.
waft [wɒft] *vi* (*of smell etc*) flotter.
wag [wæg] **1** *vt* (**-gg-**) (*tail, finger*) agiter, remuer; – *vi* remuer; **tongues are wagging** *Pej* on en jase, les langues vont bon train. **2** *n* (*joker*) farceur, -euse *mf*.
wage [weɪdʒ] **1** *n* **wage(s)** salaire *m*, paie *f*; **w. claim** *or* **demand** revendication *f* salariale; **w. earner** salarié, -ée *mf*; (*breadwinner*) soutien *m* de famille; **w. freeze** blocage *m* des salaires; **w. increase** *or* **rise** augmentation *f* de salaire. **2** *vt* (*campaign*) mener; **to w. war** faire la guerre (**on** à).
wager ['weɪdʒər] *n* pari *m*; – *vt* parier (**that** que).
waggle ['wæg(ə)l] *vti* remuer.
wag(g)on ['wægən] *n* (*cart*) chariot *m*; *Rail* wagon *m* (de marchandises); **on the w.** (*abstinent*) *Fam* au régime sec.
waif [weɪf] *n* enfant *mf* abandonné(e).
wail [weɪl] *vi* (*cry out, complain*) gémir; (*of siren*) hurler; – *n* gémissement *m*; (*of siren*) hurlement *m*.
waist [weɪst] *n* taille *f*; **stripped to the w.** nu jusqu'à la ceinture. ◆**waistband** *n* (*part of garment*) ceinture *f*. ◆**waistcoat** ['weɪskəʊt] *n* gilet *m*. ◆**waistline** *n* taille *f*.
wait [weɪt] **1** *n* attente *f*; **to lie in w. (for)** guetter; – *vi* attendre; **to w. for** attendre; **w. until I've gone, w. for me to go** attends que je sois parti; **to keep s.o. waiting** faire attendre qn; **w. and see!** attends voir!; **I can't w.**

to do it j'ai hâte de le faire; **to w. about (for)** attendre; **to w. behind** rester; **to w. up** veiller; **to w. up for s.o.** attendre le retour de qn avant de se coucher. **2** *vi* (*serve*) **to w. at table** servir à table; **to w. on s.o.** servir qn. **◆—ing** *n* attente *f*; **'no w.'** *Aut* 'arrêt interdit'; – *a* **w. list/room** liste *f*/salle *f* d'attente. **◆waiter** *n* garçon *m* (de café), serveur *m*; **w.!** garçon! **◆waitress** *n* serveuse *f*; **w.!** mademoiselle!

waive [weɪv] *vt* renoncer à, abandonner.

wake¹ [weɪk] *vi* (*pt* **woke**, *pp* **woken**) **to w. (up)** se réveiller; **to w. up to** (*fact etc*) *Fig* prendre conscience de; – *vt* **to w. (up)** réveiller; **to spend one's waking hours working/***etc* passer ses journées à travailler/*etc.* **◆waken** *vt* éveiller, réveiller; – *vi* s'éveiller, se réveiller.

wake² [weɪk] *n* (*of ship*) & *Fig* sillage *m*; **in the w. of** *Fig* dans le sillage de, à la suite de.

Wales [weɪlz] *n* pays *m* de Galles.

walk [wɔːk] *n* promenade *f*; (*short*) (petit) tour *m*; (*gait*) démarche *f*; (*pace*) marche *f*, pas *m*; (*path*) allée *f*, chemin *m*; **to go for a w.** faire une promenade; (*shorter*) faire un (petit) tour; **to take for a w.** (*child etc*) emmener se promener; (*baby, dog*) promener; **five minutes' w. (away)** à cinq minutes à pied; **walks of life** *Fig* conditions sociales *fpl*; – *vi* marcher; (*stroll*) se promener; (*go on foot*) aller à pied; **w.!** (*don't run*) ne cours pas!; **to w. away** *or* **off** s'éloigner, partir **(from** de); **to w. away** *or* **off with** (*steal*) *Fam* faucher; **to w. in** entrer; **to w. into** (*tree etc*) rentrer dans; (*trap*) tomber dans; **to w. out** (*leave*) partir; (*of workers*) se mettre en grève; **to w. out on s.o.** (*desert*) *Fam* laisser tomber qn; **to w. over to** (*go up to*) s'approcher de; – *vt* (*distance*) faire à pied; (*streets*) (par)courir; (*take for a walk*) promener (*bébé, chien*); **to w. s.o. to** (*station etc*) accompagner qn à. **◆—ing** *n* marche *f* (à pied); – *a* **a w. corpse/dictionary** (*person*) *Fig* un cadavre/dictionnaire ambulant; **at a w. pace** au pas; **w. stick** canne *f*. **◆walker** *n* marcheur, -euse *mf*; (*for pleasure*) promeneur, -euse *mf*. **◆walkout** *n* (*strike*) grève *f* surprise; (*from meeting*) départ *m* (en signe de protestation). **◆walkover** *n* (*in contest etc*) victoire *f* facile. **◆walkway** *n* **moving w.** trottoir *m* roulant.

walkie-talkie [wɔːkɪ'tɔːkɪ] *n* talkie-walkie *m*.

Walkman® ['wɔːkmən] *n* (*pl* **Walkmans**) baladeur *m*.

wall [wɔːl] *n* mur *m*; (*of cabin, tunnel, stomach etc*) paroi *f*; (*of ice*) *Fig* muraille *f*; (*of smoke*) *Fig* rideau *m*; **to go to the w.** (*of firm*) *Fig* faire faillite; – *a* mural; – *vt* **to w. up** (*door etc*) murer; **walled city** ville *f* fortifiée. **◆wallflower** *n Bot* giroflée *f*; **to be a w.** (*at dance*) faire tapisserie. **◆wallpaper** *n* papier *m* peint; – *vt* tapisser. **◆wall-to-wall 'carpet(ing)** *n* moquette *f*.

wallet ['wɒlɪt] *n* portefeuille *m*.

wallop ['wɒləp] *vt* (*hit*) *Fam* taper sur; – *n* (*blow*) *Fam* grand coup *m*.

wallow ['wɒləʊ] *vi* **to w. in** (*mud, vice etc*) se vautrer dans.

wally ['wɒlɪ] *n* (*idiot*) *Fam* andouille *f*, imbécile *mf*.

walnut ['wɔːlnʌt] *n* (*nut*) noix *f*; (*tree, wood*) noyer *m*.

walrus ['wɔːlrəs] *n* (*animal*) morse *m*.

waltz [wɔːls, *Am* wɒlts] *n* valse *f*; – *vi* valser.

wan [wɒn] *a* (*pale*) *Lit* pâle.

wand [wɒnd] *n* baguette *f* (magique).

wander ['wɒndər] *vi* (*of thoughts*) vagabonder; **to w. (about** *or* **around)** (*roam*) errer, vagabonder; (*stroll*) flâner; **to w. from** *or* **off** (*path, subject*) s'écarter de; **to w. off** (*go away*) s'éloigner; **my mind's wandering** je suis distrait; – *vt* **to w. the streets** errer dans les rues. **◆—ing** *a* (*life, tribe*) vagabond, nomade; – *npl* vagabondages *mpl*. **◆—er** *n* vagabond, -onde *mf*.

wane [weɪn] *vi* (*of moon, fame, strength etc*) décroître; – *n* **to be on the w.** décroître, être en déclin.

wangle ['wæŋg(ə)l] *vt Fam* (*obtain*) se débrouiller pour obtenir; (*avoiding payment*) carotter **(from** à).

want [wɒnt] *vt* vouloir **(to do** faire); (*ask for*) demander; (*need*) avoir besoin de; **I w. him to go** je veux qu'il parte; **you w. to try** (*should*) tu devrais essayer; **you're wanted on the phone** on vous demande au téléphone; – *vi* **not to w. for** (*not lack*) ne pas manquer de; – *n* (*lack*) manque *m* **(of** de); (*poverty*) besoin *m*; **for w. of** par manque de; **for w. of money/time** faute d'argent/de temps; **for w. of anything better** faute de mieux; **your wants** (*needs*) tes besoins *mpl*. **◆—ed** *a* (*man, criminal*) recherché par la police; **to feel w.** sentir qu'on vous aime. **◆—ing** *a* (*inadequate*) insuffisant; **to be w.** manquer **(in** de).

wanton ['wɒntən] *a* (*gratuitous*) gratuit; (*immoral*) impudique.

war [wɔːr] *n* guerre *f*; **at w.** en guerre **(with** avec); **to go to w.** entrer en guerre **(with** avec); **to declare w.** déclarer la guerre **(on** à); – *a* (*wound, criminal etc*) de guerre; **w.**

memorial monument *m* aux morts. ◆**warfare** *n* guerre *f*. ◆**warhead** *n* (*of missile*) ogive *f*. ◆**warlike** *a* guerrier. ◆**warmonger** *n* fauteur *m* de guerre. ◆**warpath** *n* **to be on the w.** (*angry*) *Fam* être d'humeur massacrante. ◆**warring** *a* (*countries etc*) en guerre; (*ideologies etc*) *Fig* en conflit. ◆**warship** *n* navire *m* de guerre. ◆**wartime** *n* **in w.** en temps de guerre.

warble ['wɔːb(ə)l] *vi* (*of bird*) gazouiller.

ward[1] [wɔːd] *n* **1** (*in hospital*) salle *f*. **2** (*child*) *Jur* pupille *mf*. **3** (*electoral division*) circonscription *f* électorale.

ward[2] [wɔːd] *vt* **to w. off** (*blow, anger*) détourner; (*danger*) éviter.

warden ['wɔːd(ə)n] *n* (*of institution, Am of prison*) directeur, -trice *mf*; (*of park*) gardien, -ienne *mf*; **(traffic) w.** contractuel, -elle *mf*.

warder ['wɔːdər] *n* gardien *m* (de prison).

wardrobe ['wɔːdrəʊb] *n* (*cupboard*) penderie *f*; (*clothes*) garde-robe *f*.

warehouse, *pl* **-ses** ['weəhaʊs, -zɪz] *n* entrepôt *m*.

wares [weəz] *npl* marchandises *fpl*.

warily ['weərɪlɪ] *adv* avec précaution.

warm [wɔːm] *a* (**-er, -est**) chaud; (*iron, oven*) moyen; (*welcome, thanks etc*) chaleureux; **to be** *or* **feel w.** avoir chaud; **it's (nice and) w.** (*of weather*) il fait (agréablement) chaud; **to get w.** (*of person, room etc*) se réchauffer; (*of food, water*) chauffer; – *vt* **to w. (up)** (*person, food etc*) réchauffer; – *vi* **to w. up** (*of person, room, engine*) se réchauffer; (*of food, water*) chauffer; (*of discussion*) s'échauffer; **to w. to s.o.** *Fig* se prendre de sympathie pour qn. ◆**warm-'hearted** *a* chaleureux. ◆**warmly** *adv* (*to wrap up*) chaudement; (*to welcome, thank etc*) chaleureusement. ◆**warmth** *n* chaleur *f*.

warn [wɔːn] *vt* avertir, prévenir (**that** que); **to w. s.o. against** *or* **off sth** mettre qn en garde contre qch; **to w. s.o. against doing** conseiller à qn de ne pas faire. ◆**—ing** *n* avertissement *m*; (*advance notice*) (pré)avis *m*; *Met* avis *m*; (*alarm*) alerte *f*; **without w.** sans prévenir; **a note** *or* **word of w.** une mise en garde; **w. light** (*on appliance etc*) voyant *m* lumineux; **hazard w. lights** *Aut* feux *mpl* de détresse.

warp [wɔːp] **1** *vt* (*wood etc*) voiler; (*judgment, person etc*) *Fig* pervertir; **a warped mind** un esprit tordu; **a warped account** un récit déformé; – *vi* se voiler. **2** *n Tex* chaîne *f*.

warrant ['wɒrənt] **1** *n Jur* mandat *m*; **a w. for your arrest** un mandat d'arrêt contre vous. **2** *vt* (*justify*) justifier; **I w. you that . . .** (*declare confidently*) je t'assure que . . . . ◆**warranty** *n Com* garantie *f*.

warren ['wɒrən] *n* **(rabbit) w.** garenne *f*.

warrior ['wɒrɪər] *n* guerrier, -ière *mf*.

wart [wɔːt] *n* verrue *f*.

wary ['weərɪ] *a* (**-ier, -iest**) prudent; **to be w. of s.o./sth** se méfier de qn/qch; **to be w. of doing** hésiter beaucoup à faire.

was [wəz, *stressed* wɒz] *see* **be.**

wash [wɒʃ] *n* (*clothes*) lessive *f*; (*of ship*) sillage *m*; **to have a w.** se laver; **to give sth a w.** laver qch; **to do the w.** faire la lessive; **in the w.** à la lessive; – *vt* laver; (*flow over*) baigner; **to w. one's hands** se laver les mains (*Fig* **of sth** de qch); **to w. (away)** (*of sea etc*) emporter (*qch, qn*); **to w. away** *or* **off** *or* **out** (*stain*) faire partir (en lavant); **to w. down** (*vehicle, deck*) laver à grande eau; (*food*) arroser (**with** de); **to w. out** (*bowl etc*) laver; – *vi* se laver; (*do the dishes*) laver la vaisselle; **to w. away** *or* **off** *or* **out** (*of stain*) partir (au lavage); **to w. up** (*do the dishes*) faire la vaisselle; (*have a wash*) *Am* se laver. ◆**washed-'out** *a* (*tired*) lessivé. ◆**washed-'up** *a* **(all) w.-up** (*person, plan*) *Sl* fichu. ◆**washable** *a* lavable. ◆**washbasin** *n* lavabo *m*. ◆**washcloth** *n Am* gant *m* de toilette. ◆**washout** *n Sl* (*event etc*) fiasco *m*; (*person*) nullité *f*. ◆**washroom** *n Am* toilettes *fpl*.

washer ['wɒʃər] *n* (*ring*) rondelle *f*, joint *m*.

washing ['wɒʃɪŋ] *n* (*act*) lavage *m*; (*clothes*) lessive *f*, linge *m*; **to do the w.** faire la lessive; **w. line** corde *f* à linge; **w. machine** machine *f* à laver; **w. powder** lessive *f*. ◆**w.-'up** *n* vaisselle *f*; **to do the w.-up** faire la vaisselle; **w.-up liquid** produit *m* pour la vaisselle.

wasp [wɒsp] *n* guêpe *f*.

wast/e [weɪst] *n* gaspillage *m*; (*of time*) perte *f*; (*rubbish*) déchets *mpl*; *pl* (*land*) étendue *f* déserte; **w. disposal unit** broyeur *m* d'ordures; – *a* **w. material** *or* **products** déchets *mpl*; **w. land** (*uncultivated*) terres *fpl* incultes; (*in town*) terrain *m* vague; **w. paper** vieux papiers *mpl*; **w. pipe** tuyau *m* d'évacuation; – *vt* (*money, food etc*) gaspiller; (*time, opportunity*) perdre; **to w. one's time on frivolities/***etc* gaspiller son temps en frivolités/*etc*, perdre son temps à des frivolités/*etc*; **to w. one's life** gâcher sa vie; – *vi* **to w. away** dépérir. ◆**—ed** *a* (*effort*) inutile; (*body etc*) émacié. ◆**wastage** *n* gaspillage *m*; (*losses*) pertes *fpl*; **some w.** (*of goods, staff etc*) du déchet. ◆**wastebin** *n* (*in kitchen*) poubelle *f*. ◆**wastepaper basket** *n* corbeille *f* (à papier).

wasteful ['weɪstfəl] *a* (*person*) gaspilleur; (*process*) peu économique.

watch [wɒtʃ] **1** *n* (*small clock*) montre *f*. **2** *n* (*over suspect, baby etc*) surveillance *f*; *Nau* quart *m*; **to keep (a) w. on** *or* **over** surveiller; **to keep w.** faire le guet; **to be on the w. (for)** guetter; – *vt* regarder; (*observe*) observer; (*suspect, baby etc*) surveiller; (*be careful of*) faire attention à; – *vi* regarder; **to w. (out) for** (*be on the lookout for*) guetter; **to w. out** (*take care*) faire attention **(for** à); **w. out!** attention!; **to w. over** surveiller. ◆**watchdog** *n* chien *m* de garde. ◆**watchmaker** *n* horloger, -ère *mf*. ◆**watchman** *n* (*pl* **-men**) **night w.** veilleur *m* de nuit. ◆**watchstrap** *n* bracelet *m* de montre. ◆**watchtower** *n* tour *f* de guet.

watchful ['wɒtʃfəl] *a* vigilant.

water ['wɔːtər] *n* eau *f*; **by w.** en bateau; **under w.** (*road, field etc*) inondé; (*to swim*) sous l'eau; **at high w.** à marée haute; **it doesn't hold w.** (*of theory etc*) *Fig* ça ne tient pas debout; **in hot w.** *Fig* dans le pétrin; **w. cannon** lance *f* à eau; **w. ice** sorbet *m*; **w. lily** nénuphar *m*; **w. pistol** pistolet *m* à eau; **w. polo** *Sp* water-polo *m*; **w. power** énergie *f* hydraulique; **w. rates** taxes *fpl* sur l'eau; **w. skiing** ski *m* nautique; **w. tank** réservoir *m* d'eau; **w. tower** château *m* d'eau; – *vt* (*plant etc*) arroser; **to w. down** (*wine etc*) couper (d'eau); (*text etc*) édulcorer; – *vi* (*of eyes*) larmoyer; **it makes his** *or* **her mouth w.** ça lui fait venir l'eau à la bouche. ◆**—ing** *n* (*of plant etc*) arrosage *m*; **w. can** arrosoir *m*. ◆**watery** *a* (*colour*) délavé; (*soup*) *Pej* trop liquide; (*eyes*) larmoyant; **w. tea** *or* **coffee** de la lavasse.

watercolour ['wɔːtəkʌlər] *n* (*picture*) aquarelle *f*; (*paint*) couleur *f* pour aquarelle. ◆**watercress** *n* cresson *m* (de fontaine). ◆**waterfall** *n* chute *f* d'eau. ◆**waterhole** *n* (*in desert*) point *m* d'eau. ◆**waterline** *n* (*on ship*) ligne *f* de flottaison. ◆**waterlogged** *a* délavé. ◆**watermark** *n* (*in paper*) filigrane *m*. ◆**watermelon** *n* pastèque *f*. ◆**waterproof** *a* (*material*) imperméable. ◆**watershed** *n* (*turning point*) tournant *m* (décisif). ◆**watertight** *a* (*container etc*) étanche. ◆**waterway** *n* voie *f* navigable. ◆**waterworks** *n* (*place*) station *f* hydraulique.

watt [wɒt] *n El* watt *m*.

wave [weɪv] *n* (*of sea*) & *Fig* vague *f*; (*in hair*) ondulation *f*; *Rad* onde *f*; (*sign*) signe *m* (de la main); **long/medium/short w.** *Rad* ondes *fpl* longues/moyennes/courtes; – *vi* (*with hand*) faire signe (de la main); (*of flag*) flotter; **to w. to** (*greet*) saluer de la main; – *vt* (*arm, flag etc*) agiter; (*hair*) onduler; **to w. s.o. on** faire signe à qn d'avancer; **to w. aside** (*objection etc*) écarter. ◆**waveband** *n Rad* bande *f* de fréquence. ◆**wavelength** *n Rad* & *Fig* longueur *f* d'ondes.

waver ['weɪvər] *vi* (*of flame, person etc*) vaciller.

wavy ['weɪvɪ] *a* (**-ier, -iest**) (*line*) onduleux; (*hair*) ondulé.

wax [wæks] **1** *n* cire *f*; (*for ski*) fart *m*; – *vt* cirer; (*ski*) farter; (*car*) lustrer; – *a* (*candle, doll etc*) de cire; **w. paper** *Culin Am* papier *m* paraffiné. **2** *vi* (*of moon*) croître. **3** *vi* **to w. lyrical/merry** (*become*) se faire lyrique/gai. ◆**waxworks** *npl* (*place*) musée *m* de cire; (*dummies*) figures *fpl* de cire.

way [weɪ] **1** *n* (*path, road*) chemin *m* (**to** de); (*direction*) sens *m*, direction *f*; (*distance*) distance *f*; **all the w., the whole w.** (*to talk etc*) pendant tout le chemin; **this w.** par ici; **that way** par là; **which w.?** par où?; **to lose one's w.** se perdre; **I'm on my w.** (*coming*) j'arrive; (*going*) je pars; **he made his w. out/home** il est sorti/rentré; **the w. there** l'aller *m*; **the w. back** le retour; **the w. in** l'entrée *f*; **the w. out** la sortie; **a w. out of** (*problem etc*) *Fig* une solution à; **the w. is clear** *Fig* la voie est libre; **across the w.** en face; **on the w.** en route (**to** pour); **by w. of** (*via*) par; (*as*) *Fig* comme; **out of the w.** (*isolated*) isolé; **to go out of one's w. to do** se donner du mal pour faire; **by the w. . . .** *Fig* à propos . . . ; **to be** *or* **stand in the w.** barrer le passage; **she's in my w.** (*hindrance*) *Fig* elle me gêne; **to get out of the w., make w.** s'écarter; **to give w.** céder; *Aut* céder le passage *or* la priorité; **a long w. (away** *or* **off)** très loin; **it's the wrong w. up** c'est dans le mauvais sens; **do it the other w. round** fais le contraire; **to get under w.** (*of campaign etc*) démarrer; – *adv* (*behind etc*) très loin; **w. ahead** très en avance (**of** sur). **2** *n* (*manner*) façon *f*; (*means*) moyen *m*; (*condition*) état *m*; (*habit*) habitude *f*; (*particular*) égard *m*; **one's ways** (*behaviour*) ses manières *fpl*; **to get one's own w.** obtenir ce qu'on veut; **(in) this w.** de cette façon; **in a way** (*to some extent*) dans un certain sens; **w. of life** façon *f* de vivre, mode *m* de vie; **no w.!** (*certainly not*) *Fam* pas question! ◆**wayfarer** *n* voyageur, -euse *mf*. ◆**way-'out** *a Fam* extraordinaire. ◆**wayside** *n* **by the w.** au bord de la route.

waylay [weɪ'leɪ] *vt* (*pt* & *pp* **-laid**) (*attack*) attaquer par surprise; (*stop*) *Fig* arrêter au passage.

wayward ['weɪwəd] *a* rebelle, capricieux.

WC [dʌb(ə)ljuː'siː] *n* w-c *mpl*, waters *mpl*.

we [wiː] *pron* nous; **we go** nous allons; **we teachers** nous autres professeurs; **we never know** (*indefinite*) on ne sait jamais.

weak [wiːk] *a* (**-er, -est**) faible; (*tea, coffee*) léger; (*health, stomach*) fragile. ◆**w.-'willed** *a* faible. ◆**weaken** *vt* affaiblir; – *vi* faiblir. ◆**weakling** *n* (*in body*) mauviette *f*; (*in character*) faible *mf*. ◆**weakly** *adv* faiblement. ◆**weakness** *n* faiblesse *f*; (*of health, stomach*) fragilité *f*; (*fault*) point *m* faible; **a w. for** (*liking*) un faible pour.

weal [wiːl] *n* (*wound on skin*) marque *f*, zébrure *f*.

wealth [welθ] *n* (*money, natural resources*) richesse(s) *f(pl)*; **a w. of** (*abundance*) *Fig* une profusion de. ◆**wealthy** *a* (**-ier, -iest**) riche; – *n* **the w.** les riches *mpl*.

wean [wiːn] *vt* (*baby*) sevrer.

weapon ['wepən] *n* arme *f*. ◆**weaponry** *n* armements *mpl*.

wear [weər] **1** *vt* (*pt* **wore,** *pp* **worn**) (*have on body*) porter; (*look, smile*) avoir; (*put on*) mettre; **to have nothing to w.** n'avoir rien à se mettre; – *n* **men's/sports w.** vêtements *mpl* pour hommes/de sport; **evening w.** tenue *f* de soirée. **2** *vt* (*pt* **wore,** *pp* **worn**) **to w. (away** *or* **down** *or* **out)** (*material, patience etc*) user; **to w. s.o. out** (*exhaust*) épuiser qn; **to w. oneself out** s'épuiser (**doing** à faire); – *vi* (*last*) faire de l'usage, durer; **to w. (out)** (*of clothes etc*) s'user; **to w. off** (*of colour, pain etc*) passer, disparaître; **to w. on** (*of time*) passer; **to w. out** (*of patience*) s'épuiser; – *n* (*use*) usage *m*; **w. (and tear)** usure *f*. ◆**—ing** *a* (*tiring*) épuisant. ◆**—er** *n* **the w. of** (*hat, glasses etc*) la personne qui porte.

weary ['wɪərɪ] *a* (**-ier, -iest**) (*tired*) fatigué, las (**of doing** de faire); (*tiring*) fatigant; (*look, smile*) las; – *vi* **to w. of** se lasser de. ◆**wearily** *adv* avec lassitude. ◆**weariness** *n* lassitude *f*.

weasel ['wiːz(ə)l] *n* belette *f*.

weather ['weðər] *n* temps *m*; **what's the w. like?** quel temps fait-il?; **in (the) hot w.** par temps chaud; **under the w.** (*not well*) *Fig* patraque; – *a* (*chart etc*) météorologique; **w. forecast, w. report** prévisions *fpl* météorologiques, météo *f*; **w. vane** girouette *f*; – *vt* (*storm, hurricane*) essuyer; (*crisis*) *Fig* surmonter. ◆**weather-beaten** *a* (*face, person*) tanné, hâlé. ◆**weathercock** *n* girouette *f*. ◆**weatherman** *n* (*pl* **-men**) *TV Rad Fam* monsieur *m* météo.

weav/e [wiːv] *vt* (*pt* **wove,** *pp* **woven**) (*cloth, plot*) tisser; (*basket, garland*) tresser; – *vi* *Tex* tisser; **to w. in and out of** (*crowd, cars etc*) *Fig* se faufiler entre; – *n* (*style*) tissage *m*. ◆**—ing** *n* tissage *m*. ◆**—er** *n* tisserand, -ande *mf*.

web [web] *n* (*of spider*) toile *f*; (*of lies*) *Fig* tissu *m*. ◆**webbed** *a* (*foot*) palmé. ◆**webbing** *n* (*in chair*) sangles *fpl*.

wed [wed] *vt* (**-dd-**) (*marry*) épouser; (*qualities etc*) *Fig* allier (**to** à); – *vi* se marier. ◆**wedded** *a* (*bliss, life*) conjugal. ◆**wedding** *n* mariage *m*; **golden/silver w.** noces *fpl* d'or/d'argent; – *a* (*cake*) de noces; (*anniversary, present*) de mariage; (*dress*) de mariée; **his** *or* **her w. day** le jour de son mariage; **w. ring,** *Am* **w. band** alliance *f*. ◆**wedlock** *n* **born out of w.** illégitime.

wedge [wedʒ] *n* (*for splitting*) coin *m*; (*under wheel, table etc*) cale *f*; **w. heel** (*of shoe*) semelle *f* compensée; – *vt* (*wheel, table etc*) caler; (*push*) enfoncer (**into** dans); **wedged (in) between** (*caught, trapped*) coincé entre.

Wednesday ['wenzdɪ] *n* mercredi *m*.

wee [wiː] *a* (*tiny*) *Fam* tout petit.

weed [wiːd] *n* (*plant*) mauvaise herbe *f*; (*weak person*) *Fam* mauviette *f*; **w. killer** désherbant *m*; – *vti* désherber; – *vt* **to w. out** *Fig* éliminer (**from** de). ◆**weedy** *a* (**-ier, -iest**) (*person*) *Fam* maigre et chétif.

week [wiːk] *n* semaine *f*; **the w. before last** pas la semaine dernière, celle d'avant; **the w. after next** pas la semaine prochaine, celle d'après; **tomorrow w., a w. tomorrow** demain en huit. ◆**weekday** *n* jour *m* de semaine. ◆**week'end** *n* week-end *m*; **at** *or* **on** *or* **over the w.** ce week-end, pendant le week-end. ◆**weekly** *a* hebdomadaire; – *adv* toutes les semaines; – *n* (*magazine*) hebdomadaire *m*.

weep [wiːp] *vi* (*pt* *pp* **wept**) pleurer; (*of wound*) suinter; **to w. for s.o.** pleurer qn; – *vt* (*tears*) pleurer; **weeping willow** saule *m* pleureur.

weft [weft] *n* *Tex* trame *f*.

weigh [weɪ] *vt* peser; **to w. down** (*with load etc*) surcharger (**with** de); (*bend*) faire plier; **to w. up** (*goods, chances etc*) peser; – *vi* peser; **it's weighing on my mind** ça me tracasse; **to w. down on s.o.** (*of worries etc*) accabler qn. ◆**weighing-machine** *n* balance *f*.

weight [weɪt] *n* poids *m*; **to put on w.** grossir; **to lose w.** maigrir; **to carry w.** (*of argument etc*) *Fig* avoir du poids (**with** pour); **to pull one's w.** (*do one's share*) *Fig* faire sa part du travail; **w. lifter** haltérophile *mf*; **w. lifting** haltérophilie *f*; – *vt* **to w. (down)** (*light object*) maintenir avec un poids; **to w. down with** (*overload*) surcharger de. ◆**weightlessness** *n* apesanteur *f*. ◆**weighty** *a* (**-ier, -iest**) lourd; (*argument, subject*) *Fig* de poids.

weighting ['weɪtɪŋ] *n* (*on salary*) indemnité *f* de résidence.

weir [wɪər] *n* (*across river*) barrage *m*.

weird [wɪəd] *a* (**-er, -est**) (*odd*) bizarre; (*eerie*) mystérieux.

welcome ['welkəm] *a* (*pleasant*) agréable; (*timely*) opportun; **to be w.** (*of person, people*) être le bienvenu *or* la bienvenue *or* les bienvenu(e)s; **w.!** soyez le bienvenu *or* la bienvenue *or* les bienvenu(e)s!; **to make s.o. (feel) w.** faire bon accueil à qn; **you're w.!** (*after 'thank you'*) il n'y a pas de quoi!; **w. to do** (*free*) libre de faire; **you're w. to (take** *or* **use) my bike** mon vélo est à ta disposition; **you're w. to it!** *Iron* grand bien vous fasse!; – *n* accueil *m*; **to extend a w. to** (*greet*) souhaiter la bienvenue à; – *vt* accueillir; (*warmly*) faire bon accueil à; (*be glad of*) se réjouir de; **I w. you!** je vous souhaite la bienvenue! ◆**welcoming** *a* (*smile etc*) accueillant; (*speech, words*) d'accueil.

weld [weld] *vt* **to w. (together)** souder; (*groups etc*) *Fig* unir; – *n* (*joint*) soudure *f*. ◆**—ing** *n* soudure *f*. ◆**—er** *n* soudeur *m*.

welfare ['welfeər] *n* (*physical, material*) bien-être *m*; (*spiritual*) santé *f*; (*public aid*) aide *f* sociale; **public w.** (*good*) le bien public; **the w. state** (*in Great Britain*) l'État-providence *m*; **w. work** assistance *f* sociale.

well[1] [wel] **1** *n* (*for water*) puits *m*; (*of stairs, lift*) cage *f*; **(oil) w.** puits de pétrole. **2** *vi* **to w. up** (*rise*) monter.

well[2] [wel] *adv* (**better, best**) bien; **to do w.** (*succeed*) réussir; **you'd do w. to refuse** tu ferais bien de refuser; **w. done!** bravo!; **I, you, she** *etc* **might (just) as w. have left** il valait mieux partir, autant valait partir; **it's just as w. that** (*lucky*) heureusement que ...; **as w.** (*also*) aussi; **as w. as** aussi bien que; **as w. as two cats, he has ...** en plus de deux chats, il a ...; – *a* bien *inv*; **she's w.** (*healthy*) elle va bien; **not a w. man** un homme malade; **to get w.** se remettre; **that's all very w., but ...** tout ça c'est très joli, mais ...; – *int* eh bien!; **w., w.!** (*surprise*) tiens, tiens!; **enormous, w., quite big** énorme, enfin, assez grand.

well-behaved [welbɪ'heɪvd] *a* sage. ◆**w.-'being** *n* bien-être *m*. ◆**w.-'built** *a* (*person, car*) solide. ◆**w.-'founded** *a* bien fondé. ◆**w.-'heeled** *a* (*rich*) *Fam* nanti. ◆**w.-in'formed** *a* (*person, newspaper*) bien informé. ◆**w.-'known** *a* (bien) connu. ◆**w.-'meaning** *a* bien intentionné. ◆**'w.-nigh** *adv* presque. ◆**w.-'off** *a* aisé, riche. ◆**w.-'read** *a* instruit. ◆**w.-'spoken** *a* (*person*) qui a un accent cultivé, qui parle bien. ◆**w.-'thought-of** *a* hautement considéré. ◆**w.-'timed** *a* opportun. ◆**w.-to-'do** *a* aisé, riche. ◆**w.-'tried** *a* (*method*) éprouvé. ◆**w.-'trodden** *a* (*path*) battu. ◆**'w.-wishers** *npl* admirateurs, -trices *mfpl*. ◆**w.-'worn** *a* (*clothes, carpet*) usagé.

wellington ['welɪŋtən] *n* botte *f* de caoutchouc.

welsh [welʃ] *vi* **to w. on** (*debt, promise*) ne pas honorer.

Welsh [welʃ] *a* gallois; **W. rabbit** *Culin* toast *m* au fromage; – *n* (*language*) gallois *m*. ◆**Welshman** *n* (*pl* **-men**) Gallois *m*. ◆**Welshwoman** *n* (*pl* **-women**) Galloise *f*.

wench [wentʃ] *n* *Hum* jeune fille *f*.

wend [wend] *vt* **to w. one's way** s'acheminer (**to** vers).

went [went] *see* **go 1**.

wept [wept] *see* **weep**.

were [wər, *stressed* wɜːr] *see* **be**.

werewolf ['weəwʊlf] *n* (*pl* **-wolves**) loup-garou *m*.

west [west] *n* ouest *m*; – *a* (*coast*) ouest *inv*; (*wind*) d'ouest; **W. Africa** Afrique *f* occidentale; **W. Indian** *a* & *n* antillais, -aise (*mf*); **the W. Indies** les Antilles *fpl*; – *adv* à l'ouest, vers l'ouest. ◆**westbound** *a* (*carriageway*) ouest *inv*; (*traffic*) en direction de l'ouest. ◆**westerly** *a* (*point*) ouest *inv*; (*direction*) de l'ouest; (*wind*) d'ouest. ◆**western** *a* (*coast*) ouest *inv*; (*culture*) *Pol* occidental; **W. Europe** Europe *f* de l'Ouest; – *n* (*film*) western *m*. ◆**westerner** *n* habitant, -ante *mf* de l'Ouest; *Pol* occidental, -ale *mf*. ◆**westernize** *vt* occidentaliser. ◆**westward(s)** *a* & *adv* vers l'ouest.

wet [wet] *a* (**wetter, wettest**) mouillé; (*damp, rainy*) humide; (*day, month*) de pluie; **w. paint/ink** peinture *f*/encre *f* fraîche; **w. through** trempé; **to get w.** se mouiller; **it's w.** (*raining*) il pleut; **he's w.** (*weak-willed*)

Fam c'est une lavette; **w. blanket** *Fig* rabat-joie *m inv*; **w. nurse** nourrice *f*; **w. suit** combinaison *f* de plongée; – *n* **the w.** (*rain*) la pluie; (*damp*) l'humidité *f*; – *vt* (**-tt-**) mouiller. ◆**—ness** *n* humidité *f*.

whack [wæk] *n* (*blow*) grand coup *m*; – *vt* donner un grand coup à. ◆**—ed** *a* **w. (out)** (*tired*) *Fam* claqué. ◆**—ing** *a* (*big*) *Fam* énorme.

whale [weɪl] *n* baleine *f*. ◆**whaling** *n* pêche *f* à la baleine.

wham! [wæm] *int* vlan!

wharf [wɔːf] *n* (*pl* **wharfs** *or* **wharves**) (*for ships*) quai *m*.

what [wɒt] **1** *a* quel, quelle, *pl* quel(le)s; **w. book?** quel livre?; **w. one?** *Fam* lequel?, laquelle?; **w. a fool**/*etc*! quel idiot/*etc*!; **I know w. book it is** je sais quel livre c'est; **w. (little) she has** le peu qu'elle a. **2** *pron* (*in questions*) qu'est-ce qui; (*object*) (qu'est-ce) que; (*after prep*) quoi; **w.'s happening?** qu'est-ce qui se passe?; **w. does he do?** qu'est-ce qu'il fait?, que fait-il?; **w. is it?** qu'est-ce que c'est?; **w.'s that book?** quel est ce livre?; **w.!** (*surprise*) quoi!, comment!; **w.'s it called?** comment ça s'appelle?; **w. for?** pourquoi?; **w. about me**/*etc*? et moi/*etc*?; **w. about leaving**/*etc*? si on partait/*etc*? **3** *pron* (*indirect, relative*) ce qui; (*object*) ce que; **I know w. will happen/w. she'll do** je sais ce qui arrivera/ce qu'elle fera; **w. happens is . . .** ce qui arrive c'est que . . . ; **w. I need** ce dont j'ai besoin. ◆**what'ever** *a* **w. (the) mistake**/*etc* (*no matter what*) quelle que soit l'erreur/*etc*; **of w. size** de n'importe quelle taille; **no chance w.** pas la moindre chance; **nothing w.** rien du tout; – *pron* (*no matter what*) quoi que (+ *sub*); **w. happens** quoi qu'il arrive; **w. you do** quoi que tu fasses; **w. is important** tout ce qui est important; **w. you want** tout ce que tu veux. ◆**what's-it** *n* (*thing*) *Fam* machin *m*. ◆**whatso'ever** *a* & *pron* = **whatever**.

wheat [wiːt] *n* blé *m*, froment *m*. ◆**wheatgerm** *n* germes *mpl* de blé.

wheedle ['wiːd(ə)l] *vt* **to w. s.o.** enjôler qn (**into doing** pour qu'il fasse); **to w. sth out of s.o.** obtenir qch de qn par la flatterie.

wheel [wiːl] **1** *n* roue *f*; **at the w.** *Aut* au volant; *Nau* au gouvernail; – *vt* (*push*) pousser; – *vi* (*turn*) tourner. **2** *vi* **to w. and deal** *Fam* faire des combines. ◆**wheelbarrow** *n* brouette *f*. ◆**wheelchair** *n* fauteuil *m* roulant.

wheeze [wiːz] **1** *vi* respirer bruyamment. **2** *n* (*scheme*) *Fam* combine *f*. ◆**wheezy** *a* (**-ier, -iest**) poussif.

whelk [welk] *n* (*mollusc*) buccin *m*.

when [wen] *adv* quand; – *conj* quand, lorsque; (*whereas*) alors que; **w. I finish, w. I've finished** quand j'aurai fini; **w. I saw him** *or* **w. I'd seen him, I left** après l'avoir vu, je suis parti; **the day/moment w.** le jour/moment où; **I talked about w. . . .** j'ai parlé de l'époque où . . . . ◆**when'ever** *conj* (*at whatever time*) quand; (*each time that*) chaque fois que.

where [weər] *adv* où; **w. are you from?** d'où êtes-vous?; – *conj* où; (*whereas*) alors que; **that's w. you'll find it** c'est là que tu le trouveras; **I found it w. she'd left it** je l'ai trouvé là où elle l'avait laissé; **I went to w. he was** je suis allé à l'endroit où il était. ◆**whereabouts** *adv* où (donc); – *n* **his w.** l'endroit *m* où il est. ◆**where'as** *conj* alors que. ◆**where'by** *adv* par quoi. ◆**where'upon** *adv* sur quoi. ◆**wher'ever** *conj* **w. you go** (*everywhere*) partout où tu iras, où que tu ailles; **I'll go w. you like** (*anywhere*) j'irai (là) où vous voudrez.

whet [wet] *vt* (**-tt-**) (*appetite, desire etc*) aiguiser.

whether ['weðər] *conj* si; **I don't know w. to leave** je ne sais pas si je dois partir; **w. she does it or not** qu'elle le fasse ou non; **w. now or tomorrow** que ce soit maintenant ou demain; **it's doubtful w.** il est douteux que (+ *sub*).

which [wɪtʃ] **1** *a* (*in questions etc*) quel, quelle, *pl* quel(le)s; **w. hat?** quel chapeau?; **in w. case** auquel cas. **2** *rel pron* qui; (*object*) que; (*after prep*) lequel, laquelle, *pl* lesquel(le)s; **the house w. is . . .** la maison qui est . . . ; **the book w. I like** le livre que j'aime; **the film of w. . . .** le film dont *or* duquel . . . ; **she's ill, w. is sad** elle est malade, ce qui est triste; **he lies, w. I don't like** il ment, ce que je n'aime pas; **after w.** (*whereupon*) après quoi. **3** *pron* **w. (one)** (*in questions*) lequel, laquelle, *pl* lesquel(le)s; **w. (one) of us?** lequel *or* laquelle d'entre nous?; **w. (ones) are the best of the books** quels sont les meilleurs de ces livres? **4** *pron* **w. (one)** (*the one that*) celui qui, celle qui, *pl* ceux qui, celles qui; (*object*) celui *etc* que; **show me w. (one) is red** montrez-moi celui *or* celle qui est rouge; **I know w. (ones) you want** je sais ceux *or* celles que vous désirez. ◆**which'ever** *a* & *pron* **w. book**/*etc* *or* **w. of the books**/*etc* **you buy** quel que soit le livre/*etc* que tu achètes; **take w. books** *or* **w. of the books interest you** prenez les livres qui vous intéressent; **take w. (one) you like** prends celui *or* celle que tu veux; **w. (ones) remain** ceux *or* celles qui restent.

whiff [wɪf] *n* (*puff*) bouffée *f*; (*smell*) odeur *f*.

while [waɪl] *conj* (*when*) pendant que; (*although*) bien que (+ *sub*); (*as long as*) tant que; (*whereas*) tandis que; **w. doing** (*in the course of*) en faisant; – *n* **a w.** un moment, quelque temps; **all the w.** tout le temps; – *vt* **to w. away** (*time*) passer. ◆**whilst** [waɪlst] *conj* = **while.**

whim [wɪm] *n* caprice *m*.

whimper ['wɪmpər] *vi* (*of dog, person*) gémir faiblement; (*snivel*) *Pej* pleurnicher; – *n* faible gémissement *m*; **without a w.** (*complaint*) *Fig* sans se plaindre.

whimsical ['wɪmzɪk(ə)l] *a* (*look, idea*) bizarre; (*person*) fantasque, capricieux.

whine [waɪn] *vi* gémir; (*complain*) *Fig* se plaindre; – *n* gémissement *m*; plainte *f*.

whip [wɪp] *n* fouet *m*; – *vt* (**-pp-**) (*person, cream etc*) fouetter; (*defeat*) *Fam* dérouiller; **to w. off** (*take off*) enlever brusquement; **to w. out** (*from pocket etc*) sortir brusquement (**from** de); **to w. up** (*interest*) susciter; (*meal*) *Fam* préparer rapidement; – *vi* (*move*) aller à toute vitesse; **to w. round to s.o.'s** faire un saut chez qn. ◆**whip-round** *n Fam* collecte *f*.

whirl [wɜːl] *vi* tourbillonner, tournoyer; – *vt* faire tourbillonner; – *n* tourbillon *m*. ◆**whirlpool** *n* tourbillon *m*; **w. bath** *Am* bain *m* à remous. ◆**whirlwind** *n* tourbillon *m* (de vent).

whirr [wɜːr] *vi* (*of engine*) vrombir; (*of top*) ronronner.

whisk [wɪsk] **1** *n Culin* fouet *m*; – *vt* fouetter. **2** *vt* **to w. away** *or* **off** (*tablecloth etc*) enlever rapidement; (*person*) emmener rapidement; (*chase away*) chasser.

whiskers ['wɪskəz] *npl* (*of animal*) moustaches *fpl*; (*beard*) barbe *f*; (*moustache*) moustache *f*; **(side) w.** favoris *mpl*.

whisky, *Am* **whiskey** ['wɪskɪ] *n* whisky *m*.

whisper ['wɪspər] *vti* chuchoter; **w. to me!** chuchote à mon oreille!; – *n* chuchotement *m*; (*rumour*) *Fig* rumeur *f*, bruit *m*.

whistle ['wɪs(ə)l] *n* sifflement *m*; (*object*) sifflet *m*; **to blow** *or* **give a w.** siffler; – *vti* siffler; **to w. at** (*girl*) siffler; **to w. for** (*dog, taxi*) siffler.

Whit [wɪt] *a* **W. Sunday** dimanche *m* de Pentecôte.

white [waɪt] *a* (**-er, -est**) blanc; **to go** *or* **turn w.** blanchir; **w. coffee** café *m* au lait; **w. elephant** *Fig* objet *m or* projet *m etc* inutile; **w. lie** pieux mensonge *m*; **w. man** blanc *m*; **w. woman** blanche *f*; – *n* (*colour, of egg, of eye*) blanc *m*; (*person*) blanc *m*, blanche *f*. ◆**white-collar 'worker** *n* employé, -ée *mf* de bureau. ◆**whiten** *vti* blanchir. ◆**whiteness** *n* blancheur *f*. ◆**whitewash** *n* (*for walls etc*) blanc *m* de chaux; – *vt* blanchir à la chaux; (*person*) *Fig* blanchir; (*faults*) justifier.

whiting ['waɪtɪŋ] *n* (*fish*) merlan *m*.

Whitsun ['wɪts(ə)n] *n* la Pentecôte.

whittle ['wɪt(ə)l] *vt* **to w. down** (*wood*) tailler; (*price etc*) *Fig* rogner.

whizz [wɪz] **1** *vi* (*rush*) aller à toute vitesse; **to w. past** passer à toute vitesse; **to w. through the air** fendre l'air. **2** *a* **w. kid** *Fam* petit prodige *m*.

who [huː] *pron* qui; **w. did it?** qui (est-ce qui) a fait ça?; **the woman w.** la femme qui; **w. did you see** tu as vu qui? ◆**who'ever** *pron* (*no matter who*) qui que ce soit qui; (*object*) qui que ce soit que; **w. has travelled** (*anyone who*) quiconque a *or* celui qui a voyagé; **w. you are** qui que vous soyez; **this man, w. he is** cet homme, quel qu'il soit; **w. did that?** qui donc a fait ça?

whodunit [huː'dʌnɪt] *n* (*detective story*) *Fam* polar *m*.

whole [həʊl] *a* entier; (*intact*) intact; **the w. time** tout le temps; **the w. apple** toute la pomme, la pomme (tout) entière; **the w. truth** toute la vérité; **the w. world** le monde entier; **the w. lot** le tout; **to swallow sth w.** avaler qch tout rond; – *n* (*unit*) tout *m*; (*total*) totalité *f*; **the w. of the village** le village (tout) entier, tout le village; **the w. of the night** toute la nuit; **on the w., as a w.** dans l'ensemble. ◆**whole-'hearted** *a*, ◆**whole-'heartedly** *adv* sans réserve. ◆**wholemeal** *a*, *Am* ◆**wholewheat** *a* (*bread*) complet. ◆**wholly** *adv* entièrement.

wholesale ['həʊlseɪl] *n Com* gros *m*; – *a* (*firm*) de gros; (*destruction etc*) *Fig* en masse; – *adv* (*in bulk*) en gros; (*to buy or sell one article*) au prix de gros; (*to destroy etc*) *Fig* en masse. ◆**wholesaler** *n* grossiste *mf*.

wholesome ['həʊlsəm] *a* (*food, climate etc*) sain.

whom [huːm] *pron* (*object*) que; (*in questions and after prep*) qui; **w. did she see?** qui a-t-elle vu?; **the man w. you know** l'homme que tu connais; **with w.** avec qui; **of w.** dont.

whooping cough ['huːpɪŋkɒf] *n* coqueluche *f*.

whoops! [wʊps] *int* (*apology etc*) oups!

whopping ['wɒpɪŋ] *a* (*big*) *Fam* énorme. ◆**whopper** *n Fam* chose *f* énorme.

whore [hɔːr] *n* (*prostitute*) putain *f*.

whose [huːz] *poss pron & a* à qui, de qui; **w. book is this?, w. is this book?** à qui est ce livre?; **w. daughter are you?** de qui es-tu la fille?; **the woman w. book I have** la femme dont *or* de qui j'ai le livre; **the man w. mother I spoke to** l'homme à la mère de qui j'ai parlé.

why [waɪ] **1** *adv* pourquoi; **w. not?** pourquoi pas?; – *conj* **the reason w. they . . .** la raison pour laquelle ils . . . ; – *npl* **the whys and wherefores** le pourquoi et le comment. **2** *int* (*surprise*) eh bien!, tiens!

wick [wɪk] *n* (*of candle, lamp*) mèche *f*.

wicked ['wɪkɪd] *a* (*evil*) méchant, vilain; (*mischievous*) malicieux. ◆**—ly** *adv* méchamment; malicieusement. ◆**—ness** *n* méchanceté *f*.

wicker ['wɪkər] *n* osier *m*; – *a* (*chair etc*) en osier, d'osier. ◆**wickerwork** *n* (*objects*) vannerie *f*.

wicket ['wɪkɪt] *n* (*cricket stumps*) guichet *m*.

wide [waɪd] *a* (**-er, -est**) large; (*desert, ocean*) vaste; (*choice, knowledge, variety*) grand; **to be three metres w.** avoir trois mètres de large; – *adv* (*to fall, shoot*) loin du but; (*to open*) tout grand. ◆**wide-'awake** *a* (*alert, not sleeping*) éveillé. ◆**widely** *adv* (*to broadcast, spread*) largement; (*to travel*) beaucoup; **w. different** très différent; **it's w. thought** *or* **believed that . . .** on pense généralement que . . . . ◆**widen** *vt* élargir; – *vi* s'élargir. ◆**wideness** *n* largeur *f*.

widespread ['waɪdspred] *a* (très) répandu.

widow ['wɪdəʊ] *n* veuve *f*. ◆**widowed** *a* (*man*) veuf; (*woman*) veuve; **to be w.** (*become a widower or widow*) devenir veuf *or* veuve. ◆**widower** *n* veuf *m*.

width [wɪdθ] *n* largeur *f*.

wield [wiːld] *vt* (*handle*) manier; (*brandish*) brandir; (*power*) *Fig* exercer.

wife [waɪf] *n* (*pl* **wives**) femme *f*, épouse *f*.

wig [wɪg] *n* perruque *f*.

wiggle ['wɪg(ə)l] *vt* agiter; **to w. one's hips** tortiller des hanches; – *vi* (*of worm etc*) se tortiller; (*of tail*) remuer.

wild [waɪld] *a* (**-er, -est**) (*animal, flower, region etc*) sauvage; (*enthusiasm, sea*) déchaîné; (*idea, life*) fou; (*look*) farouche; (*angry*) furieux (**with** contre); **w. with** (*joy, anger etc*) fou de; **I'm not w. about it** (*plan etc*) *Fam* ça ne m'emballe pas; **to be w. about s.o.** (*very fond of*) être dingue de qn; **to grow w.** (*of plant*) pousser à l'état sauvage; **to run w.** (*of animals*) courir en liberté; (*of crowd*) se déchaîner; **the W. West** *Am* le Far West; – *npl* régions *fpl* sauvages. ◆**wildcat 'strike** *n* grève *f* sauvage. ◆**wild-'goose chase** *n* fausse piste *f*. ◆**wildlife** *n* animaux *mpl* sauvages, faune *f*.

wilderness ['wɪldənəs] *n* désert *m*.

wildly ['waɪldlɪ] *adv* (*madly*) follement; (*violently*) violemment.

wile [waɪl] *n* ruse *f*, artifice *m*.

wilful ['wɪlfəl] *a* (*Am* **willful**) (*intentional, obstinate*) volontaire. ◆**—ly** *adv* volontairement.

will[1] [wɪl] *v aux* **he will come, he'll come** (*future tense*) il viendra (**won't he?** n'est-ce pas?); **you will not come, you won't come** tu ne viendras pas (**will you?** n'est-ce pas?); **w. you have a tea?** veux-tu prendre un thé?; **w. you be quiet!** veux-tu te taire!; **I w.!** (*yes*) oui!; **it won't open** ça ne s'ouvre pas, ça ne veut pas s'ouvrir.

will[2] [wɪl] **1** *vt* (*wish, intend*) vouloir (**that** que (+ *sub*)); **to w. oneself to do** faire un effort de volonté pour faire; – *n* volonté *f*; **against one's w.** à contrecœur; **at w.** (*to depart etc*) quand on veut; (*to choose*) à volonté. **2** *n* (*legal document*) testament *m*. ◆**willpower** *n* volonté *f*.

willing ['wɪlɪŋ] *a* (*helper, worker*) de bonne volonté; (*help etc*) spontané; **to be w. to do** être disposé *or* prêt à faire, vouloir bien faire; – *n* **to show w.** faire preuve de bonne volonté. ◆**—ly** *adv* (*with pleasure*) volontiers; (*voluntarily*) volontairement. ◆**—ness** *n* (*goodwill*) bonne volonté *f*; **his** *or* **her w. to do** (*enthusiasm*) son empressement *m* à faire.

willow ['wɪləʊ] *n* (*tree, wood*) saule *m*. ◆**willowy** *a* (*person*) svelte.

willy-nilly [wɪlɪ'nɪlɪ] *adv* bon gré mal gré, de gré ou de force.

wilt [wɪlt] *vi* (*of plant*) dépérir; (*of enthusiasm etc*) *Fig* décliner.

wily ['waɪlɪ] *a* (**-ier, -iest**) rusé.

wimp [wɪmp] *n* (*weakling*) *Fam* mauviette *f*.

win [wɪn] *n* (*victory*) victoire *f*; – *vi* (*pt & pp* **won**, *pres p* **winning**) gagner; – *vt* (*money, race etc*) gagner; (*victory, prize*) remporter; (*fame*) acquérir; (*friends*) se faire; **to w. s.o. over** gagner qn (**to** à). ◆**winning** *a* (*number, horse etc*) gagnant; (*team*) victorieux; (*goal*) décisif; (*smile*) engageant; – *npl* gains *mpl*.

wince [wɪns] *vi* (*flinch*) tressaillir; (*pull a face*) grimacer; **without wincing** sans sourciller.

winch [wɪntʃ] *n* treuil *m*; – *vt* **to w. (up)** hisser au treuil.

wind¹ [wɪnd] *n* vent *m*; (*breath*) souffle *m*; **to have w.** *Med* avoir des gaz; **to get w. of** *Fig* avoir vent de; **in the w.** *Fig* dans l'air; **w. instrument** *Mus* instrument *m* à vent; – *vt* **to w. s.o.** (*of blow etc*) couper le souffle à qn. ◆**windbreak** *n* (*fence, trees*) brise-vent *m inv*. ◆**windcheater** *n*, *Am* ◆**windbreaker** *n* blouson *m*, coupe-vent *m inv*. ◆**windfall** *n* (*piece of fruit*) fruit *m* abattu par le vent; (*unexpected money*) *Fig* aubaine *f*. ◆**windmill** *n* moulin *m* à vent. ◆**windpipe** *n Anat* trachée *f*. ◆**windscreen** *n*, *Am* ◆**windshield** *n Aut* pare-brise *m inv*; **w. wiper** essuie-glace *m inv*. ◆**windsurfing** *n* **to go w.** faire de la planche à voile. ◆**windswept** *a* (*street etc*) balayé par les vents. ◆**windy** *a* (**-ier, -iest**) venteux, venté; **it's w.** (*of weather*) il y a du vent.

wind² [waɪnd] *vt* (*pt & pp* **wound**) (*roll*) enrouler; **to w. (up)** (*clock*) remonter; **to w. up** (*meeting*) terminer; (*firm*) liquider; – *vi* (*of river, road*) serpenter; **to w. down** (*relax*) se détendre; **to w. up** (*end up*) finir (**doing** par faire); **to w. up with sth** se retrouver avec qch. ◆**–ing** *a* (*road etc*) sinueux; (*staircase*) tournant. ◆**–er** *n* (*of watch*) remontoir *m*.

window ['wɪndəʊ] *n* fenêtre *f*; (*pane*) vitre *f*, carreau *m*; (*in vehicle or train*) vitre *f*; (*in shop*) vitrine *f*; (*counter*) guichet *m*; **French w.** porte-fenêtre *f*; **w. box** jardinière *f*; **w. cleaner** *or Am* **washer** laveur, -euse *mf* de carreaux; **w. dresser** étalagiste *mf*; **w. ledge = windowsill; to go w. shopping** faire du lèche-vitrines. ◆**windowpane** *n* vitre *f*, carreau *m*. ◆**windowsill** *n* (*inside*) appui *m* de (la) fenêtre; (*outside*) rebord *m* de (la) fenêtre.

wine [waɪn] *n* vin *m*; – *a* (*bottle, cask*) à vin; **w. cellar** cave *f* (à vin); **w. grower** viticulteur *m*; **w. list** carte *f* des vins; **w. taster** dégustateur, -trice *mf* de vins; **w. tasting** dégustation *f* de vins; **w. waiter** sommelier *m*; – *vt* **to w. and dine s.o.** offrir à dîner et à boire à qn. ◆**wineglass** *n* verre *m* à vin. ◆**wine-growing** *a* viticole.

wing [wɪŋ] *n* aile *f*; **the wings** *Th* les coulisses *fpl*; **under one's w.** *Fig* sous son aile. ◆**winged** *a* ailé. ◆**winger** *n Sp* ailier *m*. ◆**wingspan** *n* envergure *f*.

wink [wɪŋk] *vi* faire un clin d'œil (**at, to** à); (*of light*) clignoter; – *n* clin *m* d'œil.

winkle ['wɪŋk(ə)l] *n* (*sea animal*) bigorneau *m*.

winner ['wɪnər] *n* (*of contest etc*) gagnant, -ante *mf*; (*of argument, fight*) vainqueur *m*; **that idea/***etc* **is a w.** *Fam* c'est une idée/*etc* en or.

winter ['wɪntər] *n* hiver *m*; – *a* d'hiver; **in (the) w.** en hiver. ◆**wintertime** *n* hiver *m*. ◆**wintry** *a* hivernal.

wip/e [waɪp] *vt* essuyer; **to w. one's feet/hands** s'essuyer les pieds/les mains; **to w. away** *or* **off** *or* **up** (*liquid*) essuyer; **to w. out** (*clean*) essuyer; (*erase*) effacer; (*destroy*) anéantir; – *vi* **to w. up** (*dry the dishes*) essuyer la vaisselle; – *n* coup *m* de torchon *or* d'éponge. ◆**–er** *n Aut* essuie-glace *m inv*.

wir/e ['waɪər] *n* fil *m*; (*telegram*) télégramme *m*; **w. netting** grillage *m*; – *vt* **to w. (up)** (*house*) *El* faire l'installation électrique de; **to w. s.o.** (*telegraph*) télégraphier à qn. ◆**–ing** *n El* installation *f* électrique. ◆**wirecutters** *npl* pince *f* coupante.

wireless ['waɪələs] *n* (*set*) TSF *f*, radio *f*; **by w.** (*to send a message*) par sans-fil.

wiry ['waɪərɪ] *a* (**-ier, -iest**) maigre et nerveux.

wisdom ['wɪzdəm] *n* sagesse *f*.

wise [waɪz] *a* (**-er, -est**) (*prudent*) sage, prudent; (*learned*) savant; **to put s.o. w./be w. to** *Fam* mettre qn/être au courant de; **w. guy** *Fam* gros malin *m*. ◆**wisecrack** *n Fam* (*joke*) astuce *f*; (*sarcastic remark*) sarcasme *m*. ◆**wisely** *adv* prudemment.

-wise [waɪz] *suffix* (*with regard to*) **money/***etc***-wise** question argent/*etc*.

wish [wɪʃ] *vt* souhaiter, vouloir (**to do** faire); **I w. (that) you could help me/could have helped me** je voudrais que/j'aurais voulu que vous m'aidiez; **I w. I hadn't done that** je regrette d'avoir fait ça; **if you w.** si tu veux; **I w. you well** *or* **luck** je vous souhaite bonne chance; **I wished him** *or* **her (a) happy birthday** je lui ai souhaité bon anniversaire; **I w. I could** si seulement je pouvais; – *vi* **to w. for sth** souhaiter qch; – *n* (*specific*) souhait *m*, vœu *m*; (*general*) désir *m*; **the w. for sth/to do** le désir de qch/de faire; **best wishes** (*on greeting card*) meilleurs vœux *mpl*; (*in letter*) amitiés *fpl*, bien amicalement; **send him** *or* **her my best wishes** fais-lui mes amitiés. ◆**wishbone** *n* bréchet *m*. ◆**wishful** *a* **it's w. thinking (on your part)** tu te fais des illusions, tu prends tes désirs pour la réalité.

wishy-washy ['wɪʃɪwɒʃɪ] *a* (*taste, colour*) fade.

wisp [wɪsp] *n* (*of smoke*) volute *f*; (*of hair*)

fine mèche *f*; **a (mere) w. of a girl** une fillette toute menue.

wisteria [wɪ'stɪərɪə] *n Bot* glycine *f*.

wistful ['wɪstfəl] *a* mélancolique et rêveur. ◆**—ly** *adv* avec mélancolie.

wit [wɪt] *n* **1** (*humour*) esprit *m*; (*person*) homme *m or* femme *f* d'esprit. **2 wit(s)** (*intelligence*) intelligence *f* (**to do** de faire); **to be at one's wits'** *or* **wit's end** ne plus savoir que faire.

witch [wɪtʃ] *n* sorcière *f*. ◆**witchcraft** *n* sorcellerie *f*. ◆**witch-hunt** *n Pol* chasse *f* aux sorcières.

with [wɪð] *prep* **1** avec; **come w. me** viens avec moi; **w. no hat** sans chapeau; **I'll be right w. you** je suis à vous dans une minute; **I'm w. you** (*I understand*) *Fam* je te suis; **w. it** (*up-to-date*) *Fam* dans le vent. **2** (*at the house, flat etc of*) chez; **she's staying w. me** elle loge chez moi; **it's a habit w. me** c'est une habitude chez moi. **3** (*cause*) de; **to jump w. joy** sauter de joie. **4** (*instrument, means*) avec, de; **to write w. a pen** écrire avec un stylo; **to fill w.** remplir de; **satisfied w.** satisfait de; **w. my own eyes** de mes propres yeux. **5** (*description*) à; **w. blue eyes** aux yeux bleus. **6** (*despite*) malgré.

withdraw [wɪð'drɔː] *vt* (*pt* **withdrew,** *pp* **withdrawn**) retirer (**from** de); — *vi* se retirer (**from** de). ◆**withdrawn** *a* (*person*) renfermé. ◆**withdrawal** *n* retrait *m*; **to suffer from w. symptoms** (*of drug addict etc*) être en manque.

wither ['wɪðər] *vi* (*of plant etc*) se flétrir; — *vt* flétrir. ◆**—ed** *a* (*limb*) atrophié. ◆**—ing** *a* (*look*) foudroyant; (*remark*) cinglant.

withhold [wɪð'həʊld] *vt* (*pt & pp* **withheld**) (*help, permission etc*) refuser (**from** à); (*decision*) différer; (*money*) retenir (**from** de); (*information etc*) cacher (**from** à).

within [wɪ'ðɪn] *adv* à l'intérieur; — *prep* (*place, container etc*) à l'intérieur de, dans; **w. a kilometre of** à moins d'un kilomètre de; **w. a month** (*to return etc*) avant un mois; (*to finish sth*) en moins d'un mois; (*to pay*) sous un mois; **w. my means** dans (les limites de) mes moyens; **w. sight** en vue.

without [wɪ'ðaʊt] *prep* sans; **w. a tie/***etc* sans cravate/*etc*; **w. doing** sans faire.

withstand [wɪð'stænd] *vt* (*pt & pp* **withstood**) résister à.

witness ['wɪtnɪs] *n* (*person*) témoin *m*; (*evidence*) *Jur* témoignage *m*; **to bear w. to** témoigner de; — *vt* être (le) témoin de, voir; (*document*) signer (pour attester l'authenticité de).

witty ['wɪtɪ] *a* (**-ier, -iest**) spirituel. ◆**witticism** *n* bon mot *m*, mot *m* d'esprit. ◆**wittiness** *n* esprit *m*.

wives [waɪvz] *see* **wife.**

wizard ['wɪzəd] *n* magicien *m*; (*genius*) *Fig* génie *m*, as *m*.

wizened ['wɪz(ə)nd] *a* ratatiné.

wobble ['wɒb(ə)l] *vi* (*of chair etc*) branler, boiter; (*of cyclist, pile etc*) osciller; (*of jelly, leg*) trembler; (*of wheel*) tourner de façon irrégulière. ◆**wobbly** *a* (*table etc*) bancal, boiteux; **to be w. = to wobble.**

woe [wəʊ] *n* malheur *m*. ◆**woeful** *a* triste.

woke, woken [wəʊk, 'wəʊkən] *see* **wake**[1].

wolf [wʊlf] **1** *n* (*pl* **wolves**) loup *m*; **w. whistle** sifflement *m* admiratif. **2** *vt* **to w. (down)** (*food*) engloutir.

woman, *pl* **women** ['wʊmən, 'wɪmɪn] *n* femme *f*; **she's a London w.** c'est une Londonienne; **w. doctor** femme *f* médecin; **women drivers** les femmes *fpl* au volant; **w. friend** amie *f*; **w. teacher** professeur *m* femme; **women's** (*attitudes, clothes etc*) féminin. ◆**womanhood** *n* (*quality*) féminité *f*; **to reach w.** devenir femme. ◆**womanizer** *n Pej* coureur *m* (de femmes *or* de jupons). ◆**womanly** *a* féminin.

womb [wuːm] *n* utérus *m*.

women ['wɪmɪn] *see* **woman.**

won [wʌn] *see* **win.**

wonder ['wʌndər] **1** *n* (*marvel*) merveille *f*, miracle *m*; (*sense, feeling*) émerveillement *m*; **in w.** (*to watch etc*) émerveillé; **(it's) no w.** ce n'est pas étonnant (**that** que (+ *sub*)); — *vi* (*marvel*) s'étonner (**at** de); — *vt* **I w. that** je *or* ça m'étonne que (+ *sub*). **2** *vt* (*ask oneself*) se demander (**if** si, **why** pourquoi); — *vi* (*reflect*) songer (**about** à). ◆**wonderful** *a* (*excellent, astonishing*) merveilleux. ◆**wonderfully** *adv* (*beautiful, hot etc*) merveilleusement; (*to do, work etc*) à merveille.

wonky ['wɒŋkɪ] *a* (**-ier, -iest**) *Fam* (*table etc*) bancal; (*hat, picture*) de travers.

won't [wəʊnt] = **will not.**

woo [wuː] *vt* (*woman*) faire la cour à, courtiser; (*try to please*) *Fig* chercher à plaire à.

wood [wʊd] *n* (*material, forest*) bois *m*. ◆**woodcut** *n* gravure *f* sur bois. ◆**wooded** *a* (*valley etc*) boisé. ◆**wooden** *a* de *or* en bois; (*manner, dancer etc*) *Fig* raide. ◆**woodland** *n* région *f* boisée. ◆**woodpecker** *n* (*bird*) pic *m*. ◆**woodwind** *n* (*instruments*) *Mus* bois *mpl*. ◆**woodwork** *n* (*craft, objects*) menuiserie *f*. ◆**woodworm** *n* (*larvae*) vers *mpl* (du bois); **it has w.** c'est vermoulu. ◆**woody** *a*

(-ier, -iest) (*hill etc*) boisé; (*stem etc*) ligneux.

wool [wʊl] *n* laine *f*; – *a* de laine; (*industry*) lainier. ◆**woollen** *a* de laine; (*industry*) lainier; – *npl* (*garments*) lainages *mpl*. ◆**woolly** *a* (-**ier**, -**iest**) laineux; (*unclear*) *Fig* nébuleux; – *n* (*garment*) *Fam* lainage *m*.

word [wɜːd] *n* mot *m*; (*spoken*) parole *f*, mot *m*; (*promise*) parole *f*; (*command*) ordre *m*; *pl* (*of song etc*) paroles *fpl*; **by w. of mouth** de vive voix; **to have a w. with s.o.** (*speak to*) parler à qn; (*advise, lecture*) avoir un mot avec qn; **in other words** autrement dit; **I have no w. from** (*news*) je suis sans nouvelles de; **to send w. that . . .** faire savoir que . . . ; **to leave w. that . . .** dire que . . . ; **the last w. in** (*latest development*) le dernier cri en matière de; **w. processing** traitement *m* de texte; – *vt* (*express*) rédiger, formuler. ◆**wording** *n* termes *mpl*. ◆**wordy** *a* (-**ier**, -**iest**) verbeux.

wore [wɔːr] *see* **wear 1,2.**

work [wɜːk] *n* travail *m*; (*product*) & *Liter* œuvre *f*, ouvrage *m*; (*building or repair work*) travaux *mpl*; **to be at w.** travailler; **farm w.** travaux *mpl* agricoles; **out of w.** au *or* en chômage; **a day off w.** un jour de congé *or* de repos; **he's off w.** il n'est pas allé travailler; **the works** (*mechanism*) le mécanisme; **a gas works** (*factory*) une usine à gaz; **w. force** main-d'œuvre *f*; **a heavy w. load** beaucoup de travail; – *vi* travailler; (*of machine etc*) marcher, fonctionner; (*of drug*) agir; **to w. on** (*book etc*) travailler à; (*principle*) se baser sur; **to w. at** *or* **on sth** (*improve*) travailler qch; **to w. loose** (*of knot, screw*) se desserrer; (*of tooth*) se mettre à branler; **to w. towards** (*result, agreement, aim*) travailler à; **to w. out** (*succeed*) marcher; (*train*) *Sp* s'entraîner; **it works out at £5** ça fait cinq livres; **it works up to** (*climax*) ça tend vers; **to w. up to sth** (*in speech etc*) en venir à qch; – *vt* (*person*) faire travailler; (*machine*) faire marcher; (*mine*) exploiter; (*miracle*) faire; (*metal, wood etc*) travailler; **to get worked up** s'exciter; **to w. in** (*reference, bolt*) introduire; **to w. off** (*debt*) payer en travaillant; (*excess fat*) se débarrasser de (par l'exercice); (*anger*) passer, assouvir; **to w. out** (*solve*) résoudre; (*calculate*) calculer; (*scheme, plan*) élaborer; **to w. up an appetite** s'ouvrir l'appétit; **to w. up enthusiasm** s'enthousiasmer; **to w. one's way up** (*rise socially etc*) faire du chemin. ◆**working** *a* (*day, clothes etc*) de travail; (*population*) actif; **Monday's a w. day** on travaille le lundi, lundi est un jour ouvré; **w. class** class *f* ouvrière; **in w. order** en état de marche; – *npl* (*mechanism*) mécanisme *m*. ◆**workable** *a* (*plan*) praticable. ◆**worker** *n* travailleur, -euse *mf*; (*manual*) ouvrier, -ière *mf*; (*employee, clerk*) employé, -ée *mf*; **blue-collar w.** col *m* bleu.

workaholic [wɜːkəˈhɒlɪk] *n Fam* bourreau *m* de travail. ◆**'workbench** *n* établi *m*. ◆**working-'class** *a* ouvrier. ◆**'workman** *n* (*pl* -**men**) ouvrier *m*. ◆**'workmanship** *n* maîtrise *f*, travail *m*. ◆**'workmate** *n* camarade *mf* de travail. ◆**'workout** *n Sp* (séance *f*) d'entraînement *m*. ◆**'workroom** *n* salle *f* de travail. ◆**'workshop** *n* atelier *m*. ◆**'work-shy** *a* peu enclin au travail. ◆**work-to-'rule** *n* grève *f* du zèle.

world [wɜːld] *n* monde *m*; **all over the w.** dans le monde entier; **the richest/***etc* **in the world** le *or* la plus riche/*etc* du monde; **a w. of** (*a lot of*) énormément de; **to think the w. of** penser énormément de bien de; **why in the w. . . . ?** pourquoi diable . . . ?; **out of this w.** (*wonderful*) *Fam* formidable; – *a* (*war etc*) mondial; (*champion, cup, record*) du monde. ◆**world-'famous** *a* de renommée mondiale. ◆**worldly** *a* (*pleasures*) de ce monde; (*person*) qui a l'expérience du monde. ◆**world'wide** *a* universel.

worm [wɜːm] **1** *n* ver *m*. **2** *vt* **to w. one's way into** s'insinuer dans; **to w. sth out of s.o.** soutirer qch à qn. ◆**worm-eaten** *a* (*wood*) vermoulu; (*fruit*) véreux.

worn [wɔːn] *see* **wear 1,2;** – *a* (*tyre etc*) usé. ◆**worn-'out** *a* (*object*) complètement usé; (*person*) épuisé.

worry [ˈwʌrɪ] *n* souci *m*; – *vi* s'inquiéter (**about sth** de qch, **about s.o.** pour qn); – *vt* inquiéter; **to be worried** être inquiet; **to be worried sick** se ronger les sangs. ◆**—ing** *a* (*news etc*) inquiétant. ◆**worrier** *n* anxieux, -euse *mf*. ◆**worryguts** *n*, *Am* ◆**worrywart** *n Fam* anxieux, -euse *mf*.

worse [wɜːs] *a* pire, plus mauvais (**than** que); **to get w.** se détériorer; **he's getting w.** (*in health*) il va de plus en plus mal; (*in behaviour*) il se conduit de plus en plus mal; – *adv* plus mal (**than** que); **I could do w.** je pourrais faire pire; **to hate/***etc* **w. than** détester/*etc* plus que; **to be w. off** (*financially*) aller moins bien financièrement; – *n* **there's w. (to come)** il y a pire encore; **a change for the w.** une détérioration. ◆**worsen** *vti* empirer.

worship [ˈwɜːʃɪp] *n* culte *m*; **his W. the Mayor** Monsieur le Maire; – *vt* (-**pp**-)

(*person*) & *Rel* adorer; (*money etc*) *Pej* avoir le culte de; – *vi Rel* faire ses dévotions (**at** à). ◆**worshipper** *n* adorateur, -trice *mf*; (*in church*) fidèle *mf*.
worst [wɜːst] *a* pire, plus mauvais; – *adv* **(the) w.** le plus mal; **to come off w.** (*in struggle etc*) avoir le dessous; – *n* **the w. (one)** (*object, person*) le *or* la pire, le *or* la plus mauvais(e); **the w. (thing) is that . . .** le pire c'est que . . . ; **at (the) w.** au pis aller; **at its w.** (*crisis*) à son plus mauvais point *or* moment; **to get the w. of it** (*in struggle etc*) avoir le dessous; **the w. is yet to come** on n'a pas encore vu le pire.
worsted ['wʊstɪd] *n* laine *f* peignée.
worth [wɜːθ] *n* valeur *f*; **to buy 50 pence w. of chocolates** acheter pour cinquante pence de chocolats; – *a* **to be w.** valoir; **how much** *or* **what is it w.?** ça vaut combien?; **the film's w. seeing** le film vaut la peine *or* le coup d'être vu; **it's w. (one's) while** ça (en) vaut la peine *or* le coup; **it's w. (while) waiting** ça vaut la peine d'attendre. ◆**worthless** *a* qui ne vaut rien. ◆**worth'while** *a* (*book, film etc*) qui vaut la peine d'être lu, vu *etc*; (*activity*) qui (en) vaut la peine; (*contribution, plan*) valable; (*cause*) louable; (*satisfying*) qui donne des satisfactions.
worthy ['wɜːðɪ] *a* **(-ier, -iest)** digne (**of** de); (*laudable*) louable; – *n* (*person*) notable *m*.
would [wʊd, *unstressed* wəd] *v aux* **I w. stay, I'd stay** (*conditional tense*) je resterais; **he w. have done it** il l'aurait fait; **w. you help me, please?** voulez-vous m'aider, s'il vous plaît?; **w. you like some tea?** voudriez-vous (prendre) du thé?; **I w. see her every day** (*used to*) je la voyais chaque jour. ◆**would-be** *a* (*musician etc*) soi-disant.
wound[1] [wuːnd] *vt* (*hurt*) blesser; **the wounded** les blessés *mpl*; – *n* blessure *f*.
wound[2] [waʊnd] *see* **wind**[2].
wove, woven [wəʊv, 'wəʊv(ə)n] *see* **weave**.
wow! [waʊ] *int Fam* (c'est) formidable!
wrangle ['ræŋg(ə)l] *n* dispute *f*; – *vi* se disputer.
wrap [ræp] *vt* **(-pp-) to w. (up)** envelopper; **to w. (oneself) up** (*dress warmly*) se couvrir; **wrapped up in** (*engrossed*) *Fig* absorbé par; – *n* (*shawl*) châle *m*; (*cape*) pèlerine *f*; **plastic w.** *Am* scel-o-frais® *m*. ◆**wrapping** *n* (*action, material*) emballage *m*; **w. paper** papier *m* d'emballage. ◆**wrapper** *n* (*of sweet*) papier *m*; (*of book*) jaquette *f*.
wrath [rɒθ] *n Lit* courroux *m*.
wreak [riːk] *vt* **to w. vengeance on** se venger de; **to w. havoc on** ravager.
wreath [riːθ] *n* (*pl* **-s** [riːðz]) (*on head, for funeral*) couronne *f*.
wreck [rek] *n* (*ship*) épave *f*; (*sinking*) naufrage *m*; (*train etc*) train *m etc* accidenté; (*person*) épave *f* (humaine); **to be a nervous w.** être à bout de nerfs; – *vt* détruire; (*ship*) provoquer le naufrage de; (*career, hopes etc*) *Fig* briser, détruire. ◆**—age** *n* (*fragments*) débris *mpl*. ◆**—er** *n* (*breakdown truck*) *Am* dépanneuse *f*.
wren [ren] *n* (*bird*) roitelet *m*.
wrench [rentʃ] *vt* (*tug at*) tirer sur; (*twist*) tordre; **to w. sth from s.o.** arracher qch à qn; – *n* mouvement *m* de torsion; (*tool*) clé *f* (à écrous), *Am* clé *f* à mollette; (*distress*) *Fig* déchirement *m*.
wrest [rest] *vt* **to w. sth from s.o.** arracher qch à qn.
wrestl/e ['res(ə)l] *vi* lutter (**with s.o.** contre qn); **to w. with** (*problem etc*) *Fig* se débattre avec. ◆**—ing** *n Sp* lutte *f*; **(all-in) w.** catch *m*. ◆**—er** *n* lutteur, -euse *mf*; catcheur, -euse *mf*.
wretch [retʃ] *n* (*unfortunate person*) malheureux, -euse *mf*; (*rascal*) misérable *mf*. ◆**wretched** [-ɪd] *a* (*poor, pitiful*) misérable; (*dreadful*) affreux; (*annoying*) maudit.
wriggle ['rɪg(ə)l] *vi* **to w. (about)** se tortiller; (*of fish*) frétiller; **to w. out of** (*difficulty, task etc*) esquiver; – *vt* (*fingers, toes*) tortiller.
wring [rɪŋ] *vt* (*pt & pp* **wrung**) (*neck*) tordre; **to w. (out)** (*clothes*) essorer; (*water*) faire sortir; **to w. sth out of s.o.** *Fig* arracher qch à qn; **wringing wet** (trempé) à tordre.
wrinkle ['rɪŋk(ə)l] *n* (*on skin*) ride *f*; (*in cloth or paper*) pli *m*; – *vt* (*skin*) rider; (*cloth, paper*) plisser; – *vi* se rider; faire des plis.
wrist [rɪst] *n* poignet *m*. ◆**wristwatch** *n* montre-bracelet *f*.
writ [rɪt] *n* acte *m* judiciaire; **to issue a w. against s.o.** assigner qn (en justice).
write [raɪt] *vt* (*pt* **wrote**, *pp* **written**) écrire; **to w. down** noter; **to w. off** (*debt*) passer aux profits et pertes; **to w. out** écrire; (*copy*) recopier; **to w. up** (*from notes*) rédiger; (*diary, notes*) mettre à jour; – *vi* écrire; **to w. away** *or* **off** *or* **up for** (*details etc*) écrire pour demander; **to w. back** répondre; **to w. in** *Rad TV* écrire (**for information**/*etc* pour demander des renseignements/*etc*). ◆**w.-off** *n* **a (complete) w.-off** (*car*) une véritable épave. ◆**w.-up** *n* (*report*) *Journ* compte rendu *m*. ◆**writing** *n* (*handwriting*) écriture *f*; (*literature*) littérature *f*; **to put (down) in w.** mettre par écrit; **some w.** (*on page*) quelque chose d'écrit; **his** *or* **her**

writing(s) (*works*) ses écrits *mpl*; **w. desk** secrétaire *m*; **w. pad** bloc *m* de papier à lettres; **w. paper** papier *m* à lettres. ◆**writer** *n* auteur *m* (**of** de); (*literary*) écrivain *m*.
writhe [raɪð] *vi* (*in pain etc*) se tordre.
written [ˈrɪt(ə)n] *see* **write**.
wrong [rɒŋ] *a* (*sum, idea etc*) faux, erroné; (*direction, time etc*) mauvais; (*unfair*) injuste; **to be w.** (*of person*) avoir tort (**to do** de faire); (*mistaken*) se tromper; **it's w. to swear**/*etc* (*morally*) c'est mal de jurer/*etc*; **it's the w. road** ce n'est pas la bonne route; **you're the w. man** (*for job etc*) tu n'es pas l'homme qu'il faut; **the clock's w.** la pendule n'est pas à l'heure; **something's w.** quelque chose ne va pas; **something's w. with the phone** le téléphone ne marche pas bien; **something's w. with her arm** elle a quelque chose au bras; **nothing's w.** tout va bien; **what's w. with you?** qu'est-ce que tu as?; **the w. way round** *or* **up** à l'envers; – *adv* mal; **to go w.** (*err*) se tromper; (*of plan*) mal tourner; (*of vehicle, machine*) tomber en panne; – *n* (*injustice*) injustice *f*; (*evil*) mal *m*; **to be in the w.** avoir tort; **right and w.** le bien et le mal; – *vt* faire (du) tort à. ◆**wrongdoer** *n* (*criminal*) malfaiteur *m*. ◆**wrongful** *a* injustifié; (*arrest*) arbitraire. ◆**wrongfully** *adv* à tort. ◆**wrongly** *adv* incorrectement; (*to inform, translate*) mal; (*to suspect etc*) à tort.
wrote [rəʊt] *see* **write**.
wrought [rɔːt] *a* **w. iron** fer *m* forgé. ◆**w.-ˈiron** *a* en fer forgé.
wrung [rʌŋ] *see* **wring**.
wry [raɪ] *a* (**wryer, wryest**) (*comment*) ironique; (*smile*) forcé; **to pull a w. face** grimacer.

X

X, x [eks] *n* X, x *m*. ◆**X-ray** *n* (*beam*) rayon *m* X; (*photo*) radio(graphie) *f*; **to have an X-ray** passer une radio; **X-ray examination** examen *m* radioscopique; – *vt* radiographier.
xenophobia [zenəˈfəʊbɪə] *n* xénophobie *f*.
Xerox® [ˈzɪərɒks] *n* photocopie *f*; – *vt* photocopier.
Xmas [ˈkrɪsməs] *n Fam* Noël *m*.
xylophone [ˈzaɪləfəʊn] *n* xylophone *m*.

Y

Y, y [waɪ] *n* Y, y *m*.
yacht [jɒt] *n* yacht *m*. ◆**—ing** *n* yachting *m*.
yank [jæŋk] *vt Fam* tirer d'un coup sec; **to y. off** *or* **out** arracher; – *n* coup *m* sec.
Yank(ee) [ˈjæŋk(ɪ)] *n Fam* Ricain, -aine *mf*, *Pej* Amerloque *mf*.
yap [jæp] *vi* (**-pp-**) (*of dog*) japper; (*jabber*) *Fam* jacasser.
yard [jɑːd] *n* **1** (*of house etc*) cour *f*; (*for storage*) dépôt *m*, chantier *m*; (*garden*) *Am* jardin *m* (*à l'arrière de la maison*); **builder's y.** chantier *m* de construction. **2** (*measure*) yard *m* (*= 91,44 cm*). ◆**yardstick** *n* (*criterion*) mesure *f*.
yarn [jɑːn] *n* **1** (*thread*) fil *m*. **2** (*tale*) *Fam* longue histoire *f*.
yawn [jɔːn] *vi* bâiller; – *n* bâillement *m*. ◆**—ing** *a* (*gulf etc*) béant.
yeah [jeə] *adv* (*yes*) *Fam* ouais.
year [jɪər] *n* an *m*, année *f*; (*of wine*) année *f*; **school/tax**/*etc* **y.** année *f* scolaire/fiscale/*etc*; **this y.** cette année; **in the y. 1990** en (l'an) 1990; **he's ten years old** il a dix ans; **New Y.** Nouvel An, Nouvelle Année; **New Year's Day** le jour de l'An; **New Year's Eve** la Saint-Sylvestre. ◆**yearbook** *n* annuaire *m*. ◆**yearly** *a* annuel; – *adv* annuellement.
yearn [jɜːn] *vi* **to y. for s.o.** languir après qn; **to y. for sth** avoir très envie de qch; **to y. to do** avoir très envie de faire. ◆**—ing** *n* grande envie *f* (**for** de, **to do** de faire); (*nostalgia*) nostalgie *f*.
yeast [jiːst] *n* levure *f*.
yell [jel] *vti* **to y. (out)** hurler; **to y. at s.o.** (*scold*) crier après qn; – *n* hurlement *m*.

yellow ['jeləʊ] **1** *a & n (colour)* jaune (*m*); – *vi* jaunir. **2** *a (cowardly) Fam* froussard. ◆**yellowish** *a* jaunâtre.
yelp [jelp] *vi (of dog)* japper; – *n* jappement *m*.
yen [jen] *n (desire)* grande envie *f* (**for** de, **to do** de faire).
yes [jes] *adv* oui; (*contradicting negative question*) si; – *n* oui *m inv*.
yesterday ['jestədɪ] *adv & n* hier (*m*); **y. morning/evening** hier matin/soir; **the day before y.** avant-hier.
yet [jet] **1** *adv* encore; (*already*) déjà; **she hasn't come (as) y.** elle n'est pas encore venue; **has he come y.?** est-il déjà arrivé?; **the best y.** le meilleur jusqu'ici; **y. more complicated** (*even more*) encore plus compliqué; **not (just) y., not y. awhile** pas pour l'instant. **2** *conj* (*nevertheless*) pourtant.
yew [juː] *n (tree, wood)* if *m*.
Yiddish ['jɪdɪʃ] *n & a* yiddish (*m*).
yield [jiːld] *n* rendement *m*; (*profit*) rapport *m*; – *vt (produce)* produire, rendre; (*profit*) rapporter; (*give up*) céder (**to** à); – *vi* (*surrender, give way*) céder (**to** à); (*of tree, land etc*) rendre; **'y.'** (*road sign*) *Am* 'cédez la priorité'.
yob(bo) ['jɒb(əʊ)] *n* (*pl* **yob(bo)s**) *Sl* loubar(d) *m*.
yoga ['jəʊgə] *n* yoga *m*.
yog(h)urt ['jɒgət, *Am* 'jəʊgɜːt] *n* yaourt *m*.
yoke [jəʊk] *n (for oxen) & Fig* joug *m*.
yokel ['jəʊk(ə)l] *n Pej* plouc *m*.
yolk [jəʊk] *n* jaune *m* (d'œuf).
yonder ['jɒndər] *adv Lit* là-bas.
you [juː] *pron* **1** (*polite form singular*) vous; (*familiar form singular*) tu; (*polite and familar form plural*) vous; (*object*) vous; te, t'; *pl* vous; (*after prep & stressed*) vous; toi; *pl* vous; **(to) y.** (*indirect*) vous; te, t'; *pl* vous; **y. are** vous êtes; tu es; **I see y.** je vous vois; je te vois; **I give it to y.** je vous le donne; je te le donne; **with y.** avec vous; avec toi; **y. teachers** vous autres professeurs; **y. idiot!** espèce d'imbécile! **2** (*indefinite*) on; (*object*) vous; te, t'; *pl* vous; **y. never know** on ne sait jamais.
young [jʌŋ] *a* (**-er, -est**) jeune; **my young(er) brother** mon (frère) cadet; **his** *or* **her youngest brother** le cadet de ses frères; **the youngest son** le cadet; – *n* (*of animals*) petits *mpl*; **the y.** (*people*) les jeunes *mpl*. ◆**young-looking** *a* qui a l'air jeune. ◆**youngster** *n* jeune *mf*.
your [jɔːr] *poss a* (*polite form singular, polite and familiar form plural*) votre, *pl* vos; (*familiar form singular*) ton, ta, *pl* tes; (*one's*) son, sa, *pl* ses. ◆**yours** *poss pron* le vôtre, la vôtre, *pl* les vôtres; (*familiar form singular*) le tien, la tienne, *pl* les tien(ne)s; **this book is y.** ce livre est à vous *or* est le vôtre; ce livre est à toi *or* est le tien; **a friend of y.** un ami à vous; un ami à toi. ◆**your'self** *pron* (*polite form*) vous-même; (*familiar form*) toi-même; (*reflexive*) vous; te, t'; (*after prep*) vous; toi; **you wash y.** vous vous lavez; tu te laves. ◆**your'selves** *pron pl* vous-mêmes; (*reflexive & after prep*) vous.
youth [juːθ] *n* (*pl* **-s** [juːðz]) (*age, young people*) jeunesse *f*; (*young man*) jeune *m*; **y. club** maison *f* des jeunes. ◆**youthful** *a* (*person*) jeune; (*quality, smile etc*) juvénile, jeune. ◆**youthfulness** *n* jeunesse *f*.
yoyo ['jəʊjəʊ] *n* (*pl* **-os**) yo-yo *m inv*.
yucky ['jʌkɪ] *a Sl* dégueulasse.
Yugoslav ['juːgəʊslɑːv] *a & n* yougoslave (*mf*). ◆**Yugo'slavia** *n* Yougoslavie *f*.
yummy ['jʌmɪ] *a* (**-ier, -iest**) *Sl* délicieux.
yuppie ['jʌpɪ] *n* jeune cadre *m* ambitieux, jeune loup *m*, NAP *mf*.

Z

Z, z [zed, *Am* ziː] *n* Z, z *m*.
zany ['zeɪnɪ] *a* (**-ier, -iest**) farfelu.
zeal [ziːl] *n* zèle *m*. ◆**zealous** ['zeləs] *a* zélé. ◆**zealously** *adv* avec zèle.
zebra ['ziːbrə, 'zebrə] *n* zèbre *m*; **z. crossing** passage *m* pour piétons.
zenith ['zenɪθ] *n* zénith *m*.
zero ['zɪərəʊ] *n* (*pl* **-os**) zéro *m*; **z. hour** *Mil & Fig* l'heure H.
zest [zest] *n* **1** (*gusto*) entrain *m*; (*spice*) *Fig* piquant *m*; **z. for living** appétit *m* de vivre. **2** (*of lemon, orange*) zeste *m*.
zigzag ['zɪgzæg] *n* zigzag *m*; – *a & adv* en zigzag; – *vi* (**-gg-**) zigzaguer.
zinc [zɪŋk] *n* (*metal*) zinc *m*.
zip [zɪp] **1** *n* **z. (fastener)** fermeture *f* éclair®; – *vt* (**-pp-**) **to z. (up)** fermer (avec une fermeture éclair®). **2** *n* (*vigour*) *Fam*

entrain *m*; – *vi* (**-pp-**) (*go quickly*) aller comme l'éclair. **3** *a* **z. code** *Am* code *m* postal. ◆**zipper** *n Am* fermeture *f* éclair®.

zit [zɪt] *n* (*pimple*) *Am Fam* bouton *m*.

zither ['zɪðər] *n* cithare *f*.

zodiac ['zəʊdɪæk] *n* zodiaque *m*.

zombie ['zɒmbɪ] *n* (*spiritless person*) *Fam* robot *m*, zombie *m*.

zone [zəʊn] *n* zone *f*; (*division of city*) secteur *m*.

zoo [zuː] *n* zoo *m*. ◆**zoological** [zuːə'lɒdʒɪk(ə)l] *a* zoologique. ◆**zoology** [zuː'ɒlədʒɪ] *n* zoologie *f*.

zoom [zuːm] **1** *vi* (*rush*) se précipiter; **to z. past** passer comme un éclair. **2** *n* **z. lens** zoom *m*; – *vi* **to z. in** *Cin* faire un zoom, zoomer (**on** sur).

zucchini [zuː'kiːnɪ] *n* (*pl* **-ni** *or* **-nis**) *Am* courgette *f*.

zwieback ['zwiːbæk] *n* (*rusk*) *Am* biscotte *f*.

INTRODUCTION

Cette grammaire anglaise a été conçue pour répondre aux besoins de ceux qui étudient l'anglais. Elle est tout particulièrement adaptée à la préparation au baccalauréat. Les règles essentielles de la langue anglaise, ainsi que les termes techniques employés, sont accompagnés d'explications claires et précises qui les rendent tout à fait accessibles. Vous trouverez également un glossaire des termes grammaticaux de la page 684 à la page 689.

Les usages écrits de la langue n'ont pas été ignorés, mais les exemples cités ont été tiré de l'anglais d'aujourd'hui.

Cette grammaire, avec ses nombreux exemples vivants et représentatifs de l'usage quotidien, représente un outil de travail et de réference idéal pour tous les niveaux ; du débutant qui effectue ses premiers pas en anglais à l'utilisateur plus avancé qui recherche un ouvrage de référence complet et facilement accessible.

TABLE DES MATIERES

1 GLOSSAIRE DES TERMES GRAMMATICAUX

ABSTRAIT	Un nom abstrait est un nom qui ne désigne pas un objet physique ou une personne, mais une qualité ou un concept. *Bonheur, vie, longueur* sont des exemples de noms abstraits.
ACTIF	L'actif ou la voix active est la forme de base du verbe, comme dans *je le surveille*. Elle s'oppose à la forme passive (*il est surveillé par moi*).
ADJECTIF	C'est un mot qui décrit un nom. Parmi les adjectifs on distingue les adjectifs qualificatifs (*une* ***petite*** *maison*), les adjectifs démonstratifs (***cette*** *maison*), les adjectifs possessifs (***ma*** *maison*), etc.
ADJECTIF SUBSTANTIVE	C'est un adjectif employé comme nom. Par exemple l'adjectif *jeune* peut aussi s'employer comme nom, comme dans *il y a beaucoup de jeunes ici*.
ADVERBE	Les adverbes accompagnent normalement un verbe pour ajouter une information supplémentaire en indiquant **comment** l'action est accomplie (adverbe de manière), **quand**, **où** et **avec quelle intensité** l'action est accomplie (adverbes de temps, de lieu et d'intensité), ou **dans quelle mesure** l'action est accomplie (adverbes de quantité). Certains adverbes peuvent aussi s'employer avec un adjectif ou un autre adverbe (par exemple *une fille* ***très*** *mignonne*, ***trop*** *bien*).
APPOSITION	On dit qu'un mot ou une proposition est en apposition par rapport à un autre mot ou une autre proposition lorsque l'un ou l'autre est placé directement après le nom ou la proposition, sans y être relié par aucun mot (par exemple *M. Duclos*, ***notre directeur***, *a téléphoné ce matin*).
ARTICLE DEFINI	Les articles définis sont *le, la, les* en français. Ils correspondent tous à **the** en anglais.
ARTICLE INDEFINI	Les articles indéfinis sont *un, une* en français. Ils correspondent à **a** (ou **an**) en anglais.
ASPECT	L'aspect correspond à la manière dont on envisage l'action et son déroulement dans le temps. On distingue l'aspect simple, l'aspect progressif (ou continu) et le "perfect".

ATTRIBUT Groupe nominal placé juste après le verbe "être". Dans la phrase *he is a school teacher*, *a school teacher* est l'attribut.

AUXILIAIRE Les auxiliaires sont employés pour former les temps composés d'autres verbes, par exemple dans **he has gone** (il est parti), **has** et "est" sont les auxiliaires. En anglais on distingue les "auxiliaires ordinaires" (**have**, **be**, **do**), et les "auxiliaires modaux", ou "défectifs" (**can**, **could**, **may**, etc.). Voir MODAL.

CARDINAL Les nombre cardinaux sont *un*, *deux*, *trois*, etc. On les oppose aux nombres ordinaux. Voir ORDINAL.

COLLECTIF Un collectif est un nom qui désigne un groupe de gens ou de choses, mais qui est au singulier. Par exemple **flock** (troupeau) et **fleet** (flotte) sont des collectifs.

COMPARATIF Le comparatif des adjectifs et des adverbes permet d'établir une comparaison entre deux personnes, deux choses ou deux actions. En français on emploie *plus ... que*, *moins ... que* et *aussi ... que* pour exprimer une comparaison.

COMPLEMENT D'OBJET DIRECT Groupe nominal ou pronom qui accompagne un verbe sans préposition entre les deux. Par exemple *j'ai rencontré* **un ami**.

COMPLEMENT D'OBJET INDIRECT Groupe nominal ou pronom qui suit un verbe, normalement séparé de ce dernier par une préposition (en général **à**) : *je parle* ***à mon ami.*** Vous noterez qu'en français comme en anglais on omet souvent la préposition devant un pronom. Par exemple dans *je lui ai envoyé un cadeau*, *lui* est l'équivalent de *à lui* : c'est le complément d'objet indirect.

CONDITIONNEL Mode verbal employé pour exprimer ce que quelqu'un ferait ou ce qu'arriverait si une condition était remplie, par exemple : ***il viendrait*** *s'il le pouvait*; *la chaise* **se serait cassée** *s'il s'était assis dessus*.

CONJONCTION Les conjonctions sont de mots qui relient deux mots ou propositions. On distingue les conjonctions de coordination, comme *et*, *ou*, *or*, et les conjonctions de subordination comme *parce que*, *après que*, *bien que*, qui introduisent une proposition subordonnée.

CONJUGAISON La conjugaison d'un verbe est l'ensemble des formes d'un verbe à des temps et des modes différents.

CONTINU Voir FORME PROGRESSIVE.

DEFECTIF Voir MODAL.

DEMONSTRATIF Les adjectifs démonstratifs (*ce, cette, ces*, etc.) et les pronoms démonstratifs (*celui-ci, celui-là*, etc.) s'emploient pour désigner une personne ou un objet bien précis.

DENOMBRABLE Un nom est dénombrable s'il peut avoir un pluriel et si on peut l'employer avec un article indéfini. Par exemple **house** (maison), **car** (voiture), **dog** (chien).

EXCLAMATION Mots ou phrases employés pour exprimer une surprise, une joie ou un mécontentement, etc. (*quoi !, comment !, quelle chance !, ah non !*).

FAMILIER Le langage familier est le langage courant d'aujourd'hui employé dans la langue parlée, mais pas à l'écrit, comme dans les lettres officielles, les contrats, etc.

FORME PROGRESSIVE La forme progressive d'un verbe se forme avec **to be** + participe présent, comme dans : *I am thinking, he has been writing all day, will she be staying with us?*. On l'appelle aussi forme continue.

GERONDIF Le gérondif est aussi appelé "verbe substantivé". En anglais, il a la même forme que le **participe présent** d'un verbe, c.-à-d. radical + **ing**. Par exemple : ***skiing is fun*** : *le ski, c'est amusant*, ***I'm fed up with waiting*** : *j'en ai assez d'attendre*.

IDIOMATIQUE Les expressions idiomatiques (ou idiomes) sont des expressions qui ne peuvent normalement pas se traduire mot à mot dans une autre langue. Par exemple *he thinks he's the cat's whiskers* correspond en français à *il se croit sorti de la cuisse de Jupiter*.

IMPERATIF On emploie ce mode pour exprimer un ordre (par exemple : *va-t'en, tais-toi !*) ou pour faire des suggestions (*allons-y*).

INDENOMBRABLE Les noms indénombrables sont des noms qui n'ont normalement pas de pluriel, par exemple *le beurre, la paresse*.

INDICATIF C'est le mode le plus courant, celui qui décrit l'action ou l'état, comme dans *j'aime, il est venu, nous essayons*. Il s'oppose au subjonctif, au conditionnel et à l'impératif.

INFINITIF L'infinitif en anglais est la forme de base, comme on la trouve dans les dictionnaires précédée ou non de **to** : **to eat** ou **eat**. On appelle cette forme sans **to** le radical.

INTERROGATIF Les mots interrogatifs sont employés pour poser des questions, par exemple *qui ? pourquoi ?*. La forme interrogative d'une phrase est la question, par exemple *le connaît-il ?, dois-je le faire ? peuvent-ils attendre un peu ?*

MODAL Les auxiliaires modaux en anglais sont **can/could, may/might, must/had to, shall/should, will/would**, de même que **ought to, used to, dare** et **need**. Une de leurs caractéristiques est qu'aux formes interrogative et négative, ils se construisent sans **do**.

MODE Le mode représente l'attitude du sujet parlant vis-à-vis de l'action dont il est question dans la phrase. Voir INDICATIF, SUBJONCTIF, CONDITIONNEL, IMPERATIF.

NOM Mot servant à désigner une chose, un être animé, un lieu ou des idées abstraites. Par exemple *passeport, chat, magasin, vie*. On distingue aussi les dénombrables, les indénombrables et les collectifs. Voir DENOMBRABLE, INDENOMBRABLE et COLLECTIF.

NOMBRE Le nombre d'un nom indique si celui-ci est **singulier** ou **pluriel**. Un nom singulier fait référence à une seule chose ou une seule personne (*train, garçon*), et un nom pluriel à plusieurs (*trains, garçons*).

OBJET DIRECT Voir COMPLEMENT

OBJET INDIRECT Voir COMPLEMENT

ORDINAL Les nombres ordinaux sont *premier, deuxième, troisième*, etc.

PARTICIPE PASSE En français c'est la forme *mangé, vendu*, etc. Le participe passé anglais est la forme verbale employée après *have*, comme dans *I have* ***eaten***, *I have* ***said***, *you have* ***tried***, *it has been* ***rained on***.

PARTICIPE PRESENT Le participe présent en anglais est la forme verbale qui se termine en *-ing*.

PASSIF Un verbe est au passif ou à la voix passive lorsque le sujet ne fait pas l'action mais la subit : *les tickets sont vendus à l'entrée*. En anglais, la voix passive est formée avec le verbe **to be** et le participe passé du verbe, par exemple : ***he was rewarded*** *il fut récompensé*.

PAST PERFECT Voir PERFECT.

PERFECT C'est l'aspect qui peut exprimer une action accomplie ou une action du passé qui se poursuit dans le présent. On distingue le *present perfect*, comme dans **I have seen** (j'ai vu), le *past perfect* (ou *pluperfect*) comme dans **I had seen** (j'avais vu).

PERSONNE Pour chaque temps, il y a trois personnes du singulier (1ère : *je*, 2ème : *tu*, 3ème : *il/elle/on*) et trois personnes du pluriel (1ère : *nous*, 2ème : *vous*, 3ème : *ils/elles*).

PHRASE	Une phrase est un groupe de mots qui peut être composé d'une ou plusieurs propositions (voir PROPOSITION). La fin d'une phrase est en général indiquée par un point, un point d'exclamation ou un point d'interrogation.
PLUPERFECT	Voir PERFECT.
PLURIEL	Voir NOMBRE.
POSSESSIF	Les adjectifs ou les pronoms possessifs s'emploient pour indiquer la possession ou l'appartenance. Ce sont des mots comme *mon/le mien, ton/le tien, notre/le nôtre*, etc.
PRESENT PERFECT	Voir PERFECT.
PRONOM	Un pronom est un mot qui remplace un nom. Il en existe différentes catégories : * **pronoms personnels** (*je, me, moi, tu, te, toi, etc.)* * **pronoms démonstratifs** (*celui-ci, celui-là*, etc.) * **pronoms relatifs** (*qui, que*, etc.) * **pronoms interrogatifs** (*qui ?, quoi ?, lequel ?*, etc.) * **pronoms possessifs** (*le mien, le tien*, etc.) * **pronoms réfléchis** (*me, te, se*, etc.) * **pronoms indéfinis** (*quelque chose, tout*, etc.)
PROPOSITION	Une proposition est un groupe de mots qui contient au moins un sujet et un verbe : *il chante* est une proposition. Une phrase peut être composée de plusieurs propositions : *il chante/quand il prend sa douche/et qu'il est content*.
PROPOSITION SUBORDONNEE	Une proposition subordonnée est une proposition qui dépend d'une autre. Par exemple dans : *il a dit qu'il viendrait, qu'il viendrait* est la proposition subordonnée.
QUESTIONS	Il existe deux types de questions : les questions au style **direct**, qui sont des questions telles qu'elles ont été posées, avec une point d'interrogation (par exemple, *quand viendra-t-il ?*) ; les questions au style **indirect**, qui sont introduites par une proposition et ne nécessitent pas de point d'interrogation (par exemple : *je me demande quand il viendra*).
RADICAL	Voir INFINITIF.
REFLECHI	Les verbes réfléchis "renvoient" l'action sur le sujet (par exemple *je me suis habillé*). Ils sont moins nombreux en anglais qu'en français.
SINGULIER	Voir NOMBRE.

SUBJONCTIF Par exemple : *il faut que je* ***sois*** *prêt,* ***vive*** *le Roi*. Le subjonctif est un mode qui n'est pas très souvent employé en anglais.

SUJET Le sujet d'un verbe est le nom ou le pronom qui accomplit l'action. Dans les phrases *je mange du chocolat* et *Pierre a deux chats*, *je* et *Pierre* sont des sujets.

SUPERLATIF C'est la forme d'un adjectif ou d'un adverbe qui, en français, se construit avec *le plus ...*, *le moins ...*

TEMPS Le temps d'un verbe indique quand l'action a lieu, c'est-à-dire le présent, le passé, le futur.

TEMPS COMPOSE Les temps composés sont les temps qui se construisent avec plus d'un élément. En anglais, ils sont formés par l'**auxiliaire** et le participe **présent** ou **passé** du verbe conjugué. Par exemple : *I am reading, I have gone*.

VERBE Le verbe est un mot qui décrit une action (*chanter, marcher*). Il peut aussi décrire un état (*être, paraître, espérer*).

VERBE COMPOSE Un verbe composé (en anglais) est un verbe comme *ask for* ou *run up*. Son sens est généralement différent de la somme des sens des deux parties qui le composent, par exemple : ***he goes in for skiing in a big way*** *il adore faire du ski* (différent de : ***he goes in for a medical next week*** *il va se faire examiner la semaine prochaine*), ***he ran up an enormous bill*** *ça lui a fait une note énorme* (différent de : ***he ran up the road*** *il a monté la rue en courant*).

VOIX Il existe deux voix pour les verbes : la voix active et la voix passive. Voir ACTIF et PASSIF.

2 LES ARTICLES

A LES FORMES

a) L'article indéfini "un/une" se traduit par **a** devant une consonne et **an** devant une voyelle :

a cat	un chat
an owl	une chouette
a dog	un chien
an umbrella	un parapluie

Il est cependant important de se souvenir que l'on emploie **a/an** selon que l'initiale du mot qui suit se prononce comme une voyelle ou non. Ainsi le "h" muet est précédé de **an** :

an hour	une heure
an heir	un héritier
an honest man	un honnête homme

Il en est de même pour les abréviations commençant phonétiquement par une voyelle :

an MP	un membre du Parlement

En revanche, la diphtongue se prononçant "iou" et qui s'écrit "eu" ou "u" est précédée de **a** :

a university	une université
a eucalyptus tree	un eucalyptus
a union	un syndicat

Avec le mot **hotel** on peut employer soit **a** ou **an**, bien que dans le langage parlé, on préfère l'emploi de **a**.

b) L'article défini "le", "la", "les" se traduit toujours par **the** :

the cat	le chat
the owl	la chouette
the holidays	les vacances

On peut prononcer le **e** de **the** un peu comme un "i" français lorsque le mot qui suit commence phonétiquement par une voyelle (voir a) ci-dessus), comme pour **the owl**, ou lorsqu'il est accentué :

he's definitely *the* man for the job
voilà vraiment l'homme qu'il faut pour ce travail

B LA POSITION DE L'ARTICLE

L'article précède le nom et tout adjectif (avec ou sans adverbe) placé devant un nom :

a smart hat/the smart hat
un chapeau élégant/le chapeau élégant

a very smart hat/the very smart hat
un chapeau très élégant/le chapeau très élégant

Cependant **all** et **both** précèdent l'article défini :

they had all the fun
ce sont eux qui se sont bien amusés

both the men (= both men) were guilty
les deux hommes étaient tous les deux coupables

Et les adverbes **quite** et **rather** précèdent normalement l'article :

it was quite/rather a good play
c'était une assez bonne pièce

it was quite the best play I've seen
c'était vraiment la meilleure pièce que j'aie jamais vue

Cependant, **quite** et **rather** se placent parfois *après* l'article indéfini comme dans :

that was a rather unfortunate remark to make
c'était une remarque plutôt regrettable

that would be a quite useless task
ce serait une tâche tout à fait inutile

Les adverbes **too**, **so** et **as** précèdent l'adjectif et l'article indéfini. On a donc la construction :

too/so/as + adjectif + article + nom :

if that is not too great a favour to ask
si ce n'est pas trop vous demander

never have I seen so boring a film
je n'ai jamais vu de film aussi ennuyeux

I have never seen as fine an actor as Olivier
je n'ai jamais vu d'acteur aussi bon qu'Olivier

On peut aussi trouver **many a** (plus d'un), **such a** (un tel) et **what a** (quel !) :

many a man would do the same
plus d'un homme ferait la même chose

she's such a fool
elle est tellement idiote

what a joke!
quelle blague !

Remarquez qu'avec **such** l'adjectif suit l'article indéfini, tandis qu'avec **so** il le précède (voir aussi ci-dessus) :

I have never seen such a beautiful painting
je n'ai jamais vu une peinture aussi belle

I have never seen so beautiful a painting
je n'ai jamais vu une peinture aussi belle

Half (la moitié de) aussi précède habituellement l'article :

half the world knows about this
presque tout le monde est au courant

I'll be back in half an hour
je serai de retour dans une demi-heure

Mais si **half** et le nom forment un mot composé, l'article se place en premier :

why don't you buy just a half bottle of rum?
pourquoi n'achètes-tu pas juste une bouteille de rhum d'un demi-litre ?

C'est-à-dire une petite bouteille de rhum. Comparez :

he drank half a bottle of rum
il a bu la moitié d'une bouteille de rhum

C L'EMPLOI DES ARTICLES

1 L'ARTICLE INDEFINI (a, an)

Normalement l'article défini s'emploie uniquement pour les noms dénombrables, mais comme nous le verrons p. 702, on peut discuter le fait qu'un nom soit dénombrable ou pas.

a) Devant un nom générique, pour faire référence à une catégorie ou une espèce :

a mouse is smaller than a rat
une souris est plus petite qu'un rat

A mouse et **a rat** représentent les souris et les rats en général. Avec une légère différence de sens, l'article défini peut aussi s'employer devant un terme générique. Voir ci-dessous p. 712.

Remarquez que le terme générique **man** représentant l'humanité (à la différence de **a man**, **a male human being** "un homme") ne prend pas l'article :

a dog is man's best friend
le chien est le meilleur ami de l'homme

b) Avec des noms attributs du sujet ou dans des appositions, ou bien après **as**, en particulier avec des noms de métiers à la différence du français :

he is a hairdresser
il est coiffeur

she has become a Member of Parliament
elle est devenue membre du Parlement

Miss Behrens, a singer of formidable range, had no problems with the role
Miss Behrens, chanteuse au registre de voix extraordinaire, n'avait aucun problème à tenir le rôle

John Adams, a real tough guy, was leaning casually on the bar
John Adams, un vrai dur, était appuyé négligemment au bar

he used to work as a skipper
il travaillait comme capitaine

L'article indéfini s'emploie dans de tels cas lorsque le nom fait partie d'un groupe. S'il n'y a pas appartenance à un groupe, on omet l'article, comme dans l'exemple suivant, où la personne mentionnée est unique :

she is now Duchess of York
elle est maintenant duchesse d'York

Professor Draper, head of the English department
le Professeur Draper, chef du département d'anglais

Si le nom fait référence à une caractéristique plutôt qu'à une appartenance à un groupe, on omet aussi l'article (on l'omet toujours après **turn**) :

he turned traitor
il s'est vendu à l'ennemi

surely you're man enough to stand up to her
tu es sûrement homme à lui tenir tête

mais : **be a man!**
sois un homme !

Si on a une liste de mots en apposition, on peut omettre l'article :

Maria Callas, opera singer, socialite and companion of Onassis, died in her Paris flat yesterday
Maria Callas, cantatrice, membre de la haute société et compagne d'Onassis, est morte hier à Paris, dans son appartement

On emploie l'article défini **the** pour une personne célèbre (ou pour distinguer une personne d'une autre ayant le même nom) :

Maria Callas, the opera singer ...
Maria Callas, la cantatrice ...

c) Comme préposition

L'article indéfini peut s'employer dans le sens de "par", comme dans les exemples suivants :

haddock is £1.80 a kilo
le haddock fait 1,80 livres le kilo

take two tablets twice a day
prenez deux comprimés deux fois par jour

d) Avec **little** (peu de + *sing.*) et **few** ("peu de" + *pl.*)

L'article indéfini qui accompagne ces deux mots indique un sens positif (un peu de). Employés seuls, **little** et **few** ont un sens négatif :

she needs a little attention (= some attention)
elle a besoin d'un peu d'attention

she needs little attention (= hardly any attention)
elle a besoin de peu d'attention

they have a few paintings (= some)
ils ont quelques tableaux

they have few paintings (= hardly any)
ils ont peu de tableaux

Cependant **only a little/few** signifient plus ou moins la même chose que **little/few** qui sont moins courants :

I have only a little coffee left (= hardly any)
il ne me reste presque plus de café

I can afford only a few books (= hardly any)
je ne peux me permettre d'acheter que quelques livres

Remarquez aussi l'expression **a good few** qui équivaut à "pas mal de" en français :

there are a good few miles to go yet
il y a encore pas mal de miles à parcourir

he's had a good few (to drink)
il a pas mal bu

2 L'ARTICLE DEFINI (the)

a) L'article défini s'emploie avec des noms dénombrables et des noms indénombrables :

the butter (indénombrable) le beurre
the cup (sing. dénombrable) la tasse
the cups (pl. dénombrable) les tasses

b) Comme l'article indéfini, l'article défini peut s'employer devant un nom générique. Il paraît alors plus scientifique :

the mouse is smaller than the rat (comparez avec 1a) ci-dessus)
la souris est plus petite que le rat

when was the potato first introduced to Europe?
quand est-ce que la pomme de terre fut introduite en Europe pour la première fois ?

c) Un groupe prépositionnel après un nom peut avoir pour fonction soit de définir ou préciser le nom, soit de le décrire. S'il définit le nom, il faut employer l'article défini :

I want to wear the trousers on that hanger
je veux mettre le pantalon qui est sur ce cintre

she has just met the man of her dreams
elle vient juste de rencontrer l'homme de sa vie

the parcels from Aunt Mary haven't arrived yet
les paquets de tante Mary ne sont pas encore arrivés

Si par contre le groupe prépositionnel sert à décrire ou à classifier plutôt qu'à définir, on omet normalement l'article :

everywhere we looked we saw trousers on hangers
partout où nous regardions nous voyions des pantalons sur des cintres

knowledge of Latin and Greek is desirable
des connaissances en latin et en grec sont souhaitées

presence of mind is what he needs
ce qu'il lui faut, c'est de la présence d'esprit

I always love receiving parcels from Aunt Mary
j'aime toujours recevoir des paquets de tante Mary

Dans la phrase :

the presence of mind that she showed was extraordinary
la présence d'esprit dont elle a fait preuve était extraordinaire

l'emploi de **the** est obligatoire parce que l'on fait référence à un exemple de présence d'esprit bien précis, comme le fait apparaître la proposition relative qui suit.

Cependant quand le complément du nom introduit par **of** sert à la fois à décrire et à définir le nom, c'est-à-dire que le nom n'est ni totalement général, ni totalement spécifique, on emploie l'article défini :

the women of Paris (= women from Paris, in general)
les femmes de Paris

the children of such families (= children from such families)
les enfants de telles familles

d) L'omission de l'article défini

A la différence du français, l'omission de l'article défini en anglais est très fréquente. Ainsi un grand nombre de noms ne sont pas précédés de l'article s'ils font référence à une fonction ou à des caractéristiques en général, plutôt qu'à l'objet. Ces catégories de noms comprennent :

i) les institutions, par exemple :

church	l'église
prison	la prison
college	le collège d'enseignement supérieur
school	l'école
court	le tribunal
university	l'université
hospital	l'hôpital

Exemples:

do you go to church?
tu vas à la messe (tous les dimanches) ?

she's in hospital again and he's in prison
elle est encore une fois à l'hôpital et il est en prison

aren't you going to school today?
tu ne vas pas à l'école aujourd'hui ?

Joan is at university
Joan est à l'université

Cependant en anglais américain on préfère l'emploi de l'article défini devant **hospital** :

Wayne is back in the hospital
Wayne est de retour à l'hôpital

Si le nom fait référence à un objet physique (le bâtiment) plutôt qu'à sa fonction, on emploie alors **the** :

walk up to the church and turn right
allez jusqu'à l'église, puis tournez à droite

the taxi stopped at the school
le taxi s'est arrêté devant l'école

The s'emploie aussi pour désigner un nom défini ou précisé par le contexte :

at the university where his father studied
à l'université où son père a étudié

she's at the university
elle est à l'université (dans cette ville, etc.)

Pour faire référence à l'institution en général on emploie l'article :

the Church was against it
l'Eglise était contre

ii) les moyens de transport précédés de **by** :

we always go by bus/car/boat/train/plane
nous partons toujours en bus/en voiture/en bateau/par le train/par avion

iii) les repas :

can you meet me before lunch?
tu peux me voir avant le déjeuner ?

buy some haddock for tea, will you?
achète du haddock pour le dîner, veux-tu ?

Mais si l'on fait référence à une occasion précise, on emploie l'article. Ainsi il existe une grande différence entre :

I enjoy lunch j'aime le déjeuner
et :
I am enjoying the lunch j'apprécie ce déjeuner

Dans le premier cas on fait référence au plaisir de manger à midi ; dans le second cas à un repas particulier.

iv) les moments de la journée et de la nuit après une préposition autre que **in** et **during** :

I don't like going out at night
je n'aime pas sortir le soir/la nuit

these animals can often be seen after dusk
on peut souvent voir ces animaux après le crépuscule

they go to bed around midnight
ils vont se coucher vers minuit

mais :

see you in the morning!
à demain matin !

if you feel peckish during the day, have an apple
si tu as faim dans la journée, mange une pomme

v) les saisons, en particulier pour exprimer un contraste par rapport à une autre saison plutôt que pour faire référence à une période de l'année. Ainsi :

spring is here! (winter is over)
le printemps est là (l'hiver est fini)

it's like winter today
on se croirait en hiver aujourd'hui

mais :

the winter was spent at expensive ski resorts
on passait l'hiver dans des stations de ski chères

he needed the summer to recover
il avait besoin de l'été pour récupérer

Après **in** on emploie parfois l'article défini, avec très peu de différence de sens entre les deux cas :

most leaves turn yellow in (the) autumn
la plupart des feuilles deviennent jaunes en automne

En anglais américain, on préfère l'emploi de **the**.

vi) dans les combinaisons **next/last** dans les expressions de temps :

Si de telles expressions sont envisagées par rapport au présent, on n'emploie normalement pas l'article :

can we meet next week?
est-ce qu'on peut se voir la semaine prochaine ?

he was drunk last night
il était ivre hier soir/la nuit dernière

Dans les autres cas on emploie l'article :

we arrived on March 31st and the next day was spent relaxing by the pool
nous sommes arrivés le 31 mars et on a passé le jour suivant à se relaxer près de la piscine

vii) avec des noms abstraits :

a talk about politics
un discours sur la politique

a study of human relationships
une étude sur les relations humaines

suspicion is a terrible thing
le soupçon est une chose terrible

Mais, bien sûr, lorsque le mot est précisé on emploie l'article voir 2c) ci-dessus) :

the politics of disarmament
la politique de désarmement

viii) avec certaines maladies :

he has diabetes	**I've got jaundice**
il a du diabète	j'ai la jaunisse

Cependant pour certaines maladies communes, on peut employer l'article dans un anglais un peu plus familier :

she has (the) flu	**he's got (the) measles**
elle a la grippe	il a la rougeole

ix) avec les noms de couleurs :

red is my favourite colour
le rouge est ma couleur préférée

x) avec les noms de matériaux, d'aliments, de boissons, et de corps chimiques, etc. :

oxygen is crucial to life
l'oxygène est indispensable à la vie

concrete is used less nowadays
on emploie moins le béton de nos jours

I prefer corduroy
je préfère le velours côtelé

it smells of beer
ça sent la bière

xi) devant les noms de langues et de matières scolaires :

German is harder than English
l'allemand est plus difficile que l'anglais

Remarquez ici l'emploi des majuscules en anglais.

I hate maths
je déteste les maths

xii) devant les noms pluriels à sens général :

he loves antiques	**he's frightened of dogs**
il adore les antiquités	il a peur des chiens

e) L'article défini n'est normalement pas employé lorsque l'on fait référence à des noms de pays, de comtés, d'états :

Switzerland	la Suisse
England	l'Angleterre
Sussex	le Sussex
Texas	le Texas
in France	en France
to America	en Amérique

i) mais il existe quelques exceptions :

the Yemen	le Yémen
(the) Sudan	le Soudan
(the) Lebanon	le Liban

et lorsque le nom du pays est qualifié :

the People's Republic of China	**the Republic of Ireland**
la République Populaire de Chine	la République d'Irlande

ii) les noms de lieux au pluriel prennent l'article :

the Philippines	les Philippines
the Shetlands	les Shetlands
the Azores	les Açores
the Midlands	les Midlands
the Borders	la région des Borders
the Netherlands	les Pays-Bas
the United States	les Etats-Unis

Il en est de même pour les noms de famille :

the Smiths
les Smith

iii) les fleuves, les rivières et les océans prennent l'article :

the Thames	la Tamise
the Danube	le Danube
the Pacific	le Pacifique
the Atlantic	l'Atlantique

iv) les noms de régions prennent l'article :

the Tyrol	le Tyrol
the Orient	l'Orient

the Ruhr la Ruhr
the Crimea la Crimée

the City (of London) la Cité de Londres
the East End le East End

v) les noms de montagnes et de lacs ne prennent pas l'article :

Ben Nevis le Ben Nevis
K2 le K2
Lake Michigan le lac Michigan

mais les chaînes de montagnes sont précédées de l'article :

the Himalayas l'Himalaya
the Alps les Alpes

Il existe cependant des exceptions :

the Matterhorn le mont Cervin
the Eiger l'Eiger

vi) les noms de rues, de parcs et de places, etc. ne prennent normalement pas l'article :

he lives in Wilton Street
il habite Wilton Street

they met in Hyde Park
ils se sont rencontrés à Hyde Park

there was a concert in Trafalgar Square
il y avait un concert à Trafalgar Square

Mais il existe des exceptions. Parfois l'article fait partie intégrante du nom :

the Strand le Strand

et parfois on trouve des exceptions fondées sur un usage purement local :

the Edgware Road l'Edgware Road

f) On omet l'article dans les énumérations (même à deux termes) :

the boys and girls
les garçons et les filles

the hammers, nails and screwdrivers
les marteaux, les clous et les tourne-vis

g) Les noms d'hôtels, de pubs, de restaurants, de théâtres, de cinémas, de musées sont normalement précédés de **the** :

the Caledonian (Hotel), the Red Lion, the Copper Kettle, the Old Vic, the Odeon, the Tate (Gallery)

Mais vous noterez **Covent Garden** (l'opéra royal) et **Drury Lane** (un théâtre du West End à Londres).

h) Les journaux et quelques magazines prennent **the** : **the Observer, the Independent, the Daily Star**

et par exemple les magazines : **the Spectator, the Economist**

Cependant la plupart des magazines ne sont pas précédés de l'article : **Woman's Own, Punch, Private Eye**, etc.

et les deux magazines de télévision et de radio, que l'on appelait autrefois **The Radio Times** et **The TV Times** (et que certains appellent encore ainsi) sont aujourd'hui mentionnés sans article lorsqu'on en fait la publicité à la télévision : **Radio Times** et **TV Times**

i) Les instruments de musique

L'article défini s'emploie lorsqu'on fait référence à une aptitude :

she plays the clarinet
elle joue de la clarinette

Cependant lorsqu'on fait référence à une occasion précise plutôt qu'à une aptitude d'ordre général, on omet l'article :

in this piece he plays bass guitar
il joue de la basse dans ce morceau

j) Les noms de titres sont normalement précédés de l'article défini :

the Queen	la reine
the President	le président

Cependant lorsque le titre est suivi du nom de la personne on omet l'article défini :

Doctor MacPherson	le docteur MacPherson
Queen Elizabeth	la reine Elizabeth

Remarquez : **Christ** le Christ

k) L'omission de l'article défini pour produire un effet spécial :

i) On omet parfois l'article défini pour produire un effet particulier ; soit pour dénoter une importance, un statut ou parfois dans un jargon :

all pupils will assemble in hall
tous les élèves se rassembleront dans le hall

the number of delegates at conference
le nombre des délégués à la conférence

ii) les gros titres de journaux (omission de l'article indéfini aussi) :

Attempt To Break Record Fails
Tentative de pulvériser le record échoue

New Conference Centre Planned
Projet pour un nouveau Palais des Congrès

iii) les instructions (omission de l'article indéfini aussi) :

break glass in emergency
casser la vitre en cas d'urgence

Pour la traduction de l'article partitif voir p. 768-772. Pour les articles avec les parties du corps voir p. 757.

3 LES NOMS

A LES TYPES DE NOMS

Les noms anglais n'ont pas de genre grammatical ("le/la" est toujours **the**).

1 LES NOMS CONCRETS ET LES NOMS ABSTRAITS

On peut classer les noms de différentes manières. On peut ainsi les diviser en (1) noms "concrets", c'est-à-dire des noms faisant référence à des êtres animés ou à des choses : **woman** (femme), **cat** (chat), **stone** (pierre) et en (2) noms "abstraits", c'est-à-dire des noms qui expriment un concept qui n'est pas physique, des caractéristiques ou des activités : **love** (l'amour), **ugliness** (la laideur), **classification** (la classification).

Un grand nombre de noms abstraits sont formés en ajoutant une terminaison (suffixe) à un adjectif, un nom ou un verbe. Cependant beaucoup de noms abstraits ne prennent pas cette terminaison. C'est la cas de **love** (l'amour), **hate** (la haine), **concept** (le concept) par exemple. Voici quelques terminaisons de noms abstraits couramment employées (certaines peuvent aussi s'employer pour des noms concrets).

a) *Les noms abstraits formés à partir d'autres noms*

-age	**percent**+ -age	percentage	pourcentage
-cy	**democrat**+ -cy	democracy	démocratie
-dom	**martyr**+ -dom	martyrdom	martyre
-hood	**child**+ -hood	childhood	enfance
-ism	**alcohol**+ -ism	alcoholism	alcoolisme
-ry	**chemist**+ -ry	chemistry	chimie

b) *Les noms abstraits formés à partir d'adjectifs*

-age	**short**+ -age	shortage	pénurie
-cy	**bankrupt**+ -cy	bankruptcy	faillite
	normal+ -cy	normalcy (anglais américain)	normalité
-hood	**likely**+ -hood	likelihood	probabilité
-ism	**social**+ -ism	socialism	socialisme
-ity	**normal**+ -ity	normality	normalité
-ness	**kind**+ -ness	kindness	gentillesse

c) *Les noms abstraits formés à partir de verbes*

-age	**break**+ -age	breakage	rupture
-al	**arrive**+ -al	arrival	arrivée
-ance	**utter**+ -ance	utterance	déclaration
-(at)ion	**starve**+ -ation	starvation	famine
	operate+ -ion	operation	opération
-ing	voir p. 780 le gérondif		
-ment	**treat**+ -ment	treatment	traitement

Remarquez que la terminaison du nom, de l'adjectif ou du verbe doit parfois subir quelques changements avant d'ajouter le suffixe.

2 LES NOMS COMMUNS ET LES NOMS PROPRES

On peut aussi classer les noms en noms "communs" et en noms "propres", ces derniers faisant référence à des noms de personnes ou à des noms géographiques, de jours et de mois.

communs		propres	
cup	tasse	**Peter**	Pierre
palace	palais	**China**	la Chine
cheese	fromage	**Wednesday**	mercredi
time	le temps	**August**	août
love	l'amour	**Christmas**	Noel

Remarquez que les noms propres s'écrivent avec une majuscule en anglais.

3 LES NOMS DENOMBRABLES ET INDENOMBRABLES

Une classification, déterminante pour l'absence ou la présence de l'article indéfini, permet de distinguer les noms en "dénombrables" et "indénombrables". Un nom dénombrable à part entière peut bien sûr être considéré comme une unité (c'est-à-dire qu'il peut être précédé d'un nombre), et doit avoir une forme au singulier aussi bien qu'au pluriel. Les noms indénombrables à part entière ne sont quant à eux ni au singulier, ni au pluriel, puisque par définition on ne peut les compter, bien qu'ils soient suivis d'un verbe au singulier. On dit qu'ils représentent une "totalité" :

dénombrables

a/one pen/three pens	un crayon/trois crayons
a/one coat/three coats	un manteau/trois manteaux
a/one horse/three horses	un cheval/trois chevaux
a/one child/three children	un enfant/trois enfants

indénombrables

furniture	les/des meubles
spaghetti	les/des spaghettis
information	les/des informations
rubbish	les/des ordures
progress	les/des progrès
fish	les/des poissons
fruit	les/des fruits
news	les/des nouvelles
violence	la violence

Lorsque l'on veut faire référence à une unité de chacun de ces noms indénombrables, il faut faire précéder le nom indénombrable d'un autre nom qui soit dénombrable. Ainsi on emploie, par exemple, **piece** pour indiquer une ou plusieurs unités :

a piece of furniture/two pieces of furniture
un meuble/deux meubles

De même on dira **an act of violence** (un acte de violence), **an item of news** (une nouvelle), **a strand of spaghetti** (un spaghetti) où **act**, **item** et **strand** sont des dénombrables tout à fait normaux. Le dénombrable qui accompagne **cattle** est **head**, qui ne prend jamais -s dans ce sens : **ten head of cattle** (dix têtes de bétail).

Voici d'autres exemples de noms indénombrables à part entière : **baggage** (les bagages), **luggage** (les bagages), **garbage** (les ordures), **advice** (les conseils). Pour un mot comme **knowledge** (la/les connaissance(s)), voir p. 704. Pour **accommodation**, voir p. 707.

a) *Les noms qui sont soit dénombrables, soit indénombrables*

i) Certains noms peuvent être dénombrables ou indénombrables, suivant que leur sens fait référence à une "unité" ou une "totalité". De tels noms font souvent référence à la nourriture ou aux matériaux :

dénombrables	indénombrables
that sheep has only one lamb ce mouton n'a qu'un agneau	**we had lamb for dinner** nous avions de l'agneau pour le dîner
what lovely strawberries quelles belles fraises	**there's too much strawberry in this ice cream** cette glace a trop le goût de fraise
do you like my nylons? tu aimes mes bas ?	**most socks contain nylon** la plupart des chaussettes contiennent du nylon
he bought a paper il a acheté un journal	**I'd like some writing paper** je voudrais du papier à lettres
she's a beauty c'est une beauté	**love, beauty and truth** l'amour, la beauté et la vérité
she has a lovely voice elle a une jolie voix	**she has no voice in the making of decisions** elle n'a pas voix au chapitre lorsqu'il s'agit de prendre des décisions

ii) Comme en français, les noms indénombrables deviennent dénombrables lorsqu'ils représentent "une partie de" ou "une variété de" :

I'd like a coffee je voudrais un café	**two white wines, please** deux vins blancs, s'il vous plaît

Britain has a large selection of cheeses
la Grande-Bretagne a une grande sélection de fromages

a very good beer
une très bonne bière

iii) Certains noms dénombrables sont parfois employés au pluriel pour indiquer une immensité, en général dans un style littéraire :

The Snows of Kilimanjaro
les Neiges du Kilimanjaro

still waters run deep (proverbe)
il faut se méfier de l'eau qui dort

Cependant il est tout à fait normal d'employer **waters** pour faire référence aux eaux territoriales d'un pays (**the territorial limit of Danish waters**), ou aux eaux ayant une vertu médicale : **he has been to take the waters at Vichy** (il a pris les eaux à Vichy).

Weather est considéré comme une "totalité", sauf dans l'expression **in all weathers** (par tous les temps).

b) *Quelques problèmes que posent les dénombrables*

Un nom totalement dénombrable peut être précédé de l'article indéfini, ou de tout adjectif numéral, d'un adjectif démonstratif pluriel (**these**), ou d'un adjectif indéfini (**few, many**), et peut être accompagné d'un verbe au pluriel :

a/one table
three/these/those/few/many tables are ...

Mais certains mots ont un statut ambigu :

i) Par exemple, le mot **data**, "données" (du latin **datum** (sing.), **data** (pl.)). On peut dire **these/those data are** mais rarement **many/few data** (on préfère **much/little data**) et en aucun cas **seven data** car on ne peut pas compter les "**data**". **Data** n'a donc pas de singulier, et l'on devra dire **seven pieces of data**. En fait, ce mot est en passe de devenir indénombrable :

this/that/much/little data is s'entend et s'écrit aujourd'hui plus fréquemment que **these/those/many/few data are**.

ii) **Vegetable** est un autre cas intéressant. En effet on peut dire **many vegetables** (et **a/one vegetable**). Cependant on peut aussi dire **much vegetables** lorsque l'on fait référence à l'ensemble de la catégorie d'aliments "légumes" et non pas à des légumes en particulier :

the Japanese still eat twice as much vegetables, including beans, as the British
les Japonais mangent encore deux fois plus de légumes, dont des haricots, que les Britanniques

Dans cette phrase, on a choisi **much** et non pas **many**, car **many** aurait mis l'accent sur chacun des légumes : **many vegetables** tend à signifier "beaucoup de sortes de légumes" (**many kinds of vegetables**), alors que l'on se réfère ici à la quantité. On aurait aussi pu éviter ce problème en écrivant **a lot of vegetables**. **Much** accompagne donc certains noms au pluriel, indiquant clairement que l'on insiste sur la totalité.

iii) Les mots qui modifient la "quantité" de noms pluriels posent aussi problème : les plus courants d'entre eux étant **less** et **fewer** (moins de). Nombreux sont ceux qui n'emploient plus **fewer** à l'oral avec les noms au pluriel. Ainsi l'usage le plus répandu du comparatif de **few** à l'oral (et souvent à l'écrit) est **less**. **Fewer** a tendance à être soutenu et trop précis, et il est parfaitement normal d'entendre par exemple **less books/students/crimes** (moins de livres/d'étudiants/de crimes) dit par n'importe qui, quel que soit leur niveau d'éducation.

iv) l'article indéfini et le pluriel avec des indénombrables

Certains noms abstraits sont dénombrables à part entière (**possibility**) et certains sont normalement indénombrables à part entière (**indignation, hate, anger**). Certains de ces noms abstraits indénombrables prennent souvent l'article indéfini, en particulier s'ils sont accompagnés par un adjectif ou un groupe adjectival, tel qu'un groupe prépositionnel ou une proposition relative. C'est parce que le groupe adjectival individualise le nom :

candidates must have a good knowledge of English
les candidats doivent avoir des bonnes connaissances en anglais

he expressed an indignation so intense that people were taken aback
il exprima une indignation si véhémente que les gens en ont été stupéfaits

On peut parfois trouver des noms abstraits comme ceux-ci au pluriel. Ainsi **fears** et **doubts** sont fréquents :

he expressed his fears	**I have my doubts**
il exprima ses craintes	j'ai mes doutes

Dans d'autres cas, le pluriel indique des manifestations individuelles d'un concept abstrait :

the use of too many adjectives is one of his stylistic infelicities
l'une de ses maladresses stylistiques réside dans l'emploi d'un trop grand nombre d'adjectifs

c) *Les noms en* ***-ics***

Lorsque ces noms sont considérés comme des concepts abstraits, ils sont suivis d'un verbe au singulier :

mathematics is a difficult subject
les mathématiques sont un sujet difficile

On préférera en revanche un verbe au pluriel lorsque l'on met l'accent sur les manifestations pratiques du concept :

his mathematics are very poor
ses mathématiques sont très faibles (son travail pratique)

what are your politics?
quelles sont vos opinions politiques ?

d) *Les maladies, les jeux et les nouvelles*

Certains noms se terminant par ce qui semble être le **-s** du pluriel sont indénombrables. Le mot **news** par exemple, les maladies telles que **measles** (rougeole), **mumps** (oreillons), **rickets** (rachitisme), **shingles** (zona) et quelques noms des jeux :

the news hasn't arrived yet
la nouvelle n'est pas encore arrivée

mumps is not a dangerous disease
les oreillons ne sont pas une maladie dangereuse

darts is still played in many pubs
on joue encore aux fléchettes dans beaucoup de pubs

billiards is preferred to dice in some countries
on préfère jouer au billard plutôt qu'aux dés dans certains pays

Il en est de même pour **bowls** (boules), **dominoes** (dominos), **draughts** (dames) et **checkers** ("dames" en anglais américain).

e) *Noms de "paires"*

Certain noms au pluriel faisant référence à des objets composés de deux parties égales n'ont pas de forme au singulier, et doivent être précédés de **a pair of** si l'on veut mettre l'accent sur leur nombre :

my trousers are here
mon pantalon est ici

this is a good pair of trousers
c'est un bon pantalon

two new pairs of trousers
deux pantalons neufs

de même :

bellows (soufflet), **binoculars** (jumelles), **glasses** (lunettes), **knickers** (culotte, slip), **pants** (culotte), **pincers** (tenailles), **pyjamas** (**pajamas** en anglais américain) (pyjama), **pliers** (pinces, tenailles), **scales** (balance), **scissors** (ciseaux), **shears** (cisailles), **shorts** (short), **spectacles** (lunettes), **tights** (bas), **tongs** (fer à friser), **tweezers** (pince à épiler)

f) *Noms que l'on ne trouve normalement qu'au pluriel et qui sont suivis d'un verbe au pluriel :*

i) **arms** (armes), **arrears** (arriéré(s)), **auspices** (auspices), **banns** (bans (de mariage)), **clothes** (vêtements), **customs** (douane(s)), **dregs** (la lie), **earnings** (revenus), **entrails** (entrailles), **goods** (marchandise(s)), **greens** (légumes verts), **guts** (boyaux, courage), **lodgings** (logement(s)), **looks** (apparence(s)), **manners** (manières), **means** (moyens (financiers)), **odds** (cote(s)), **outskirts** (environs, banlieue(s)), **pains** (peine, effort), **premises** (locaux), **quarters** (résidence(s)), **remains** (restes), **riches** (richesse(s)), **spirits** (humeur, alcool), **(soap) suds** (mousse de savon), **surroundings** (environs, cadre), **tropics** (tropiques), **valuables** (objets de valeur)

et le nom italien au pluriel **graffiti** (qui est aussi accompagné d'un verbe au singulier)

Ces noms sont normalement accompagnés d'un verbe au pluriel, mais ils ont parfois aussi une forme au singulier, qui entraîne souvent un changement de sens :

ashes (cendres en général) mais **cigar(ette) ash, tobacco ash** (la cendre de cigar(ette)/tabac)

contents (le contenu) mais **content** (la quantité qui peut être contenue) :

show me the contents of your purse
montre-moi le contenu de ton porte-monnaie

mais :

what exactly is the lead content of petrol?
quelle est la teneur exacte de l'essence en plomb ?

funds (des fonds) mais **fund** (un fonds), par exemple :

I'm short of funds
je suis à court de fonds

mais :

we started a church roof repair fund
nous avons commencé à faire une collecte pour réparer le toit de l'église

stairs : plus courant que **stair** au sens de **flight of stairs** ((volée d')escalier). **Stair** peut aussi faire référence à une marche dans un escalier.

thanks : vous noterez la possibilité d'employer l'article indéfini devant un adjectif (pas de singulier dans ce cas) :

a very special thanks to ...
un grand merci à ...

wages: souvent au singulier aussi, particulièrement lorsqu'il est précédé d'un adjectif :

all we want is a decent wage
tout ce que nous voulons c'est un salaire correct

Accommodations (logement) est employé en anglais américain. En anglais britannique, on emploie **accommodation** comme indénombrable représentant une totalité.

ii) Quelques noms ne portent jamais la marque du pluriel :

cattle (bétail), **clergy** ((membres du) clergé), **livestock** ((têtes de) bétail), **police** (police, policiers), **vermin** (vermine, parasites)

Mais même **clergy** et **police** peuvent parfois être accompagnés d'un article indéfini, s'ils sont qualifiés par un adjectif, un groupe prépositionnel ou une proposition relative. Dans de tels cas il existe une différence de sens importante entre **clergymen** (ecclésiastiques) et **body of clergymen** (ensemble du clergé), et **policemen** (policiers) et **police force** (la police). Comparez :

seventy-five clergy were present
75 membres du clergé étaient présents

the problem is whether the country needs a clergy with such old-fashioned views
le problème est de savoir si le pays a besoin d'un clergé aux opinions aussi dépassées

at least thirty police were needed for that task
on a eu besoin d'au moins 30 policiers pour cette tâche

the country needed a semi-military police
le pays avait besoin d'une police semi-militaire

Folk dans le sens de "gens", "personnes", ne prend normalement pas de -s en anglais britannique :

some folk just don't know how to behave
certaines personnes ne savent pas se tenir

tandis qu'en anglais américain on dit **folks**, ce qui en anglais britannique est normalement employé lorsqu'on s'adresse familièrement à des personnes et qui signifie aussi "famille, parents" :

sit down, folks (anglais britannique)
asseyez-vous mes amis

I'd like you to meet my folks (anglais britannique)
j'aimerais que vous rencontriez ma famille

Youth "la jeunesse" (génération) peut être suivi aussi bien d'un verbe au singulier que d'un verbe au pluriel :

our country's youth has/have little to look forward to
la jeunesse de notre pays a peu de perspectives d'avenir

mais il est dénombrable dans le sens de "jeune homme" :

they arrested a youth/two youths
ils ont arrêté un jeune/deux jeunes

g) *Les noms collectifs*

i) Ce sont des noms qui, au singulier, sont accompagnés d'un verbe au singulier quand le nom désigne un totalité, ou d'un verbe au pluriel si on désire mettre l'accent sur les membres du groupe :

the jury is one of the safeguards of our legal system (sing.)
le jury est garant de notre système législatif

the jury have returned their verdict (pluriel)
le jury a rendu son verdict

Remarquez **their** (leur) dans le second exemple. Les pronoms faisant référence à de tels noms s'accordent normalement en nombre avec le verbe :

as the crowd moves forward it becomes visible on the hill-top
alors que la foule avance, on l'aperçoit au sommet de la colline

the crowd have been protesting for hours; they are getting very impatient
la foule a protesté pendant des heures ; elle commence à s'impatienter

L'emploi du verbe au pluriel est plus répandu en anglais britannique qu'en américain.

Les mots suivants sont des exemples typiques de noms collectifs :
army (armée), **audience** (public), **choir** (chorale), **chorus** (refrain, choeur), **class** (classe), **committee** (comité), **enemy** (ennemi), **family** (famille), **firm** (firme), **gang** (gang), **(younger and older) generation** (génération (jeune, ancienne)), **government** (gouvernement), **group** (groupe), **majority** (majorité), **minority** (minorité), **orchestra** (orchestre), **Parliament** (Parlement), **proletariat** (prolétariat), **public** (public), **team** (équipe).

Les noms de nations faisant référence à une équipe (sportive) sont normalement accompagnés d'un verbe au pluriel en anglais britannique :

France have beaten England
la France a battu l'Angleterre

bien que le singulier et le pluriel soient tout aussi corrects.

ii) Remarquez que les noms de pays au pluriel se comportent comme des noms collectifs :

the Philippines has its problems like any other country (sing.)
les Philippines ont leurs problèmes comme tout autre pays

the Philippines consist of a group of very beautiful islands (pluriel)
les Philippines se composent d'un groupe de très belles îles

Il en est de même pour **the Bahamas**, **the United States**, etc.

iii) Les mots **crew** (équipage), **staff** (personnel), **people** (peuple) sont souvent des noms collectifs, comme dans :

the crew is excellent (sing.)
l'équipage est excellent

the crew have all enjoyed themselves (pluriel)
l'équipage s'est bien amusé

the staff of that school has a good record (sing.)
le personnel de cette école a obtenu de bons résultats

the staff don't always behave themselves (pluriel)
le personnel ne se conduit pas toujours bien

it is difficult to imagine a people that has suffered more (sing.)
il est difficile d'imaginer peuple qui ait plus souffert

the people have not voted against the re-introduction of capital punishment (pluriel)
le peuple n'a pas voté contre le rétablissement de la peine capitale

Ces trois mots diffèrent des autres noms collectifs par le fait qu'ils peuvent être des dénombrables à part entière, avec ou sans la terminaison **-s** au pluriel, suivant leur sens. Si le pluriel est en **-s**, il est le même que le pluriel en **-s** d'autres noms collectifs :

five crews/staffs/peoples (nations)/**armies/governments**, etc.

Cependant, le pluriel sans **-s** fait référence à des membres individuels :

the captain had to manage with only fifteen crew/ le capitaine devait se débrouiller avec seulement quinze membres d'équipage

the English Department had to get rid of five staff
le département d'anglais a dû renvoyer cinq personnes

he spoke to six people about it
il a parlé à six personnes à ce sujet

On peut tout aussi bien dire **crew members**, **staff members** or **members of staff** au pluriel.

Pour **clergy** et **police**, voir p. 707.

B LES FORMES

1 LES PLURIELS EN -(E)S

a) La marque du pluriel est normalement **-(e)s** en anglais :

soup : soups	soupe(s)
peg : pegs	pince(s) à linge
bus : buses	bus
quiz : quizzes	jeu(x) télévisé(s)
bush : bushes	buisson(s)
match : matches	allumette(s)
page : pages	page(s)

-es s'emploie pour des mots en **-s**, **-z**, **-ch** ou **-sh**. On le prononce alors /ɪz/.

b) Pour les noms se terminant par une consonne plus **-y**, le **-y** se transforme en **-ies** :

lady : ladies	dame(s), demoiselle(s)
loony : loonies	cinglé(s)

Mais le pluriel régulier en **-s** s'emploie lorsque le **-y** est précédé par une voyelle :

trolley : trolleys	chariot(s)

Une exception à cela : l'usage de **monies** (sommes d'argent) dans un registre soutenu ou juridique :

all monies currently payable to the society
toutes les sommes d'argent maintenant dues à la société

Pour plus de détails, voir la section **L'Orthographe**, p. 872.

c) Les noms en **-o** prennent parfois un **-s**, parfois **-es** au pluriel. Il est difficile d'établir des règles précises dans ce cas, cependant on peut dire que l'on ajoute seulement un **-s** si (1) le **-o** suit une autre voyelle (**embryo : embryos** embryons), **studio - studios** studios) ; ou si (2) le nom est une abréviation (**photo - photos, piano - pianos** (de **pianoforte**)). Dans d'autres cas, il est difficile de généraliser, bien que l'on puisse observer une préférence pour le **-s** avec des mots qui ont encore une connotation étrangère pour les britanniques :

(avec **-es**) **echo**, **cargo** (cargaison), **hero**, **mosquito** (moustique), **negro**, **potato** (pomme de terre), **tomato**, **torpedo** (torpille)

(avec **-s**) **canto** (chant), **memento**, **proviso** (stipulation), **quarto**, **solo**, **zero**, **zoo**

(avec **-s** or **-es**) **banjo**, **buffalo** (buffle), **commando**, **flamingo** (flamand rose), **motto**, **volcano**

d) Pour certains noms en **-f(e),** le **-f** se transforme en **-ve** au pluriel :

calf : calves	veau(x)

Il en est de même pour : **elf**, **half** (moitié), **knife** (couteau), **leaf** (feuille d'arbre), **life** (vie), **loaf** (pain), **self** (soi), **sheaf** (gerbe), **shelf** (étagère), **thief** (voleur), **wife** (épouse), **wolf** (loup).

Certains peuvent avoir un pluriel en **-ves** ou en **-s** :

dwarf : **dwarfs/dwarves**	nain(s)
hoof : hoofs/hooves	sabot(s)
scarf : **scarfs/scarves**	écharpe(s)
wharf : **wharfs/wharves**	quai(s)

Un grand nombre de ces mots conservent le **-f** :

belief : beliefs	croyance(s)

Il en est de même pour **chief** (chef), **cliff** (falaise), **proof** (preuve), **roof** (toit), **safe** (coffre-fort), **sniff** (reniflement), etc.

e) Quelques mots français se terminant avec un **-s** muet au singulier ne changent pas leur pluriel à l'écrit, on ajoute cependant le son /z/ au pluriel à l'oral :

corps - le pluriel se prononce avec /z/.

f) Les mots français en **-eu** ou **-eau** prennent un **-s** ou un **-x** (que l'on prononce tous les deux /**z**/), par exemple :

adieu, bureau, tableau

gateau prend normalement un **-x**.

g) *Les noms d'animaux*

Certains noms d'animaux, notamment les noms de poissons, se comportent (ou se comportent presque toujours) comme les noms mentionnés dans la section 3a) ci-dessous, c'est-à-dire qu'ils ne prennent pas de marque du pluriel :

cod (morue), **hake** (colin), **herring** (hareng), **mackerel** (maquereau), **pike** (brochet), **salmon** (saumon), **trout** (truite) (mais on dit **sharks** (requins)), **deer** (cerf), **sheep** (mouton), **grouse** (coq de bruyère).

D'autres noms d'animaux prennent un **-s** ou rien. Dans le contexte de la chasse, on omet souvent le **-s**. Comparez :

these graceful antelopes have just been bought by the zoo
le zoo vient juste d'acheter ces antilopes gracieuses

they went to Africa to shoot antelope
ils sont allés en Afrique pour chasser l'antilope

Il en est de même pour :

buffalo (buffle), **giraffe**, **lion**, **duck** (canard), **fowl** (volaille), **partridge** (perdrix), **pheasant** (faisan), et bien d'autres.

Le pluriel régulier de **fish** est **fish**, mais **fishes** s'emploie pour faire référence à des espèces de poissons.

h) *Les adjectifs numéraux*

i) **hundred** (cent), **thousand** (mille), **million**, **dozen** (douzaine), **score** (vingt) et **gross** (douze douzaines) n'ont pas de pluriel en **-s** lorsqu'ils sont précédés par un autre adjectif numéral. Remarquez la différence de construction avec le français pour "million", "milliard" et "douzaine" :

five hundred/thousand/million people
cinq cents/mille/millions *de* gens

two dozen eggs
deux douzaines *d'*oeufs

we'll order three gross
nous commanderons trente-six douzaines

mais :

there were hundreds/thousands/millions of them
il y en avait des centaines/milliers/millions

I've told you dozens of times
je te l'ai dit des dizaines de fois

Peter and Kate have scores of friends
Peter et Kate ont des tas d'amis

ii) Les unités de mesure le **foot** et le **pound** peuvent être soit au pluriel, soit au singulier :

Kate is five foot/feet eight
Kate mesure un mètre soixante-douze

that comes to three pound(s) fifty
ça fait trois livres cinquante

2 LES PLURIELS AVEC UN CHANGEMENT DE VOYELLE

Il existe un petit groupe de mots dont le pluriel se forme au moyen d'un changement de voyelle :

foot : feet	pied(s)
goose : geese	oie(s)
louse : lice	pou(x)
man : men	homme(s)
mouse : mice	souris
tooth : teeth	dent(s)
woman : women /wɪmɪn/	femme(s)

3 LES PLURIELS INVARIABLES

a) *singulier et pluriel sans* ***-s*** *:*

(air)craft (avion), **counsel** (avocat), **offspring** (progéniture), **quid** ("balle" (argent)), par exemple :

we saw a few aircraft
nous avons vu quelques avions

both counsel asked for an adjournment
les deux avocats ont demandé un renvoi

these are my offspring
c'est ma progéniture

this will cost you ten quid (familier = pound(s))
ça te coûtera cent balles

(Mass) media prend parfois un verbe au singulier, parfois un verbe au pluriel, sans qu'il y ait de différence de sens.

Les mots **kind, sort, type** (genre, sorte, type) apparaissant dans une phrase du type **these/those** + nom + **of** très souvent ne prennent pas de **-s** :

these kind of people always complain
ce genre de personne se plaint toujours

she always buys those sort of records
elle achète toujours ce genre de disque

Il est aussi possible de dire :

this kind of record

où les deux noms sont au singulier.

b) *singulier et pluriel en* **-s**

barracks (caserne), **crossroads** (carrefour), **innings** (tour de batte), **means** (moyens, ressources) (comparez avec **means** (= moyens financiers) p. 37), **gallows** (potence), **headquarters** (quartier général), **series** (série), **shambles** (désordre), **species** (espèce), **-works** (usine), par exemple :

every means was tried to improve matters
on a usé de tous les moyens pour améliorer les choses

this is a dreadful shambles
c'est un désordre abominable

they have built a new gasworks north of here
ils ont construit une nouvelle usine à gaz au nord d'ici

Certains de ces noms, en particulier **barracks**, **gallows**, **headquarters**, **-works** peuvent aussi s'employer dans un sens singulier avec un verbe au pluriel :

these are the new steelworks
c'est la nouvelle aciérie

On fait référence ici à une seule usine.

c) ***dice** et **pence***

Ce sont à proprement parler les pluriels irréguliers de **die** (dé) et **penny**, mais ils commencent à remplacer rapidement le singulier.

Die ne s'emploie pratiquement jamais que dans les expressions figées telles que **the die is cast** (les dés sont jetés) ou **straight as a die** (d'une grande honnêteté). Et il est normal d'entendre **one pence** (un pence) plutôt que **one penny** (un penny) lorsque l'on parle du coût de quelque chose. En revanche on parle encore de la pièce de monnaie en disant **a penny**, donnant au pluriel plusieurs **pennies**, comme dans la phrase suivante : **these are 18th-century pennies** (ce sont des pennies du XVIIIe siècle). Comme **die**, on emploie **penny** dans certaines expressions figées : **to spend a penny** (aller aux toilettes).

4 LES PLURIELS EN -EN

Il n'en existe que trois, et un seul est commun :

child : children	enfant(s)

Les autres sont :

ox : oxen	boeuf(s)
brother ; brethren	frère(s)

ce dernier faisant référence aux membres d'une congrégation religieuse, comme dans :

our Catholic brethren from other countries
nos frères catholiques d'autres pays

Le pluriel normal de **brother** est bien entendu, **brothers**.

5 LES PLURIELS EN -A OU -S

Ce sont des noms latins au singulier en **-um** ou des noms grecs au singulier en **-on**. Beaucoup d'entre eux ont un pluriel en **-s**, en particulier s'ils sont employés couramment, par exemple :

museum (musée), **stadium** (stade), **demon**, **electron**

Certains, souvent employés dans un langage scientifique et dont le singulier est **-um/-on**, ont un pluriel en **-a**, par exemple :

an addendum	un addenda (*ou* addendum)
numerous addenda	de nombreux addenda

De même on a : **bacterium** (bactérie), **curriculum** (programme d'étude), **erratum**, **ovum** (ovule), **criterion** (critère), **phenomenon**

Certains varient entre le pluriel en -s et en **-a** :
memorandum, **millennium** (millénaire), **symposium**, **automaton** (automate)

Le pluriel de **medium** est toujours **mediums** lorsque ce mot fait référence à un extra-lucide. Lorsqu'il signfie "moyen", le pluriel est soit **media** ou **mediums**. Pour **(mass) media**, voir **Les Pluriels invariables**, ci-dessus, p. 712. Pour **data**, voir p. 704.

Il apparaît que **strata** (pluriel de **stratum**) remplacera bientôt **stratum** au singulier.

6 LES PLURIELS EN -E OU -S

Ces noms sont latins ou grecs et ont une terminaison en **-a** au singulier. Ceux qui sont fréquemment employés ont un pluriel en **-s**, comme **arena** et **drama**. Les noms plus techniques ou scientifiques ont tendance à avoir un pluriel en **-e** (on obtient alors la terminaison **-ae** prononcée /i:/ ou /aɪ/), par exemple **alumna** et **larva**. La terminaison de certains varie selon le niveau de langue employé dans le contexte. Ainsi **antenna** prend toujours un **-e** lorsqu'il fait référence aux insectes, mais un **-s** lorsqu'il signifie antenne de télévision en américain. Il en est de même pour **formula** et **vertebra**.

7 LES PLURIELS EN -I OU -S (mots italiens)

Quelques mots empruntés de l'italien, notamment **libretto, tempo** et **virtuoso**, conservent parfois leur pluriel italien en **-i** /i:/. C'est plus particulièrement le cas de **tempo**. Parfois ils prennent le **-s** du pluriel régulier anglais. Vous noterez que **confetti** et les pâtes **macaroni, ravioli, spaghetti** et d'autres, sont des indénombrables, c'est-à-dire qu'ils sont suivis d'un verbe au singulier. Pour **graffiti**, voir p. 706.

8 LES PLURIELS EN -I OU -ES (mots latins)

Ceux qui sont courants prennent normalement la terminaison **-es** au pluriel, comme :

campus, chorus (refrain, choeur), **virus**

Ceux qui appartiennent au langage plus érudit, gardent en général leur pluriel latin en **-i** (que l'on prononce /i:/ ou /aɪ/) comme par exemple :

alumnus, bacillus, stimulus.

D'autres prennent les deux formes au pluriel : **cactus, fungus** (champignon, fongus), **nucleus, syllabus** (programme d'université). Il en est de même pour les noms grecs latinisés : **hippopotamus** et **papyrus**. Le pluriel de **genius** est **geniuses** au sens de "personne extrêmement intelligente", mais **genii** lorsqu'il signifie "(bon/mauvais) esprit".

9 LES PLURIELS DES NOMS EN -EX OU -IX

Ces noms latins peuvent conserver leur pluriel d'origine, leur singulier en **-ex/-ix** se transforme alors en **-ices** au pluriel, ou bien ils prennent **-es**, par exemple :

index : pluriel **indices** ou **indexes**

Il en est de même pour **appendix, matrix, vortex.**

Mais remarquez que **appendixes** est le seul pluriel pour la partie du corps, tandis que **appendixes** et **appendices** peuvent s'employer pour désigner les parties d'un livre ou d'une thèse.

10 LE PLURIEL DES NOMS GRECS EN -IS

Ces derniers changent le **-is** /ɪs/ en **-es** /i:z/ au pluriel, par exemple :

an analysis	une analyse
various different analyses	différentes analyses

Il en est de même pour : **axis**, **basis**, **crisis**, **diagnosis**, **hypothesis**, **oasis**, **parenthesis**, **synopsis**, **thesis**.

Mais remarquez : **metropolis** : **metropolises**

11 LES PLURIELS EN -IM OR -S

Les trois mots hébreux **kibbutz**, **cherub** (chérubin) et **seraph** (séraphin) peuvent soit prendre -(**e**)**s** (pluriel régulier) ou -**im** au pluriel.

12 LES PLURIELS DES NOMS COMPOSES

a) *Le pluriel porte sur le deuxième élément*

Lorsque le deuxième élément est un nom (et qu'il n'est pas précédé d'une préposition) :

boy scouts, **football hooligans**, **girl friends** (petites amies), **road users** (usagers de la route), **man-eaters** (mangeurs d'hommes, cannibales) (comparez **menservants** dans c) ci-dessous)

et lorsque le mot composé est formé d'un verbe + adverbe :

lay-bys (aires de stationnement), **lie-ins** (grasses matinées), **sit-ins**, **stand-bys**, **tip-offs** (tuyaux)

Remarquez que les noms de mesures se terminant par -**ful** peuvent avoir un -s à la fin de l'un ou l'autre de leurs éléments : **spoonfuls** ou **spoonsful**.

b) *Le pluriel porte sur le premier élément*

Lorsque le deuxième élément est un groupe prépositionnel :

editors-in-chief	rédacteurs en chef
fathers-in-law	beaux-pères
men-of-war	bâtiments de guerre
aides-de-camp	

Mais si le premier élément n'est pas considéré comme une personne, on place le s en final, comme dans :

will-o'-the-wisps	**jack-in-the-boxes**
feux follets	diables à ressort

Les noms composés formés à partir d'un verbe et d'un adverbe prennent eux aussi un -**s** à la fin du premier élément (à la différence de ceux composés d'un verbe + adverbe, qui ont un -s en finale, voir a) ci-dessus) :

carryings-on	**hangers-on**	**passers-by**
façons de se conduire	suite (de gens)	passants

Les noms composés avec -**to-be** prennent un -**s** à la fin du premier élément :

brides-to-be	**mothers-to-be**
futures mariées	futures mamans

Le premier élément porte aussi la marque du pluriel si le second élément est un adjectif :

Lords temporal and spiritual
membres laiques et ecclésiastiques de la Chambre des Lords

Mais beaucoup peuvent aussi porter la marque du pluriel sur le deuxième élément (ce qui est de plus en plus courant) :

attorneys general ou **attorney generals** (Procureurs Généraux)
directors general ou **director generals**
poets laureate ou **poet laureates**
courts-martial ou **court-martials**

c) *Les deux éléments portent la marque du pluriel*

Lorsque le nom composé avec **man** ou **woman** sert à distinguer le genre (mais le premier élément peut aussi être au singulier) :

menservants	domestiques (comparez **man-eaters** dans a) ci-dessus)
gentlemen farmers	gentlemen-farmers
women doctors	docteurs (femmes)

C USAGE : PLURIEL OU SINGULIER ?

a) *Le pluriel distributif*

i) type 1, dans un groupe nominal

Dans beaucoup de cas l'anglais préfère le pluriel :

between the ages of 30 and 45
entre l'âge de 30 et 45 ans

the reigns of Henry VIII and Elizabeth I
le règne d'Henri VIII et celui d'Elisabeth Ire

ii) type 2, dans une proposition

Dans ce cas, le nom au pluriel (souvent précédé d'un adjectif possessif) fait référence à un nom ou pronom possessif au pluriel mentionné auparavant, par exemple :

we changed our minds
nous avons changé d'avis

many people are unhappy about their long noses
beaucoup de gens ne sont pas satisfaits de leur long nez

cats seem to spend their lives sleeping
les chats semblent passer leur vie à dormir

they deserve a kick up their backsides
ils méritent un coup de pied au derrière

we respectfully removed our hats
nous avons retiré notre chapeau par respect

can we change places?
on peut changer de place ?

Mais ce n'est pas une règle bien définie. Certaines personnes ont de l'eau jusqu'à la ceinture : **up to their waists** ou **up to the waist**, et ils ont de l'eau ou des dettes jusqu'au cou : **up to their necks** and **up to the neck**. Les conducteurs changent de vitesse (**change gear** ou **gears**) et ils peuvent risquer la vie de leurs passagers : **the death** ou **deaths of their passengers**.

Il y a des situations où des gens **have egg on their face** ou **faces**, c'est-à-dire l'air ridicule, mais seul **faces** est employé s'il s'agit d'un vrai oeuf !

Et il y a des choses que certains **turn their nose(s) up at**, c'est-à-dire qu'ils considèrent inférieures. Il semble que si l'expression est employée dans un sens figuré, on emploie le plus souvent le singulier, parfois précédé d'un article défini plutôt que d'un pronom possessif. Ainsi **we pay through the nose** (payer quelque chose la peau des fesses), **we take children under our wing** (on prend des enfants sous son aile), et **we are sometimes at the end of our tether** (on est parfois à bout de nerfs) - autant d'exemples dans lesquels aucune image concrète n'apparaît.

b) *Le complément du nom placé avant ou après le nom*

Lorsqu'un nom est déterminé par une préposition + un nom au pluriel placés après ce nom, comme dans :

a collection of bottles
une collection de bouteilles

le nom au pluriel se transformera en singulier lorsqu'il est placé devant le nom qu'il détermine :

a bottle collection
une collection de bouteilles

Il existe beaucoup d'exemples de ce genre : **record dealer** (disquaire), **letter box** (boîte à lettres), **foreign language teaching** (enseignement des langues étrangères).

Cependant, il y a des cas où l'on préfère un complément du nom au pluriel placé avant le nom, parfois parce que le singulier aurait un sens différent. Ainsi on dirait :

a problems page
courrier du coeur

parce que le mot **problem** au singulier signifie normalement "qui cause des problèmes", comme dans :

a problem student
un étudiant à problèmes/qui pose des problèmes

a problem case
un cas à problèmes/problématique

Il en est de même pour :

a singles bar
un bar pour les célibataires

an explosives investigation
une enquête sur les explosifs

étant donné que :

a single bar	un seul bar
an explosive investigation	une enquête explosive

signifient quelque chose de complètement différent.

Mais souvent ou le singulier ou le pluriel est possible :

in this noun(s) section	dans cette section des noms
a Falkland(s) hero	un héros des Falkland
a call for job(s) cuts	un appel à des réductions d'emplois

D LE GENITIF

1 LES FORMES

a) Le génitif singulier se forme en ajoutant **-'s** après le nom :

the cat's tail	la queue du chat

et le génitif pluriel en ajoutant seulement l'apostrophe au pluriel :

the cats' tails.	la queue des chats

Il y a souvent confusion au sujet de la position de l'apostrophe. Comparez ces deux exemples :

the boy's school	l'école du garçon
the boys' school	l'école de garçons

Dans le premier exemple, **boy** est au singulier, on parle donc de l'école d'un garçon. Dans le deuxième exemple le nom **boys** est au pluriel, on parle donc de l'école où vont plusieurs garçons.

Si le pluriel ne se termine pas en **-s**, le génitif pluriel se forme avec le **-'s** comme le singulier :

the men's toilet	les toilettes des hommes
the children's room	la chambre des enfants

b) *Exceptions :*

i) Beaucoup de noms classiques (en particulier les noms grecs) se terminant en -s prennent normalement juste une apostrophe, en particulier s'ils sont formés de plus d'une syllabe :

Socrates' wife, Aeschylus' plays
l'épouse de Socrate, les pièces d'Eschyle

On pourrait même trouver des noms modernes ayant la même caractéristique, comme dans :

Dickens' (ou **Dickens's) novels**
les romans de Dickens

ii) Avant le mot **sake** (amour de/nom de) le génitif singulier est normalement indiqué par l'apostrophe seule avec des noms se terminant en **-s** :

for politeness' sake
par politesse

c) Pour les types de noms composés mentionnés p. 715, on ajoute le **-'s** du génitif au deuxième élément, même si c'est le premier élément qui porte la marque du pluriel **-s** :

she summoned her ladies-in-waiting
elle convoqua ses dames de compagnie

the lady-in-waiting's mistress
la maîtresse de la dame de compagnie

2 LE GENITIF ET LA CONSTRUCTION AVEC OF

a) *Les êtres animés (personnes, animaux)*

Le génitif est plus courant avec les personnes qu'avec les objets :

John's mind	l'esprit de John
my mother's ring	la bague de ma mère

Of n'est normalement pas employé dans ces deux exemples, mais on peut l'employer pour faire référence à des animaux :

the wings of an insect/the insect's wings
les ailes d'un insecte/de l'insecte

the movements of the worm/the worm's movements
les mouvements du ver de terre

Cependant, les animaux supérieurs sont considérés comme des personnes pour ce qui concerne la formation du génitif :

the lion's paw shot out from the cage
la patte du lion surgit de la cage

b) *Les objets inanimés :*

La construction normale se forme avec **of** :

the size of the coat
la taille du manteau

the colour of the telephone
la couleur du téléphone

Mais avec certains noms d'inanimés, le génitif est aussi possible :

the mind's ability to recover
la capacité de l'esprit à guérir

the poem's capacity to move
la capacité du poème à émouvoir

en particulier si de tels noms font référence à des lieux ou à des institutions :

England's heritage (= the heritage of England)
l'héritage de l'Angleterre

the University's catering facilities (= the catering facilities of the University)
le service de restauration de l'université

Les noms faisant référence au temps et à la valeur sont souvent accompagnés du génitif :

today's menu	le menu du jour
two months' work	deux mois de travail
you've had your money's worth	tu en as eu pour ton argent

Remarquez que la construction avec **of** pour des noms faisant référence au temps implique souvent une qualité de premier ordre ou une distinction particulière, comme dans :

our actor of the year award goes to ...
le prix du meilleur acteur de l'année est attribué à ...

ou bien elle peut impliquer que la durée ne doit pas être prise littéralement, comme dans :

the University of tomorrow
l'université de demain

Ici **tomorrow** ne peut signifier que l'avenir.

Un génitif peut avoir un sens ou littéral ou métaphorique :

Tomorrow's World (métaphorique)
le monde de demain

tomorrow's phone call (littéral)
le coup de téléphone de demain

tomorrow's food (soit littéral, soit métaphorique)
la nourriture de demain

Les mesures de distances sont parfois au génitif, en particulier dans des expressions figées :

a stone's throw (away) à deux pas (d'ici)	**at arm's length** à distance

3 LE GENITIF SANS NOM

a) Si le nom que le génitif détermine est assez clair de par le contexte, on peut alors l'omettre :

it's not my father's car, it's my mother's
ce n'est pas la voiture de mon père, c'est celle de ma mère

b) Le "double génitif" (c'est-à-dire la construction avec **of** et le génitif dans la même phrase) est fréquent si le génitif fait référence à une personne *bien définie*. Mais le premier nom est normalement précédé d'un article *indéfini*, d'un pronom *indéfini* ou d'un adjectif numéral :

he's a friend of Peter's
c'est un ami de Peter

he's an acquaintance of my father's
c'est une connaissance de mon père

he's no uncle of Mrs Pitt's
ce n'est pas l'oncle de Madame Pitt

here are some relatives of Miss Young's
voici des parents de Mademoiselle Young

two sisters of my mother's came to visit
deux soeurs de ma mère sont venues nous rendre visite

Un pronom démonstratif peut parfois précéder le premier nom. Ceci implique un certain degré de familiarité :

that car of your father's - how much does he want for it?
cette voiture, ton père, combien est-ce qu'il la vend ?

L'article défini ne peut normalement pas s'employer avec le premier nom, à moins qu'une proposition relative (ou autre déterminatif) ne suive le génitif :

the poem of Larkin's (that) we read yesterday is lovely
le poème de Larkin que nous avons lu hier est magnifique

this is the only poem of Larkin's to have moved me
c'est le seul poème de Larkin qui m'ait ému

c) Le nom sous-entendu après un génitif fait souvent référence à des locaux :

at the baker's (= baker's shop)
chez le boulanger

at Mary's (= at Mary's place)
chez Mary

Il est important de souligner que si un établissement (commercial) est particulièrement bien connu, on omet souvent l'apostrophe. Ainsi on a tendance à écrire **at Smiths** (chez Smiths) ou **in Harrods** (chez Harrods), le premier représentant une chaîne de magasins qui couvre la Grande-Bretagne, le second étant le célèbre grand magasin de Londres. Mais on trouverait habituellement **he bought it at Bruce Miller's** (il l'a acheté chez Miller's), étant donné que cet établissement n'est pas fermement implanté dans l'esprit des gens sur une échelle nationale.

d) On trouve souvent le "groupe génitif" dans deux types de constructions : (1) nom + déterminatif introduit par une préposition, et (2) noms reliés par **and**. Dans de telles combinaisons, on peut ajouter le **-'s** au dernier élément :

the Queen of Holland's yacht
le yacht de la reine de Hollande

the head of department's office
le bureau du chef de département

John and Kate's new house
la nouvelle maison de John et Kate

an hour and a half's work
un travail d'une heure et demie

Si le nom est au pluriel, on emploie normalement la construction avec **of** :

the regalia of the Queens of Holland
les insignes royaux des reines de Hollande

Cependant, si les deux noms ne forment pas une unité, ils prennent chacun la marque du génitif **-'s** :

Shakespeare's and Marlowe's plays
les pièces de Shakespeare et de Marlowe

E LE FEMININ

En anglais, il est courant de ne pas employer de mot ou de terminaison distincts pour déterminer le genre d'un nom. Beaucoup de noms s'emploient à la fois pour un homme et une femme :

> **artist** (artiste), **banker** (banquier(-ère)), **cousin** (cousin(e)), **friend** (ami(e)), **lawyer** (avocat(e)), **neighbour** (voisin(e)), **novelist** (romancier(-ère)), **teacher** (enseignant(e)), **zoologist** (zoologiste).

Mais il existe certains cas où l'on emploie différentes terminaisons pour distinguer le féminin du masculin :

féminin	masculin
actress (actrice)	**actor** (acteur)
duchess (duchesse)	**duke** (duc)
goddess (déesse)	**god** (dieu)
heroine (héroine)	**hero** (héros)
princess (princesse)	**prince** (prince)
widow (veuve)	**widower** (veuf)
businesswoman (femme d'affaires)	**businessman** (homme d'affaires)

bien que dans beaucoup de cas il s'agisse d'une distinction de *termes*, tout comme **daughter/son** (fille/fils), **cow/bull** (vache/taureau), etc.

Mais on peut aussi dire **she is a good actor** (elle est très bonne actrice), ou bien **she was the hero of the day** (elle était le héros du jour).

S'il est nécessaire d'identifier le sexe d'une personne, on emploie soit :

a female friend (une amie)	**a male friend** (un ami)
a female student (une étudiante)	**a male student** (un étudiant)

sot : **a woman doctor** (une femme docteur)
a man doctor (un docteur)

Lorsqu'il n'est pas nécessaire ou pas possible de distinguer ou d'identifier le sexe d'une personne, il est courant d'employer le mot **person** :

a chairperson	un(e) président(e)
a salesperson	un(e) représentant(e) de commerce
a spokesperson	un porte-parole

bien que certaines femmes soient satisfaites d'être **chairman**.

L'emploi du mot **person** devient de plus en plus courant, par exemple dans les petites annonces :

> **security person required**
> on cherche garde de sécurité

4 LES ADJECTIFS

1 GENERALITES

* Les adjectifs anglais ne s'accordent jamais avec le nom.
* L'adjectif se place toujours devant le nom en dehors de certaines exceptions (voir p. 725).

2 EPITHETE ET ATTRIBUT

Les termes "épithète" et "attribut" font référence à la position de l'adjectif par rapport au nom. Si l'adjectif est placé devant le nom, il est épithète (**this old car** cette vieille voiture). S'il est placé tout seul après un verbe, il est attribut (**this car is old** cette voiture est vieille).

Si un adjectif a plusieurs sens, chacun de ces sens peut entrer dans une catégorie différente.

a) *Epithète seulement*

i) Certains adjectifs qui ont un rapport fort avec le nom auquel ils se rapportent dans des constructions toutes faites sont uniquement épithètes, comme dans :

he's a moral philosopher
c'est un philosophe spécialiste en éthique

ii) Les participes passés sont parfois employés de cette manière :

a disabled toilet (toilet for disabled people)
des toilettes pour handicapés

iii) Très souvent en anglais on emploie des noms avec une fonction d'adjectif :

a cardboard box
une boîte en carton

a polystyrene container
un emballage en polystyrène

a foreign affairs correspondent
un correspondant étranger

a classification problem
un problème de classification

b) *Attribut seulement*

Les adjectifs qui sont uniquement attributs qualifient généralement une condition physique ou un état mental, comme **afraid** (effrayé), **ashamed** (honteux), **faint** (= sur le point de perdre conscience), **fond** (attaché), **poorly** (souffrant), **(un)well** (en mauvaise/bonne santé) :

the girl is afraid
la fille a peur

the children need not feel ashamed
les enfants n'ont pas besoin d'avoir honte

my uncle is fond of me
mon oncle m'aime bien

he suddenly felt faint
il se sentit tout à coup sur le point de s'évanouir

our mother has been unwell for some time
notre mère ne se sent pas bien depuis un certain temps

Mais remarquez l'expression :

he's not a well man
il n'est pas dans le meilleur de sa forme (= il est très malade)

De même, **ill** et **glad** sont le plus souvent attributs, mais sont parfois épithètes lorsqu'ils ne font pas référence à une personne :

his ill health may explain his ill humour
cette mauvaise santé peut expliquer sa mauvaise humeur

these are glad tidings (vieilli)
ce sont de bonnes nouvelles

3 LA POSITION

a) Si plus d'un adjectif précède le nom, celui ou ceux qui peuvent aussi être attributs se placent en premier. Les adjectifs qui peuvent être épithètes uniquement ont un rapport trop étroit avec le nom pour qu'un autre mot puisse se placer entre eux et le nom :

he is a young parliamentary candidate
c'est un jeune candidat parlementaire

they have employed a conscientious social worker
ils ont employé une assistante sociale consciencieuse

a big old red brick house
une grande et vieille maison de brique rouge

Remarquez que les adjectifs **old** et **little** changent de sens selon leur position. Comparez (a-d) avec (e-h) :

(a) **they only have old worn-out records**
ils n'ont que des vieux disques usés
(b) **up the path came a very old (and) dirty man**
sur le chemin est apparu un homme très vieux et très sale
(c) **I think I left a little black book behind**
je crois que j'ai laissé un petit cahier noir
(d) **I want the little round mirror over there**
je veux le petit miroir rond par ici
(e) **silly old me!**
suis-je donc bête !
(f) **you dirty old man, you!**
eh vous, vieux cochon !
(g) **this is my cute little sister**
c'est mon adorable petite soeur
(h) **what an adorable, sweet little cottage!**
quelle petite maison adorable et mignonne

En (a-d) **old** et **little** ont leur premier sens et pourraient, avec ces sens, prendre une position d'attribut. Mais en (e-h) le caractère littéral des expressions est perdu : **a dirty old man** (un obsédé sexuel) n'est pas forcément âgé. On fait plus une allusion au comportement qu'à l'âge de la personne. **My little sister** en (g) signifie "ma soeur plus jeune"; on ne s'intéresse pas du tout à la taille de la personne. Et **little** en (h) donne plus une description des émotions du locuteur que des dimensions de la maison. De même, en (e), **old** ne veut pas du tout dire "vieux".

b) Parfois, quand il est mis en apposition, l'adjectif se place après le nom sans qu'un verbe soit nécessaire. Ces adjectifs (et toute qualification supplémentaire éventuelle) sont similaires en fonction et en usage aux propositions relatives :

this is a custom peculiar to Britain
c'est une coutume propre à la Grande-Bretagne

this is a man confident of success
c'est un homme sûr de réussir

Les adjectifs ne peuvent être en apposition que s'ils peuvent aussi être attributs, et sont très fréquents lorsqu'ils sont qualifiés par un groupe prépositionnel, comme on le voit dans les exemples ci-dessus. Mais on trouve aussi des adjectifs en apposition employés dans un but emphatique, toujours employés par deux et plus :

her jewellery, cheap and tawdry, was quickly removed
ses bijoux, pas chers et clinquants, furent rapidement enlevés

he looked into a face sympathetic but firm
il vit un visage sympathique mais décidé

books, new or secondhand, for sale
livres, neufs ou d'occasion, à vendre

Cette fonction est assez fréquente (mais non obligatoire) après des mots imprécis comme **things** (choses, etc.) et **matters** (questions, etc.) :

his interest in matters linguistic
son intérêt pour tout ce qui touche à la linguistique

she has an abhorrence of things English
elle a en horreur tout ce qui est anglais

et pour les adjectifs en **-able** ou **-ible**, surtout si le nom est précédé de **only** (seul, unique) ou d'un superlatif :

they committed the worst atrocities imaginable
ils commirent les pires atrocités imaginables

he's the only person responsible
il est la seule personne responsable

this is the most inexpensive model available
c'est le modèle disponible le moins cher

c) Certains adjectifs d'origine française ou latine se placent après le nom auquel ils se rapportent comme en français, et dans des expressions toutes faites comme **poet laureate** (le poète lauréat), **the Princess Royal** (la Princesse Royale), **Lords Spiritual** (membres ecclésiastiques de la Chambre des Lords), **Lords Temporal** (membres temporels), **letters patent** (lettres patentes), **lion rampant** (lion rampant), **devil incarnate** (diable incarné).

4 LA COMPARAISON

LES FORMES

a) Il y a trois degrés de comparaison : **la forme de base**, **le comparatif** et **le superlatif** :

sweet doux	**beautiful** beau	(forme de base)
sweeter plus doux	**more beautiful** plus beau	(comparatif)
sweetest le plus doux	**the most beautiful** le plus beau	(superlatif)

Pour les changements d'orthographe résultant de l'addition de **-er**, **-est** (**happy –happier** ou **big – bigger**) voir p. 872-4.

b) ***-er/-est** ou **more/most**?*

i) Plus l'adjectif est court, plus il est probable que son comparatif et son superlatif se formeront en ajoutant **-er** et **-est**. Ceci concerne particulièrement les adjectifs monosyllabiques, comme **keen**, **fine**, **late**, **wide**, **neat**, etc. Des adjectifs très courants comme **big** ou **fast** prennent toujours la forme **-er/-est**.

Si les adjectifs ont deux syllabes, on trouve **-er/-est** et **more/most**, **-er/-est** étant particulièrement courants avec les adjectifs qui se terminent en **-y**, **-le**, **-ow**, **-er** :

(noisy) **this is the noisiest pub I've been in**
c'est le pub le plus bruyant que j'aie jamais vu

(feeble) **this is the feeblest excuse I've heard**
c'est la plus mauvaise excuse que j'aie entendue

(shallow) **the stream is shallower up there**
le ruisseau est moins profond en amont

(clever) **she's the cleverest**
c'est la plus intelligente

On tend à employer **more** et **most** d'une façon de plus en plus générale au lieu de **-er/-est**. **Commoner** et **pleasanter** étaient plus courants qu'ils ne le sont maintenant ; de même que **politer** et **handsomer** par rapport à **more polite** et **more handsome**, ces derniers étant maintenant tout à fait acceptés.

ii) Les adjectifs de plus de deux syllabes utilisent **more** et **the most** :

this is the most idiotic thing I ever heard!
c'est la chose la plus idiote que j'aie entendue !

I prefer a more traditional Christmas
je préfère un Noel plus traditionnel

she's getting more and more predictable
il devient de plus en plus facile de deviner ce qu'elle va faire

Mais il existe des exceptions à cette règle :

she's unhappier than she has ever been
elle est plus malheureuse que jamais

he's got the untidiest room in the whole house
il a la chambre la plus désordonnée de toute la maison

Dans ces cas, on peut aussi employer **more/the most**.

iii) Les adjectifs qui sont formés à partir des participes passés prennent **more** au comparatif et **the most** au superlatif :

she's more gifted than her sister
elle est plus douée que sa soeur

the most advanced students
les étudiants les plus avancés

that's the most bored I've ever been!
je ne me suis jamais autant ennuyé !

Tired peut prendre les terminaisons **-er/-est**.

iv) Si la comparaison se fait entre deux adjectifs (comme choix de mots) on ne peut employer que **more** :

this sauce is more sweet than sour
cette sauce est plus douce qu'aigre

c) *Les comparaisons irregulières*

Quelques adjectifs ont un comparatif et un superlatif irréguliers.

bad mauvais	**worse** pire	**worst** le pire
far loin	**further/farther** plus loin	**furthest/farthest** le plus loin
good bon	**better** meilleur	**best** le meilleur
little peu	**less/lesser** moins	**least** le moins
many beaucoup	**more** plus	**most** le plus
much beaucoup	**more** plus	**most** le plus

Remarquez aussi **late, latter, last** (dernier, deuxième, le dernier) (mais **later** (plus tard), **latest** (le dernier)) et **old**, **elder**, **eldest** (vieux, plus vieux, aîné) (mais **older** (plus vieux), **oldest** (le plus vieux)).

Pour l'emploi du comparatif et du superlatif (et les variantes), voir p. 727-30.

d) *La comparaison d'infériorité*

Pour former les comparatifs d'infériorité, on place les adverbes **less/the least** devant les adjectifs :

it's less interesting than I thought it would be
c'est moins intéressant que je ne le pensais

this was the least interesting of his comments
c'était son commentaire le moins intéressant

Il existe une autre façon d'exprimer le comparatif :

it's not as/so interesting as I thought it would be
ce n'est pas aussi intéressant que je ne le pensais

L'EMPLOI

a) Dans les comparaisons **than** se traduit par "que" et **in** par "de" :

there isn't a bigger building than this in the world
il n'y a pas de construction plus grande que celle-ci dans le monde

b) Le comparatif est employé quand deux personnes ou deux choses sont comparées :

of the two she is the cleverer
des deux, elle est la plus intelligente

Dans l'anglais parlé d'aujourd'hui, certains emploient aussi le superlatif :

of the two she is the cleverest
des deux, elle est la plus intelligente

sauf, bien sûr, quand **than** suit (**she is cleverer than her brother** elle est plus intelligente que son frère).

c) Quand plus de deux personnes ou choses sont comparées on emploie le superlatif :

she is the cleverest in the class
elle est la plus intelligente de la classe

d) Dans les annonces publicitaires, il n'y a souvent qu'un terme dans la comparaison :

Greece - for a better holiday
La Grèce - pour de meilleures vacances

e) Dans certains cas, le comparatif est employé non pas pour marquer le degré, mais le contraste. Cela s'applique surtout pour les adjectifs qui n'ont pas de forme de base :

former: latter
premier : dernier

inner: outer
intérieur : extérieur

upper: nether
supérieur : inférieur

lesser: greater
petit : grand

Ces adjectifs dans ce sens sont toujours épithètes.

Nether est maintenant remplacé dans la plupart des cas par **lower** et il est limité essentiellement au registre de la plaisanterie :

he removed his nether garments
il a enlevé son pantalon

f) Le superlatif absolu : il exprime que quelque chose est à un "très haut degré" au lieu d'être au "plus haut degré". Habituellement, on emploie **most** au lieu de **-est**, même avec des adjectifs monosyllabiques :

this is most kind!
c'est très gentil !

I thought his lecture was most interesting
j'ai trouvé que sa conférence était des plus intéressantes

mais parfois un superlatif en **-est** est employé comme épithète :

she was rather plain but could suddenly produce the sweetest smile
elle était d'une beauté plutôt ordinaire, mais pouvait tout à coup avoir un sourire ravissant

please accept my warmest congratulations!
acceptez, je vous en prie, mes très chaleureuses félicitations

g) *Cas particuliers*

i) ***further/farther*** *et* ***furthest/farthest***

Further est d'un usage plus courant que **farther** quand on fait référence à la distance (et lorsqu'il est employé comme adverbe) :

this is the furthest (farthest) point
c'est le point le plus éloigné

(En tant qu'adverbe : **I can't go any further (farther)** je ne peux pas aller plus loin)

Si on fait référence au temps, à un nombre, on ne peut employer que **further** :

any further misdemeanours and you're out
une autre incartade et tu sors

this must be delayed until a further meeting
ceci doit être reporté à un prochain meeting

anything further can be discussed tomorrow
on peut parler du reste demain

et comme un adverbe :

they didn't pursue the matter any further
ils ont décidé d'en arrêter là pour cette affaire

ii) ***later/latter*** *et* ***latest/last***

Later et **latest** font référence au temps, **latter** et **last** à l'ordre, à la série :

(a) **his latest book is on war poetry**
son dernier livre en date est sur la poésie en temps de guerre
(b) **his last book was on war poetry**
son dernier livre était sur la poésie en temps de guerre

Latest en (a) a le sens de "le plus récent", alors que **last** en (b) fait référence au dernier d'une série de livres.

Pour **latter**, voir à **Les Nombres**, p. 867. Notez, de plus, que **latter** sous-entend une division en deux, comme dans **the latter part of the century** (la dernière moitié du siècle).

iii) ***less/lesser***

Less est quantitatif, **lesser** est qualitatif :

use less butter
prenez moins de beurre

the lesser of two evils
le moindre de deux maux

you'll lose less money if you follow my plan
tu perdras moins d'argent si tu suis mes plans

there's a lesser degree of irony in this novel
il y a moins d'ironie dans ce roman

Mais remarquez **the lesser** (opposé à **the great(er)**) comme un adjectif de catégorie dans un registre technique ou scientifique :

the Lesser Black-backed Gull (nom scientifique)
le goéland à tête noire

Pour **less** avec les noms dénombrables, voir **Les Noms**, p. 704.

iv) ***older/elder** et **oldest/eldest***

Elder et **eldest** font en général référence aux liens familiaux uniquement :

this is my elder/eldest brother
c'est mon frère aîné

bien que **older** soit aussi utilisable dans ce contexte. Si **than** (que) suit, seul **older** est possible :

my brother is older than I am
mon frère est plus vieux que moi

Remarquez l'emploi de **elder** comme nom :

listen to your elders
écoute tes aînés

she is my elder by two years
elle est mon aînée de deux ans

the elders of the tribe
les anciens de la tribu

5 LES ADJECTIFS EMPLOYES COMME NOMS

a) Les adjectifs peuvent s'employer comme noms. Cet emploi concerne en général les **concepts abstraits** et les **classes ou groupes de gens** (en général ou dans un contexte particulier) :

i) Concepts abstraits :

you must take the rough with the smooth
il faut prendre les choses comme elles viennent

the use of the symbolic in his films
l'utilisation du symbolique dans ses films

ii) Classes ou groupes de gens :

we must bury our dead
nous devons enterrer nos morts

the poor are poor because they have been oppressed by the rich
les pauvres sont pauvres parce qu'ils ont été opprimés par les riches

the blind, the deaf
les aveugles, les sourds

the young, the old
les jeunes, les vieux

Et la célèbre description des chasseurs de renards par Oscar Wilde :

the unspeakable in full pursuit of the uneatable
l'innommable à la poursuite de l'immangeable

Remarquez qu'en anglais ces mots ont un sens de pluriel collectif. Pour désigner une personne dans un groupe, on ajoute **man**, **woman**, **person**, etc. selon le cas :

a blind woman
une aveugle

three deaf people
trois sourds

b) Normalement, un adjectif ne peut pas remplacer un nom singulier dénombrable. Dans ce cas, il est nécessaire d'employer **one** (mais voir aussi **one**, p. 777) :

I don't like the striped shirt; I prefer the plain one
je n'aime pas la chemise à rayures, je préfère l'unie

of all the applicants the French one was the best
de tous les candidats, le français était le meilleur

Cependant, il existe un certain nombre de participes passés que l'on peut utiliser (avec l'article défini) pour remplacer un nom dénombrable. Par exemple :

the accused
l'accusé/les accusés

the deceased/the departed
le mort/les morts

the deceased's possessions were sold
les biens du mort furent vendus

Ces adjectifs substantivés ne prennent pas de **-s** au pluriel.

c) Pour les exemples au pluriel en a), on n'ajoutait pas de **-s** à l'adjectif, mais parfois la conversion d'un adjectif en nom est totale et l'adjectif prend un **-s** au pluriel :

the blacks against the whites in South Africa
les Noirs contre les Blancs en Afrique du Sud

the Reds
les Rouges (les Communistes)

here come the newly-weds
voilà les nouveaux mariés

please put all the empties in a box
s'il te plaît, mets les vides dans un carton (les bouteilles vides)

d) *Nationalités*

i) On peut rendre la nationalité de quatre façons différentes :

(1) adjectif ordinaire
(2) nom et adjectif identiques
(3) comme le groupe (2) mais le nom prend un **-s** au pluriel
(4) nom et adjectif différents (mais, au pluriel, le nom + **-s** est aussi possible)

Groupe 1

adjectif : **English Literature**
la littérature anglaise

employé comme nom (lorsqu'il se réfère à la nation) :

the English are rather reserved
les Anglais sont plutôt réservés

Les adjectifs du Groupe 1 ne peuvent pas être utilisés comme noms pour faire référence à des individus. Dans ce cas, la terminaison **-man** (ou **-woman**) est utilisée :

we spoke to two Englishmen/Englishwomen
nous avons parlé à deux Anglais/Anglaises

D'autres exemples appartenant au groupe Groupe 1 sont **Irish** (irlandais), **Welsh** (gallois), **French** (français), **Dutch** (hollandais).

Groupe 2

adjectif : **Japanese art**
l'art japonais

employé comme nom lorsqu'il se réfère à une nation :

the Japanese are a hardworking nation
les Japonais sont un peuple de travailleurs

et lorsqu'il se réfère à des individus (sans **-s** au pluriel) :

it's hard to interpret the smile of a Japanese
il est difficile d'interpréter le sourire d'un Japonais

I've got six Japanese in my class
il y a six Japonais dans ma classe

D'autres adjectifs comme **Japanese** se terminent en **-ese** : **Chinese** (chinois), **Burmese** (birman), **Vietnamese** (vietnamien), **Portuguese** (portugais), et aussi **Swiss** (suisse).

Groupe 3

adjectif : **German institutions**
les institutions allemandes

employé comme nom (au pluriel avec un **-s**) lorsqu'il fait référence à une nation :

the Germans produce some fine cars
les Allemands produisent de belles voitures

et lorsqu'il se réfère à des individus (avec un **-s** au pluriel) :

he was having a conversation with a German
il était en conversation avec un Allemand

we met quite a few Germans on our holiday
nous avons rencontré un bon nombre d'Allemands pendant nos vacances

De même, ceux qui se terminent en **-an**, par exemple :

African (africain), **American** (américain), **Asian** (asiatique), **Australian** (australien), **Belgian** (belge), **Brazilian** (brésilien), **Canadian** (canadien), **European** (européen), **Hungarian** (hongrois), **Indian** (indien), **Iranian** (iranien), **Italian** (italien), **Norwegian** (norvégien), **Russian** (russe)

(mais notez que **Arabian** (arabe) appartient au Groupe 4 ci-dessous) et ceux qui se terminent en **-i** :

Iraqi (iraquien), **Israeli** (israélien), **Pakistani** (pakistanais).

Remarquez que l'on emploie **Bangladesh** comme adjectif (**the Bangladesh economy** l'économie bengalaise), et **Bangladeshi** pour les personnes (**a Bangladeshi/three Bangladeshis came to see me** un Bengalais est venu me voir/trois Bengalais sont venus me voir).

On trouve aussi dans ce groupe **Czech** (tchèque), **Cypriot** (chypriote), **Greek** (grec).

Groupe 4

adjectif : **Danish furniture**
les meubles danois

employé comme nom lorsqu'il fait référence à une nation :

the Danish know how to eat
les Danois savent bien manger

Mais il y a un nom différent qui peut aussi être utilisé pour faire référence à la nation :

the Danes know how to eat
les Danois savent bien manger

et qui est la *seule* forme admise pour désigner les individus :

a Dane will always ask you what something costs
un Danois vous demandera toujours combien ça coûte

there were two Danes in the cast
il y avait deux Danois sur le plateau

De même pour : **British/Briton** (Britannique), **Finnish/Finn** (Finlandais), **Polish/Pole** (Polonais), **Spanish/Spaniard** (Espagnol), **Swedish/Swede** (Suédois).

Remarquez **Arabian/Arab** : l'adjectif courant est **Arabian** (**Arabian Nights** les Milles et Une Nuits) sauf si on parle de la langue ou des chiffres :

the Arabic language is difficult - do you speak Arabic?
la langue arabe est difficile - parlez-vous l'arabe ?

thank God for Arabic numerals, I can't cope with the Roman ones
heureusement qu'il y a les chiffres arabes, je ne m'en sors pas avec les chiffres romains

Arab est employé pour désigner les individus, sauf si **Saudi** le précède. Dans ce cas **Saudi Arabian** ou **Saudi** est employé :

he's worked a lot with Arabs
il a beaucoup travaillé avec des Arabes

the hotel has been hired by Saudi Arabians (ou **Saudis**)
l'hôtel a été loué par des Saoudiens

ii) Remarques sur **Scottish, Scots** et **Scotch** (écossais) :

Aujourd'hui **Scotch** est d'un usage rare, sauf dans des locutions (concernant souvent la nourriture ou les boissons), par exemple **Scotch egg** (= une sorte de rissole qui contient un oeuf dur), **Scotch whisky**, **Scotch broth** (potage d'orge, de légumes et d'agneau) et **Scotch terrier**.

Dans les autres cas, l'adjectif est normalement **Scottish** comme dans **a Scottish bar** (un bar écossais), **Scottish football supporters** (supporters de football écossais), même si **Scots** est parfois utilisé pour les personnes : **a Scots lawyer** (un avocat écossais). Les linguistes font maintenant la distinction entre le **Scottish English** (= l'anglais parlé avec un accent écossais) et le **Scots** (= le dialecte écossais).

Pour désigner la nation, on emploie **the Scots** (les Ecossais) (parfois **the Scottish**). L'individu est **a Scot** (au pluriel **Scots**) ou **a Scotsman** (au pluriel **Scotsmen**).

5 LES ADVERBES

Par adverbe on entend un seul mot (par exemple **happily**) et par groupe adverbial ou proposition adverbiale on entend un groupe de mots ayant une fonction adverbiale.

A LES DIFFÉRENTS TYPES

1 LES ADVERBES

a) *Adverbes en tant que tels et dérivés*

On peut distinguer deux sortes d'adverbes suivant leur forme : les adverbes "en tant que tels" ou les adverbes "dérivés".

Les adverbes "dérivés" sont ceux dérivés d'une autre classe de mots, par exemple :

happily (heureusement)	de l'adjectif **happy**
hourly (par heure, etc.)	du nom **hour** ou de l'adjectif **hourly**
moneywise (en ce qui concerne l'argent)	du nom **money**

Parmi les adverbes en tant que tels on trouve :

here ici	**often** souvent
there là-bas	**never** jamais
now maintenant	**soon** bientôt
then alors	**very** très

b) *Sens*

Les adverbes peuvent se diviser en divers types selon leur sens. Les adverbes suivants sont particulièrement courants :

i) Adverbes de temps :

now (maintenant), **then** (alors), **once** (une fois), **soon** (bientôt), **always** (toujours), **briefly** (brièvement)

I saw her once	je l'ai vue une fois
you always say that	tu dis toujours ça

ii) Adverbes de lieu :

here (ici), **there** (là-bas), **everywhere** (partout), **up** (en haut), **down** (en bas), **back** (derrière)

come here
viens ici

iii) Adverbes de manière :

well (bien), **clumsily** (maladroitement), **beautifully** (merveilleusement)

what's worth doing is worth doing well
ce qui vaut la peine d'être fait vaut la peine d'être bien fait

iv) Adverbes d'intensité :

rather (plutôt), **quite** (assez), **very** (très), **hardly** (à peine), **extremely** (extrêmement)

this gravy is rather good
cette sauce est plutôt bonne

B LES DIFFERENTES FORMES

a) *Les adverbes en* ***-ly***

On ajoute normalement cette terminaison directement à l'adjectif correspondant :

sweet : sweetly
gentil : gentiment

Mais si l'adjectif se termine en **-ic**, on ajoute **-ally** :

intrinsic : intrinsically
intrinsèque : intrinsèquement

drastic : drastically
radical : radicalement

Les seules exceptions sont :

public : publicly
publique : publiquement

et **politic : politicly** (judicieux : judicieusement) employé assez rarement.

Pour les changements d'orthographe (comme dans **happy : happily** heureux : heureusement ou **noble: nobly** noble : noblement), voir p. 872-3.

Remarquez que l'on prononce toujours la voyelle de **-ed** à l'intérieur d'un adverbe, qu'on la prononce dans l'adjectif correspondant ou pas :

assured : assuredly (**-e** prononcé dans l'adverbe)
assuré : assurément

offhanded : offhandedly (**-e** prononcé dans les deux cas)
désinvolte : avec désinvolture

b) *Même forme que l'adjectif*

Certains adverbes ont la même forme que l'adjectif correspondant, par exemple :

a fast car une voiture rapide	**he drives too fast** il conduit trop vite
a hard punch un coup dur	**he hit him hard** il l'a frappé fort

D'autres adverbes peuvent soit avoir la même forme que l'adjectif soit avoir la terminaison **-ly** :

why are you driving so slow(ly)?
pourquoi conduis-tu si lentement ?

he speaks a bit too quick(ly) for me
il parle un peu trop vite pour moi

La forme sans **-ly** est parfois considérée comme appartenant au langage familier.

c) *La comparaison*

On forme le comparatif et le superlatif des adverbes ayant un degré de signification (voir 1b) ci-dessus) avec **-er/-est** ou **more/the most** de la même manière que les adjectifs.

Les adverbes formés à partir de l'adjectif + **-ly** ont un comparatif et un superlatif construits avec **more** et **the most** :

the most recently published works in this field
les ouvrages publiés le plus récemment dans ce domaine

Mais **early**, qui n'est pas dérivé d'un adjectif sans **-ly**, prend **-er/-est** :

he made himself a promise to get up earlier in future
il s'est promis de se lever plus tôt à l'avenir

Les adverbes qui ont la même forme que l'adjectif correspondant prennent **-er/-est** :

I can run faster than you think
je peux courir plus vite que tu crois

we arrived earlier than we expected
nous sommes arrivés plus tôt que prévu

Aux adjectifs **slow** et **quick** on peut ajouter soit **-ly** ou ne pas ajouter de terminaison du tout (ce que certains considèrent familier) pour former l'adverbe. Ils ont donc deux types de comparatifs :

you ought to drive more slowly
tu devrais conduire plus lentement

could you drive a little slower please
pourriez-vous conduire un peu plus lentement, s'il vous plaît ?

letters are arriving more quickly than they used to
les lettres arrivent plus vite qu'avant

letters are getting through quicker than before
les lettres arrivent plus vite qu'avant

Les adverbes suivants sont irréguliers :

badly	**worse**	**worst**
mal	pire	le pire
far	**further, farther**	**furthest, farthest**
loin	plus loin	le plus loin
little	**less**	**least**
peu	moins	le moins
much	**more**	**most**
beaucoup	plus	le plus
well	**better**	**best**
bien	mieux	le mieux

Le comparatif de **late** est **later** (régulier) ; le superlatif est **latest** (régulier = le plus récent) et **last** (irrégulier = le dernier). Pour les différences de sens et d'usage entre **latest** et **last**, **further/furthest** et **farther/farthest**, comparez les adjectifs correspondants, p. 729.

d) *Pour exprimer l'idée de "plus/moins ... plus/moins ..."*

the hotter it gets the more she suffers
plus il fait chaud, plus elle souffre

the less I see of him the better!
moins je le vois, mieux je me porte !

the sooner the better
le plus tôt sera le mieux

the more the merrier
plus on est de fous, plus on rit

e) ***-wise***

On peut ajouter le suffixe **-wise** à des noms pour former un adverbe qui a le sens général de "en ce qui concerne" (quel que soit le nom) :

how's he feeling? - do you mean mentally or healthwise?
comment se sent-il ? - tu veux dire mentalement ou en ce qui concerne sa santé ?

Bien que cette construction soit très courante, elle a tendance à être employée à l'oral plus qu'à l'écrit, et elle n'est pas toujours considérée comme particulièrement élégante, surtout pour un usage plus "créatif" :

things are going quite well schedule-wise
les choses se passent assez bien en ce qui concerne nos prévisions

we're not really short of anything furniture-wise
nous ne manquons pas de grand-chose en ce qui concerne les meubles

the town's quite well provided restaurant-wise
la ville a pas mal de restaurants

C USAGE

1 FONCTIONS DE L'ADVERBE ET DES CONSTRUCTIONS ADVERBIALES

Les adverbes et les groupes adverbiaux s'emploient pour modifier

(1) des verbes :

he spoke well
il a bien parlé

he spoke in a loud voice
il a parlé d'une voix forte

(2) des adjectifs :

that's awfully nice of you
c'est vraiment gentil à vous

this isn't good enough
ça n'est pas assez bien

(3) d'autres adverbes :

she didn't sing well enough
elle n'a pas assez bien chanté

it happened extremely quickly
ça s'est passé extrêmement vite

(Remarquez que **enough** suit l'adjectif ou l'adverbe qu'il modifie.)

(4) des noms qui sont employés comme des adjectifs attributs :

this is rather a mess — c'est plutôt en désordre

he's quite a hero — c'est un vrai héros

(5) toute la phrase :

fortunately they accepted the verdict
par bonheur ils ont accepté le verdict

this is obviously a problem
c'est de toute évidence un problème

amazingly enough, it was true
aussi incroyable que cela puisse paraître, c'était vrai

2. LES ADVERBES AYANT LA MEME FORME QUE L'ADJECTIF

Parmi ceux-ci on trouve :

far (lointain - loin), **fast** (rapide - vite), **little** (petit - peu), **long** (long - longtemps), **early** (en avance - tôt), **only** (seul, unique - seulement)

et un certain nombre en **-ly** dérivés de noms (faisant souvent référence au temps), par exemple :

daily (quotidien - tous les jours), **monthly** (mensuel - tous les mois), **weekly** (hebdomadaire - toutes les semaines), **deathly** (cadavérique - comme la mort), **leisurely** (tranquille - sans se presser)

he travelled to far and distant lands (adjectif)
il a voyagé dans des pays lointains

he travelled far and wide (adverbe)
il a voyagé par monts et par vaux

this is a fast train (adjectif)
c'est un train rapide

you're driving too fast (adverbe)
vous roulez trop vite

he bought a little house (adjectif)
il a acheté une petite maison

little do you care! (adverbe)
ça t'importe peu !

Churchill loved those long cigars (adjectif)
Churchill aimait ces longs cigares

have you been here long? (adverbe)
vous êtes ici depuis longtemps ?

you'll have to catch the early plane (adjectif)
il faudra que tu prennes le premier avion

they arrived early (adverbe)
ils sont arrivés tôt

she's an only child (adjectif)
elle est fille unique

I've only got 10p (adverbe)
j'ai seulement 10p.

do you get a daily newspaper? (adjectif)
vous achetez un quotidien ?

there's a flight twice daily (adverbe)
il y a un vol deux fois par jour

you'll receive this in monthly instalments (adjectif)
vous le recevrez en versements mensuels

the list will be updated monthly (adverbe)
la liste sera mise à jour tous les mois

a deathly silence fell on the spectators (adjectif)
un silence de mort s'abattit sur les spectateurs

she was deathly pale (adverbe)
elle avait le teint blafard

we took a leisurely stroll after dinner (adjectif)
nous avons fait une promenade tranquille après le dîner

his favourite pastime is travelling leisurely along the Californian coast (adverb)
son passe-temps favori est de voyager à loisir le long de la côte californienne

3 LA POSITION DE L'ADVERBE

a) *Les adverbes de temps*

i) S'ils font référence à un moment précis, on les place normalement en fin de phrase :

the shops close at 8 tonight
les magasins ferment à 8 heures ce soir

tonight the shops close at 8
ce soir les magasins ferment à 8 heures

will I see you tomorrow?
est-ce que je te vois demain ?

tomorrow it'll be too late
demain il sera trop tard

Mais le mot **now** (maintenant) précède souvent le verbe :

I now see the point
je vois maintenant ce que vous voulez dire

now I see the point
maintenant je vois ce que vous voulez dire

I see the point now
je vois ce que vous voulez dire maintenant

now is the time to make a decision
c'est maintenant le moment de prendre une décision

ii) Si l'on fait référence à un moment imprécis, on place normalement l'adverbe avant le verbe principal :

I always buy my shirts here
j'achète toujours mes chemises ici

we soon got to know him
on a bientôt appris à le connaître

we have often talked about it
on en a souvent parlé

they have frequently discussed such matters
ils ont fréquemment discuté de tels sujets

Mais de tels adverbes suivent normalement les formes du verbe **to be** :

he's never late
il n'est jamais en retard

he was frequently in trouble with the police
il avait souvent des problèmes avec la police

S'il y a plus d'un auxiliaire, ces adverbes ont tendance à précéder le deuxième. Pour les accentuer on peut les placer après le deuxième auxiliaire :

she has frequently been visited by distant relatives
des parents lointains lui ont fréquemment rendu visite

she has been frequently visited by distant relatives
fréquemment des parents lointains lui ont rendu visite

b) *Les adverbes de lieu*

Ils suivent le verbe (et le complément d'objet) :

they travelled everywhere
ils/elles ont voyagé partout

they have gone back
ils/elles sont retourné(e)s

I saw you there
je vous ai vu là-bas

Mais remarquez la position à l'initiale devant **be** :

there's the postman
le facteur arrive

here are your books
voici tes livres

et devant des pronoms personnels employés avec **be**, **come** et **go** :

there he is
le voilà

here she comes
la voilà

c) *Les adverbes de manière*

i) Très souvent la position d'un adverbe de manière ne changera aucunement le sens de la phrase. On peut donc le placer où bon nous semble, suivant les nuances, où le ton que l'on veut donner au discours :

they stealthily crept upstairs
they crept stealthily upstairs
they crept upstairs stealthily
ils ont monté les escaliers furtivement

steathily, they crept upstairs
furtivement, ils ont monté les escaliers

she carefully examined the report
she examined the report carefully
elle examina le rapport avec attention

it was beautifully done
it was done beautifully
ce fut très bien fait

Mais, dans certains cas, si l'on veut mettre l'accent sur l'adverbe, la position où il aura plus d'impact est en fin de phrase. Comparez par exemple :

he quickly wrote a postcard (and left)
il a rapidement écrit une carte (et il est parti)

he wrote a postcard quickly (which nobody could read)
il a écrit une carte en vitesse (qui était illisible)

Plus on met l'accent sur la manière, plus l'adverbe a des chances de suivre le verbe.

Dans la phrase suivante, une seule position est possible :

they fought the war intelligently
ils ont mené la guerre avec intelligence

ii) Si le complément d'objet direct est extrêmement long, on évite de placer l'adverbe en fin de phrase :

she carefully examined the report sent to her by the Minister
elle examina attentivement le rapport envoyé par le Ministre

iii) La position en tête de phrase est très descriptive et emphatique :

clumsily he made his way towards the door
maladroitement, il se dirigea vers la porte

iv) Les adverbes modifiant les phrases et les adverbes modifiant les verbes :

Suivant la place qu'il a dans la phrase, l'adverbe va modifier la phrase entière ou bien le verbe seul :

Comparez les phrases suivantes :

she spoke wisely at the meeting
elle a parlé avec sagesse durant la réunion

she wisely spoke at the meeting
elle a eu la sagesse de parler à la réunion

Voici des exemples analogues :

she spoke naturally and fluently (modifie le verbe)
elle parla avec naturel et aisance

she naturally assumed it was right (modifie la phrase)
elle supposa naturellement que c'était vrai

naturally she assumed it was right (modifie la phrase)
naturellement elle supposa que c'était vrai

she understood it clearly (modifie le verbe)
elle comprit cela clairement

she clearly understood it (modifie la phrase ou le verbe)
de toute évidence elle comprit cela
elle comprit cela clairement

clearly she understood it (modifie la phrase)
de toute évidence elle le comprit

Le mot **enough** peut aussi s'employer après un adverbe pour marquer le fait que l'adverbe est employé pour modifier la phrase :

funnily (enough), they both spoke at the meeting
aussi drôle que cela puisse paraître, ils ont parlé tous les deux à la réunion

d) *Les adverbes d'intensité*

i) Si ceux-ci modifient des adverbes, des adjectifs ou des noms, ils précèdent ces mots :

she played extremely well
elle a joué extrêmement bien

this is very good
c'est très bien

it's too difficult to define
c'est trop difficile à définir

it's rather a shame
c'est bien dommage

ii) Sinon ils précèdent normalement le verbe principal :

I nearly forgot your anniversary
j'ai failli oublié ton anniversaire

I could hardly remember a thing
je pouvais à peine me souvenir de quoi que ce soit

I merely asked
j'ai tout simplement demandé

we just want to know the time of departure
nous voulons juste connaître l'heure du départ

we very much enjoyed your book
nous avons beaucoup apprécié votre livre

they also prefer white wine
ils/elles préfèrent aussi le vin blanc

Mais **too** (dans le sens de "aussi") suit normalement les mots qu'il modifie :

you too should go and see the exhibition
toi aussi tu devrais aller voir cette exposition

you should try to see that exhibition too
tu devrais aussi aller voir cette exposition

iii) **only** (seulement)

Cet adverbe pose rarement des difficultés en anglais parlé, car l'accentuation et l'intonation révèlent son sens :

(a) **Bill only *saw* Bob today**
Bill a seulement vu Bob (mais il ne lui a pas parlé)

(b) **Bill only saw *Bob* today**
Bill n'a vu que Bob aujourd'hui (il n'a vu personne d'autre)

(c) **Bill only saw Bob *today***
Bill n'a vu Bob qu'aujourd'hui (il l'a vu seulement aujourd'hui/aujourd'hui seulement)

Mais de telles différences sont obscures dans la langue écrite, à moins que le contexte ne soit clair. Ainsi dans (b) dans la langue écrite on changerait la place de l'adverbe de la façon suivante :

Bill saw only Bob today
Bill n'a vu que Bob aujourd'hui

et (c) deviendrait :

it was only today that Bill saw Bob
ce n'est qu'aujourd'hui que Bill a vu Bob

Dans (a) on écrirait probablement le mot accentué en italique :

Bill only *saw* Bob today
Bill n'a fait que voir Bob aujourd'hui

iv) **very** ou **much ?** (très/beaucoup)

* Devant des adjectifs dans leur forme de base on emploie **very** :

these are very fine
ils sont très beaux

ainsi que devant des superlatifs en **-est** :

these are the very finest copies I've seen
ce sont les plus belles copies que j'aie jamais vues

Cependant dans la construction au superlatif qui suit, **much** s'emploie devant **the** du superlatif :

this is much the best example in the book
c'est de loin le meilleur exemple du livre

* Le comparatif est accompagné de **much** :

she's much taller than you
elle est bien plus grande que toi

she's much more particular
elle est beaucoup plus pointilleuse

* Il en est de même avec les adverbes :

you do it very well, but I do it much better
tu le fais très bien, mais je le fais bien mieux

* Les verbes sont accompagnés de **much** (qui est lui-même modifié par **very**) :

I love you very much
je t'aime énormément

* Avant les participes passés :

S'ils ont la fonction d'adjectif, on emploie **very** :

I'm very tired
je suis très fatigué

we're very interested in this house
nous sommes très intéressés par cette maison

they became very offended
ils se sont beaucoup offensés

they sat there, all very agitated
ils étaient assis là, tous très agités

I'm very pleased to meet you
je suis très heureux de vous rencontrer

these suitcases are looking very used
ces valises paraissent très usagées

Mais s'ils ne sont pas considérés comme adjectifs en tant que tels, ou s'ils gardent leur fonction verbale, on emploie alors **much** :

this has been much spoken about (pas **very**)
on en a beacoup parlé

these suitcases haven't been much used (pas **very**)
ces valises n'ont pas été très utilisées

he has been much maligned (pas **very**)
on l'a beaucoup diffamé

they were much taken aback by the reception they received (aussi **very**)
ils ont été époustouflés par l'accueil qu'on leur a réservé

his new house is much admired by people round here (pas **very**)
sa nouvelle maison est très admirée par ici

Dans un langage familier, on préfère employer **a lot** que **much**, en particulier à la forme affirmative :

these haven't been used a lot
ceux-ci n'ont pas été beaucoup utilisés

v) **enough** :

Lorsqu'il est employé comme adverbe, **enough** se place après l'adjectif :

he isn't big enough for that yet
il n'est pas encore assez grand pour ça

On l'emploie aussi après un nom employé comme adjectif attribut :

he isn't man enough for the job
il n'a pas la carrure suffisante pour ce travail

Remarquez que **enough** peut séparer l'adjectif du nom :

it's a decent enough town
c'est pas mal comme ville

e) *Les adverbes modifiant toute la phrase*

i) On a beaucoup de choix quant à la position dans la phrase. Voir plus haut sous **les adverbes de manière**, p. 740-2. Voici quelques exemples de phrases modifiées par des adverbes qui ne sont pas des adverbes de manière :

probably that isn't true
that probably isn't true
ceci n'est probablement pas vrai

fortunately he stopped in time
heureusement, il s'est arrêté à temps

he fortunately stopped in time
il s'est heureusement arrêté à temps

he stopped in time, fortunately
il s'est arrêté à temps, heureusement

f) *La place de **not*** :

i) **Not** précède le groupe adverbial qu'il modifie :

is he here? - not yet
est-il ici ? - pas encore

do you mind? - not at all
ça ne te fais rien ? - pas du tout

he speaks not only English, but also French
il parle non seulement anglais, mais aussi français

he lives not far from here
il n'habite pas loin d'ici

Dans l'exemple suivant, c'est **absolutely** (absolument) qui qualifie **not**, et pas le contraire :

have you said something to her? - absolutely not
tu lui a dit quelque chose ? - absolument pas

ii) **Not** suit le verbe **be** :

he is not hungry
il n'a pas faim

iii) Puisque **do** s'emploie lorsque le verbe principal est à la forme négative, il y a au moins toujours un auxiliaire à cette forme. **Not** (ou **-n't**) suit normalement le premier auxiliaire :

he does not smoke/he doesn't smoke
il ne fume pas

they would not have seen her/they wouldn't have seen her
ils ne l'auraient pas vue

Mais dans des questions la forme complète de **not** suit le sujet, tandis que **-n't** le précède, étant lié à l'auxiliaire :

did they not shout abuse at her?
didn't they shout abuse at her?
est-ce qu'ils ne lui ont pas lancé des insultes ?

have they not shouted abuse at her?
haven't they shouted abuse at her?
est-ce qu'ils ne lui ont pas lancé des insultes ?

iv) En américain, **not** peut précéder un subjonctif :

it is important that he not be informed of this
il est important qu'il ne soit pas informé de cela

v) Remarquez aussi ce qui suit :

did you do it? - not me
tu l'as fait ? - non, c'est pas moi

will she come? - I hope not
est-ce qu'elle viendra ? - j'espère que non

Ici **not** est la négation de **will come** (**I hope she won't come** j'espère qu'elle ne viendra pas)

6 LES PRONOMS PERSONNELS

	singulier	pluriel
1ère	**I/me**	**we/us**
2ème	**you**	**you**
3ème	**he/him, she/her, it**	**they/them**

Voir p. 871 pour l'ordre des pronoms personnels dans une phrase.

Dans le tableau ci-dessus la première forme de chaque paire est la forme du sujet, la seconde celle des autres emplois :

she's not here yet (sujet)
elle n'est pas encore là

Jane didn't see her (complément d'objet direct)
Jane ne l'a pas vue

Jane wrote her a letter (complément d'objet indirect)
Jane lui a écrit une lettre

it's her!
c'est elle !

with/for her
avec/pour elle

You correspond à toutes les formes de la deuxième personne française "tu, vous" au singulier et au pluriel.

a) *Sujet ou complément ?*

i) Habituellement, les formes sujets (**I, you, he, she, we, they**) sont utilisées comme sujets. Des phrases comme :

me and the wife are always there
ma femme et moi, nous sommes toujours là

sont incorrectes, bien qu'elles soient souvent entendues. Mais en anglais, on utilise souvent la forme complément (**me, him, her, us, them**) là où en français on utilise les formes "moi, toi", etc. :

who is it? - it's me
qui est-cè ? - c'est moi

who did it? - me (ou **I did**)
qui a fait cela ? - moi

It is I/he/she, etc. seraient considérés d'une politesse presque ridicule.

Cependant, si une proposition relative suit, les formes sujets sont assez courantes à condition que le pronom relatif ait une fonction de sujet : on dira :

it was I who did it
ou :
it was me that did it (familier)
c'est moi qui l'ai fait

mais toujours :

it was me (that) you spoke to
c'est à moi que vous avez parlé

La forme sujet **I** est fréquente dans la phrase **between you and I** (entre vous et moi). Cet emploi extrêmement correct est décrié par certains qui lui préfèrent **between you and me**. Voir plus loin à **Pronoms réfléchis**, p. 753.

ii) On place généralement la forme complément après **than** et **as** (si aucun verbe ne suit) :

she's not as good as him, but better than me
elle n'est pas aussi bonne que lui, mais meilleure que moi

mais, si un verbe suit :

she's not as good as he is, but better than I am
elle n'est pas aussi bonne que lui, mais meilleure que moi

Cependant, dans un style plus soutenu, la forme sujet peut être placée en position finale après **than** et **as**, et surtout après **than** :

he is a better man than I
c'est un homme meilleur que moi

b) *Omission du pronom sujet*

En général on n'omet pas le pronom sujet en anglais - il existe cependant, comme partout, quelques exceptions :

i) Omission de **it** :

Dans un registre familier, le pronom à troisième personne du singulier **it** peut être omis dans des usages comme :

looks like rain this afternoon
on dirait qu'il va pleuvoir cet après-midi

what do you think of it? - sounds/smells good
qu'est-ce que tu en penses ? - ça a l'air/sent bon

Mais ce n'est pas une caractéristique que l'on peut appliquer à n'importe quel autre exemple.

ii) Emplois particuliers :

Les pronoms peuvent être omis quand plus d'un verbe suivent le sujet :

I know the place well, go there once a week, even thought about moving there
je connais bien cet endroit, j'y vais une fois par semaine, j'ai même pensé m'y installer

iii) Impératif :

A l'impératif, bien sûr, on omet les pronoms sujets :

don't do that!
ne fais pas cela !

Mais on peut les utiliser pour renforcer le sens de l'impératif (par exemple, pour proférer une menace) :

don't you do that!
ne fais donc pas ça, toi !

c) ***He, she** ou **it** ?*

He (**him**, **his**) ou **she** (**her**) sont parfois employés pour désigner autres choses que des personnes, c.-à-d. des animaux et certains objets. Dans ce cas, on montre que le locuteur a une relation assez intime avec la chose ou l'animal en question, ou qu'il montre un intérêt tout particulier envers cette chose ou cet animal. Autrement, on emploie **it**.

i) Animaux :

Fluffy is getting on: she probably won't give birth to any more kittens
Fluffy vieillit, elle n'aura sans doute plus de chatons

the poor old dog, take him for a walk, can't you!
le pauvre vieux toutou, tu veux bien l'emmener faire une promenade ?

mais :

a dog's senses are very keen; it can hear much higher frequencies than we can
les sens des chiens sont très développés, ils peuvent percevoir des fréquences bien plus élevées que nous

ii) Moyens de transport :

On utilisera en général le féminin **she**, à moins d'une raison particulière (qui peut être tout à fait personnelle) :

she's been a long way, this old car
elle en a fait du chemin, cette vieille voiture

there she is! - the Titanic in all her glory!
le voilà - le Titanic dans toute sa splendeur ! (à propos d'un bateau)

mais :

this ship is larger than that one, and it has an extra funnel
ce bateau est plus grand que celui-là, et il a une cheminée de plus

The Flying Scotsman will soon have made his/her last journey
le "Flying Scotsman" fera bientôt son dernier voyage (à propos d'un train)

iii) Pays :

and Denmark? - she will remember those who died for her
et le Danemark ? - il se souviendra de ceux qui sont morts pour lui

mais :

Denmark is a small country; it is almost surrounded by water
le Danemark est un petit pays ; il est presque entièrement entouré d'eau

d) ***It** sans référence*

i) Comme en français, on peut utiliser en anglais le pronom impersonnel **it** pour parler du temps, donner des jugements et décrire des situations, etc. :

it's raining
il pleut

it's freezing in here
on se gèle ici

what's it like outside today?
il fait comment dehors aujourd'hui ?

it's very cosy here
c'est très confortable ici

it's wrong to steal
il ne faut pas voler

it's not easy to raise that sort of money
ce n'est pas facile de trouver une telle somme d'argent

it's clear they don't like it
il est clair que ça ne leur plaît pas

it looks as if/seems/appears that they've left
on dirait qu'ils sont partis

Et aussi pour faire référence à un point précis dans l'espace ou dans le temps :

it's ten o'clock
il est dix heures

it's June the tenth
c'est le 10 Juin

it's time to go
il est temps de partir

it's at least three miles
ça fait au moins 4 kilomètres

Mais si on évoque la durée, on emploie **there** :

there's still time to mend matters
il reste du temps pour réparer les choses

Remarquez aussi la phrase **it says** (on dit) pour faire référence à un texte :

it says in today's Times that a hurricane is on its way
on dit dans le "Times" d'aujourd'hui qu'un ouragan arrive

ii) **It** peut aussi être utilisé d'une façon impersonnelle, surtout dans des expressions toutes faites :

that's it! (that's right)
c'est ça !

beat it! (familier)
vas-t'en !

she thinks she's it (familier)
elle s'y croit

she has it in for him (familier)
elle a une dent contre lui

e) *Emploi collectif*

You, **we** et **they** sont souvent employés d'une façon collective pour désigner "les gens en général". La différence entre ces trois termes se résume au fait que si **you** est employé, la personne à laquelle on s'adresse fait normalement partie des "gens", alors que si le locuteur emploie **we**, il renforce le fait qu'il est lui-même inclus dans ces "gens". **They** fait référence aux *autres* gens en général :

you don't see many prostitutes in Aberdeen any more
on ne voit plus beaucoup de prostituées à Aberdeen

I'm afraid we simply don't treat animals very well
j'ai bien peur qu'on ne traite pas les animaux très bien

they say he beats his wife
on dit qu'il bat sa femme

i) **You** employé pour faire une remarque sur une situation :

you never can find one when you need one
on n'en trouve jamais quand on en a besoin

you never can be too careful
on est jamais trop prudent

ii) **You** employé pour donner des instructions :

you first crack the eggs into a bowl
cassez d'abord les oeufs dans un saladier

you must look both ways before crossing
il faut regarder des deux côtés de la route avant de traverser

Voir aussi **one** p. 751.

f) *Emplois particuliers de* **we**

En dehors de l'emploi collectif de **we** (voir p. 749), il convient de noter deux autres emplois :

i) le "nous" de souveraineté (= je), comme on le trouve dans la célèbre remarque de la Reine Victoria :

we are not amused
nous ne trouvons pas cela drôle

ii) le "nous" de condescendance ou ironique (= tu, vous), très fréquemment utilisé par les professeurs et les infirmières :

and how are we today, Mr Jenkins?, could we eat just a teeny-weeny portion of porridge?
et comment nous portons-nous aujourd'hui, M.Jenkins ? allons-nous manger un tout petit peu de porridge ?

I see, Smith, forgotten our French homework, have we?
alors, Smith, on a oublié ses exercices de français, n'est-ce pas ?

g) *Emploi de* **they**

i) L'emploi de **they** collectif est devenu très courant, pour renvoyer à **somebody**, **someone**, **anybody**, **anyone**, **everybody**, **everyone**, **nobody**, **no one**. Le **they** collectif évite le **he or she** maladroit (parfois écrit **s/he**).

Certains considèrent malheureux l'emploi de **he** seul comme pronom collectif mis pour "les gens". Le **they (their, them(selves))** collectif est maintenant courant dans l'anglais parlé et parfois écrit (même si on ne fait référence qu'à un sexe) et offre un moyen pratique d'éviter de s'exprimer d'une façon qui pourrait être jugée sexiste :

if anybody has anything against it, they should say so
si certains sont contre, qu'ils le disent

everybody grabbed their possessions and ran
tout le monde a ramassé ses affaires et s'est enfui

somebody has left their bike right outside the door
quelqu'un a laissé son vélo juste devant la porte

Cet emploi est de plus en plus courant avec des noms précédés non seulement par **any**, **some** ou **no** mais aussi par l'article indéfini collectif :

some person or other has tampered with my files = they'll be sorry
quelqu'un a touché à mes dossiers sans permission = il va le regretter

no child is allowed to leave until they have been seen by a doctor
aucun enfant ne pourra sortir avant qu'il ait été examiné par un médecin

a person who refuses to use a deodorant may find themselves quietly shunned at parties etc
les gens qui refusent de se mettre du déodorant risquent de se trouver un peu seul pendant des soirées, etc

Pour l'emploi de **one**, voir ci-dessous.

ii) **They** est employé pour faire référence à une (ou plusieurs) personne(s) que l'on ne connaît pas, mais qui représente(nt) l'autorité, le pouvoir, le savoir :

they will have to arrest the entire pit
on va devoir arrêter la mine toute entière

they should be able to repair it
ils devraient pouvoir le réparer

they will be able to tell you at the advice centre
on pourra vous renseigner au bureau d'information

when you earn a bit of money they always find a way of taking it off you
quand on gagne un peu d'argent, ils trouvent toujours un moyen pour vous en prélever

De cet emploi est née l'expression "them and us" (eux et nous) qui fait référence à ceux qui ont le pouvoir (eux), et ceux qui ne l'ont pas (nous).

h) ***One** collectif*

One est employé comme un sujet et comme un complément d'objet. La forme possessive est **one's**.

i) Si **one** est collectif, le locuteur s'inclut dans "les gens en général" :

well what can one do?
eh bien, qu'est-ce qu'on peut faire ?

one is not supposed to do that
on ne doit pas faire ça

One offre un moyen pratique pour éviter les erreurs d'interprétation du sens (habituel) de **you** comme dans :

you need to express yourself more clearly
tu dois t'exprimer plus clairement

Si le locuteur parle de ce qu'on doit faire en général opposé à ce qu'une personne en particulier doit faire, il pourrait dire pour plus de précision :

one needs to express oneself more clearly
il faut s'exprimer plus clairement

Cependant, on évite habituellement d'employer ce pronom d'une façon excessive ou répétitive.

ii) L'emploi de **one** pour la première personne, c.-à-d. à la place de **I** (je) ou **we** (nous), est maintenant considéré précieux :

seeing such misery has taught one to appreciate how lucky one is in one's own country
le spectacle de tant de misère nous apprend à apprécier la chance de vivre dans notre pays

one doesn't like to be deprived of one's little pleasures, does one?
on ne se prive de rien, n'est-ce pas ?

En anglais américain, le pronom à la troisième personne au masculin peut suivre un **one** collectif :

one shouldn't take risks if he can avoid it
on ne devrait pas prendre de risques si on peut l'éviter

i) ***It*** *ou* ***so*** *?*

Comparez :

(a) **she managed to escape - I can quite believe it**
elle a réussi à s'échapper - je le crois bien

(b) **did she manage to escape? - I believe so**
est-elle parvenue à s'échapper ? - oui, je le pense

La conviction est plus forte en (a) où on est presque convaincu. En (b) la croyance est plus vague et on pourrait remplacer **believe** (croire) par **think** (penser). De même, **it** représente quelque chose de précis, mais **so** est plus vague. Voici d'autres exemples où **it/so** font référence à une affirmation précédente :

it's a difficult job, but I can do it
c'est difficile, mais je peux le faire

you promised to call me but didn't (do so)
tu avais promis de m'appeler, mais tu ne l'as pas fait

you're a thief! there, I've said it
tu es un voleur ! voilà, je l'ai dit

you're a thief! - if you say so
tu es un voleur ! - puisque tu le dis

D'autres verbes qui prennent souvent **so** : **expect**, **hope**, **seem**, **suppose**, **tell** :

has he left? - it seems so
il est parti ? - on dirait bien

I knew it would happen, I told you so
je savais que ça arriverait, je vous l'avais dit

7 LES PRONOMS REFLECHIS

	singulier	pluriel
1ère	**myself** (moi-même)	**ourselves**
2ème	**yourself**	**yourselves**
3ème	**himself, herself, itself, oneself**	**themselves**

a) Employé comme attribut, complément d'objet direct, complément d'objet indirect et après des prépositions pour renvoyer au sujet :

I am not myself today (attribut)
je ne me sens pas bien aujourd'hui

she has burnt herself (complément d'objet direct)
elle s'est brûlée

we gave ourselves a little treat (complément d'objet indirect)
nous nous sommes offert une petite gâterie

why are you talking to yourself? (après une préposition)
pourquoi parles-tu tout seul ?

Mais lorsqu'on évoque l'espace ou la direction, (au sens propre ou au sens figuré) les pronoms personnels sont souvent préférés après une préposition :

we have a long day in front of us
nous avons une longue journée devant nous

she put her bag beside her
elle a posé son sac à côté d'elle

have you got any cash on you?
avez-vous du liquide sur vous ?

she married beneath her
elle s'est déclassée en se mariant

he has his whole life before him
il a toute la vie devant lui

mais toujours **beside** + -self dans un sens figuré :

they were beside themselves with worry
ils étaient dévorés d'inquiétude

b) *Emploi d'intensité*

Lorsque le locuteur souhaite donner une certaine intensité à quelque chose dont il parle, il emploie souvent un pronom réfléchi :

you're quite well-off now, aren't you? - you haven't done so badly yourself
tu es plutôt riche, n'est-ce pas ? - tu ne t'es pas si mal débrouillé toi-même

only they themselves know whether it is the right thing to do
eux seuls savent si c'est la bonne chose à faire

get me a beer, will you? - get it yourself
tu vas me chercher une bière, s'il te plaît ? - va te la chercher tout seul

for the work to be done properly, one has to do it oneself
pour bien faire ce travail, il faut le faire soi-même

La position du pronom réfléchi peut modifier le sens de la phrase :

the PM (Prime Minister) wanted to speak to him herself
le Premier Ministre a voulu lui parler elle-même

mais :

the PM herself wanted to speak to him
le Premier Ministre elle-même a voulu lui parler (c.-à-d. que pas moins qu'elle a voulu lui parler)

c) *Après* ***as, like, than*** *et* ***and***

Après ces mots, il est très courant qu'on utilise les pronoms réfléchis au lieu des pronoms personnels, parfois parce qu'on hésite entre la forme de sujet ou de complément (voir **Les Pronoms Personnels** p. 746-7) :

he's not quite as old as myself
il n'est pas aussi âgé que moi

like yourself I also have a few family problems
comme vous, j'ai aussi mes problèmes familiaux

this job needs people more experienced than ourselves
ce travail demande des gens plus qualifiés que nous

he said it was reserved specially for you and myself
il a dit que ça nous était spécialement réservé, a toi et à moi

d) *Verbes réfléchis*

i) Certains (rares) verbes ne sont que réfléchis, par exemple : **absent oneself** (s'absenter), **avail oneself** (utiliser), **betake oneself** (se rendre), **demean oneself** (s'abaisser), **ingratiate oneself** (se faire bien voir), **perjure oneself** (se parjurer), **pride oneself** (se fier).

ii) D'autres ont des significations totalement différentes lorsqu'ils sont réfléchis et lorsqu'ils ne le sont pas :

he applied for the post
il a posé sa candidature pour le poste

he should apply himself more to his studies
il devrait se consacrer davantage à ses études

iii) Et il existe plusieurs verbes dont le sens demeure le même que le verbe soit réfléchi ou non :

they always behave (themselves) in public
ils se conduisent toujours bien en public

we found it very difficult to adjust (ourselves) to the humid climate
nous avons trouvé très difficile de nous adapter au climat humide

Notez que l'élément réfléchi peut ajouter un sens de détermination. Comparez :

(a) **he proved to be useful**
il a fini par être utile

(b) **so as not to face redundancy, he'll have to prove himself more useful**
pour éviter le licenciement, il devra se montrer plus utile

(c) **the crowd pushed forward**
la foule avançait

(d) **the crowd pushed itself forward**
la foule s'avançait

Dans l'exemple (d), il y a plus de détermination que dans l'exemple (c).

8 LES POSSESSIFS

a) *Les adjectifs*

	singulier	pluriel
1ère	**my** (mon, ma, mes)	**our** (notre, nos)
2ème	**your** (ton, ta, tes; votre, vos)	**your** (votre, vos)
3ème	**his** (son, sa, ses)	**their** (leur, leurs)
	her (son, sa, ses)	**its** (son, sa, ses)

Les pronoms

	singulier	pluriel
1ère	**mine** (le mien, etc.)	**ours**
2ème	**yours**	**yours**
3ème	**his, hers, its**	**theirs**

Remarquez qu'à la troisième personne du singulier il y a trois formes que l'on utilise selon que le possesseur est du sexe masculin ou féminin ou qu'il est neutre. Il est important de se souvenir qu'il n'existe pas de genres grammaticaux en anglais et que le choix entre **his/her** dépend uniquement du sexe du possesseur. Pour les objets et les animaux on emploie **its** (voir ci-dessous) :

who is that man? what is his name?
qui est cet homme ? quel est son nom ?

who is that woman? what is her name?
qui est cette femme ? quel est son nom ?

what street is this? what is its name?
quelle est cette rue ? quel est son nom ?

Dans les cas où l'on emploie **he** ou **she** pour des animaux ou des objets (voir **Les Pronoms Personnels** p. 748) on emploie les possessifs correspondants :

our dog's hurt his/its paw
notre chien s'est fait mal à la patte

the lion is hunting its prey
le lion chasse sa proie

Voici d'autres exemples :

they've bought their tickets/they've bought theirs
ils/elles ont acheté leurs tickets/ils/elles ont acheté les leurs

ours is much older/ours are much older
le/la nôtre est beaucoup plus vieux/vieille/les nôtres sont beaucoup plus vieux/vieilles

Remarquez le "double génitif" (comparez p. 720-1) :

he's an old friend of mine
c'est un de mes anciens amis

that mother of hers is driving me mad
sa mère à elle me rend fou

b) *Adjectif possessif ou article ?*

On utilise en anglais un adjectif possessif où, très souvent, en français on préfère utiliser l'article défini. C'est souvent le cas lorsqu'on parle du corps ou des vêtements :

he put his hands behind his back
il a mis les mains derrière le dos

she's broken her leg
elle s'est cassé la jambe

my head is spinning
j'ai la tête qui tourne

he moved his foot an inch or two
il a bougé le pied de cinq centimètres

what have you got in your pockets?
qu'est-ce que tu as dans les poches ?

Dans une phrase utilisant une préposition, l'article défini est généralement employé (bien que l'adjectif possessif soit aussi possible) :

he grabbed her by the waist
il l'a attrapée par la taille

he was punched on the nose
il a reçu un coup de poing dans le nez

Mais si le mot qui désigne une certaine partie du corps est lui-même qualifié par un adjectif, alors l'adjectif possessif, et non l'article, est utilisé :

he grabbed her by her slim little waist
il l'a attrapée par sa petite taille mince

Voir aussi **Le Pluriel Distributif** dans la section **Les Noms**, p. 716-7.

9 LES DEMONSTRATIFS

singulier	pluriel
this, that	**these, those**

Les formes sont les mêmes pour l'adjectif démonstratif (ce, cette, ces, etc.) et le pronom démonstratif (celui-ci, celle-ci, celle-là, etc.).

a) **This** et **these** renvoient à quelque chose qui se trouve **près** du locuteur, ou qui a un rapport **immédiat** avec le locuteur, alors que **that** et **those** ont un rapport plus distant avec lui. **This/these** sont à **here/now** ce que **that/those** sont à **there/then** :

(a) **this red pen is mine; that one is yours**
ce crayon rouge-ci est le mien ; celui-là est le tien

(b) **that red pen is mine; this one is yours**
ce crayon rouge-là est le mien ; celui-ci est le tien

En (a) le crayon rouge se trouve plus près du locuteur que l'autre crayon ; en (b) c'est le contraire.

Autres exemples :

I want to go - you can't mean that
je veux partir - tu ne veux pas dire ça !

this is what I want you to do ...
voici ce que je veux que tu fasses ...

in those days it wasn't possible
à cette époque-là ce n'était pas possible

what are these (knobs) for?
à quoi servent ceux-ci/ces boutons ?

this is Christine, is that Joanna? (au téléphone)
ici Christine, c'est Joanna ?

Quand ils sont pronoms les démonstratifs ne peuvent pas renvoyer à des personnes, sauf s'ils sont sujets ou attributs :

this is Carla
c'est Carla

who is this?
qui est-ce ?.

Ainsi dans :

would you take this?
tu veux bien prendre ça ?

this ne peut pas désigner une personne.

b) ***this/these*** *indéfinis*

L'emploi de **this/these** comme pronoms indéfinis est très courant en l'anglais familier parlé, quand on raconte une histoire, une blague par exemple :

this Irishman was sitting in a pub when ...
un Irlandais était assis dans un pub quand ...

the other day these guys came up to me ...
l'autre jour, des types se sont approchés de moi ...

c) ***that/this*** *adverbes*

En anglais parlé **that/this** sont souvent utilisés comme des adverbes, dans un sens proche de **so** (si), avant un adjectif ou un autre adverbe :

I like a red carpet but not one that red
j'aime bien les tapis rouges, mais pas aussi rouge que ça

I don't like doing it that/this often
je n'aime pas le faire si souvent

now that we've come this far, we might just as well press on
puisqu'on est allé jusque là, autant continuer

I don't want that/this much to eat !
je veux pas manger autant que ça !

she doesn't want to marry him, she's not that stupid
elle ne veut pas se marier avec lui, elle n'est pas si stupide

10 LES INTERROGATIFS

who/whom/whose, which, what et toutes les formes combinées avec **-ever**, par exemple : **whichever**

On distingue l'emploi adjectif et l'emploi pronom :

which do you want? (pronom)
lequel veux-tu ?

which flavour do you want? (adjectif)
quel parfum veux-tu ?

Remarquez qu'ils sont invariables. Le premier exemple pourrait tout aussi bien se traduire par "laquelle/lesquels/lesquelles veux-tu ?"

a) *Who et whom*

Who et **whom** sont toujours des pronoms (c.-à-d. qu'ils ne sont jamais suivis par un nom) et ils renvoient à des personnes :

who are you?
qui êtes-vous ?

to whom were your remarks addressed?
à qui s'adressaient vos remarques ?

Whom est utilisé dans un style soutenu, lorsqu'il est complément d'objet (direct ou indirect) ou suit une préposition :

whom did she embrace?
qui a-t-elle embrassé ?

to whom did he give his permission?
à qui a-t-il donné la permission ?

I demanded to know to whom he had spoken

ou :

I demanded to know whom he had spoken to
j'ai exigé de savoir à qui il avait parlé

En anglais parlé d'aujourd'hui, **who** est normalement utilisé pour toutes les fonctions. (**Whom** est obligatoire directement **après** une préposition, mais ce genre de tournure n'est pas très employé en anglais parlé d'aujourd'hui.) Par exemple :

who did you see at the party?
qui as-tu vu à la soirée ?

I want to know who you spoke to just now
I want to know to whom you spoke just now (style soutenu)
je veux savoir avec qui tu étais en train de parler

b) ***whose***

C'est la forme au génitif de **who**. Il peut être pronom ou adjectif :

whose are these bags?
à qui sont ces sacs ?

whose bags are these?
ce sont les sacs de qui ?

c) ***which/what***

Au contraire de **who(m)**, **which** peut être adjectif ou pronom, et peut renvoyer à une personne ou à un objet :

which actor do you mean?
de quel acteur parles-tu ?

which of the actors do you mean?
duquel des acteurs parles-tu ?

of these two recordings, which do you prefer?
de ces deux enregistrements, lequel préfères-tu ?

which recording do you prefer?
quel enregistrement préfères-tu ?

La différence entre **which** et **who/what** est que **which** est limitatif : il invite celui à qui on parle à faire un choix parmi un certain nombre de choses précises. Comparez :

what would you like to drink?
qu'est-ce que tu veux boire ?

I've got coffee or tea - which would you like?
j'ai du café ou du thé - qu'est-ce que tu veux ?

Si l'objet du choix n'est pas identifié avant la question, on ne peut employer que **what** :

what would you like to drink? I've got sherry or vermouth or Campari
qu'est-ce que tu veux boire ? j'ai du sherry, du vermouth ou du Campari

d) ***what***

Lorsqu'il est un pronom, **what** ne renvoie jamais à une personne :

what is this object?
qu'est-ce que c'est que cet objet ?

don't ask me what I did
ne me demande pas ce que j'ai fait

sauf si on fait référence à des caractéristiques personnelles :

and this one here, what is he? - he's German
et celui-ci, qu'est-ce qu'il est ? - c'est un Allemand

Lorsqu'il est adjectif, **what** peut renvoyer à une personne, un animal ou à une chose :

what child does not like sweets?
quel enfant n'aime pas les bonbons ?

what kind of powder do you use?
quelle sorte de lessive utilisez-vous ?

Pour la différence entre **what** et **which**, voir c) ci-dessus.

Remarquez l'emploi de **what** dans les exclamations :

what awful weather!
quel temps affreux !

what a dreadful day!
quelle journée épouvantable !

what must they think!
ce qu'ils doivent penser !

e) *Avec* ***-ever***

Le suffixe **-ever** exprime la surprise, la confusion ou l'ennui, l'agacement :

whatever do you mean? (confusion ou ennui)
qu'est-ce que tu veux dire ?

whoever would have thought that? (surprise)
qui donc aurait pu penser cela ?

whatever did you do that for? (ennui, agacement)
pourquoi as-tu donc fait ça ?

Which quand il est interrogatif ne se combine normalement pas avec **-ever**.

11 LES RELATIFS

who/whom/whose, **which**, **what**, **that** et toutes les formes combinées avec **-ever**, par exemple : **whichever**.

a) Les pronoms relatifs (sauf **what**) ont en général un antécédent auquel ils se rapportent. Dans :

she spoke to the man who/that sat beside her
elle a parlé à l'homme qui s'était assis à côté d'elle

who/that est le pronom relatif et **the man** l'antécédent.

b) *Déterminative et explicative*

Une proposition relative peut être déterminative ou explicative. Si elle est déterminative, elle est **nécessaire** au sens de la phrase complète par le lien qui l'unit à l'antécédent. Si elle est explicative, elle a un rapport moins étroit avec l'antécédent. Une proposition explicative a un rôle similaire à une parenthèse. Par exemple :

he helped the woman who had called out
il aida la femme qui avait appelé au secours

Cette phrase peut vouloir dire deux choses : (1) "il aida la femme qui avait appelé au secours et non celle qui ne l'avait pas fait" ; ou (2) "il aida la femme (qui, par ailleurs avait appelé au secours)".

Dans le sens (1) on a une proposition relative déterminative : on définit la femme comme celle qui avait appelé au secours.

Dans le sens (2) la femme a déjà été évoquée et définie dans la conversation, et la proposition relative n'apporte pas d'éléments majeurs à la phrase ; elle ne fait que donner une information supplémentaire, mais pas nécessaire.

Il n'est pas tout à fait exact, cependant, de dire que la phrase comme on l'a donnée plus haut peut avoir deux significations : les propositions relatives explicatives *devraient* être précédées d'une virgule, les propositions relatives déterminatives jamais. Ainsi, dans cette phrase, la proposition relative est déterminative. La proposition explicative serait :

he helped the woman, who had called out
il aida la femme, qui avait appelé au secours

Il est évident que l'emploi des propositions déterminatives n'a de sens que s'il existe deux possibilités ou plus. C'est-à-dire qu'une proposition relative qui a un antécédent exclusif comme **my parents** (je n'ai que deux parents, et je n'ai pas besoin de préciser ou déterminer lesquels) est toujours explicative :

my parents, who returned last night, are very worried
mes parents, qui sont rentrés hier soir, sont très inquiets

he went to Godalming, which is a place I don't much care for
il est allé à Godalming, qui n'est pas un endroit que j'apprécie particulièrement

Le pronom relatif **that** est employé uniquement avec des propositions relatives déterminatives. **Who** et **which** peuvent être utilisés dans les deux cas.

c) ***who/whom/that***

Who ou **that** sont utilisés comme sujets (qui) :

the girl who/that rescued him got a medal
la fille qui l'a sauvé a reçu une médaille

Who(m) ou **that** sont utilisés comme compléments (que) :

the man who(m)/that she rescued was a tourist
l'homme qu'elle a sauvé était un touriste

Whom est utilisé dans un style plus soutenu. Pour plus de renseignements, voir **Les Interrogatifs**, p. 760.

d) ***who/which/that***

i) **who/that**

Ces formes renvoient à des personnes ou des animaux dont il a été question dans la section **Les Pronoms Personnels** (c) ci-dessus, p. 746-7 :

we ignored the people who/that were late
nous n'avons pas tenu compte des gens qui étaient en retard

the mouse did not get past Fluffy, who had it in her jaws in no time
la souris ne put pas passer devant Fluffy, qui la prit dans sa gueule en un éclair

Remarquez que **who** uniquement et non **that** peut être employé dans le second exemple, qui est une proposition relative explicative, voir b) ci-dessus.

Pour les noms collectifs, si on veut leur donner un caractère individuel, on emploie **who** ou **that**. Si on considère le groupe d'une manière moins personnelle, on emploie **which** ou **that** :

the crowd who/that had gathered were in great spirits
(aspect personnalisé) la foule qui s'était rassemblée était très enthousiaste

the crowd which/that had gathered was enormous (aspect collectif)
la foule qui s'était rassemblée était énorme

De même pour les noms de sociétés et les grands magasins :

try Harrods who, I'm sure, will order it for you (aspect personnalisé)
va voir chez Harrods qui, j'en suis sûr, le commandera pour toi

you'll find it in Harrods, which is a gigantic store (aspect non personnalisé)
tu le trouveras chez Harrods, qui est un magasin gigantesque

ii) **which/that** :

Which ou **that** ne sont pas utilisés pour désigner des personnes :

the car which/that drove into me/ la voiture qui m'est rentrée dedans

the disks which/that I sent you
les disquettes que je t'ai envoyées

Attention : bien que les pronoms personnels puissent être utilisés pour des moyens de transport, comme on l'a vu p. 748, cette possibilité de personnalisation ne s'applique pas aux pronoms relatifs.

e) ***whose***

La forme au génitif **whose** renvoie à des personnes et à des animaux. Elle est souvent employée, quand elle renvoie à une chose, à la place de **of which** :

this is the girl whose mother has just died
c'est la fille dont la mère vient juste de mourir

oh, that's that new machine whose cover is damaged
oh, c'est la nouvelle machine dont le couvercle est abîmé

the department, whose staff are all over 50, is likely to be closed down
le service, dont le personnel a plus de 50 ans, risque de fermer

these are antiques whose pedigree is immaculate
ce sont des objets anciens dont l'authenticité est irréprochable

the vehicles, the state of which left a good deal to be desired, had been in use throughout the year
les véhicules, dont l'état laissait à désirer, avaient été en service pendant toute l'année

f) ***which***

i) **Which** ne renvoie jamais aux personnes :

I received quite a few books for Christmas, which I still haven't read
j'ai reçu un bon nombre de livres pour Noel, que je n'ai pas encore lus

sauf quand on évoque un trait de caractère :

she accused him of being an alcoholic, which in fact he is
elle l'accusait d'être alcoolique, ce qu'il est en réalité

ii) Lorsque **which** est un adjectif, normalement on ne le trouve qu'après une préposition et s'il a un antécédent chose ou objet. **Which** quand il est adjectif est d'un style un peu soutenu, même après une préposition :

he returned to Nottingham, in which city he had been born and bred
il revint à Nottingham, ville dans laquelle il avait grandi

et il est très soutenu quand il n'est pas accompagné d'une préposition :

he rarely spoke in public, which fact only added to his obscurity
il parlait très peu en public, particularité qui contribuait à le laisser dans l'ombre

ou archaique ou légal si l'antécédent est une personne :

Messrs McKenzie and Pirie, which gentlemen have been referred to above ...
MM. McKenzie et Pirie, lesquels messieurs ont été évoqués plus haut ...

g) *what*

i) **What** est le seul relatif qui ne prend pas d'antécédent. Il peut être pronom ou adjectif. Quand il est pronom, il fait référence normalement à une chose, et a souvent le sens de **that which** (ce qui/que), ou, au pluriel, **the things which** (les choses qui/que) :

show me what did the damage
montre-moi ce qui a causé les dégâts

Quand il est adjectif, il peut renvoyer à une personne ou à une chose, et il correspond à **the** (+ nom) **who/which** :

show me what damage was done
montre-moi quels dégâts ont été faits

with what volunteers they could find they set off for the summit
avec les volontaires qu'ils ont pu trouver, ils sont partis à la conquête du sommet

what money they had left, they spent on drink
l'argent qu'il leur restait, ils le dépensèrent en boisson

ii) **what** ou **which** ?

Seul **which** peut renvoyer à une proposition complète alors que **what** n'a pas d'antécédent. Mais **what** peut annoncer ou anticiper une proposition. Comparez :

she left the baby unattended, which was a silly thing to do
elle laissa le bébé tout seul, ce qui était une chose idiote

mais :

she left the baby unattended and what's more, she smacked it when it cried
elle laissa le bébé tout seul, et ce qui est pire encore, elle lui donna une fessée quand il se mit à pleurer

h) *Avec* **-ever**

Au contraire des pronoms interrogatifs, (voir ci-dessus, p. 760) **-ever** n'exprime pas la surprise, la confusion ou l'agacement quand il est associé avec un relatif ; il permet seulement de les renforcer dans le sens de **no matter (who, which, what)** (qui que ce soit qui/que) :

tell it to whoever you want to
dis-le à qui tu veux

take whichever (tool) is best
prend celui (des outils) qui convient le mieux

do whatever you like
fais ce que tu veux

I'll do it whatever happens
je le ferai quoi qu'il arrive

whatever problems we may have to face, we'll solve them
quels que soient les problèmes que nous devions affronter, nous les résoudrons

i) *Omission du relatif*

Le pronom relatif peut être omis (et il l'est très souvent en anglais parlé) dans les propositions relatives déterminatives sauf s'il est sujet ou s'il est précédé par une préposition :

these are the things (which/that) we have to do
ce sont les choses que nous devons faire

I saw the boy (who/that) you met last night
j'ai vu le garçon que tu as rencontré hier soir

is this the assistant (who/that) you spoke to?
est-ce à cette assistante que tu as parlé ?

who's the girl you came to the party with?
qui est la fille avec qui tu es venu à la soirée ?

she's not the woman (that) she was
elle n'est plus la femme qu'elle était

Remarquez que **that** seulement pourrait être utilisé dans cette dernière phrase.

Remarquez aussi que la construction assez soutenue :

who are the people with whom you are doing business?/ qui sont les gens avec qui vous travaillez ?

peut être évitée si l'on change de place la préposition (**with**) :

who are the people you are doing business with?

En anglais familier parlé, le pronom relatif sujet est souvent omis après **there is, here is, it is, that is** :

there's a man wants to speak to you
il y a un monsieur qui veut te parler

here's a car will make your eyes pop out
voilà une voiture qui va te faire baver d'envie

it isn't everybody gets a chance like that
ce n'est pas tout le monde qui a une chance comme ça

that was her husband just walked by
c'est son mari qui vient juste de passer

12 LES PRONOMS ET LES ADJECTIFS INDEFINIS

a) *some et any*

i) Lorsqu'ils sont combinés avec **-body**, **-one**, **-thing** ce sont des pronoms alors que **some** et **any** seuls peuvent être pronoms ou adjectifs, singulier ou pluriel :

did you speak to anybody?
as-tu parlé à quelqu'un ?

tell me something
dis-moi quelque chose

I have some (sugar)
j'ai du sucre/j'en ai

do you have any (friends)?
avez-vous des amis ?/en avez-vous ?

ii) Si le locuteur emploie **some**, il considère que la chose, l'animal ou la personne dont il parle existe ou, au moins, il s'attend à ce qu'ils existent. S'il emploie **any**, il ne formule aucune condition concernant cette éventualité d'existence. C'est pourquoi **any** est utilisé dans les propositions négatives, et avec des mots qui ont un sens négatif, comme **hardly** (à peine) :

I haven't got any money, but you have some
je n'ai pas d'argent, mais toi, tu en as

I have got hardly any money
je n'ai presque pas d'argent

De même, **any** est fréquent dans les propositions interrogatives et conditionnelles, car ces propositions sont par définition non-affirmatives :

have you got any money?
avez-vous de l'argent ?

if you have any money, give it to me
si tu as de l'argent, donne-le-moi

Cependant, c'est une erreur de dire (comme le font d'autres grammaires) que **some** est rare dans les propositions interrogatives et conditionnelles. L'emploi dépend de ce que veut dire ou sous-entend le locuteur. Comparez :

(a) **have you got some brandy for the pudding?**
avez-vous du brandy pour le pudding ?

(b) **did you bring some sweets for the kids?**
avez-vous apporté quelques bonbons pour les enfants ?

(c) **if you had some milk, you'd feel better**
si vous preniez du lait, vous vous sentiriez mieux

(d) **if they leave some ice-cream behind, can I have it?**
s'ils laissent de la glace, je peux en avoir ?

(e) **have we got any brandy in the house?**
y a-t-il du brandy dans la maison ?

(f) **did you give any sweets to that donkey?**
avez-vous donné des bonbons à cet âne ?

(g) **if you've had any milk, please tell me**
si vous avez pris du lait, dites-le-moi

(h) **if they left any ice-cream behind, I didn't see it**
s'ils ont laissé de la glace, je ne l'ai pas vue

En (a)-(d) **some** veut dire "un peu de" ou "quelques", alors que en (e)-(h) **any** veut dire "du tout". Par exemple, en (e) le locuteur veut savoir s'il y a du brandy dans la maison ou s'il n'y en a pas. Il ne s'intéresse pas à la quantité, comme c'est le cas du locuteur en (a), qui en veut juste assez pour le pudding.

De même, **some milk** en (c) veut dire "un verre de lait" ou une quantité semblable, alors que le médecin qui parle en (g) veut savoir si le malade a pris la moindre quantité de lait (parce que le lait pourrait expliquer certains symptômes).

iii) **Some/any** et leur combinaisons :

Comparez :

(a) **have they produced any?**
est-ce qu'ils en ont fait ?

(b) **have they produced anything?**
est-ce qu'ils ont fait quelque chose ?

En (a) le nom auquel **any** fait référence est sous-entendu et a été évoqué un peu plus tôt ; mais en (b) on ne fait pas de référence directe à quelque chose en particulier. Un exemple typique pour (a) serait :

they're always going on about how much they like children - have they produced any yet?
ils disent toujours qu'ils adorent les enfants - est-ce qu'ils en ont fait un déjà ?

et pour (b) :

the think-tank have been locked away for a week - have they produced anything yet?
le groupe de réflexion est enfermé depuis une semaine - est-ce qu'ils ont trouvé quelque chose ?

Some et **any** pronoms peuvent aussi renvoyer à des noms indénombrables (dans l'exemple ci-dessus, **any** fait référence à un nom dénombrable (**children**), qui doit être au pluriel) :

I've run out of coffee, have you got any?
j'ai fini le café, tu en as ?

Mais remarquez que **some** est pronom quand il a le sens de "les gens qui" ou "ceux qui" :

there are some who will never learn
il y a des gens qui n'apprendront jamais

iv) **some(thing)/any(thing)** + **of** + nom :

Some/any avant une locution qui commence par **of** est **quantitatif** par son sens, alors que **something/anything** + locution qui commençe par **of** est **qualitatif**.

Comparez :

(a) **give me some of that cheese**
donne-moi (un peu) de ce fromage

(b) **he hasn't got any of her qualities**
il n'a aucune de ses qualités

(c) **he hasn't got anything of her qualities**
il n'a en rien ses qualités

(d) **there is something of the artist in her**
il y a quelque chose d'artistique chez elle

En (a) et en (b) **some** et **any** font référence à "une part de, un peu de" alors que en (c) et en (d) ils renvoient à "quelque chose dans la manière de" ou "quelque chose qui rélève de".

v) **some** = un(e) certain(e) :

On a vu plus haut (en ii ci-dessus) que **some** est utilisé dans un contexte positif avec des noms au pluriel (**would you like some biscuits?**) ou des noms indénombrables (**he stayed here for some time**). Lorsqu'il est placé devant un nom dénombrable au **singulier**, il veut souvent dire "un certain" :

some person (or other) must have taken it
quelqu'un l'aura pris

he's got some fancy woman in London, it seems
il semble qu'il a une certaine bonne amie à Londres

come and see me some time
viens me voir un jour (emploi de **time** différent de l'exemple ci-dessus)

vi) **some** = "un mauvais" ou "un bon, excellent" :

En anglais familier, on utilise souvent **some** avec ces deux sens :

some husband you are! - always in the pub with your mates!
quel mauvais mari tu fais, toujours au pub avec tes copains !

this really is some party!
c'est vraiment une soirée fantastique !

vii) **some/any, something, anything** adverbes :

Some : devant des nombres = à peu près, autour de :

some fifty people were present
une cinquantaine de personnes étaient présentes

avec **more** :

talk to me some more
parle-moi encore un peu

en anglais américain :

we talked some
on a un peu parlé

Any est utilisé comme un adverbe devant les comparatifs :

he isn't any less of a friend in spite of this
il n'est pas moins un ami pour cela

I refuse to discuss this any further
je refuse de parler de cela davantage

Avant **like**, **something** ou **anything** sont aussi employés comme adverbes dans le sens de "plutôt" ou "environ" (**something**) et "rien" (**anything**) :

it looks something like a Picasso
ça ressemble à du Picasso

something like fifty or sixty people were present
environ cinquante à soixante personnes étaient présentes

it wasn't anything like I had imagined
ça n'avait rien à voir avec ce que j'avais imaginé

Autrement **something** employé comme adverbe d'intensité est familier ou régional :

ooh, that baby howls something terrible!
ce bébé hurle d'une façon terrible

he fancies her something rotten
elle lui plaît un maximum

b) ***no et none***

i) **No** est adjectif :

he has no house, no money, no friends
il n'a pas de maison, pas d'argent, pas d'amis

sauf s'il est employé comme un adverbe, dans le sens de "pas" devant les comparatifs :

we paid no more than 2 pounds for it
nous n'avons pas payé plus de deux livres

I want £2 for it, no more, no less
j'en veux deux livres, ni plus, ni moins

La différence entre **not** et **no** dans ce cas est que **not** est plus précis, **no** ayant un caractère émotionnel. **No more than** peut être remplacé par **only** (seulement). Mais si le locuteur dit :

I wish to pay not more than £2
j'espère payer pas plus de deux livres

il précise que le prix ne doit pas dépasser deux livres.

ii) **None** est un pronom :

do you have any cigarettes? - no, I've none left
avez-vous des cigarettes ? - non, je n'en ai plus

I tried a lot but none (of them) fitted
j'en ai essayé beaucoup, mais aucune ne m'allait

Remarquez qu'en anglais parlé courant, une phrase comme :

I have none
je n'en ai pas

peut paraître formelle ou d'un ton dramatique ou est employé pour marquer l'emphase. La construction normale serait :

I don't have any
je n'en ai pas

Quand on fait référence à des gens, **none of them/us/you** (aucun d'eux/de nous/de vous) est plus courant que **none** (aucun, personne) en anglais parlé :

none of us knew where he had filed it
aucun de nous ne savait où il l'avait classé

I waited for them for hours, but none of them came
je les ai attendus pendant des heures, mais aucun d'eux n'est venu

many have set out to climb this mountain but none have ever returned
nombreux sont ceux qui sont partis à la conquête de cette montagne, mais aucun n'en est jamais revenu

Quand on veut donner à une phrase un ton emphatique, on peut employer la construction **not one** :

not one (of them) was able to tell me the answer!
pas un (d'eux) n'a été capable de me répondre

iii) **none** : singulier ou pluriel ?

Le sens littéral de **none** étant **no one** (pas un), on trouve souvent logique de le faire suivre par un verbe au singulier, comme :

none of them has been here before
aucun d'eux n'est venu ici avant

Cependant, un verbe au pluriel est d'un emploi tout à fait courant en anglais parlé (et écrit) d'aujourd'hui :

none of them have been here before

iv) **None** est un adverbe :

Il est utilisé devant **the** + un comparatif (comparez avec **any** en a) vii ci-dessus) :

none the less (= nevertheless) néanmoins

you can scratch a CD and they are none the worse for it
on peut rayer les CD, et ils ne s'abîment pas pour autant

he took the medicine but is feeling none the better
il a pris les médicaments, mais il ne se sent pas mieux pour autant

after his explanation we were all none the wiser
après ses explications, nous n'étions pas plus avancés

c) ***every*** *et* ***each***

i) **Each** peut être un pronom ou un adjectif ; **every** est toujours un adjectif. Ils font référence tous les deux à des noms dénombrables uniquement :

each (of them) was given a candle
on a donné une bougie à chacun (d'eux)

each (child) was given a candle
on a donné une bougie à chacun (chaque enfant)

every child needs a good education
tous les enfants doivent recevoir une bonne éducation

Every et **each** sont différents car **every** sous-entend la totalité (il n'y a pas d'exception) alors que **each** individualise. Dans les deux premiers exemples, **each** implique "l'un après l'autre". C'est pourquoi **each** fait souvent référence à un plus petit nombre qu'**every**, qui est plus général, comme on le voit dans le dernier exemple.

Remarquez que **every** peut être précédé d'une forme au génitif (nom ou pronom) :

Wendy's every move was commented on
tous les mouvements de Wendy furent commentés

her every move was commented on
le moindre de ses mouvements fut commenté

et notez son emploi avec les nombres :

she goes to the dentist every three months
elle va chez le dentiste tous les trois mois

every other day there's something wrong
un jour sur deux, il y a quelque chose qui ne va pas

the clock seems to stop every two days
l'horloge semble s'arrêter tous les deux jours

La différence entre **every other** et **every two** est que **every other** sous-entend une irritation devant le fait que quelque chose est répétitif tandis que **every two** est plus objectif et précis.

Remarquez aussi son emploi adverbial :

every now and then
every now and again
every so often

qui veulent tous dire "de temps en temps".

Everybody/everyone et **everything** sont des pronoms, et ils sont toujours suivis d'un verbe au singulier mais, comme les autres pronoms indéfinis, **everybody** peut être suivi par **they**, **them(selves)** ou **their** (voir **Les Pronoms Personnels**, p. 746).

d) ***all***

i) **All** est un adjectif ou un pronom et renvoie à des noms dénombrables ou indénombrables. Remarquez que lorsqu'un article défini ou un pronom personnel est utilisé, il se place entre **all** et le nom :

all coins are valuable to me
toutes les pièces ont de la valeur pour moi

I want all the/those/their coins je veux toutes les/ces/leurs pièces	**I want them all/all of them** je les veux tous
all his energy was spent il a dépensé toute son énergie	**I want it all/all of it** je le veux en entier

ii) **all** et **everything** :

La différence entre ces deux mots est souvent assez légère. **All** sera employé si le locuteur évoque quelque chose qui n'est pas précis. Seul **all** peut renvoyer à des noms indénombrables.

we ate everything that was on the table
nous avons mangé tout ce qui était sur la table

all that was on the table was a single vase
tout ce qu'il y avait sur la table était un vase

did you eat the ice-cream? - not all (of it)
as-tu mangé la glace ? - pas tout

they believed everything/all he said
ils croyaient tout ce qu'il disait

did he say anything? - all that he said was 'do nothing'
a-t-il dit quelque chose ? - tout ce qu'il a dit fut "ne faîtes rien"

iii) **all** et **whole** :

La différence principale entre **all** et l'adjectif **whole** réside dans le fait que **whole** accentue parfois un aspect précis de ce que l'on exprime :

don't interrupt me all the time
ne m'interromps pas tout le temps

he sat there the whole time without moving
il s'est assis là pendant tout le temps sans bouger

he ate all of the pie
il a mangé tout le gâteau

he ate the whole pie
il a mangé le gâteau en entier

Mais l'emploi de **whole** est limité aux noms dénombrables :

the whole town (ou **all the town**)
toute la ville

mais seulement :

all the butter (indénombrable)
tout le beurre

Remarquez que **whole** ne s'emploie pas avec un nom au pluriel. On emploie alors, par exemple :

all the books in their entirety
tous les livres en entier

iv) **all** adverbe :

L'emploi adverbial de **all** est clair dans les exemples ci-dessous, où **all** signifie **completely** (complètement) :

he was all covered in mud
il était complètement couvert de boue

should we teach her a lesson? - I'm all in favour (of that)
on devrait lui donner une leçon ? - je suis tout à fait d'accord (avec ça)

it's all over, honey
c'est fini, mon chéri

Voici d'autres exemples de **all** adverbe :

I've told you all along not to eat the cat's food
je t'ai toujours dit de ne pas manger la nourriture du chat

he was covered in mud all over
il était couvert de boue de la tête aux pieds

Devant des comparatifs :

I've stopped smoking and feel all the better for it
j'ai arrêté de fumer et je m'en sens tellement mieux

your remark is all the more regrettable since the Principal was present
votre remarque est d'autant plus regrettable que le Directeur était présent

e) ***other(s)** et **another***

i) **Another** est suivi de, ou remplace, un nom singulier dénombrable. Un nom pluriel peut suivre **other** uniquement, tandis que **others** est toujours un pronom :

I want another (hamburger)
j'en veux un autre/je veux un autre hamburger

other children get more money
les autres enfants ont plus d'argent

I like these colours - don't you like the others?
j'aime ces couleurs - tu n'aimes pas les autres ?

ii) Si **than** suit un nom, **other** suivra, et ne précédéra pas, ce nom :

there are difficulties other than those mentioned by the government
il y a d'autres difficultés que celles qui sont mentionnées par le gouvernement

Dans cette phrase, **other** pourrait aussi précéder **difficulties**, mais il est toujours placé après **none** :

who should arrive? none other than Jimbo himself
et qui est arrivé ? Jimbo en personne

iii) Parfois **no other** est utilisé à la place de **not another** :

he always wears that coat; he has no other (coat)
il porte toujours ce manteau ; il n'en a pas d'autre

iv) Remarquez la construction avec **some** et ses combinaisons, quand **some** veut dire "un(e) certain(e) ..." (comparez avec a) v ci-dessus). On ajoute **or other** pour intensifier l'aspect vague de la chose dont on parle :

somebody or other must have betrayed her
quelqu'un a dû la trahir

we'll get there somehow or other (emploi adverbial)
on y arrivera d'une manière ou d'une autre

he married some girl or other from the Bahamas
il s'est marié avec je ne sais quelle fille des Bahamas

v) Avec **one** :

One ... another et **one ... the other** ont habituellement la même signification :

one week after another went by
one week after the other went by
les semaines sont passées les unes après les autres

Mais si le locuteur ne fait référence qu'à deux choses, alors **one ... the other** est préféré :

the two brothers worked well together: one would sweep the yard while the other chopped the wood
les deux frères travaillaient bien ensemble : l'un nettoyait la cour pendant que l'autre coupait le bois

bien que si le second élément est précédé d'une préposition, **one ... another** est aussi employé dans ce cas :

they would sit there and repeat, one after another, every single word of the lesson
ils s'asseyaient là et répétaient, l'un après l'autre, chaque mot de la leçon

On trouve parfois la combinaison **the one ... the other**, qui aurait pu être employée dans l'exemple des deux frères ci-dessus. Dans la locution utilisant **hand**, **the one** est obligatoire :

on the one hand, you'd earn less, on the other your job satisfaction would be greater
d'un côté tu gagnerais moins d'argent, mais d'un autre côté, tu aurais une plus grande satisfaction professionnelle

f) ***either*** *et* ***neither***

i) **Either** a souvent le sens de "l'un ou l'autre" en parlant de deux choses (on utilisera **any** s'il y en a plus de deux). Il peut être adjectif ou pronom :

'bike' or 'bicycle': either (word) will do
"vélo" ou "bicyclette" : l'un ou l'autre ira

either parent can look after the children
l'un ou l'autre des parents peut s'occuper des enfants

Either peut aussi vouloir dire "chaque" ou "les deux", et dans ce cas, c'est un adjectif :

he was sitting in a taxi with a girl on either side
il était assis dans un taxi, une fille de chaque côté

ii) **Neither** est la forme négative de **either** :

he's in love with both Tracy and Cheryl, but neither of them fancies him
il est amoureux de Tracy et de Chéryl, mais il ne plaît à aucune des deux

neither kidney is functioning properly
aucun des reins ne fonctionne correctement

iii) **Either** et **neither** prennent souvent un verbe au pluriel, s'ils sont suivis de **of** et d'un nom au pluriel :

(n)either of the boys are likely to have done it

bien qu'on emploie un verbe au singulier dans un langage soutenu :

neither of the boys is likely to have done it
ni l'un ni l'autre des garçons n'a pu faire cela

either of the boys is likely to have done it
l'un ou l'autre des garçons a pu faire cela

iv) **(N)either** adverbe :

Either adverbe n'est utilisé que dans des propositions négatives. Il correspond à **too** dans les propositions affirmatives :

I can't do it either
je ne peux pas le faire non plus (comparez avec **I can do it too**)

Neither adverbe (= **nor**) est utilisé dans une proposition **qui suit** une proposition négative :

I can't swim and neither can she
je ne sais pas nager, et elle non plus

I can't swim - neither can I
je ne sais pas nager - moi non plus

ou dans un style familier :

I can't swim - me neither
je ne sais pas nager - moi non plus

Voir aussi **Les Conjonctions**, p. 856.

g) ***Both***

Both fait référence à deux choses ou à deux personnes, mais dans le sens de "l'un et l'autre". Comme pour **all**, l'article défini ou le pronom personnel (éventuel) suit **both**, qui peut être un pronom ou un adjectif :

I like both (those/of those) jackets
j'aime ces deux vestes ; j'aime l'une et l'autre de ces vestes

we love both our parents
nous aimons l'un et l'autre de nos parents

I love both (of them)/them both
je les aime tous les deux

both (the/of the) versions are correct
l'une et l'autre de ces versions sont correctes

h) ***One***

i) Ce pronom est employé dans le sens de "une seule chose/personne" en référence à ce qui a été évoqué dans une phrase ou une proposition précédente :

do you like dogs? I bet you haven't ever owned one
vous aimez les chiens ? je suis sûr que vous n'en avez jamais eu un

we've a lot of records of Elvis - we have only one
nous avons beaucoup de disques d'Elvis - nous n'en avons qu'un

his case is a sad one
son cas est triste

this solution is one of considerable ingenuity
cette solution est d'une intelligence remarquable

Il peut aussi être employé au pluriel (**ones**) :

I like silk blouses, especially black ones
j'aime bien les chemisiers de soie, surtout ceux qui sont noi

ii) L'emploi restrictif :

which girl do you prefer? - the tall one
quelle fille préférez-vous ? - la grande

I prefer the pen you gave me to the one my aunt gave me
je préfère le stylo que vous m'avez donné à celui que ma tante m'a donné

these are the ones I meant
ce sont celles dont je parlais

these burgers are better than the ones you make
ces hamburgers sont meilleurs que ceux que tu fais

iii) **One(s)** est habituellement employé après des adjectifs qui font référence à des noms dénombrables :

I asked for a large whisky and he gave me a small one
je lui ai demandé un grand whisky, et il m'en a donné un petit

which shoes do you want? the grey ones?
quelles chaussures voulez-vous ? les grises ?

Cependant, si deux adjectifs en contraste sont placés près l'un de l'autre, on peut parfois se dispenser d'utiliser **one(s)** :

I like all women, both (the) tall and (the) short
j'aime toutes les femmes, les grandes et les petites

she stood by him in good times and bad
elle fut à ses côtés pour le meilleur et pour le pire

today I wish to talk about two kinds of climate, the temperate and the tropical
aujourd'hui je vous parlerai de deux sortes de climats, le tempéré et le tropical

Si aucun nom n'a été mentionné ou évoqué, l'adjectif fonctionne comme un nom, et **one(s)** n'est pas employé :

the survival of the fittest
la persistance du plus apte

fortune favours the brave
la chance sourit aux braves

Il est évident que **one** ne peut pas référer à un nom indénombrable :

do you want white sugar or brown?
voulez-vous du sucre blanc ou du brun ?

iv) **One** est parfois employé dans un sens proche de "quelqu'un" ou "une personne", comme dans :

she screamed her head off like one possessed
elle hurlait comme une (femme) possédée

I'm not one for big parties
je ne suis pas quelqu'un qui aime les grandes soirées

I'm not one to complain
je ne suis pas du genre à me plaindre

v) **One** collectif, voir p. 751.

13 LES VERBES

A LES DIFFERENTS TYPES

On peut distinguer trois types de verbes : les verbes réguliers, irréguliers et les auxiliaires.

1 LES VERBES REGULIERS

Ces verbes forment leur prétérit et leur participe passé en ajoutant **-(e)d** au radical du verbe :

		prétérit	participe passé
seem	(sembler)	**seemed**	**seemed** /d/
kiss	(embrasser)	**kissed**	**kissed** /t/
plant	(planter)	**planted**	**planted** /Id/
manage	(diriger)	**managed**	**managed** /d/

Voir p. 873-4 pour les changements d'orthographe.

2 LES VERBES IRREGULIERS

Les verbes irréguliers se caractérisent par leurs formes particulières au prétérit et au participe passé, qui font apparaître parfois un changement de voyelle :

(parler) **speak, spoke, spoken**
(voir) **see, saw, seen**
(aller) **go, went, gone**
(gâter) **spoil, spoilt, spoilt**
(couper) **cut, cut, cut**

Vous trouverez une liste des verbes irréguliers p. 838.

3 LES AUXILIAIRES

Un auxiliaire modifie le verbe principal dans la phrase. Dans **he can sing** (il peut chanter) l'auxiliaire est **can** et le verbe principal est **sing**. On fait la distinction entre les auxiliaires "ordinaires" et les auxiliaires modaux (ou défectifs).

a) *Les auxiliaires ordinaires*

Ce sont :

be (être), **have** (avoir) et **do** (faire).

Voir aussi sections 9, 17 et 23.

On les appelle "ordinaires" parce qu'ils peuvent parfois avoir fonction de verbe ordinaire :

he does not sing (**does** = auxiliaire, **sing** = verbe principal) il ne chante pas

he does the washing up (**does** = verbe principal) il lave la vaisselle

b) Les **auxiliaires modaux** sont appelés ainsi car ils remplacent le mode du subjonctif dans de nombreux cas (voir p. 813-4). En voici la liste :

can - could	pouvoir (capacité)
may - might	pouvoir (possibilité - permission)
shall - should	futur - devoir (moral), conseil, etc.
will - would	futur - conditionnel, ordre, etc.
must	devoir (obligation)
ought to	devoir (moral)

Lorsqu'ils ne sont pas accompagnés d'un verbe ordinaire, ce dernier est sous-entendu :

can you get some time off? - yes, I can
est-ce que tu peux te libérer ? - oui

Vous trouverez l'emploi des auxiliaires p. 823.

B LES FORMES

1 L'INFINITIF

On distingue l'infinitif complet (avec **to** : **to be**) et l'infinitif sans **to** :

he can sing	**he is trying to sing**
il sait chanter	il essaie de chanter

Dans ces deux phrases le mot **sing** est à l'infinitif. Pour l'infinitif passé et la voix passive, voir p. 783.

2 LE PARTICIPE PRESENT

Il se forme à partir du radical + **-ing** :

they were whispering
ils murmuraient

Voir **Notes sur l'Orthographe** p. 873-4.

3 LE PARTICIPE PASSE

Le participe passé des verbes réguliers est identique à leur prétérit (radical du verbe + **-ed**) :

they have gone
ils/elles sont parti(e)s

Les verbes irréguliers ont un grand nombre de formes différentes au participe passé. Voir A2 ci-dessus, ainsi que la liste des verbes irréguliers p. 838.

4 LE GERONDIF

Le gérondif a la même forme que le participe présent :

I don't like *picking* strawberries
je n'aime pas cueillir les fraises

***sailing* is a very popular sport in Greece**
la voile est un sport très populaire en Grèce

5 LE PRESENT

Il se construit avec le radical + **-(e)s** à la 3ème personne du singulier (pour les changements d'orthographe, voir p. 872) :

	singulier		
1ère	*I*	**sing**	je chante
2ème	*you*	**sing**	tu chantes
3ème	*he/she/it*	**sings**	il/elle chante
	pluriel		
1ère	*we*	**sing**	nous chantons
2ème	*you*	**sing**	vous chantez
3ème	*they*	**sing**	ils/elles chantent

Les auxiliaires modaux ne changent pas de forme à la troisième personne du singulier. Il en est de même pour les verbes **dare** et **need** lorsqu'ils sont employés comme auxiliaires :

he may come	**how dare he come here!**
il se peut qu'il vienne	comment ose-t-il venir ici ?!

Les auxiliaires ordinaires ont des formes irrégulières, voir la liste p. 844.

6 LE PRETERIT

Le prétérit des verbes réguliers est identique à leur participe passé (radical du verbe + **-ed**) :

they kicked the ball
ils ont donné un coup de pied dans le ballon

Pour les verbes irréguliers et les auxiliaires, voir A2 et 3 ci-dessus, ainsi que la liste des verbes irréguliers et des auxiliaires de la page 838 à la page 844. La forme du verbe est la même à toutes les personnes :

		(embrasser)	(chanter)	(pouvoir)
	singulier	régulier	irrégulier	auxiliaire
1ère	*I*	**kissed**	**sang**	**could**
2ème	*you*	**kissed**	**sang**	**could**
3ème	*he/she/it*	**kissed**	**sang**	**could**
	pluriel			
1ère	*we*	**kissed**	**sang**	**could**
2ème	*you*	**kissed**	**sang**	**could**
3ème	*they*	**kissed**	**sang**	**could**

7 LES TEMPS ET LES ASPECTS

L'infinitif, le présent et le passé peuvent avoir différents aspects, considérant un événement dans le temps de trois manières différentes.

Dans la liste ci-dessous les traductions sont données A TITRE INDICATIF.

simple, progressif et perfect (ou passé) :

infinitif	**(to) watch** (regarder)
infinitif progressif	**(to) be watching** (être en train de regarder) (**be** + participe présent)

infinitif passé	**(to) have watched** (avoir regardé) (**have** + participe passé)
infinitif passé progressif	**(to) have been watching** (avoir été en train de regarder)
présent simple	**(I/you/he,** etc.**) watch(es)** (je/tu/il, etc.) regarde(s)
passé simple (ou prétérit)	" **watched** (regardai, etc.)
présent progressif	" **am/are/is watching** (" suis/es/est en train de regarder)
passé progressif	" **was/were watching** (j'étais, etc. en train de regarder)
present perfect	" **have/has watched** (j'ai regardé, etc.)
past perfect	" **had watched** (j'avais regardé, etc.)
present perfect progressif	" **have/has been watching** (j'ai, etc. été en train de regarder)
past perfect progressif	" **had been watching** (j'avais, etc. été en train de regarder)

Pour les formes employées au futur, voir p. 806-7.

8 LES MODES

Les modes font référence à l'attitude d'une personne par rapport aux propos qu'elle rapporte. Il existe trois modes :

"l'indicatif" pour exprimer des faits réels

le "subjonctif" pour exprimer un souhait, une incertitude ou une possibilité, etc.

"l'impératif" pour exprimer des ordres et des suggestions.

La seule différence de forme entre l'indicatif et le subjonctif réside dans la présence de **-(e)s** à la 3ème personne du singulier au présent de l'indicatif :

God save the Queen!
Vive la reine !

Le subjonctif de **to be** est **be** à toutes les personnes du présent et **were** à toutes les personnes du passé :

be they for or against, they all have to pay
qu'ils soient pour ou qu'ils soient contre, ils doivent tous payer

if I were you, I'd leave him
si j'étais toi, je le quitterais

Pour le mode impératif on emploie le radical du verbe seul :

ring the bell! sonne (la cloche) !	**somebody go and get it!** que quelqu'un aille le chercher

9 LES VOIX

Les deux "voix" sont la voix active et la voix passive. Elles indiquent si c'est le sujet d'un verbe qui fait l'action de ce verbe :

we always listen to him
nous l'écoutons toujours (voix active)

ou si le sujet subit l'action :

he was always listened to
il a toujours été écouté (voix passive)

Le passif se forme avec le verbe **be** + participe passé :

infinitif	**(to) be watched** (être regardé)
infinitif passé	**(to) have been watched** (avoir été regardé)
présent simple	**are/is watched** (es/est, etc. regardé)
passé simple (ou prétérit)	**was/were watched** (j'étais, etc. regardé)
présent progressif	**am/are/is being watched** (suis/es/est, etc. en train d'être regardé)
passé progressif	**was/were being watched** (j'étais, etc. en train d'être regardé)
present perfect	**have/has been watched** (a/ont, etc. été regardé)
past perfect	**had been watched** (j'avais, etc. été regardé)
present perfect progressif	**have/has been being watched** (j'ai, etc. été en train d'être regardé)
past perfect progressif	**had been being watched** (j'avais, etc. été en train d'être regardé)

Le passif de l'infinitif progressif (par exemple **to be being driven**) est assez inhabituel en anglais (bien que parfaitement possible) :

I wouldn't like to be being filmed looking like this
je ne voudrais pas être filmé dans cet état

Il en est de même pour le passif du present perfect progressif :

he may have been being operated on by then
il se peut qu'on l'ait opéré à ce moment-là

C EMPLOIS

1 L'INFINITIF

a) *Sans **to***

i) après les auxiliaires modaux et **do** :

I must go	il faut que je m'en aille
I don't know	je ne sais pas

ii) après **dare** et **need** lorsqu'ils sont employés comme auxiliaires :

how dare you talk to me like that!
comment oses-tu me parler ainsi !

you needn't talk to me like that
tu n'as pas besoin de me parler comme ça

iii) après **had better** et **had best** (aussi **would best** en anglais américain) :

you had better apologize
tu ferais mieux de t'excuser

you had (you'd) best ask the porter
tu ferais mieux de demander au portier

iv) avec ce que l'on appelle la construction "accusatif avec infinitif" (nom/pronom + infinitif ayant fonction de complément d'objet direct). Comparez avec b)ii ci-dessous :

* après **let** (laisser), **make** (faire) et **have** (faire *dans ce cas*) (voir aussi p. 822) :

we let him smoke
nous l'avons laissé fumer

I made him turn round
je l'ai fait tourner

we had him say a few words
nous lui avons fait dire quelques mots

* après les verbes de perception suivants :

feel (sentir), **hear** (entendre), **see** (voir), **watch** (regarder) :

I felt the woman touch my back
j'ai senti la femme me toucher le dos

we heard her tell the porter
on l'a entendu le dire au portier

they saw him die
ils l'ont vu mourir

we watched the train approach the platform
on a regardé le train s'approcher du quai

Pour **feel** (sembler à quelqu'un), voir b) ii ci-dessous.

Ces verbes peuvent aussi être suivis du participe présent pour mettre l'accent sur la durée de l'action :

I felt her creeping up behind me
je sentais qu'elle s'approchait sans bruit derrière moi

we heard her crying bitterly in the next room
nous l'avons entendue pleurer amèrement dans l'autre pièce

she saw smoke coming from the house
elle a vu de la fumée venir de la maison

they watched him slowly dying
ils l'ont vu mourir petit à petit

* on peut trouver deux formes de l'infinitif après **help** :

we helped him (to) move house
nous l'avons aidé à déménager

L'infinitif sans **to** est aussi particulièrement employé dans le langage publicitaire :

our soap helps keep your skin supple and healthy-looking
notre savon aide à garder votre peau souple et vous donnera bonne mine

Pour les constructions passives correspondantes employées avec ces verbes, voir b) ii ci-dessous.

v) après **why (not)** (pourquoi (pas)) :

why stay indoors in this lovely weather?
pourquoi rester à l'intérieur par ce beau temps ?

why not try our cream cakes?
pourquoi ne pas essayer nos gâteaux à la crème ?

b) *Avec **to***

i) L'infinitif avec **to** peut s'employer comme sujet, attribut ou complément d'objet direct dans une phrase. La phrase suivante contient les trois emplois (dans cet ordre) :

to die is to cease to exist
mourir est cesser d'exister

ii) Comme complément d'objet direct, comparez a) iv ci-dessus.

* Après des verbes exprimant un désir ou une antipathie, en particulier **want** (vouloir), **wish** (souhaiter), **like** (aimer), **prefer** (préférer), **hate** (ne pas aimer/haïr) :

I want/wish you to remember this
je veux/souhaite que tu te souviennes de cela

John would like you to leave
John aimerait que vous partiez

we prefer your cousin to stay here
nous préférons que votre cousin reste ici

we would hate our cat to suffer
nous n'aimerions pas que notre chat souffre

* Dans un langage assez soutenu, après des verbes exprimant des points de vue, des croyances, un jugement, une supposition ou une affirmation :

we believe this to be a mistake
nous pensons que c'est une erreur

we supposed him to be dead
nous supposions qu'il était mort

we considered/judged it to be of little use
nous considérions/jugions cela peu utile

I felt/knew it to be true
je pensais/savais que cela était vrai

these accusations he maintained to be false
il soutenait que ces accusations étaient fausses

Un langage moins soutenu préférerait une proposition introduite par **that** :

we believe (that) this is a mistake
nous croyons que c'est une erreur

I know (that) it's true
je sais que c'est vrai

he maintained that these accusations were false
il a soutenu que ces accusations étaient fausses

* Dans la construction passive correspondante, on garde **to** :

this was believed to be a mistake
on pensait que c'était une erreur

* Remarquez l'expression courante **be said to**, pour laquelle il n'existe pas d'équivalent à la voix active en anglais :

it is said to be true
il paraît que c'est vrai

he's said to be rich
on dit qu'il est riche

* La forme **to** + infinitif doit aussi être employée dans des constructions passives avec les verbes mentionnés dans a) iv ci-dessus :

she was made to do it
on l'a forcée à le faire

he was seen to remove both jacket and tie
on l'a vu enlever sa veste et sa cravate

iii) Employé à la suite de noms, de pronoms et d'adjectifs :

she has always had a tendency to become hysterical
elle a toujours eu tendance à avoir des crises d'hystérie

we shall remember this in days to come
on se rappellera de cela dans les jours à venir

there are things to be done
il y a des choses à faire

there is that to take into consideration
il y a ça à prendre en considération

this game is easy to understand
ce jeu est facile à comprendre

glad to meet you!
heureux de faire votre connaissance !

we were afraid to ask
nous avions peur de demander

De telles constructions sont particulièrement courantes après des superlatifs et après **only** :

this is the latest book to appear on the subject
c'est le livre le plus récent qui soit paru sur le sujet

she's the only person to have got near him
elle est la seule personne à avoir pu l'approcher

iv) Correspondant à une proposition subordonnée :

* Exprimant un but ou une conséquence (parfois accompagnés de **in order** ou **so as** (but) ou **only** (conséquence) pour souligner ses propos) :

he left early (in order/so as) to get a good seat for the performance
il est parti tôt pour (afin d') avoir une bonne place au spectacle

they arrived (only) to find an empty house
ils sont arrivés pour trouver une maison vide

try to be there
essaie d'être là

Remarquez qu'en anglais parlé, on peut remplacer **to** après **try** par **and** :

try and be there

* dans des propositions interrogatives indirectes :

tell me what to do
dis-moi quoi faire

I didn't know where to look
je ne savais pas où regarder

we didn't know who to ask
nous ne savions pas à qui demander

we weren't sure whether to tell him or not
nous ne savions pas si nous devions lui dire ou non

* Pour exprimer le temps ou la circonstance :

I shudder to think of it
j'en tremble (rien que) d'y penser

to hear him speak, one would think he positively hates women
à l'entendre parler on penserait qu'il déteste absolument les femmes

v) Equivalent d'une principale, dans des exclamations exprimant la surprise :

to think she married him!
dire qu'elle l'a épousé !

vi) Dans des phrases elliptiques exprimant des événements à venir. On les trouve particulièrement dans le langage journalistique :

MAGGIE TO MAKE GREEN SPEECH
MAGGIE FERA UN DISCOURS VERT

GORBACHEV TO VISIT DISASTER ZONE
GORBACHEV VISITERA LA ZONE SINISTREE

vii) On peut aussi trouver l'infinitif avec césure, où un adverbe est placé entre **to** et le radical du verbe. Cette forme est devenue très courante, mais peu appréciée de beaucoup, qui soutiennent qu'il ne faut jamais séparer **to** de l'infinitif :

nobody will ever be able to fully comprehend his philosophy
personne ne sera jamais capable de comprendre complètement sa philosophie

Cela peut cependant être la place que l'on choisirait instinctivement pour un adverbe :

the way out of this is to really try and persuade him
le moyen de s'en sortir c'est de vraiment essayer de le persuader

Ici **really** signifie "beaucoup" et il modifie **try**, tandis que dans la phrase suivante, **really** signifie "en fait", et modifie ainsi toute la phrase :

the way out of this is really to try and persuade him
le moyen de s'en sortir c'est en fait d'essayer de le persuader

viii) On emploie souvent **to** sans le radical du verbe dans une répétition plutôt que l'infinitif complet :

why haven't you tidied your room? I told you to
pourquoi n'as-tu pas rangé ta chambre ? je t'ai dit de le faire

I did it because she encouraged me to
je l'ai fait parce qu'elle m'y a encouragé

ix) **For** + nom/pronom et l'infinitif avec **to** :

there has always been a tendency for our language to absorb foreign words
notre langue a toujours eu tendance à absorber des mots étrangers

he waited for her to finish
il attendit qu'elle ait fini

La construction idiomatique qui suit exprime souvent une condition ou un but :

for the university to function properly, more money is needed
afin que l'université fonctionne bien il faut plus d'argent

ou elle peut exprimer une circonstance et même être le sujet de la phrase :

for me to say nothing would be admitting defeat
ne rien dire serait admettre ma défaite

for a man to get custody of his children used to be difficult
c'était difficile à l'époque pour un homme d'obtenir la garde de ses enfants

2 LE GERONDIF

Le gérondif (ou le verbe substantivé) possède des caractéristiques propres aux noms et aux verbes.

a) *Caractéristiques nominales*

i) Un gérondif peut être sujet, attribut ou complément d'objet :

skating is difficult (sujet)
le patin à glace, c'est difficile

that's cheating (attribut)
c'est de la triche

I hate fishing (complément)
je déteste pêcher

Comme on l'a vu, ce sont des fonctions qui sont communes à l'infinitif ; pour les différences d'emploi, voir 4 ci-dessous.

ii) Il peut être placé après une préposition :

he's thought of leaving
il a pensé partir

L'infinitif ne peut pas occuper cette place.

iii) Il peut être modifié par un article, un adjectif ou un possessif, ou par une proposition commençant par **of** :

he has always recommended the reading of good literature
il a toujours recommandé la lecture des bons livres

there was a knocking on the door
on frappa à la porte

careless writing leaves a bad impression
une écriture peu soignée donne une mauvaise impression

the soprano's singing left us unmoved
le chant du soprano nous a laissé totalement froid

there was no end to his trying to be difficult
il se faisait un malin plaisir à créer des problèmes

the timing of his remarks was unfortunate
il a mal choisi son moment pour faire des remarques

b) *Caractéristiques verbales*

i) Un gérondif peut être suivi d'un complément d'objet ou d'un attribut :

hitting the dog was unavoidable
il était inévitable de rentrer dans le chien

becoming an expert took him more than twenty years
il lui a fallu plus de vingt ans pour devenir expert en la matière

ii) Il peut être modifié par un adverbe :

she was afraid of totally disillusioning him
elle avait peur de lui enlever toute illusion

iii) Il peut avoir un sujet :

the idea of John going to see her is absurd
l'idée de John allant la voir est absurde

3 LE POSSESSIF ET LE GERONDIF

Il existe souvent une incertitude concernant la présence ou l'absence d'un adjectif possessif :

do you remember him/his trying to persuade her?
tu te souviens qu'il a essayé de la persuader ?

Les deux formes sont correctes. Mais cela ne signifie pas qu'il n'existe pas parfois des différences d'emploi entre les deux. Il faut noter les exemples suivants :

a) *Le gérondif sujet ou attribut*

Dans ce cas, l'emploi du possessif est normal :

your trying to persuade me will get you nowhere
tes tentatives de me persuader ne te mèneront nulle part

it was John's insisting we went there that saved the situation
c'est grâce à l'insistance de John qui voulait que nous y allions que la situation fut sauvée

b) *Le gérondif complément ou placé après une préposition*

Dans ces cas, les deux emplois sont possibles :

they spoke at great length about him/his being elected president
ils parlèrent longtemps de son élection comme président

you don't mind me/my turning up so late, do you?
ça ne te dérange pas que j'arrive si tard, n'est-ce pas ?

they spoke at great length about Richard/Richard's being elected president
ils parlèrent longtemps de l'élection de Richard comme président

Mais il y a des cas où l'emploi du possessif présenterait un problème de style dans un langage parlé ou familier :

they laughed their heads off at him falling into the river
ils riaient à n'en plus pouvoir parce qu'il était tombé dans la rivière

L'emploi de l'adjectif possessif **his** serait ici d'un langage trop soutenu dans cet exemple.

Dans ces constructions, le gérondif ne doit pas être confondu avec le participe présent. La phrase :

I hate people trying to get in without paying
je déteste les gens qui essaient d'entrer sans payer

est ambiguë. Si **trying** est un gérondif, le sens de la phrase est : **I hate the fact that (some) people try to get in without paying** (je déteste le fait que certaines personnes essaient d'entrer sans payer). Si c'est un participe présent, le sens devient : **I hate people who try to get in without paying** (je déteste les gens qui essaient d'entrer sans payer).

Mais la forme en **-ing** est, bien sûr, très clairement un gérondif dans une phrase comme :

I hate their trying to get in without paying
je déteste qu'ils essaient d'entrer sans payer

On a plus tendance à employer le possessif devant le gérondif en anglais américain qu'en anglais britannique.

c) *Le facteur d'emphase*

Si le sujet du gérondif est particulièrement accentué, le possessif a moins de chance d'être employé :

just to think of HER marrying John!
t'imagine ? ELLE épousant John !

4 COMPARAISON ENTRE LE GERONDIF ET L'INFINITIF

a) *Peu ou pas de différence*

On a vu que l'infinitif et le gérondif ont des caractéristiques nominales du fait que l'un et l'autre peuvent fonctionner comme sujet, complément d'objet ou attribut. Il y a souvent peu ou pas de différence de sens entre eux :

we can't bear seeing you like this
we can't bear to see you like this
nous ne pouvons pas supporter de vous voir comme ça

bien que dans les dictons ou les citations, les expressions soient "figées", comme dans les exemples suivants :

seeing is believing
voir c'est croire

to err is human, to forgive divine
l'erreur est humaine, le pardon est divin

b) *Différents sens*

i) Le général contre le particulier : le gérondif indique souvent un fait général, l'infinitif indique un fait plus particulier :

I hate refusing offers like that (général)
je déteste refuser des offres comme ça

I hate to refuse an offer like that (particulier)
je déteste refuser une offre comme celle-ci

Mais il existe des exceptions :

I prefer being called by my Christian name
I prefer to be called by my Christian name
je préfère être appelé par mon prénom

En anglais américain, l'infinitif est souvent utilisé dans des cas où en anglais britannique on emploierait un gérondif :

I like cooking (anglais britannique)
I like to cook (anglais américain)
j'aime faire la cuisine

Ces deux exemples font référence à un penchant général. Si on voulait faire référence à une occasion particulière, on dirait en anglais britannique et en anglais américain :

I'd like to cook something for you
je voudrais vous préparer un repas

ii) Si le verbe **try** signifie "tenter, essayer", on peut employer l'infinitif ou le gérondif :

I once tried to make a film, but I couldn't
I once tried making a film, but I couldn't
j'ai essayé de faire un film une fois, mais je n'ai pas réussi

try to speak more slowly
try speaking more slowly
essaie de parler plus lentement

Mais si **try** est employé avec le sens de "connaître par l'expérience", alors seul le gérondif est employé :

I've never tried eating shark
je n'ai jamais mangé du requin

Comparez avec ceci :

I once tried to eat shark, but couldn't
j'ai essayé de manger du requin une fois, mais je n'ai pas pu

iii) Après **forget** (oublier) et **remember** (se souvenir) l'infinitif fait référence au futur, le gérondif au passé, en relation avec "l'oubli" ou "le souvenir" :

I won't forget to dance with her (dans le futur)
je n'oublierai pas de danser avec elle

I won't forget dancing with her (dans le passé)
je n'oublierai pas que j'ai dansé avec elle

will she remember to meet me? (dans le futur)
se souviendra-t-elle de son rendez-vous avec moi ?

will she remember meeting me? (dans le passé)
se souviendra-t-elle d'avoir fait ma connaissance ?

c) *L'infinitif seulement ou le gérondif seulement*

i) L'infinitif seulement :

Certains verbes ne peuvent être suivis que de l'infinitif, par exemple **want** (vouloir), **wish** (souhaiter), **hope** (espérer), **deserve** (mériter) :

I want/wish to leave
je veux/souhaite partir

we hope to be back by five
nous espérons être de retour vers cinq heures

he deserves to be punished
il mérite d'être puni

ii) Le gérondif seulement :

D'autres verbes ne sont suivis que du gérondif, par exemple : **avoid** (éviter), **consider** (considérer), **dislike** (ne pas aimer), **enjoy** (apprécier), **finish** (finir), **keep** (continuer), **practise** (faire, pratiquer), **risk** (risquer) :

he avoided answering my questions
il évitait de répondre à mes questions

won't you consider travelling by air?
ne veux-tu pas envisager de voyager par avion ?

I dislike dressing up for the theatre
je n'aime pas m'habiller pour aller au théâtre

we enjoy having friends round to dinner
nous apprécions de recevoir des amis pour le dîner

she finished typing her letter
elle a fini de taper sa lettre

why do you keep reminding me?
pourquoi continues-tu à me le rappeler ?

would you mind stepping this way, Sir?
voulez-vous bien venir par ici, Monsieur ?

you must practise playing the piano more often
tu dois travailler ton piano plus souvent

I don't want to risk upsetting Jennifer
je ne veux pas risquer d'inquiéter Jennifer

iii) Dans les exemples des deux sections ci-dessus, l'infinitif et le gérondif sont les compléments d'objet direct des verbes précédents. Il en est de même pour le gérondif dans la phrase suivante :

I stopped looking at her
je me suis arrêté de la regarder

Mais l'infinitif n'est pas complément d'objet direct dans :

I stopped to look at her
je me suis arrêté pour la regarder

Ici, l'infinitif fonctionne comme un complément circonstanciel de but, ce qui explique la différence considérable de sens entre les deux phrases. La différence est de la même importance entre :

he was too busy talking to her
il était trop occupé à lui parler

et :

he was too busy to talk to her
il était trop occupé pour lui parler

Il faut noter ici que les adjectifs **worth** et **like** ne peuvent être suivis que par le gérondif :

that suggestion is worth considering
cette proposition vaut la peine d'être considérée
that's just like wishing for the moon
c'est comme demander la lune

iv) Il est aussi important de faire la distinction entre **to** marque de l'infinitif et **to** préposition. Le gérondif doit suivre une préposition, comme dans :

I'm tired of watching television
j'en ai assez de regarder la télévision
what do you think about getting a loan?
qu'est-ce que tu dirais de faire un emprunt ?

Ceci, bien sûr, concerne aussi la préposition **to** :

they are committed to implementing the plan
ils se sont engagés à réaliser le projet
we're looking forward to receiving your letter
nous attendons votre lettre avec impatience
I object to raising money for that purpose
je désapprouve qu'on rassemble des fonds pour ce but
we're not used to getting up at this hour
nous ne sommes pas habitués à nous lever à cette heure

Be accustomed to est parfois employé avec l'infinitif, bien qu'on le trouve aussi avec le gérondif :

they've never been accustomed to pay(ing) for anything
ils n'ont jamais eu l'habitude de payer pour quoi que ce soit

5 LE PARTICIPE PRESENT

Le participe présent fonctionne normalement comme une forme verbale ou comme un adjectif.

a) *Comme une forme verbale*

i) Le participe présent est employé avec **be** pour former le progressif :

he is/was/has been/had been running
il court/courait/a couru/avait couru

ii) Le participe présent fonctionne fréquemment comme une proposition relative sans pronom relatif :

they went up to the people coming from the theatre (= who were coming)
ils allèrent vers les gens qui venaient du théâtre

iii) Cependant, le participe présent peut partager son sujet avec le verbe au présent ou au passé. A l'écrit, un lien plus lâche est souvent indiqué par une virgule, à l'oral, par une intonation :

she turns/turned towards the man, looking shy and afraid
elle se tourne/tourna vers l'homme, timide et effrayée

Ici, le sujet de **looking** est **she** ; mais si on omet la virgule, on comprendra que le sujet de **looking** est **the man**, et la phrase appartient alors au type ii) ci-dessus.

Ce participe présent relativement lâche peut précéder son sujet :

looking shy and afraid, she turned towards the man
timide et effrayée, elle se tourna vers l'homme

Il exprime souvent une cause, une condition ou le temps, étant équivalent à une proposition subordonnée :

living alone, she often feels uneasy at night (= because/since/as she lives alone ...)
vivant seule, elle se sent souvent inquiète le soir

you'd get more out of life, living alone (= ... if you lived alone)
tu profiterais plus de la vie, si tu vivais seule

driving along, I suddenly passed a field of tulips (= as/while I was driving along ...)
en conduisant, je suis passé tout à coup devant un champ de tulipes

Mais parfois aussi il est équivalent à une proposition indépendante :

she went up to him, asking for his advice (= ... and (she) asked for his advice)
elle s'approcha, pour lui demander conseil

living in the Scottish Highlands, he is a sensitive musician who helped organize the Bath Orchestra (= he lives in the Highlands and (he) is ...)
vivant dans les Highlands en Ecosse, c'est un musicien sensible qui contribua à l'organisation de l'Orchestre de Bath

iv) Le participe présent "non-rattaché" :

Un participe présent est considéré comme "non-rattaché" si son sujet est différent de celui du verbe de la principale au présent ou au passé :

coming down the staircase carrying an umbrella, one of the mice tripped him up
descendant les escaliers et portant un parapluie, une des souris le fit trébucher

Il est assez peu probable que le sujet de **coming** soit **one of the mice** ! Les participes présents "non-rattachés" doivent normalement être évités car ils causent souvent un amusement non intentionnel. Cependant, si un sujet indéfini est sous-entendu comme le **we** indéfini ou le "on" français, alors un participe présent est acceptable :

generally speaking, British cooking leaves a good deal to be desired
d'une manière générale, la cuisine britannique laisse à désirer

judging by the way she dresses, she must have a lot of confidence
à voir sa façon de s'habiller, elle doit avoir une grande confiance en elle

the work will have to be postponed, seeing that only two of us have tools
le travail devra être remis à plus tard, puisque seulement deux d'entre nous ont des outils

v) Dans les autres circonstances, pour éviter un participe présent "non-rattaché", le sujet du participe (différent du sujet de l'autre verbe) peut le précéder dans ce qu'on appelle la "construction absolue" :

the lift being out of order, we had to use the stairs
l'ascenseur étant en panne, nous avons dû monter par les escaliers

she being the hostess, any kind of criticism was out of the question
elle étant l'hôtesse, il était hors de question de faire quelque critique que ce soit

we'll do it on Sunday, weather permitting
nous le ferons dimanche, si le temps le permet

God willing, we can do it
si Dieu le veut, nous pouvons le faire

b) *Comme un adjectif*

she has always been a loving child
elle a toujours été une enfant aimante

her appearance is striking
son allure est frappante

she finds Henry very charming
elle trouve Henry vraiment charmant

De cette fonction dérive la fonction adverbiale :

he is strikingly handsome
il est remarquablement beau

Remarquez que cette structure est bien plus courante en anglais qu'en français :

a self-adjusting mechanism
un mécanisme à auto-réglage

the falling birthrate
le taux de natalité en baisse

increasing sales
des ventes en hausse

6 COMPARAISON DU PARTICIPE PRESENT ET DU GERONDIF

a) *La phrase suivante :*

I can't get used to that man avoiding my eyes all the time

est ambigue, car **avoiding** peut être compris comme un gérondif ou un participe présent.

Si c'est un gérondif, la phrase équivaut à **I can't get used to the fact that that man is avoiding my eyes** (je ne peux pas m'habituer au fait que cet homme fuit mon regard).

Mais si c'est un participe présent, le sens est **I can't get used to that man who is avoiding my eyes** (je ne peux pas m'habituer à cet homme qui fuit mon regard).

Dans la phrase suivante, il ne fait aucun doute que la forme en **-ing** est un gérondif :

children suffering like that is on our conscience (= the suffering of children)
la souffrance des enfants pèse sur notre conscience

et il n'y a pas de d'ambiguïté sur le participe présent dans :

children suffering like that are on our conscience (= children who suffer)
les enfants qui souffrent comme cela pèsent sur notre conscience

b) Quand un gérondif modifie un nom, seul le gérondif est accentué dans le discours, et non pas le nom :

a living room un salon

mais quand l'élément modificateur est un participe présent, celui-ci et le nom sont accentués de la même manière :

a living animal un animal vivant

7 LE PARTICIPE PASSE

Beaucoup d'emplois suivants peuvent être comparés avec ceux du participe présent. Voir 5 ci-dessus.

a) *Comme forme verbale*

i) Le participe passé s'emploie avec **have** pour former le present perfect et le past perfect :

he has/had arrived
il est/était arrivé

et avec **be** pour former la voix passive :

she is/was admired
elle est/était admirée

et avec les deux auxiliaires pour former le passif au present perfect et au past perfect :

she has/had been admired
elle a/avait été admirée

ii) Le participe passé est fréquemment employé pour former une proposition relative elliptique :

they ignore the concerts given by the local orchestra (= which are given)
ils ne vont pas aux concerts donnés par l'orchestre local

they ignored the concerts given by the local orchestra (= which were/had been given)
ils ne sont pas allés aux concerts donnés par l'orchestre local

Il peut aussi avoir la fonction d'une subordonnée de cause, de condition ou de temps. Une conjonction (en particulier **si** et **quand**) peut parfois rendre son sens explicite :

watched over by her family, Monica felt safe but unhappy
surveillée par sa famille, Monica se sentait en sécurité, mais malheureuse

(if) treated with care, records should last for years and years
si l'on en prend soin, les disques devraient durer des années et des années

records should last for years and years if treated with care
les disques devraient durer des années et des années si l'on en prend soin

(when) asked why this was so, he refused to answer
quand on lui demanda pourquoi c'était comme ça, il refusa de répondre

he refused to answer when asked why this was so
il refusa de répondre lorsqu'on lui demanda pourquoi c'était ainsi

Ou il peut avoir valeur de principale :

born in Aberdeen, he now lives in Perth with his wife and children
né à Aberdeen, il habite maintenant à Perth avec sa femme et ses enfants

iii) La phrase est parfois déséquilibrée de manière inacceptable lorsque le participe passé n'est pas rattaché au sujet de la phrase :

told to cancel the meeting, his project was never discussed

On pourrait exprimer ceci de manière plus élégante :

his project was never discussed as he was told to cancel the meeting
son projet ne fut jamais examiné étant donné qu'on lui demanda d'annuler la réunion

iv) La "construction absolue" (voir 5a) v ci-dessus) :

the problems solved, they went their separate ways
les problèmes résolus, ils sont partis chacun de leur côté

that done, he left
une fois fait, il est parti

b) *Comme adjectif*

I am very tired je suis très fatigué(e)	**the defeated army retreated** l'armée vaincue battit en retraite

Remarquez que dans le premier exemple l'adverbe est **very**, puisqu'il se place devant un adjectif. Si l'adverbe est **much**, c'est que l'on insiste plus sur le caractère verbal du participe passé :

I am much obliged
je vous suis très obligé(e)

Lorsque **aged** (âgé), **beloved** (bien-aimé), **blessed** (sacré), **cursed** (maudit) et **learned** (érudit) sont des adjectifs, on prononce normalement **-ed** /Id/. Mais lorsque ce sont des verbes, on adopte la prononciation régulière /d/ et /t/ :

he has aged il a vielli	**an aged man** /ɪd/ un homme âgé

8 LES QUESTIONS

a) *Phrases complètes*

i) **Do** s'emploie pour des questions à moins que (a) la phrase ne contienne un autre auxiliaire (**have**, **will**, etc.), auquel cas l'auxiliaire précède le sujet, ou que (b) le sujet est un pronom interrogatif. **Do** est au présent ou au passé, le verbe conjugué à l'infinitif :

do you come here often?
tu viens souvent ici ?

how do we get to Oxford Street from here?
comment on fait pour aller d'ici à Oxford Street ?

did you see that girl?
tu as vu cette fille ?

what did you say?
qu'est-ce que tu as dit ?

mais (quand d'autres auxiliaires sont employés) :

are they trying to speak to us?
est-ce qu'ils essaient de nous parler ?

where are you taking me?
où est-ce que tu m'emmènes ?

have they seen us?
est-ce qu'ils nous ont vu(e)s ?

can you come at eight?
tu peux venir à huit heures ?

will you help?
tu pourras nous aider ?

et quand on a un pronom interrogatif sujet :

who said that?
qui a dit ça ?

what happened?
qu'est-ce qui s'est passé ?

what have they said to you?
qu'est-ce qu'ils t'ont dit ?

what shall we write about?
sur quoi est-ce qu'on va écrire ?

Pour **dare** et **need**, voir p. 832. Pour **have**, voir p. 820-1.

ii) En anglais parlé, où l'on distingue une proposition interrogative d'une proposition affirmative par l'intonation, on peut employer l'ordre des mots d'une affirmative dans une interrogative (bien que ce soit un emploi moins fréquent en anglais qu'en français) :

you just left him standing there?
tu l'as laissé de planton là-bas ?

you're coming tonight?
tu viens ce soir ?

Dans des propositions interrogatives indirectes, on emploie normalement l'ordre des mots de la proposition affirmative directe :

when are you leaving? (style direct)
quand est-ce que tu pars ?

et :

he asked her when she was leaving (style indirect)
il lui a demandé quand elle partirait

b) *Les question-tags*

Ce sont des phrases courtes qui suivent une phrase affirmative ou négative, et qui normalement ont pour but d'ammener une confirmation.

i) Une proposition affirmative est suivie d'un tag à la forme négative et vice versa :

you can see it, can't you?
tu le vois, n'est-ce pas ?

you can't see it, can you?
est-ce que tu peux le voir ?

à moins que le tag n'exprime une attitude emphatique plutôt qu'une question. Dans de tels cas, un tag à la forme affirmative suit une proposition affirmative :

so you've seen a ghost, have you? (incrédulité ou ironie)
alors, tu as vu un fantôme ?

you think that's fair, do you? (ressentiment)
tu crois que c'est juste, hein ?

you've bought a new car, have you? (surprise ou intérêt)
alors, tu as acheté une nouvelle voiture ?

Remarquez que le question-tag reprend le temps employé dans la principale :

you want to meet him, don't you?
tu veux le rencontrer, n'est-ce pas ?

you wanted to meet him, didn't you?
tu voulais le rencontrer, n'est-ce pas ?

you'll want to meet him, won't you?
tu voudras le rencontrer, n'est-ce pas ?

ii) Si la proposition qui précède, a un auxiliaire, il faut le répéter dans le tag :

you have seen it before, haven't you?
tu l'as déjà vu, n'est-ce pas ?

they aren't sold yet, are they?
ils ne sont quand même pas vendus ?

you will help me, won't you?
tu m'aideras, n'est-ce pas ?

you oughtn't to say that, ought you?
tu ne devrais pas dire ça, d'accord ?

Dans ce dernier cas, cependant, on pourrait aussi employer l'auxiliaire "did" dans le tag :

he oughtn't to have said that, did he?
il n'aurait pas dû dire ça, n'est-ce pas ?

L'emploi de "ought he" pourrait paraître assez ampoulé.

S'il n'y a pas d'auxiliaire dans la proposition précédente, on emploie normalement **do** dans le tag :

he sleeps in there, doesn't he?
il dort là, n'est-ce pas ?

your cousin arrived last night, didn't she?
ta cousine est arrivée hier soir, n'est-ce pas ?

à moins que le tag ne suive un impératif, auquel cas on emploie un auxiliaire à la forme affirmative (en particulier **will/would**). Ces tags permettent souvent de nuancer l'impératif :

leave the cat alone, will you?
laisse le chat tranquille, d'accord ?

take this to Mrs Brown, would you?
tu veux bien apporter ça à Mme Brown ?

Dans de tels cas la forme négative **won't** indique une invitation :

help yourselves to drinks, won't you?
servez-vous en boisson, je vous en prie

9 LES NEGATIONS

a) *La négation des formes conjuguées*

i) **Do** avec **not** s'emploie à moins que la proposition ne contienne un autre auxiliaire (**should**, **will**, etc.). En anglais courant à l'oral ou à l'écrit, il est normal de trouver la contraction de l'auxiliaire (**don't, won't, can't**, etc.) :

we do not/don't accept traveller's cheques
nous n'acceptons pas de chèques de voyage

mais (avec un autre auxiliaire) :

the matter should not/shouldn't be delayed
il ne faudrait pas retarder cette affaire

ii) Dans la question négative **not** suit le sujet, à moins qu'il ne soit contracté :

do they not accept traveller's cheques?
(mais : **don't they accept ...?**)
est-ce qu'ils n'accèptent pas les chèques de voyage ?

should you not try his office number?
(mais : **shouldn't you try ...?**)
tu ne devrais pas essayer son numéro au bureau ?

iii) Les verbes exprimant un point de vue **believe, suppose, think**, etc. sont normalement à la forme négative, même si la négation porte logiquement sur le verbe dans la proposition complément d'objet :

I don't believe we have met
je ne crois pas que nous nous soyons déjà rencontrés

I don't suppose you could lend me a fiver?
je suppose que tu ne pourrais pas me prêter un billet de 5 livres ?

I didn't think these papers were yours
je ne pensais pas que ces papiers étaient à toi

mais **hope** est plus logique :

I hope it won't give me a headache
j'espère que ça ne te donnera pas mal de tête

et il n'est même pas accompagné de **do** lorsqu'il est employé seul :

is she ill? - I hope not
elle est malade ? - j'espère que non

De nombreuses formes sont possibles pour des réponses courtes avec **believe, suppose** et **think** :

will she marry him?
va-t-elle l'épouser ?

I don't believe/think so (couramment employé)
je ne crois pas/ne pense pas

I believe/think not (moins courant, plus soigné)
I don't suppose so (couramment employé)
I suppose not (couramment employé)

b) *La négation des infinitifs et des gérondifs*

On la forme en plaçant **not** devant l'infinitif ou le gérondif :

we tried not to upset her
nous avons essayé de ne pas la contrarier

I want you to think seriously about not going
je veux que tu songes sérieusement à ne pas partir

not eating enough vegetables is a common cause of ...
ne pas manger assez de légumes est une cause commune de ....

L'exemple avec l'infinitif ci-dessus a bien sûr un sens différent de :

we didn't try to upset her
nous n'avons pas essayé de la contrarier

où l'auxiliaire est à la forme négative.

Remarquez l'expression idiomatique **not to worry = don't worry** :

I won't manage to finish it by tomorrow - not to worry
je n'arriverai pas à terminer avant demain - ce n'est pas grave

En anglais de tous les jours, on peut intercaler **not** entre le **to** de l'infinitif et le verbe (**we tried to not upset her**), bien que cela soit considéré incorrect par beaucoup, voir p. 787.

c) *La négation des impératifs*

i) Avec **do**. **Do not** a pour forme contractée **don't** :

don't worry ne t'inquiète pas
don't be silly ne sois pas bête

L'emploi de la forme complète **do not** est couramment employé dans des déclarations officielles, sur des modes d'emploi, des panneaux, etc. :

do not fill in this part of the form
ne pas remplir cette partie du formulaire

do not feed the animals
défense de nourrir les animaux

do not exceed the stated dose
ne pas dépasser la dose prescrite

La forme complète peut aussi s'employer pour rendre un impératif plus emphatique en anglais parlé :

I'll say it again - do not touch!
je le redis encore - ne touche pas !

Dans la forme de l'impératif **let's**, employée pour des suggestions, l'ordre des mots est le suivant :

don't let's wait any longer
n'attendons pas plus longtemps

ii) Il existe une autre manière d'exprimer la négation à l'impératif, en employant **not** seul après le verbe. Ceci est de l'anglais comme il est employé, par exemple, dans la Bible ou dans les oeuvres de Shakespeare. Il peut aussi être employé pour produire un effet comique ou sarcastique :

worry not, I'll be back soon
ne t'inquiète pas, je reviendrai bientôt

fear not, the situation is under control
n'aie pas peur, je maîtrise la situation

Mais cet emploi est tout à fait normal avec **let's** :

let's not wait any longer
n'attendons plus

d) *Never* n'est normalement pas accompagné de **do** :

we never accept traveller's cheques
nous n'acceptons jamais les chèques de voyage

I never said a word
je n'ai jamais dit un mot

Mais si l'on veut mettre l'accent sur **never**, on peut alors employer **do** ou **did** :

you never did like my cooking, did you?
tu n'as jamais aimé ma cuisine, hein ?

S'il y a une inversion auxiliaire/sujet, on emploie **do** :

never did it taste so good!
ça n'a jamais été aussi bon !

never did their courage waver
à aucun moment leur courage n'a faibli

Dans le premier de ces deux exemples, la phrase est plus une exclamation qu'une négation, et dans la seconde, le style est poétique ou rhétorique.

e) *La traduction des formes négatives en français*

i) ne ... jamais

he never speaks to me/he doesn't ever speak to me
il ne me parle jamais

ii) ne ... rien

I saw nothing/I didn't say anything
je n'ai rien vu

iii) ne ... personne

she agrees with nobody (no-one)/she doesn't agree with anybody (anyone)
elle n'est d'accord avec personne

iv) ne ... plus

I don't smoke any more/any longer
je ne fume plus

words which are no longer used/word which aren't used any longer
des mots qui ne sont plus employés

10 POUR EXPRIMER LE PRESENT

On peut exprimer le présent de différentes façons selon que l'on se réfère à des événements habituels ou généraux, ou à des événements précis, et selon que ceux-ci sont considérés comme des actions en cours ou comme des événements ponctuels. Cette section décrit les emplois des formes verbales appropriées.

a) *Le présent simple*

i) Pour des événements habituels ou généraux, ou pour des vérités universelles :

I get up at seven o'clock every morning
je me lève à sept heures tous les matins

Mrs Parfitt teaches French at the local school
Madame Parfitt enseigne le français dans l'école locale

the earth revolves round the sun
la terre tourne autour du soleil

ii) Avec des verbes qui n'impliquent pas d'idée de progression dans le temps. Ces verbes sont parfois appelés "statiques" et ils expriment souvent le désir, le dégoût, l'opinion ou font référence aux sens :

I (dis)like/love/hate/want that girl
j'aime (je n'aime pas)/j'adore/je déteste/je veux cette fille

I believe/suppose/think you're right
je crois/suppose/pense que vous avez raison

we hear/see/feel the world around us
nous entendons/voyons/sentons le monde autour de nous

Remarquez que ces verbes "statiques" peuvent devenir de "dynamiques", si le sens sous-entend le "déroulement" ou qu'une action dure. Dans de tels cas, on emploie le présent progressif :

what are you thinking about?
à quoi penses-tu ?

we're not seeing a lot of him these days
on ne le voit pas beaucoup ces jours-ci

are you not feeling well today?
est-ce que vous ne vous sentez pas bien aujourd'hui ?

we're tasting the wine to see if it's all right
nous goûtons le vin pour voir s'il est bon

b) *Le présent progressif*

i) Le présent progressif est employé avec des verbes "dynamiques", c.-à-d. des verbes qui renvoient à des événements en cours et normalement temporaires :

don't interrupt while I'm talking to somebody else
ne m'interromps pas pendant que je parle à quelqu'un

please be quiet; I'm watching a good programme
tais-toi, s'il te plaît ; je regarde une émission intéressante

he's trying to get the car to start
il essaie de faire démarrer la voiture

not now, I'm thinking
pas maintenant, je réfléchis

Comparez :

I live in London (présent simple)
je vis à Londres

I'm living in London (présent progressif)
je vis à Londres (maintenant)

La deuxième phrase implique que le locuteur n'est pas installé à Londres d'une façon permanente, que c'est d'une manière temporaire qu'il vit à Londres.

ii) Si l'on fait référence à a) i ci-dessus, il est clair que les adverbes de temps absolu ou d'habitude sont fréquents avec le présent simple, comme dans :

he always goes to bed after midnight
il va toujours se coucher après minuit

Cet emploi du présent simple s'applique pour donner les états de fait. Mais on emploie parfois le présent progressif avec de tels adverbes, en particulier avec **always** et **forever**, lorsque l'on souhaite exprimer non seulement le fait lui-même, mais une attitude vis-à-vis de celui-ci, en particulier une attitude d'irritation, d'amusement ou de surprise :

you're always saying that! (irritation)
tu dis toujours ça !

John is forever forgetting his car keys (légère ironie)
John oublie toujours ses clés de voiture

I'm always finding you here at Betty's (surprise)
tiens, je te trouve toujours ici chez Betty !

11 POUR EXPRIMER LE PASSE

a) *Le prétérit*

On l'emploie lorsque l'on veut mettre l'accent sur l'accomplissement d'une action, souvent à un moment précis indiqué par un adverbe :

he caught the train yesterday
il a pris le train hier

he didn't say a word at the meeting
il n'a pas dit un mot pendant la réunion

Maria Callas sang at the Lyric Opera only a few times
(c'est-à-dire alors qu'elle était vivante)
Maria Callas ne chanta/n'a chanté à l'Opéra Lyrique que quelques fois

b) ***used to/would***

Lorsque l'on veut faire référence à un événement habituel et du passé, on emploie souvent **used to** ou **would** :

on Sundays we used to go to my grandmother's
on Sundays we would go to my grandmother's
le dimanche on allait chez ma grand-mère

c) *Le passé progressif*

Ce temps a pour but d'insister sur la continuité d'une action ou d'un événement :

what were you doing last night around 9 o'clock? - I was repairing the garage door
qu'est-ce que tu faisais hier soir vers 9 heures ? - je réparais la porte du garage

I was watching my favourite programme when the phone rang
je regardais mon émission préférée, quand le téléphone a sonné

Dans le deuxième exemple, **was watching** (passé progressif) s'oppose à **rang** (prétérit). Les deux verbes sont en contraste de manière différente dans l'exemple suivant, où les formes des verbes ont été inversées :

I watched his face while the phone was ringing
j'ai regardé son visage pendant que le téléphone sonnait

Ici le locuteur insiste sur le fait que "regarder" s'est produit à un certain moment. Il ne prend donc pas en compte l'idée de continuité que le verbe pourrait exprimer, en revanche il met l'accent sur la continuité de "sonner". Les deux exemples illustrent l'emploi du passé progressif pour des événements servant de toile de fond à d'autres événements de courte durée, pour lesquels on préfère l'aspect simple.

d) *Le present perfect (progressif)*

On emploie le present perfect pour des actions du passé ou des événements qui ont un lien avec le présent :

she has read an enormous number of books (c'ést-à-dire qu'elle est érudite)
elle a lu un nombre énorme de livres

Comparez le present perfect avec le prétérit dans les deux phrases qui suivent :

have you heard the news this morning? (c'est encore la matinée)
tu as entendu les informations ce matin ?

did you hear the news this morning? (c'est maintenant l'après-midi ou le soir)
tu as entendu les informations ce matin ?

he has just arrived (il est là maintenant)
il vient d'arriver

he arrived a moment ago (accent sur le moment du passé)
il est arrivé il y a un instant

Mrs Smith has died (elle est morte maintenant)
Mme Smith est morte

Mrs Smith died a rich woman (au moment où elle est morte, elle était riche)
Mme Smith est morte riche

Pour insister sur le fait qu'une action est continue, on peut employer l'aspect progressif :

I've been living in this city for 10 years
cela fait dix ans que je vis dans cette ville

Cependant, ici on peut aussi employer la forme simple dans le même sens :

I've lived in this city for 10 years

Remarquez que l'on emploie **since** pour traduire "depuis" pour faire référence à un moment précis dans le temps :

I've been living here since 1971
je vis ici depuis 1971

Dans certains cas cependant, l'emploi de l'aspect progressif et l'emploi de la forme simple impliquent des idées différentes. Comparez :

I've been waiting for you for three whole hours!
cela fait trois heures que je t'attends !

I've waited for you for three whole hours!
je t'ai attendu pendant trois heures !

On ne dirait pas la deuxième phrase directement à la personne que l'on attend lorsque cette personne finit par arriver. Mais on pourrait le dire à cette personne au téléphone, sous-entendant ainsi que l'on va maintenant cesser d'attendre.

On pourrait aussi bien dire la première phrase à la personne lorsqu'elle arrive qu'au téléphone.

e) *Le past perfect (progressif)*

Le past perfect permet de décrire des actions et des événements passés survenus avant d'autres événements passés. Il exprime un passé par rapport à un autre passé :

she had left when I arrived
elle était partie lorsque je suis arrivé

she left when I arrived
elle est partie lorsque je suis arrivé

L'aspect progressif permet d'insister sur le fait que l'action est continue :

she had been trying to get hold of me for hours when I finally turned up
cela faisait des heures qu'elle essayait de me contacter lorsque je suis enfin arrivé

I had been meaning to contact him for ages
cela faisait très longtemps que j'avais l'intention de le contacter

Pour le past perfect dans les propositions conditionnelles, voir p. 812-3.

12 POUR EXPRIMER LE FUTUR

a) ***will* et *shall***

i) Lorsque le locuteur fait référence au futur à la 1ère personne, on peut employer **will** ou **shall**. Ces deux formes se contractent en **'ll**. Cependant l'emploi de **shall**, est peu fréquent ailleurs qu'en Grande Bretagne :

I will/I'll/I shall inform Mr Thompson of her decision
je ferai part de sa décision à Mr Thomson

we won't/shan't be long
ça ne nous prendra pas longtemps

I will/I'll/I shall be in Rome when you're getting married
je serai à Rome quand vous vous marierez

ii) Aux autres personnes, on emploie **will** :

you will/you'll be surprised when you see him
vous serez surpris quand vous le verrez

he will/he'll get angry if you tell him this
il se mettra en colère si tu lui dis cela

Remarquez qu'après **when** l'anglais emploie un présent pour faire référence au futur, comme dans l'exemple ci-dessus. Ceci s'applique aussi pour d'autres conjonctions de temps, par exemple :

I'll do it as soon as I get home
je le ferai dès que j'arriverai à la maison

life will be easier once you learn to accept ... (ou **once you have learnt to accept ...**)
la vie sera plus facile unc fois que tu auras appris à accepter ...

iii) Si le locuteur exprime une intention à la deuxième ou à la troisième personne (souvent une promesse ou une menace), on rencontre alors parfois **shall**, mais cet emploi n'est plus de nos jours aussi courant que celui de **will** :

you shall get what I promised you
tu auras cc que je t'ai promis

they shall pay for this!
ils/elles vont me le payer !

Si l'intention ou la volonté n'est pas celle du locuteur, on emploie alors **will** (**'ll**) :

he will/he'll do it, I'm sure
il le fera, j'en suis sûr(e)

iv) On emploie **shall** pour exprimer des suggestions :

shall we go?
on y va ?

shall I do it for you?
tu veux que je te le fasse ?

Dans ces deux exemples, on n'emploierait pas **will**.

v) On emploie **will** pour demander à quelqu'un de faire quelque chose :

will you step this way, please?
pouvez-vous venir par ici, s'il vous plaît ?

vi) pour proposer de faire quelque chose, pour affirmer quelque chose en ce qui concerne l'avenir immédiat :

Dans les exemples suivants, en emploie **will** de préférence à **shall** (bien que la forme contractée soit de loin la plus courante) :

leave that, I'll do it
laisse ça, je vais le faire

what's it like? - I don't know, I'll try it
c'est bon ? - je ne sais pas, je vais y goûter

try some, you'll like it
goûtez-y, vous aimerez ça

there's the phone - ok, I'll answer it
le téléphone sonne - bon, je réponds

b) *Le futur simple et le futur progressif*

i) la continuité de l'action :

Will et **shall** peuvent être suivis de la forme progressive, si le locuteur veut insister sur l'aspect continu de l'action :

I'll be marking essays and you'll be looking after the baby
je corrigerai des dissertations et tu t'occuperas du bébé

ii) les demandes ou les questions ? :

On peut aussi employer la forme progressive pour indiquer que le locuteur parle de façon neutre d'un état de choses et souhaite atténuer la nuance de volonté que pourrait sous-entendre l'aspect simple. C'est pourquoi on rencontre souvent **will/shall** + forme progressive de l'infinitif dans des phrases qui sous-entendent un arrangement préalable :

she'll be giving two concerts in London next week (= she is due to give ...)
elle donnera deux concerts à Londres la semaine prochaine

will you be bringing that up at the meeting?
est-ce que tu comptes en parler à la réunion ?

La question :

will you bring that up at the meeting?
tu en parleras à la réunion ?

est plus susceptible d'être interprétée comme une demande ou une prière que comme une question quant à ce que vous avez l'intention de faire.

c) ***be going to***

i) Bien souvent, il n'y a aucune différence entre **be going to** et **will** :

I wonder if this engine is ever going to start (... will ever start)
je me demande si le moteur va finir par démarrer

you're going to just love it (you'll just love it)
tu vas adorer ça

what's he going to do about it? (what'll he do about it?)
qu'est-ce qu'il va faire ?

ii) Pour indiquer une intention, **be going to** est plus couramment employé que **will** ou **shall** :

we're going to sell the house after all
après tout, nous allons vendre la maison

he's going to sue us
il va nous faire un procès

I'm going to go to London tomorrow
je vais aller à Londres demain

Mais dans une phrase plus longue comprenant d'autres locutions adverbiales et d'autres propositions, on peut aussi employer **will** :

look, what I'll do is this, I'll go to London tomorrow, talk to them about it and ...
écoute, voilà ce que vais faire, je vais aller à Londres demain, je vais leur en parler et ...

iii) **be going to** s'emploie de préférence à **will** lorsque les raisons justifiant les prévisions sont directement liées au présent :

it's going to rain (look at those clouds)
il va pleuvoir (regarde ces nuages)

I know what you're going to say (it's written all over your face)
je sais ce que tu vas dire (ça se voit à ta tête)

d) *Le présent simple*

i) Dans les principales, le présent simple exprime le futur lorsque l'on fait référence à un programme établi, en particulier lorsque l'on fait référence à un horaire :

when does university start? - classes start on October 6th
quand a lieu la rentrée universitaire ? - les cours reprennent le 6 octobre

the train for London leaves at 11 am
le train qui va à Londres part à 11 heures

ii) On emploie généralement le présent simple dans les propositions temporelles ou conditionnelles :

you'll like him when you see him
il te plaira quand tu le verras

if he turns up, will you speak to him?
tu lui parleras s'il vient ?

Ne confondez pas les propositions de ce type commençant par **when** et **if** et les propositions compléments d'objet interrogatives. Dans ces dernières, **when** signifie "quand ?, à quel moment ?" et **if** signifie "si" (adverbe interrogatif), et la forme du verbe est la même que celle du verbe de l'interrogation directe correspondante :

I wonder if she'll be there
je me demande si elle sera là (est-ce qu'elle sera là ?)

e) *Le présent progressif*

i) Le présent progressif est souvent très semblable à **be going to** servant à exprimer l'intention :

I'm taking this book with me (I'm going to take this book with me)
j'emporte ce livre (je vais emporter ce livre)

ii) Mais lorsque l'idée d'intention est moins importante, le présent progressif a tendance à sous-entendre l'idée d'arrangement préalable, et son usage est alors similaire à celui de **will** + infinitif progressif ou du présent simple :

she's giving two concerts in London next week
elle donne deux concerts à Londres la semaine prochaine

the train for London is leaving soon
le train pour Londres part bientôt

f) ***be to***

On emploie souvent **be to** pour faire référence à des projets d'avenir spécifiques, en particulier des projets qu'ont pour nous d'autres personnes, le hasard ou la destinée :

the President is to visit the disaster zone (pour le style employé dans les grands titres voir p. 787)
le président doit visiter la zone sinistrée

we are to be there by ten o'clock
nous devons y être pour dix heures

are we to meet again, I wonder?
nous reverrons-nous un jour, je me le demande ?

g) ***be about to***

Be about to exprime le futur très proche :

you are about to meet a great artist (very shortly you will meet a great artist)
vous êtes sur le point de rencontrer un grand artiste

the play is about to start (any second now)
la pièce est sur le point de commencer

Be about to peut aussi s'employer pour exprimer des intentions quant au futur, mais c'est là un usage plus courant en anglais américain :

I'm not about to let him use my car
je ne vais pas lui laisser prendre ma voiture

En anglais britannique on aurait davantage tendance à employer **be going to**.

h) *Le futur antérieur (progressif)*

On emploie le futur antérieur pour faire référence à une action qui aura été achevée avant une autre action dans le futur :

by the time we get there he will already have left
d'ici à ce que nous arrivions, il sera déjà parti

by then we'll have been working on this project for 5 years
nous aurons alors travaillé pendant cinq ans sur ce projet

On emploie aussi le futur antérieur pour exprimer des suppositions quant au présent ou au passé :

you'll have been following developments on this, no doubt
vous aurez, sans aucun doute, suivi les développements de cette affaire

13 POUR EXPRIMER LA CONDITION

Dans les phrases conditionnelles, on exprime la condition dans une proposition subordonnée placée avant ou après la proposition principale et commençant normalement par **if** :

if the train is late, we'll miss our plane
si le train a du retard, nous raterons notre avion

we'll miss our plane if the train is late
nous raterons notre avion si le train a du retard

Pour les conditions négatives **unless** (si...ne, à moins que) est parfois employé :

unless the train is on time, we'll miss our plane
if the train isn't on time, we'll miss our plane
si le train n'est pas à l'heure, nous raterons notre avion

Etant donné que l'action de la principale dépend de la condition de la subordonnée, cette action doit être au futur (pour les exceptions voir a)i ci-dessous). L'auxiliaire qui se rapproche le plus d'un futur pur est **will**, qui, de même que sa forme du passé **would**, est employé dans les exemples illustrant les emplois des phrases au conditionnel.

a) *Pour faire référence au présent/futur*

i) possibilité vraisemblable :

Le verbe de la proposition subordonnée est au présent ou au present perfect. La proposition principale comprend la construction **will** + infinitif : (quelquefois **shall** + infinitif à la 1ère personne) :

if you see her, you will not recognize her
si tu la vois, tu ne la reconnaîtras pas

if you are sitting comfortably, we will begin
si vous êtes assis confortablement, nous allons commencer

if you have completed the forms, I will send them off
si vous avez/tu as rempli les formulaires, je les enverrai

if he comes back, I shall ask him to leave
s'il revient, je lui demanderai de partir

Il y a trois exceptions importantes :

* Si le verbe de la principale est aussi au présent, cela sous-entend généralement un résultat automatique ou habituel. Dans ces phrases, **if** a presque le sens de **when(ever)** (lorsque, à chaque fois que) :

if the sun shines, people look happier
quand le soleil brille, les gens ont l'air plus heureux

if people eat rat poison, they often die
souvent, quand les gens mangent de la mort-aux-rats, ils en meurent

if you're happy, I'm happy
si ça te va, ça me va

if you don't increase your offer, you don't get the house
si vous n'offrez pas plus, vous n'aurez pas la maison

* Lorsque **will** est aussi employé dans la subordonnée, le locuteur fait alors référence à la bonne volonté d'une personne ou à son intention de faire quelque chose :

if you will be kind enough to stop singing, we will/shall be able to get some sleep
si vous voulez bien arrêter de chanter, nous pourrons dormir

if you will insist on eating all that fatty food you will have to put up with the consequences
si tu continues à manger aussi gras, tu devras en supporter les conséquences

Lorsque cette forme est employée pour demander à quelqu'un de faire quelque chose, on peut ajouter à la phrase un nuance de politesse en employant **would** :

if you would be kind enough to stop playing the trombone, we would/should be able to get some sleep
si vous aviez la bonté d'arrêter de jouer du trombone, nous pourrions dormir

* Lorsque l'on emploie **should** dans la subordonnée (à toutes les personnes), cela sous-entend que la condition est moins probable. Ces propositions avec **should** sont souvent suivies de l'impératif, comme cela est le cas dans les deux premiers exemples :

if you should see him, ask him to call
au cas où vous le verriez, demandez-lui de m'appeler

if he should turn up, try and avoid him
s'il venait, essayez de l'éviter

if they should attack you, you will have to fight them
s'ils en venaient à vous attaquer, il vous faudrait vous défendre

Dans un style légèrement plus soutenu, on peut omettre **if** et faire commencer la phrase par la proposition subordonnée avec **should** :

should the matter arise again, telephone me at once
si le problème devait se présenter de nouveau, téléphonez-moi immédiatement

ii) possibilité peu probable ou irréelle :

L'expression "possibilité peu probable ou irréelle" signifie que l'on s'attend à ce que la condition ne se réalise pas ou qu'on l'oppose à des faits connus. Le verbe de la proposition subordonnée est au passé ; la principale comprend la construction **would** (également **should** à la première personne) + infinitif :

if you saw her, you would not recognize her
si tu la voyais, tu ne la reconnaîtrais pas

if she had a car, she would visit you more often
si elle avait une voiture, elle te rendrait visite plus souvent

if I won that amount of money, I would/should just spend it all
si je gagnais une telle somme d'argent, je dépenserais tout

if the lift was working properly, there would not be so many complaints
si l'ascenseur marchait correctement, il n'y aurait pas autant de réclamations

Ce type de phrase n'exprime pas nécessairement une possibilité peu probable ou irréelle. Elle présente souvent peu de différence par rapport à la construction du type a)i ci-dessus :

if you tried harder, you would pass the exam (if you try harder, you will pass the exam)
si tu faisais plus d'efforts, tu réussirais ton examen

L'emploi du passé peut donner à la phrase un ton un peu plus "amical" et poli.

b) *Pour faire référence au passé*

i) Dans ces cas-là la condition n'est pas réalisée, puisque ce qui est exprimé dans la proposition commençant par **if** ne s'est pas produit. Le verbe de la subordonnée est au past perfect ; la principale comprend la construction **would** (également **should** à la première personne) + infinitif passé :

if you had seen her, you would not have recognized her
si tu l'avais vue, tu ne l'aurais pas reconnue

if I had been there, I would/should have ignored him
si j'avais été là, j'aurais fait semblant de ne pas le voir

Dans un style légèrement plus soutenu, on peut omettre **if** et faire commencer la subordonnée par **had** :

had I been there, I would/should have ignored him

ii) exceptions :

* Si la proposition principale fait référence à la non réalisation dans le présent d'une condition dans le passé, on peut aussi employer **would** + infinitif :

if I had studied harder, I would be an engineer today
si j'avais étudié davantage, je serais ingénieur maintenant

* On emploie le passé dans les deux propositions si, comme cela est le cas dans a) i ci-dessus, on sous-entend un résultat automatique ou habituel (**if** = when(ever)) :

if people had influenza in those days, they died
si les gens attrapaient la grippe en ce temps-là, ils en mouraient

if they tried to undermine the power of the Church, they were burned at the stake
s'ils essayaient de saper le pouvoir de l'Eglise, ils mouraient au bûcher

* Si on s'attend à ce que la condition se soit réalisée, les restrictions quant à la concordance des temps indiquées dans a) et b) ci-dessus ne s'appliquent plus. Dans ces cas-là, **if** signifie souvent "comme" ou "puisque". Remarquez par exemple la diversité des formes verbales employées dans les propositions principales qui suivent les propositions commençant par **if** (qui sont toutes au passé) :

if he was rude to you, why did you not walk out?
s'il a été grossier avec toi, pourquoi est-ce que tu n'es pas parti(e) ?

if he was rude to you, why have you still kept in touch?
if he was rude to you, why do you still keep in touch?
s'il a été grossier avec toi, pourquoi est-ce que tu es resté(e) en contact avec lui ?

if he told you that, he was wrong
s'il t'a dit ça, il a eu tort

if he told you that, he has broken his promise
s'il t'a dit ça, il a manqué à sa promesse

if he told you that, he is a fool
s'il t'a dit ça, c'est un imbécile

14 LE SUBJONCTIF

Par opposition à l'indicatif, qui est le mode du réel, le subjonctif est le mode du non-réel, et exprime par exemple le souhait, l'espoir, la possibilité, etc. (Voir **Les Modes** p. 782).

Le présent du subjonctif est identique par sa forme à l'infinitif (sans **to**) aux trois personnes du singulier et du pluriel. Autrement dit, la seule différence entre les formes du présent du subjonctif et celles du présent de l'indicatif est l'omission du **-s** à la troisième personne du singulier.

L'imparfait du subjonctif n'est marqué du point de vue de la forme qu'à la première et à la troisième personne du singulier du verbe **to be**, qui est **were**. Cependant, dans le langage de tous les jours, on emploie de préférence **was** (voir aussi b) vi ci-dessous).

a) *Le subjonctif dans les propositions principales*

Ici, l'emploi du subjonctif est limité à des locutions fixes exprimant l'espoir ou le souhait, par exemple :

God save the Queen!
Vive la reine !

Long live the King!
Vive le roi !

Heaven be praised!
Dieu soit loué !

b) *Le subjonctif dans les propositions subordonnées*

i) Dans les propositions conditionnelles, le subjonctif passé est d'un emploi très courant; voir 13a) ii ci-dessus. L'emploi du présent du subjonctif appartient à un niveau de langue très soutenu ou à un style littéraire :

if this be true, old hopes are born anew
si c'était vrai, tous les espoirs renaîtraient

sauf dans l'expression consacrée **if need be** = "s'il le faut, si besoin est" :

if need be, we can sell the furniture
s'il le faut, nous pouvons vendre les meubles

Remarquez aussi l'emploi dans les tournures concessives :

they are all interrogated, be they friend or foe
ils sont tous interrogés, qu'ils soient amis ou ennemis

ii) Les propositions comparatives, introduites par **as if** ou **as though** contiennent souvent, mais certainement pas dans tous les cas, un subjonctif passé :

he looks as though he took his work seriously (= ... as though he takes ...)
il semble prendre son travail très au sérieux

he treats me as if I was/were a child
il me traite comme si j'étais un gamin

iii) Le subjonctif passé est employé après **if only** et dans les propositions compléments d'objet direct après **wish** et **had rather**, toutes ces propositions exprimant le souhait ou le désir :

if only we had a bigger house, life would be perfect
si seulement nous avions une maison plus grande, tout serait parfait

are you going abroad this year? - I wish I were/was
est-ce que tu pars à l'étranger cette année ? - si seulement je pouvais !

I wish he was/were back at school
si seulement il avait repris l'école

where's your passport? - I wish I knew
où est ton passeport ? - si je le savais !

do you want me to tell you? - I'd rather you didn't
tu veux que je te dise ? - je n'aime mieux pas !

iv) Dans un langage soutenu (par exemple, le langage juridique), on rencontre parfois le présent du subjonctif dans les propositions compléments d'objet directs après les verbes ou les expressions impersonnelles (telles que : "il est souhaitable", "il est important") indiquant une suggestion ou un souhait :

we propose that the clause be extended to cover such eventualities
nous proposons que la clause soit élargie pour couvrir ces éventualités

it is important that he take steps immediately
il est important qu'il prenne des mesures immédiatement

it is imperative that this matter be discussed further
il est impératif de discuter davantage de cette affaire

Dans ces propositions, le subjonctif est d'un emploi plus courant en anglais américain qu'en anglais britannique et n'est en aucun cas rare en dehors du langage des négociations ou du langage juridique. Bien que l'anglais américain influence rapidement l'anglais britannique, ce dernier préfère toujours l'emploi de **should** + infinitif :

we suggest that the system (should) be changed
nous suggérons que le système soit changé

I am adamant that this (should) be put to the vote
j'insiste pour que cela soit soumis au vote

it is vital that he (should) start as soon as possible
il est primordial qu'il commence aussi tôt que possible

v) Après **it's time**, lorsque le locuteur veut insister sur le fait que quelque chose devrait être fait, on emploie le subjonctif passé :

it's time we spoke to him
il est temps que nous lui parlions

it's high time they stopped that
il est temps qu'ils arrêtent cela

tandis que dans les exemples suivants, on ne fait qu'exprimer l'opportunité du moment :

it's time to speak to him about it
c'est le moment de lui en parler

vi) **if I was/if I were**

Les confusions sont fréquentes quant à l'emploi correct de **if I was/if I were**.

Il existe des cas dans lesquels on ne peut employer que **if I was**, c'est-à-dire les cas dans lesquels la condition à laquelle on fait référence n'est en aucun cas une condition irréelle :

if I was mistaken about it then it certainly wasn't through lack of trying
si je me suis trompé(e), ce n'est certainement pas faute d'avoir fait de mon mieux

Le locuteur ne met pas en cause le fait que l'erreur soit réelle, mais il se contente d'en expliquer la cause.

Par contre dans la phrase suivante :

if I were mistaken about it, surely I would have realized
si je m'étais trompé(e), je m'en serais certainement aperçu(e)

le locuteur exprime un doute quant à la réalité de l'erreur et l'emploi du subjonctif **were** est donc approprié. Mais il ne serait pas non plus faux d'employer **was** dans ce contexte, il s'agit simplement là d'une expression appartenant à un langage moins soutenu.

15 UN EMPLOI PARTICULIER DU PASSE

Nous avons vu dans les sections 13 et 14 comment le subjonctif passé peut faire référence au présent dans des propositions conditionnelles ou autres. Outre ces emplois du subjonctif passé, le passé peut faire référence au présent dans les propositions principales exprimant une attitude plus hésitante et donc plus polie et respectueuse. Ainsi :

did you want to see me?
vous vouliez me voir ?

est plus poli, plus hésitant, ou moins sec que :

do you want to see me?
vous voulez me voir ?

Mais dans l'expression usuelle :

I was wondering if you could help me do this
est-ce que vous pourriez m'aider à faire cela ?

l'emploi du passé exprime maintenant toujours la nuance de politesse et n'est pour ainsi dire pas différent de :

I wonder if you could help me with this

L'expression usuelle :

I was hoping you could help me here
est-ce que vous pourriez m'aider ici ?

pour formuler une demande polie, n'a pas de construction correspondante au présent.

16 LA VOIX PASSIVE

En ce qui concerne les différences de forme entre la voix active et la voix passive, voir p. 783.

a) *Le passif direct et indirect*

Dans la phrase à la voix active :

they sent him another bill
ils lui ont envoyé une autre facture

another bill est le complément d'objet direct et **him** est le complément d'objet indirect. Si dans une construction correspondante à la voix passive, le complément d'objet direct de la phrase à la voix active devient le sujet de la phrase à la voix passive, on a alors un "passif direct" :

another bill was sent (to) him
une autre facture lui a été envoyée

alors qu'un "passif indirect" aurait pour sujet le complément d'objet indirect de la phrase à la voix active :

he was sent another bill
on lui a envoyé une autre facture

b) *Le passif d'état et le passif d'action*

Dans la phrase suivante, le verbe exprime un état :

the shop is closed
la boutique est fermée

tandis que dans l'exemple suivant, cela ne fait aucun doute qu'il exprime une action :

the shop is closed by his mother at 4 pm every day
la boutique est fermée par sa mère tous les jours à 16 heures

Dans la première phrase le verbe est appelé "verbe d'état", dans la deuxième phrase le verbe est appelé "verbe d'action". C'est le contexte qui nous l'apprend et non pas la forme. La forme du verbe reste la même. L'absence de formes distinctes peut parfois donner lieu à des ambiguités comme par exemple :

his neck was broken when they lifted him

signifiant soit (passif d'état) "son cou était cassé quand ils l'ont soulevé" soit (passif d'action) "son cou fut cassé quand ils l'ont soulevé". Cependant si l'on souhaite insister sur l'aspect de passif d'action (souvent plus vivant), on peut employer **get** comme auxiliaire à la place de **be**, dans le language de tous les jours en particulier :

his neck got broken when they lifted him
son cou s'est trouvé cassé quand ils l'ont soulevé

they finally got caught
ils ont fini par se faire prendre

he got kicked out
il s'est fait mettre à la porte

On peut aussi employer le verbe **have** pour exprimer un passif d'action :

he had his neck broken when they lifted him
il a eu le cou cassé quand ils l'ont soulevé

they've had their house burgled three times
ils se sont fait cambrioler trois fois

c) *Voix passive ou voix active ?*

i) Si ce qui fait l'action est moins important que l'action accomplie, on préfère souvent la voix passive à la voix active. Ainsi dans :

his invitation was refused
son invitation a été refusée

d'après le locuteur l'identité de la personne qui refuse n'a évidemment pas d'importance. Si, dans le langage scientifique en particulier, on emploie de très nombreuses tournures passives, c'est parce que l'on considère que mentionner l'agent ou celui qui fait l'action manque d'objectivité. On écrit :

the experiment was conducted in darkness
l'expérience a été effectuée dans le noir

plutôt que :

I conducted the experiment in darkness
j'ai effectué l'expérience dans le noir

ii) Si celui qui fait l'action n'a aucune importance ou si on ne le connaît pas, de nombreux verbes apparaissent à la voix active mais ont un sens passif. Il y a peu de différence entre :

the theatre runs at a profit
le théâtre fait des bénéfices

et :

the theatre is run at a profit

Ces formes actives à sens passif sont d'un emploi relativement fréquent en anglais ; et souvent l'emploi d'une forme passive serait maladroit, voire impossible :

silk blouses do not wash well
les chemisiers en soie ne se lavent pas bien

this essay reads better than your last one
cette dissertation se lit mieux que la dernière que vous avez écrite

a cloth which feels soft
un tissu qui est doux au toucher

he photographs well
il est photogénique

it flies beautifully
il se pilote très bien

where is the film showing?
où est-ce que le film passe ?

iii) Quelquefois, la voix active à sens passif se limite à l'infinitif :

the house is to let
la maison est à louer

I am to blame
je suis à blâmer

mais de tels cas sont rares. Cependant, dans les constructions du type **there is** + (pro)nom avec infinitif, l'infinitif actif à sens passif est courant :

there is work to do (= ... to be done)
il y a du travail à faire

when we get home there'll be suitcases to unpack
quand nous rentrerons à la maison, il y aura les valises à défaire

there was plenty to eat
il y avait beaucoup de choses à manger

have you got anything to wash?
est-ce que tu as quelque chose à laver ?

Dans certains cas, on peut employer indifféremment l'infinitif actif ou l'infinitif passif :

there's nothing else to say/to be said
il n'y a rien d'autre à dire

is there anything to gain/to be gained from it?
est-ce qu'il y a quelque chose à y gagner ?

Mais quelquefois dans ces constructions après les pronoms **something**, **anything**, **nothing**, il peut y avoir une différence entre l'infinitif actif (à sens passif) et l'infinitif passif de **do**. Par exemple :

there is always something to do

signifie généralement (mais pas nécessairement) "il y a toujours quelque chose pour s'occuper ou pour s'amuser", tandis que :

there is always something to be done

signifie "il y a toujours du travail à faire".

iv) "on"

Le passif est bien plus employé en anglais qu'en français. Souvent le français préfère une construction avec "on" :

he was spotted leaving the bar
on l'a vu sortant du bar

that's already been done
on l'a déjà fait

I hadn't been told that
on ne m'avait pas dit ça

17 BE, HAVE, DO

a) *be*

i) **Be** est employé comme auxiliaire avec le participe passé afin de former un passif et avec le participe présent pour exprimer l'aspect progressif du passif (p. 783). Parfois **be** peut remplacer **have** en tant qu'auxiliaire pour l'aspect "perfect" (ou passé) comme dans :

are you finished?
est-ce que tu as fini ?

our happiness is gone
notre bonheur s'est enfui

Dans ces cas-là, on insiste particulièrement sur l'état actuel plutôt que sur l'action.

ii) Comme les autres auxiliaires modaux, **be** n'est pas accompagné de **do** dans les négations et les interrogations. Cependant, lorsque **be** se comporte comme un verbe indépendant et non pas comme un auxiliaire, on emploie **do** dans des interdictions :

don't be silly
ne sois pas sot

iii) Lorsque **be** est un verbe ordinaire (c'est-à-dire pas un auxiliaire), il n'est pas employé à l'aspect progressif, sauf lorsqu'il fait exclusivement référence au comportement. Ainsi il y a une différence entre :

he is silly
il est sot (= de nature)

et :

he is being silly
il fait le sot

et entre :

he's American
il est américain

et :

if you said it that way, I'd assume you were deliberately being American
si tu disais ça de cette façon, je penserais que tu t'exprimes exprès à l'américaine

b) *have*

i) **Have** est employé avec le participe passé pour former l'aspect "perfect" (p. 782).

En tant que verbe ordinaire, il exprime quelquefois une activité ou une expérience, comme dans les expressions suivantes :

have dinner
dîner/ déjeuner

have difficulty
avoir du mal à

have a chat
bavarder

have a good time
s'amuser/passer un bon moment

Lorsque **have** n'exprime pas une activité, il fait normalement référence à la possession, à un état, ou à quelque chose organisé à l'avance :

have a farm
avoir une ferme

have an appointment
avoir un rendez-vous

have toothache
avoir mal aux dents

have time (for or **to do something)**
avoir le temps (de faire quelque chose)

Donc :

she'll have the baby in August

appartient au premier type si la phrase signifie qu'elle donnera naissance au bébé. Par contre, si la phrase signifie qu'elle "recevra" le bébé (si elle l'adopte, par exemple), elle appartient au deuxième type.

On peut appeler les types **have 1 (activité +)** et **have 2 (activité -)**.

ii) **have 1** :

* Il se comporte comme les verbes ordinaires normaux dans les interrogations et les négations, c'est-à-dire qu'il est accompagné de **do**, ainsi que dans les question-tags :

did you have the day off yesterday?
est-ce que tu a pris un jour de congé hier ?

we don't have conversations any more
nous ne nous parlons plus

we had a marvellous time, didn't we?
nous avons vraiment passé un très bon moment, n'est-ce pas ?

* **Have 1** peut s'employer à l'aspect progressif :

he telephoned as we were having lunch
il a téléphoné pendant que nous déjeunions

I'm having trouble with Carol these days
j'ai des problèmes avec Carol ces temps-ci

iii) **have 2** :

* Au lieu de **have 2**, l'anglais britannique emploie souvent **have got**, particulièrement dans le langage parlé, et surtout au présent :

he has/he has got/he's got a large garden
il a un grand jardin

Au passé, on emploie normalement **had** ou **used to have**, ce dernier insistant sur l'idée de possession prolongée, la répétition ou l'habitude :

they all had flu in July last year
ils ont tous eu la grippe en juillet l'année dernière

he had/used to have a large garden once
autrefois, il avait un grand jardin

we had/used to have lots of problems in those days
en ce temps-là, nous avions beaucoup de problèmes

* Dans les interrogations, le sujet et **have** peuvent être inversés :

have you any other illnesses?
avez-vous d'autres maladies ?

Dans les négations, **not** peut s'employer sans **do** :

he hasn't a garden
il n'a pas de jardin

On considère parfois ces phrases comme appartenant à un niveau de langue plutôt soutenu, et dans le langage de tous les jours, on préfère employer **have ... got** ou une construction avec **do :**

have you got/do you have any other illnesses?
he hasn't got/doesn't have a garden

La tournure en **do** est récemment devenue d'un emploi plus fréquent du fait de l'influence de l'anglais américain où il est normal de l'employer. Notez que si le locuteur souhaite faire passer l'idée de quelque chose qui se produit habituellement, régulièrement ou de façon générale, alors on emploie particulièrement fréquemment la tournure en **do** :

have you got/do you have any food for the dog?
est-ce que tu as de la nourriture pour le chien ?

mais :

do you always have dog-food in the sideboard ?
est-ce que tu as toujours de la nourriture pour chien dans ton buffet ?

lorsque **have** a un sens très voisin de "avoir en permanence". De même :

have you got/do you have a pain in your chest?
est-ce que vous ressentez une douleur dans la poitrine ?

mais :

do you frequently have a pain in your chest?
est-ce que vous ressentez souvent une douleur dans la poitrine ?

Dans les question-tags après **have**, on peut employer **have** ou **do** puisque, comme nous l'avons vu, **have** peut s'employer avec ou sans **do** dans les interrogations. **Do**, de plus en plus fréquemment employé à cause de l'usage américain, est particulièrement courant au passé :

he has a Rolls, hasn't/doesn't he?
il a une Rolls, n'est-ce pas ?

they had a large garden once, hadn't they/didn't they?
ils avaient un grand jardin autrefois, n'est-ce pas ?

Mais après **have got** on ne peut employer que **have** dans les questions-tags :

he's got a Rolls, hasn't he?
il a une Rolls, n'est-ce pas ?

Remarquez la différence suivante entre l'anglais britannique et l'anglais américain :

have you a minute? - no, I haven't (britannique)
have you a minute? - no, I don't (américain)
tu as une minute? - non

* L'aspect progressif n'est pas possible avec **have 2** à moins qu'il fasse référence au futur. Ainsi :

they are having a fridge

ne signifie en aucun cas "ils ont un frigidaire", mais "ils vont avoir un frigidaire". Dans la phrase :

today I'm having the car
aujourd'hui je prends la voiture

am having = type **have 1**.

iv) L'emploi causatif de ***have*** :

Le verbe **have** est employé dans dés constructions du type "faire faire quelque chose". Par exemple :

could you have these photocopied?
est-ce que vous pouvez faire photopier cela ?

I'll have it done immediately
je vais le faire faire immédiatement

we'll have to have the loo fixed
il va falloir que nous fassions réparer les W.-C.

what on earth have you had done to your hair!
qu'est-ce qui est arrivé à tes cheveux !

Remarquez que **get** peut s'employer à la place de **have** dans tous les exemples ci-dessus, sauf le dernier.

* Dans une construction américaine, l'idée de "faire faire quelque chose" a en majeure partie disparu :

Mr Braithwaite is here - ah, have him come in
M. Braithwaite est là - ah, faites-le entrer

Ceci équivaut simplement à prier quelqu'un de demander à M. Braithwaite d'entrer.

* On peut aussi employer le verbe **have** ou **get** avec un complément d'objet direct :

I'll have the kitchen send it up to your room, madam
je vais demander à la cuisine de vous le monter à votre chambre, madame

Notez que **have** est employé sans **to**. Cependant avec **get**, qui a le même sens, on emploi **to** :

I'll get the kitchen to send it up to your room, madam

v) Constructions à la voix passive :

Le verbe **have** s'emploie aussi pour former un type de construction passive, particulièrement pour sous-entendre que le sujet de la phrase a souffert d'une manière ou d'une autre (voir aussi 16 b) :

he's had both his wives killed in car crashes
ses deux femmes se sont fait tuer dans des accidents de voiture

c) ***do***

On a déjà vu l'emploi de **do** dans les interrogations et les négations - voir p. 800. Voir p. 868 son emploi dans les autres cas d'inversion (par exemple **never did I once dream he would !**).

i) Le **do** emphatique :

Dans les phrases qui ne sont ni des interrogations, ni des négations, on peut, pour marquer l'emphase, employer un **do** (que l'on accentue à l'oral) avant le verbe principal :

oh, I do like your new jacket!
oh, j'aime beaucoup ta nouvelle veste !

do try to keep still !
essaye de rester tranquille

I didn't manage to get tickets for ... but I did get some for...
je n'ai pas réussi à avoir de billets pour ... mais par contre, j'en ai pour ...

Et le verbe **do** lui-même peut s'employer avec **do** en tant qu'auxiliaire emphatique :

well, if you don't do that, what do you do?
bon, si tu ne fais pas ça, qu'est-ce que tu fais, alors ?

ii) **do** pour remplacer le verbe :

On a déjà donné des exemples de cet emploi dans la section traitant des question-tags (voir p. 799). En voici d'autres exemples :

she never drinks! - oh yes, she does
elle ne boit jamais ! - bien sûr que si

can I help myself to another cream cake? - please do
est-ce que peux avoir un autre gâteau à la crème ? - je vous en prie !

do you both agree? - I do, but she doesn't
vous êtes tous les deux d'accord ? - moi oui, mais elle, non

18 LES AUXILIAIRES MODAUX

Ce sont les auxiliaires **will-would**, **shall-should**, **can-could**, **may-might**, **must-had to**, **ought to**.

a) *will-would*

Les formes négatives contractées sont **won't-wouldn't**.

i) Pour les phrases au conditionnel voir p. 810.

ii) Pour une étude générale de l'expression du futur, voir p. 806.

iii) Pour exprimer les ordres plutôt qu'un futur pur :

you will do as you are told!
tu feras ce qu'on te dit !

will you stop that right now!
arrête tout de suite !

new recruits will report to headquarters on Tuesday at 8.30 am
les jeunes recrues se présenteront au quartier général mardi à 8 heures 30

iv) Pour faire appel, sur un ton plutôt cérémonieux, aux souvenirs ou aux connaissances de quelqu'un :

you will recall last week's discussion about the purchase of a computer
vous vous souvenez certainement de notre discussion de la semaine dernière concernant l'achat d'un ordinateur

you will all know that the inspector has completed his report
vous savez certainement tous que l'inspecteur a terminé son procès-verbal

v) Pour exprimer une supposition, plutôt qu'un futur :

there's the telephone, Mary! - oh, that will be John
le téléphone sonne, Mary ! - oh, ça doit être John

they'll be there by now
ils/elles doivent être arrivé(e)s maintenant

how old is he now? - he'll be about 45
quel âge a-t-il maintenant ? - il doit avoir à peu près 45 ans

vi) Pour insister sur la notion de capacité ou d'inclination naturelle ou inhérente, ou sur la notion de comportement caractéristique, plutôt que pour exprimer un futur :

cork will float on water
le liège flotte sur l'eau

the Arts Centre will hold about 300 people
le centre culturel peut contenir environ 300 personnes

John will sit playing with a matchbox for hours
John peut rester assis à jouer avec une boîte d'allumettes pendant des heures

it's so annoying, he will keep interrupting! (accent sur "will" à l'oral)
c'est énervant, il n'arrête pas de m'interrompre !

the car won't start
la voiture ne veut pas démarrer

well, if you will drive so fast, what do you expect?
ben ! il fallait t'y attendre, à conduire aussi vite !

De même **would**, pour faire référence au passé :

when he was little, John would sit playing with a matchbox for hours
quand il était petit, John restait assis à jouer avec une boîte d'allumettes pendant des heures

she created a scene in public - she would!
elle a fait une scène en public - c'est bien son genre !

vii) Pour poser des questions, proposer :

will you have another cup?
vous en voulez une autre tasse ?

won't you try some of these?
vous ne voulez pas y goûter ?

viii) Pour demander à quelqu'un de faire quelque chose :

will you move your car, please?
est-ce que vous pouvez déplacer votre voiture, s'il vous plaît ?

On peut poser la même question d'une façon légèrement plus polie :

would you move your car, please?
est-ce que vous pourriez déplacer votre voiture, s'il vous plaît ?

ix) Pour exprimer la détermination :

I will not stand for this!
je ne le supporterai pas !

I will be obeyed!
je veux qu'on m'obéisse !

b) ***shall-should***

Les formes négatives contractées sont **shan't-shouldn't**.

i) Pour les phrases au conditionnel, voir p. 811-12.

ii) Pour **should**, équivalent du subjonctif, voir p. 815.

iii) Pour **shall** exprimant le futur, voir p. 806.

iv) (**shall** uniquement) Dans le langage juridique ou officiel **shall** s'emploie fréquemment pour exprimer une obligation. Ce sens de **shall** est très semblable à celui de **must** :

the committee shall consist of no more than six members
le comité sera constitué de six membre au plus

the contract shall be subject to English law
le contrat sera régi par la loi anglaise

v) (**should** uniquement) obligation (souvent obligation morale) :

you should lose some weight
tu devrais perdre du poids

he shouldn't be allowed to
il ne devrait pas y être autorisé

you really should see this film
tu devrais essayer de voir ce film

is everything as it should be?
est-ce que tout va comme il faut ?

something was not quite as it should be
il y avait quelque chose de bizarre

vi) (**should** uniquement) déduction, probabilité :

it's ten o'clock, they should be back any minute
il est dix heures, ils devraient rentrer d'un moment à l'autre

John should have finished putting up those shelves by now
John devrait avoir fini d'installer ces étagères maintenant

are they there? - I don't know, but they should be
ils/elles sont là ? - je ne sais pas, mais ils/elles devraient

vii) (**should** uniquement) affirmations hésitantes :

I should just like to say that ...
j'aimerais simplement dire que ...

I should hardly think that's right
je ne pense pas que ça soit vrai

will he agree? - I shouldn't think so
est-ce qu'il sera d'accord ? - je ne pense pas

viii) **Should** est souvent employé pour faire référence à la **notion** (par opposition à la **réalité concrète**) d'une action. Cet emploi de **should** est quelquefois qualifié de "putatif" :

that she should want to take early retirement is quite understandable
il est tout à fait compréhensible qu'elle veuille prendre sa retraite anticipée

Comparez ce dernier exemple avec :

it is quite understandable that she wanted to take early retirement
il est tout à fait compréhensible qu'elle ait voulu prendre sa retraite anticipée

La différence est subtile. Dans le premier exemple, on insiste sur l'idée selon laquelle elle a voulu prendre sa retraite anticipée ; dans la deuxième phrase on insiste sur le fait qu'elle l'ait fait.

Il est important de remarquer que ce **should** est neutre pour ce qui est du temps. Le premier exemple ci-dessus pourrait tout aussi bien faire référence au passé (**she has taken early retirement**) ou au futur (**she will be taking early retirement**) suivant le contexte. Le second exemple ne peut bien sûr que faire référence au passé.

L'emploi putatif de **should** peut être comparé à l'emploi de **should** lorsqu'il est employé après les constructions ou verbes impersonnels de suggestion, de souhait ou d'ordre, dont il est question dans la section sur le subjonctif, p. 813.

Dans l'exemple ci-dessus, l'emploi putatif de **should** est apparu dans une proposition subordonnée, mais il peut aussi apparaître dans des propositions principales :

where have I put my glasses? - how should I know?
où est-ce que j'ai mis mes lunettes ? - comment veux-tu que je le sache ?

as we were sitting there, who should walk by but Joan Collins!
nous étions assis, là, et devine qui passe ? ... Joan Collins !

there was a knock at the door, and who should it be but ...
on frappe à la porte, et qui c'est ? ...

c) ***can-could***

Les formes négatives contractées de **can-could** sont **can't-couldn't**. La forme négative non contractée au présent est **cannot**.

i) capacité (= be able to) :

I can't afford it	**I can swim**
je ne peux me le permettre	je sais nager

when I was young, I could swim for hours
quand j'étais jeune, je pouvais nager pendant des heures

La troisième phrase fait référence à une capacité passée. Cependant, dans les propositions conditionnelles **could** + infinitif fait référence au présent et au futur (comparez avec **would** dans la section **Pour Exprimer la Condition** p. 810) :

if you try/tried harder, you could lose weight
si tu faisais plus d'efforts, tu arriverais à perdre du poids

ii) permission :

can/could I have a sweet?
je peux avoir un bonbon ?

Remarquez que **could** fait autant référence au présent ou au futur que **can**. La seule différence est que **could** est un peu plus hésitant ou poli. Cependant, **could** peut quelquefois s'employer pour exprimer une permission au passé lorsque le contexte est incontestablement passé :

for some reason we couldn't smoke in the lounge yesterday; but today we can
pour une raison ou une autre, nous ne pouvions pas fumer dans le salon hier, mais aujourd'hui nous pouvons

Il existe souvent une légère nuance de sens entre **can** et **may** lorsqu'ils signifient "avoir le droit de", dans la mesure où **can** est moins cérémonieux que **may**.

iii) possibilité :

what shall we do tonight? - well, we can/could watch a film
qu'est-ce qu'on va faire ce soir ? - ben ... on pourrait voir un film

Là encore, on peut remarquer que **could** ne fait pas référence au passé mais au présent ou au futur. Pour faire référence au passé on doit employer **could** suivi de l'infinitif passé :

instead of going to the pub we could have watched a film
au lieu d'aller au pub, nous aurions pu voir un film

I could have (could've) gone there if I'd wanted to, but I didn't
j'aurais pu y aller si j'avais voulu, mais je ne voulais pas

Il y a quelquefois une différence importante entre **can** et **may** quant à la façon dont ils font référence à la possibilité : **can** exprime fréquemment la possibilité logique pure et simple, tandis que **may** sous-entend souvent l'incertitude, le hasard ou un certain degré de probabilité d'un événement :

(a) **your comments can be overheard**
on peut entendre vos remarques
(b) **your comments may be overheard**
on pourrait entendre vos remarques

Dans (a) on dit qu'il est possible d'entendre les remarques, par exemple parce qu'elles sont faites à voix très haute, qu'il soit ou non probable que quelqu'un les entende effectivement. Dans (b) on dit qu'il est dans une certaine mesure probable que quelqu'un entende effectivement les remarques.

On peut aussi voir la différence dans les propositions à la forme négative :

he can't have heard us (= it is impossible for him to have heard us)
il ne peut pas nous avoir entendus

he may not have heard us (= it is possible that he did not hear us)
il se peut qu'il ne nous ait pas entendus

iv) suggestions (**could** uniquement) :

you could always try Marks & Spencers
tu peux toujours essayer à Marks & Spencers

he could express himself more clearly
il pourrait s'exprimer plus clairement

Cette construction peut parfois traduire une sorte de reproche :

you could have let us know!
tu aurais pu nous le dire !

he could have warned us!
il aurait pu nous prévenir !

d) ***may-might***

La forme négative contractée **mayn't** exprimant la permission négative, c'est à dire l'interdiction, disparaît progressivement et est remplacée par **may not** ou **must not/mustn't** ou encore **can't**. La forme négative contractée de **might** est **mightn't**, mais elle n'est pas employée pour exprimer l'interdiction.

i) permission :

you may sit down (comparer avec **can** dans c) ii ci-dessus, ici langage plutôt soutenu)
vous pouvez vous asseoir

may I open a window? - no, you may not!
est-ce que je peux ouvrir une fenêtre ? - non, pas question

you must not/mustn't open the windows in here
tu ne dois pas ouvrir les fenêtres ici

Il est extrêmement poli d'employer **might** pour exprimer la permission :

I wonder if I might have another wee glass of sherry
pourrais-je avoir un autre petit verre de sherry ?

might I suggest we adjourn the meeting?
puis-je me permettre de suggérer que nous ajournions la réunion ?

Notez que **might** fait référence au présent et au futur, et fait très rarement référence au passé lorsqu'il est employé dans une proposition principale. Comparez :

he then asked if he might smoke (langage plutôt soutenu)
he then asked if he was allowed to smoke
il a alors demandé s'il pouvait fumer

et :

he wasn't allowed to smoke
il n'avait pas le droit de fumer, il ne pouvait pas fumer

On ne peut pas employer **might** dans le dernier exemple. On ne peut employer **might** comme passé dans une principale que dans certains cas spéciaux :

in those days we were told not to drink; nor might we smoke or be out after 10 o'clock
en ce temps-là, nous n'avions pas le droit de boire, pas plus que de fumer ou de rentrer après dix heures

Une manière plus courante et moins littéraire de formuler cette phrase serait :

in those days we were told not to drink; nor were we allowed to smoke or be out after 10 o'clock

ii) possibilité :

it may/might rain
il pleuvra peut-être

they may/might be right
il se peut qu'ils aient raison

it mayn't/mightn't be so easy as you think
ce ne sera peut-être pas aussi facile que vous le pensez

she may/might have left already
elle est peut-être déjà partie

Might exprime généralement un moindre degré de possibilité.

Remarquez la tournure idiomatique :

and who may/might you be?
et pour qui est-ce que tu te prends ?

dans laquelle l'emploi de **may/might** introduit une nuance de surprise, d'amusement ou peut-être d'ennui dans la question :

and who *may/might* you be to give out orders?
et pour qui est-ce que tu te prends pour donner des ordres ?

iii) Notez l'emploi de **might** pour formuler des suggestions :

you might help me dry the dishes
tu pourrais m'aider à essuyer la vaisselle

well, you might at least try!
tu pourrais au moins essayer, enfin !

you might have a look at chapter 2 for next Wednesday
vous voudrez bien lire le chapitre 2 pour mercredi prochain

he might be a little less abrupt
il pourrait être un peu moins brusque

L 'usage suivant exprime souvent une pointe de reproche :

you might have warned us what would happen!
vous auriez pu nous prévenir de ce qui allait se produire

iv) souhaits :

may the best man win!
que le meilleur gagne !

may you be forgiven for telling such lies!
que le Bon Dieu te pardonne de dire de tels mensonges !

might I be struck dumb if I tell a lie!
que le diable m'emporte si je mens !

Cet usage est normalement réservé à des expressions consacrées (comme dans les deux premiers exemples) ou considéré comme étant d'un style quelque peu ampoulé ou littéraire (comme dans le dernier).

e) ***must-had to***

i) obligation :

you must try harder
tu dois faire un effort

we must park the car here and walk the rest of the way
il faut que nous garions la voiture ici et que nous fassions le reste du chemin à pied

Remarquez que l'on emploie **had to** pour le passé. On ne peut employer **must** pour le passé qu'au discours indirect, et même alors **had to** est beaucoup plus courant :

you said the other day that you had to/must clean out the garden shed
tu as dit l'autre jour qu'il faudrait que tu nettoies la cabane du jardin

On peut aussi employer **have to**, ou **have got to** dans un niveau de langue moins soutenu, au présent. La différence entre **must** et **have (got) to** réside généralement dans le fait que **must** exprime des sentiments personnels d'obligation ou de contrainte tandis que **have (got) to** exprime une obligation extérieure. Comparez :

I must go and visit my friend in hospital
il faut que je rende visite à mon amie à l'hôpital (= je pense qu'il est nécessaire que j'y aille)

you must go and visit your friend in hospital
il faut que tu rendes visite à ton ami à l'hôpital (je pense qu'il est nécessaire que tu y ailles)

I have (got) to be at the hospital by 4 pm
je dois être à l'hôpital pour 4 heures de l'après-midi (c'est-à-dire j'y ai un rendez-vous)

ii) négations :

Les tournures négatives exigent une vigilance toute particulière. On ne peut employer **must not/mustn't** que pour exprimer l'interdiction (= une obligation de ne pas faire quelque chose) :

we mustn't park the car here (= we're not allowed to park here)
nous ne devons pas nous garer ici (= nous n'avons pas le droit de nous garer ici)

you mustn't take so many pills (= do not take so many pills)
il ne faut pas que tu prennes autant de cachets

Mais si l'obligation négative signifie, non pas par exemple qu'il est interdit de faire quelque chose, mais qu'il n'est pas nécessaire ou obligatoire de faire quelque chose, alors ont doit employer **don't have to** ou **haven't got to** :

we don't have to park here, we could always drive a little further
nous ne sommes pas obligés de nous garer ici, nous pourrions aller un peu plus loin

you don't have to take so many pills (= you needn't take ...)
tu n'as pas besoin de prendre autant de comprimés

we haven't got to be there before 9
nous n'avons pas besoin d'y être avant neuf heures

iii) déduction, probabilité :

if they're over 65, they must be old age pensioners
s'ils ont plus de 65 ans, ils doivent être retraités

you must be joking!
tu veux rire !

they must have been surprised to see you
ils ont dû être surpris de te voir

Have to s'emploie souvent dans ce sens :

you have to be kidding!
c'est une blague !

de même que **have got to**, en anglais britannique en particulier :

well if she said so, it's got to be true (it's = it has)
si elle l'a dit, c'est que c'est vrai

A la forme négative, on emploie **can** :

he can't be that old!
il ne peut pas être si vieux que ça !

f) ***ought to***

La forme négative contractée de **ought to** est **oughtn't to**, et l'infinitif placé après **ought** est précédé de **to**, ce qui n'est pas le cas des autres auxiliaires modaux.

i) obligation :

Ought to et **should**, lorsqu'ils expriment l'obligation, ont des significations similaires :

you oughtn't to speak to her like that
tu ne devrais pas lui parler de cette façon

I ought to be going now
il faudrait que je m'en aille maintenant

I know I really ought (to), but I don't want to
je sais bien que je devrais, mais je n'en ai pas envie

ii) déduction, probabilité :

they ought to have reached the summit by now
ils devraient avoir atteint le sommet maintenant

20 square metres? - that ought to be enough
20 mètres carrés ? - ça devrait suffire

Comparez la différence entre **ought to** et **must** dans la phrase suivante :

if they possess all these things, they must be rich
(déduction logique)
ils doivent être riches s'ils possèdent tout ça

if they possess all these things, they ought to be happy
(prévision ou probabilité logique - ou obligation morale)
ils devraient être heureux s'ils possèdent tout ça

g) ***used to***

Puisqu'il est possible de former des phrases interrogatives et négatives contenant **used to** sans employer **do**, certains considèrent **used to** comme une sorte de semi-auxiliaire. Cependant l'emploi de **do** est au moins aussi courant que le fait de l'omettre :

he used not/usedn't to visit us so often
he didn't use to visit us so often
(autrefois), il ne nous rendait pas visite aussi souvent

A la forme interrogative, la forme sans **do** est moins courante et appartient davantage au langage écrit qu'au langage parlé :

used you to live abroad?
did you use to live abroad?
est-ce que vous habitiez à l'étranger (autrefois) ?

On emploie souvent **never** à la place de **not** :

he never used to visit us so often
(autrefois), il ne nous rendait pas visite aussi souvent

Used to exprime une action habituelle dans le passé, mais sans cependant exprimer l'idée de comportement typique ou caractéristique que traduirait **would** voir (see a) vi ci-dessus :

John used to play badminton when he was younger
John jouait au badminton lorsqu'il était plus jeune

I used to live abroad
autrefois, je vivais à l'étranger

do you smoke? - I used to
est-ce que tu fumes ? - plus maintenant

19 DARE, NEED

Ces verbes peuvent se comporter soit comme des verbes ordinaires, soit comme des auxiliaires modaux. Lorsqu'ils sont auxiliaires :

- ils ne prennent pas de **-s** à la troisième personne du singulier du présent
- on n'emploie pas **do** dans les phrases interrogatives ou négatives
- s'ils sont suivis d'un infinitif, celui-ci n'est pas précédé de **to**.

a) *Lorsqu'ils sont verbes ordinaires*

he didn't dare to speak
il n'osait pas parler/il n'a pas osé parler

does he really dare to talk openly about it?
est-ce qu'il ose vraiment en parler ouvertement ?

I dare you
je t'en défie

he needs some money
il a besoin d'argent

you don't need to pay for them now
ce n'est pas la peine que tu les paies maintenant

all he needs to do now is buy the tickets
tout ce qu'il a à faire maintenant, c'est d'acheter les billets

Cependant, **dare** peut être en partie un verbe ordinaire (par exemple avec **do** dans les phrases interrogatives ou négatives) et en partie un auxiliaire (suivi d'un infinitif sans **to**) :

does he really dare talk openly about it?
est-ce qu'il ose vraiment en parler ouvertement ?

mais on doit employer l'infinitif avec **to** après le participe présent :

not daring to speak to her, he quietly left the room
n'osant pas lui parler, il est sorti de la pièce silencieusement

Dans les propositions **principales** à la forme affirmative (c'est-à-dire les propositions principales qui ne sont ni interrogatives ni négatives) **need** ne peut qu'avoir le statut de verbe ordinaire :

the child needs to go to the toilet
l'enfant a besoin d'aller aux toilettes

b) *Lorsqu'ils sont auxiliaires modaux*

he dared not speak
il n'osait pas parler/il n'a pas osé parler

dare he talk openly about it?
est-ce qu'il ose en parler ouvertement ?

this is as much as I dare spend on it
c'est tout ce que j'ose dépenser pour cela

you needn't pay for them right now
ce n'est pas la peine que tu les paies maintenant

need I pay for this now?
est-ce qu'il faut que je le paie maintenant ?

all he need do now is buy the tickets
tout ce qu'il a à faire maintenant, c'est d'acheter les billets

Notez que **I dare say** = "probablement" :

I dare say he's going to fail
il va probablement échouer

is it going to rain, do you think? - I dare say it will
est-ce que tu crois qu'il va pleuvoir ? - probablement

20 LES VERBES COMPOSES

a) *Les verbes composés inséparables*

i) Il est important de faire une distinction entre un "verbe + préposition introduisant un complément" ((a) et (c) ci-dessous) et un "verbe composé + complément d'objet direct" ((b) et (d)). Dans le dernier cas, la préposition fonctionne comme une **particule** faisant partie du verbe, c'est-à-dire comme un prolongement du verbe. Comparez les deux phrases :

(a) **they danced after dinner**
ils ont dansé après le dîner

(b) **they looked after the child**
ils se sont occupé de l'enfant

Au premier abord, ces deux phrases semblent avoir la même structure, et cependant, lorsqu'on y regarde de plus près, on se rend compte que les deux mots **look after** forment une seule unité verbale (comparez avec **they nursed the child** ils ont soigné l'enfant), tandis que cela n'est pas le cas pour **danced after** : **after dinner** est un complément introduit par une préposition distincte du verbe et qui fonctionnent comme groupe adverbial de temps dans (a), tandis que **the child** est le complément d'objet direct de **look after** dans (b). On peut observer la même différence dans les deux exemples suivants :

(c) **they went through Germany**
ils sont passés par l'Allemagne

(d) **they went through the accounts** (= examined)
ils ont examiné la comptabilité

ii) **Look after** et **go through** (= examiner) sont des verbes composés. Ceux-ci sont souvent très idiomatiques, c'est-à-dire qu'on ne peut pas déduire leur sens du sens des différents éléments qui les composent, car ceux-ci peuvent rarement se traduire littéralement. Voici d'autres exemples :

go by (= suivre (des instructions))
pick on (= chercher querelle à, s'en prendre à)
get at (= attaquer ; graisser la patte à)

you can't do your own thing; you have to go by the book
tu ne peux pas faire ce que tu veux ; il faut agir selon les règles

the teacher's always picking on him
le professeur s'en prend toujours à lui

my mother is always getting at me
ma mère est toujours sur mon dos

I'm sure the jury have been got at
je suis sûr qu'on a graissé la patte au jury

iii) Certaines structures que l'on pourrait former avec un verbe + préposition introduisant un complément ne peuvent en aucun cas être formées avec les verbes composés. Par exemple, les interrogations avec les verbes composés admettent l'emploi des pronoms **who** et **what**, mais pas l'emploi des adverbes **where, when, how** :

they looked after the girl/who(m) did they look after?
ils se sont occupé de la petite fille/de qui se sont-ils occupé ?

they went through the accounts/what did they go through?
ils ont examiné la comptabilité/qu'est-ce qu'ils ont examiné ?

the police officer grappled with the thug/who(m) did he grapple with?
l'agent de police a lutté avec le voyou/avec qui a-t-il lutté ?

Mais les interrogations **where did they look?/where did they go?/how** (ou **where) did he grapple?** n'ont aucun sens. Par contre le verbe + préposition introduisant un complément admet souvent des interrogations introduites par un adverbe :

they went through Germany/where did they go?
ils sont passés par l'Allemagne/par où est-ce qu'ils sont passés ?

they worked with great care/how did they work?
ils ont travaillé avec beaucoup de soin/comment ont-ils travaillé ?

they danced after dinner/when did they dance?
ils ont dansé après le dîner/quand ont-ils dansé ?

iv) Un verbe composé étant considéré comme une seule unité, on peut souvent (mais pas toujours) l'employer dans une construction passive :

the child has been looked after very well indeed
on s'est vraiment très bien occupé de l'enfant

the accounts have been gone through
la comptabilité a été examinée

do you feel you're being got at?
est-ce que tu as l'impression qu'on est sur ton dos ?

On ne peut pas employer le passif avec un verbe + préposition introduisant un complément. On ne peut pas dire **the dinner was danced after** ou **great care has been worked with**.

b) *Les verbes composés séparables*

i) Une différence importante entre les verbes composés inséparables et les verbes composés séparables réside dans la possibilité qu'ont les verbes composés séparables d'admettre un complément d'objet direct avant la particule :

look up these words/look these words up
cherche ces mots (dans le dictionnaire)

turn down the television/turn the television down
baisse la télévision

have you switched on the computer?/have you switched the computer on?
est-ce que tu as mis l'ordinateur en marche ?

have you tried on any of their new line of shoes?/have you tried any of their new line of shoes on?
est-ce que tu as essayé des chaussures de leur nouvelle ligne ?

Et si le complément d'objet direct est un pronom, la particule **doit** être placée après celui-ci :

look them up/turn it down/switch it on
cherche-les/baisse-la/mets-le en marche

ii) Tandis que les verbes composés inséparables sont toujours transitifs (lorsqu'on les considère comme unités complètes), certains verbes composés séparables sont toujours transitifs et d'autres peuvent être transitifs ou intransitifs :

back up (= soutenir - seulement transitif) :
he always backs her up
il la soutient toujours

cool down (= faire refroidir - transitif) :
cool the rolls down in the fridge
fais refroidir les petits pains dans le frigidaire

cool down (= se refroidir - intransitif) :
let the rolls cool down
laisse les petits pains refroidir

iii) Avec les verbes composés séparables, la particule ne peut pas précéder un pronom relatif, alors que cela est la seule position possible avec les verbes composés inséparables. Nous pouvons ainsi dire :

this is a man on whom you can rely
c'est un homme sur lequel vous pouvez compter

parce que **rely on** est un verbe composé inséparable, tandis qu'on ne peut en aucun cas dire :

this is his wife up whom he has always backed

car **back up** est un verbe composé séparable.

iv) Comme de nombreux verbes composés inséparables (voir a) ii ci-dessus), de nombreux verbes composés séparables sont très idiomatiques :

square up (= règler - des dettes, etc.)
bring round (= faire reprendre connaissance à ; convertir à un point de vue)
set back (= coûter - de l'argent à quelqu'un) :

if you pay now, we can square up later
si tu payes maintenant, nous pourrons régler nos comptes plus tard

give him a brandy; that'll bring him round
donne-lui un cognac, ça lui fera reprendre connaissance

do you think anything will bring him round to our point of view?
est-ce que tu crois qu'on pourrait lui faire admettre notre point de vue ?

that car must have set you back at least £10,000
cette voiture doit vous avoir coûté au moins 10 000 £

c) *Les verbes composés seulement intransitifs*

Il y a aussi des verbes composés intransitifs (qui ne sont bien entendu jamais séparables) :

poor people often lose out
les pauvres sont souvent perdants

the entire species is on the verge of dying out
l'espèce entière est sur le point de disparaître

A la différence des verbes composés inséparables, ces verbes n'ont jamais de forme passive.

) *Les verbes composés, transitifs, jamais séparables, à complémentation*

Ils sont composés de trois mots et non pas deux, par exemple :

come up with
trouver, concocter

Avec ces verbes, le complément d'objet ne peut jamais séparer le verbe et ses particules, c'est-à-dire que des phrases du type **have you come it up with?** sont impossibles. Le complément d'objet direct doit suivre la dernière particule.

we've come up with a great solution
nous avons trouvé une solution idéale

Les deux particules ne peuvent pas non plus précéder un pronom relatif. Ainsi on dira :

is there anything else (which) you can come up with?
est-ce que tu peux trouver quelque chose d'autre ?

Mais on ne peut pas mettre les deux particules avant un pronom relatif comme dans la phrase (agrammaticale) : **is there anything else up with which you can come?**

Autres exemples de verbes composés, transitifs, jamais séparables, à complémentation (idiomatiques) :

make off with (voler)
make up to (essayer de se faire bien voir par)
live up to (se montrer à la hauteur de)
stand up for (prendre le parti de)
crack down on (sévir contre)

somebody made off with her suitcase
quelqu'un lui a volé sa valise

this is the teacher Fiona has been making up to throughout term, but her marks are no better
c'est le professeur dont Fiona a essayé de se faire bien voir tout le trimestre, mais ses notes n'en sont pas meilleures pour autant

it was difficult for him to live up to this reputation
il lui était difficile d'être à la hauteur de cette réputation

why didn't you stand up for me if you knew I was right?
pourquoi est-ce que tu n'as pas pris mon parti si tu savais que j'avais raison ?

every Christmas police crack down on drink-and-drive offenders
chaque année à Noel la police sévit contre ceux qui prennent le volant après avoir bu

21 LE TEMPS AU DISCOURS INDIRECT

Le discours indirect permet de rapporter les paroles de quelqu'un. La concordance des temps en anglais dans le discours indirect a les mêmes caractéristiques qu'en français :

Henry said/had said, 'I am unhappy' (direct)
Henry a dit/avait dit : "je suis malheureux"
Henry said/had said (that) he was unhappy (indirect)
Henry a dit/avait dit qu'il était malheureux

22 LISTE DES VERBES IRREGULIERS

Les américanismes sont indiqués par *. Les formes peu courantes, archaiques ou littéraires sont données entre parenthèses. Les traductions ci-dessous ne sont pas restrictives et ne donnent qu'un des sens de base.

infinitif		prétérit	participe passé
abide	(*supporter*)	**(abode)** [1]	**abided**
arise	(*surgir*)	**arose**	**arisen**
awake	(*s'éveiller*)	**awoke, awaked**	**awoken, (awaked)**
bear	(*porter*)	**bore**	**borne** [2]
beat	(*battre*)	**beat**	**beaten** [3]
become	(*devenir*)	**became**	**become**
befall	(*arriver*)	**befell**	**befallen**
beget	(*engendrer*)	**begot**	**begotten**
begin	(*commencer*)	**began**	**begun**
behold	(*apercevoir*)	**beheld**	**beheld**
bend	(*courber*)	**bent**	**bent** [4]
bereave	(*priver*)	**bereaved**	**bereft** [5]
beseech	(*implorer*)	**besought**	**besought**
bestride	(*chevaucher*)	**bestrode**	**bestridden**
bet	(*parier*)	**bet, betted**	**bet, betted**
bid	(*offrir*)	**bid**	**bid**
bid	(*commander*)	**bade**	**bidden**
bind	(*attacher*)	**bound**	**bound**
bite	(*mordre*)	**bit**	**bitten**
bleed	(*saigner*)	**bled**	**bled**
blow	(*souffler*)	**blew**	**blown**
break	(*casser*)	**broke**	**broken** [6]
breed	(*élever*)	**bred**	**bred**
bring	(*apporter*)	**brought**	**brought**
broadcast	(*diffuser*)	**broadcast**	**broadcast**
build	(*construire*)	**built**	**built**
burn	(*brûler*)	**burnt, burned**	**burnt, burned**
burst	(*éclater*)	**burst**	**burst**
buy	(*acheter*)	**bought**	**bought**
cast	(*jeter*)	**cast**	**cast**
catch	(*attraper*)	**caught**	**caught**
chide	(*gronder*)	**chid, chided**	**chid, (chidden), chided**
choose	(*choisir*)	**chose**	**chosen**
cleave	(*fendre*)	**clove, cleft,**	**cloven, cleft** [7]
cleave	(*adhérer*)	**cleaved, (clave)**	**cleaved**
cling	(*s'accrocher à*)	**clung**	**clung**
clothe	(*habiller*)	**clothed, (clad)**	**clothed, (clad)**
come	(*venir*)	**came**	**come**
cost	(*coûter*)	**cost**	**cost**
creep	(*ramper*)	**crept**	**crept**
crow	(*chanter*)	**crowed, (crew)**	**crowed**
cut	(*couper*)	**cut**	**cut**
dare	(*oser*)	**dared, (durst)**	**dared, (durst)**
deal	(*traiter*)	**dealt**	**dealt**
dig	(*fouiller*)	**dug**	**dug**
dive	(*plonger*)	**dived, dove***	**dived**

draw	(*dessiner, tirer*)	**drew**	**drawn**
dream	(*rêver*)	**dreamt, dreamed**	**dreamt, dreamed**
drink	(*boire*)	**drank**	**drunk** [8]
drive	(*conduire*)	**drove**	**driven**
dwell	(*demeurer*)	**dwelt, dwelled**	**dwelt, dwelled**
eat	(*manger*)	**ate**	**eaten**
fall	(*tomber*)	**fell**	**fallen**
feed	(*nourrir*)	**fed**	**fed**
feel	(*sentir*)	**felt**	**felt**
fight	(*battre*)	**fought**	**fought**
find	(*trouver*)	**found**	**found**
fit	(*aller à*)	**fit*, fitted**	**fit*, fitted**
flee	(*s'envoler*)	**fled**	**fled**
fling	(*lancer*)	**flung**	**flung**
fly	(*voler*)	**flew**	**flown**
forbear	(*s'abstenir*)	**forbore**	**forborne**
forbid	(*interdire*)	**forbad(e)**	**forbidden**
forget	(*oublier*)	**forgot**	**forgotten**
forgive	(*pardonner*)	**forgave**	**forgiven**
forsake	(*abandonner*)	**forsook**	**forsaken**
freeze	(*geler*)	**froze**	**frozen**
get	(*obtenir*)	**got**	**got, gotten*** [9]
gild	(*dorer*)	**gilt, gilded**	**gilt, gilded** [10]
gird	(*ceindre*)	**girt, girded**	**girt, girded** [10]
give	(*donner*)	**gave**	**given**
go	(*aller*)	**went**	**gone**
grind	(*grincer*)	**ground**	**ground**
grow	(*pousser*)	**grew**	**grown**
hang	(*pendre*)	**hung, hanged** [11]	**hung, hanged** [11]
hear	(*entendre*)	**heard**	**heard**
heave	(*lever*)	**hove, heaved** [12]	**hove, heaved** [12]
hew	(*tailler*)	**hewed**	**hewn, hewed**
hide	(*cacher*)	**hid**	**hidden**
hit	(*frapper*)	**hit**	**hit**
hold	(*tenir*)	**held**	**held**
hurt	(*blesser*)	**hurt**	**hurt**
keep	(*garder*)	**kept**	**kept**
kneel	(*s'agenouiller*)	**knelt, kneeled**	**knelt, kneeled**
knit	(*tricoter*)	**knit, knitted** [13]	**knit, knitted** [13]
know	(*savoir, connaître*)	**knew**	**known**
lay	(*coucher*)	**laid**	**laid**
lead	(*mener*)	**led**	**led**
lean	(*s'appuyer*)	**leant, leaned**	**leant, leaned**
leap	(*sauter*)	**leapt, leaped**	**leapt, leaped**
learn	(*apprendre*)	**learnt, learned**	**learnt, learned**
leave	(*laisser*)	**left**	**left**
lend	(*prêter*)	**lent**	**lent**
let	(*laisser*)	**let**	**let**
lie	(*coucher*)	**lay**	**lain**
light	(*allumer*)	**lit, lighted**	**lit, lighted** [14]
lose	(*perdre*)	**lost**	**lost**

make	(*faire*)	**made**	**made**
mean	(*signifier*)	**meant**	**meant**
meet	(*rencontrer*)	**met**	**met**
melt	(*fondre*)	**melted**	**melted, molten** [15]
mow	(*faucher*)	**mowed**	**mown, mowed**
pay	(*payer*)	**paid**	**paid**
plead	(*plaider*)	**pled*, pleaded**	**pled*, pleaded** [16]
put	(*poser*)	**put**	**put**
quit	(*quitter*)	**quit, (quitted)**	**quit, (quitted)** [17]
read	(*lire*)	**read**	**read**
rend	(*déchirer*)	**rent**	**rent**
rid	(*débarasser*)	**rid, (ridded)**	**rid**
ride	(*monter à*)	**rode**	**ridden**
ring	(*sonner*)	**rang**	**rung**
rise	(*se lever*)	**rose**	**risen**
run	(*courir*)	**ran**	**run**
saw	(*scier*)	**sawed**	**sawn, sawed**
say	(*dire*)	**said**	**said**
see	(*voir*)	**saw**	**seen**
seek	(*chercher*)	**sought**	**sought**
sell	(*vendre*)	**sold**	**sold**
send	(*envoyer*)	**sent**	**sent**
set	(*mettre*)	**set**	**set**
sew	(*coudre*)	**sewed**	**sewn, sewed**
shake	(*secouer*)	**shook**	**shaken**
shear	(*tondre*)	**sheared**	**shorn, sheared** [18]
shed	(*perdre*)	**shed**	**shed**
shine	(*briller*)	**shone** [19]	**shone** [19]
shoe	(*chausser*)	**shod, shoed**	**shod, shoed** [20]
shoot	(*abattre, tirer*)	**shot**	**shot**
show	(*montrer*)	**showed**	**shown, showed**
shrink	(*rétrécir*)	**shrank, shrunk**	**shrunk, shrunken** [21]
shut	(*fermer*)	**shut**	**shut**
sing	(*chanter*)	**sang**	**sung**
sink	(*couler*)	**sank**	**sunk, sunken** [22]
sit	(*s'asseoir*)	**sat**	**sat**
slay	(*tuer*)	**slew**	**slain**
sleep	(*dormir*)	**slept**	**slept**
slide	(*glisser*)	**slid**	**slid**
sling	(*lancer*)	**slung**	**slung**
slink	(*s'en aller furtivement*)	**slunk**	**slunk**
slit	(*fendre*)	**slit**	**slit**
smell	(*sentir*)	**smelt, smelled**	**smelt, smelled**
smite	(*frapper*)	**smote**	**smitten** [23]
sneak	(*entrer, etc. à la dérobée*)	**snuck*, sneaked**	**snuck*, sneaked**
sow	(*semer*)	**sowed**	**sown, sowed**
speak	(*parler*)	**spoke**	**spoken**
speed	(*aller vite*)	**sped, speeded**	**sped, speeded**
spell	(*écrire*)	**spelt, spelled**	**spelt, spelled**
spend	(*dépenser*)	**spent**	**spent**
spill	(*renverser*)	**spilt, spilled**	**spilt, spilled**

spin	(*filer*)	**spun**	**spun**
spit	(*cracher*)	**spat, spit***	**spat, spit***
split	(*se briser*)	**split**	**split**
spoil	(*abîmer*)	**spoilt, spoiled**	**spoilt, spoiled**
spread	(*étendre*)	**spread**	**spread**
spring	(*bondir*)	**sprang**	**sprung**
stand	(*se tenir*)	**stood**	**stood**
steal	(*voler*)	**stole**	**stolen**
stick	(*enfoncer, coller*)	**stuck**	**stuck**
sting	(*piquer*)	**stung**	**stung**
stink	(*puer*)	**stank**	**stunk**
strew	(*répandre*)	**strewed**	**strewn, strewed**
stride	(*avancer à grands pas*)	**strode**	**stridden**
strike	(*frapper*)	**struck**	**struck, stricken** [24]
string	(*enfiler*)	**strung**	**strung**
strive	(*s'efforcer*)	**strove**	**striven**
swear	(*jurer*)	**swore**	**sworn**
sweat	(*suer*)	**sweat*, sweated**	**sweat*, sweated**
sweep	(*balayer*)	**swept**	**swept**
swell	(*gonfler*)	**swelled**	**swollen, swelled** [25]
swim	(*nager*)	**swam**	**swum**
swing	(*se balancer*)	**swung**	**swung**
take	(*prendre*)	**took**	**taken**
teach	(*enseigner*)	**taught**	**taught**
tear	(*déchirer*)	**tore**	**torn**
tell	(*dire*)	**told**	**told**
think	(*penser*)	**thought**	**thought**
thrive	(*fleurir*)	**thrived, (throve)**	**thrived, (thriven)**
throw	(*jeter*)	**threw**	**thrown**
thrust	(*pousser*)	**thrust**	**thrust**
tread	(*marcher*)	**trod**	**trodden**
understand	(*comprendre*)	**understood**	**understood**
undertake	(*s'engager*)	**undertook**	**undertaken**
wake	(*se réveiller*)	**woke, waked**	**woken, waked**
wear	(*porter*)	**wore**	**worn**
weave	(*tisser*)	**wove** [26]	**woven** [26]
weep	(*pleurer*)	**wept**	**wept**
wet	(*mouiller*)	**wet*, wetted** [27]	**wet*, wetted** [27]
win	(*gagner*)	**won**	**won**
wind	(*remonter*)	**wound**	**wound**
wring	(*tordre*)	**wrung**	**wrung**
write	(*écrire*)	**wrote**	**written**

(1) Régulier dans la construction **abide by** "se conformer à, suivre" : **they abided by the rules**.

(2) Mais **born** au passif = "né" ou comme un adjectif : **he was born in France/a born gentleman**.

(3) Remarquez la forme familière **this has me beat/you have me beat there** *cela me dépasse/tu m'as posé une colle* et **beat** dans le sens de "très fatigué, épuisé" : **I am (dead) beat**.

(4) Remarquez la phrase **on one's bended knees** *à genoux*.

(5) Mais **bereaved** dans le sens de "endeuillé" comme dans **the bereaved received no compensation** *la famille du disparu ne reçut aucune compensation*. Comparez : **he was bereft of speech** *il en perdit la parole*.

(6) Mais **broke** quand il s'agit d'un adjectif = "fauché" : **I'm broke**.

(7) **cleft** n'est employé qu'avec le sens de "coupé en deux". Remarquez **cleft palate** *palais fendu* et **(to be caught) in a cleft stick** *(être) dans une impasse*, mais **cloven foot/hoof** *sabot fendu*.

(8) Quand c'est un adjectif placé avant le nom, **drunken** "ivre, ivrogne" est parfois employé (**a lot of drunk(en) people** *beaucoup de gens ivres*) et il **doit** toujours être employé devant les noms représentant des objets inanimés (**one of his usual drunken parties** *une de ses soirées habituelles où l'on boit*).

(9) Mais **have got to** se dit aussi en américain avec le sens de "devoir, être obligé de" : **a man has got to do what a man has got to do** *un homme doit faire ce qu'il doit faire*. Comparez avec : **she has gotten into a terrible mess** *elle s'est fourrée dans une sale situation*.

(10) Les formes du participe passé **gilt** et **girt** sont très couramment employées comme adjectif placé avant le nom : **gilt mirrors** *des miroirs dorés*, **a flower-girt grave** *une tombe entourée de fleurs* (mais toujours **gilded youth** *la jeunesse dorée*, dans lequel **gilded** signifie "riche et bienheureux").

(11) Régulier quand il a le sens de "mettre à mort par pendaison".

(12) **Hove** est employé dans le domaine nautique comme dans la phrase **heave into sight** : **just then Mary hove into sight** *et Mary pointa à l'horizon/apparut*.

(13) Irrégulier quand il a le sens de "unir" (**a close-knit family** *une famille unie*), mais régulier lorsqu' il a le sens de "fabriquer en laine" et quand il fait référence aux os = "se souder".

(14) Lorsque le participe passé est employé comme un adjectif devant un nom, **lighted** est souvent préféré à **lit** : **a lighted match** *une allumette allumée* (mais : **the match is lit, she has lit a match** *l'allumette est allumée, elle a allumé l'allumette*). Dans les noms composés, on emploie généralement **lit** : **well-lit streets** *des rues bien éclairées*. Au sens figuré (avec **up**) **lit** uniquement est employé au prétérit et au participe passé : **her face lit up when she saw me** *son visage s'illumina lorsqu'elle me vit*.

(15) On emploie **molten** uniquement comme un adjectif devant les noms, et seulement lorsqu'il signifie "fondu à une très haute température", par exemple : **molten lead** *du plomb fondu* (mais **melted butter** *du beurre fondu*).

(16) En anglais d'Ecosse et en américain, on emploie **pled** au passé et au participe passé.

(17) En américain, les formes régulières ne sont pas employées, et elles sont de plus en plus rares en anglais britannique.

(18) Le participe passé est normalement **shorn** devant un nom (**newly-shorn lambs** *des agneaux tout juste tondus*) et toujours dans la phrase **(to be) shorn of** *(être)*

privé de : **shorn of his riches he was nothing** *privé de ses richesses, il n'était plus rien.*

(19) Mais régulier quand il a le sens de "cirer, astiquer" en américain.

(20) Quand c'est un adjectif, on n'emploie que **shod** : **a well-shod foot** *un pied bien chaussé.*

(21) **Shrunken** n'est employé que lorsqu'il est adjectif : **shrunken limbs/her face was shrunken** *des membres rabougris/son visage était ratatiné.*

(22) **Sunken** n'est employé que comme un adjectif : **sunken eyes** *des yeux creux.*

(23) Verbe archaique dont le participe passé **smitten** s'emploie encore comme adjectif : **he's completely smitten with her** *il est complètement fou d'elle.*

(24) **Stricken** n'est utilisé que dans le sens figuré (**a stricken family/stricken with poverty** *une famille accablée/accablée par la pauvreté*). Il est très courant dans les noms composés (accablé par) : **poverty-stricken, fever-stricken, horror-stricken** (aussi **horror-struck**), **terror-stricken** (aussi **terror-struck**), mais on dit toujours **thunderstruck** *frappé par la surprise, abasourdi de surprise.*

C'est aussi un emploi américain **the remark was stricken from the record** *la remarque a été rayée du procès-verbal.*

(25) **Swollen** est plus courant que **swelled** comme verbe (**her face has swollen** *son visage a gonflé)* et comme adjectif (**her face is swollen/a swollen face**). **A swollen head** *une grosse tête*, pour quelqu'un qui a une haute opinion de soi-même, devient **a swelled head** en américain.

(26) Mais il est régulier lorsqu'il a le sens de "se faufiler" : **the motorbike weaved elegantly through the traffic** *la moto se faufila avec élégance dans la circulation.*

(27) Mais irrégulier aussi en anglais britannique lorsqu'il a le sens de "mouiller par de l'urine" : **he wet his bed again last night** *il a encore mouillé son lit la nuit dernière.*

23 LES AUXILIAIRES BE, HAVE, DO : LEURS FORMES

a) BE

Présent		Prétérit		Participe passé
1ère	**I am**	1ère	**I was**	**been**
2ème	**you are**	2ème	**you were**	
3ème	**he/she/it is**	3ème	**he was**	
1ère	**we are**	1ère	**we were**	
2ème	**you are**	2ème	**you were**	
3ème	**they are**	3ème	**they were**	

Contracté avec le mot précédant :

I'm = I am ; you're = you are ; he's/John's = he is/John is ; we're/you're/they're = we are/you are/they are

Contracté avec **not** :

aren't I? (questions seulement) ; **am I not? ; you/we/they aren't ; he isn't ; I/he wasn't ; you/we/they weren't**

On a aussi : **I'm not ; you're not**, etc. Pour le subjonctif, voir p. 813.

b) HAVE

Présent		Prétérit		Participe passé
1ère	**I have**	1ère	**I had**	**had**
2ème	**you have**	2ème	**you had**	
3ème	**he/she/it has**	3ème	**he had**	
1ère	**we have**	1ère	**we had**	
2ème	**you have**	2ème	**you had**	
3ème	**they have**	3ème	**they had**	

Contracté avec le mot précédant :

I've/you've/we've/they've = I have, etc. **he's = he has**
I'd/you'd/he'd/we'd/they'd = I had, etc.

Vous noterez que **he's/she's** ne sont normalement pas contractés lorsqu'ils sont employés comme verbes en tant que tels et non comme auxiliaires au présent :

I've two cars	**he has two cars**
j'ai deux voitures	il a deux voitures

Contracté avec **not** :

haven't ; hasn't ; hadn't

c) DO

Présent		Prétérit		Participe passé
1ère	**I do**	1ère	**I did**	**done**
2ème	**you do**	2ème	**you did**	
3ème	**he/she/it does**	3ème	**he did**	
1ère	**we do**	1ère	**we did**	
2ème	**you do**	2ème	**you did**	
3ème	**they do**	3ème	**they did**	

Contracté avec **not** :

don't ; doesn't ; didn't

14 LES PREPOSITIONS

1 Les prépositions servent à exprimer des relations de temps, de licu, de possession, etc. Elles sont normalement suivies d'un nom ou d'un pronom comme :

after - after the show	après le spectacle
on - on it	là-dessus
of - of London	de Londres

Cependant, dans certaines constructions les prépositions anglaises peuvent se placer en fin de proposition :

the people I came here with
les gens avec lesquels je suis venu

something I had never dreamed of
quelque chose dont je n'avais jamais rêvé

Voir aussi **Les Verbes Composés**, p. 833, ainsi que **Les Pronoms Interrogatifs et Relatifs**, p. 760, 763.

2 Voici une liste des prépositions les plus couramment employées. Etant donné que la plupart des prépositions ont toute une richesse de sens et d'emplois, seuls les usages les plus importants et ceux particulièrement intéressants ou susceptibles de poser des problèmes à ceux qui apprennent l'anglais, sont mentionnés ci-dessous.

* **about** et **around**

i) "lieu" (dans les environs, en tous sens) :

Souvent il n'y a pas de différence entre **about** et **around**, bien qu'en anglais américain on préfère **around** :

they walked about/around town
ils se sont promenés dans la ville

he must be about/around somewhere
il doit être dans les parages

the dog was racing about/around in the garden
le chien courait en tous sens dans le jardin

ii) "autour de" :

he lives just (a)round the corner
tu tournes au coin et c'est là qu'il habite

she put the rope (a)round his chest
elle a mis la corde autour de sa poitrine

iii) "environ" :

I have about £1 on me
j'ai environ une livre sur moi

it'll cost you around £20
ça te coûtera environ 20 livres

iv) "au sujet de", "sur" (seulement **about**) :

what's the book about? - it's a story about nature
de quoi parle le livre ? - c'est une histoire sur la nature

on peut être plus technique, plus académique :

he gave a paper on Verdi and Shakespeare
il a donné une conférence sur Verdi et Shakespeare

a book on English grammar
un livre sur la grammaire anglaise

* **above** (au-dessus de)

Comparez **above** avec **over**. Il y a en général peu de différence entre les deux :

he has a lovely mirror above/over the mantelpiece
il a un très joli miroir au-dessus de la cheminée

Mais **above** exprime normalement le fait d'être "situé au-dessus de" dans un sens purement physique :

the shirts had been placed in the wardrobe above the socks and underwear
les chemises avaient été placées dans l'armoire au-dessus des chaussettes et des sous-vêtements

mais :

he flung his coat over a chair
il a jeté son manteau sur une chaise

* **across** (à travers)

Across et **over** ont souvent un sens très proche, cependant **across** a tendance à indiquer une dimension horizontale (sur la largeur de) :

he walked across the fields to the farm
il a traversé les champs jusqu'à la ferme

he laid out his suit across the bed
il a étendu son costume à travers son lit

* **after** (après)

i) Dans un sens figuré, remarquez la différence entre **ask after** et **ask for** :

he asked after you il m'a demandé de tes nouvelles	**he asked for you** il a demandé à te parler

ii) dans un sens figuré impliquant un but :

they keep striving after the happiness which eludes them
ils recherchent le bonheur qui leur passe toujours à-côté

iii) Dans un sens temporel on pourrait comparer **after** et **since**. La différence entre les deux apparaît dans l'emploi des temps : prétérit (**after**) et present perfect (**since**). Comparez :

he wasn't well after his journey
il ne se sentait pas bien après son voyage

he hasn't been well since his journey
il ne se sent pas bien depuis son voyage

Voir aussi **to.**

La même différence existe sans verbe dans la proposition. Ainsi il y a une grande différence entre :

Britain after the war
La Grande-Bretagne après la guerre

et :

Britain since the war
La Grande-Bretagne depuis la guerre

* **against** (contre)

i) Ceci implique normalement un obstacle :

they didn't fight against them, they fought with them
ils n'ont pas combattu contre eux, ils ont combattu avec eux

we're sailing against the current
nous naviguons à contre-courant

ii) Mais il peut impliquer un choc, comme dans :

he knocked his head against the wall
il s'est tapé la tête contre le mur

iii) pour dénoter une opposition par rapport à un fond :

she held the picture against the wall
elle a tenu l'image contre le mur

she was silhouetted against the snow
sa silhouette se découpait sur la neige

* **among(st)** (parmi)

Alors que **between** (entre) implique deux éléments, **among(st)** implique une multitude :

he sat between John and Joan
il s'est assis entre John et Joan

he sat among(st) the flowers
il s'est assis parmi les fleurs

Remarquez que les "deux éléments" ne sont pas toujours mentionnés avec **between** (à la différence de l'exemple ci-dessus). Il signifie seulement qu'une division entre deux choses, deux personnes ou deux groupes est impliquée. Ainsi il est parfaitement correct de dire :

the road ran between the houses
la route passait entre les maisons

même s'il y en a 250. Ici on indique que la route sépare les maisons en deux groupes. Mais notez qu'on dirait :

the cats were running to and fro among the houses
les chats couraient en tous sens parmi les maisons

Ici on n'indique plus une séparation entre deux groupes de maisons. Bien sûr s'il n'y a que deux maisons, on dirait :

the cats were running to and fro between the houses

* **at** (à)

Voir aussi **to**.

At ou **in** ? : **at** fait référence à un point précis (souvent sur une échelle réelle ou imaginaire). Ainsi on dirait :

the big hand stopped at six o'clock
la grande aiguille s'est arrêtée sur le six

et :

the train stops at Dundee, Edinburgh and York
le train s'arrête à Dundee, Edimbourg et York

Ces villes ne sont pas considérées comme villes dans la phrase ci-dessus, mais comme des étapes sur un itinéraire. On dirait :

he lives in Dundee
il vit à Dundee

Dans la phrase :

he is at Dundee
il est à Dundee

une fois de plus **Dundee** ne fait pas référence à la ville ; mais à une institution, comme l'université de Dundee, par exemple.

Cependant on peut employer **at** avec des noms de petites villes et de villages :

there's still a pier at Tighnabruaich
il y a toujours une jetée à Tighnabruaich

En revanche on ne dit pas :

he lives at Tighnabruaich

mais **in**.

Avec le verbe **arrive**, **at** est aussi employé pour marquer la un point précis :

they finally arrived at the foot of the hill
ils sont finalement arrivés au pied de la colline

sinon on emploie **in** :

when we arrived in London, we ...
lorsque nous sommes arrivés à Londres, nous ...

Dans un sens figuré, on emploie toujours **arrive at** :

have they arrived at any decision yet?
est-ce qu'ils sont déjà parvenus à une décision ?

at ou **by** ? :

i) pour exprimer un lieu, comparez :

(a) **he was sitting at the table**
il était assis à la table

(b) **he was sitting by the table**
il était assis près de la table

ii) pour exprimer le temps, comparez :

(a) **be there at six o'clock**
sois là à six heures

(b) **be there by six o'clock**
sois là avant six heures

At fait référence à un point dans le temps, tandis que **by** signifie "pas plus tard que".

* **before** (devant, avant)

Il fait référence au temps et à l'espace :

be there before six o'clock
sois là avant six heures

he knelt before the Queen
il s'agenouilla devant la reine

i) Dans un sens spatial, il y a parfois une différence entre **before** et **in front of**. **In front of** est plus littéral en ce qui concerne la position. C'est le terme que l'on emploie le plus souvent en anglais courant :

he was standing in front of the judge in the queue
il se tenait devant le juge dans la file

tandis que **before** implique souvent une relation qui n'est pas purement locative :

he stood before the judge
il se tenait devant le juge

Remarquez aussi que dans les exemples ci-dessus **in front of** n'implique pas que les deux personnes sont face à face. **Before**, lui, implique cette idée.

ii) Dans le sens temporel de **before**, comparez son emploi avec des verbes à la forme négative et celui de **until**. **Before** signifie "plus tôt que" et **until** "jusqu'à (un certain temps)" :

(a) **you will not get the letter before Monday**
tu ne recevras pas la lettre avant lundi

(b) **you will not get the letter until Monday**
tu ne recevras pas la lettre avant lundi

Dans (a) la lettre arrivera lundi ou n'importe quel jour après lundi (mais pas avant), dans (b) la lettre arrivera lundi.

* **below** (au-dessous de)

Below est le contraire de **above** (au-dessus de), et **under** (sous) est le contraire de **over**. Voir **above** ci-dessus. Exemples :

50 metres below the snow-line
à 50 mètres au-dessous de la limite des neiges éternelles

he was sitting under the bridge
il était assis sous le pont

below the bridge the water gets deeper
au-dessous du pont l'eau est plus profonde

his shoes were under the bed
ses chaussures étaient sous le lit

* **beside** et **besides**

beside = à côté de :

sit beside me
assieds-toi à côté de moi

besides = en plus de, à part :

there were three guests there besides him and me
il y avait trois invités à part lui et moi

* **between** (entre), voir **among** (parmi)

* **but**

But employé comme préposition signifie "sauf", "excepté". On peut aussi employer **except** pour remplacer **but** dans pratiquement tous les cas, mais l'inverse n'est pas possible. Quand on emploie **but**, il est pratiquement toujours placé après des pronoms indéfinis ou interrogatifs, ou des adverbes comme **anywhere, where**, etc. :

nobody but/except you would think of that
personne à part toi ne penserait à ça

where else but/except in France would you ...?
où, sinon en France, est-ce qu'on pourrait ... ?

mais seul **except** est possible dans la phrase suivante :

you can all walk to the terminal except the old man here
vous pouvez tous marcher jusqu'au terminus sauf le vieil homme là-bas

* **by**

Voir aussi **at** et **from**.

i) Il est utile de comparer **by** avec **on** dans son usage avec des mots faisant référence à des moyens de transport :

he goes by train	**is there only one conductor on this train?**
il prend le train	y-a-t-il un seul contrôleur dans ce train ?

By met l'accent sur le moyen de transport, et le nom qui suit n'a normalement pas d'article, sauf dans des cas comme :

I'll be coming on/by the three-thirty
j'arriverai par (le train/bus/l'avion) de trois heures trente

où l'on ne fait pas directement référence au moyen de transport.

On peut employer **in** à la place de **on** si l'idée d'intérieur domine :

it's often cold in British trains
il fait souvent froid dans les trains britanniques

Remarquez aussi **live by** et **live on**. **Live by** signifie "gagner sa vie d'une occupation", tandis que **live on** signifie "vivre avec un revenu de/de nourriture". L'emploi de **by** insiste sur le moyen :

he lives by acting in commercials
il gagne sa vie en jouant dans des pubs

he lives by his pen
il vit de sa plume

he lives on £100 a month
il vit avec 100 livres par mois

he lives on fruit
il se nourrit de fruits

Live by signifie aussi "vivre selon les règles de" :

it is difficult to live by such a set of doctrines
il est difficile de vivre en appliquant un tel ensemble de doctrines

ii) passif :

By s'emploie pour introduire le complément d'agent (celui par qui l'action est accomplie) dans des constructions passives :

his reaction surprised us
sa réaction nous a surpris

we were surprised by his reaction
nous étions surpris par sa réaction

* **due to** (à cause de, grâce à)

Il a le même emploi que **owing to** (à cause de/en raison de) :

this was due to/owing to his alertness of mind
c'était grâce à sa vivacité d'esprit

Etant donné que **due** est un adjectif, certaines personnes soutiennent qu'il devrait se placer, comme un adjectif attribut, après une des formes du verbe **be** comme dans l'exemple ci-dessus, et qu'il est mal employé dans l'exemple ci-dessous. Cependant, il est de plus en plus courant d'employer **due to** dans des structures adverbiales dans lesquelles on le considère comme une locution prépositionnelle comme **because of, in front of**, etc. :

the train is late, due to an accident near Bristol
le train est en retard, à cause d'un accident près de Bristol

* **during** (pendant), voir **for**

* **except** (sauf), voir **but**

* **for** (pour, pendant)

i) Lorsque **for** est employé comme préposition de temps, il est utile de la comparer avec **during** (pendant) et **in** (en). **For** insiste sur l'idée de durée (pendant combien de temps ?), tandis que **during** indique la période au cours de laquelle des actions se produisent (quand ?) :

for the first five months you'll be stationed at Crewe
pendant les cinq premiers mois, vous serez basés à Crewe

during the first five months you're likely to be moved
au cours des cinq premiers mois, vous serez vraisemblablement transférés

he let the cat out for the night
il a fait sortir le chat pour la nuit

he let the cat out during the night
il a fait sortir le chat pendant/dans la nuit

L'accent mis sur la durée par **for** est aussi parfois opposé à **in**, qui signifie "dans une période" :

I haven't seen her for five years
je ne l'ai pas vue depuis cinq ans

he didn't see her once in five years
il ne l'a pas vue une seule fois en cinq ans

Cependant, en anglais américain, on emploierait normalement **in** dans le premier exemple :

I haven't seen her in five years
je ne l'ai pas vue depuis cinq ans

et cet usage s'est étendu à l'anglais britannique.

Pour l'emploi de **for/since** avec des expressions de temps, voir p. 805-6.

ii) Lorsque **for** est préposition de lieu, il est utile de la comparer avec **to** :

(a) **the flight for/to Dublin is at 3 o'clock**
le vol pour Dublin est à 3 heures

(b) **nothing went wrong on the flight to Dublin**
aucun incident ne s'est produit sur le vol pour Dublin

La différence entre les deux est que **to** implique l'arrivée à destination, tandis que **for** exprime uniquement le projet ou l'intention d'aller dans la direction de cette destination.

* **from** (de (provenance))

i) Comme nous l'avons vu plus haut, (voir **by** ci-dessus), **by** insiste sur le moyen, et **from** indique la provenance, le point de départ. Comparez :

judging by experience, this is unlikely to happen
si l'on en juge par l'expérience, il y a peu de chances que cela se produise

judging from earlier experiences, he had now learnt not to be so easily led astray
par des expériences antérieures, il avait appris à ne pas se laisser entraîner aussi facilement

Bien sûr, il existe parfois peu ou pas de différence étant donné que la distinction entre le moyen et la provenance n'est pas pertinente :

judging by his clothes, he must be poor
si l'on en juge par ses vêtements, il doit être pauvre

judging from these figures, business is good
si l'on en juge par ces chiffres, les affaires se portent bien

L'idée de provenance évoquée par **from** apparaît aussi lorsqu'on l'oppose à **of, by** et **with** dans les exemples suivants :

the cat died from eating too much fish
le chat est mort pour avoir mangé trop de poisson

the cat died of cancer/by drowning
le chat est mort du cancer/en se noyant

the cat is trembling with fear
le chat tremble de peur

from what I have heard
d'après ce que j'ai entendu

ii) avec **different** :

On peut employer soit **from** ou **to** avec **different** :

that's different to/from mine
c'est différent du mien

that's different to/from what he said before
c'est différent de ce qu'il a dit auparavant

Mais **than**, bien qu'on l'entende souvent, n'est pas correct (**different** n'est pas un comparatif).

* **in** et **into** (dans)

Pour **in**, voir aussi **at**, **by**, **for**.

En principe **in** signifie "dans un espace", tandis que **into** implique un mouvement d'un endroit à l'intérieur d'un autre :

he was sitting in the living room
il était assis dans la salle de séjour

he went into the living room
il est entré dans la salle de séjour

Pas de problème pour l'instant. Cependant, dans d'autres cas où l'action implique un mouvement d'un endroit à l'intérieur d'un autre (et où l'on pourrait s'attendre à trouver **into**), on emploie souvent **in** si l'accent est mis sur le **résultat** plutôt que sur le mouvement :

did you put sugar in my coffee?
est-ce que tu as mis du sucre dans mon café ?

Et réciproquement, on emploie parfois **into** lorsqu'il n'y a pas de verbe de mouvement, mais seulement si l'on implique le mouvement :

you've been in the bathroom for an hour
tu es dans la salle de bain depuis une heure

the kitchen is awful, have you been into the bathroom yet?
la cuisine est affreuse, est-ce que tu as été dans la salle de bain déjà ?

De même, dans un sens figuré :

he's into fast cars at the moment
il est branché voitures de sport en ce moment

this will give you an insight into how it works
cela vous donnera une idée sur la manière dont il fonctionne

* **in front of** (devant), voir **before**

* **of** (de), voir **about** et **from**

* **on** (sur), voir **about**, **by** et **upon**

* **opposite** (en face de)

Il est parfois accompagné de **to**, parfois pas :

the house opposite (to) ours is being pulled down
on est en train de démolir la maison en face de la nôtre

* **outside** (dehors, en dehors de)

Il est souvent accompagné de **of** en américain, mais pas souvent en anglais britannique :

he reads a lot outside (of) his main subject area
il lit beaucoup en dehors de sa spécialité

* **over** (par dessus), voir **above** et **across**

* **owing to** (en raison de), voir **due to**

* **since** (depuis), voir **after** et p. 846-7.

* **till** (jusqu'à + complément de temps), voir **to**

* **to** (jusqu'à, vers, à)

Voir aussi **for**, **from**.

Lorsqu'il est opposé à **until/till** (jusqu'à), **to** (jusqu'à) fait référence à un aboutissement dans le temps. **Until** et **till** font eux aussi référence à un aboutissement dans le temps, mais on insiste plus particulièrement sur l'activité exprimée dans la phrase :

he has one of those nine to five jobs
il a un des ces emplois de bureau routiniers

the shop is closed from 1 to 2 pm
le magasin ferme de 13 heures à 14 heures

he played his flute until 10 o'clock
il jouait de sa flûte jusqu'à 10 heures

last night I worked from eight till midnight
la nuit dernière j'ai travaillé de 8 heures jusqu'à minuit

Il n'y a pas de différence de sens entre **until** et **till**.

To dans un sens différent peut avoir des similarités avec **at** après certains verbes. Dans de tels cas, **to** indique tout simplement une direction vers un but, tandis que **at** a un sens plus fort, car il dénote un désir de rapport plus étroit de la part de celui qui fait l'action :

will we manage to get to the station in time?
est-ce qu'on va arriver à la gare à temps ?

those boxes on top of the wardrobe - I can't get at them!
ces boîtes sur l'armoire - je n'arrive pas à les attraper !

Remarquez l'expression **get at** dans un sens figuré :

why are you getting at me?
pourquoi est-ce que tu es toujours sur mon dos ?

what are you getting at?
où voulez-vous en venir ?

* **toward(s)** (vers)

Voir aussi **against**.

Toward s'emploie normalement en anglais américain, **towards** en anglais britannique.

* **under** (sous), voir **below**

* **until** (jusqu'à + complément de temps), voir **before** et **to**

* **upon** (sur)

Il existe peu de différences de sens entre **upon** et **on**, mais **upon** est bien plus livresque ou soutenu :

what are your views upon ...?
quelle est votre opinion sur ... ?

upon having, with great difficulty, reached Dover, he immediately set sail for France
après avoir, avec grande difficulté, atteint Douvres, il s'embarqua pour la France immédiatement

Mais on trouve aussi **upon** dans certaines expressions (assez désuètes) où **on** n'est pas possible :

upon my word!	**grand Dieu !**
par exemple !	upon my soul!

Upon ne peut remplacer **on** pour exprimer (a) une date, (b) un moyen (voir **by** ci-dessus), (c) un état, (d) "avec", "sur" :

(a) **can you come on Saturday?**
tu peux venir samedi ?

(b) **he lives on fruit; our heaters run on gas**
il vit de fruits ; nos radiateurs fonctionnent au gaz

(c) **he's on the phone; it's on TV; he's on edge**
il est au téléphone ; c'est à la télé ; il est à cran

(d) **have you got any money on you?**
tu as de l'argent sur toi ?

En cas de doute, **on** n'est jamais faux (à part dans les exceptions mentionnées ci-dessus).

* **with** (avec) voir **from**

* **without** (sans)

En anglais on emploie l'article :

without a/his hat	**without (any) butter**
sans chapeau	sans beurre

15 LES CONJONCTIONS

Les conjonctions sont des mots qui relient deux mots ou deux propositions. On distingue les conjonctions de "coordination" et les conjonctions de "subordination". Les conjonctions de coordination relient des mots ou des propositions qui ont une même fonction dans la proposition. Les conjonctions de subordination relient des propositions qui dépendent d'autres structures (normalement d'autres propositions). Voir plus loin **La Structure de la Phrase** p. 868.

1 LES CONJONCTIONS DE COORDINATION

Elles peuvent être "simples" :

and	**but**	**or**	**nor**	**neither**
et	mais	ou	ni	ni

ou "corrélatives" :

both ... and
à la fois ...

either ... or
et soit ... soit

neither ...nor
ni ... ni

a) *Exemples de conjonctions de coordination simples* :

i) **you need butter and flour**
tu as besoin de beurre et de farine

she's old and fragile
elle est âgée et frêle

they ate and drank a great deal
ils ont beaucoup mangé et beaucoup bu

they finished their work and then they went out to dinner
ils ont terminé leur travail et puis ils sont sortis dîner

ii) **but** et **or** offrent les mêmes possibilités de combinaison que **and**, par exemple :

she's plain but rich
elle n'est pas très jolie mais elle est riche

trains to or from London have been delayed
les trains en partance et en provenance de Londres ont du retard

Remarquez aussi l'usage suivant :

we can but try
on ne peut qu'essayer

iii) **Nor** s'emploie devant le second élément (ou le troisième, etc.), après un **not** apparu plus tôt dans la phrase :

I don't eat sweets, nor chocolate, nor any kind of sugary thing
je ne mange pas de bonbons, ni de chocolat, ni aucunes sucreries

On peut aussi employer **or** dans cette même construction :

I don't eat sweets, or chocolate, or any kind of sugary thing

Nor s'emploie aussi pour relier des propositions. Il est parfois accompagné de **and** ou **but**. Remarquez l'inversion sujet-auxiliaire du verbe :

I don't like coffee, nor do I like tea
je n'aime pas le café et je n'aime pas le thé non plus

I don't like coffee, (and) nor does she
je n'aime pas le café, et elle non plus

I don't understand it, (but) nor do I need to
je ne comprend pas ça, mais ça n'est pas nécessaire

iv) **Neither** s'emploie seulement pour relier deux propositions :

I don't like coffee, neither does she
je n'aime pas le café, elle non plus

I don't understand it, (and/but) neither do I need to
je ne comprends pas, et/mais ça n'est pas nécessaire

v) Si **(n)either ... (n)or** relie deux noms, le verbe s'accorde en nombre avec le nom le plus proche du verbe :

either the record player or the speakers have to be changed
either the speakers or the record player has to be changed
il faut changer soit les enceintes, soit la platine

b) *Exemples de conjonctions de coordination corrélatives* :

you need both butter and flour
vous avez besoin de beurre et de farine

she's both old and fragile
elle est (à la fois) âgée et frêle

they both laughed and cried
ils ont à la fois ri et pleuré

you need either butter or margarine
tu as besoin soit de beurre, soit de margarine

she'll be either French or Italian
elle sera soit française, soit italienne

she was travelling either to or from Aberdeen
elle allait à Aberdeen ou bien elle en revenait

you need neither butter nor margarine
tu n'as besoin ni de beurre, ni de margarine

she's neither old nor fragile
elle n'est ni âgée, ni frêle

c) **or** recouvre quatre sens de base :

i) Un sens exclusif ou alternatif :

he lives in Liverpool or Manchester
il habite à Liverpool ou à Manchester

ii) Dans le même sens que **and** :

you could afford things like socks or handkerchiefs or ties
vous pourriez vous offrir des choses comme des chaussettes ou des mouchoirs ou des cravates

iii) Pour relier deux synonymes :

acquired immune deficiency syndrome, or Aids
le syndrome immuno déficitaire acquis, ou sida

iv) Lorsqu'il relie deux propositions dans le sens de "sinon" :

apologize to her or she'll never speak to you again
excusez-vous auprès d'elle, ou elle ne vous parlera plus jamais

2 LES CONJONCTIONS DE SUBORDINATION

Il existe un grand nombre de conjonctions de subordination. Certaines sont "simples", comme **because** (parce que) ou **so that** (si bien que) ; d'autres sont corrélatives (comparez avec 1 ci-dessus), comme **as ... as** (aussi ... que), **so ... that** (afin ... que), **more ... than** (plus ... que).

a) *Introduisant une proposition substantive* :

Les propositions substantives ont la même fonction que les (pro)noms et les groupes nominaux dans la phrase :

(a) **I told him that they had done it**
je lui ai dit qu'ils l'avaient fait

(b) **I told him the facts**
je lui ai dit les faits

Dans (a) une proposition substantive est complément d'objet direct de **told**, dans (b), c'est un groupe nominal.

Les conjonctions qui introduisent des propositions substantives sont **that** (que), **if** (si), **whether** (si + *choix*) et **how** (comment). **That** est parfois omis si la proposition subordonnée est le complément d'objet direct de la phrase, mais pas si elle en est le sujet :

he said (that) he wanted to see me (complément d'objet)
il a dit qu'il voulait me voir

that such people exist is unbelievable (sujet)
que de tels personnes existent est incroyable

he asked me if/whether I had any money (complément d'objet)
il m'a demandé si j'avais de l'argent (ou pas)

whether I have any money or not is none of your business (sujet)
que j'aie de l'argent ou non ne te regarde pas

he said how it was done (complément d'objet)
il a dit comment c'était fait

how it's done is immaterial (sujet)
la manière dont c'est fait est sans importance

That, **if**, **whether** et **how** employés comme ci-dessus ne doivent pas être confondus avec leur rôle lorsqu'ils introduisent un groupe adverbial (voir ci-dessous).

b) *Introduisant une proposition adverbiale*

i) Voir **Les Adverbes**, p. 734. Il existe un grand nombre de conjonctions qui introduisent des propositions adverbiales ; parmi celles-ci on trouve beaucoup d'exemples de noms ou de verbes ayant fonction de conjonction, ce qui est le cas de **the minute** (à la minute où) et de **the way** (de la manière dont) dans :

he arrived the minute the clock struck twelve (= conjonction de temps, comparez avec **when**)
il est arrivé à la minute où la pendule sonnait midi

he didn't explain it the way you did (= conjonction de manière, comparez avec **how**)
il ne l'a pas expliqué de la manière dont tu l'as fait

ou **provided** (du moment que) et **considering**, comme dans :

provided you keep quiet, you can stay (= conjonction de condition, comparez avec **if**)
du moment que tu restes sage, tu peux rester

he's doing well considering he's been here for only a week (= conjonction de concession, comparez avec **although**)
il se débrouille bien si l'on considère qu'il n'est ici que depuis une semaine

Les conjonctions adverbiales principales :

ii) Conjonctions de temps : **after** (après que), **as** (alors que), **before** (avant que), **since** (depuis que), **until** (jusqu'à ce que), **when** (lorsque), **whenever** (chaque fois que), **while** (tandis que). L'idée de futur dans les subordonnées introduites par une de ces conjonctions est exprimée par un présent en anglais (voir p. 807) :

he came back after the show had finished
il est revenu après que le spectacle fût/soit terminé

the phone rang as he was having a bath
le téléphone a sonné alors qu'il prenait son bain

before you sit down, you must see the bedroom
avant que tu ne t'asseyes, il faut que tu vois la chambre

they've been crying (ever) since their parents left
ils pleurent depuis que/le moment où leurs parents sont partis

he talked non-stop until it was time to go home
il a parlé sans s'arrêter jusqu'à ce qu'il fût/soit l'heure de partir

when he's ready we'll be able to get going at last
quand il sera prêt on pourra enfin se mettre en route

you don't have to go upstairs whenever the baby cries
tu n'es pas obligé de monter chaque fois que le bébé pleure

while I'm asleep, will you drive?
pendant que je dors, tu conduiras ?

iii) Conjonctions de lieu : **where** (où), **wherever** (où que) :

plant them where there is a lot of shade
plante-les là où il y a beaucoup d'ombre

wherever she goes, he follows
où qu'elle aille, il suit

iv) Conjonctions de manière, de comparaison ou d'intensité : **as** (comme), **as if** (comme si), **as though** (comme si), **how** (comment), **however** (cependant) :

he does it as he's always done it
il le fait comme il l'a toujours fait

he behaved as if/as though there was (were) something wrong
il s'est comporté comme si quelque chose ne se passait pas bien

you can pay how you want
tu peux payer comme tu veux

however hard you try, you won't manage
même si tu fais tout ce que tu peux, tu n'y arriveras pas

however exciting it may be, he won't be interested
si passionnant que ce soit, il ne sera pas intéressé

v) Conjonctions de cause : **as** (étant donné que), **because** (parce que), **only** (cependant, mais), **since** (puisque) :

as there was nothing but biscuits in the house, we went out to eat
puisqu'il n'y avait rien à part des petits gâteaux dans la maison, nous somme sortis manger

I love you because you are you
je t'aime parce que tu es telle que tu es

I would have done it really, only I didn't think there was time
vraiment je l'aurais fait, mais je ne pensais pas qu'on avait le temps

since you've been so kind to me, I want to give you a present
puisque tu as été tellement gentil pour moi, je veux te donner un cadeau

vi) Conjonctions de concession : **(al)though** (bien que), **even if** (même si), **even though** (bien que), **whether** (soit que) :

we let him come (al)though he was a nuisance
nous l'avons laissé venir bien qu'il nous ait apporté des ennuis

you can stay, even if/even though you haven't paid your rent
tu peux rester même si tu n'as pas payé ton loyer

I'm doing it whether you like it or not
je le fais que ça te plaise ou non

vii) Conjonctions de but : **in order to** (afin de), **lest** (de peur/crainte que/de), **so that** (afin que) :

they went to the stage door in order to get a glimpse of him
ils sont allés à la sortie des artistes afin de pouvoir l'apercevoir

I apologized lest she should be offended
je me suis excusé(e) de peur qu'elle ne fût/soit blessée

he did it so that she would be happy
il l'a fait afin qu'elle soit heureuse

Remarquez que **lest** a tendance à être employé dans un usage littéraire. Il est toujours possible d'employer **so that ... not** à la place :

I apologized so that she shouldn't be offended
je me suis excusé(e) afin qu'elle ne fût/soit pas blessée

viii) Conjonctions de conséquence : **so that** (si bien que) :

if you can arrange things so that we're all there at the same time
si tu peux tout organiser pour qu'on soit tous là en même temps

ix) Conjonctions de condition: **if** (si), **so/as long as** (tant que), **unless** (à moins que) :

only tell me if you want to
dis-le moi seulement si tu veux

so long as you promise to be careful
tant que tu promets d'être prudent

tell me, unless you don't want to
dis-moi, à moins que tu ne veuilles pas

c) **But** est une conjonction de subordination dans les sens suivants :

i) "sans que" (après **never** et **hardly**) :

it never rains but it pours (proverbe)
un malheur n'arrive jamais seul

hardly a day goes by but something happens
il ne se passe presque jamais un jour sans que quelque chose ne se produise

ii) employé avec **that** (après certains noms négatifs) :

there's no doubt but that he's responsible
il n'y a aucun doute qu'il est responsable

d) *Introduisant des propositions comparatives*

Les propositions subordonnées comparatives ne modifient pas d'autres propositions (comme le font les propositions adverbiales). Elles modifient des éléments de la proposition : groupes nominaux, groupes adverbiaux et adjectivaux.

Les conjonctions comparatives sont corrélatives (comparez avec **conjonctions de coordination**, p. 856-8): **more ... than** (plus ... que), **less ... than** (moins ... que), et **as ... as** (autant ...que).

i) Modifiant un nom :

they killed more people than we can imagine
ils ont tué plus de gens que nous ne pouvons l'imaginer

they killed as many people as the other side (did)
ils ont tué autant de gens que les autres

ii) Modifiant un adjectif :

it was less comfortable than we'd thought
c'était moins confortable que nous n'avions pensé

it was as comfortable as we thought
c'était aussi confortable que nous le pensions

iii) Modifiant un adverbe :

you did it better than I could have done
tu l'as mieux fait que je n'aurais pu le faire

you did it as well as I could have done
tu l'as fait aussi bien que j'aurais pu le faire

Remarquez l'absence du négation dans les exemples anglais.

16 LES NOMBRES

1 Les nombres cardinaux et les nombres ordinaux

cardinaux		ordinaux	
1	**one**	1st	**first**
2	**two**	2nd	**second**
3	**three**	3rd	**third**
4	**four**	4th	**fourth**
5	**five**	5th	**fifth**
6	**six**	6th	**sixth**
7	**seven**	7th	**seventh**
8	**eight**	8th	**eighth**
9	**nine**	9th	**ninth**
10	**ten**	10th	**tenth**
11	**eleven**	11th	**eleventh**
12	**twelve**	12th	**twelfth**
13	**thirteen**	13th	**thirteenth**
14	**fourteen**	14th	**fourteenth**
15	**fifteen**	15th	**fifteenth**
16	**sixteen**	16th	**sixteenth**
17	**seventeen**	17th	**seventeenth**
18	**eighteen**	18th	**eighteenth**
19	**nineteen**	19th	**nineteenth**
20	**twenty**	20th	**twentieth**
21	**twenty-one**	21st	**twenty-first**
30	**thirty**	30th	**thirtieth**
40	**forty**	40th	**fortieth**
50	**fifty**	50th	**fiftieth**
60	**sixty**	60th	**sixtieth**
70	**seventy**	70th	**seventieth**
80	**eighty**	80th	**eightieth**
90	**ninety**	90th	**ninetieth**
100	**a/one hundred**	100th	**(one) hundredth**
101	**a/one hundred and one**	101st	**(one) hundred and first**
200	**two hundred**	200th	**two hundredth**
1,000	**a/one thousand**	1000th	**(one) thousandth**
1,345	**a/one thousand three hundred and forty-five**	1,345th	**one thousand three hundred and forty-fifth**

1,000,000	**a/one million**	**millionth**
1,000,000,000 (^{9})	**a/one billion**	**billionth**
1,000,000,000,000 (^{10})	**a/one trillion**	**trillionth**

Remarquez qu'en anglais britannique, **a billion** était (et est encore parfois) 10^{12} (dix à la puissance douze) et **a trillion** 10^{18}. Les nombres donnés dans la liste sont des valeurs américaines, qui sont maintenant aussi employées en anglais britannique. 10^9 (un milliard) était (et est encore parfois) appelé **a thousand millions** en anglais britannique.

Remarquez l'emploi de la virgule pour indiquer les milliers.

2 Les fractions

a) *Les fractions ordinaires :*

On écrit les fractions avec un nombre cardinal (ou parfois **a** à la place de **one**) + un nombre ordinal :

1/5 = **a/one fifth** un cinquième
3/8 = **three eighths** trois huitièmes
3 4/9 = **three and four ninths** trois et quatre neuvièmes
1/2 = **a/one half**
1/4 = **a quarter**
3/4 = **three quarters**

Remarquez que 1 1/4 hours = **an/one hour and a quarter** ou **one and a quarter hours** (une heure et quart).

Remarquez que le **-s** est maintenu lorsque les fractions sont employées comme adjectifs :

they had a two-thirds majority
ils ont eu une majorité de deux tiers

L'emploi des fractions ordinaires est beaucoup plus courant en anglais qu'en français.

b) *Les nombres décimaux*

Alors que dans les autres pays européens on utilise une virgule pour les nombres décimaux, les anglophones se servent du point :

25.5 = twenty-five point five
vingt-cinq virgule cinq

Les décimales sont énumérées une à une après le point :

25.552 = twenty-five point five five two
vingt-cinq virgule cinq cent cinquante-deux

3 Nought, zero, '0', nil

a) *Anglais britannique*

Nought et **zero** sont utilisés pour le chiffre 0. Dans les calculs, **nought** est habituel :

add another nought (ou **zero**) **to that number**
ajoute un autre zéro à ce chiffre

put down nought and carry one
je pose zéro et je retiens un

0.6 = nought point six
zéro virgule six

Pour un nombre sur une échelle, on préfère **zero** :

it's freezing - it's 10 below zero
il gèle - il fait moins 10

comme en anglais scientifique :

given zero conductivity
étant donné une conductivité de zéro

a country striving for zero inflation
un pays qui se bat pour atteindre une inflation nulle

Lorsqu'on prononce le chiffre comme la lettre "o" il s'agit normalement d'un numéro de téléphone.

Nil est toujours utilisé pour les points ou les buts en sports :

Arsenal won four nil (= 4-0)
ou :
Arsenal won by four goals to nil
Arsenal a gagné quatre buts à zéro

sauf au tennis, où l'on utilise 'love' :

Lendl leads forty-love
Lendl mène quarante zéro

(mot dérivé du français "l'oeuf" à cause de sa ressemblance graphique)

Nil est aussi utilisé dans le sens de **nothing** (rien) (qui se dit aussi parfois **zero**) :

production was soon reduced to nil (ou **zero**)
la production fut rapidement réduite à zéro

b) *Anglais américain*

Zero est utilisé presque dans tous les cas :

how many zeros in a billion?
combien y a-t-il de zéros dans un milliard ?

my telephone number is 721002 (seven two one zero zero two)

Chicago Cubs zero (au basket)

Cependant, au tennis on utilise le mot **love**, voir ci-dessus.

4 Les dates

a) *Années*

1989 se dit :

nineteen eighty-nine

ou, plus rarement :

nineteen hundred and eighty-nine

1026 se dit :

ten twenty-six

Dans cet exemple, l'utilisation de **hundred** n'est pas habituel.

b) *Mois et jours*

On peut écrire la date de différentes manières :

12(th) May	**May 12(th)**
the twelfth of May	**May the twelfth**

En anglais américain parlé, il est plus courant d'omettre le mot **the** quand on fait commencer la date par le mois :

May 12 (dit : May twelfth/May twelve)

En anglais britannique, on écrit les dates en mettant le jour en premier, et en anglais américain, on met le mois en premier :

10/4/89 (= 10th April 1989, anglais britannique)
4/10/89 (= 10th April 1989, anglais américain)

5 Les numéros de téléphone

On lit les numéros de téléphone comme des chiffres séparés (voir aussi 3 ci-dessus) :

1567 = one five six seven
40032 = four double 'o' three two (anglais britannique)
four zero zero three two (anglais américain)

Mais à l'écrit, il est normal de les regrouper par groupes de chiffres pour faire apparaître les différents codes régionaux en opération :

041-221-5266

6 Les adresses

En Amérique du Nord les numéros à quatre chiffres se lisent :

3445 Sherbrooke Street
thirty-four forty-five Sherbrooke Street

7 Les opérations

Il existe plusieurs façons d'exprimer les opérations arithmétiques. Voici certaines des plus courantes :

12 + 19 = 31
twelve and/plus nineteen is/equals thirty-one

19 - 7 = 12
nineteen minus seven is/equals twelve

seven from nineteen is/leaves twelve

nineteen take away seven is/leaves twelve (emploi enfantin)

2 x 5 = 10
twice five is ten
two fives are ten

4 x 5 = 20
four times five is/equals twenty
four fives are twenty

36 x 41 = 1476
thirty-six times forty-one is/equals one thousand four hundred and seventy-six

thirty-six multiplied by forty-one is/equals one thousand four hundred and seventy-six

10÷2 = 5
ten divided by two is/equals five
two into ten goes five(emploi plus familier)

8 Pour **hundred**, **thousand**, **million** (**billion**, **trillion**) avec ou sans -s, voir **Les Noms**, p. 711. Comparez aussi :

first they came in ones and twos, but soon in tens - at last in tens of thousands
ils sont d'abord arrivés par petits groupes, mais bientôt par dizaines - puis par dizaines de milliers

in the 1950s (= nineteen fifties)
dans les années cinquante

she's now in her eighties
elle est maintenant octogénaire (elle a entre 80 et 90 ans)

9 *The former et the latter*

Au lieu d'employer **the first** on emploie **the former** si on fait référence à une personne/chose parmi deux qui viennent juste d'être évoquées ; et **the latter** (au lieu de **the last**) quand on fait référence à la dernière de deux personnes/choses :

trains and coaches are both common means of transport = the former are faster, the latter less expensive
le train et le car sont deux moyens de transport couramment utilisés - l'un est plus rapide, l'autre moins cher

De ces expressions, **the latter** est plus souvent utilisé, et il peut aussi faire référence à la dernière chose d'une énumération qui en comprend plus de deux :

Spain, Italy, Greece: of these countries the latter is still the most interesting as regards ...
l'Espagne, l'Italie, la Grèce : de tous ces pays, le dernier est le plus intéressant en ce qui concerne ...

Des noms peuvent suivre **the former/the latter** :

of the dog and the cat, the former animal makes a better pet in my opinion
du chien ou du chat, le premier des deux est le meilleur animal domestique, à mon avis

10 *Once et twice*

Once est utilisé pour "une fois", **twice** pour "deux fois". **Thrice** (trois fois) est archaique :

if I've told you once, I've told you a thousand times
je ne te l'ai pas dit une fois, je te l'ai dit mille fois

I've only seen her twice
je ne l'ai vue que deux fois

17 LA STRUCTURE DE LA PHRASE

L'ordre des éléments de la proposition, des mots

a) *Le sujet*

i) En général, le sujet précède l'auxiliaire et le verbe :

he may smoke
il peut fumer

L'inversion du sujet et du verbe a lieu dans les cas suivants (s'il y a plus d'un auxiliaire, seul le premier auxiliaire précède le sujet) :

ii) dans les questions :

may I? (when) can you come?
puis-je ? (quand) peux-tu venir ?

would you have liked to have the chance?
auriez-vous voulu avoir la possibilité ?

iii) dans les propositions conditionnelles, lorsque **if** est omis :

had I got there in time, she'd still be alive
si j'étais arrivé à temps, elle serait encore en vie

should that be true, I'd be most surprised
si c'était vrai, je serais vraiment surpris

iv) quand la phrase commence avec un mot qui a un sens négatif (comme **never**, **seldom**) :

never did I think this would happen
je n'aurais jamais pensé que cela allait se passer

I can't swim - nor/neither can I
je ne sais pas nager - moi non plus

little did I think this would happen
j'ai à peine pensé que cela pourrait arriver

hardly had he entered the room, when the ceiling caved in
à peine entrait-il dans la chambre, que les plafonds s'effondraient

seldom have I enjoyed a meal so much
j'ai rarement autant apprécié un repas

Mais **nevertheless**, **nonetheless** et **only**, qui font tous les trois référence à un affirmation précédente, sont suivi par les mots dans leur ordre normal :

I know he smokes, nevertheless/nonetheless he should be invited
je sais qu'il fume, mais on devrait quand même l'inviter

we'd like you to come, only we haven't got enough room
nous aimerions que vous veniez, mais nous n'avons pas assez de place

v) souvent quand une phrase commence avec un adverbe de degré :

so marvellously did he play, that it brought tears to the eyes of even a hardened critic like me
il a si bien joué qu'il est même parvenu à faire monter les larmes aux yeux d'un critique sans coeur comme moi

only too well do I remember those words
je m'en souviens trop bien, de ces paroles

vi) parfois lorsque la phrase commence avec un adverbe, si le verbe n'a pas un sens descriptif fort, et si le sujet a une certaine importance :

in that year came the message of doom that was to change their world
cette année-là arriva le message de ruine qui allait changer leur monde

on the stage stood a little dwarf
sur la scène se tenait un petit nain

out came a scream so horrible that it made my hair stand on end
on entendit tout à coup un cri si horrible que mes cheveux se dressèrent sur la tête

to his brave efforts do we owe our happiness (assez littéraire)
nous devons notre bonheur à son grand courage

pour donner un effet dramatique lorsqu'un adverbe est placé en position initiale :

a big black car pulled up and out jumped Margot
une grosse voiture noire arriva et Margot en sortit

vii) après **so** placé en position initiale (= aussi) :

I'm hungry - so am I
j'ai faim - moi aussi

viii) au discours direct :

Après le discours direct, le verbe d'expression précède parfois son sujet, surtout si c'est un nom (plus le nom a une signification forte dans la phrase, plus on aura tendance à inverser l'ordre des mots) :

'you're late again', said John/John said
"tu es encore une fois en retard", dit John

'you're late again !', boomed the furious sergeant (ou **the furious sergeant boomed**)
"tu es encore une fois en retard", hurla le sergent furieux

Mais l'ordre normal est obligatoire quand on utilise les temps composés :

'you're late again', John had said
"tu es encore une fois en retard", avait dit John

Si le sujet est un pronom, alors le sujet se met habituellement en première place :

'you're late again', he said
"tu es encore une fois en retard", dit-il

Quand le verbe précède le pronom, c'est fréquemment parce qu'une proposition relative suit ou parce qu'on veut donner un caractère de plaisanterie à la phrase :

'you're late again', said I, who had been waiting for at least five hours
"tu es encore une fois en retard", lui dis-je, car j'avais attendu au moins cinq heures

Les journalistes ont tendance à concentrer un grand nombre d'informations sur un sujet (**vivacious blonde Mary Lakes from Scarborough said : '...'** la blonde et enjouée Marie Lakes de Scarborough dit : " ..."). Vu qu'il est plutôt étrange en anglais de placer un mot à signification descriptive si faible comme **said** en dernière position dans la phrase, les journalistes changent souvent l'ordre de la phrase dans de tels cas :

said vivacious blonde Mary Lakes from Scarborough :
comme le dit la blonde et enjouée Mary Lakes de Scarborough ...

S'il y a un adverbe, l'inversion est moins courante, mais possible :

'you're back again', said John tentatively
"tu es de retour", dit John avec hésitation

Mais s'il y a un complément d'objet, après **ask** ou **tell** par exemple, on ne fait pas l'inversion :

'she is late again', John told the waiting guests
"elle est encore une fois en retard", dit John aux invités qui attendaient

b) *Le complément d'objet*

Le complément d'objet suit normalement le verbe, mais il est en position initiale dans les cas suivants :

i) dans les questions qui commencent par un pronom interrogatif qui est complément d'objet :

who(m) did you meet?
qui as-tu rencontré ?

ii) dans les propositions subordonnées interrogatives et relatives :

(please ask him) what he thinks
(demande-lui, s'il te plaît,) ce qu'il pense

(can we decide) which position we're adopting?
(pouvons-nous décider) quelle attitude nous prenons ?

(he brought back) what she'd given him
(il a ramené) ce qu'elle lui avait donné

iii) pour renforcer un objet, surtout quand l'objet est **that** :

that I couldn't put up with
cela, je ne pouvais pas l'accepter

that I don't know
ça, je ne sais pas

but his sort I don't like at all
son genre, je ne l'aime pas du tout

iv) si la phrase contient un complément d'objet direct et un complément d'objet indirect, le complément d'objet indirect précède le complément d'objet direct si un des deux (ou les deux) est un nom :

he gave her a kiss
il lui a donné un baiser

Mais si, au lieu du complément indirect, on a une locution prépositionnelle adverbiale, cette locution se place en dernière position :

he gave the old tramp a fiver

ou :

he gave a fiver to the old tramp
il a donné un billet de cinq livres au vieux mendiant

v) Quand les deux compléments sont tous les deux des pronoms, alors le complément d'objet indirect précède le complément d'objet direct :

could you please send her these in the mail tonight?
tu peux les lui envoyer par le courrier de ce soir ?

would you give me one?
tu veux bien m'en donner un ?

well, tell them that then
et bien, dis-le leur

he wouldn't sell me one
il ne voulait pas m'en vendre un

that secretary of yours, will you lend me her?
cette secrétaire que tu as, tu veux bien me la prêter ?

On fait une exception à cette règle dans l'emploi de **it** avec **give** ou **lend**, etc. pour lesquels il y a deux possibilités :

could you give it him when you see him?
could you give him it when you see him?
tu veux bien le lui donner quand tu le verras ?

Il est aussi possible de dire :

could you give it to him when you see him?

Si **to** est employé, alors l'ordre des mots est semblable à celui dans l'exemple ci-dessus :

he wouldn't sell one to me
il ne voulait pas m'en vendre un

18 NOTES CONCERNANT L'ORTHOGRAPHE

1. y en i

Un y placé après une consonne se change en **i** devant les terminaisons suivantes :

-able, **-ed**, **-er** (adjectifs ou noms)
-est, **-es** (noms et verbes)
-ly et **-ness**

ply : plies : pliable
cry : cried : cries : crier
happy : happier : happiest : happily : happiness

Exceptions :

shyly (timidement) et **slyly** (sournoisement) (on évite d'employer **slily** qui est rare). Par contre, **drily** est plus courant que **dryly** :

Les noms propres qui se terminent en **-y** prennent seulement **-s** :

there were two Henrys at the party
il y avait deux Henri à la soirée

Les composés en **-by** prennent **-s** :

standbys

De même **dyer** (teinturier) et parfois **flyer** (aviateur) (aussi **flier**).

Mais **y** précédé par une voyelle ne change pas et la terminaison des noms ou des verbes est **-s** au lieu de **-es** :

play : plays : playable : player
coy : coyer : coyest : coyly : coyness

Mais remarquez **lay : laid**, **pay : paid**, **say : said**, et **daily, gaily** (aussi **gayly**).

2 ie en y

Ce changement a lieu devant **-ing** :

die : dying, **lie : lying**

3 Chute de la voyelle finale -e

Normalement **-e** est omis si une syllabe qui commence par une voyelle est ajoutée :

love : loving : lovable
stone : stony

Mais il existe un certain nombre d'exceptions, comme **matey** (copain), **likeable** (aimable), **mileage** (distance parcourue en miles), **dyeing** (= teinture - à ne pas confondre avec **dying** = mourir), **hoeing** (binage), **swingeing** (= énorme, à ne pas confondre avec **swinging** = dans le vent).

Si le mot se termine en **-ce** ou en **-ge**, alors le **-e** est maintenu devant **-a** et **-o** :

irreplaceable, changeable, outrageous

Si la syllabe suivante commence avec une consonne, le **-e** est conservé habituellement :

love : lovely
bore : boredom

Mais encore, il existe des exceptions importantes, surtout :

due : duly, true : truly
whole : wholly, argue : argument

4 -our ou -or

Quand un suffixe est ajouté à certains des mots se terminant en **-our**, on fait tomber le **-u** :

humour : humorist
vigour : vigorous

Mais il y a une exception importante concernant cela pour le mot **colour** :

colour : colourful : colourlessness : colourist

Cela ne pose pas de problèmes pour les Américains qui ont définitivement laissé tomber le **-u** :

humor : humorist

5 Doublement des consonnes

Après une voyelle courte accentuée, on double la consonne finale lorsqu'elle est placée devant **-er**, **-est**, **-ed**, **-ing** :

fit : fitter : fittest : fitted : fitting
begin : beginner : beginning

Aussi après **-ur** ou **-er** :

occur : occurred : occurring
refer : referred referring

mais :

keep : keeper : keeping

ou :
cure : cured : curing

parce que la voyelle dans ce mot est longue

et :

vomit : vomited : vomiting

parce que le **-i** n'est pas accentué.

En anglais britannique **-l** est doublé même dans une syllabe non-accentuée :

revel : revelled : reveller : revelling
travel : travelled : traveller : travelling

Ce phénomène concernant le **-l** n'a pas lieu en anglais américain :

travel : traveled : traveler : traveling

Remarquez aussi :

kidnap : kidnapped : kidnapper (anglais britannique)
kidnap : kidnaped : kidnaper (anglais américain)

6 c en ck

Les mots qui se terminent en **-c** changent le **-c** en **-ck** avant **-ed**, **-er**, **-ing** :

frolic : frolicked : frolicking
picnic : picnicked : picnicker : picnicking

7 Variantes américaines

En plus des variantes américaines données en 4 et 5 ci-dessus, il faut noter les suivantes :

a) anglais britannique **-gue**, anglais américain **-g** :

catalogue : catalog

b) anglais britannique **-tre**, anglais américain **-ter** :

centre : center

c) anglais britannique **-nce**, anglais américain **-nse** :

defence : defense
offence : offense
pretence : pretense

d) Quelques mots différents. Le premier de chaque paire est en anglais britannique :

cheque : check, **cigarette** (aussi américain) : **cigaret**
pyjamas : **pajamas**
practise (pratiquer) : **practice** (le nom a **-ce** des deux côtés de l'Atlantique)
programme : program (mais en informatique aussi **program** en anglais britannique)
tyre : tire (pneu)

19 LES EXPRESSIONS DE TEMPS

A L'HEURE

what's the time?, what time is it? quelle heure est-il ?

what time do you make it? quelle heure avez-vous ?

a) *les heures*

it's 12 noon (midday)/midnight
il est midi/minuit

it's one/two o'clock
il est une heure/deux heures

b) *les demi-heures*

it's half past midnight
il est minuit et demi(e)
il est minuit et demi(e)

it's half past twelve (in the afternoon)
il est midi et demi(e)

it's half past one, it's one thirty
it's half one *(familier)*
il est une heure et demie

c) *les quarts d'heure*

it's (a) quarter past two
il est deux heures et quart

at (a) quarter to two
à deux heures moins le quart

d) *les minutes*

it's twenty-three minutes past four, it's 4.23
il est 4 heures 23

it's twenty to five, it's 4.40
il est 5 heures moins 20

Remarquez qu'en anglais américain on peut aussi employer **after** au lieu de **past** et **of** au lieu de **to**.

e) ***a.m.** et **p.m.***

a.m.
du matin

p.m.
de l'après-midi/du soir

it is 7.10 p.m.
il est 7 heures 10 du soir

it's ten to seven, it's 6.50
il est sept heures moins dix

Les expressions du type "quinze heures", etc. (à la place de "trois heures", etc.) ne s'emploient pas dans l'anglais de tous les jours. On les rencontre cependant parfois dans les horaires et surtout dans le langage militaire (souvent suivis de **hours**) :

'o' five hundred hours
5 heures du matin

fifteen hundred hours
quinze heures

fifteen thirty hours
quinze heures trente

we took the sixteen-twenty to Brighton
nous avons pris le train de 16h20 pour Brighton

Remarquez les abréviations : **7.15** = 7h15.

B LA DATE

1 Les mois, les jours et les saisons

a) *Les mois (**months**)*

January	janvier
February	février
March	mars
April	avril
May	mai
June	juin
July	juillet
August	août
September	septembre
October	octobre
November	novembre
December	décembre

b) *Les jours de la semaine (**the days of the week**)*

Monday	lundi
Tuesday	mardi
Wednesday	mercredi
Thursday	jeudi
Friday	vendredi
Saturday	samedi
Sunday	dimanche

c) *Les saisons (**the seasons**)*

spring (le printemps)	**summer** (l'été)
autumn (l'automne)	**winter** (l'hiver)

En anglais américain on dit aussi **fall** pour "l'automne". Pour l'emploi de l'article voir p. 696.

2 Les dates

a) On emploie les nombres ordinaux pour les dates (à la différence du français) :

the fourteenth of July le quatorze juillet	**the second of November** le deux novembre

I wrote to you on the third of March
je vous ai écrit le trois mars

Voir aussi **Les Nombres** p. 863.

C EXPRESSIONS IDIOMATIQUES

at 5 o'clock	à cinq heures
about 11 o'clock	à onze heures environ
about midnight	vers minuit
(round) about 10 o'clock	vers (les) dix heures
it's past 6 o'clock	il est six heures passées
at exactly 4 o'clock	à quatre heures précises/pile
it has struck nine	il est neuf heures sonnées
on the stroke of three	sur le coup de trois heures
from 9 o'clock onwards	à partir de neuf heures
shortly/just before seven	peu avant sept heures
shortly/just after seven	peu après sept heures
sooner or later	tôt ou tard
at the earliest	au plus tôt
at the latest	au plus tard
it's late	il est tard
he is late	il est en retard
he gets up late	il se lève tard
he arrived late	il est arrivé en retard
the train is twenty minutes late	le train a vingt minutes de retard
my watch is six minutes slow	ma montre retarde de six minutes
my watch is six minutes fast	ma montre avance de six minutes
tonight	ce soir
tomorrow night	demain soir
yesterday evening	hier soir
last night	hier soir, cette nuit
tomorrow morning	demain matin
tomorrow week	demain en huit
the day after tomorrow	après-demain
the day before yesterday	avant-hier
the next day	le lendemain
the next morning	le lendemain matin
yesterday morning	hier matin
last week	la semaine dernière
next week	la semaine prochaine
on Monday	lundi
on Mondays	le lundi
every Saturday	tous les samedis
every Saturday evening/night	tous les samedis soirs
three weeks ago	il y a trois semaines
half an hour, a half-hour	une demi-heure
a quarter of an hour	un quart d'heure
three quarters of an hour	trois quarts d'heure
from time to time	de temps en temps
what's the date?	le combien sommes-nous ?
it's the third of April	c'est le trois avril
Friday the thirteenth of July	le vendredi treize juillet

in February	en/au mois de février
in 1992	en 1992
in the sixties/60s	dans les années soixante
in the seventeenth century	au dix-septième siècle
in the 17th C	au XVIIe
New Year's Day	le jour de l'An
to be thirteen years old	avoir treize ans
she's celebrating her twentieth birthday	elle fête ses vingt ans
a five-year plan	un plan quinquennal
a leap year	une année bissextile
a calendar year	une année civile
a light year	une année-lumière

Je vous en prie -
You're welcome

Je vous prie - please

F. C. H.!

Don't ask why,
Just try!

Don't question!
It causes indigestion

Don't weigh,
Just say!

Don't cry,
Eat pie